The New Encyclopædia Britannica

in 32 Volumes

FOUNDED 1768
15TH EDITION

ENCYCLOPÆDIA
Britannica

Encyclopædia Britannica, Inc.
Jacob E. Safra, Chairman of the Board
Jorge Aguilar-Cauz, President

Chicago

London/New Delhi/Paris/Seoul

Sydney/Taipei/Tokyo

The information on this page refers to
The New Encyclopædia Britannica.

First Edition	1768 – 1771
Second Edition	1777 – 1784
Third Edition	1788 – 1797
Supplement	1801
Fourth Edition	1801 – 1809
Fifth Edition	1815
Sixth Edition	1820 – 1823
Supplement	1815 – 1824
Seventh Edition	1830 – 1842
Eighth Edition	1852 – 1860
Ninth Edition	1875 – 1889
Tenth Edition	1902 – 1903

Printed in U. S. A.

Library of Congress Control Number: 2006921233
International Standard Book Number-10: 1-59339-292-3
International Standard Book Number-13: 978-1-59339-292-5

Britannica may be accessed at http://www.britannica.com on the Internet.

不列颠百科全书

国际中文版

修订版

Encyclopædia Britannica
International Chinese Edition

11

中国大百科全书出版社

《不列颠百科全书》国际中文版

Masinissa　马西尼萨(约公元前240～前148)　又拼 Massinissa。北非努米底亚王国统治者,在第二次布匿战争(公元前 218 ～前 201)最后几年中的罗马盟友。他的影响是持久的,在他统治下努米底亚的政治经济发展为以后的发展奠定了基础。父为马西利族酋长,曾与迦太基结盟。他在迦太基长大。公元前 212 ～前 206 年为迦太基效劳,在西班牙对罗马人作战。迦太基人从西班牙败退后,他又反戈一击,协助罗马人侵占迦太基在非洲的领土。其父死后,罗马人支持他为努米底亚国王以反对亲迦太基的部族首领西法克斯。公元前 201 年罗马与迦太基的和约中对迦太基的限制,加强了马西尼萨在非洲的地位。他的主要目标是把努米底亚的半游牧部落结合成一个强大和统一的国家。为此引进迦太基人的农业技术,强迫许多努米底亚人定居务农。他想把自己的统治扩展到北非的企图,因加图(大)约于公元前 155 年来到非洲而破灭。当罗马军队于公元前 149 年抵达北非时,他深为不快,但他未及与盟友决裂即死去。

Maṣīrah　马西拉　阿曼的岛屿。位于该国东南阿拉伯海中。与大陆隔有狭窄的马西拉海峡。北端有机场(20 世纪 70 年代之前一直被英国占据)。马西拉湾在该岛(北)与迈德赖凯角(南)之间。该岛为大群海龟栖息地。沿岸有几个小镇。

Masjed Soleymān　马斯吉德苏莱曼　伊朗西南部城镇,伊朗主要石油中心之一,1908 年发现石油,1909 ～ 1910 年建成通往西南 200 千米外阿巴丹的输油管。人口 104 787 (1986)。

masjie　麦斯吉德　参阅 **mosque** *清真寺*。

Masjed-e Jāmeʿ　参阅 **Eṣfahān, Great Mosque of** *伊斯法罕大清真寺*。

mask　面具　简单地下定义说,面具是化装的一种形式,人们往往把这种东西戴在脸上,使别人认不出是谁;也有的面具画成其他的形象。面具自石器时代以来就一直流行于世界各地。面具的款式繁多,变化万千。可用来制作的材料极为丰富,如木材、金属、贝壳、纤维、象牙、黏土、角、石头、皮革、羽毛、纸、布和玉米皮。面具一般与服装配套穿戴,服装的外表和式样应与脸谱一致。即服装的选用必须考虑到面具所代表的整个形象。面具的形象几乎都是取材于自然形态。主要分为以人类为题材的拟人型和以动物为题材的拟动物型。面具的形象可以模拟真实的容貌,也可以是抽象的。就一般而言,面具常常所代表的是超自然的神,人类祖先以及虚构的人物,也可以是某个人物的肖像。因此,面具经常是作为和各种神灵对话的手段,以祈求他们事事保佑,借以抵御难以预料的灾祸。从事面具制作的几乎都是专业工匠或名雕刻师。面具在宗教仪式中起着重要的作用,因而艺人通常被认为具有创造某种精神力量形象的灵感。人们认为世界上所有的有机物和无机物都渗透着某种精神力量,因此,无论用什么材料制作的面具都代表着一种精神力量。戴面具的人也和制作艺人一样,被视为面具所代表的精神力量的化身。对参加仪式的人也是有要求的。要求他们通过面具所代表的超自然的精神力量,产生把现实与人类的起源联系起来,把现在的文化与无文字记载的历史贯穿起来的感觉。从心理上使他们达到着迷、狂热的地步。面具的作用和形式主要有下列几种:①用于社会和宗教活动。主要流行于非洲、南太平洋的大洋洲和美洲印第安人部落。面具作为一种训诫手段起着重要的作用,常被用来劝导妇女、儿童和一些不法之徒。在中国、非洲、大洋洲和北美等地,这种训诫面具常常是把穿戴者完全遮盖住。在西非洲的几内亚海岸,许多形象逼真的面具代表着享有特殊权威地位的祖先。当人们戴起这些面具时,则象征着祖先的道德规范和统治影响。在利比里亚和象牙海岸一些部落里,祖先面具是作为向神灵祈祷的媒介物或作为奉献给神灵的祭品,以此作为统治部落的精神支柱。尤其在大洋洲、美洲印第安人和非洲的黑人部落里,每年仍保留数次祭神或祭祖的活动。在一些没有文字记载的历史的民族中,把戴了面具举行的仪式作为连结过去和现在的重要纽带,以此来加强他们的社会联系。在某些神秘部落社会里,年轻人到了成年时,需戴面具接受部落族规教育的仪式后,才能被引进到成人社会中去。图腾面具,是指原始民族用作种族、部落、家族等象征的自然物。②用于葬礼和纪念活动。葬礼面具常用来遮盖死者的面部。其目的一般是代表死者的容貌,同时也表示悼念和使其与极乐世界建立联系。从中王国(约公元前 2040 ～前 1786)到公元 1 世纪,古埃及人则在死者脸上放置一种统一的传统性面具以把死者的灵魂招回其安息的遗体上。制作面具的材料选用上,名人显贵用金银,较低级别的则用布涂以灰墁或灰泥。在古罗马葬礼中,常常使用按死者容貌用蜡模制成的仿真面具。这种技术在中世纪末叶到 18 世纪期间又重新流行。经绘画并装有人发的脸谱装在穿着华丽葬服的模拟像上,以供瞻仰、送殡和悼念仪式用。17 ～ 20 世纪在欧洲人中广泛流行逝去的名人面具。用蜡或石膏铸成死者脸型的阴模,再用青铜铸成正像。到 19 世纪又流行以同样方法制作的活人面具。另一种人面具是在 1 世纪、2 世纪埃及法尤姆时期,在人活着时用蜡画法把肖像逼真地画在木胎上,死后再罩在木乃伊寿衣的脸部。③用于驱邪治病。在迷信宗教活动中面具用作预防和治疗疾病。其中最闻名的部落要算北美洲易洛魁印第安人的假面具社会。防病面具包括中国儿童戴的麻疹脸谱,以及中国人和缅甸人在疫病流行时戴的霍乱面具。面具还长期用于军事活动。如古代希腊人、罗马人、中国战士、日本武士们身穿系有可怕的脸谱的甲胄,手持恐怖脸谱的盾牌用以恐吓敌人。很多体育运动也需要用面具来保护面部,可能最早使用这种脸谱的是狩猎。在史前时期刚出现农业社会时就广泛被用于祈祷雨、庆丰年等活动,这时,人们戴着各种面具分别代表云、雨、星、天、地等神。④用于节庆活动。直到现在欧洲和拉丁美洲在庆祝民族节日,特别当辞旧迎新和四季交替时,人们戴着各种面具举行欢庆活动。⑤用于戏剧。在西方文化中,戏剧面具最初始于古希腊的宗教活动中。开始为表示对酒神、戏剧神和五谷丰登神的膜拜,人们试图扮演穿着羊皮喝着酒的神,后来于公元前 6 世纪发展成戏剧面具。演员用改换服装和面具的方法扮演各种性格的人物。在中世纪,12 ～ 16 世纪的神迹戏中,演员戴着各种离奇古怪的面具扮演各种恶鬼、妖魔、龙和七大罪恶的化身。意大利 15 世纪的文艺复兴戏剧艺术的兴起,迅速传播到法国、西德和英国,并在这些国家一直流行到 18 世纪。在 18、19 世纪和 20 世纪前半叶戏剧面具在欧洲舞台上几乎消失。古希腊戏剧的现代复苏使面具在舞台上偶而出现。面具在 20 世纪的戏剧传统中已不占重要地位。日本的能乐,从起源到主题都和希腊戏剧相似。从 14 世纪起一直是日本国民生活中的重要部分。能乐用的面具种类很多,木制涂以灰泥后刷漆或描彩而成。在中国的宗教和劝戒性戏剧中一般用混凝纸浆做面具。但在流行的戏剧中,演员直接在脸上画成脸谱。在喜庆活动中的面具是用珠宝和花丝头饰。在 20 世纪,随着原始文化和民间文化的毁灭,面具逐渐成为陈列品。在印度、印尼、日本、肯尼亚和墨西哥主要为旅游者生产面具。

mask (theatre)　参阅 **masque** *假面剧*。

Maskelyne, John Nevil　马斯基林(1839-12-22,英国格洛斯特郡切尔滕纳姆～ 1917-05-18,伦敦)　英国魔术师。其发明及赞助新秀、鼓励演出者间的合作对魔术发展有很大影响。原学习钟表修理,1865 年因揭发达文波特兄弟的招魂术骗局闻名。后与 G.库克合作巡回演出各种魔术节目达 8 年之久。1904 年与英国最著名的魔术师德万特合作,合著了《我们的魔术》(1911),这是一本涉及魔术理论的重要原始资料。

Maskelyne, Nevil　马斯基林(1732-10-06,伦敦～ 1811-02-09,伦敦格林尼治)　对航海科学有贡献的英国天文学家。1755 年,马斯基林被任命为牧师。1748 年 7 月 25 日的日食引起他对天文学的兴趣。1758 年,他被选入伦敦皇家学会。1761 年,皇家学会指派他赴圣赫勒拿岛观测金星凌日。在此次航行中,他进行了利用观测月球方位以测定经度的实验,并在《不列颠航海家指南》(1763)中将此法用于航海术。1765 年,继 N.布利斯之后,任皇家天文学家。于 1766 年,颁布第一部《航海年历》(Nautical Almanac),随后逐年编修这部年历,直到他逝世。马斯基林曾建议皇家学会进行利用铅垂线测定地球密度的实验。在两年后,他在苏格兰的北珀斯郡希哈利恩山上做了实验,结果求出地球的密度约为水的 4.5 倍。他还是测量时间的精度达到 1/10 秒的第一人。

Maskhūṭah, Tall al- (ancient Egyptian city) **泰勒马斯库塔**　参阅 **Pithom** *皮索姆*。

Maslow, Abraham H(arold)　马斯洛(1908-04-01,美国纽约市～1970-06-08,加利福尼亚门洛帕克)　美国心理学家、哲学家,人本主义心理学的创始人之一。以心理学的自我实现学说闻名,这一学说强调心理治疗的基本目的应是自我的整合。马斯洛于1937年在布鲁克林学院执教前,曾在威斯康星大学学习心理学,在纽约社会研究新学院学习格式塔心理学。1951年他担任布兰代斯大学心理系主任直至1969年。深受存在主义哲学家和文学家的影响,马斯洛对美国人本心理学做出了很大的贡献,其倡导的哲学有时被称作"第三势力"。在其主要著作《动机与人格》(1954)和《存在心理学探索》(1962)中,他提出每个人都有一个必须被满足的需要层次,其范围从基本的生理要求到爱、尊重,乃至自我实现。当一个需要满足时,情绪层次中下一个较高水平的需要便支配了意识功能;缺乏食物、住所及感到自己所处环境不安全的人不能表现出对高一层次的需要。真正健康的人满足了甚至是最高的心理需要,他们是达到自我实现的人,他们的人格的各个组成部分或自己得到了充分整合。马斯洛的论文集《人性能达到的境界》(1971)在他逝世后发表。

masnawi　对句韵诗　又拼 masnavi 或 mathnavi。指一系列由双韵(a a,b b,c c,依次类推)组成的句子,构成一种有特征的波斯诗体,主要用于英雄、历史和传奇的史诗和教诲诗中。这种诗体形式源自中波斯时期(约公元前3世纪～公元9世纪)。为波斯人以及受他们影响的文化所喜爱的一种诗歌形式。对句韵诗使诗人能通过数千首诗来发展一个故事的线索。但即便在这种诗歌形式中,韵律的数量也还是要受到限制,半行中任何一种韵律都不允许有11个以上的音节。韵律和用语都受题目的限定。教诲诗的风格和韵律不同于英雄诗歌或传奇诗歌的风格和韵律。不过大部分对句韵诗都是从对神的颂扬开始,这也就对这首诗定了基调。该词源自波斯语 masnavi(又拼 mathnawi),可能是阿拉伯语 mathna 的派生词。

Maso di Banco　马索·狄·班科(活动时期约1325～1353)　佛罗伦萨画家,乔托最有才能的学生。在巴尔迪家族1341年的文件中提到马索。这个家族的一员捐建了圣克罗齐教堂中的巴尔迪·狄·弗尼奥礼拜堂,主要由马索·狄·班科担任装饰。那些湿壁画描绘了圣西尔威斯特传说的五个场面,构图纯净,色彩和谐。在《圣西尔威斯特救活公牛》和《圣西尔威斯特使两个被海怪杀死的博士复活》中建筑物和人物的构图早于马萨乔和彼埃罗·德拉·弗朗西斯卡的纪念碑风格。马索画中的优美、温和的外形和他对色彩的运用体现了锡耶纳画派和佛罗伦萨画派的影响。

masochism　受虐狂　通过遭受肉体的痛楚而发泄其情欲的一种性心理障碍。该词来源于奥地利人利奥波德·冯·札赫尔-马佐赫骑士,他曾详尽地叙述了自己遭受打骂役使从而取得满足的情况。受虐狂所遭受的痛苦程度不等,可从不带什么暴力的形式上的凌辱到严厉的鞭笞和捶打;一般说来受虐狂者对局面具有某种控制能力,可在受到重伤之前止住对方的虐待行为。尽管痛楚也可使许多人引起一定程度的性兴奋,但对于受虐狂者,却成为性活动的主要目的。受虐狂一词也往往用于泛指一种现象:自找屈辱和虐待并从中得到快感。受虐狂很少单独出现。受虐狂和*施虐狂*(**sadism**)常在同一患者身上并存,并交替出现。

Masolino　马索利诺(1383,罗马涅佩鲁贾附近帕尼卡莱～约1440或1447,佛罗伦萨)　原名克里斯托福罗·菲尼。意大利画家,兼有国际哥特风格和早期文艺复兴风格,在佛罗伦萨美术史上不是以创新,而是以其抒情风格和卓越技巧著称。马索利诺最早的作品有《谦虚的圣母》(约1424,慕尼黑旧藏画馆)、《圣母子》(1423,不来梅美术馆)。其作品圣克列门特教堂祭坛墙上的《耶稣被钉死在十字架上》与卡斯蒂利奥内·奥隆纳教堂的《基督洗礼》背景中广阔的全景是风景画史上的里程碑。

马索利诺绘《基督洗礼》(1435)
美国不列颠百科全书公司供图

Mason　共济会会员　*共济会制*(**Freemasonry**)的拥护者。

Mason, Charlotte　梅森　(1854-05-18,美国新泽西普林斯顿～1946-04-15,纽约州纽约)　全名 Charlotte Osgood Mason。婚前名 Charlotte Louise Van Der Veer Quick。美国慈善家,曾赞助过许多哈勒姆文艺复兴艺术家。她被人称作"教母",是一位慷慨大方的赞助人,但她的支配欲常引起与受赞助者之间的矛盾。出身于富有人家,丈夫是著名医生,所交往者多为显要人物和艺术爱好者。约在1903年丈夫死后,她开始追求那些她称之为"原始人"的灵性,到美国西南部各处旅行,并与大平原印第安人共同生活。1927年听了哲学家 A.洛克的演讲后,转向关注美国黑人。纽约市哈勒姆区吸引了不少白人慈善家和出版商,梅森很快加入了他们的行列。有洛克作为她的知心人和人才发掘者,梅森将她的花园大道豪华顶层公寓作为重要黑人艺术家、作家和音乐家的活动中心,这些人中就有诗人 C.麦凯和画家 A.道格拉斯。她特别关注作家 L.休斯和 N.赫斯顿,但因施加诸多限制,引起他们的反感,至1932年,她即不再理会他们。不久,她对哈勒姆文艺复兴的兴趣也就此结束。

Mason, Daniel Gregory　梅森(1873-11-20,美国马萨诸塞布鲁克莱恩～1953-12-04,康涅狄格格林尼治)　美国受德国影响的波士顿作曲家小组成员,音乐出版家和教育家 L.梅森的孙子,梅森和哈姆林钢琴公司的创始人 H.梅森之子。在哈佛师从 J.K.佩因,在巴黎师从 V.丹第。1910～1942年在哥伦比亚大学任教。作品在形式上比较保守,表现出德国浪漫主义作曲家的强烈影响。还运用某些法国印象主义和俄国现代主义的手法。其作品包括3部交响曲、室内乐和《雄鸡》序曲。出版几本论文集和教学指南。

Mason, George　梅森(1725,弗吉尼亚费尔法克斯县～1792-10-07,美国弗吉尼亚费尔法克斯县)　美国爱国者,政治家。在制定弗吉尼亚州宪法(1776)与联邦宪法(1787)时,力

弗吉尼亚州历史学会供图

主维护个人自由。他超前于他的时代,提出反对蓄奴制度并反对宪法中就这一问题所作的妥协。梅森是一土地所有者,乔治·华盛顿的近邻,积极参与当地事务。由于健康不佳和家庭问题,他一般回避担任公职,但他对美国政治体制的确立却做出了少有的贡献。1759年入选移民议会。1776年起草弗吉尼亚州宪法。他对人权问题的提法是人权思想的第一次权威性表述,对杰弗逊起草《独立宣言》产生了影响,并为以后各州宪法和联邦宪法所接受。1776～1788年任弗吉尼亚州众议员。曾参加在费城举行的制宪会议。他坚

决反对宪法中关于贩奴活动可持续到1808年的妥协性条款。他还反对赋予新政府过大的权力，主张地方政府应有较大的权力。因此他与一些弗吉尼亚代表一起反对新宪法的通过。由于他的批评，对宪法补充通过了人权法案。制宪会议后不久即退隐回乡。

Mason, James **梅森**（1909-05-15，英国约克郡哈德斯菲尔德～1984-07-27，瑞士洛桑） 英国戏剧和电影演员。以塑造高雅的人物性格闻名。在50年的表演生涯中曾在106部影片中饰演角色。从事戏剧事业之前曾学习建筑。从事戏剧4年后于1935年开始从影。他拍的电影很有深度，如《第七重面纱》（1945）、《虎口余生》（1947）。由于对英国电影业不满，他开始去美国拍片。他的嗓音和英俊面貌对他塑造人物很有帮助。他拍的令人难忘的影片有《包法利夫人》（1949）、《五个手指》（1952）、《尤里乌斯·凯撒》（1953）、《一个明星的诞生》（1954）、《洛丽塔》（1962）、《巴西来的小伙子们》（1978）和《裁决》（1982）等。

Mason, James Murray **梅森**（1798-11-03，美国弗吉尼亚费尔法克斯县～1871-04-28，弗吉尼亚亚力山德里亚） 美国南北战争前联邦参议员，南北战争时南部邦联外交官。宾夕法尼亚大学毕业，又在威廉和玛丽学院学习法律，后在弗吉尼亚执律师业。1826年和1828～1832年任州众议员。1837～1839年当选为联邦众议员。1847年接任任期未满的参议员。1849年和1855年连任参议员，支持南方民主党人的州权主义主张。林肯1860年当选总统后，他鼓吹南方脱离联邦，辞职加入南部邦联。后J.戴维斯总统任命他为南部邦联驻英国专员，在斯利德尔陪同下乘英船“特伦特”号赴英，该船在海上被美国海军捕获，两人被监禁，美英外交关系也几乎中断。1862年1月林肯总统下令释放，后两人往欧洲谋求英国支持南部邦联，但收效甚微。1866年他离欧到加拿大，直至1868年A.约翰逊总统发布第2次大赦令后才回弗吉尼亚。

Mason, John Mitchell **梅森**（1770-03-19，纽约市～1829-12-26，纽约市） 美国牧师和教育家，因致力于提高美国新教神学标准而闻名，又是卓越的演说家。他拟订神学教育规划，1804年在纽约创办归正长老会神学院。他认为，应当强化学生的体、智、灵三方面，研究经籍应当利用原文版本，教师的责任是帮助学生立志，智力创造性优于生吞僵死的教条。

Mason, Lowell **梅森**（1792-01-08，美国马萨诸塞梅德菲尔德～1872-08-11，新泽西奥兰治） 赞美诗作曲家，音乐出版商，美国公立学校音乐教育创始人之一。曾在佐治亚州萨凡纳任基督教独立长老会唱诗班指挥。1822年回波士顿，出版著名的《韩德尔和海顿协会的宗教音乐集》。1829～1869年出版大约20部类似的赞美诗集，较多采用由著名欧洲作曲家改写过的旋律，而不是传统的农村赞美诗曲调。1832年创立波士顿音乐学院。1838年在波士顿确立了第一套美国公立学校音乐教学大纲。在培养音乐教师方面也颇有影响。其作品包括《传布救恩歌》、《与主接近歌》和《仰望羔羊歌》等赞美诗歌曲。

Mason, Max **梅森**（1877-10-26，美国威斯康星麦迪逊～1961-03-23，加利福尼亚克莱尔蒙特） 美国数学物理学家和教育家。毕业于威斯康星大学后获格丁根大学博士学位，

芝加哥大学供图

先在麻省理工学院任教。后任耶鲁大学及威斯康星大学教授。第一次世界大战时，他发明了几种探测潜艇的设备。离开威斯康星大学后，先后任芝加哥大学校长、洛克菲勒基金会自然科学部主任会长和加利福尼亚理工学院执行理事会的理事、理事长。他指导了帕洛马天文台的建造（1948年完工）。他的特殊兴趣和贡献在数学（微分方程、变分法）、物理学（电磁理论）、发明（声补偿器、潜艇探测设备）以及大学和基金会的管理工作。

Mason and Dixon Line **梅森-狄克森线** 原为美国马里兰和宾夕法尼亚之间的分界线；在南北战争之前时期，它同俄亥俄河一起被看作南部蓄奴州与北部禁奴州的分界线，长375千米，系1763～1767年间由英国人梅森和狄克森测定，位于北纬39°43′。此名称首次使用于导致《密苏里妥协案》（1820）的国会辩论中。至今仍为区分北部和南部的象征性政治和社会标志。

Mason City **梅森城** 美国艾奥瓦州北部城市，塞罗戈多县城（1855）。在温纳贝戈河畔，南距得梅因192千米。1853年始有人定居，1870年设镇，1881年设市。以水泥工业为支柱产业，建有密西西比河以西最大的砖瓦厂之一。其他工业包括木制品、食品、冰冻机器、橡胶垫的生产和加工。是作曲家M.威尔逊的故乡。设有北艾奥瓦地区社区学院（1918年建）。市西有克莱尔湖度假区。人口29 172（2000）。

Mason ware **梅森陶瓷器** 一种坚固似铁石的英国陶瓷器皿，称为梅森专利硬质高强精陶。最初由C.J.梅森公司制于1813年，用作中国瓷器的廉价代用品，尤其是大型的瓶罐。其装饰具有一种中国艺术的风格，或东方风格的特点。梅森的特色产品是花瓶，有的花瓶高度超过1米，花瓶上带有高浮雕的花卉以及龙状把手。此外，著名的制品尚有大型餐具，以及大小不等的典型的六角水罐，水罐上带有蛇形把手。同时也制作壁炉饰架。

masonry **砖石工艺** 使用石料、黏土、砖或混凝土块从事建造的技术和手艺。利用浇灌混凝土或钢筋混凝土进行的建造，往往也被视为砖石工艺。当古人类因为宝贵的天然山洞数量太少，而垒起石堆去建造人工洞穴以补不足时，砖石建造技术就开始出现了。在爱尔兰的阿伦群岛上，曾发现史前时期半藏于地面以下的石砌圆形小屋。埃及在公元前4000年已经发明精巧的砌石技术，其最高的成就为古代构筑物中最卓著的金字塔。

选择何种砖石材料，须考虑当地主要的地质构造和自然条件。例如，埃及的神庙是用从尼罗河畔山岭中开采的石灰岩、砂岩、雪花石膏、花岗岩、玄武岩和斑岩等修建的。古代另一处文化中心，位于底格里斯河及幼发拉底河之间的西亚地区，缺少露出地面的岩层，但有着大量的泥土沉积物。结果亚述和波斯等帝国的砖石构筑物，就使用晒干的泥砖砌筑，而在砖的外表面上加贴一层在窑中烧制的有时带釉的面砖。直到中世纪及以后时期，石料和泥土仍是砖石工艺中使用的主要材料。古代在砖石建造方面一项重大的发展，是罗马人发明的混凝土。切割整齐的石块虽然可以无需灰浆的黏结而垒成墙体，但罗马人却知道水泥很有用处，他们的水泥是用火山灰的凝结性材料制造的。这种水泥与水、石灰及石子拌和之后，就凝结成为混凝土。使用这种混凝土砌筑墙体，外表面再贴上各种石材或黏土烧成的材料，结果比采用石块砌墙更加经济、迅速。

由于混凝土能使结构的形状较少地受到限制，罗马人就利用它把圆拱发展成为建筑中卓越的基本形式之一。在圆拱出现之前，所有用石料建房的工匠，都因为石材基本上不能经受张力，而受到许多约束——这就是说，如果把一块石板的两端，搁置在彼此相距较远的柱子或墙体上，则石料本身的重量将使石板断裂。埃及人曾用石板铺盖庙宇的屋顶，但不得不把支承屋顶的柱子排得很密。希腊人则先在屋顶架上木制的梁，再在梁上铺放一层较薄的石板，但这样的梁经不起风雨侵蚀和火灾。罗马的拱形结构则完全没有张力，所有的砖石砌体，从拱顶石至两侧柱子，都承受着压力。受压的石材极为坚固，罗马人用它修建了许多跨度很大的拱桥和高架渠。他们把圆拱延伸成为拱筒，就创造出了筒形穹顶，并曾用以建造如罗马维纳斯神殿等建筑物的屋顶，而获得成功。把几个圆拱相交于同一块拱顶石时，则可以形成如同罗马万神庙那样的圆穹顶。两个相交的圆拱则产生交叉拱顶，罗马一些大型公共浴室就曾使用过这种屋顶。罗马的圆拱到中世纪时演变成为尖拱，而出现了重大的革新，由间距很大的柱子所支承的尖拱，能够组成坚强的构架。于是罗马人的那种笨重呆板的砖石结构，变成了由外部飞拱（外部支柱）所支承的高耸穹顶。使用较小尺寸的石块和稠密的灰浆接缝，就创造出一种使石材能充分承受应力的灵活轻盈的结构。一层压一层的砌块需要利用灰浆以分布砌块接触处的压力。随着哥特式建筑形式的出现，砖石工艺从历史角度上说已经能够全部利用承受压力的材料以覆盖空间，这是唯一对石材适用的设计方案。

由于16世纪时桁架的问世,17世纪时结构应力科学分析的兴起,以及19世纪中能承受强大张力的材料(钢和钢筋混凝土)的发展,砖石在作为跨越空间的实用材料方面,其重要性开始下降。砖石工艺的复兴,大半应归功于普通水泥的发明,这种材料是混凝土首要的组成部分,20世纪时,砖石砌块又像前罗马时期那样,起着拼装墙壁、隔断和装饰墙面的主要作用了。

砖石工艺首先从可采掘的材料开始,这些材料有黏土、砂子、砾石和石块等,它们通常是从地面的矿坑或采石场中开挖出来的。使用最广泛的石料为花岗岩(火成岩)、石灰岩和砂岩(沉积岩),以及大理石(变质岩)。除石料外,人们还用不同种类的黏土烧制砖块和贴面砖。混凝土砌块则用水泥、砂子、粒料和水搅拌制造。

把石料切割成型并加以修琢,可以使用种类繁多的不同工具,包括手持工具诸如铁锤、木槌、錾子和半圆凿等,以及切割机器如框锯和圆锯、打磨线脚和表面的机具与各类车床。此外还有在建筑工地上用来搬运石材的各种设备,包括不同式样的轻便手摇辘轳和机器驱动的起重机械。

不少建筑师对砖石砌体固有的颜色、比例、纹理、式样和坚固持久的外表,颇为重视。砖石砌体除外观吸引人以外,还具备其他的良好性能,如隔音、防火和能隔绝日常室外温度变化的影响等特点。

在20世纪的住房建筑中,人们时常在木制墙架的外面,覆盖一层砖石砌体。那种能有效地防潮的空心墙,则往往由两道垂直的砖石砌体中间填充一层绝缘材料组成。房屋的基础可用混凝土块建造,而许多建筑法规则要求用砖石砌体修建防火墙。

Masoretic text 马所拉本 犹太教《圣经》传统希伯来文本。这个版本辑录编纂认真,附有标音符号以保证读音正确。这一部具有历史意义的著作是由巴比伦和巴勒斯坦两地的塔木德学院的学者自6世纪到10世纪长期努力所完成,意在尽可能恢复希伯来文《旧约》原本的本来面貌。他们的用意不在于诠释经文而在于如实地向后世传达上帝的话,为此,他们尽量广集手稿和口传材料。从马所拉本可以看出,他们是逐词、逐字母认真校勘的。不论是希伯来文还是阿拉米文,他们不放过古怪的拼词法、反常的语法现象和各手稿之间的差异。传统稿本在书写时删除元音字母,马所拉本的编者即引进元音字母以保证阅读语音正确。在各种元音字母体系中,在加利利地区太巴列城研究出来的一种终于最为流行。此外,为了便于在会堂当众宣读,他们还使用了重读符号和中断符号。马所拉本公认为希伯来《圣经》的真貌。

Masovia (Poland) 参阅 **Mazovia 马佐维亚**。

Maspero, Gaston(-Camille-Charles) 马斯伯乐(1846-06-23,巴黎～1916-06-30,巴黎)法国埃及学家,为埃及政府进行考古发掘的主要负责人,他主持发现了一座具有重大历史价值的集体皇陵。1869年在巴黎高等研究学院教授埃及语,1874年受聘为法兰西学院教授。1880年11月率考古团赴埃及,该团后成为法国东方考古学院。1881～1886年继A.马里埃特主管埃及考古发掘工作,他记录了一些重要陵墓的场所和碑文并继续挖掘萨卡拉金字塔。1881年因怀疑皇陵被盗而捕获一贼,据其供词而发现德尔·巴赫里附近悬崖上隐秘坟墓一所,出土木乃伊40具,包括法老塞提一世、阿孟霍特普一世、图特摩斯三世和拉美西斯二世干尸,殓于石棺内,上镌文字;墓中装饰品和陪葬品亦极丰富。马斯伯乐对出土物件的研究成果,发表于其所著《德尔·巴赫里皇族木乃伊》(1889)一书中。1886～1889年回巴黎。后又回埃及重新主持考古发掘工作,并开始整理和登记他和他的前任马里埃特存放在埃及布拉格区一个博物馆内的大量古物。这些收藏品成为马斯伯乐协助于1902年建立的埃及博物馆的核心。在他第二次担任考古发掘主持人的历时很长的任期(1899～1914)内,他规范了发掘工作,试图阻止古物的非法交易,力求保存和加固历史遗迹并在努比亚进行考古调查。著作有《古代东方民族史》(3卷,1895～1897)、《埃及考古学》(1887)、《古埃及民间故事》(第4版,1914)、《古埃及的新发现》(1908)。

masque 假面剧 又作mask。节日的庆祝或娱乐活动,即带假面参加庆祝活动的人向主人奉献礼品后,聚在一起跳庆祝舞会。可能起源于原始时代的宗教仪式和民间庆典。早期的英国假面剧通称化装剧或哑剧,后发展成传统的民间戏剧和文艺复兴时期意大利讲究排场的宫廷假面剧。在梅迪契的庇护下,假面剧以注重歌唱、舞蹈、一般布景和机关布景而著称。尽管它带有故事情节,但必定包括有一场全体来宾和演员一起跳的集体舞或假面舞。这种从意大利宫廷假面剧发展而来的非戏剧形式的活动传到法国后,产生了宫廷芭蕾舞和更为壮观的假面剧。16世纪,假面剧传入都铎王朝时期的英国,成为在国王面前表演的一种宫廷娱乐。在斯图亚特时代,宫廷诗人琼森赋予这种形式以巨大的文学和社会力量,使假面剧的发展达到了顶峰。琼森发明了滑稽穿插剧,1609年首次演出。这类剧是在主要剧目假面剧之前表演,集中表现一些离奇的内容,与随后出现的假面剧的高雅形成直接的对比。几年之后假面剧发展成歌剧,而滑稽穿插剧则发展成闹剧或哑剧。随英国内战爆发,假面剧在英国消失。后虽有复兴,但始终无法达到以前的程度。假面剧虽然没有被当作戏剧史的一部分,但它对芭蕾舞、歌剧和哑剧的影响使其在戏剧史上具有重要意义。

mass 弥撒 天主教圣餐(**Eucharist**)仪式的俗称。此词源起于拉丁语 *Ite, missa est*,意为"礼成"。根据天主教教义,弥撒是一种纪念,用圣事的方式重新习演耶稣基督的死和复活;它是真正的祭献,把表现为饼与酒的耶稣之身体和血献给天主;它又是圣餐,全体教友通过圣餐象征性地表示共为一体,服从天主,并寻求营养以向一切人传播福音。弥撒分为两部分:第一部分称经言的礼仪,又称预祭,包括诵读《圣经》和讲道;第二部分为圣餐的礼仪,包括奉献(即奉献饼和酒)、弥撒正祭部分的祈祷和领圣体圣血。第二次梵蒂冈会议(1962～1965)后弥撒仪式变化较大,特别是以通俗语言代替传统的拉丁语。

mass 弥撒曲 为圣体圣事(圣餐)礼仪文字谱写的曲调,包括复调和素歌两种形式。此词一般专指天主教的圣体圣事。天主教自4世纪沿用西派教会传统,献弥撒用拉丁语,直到1966年才改用当地语言。基督教安立甘宗举行圣餐内容与此相同,但咏唱《公祷书》上所刊英语译文。信义宗的圣餐包含天主教弥撒的最先两部分:《求主垂怜经》和《荣耀颂》。在现代,新教其他派别随意采用弥撒曲调,或用于崇拜礼仪,或作为特殊乐调。弥撒曲中的常规弥撒曲的歌词通用于每次弥撒。在拉丁语弥撒曲中,由唱诗班唱的有《求主垂怜经》、《光荣颂》、《信经》、《圣哉经》(有时分为《圣哉经》和《以色列颂》两部分)以及《羔羊经》,其中《光荣颂》和《信经》中的起始短句由献弥撒的全体教友吟咏。最初的弥撒曲都是素歌。9～16世纪有些素歌附有附加句。约9世纪出现了奥尔加农(几个旋律同时结合使用)。在14世纪,常规弥撒曲基本上已不再是素歌而是吸收了一些世俗音乐风格。在15、16世纪许多作曲家都用常规弥撒曲大展才华。17世纪的常规弥撒曲融合新旧两种风格并引进了协奏原理。临近19世纪初,在德国人们重新注意素歌和16世纪式的复调。弥撒曲中的特定弥撒曲的歌词随教历日期而易。由唱诗班歌唱并有独唱歌手参加的特定弥撒曲有《进台经》、《升阶经》、《哈利路亚》或《续唱》、《继续经》、《奉献经》和《领圣体后经》。最初的特定弥撒曲也是素歌,也有附加句。

mass 质量 物理学中物质惯性的定量量度,是一切物质的基本属性,实际上是物体在受力时对速度和位置变化的阻力。质量越大的物体,受力后所引起的变化越小。虽然质量用惯性来定义,但习惯上用重量表示。按国际协议,用一个1 000克的铂-铱合金圆柱体作为质量的标准单位,称为国际千克原器。重量虽然与质量有关,但与质量不同。重量本质上是地球对物质的引力,故因地而异。与此相反,质量在通常情况下不论在什么位置都保持为恒量。例如发射到空间的卫星,其重量随着它离地球距离的增大而不断减小,可是质量却保持不变。多年来一直认为物体的质量总是保持不变,这个观念体现为质量守恒理论。据此,物体或物体系统,不论其组成部分如何重新组合,其总质量不变。1905年爱因斯坦发表了狭义相对论,质量观念有了根本改变,质量失去它的绝对性。质量与能量相当,彼此可以转化,物体接近光速运动时,其质量显著增加。物体的总能量包括它的静止质量和由于高速而增加的质量。原子核的质量比构成它的中子和质子质量之和要小一些。质量不再是一个不能改变的常量。在化学反应和核反应中,有时发生质量和能量的转化,生成物的质量可能小于或大于反应物的质量。实际上普通化学反应中的质量变化是极小的，以至于质量守恒可以当作预测生成物质量的实际准则。然而在核反应、粒子加速器以及太阳和其他星体的热核反应中，质量守恒完全失效，取代它的守恒原理是质量-能量守恒。参阅 **energy, conservation of**。

mass action, law of　质量作用定律　化学动力学的基本定律。由挪威科学家 C.M.古尔德贝格和 P.瓦格于 1864 ～ 1879 年提出。质量作用定律说明，任何简单化学反应的速率或速度和反应物质质量方次的乘积成正比，而每一反应物质量的方次等于该物质参与反应的分子数。这样，对于反应物为 X、Y、Z，参与反应的相应分子数为 α、β、γ，生成物为 P 的反应，可用平衡的化学方程式：$\alpha X + \beta Y + \gamma Z \longrightarrow P$ 来表示，其反应速率(r)的数学式为 $r = k(C_X)^{\alpha}(C_Y)^{\beta}(C_Z)^{\gamma}$。方程中 k 为比例常数，称为反应比速或速度常数；C 代表 X、Y、Z 的相应浓度(摩尔/升)。所有化学反应速率的定量方程式均以质量作用定律为基础。

mass-energy equation　质量-能量方程　参阅 **Einstein's mass-energy relation** 爱因斯坦质能关系。

mass flow　集体流动　又称压流(pressure flow)。植物学术语，一种最被人广泛接受的假说，用以解释糖类和其他营养物质如何以溶液的方式通过木质部移动。解释了营养物质如何从源区，即制造这些物质的地方(主要在叶内)或贮藏这些物质的地方(如茎和根的贮藏组织)移动到汇区，在此代谢或贮存。(应指出的是，贮藏组织既可用作源区，又可用作汇区，视营养物质流动的方向而定。)按集体流动假说，溶解的营养物质(主要是糖类)通过需要消耗能量的主动输运过程从源处移人木质部的筛管。溶质的流入使源区中筛管细胞的内容物变成高渗的，水就通过渗透作用流入这些细胞。水的内流增高了筛管细胞内的渗透压；最后，增高的压力使细胞的液态内容物流入临近的筛管细胞。此集体流动携带着营养物质的溶质，而接受了这些溶质的筛管细胞就变成高渗的，于是此过程反复进行下去。此集体流动过程沿筛管的长度前进，直至达到汇区；营养物质分子于此通过主动输运过程移出筛管。这些物质移出后汇区组织变为高渗的，因渗透作用，水流出木质部进入汇区。按集体流动假说，在营养物质移位机制中筛管两端都存在主动输运过程，营养物质又因渗透压的出现及其导致的整体流动而被动地通过筛管移动。可是集体流动假说尚无法完满解答下述质疑：筛管中的膨压(植物细胞中由渗透作用引起的内压)应高于现已测得的数值；从源到汇的压力梯度应更加明显；所观察到的输运速度比该假说所能解释的快；输运常常是同时双向进行；以及输运能为低温和缺氧所抑制。这些观察表明，筛管细胞内物质的移动受活细胞质的控制多于集体流动。尽管如此，集体流动仍是对植物体内营养物质移动机制的最好解释。

mass movement　块体移动　又称块体坡移。指在重力的牵引下泥土和岩屑沿边坡向下大片滑动，或地面急速或缓慢地下陷(主要沿垂直方向)。过去，块体坡移一词指大片的泥土和岩石在重力作用下从一处移到另一处的各种过程。近来，块体移动一词的意义已更为广泛，包括块体坡移过程和地表面在有限的区域内的下陷。边坡上的块体移动和下陷中的块体移动，通常都受到水的协助；这两种移动的重要性视它们在改变地形中所起的作用而定。各种各样的顺坡块体移动反映出影响因素的多样性。这些因素包括：①边坡上被风化或侵蚀的碎石覆盖层易于发生块体移动；②岩石的特性和结构，例如由于下层是不透水的岩石，则上面的持续透水层就易于滑动；③除去植被后降低了边坡的稳定性，增加了边坡对块体移动的敏感性；④边坡陡度因人为或自然增大，通常引起块体移动；⑤地震的震动影响边坡的平衡，增加块体移动的可能性；⑥流动的地下水对土壤颗粒产生压力，减弱边坡的稳定性。上述这些影响边坡条件的因素，通常和降水、霜冻等气候因素联合作用，引起顺坡的块体移动。

由上述因素所引起的块体移动类型有以下几种：松动的坚硬岩石块突然移动而自由落下，称为岩崩；数种几乎无法察觉到的地表土壤颗粒和岩屑的顺坡移动，统称为蠕动；岩石的地面下蠕动，称为隆起；边坡的一部分沿着阻力最小的平面或滑动面而分离，引起基岩和其他岩屑的各种各样的顺坡滑动，统称为滑坡；大土块或石块沿着凹顶的陡坡分离后，顺着弯曲的滑动面向下移动，在边坡底部堆积，称为坍塌；边坡或山谷上部的岩屑和风化岩石被雨水饱和，从而重量增加，并且缓慢地顺坡移动，称为土流；含水较多的急速土流，称为泥流；山区急速移动的土流，称为岩屑流或山崩；次北极圈内冰雪融化的季节中，冰冻的底土层物质上面的饱含水气的表层土的顺坡移动，称为土溜。

下陷式块体移动，若以相当急速的方式发生，则称为下陷，若逐渐进行，则称作沉陷。下陷包括冒顶或地下洞穴崩塌。大规模的下陷可在开采煤、盐和金属等矿的区域发生。海蚀有时造成海底洞穴的冒顶。在石灰岩地形区内，地下水系可引起落水洞形式的大面积下陷。地下溶解所引起的其他下陷类型还见于白垩、石膏、硬石膏和岩盐地带。底冰的融化也会引起下陷，例如永久冻土的季节性地表融化后，形成冰壶和洼地。地下岩石和矿石的化学分解，也是下陷的原因之一。另一种形式的下陷，发生于岩浆在地面下流出后，生成陡壁的洼地，称为火山性下陷。

由于土壤和岩石孔隙中的流体被挤干或除去和粒状构造被破坏，造成土壤和岩层的硬化，进而在一定的区域内，使土石发生逐渐的沉陷。硬化的最普遍原因是海或湖底沉积物的连续堆积所造成的表面荷载，或冰川的冰盖或冰水沉积所造成的土地荷载。人为的构造也会引起表面荷载、硬化和沉陷。硬化也会因地下水面降低而造成。抽取地表底下深处的承压水或石油，会导致孔洞的塌陷和岩石物质的硬化。粒状构造的崩溃，通常起因于黏土、沙子等岩石物质的润湿，导致粒状构造移动并沉陷为较结实、紧密的形态。

mass number　质量数　核物理学中，原子核中质子和中子数之和，为了区分一种元素的各个同位素(原子序数都相同)，常引用质量数，并用同一的字母符号标示。例如，铀的两个最著名的同位素(质量数分别为 235 和 238)，为铀 235(符号为 ^{235}U)和铀 238(^{238}U)。

mass production　大量生产　采用劳动分工和专业化的原则并使产品的部件标准化的生产方式。这种现代生产方式的应用，已起到降低生产成本，提高产品质量、数量和品种的作用，并使有史以来全球最庞大的人口保持最高的生活水准。1913 年密歇根州迪尔伯恩的一家汽车工厂安装了一条传送带，将生产飞轮磁电机所需的时间从 18 分钟减少到 5 分钟，这是采用现代整体化大量生产技术的第一次尝试。H.福特在设计生产程序时与他的同事吸收历史上的构思和经验，即将生产过程分解为若干连续的工序，每道工序由经过专门训练的工人操作，而使工厂从中获利。轧花机的发明人 E.惠特尼于 1798 年使用不够熟练的工人，生产出 1 万支燧发枪，证明采用专门设计的标准化工具，就可以不须使用经过长期训练的工人。

19 世纪末和 20 世纪初，F.W.泰勒和吉尔布雷斯夫妇所开创的时间-动作研究，使福特的传送带操作达到高度的精确性。对某种商品进行大量生产的必要条件是：存在对这类商品需求量很大的市场，值得进行大量投资；适于采用标准化部件和工序的产品设计；尽量降低物料装卸和运转时间的结构方案；可将劳动分解为简短重复的动作；可进行连续的流水作业；可用专门设计的工具进行加工。在现代大量生产中，每个工人只从事一种或少数几种工作，在每个班次中重复许多次。工具的放置和取用、传送带或工作台的高度以及工作场所内所有其他细节的设计，都必须便于工人用一系列为时间-动作研究证明为自然的动作(因此也是易于掌握的动作)去完成作业，其中只有极少的无效动作，并且极少需要进行精神上的或身体上的调整。这种核算劳动力的节约方法可在大量生产中大幅度地降低生产成本。周密地设计工作场所就可精确地计算出分阶段进行的生产协作所需的工人生产率。

为了使每个工人每次都能以相同的方式操作，大量生产中所使用的机器应完全适合于作业的要求，且成品品种的部件可以互换。汽车制造业销售多种车型的汽车，在尽可能多的车型中使用可互换的零件，可使生产根据市场对每一种车型的需求灵活地作出反应。零部件的标准化也具有经济意义，它使大批量地生产(或采购)零部件成为可能。设计一条生产线首先要考虑工人和机器之间最经济的分工，然后设计专用机床和工作场所、培训工人、安排原料的输送和加工。先建立一条试产线，以检验生产线的实际效能，根据检验结果进行调整。任何生产流程或设备都有最适宜的生产率，在低于理想生产率的条件下生产，浪费劳动力和机器；生产率过高，又会引起工人疲劳并损坏机器。为了避免妨碍达到最佳生产率的"瓶颈"出现，必须进行调整。制成品可以成批地离开生产线，也可以一个接着一个连续不断地离开生产线。在许多生产过程中，有些部件是成批生产后在适当阶段并入主生产线的。采用这种一体化生产技术，一家雇有8 000 名工人的工厂，每年用3 000余家厂商供应的物料，能制造出有1 000种样式和颜色的电话机800万部，以上仅仅是数以千计的例子中的一个。

除了上述节约使用劳动力外，还必须加上"规模经济"，其中包括大批采购原材料和供应品。长期生产的效益超过短期生产，在短期生产中大量的时间浪费在建立机构和其他非生产性工作上。显而易见的事实是随着工人和工程人员的经验日益丰富，生产效率也会不断提高，单位成本下降。大量生产的兴起牵涉到劳动性质和所有制的性质。重复操作容易产生厌倦和疲劳，并因此造成低效率、失误和工伤事故，必须采取积极的措施使工人参加到生产中去，虽然在最后的产品中他们所起的作用也许是微小的、看不见的。创办大量生产的企业需要巨额资本，很少能由个别人提供，结果，现代大制造公司的所有权从个人手中转移给法人团体。

mass spectrometry　　质谱法　又作mass spectroscopy。通过电场和磁场把气体离子分类而鉴定化学物质的分析技术。完成这一过程并用电方法检测被分类离子的装置叫质谱计，用照相或其他非电方法的叫质谱仪，两者均可称为质谱显示器。适当选择实验条件，利用质谱法能准确测量离子质量，证明不同同位素的存在和测定混合物中离子的相对丰度。可使有机药品产生一个由母体分子离解的离子谱；根据离解物质的质量和相对丰度对它们进行识别，从而可确定原始分子的结构。质谱测定法是从J.J.汤姆孙等人对带电粒子在电场和磁场中性状所做的实验发展而来的。汤姆孙1913年制成了一种质谱计，称为抛物线质谱计。F.W.阿斯顿用该仪器于1919年指出，空气试样中所发现的质量22的离子，实际上是一种较重的氖，从而证明了同位素的存在。质谱计在高真空下工作，由四个主要部件组成：将未知样品引入仪器的操作系统、产生样品粒子束的离子源、将束中粒子按质量分离的分析器、收集和表征所分离的离子组分的探测器。最广泛使用的电离方法是电子轰击，即用撞击样品分子的电子，提供使分子转变成离子所需的能量。用质量分析器（包括磁分析器、飞行时间分析器和四极分析器）完成对离子的分离。在磁分析中，离子经电场加速后进入磁场区。带电粒子沿着曲线路径在磁场中高速运动，其半径取决于粒子速度和质荷比（m/z）。改变加速电压或磁场强度，可以收集和测量不同 m/z 的离子，产生出不同质量离子数的曲线（质谱）。分析含有未知成分的混合物的一种有效方法，是采用质谱法分析液相色谱法或气相色谱法（**gas chromatography**）分离的产物。质谱法广泛用于测定不同同位素的质量和相对丰度，并确定它们在不同天然样品或浓缩样品中的相对丰度。对含有某增大比例的特殊同位素（特别是重同位素^{2}H、^{13}C、^{15}C、^{17}O和^{18}O）分子的众多化合物，用这种方法分析是有效的。这些同位素在生物过程中用作标记物质，可对诸如代谢、光合作用、植物呼吸、酶反应、磷酸盐转移反应和直接将氧用于生理氧化等复杂反应，做出精确的化学研究。用质谱法分析这些过程的产物，并从重同位素在最后分子碎片中的分布，可以研究代谢路径的细节。质谱测定法也用于气体分析，特别是广泛用于气体烃分析；加上自动记录，就能用连续气体分析控制化工厂的生产过程。在高真空设备中，质谱法可作为检测真空密封度的一种敏感方法。待检测的真空系统与质谱计相连，调节质谱计使能检测某一示踪气体，然后将这种气体（一般是氦）注入真空系统；若质谱计有读数，则表明有渗漏。另一种质谱技术可用于测定矿物的地质年代。由于铀和钍的放射性衰变产生铅的同位素，分析后者的比例，可以准确估计矿物生成的年代。在加速器质谱测定法中，高能粒子加速器与静电和磁质量分析器相连接，测定稀有的低丰度同位素。此法已大大改进了放射性碳测定年代的范围，且所用样品的尺寸可以很小。

mass transit　　公共交通　又称公共运输。在大、中城市及其郊区，用各种交通工具，运送大量乘客的运输系统。工业化和城市化的结果，往往把工业区、商业区和住宅区分隔开来，现代化公共交通的发展与这种情况是分不开的。公共交通的高峰时间在早上和傍晚上下班的时候，高峰过后，公共交通的频度往往下降，有时甚至完全中止。有轨的公共交通包括铁路和有轨电车，无轨的公共交通指在大街和公路上的客车，还可以包括在大都会区内定期飞行的飞机和直升飞机。在气候适宜、需要公共交通的航道上，轮船、水上飞机和气垫船也运送乘客，如威尼斯、英吉利海峡各港口、香港、纽约的斯塔腾岛。在美国最普遍的形式是无轨交通工具。公共汽车在班次和线路的安排上，虽然有较大的灵活性，但因为经常要停站，交通又拥挤，行车速度比地铁车辆慢，它的优越性就被时间的代价抵消了。20世纪70年代兴办高速公路，并在大街为公共汽车开辟专用行车道，都是针对公共汽车的缺点所采取的措施。另一种新兴的无轨地面交通工具是特种公共汽车。这是一种微型公共汽车，不一定按指定的线路在大街和公路上行驶，比一般公共汽车有更大的灵活性。对老弱病残者特别合适，他们可以打电话叫车；其缺点是比一般公共汽车需要更多的司机。在许多城市里，出租汽车是公共交通系统的组成部分，但其服务对象通常限于比较富裕的乘客。有些城市因公共交通的车辆有限，人们就提倡合车的办法：目的地大致相近的几个人合用一辆出租汽车或微型公共汽车。这种办法的车费往往比个人雇用出租汽车便宜，因为费用是由乘客分担的。

19世纪地面中型交通工具发生了很快的变化：从80年代的马车、蒸汽缆车，到19世纪末广泛采用电力牵引的电车。由于汽车的增加，人们感到电车轨道妨碍交通，美国和英国已经拆除了许多。有些城市代之以无轨电车，后来多数又被公共汽车取代。地区性的铁路，也叫高速交通线，是有轨公共交通的另一种形式，包括地铁、地面铁路、高架铁路和郊区火车。早期的蒸汽火车高架线是1867年在纽约的曼哈顿架设的，后来扩建到布鲁克林、布朗克斯和昆斯。1895年，芝加哥西区高架铁路开始行驶电动火车，1897年，该市南区高架铁路改用电动火车；布鲁克林于1898年也改用电动火车。第一条地下铁道是1863年在伦敦修建的，到1900年，布达佩斯、波士顿和巴黎都有了地铁。纽约地铁最早的路段于1904年通车，以后陆续扩建，直到40年代，取代了曼哈顿的高架铁路。地下公共交通线在20世纪上半叶相继在东京（1927）、布宜诺斯艾利斯（1928）、莫斯科（1935）建成。目前高速交通线最长的城市是纽约（423千米），其次是伦敦（418千米）、巴黎（253千米）、东京（196千米）、莫斯科（164千米）。莫斯科高速交通线的利用率最高，其次是东京、巴黎、纽约、伦敦。旧金山、亚特兰大、华盛顿（哥伦比亚特区）、蒙特利尔和多伦多最近也新建了地铁系统。另外一些城市如开罗和加尔各答80年代正在动工修建。许多城市把地铁和高架火车衔接起来，如芝加哥、波士顿、纽约和伦敦，其中以芝加哥的高架铁路网为最大。郊区火车主要利用现有的铁路线，为日益增多的郊区居民服务。大城市的郊区火车与其他形式的公共交通系统相连接。70年代以来，随着高速火车的发展，世界上有些地区在邻近的大城市之间有了400千米以上的长距离直达快车，时速高达160～320千米，为每天远距离旅行上下班的乘客提供方便。日本的高速火车行驶在东京和大阪之间，时速210千米，现已连接北海道和九州岛。法国的高速火车，往返于巴黎和里昂，时速270千米。美国仅在波士顿-华盛顿间有这种直达快车，80年代初，引进日本技术在洛杉矶和圣地亚哥之间开辟了另一条直达快车线路。更新的公交形式是有轨自动客车，这种客车沿固定的导轨运行，无人驾驶并优先通行。德国在单轨铁路上行驶的自动客车，大小规格不一，在80年代初期，是这类车辆中的佼佼者。美国也有这种自动客车，但主要用于机场、动物园、游乐公园等。它包括自动走道、滚轴橡皮带和单轨铁路。

在美国，汽车对公共交通的影响比别的国家重要。第二次世界大战后，随着私人汽车的发展，公共交通系统乘客人数每况愈下，1970年比1910年还低。到了70年代，由于汽油价格急剧上涨，美国的乘客数又开始回升。但公共交通票价不断上涨，阻碍了这种上升趋势。第二次世界大战前的许多公共交通线路和高速客运系统，现在需要修复。发展中国家因继续发展工业化和城市化，加上人口不断增长，他们对公共交通的需求也必然会增加。参阅 **streetcar；subway**。

mass wasting　　块体坡移　参阅**mass movement** 块体移动。

Massa　　马萨　意大利中北部城市，托斯卡纳区马萨-卡拉拉省省会。位于利古里亚海滨附近阿普阿内山麓的弗里吉多河谷，卡拉拉和拉斯佩齐亚的东南面。9世纪首见记载。1568年为马萨-卡拉拉公国的中心。名胜古迹有

15～16世纪要塞、17世纪的公爵宅邸和15世纪的大教堂等。加工和出口大理石。也生产办公用家具。人口68 141(2001)。

Massachuset 马萨诸塞人 操阿尔冈昆语的印第安部落，17世纪初，可能有3 000人，分散居住在相当于今马萨诸塞州沿海地区的20多个村庄里。种植玉米、蔬菜，兼营渔、猎。他们按季节迁居不同的固定居地，以利用其食物资源。部落分为若干宗族，各由一名副首领管理。欧洲移民点建立前，因与东北邻部落作战以及1617年的瘟疫，马萨诸塞人人口大减，接着1633年天花流行，又使大多数幸存者丧生。基督教传教士J.埃利奥特等将马萨诸塞人及其他部落的信徒聚集到若干村落里，共同生活，马萨诸塞人的部落特点逐渐消失。马萨诸塞州即依此印第安部落取名。

Massachusetts 马萨诸塞 同17和18世纪美洲大西洋沿岸英属13个殖民地中的其他殖民地一样，马萨诸塞也是由那些在一片原野中寻求一种新的生活方式的先民们所建，这种生活方式涉及当时尚未尝试过的诸如宗教自由和自治政体等概念。这些以及其他一些理想，在150多年的殖民地生活中经受了严峻的考验，然而也在多方面为美国独立战争奠定了思想基础，马萨诸塞在这场战争中脱颖而出，成为创建并领导新合众国的州之一。

马萨诸塞州系美国东北角的新英格兰6州之一，北邻佛蒙特及新罕布什尔州，东与东南濒临大西洋，南接罗得岛及康涅狄格州，西连纽约州，面积8 284平方英里(21 456平方千米)，居美国第45位。该州居民既有早期美国那种典型的新英格兰人精神，又有19世纪涌入州内各城市的晚期移民的那种活力。

马萨诸塞州几乎自初建之日起即一直在美国的教育领域居重要地位。19世纪期间，首府波士顿成为代表美国文化和艺术活动最高水平的代名词，该州的工业和金融界也在全国居领先地位。尽管后两种优势很久以前便让位于面积更大、发展更快的一些州和地区，马萨诸塞州的历史和人民还是在美国观念的发展过程中留下了不可磨灭的痕迹。

自然地理和人文地理

土地 马萨诸塞州海岸线长约1 500英里(2 400千米)，而境内东西距离却不到190英里，南北为110英里。海岸曲折蜿蜒，自科德角附近之罗德岛起，凹凸于波士顿以南滨海地带，其间港湾风景幽美，再经波士顿港向北而达北岸，回转于画家天堂的安娜角，而后进入新罕布什尔州。

地形 马萨诸塞州的锯齿状海岸系由巨大冰川形成，在若干地方覆盖陆地的冰层达数千英尺。大约11 000年以前，最后一次冰川期过后，巨型石块在沿岸露出。坚硬而平坦的陆地延伸于岸上，形成州中部附近多石的高原草地和州西部的丘陵地带。全州除了西部以外，地面多岩石，土壤多沙质而且十分贫瘠。

科德角在东南部伸入大西洋。科德角长65英里，呈长方形，最东端折向北方而成钩状。其近海水域波涛险恶为全国之冠。H.梭罗这样写道："对于生活在科德角北端普罗温斯敦的人们来说，大海就是他们的园圃，在他们门口狺狺而吠的狗便是大西洋了。"沿沙丘绿草丛生，多节瘤的北美柔松和簇生的灌丛橡树，有的不过一人多高。在东南海岸外有楠塔基特和马萨葡萄园两座岛屿，冬季大西洋波涛拍岸，气氛阴沉，夏季则游人如织，生机盎然，长期度假者亦接踵而来。

马萨诸塞州中部平原起伏，河流纵横。它与沃野广阔的康涅狄格河流域及伯克希尔高地相毗连。莫霍克小道现已铺有路面，向东穿越伯克希尔高地、胡萨克岭，向西穿过塔科尼克岭。州内最高点为格雷洛克山，海拔3 491英尺(1 064米)，位于亚当斯附近的塔科尼克岭一侧。在北亚当斯，有一座因风与水的作用而形成的天然大理石白桥，附近的萨顿有一条半英里长的峡谷，穿山而过，揭示出6亿年的地质史。

水系 州内河流密布，有19条主要河道，最著名的是康涅狄格河、查尔斯河、梅里马克河。湖泊池塘，数目超过1 100个，分布于各丘陵上的谷地，在州内350多处社区中几乎每区都有一个。许多湖泊都保留有印第安名字，多是长名，其中最著者为"Chargoggagoggmanchauggagoggchaubunagungamaugg"湖，意为"你在那边打鱼，我在这边打鱼，无人在湖心打鱼"。然而最闻名的小型水体为沃尔登湖，因梭罗而名传千载。

尽管清除水系的工作已使污染程度有所减轻，但几乎全部河流及许多湖泊仍不适于游泳。这种情况长期以来也出现于蜿蜒曲折的查尔斯河，此河流介于波士顿与剑桥之间，同时也是各院校船赛运动员、独木舟划行者以及帆船爱好者经常光顾之所。

气候 马萨诸塞州属温带气候。西部较冷较干，冬季降雪量多于沿海地区。7月最为炎热，平均气温约22 °C，1月气温最低，平均－3 °C。年平均降水量波士顿为42英寸(1 067毫米)，伍斯特和皮茨菲尔德为44～45英寸。

动植物 马萨诸塞州虽已工业化，但仍保存了许多森林，现有州立森林、保护地及公园近150处。公共狩猎场占地达23 000英亩(9 300公顷)。三处国家野生动植物保护区，再加上科德角国家滨海区，为人们提供了接触大自然的场所。距波士顿商业区不远有阿诺德植物园，其中拥有全美国最大的乔木及灌丛展览品之一。

大型动物在荒野地带几乎已属罕见，偶尔可以看到熊和麋。在林地可以看到的动物有鹿、海狸、麝鼠、貂、獭、北美兔、红狐、木拨鼠、浣熊、花栗鼠。滨海地区有矶鹞、蓝苍鹭、北美白鹭、三趾鹬、鸫鸻。水禽包括鸥、黑凫、鸬鹚、潜鸟，陆栖禽类则有翠鸟、莺、美洲鹑、棕鸫、鹞、金翼啄木鸟、怪鸱。猎禽类包括松鸡、野火鸡、雉等。

住区模式 早期居民点多在沿海一带，人口大量集中于河口城镇中。居民沿河流向内地分布，始则利用河流灌溉农田，继而利用水力驱动磨粉装置。该州西部的早期城镇多建于康涅狄格河沿岸。

现在，大海的吸引力使沿海所有城镇几乎具有同等的知名度。在那里，人们可以进行日光浴、游泳、划船、垂钓等活动。在这些海滨城镇中，普利茅斯港湾较长，达克斯伯里、马什菲尔德、锡楚埃特、科哈西特均为殖民地时期涌现出的最早郊区，自欣厄姆至波士顿之间的海湾宜于划船，里维尔和林恩的沙滩颇负盛名，格洛斯特和安娜角是垂钓胜地，马布尔黑德是世界船赛首屈一指的场地。

波士顿周围有许多社区，居民白天在市内上班，晚上回郊区住宿，人流往返造成城市公路交通阻塞。其他都市中心有斯普林菲尔德、伍斯特、福尔河-新贝德福德、洛厄尔-劳伦斯、皮茨菲尔德、菲奇堡。这些城市全是产业革命时期发展起来的，现在人口已减少。

人民 *种族构成* 波士顿与旧金山常被称作"姊妹城市"，因为相似之处甚多，如繁忙的海港、美味的餐馆、重视文化和宗教在市政机构及社会生活中的突出地位，有造形优美的建筑物，体现出丰富多彩的历史。这两座

马萨诸塞州森德兰附近康涅狄格河两岸的农田
美国不列颠百科全书公司供图

城市的种族融和亦相类似。波士顿的民族混居现象已遍及全州。波士顿的绝大多数居民为爱尔兰裔，马萨诸塞州西部各都市区也是如此，然而爱尔兰移民的乡音在斯普林菲尔德、韦斯特菲尔德、霍利奥克等地比在波士顿更易听到。在20世纪的前半期大量意大利人继19世纪初的爱尔兰移民涌入，而到20世纪60和70年代，进入马萨诸塞的新移民大多来自古巴和波多黎各，讲西班牙语。

英裔仍在该州居民中占多数，同斯洛伐克人、波兰人、加拿大人、俄国犹太人、希腊人、斯堪的纳维亚人、叙利亚人、德意志人、法兰西人和华人混居在一起。福尔河和新贝德福德是许多葡萄牙人和佛得角人的移居地。黑人主要集中在波士顿的罗克斯堡和多切斯特两个区内以及剑桥和斯普林菲尔德两市。

马萨诸塞州虽然有很多印第安地名，却几乎没有印第安人。州名是约翰·史密斯船长给马萨诸塞部落所取的名字，意为"靠近大山的人"，大山据信系指位于波士顿以南的蓝山，因除此以外，当地全是平坦地区。

宗教 马萨诸塞州目前大部居民为天主教信徒，尽管它的宗教基础完全是基督教新教。1620年建立普利茅斯殖民地的最早移民和清教徒主要是为了宗教的原因来到马萨诸塞。"五月花"号的移居者就是一小部分宗教分离主义者，他们从英格兰逃往荷兰以使其宗教信仰不受官方干预。经济上的拮据和想表明其不受荷兰人影响的个性的愿望，促使他们来到美洲寻找出路。清教徒们因宗教信仰在英格兰受到迫害，他们寻求宗教改革之路，但仅限于在教会范围以内。他们并不像其他新教徒团体和激进的思想家们那样去提倡宗教宽容精神。许多人因宗教观点不同而遭到流放，其中包括被逐出塞勒姆的R.威廉斯，被逐出波士顿的A.哈钦森。毫不悔改的公谊会及再洗礼派教徒全部被放逐，少数人还遭到杀戮。

清教徒马萨诸塞湾公司基本上建起一种神权政治，政治机构同教会之间密切相联。公司领导人不仅对于他们能在有权解释殖民地特许状的基础上筹建其管理模式而感到惬意，而且也因向人民解释上帝的意志而感到满意。这种安排并未达到其目的。1634年，当总督温斯罗普拒绝召开殖民地议会或地方议会时，自由民要求他出示特许状。他同意了，宣布他侵犯了议会的权利，议会很快就通过了一项议案，将政府管理权授予自由民。

在马萨诸塞以后的发展过程中，宗教仍起着重要作用。1833年通过一项州宪法修正案之前，清教徒公理会并未正式解散。马萨诸塞州的教堂仿照殖民地时期的模式，往往建于城镇及乡村最引人注目的地方，以象征教会在社会生活中的传统作用。

社会等级 所有的马萨诸塞州人也许生来都是平等的，但有些人较另一些人更早取得优势。州内各族人民无法改变这一事实，即财富与权力现在仍集中控制在800多个家族手中。这些家族有的可溯其祖源于"五月花"号，有的则是其后数世纪内成功地涉足商业、金融、文化各领域，以致他们也被看作是与那些仍据要津的官员，即波士顿的名门望族可以相提并论的人物。晚期移民的许多后代在金融界和政界也都获得了成功。自矜门阀之风也扩展到那些位卑言轻的人们中去，许多小城镇的马萨诸塞居民，特别是那些西部居民，都能历数其北方佬的多代族源。

该州人口6 349 097（2000）。

经济 马萨诸塞州现在的经济大体上是以技术研究与开发、各种服务业、旅游业为基础。这反映出自17及18世纪州内前产业革命时期的农业基础以及19世纪及20世纪前半叶所特有的重工业制造的一个重大转变。

渔业和农业 对外贸易、渔业、农业长期以来一直支撑着马萨诸塞州经济。塞勒姆的水手们从中国、西印度群岛和其他遥远的地方带来异国商品。渔业利润丰厚，但要冒风险，有时还会丧命；数世纪以来，已有万余名格洛斯特渔民丧生海上。渔业同造船业是同步发展起来的。1789～1810年，马萨诸塞舰队壮大了10倍，有些舰队曾在公海抗击英、法侵略。北方佬士兵在西非同州内南部各海港之间的奴隶贩运中，也找到不少石油。

19世纪捕鲸繁荣期达到顶峰时，州内有329艘捕鲸船自新贝德福德出海作业，另外还有发自楠塔基特及其他港口的船只，年捕获量的总值达1 000万美元。但是，这一项巨大产业好景不长：到19世纪末20世纪初，捕鲸业的收益已缩减为只占其高产期的几分之一。渔业后来也遭受重大的损失。20世纪60年代早期，渔业年产值达4 200万美元，60年代末，由于传统上的大西洋各渔场外国渔船的竞争以及黑斑鳕和龙虾等因过分捕捞而濒于枯竭，渔业开始衰落。到70年代后期，渔业再度兴旺，而马萨诸塞州的渔获量的总值常居全美国的前三名或前四名。

州内大部分地区是沙质土壤，只宜于栽种蔬菜，然而南部和科德角的紫沙沼地却能提供约占全国50%的蔓越橘产量。温室和苗圃农产品为农业收入的主要来源，其次为乳制品。

工业 自17世纪40年代早期，马萨诸塞就一直以制造业闻名。当时的总督温斯罗普之子小温斯罗普在贝弗利开设了一家盐厂，在索格斯和昆西又各开设一家钢铁厂。不过使马萨诸塞的制造业居领先地位的人主要还是F.洛厄尔。他曾去英格兰学习纺织技术，并于1814年在沃尔瑟姆制造了一台动力织布机。他于1817年去世，但他的伙伴们使洛厄尔城逐渐发展起来，城为砖石结构，织布机利用梅里马克河水驱动。

北方佬的智巧培育出许多以手工艺为基础的早期工业。19世纪由欧洲不断迁来的廉价非技术工人，也是该州制鞋业和纺织业进行大规模生产的必要因素。美国最早最大的制鞋厂之一是位于贝弗利的联合制鞋公司，而1777年建起的斯普林菲尔德兵工厂，既有助于独立战争的胜利，同时也促进了马萨诸塞西部地区工业的发展。其他马萨诸塞工厂的著名产品有沃尔瑟姆、塞勒姆、波士顿的钟表，格林菲尔德的刃具和工具，加德纳的摇椅，斯普林菲尔德的枪炮和摩托车，皮博迪的皮革制品，北伊登的铲和锹（在加利福尼亚的淘金热期间，冒险家们使用的产品就来自该地），伍斯特的信封，霍利奥克的纸张，纽伯里波特的银器，波士顿的保险刀片。

现在，电子工业和通信工业在很大程度上要依靠波士顿地区的许多高等教育机构。波士顿郊区已因其科研和开发设备而闻名于世，促进了计算机技术的发展。马萨诸塞州一度是铜和铁矿的产地，但近年来当地矿产只限于砂及碎石、普通石料和黏土等。

运输 历史学家S.莫里森在其所著《马萨诸塞海运志》一书中这样写道："在美国诸州，从来没有人想过或亲手制造过像快速帆船这样完美的东西。"所有的快速帆船都是在1850～1855年间建造的，从那时起，一项世界帆船锦标赛便开始了。冠军是D.麦凯的"飞云"号，该船从纽约航行至旧金山用了89天，其中一天航行374英里，有4天的平均时速为13.5海里。创纪录不是唯一产生行为动机的因素：这类快速帆船的货物运载量达1 700吨。

1716年，美国第一座灯塔，波士顿灯塔在距这个繁忙的港口不远处建起，它象征着马萨诸塞同大海的密切联系。

水域构成这个海湾州的"道路"系统达200年之久。河流（如康涅狄格河和梅里马克河）以及人工运河（如米德尔塞克斯运河）满足了早期的运输需要。波士顿驿道和莫霍克小道曾是早年马车行旅络绎不绝的通路。前者于1673年在波士顿和纽约之间开通邮路，共有3条路线；后者原为一条印第安人来往穿行的蹊径，欧洲移民把它改为驱赶牛群的小路。这条小路于1780年成为第一条州际免收通行费的道路，称为"支路"。

1826年，美国第一条铁路把昆西和查尔斯敦两地采石场开采的花岗石运到查尔斯敦，用以修建邦克山战役纪念碑。铁路车辆用马匹牵引。1839年，一条使用蒸汽机车牵引的铁路把斯普林菲尔德和伍斯特连接起来，到1855年，已有15条铁路系统在马萨诸塞州西部各城市之间往返运送货物。早期铁路建设中最令人难忘的业绩就是那条4.5英里长的胡萨克隧道。该隧道于1851年开凿，1875年完工，最终穿过胡萨克山脉。第一条电车道建于布罗克顿，波士顿则拥有全国第一条客运地下铁道，并建有高架铁路系统。波士顿的洛根国际机场与海港平行，是一个与大城市邻近的大型航空终点站。

行政与社会状况 **政府** 自《"五月花"号公约》开始，一种人民能感受到他们是其中一部分的政府形式逐渐形成，该公约由先民们于1620年草拟。当时，那种"君权神授"的思想正支配着全欧洲而自治政府的想法只不过是异想天开而已。1630年，一批清教徒根据英王查理一世颁赠的特许状所赋予的权利，在马萨诸塞定居。这个特许状同那些颁发给各商贸公司的相似，只是规定马萨诸塞的公司的官员们可以在当地开会，而不必再到英格兰去。这个殖民地的相对的孤立状态和很少来自英格兰的干预，使得它得以发展成一个实际上的自治政府。殖民地议会正式名称为"大地方议会"，最初由温斯罗普及其18名僚属组成。1644年，在一场因走失的猪而引起的争执中，大地方议会分为两院。温斯罗普的僚属们组成上院，由每个城镇选出的两名代表组成下院。

宣布独立之后，大地方议会为马萨诸塞

州制订了一部宪法。该部宪法为该州人民所拒绝，部分原因是由于宪法中未对各项权利予以明确规定，另外也由于宪法并非由选举产生的制宪会议所草拟。1779年，一个新选出的制宪会议在剑桥开会。J.亚当斯为马萨诸塞州新宪法的主要执笔人，该宪法于1780年被批准。这部宪法中的许多特色都被直接收进联邦宪法之中。该州宪法有一款规定，允许州长及其行政会议或州议会，对有关州长权力或议会权力范围的问题，向最高司法法院的各位法官咨询意见。直到今天，马萨诸塞还是最初13个州中唯一按照其第一部宪法进行治理的州，这部宪法是世界上最古老的一部起主导作用的宪法，不过，也已经过多次修订。

马萨诸塞州议会作为这个新建置州的议会机构，于1780年10月举行了第一次会议，恰恰是在清教徒大地方议会第一次会议的150年之后。马萨诸塞州议会现在由40名参议员和160名众议员组成，议员任期均为2年。州的司法系统主要分为三级：地区法院审理一般案件，高级法院的案件由陪审团审理，另有最高司法法院。法官由州长征得行政会议的建议和同意后任命。州议会制订有关司法系统的组织与运作的各项实施细则。

马萨诸塞州的司法程序具有几种明显的特点：立法会议可应公民请求而召开，议案在会上辩论以前先提交两院常务委员会联席会议审理，大多数立法提案都由两常务委员会举行听证会，两委员会需对每项提案提出书面意见并呈交州议会。

移民迁入不久即发展起来的另一种政治现象是镇民大会。这种大会开始是为解决当地纠纷而举办的一种辩论会，后来发展成为许多小城镇一年一度的大事。（正如诗人J.洛厄尔所说的那样，"清教主义相信它能快速播下信仰自由的种籽，却在不知不觉中栽培了民主的根苗。"）第一次有记载的镇民大会于1633年在多切斯特召开，当时镇民们是由一阵擂鼓声召集起来的。一年以后，查尔斯敦就组成了管理委员会，这种地方政府的出现，制衡了殖民地行政当局的权限。由于州议会与各城市政府之间的关系未曾在州宪法中专门说明，最后随1966年《地方自治修正案》的通过而作出明文规定。修正案中规定，各自治市可自行改组其政府而无需征得州议会的批准。县级设置仿照英国模式，大部分权力归镇区及地方自治市而不归于县。县主要管理司法事务。

马萨诸塞州的政治现在主要由民主党控制。19世纪40和50年代，大批爱尔兰移民涌入该地区，由此促使民主党人逐渐打破共和党在州内政治中的垄断地位。在19世纪末及20世纪初，对于曾饱受歧视与敌意的爱尔兰人及其他各族移民来说，搞政治成为能过上较好生活的一种手段，即达到具有"五月花"号传统的"波士顿上层人物"的地位。1881年，劳伦斯成为第一座由一位爱尔兰裔天主教徒当市长的城市；1884年，波士顿亦循此例行事。波士顿的爱尔兰裔政客已成传奇式人物，这多半是由于市长（后任州长）J.柯利形象所造成的。他出身寒微，长于论辩，曾两度入狱，其中一次是在任期内。

马萨诸塞州在全国政治中发挥了重要作用。该州曾产生5名总统——J.亚当斯、J.Q.亚当斯、C.柯立芝、J.F.肯尼迪和G.布什。此外，还有一大批内阁官员、职业军官、外交官以及国会领袖。

教育 马萨诸塞州的教育事业同其社会、文化生活息息相关。哈佛学院（现为哈佛大学）1636年建于新城（今剑桥）。该学院原为向蛮荒的殖民地不断输送训练有素的神职人员而设，并不接纳世俗学子受教，然而毕业生们却大多成为社区领袖，普通学校教育遂在整个殖民地展开。1647年，凡有50户居民的镇都必设小学一所，100户者设中学一所。

马萨诸塞州率先提出发展幼儿园及中等教育，1840年提出一套全州统一的公立学校制度。州内有很多全国一流的私立大学预备学校。罗克斯堡拉丁文学校创办于1645年，为全国最早的学校之一。

除了哈佛大学以外，美国许多历史最悠久、最享有盛名的高等学府也都位于马萨诸塞州。规模最大的是波士顿大学（1839）和东北大学（1898），均在波士顿。附近则有麻省理工学院（剑桥，1861）以及塔夫茨大学（梅德福，1852）和布兰代斯大学（沃尔瑟姆，1948）。阿姆斯特学院（阿姆斯特，1821）和威廉斯学院（威廉斯敦，1793）规模虽小但能保持优良的学术传统。霍利奥克山学院（南哈德利，1837）、韦尔斯利学院（韦尔斯利，1870）、史密斯学院（北安普敦，1871）和拉德克利夫学院（剑桥，1879）都曾是致力于开发女子教育的先驱。波士顿学院（切斯纳特希尔，1863）和圣十字学院（伍斯特，1843）是主要的天主教学校。马萨诸塞大学（分设于阿姆斯特及波士顿，1863）是主要的州立大学。

保健与福利 马萨诸塞州是世界主要的医疗中心之一，尤其是在医学专家水平及专业医院方面。该州在研究领域中也位居前列，最著名的是波士顿儿童肿瘤研究基金会。当前一项急待应付的挑战是对贫穷患者的医疗服务问题。这类病人一直受到都市化进程以及家庭医生日渐减少的影响。

该州在争取改善社会环境方面，也很早就走在了前面。在19世纪早期，州内就开始通过各项限制性法律，保护居民健康。为改善保健、教育、救济、劳动、银行、保险及监狱等方面的条件，后来组建了许多州管理机构，在州长统一督导下进行工作。早在1818年州内开设一所疯人院时，当局即已认识到其职责所在。第一所州立救济院于1854年开设，而全国第一所公立肺结核病疗养院开始于1898年接待患者。尽管有这些早期措施，目前有关精神病患者、酗酒者、吸毒者、流浪街头者以及少年犯罪者的管理，仍存在问题。

根据殖民地时期的规章，福利事业一直由各自治市自行负责，到1970年才改由州政府统一管理。尽管这项新计划充满困难，但它却是对19世纪中叶那种体制的一大改善，那时人民处于重债的桎梏之下。现在的州政府救济规划侧重对依靠救济金生活的人们进行培训、教育，以使他们能自食其力。马萨诸塞州的救济金高于全国平均水平。

文化生活 旧世界的遗产与新大陆精神的融合，在马萨诸塞州产生出一种丰富多彩的文化氛围。

在文学方面，尽管早期一些诗人，如A.布雷兹特里特和E.泰勒，在其作品中能够超出一般的说教式内容，而J.爱德华兹能以简洁的语言阐述高深的神学概念，但当时的作品和布道词实际上还是枯燥乏味的。不过，在人们所称的美国文艺复兴的那些年代里，即大约开始于独立战争时期并延续到19世纪后期的那一阶段，马萨诸塞州孕育了许多堪称美国文学奠基人的作家，他们使这个新兴国家的文学得到举世公认。

为康科德带来荣誉的那批作家，就是那个时代的启迪精神的表征。从R.W.爱默生、H.梭罗、N.霍桑、L.M.奥尔科特这些比邻而居的大文豪的作品中，可以体会到一种社会责任感和个人主义相结合的深刻认识。爱默生作为一位布道者、哲学家和诗人，善于论辩，曾把他倡导的"个人灵性自由"之说传播到遥远地区，而霍桑则在那七面山墙的大厦附近的塞勒姆女巫案的阴影中长大之后，才在这个小镇上找到安宁。

皮茨菲尔德的群山也为霍桑以及H.梅尔维尔、O.W.霍姆斯、H.W.朗费罗等文豪提供了一个令人愉快的工作环境。当时其他著名作家还有J.G.惠蒂尔、J.R.洛厄尔和E.迪金森，后者是现在人们普遍赞赏的美国19世纪最杰出的诗人之一。

马萨诸塞州各大学现已成为各种表演艺术（戏剧、舞蹈、音乐）的中心。波士顿交响乐团通常被认为是世界最高水平的音乐演奏团体之一。该交响乐团在伯克希尔高地的伦诺克斯举办的丛林音乐会（始于1938）与附近的贝克特举行的"雅各枕舞节"一同成为新英格兰夏季吸引游客最多的地方。

波士顿的博物馆涉及许多令人感兴趣的领域：有美术馆的著名收藏品，有计算机博物馆，也有肯尼迪图书馆和博物馆。带着小孩的游客常常光顾科学博物馆、新英格兰水族馆和儿童博物馆，这些场馆都是最早采用参与式展览的地方。重要历史资料都珍藏于马萨诸塞历史学会、马萨诸塞档案馆、波士顿图书馆、波士顿公共图书馆和新英格兰历史宗谱学会。

波士顿的历史遗址吸引了众多游人。"自由小道"提供的旅游路线包括波士顿广场、老议会大厦、新议会大厦（1795）、公园街教堂、老谷仓墓地、老街隅书店、范尼尔宅第、保罗·里维尔住宅、老北堂、美国战舰"宪法"号（通称"老铁舷"号）。

在波士顿近郊，历史陈迹似乎仍可见于3个乡村之中：普利莫瑟种植园、老斯特布里奇村以及汉考克县的震颤教村，该教派在18世纪80年代确定了其社区-教会一体化概念。剑桥市内的哈佛广场使游人乐于驻足的原因是由于这里人种混杂，邻近哈佛大学和麻省理工学院以及卵石小街两侧所蕴涵的历史氛围。

塞勒姆宁愿忘却17世纪晚期那段迫害女巫的岁月，然而游人每到那所有七面山墙的大厦或其他"鬼神出没之所"去参观时，便会油然引发思古之幽情。坐落在榆树蔽天的栗树街地区的是联邦时期风格的住宅群，反映出当时商人、船主、外交官、国会议员及作家云集此地的兴旺年代。

沿南岸有昆西和欣厄姆两镇。在昆西，亚当斯家族虽为名门望族但住所简朴，族人比邻而居；在欣厄姆，老船教堂是原来13个殖民地中现存最早的教堂。新贝德福德的伯恩捕鲸博物馆中藏有一条体积为原捕鲸船1/2的复制品及大约600本航海日志，该地的水手礼拜堂也因梅尔维尔的名著《白鲸》而传世。

波士顿以西是康科德及其老庄园。庄园原为爱默生家族邸宅，后有4年时间曾为霍桑家族的居所。由此路经萨德伯里的老磨坊及朗费罗诗中所说的那个路边酒肆，便到了伍斯特，然后是斯普林菲尔德。该地的军械库和兵工厂以生产来福枪而著称。在附近的佩勒姆，那幢市政厅大厦建筑群中有美国最早连续使用的会议室，还有D.谢司纪念馆，谢司曾于1786年领导贫苦农民起义。在斯托克布里奇的切斯特伍德，曾设有雕刻家D.C.弗伦奇的工作室，他的杰作之一是华盛顿林肯纪念堂中的巨型林肯坐像。在老迪尔菲尔德，有些住宅的门上留有印第安人战斧的凿痕，那是18世纪早期印第安人多次袭击中留下的。

私人俱乐部，不论是社交性的还是体育性的，都是马萨诸塞州长时期以来的社会机构，其中尤以高尔夫球、网球、船赛俱乐部历史悠久。在严格限制会员资格的俱乐部中，有布鲁克林乡村俱乐部以及设于布鲁克林的朗伍德板球俱乐部和汉密尔顿的近视眼狩猎俱乐部。在波士顿以北沿北岸设立的各个赛船俱乐部会员条件也很严格，尤其是马布尔黑德的赛船俱乐部。

各类体育运动也已成为马萨诸塞州各阶层的一种亚文化现象。职业球队最引人注目，如波士顿的红袜棒球队、棕熊曲棍球队、凯尔特人篮球队，还有以福克斯伯勒为基地的新英格兰爱国者橄榄球队。州政府对中学及大学的体育，也十分重视。

历史

虽然1620年11月21日清教徒早期移民踏上美洲大陆是重要事件，可是印第安人在此前大约3 500年的时候，就已发现了这个角落，而莱弗·埃里克松及其率领的北欧人也许是在1003年即在科德角的某地登陆。欧洲水手们在16世纪第一个十年中开发了多处产量丰富的捕鱼区，法国探险家S.尚普兰于1605年还绘制了该地区的地图；1614年，弗吉尼亚殖民地的史密斯船长绘出自缅因的佩诺布斯科特湾到科德角这一段新英格兰海岸地区的详图。

欧洲移民　1685年之前，在今马萨诸塞州边界以内有两个殖民地。在普利茅斯及科德角一带，是清教徒的聚居区，名为普利茅斯殖民地或老殖民地。至17世纪40年代中期，约有居民3 000人。清教徒们从未取得英国皇家特许状；他们的政府是根据《“五月花”号公约》组成的，该公约是在他们到达新大陆之前5周由41名男子在“五月花”号船上签订的。由于公约要求应由贤者进行治理，因此该公约缺乏民主精神。但它建立了一项选举制度和一个以有限民意为基础的权力来源。老殖民地很快就为其北部的清教徒邻居，即马萨诸塞湾公司所胜过。马萨诸塞湾殖民地因17世纪30年代清教徒移民的大批涌入以及一种进取的权威意识的驱动，迅速扩大起来。到40年代中期，居民人数已超过2万，同时还开始把缅因和新罕布什尔两处殖民地的移民也吸收过来。马萨诸塞湾殖民地政府是对英王查理一世特许状作出上帝安排的解释的基础上组建起来的。当时这个特许状由温斯罗普转交给这个新移民聚居区。温斯罗普的训谕写道：“吾人须知，我辈譬若筑于山巅之城，而万民望之，众目睽睽，察其功过……”他的话加强了清教徒对其使命坚守不渝的力度。

清教徒政府往往独立而治，以至于自铸货币，甚至自行处理外交事务。查理二世因这个政府一再越权行事，于1684年最终撤销其特许状。1691年，光荣革命使威廉和玛丽在英格兰同践王位实行共治之后，向马萨诸塞湾殖民地颁发了新特许状。这个新建置的殖民地把普利茅斯、缅因以及楠塔基特岛和马萨葡萄园岛正式合并于马萨诸塞，直到1820年缅因单独建置为州时止，此种格局始终未变。

移民们过去一直因马萨诸塞境内印第安人怀有敌意而对该地区望而生畏。不过，在1675年以前由于同万帕诺亚格人的酋长马萨索伊特签订协约，曾有过一段相对和平的日子。协议后来被其子麦塔科姆撕毁，由此导致战争（1675～1676），史称“菲利普王（马塔科姆）战争”。最终麦塔科姆战死，而移民有数百人惨遭杀戮，马萨诸塞东南部及中部约有50个城镇被洗劫。18世纪时，马萨诸塞地区的人们与英国军队联合，共同对法国人及其印第安同盟者作战，于是反击印第安人的征战屡屡发生。

在18世纪，马萨诸塞州工商业显著发展，新社区纷纷建立，很多人受投机生意的驱使而前往。在1692～1765年，有111座新城镇和区县取得建制，人口增至222 563人。

独立战争时期和建州时期　“传遍世界的枪声”揭开了马萨诸塞及其姊妹殖民地新秩序的序幕。斗争实际上在数年之前即已开始，多年的奋斗产生了一种新精神和平等、自由和团结等激进的思想。波士顿的重大事件有反对各种缉私令的斗争、波士顿大屠杀、波士顿茶党案及随之发生的波士顿港口的关闭、列克星敦和康科德战役、邦克山战役、英军撤出波士顿，所有这些都属可歌可泣，成为革命年代精神的特有象征。1786～1787年间的农民骚动造成这个新建州的唯一军事威胁。州长J.鲍登不得不募集一支4 400人的州特种部队以镇压谢司起义。这次动乱所造成的社会动荡不安和群众恐惧心理，大概有助于加强批准美国新宪法的支持力量。一年之后，即1788年，马萨诸塞成为批准联邦宪法的第6个州。

马萨诸塞州处在产业革命的前列，革命所带来的变化保证了该州到19世纪中期即显著不同于其殖民地时期的往昔状况。州内可耕地减少，促进了人口外流而使纺织、制鞋、机械等大规模生产的企业得以发展。州内农村景象日益消失，代之而起的是许多都市地区，其间关卡相望，河道纵横，后来铁路通达。由于新移民的人迁而使原来种族、宗教信仰上的同一性归于破灭，特别是在爱尔兰人大批迁来之后更加速了这些变化。选民的财产条件被取消，公理会解散，由黑人组成的马萨诸塞军团参加了南北战争，爱尔兰裔政客们开始被选出担任公职。马萨诸塞州的人口继续增加，尽管其速度较其他各州稍慢，到1860年它已成为美国第2个人口最稠密的州。

20世纪　产业革命的后果——不断城市化的进程、以制造业为基础的经济和大量廉价劳动力的涌入——对20世纪的马萨诸塞州影响巨大。最为引人注目的是纺织行业与制鞋行业由这里迁往南部及中西部各州。罢工风潮、经济迟滞和城市萧条都接踵而至。两次世界大战仅使这种衰退现象得到短暂缓解。第二次世界大战后电子行业与通信行业的出现，最终使这种经济不景气周期停止下来。由联邦政府资助研究和开发项目，许多小型企业依靠波士顿和剑桥的专家学者的技术力量开始得到发展。高科技企业最初是作为一种城郊现象而崭露头角的，但也使许多大城市重新获得生机，凭借其大型厂房设施，现在可以成为许多研究与开发公司的汇集之地了。这种复兴的过程使马萨诸塞州仍然能够保持其在金融、教育及文化各方面的突出地位。

Massachusetts Bay　马萨诸塞湾　北大西洋小海湾。从美国马萨诸塞州的安角南伸至科德角，长105千米。大西洋沿岸水道经科德角运河进入此湾，通往北端终点站波士顿。波士顿地区经济以航运和工业为主，海湾沿岸许多城镇是旅游业、渔业和游艇中心。气候宜人，有许多自然景观。

Massachusetts Bay Colony　马萨诸塞湾殖民地　原英格兰殖民地之一，在今马萨诸塞州。1630年由约千名逃离英格兰的清教徒建立。清教徒成立一个神权政府，选举权仅限于教会成员。它因查理一世1629年发布的特许状而获得承认。但殖民地和英格兰间分歧的发展导致1684年撤销特许状。1691年新的特许状将普利茅斯殖民地和缅因并入马萨诸塞湾殖民地。参阅 **Plymouth**。

Massachusetts Institute of Technology（MIT）麻省理工学院　美国私立的男女合校高等学府，以其科学和技术训练及研究闻名。1861年获得马萨诸塞州颁发的办学许可证，1863年成为一所政府赠地学院。该院创建者兼第一任院长W.B.罗杰斯为建立一所从事科技训练的高等学校，曾进行筹备工作多年，但由于南北战争爆发，该学院延至1865年才在波士顿正式开学，第一班注册学生15名。该学院创办初期，1/3的收入来自马萨诸塞州根据《莫里尔土地赠予法案》的拨款，其他来自私人捐赠。该院于1916年迁至马萨诸塞州剑桥，校区位于查尔斯河畔，面积59公顷。在院长K.T.康普顿（1930～1948年在职）的管理下，该校发展为世界闻名的科学技术研究机构。在大萧条时期，其教员在数个领域创建了研究中心。其放射实验室是全国雷达研究及军事实验的前沿。在第二次世界大战后，仍保持与军方和其他赞助人的密切联系，物理、计算机、航天和工程等多个领域的研究均得到支持。该院设有大学本科生和研究生课程。分设5个学校：建筑和设计学校、工程学校、人文和社会科学学校、斯隆管理学校和科学学校、惠特克健康科学与技术学院。此外还有许多跨学科课程。该院虽然以工程学和自然科学著称，但其他领域，尤其是经济学、政治学、城市科学、语言学和哲学也是强项。入学考试竞争非常激烈；学生即使在大学阶段，也经常能从事自己创造性的研究。学院有许多研究中心和实验室。在其设施中有一个核反应堆、一个计算中心、地球物理与天体物理观测台、一个直线加速器、一个空间研究中心、超声风洞、一个人工智能实验室、一个认知科学中心和一个国际研究中心。该学院的图书馆系统范围广泛，包括一些专业图书馆。还有几座博物馆。

massage　按摩　一种治疗方法。通过熟练地有规则地在身体组织上施行某些手法，以期对神经系统、肌肉系统及全身血液循环起到一定的治疗作用。3 000 多年前中国人已开始使用这种方法。后希波克拉底用擦热皮肤的方法治疗扭伤和脱位，用搓揉的手法治疗便秘。19世纪初期，斯德哥尔摩的医师P. H.林格发明了一套治疗关节和肌肉疾病的按摩法。后来人们又把按摩用于减轻关节炎造成的畸形及训练麻痹的肌肉。按摩现用于减轻疼痛和肿胀，使肌肉弛缓及促使扭伤、劳损的组织迅速复原。但按摩既不能防止肌力减退，也不能减少脂肪沉着。治疗中常用三种手法：①(轻或重)捋摩法。能使肌肉松弛，循环改善，回心血量增加。②揉捏法。有助于伸张瘢痕组织、肌肉和肌腱，从而改善肌肉的活动。③叩击法。利用双手的侧面迅速地接连叩打患者皮肤表面以改善循环。参阅 **physical medicine and rehabilitation**。

Massalia（France）　**马萨利亚**　参阅 **Marseille** 马赛。

massasauga（*Sistrurus catenatus*）　**米西索加响尾蛇**　即北美侏响尾蛇。蝰蛇科小型响尾蛇，产于北美洲，常见于五大湖至亚利桑那一带的大草原、沼泽和林地。体长约45～75厘米。体色可为全黑，但多数为灰色或棕黄

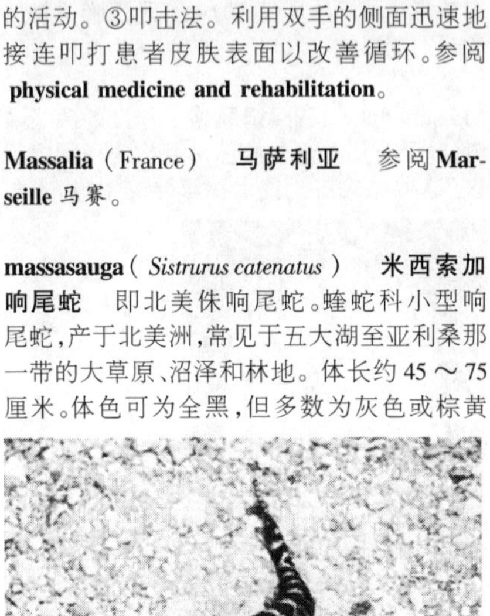

米西索加响尾蛇（*Sistrurus catenatus*）
美国不列颠百科全书公司供图

色，背部和身体两侧有纵列的黑色或褐色斑点。有毒，生活隐蔽，无进攻性，咬人极痛，但很少致人死命。

Massasoit　马萨索伊特（约1590，美国罗得岛今布里斯托尔附近～1661，布里斯托尔附近）　北美洲万帕诺亚格印第安人酋长。该族印第安人居住于现今马萨诸塞和罗得岛一些地区（主要是海岸地区）。1621年3月，在“五月花”号驶抵普利茅斯数月后，他和同伴萨莫赛特前往该地。在认识到同移民进行交易于己有利时，便着手与对方订立和平协议。这种和睦关系一直持续到他去世。另外，他和印第安人部属还从移民那里学到了种植、捕鱼和烹饪技术。1623年冬他身缠重病，在移民们照料下恢复了健康。他维持了数十年的和平，后来欧洲新移民不断夺取印第安人的土地，导致关系紧张。他去世后，友好关系渐趋终结，1675年终于爆发由其次子领导的残酷的菲利普王战争。

Massawa（Ethiopia）　**马萨瓦**　参阅 **Mitsiwa** 米齐瓦。

Massena　马塞纳　美国纽约州北部圣劳伦斯县村庄和城镇（乡）。东北距蒙特利尔122千米。是圣劳伦斯海运航道开发总公司所在地和海运航道动力工程的中枢。它环抱马塞纳村。1792年始有欧洲移民定居。19世纪为一矿泉疗养地，1886年设村。1900年开凿沟通圣劳伦斯河与格拉斯河的可供发电的水渠后该村得以发展，并兴起工业。有著名的美国铝公司。主要海运航道建筑（60年代初建成）有摩西-桑德斯发电水坝、朗索尔特溢洪坝、易洛魁水坝、马塞纳进水道、艾森豪威尔和斯内尔水闸及国际海运航道大桥。现仍为主要产铝中心，也生产内燃机组和汽车构件。从巴恩哈特岛上的州立公园可俯瞰河上的发电-航运枢纽。面积122平方千米。人口：村11 209；城镇13 121（2000）。

Masséna, André, DUC（duke）DE RIVOLI, PRINCE D'ESSLING　**马塞纳**（1758-05-06，法国尼斯～1817-04-04，巴黎）　法国革命战争和拿破仑战争时期的法国主要将领。早年沦为孤儿，1775年加入法国军队中的意大利王家联队。1789年法国大革命爆发时在昂蒂布任中士。不久，在驻尼斯的法国大革命政府所属的意大利军队中任上尉，1793年12月任师长。随后2年在意大利与奥地利军队作战期间他展现出在复杂地形条件下机动作战的才华。在1796～1797年意大利战役中，他是最受拿破仑信赖的副将，曾取得里沃利战役（1797-01-14）的重大胜利。1798年2月攻陷罗马后，他担任法军司令官助手。1799年任驻瑞士法军司令。同年9月25日，他在第二次苏黎世战役中歼灭一支俄国大部队，并阻止另一支俄国部队攻入意大利。这些胜利消除了法国遭敌人侵的直接威胁。雾月18日政变后，拿破仑掌权后不久即派他指挥士气消沉的意大利军队。他重振士气，翌年4月21日至6月4日在热那亚顶住围城的奥军，使拿破仑得以突入敌后，打赢马伦戈战役（06-04），并迫使奥军撤出意大利北部。马塞纳于1804年成为元帅，1806年再次从英军手中夺占卡拉布里亚，1808年封里沃利公爵。1809年5月21～22日在阿斯珀恩-埃斯灵（维也纳附近）以及同年7月5～6日在瓦格拉姆对奥地利军队的两次重要战役中表现出杰出的英勇气概。1810年拿破仑赐给他埃斯灵亲王衔。3个月后，他的健康恶化，但仍奉命指挥法军在葡萄牙攻打英国军队。1810～1811年英军司令官威灵顿公爵在葡萄牙布萨库等地把他击败。他被解除职务，1815年在巴黎亦未参加拿破仑的百日政权，反而支持路易十八复位。

Massenet, Jules（-Émile-Frédéric）　**马斯内**（1842-05-12，法国圣艾蒂安附近蒙托～1912-08-13，巴黎）　法国歌剧作曲家，是他同时代人中之翘楚。所作音乐以其抒情风格、

美国不列颠百科全书公司供图

感官刺激、偶然的多愁善感和戏剧上的恰到好处而备受赞誉。11岁入巴黎音乐学院，师承著名歌剧作曲家A.托马。1863年以康塔塔《大卫·里齐奥》获罗马大奖。其歌剧《姨婆》于1867年上演后，便开始了歌剧和戏剧配乐作曲家的生涯。其24部歌剧都具有优雅的纯粹法国式的旋律风格。人们认为《曼侬》（1884）是他的最佳之作。优秀作品还有《圣母院的弹唱乐师》（1902）、《维特》（1892）和《泰依丝》（1894，其中著名的小提琴与乐队曲《沉思曲》成了小提琴演奏曲目中的经典之作）。他有几部歌剧反映了与他同时代歌剧时尚的连续。例如，《熙德》（1885）具有法国大歌剧的特征，《拉合尔之王》（1877）反映了对东方异国情调的兴趣，《埃斯克拉蒙德》（1889）表现出瓦格纳的影响，《纳瓦拉的女人》（1894）则受到世纪末的真实主义的影响。他的歌剧中占重要地位的还有《埃罗迪亚德》（1881）和《堂吉诃德》（1910）。在为剧本《厄里倪厄斯》（1873）所作的戏剧配乐中，《悲歌》是广为传唱的名曲。此外，还创作200多首歌曲，一首钢琴协奏曲和几部管弦乐组曲。作为巴黎音乐学院的作曲教师（自1878年起），他有着巨大的影响。作有自传《我的回忆》（1912）。

Masseria, Joe　马塞里亚（约1887，意大利～1931-04-15，纽约市）　绰号“乔老板”，原名吉乌什普·马塞里亚（Giuseppe Masseria）。20世纪20年代早期至1931年被谋杀，为美国纽约市犯罪集团重要首脑。16岁时从西西里移居美国，同意大利裔杀人犯和黑手党诈骗犯合伙，从事盗窃等小型犯罪活动。从1920年起开始建立自己的势力，控制大多数纽约

市意大利人的犯罪活动,或从中收取一部分利益。1930年,他的团伙与S.马兰扎诺(Maranzano, Salvatore)匪帮及其同伙发生枪战,双方约60名枪手和匪帮头目被击毙。1931年4月的一个星期三下午,他在科尼艾兰一餐厅中被手下人击毙。

Masses, The 《群众》 美国的文艺和政治性月刊,具有社会主义观点。该刊以新颖手法处理插图、新闻文章和社会评论而闻名。《群众》月刊由荷兰移民弗拉格于1911年创办于纽约市,但他本人和杂志的首任主编在18个月内就离开该刊。伊斯曼自1912年起任主编,他在职时该刊奉行一种更激进的社会主义政策。该杂志刊出诗歌、故事和政治评论,作者有安德森、桑德堡和昂特迈耶,激进新闻界人士里德和德尔尔为月刊成员和定期撰稿人。美术家斯隆和扬均为该刊成员,在他们的领导下,《群众》曾刊出该时期若干最佳插图,包括斯隆和扬所绘的图以及贝洛斯、戴维斯和罗宾逊的作品。在第一次世界大战期间,《群众》采取反对战争的立场。1917年7月,美国邮政总局局长宣布根据1917年反间谍法,《群众》1917年8月刊为"不得邮寄物";随后取消了该杂志第二类邮件许可。1917年末,该刊停止发行。1918年伊斯曼和其他几个编辑根据反间谍法两度受审讯,但两次审讯均因陪审团意见分歧作不出决定。

masseter 咬肌 颌部的一块大肌肉。起于颧骨,附着于下颌骨的后下部。收缩时可抬起下颌骨。主要用于咀嚼食物。咬紧牙关时能在体表看到及触到咬肌。

Massey, Raymond (Hart) 马西(1896-08-30,多伦多～1983-07-29,洛杉矶) 美籍加拿大演员、导演兼戏剧演出人。出身于多伦多一个名门家庭。曾在加拿大军队服役。第一次世界大战后,入牛津大学学习,1922年违背家庭意愿,在英国开始舞台生涯。1926年成为伦敦普通人剧院经理之一,以后几年广泛扮演各种舞台角色。1931年随诺曼·贝尔·格迪斯剧团在纽约市演出《哈姆雷特》,首次表演不太成功。8年后在百老汇主演《阿伯·林肯在伊利诺伊》,获得有生以来最大的赞誉。1931年步入影坛,一生演了60余部影片。第二次世界大战期间任加拿大陆军军官。1944年入美国籍,在好莱坞和百老汇重操旧业。共执导35部舞台剧。20世纪60年代还在极受欢迎的电视系列片《基尔代尔医生》中饰吉莱斯皮医生。

Massey, (Charles) Vincent 梅西(1887-02-20,多伦多～1967-12-30,伦敦) 加拿大政治家,第一个任加拿大总督(1952～1959)的加拿大人。1913～1915年在多伦多大学讲授近代史。第一次世界大战期间任内阁军事委员会副秘书。战后经营农具公司。1925年任自由党内阁不管部长。1926～1930年为加拿大第一任驻美国公使。1932～1935年任全国自由联盟主席。此后任驻英国高级专员,直至1946年。1947年任多伦多大学校长。1949年任皇家全国文学艺术科学发展委员会主席,主张加拿大在文化上必须摆脱美国的影响。1952年任加拿大总督。

Massey, William Ferguson 梅西(1856-03-26,爱尔兰伦敦德里郡利马瓦迪～1925-05-10,新西兰惠灵顿) 新西兰政治家、总理(1912～1925),农业利益的代言人,反对左翼运动。1870年移居新西兰。后在奥克兰附近经营农场,担任农场主组织的领导工作。

美国不列颠百科全书公司供图

1894～1912年为自由党内阁的保守反对派领袖。1912年任总理,立即签署一项法令,使不动产保有人能够以原始价格购买他们的土地。在他当政的最初几年,1912年怀希金矿工人举行罢工,1913年惠灵顿码头工人举行罢工,他对罢工者的残酷镇压促使在1916年形成了工党。由于1915年与自由党联合,得以继续执政。1917～1918年参加帝国战时内阁,并在巴黎和会上参加签署《凡尔赛和约》,使新西兰成为国际联盟的发起国之一。他一直反对英联邦各自治领享有独立地位。第一次世界大战后,新西兰农产品价格跌落,而土地价格暴涨,梅西为了帮农场主解决这些问题,设立了肉类管理局(1922)和牛奶出口管理局(1923)。但是在他执政的最后几年,由于物价上涨,城乡骚动日益增多。

massicot 铅黄 作为矿物产出的氧化铅(PbO)的两种形态之一(另一种是密陀僧)。它由方铅矿和其他铅矿物发生氧化而形成,为软质、黄色的土状或鳞片状致密块体。它曾大量发现于德国的巴登韦勒、法国的拉克鲁瓦-米内、南非的德兰士瓦、墨西哥的佩罗特及美国科罗拉多州的莱德维尔。关于详细的物理特性,参阅 **oxide mineral**(表)。

Massif Central 中央高原 法国中南部高原地区。西面和西北面与阿基坦盆地及卢瓦尔盆地相接,东界罗讷-索恩河谷,南邻朗格多克地中海沿海地区。习惯上以海拔305米(1 000英尺)等高线来划分这一地区。面积90 665平方千米(35 006平方英里),约占法国领土的1/6。大部分是海拔610～910米的高原,最高峰桑西山(1 885米)和普洛姆布得康塔尔山(1 858米)。从自然地理上可以划分为7个地区:东北部的莫尔旺;东部边缘地区为罗讷-索恩河谷长度的延伸,包括塞文山脉;中部高地以火山锥和高原为特征;大科斯,为渗透性石灰石区;西南部的塞加拉、拉科讷和努瓦尔山高地;利穆赞,包括拉蒙塔涅高原和一系列低高原;北部的卢瓦尔河和阿列河盆地。由于地形多变,以及高原中部与边缘地区之间存在差别,农业的形式也有很大变化。内地高原牧场主要放牧牛群,边缘贫瘠地区主要放牧羊群。中部奥弗涅高地,例如康塔尔及布莱圣内克泰尔生产独特的干酪制品,大科斯地区用羊奶制造罗克福干酪,富饶的山坡地区盛产各种水果和酿酒用的葡萄;可耕地带的农作物主要有谷物、马铃薯、甜菜和饲料;大城镇附近有商品菜园。圣艾蒂安、阿莱斯和布朗济的煤炭开采促进了圣艾蒂安地区的钢铁厂和冶金工业的发展。设在克莱蒙费朗的米什兰轮胎公司主要生产橡胶制品。利摩日以其高质量的瓷器而久享盛名。各类纺织工厂遍布各地,此外还有一些就地取材的地方工业,如砖瓦制造、家具生产、造纸、皮革制品和饰带工业。位于卢瓦尔河和维埃纳河汇合处的核发电厂以及位于多尔多涅、洛特、塔恩的水力发电站所发电力占全国发电总量相当大的比重。高原的人口分布很不均匀。最大的集合城市集中于圣艾蒂安、克莱蒙费朗和利摩日周围,与此相反,一些海拔高于3 000英尺的高原和科斯的一些地区实际上无人居住。集镇众多,分布于农业发达的地区。旅游中心包括维希、卢瓦尔河谷上游的勒皮、大科斯的米约。

Massiliensis, Johannes 马西利安西斯 参阅 **Cassian, Saint John** 卡西安。

Massillon 马西隆 美国俄亥俄州东北部斯塔克县城市。濒临塔斯卡罗瓦斯河,位于坎顿正西。1811年由新英格兰人建立。1832年俄亥俄-伊利运河竣工后,成为该州主要的小麦装运中心。1853年设镇,1868年设市。现仍是农业地区的运输中心。工业制品有外科医用器材、家用器皿、钢铸件和滚珠轴承、罐头等。邓肯故居(1830)中有马西隆博物馆和公共图书馆。人口31 007(1990)。

Massim style 马西姆风格 精细的曲线雕刻,源于新几内亚别具艺术风格的马西姆地区。这种样式广泛见于浅浮雕的木雕,人和

特罗布里恩群岛的木雕盾牌,上绘马西姆风格的蛇、鸟、星辰图案

美国不列颠百科全书公司供图

动物的形状与抽象的纹样(诸如螺旋形、人字形[V形花纹]、圆形和曲折盘旋)合并在一起。武器、舞蹈盾牌以及网锤等用具上都有繁复的装饰。这些物品上的花纹常雕琢染色。尤为突出的是独木舟的船头和石灰刮刀,刮刀用乌木制成,有一长形桨状的刀片和一蹲伏人形的刀柄,刀柄上刻有花纹,用石灰涂色。

Massine, Léonide 马辛(1896-08-09,莫斯科～1979-03-15,西德科隆) 原名利奥尼德·费多罗维奇·米亚辛。苏联舞蹈演员,编过50多部芭蕾舞的富有革新精神的编导,20世纪舞蹈界最重要人物之一。他曾在莫斯科帝国戏剧学校学习戏剧表演和舞蹈。S.佳吉列夫为了寻人替代V.尼任斯基而邀请马辛参加他的舞团。在师从意大利舞蹈家和舞蹈教师E.切凯蒂几个月后,于1914年在巴黎首次登台主演《约瑟夫传奇》,以其戏剧性舞蹈技艺和吸引人的舞台个性赢得好评。佳吉列夫关心提高他的艺术修养,带他到博物馆、音乐会,介绍他结识俄国画家M.拉里奥诺夫、指挥E.安泽尔梅特、作曲家I.斯特拉文斯基等人,所有这些人都对马辛的舞蹈观点有所影响。1915年创作了第一部芭蕾舞剧《夜晚的太阳》,接着又排出一些杰作,如《古怪的店铺》(1919)、《三角帽》(1919)、《美丽的多瑙河》(1924)以及《快活的巴黎姑娘》(1938)等。他用丰富清晰的描述和性格刻画发展了M.福金的编舞的革新精神。他在芭蕾舞中经常把民间舞蹈和所谓半性格舞结合起来,后者是一种利用古典技巧来表演性格舞蹈的风格。在伴舞队里他加进同步一致但又有个人的或小组的舞蹈队形以增进多样化和复杂性。1932～1938年他是C.德·巴西尔上校的蒙特卡洛俄罗斯芭蕾舞团的首席舞蹈演员和编导。1933年他用柴可夫斯基的《第五交响乐》创作了自己的第一部交响舞剧《预兆》。虽然像I.邓肯等舞蹈家过去也曾使用过交响音乐,但他的舞蹈设计更加与音乐结构完全对应。《预兆》中的象征性的性格描写之所以富有创新精神,是由于他们依赖于舞蹈本身,而不是靠服装或道具来表达他们的身份。在伦敦首次演出的、按照J.勃拉姆斯《第四交响乐》编舞的《交响芭蕾舞》(1933)引起很大争论,其第二乐章在动作的风格上接近现代舞。评论家们曾一度认为把这些音乐名作编成舞蹈既是亵渎行为,又是多此一举。随着他们的最终认可,马辛的交响乐芭蕾舞剧导致了一场舞蹈艺术的革命,而转过来又引导了服装和布景方面的改革。他的《红与黑》(1939)选用D.肖斯塔科维奇的第一交响乐,并由H.马蒂斯设计舞台布景和服装。《最高贵的幻影,圣弗朗西斯》(1938),由P.兴德米特写作台本和音乐,P.切利奇夫进行舞台布置,超现实主义画家S.达利为这三部实验性芭蕾舞剧作了美工设计。由于与德·巴西尔意见不合,马辛辞职并自行另组新的蒙特卡洛俄罗斯芭蕾舞团,由他一直领导至1942年。后参加芭蕾舞剧院和皇家芭蕾舞团。1966年参加新组建的蒙特卡洛芭蕾舞团,担任编舞和艺术指导。还曾为影片《红菱艳》(1948)和《霍夫曼的故事》(1951)编导和表演舞蹈。出版了《我的芭蕾舞生涯》(1968)和《我的编舞技巧》(1976)。

Massinger, Philip 马辛杰(1583,英格兰威尔特郡索尔兹伯里附近～1639或1640-03,伦敦) 英格兰詹姆斯一世和查理一世时代剧作家,以富于喜剧天才、善于构思情节、讲求

美国不列颠百科全书公司供图

社会真实性及有力的讽刺著称。1583年11月24日在索尔兹伯里圣托马斯教堂受洗,1602年曾就学于牛津,此后直到1613年,他的早期生涯无确实材料可供查考,可能当过演员。后来为剧院经理P.亨斯洛编写剧本。约从1613年起与J.弗莱彻等同行合作编剧。约从1620年起才独立创作剧本。1625年,他继弗莱彻之后担任著名的国王供奉剧团的主要剧作家直至去世。他与弗莱彻合作的剧本有《虚假的人》(约1620),描述凯撒和克娄巴特拉两人的故事;以法国为背景的一出家庭悲剧《致命的嫁妆》(1616～1619,与N.菲尔德合作)和《殉难的处女》(1620? 与T.德克合作),写有关基督教徒在罗马皇帝戴克里先统治下遭受迫害的情况。他个人编写的剧本保留下来的有15部,其中4部悲剧中《米兰公爵》(1621～1622)和《不自然的战斗》(1624?)为神秘故事,《罗马演员》(1626)和《边听边信》(1631)是古典历史剧,《罗马演员》公认是他最佳的严肃剧。悲喜剧有7部,其中《奴隶》(1623)描写一次奴隶起义,《变节者》(1624)的主人公是一个英勇的耶稣会教士,《宫女》(1621?)把政治现实同优雅细致相结合。两部伟大的喜剧是讽刺辛辣有力的现实主义作品。《偿还旧债的新方法》是他最受欢迎和最有影响的剧作,表现了他对经济压迫和社会紊乱真正的愤慨;《城市太太》(1632?)以类似的罪恶为题材,但对情节处理更胜一筹,巧妙地把自然主义的和象征性的格调融为一体。P.爱德华兹和C.吉布森编辑的马辛杰《剧本与诗歌》5卷集于1976年出版。

Massinissa (Numidian ruler) 参阅 **Masinissa** 马西尼萨。

Masson, André 马松(1896-01-04,法国瓦兹巴拉尼～1987-10-28,巴黎) 法国著名超现实主义画家和版画艺术家。先后在布鲁塞尔和巴黎习画。曾参加第一次世界大战,负过重伤。20年代中期因一幅作品受到超现实主义运动领导者A.勃勒东的注意而加入超现实主义派。他很快便成为"自动书写"的主要实行者。这种方法运用到绘画上,就是一种自发创作的形式,目的在于表现直接来自潜意识的冲动和意象。马松20年代末期至30年代的绘画和素描都是将暴力、肉欲、物形变态等画面作激烈而有暗示意义的表达。马松是天生的绘图家,善于以波状的、富有含意的线条勾画出接近完全抽象的生物形态图样。1934～1936年间,马松住在西班牙,第二次世界大战时居于美国。瑞士巴塞尔(1950)与纽约市(1976)举办的重要回顾展中,都有马松的作品展出。

Masson, Frédéric 马松(1847-03-08,法国巴黎～1923-02-19,巴黎) 法国历史学家,以关于拿破仑一世的著作驰名。他在《默默无闻的拿破仑》(1895)一书中收录拿破仑称帝前未曾发表的笔记、摘录和个人感想。还著有《拿破仑及其家庭》(13卷,1897～1919)、《拿破仑和他的儿子》(1904)和《拿破仑在圣赫勒拿岛,1815～1821》(1912)。

Masson, Robert Le 参阅 **Le Maçon, Robert** 勒马松。

Massys, Quentin 马西斯(1465或1466?,布拉班特卢万[今在比利时]～1530,安特卫普) Massys又拼Matsys, Metsys或Messys。佛兰德斯艺术家,安特卫普画派第一位重要画家。原在故乡卢万学习铁匠技艺,据云与一艺术家的女儿发生恋爱后开始学画。1491年去安特卫普,加入画家行会。早期作品中有两幅描绘圣母和圣子的画。他的最著名的油画是两件大型三联祭坛画,一是为卢万圣彼得教堂所作的《神圣亲眷》,又称《圣安娜祭坛画》(1507～1509),一是《基督入殓》(约1508～1511)。两者均表现出强烈的宗教感情和细节的精确性。在《老人与名妓》和《兑换钱币者与他的妻子》等画中,显示了他强调个性的

马西斯绘《兑换钱币者与他的妻子》(1514)
美国不列颠百科全书公司供图

倾向。《救世主基督》和《祈祷的圣母》则表现了高贵尊严的神情。尺寸较小的人物画有一多联画屏,曾经散失的各部分已重新聚合到一起;另有一幅后来作的《圣母和圣子》。他所绘的风景画背景系采用一位同时代人佛兰德斯画家J.帕提尼尔的风格,《耶稣被钉死在十字架上》中的风景据信出于帕提尼尔的手笔。马西斯画过许多著名的肖像画,包括其友伊拉斯谟的画像。他的肖像画虽然比A.丢勒或H.霍尔拜因的肖像画较多主观性

和个人思想成分，但是画风很可能是受了两位德国大师的影响。马西斯的《圣哲罗姆在书房中》已佚，现维也纳存一复制品，此画系模仿丢勒的《圣哲罗姆》(现存里斯本)。也可以看出一些意大利的影响，如在《圣母与圣子》(波兰波兹南国立博物馆藏)中，人物形象显然是临摹达·芬奇的《岩下圣母》(罗浮宫藏)。他的两个儿子也是画家。詹(1509～1575)于1531年在安特卫普行会中成为师匠，1543年因发表异端意见被放逐，在意大利或法国度过15个春秋，1558年返回安特卫普。他的早期绘画系临摹父亲的作品，但是后来的半身肖像《犹滴提着荷罗孚尼的头》(现藏波士顿美术馆)则显示出意大利或法国的影响，正如《罗得和他的女儿们》(1563，维也纳艺术史博物馆藏)一样。科内里斯·马西斯(1513～1579)是马西斯的次子，1531年成为师匠画家，以父亲的风格作风景画，也雕刻版画。

mast　槲果　又称壳斗。某些乔木和灌木(如山毛榉、橡树)的坚果。掉落后堆积在林地上，为狩猎动物和猪类所食，人类也将某些槲果用作食物或家禽的肥育饲料。山毛榉的槲果在英国称为buck，白金汉郡(Buckinghamshire)因其山毛榉森林得名。

mast cell　肥大细胞　脊椎动物免疫系统的一种细胞成分，其免疫功能是以局部组织的炎症性反应抵抗过敏原、变态原对机体的侵害。肥大细胞广泛地分布于全身各处，尤其是皮下、血管、淋巴管周围以及神经系统、呼吸道、消化道和泌尿道等处的结缔组织中。肥大细胞的粗大胞浆颗粒中含有品种多样、性质各异的化学介质，如组织胺、白细胞介素(IL-4、IL-5)、蛋白多糖(如肝素)以及多种酶。当机体受到变应原的刺激时，肥大细胞就会将胞浆颗粒中的各种化学介质释放到周围组织中(脱颗粒现象)，从而导致各种局限性的变态反应，如血管通透性增加(致炎症性水肿)、平滑肌收缩(致支气管痉挛)和黏液腺分泌旺盛等。

Mastai-Ferretti, Giovanni Maria (pope)　**裘范尼·马利亚·马斯塔伊-费雷提**　参阅 **Pius IX** *庇护九世*。

mastectomy　乳房切除术　将乳房切除的外科手术。常用于恶性肿瘤，亦可用于乳房囊性病等疾病。若乳腺癌能早期发现，且癌细胞未转移，则手术效果甚佳。为了尽可能将癌变组织全部切除，必需将肿瘤周围的组织，甚至其他邻近组织一并切除。手术方法有数种，选用何种方法决定于肿瘤的部位及范围(用X射线检查、温度记录法等方法)、癌细胞的类型(用活体检查决定)。标准的根治性乳房切除术要切除全部乳房、胸大肌、胸小肌及腋下淋巴结。超根治性乳房切除术为标准的根治性乳房切除术加上切除内乳淋巴结及锁骨上淋巴结。扩大的根治术则为标准根治术加上切除内乳淋巴结。改良根治术为切除乳房但保留胸大肌，而胸小肌及腋下淋巴结是否保留则视情况而定。在20世纪70及80年代有越来越多的临床证据表明，在并发症的发生率、死亡率及存活率方面，根治术与改良根治术相差无几，而在美容及功能方面改良根治术优于根治术，因此更受欢迎。其他手术方式有单纯乳房切除术(仅切除乳房)、单纯乳房切除术加腋下淋巴结摘除术、局部切除术(或者称作"肿块切除术"，仅将肿瘤切除)。

Master E.S.　E.S.大师(活动时期1440～1468，德国)　日耳曼哥特式金匠兼雕版师。在许多版画上署有E.S.花押，是欧洲早期的一位卓越版画家。其刻线版画运用交叉阴影线及色调变化构成精妙的艺术效果。曾制作过300多幅宗教、风俗和幻想题材的版画。据信他和"扑克牌大师"一样，来自上莱茵兰地区，明显受扑克牌大师的影响。其作品也有扑克牌，但主要是宗教题材，最受欢迎的作品是《和四位天使同在的忧愁者》。

Master of Moulins　参阅 **Moulins, Master of** *穆兰画师*。

master of the animals (supernaturalism)　参阅 **animals, master of the** *兽主*。

Masters, Edgar Lee　马斯特斯(1869-08-23，美国堪萨斯加尼特～1950-03-05，费城)　美国诗人、小说家。以《斯蓬河诗集》闻名。在伊利诺伊州新塞勒姆附近祖父的农场里长

美国不列颠百科全书公司供图

大，在父亲的法律事务所学习，后进入伊利诺伊州盖尔斯堡的诺克斯学院读了一年书。1891年成为律师并在芝加哥成功开业。1898年第一部诗集问世，接着出版的有：无韵诗剧《马克西米利安》(1902)、《新星楼及其他杂文集》(1904)、《先知的血》(1905)以及1907～1911年期间发表的《木槿》(1907)和《游手好闲的生活》(1911)等一系列剧本。1909年他读了《希腊诗集讽刺短诗摘抄》后，萌生创作一组类似的以独白形式写成的自由体悼亡诗的想法。结果创作了《斯蓬河诗集》(1915)，书中描写斯蓬河原来的居民在坟墓中诉说他们在这个沉闷小镇里事与愿违的苦难生活。斯蓬河这个镇是虚构的，它是马斯特斯童年熟悉的伊利诺伊州彼得斯堡和刘易斯敦的混合物。1963年《斯蓬河诗集》改编成戏剧在百老汇演出，随后在许多大学和公共剧场上演。此后他虽然几乎每年出版诗集，但诗的质量再也没有达到《斯蓬河诗集》的水平。他的小说有：《米奇·米勒》(1920)和《新婚飞行》(1923)。所著传记有：《林肯其人》(1931)、《惠特曼传》(1937)和《马克·吐温传》(1938)。他最好的传记作品是《维切尔·林赛：一位美国诗人》(1935)，他本人的自传《斯蓬河彼岸》(1936)也很著名。此外还写过《美国河流》丛书之一的《桑加蒙河》(1942)。

Masters, William H(owell); and Johnson, Virginia E(shelman)　马斯特斯和约翰逊(马斯特斯 1915-12-27，美国俄亥俄克利夫兰～2001-02-18，圣路易斯；约翰逊 1925-02-11，密苏里斯普林菲尔德～　)　以人类性学研究而著称的美国研究小组。马斯特斯是内科医师，早年毕业于纽约州克林顿汉密尔顿学院(获学士学位)，后于1943年获罗切斯特大学内科及口腔医学院医学博士学位，1947年加盟设在圣路易斯的华盛顿大学医学院。约翰逊是心理学家，曾先后求学于位于密苏里州斯普林菲尔德的特鲁里学院、哥伦比亚的密苏里大学，后又进入堪萨斯城音乐学院学习。但除了两个名誉理科博士之外，她从未获得过正式的学位。1957年她以研究助理的身份进入马斯特斯的性学研究组(成立于1954年)。1964年他们在密苏里圣路易斯合作成立了生殖生物学研究基金会，马斯特斯出任主任，约翰逊于1973年成为该研究组的女主任。同年，马斯特斯和约翰逊研究所在圣路易斯宣告成立，他们二人同时出任该研究所的主任。他们于1971年结婚，1993年离婚，但离婚并没有使他们在性学研究方面的合作中断。他们合写的《人类的性活动》(1966年出版)一书被公认是第一部综合性的性学学术研究著作。他们在本书中对人类性活动的生理学、解剖学进行了深入的研究，其中很多材料都是取自在实验室条件下的实地观察和实验记录，如在性刺激和性兴奋时记录下的多项生化指标、心电图和脑电图等。他们二人还开展有关婚姻中性生活问题的临床咨询业务。他们合作出版的重要著作还有《人类性功能不全》(1970年出版)、《同性恋问题扫描》(1979年出版，这是一部关于同性恋者之性障碍的临床治疗报告汇编)、《人类性行为》(1982年出版，作者还有R.C.Kolodny)和《异性性欲》(1994年出版)。

Masters Tournament　大师巡回赛　高尔夫球邀请赛。自1934年起每年4月的第一周在美国佐治亚州奥古斯塔全国高尔夫球俱乐部的场地举行。采用72穴计算击球次数制，击球次数最少者为胜。邀请在高尔夫球运动中表现优异的选手参加，其中多为职业运动员，也有一些业余运动员。参阅 **Sporting Record**: Golf。

Masterson, Bat　马斯特森(1853-11-27，加拿大东部[魁北克]亨利维尔～1921-10-25，纽约市)　原名Bartholomew Masterson，化名William Barclay Masterson。美国西部著名赌徒、酒馆老板、执法警官和新闻记者。出生于加拿大，先后在纽约州、伊利诺伊州、堪萨斯州等地的家庭农场中成长。19岁离家，在堪萨斯州道奇市境外猎野牛并作侦察印第安人工作(1873～1875)。1876年1月，在得克萨斯州的斯威特沃特因争执而杀死一名男子及一酒

馆舞女，随后逃回道奇市。在此一住10年，偶尔短期外出，一度任福特县治安官（1877～1879）和美国联邦司法区副执法官（1879），与当地的几个头面人物打成一片，但这段时间内主要仍靠经营酒馆与赌博为业。他偶尔也到西部其他城镇，曾在亚利桑那州的汤姆斯通一度与W.厄普在“东方酒店”共事。后来离开西部，在丹佛的一些豪华赌场里厮混（1887～1902），直至具有改革意识的当地人民把他驱逐出境。马斯特森一生的最后几年是在纽约市度过的，曾由T.罗斯福总统任命担任纽约南区联邦副执法官，又为《人生杂志》专栏作家和《纽约早电》体育版主编。1921年因心脏病突发死在办公桌前。

Masterton　马斯特顿　新西兰北岛南部城市。位于惠灵顿东北89千米处。始建于1854年，1877年设市。在通往惠灵顿的铁路上。为绵羊、奶牛、水果、谷类产区的服务中心。有乳品、肉冷冻、毛纺织、锯木、服装、农具、塑料、水泥等工厂。人口约22 927（1991）。

mastic　玛琋脂　又拼mastich。由玛琋树切口流出的软质渗出物形成的芳香树脂。主要用于制造保护金属和油画、水彩画的浅色漆。玛琋脂分散于熟（加热增稠）的亚麻籽油中时，称为溶剂油，用作载色体。玛琋脂还在牙科中用作黏结剂。玛琋树或称乳香黄连木，是漆树科的一种常绿灌木，生长在从叙利亚到西班牙的地中海沿岸，特别是希腊群岛，但也生长在葡萄牙、摩洛哥和加那利群岛。大约从公元50年开始，玛琋脂的生产几乎一直限于爱琴海中的希腊希俄斯岛。玛琋脂含于树皮中，而不是树干中；为了采集，6、7和8月在树干和大树枝上割开许多切口，玛琋脂迅速渗出并硬化成卵形小珠，每15天采集一次。在6月和11月之间重复采集数次。玛琋脂通常以豌豆大小的圆珠形式出售。它们透明，裂纹如玻璃，呈淡黄或微绿色，缓慢变深。还有一些树所产生的树脂也称为玛琋脂，如达马树脂常以玛琋脂的名称出售。有些用作保护性涂层（如绝热和防水）和黏合剂（如黏结砖瓦和壁板）的各种糊状物质也称为玛琋脂。

mastication（biology）　参阅 **chewing** 咀嚼。

mastiff　大驯犬　又称獒犬。一个大型使役狗品种。在英格兰用作守卫狗和斗狗至少已有2 000多年的历史。在欧洲和亚洲的记录中此类型的狗可追溯到公元前3000年。在英格兰的古罗马入侵者将此品种带到古罗马的角斗场使之与熊、狮、虎、牛、其他狗及角斗士等搏斗，后在英格兰用于斗牛和熊。力

大驯犬

美国不列颠百科全书公司供图

斗牛大驯犬

美国不列颠百科全书公司供图

大而性驯顺。头宽，耳悬垂，嘴扁宽。被毛短而粗糙，杏黄色、银灰浅黄褐色或有斑纹的浅黄褐色和黑色。耳和嘴色较深。体高一般约70～76厘米，体重75～84千克。斗牛大驯犬（斗牛獒犬）于19世纪在英格兰由大驯犬与斗牛狗杂交而育成，用于守护庄园和禁猎区以防偷猎。故被称为“猎场看守人的守夜狗”。棕褐色、浅红褐色而有斑纹，面部及耳为黑色。体高61～69厘米，体重45～59千克。常用作警犬及守卫狗。

mastiff bat　大驯犬蝙蝠　斗牛狗蝠（**bulldog bat**）及游离尾蝠（**free-tailed bat**）的统称。

Mastigophora　鞭毛超纲　原生动物的一个超纲。其成员鞭毛虫的特征是，在生活史的某时期具有毛状结构，称为鞭毛。参阅 **flagellate**。

mastitis　乳腺炎　人、猪、牛、羊乳腺的炎症。妇女的急性乳腺炎为感染性炎症，起病较急，病原多为金黄色葡萄球菌，有时为链球菌。本病多仅发生在哺乳期的头三周内，哺乳期后少见。细菌通过乳头上的皲裂、开放的淋巴管或乳腺管侵入乳腺。哺乳不定时，乳房过度胀满，感染机会亦增加。感染可为一侧性亦可为双侧性，可局限亦可播散。患乳肿、痛、红、硬，有触痛。若有脓性分泌物则表示脓肿形成。脓肿可在乳房深部，亦可波及皮肤。淋巴结和淋巴管常肿大，有触痛。急性乳腺炎伴有脓肿时常被误诊为急性炎性乳腺癌。出生后及青春期的女孩可有短时的乳腺炎，其病因常为激素紊乱而非细菌感染。慢性乳腺炎常继发于全身性疾病如结核病，霉菌、酵母菌感染或梅毒。浆细胞性乳腺炎罕见，患者多为多子女及有哺乳困难史的高龄妇女，有时难与乳腺癌相鉴别。在这种病中淋巴液停滞在乳房内，机体对之产生排异反应。浆细胞、白细胞、脂肪酸结晶积聚，脂肪组织变性。乳头下有一硬块，乳头变形；乳头区疼痛，有触痛，发热并可有混浊的分泌物。乳腺管及淋巴结常增粗肿大。若病情发展，则小范围的乳房组织被破坏，代之以纤维组织或肉芽组织，受损组织变硬。乳房组织受损伤后有时发生炎症及脂肪组织坏死，形成一个固定的硬块，局部皮肤颜色正常；症状可存在多年或出现在有脓性分泌物或脓肿的乳腺疾病之后。从经济角度上说，奶牛的细菌性乳腺炎最为严重，感染可通过挤奶器、挤奶人的手及苍蝇传播。受染的乳房及乳头出现特征性的变色，可发生坏疽。

mastodon　乳齿象　象类哺乳动物的绝灭属（乳齿象科，乳齿象属，又称 *Mammut*）。最初出现于早中新世，以不同的类型延续到整个更新世（250万年前至1万年前）。在北美，

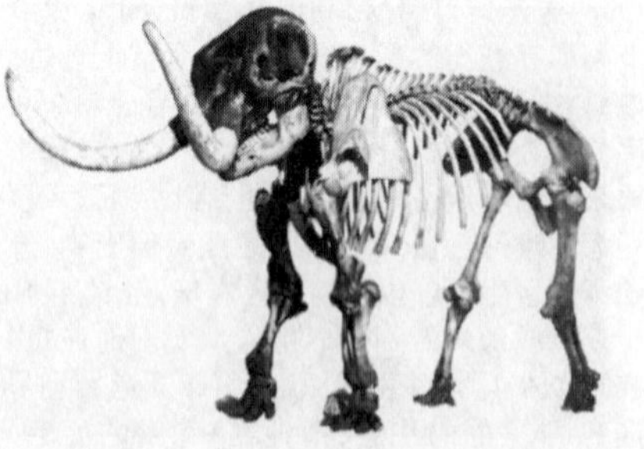

产于美国俄亥俄州利金县更新世的乳齿象（*Mastodon*）骨架

美国不列颠百科全书公司供图

乳齿象可能延续到更新世以后，因而与历史上的北美印第安人部族是同时的。分布遍及全球，化石很普遍，往往保存很完善。看来以树叶为食，磨牙的性质独特，在许多方面较原始，低齿冠，大而牢固的齿根，具有四条被深槽隔开的显著的脊；但其牙齿比真象的牙小而简单。显著的上门齿长，互相平行生长，有点向上弯。雄性有短的下门齿，而雌性没有。乳齿象比现代象类矮小，但颇粗壮。虽然头骨比现代象类低而平，结构一般简单，然而其外形与真象相似。两耳较小，不像真象那样突出；身体较长而似真象；四肢短而粗壮，像柱子。覆盖着棕色带红的长毛。它们绝灭的原因尚不能肯定，但至少在北美人类的猎杀是起了作用的。

mastoid process　乳突　人类头骨两耳下后方颅底之骨质突起，表面光滑，呈角锥形或圆锥形。化石人类学者认为乳突有重要意义，因为只在人科成员（人类或者史前人类祖先）中，才有上述独特结构。乳突的出现显然与人类直立姿势及由此而引起的头颈之间进化性的调整过程有关。

mastoiditis　乳突炎　乳突的炎症。几乎均继发于中耳的急性或慢性疾病。以前是一种常见而危险的疾病，但现代的药物治疗已能有效地将中耳炎控制，故本病已罕见。中耳炎可扩展到乳突窦及乳突气房，感染特别严重时，全部中耳腔，甚至包括整个乳突区，同时受累。乳突窦和气房的引流通路狭窄，易被阻塞。乳突炎的严重程度常取决于炎性产物于乳突窦及气房内积存量的多少。本病主要症状为耳后及一侧头痛，可有体温升高和脉搏加快，乳突部可有明显压痛，表面软组织肿胀逐渐加重，脓肿形成，出现波动，这说明感染已侵蚀骨质，骨皮质已受破坏。某些情况下，乳突炎症不向表面发展，而是波及颅内结构，产生多种并发症，其中最重要的是硬膜

外或硬膜下脓肿、侧窦血栓性静脉炎、迷路炎、耳源性脑膜炎等。乳突炎应早期用抗生素治疗。少数病例药物治疗无效，应行手术引流，并广泛去除病变骨质。慢性乳突炎是慢性中耳炎的一部分，因急性乳突炎未得到控制发展而成。慢性乳突炎急性发作时可产生上述各种症状及体征；治疗以手术为主，并应同时治疗慢性中耳炎。

Mastroianni, Marcello　马斯特罗亚尼（1924-09-28，意大利丰塔纳利里～1996-12-19，法国巴黎）　意大利电影演员，60年代欧洲电影界杰出的男主角。是一个富于魅力、浪漫的银幕偶像，其表演风格主要给人一种平易近人的感觉，作为现代欧洲人的银幕形象获得国际声望。第二次世界大战后，入罗马大学学习。在大学主办的业余演出中，开始了舞台生涯。1947年步入影坛，至50年代中期已成为意大利著名电影演员。他在《白夜》（1957）中担任主角以后，引起了意大利导演F.费里尼的注意，请他在《甜蜜的生活》（1960）中饰主角，上演后获奖，从此在国际上声名大振。此后，又拍了不少杰出的影片，其中有《夜》（1960）、《意大利式的离婚》（1961）、《八部半》（1963）（获奥斯卡奖，由他和费里尼共同导演）。《昨天、今天和明天》（1964）和《意大利式的结婚》（1964）两部喜剧由他和意大利女演员S.罗兰共同主演，后又合作演出《向日葵》（1970）和《神父的妻子》（1971）。1980年出演了费里尼的影片《女人城》。

masturbation　手淫　抚弄自己的生殖器官以引起快感（通常达到性高潮）的行为。过去由于一些错误观念和清规戒律，成人进行手淫常受鄙视。基督教伦理谴责手淫者犯有俄南之罪。《旧约》记载，俄南因违背犹太教关于为兄弟留嗣的律法而故意泄精于女子体外而受到上帝咒诅。天主教规现仍正式谴责手淫是严重的犯罪行为。美国科学家A.金西和其他人估计，20世纪中期，美国至少有92%的男子和70%～80%的女子有手淫习惯。欧洲的情况也大体相同。以手淫为耻的想法正越来越少。许多性行为研究者认为手淫有益于健康，使人愉快，有镇静作用，可缓解性紧张。有些研究表明，性交时对女方实行手淫有助于使其达到性高潮。手淫也被广泛用于性治疗。

Masuda　益田　日本本州岛根县城市。地处高津川盆地，近日本海。为四周农区（产稻米、灯心草）的商业中心。生产日本草席、丝织品和木材。经营木材和木炭贸易。通铁路。人口52 408（1990）。

Masʿūdī, al-　麦斯欧迪（9世纪，巴格达～957，埃及富斯塔特）　全名阿卜·哈桑·阿里·伊本·侯赛因·麦斯欧迪。阿拉伯历史学家和旅行家，人称阿拉伯的希罗多德。他喜欢学习，不仅博闻强记，而且文思敏捷，曾广泛涉猎各种学科。他不满足于从书本和教师学习，为了获得第一手知识，还到各地去旅行。他的足迹遍及叙利亚、伊朗、亚美尼亚、里海沿岸、印度河谷、锡兰、阿拉伯半岛上的阿曼；在非洲东海岸，他至少到过桑给巴尔，甚至可能到过马达加斯加。他的著作已知有20部以上，绝大部分均已散佚。主要著作是30卷的《历代史》。这是一部百科全书式的世界历史巨编，不仅包括政治的历史，而且包括人类知识和人类生活的许多侧面。此后又写成《中书》。虽然大家对该书内容评价不同，但无疑是一部编年史。麦斯欧迪将这两部姊妹著作删繁就简，缩写成一部独立的著作，冠以奇异的标题：《黄金草原和珍珠宝藏》。这部著作确立他作为第一流历史学家的名望。14世纪伟大的阿拉伯历史哲学家伊本·赫勒敦称他为"历史学的伊玛姆（领袖、楷模）"。《黄金草原和珍珠宝藏》共132章，前半部有重要价值。他从创世纪和犹太人的历史开始，以后分述非伊斯兰教土地（诸如印度、希腊、罗马）的历史、地理、社会生活以及宗教等等。其中对波斯湾里的珍珠、东非发现的琥珀、印度人的葬礼、通往中国的陆路、航海遇到的风暴等，描绘得特别有趣。麦斯欧迪的史书中包含着独创的见解，他对社会、经济、宗教、文化的叙述具有与政治相同的比重。他对所有的宗教，包括印度教、琐罗亚斯德教、犹太教和基督教，都抱有浓厚的兴趣。但他对自然现象的解释往往是不正确的。他于945年定居大马士革，两年后又去富斯塔特（古开罗），一直住到去世。死前写完他的最后作品《校勘与补遗书》，对他过去的著述作了总结和更正，并增补一些最新的内容。

Masukagami　《增镜》　记述镰仓时期（1192～1333）的史诗，为日本史最有名的四镜（纪录）之一。作者据说为二条良基，1333～1376年成书，叙述从后鸟羽天皇诞生（1180）至后醍醐天皇自隐岐岛还幸（1334）间的历史事件。记载包括蒙古人对日本的入侵（1274，1281）。书中引用大量宫中档案和贵族的日记。文体极为优美。作者完全从宫廷贵族的角度出发，以悲怆的笔触叙述宫廷贵族势力的衰微和武士阶级地位的上升。

Masulipatam　默苏利珀德姆　又称默吉利伯德讷姆或班达。印度安得拉邦东部城市。是1611年英国人在孟加拉湾所建的第一个商埠。1686～1759年被法国、荷兰占有。1759年英国人从法国人手中夺得城市与城堡，城堡废墟现为名胜古迹。1949年该市获得如今的市名。为铁路终端站和海港，经本德尔运河通维杰亚瓦达。主要行业有织毯、碾米、榨油和科学仪器制造。设有安得拉大学4所分校和全印度纺纱者协会总部。人口约159 007（1991）。

Masulipatam, Treaty of　《默苏利珀德姆条约》（1768-02-23）　印度海得拉巴邦接受英国统治的条约。1767年，东印度公司欲阻扼迈索尔统治者海德尔·阿里的扩张政策，开始了第一次迈索尔战争。虽然海得拉巴的尼查姆最初与英国人结盟，但不久即抛弃了其英国盟友，后来当英国承认其有权统治巴拉卡德时，他又和英国人讲和，签订《默苏利珀德姆条约》。然而在1769年战争结束时，英国人却承认了迈索尔对海德拉巴的主权。这种欺骗行为终于促使尼查姆在1779年与海德尔·阿里结成反对英国人的联盟，但后来的战争则以英国人巩固对迈索尔和海德拉巴两方的统治而告终。

Masur, Kurt　马祖尔（1927-07-18，德国布里格[今波兰布热格]～　）　德国指挥家，20世纪70年代在东德声誉鹊起而名噪一时。马祖尔于1942～1944年在德国布雷斯劳（现为波兰弗罗茨瓦夫）国立音乐学校修习钢琴和大提琴，1946～1948年在莱比锡音乐学院学指挥、钢琴和作曲。其后7年在东德几家地区性歌剧院从事指挥工作，1955年起在德累斯顿爱乐乐团任指挥，继而又任梅克伦堡国家剧院（1958～1960）和柏林喜歌剧院（1960～1964）音乐总监。1967～1972年重返德累斯顿任指挥。在莱比锡布业会堂管弦乐队长期担任指挥期间（自1970年起）蜚声国内外，广泛巡回演出，足迹遍布全世界。他以综合性的曲目著称，包罗德国浪漫派上起贝多芬下至马勒的许多作品。作为东德的一位有威望的文化人物，马祖尔参与了那场导致1989年后期共产党政府垮台的群众性骚动。1991年成为纽约爱乐乐团音乐总监。

Masurian Lakeland　马苏里亚恩湖区　波兰东北部湖区。范围包括埃尔布隆格、奥尔什丁、苏瓦乌基、托伦、奥斯特罗文卡和沃姆扎省。面积5.2万平方千米。范围至波罗的海沿岸平原以南，西至维斯图拉河下游，东至波兰-白俄罗斯边境，东西横跨290千米。有2 000多个最初由维斯图拉冰盖溶化形成的湖泊。也有沼泽、沙丘和丘陵。西部土质肥沃，出产小麦和甜菜。东部土壤为沙质，产马铃薯和黑麦。主要城市有埃尔布隆格、奥尔什丁和埃乌克。

Masvingo　马斯文戈　前称维多利亚堡。津巴布韦中南部城镇。建于1890年。1953年建市。哈拉雷（前索尔兹伯里）—比勒陀利亚公路和通往布拉瓦约的铁路支线经此。现为农牧区的商业中心。附近有金矿和石棉矿。是前往凯尔国家公园、穆尚迪凯国家公园和津巴布韦废墟（"石屋废墟"）的旅游基地。这片废墟为该国重要的考古地点，最后被认定是卡兰加人巨大的内陆帝国的遗物。人口30 523（1982）。

Mata Hari　玛塔·哈里（1876-08-07，荷兰吕伐登～1917-10-15，法国巴黎附近万塞讷）Margaretha Geertruida Macleod的别名。母家姓Zelle。荷兰舞女、名妓。出身于殷实帽商之家，曾受高等教育。1895年与一荷兰军官结婚，旅居爪哇，后离异。1905年在巴黎当舞女，因美貌动人，会跳东印度舞蹈，尤其是可以当众几乎一丝不挂，在巴黎等大城市走红。1917年2月13日在巴黎以德国间谍罪被捕，7月24或25日由法国军事法庭判处死刑。其实关于她的间谍活动，就性质和范围而言，与其一生经历一样错综复杂，难以弄清。

Matabele（people）　马塔贝勒人　参阅 **Ndebele** 恩德贝勒人。

Matabeleland 马塔贝莱兰 津巴布韦西南部的传统地区，居民以说班图语的恩德贝勒人为主。为海拔900～1 500米的高原。地势分别向南北两方低降，赞比西河支流流贯于北，林波波河支流流穿于南。大部为热带草原，布拉瓦约城西北有热带稀树草原。恩德贝勒人原为南非纳塔尔恩古尼人的分支，1823年从南方迁来，当时称为马塔贝勒人，约在1840年定居于今津巴布韦的西南部，19世纪中叶欧洲人命名该地区为马塔贝莱兰。1890年在该地设立了英国南非公司。马塔贝勒人1893年被英国人战败，19世纪90年代今津巴布韦被英国南非公司分作两个省，西为马塔贝莱兰，东为马绍纳兰（绍纳人的传统故乡）。马塔贝莱兰在1923年以后成为自治的南罗得西亚的一部分，1980年成为独立的津巴布韦的一部分。当今恩德贝勒人主要住在津巴布韦工业中心布拉瓦约城周围的村舍中，种植玉米、花生，养牛。该地区现有金、煤和锡矿开采。

马塔贝莱兰区的维多利亚瀑布
美国不列颠百科全书公司供图

Mataco 马塔科人 大查科的南美印第安人，操一种独立的语言，大多数居住在阿根廷东北部贝尔梅霍河和皮科马约河之间，一些居住在玻利维亚，是查科印第安人中最大和最重要的居民集团。马塔科人从事有限的农业，辅以捕鱼、狩猎和采集野生食物。他们在1628年初次见到欧洲人，此后一直反抗欧洲人的基督教化和殖民化的企图，很多人遭杀戮或被安置在保留地上，或并入公共居住区。现今马塔科人正融入查科的混血人居民中。21世纪初估计有30 000人。很多人当伐木工或每年外出在甘蔗种植园当季节工。

Matadi 马塔迪 刚果（金）西端港口城市。在刚果河畔，距大西洋港口巴纳纳150千米，为远洋轮船上溯的最远点。刚果（金）主要内河港口，也是中非大港之一。1879年英国探险家斯坦利在此建立一个贸易站。1890～1908年第一条铁路直达首都金沙萨。人口约172 730（1994）。

matador 斗牛士 在斗牛表演中，挥舞斗篷并以剑戮牛肩胛骨的主要角色。现代斗牛士所用的技巧可追溯到1914年前后，当时胡安·贝尔蒙特革新了古老的斗牛场面。从前斗牛的主要目的只是把牛准备好供剑戮用；但是身材矮小且瘦弱的安达卢西亚人贝尔蒙特却强调接近牛身和优雅地挥舞斗篷的惊险性，杀牛属第二位。他接近牛角达到令人难以置信的地步，一夜之间成为轰动一时的人物。斗牛时，面临死亡的威胁，斗牛士傲倨蔑视的态度和为避免受伤而表现出熟练的闪躲技巧使观众激动不已。观众评判一名斗牛士，是以其技巧、优美的姿势与勇敢的行动为标准的。因此许多人认为一场斗牛表演，并非只是人与牛斗，更是人与自我之争。愈敢让牛角接近自己的斗牛士，就愈能赢得观众的欢心。贝尔蒙特的好友和对手何塞利托（戈麦斯）被公认为前所未有的了不起的斗牛士。他于1920年在斗牛场上丧命。几乎每名斗牛士在每一个斗牛季节中，至少会被牛抵伤一次。贝尔蒙特被牛抵伤达50次以上。自1700年以来，在大约125名主要的斗牛士中，有40名以上的斗牛士死在斗牛场上；初学斗牛者和骑马斗牛士的死亡人数还不包括在内。20世纪最伟大的斗牛士有墨西哥人R.高拿、阿米里他（F.埃斯皮诺萨）和C.阿鲁扎；西班牙人贝尔蒙特、何塞利托、奥尔特加、马诺来特（M.罗德里格斯）和科尔多贝斯（贝尼特斯）等。

斗牛士的斗牛表演
美国不列颠百科全书公司供图

Matagalpa 马塔加尔帕 尼加拉瓜中西部城市。地处海拔682米的高原谷地。为本地区主要的工商业中心。全国风景优美的古城之一。周围地区生产的咖啡在全国产量中占很大比重。还生产玉米、豆类、稻米、蔬菜、烟草和水果。有金、银矿。养牛和猪。也生产食品、家具、皮革和泥土制品。通公路。人口约59 397（1995）。

Matale 马特莱 斯里兰卡中部城镇，在康提北面23千米处。附近有一所佛寺和石庙。地势平缓，雨量适中，宜于种植香料。该镇也是牲畜贸易中心，附近有大面积茶园、橡胶园和可可种植园。人口约43 000（1994）。

Matamba 马坦巴 历史上非洲姆本杜人的王国，在宽果河西岸、安哥拉的罗安达东北。16世纪初已形成一个独立的国家，偶尔向北方的刚果王国纳贡。16世纪90年代联合恩东加、刚果和贾加人同葡萄牙人进行斗争，阻止葡萄牙人向内地推进。17世纪70年代在马坦巴边界处阻止了安哥拉向东推进，但未能攻占葡萄牙在罗安达和马桑加诺的港口。1684年与葡萄牙人缔结的一项条约有效地持续了60年之久。1744年一名白种商人被杀导致葡萄牙人进犯，马坦巴丧失一小块领土。19世纪30年代又相继丧失一些领土。尽管1870～1900年的欧洲条约已把马坦巴划给安哥拉，但它事实上仍是一个自治王国。直到20世纪初才被葡萄牙军队完全占领。

Matamoros 马塔莫罗斯 全称伊苏卡尔-德马塔莫罗斯。墨西哥中南部普埃布拉州西南部城市。海拔1 326米。濒临内哈帕河。内地有畜牧业和种植业（甘蔗、稻米、玉米、豆和水果），当地有养蜂业。市内主产糖、奶酪、黄油和罐头食品。通墨西哥城—瓦哈卡公路干线和墨西哥城—里奥巴尔萨斯窄轨铁路。人口70 532（2000）。

Matamoros 马塔莫罗斯 全称英雄马塔莫罗斯。墨西哥塔毛利帕斯州北部城市。在格兰德河南岸，与美国得克萨斯州布朗斯维尔隔河相望。1824年建城。墨西哥战争期间，此处曾发生激战。现为外国旅游者主要入境港和商品进出口岸。棉花和甘蔗种植区的制造业和商业中心。有皮革、棉织和酿酒厂。航空线、铁路和公路通蒙特雷和墨西哥城。人口约416 428（2000）。

Matane 马塔讷 加拿大魁北克省东部城市。下圣洛朗-加斯佩西行政区马塔讷行政区属县县城。在圣劳伦斯河南岸马塔讷河河口，为运输、商业、工业中心，又是纸浆转运港口和加拿大一海湾铁路东端终点站。主要工业有木材、木器、家具、磨面、制革等。周围农村地区则以经营乳制品、商品蔬菜、畜牧、鲑鱼捕捞为主。该城还是马塔讷河保护区垂钓运动供应站。距该城51千米的梅蒂斯公园培植各种气候区的植物，品种多达4 000种。人口12 364（1996）。

Matanzas 马坦萨斯 古巴中西部省份。面积11 978平方千米。1879年建立。北部有许多肥沃平原，南部多红树沼泽或沼泽低地。南北两侧沿海多岛屿，沿岸多海湾。出产甘蔗、柑橘、稻米和牲畜。工业生产食糖、朗姆酒、化肥等。主要居民区和运糖港马坦萨斯市和卡德纳斯均在北侧海岸。马坦萨斯市为省会和重要旅游中心。公路干线和铁路使马坦萨斯城和科隆与哈瓦那相连。人口约654 516（1998）。

Matanzas 马坦萨斯 古巴中西部马坦萨斯省省会。建于1693年，曾被海盗占据。到

1860年为古巴第二大城。但随着甘蔗工业向东部扩展,该城的发展放慢。有活动频繁的文化机构和公共图书馆,众多学者、艺术家在此工作过,素有"古巴的雅典"之称。古迹有圣塞维里诺城堡(17世纪)和圣卡洛斯大教堂(1730)。为该国主要港口之一,主要承运蔗糖和龙舌兰纤维。也为工业中心,生产人造纤维、化肥等。附近有热电厂。经两条铁路和中央公路通哈瓦那。人口约113 724(1990)。

Matanzas National Monument, Fort (Florida, U.S.) 参阅 **Fort Matanzas National Monument** 马坦泽斯堡国家保护区。

Matapa 马塔帕 南部非洲一帝国,由姆韦尼·马塔帕(**Mwene Matapa**)世系的国王统治。

Matapédia Valley 马塔佩迪亚河谷 加拿大魁北克省东部加斯佩半岛上最重要的河谷。位于下圣洛朗-加斯佩西行政区内。从西北向东南延伸约100千米,形成一条从圣劳伦斯河横贯圣母山脉直通大西洋沙勒尔湾的通道。马塔佩迪亚河从马塔佩迪亚湖流出,汇入雷斯蒂古什河。湖与河均以钓捕鲑鱼和风景优美闻名。有一部分谷地划归加斯佩西省立公园。谷底为富饶的奶牛饲养区和综合性农业区,有萨亚贝克、昂基和科萨普斯卡勒等农产品集散市镇。这里不但是重要的农业区和旅游胜地,也是滨海诸省与加拿大大陆之间的交通要道。加拿大国家铁路和该省的一条公路干线都通过谷地。河谷名是印第安语,意为"两河合流处"。

Matara 马特勒 斯里兰卡南部城镇,位于岛南岸尼勒沃勒河河口。17世纪为葡萄牙人所占,18世纪又被荷兰人占领。当时该镇为重要商业中心,现为农业产区贸易中心。有铁路通科伦坡,也是公路交叉点。人口约48 000(1994)。

Mataram 马塔兰 16～18世纪爪哇岛上的大王国,由斯诺巴迪建立。在苏丹阿贡统治时期(1613年起),马塔兰扩大了领土,包括爪哇岛的大部分地区。他在占领爪哇北部的一些港口城市(特别是泗水和马都拉)之后,企图从荷兰东印度公司手中夺取巴达维亚。1628和1629年两度发起进攻,都未成功。他对爪哇最东部的巴厘和巴兰邦岸也进行一次"圣战"。此后他集中力量发展国内经济,将中爪哇居民迁移至人口较少的西爪哇加拉璜,鼓励岛际贸易。他并按印度-爪哇习俗改革伊斯兰教,按伊斯兰和爪哇历法于1633年制订新历。在苏丹阿贡统治时期,艺术上呈现出伊斯兰和印度-爪哇诸因素的混合。1645年苏丹阿贡死后,马塔兰开始走下坡路。1749年成为荷兰东印度公司的附庸。马塔兰曾发生几次王位继承战争,结果在1755年分成东部地区和西部地区(参阅 **Gianti Agreement**),两年后又分成3个地区。

Mataram 马塔兰 印度尼西亚龙目岛西努沙登加拉省省会、城市。位于该岛西海岸,巴厘以东。18世纪末之前一直是龙目岛上穆斯林马塔兰王国的主要城市。19世纪初受巴厘人统治,后成为巴厘苏丹的都城。1894年被荷兰人占领。第二次世界大战期间被日本占领。人口大部分是萨斯萨克人,他们是马来亚血统的穆斯林。该市为农产品贸易中心。有食品加工、造船和碾米业。与北面的丹戎,东面的普拉亚和塞隆通公路。建有机场。附近安佩南港有马塔兰国立大学(1762)。城郊有巴厘苏丹修建的一些宫殿。人口275 089(1990)。

Mataró 马塔罗 西班牙东北部加泰罗尼亚自治区巴塞罗那省港口城镇。濒临地中海。城镇分为新老两部分,前者为摩尔人区,在一高地上,四周有围墙。出产和外运葡萄酒、康乃馨和马铃薯。生产针织品、内衣、针织机、肥皂、纸张、化工品和汽车车身。1848年与巴塞罗那市之间建成西班牙第一条铁路。附近阿亨托纳有碳酸矿泉。人口约104 095(1999)。

Mataura River 马陶拉河 在新西兰南岛。源出艾尔山脉瓦卡蒂普湖以南,向南流经戈尔和马陶拉,在布拉夫以东32千米经福沃海峡注入太平洋。全长240千米。流域面积728平方千米。19世纪30年代河口有捕鲸站。

match 火柴 末端带有摩擦引火物的小木梗、小木片或其他适宜的易燃材料。火柴有三个基本组成部分:使燃烧开始的火柴头、接续和传递迸发出的火焰的引火物和火柴梗。现代摩擦火柴有两大类:①摩擦火柴;②安全火柴。摩擦火柴的头部含有全部摩擦发热起燃的化学物质,而安全火柴的头部发火的温度要高得多,还要摩擦在特制的含有能将火星引到火柴头的材料上才能点燃。通常用磷的化合物在摩擦发热的温度下引火。摩擦火柴的头部和安全火柴的摩擦表面都有此物质。除了磷点燃剂外,火柴里还有三组主要的化学成分:①氧化剂,诸如氯酸钾,为点燃剂和其他可燃物提供氧气。②黏合剂,诸如动物胶、淀粉和树胶,以及合成剂,将配好的材料黏合在一起,并在燃烧时被氧化;燃烧后的黏合剂,诸如熔化后将灰粘在一起的玻璃粉,也必须使用。③惰性材料,诸如硅藻土,能提供胀量,并调节反应速度。

发明火柴前,人们通常使用末端涂有诸如硫磺等易燃物的特制木片,将火焰从一燃烧源传到另一燃烧源。由于对化学的兴趣日益浓厚,人们开始做实验,想从这木片上直接点火。1805年,J.尚塞尔在巴黎发现,将末端蘸有氯酸钾、糖和树胶的木片浸入硫酸中便可点燃。后来这方法不断改进,最后伦敦人S.琼斯于1828年制成普罗米修斯火柴,并获专利。普罗米修斯火柴是一个含酸的小玻璃泡,外面涂裹引火物。用一把小钳子或甚至用牙齿将玻璃泡弄碎后,外面裹的纸张即起火燃烧。其他既不方便又不安全的早期火柴都是使用含磷或其他物质的玻璃瓶。F.德鲁森于1816年制成的黄磷火柴即为一例。他使用末端涂硫磺的火柴在内壁涂磷的管子内刮擦点燃。这些早期的火柴极难点燃,常常迸发成一片火星。气味还特别难闻。琼斯的火柴盒上印的警告("肺部孱弱者切勿使用本品")似乎是很有根据的。

1825～1835年间的经济情况似乎有利于将火柴生产企业化,尽管首批厂商使用的是无磷配方,即主要基于氯酸钾混合物的配方。摩擦火柴是由英国化学家和药剂师J.沃克发明的。1827年4月7日他的分类账上记载着这种火柴的第一笔销售额。沃克的摩擦火柴头上涂有氯化钾-硫化锑的混合糊剂,在折叠的砂纸间刮擦点燃。他从未申请专利。1832年前,巴黎的G.-E.梅凯尔和奥地利的J.西格尔以及其他一些人都在制造无磷的摩擦火柴。当时,欧洲已建起可观的摩擦火柴制造业。1831年,法国的C.索利亚在配方中加进白磷或黄磷,此项革新很快被广泛效仿。1835年,匈牙利人J.艾里尼用氧化铅取代氯酸钾,获得微声、平滑、易燃的火柴。1845年,奥地利化学家A.冯·施勒特尔发现了无毒且不易自燃的红磷,从而出现安全火柴。安全火柴是把引火物成分分别涂在火柴头和特殊摩擦表面上。瑞典人J.E.伦德斯特勒姆于1855年获得了此项专利权。虽然安全火柴被广泛接受,但由于白磷火柴不易变质并能适应不同气候条件,一直还为人们喜爱。然而,到19世纪末,发现白磷对生产这种火柴的工厂工人有严重的毒害作用(磷毒性颌骨坏死)。1864年,法国化学家G.勒穆瓦纳首次制得毒性低得多的三硫化二磷,但直到1898年法国政府火柴专卖公司的E.-D.卡昂和H.塞韦纳获得专利,才用于制造火柴。此后几年内,白磷火柴几乎到处成为违法的东西。现代安全火柴的火柴头通常是硫化锑、氯酸钾一类的氧化剂和硫磺或木炭等的混合物,而摩擦表面则含有红磷。非安全火柴的火柴头常含有三硫化二磷。

matchlock 火绳机 火器中用于点燃火药的装置。发明于15世纪,是轻兵器制造上的重要进步。火绳机是第一个机械发火装置,它包括带火绳的蛇形杆和扳机。扣动扳机,蛇形杆向下,点燃的火绳使枪管侧方火药池内的起爆药燃烧。火药池的火焰通过枪膛的小孔进入膛内,点燃发射药。火绳枪使用时费时费事,刮风下雨还很难使用。由于它在夜间或伏击时发光,还会带来危险。尽管如此,火绳枪在其他发火装置发明后仍然是欧洲的主要兵器。

maté 马黛茶 又作 yerba maté, Paraguay tea, Brazilian tea。又称巴拉圭茶、巴西茶。南美洲各国流行的一种类似茶的饮料。用常绿灌木或乔木巴拉圭冬青(*Ilex paraguariensis*)的干叶调制,浅绿色,含有咖啡因、鞣酸,是一种兴奋饮料,其收敛性较茶弱。马黛茶是古老的印第安人饮料,但该植物现仍野生于巴拉圭和巴西南部。最早为耶稣会传教士所种植。野生的植株为乔木,树冠圆头状。人工栽培后产品质量提高,栽培植株成为矮小多茎灌木,为了植株复壮,收获间期至少需要两年。干制马黛茶的方法有多种,在巴西是将其枝叶置于面积6平方英尺的坚硬地面上,周围烧火初烤，其后又置于杆篱编成的拱顶上再次烘烤，最后将干叶制成粗粉。在巴拉圭及阿根廷部分地区，则先将中脉除去，再将叶片烘烤。现在较新的方法与中国制茶的方法相似，将叶放入很大的铸铁平底锅内烘烤。调制饮用是将茶放入干的空葫芦内，灌沸水浸泡，用长6英寸(15厘米)的管(常为银管)吸饮。通常清泡，有时加入糖、牛奶、柠檬汁等。若将马黛茶盖紧，其味道可保存很久。

Matehuala　马特瓦拉　墨西哥东北部圣路易斯波托西州北部城市。位于内地高原，海拔1 815米。在萨拉多谷地。为矿业(金、银、铅和铜)和工业(炼铜)中心。有皮革、酿酒和龙舌兰纤维等厂。也种植一些玉米。公路通州首府圣路易斯波托西和科阿韦拉州首府萨尔蒂约。有机场。人口：城市区约70 283(1990)。

Matera　马泰拉　意大利南部城市，巴西利卡塔区马泰拉省省会。位于一深谷上，在塔兰托西北面。在旧城的深谷坡地，居民住在岩壁上凿出的窑洞里，只有一口作进出门用。这种居住习惯始于史前时期。现代的这个城市有比较正常的住房。马泰拉为大主教区。名胜古迹有阿普利安-罗马式大教堂(1268～1270)和圣方济各教堂(1670年重建)等。建有收藏当地手工艺品的博物馆。有农业、石灰华开采业，制造赤陶和美术陶瓷器。人口：城市区约53 775(1991)。

materialism　唯物主义　哲学用语，这种观点认为所有事实(包括有关人类思维、意志和人类历史进程的事实)的起因都依存于物质过程，甚或简化为物质过程。

历史上出现过的众多唯物主义思想体系，其主张不外下列一个或几个论点：①所谓心理活动其实是某些复杂的物质活动；②心理活动过程完全由物质活动过程决定(例如，"下决心"，虽然这是一个可进行内省的真实过程，但却是由身体活动过程引起的，是由身体原因得出的明显结果)；③心理和物质活动过程是在一个既是精神的又是肉体的实体内发生的两个方面(这一论点，不论其是否叫做"唯物主义的"，通常都受到反对唯物主义的人们的反对)；④思想和愿望影响个人的生活，但是历史的进程却是由众多的人和大量的物质相互作用决定的，在这样的过程中，不需依据"更高级"的思维和意志作用即可断定。

因此，唯物主义与哲学上的二元论或唯心主义是对立的；一般说来，与信仰上帝、信仰脱离躯体的精神、信仰自由意志论或信仰某种内省的心理学也是对立的。唯物主义的观点坚持认为：解决问题要依据公众的意见，而不能依据个人的直觉。因为这是科学家们在他们专门研究范围内必须接受的准则，所以最重视科学的哲学体系自然倾向于唯物主义。但是没有一个伟大的经验主义者对于成体系的唯物主义表示满意(至少没有长期表示满意)。

公元前5世纪希腊原子论者留基伯和德谟克利特对感觉和思想提供了简单的机械解释。据《斐多篇》载，苏格拉底曾谴责了这个观点。17世纪，霍布斯和伽桑狄受希腊原子论者的启示，用唯物主义论点来捍卫科学，驳斥亚里士多德和通常的传统观点。18世纪，拉美特利和霍尔巴赫等启蒙运动的唯物主义者试图为心理学提供一种详尽的论述。

在近代，唯物主义开始一方面作为研究和阐释方法由柏格森、亚历山大和怀特海等人应用于自然科学研究中，另一方面由黑格尔、孔德和马克思等人应用于阐述人类历史。马克思提出了一种新的唯物主义，是辩证唯物主义而不是机械唯物主义，并且概括所有学科(参阅 **dialectical materialism**)。

在20世纪，唯物主义思想面临自然科学和哲学方面的新进展。在物理学方面，相对论和量子论修改了(尽管没有摒弃)因果论和普遍决定论等概念。在心理学上，沃森的行为主义是唯物主义的一个极端的形式，未被普遍接受；而心理学和精神分析两方面的研究成果，使任何认为精神依赖于神经系统活动过程及其机制的简单而直接了当的观点，都不可能成立。在哲学上，进一步的思考使许多人认识到：要想在自然科学概念和常识的基础上(尤其是在因果关系和关于内在联系的阐释上)建立一个信仰系统，不管它是唯物主义的还是其他什么主义，都是徒劳的。

materials handling　物料输送　将原料从产地送至生产使用地点，在生产过程中调运物料，以及将制成品从工厂运送给用户或经销商的过程。早期的物料输送系统是将货物作为单独的单元，以间断的方式输送，物料集中、生产和产品分配是3个互不连续的阶段，物料单个地而不是成批地运送。相反，现代的物料输送系统强调统筹安排从原料产地到最后用户的整个流通过程。这个目的可通过以下方法实现：以标准化单元大批运输货物；在输送过程中使用起重机、传输带和其他机械；通过生产、加工和分配计划，周密地协调货物的流通。近年来散装货物尽可能改为包装后交运，以减少各输送阶段所需的工作量，降低单位成本。大量的液体和气体，如石油和天然气，通常用管道从矿区输送到贮罐和精炼厂，再分别送往用户。管道网也可用来输送悬浮在水中的固体矿浆(如煤浆)。压缩天然气并使用大容量的油轮也有利于通过主要水路远距离运输这类物料。不能用管道输送的散装物料只能用船舶、载重汽车和火车运输，这类物料包括未加工的矿物和建筑材料。第3类物料包括机器零件和其他工业产品，可散装运往装配线或经销商。

输送物料的工具很多，从最简陋的独轮手推车和大车到非常复杂的起重设备。动力载重车和叉车用于提升体积大的或重量重的货物，它们通常同沿固定路线分发物料的拖车联运。靠人力或重力驱动的传送带和单轨吊车也广泛用于工厂内部的短程运输以及分类和装配线生产。用各类箱子到大小同载重汽车相似的集装箱装载物料有助于减少输送物料所需的工作量，大件运输可最大限度地提高效率。使用有托板或没有托板的车架是利用垂直装载空间的最好办法。

一般地说，运输的最佳效率与所要求的运输速度及载货量的大小、重量和成分之间的平衡有关。汽车货运的革新已生产出运输冷冻品、散装液体和气体的专门设备，并在装卸中使用货架和宽平台以节约劳力。铁路运输设计了平板车、可从侧面装卸的货车、用于运输汽车的3层货车以及装运单一散装货物的编组列车，这种列车可用高效率的起重机、装料斗、传送带装载，并可用较低的运费远距离运输大宗货物。散装物料的越洋运输一般由大型货轮和海洋运输业公会的运输轮完成。超级油轮的载重量大，但在发生事故时将受到严重的经济损失，或在运输石油时可能破坏环境，造成公害。一般运货船用来在便于航行的航线上运输经过包装的货物。在所有运输方式中，空运的最大优点是速度快，但费用也最高，且运输体积或重量大的货物能力很低。然而，现已研制出缩短装载时间的设备，而特制集装箱有助于最大限度地有效利用飞机上的载货空间。

materials processing　材料加工　将工业原材料加工成零部件或产品的过程。在原料从矿物中提炼出来或是由基本化学制品或天然材料生产出来之后，材料加工随即开始。把原材料加工为成品的作用有两个，或两者之一：①造成需要的形状；②改变或改善材料的性能。材料加工方法主要有成型、切除、连接、变性和精整。成型加工有两大类：液态成型；固态或可塑态成型。液态成型，通常称为铸造法，用于金属、玻璃和陶瓷；另一种称为模压法，用于塑料和其他非金属材料。大部分铸造和模压方法都有4个步骤：①给零件做一个精确的模型；②根据模型制造铸模；③将液体注入铸模；④从铸模中取出硬化的铸件。有时需对铸件进行精整加工。固态金属的加工可分为两个主要阶段：①把金属锭或金属坯加热后，通常经过轧制、锻造或挤压，热加工成较小的形状和尺寸；②再经过一道或几道较小规模的冷、热成形加工，制成最后的零部件或成品。材料成型后要进行切除加工，即把材料的一部分除去，以达到所需要的形状。有许多金属切削方法，它们当中几乎都是用刀具把待加工材料切削成形。切削加工方法有车、刨、铣、钻、镗、磨、研磨和珩磨等。其中车削是最古老而又用得最普遍的切削加工方法。非切削加工方法有化学铣削、电解加工、电火花加工、激光加工等。下一步的加工可能是"连接"，即把材料永久性地，有时只是暂时地互相连接在一起。连接的方法有焊接、硬钎焊、软钎焊，以及胶接和化学连接。大多数连接加工都采用以下3种能量中的一种，或混合使用：热能、化学能或机械能。再下一步可以通过热处理或冷处理、机械方法，以及某些类型的辐射来改变材料的性能。变性通常是由材料本身的微观结构的改变而造成的。多数热处理都基于时间-温度循环，有3个步骤：加热、保持一定温度、冷却。虽然一些热处理可用于多数材料系列，但它们最广泛用于金属。最后进行精整加工来改进材料的表面性能，以保护材料不因腐蚀、氧化、机械磨损或变形而损坏；或用来产生特殊的表层性能，如反射率、电导率或绝缘性和承载能力；或用来给材料以特殊的装饰效果。

精整加工主要有两种：①涂层，通常用一种与之不同的材料，通过化学反应、加热或机械力，以改变材料的表层，如电镀、油漆、搪瓷等。②不添加另一种材料以改变材料表层，包括清理和机械精整。清理的目的是清除污物、油垢、化合物、氧化皮、毛刺和其他沾染物。机械精整的目的是把材料表层隆起部分磨去或使金属表面成为有纹理的精饰。

materials salvage　废物利用　又称再循环(recycling)，是指对用过的产品中的材料进行还原和再利用。进行废物利用主要是由于石油、天然气、煤炭、矿物和树木等自然资源日益贫乏，成本增加以及废物对空气、水和土地的污染。

历史上最早对废物进行利用也许是在军事方面。一场战斗之后，胜利者将失败者的武器据为己有。几乎同样早的是，沉船及船上的货物也被再利用。沉没在浅水港口或在海岸边触礁破碎的船只上常常有易于被再利用的物品和材料。后来发明了适用的设备，有可能在深海回收沉船所载货物。现在已经可以在几百英尺深的海底进行这类作业。

废物利用的方法基本上可分为内在法和外在法两种。内在法是指对在制造过程中产生的废弃材料的再利用。常见于金属工业。例如生产铜管会出现一些边角废料，可重新熔化和铸造。外在法是指重新利用磨损或废弃产品的材料。例如收集旧报纸和杂志用于生产白报纸或其他纸类制品。

无论是内在还是外在的废物利用都不具有技术方面的重要性，但在经济上却甚为重要。废弃物料的再加工成本必须低于新物料的加工成本。

黑色金属　黑色金属产品既可通过内在法又可通过外在法得到再利用。金属的下脚料或残次品都可以通过内在法在钢厂里再次熔化、铸造、拉伸而使之再循环。许多钢铁厂自己生产焦炭。炼焦炉的副产品中包括许多有机化合物、硫化氢和氨。有机化合物经提纯后可以出售。氨以水溶液形式出售或与硫酸混合形成硫酸氨，经干燥后作为化肥出售。

在炼钢过程中，用硫酸或盐酸对钢作酸蚀处理，以除去在高温拉拔或压轧操作中形成的鳞皮。酸缓慢腐蚀鳞皮将其去除并在溶液中形成铁化合物。这种溶液能被转变成氧化铁，重新加工成钢。未消耗的酸也能回收供作酸处理用。建筑业使用高炉渣或在一定程度上使用钢渣作为筑路或各种混凝土制品的填充材料。开采铁燧岩矿石的残渣已被转变成一种多孔建筑材料。开采铜、铅和锌矿的废渣也同样具有使用潜力。

在黑色金属工业中，也有许多外在的回收和利用方法。在平炉、酸性转炉或顶吹转炉的炉料中，废钢铁占了很大的比重。废钢铁来自各种以钢作为基本材料的生产过程或来自废弃的钢铁制品。

废旧汽车平均含有62%的钢铁，28%的有色金属和10%的橡胶、塑料和纺织品。废旧汽车在到达再加工者手中之前，它的再利用实际上就已经开始了。汽化器和电气零件等部件可以拆下来经修复后再次出售。在比利时研究的一种方法中，在破碎汽车之前先在车身上喷洒液态氮(－196°C[－320°F])。在这样的温度下钢会变脆，而铜和铝这类有色金属却不会变脆。超冷却车体上的钢铁部件在破碎机里像扔在水泥地上的玻璃瓶一样摔得粉碎。有色金属会结成大块，因而在经过破碎之后也更易于与黑色金属分离。这种基本过程同样适用于洗衣机、电冰箱或其他大型的钢铁物品。

有色金属　目前手工分选似乎是分选各种有色金属碎片唯一实用的方法。在这些材料中最重要的是铝、铜、铅和银。

再生铝加工是一个大工业，包括利用机床切屑、废弃铸件、边角料，甚至还有覆有塑料装饰层的铝。将这些废料投入反射炉(热量从顶部辐射至被处理的材料)，在熔化过程中杂质被烧掉。然后将所得物料铸成铝锭销售，用于拉丝或成型。

废铅的主要来源是废弃的蓄电池。电池的极板熔化后可制成锑铅(一种铅和锑的合金)，用于生产新电池或分解成纯铅和纯锑。

照相相纸和X光胶片含有少量的但却有价值的银。已经发明了焚烧的回收方法。照相相纸中所用的银盐多为挥发性的，焚烧胶片排放的气体用喷水法冷却，然后通过静电过滤器，便可将几乎所有的银盐回收。回收的银可以重新被用于照相相纸的涂层。

橡胶　以前许多废橡胶都被烧掉。现在大多数国家已经禁止焚烧橡胶，以防止污染空气。内在法再循环为大多数橡胶厂通常采用。再生橡胶产品可以用在任何不需要高级橡胶的地方。外在法废物利用多年来一直存在的一个问题是，回收旧轮胎或磨损轮胎再循环的成本远远超出再生材料的价值。但是，对橡胶制品碎片进行分解蒸馏可以回收宝贵的化学品，包括一种可用来生产其他化学品的液体油，一种具有燃料价值的可燃气体和一种含碳沉淀物，可用作过滤器的碳芯或混凝土与沥青道路的黏结料。

化学药品　化学工业产生数百种废品，其中有许多种都难以经济地回收。但是，为了防止空气污染，回收是必要的。

生产塑料的许多过程会释放汽化溶剂，如丁酮和甲苯，或塑化剂如甲酸。将气化溶剂混合物通过粒状活性炭床可以回收这些材料。粒状活性炭床可从气流中分离出95%～99%的溶剂。一旦活性炭颗粒吸饱溶剂，可用蒸汽处理活性炭床。蒸汽可以从活性炭上冲洗出几乎所有的溶剂。经过冷凝形成溶剂和水的混合液，再经蒸馏法或沉淀分取法将溶剂和水分离。

很多种杀虫剂、除草剂和塑料的制造会产生含有毒氯化合物的残渣。由于这些废物多数可燃，所以经常对它们采用燃烧的方法。燃烧的产物之一是氯化氢。氯化氢有剧毒，但可溶于水，可以用水涤法分离出来。但是，这种方法又会发生稀盐酸的处理问题。已经研究出一些方法来回收盐酸，制成商品级的盐酸或无水氯化氢气体。这两种产品都能再循环且有利可图。

家庭垃圾　当玻璃、塑料和金属从家庭垃圾中分离出来后，剩下的东西基本上是有机废物，可以采用几种废物利用方法中的一种来处理。用掩埋或堆肥的方法，土壤的生物作用可使废物降解并将其元素还原于土壤。高温分解法(空气不足焚烧法)可回收某些燃料气体和化学物质。鉴于现有的两个环境难题，即全世界对电力能源的需求和亟需对堆积如山并日益增加的有机废物进行处理，焚烧法因其释放出热可以发电，显得特别有发展前途。

纸和其他纤维素产品　树木、藤、草、稻草约占纤维素总重量的1/3。因此，食品加工、木材采伐、造纸和谷物的收获会积累起大量的废物。城市的和工业的废纸、破布、纸箱、木材、草和树叶也是造成纤维素废物数量庞大的原因之一。已经用谷物秸秆和甘蔗渣造出了墙板、门芯和覆板。用棉毛、木头和同类的纤维制成了化学级纤维素。用豌豆藤和其他纤维性植物材料制成了动物饲料。燕麦、稻米和小麦的秸秆已用作动物的垫圈材料。甘蔗渣和玉米芯棒已用来生产化学药品。城市的固态废物中有很大一部分是新闻纸、票据、印刷品和其他纸制品。这些纸制品在再循环前必须先由用户进行分选。大多数再生纸用来制造新纸和纸板，也有一小部分用来制造纤维素绝缘制品和其他建筑材料。用于制造印刷级产品的纸在打浆后必须进行脱墨处理(一般用火碱)；对于某些用途的纸，在压制成纸前还要对纸浆进行漂白处理。

出自锯木厂、纸浆厂和造纸厂的树皮、木屑和木质素作为肥料或土壤结构改良剂送回田地。牛皮纸的生产过程产生多种液体废物，这些废物是宝贵的化学品如松油、甲醇、二甲硫、乙醇和丙酮的来源。制浆造纸产生的残渣和化肥生产中产生的磷酸盐淀渣可以制成石膏墙板。

玻璃　尽管世界上使用大量的玻璃容器，但大多都没有再循环。即使是那些从消费者手中以原来形状返回的玻璃容器也早晚会被损坏或打碎。玻璃再循环的主要问题是将玻璃与其他废物分离和按颜色分类。大约15%的碎玻璃用于制造新玻璃。但是，由于原材料非常便宜，因而缺乏经济动机去关注究竟有多少玻璃做到了再循环。

将熔化的废玻璃浸入冷水能形成玻璃料(玻璃细粒)。玻璃料可以用来作填地材料或土壤改良剂；也可与沥青混合作为路面材料；还可以在许多建筑材料中代替砂子。

塑料　塑料容器和其他家用产品的再循环越来越多，并且和纸一样，在进行加工前必须从最初就进行分选。热塑塑料(如聚乙烯和聚丙烯)可重新熔化成型制成新产品。热凝成形塑料(如聚氨酯和环氧树脂)不能重新熔化。一般对这些塑料进行研磨或破碎处理，用作填料或绝缘材料。所谓能生物降解的塑料包含在阳光下可降解(光降解)的淀粉。但是，细微塑料残渣仍然存在，而且能降解的添加剂也阻碍了这些产品的再循环。

水　家庭废水送至污水处理厂进行净化，然后再循环至家庭。但是，很多工业废水排入河流或海洋，靠大自然来进行再循环。虽然大自然可以处理少量的某些废物，但是这种大规模的污水排放已经造成了暂时的或永久的破坏。在某些情况下，法律禁止排放有害废物，而在其他情况下，则要求先进行预处理。

materials science 材料科学 研究固体材料的性质和这些性质是如何由材料的组织、结构形成的学科。研究范围包括力学、热学、化学、电学、磁学和光学等全部性质。在各种用途(如包装、构筑、磁体、电池、发动机、汽车车身、绝缘、催化裂化、电子学和计算机等)中,最恰当地使用这些材料则取决于如何巧妙地利用这些材料的性质。材料的性质决定于它们的内部结构——即材料的基本单元结合在一起的方式。例如,原子结构是原子在空间中的排列,电子结构是电子在空间和能量方面的分布,晶体缺陷结构是晶体缺陷(如杂质、原子空位和位错)的分布,微观结构是微小颗粒和沉积物的大小和排列。这些结构及其相互作用决定材料的性质。例如,原子和电子的结构结合起来,支配着电子在固体中或穿过固体运动的难易程度,从而决定该固体是绝缘体、导体或半导体;原子结构和缺陷结构则支配着机械扰动通过固体的难易程度,从而决定该固体的延展性和脆度;自旋电子的分布则引起磁性。第二次世界大战后,由于经济的进展和国防上的需要,要求开发尖端材料,并且很快就认识到,必须将冶金学、化学和物理学等知识结合起来。半导体电子学领域是这方面的重要例子,其基础工作最初由物理学家完成,他们着重分析纯净和简单固体的电子学性质。但是,欲成功地生产良好的半导体器件,须要掌握缺陷结构的知识,这在传统上是冶金学家的领域,而杂质控制的重要性,则在许多方面是化学问题。到了1960年,将这3门知识汇入一门新的科学技术的工作已在成功地进行。50年代末,美国国防部高级研究规划处与进行科学研究的各大学合作,发起公开竞争,要在有限数目的大学内建立起政府支持的研究实验室,以进行材料的综合研究,并培养出新领域内的大学毕业生。在美国已建立起12个此类实验室。材料科学的研究方法,已扩大到研究聚合物、玻璃、陶瓷、非晶态金属,甚至于扩大到生物材料,例如骨骼等。将性质与结构联系起来这样一个简单的想法,所产生的结果是已研制出品种多得惊人而用途广泛的先进材料。

maternal school 母亲学校 法国为2～6岁儿童开办的学校。1779年前后,在让·雅克·卢梭的《埃米尔》一书影响下,法国各地开办了私立幼儿学校。中央政府在1833年接管了大部分此类学校,并命名为母亲学校,旨在希望学校对儿童的关心犹如母亲一样。1879～1917年间任职的督学总长波林·克戈玛德于1881年取消了母亲学校的学费。1886年,她颁布了母亲学校教学准则,提倡向儿童提供有一定难度的玩具和游戏,并允许儿童在附近活动。1911年,每个法国儿童既可进专设的母亲学校,也可进小学校舍中的幼儿学校,约60%的儿童在这种学校或类似的私立学校就学。母亲学校是民办的,每周开放6天,每天开放许多小时。大多数私立母亲学校不收学费,并坚持按政府的教学准则教学,以便得到大量的补助。儿童在游戏、锻炼和其他娱乐活动中受到监护,并接受说话、唱歌、绘画、常识和基本道德的初步教育。学校努力提高儿童的观察和语言技能,拓宽他们的经验,向他们灌输道德感。研究工作者已经发现,母亲学校在锻炼和营养方面对贫穷儿童帮助极大,但在提高智力技能方面由于学生和教师的比率高而受到限制。

Mateus da Graça, José Vieira 马修斯·达格拉卡 参阅 Vieira, Luandino 维埃拉。

mathematical induction 数学归纳法 数学中证明与数的无限集合特别是所有正整数的集合有关的命题的一种方法。这种类型的证明方法,使用得最早的记载之一属于希腊数学家欧几里得(公元前300年),他证明了必定存在无限多个素数(即仅能被自己和数1整除的数)。然而这种证明方法的第一个正式应用是在意大利人毛罗利库斯的《算术》(1575)中,他用它证明了若干结果,其中有:

$$1+3+5+\cdots+(2k-1)=k^2$$

对于所有正整数 k 均成立。这种方法的第一个明确而清晰的阐述则可能属于法国数学家B.帕斯卡(1623～1662),他用数学归纳法证明了一个由正整数组成的三角形阵列的各种性质,这种三角形已由于他的研究而被称为帕斯卡三角形。现用的"数学归纳法"这个名称是由英国哲学家、数学家A.德·摩根(1806～1871)提出的,他对于数学的特别兴趣及其主要贡献是在数理逻辑和逻辑证明的领域。数学归纳法的基本特征是,它使我们能够证明与一定的数的无限集合有关的命题,而无需实际试验它所包含的全部数(这对于含有无限个数的集合根本是不可能的)。为了说明这点,先考虑下面的数学命题(1):

等式 $1+2+\cdots+k=k(k+1)/2$

对于 $k=1,2,3$ 成立。为了证明命题(1)成立,只要证明所给关系式对于指定的值 $k=1,2,3$ 成立就够了,而这可以进行如下:

$k=1$: $1=1\times 2/2$ 是真的;
$k=2$: $1+2=3=2\times 3/2$ 是真的;
$k=3$: $1+2+3=6=3\times 4/2$ 是真的。

现在考虑类似的命题(2):等式 $1+2+\cdots+k=k(k+1)/2$ 对于所有正整数 k 成立。命题(2)不可能通过对 k 的所有指定的值进行试验来证明,因为命题指定了 k 有无限多个值,无论 k 的多少个值被试验了,仍将剩下无限多个值未试验。对于证明像命题(2)那样的与所有正整数组成的集合(或者任一等价地大的数集)有关的命题,所需要的是一种特殊类型的证明方法,在应用中最有用和最简单的一个就是数学归纳法。用数学归纳法证明的过程如下:设 $P(n)$ 表示一个关于正整数 n 的命题,要证明它对于所有正整数 n 都是真的。那么按照数学归纳法的方法,如果能证明对于这特定的命题 $P(n)$,下面这两个条件是真的,证明就完成了:① $P(1)$ 是真的(即这命题对于第一个正整数 $n=1$ 是真的);② $P(k)$ 真,蕴涵着 $P(k+1)$ 是真(即如果这命题对于任一正整数 k 是真的,则它必定对于下一个正整数 $k+1$ 也是真的)。

现在假设条件①和②对于一个特定的命题 $P(n)$ 已被证明成立。于是根据①,命题 $P(n)$ 对于 $n=1$ 是真的,并且根据②,这就推出 $P(n)$ 对于1后面的下一个正整数 $n=2$ 也必定是真的;从而根据②,又推出 $P(n)$ 对于2后面的下一个正整数 $n=3$ 也必定是真的。显而易见,这样的逐步推理能够以同一个方式继续下去直到 n 的任一指定值,因而引导人们认识到这样的结论:条件①和②一起蕴涵着命题 $P(n)$ 必定对于任一正整数 n 都是真的。

mathematical logic 数理逻辑 传统上人们说到的逻辑门类有形式逻辑、超越逻辑、辩证逻辑、演绎逻辑、归纳逻辑等等。数理逻辑是与演绎逻辑和形式逻辑密切联系着的。它是数学的,既因为它起源于对数学推理方式的分析,还因为它越来越多地使用数学方法;到现在它已成为数学中一个颇为独立的分支。通常认为数理逻辑本身包含4个部分:①(公理)集合论;②模型论;③递归论和可计算性理论;④证明论和构造主义。在它的边缘是一个日益增长的研究领域,这领域以计算机为中心,特别是进行有关程序语言以及理论的和可行的可计算性研究。纵观数理逻辑的发展,它和哲学有着多方面的相互作用,包括构造一些其他的逻辑系统,诸如模态逻辑、时态逻辑、道义逻辑、量子逻辑、多值逻辑、模糊逻辑等等。

虽然G.W.莱布尼兹和G.布尔是数理逻辑的先驱者,但是为这门学科奠基的决定性步骤只是在大约100年前才完成。1879年G.弗雷格出版了一部专著《概念语言》,其中第一次规定了初等逻辑(或一阶逻辑)的当代形式,并且开始提出了相当于把算术"归约"于集合论的思想。大约在这个时期G.康托尔创建了集合论这门新学科,开始用一种严格的、数学的方法来处理无穷集合。特别是,他在1874年提出了著名的连续统假设(CH),这个假设认为,实数(或一条直线上的点)的个数是自然数(或非负整数)的个数之后的第一个无穷数。R.戴德金发现了实数的公理系统(作为形成一个"完全有序域")以及自然数的公理系统(通常称为皮亚诺公理,因为G.皮亚诺开列了一个可由这些公理推出的结论的大表)。由于非欧几里得几何被发现的刺激,19世纪经历着不断的努力以使欧几里得几何的公理更为明确地给出。当时已经注意到欧几里得几何在实数理论中有一个"模型",因之如果实数理论是协调的,则欧几里得几何也是协调的。1900年D.希尔伯特提出了用某种初等的(即"有穷"的)方法去证明实数理论(或"古典分析")的协调性的问题。同时也开始出现了把集合论公理化的建议,这种建议以获得通常称为ZF的标准系统而宣告成功。因此这个阶段就为提出并回答关于这些公理系统(自然数、古典分析和集合论的数学系统,加上弗雷格的初等逻辑系统)的一些核心问题作好了准备。在30年代得到的解答直接和间接地决定了此后50年数理逻辑的许多发展。1928年在意大利召开的国际数学家大会上希尔伯特把与"数学基础"有关的基本问题集中到一起。此后不久,K.哥德尔以一种惊人的确切方式回答了所有这些问题。问题是要解决这些形式系统的完全性和协调性。对上述3个数学系统的答案是:①可以论证这些系统是不可能完全的;②不能用"初等方法"(当然也不能用在这系统本身中可以形式化的方法)证明上述任一系统的协调性。至于初等逻辑,其协调性是从来就没有问题的,并且它也被证明了在如下意义下是完全的,即每一个"在一切可能世界中为真"的语句在其中都是可证的,或者换一种说法,每一个在其中不可否证的语句都有一个模型(或解释)。

最后这个关于完全性的结果,在模型论的发展中起了重要的作用。这样我们就可以在初等逻辑的框架内建立许多数学系统。因为这些公理在逻辑中一般是不可否证的,所以它们就有模型。模型论首要研究的是,对于这些系统而言,什么样的模型是可能的或是不可能的。有时也把模型论说成是泛代数的一种发展,引进逻辑框架为了使得所用的语言及其模型之间的关系明显起来。

一数学系统的协调性不可能在该系统自身中得到证明,这结果不能解决一个更广泛的问题,那就是能否用某种一般的方法来考察该系统中一切可能的证明。特别是 L.E.J.布劳威尔在 20 世纪初提出的构造主义(也叫"直觉主义"),他不但对集合论中 G.康托尔的某些论证提出疑问而且也怀疑把古典逻辑(由对有限集合的经验导出)应用于无穷集合这样的整套方法。这种影响导致了在古典证明和构造方法的关系的问题上作出许多研究工作。早期对协调性证明的兴趣和上述研究课题结合起来,可以大致地说明证明论和构造主义的范围。递归论这个领域是和可计算性的以及机械过程的概念密切关联的。在尝试使公理系统更加确切的过程中人们得到了下述自然的思想,即在一个真正精确的系统中一个严格证明的每一步都应该可以用机器来检验。在寻找机械方法的概念的过程中,哥德尔在 J.埃尔布朗的建议的基础上于 1934 年引进了一般递归性的概念。1936 年 A.M.图灵令人信服地给出一个关于计算机(称为"图灵机")和可计算性的精致的刻画。其结果是可计算函数正好就是一般递归函数。从此便出现了递归函数和抽象计算机这两方面的系统研究的平行发展。

近年来,出现了对"可行的"计算的特殊兴趣。在这个过程中已经发现有一大类熟知的计算类型在如下意义下是等价的,即一类型的计算能够可行地完成当且仅当该类中的任一其他类型是能够可行地完成的。其结果是产生了可计算性领域中的一个中心问题,这个问题有许多说法,其一是要寻找一种算法,它能"很迅速地"决定任一布尔方程是否为恒等式。这是那些容易陈述但极难解决的问题中的一个突出的例子。事实上,在任何数理逻辑入门课程的前数周里,学生就学习了判定这类问题的简单方法,不幸的是,在一般情况下这种方法不是"迅速的"。

公理集合论的数学研究已经给出了许多确切的结果。例如,虽然上面提到的康托尔的连续统假设至今未能解决,但是哥德尔在 1938 年证明了在熟知的系统 ZF 中连续统假设是不可否证的,而且 P.J.科恩在 1963 年又证明了在 ZF 中连续统假设也不能被证明。一种引人入胜的大胆探索是为集合论寻找新的关于无穷的公理,在这方面至今已给出了一些例子,它们包括可测基数公理和一些决定性公理的特殊情形。1963 年以来的 10 多年里在公理集合论领域有大量的研究活动。有一种把集合论看成是更广意义下的逻辑的倾向。把自然数和实数的系统归入集合论下相对说来是容易的。弗雷格和 B.罗素都曾经思考过:用这种方法把数学"归约为"逻辑就可以说明数学是"分析的",从而反驳康德的数学为先验综合的论点。这个混淆的思想在以卡尔纳普和赖兴巴赫为著名代表的逻辑实证主义(或逻辑经验主义)的哲学运动中起了中心的作用。这个运动甚至在今天还以这样那样的方式继续对学院哲学有很强的影响。尽管有错用逻辑的这段历史,但是公理集合论所致力考察的集合概念在刻画"纯思维"领域的哲学尝试中看起来确实有可能取得一些收获。

mathematical model 数学模型 指下述两种完全不同的数学表示。就物理意义而言,数学模型包括:制作由纸板、木头、塑料或其他材料制成的平面和立体几何的图形;由铁丝、灰泥或张在框架上的线做成的二次曲线,各种空间曲线和空间曲面;以及高阶曲面的模型。它们能使抽象的数学概念具有可见的形象。这个术语的第二种用法是理论和分析意义下的模型,也许是更重要的一类模型。本质上说,在物理和生物世界中的任何现实情形,无论它是天然的或是与技术和人的干预有关的,只要它可以用数学方程来描述,就能够通过建立模型来进行分析。例如最优化和控制理论可用来对工业问题、交通模式、河流中沉积物的输送和其他情形建立模型;信息和通信理论可以用来对信息传输、语音特征和其他类似的问题建立模型;而维数分析和计算机模拟可以用来对大气环流模式、工程结构中的压力分布、地形的形成和发展以及在科学和工程中许多其他过程建立模型。

mathematical programming 数学规划 管理科学和经济学的理论工具,其中管理的操作是由能用于多种用途的一些数学方程来描述的。常用于不能用微积分解决的那些问题。如果有关的基本描述方程是线性代数方程,求解的方法就叫做**线性规划**(**linear programming**)。如果需要更复杂的方程,就叫做非线性规划。在制订生产进度表、运输、军事后勤、经济计算中都用到数学规划,其方法是通过插入变量的假设值来求解未知量。在求解时广泛使用计算机。

mathematicism 数理主义 用数学的形式结构和严格方法作为指导哲学思考模式的一种尝试。数理主义至少以 3 种方式表现在西方哲学中:①一般的数学研究方法能用于建立意义的一致性和分析的完备性。这是 17 世纪前半期 R.笛卡儿所引入的革命性方法。这种方法的改善导致 20 世纪前半期的"分析时代"。②笛卡儿还倡导把表现最终实在本质的形而上学体系从属于公理化方法。所谓公理化方法就是以欧几里得几何的公理化模式从一组基本公理演绎出一些原则的程序。这一方法后来在 17 世纪为 B.de 斯宾诺莎精心地应用。③以数理逻辑为模式的演算体系或句法体系为 20 世纪的几个分析哲学家所发展,用以描述、阐明哲学体系和弄清并解决形而上学问题。这些哲学家中有 B.罗素、L.维特根斯坦和 R.卡尔纳普。

笛卡儿对基于数理主义程序的哲学给出了 4 条法规:①只接受不容置疑的(自明的)命题为真理;②把问题分解为构成成分;③按从简单到复杂的顺序工作;④务求列举、检查完全和普遍。当一个哲学家如此来对待形而上学问题时,他把自己的哲学知识组织在定义、公理、规则和演绎出的定理等形式下,看来是很自然和有益的。这样,他就可以确保意义的一致性和推理的正确性,并获得发现和揭示事物间关系的一种有规则的方法。

mathematics 数学 参阅 **history of mathematics 数学史**。

Mather, Cotton 马瑟(1663-02-12,马萨诸塞湾殖民地波士顿[美国]~1728-02-13,波士顿) 美国基督教公理宗牧师、著作家。他是 I.马瑟之子,R.马瑟之孙。12岁入哈佛大学,

美国古物收藏学会供图

18 岁获文学硕士学位。1680 年 8 月,他在他父亲主持的教堂初次讲道,同年 10 月又在外祖父科顿主持的教堂讲道。他于 1685 年受按立,与父亲在一起工作。他所著《论作好事》(1710)教导人行人道主义。他创办为社区服务的团体。他同父亲一道劝告法官不要轻信自称巫术受害人的证词。他带头提倡种牛痘。他重视科学,特别注意美洲现象,发表《美洲志异》(1712 ~ 1724),因而被吸收入伦敦皇家学会。他所著《基督教哲学家》(1721)主张从地上的奇观和更广大的宇宙认识上帝。他的代表作《美洲基督教全书》(1702)叙述自新英格兰殖民地成立至他所处时代美洲教会史。

Mather, Increase 马瑟(1639-06-21,马萨诸塞湾殖民地多切斯特[美国]~1723-08-23,波士顿) 波士顿公理会牧师、作家和教育家。在新英格兰的领导权转移给在美国出生的第一代人时,他具有决定性的影响力。他是理查·马瑟的儿子、J.科顿的女婿和科顿·马瑟的父亲。

12 岁入哈佛大学,17 岁获学士学位。在

毕业典礼上，他攻击亚里士多德学派的逻辑学(哈佛的基本课程之一)，震惊了全体教授，几乎被开除。18岁生日在他家附近的一个村庄作第一次布道，并在他父亲所在的多切

马萨诸塞州历史学会供图

斯特教堂作第二次布道。不久，马瑟前往都柏林，进入三一学院，次年6月获硕士学位。他拒绝在学位授与典礼上戴礼帽与穿礼服，但在场的学者们因为非常赏识他，而勉强同意了他的做法。他获选为三一学院评议员，但拒绝接受。后在英格兰以不同的职位布道。当清教徒共和制被推翻、查理二世登上王位的时候(1660-05-08)，他正住在根西。他拒绝举杯祝愿查理的健康或在贺表上签名。在一名对不从国教派教徒没有好感的人被任命为根西总督后，他放弃自己的舒适生活，几个月后即乘船去新英格兰，1661年成为波士顿北教堂的牧师。1662年和他继母之女玛丽亚·科顿结婚。玛丽亚在1714年去世。他于1715年续娶了他侄儿约翰的遗孀安·科顿为妻。

1683年，查理向马萨诸塞的居民发出最后通牒，要求他们绝对服从英格兰国王，否则将撤销他们的垦殖特权。马瑟在一次自由民集会上宣称，接受这个要求就是对上帝犯罪，因为只有对上帝才必须绝对服从。于是，殖民地居民拒绝服从查理的要求，而他们的垦殖特权也随之在1686年被撤销。1688年詹姆斯二世在位时，美洲殖民地的居民选派马瑟前去向詹姆斯致谢，感谢他宣布宗教信仰自由。他在英格兰停留数年。1689年威廉与玛丽继位后，他说服他们撤去受居民厌恶的马萨诸塞总督埃德蒙·安得罗斯爵士的职位，并代之以威廉·菲普斯爵士。马瑟申请恢复旧有垦殖特权没有成功，但在1691年争取到一项新的特权。然而，新任总督和新特权皆不得人心。1685年出任哈佛大学校长，但1701年辞职，部分原因就是由于人们反对新的垦殖特权。同年，他获得神学博士荣誉学位。

马瑟的著作中，《光辉神意录》(1684)是记述上帝如何从自然或超自然灾难中拯救人类的故事集。《恶灵化身为人的良心案件》(1693)是马瑟家在巫术审判中所持立场的清楚辩白。他的传记有K.B.默多克所著《英克里斯·马瑟：最重要的美洲清教徒》(1925)和M.G.霍尔的《最后一个清教徒：英克里斯·马瑟(1639～1723)传》(1988)。

Mather, Richard　马瑟(1596，英格兰兰开夏劳顿～1669-04-22，马萨诸塞湾殖民地多切斯特[美国])　基督教公理宗牧师。他在清教徒大迁徙的浪潮中自英格兰迁到新英格兰(1635)，在马萨诸塞多切斯特当选“教诲”牧师，在当地讲道并制订公理会的信纲和组织原则，享有声誉。他15岁立志献身教会工作。1618年脱离牛津大学布雷塞诺斯学院，任托克斯特思牧师。马瑟是彻底的清教派，扬弃圣公会保留的一切天主教繁文缛礼，在托克斯特思15年间讲道不着白罩衣，被当局发现后给以停职处分，后来复职，但他仍我行

美国古物收藏学会供图

我素，被传到庭受审，他供认不讳，但拒不悔过。当局“永久禁止”他“对公众讲道”。他携妻及4子于1635年6月登船赴美洲，8月抵波士顿，任马萨诸塞湾殖民地多切斯特牧师终生。马瑟共有6子，其中4人任牧师，两人返回英国。马瑟最著名的著作是一篇教义综述，经1648年剑桥大会通过，它成为清教派公理宗旗帜最鲜明的信仰声明。

Mathesius, Vilém　马德休斯(1882-08-03，奥匈帝国波希米亚帕尔杜比采[今在捷克共和国]～1945-04-12，捷克布拉格)　捷克语言学家，英国语言及文学专家，布拉格语言学会主席，以在结构语言学上的影响和对音位的研究而著名。1909年在取得日耳曼语和罗曼语研究的学位后即开始任教于布拉格的查理大学，1912年成为该校首任英语语言文学教授。马德休斯一生的文化活动分三个时期：第一期以1911年的论文“关于语言现象的潜在性”为标志，该文先于索绪尔提出区分“语言”和“言语”并强调共时语言研究的重要性。他还发表过一部两卷本的英国文学史(1910～1915)和几篇研究莎士比亚的论文。第二期是1926～1936年间，他转而对句法和语义学发生兴趣，在音位学方面对音位的负荷和组合能力进行研究。第三期从1936年起，兴趣又转向功能句法和句子的研究。

Mathew, Theobald　马修(1790-10-10，爱尔兰蒂珀雷里郡托马斯敦～1856-12-08，科克郡科夫)　爱尔兰天主教司铎、演说家，被称为“禁酒使徒”。1814年受神职，入嘉布遣小兄弟会，1822年任该会分会会长。他加入了当时爱尔兰刚成立的欧洲最早的禁酒组织。1838～1842年，他游说于全爱尔兰。听众甚广，往往集体履行戒酒宣誓。仅1841年一年中，爱尔兰戒酒者达464.7万人。3年中烈酒的消耗量下降约50%，此绩应大半归功于马修。1843年赴英，1849年赴美。在美国时，尽管健康情况不佳，他仍在25个州讲道。由于患病无法工作，他于两年后返爱尔兰。此后未再积极活动。

Mathews, Charles　马修斯(1776-06-28，英国伦敦～1835-06-28，德文普利茅斯)　英国杰出的舞台名人和剧院经理，当时的主要喜剧演员之一，以其模仿天才和机智而闻名。书商之子，曾在兰开夏郡克罗斯比读书。在外省尤其是在约克郡表演之后，1794年首次在都柏林登台演出，1803年在英国剧作家S.富特的《开心得大吃一惊》中扮演林戈一角。此后，他事业上取得不断的成功。据信他曾创造过约400个新角色，在伦敦一些最好的剧院里演出。最著名的角色有谢里丹《批评家》中的弗雷特富尔·普拉吉阿里爵士。他的第一个妻子E.K.斯特朗于1802年去世，他与女演员安妮·杰克逊结婚。安妮后来写了颇有趣味的4卷集《回忆查尔斯·马修斯》(1838～1839)，很受欢迎。1808年马修斯夫妇设计了以“家庭生活”闻名的个人的娱乐节目形式，有独角表演的喜剧性歌曲和怪人扮演，表现出他惊人的模仿艺术。1817年英国剧作家小乔治·科尔曼为马修斯编写了《无所不能的演员》一剧，使他能幻觉般地扮演各种不同的人物类型。他为自己设计的短剧有《马修斯先生及其青年时代》和《美国之行》等。1822和1834年曾去美国巡回演出。返回

伦敦维多利亚和艾伯特博物馆供图

英国时健康状况已大不如前，不久即去世。1827年起曾与同伴演员F.耶茨共同经营伦敦阿德尔菲剧院。

Mathews, Charles James　马修斯(1803-12-26，利物浦～1878-06-24，曼彻斯特)　英国短喜剧作家、英国舞台高级喜剧最优秀的演员之一。著名演员C.马修斯和A.杰克逊之子。曾一度从事建筑业，直到1835年才真正开始其戏剧生涯，此时其父已去世，由他经营阿德尔菲剧院。是年稍后，在自己的剧作《驼背情人》演出时首次登台饰演角色。1838年与演员、舞蹈家兼歌唱家维斯特里斯夫人结婚。这对新婚夫妇去美国演出未获成功。返回伦敦后，他们成为科文特加登剧院经理，上

演了极受欢迎的《伦敦的人寿保险》一剧，由马修斯本人饰达扎尔，但此次演出却使他们几乎破产。后转到兰心剧院演出轻松喜剧，但无济于事而终于破产。其妻于 1854 年退出剧坛，两年后去世。他继续从事戏剧演出，第 2 次和以后多次访美巡回演出获得较大成功。1858 年与女演员达文波特结婚，2 人合演过不少剧目，经济收入也很稳定。1870 年开始广泛的巡回演出，包括去澳大利亚和印度。1871 年再次回到纽约市，他在戴利剧院的演出极受欢迎，连演 6 星期而不衰。其最令人难忘的角色有《投机的把戏》中的霍克先生和他自己创作的《泰然处之》中的普龙柏等。夫妇 2 人还演出纪念其父的《马修斯夫妇的家庭生活》。由狄更斯编辑的《马修斯通信选》于 1879 年出版。

Mathews, Shailer 马修斯（1863-05-26，美国缅因波特兰～1941-10-23，芝加哥） 19 世纪末和 20 世纪初美国基督教社会福音派领袖。社会福音派认为，上帝之国既需要拯救个人灵魂也需要拯救社会。马修斯曾求学于缅因州沃特维尔市科尔比学院和柏林大学。自 1887～1894 年在科尔比学院执教，后在芝加哥大学神学院讲课，1908 年任该校教务长，1933 年退休。著有书籍 20 多种，论文数百篇。

Mathewson, Christy 马修森（1880-08-12，美国宾夕法尼亚法克特里维尔～1925-10-07，纽约萨拉纳克莱克） 美国职业棒球运动员。为1936年入选美国棒球名人堂的首批5人

美国不列颠百科全书公司供图

之一。1900～1916 年为全国棒球联盟纽约巨人队投手；1916 年为辛辛那提印第安人队投手；1916～1918 年任辛辛那提队经理；1923年起任全国棒球联盟波士顿勇士队董事长。在全部棒球生涯中，共赢得正规赛季比赛至少 367 场，至多输 188 场。在 4 次世界系列赛中获胜 5 场。马修森右手传球、击球，善于投逐渐变慢的下坠球即内曲线球。

Mathiassen, Therkel 马蒂亚森（1892-09-05，丹麦福博～1967） 丹麦考古学家、民族学家。1921～1923 年在哈得孙湾以西、以北发掘，发现图勒地区史前爱斯基摩文化。在哥本哈根大学所写博士论文《图勒地区爱斯基摩考古》（1927）为进一步研究爱斯基摩考古打下了基础。1929～1955 年在格陵兰 6 次考察，继续研究爱斯基摩人古代遗迹。1941～1946 年任哥本哈根丹麦国立博物馆史前部馆员，1946～1962 年担任主任。

Mathieu, Claude-Louis 马蒂厄（1783-11-25，法国马孔～1875-03-05，巴黎） 法国天文学家和数学家。他的主要研究是恒星距离的测定。马蒂厄短期任工程师之职后，于 1817 年成为巴黎天文台和经度局的天文学家。后在巴黎法兰西学院任天文学教授，并从 1829 年起，任巴黎综合工科学校数学分析教授。他是国民议会的马孔地区代表（1834～1848）。他主编人口统计方面的出版物和《经度局年鉴》多年，还出版了《18 世纪天文学史》（1827）。

Maṭḥif al-Miṣrī, al-（Cairo） 参阅 **Egyptian Museum 埃及博物馆**。

Mathis, June 玛希斯（1892-06-30?，美国科罗拉多莱德维尔～1927-06-26，纽约州纽约） 原名 June Beulah Hughes。美国编剧，建立了美国默片时代剧本的重要地位。1917 年当过一段时间戏剧演员，并为几部影片创作剧本。1918 年被大都会公司（后为米高梅影片公司）聘用创作电影剧本。1919 年成功地把《启示录四骑士》搬上银幕，并且使当时还不太有名的 R. 瓦伦蒂诺成为好莱坞浪漫的男性偶像。她还为瓦伦蒂诺创作了其他几部影片，包括《沙漠情酋》（1921）、《碧血黄沙》（1922）和《年轻的王侯》（1922）。她也为俄国女演员纳济莫娃写了几部剧本。玛希斯的巨大成功使她在好莱坞颇受尊重。她说服米高梅公司支持施特罗海姆拍摄长达 6 小时（原为 10 小时）的电影史诗《贪婪》；但没有征求施特罗海姆的意见而将影片缩短为 2 个半小时，招致许多影迷的不满。后来又创作了无声影片《宾虚》（1926）的剧本。一生共创作 70 多部影片剧本，以细致入微的编写和清晰的台词著称。

Mathura 马图拉 旧称穆德拉。印度北部北方邦西部城市。临亚穆纳河。位于阿格拉

马图拉镇亚穆纳河畔的沐浴台阶
美国不列颠百科全书公司供图

西北，公路铁路交会点。为农产品贸易中心，有一些工业。为印度教圣地，传说克里希纳神在此诞生。设有几所学院和寇松考古博物馆。人口：城镇 226 691；都会区 235 922（1991）。

Mathurā art 秣菟罗艺术 一种佛教艺术，公元前 2 世纪～公元 12 世纪流行于商业和朝圣中心印度北方邦的马图拉。其盛期是在贵霜和笈多王朝时代（公元1～6世纪）。秣

马图拉公元 2 世纪的赤砂岩浮雕
美国不列颠百科全书公司供图

菟罗艺术受希腊罗马影响，其雕像与早期的自然男神的形态有关，酷似贵霜时代巨大的佛陀立像。这些雕像以及更有代表性的佛陀坐像，神采奕奕，仪态万千。早期佛像肩宽胸实，腿直足分。其他特征是高螺旋状肉髻，面作微笑，右臂举起，施无畏印，左手叉腰或放置腿上，衣服贴体，左臂上端褶皱分明，偏袒右肩，宝座一般是狮子座而不是莲花座。后变为螺发，成为世界佛教艺术的模式。当时的耆那教和印度教神像也有同样的形式。耆那教的替旃卡拉像很不容易与该时代的佛像辨别，只有肖像画上才略有不同。秣菟罗王朝的王族雕像有特殊风格，贵霜王是穿中亚细亚服装，短袖束腰外衣，高靴，圆锥形帽。印度教太阳神苏利耶也是这样打扮。马图拉的妇女雕像刻在佛寺和耆那教纪念性建筑的廊柱和门廊上，富有感染力，这些愉快的全裸或半裸神像，或是在梳妆打扮，或是攀折树枝，继承了帕鲁德和桑吉等佛教流行地区的自然女神形态的传统。这种雕像作为繁育和丰裕的吉祥象征，受到人们的喜爱。

Matías de Gálvez（Guatemala） **马蒂亚斯-德加尔韦斯** 参阅 **Santo Tomás de Castilla 圣托马斯-德卡斯蒂亚**。

Matilda 马蒂尔达（1102，伦敦～1167-09-10，法国鲁昂附近） 又名莫德。神圣罗马帝国皇帝亨利五世的皇后和英格兰王位权利的要求者。英王亨利一世的独女。1114 年与亨

利五世结婚。1125年亨利去世，3年后她又与金雀花王朝的始祖安茹伯爵杰弗里结婚。1120年她的哥哥去世，她成为亨利一世唯一的合法继承人。但1135年亨利一世去世后，布卢瓦的斯蒂芬通过政变取得英格兰王位。1139年9月她登陆英格兰，要求她的继承权。1141年2月她的军队俘虏了斯蒂芬。4月，教士会议选举她为"英格兰郡主"。6月她进入伦敦。但是她态度傲慢，贪婪无厌，因而激怒伦敦市民，未待加冕就被赶到牛津。9月她的军队在温切斯特溃败。1142年12月通过结了冰的泰晤士河逃离牛津城堡。1148年退隐诺曼底，在那里度过余生。她的长子后来成为英格兰国王亨利二世。

Matilda of Canossa **玛蒂尔达（卡诺萨的）**（1046，托斯卡纳卢卡～1115-07-24，罗马涅邦代诺） 托斯卡纳的女伯爵，以其在教廷与神圣罗马皇帝之间的冲突中所起的作用而闻名。这场斗争的顶峰，即皇帝亨利四世与教皇格列高利七世的对抗，是在卡诺萨的玛蒂尔达城堡进行的。她是卡诺萨的博尼法切之女。1052年丧父，因兄与姊皆死，由她继承卡诺萨家族的巨大领地。迄1076年，与母亲共治邦土。她始终忠于教皇。1077年1月在玛蒂尔达城堡，皇帝向教皇赤足悔罪，使教皇的威望达到顶点。1080～1106年，断断续续与亨利四世作战，有时亲自披甲上阵。1093年怂恿亨利四世的儿子康拉德攫取意大利王位。死后葬于曼图亚附近，1643年教皇乌尔班八世把她迁葬罗马圣彼得教堂。

Matilda of Flanders **马蒂尔达（佛兰德的）**（？～1083） 英格兰国王征服者威廉一世的王后。威廉在英格兰期间，由她担任诺曼底公爵领地的摄政，他们的儿子罗贝尔·居尔托斯辅佐她。

Matisse，Henri(-Émile-Benoît) **马蒂斯**（1869-12-31，法国皮卡第勒卡托～1954-11-03，尼斯） 法国野兽主义绘画运动的领袖，油画家、雕刻家和版画家，与毕加索一起被看作是20世纪法国画派两位最重要的艺术家。

马蒂斯绘《马蒂斯夫人肖像》（1905）
美国不列颠百科全书公司供图

1882～1887年间学习法律，后在昆坦-拉图尔学校素描班学习，1890年学油画，并装饰其祖父母的住宅。1891年就学于学院派画家A.-W.布格罗门下。1892年入象征主义画家

马蒂斯绘《华丽背景中的装饰女人体》（1925～1926）
美国不列颠百科全书公司供图

G.莫罗的画室学习，在莫罗鼓励下，认真研习罗浮宫的藏品，直至1900年不间断地临摹各艺术大师的作品。1896年马蒂斯在全国美术协会沙龙回顾展中展出4幅作品，获得成功。C.毕沙罗等印象主义画家的作品使其风格得到进一步发展。1898年，点彩派画家P.西涅克发表《从欧仁·德拉克洛瓦到新印象主义》一文，促使他进一步研究新技巧，经常在巴黎附近描绘户外景色。1898年间开始学雕刻，早期作品显示了A.罗丹和动物雕刻家A.-L.巴里的影响。1905年夏同A.德兰一起在科利尤尔渔港作画时，从点彩派的技法中摆脱出来，转向热情奔放的笔触，由理论上的现实色彩突变为带感情的对比色的展现：红与绿、橙与蓝和黄与紫的对比。代表作有《开着的窗户》、《戴帽子的女人》等。1906年起他开始了阿尔及利亚、意大利、西班牙和莫斯科的旅行，并对纺织品、瓷器产生了浓厚的兴趣。1908年发表了阐明其创作思想和美学观点的《画家的札记》。他对色彩的平衡与线的单纯化的追求，表现在初露头角的野兽主义一系列创作中。这类作品风格特点是：流畅的线条、稀薄明亮的色彩、阴影被省略、对透视法则的反抗等。给人以伊斯兰教地毯、纺织品和图案的感觉。马蒂斯早年在巴黎时即对铜版蚀刻、干刻、石版等版画技术发生兴趣，创作了一批版画作品。1932年为S.马拉梅的《诗集》作蚀刻插图29幅；第二次世界大战爆发后，他的版画活动更加多了，以其为蒙泰朗的《巴西法埃》（1944）、P.勒韦迪的《面孔》（1946）、C.波德莱尔的《恶之花》（1947）、龙萨的《爱情诗选集》（1948）和为夏尔·德奥尔良的《诗集》作的插图而闻名于世。同时出版了《爵士音乐》一书，并附有色纸拼贴的精美插图。晚年虽受疾病折磨，但仍坚持在床上作壁画设计。晚期作品依然充满大胆、完美和开朗乐观的精神。其主要油画作品有：《豪华、宁静和享乐》（1904～1905，巴黎私人收藏）、《戴帽子的女人》（1905，旧金山W.阿·哈斯收藏）、《土耳其宫女和玉兰花》（1924，私人收藏）、《舞蹈家和安乐椅，黑色背景》（1942，私人收藏）、《红色内室》（1948，巴黎国家现代艺术博物馆藏）等。主要雕塑作品（全部青铜）有：《美洲虎吞食野兔》（1899）、《奴隶》（1900～1903，巴尔的摩艺术博物馆藏）、《坐着的裸体》（1925）等。

Matlock **马特洛克** 英格兰德比历史、行政郡的德比郡谷区的一个城镇。曾为著名的水疗法疗养地。现为德文特河畔居民区。以其美丽的山谷和崎岖的丘陵而闻名。人口14 680（1991）。

Mato Grosso **马托格罗索** 巴西的内陆州，位于中西部大区。西北接朗多尼亚州和亚马孙州，北界帕拉州，东与戈亚斯州相接，南邻南马托格罗索州，西南与西和玻利维亚接壤。为世界上仅存的大片未开发地区之一，面积881 001平方千米。州首府为库亚巴。马托格罗索最早的居民是来自圣保罗的淘金者。1719年建立库亚巴后，马托格罗索成为圣保罗辖区内的一个区，1748年成为一个独立的管辖区。在殖民时期，这一地区的含金砂矿出产大量黄金和一些钻石。矿业衰落后，养牛成为主要活动。马托格罗索1822年成为帝国的一个省，1889年成为联邦的一个州。由于地理位置孤立和没有出海口，整个地区的发展很落后。1914年南部通铁路前陆上只有小道，其次便是通过巴拉圭河及巴拉那河。直到20世纪后50年才有公路和航空线。虽在20世纪初已有初步勘查资料，但到20世纪末，该州的某些地区从未勘探过。马托格罗索大部在巴西高原的西部延伸部分，北部亚马孙河流域和南部拉普拉塔水系的分水岭横跨巴西高原。这片高地称马托格罗索高原，海拔约900米。托坎廷斯河支流阿拉瓜亚河为该州东部边界。南部河流向南注入巴拉圭河。北部河流向北流注入亚马孙河支流。西部主要是一片泛滥平原，是巴西最好的牧场之一，也是世界最大热带牧场之一。低地气候湿热，高地炎热干燥。年平均气温26°C。平均年降雨量1 300～1 500毫米。5～9月为旱季。自然植被有大片草地、浓密森林区和广阔的灌丛平原。马托格罗索的人口增长率在20世纪很高。尽管如此，该州的人口密度却居巴西人口密度最低的数州之列。梅斯蒂索人（欧洲人和印第安人的混血种）的比例相当高。居民以农民为主。城市很少。公共卫生和福利事业有限。依据法律，初级教育是免费义务教育，但学校和教师不足。马托格罗索联邦大学（1970年建立）设在库亚巴。畜牧业和农业是主要经济活动，牛的头数有数百万之多，主要市场在圣保罗。矿物资源有铁、锰、锡和石灰石。生产稻米、甘蔗、玉米、柑橘和豆类。该州的传统是养牛场和农庄，在20世纪后50年，因移民移入而有改变。人口约1 660 000（1988）。

Mato Grosso do Sul　南马托格罗索　巴西的一个内陆州，位于中西部大区。北与马托格罗索州为邻，东北毗连戈亚斯州，东与米纳斯吉拉斯州和圣保罗州接壤，东南与巴拉那州相邻。西邻玻利维亚，西南邻巴拉圭。南马托格罗索面积350 548平方千米，首府是大坎普。现称南马托格罗索的地区直至20世纪中期还很少有人定居。最早的拓荒者为18世纪初期从圣保罗州西迁的淘金客。马托格罗索州在1719年成为圣保罗州的管辖区，1889年成为联邦一州。1979年马托格罗索南部地区划出建立南马托格罗索州。在开采含有丰富黄金和钻石的砂矿事业衰落以后，畜牧业占有重要地位，但由于地理位置孤立与缺乏交通手段，该地区长期得不到发展。1914年有一条铁路通车，横越马托格罗索南部(即今南马托格罗索州)，这是一大进步。不过，一直到20世纪后半叶，由于开辟公路与航空运输，才有大量移民前来定居。20世纪60年代巴西当局将首都从里约热内卢迁到内陆的巴西利亚，加快了这一扩展的步伐。但南马托格罗索仍是巴西人口密度最低的几个州之一。这个州约有一半面积位于巴西高原的西南延长区，其余为相对的低地。该州东部以巴拉那河为界；巴拉圭河谷为其西部疆界的一部分；塔夸里河与米兰杜河的支流流经其西部。巴拉圭河流经的地区主要为一泛滥平原，是全球最佳热带畜牧区之一。该州年平均气温为26 °C。高原地区较低地干燥，年平均雨量为1 300～1 500毫米。每年5～9月为旱季。人口主要分布在城市，重要城市有：首府大坎普、多拉杜斯、科伦巴、特雷斯拉瓜斯、蓬塔波朗以及科欣。梅斯蒂索人(欧洲人与印第安人的混血种)在该州人口中占有很大比重。由于不断发展，社会条件一直在改善。但日益发展的城市和农村屯垦区公共卫生与福利仍有限。虽然初等教育是免费义务教育，但由于学校和教师的缺乏，质量受到影响。尽管建州以来，南马托格罗索一直在政治和财政方面都很困难，但该州仍然是巴西社会经济发展最坚实的地区之一。矿产蕴藏丰富，铁矿和锰矿是采矿业发达的基础。畜牧和农业亦很重要，主要作物为棉花、花生、水稻、豆类、玉米和黄豆。人口约1 729 000(1988)。

Mato Grosso Plateau　马托格罗索高原　葡萄牙语作 Planalto de Matto Grosso。巴西高原的组成部分。马托格罗索高原是一个古侵蚀高原。包括马托格罗索州中部大部地区。从戈亚斯州州界向西延展至玻利维亚边境附近的帕雷西斯山。平均海拔600米。是亚马孙河流域和巴拉圭河流域的分水岭。热带稀树草原和林地混杂交错。17世纪的寻矿者曾在这一地区到处搜寻黄金、钻石和其他矿藏，部分定居。部分地区采矿业仍很重要，但主要经济活动是养牛业。运输网不发达，有几条公路。马托格罗索州首府库亚巴是主要城市。

Matoaka (Powhatan Indian princess)　**马托亚卡**　参阅 **Pocahontas** 波卡洪塔斯。

Matoniaceae　马东氏蕨科　始于中生代(2.45亿年前至6640万年前)的攀缘蕨类植物。特征是具伞状或盾状膜质囊群盖。叶扇形，裂成窄裂片，或具有很长的中脉，用以帮助攀缘。该科现在仅有各包括两个种的马东氏蕨属(*Matonia*)和显孢蕨属(*Phanerosorus*)。本科曾广泛分布热带，但现在仅分布马来亚地区，主要见于高海拔处开阔的脊顶、山顶以及石灰岩上。

Matopo Hills　马托波山　津巴布韦一片花岗岩丘陵。位于布拉瓦约东南。马托波山由河流侵蚀而成，经风化形成怪石、深谷。有民间传说与之相关。一些山被尊为恩德贝勒族酋长的灵魂安息地。丘陵中有巨大山洞，著名的有班巴塔、恩斯瓦图吉和锡洛兹瓦尼洞；洞内有科伊桑绘画。有石器时代和铁器时代考古遗址。马托波山平均高度1 500米，面积约3 100平方千米，东西长80千米。山间有林波波河一些支流。1902年设立罗得斯马托波斯国家公园，内有私人和政府农场、实验农场和狩猎公园等。国家公园有公路通布拉瓦约，公园面积43 200公顷，内有风景如画的世界山景。2003年被列为世界遗产。

马托波山
美国不列颠百科全书公司供图

Matos, Luis Palés　马托斯　参阅 **Palés Matos, Luis** 帕莱斯·马托斯。

Matos Guerra, Gregório de　马托斯·格拉　(1623或1633，巴西萨尔瓦多～1696-10-19，累西腓)　巴西文学早期最富有才华的人物，被称为巴西的维永。出身于蓄奴绅士家庭。曾在葡萄牙科英布拉大学攻读法律，在里斯本身居高位，后因讽刺朝臣而失宠。40岁以后回到巴西，当开业律师，有时为穷人辩护，分文不取。所写讽刺格言诗，主要针对统治阶级，但也不放过黑人、混血儿和印第安人，变得越来越尖刻。在安哥拉流放期间，写有一首告别故乡的诗，把巴西人比作负载的牲口，维持着葡萄牙无赖的生活。他的诗集到1882年才出版。他是第一位巴西土生土长的诗人，以大胆而又不正规的文风，运用民谚俚语写作。他的叛逆精神使他成为巴西文化方面的英雄人物之一。

Matosinhos　马托西纽什　葡萄牙西北部波尔图区城镇和行政区。坐落在莱萨河河口。临大西洋。属波尔图市西北郊区。城内博萨斯耶稣会教堂有一座钉在十字架上的耶稣像，据称为尼哥底母雕刻；据《圣经》记载，他曾帮助埋葬耶稣。每年引来不少朝拜者。镇旁人工港主要作为波尔图和葡萄牙北部出口葡萄酒的港口。亦为旅游胜地和渔港。人口：镇26 426(1981)；行政区约144 800(1987)。

Mátra Mountains　马特劳山脉　匈牙利北部最高山脉。最高点凯凯什峰海拔1 015米。火山熔岩构成，东西自陶尔瑙河至佐吉沃河约40千米，南北纵贯山脊约14千米。植被丰富，山毛榉和栎树最多。气候温和，南麓尤甚。夏季日照时间长，遂建成游览胜地与疗养院多处。20世纪70年代，珍珠河畔丘陵地带的工业盆地发展迅速，主要有基什泰赖涅-瑙吉巴托尼煤田，环绕该山脉火山中心还有少量有色金属矿。

Maṭraḥ　马特拉　又拼 Mutrah 或 Muttrah。阿曼城镇。濒阿曼湾。位于马斯喀特西面。一直为该国主要商业中心和港口。20世纪70年代建成加布斯港。西面5千米处的法赫勒港为阿曼的油路终点，有输油管道连接南部油田。该城有大型鱼市场。去内陆的商队从此镇出发。造船和修船业亦重要。人口约15 000(20世纪70年代初)。

matriarchy　母权制　一种假设的社会制度，在此种社会中，由妇女行使家庭和政治权力。由于达尔文进化论和瑞士人类学家J.J.巴霍芬著作的影响，19世纪某些历史学家和人类学家认为母权制是杂交乱婚阶段之后、父权制之前的一个社会发展阶段。现代人类学家和社会学家一致认为，严格的母权制社会从未存在过。

matrix　矩阵　由一组数排成若干行和若干列所形成的矩形阵列。这些数称为矩阵的元素。有 m 行和 n 列的矩阵称为 $m \times n$ 矩阵。例如

$$\begin{bmatrix} 1 & 3 & 8 \\ 2 & -4 & 5 \end{bmatrix} \qquad (1)$$

是一个 2×3 矩阵，由2行(1,3,8)，(2，-4,5)和3列 $\begin{bmatrix} 1 \\ 2 \end{bmatrix}$，$\begin{bmatrix} 3 \\ -4 \end{bmatrix}$，$\begin{bmatrix} 8 \\ 5 \end{bmatrix}$ 组成。有 n 行和 n 列的矩阵称为 n 阶方阵。一个普通的数可看成 1×1 矩阵，例如3可认为同矩阵[3]一样。一个方便的记号是用大写字母表示矩阵，用相应的小写字母附以两个下标表示矩阵的元素。例如 a_{ij} 是矩阵 A 的位于第 i 行、第 j 列的元素。如果 A 是矩阵(1)，则 $a_{11}=1, a_{12}=3, a_{13}=8, a_{21}=2, a_{22}=-4, a_{23}=5$。在一定条件下矩阵能作为独立的实体进行加法和乘法运算，从而产生一个重要的数学系统，称为矩阵代数。矩阵在数学的其他分支中以及在工程学、物理学、经济学、统计学中都有广泛的应用。

矩阵自然地出现在线性方程组里。例如考虑如下的未知量 x 和 y 的线性方程组：

$$\begin{aligned} 2x + 3y &= 7 \\ 3x + 4y &= 10 \end{aligned} \qquad (2)$$

这里就看到数的阵列

$$\begin{bmatrix} 2 & 3 \\ 3 & 4 \end{bmatrix},$$

它是以未知量的系数为元素的矩阵；还有一个矩阵

$$\begin{bmatrix}2 & 3 & 7\\3 & 4 & 10\end{bmatrix},$$

称为增广矩阵。方程组的解完全依赖于这些数以及它们的特定的排列，如果 7 和 10 交换位置，解就不同。历史上首先认识的不是矩阵，而是同它有联系的称为**行列式**(**determinant**)的确定的数值。矩阵作为一个代数实体的概念是逐渐形成的。"矩阵"这个词是由 19 世纪英国数学家 A.凯莱引入的，他在代数方面发展了矩阵。

矩阵的运算 两个矩阵 A 和 B，如果它们有相同的行数和列数，并且对于每个 i 和每个 j 有 $a_{ij}=b_{ij}$，则它们相等，即 $A=B$。设 A 和 B 是两个 $m\times n$ 矩阵，其和 $S=A+B$ 是一个 $m\times n$ 矩阵，其元素 $s_{ij}=a_{ij}+b_{ij}$，是 A 和 B 的相应位置的元素之和。矩阵 A 能与一个称为纯量的普通数 c 相乘，乘积用 cA 或 Ac 表示，这是一个矩阵，其元素为 ca_{ij}。仅当第一个矩阵 A 的列数等于第二个矩阵 B 的行数时，A 才能被 B 乘，产生一个矩阵 C，记作 $AB=C$。如果两个矩阵是同阶方阵，则乘法总是可能的。这时矩阵乘法的法则如下：把 A 的第 i 行的各个元素逐个地、依次地分别与 B 的第 j 列相应的元素相乘，所有这些乘积之和就是乘积矩阵 C 的第 i 行第 j 列的元素 c_{ij}，用符号表示则为：$c_{ij}=a_{i1}b_{1j}+a_{i2}b_{2j}+\cdots+a_{im}b_{mj}$，其中 A 有 m 列，B 有 m 行。因为对于 A 的每一行和 B 的每一列都这么做，所以矩阵 C 与 A 有相同的行数，与 B 有相同的列数。这就是说，一个 $p\times m$ 矩阵能被一个 $m\times k$ 矩阵乘，结果是一个 $p\times k$ 矩阵。例如

$$\underset{A}{\begin{bmatrix}1 & 2 & 1\\3 & -1 & -2\end{bmatrix}}\underset{B}{\begin{bmatrix}4 & -1\\1 & 3\\2 & -2\end{bmatrix}}=\underset{C}{\begin{bmatrix}8 & 3\\7 & -2\end{bmatrix}}$$

A 是 2×3 矩阵，B 是 3×2 矩阵，所以 A 能被 B 乘，其积 C 是一个 2×2 矩阵。这里，由于 B 的列数也等于 A 的行数，所以 B 也能被 A 乘，给出一个 3×3 矩阵 D：

$$\underset{B}{\begin{bmatrix}4 & -1\\1 & 3\\2 & -2\end{bmatrix}}\underset{A}{\begin{bmatrix}1 & 2 & 1\\3 & -1 & -2\end{bmatrix}}=\underset{D}{\begin{bmatrix}1 & 9 & 6\\10 & -1 & -5\\-4 & 6 & 6\end{bmatrix}}$$

这里可以看出 $AB\neq BA$，二者完全是不同的矩阵。因此与普通数的乘法总有 $ab=ba$ 不同，矩阵的乘法是不能交换的。然而它可以结合，并且对于加法可以分配，这意思是，当运算可能时，下面的等式总是成立的：$A(BC)=(AB)C$，$A(B+C)=AB+AC$，$(B+C)A=BA+CA$。所有元素全是 0 的矩阵称为零矩阵，记作 O。主对角线上元素都是 1 而其他地方元素都是 0 的方阵称为单位矩阵，记作 I 或 I_n（下标说明它的阶是 n）。如果 B 是任一方阵，并且 I，O 是同阶的单位矩阵和零矩阵，则有 $B+O=O+B=B$，$BI=IB=B$。因此 O 和 I 的作用像普通算术里的 0 和 1。实际上，普通算术是矩阵算术的特殊情形，其中所有矩阵是 1×1 的。然而矩阵代数的内容丰富得多。例如，当 $A\neq0$ 且 $B\neq0$ 时，可能有 $AB=0$。

逆矩阵 每一个方阵 A 可以对应一个数，称为 A 的行列式，记为 $\det A$，它是由 A 的元素按一定方式计算出来的。例如对于 2×2 矩阵 $A=\begin{bmatrix}a & b\\c & d\end{bmatrix}$，$\det A=ad-bc$。如果 $\det B\neq0$，则方阵 B 称为非奇异的。如果 B 是非奇异的，则存在一个方阵称为 B 的逆，记作 B^{-1}，使得 $BB^{-1}=B^{-1}B=I$。例如 2×2 矩阵 $A=\begin{bmatrix}a & b\\c & d\end{bmatrix}$ 的逆是

$$A^{-1}=\begin{bmatrix}d/D & -b/D\\-c/D & a/D\end{bmatrix},$$

其中 $D=\det A=ad-bc$。

矩阵方程 考虑方程 $AX=B$，其中 X 是未知矩阵。如果 A 是一个非奇异方阵，则 X 能唯一地求解。这是因为 A^{-1} 存在，从而可以在方程两边同用 A^{-1} 左乘：$A^{-1}(AX)=A^{-1}B$，既然 $A^{-1}(AX)=(A^{-1}A)X=IX=X$，所以解就是 $X=A^{-1}B$。具有 n 个未知量、m 个线性方程的方程组总能表示成矩阵方程 $AX=B$，其中 A 是未知量系数组成的 $m\times n$ 矩阵，X 是未知量组成的 $n\times1$ 矩阵，B 是位于方程右边的数所形成的 $m\times1$ 矩阵。例如方程组(2)可写成

$$\begin{bmatrix}2 & 3\\3 & 4\end{bmatrix}\begin{bmatrix}x\\y\end{bmatrix}=\begin{bmatrix}7\\10\end{bmatrix}\qquad(3)$$

这是因为乘出来就得到

$$\begin{bmatrix}2x+3y\\3x+4y\end{bmatrix}=\begin{bmatrix}7\\10\end{bmatrix},$$

这两个相等的矩阵之对应的元素相等就是方程组(2)。现在 $\det\begin{bmatrix}2 & 3\\3 & 4\end{bmatrix}=2\times4-3\times3=-1$，逆矩阵是 $\begin{bmatrix}-4 & 3\\3 & -2\end{bmatrix}$，用这个矩阵左乘(3)给出

$$\begin{bmatrix}-4 & 3\\3 & -2\end{bmatrix}\begin{bmatrix}2 & 3\\3 & 4\end{bmatrix}\begin{bmatrix}x\\y\end{bmatrix}=\begin{bmatrix}-4 & 3\\3 & -2\end{bmatrix}\begin{bmatrix}7\\10\end{bmatrix}$$

$$\Rightarrow\begin{bmatrix}1 & 0\\0 & 1\end{bmatrix}\begin{bmatrix}x\\y\end{bmatrix}=\begin{bmatrix}2\\1\end{bmatrix}\Rightarrow\begin{bmatrix}x\\y\end{bmatrix}=\begin{bmatrix}2\\1\end{bmatrix}。$$

因此 $x=2$，$y=1$ 是(2)的解。

在科学的许多分支里，一个很有意义的问题通常被叙述成如下矩阵形式：给定一 n 阶方阵 A，要找出称为 n 维向量的 $n\times1$ 矩阵 $X(\neq0)$，使得 $AX=cX$，其中 c 是一个数。当数 c 容许这个方程有非零解 X 时，便称为 A 的特征值，而每一个这样的非零解 X 便称为相应的一个特征向量。

matrix 基质 在地质学中，有某些东西嵌入的物质称基质。它可以是包含晶体、化石、中砾、矿脉等的天然岩石；也可以是岩石中围绕较大颗粒的细粒物质。例如，砂岩中的粉砂和黏土微粒或结晶岩石中的微小晶体。有时也叫底质(groundmass)。

Matronalia 主妇节 古罗马宗教节日，定在 3 月 1 日，届时已婚妇女奉祀司生育的女神朱诺。主妇节一方面象征婚姻神圣，另一方面纪念罗马男子娶萨宾族妇女后实现两族和平之事。届时已婚妇女列队进入庙宇，向朱诺献祭。在家除献祭外还祈祷夫妇生活美满。男子向妻子赠送礼物，女主人赐筵招待女奴。

Maṭrūḥ 马特鲁 埃及的沙漠省份，在吉萨省以西，北纬 26°20′以北。只有 1%的地区有人居住。大部分为沉积岩高原，海拔平均 215～245 米。只有沿海平原有少量降雨，但地下蓄水层为锡瓦绿洲供水。盖塔拉洼地在海平面下 133 米，占地 18 000 平方千米。天然资源有石油和天然气。居民主要集中在沿海的狭长地带和锡瓦绿洲，沿海地带有罗马遗址。省会**马特鲁**(**Marsā Maṭrūḥ**)有铁路通亚历山大。面积212112平方千米。人口约 262 200(2004)。

Matshangana - Tsonga(South Africa) **马尚加纳-聪加** 参阅 **Gazankulu 加赞库卢**。

Matshikiza, Todd 马特希基扎(1920 或 1921，南非昆斯敦～1968-03-04，赞比亚卢萨卡) 南非新闻工作者、作家和音乐家。以短篇小说及其为音乐剧《金刚》(1960)所谱写的乐曲而闻名，这些作品被认为是南非最优秀的作品之一。其创作生涯一开始就分为音乐和文学两部分。曾在黑尔堡大学学院附近的洛夫代尔接受师范教育。他为《鼓声》杂志撰写每月专栏并从事爵士乐评论。他创作的合唱曲，为南非各合唱团竞相演出，并为他赢得主持 1956 年约翰内斯堡音乐节的光荣任务。1961 年，他携家随同《金刚》剧组赴伦敦演出，并决定在当地居留。在那里他与南非白人作家 A.佩顿共同创作了音乐喜剧《姆坎贝讷》，同时还为英国广播公司编写广播节目，并撰写追述他在伦敦和南非生活的自传体短篇小说。

Matson, Randy 马特森(1945-03-05，美国得克萨斯基尔戈～) 美国铅球运动员。1965 年成为第一个投出 21.52 米成绩的铅球运动员。在得克萨斯农业及机械大学完成一年级学业后，于 1964 年在东京奥运会上获铅球银牌。1968 年在墨西哥城奥运会上获铅球金牌，成绩为 20.54 米。前此他曾于 1967 年以 21.78 米的成绩刷新 1965 年他自己所创纪录，并于同年获沙利文最佳运动员奖。

Matsu Island 参阅 **Mazu Islands 马祖列岛**。

Matsubara 松原 日本本州大阪府城市。临大和川。曾为陆路交通中心。保存有许多古墓等古迹。19 世纪末成为大阪南郊住宅区。现生产养殖和人工的珍珠和象牙工艺品。人口约 135 811(1991)。

Matsudaira Sadanobu 松平定信(1759-01-25，日本江户[今东京]～1829-06-14，江户) 日本大臣，推行**宽政改革**(**Kansei reforms**)，采取一系列保守的财政与社会措施，以期重振日本。原为大名藩主。1786 年德川家治死后，拥立德川家齐(1787～1837 在位)为将军。崇奉中国朱熹的官方哲学。继声名狼藉但鼓励发展贸易和工业的田治意次为首席大臣。执政后撤换贪官污吏，推行科举考试制度，削减对外贸易，限制经营商业，发展农业经济，紧缩财政支出。因在制定政策方面与将军意见不一致，于 1793 年辞职。此后专心研究儒家思想和写作，被人们认为是典型的儒家统治者。

Matsudaira Tsuneo 松平恒雄(1877-04-17，日本东京～1949-11-11，东京) 日本外交

家和政治家。1930 年在伦敦海军会议上坚持增加日本海军力量的限额。1936 ～ 1945 年任宫内省大臣，充当天皇的顾问。起初力图影响日本政策，缓和与美国的冲突而未果。第二次世界大战后根据新宪法(1947)成为第一任国会议长。

Matsudaira Yoshinaga　松平庆永(1828-10-10，日本江户[今东京]～1890-06-02，东京)　日本明治维新时期主要政治人物之一。德川氏旁系出身。1838 年为福井大名(藩主)，曾创办西方式兵工厂，鼓励教育事业，发展医药事业。在对外政策方面，最初坚持锁国政策，但在 1858 年签订《日美修好通商条约》以后改变了立场。同年，松平庆永因将军继嗣问题与大老井伊直弼意见不合而被软禁，井伊遭暗杀后获释。1862 年任幕府政事总裁，为了安抚各地大名，废除了参觐交代(**sankin kōtai**)制度。松平庆永力主国家团结，在政府中给天皇更多权力。1864 年曾参加促进天皇家族与幕府合作的藩主会议，会议破裂后他继续在幕府供职，等待这两个集团间必不可免的冲突到来。由于他是著名的天皇支持者，明治维新后历任要职。

Matsudo　松户　日本本州千叶县城市。位于东京市以东，在常磐铁路线上。德川时代(1603 ～ 1867)为驿镇和河港。第二次世界大

松户市的自行车赛场
美国不列颠百科全书公司供图

战后成为东京-横滨都会区的卫星城。有铁工厂和机械厂。人口约 418 490(1983)。

Matsue　松江　日本本州西南部岛根县首府。濒临宍道湖和天神川，邻近日本海，有

松江的赫恩(小泉八云)故居
美国不列颠百科全书公司供图

“水上城市”之称。20世纪70年代日本政府为开发不发达地区和减轻大工业区的拥挤，定松江为“新工业城”。现松江为海陆交通交会点。建于 17 世纪的松江城堡内有供奉神道教收获神的巨大稻草绳索。还有 19 世纪爱尔兰裔美国作家、教育家赫恩(后归为日本臣民，改名小泉八云)生活和写作的住所。人口约 138 199(1983)。

Matsukata Masayoshi，KOSHAKU　松方正义(1834-04-03，日本鹿儿岛～ 1924-07-02，东京)　日本政治家、公爵，其财政改革在 19 世纪 80 年代稳定和加强了日本财政，为日本提供了现代化的资金。推翻德川家族后，在新帝国政府中历任要职。1881 年任大藏大臣，成为财政改革的主要倡议者和实行者。当时，政府发行纸币以适应现代化资金的短缺。19 世纪 80 年代纸币不断贬值，人民争存硬币。国家岁入由于土地税是固定的，因此，按实际值来说，也逐渐减少。他上任后，大力削减政府开支，把新建工厂卖给私人经营，赎回以前纸币，创办有权发行可兑换钞票的日本银行。不出 3 年，通货膨胀得到控制，政府的财政状况有所好转。他在 1891 和 1896 年两度任首相，但因国会反对，任期均不长。1897 年再次出任大藏大臣，日本采用金本位。1902 年成为元老。

Matsumoto　松本　日本本州中部长野县城市，位于一山中盆地，濒奈良井川。以缫丝业闻名，封建时期即开始经营。台地多种植桑树和果树。四周山区有温泉和滑雪场，使该

松本市的古堡
美国不列颠百科全书公司供图

市成为一旅游中心。附近有两座德川时代之前的古堡。人口约 193 829(1983)。

Matsunaga Teitoku　松永贞德(1571，京都～ 1654-01-03，京都)　日本德川时代(1603 ～1867)初期著名学者和俳谐诗人。原名松永胜熊，号逍遥轩或长头丸。曾创立俳谐体诗歌的贞德派(又称贞门)。俳谐是滑稽的连歌，松尾芭蕉的 17 音节一句的更加严肃的俳句即来源于此。贞德把俳谐提高到一定的文艺水准，使其成为群众性的诗歌体裁。贞德为一职业连歌师之子，曾受到当时几位最优秀诗人的良好教育。在与新儒学派学者林罗山结识之后，开始公开讲授日本古典作品。约 1620 年，他在自己家里开办“贞德塾”，起初他集中力量教育儿童，但是后来逐渐对于辅导有志写诗的人抱有更大的兴趣。这一时期始终坚持作诗，主要为严肃的和歌和连歌，但也有比较轻松的俳谐。虽然开头不同意，但他还是允许他的一个弟子辑录他的许多俳谐，刊印《犬子集》(1633)。这个集子奠定了他作为 17 世纪初期到中期的诗坛盟主的地位，许多诗人受到启发去写作俳谐。他还有另外几部歌集出版，其中包括《鹰筑波》(1638)和《新增犬筑波集》(1643)。贞德还在《御伞》(1651)中对俳谐写作的规则作了系统的论述。

Matsuo Bashō　松尾芭蕉　参阅 **Bashō** 芭蕉。

matsuri　祭　日语，意为节日，一般指日本国内各种世俗和宗教庆典。祭因神社、所祀之神和庆祝的目的与日期不同而互有差异，庆祝活动一般遵循很古老的传统。此词作为词根，再加 goto 后缀，汉字用“政”，以显示传统上神道教礼仪是国家大事；公私要事都应祈告于神。祭的庆祝活动一般分为两部分：先是庄严肃穆的拜神仪式，后是欢乐的庆祝活动。参加祭的活动的人先要经历“祓”，即祓除不祥不洁之物，或几小时，或几日，再经历“禊”，最好是用盐水沐浴。于是请神降临“神体”，其手续是敞开神社内门，击鼓或鸣钟，呼吁神下降。继而献“神馔”，有时献“币帛”(原意为布，现还包括纸、珠宝、兵器、货币和器皿)。祀官诵“祝词”，一般信徒献“玉串”(杨桐树枝)，演“雅乐”歌舞。最后撤下供物，请神归位。第二部分叫作“直会”，献神的供物由祀官和信众分尝，还有舞蹈、戏剧、占卜和体育运动，如相扑、骑射、步射和划艇竞赛。通常要用“御舆”抬着神游行。游行行列中有身着节日服装的神社祀官、社区代表团、吹鼓手、古装舞者和“山车”(彩车，布置得或如山，如神社，或如船；或人拉，或牛拖，或肩负)。

Matsushita Electric Industrial Company, Ltd.　松下电器产业公司　日本主要的电器与消费电子产品制造商，也是最大的录像机生产商。总部在大阪。1918 年成立时，生产并销售电灯插头、插座。1935 年改为有限公司，开始迅速扩大电器产品生产线。20 世纪 30 年代又扩大生产电熨斗、收音机、留声机、灯泡等电气装置。50 年代开始生产半导体收音机、电视机、磁带录音机、立体声设备和大型家用电器。60 年代又扩大业务，生产微波炉、空调设备、录像机等。非消费产品有微型计算机、电话设备、电动机、化学及太阳电池等。此外还生产电子测量计时器、复印机、交通自动控制装置、办公室自动设备等。该公司以其对科研和开发进行巨额投资而著称。除 23 个主要的研究实验室外，各生产分部都有一研究小组为其服务。该公司的主要市场在国外，在海外设有许多产销子公司。

Matsushita Konosuke　松下幸之助(1894-11-27，日本和歌山县～ 1989-04-27，大阪)　日本工业家，他所创办的松下电器产业公司是全世界最大的民用电器制造厂家。松下幼时父母双亡，9 岁即开始工作，当供差遣的童仆。16 岁开始在大阪电灯公司供职，23 岁辞

去在该公司所任的检查员工作,成立一个能销售自己设计的电气插头的公司。由于他的推销策略富于创造性,使得松下电器具制作所发展壮大。1935年他将公司改组,始用今名。第二次世界大战后,松下千方百计防止他的公司被美国占领当局摧毁,到20世纪50年代,松下电器产业公司已是生产日本家用洗衣机、电冰箱和电视机的主要厂家。在随后的几十年间,该公司以 Panasonic、Quasar 和 National 牌的电气设备、电子计算机集成电路片、盒式磁带录像机等产品在国际上驰名。松下任该公司总裁直至1961年,此后成为董事长。他很有影响的商业哲学要求以可能最低的价格大量生产必需的消费品,在20世纪下半叶日本出现的平等主义的、面向消费者的社会中被人广泛采用。

Matsuwaka-Maru　松若丸　参阅 **Shinran 亲鸾**。

Matsuyama　松山　日本爱媛县首府。在四国的西北部。为濒临濑户内海的海港,位于肥沃的道后平原。松山是四国的最大城市,面积207平方千米。工业产品有纺织品、石

松山城堡
美国不列颠百科全书公司供图

油化工品、纸张和机械。该市也是地方手工艺品(陶器、手工编织物和玩偶)的一个贸易中心,并栽培柑橘。市中心胜山山顶有17世纪城堡,现在内设一军事博物馆。在日本封建时代(1185～1867),松山是一个重要的武士氏族的大本营。这一地区涌现过许多俳句大师。东北有道后温泉,这是日本建立的最早和最大的温泉疗养地之一,在3层的楼房中设有许多公共浴池。人口约441 464(1989)。

Matsuzaka　松阪　日本本州三重县城市。濒临伊势湾。德川时代(1603～1867)以城堡为中心的城镇和商业中心,有棉纺业。伊势湾平原一带种植水稻、小麦、甘薯和茶,并种桑养蚕。城市工业生产玻璃、电机、船舶和纱线。以产肉牛闻名国内。有17世纪城堡和著名学者、诗人本居宣长(1730～1801)故居等历史名胜。人口约118 466(1989)。

Matsya　麻蹉　梵文,意为鱼,印度教大神毗湿奴10种化身中第一种。化成麻蹉的毗湿奴拯救世人免遭洪水毁灭。原来,人类祖先摩奴捕到小鱼,此鱼迅速长成巨鱼,透露自

17世纪拉贾斯坦绘画中的麻蹉像
美国不列颠百科全书公司供图

己是神。洪水来临时,摩奴把船系在此鱼头上的角上,幸得死里逃生。麻蹉之像或为鱼,或上身为人,下身为鱼。麻蹉4手,一手执海螺壳,一手执轮,一手作颁福状,一手作护卫之势。

Matsyendranātha　摩阇衍陀罗那陀(活动时期10世纪?,印度)　又名米纳那陀。印度那陀崇拜(即大师崇拜)第一代人间导师。那陀崇拜是糅合印度教、佛教、诃陀瑜伽各种成分而成的印度民间宗教。印度教与佛教共有的9大师和84大悉陀中都包括摩阇衍陀罗那陀在内。他的信徒以他为半人半神;尼泊尔的佛教徒称他为莲手观世音;印度教徒认为他是湿婆;在中国西藏地区称他为吕帕。他是苦行者,一说他迷恋两位锡兰王后,生子婆罗衍那陀和尼姆那陀,分别是耆那教两派的领袖。他的主要门徒乔罗迦那陀号称乾婆瑜伽(即穿耳瑜伽)的创始人。

Matsys, Quentin (Flemish artist)　参阅 **Massys, Quentin 马西斯**。

Matta, Joaquim Dias Cordeiro da (Angolan writer)　**马塔**　参阅 **Cordeiro da Matta, Joaquim Dias 科达伊洛·达马塔**。

Mattāncheri　默丹杰里　印度西南部喀拉拉邦原城镇。临阿拉伯海,与科钦毗邻。1970年并入科钦市。以当地犹太教教堂(1568)和科钦王公宫(1555)著称。宫里藏有描绘《罗摩衍那》全部故事的精致绘画。《罗摩衍那》是印度两大史诗中较短的一部。20世纪后半叶因向以色列国移民,默丹杰里的犹太人大量减少。

Mattathias　玛他提亚(?～约公元前166)犹太祭司、耶路撒冷附近莫迪恩地方的地主。公元前167年他公开反抗叙利亚国王安条克四世对犹太人实行希腊化的法令。他与5个儿子进入深山,对叙利亚人进行游击战。他的儿子犹大·马加比继承他的事业。但据犹太史学家约瑟夫斯说,玛他提亚的曾祖名哈斯蒙尼,因此该家族通常称哈斯蒙尼家族,不称玛他提亚家族。

matte　锍　熔融硫化物的粗制混合物,是熔炼金属(特别是铜、镍、铅)硫化物矿石的中间产物。铜矿石通常不直接熔炼成金属,而先熔炼成含40%～45%铜以及一些铁和硫的锍,然后在贝塞麦型转炉中进行吹炼;空气吹入熔融的锍,使硫和铁分别氧化成二氧化硫和氧化铁,并与硅石熔剂结合形成炉渣,同时得到金属铜。熔炼硫化镍矿石获得的锍,含镍和铜约15%、铁约50%,其余为硫;铁将在转炉吹炼中除掉,而在还原成金属之前要进行硫化铜和硫化镍的分离。熔炼硫化铅矿时产生一层液态铜锍,它可与渣和黄渣一起从铅液上轻轻倾出。

Matteo (Serafini) da Bascio　玛窦(巴齐奥的)(约1495,教皇国巴齐奥～1552-08-06,威尼斯)　又名 Matteo di Bassi。天主教嘉布遣小兄弟会(嘉布遣会)创始人。1511年前后,参加方济各会遵规派,1520年任司铎。热切期望方济各会恢复立会初期清贫节约的朴素作风,秘密到罗马会见教皇克雷芒七世,奉教皇非正式的准许在该会推行改革。他认为当时方济各会会士的服装已经背离传统,于是戴自制尖顶风帽、蓄须、赤足行路。许多人追随他,于是在1525年左右形成一个派别。他们在生活中尽量遵循方济各的理想。玛窦博得伟大传道士的美名,在意大利天主教会内部的改革中有突出贡献。1546年教皇保罗三世派兵支援神圣罗马帝国皇帝查理五世,令他随军前往德意志。查理五世向拥护新教的萨克森选侯约翰·腓特烈一世宣战。米尔贝格一役,传说玛窦在战前鼓舞天主教士兵取胜,结果俘获约翰·腓特烈一世。

Matteo di Pasti　马泰奥(1420,威尼斯共和国维罗纳～1467或1468,教皇国里米尼)意大利15世纪最有造诣的奖章雕刻家,有名望的建筑师和雕刻家。开始是装帧画家,曾为意大利诗人彼特拉克的《凯旋》和其他作品画过插图,为马拉泰斯塔和阿蒂制做过非常精致的奖章。约在1449年由维罗纳迁往里米尼。1460～1464年间应穆罕默德二世之请访问了君士坦丁堡。受托重建里米尼马拉泰斯塔教堂的内部,完成了许多浮雕。

Matteotti, Giacomo　马泰奥蒂(1885-05-22,意大利弗拉塔波莱西内～1924-06-10,罗马)　意大利社会党领袖,法西斯分子对他的暗杀使世界舆论震惊,并动摇了墨索里尼的政权。他在博洛尼亚大学法学院毕业后当律师,并参加意大利社会党。1919年选入众议院,1921和1924年重新当选。此时他已经成为社会党总书记。当时,墨索里尼对左翼人士正在采取恐怖手段。1924年5月30日,他在议会发表演说,强烈谴责法西斯党。不到两个星期(6月10日),他在罗马被6名法西斯别动队员绑架并杀害。别动队把他的尸体送到城外草草掩埋。马泰奥蒂的失踪引起舆论哗然。但是软弱的议会根本无力对墨索里尼采取任何措施,暗杀马泰奥蒂的凶手一直

逍遥法外。马泰奥蒂事件成为意大利法西斯主义的转折点,此后,墨索里尼索性撇开议会,采取了诸如压制反对派言论、排除非法西斯党的内阁成员、组建秘密警察等手段,建立了全面独裁的统治。直至第二次世界大战后,民主政权才将活着的3个凶手判处30年徒刑。

matter 物质 构成为人们所能观察到的世界的实体,并与能量一起,构成一切客观现象的基础。一切物质均由原子所组成。不同的物质也有某些共同的基本性质。如一切物理实体都具有引力。这一性质使它能吸引所有其他的实体。物质的又一种固有和永恒的性质是惯性。惯性表现为物体反抗外界对它的静止状态或运动状态的任何改变。尽管人们通常认为质量是物体中所包含的物质的数量,而物体的质量应是它的惯性大小的量度。具体的物质可有多种状态。其中最为人们所熟悉的是气态、液态和固态。还有几种定义不大明确但有时也被提到的物质状态是等离子态、胶态以及像玻璃态那样的非晶态。每一种状态的性质都与其他状态的不同。此外,一般状态又可以按特殊的性质类型细分为各大类。例如固体可以根据把组分原子连接起来的化学键的种类分为金属型、离子型、共价型或分子型等。根据A.爱因斯坦的狭义相对论,物质(表现为质量)与能量是等价的。因而物质可以转化为能量;能量也可以转化为物质。譬如说,物质转化为能量可在核裂变的过程中出现,其间铀或者另一种重元素的原子核分裂为质量几乎相等的两个碎片。

Matter, Herbert 马特(1907-04-25,瑞士恩格尔贝格～1984-05-08,美国纽约南安普敦) 瑞士出生的美国广告设计家和摄影家,以首先用照片剪辑来制作商业广告而驰名。曾在巴黎向画家莱热和奥尚方学习,后来又给印刷艺术家卡桑德尔和建筑家科比西埃当助手。1932～1936年,为瑞士国家旅游局制作旅游广告,由此蜚声国际。这些广告是最先卓有成效地应用照片剪辑法制作的。1936年,马特移居美国纽约市,为《哈泼斯市场》和《时装》等杂志当摄影师直至1957年。1939年,与人合作为纽约市世界博览会的瑞士和科宁水晶馆做设计工作,并和纽约市的古根海姆博物馆和休斯敦的美术博物馆有密切联系。他还为纽约市的现代艺术博物馆拍摄过一部关于雕塑家考尔德作品的影片(1949)。1952～1976年任耶鲁大学印刷艺术和摄影学教授。

matter and form (philosophy) 参阅**hylomorphism**形质说。

matter wave (physics) **物质波** 参阅**de Broglie wave**德布罗意波。

Matterhorn 马特峰 法语作Mont Cervin(塞尔万峰),意大利语作Monte Cervino(切尔维诺峰)。阿尔卑斯山系最著名的山峰(4 478米)。地跨瑞士-意大利边界。瑞士一侧看上去是一座孤立的尖型山峰,实际上为山脊宽广的末端;意大利一侧为巍巍斜壁,陡峭而险峻难登。攀登该峰多在夏季。

Matteucci, Pellegrino 马泰乌奇(1850-10-13,意大利拉韦纳～1881-08-08,英国伦敦) 意大利探险家,第一个从埃及横越赤道以北的非洲大陆到达几内亚湾的欧洲人。他的旅行穿越过非洲的许多地方,其他欧洲人只到过这些地方的边缘地带。虽然旅行成功,却未编出有意义的地理学见闻。他原为一位医生,但有探险欲望。1877年首次到非洲探险,溯青尼罗河而上,直至苏丹南部被有敌意的部落挡住去路。两年后马泰乌奇又率一探险队到埃塞俄比亚,调查与该国通商的可能性。1880年2月开始横贯大陆的旅行,从埃及出发,经苏丹和乍得的瓦代区进入尼日利亚东北部,沿尼日尔河而下,于1881年7月到达西非海岸。后死于旅途感染的热病。

Matthau, Walter 马绍(1920-10-01,美国纽约州纽约～2000-07-01,加利福尼亚圣莫尼卡) 美国演员,以带褶的脸、带鼻音的说话声和准确的时机把握而闻名。在犹太人的剧院开始其童星生涯,并在百老汇演出《再来一次,带着感情》(1958)、《瞎猜》(1962)等剧。1955年出演《肯塔基豪侠》,首次在银幕中亮相。以《天生冤家》(1965)舞台剧中的角色成为明星,获得托尼奖,并于1968年和老搭档J.莱蒙一起重拍该剧的电影版。其他电影作品包括《飞来艳福》(1966,获奥斯卡奖)、《吾父吾子》(1971)、《皮特与蒂莉》(1972)、《阳光少年》(1975)、《怪老头》(1993)和《淘气老顽童》(1996)。

Matthäus, Lothar 马特乌斯(1961-03-21,西德埃朗根[今德国]～) 全名Lothan Herbert Matthäus。德国足球运动员。总共参加国际比赛150场,是唯一参加过5次世界杯决赛的球员,并且是1980年欧洲杯冠军队队员。1979年作为职业球员在门兴格拉德巴赫队首次出场,1980年第一次参加国际比赛。1984年转入拜仁慕尼黑队,在该队赢得5次德国联赛、1996年欧洲联盟杯和2次德国杯。1988～1992年加盟意大利国际米兰队,获1989年意大利联赛杯和1991年欧洲联盟杯。马特乌斯善打中场和防守,有很好的适应性和灵性,而且能大力射门。1990年获欧洲足球先生称号,1990和1991年获世界足球先生称号。2000年夏在美国结束其足球生涯。

Matthay, Tobias 马太(1858-02-19,英国伦敦～1945-12-15,萨里海马利) 英国钢琴家、教师和作曲家,以其对钢琴技巧问题的细致思考、对音乐的表达以及教育心理学著称。曾在皇家音乐学院学习,1876～1925年在该校任教。其后将全部精力投入他于1900年建立的钢琴学校。教学中强调发展恰当的触键,其教学法立足于对手臂动作的精细分析。著有《触键的动作》(1903)、《钢琴演奏的基本要则》(1905)、《松弛的训练》(1908)、《音乐的表达》(1913)和《论教学法》(1921)。其著作与教学工作使他获得国际声誉,并培养出很多杰出学生(包括M.赫斯)。

Matthes, François-Emile 马泰(1874-03-16,荷兰阿姆斯特丹～1948-06-21,美国加利福尼亚伯克利) 荷兰出生的美国地质学家和地形学家。所测绘的美国西部某些山势险要、景色优美的区域的地图,促成了几处著名国家公园的建立。他早期在荷兰、瑞士和德国受教育,继而受教于麻省理工学院和哈佛大学。1896年成为美国公民,同年作为地形测量员进入美国地质调查局工作到1913年。测绘了怀俄明州和蒙大拿州的比格霍恩山脉和冰川国家公园、亚利桑那州的大峡谷、加利福尼亚州的约塞米蒂谷、华盛顿州的雷尼尔山以及其他西部地区的图。他为这些地图画绘的素描大概一直没有人比得上。1906年加利福尼亚州大地震后,他受考察委员会派遣测绘了圣安德烈斯断层。后来致力于地质研究,成了卓越的地貌学家和冰川学家。他对加利福尼亚州内华达山脉的调查研究,写成巨著《约塞米蒂谷地质史》(1930)。他组织了对北美冰川的系统观测规划的实施,现代冰川变化是研究世界范围气候波动的一个组成部分。他才华横溢,也是位少见的优秀作家。

Mattheson, Johann 马特森(1681-09-28,汉堡[德国]～1764-04-17,汉堡) 作曲家、学者。其著作是了解18世纪德国音乐的重要资料来源。师承M.普雷托里乌斯。在汉堡歌剧院当歌唱演员和指挥时是F.韩德尔的朋友。1706年任英国大使的秘书,后任临时代办。1715～1728年任汉堡大教堂乐长和管风琴师,后因双耳失聪被迫辞职。作品有清唱剧、歌剧和器乐曲,但其影响主要在于学术著作,传记性词典《凯旋门的基础》(1740)最为著名,其中写有148名作曲家的生平。还有两部关于通奏低音的著作以及《完美的乐长》(1739)一书。他主张将各不相同的意、法、德等国音乐风格融合在一起,形成一种浑然一体的风格,并且认为圣乐中如加入世俗因素,会获得新的活力。曾将J.梅因沃林的韩德尔传和D.笛福的《摩尔·弗兰德斯》等书从英文译成德文。

Matthew (THE EVANGELIST), SAINT 马太(传教者),圣(活动时期1世纪,巴勒斯坦) 又名"利未"(Levi)。耶稣的十二使徒之一,相传是第一卷《同观福音书》的作者。据《马太福音》和《马可福音》载,当耶稣召唤马太时,马太正坐在迦百农(今以色列国阿勒马戈尔附近加利利海滨)税关上。假定马太与利未确为一人,即可断定,马太(或许意为"雅赫维的礼物")是利未的基督教名,利未(马可称他为"亚勒腓的儿子利未")本来是加利利分封王希律·安提帕雇用的税吏。由于利未的职业到处受人猜疑和蔑视,法利赛派文士见耶稣同税吏和罪人在一起吃饭就指责耶稣,耶稣回答说:"我来本不是召义人,乃是召罪人。"据《路加福音》载,上述筵席是利未在蒙召之后在家中所设。除了在使徒名单上列有马太之名(通常与多马并列),《新约》对于马太讲得既少又不明确。凯撒里亚主教优西比乌斯所传使徒后期教父帕皮亚斯的话说"于是马太用希伯来文把神谕编纂起来，各人尽自己之力加以解释”，这是在《新约》之外有关马太的一条重要记述。《马太福音》确实是为处在犹太教势力强盛环境中的犹太人基督教会而写，但是其作者是否这位马太却难以断定。相传马太曾在犹太传教，后来又到东方诸如埃塞俄比亚和波斯传教。关于马太传教的具体地点，关于他是自然死亡还是殉教而死，传说不一。据说马太的遗骸在1080年发现于萨莱诺（意大利）。马太的徽号是天使。

Matthew Basarab　马太（巴萨拉布）（？～1654-04）　开明的瓦拉几亚（在今罗马尼亚）大公，在位时期（1632～1654）以文化发展和政治修明为标志。巴萨拉布王朝末代君主，在位期间主要与觊觎瓦拉几亚宝座的摩尔多瓦大公巴西尔（狼）作斗争。1637和1639年两次击退巴西尔的入侵，1653年彻底打败他的劲敌。但是，他未能维护国家的独立，在位期间始终向奥斯曼帝国称臣纳贡。他关心臣民的福利，曾经改革经济、文化和立法，引进印刷术，编纂第一部瓦拉几亚法典（1652），鼓励艺术和宗教事业的发展。

Matthew, Gospel According to　《马太福音》　《新约》中四福音书的第一卷，也是《同观福音书》中的第一卷（另外两卷是《马可福音》和《路加福音》）。相传是十二使徒之一、出身税吏的马太所作。原本为希腊文，显然是在公元70年以后根据成书较早的《马可福音》写成。另说该书作者曾参考更早的阿拉米文本。从多处文字可以看出，此书是信奉基督教的犹太人为与他出身背景相同的人所作。此书强调耶稣基督成全《旧约》的预言，基督颁赐新的律法，他所行的多次奇迹证明他负有上帝的使命。马太先叙耶稣的家谱，上溯到亚伯拉罕，然后叙基督的婴儿时代，其中有几段细节不见于别的文献，如约瑟得知马利亚怀孕后感到困惑，博士朝拜耶稣，为躲避希律的士兵而逃往埃及，无辜者的被屠杀，约瑟、马利亚和耶稣自埃及返回。马太继而叙施洗约翰讲道，耶稣召唤门徒以及耶稣传道活动中的主要事件。《马太福音》最后一部分写基督的被叛卖、钉十字架、被埋葬和复活。圣经评注家认为，本书的主要部分是五篇长篇讲道，其中一篇含有重要的登山宝训（5～7）。此书载耶稣对彼得说“我还告诉你，你是彼得，我要把我的教会建造在这磐石上”，天主教会即据此宣称教皇制乃上帝所创。此书所载《主祷文》，各派基督教会礼拜都采用。

Matthew, William Diller　马修（1871-02-19，加拿大新不伦瑞克圣约翰～1930-09-24，美国旧金山）　加拿大出生的美国古生物学家。对现代关于哺乳动物演化的知识有重要贡献。1895～1927年在纽约市的美国自然博物馆古脊椎动物部工作，1911年任该部管理员，1922年任该部主任。在此期间，他详尽地研究了古生物学先驱E.科普采集的化石标本，并发表了240篇论文。其中最重要的是《气候和进化》（《纽约科学院年报》卷24，1915）。在这篇论著中，马修支持大洋盆和大陆块是相对稳定的观点，反对那种认为原先有跨越现今深海之上的陆桥存在过的看法；他提出了天然筏运载的理论，以解释被深海隔开的各陆块之间存在着亲缘关系很近的物种的问题。其主要论点是：大多数哺乳动物

纽约美国自然史博物馆供图

的目和科都发源于北半球，然后向南扩散。在更遥远的南部（例如澳大利亚），则物种的隔离状态是造成那里的动物群极其原始的原因。

Matthew Island　马修岛　法属海外领地新喀里多尼亚的活火山，在太平洋西南部。由于火山不断喷发和自然对抗力的侵蚀，岛的面积和高度尚不固定。

Matthews, Mother Bernardina　马修斯（1732，美国马里兰查尔斯县～1800-06-12，马里兰烟草港）　全名Bernardina Teresa Xavier of St. Joseph，原名Ann Teresa Matthews，Matthews又拼作Mathews。美国宗教领袖，美国罗马天主教第一所女隐修院创办人。成长于虔诚的宗教家庭，当时罗马天主教徒尚无合法资格，在马里兰州还受到歧视待遇。1754年去比利时霍赫斯特拉腾，加入英国潜心默祷赤脚加尔默罗会，1754年9月成为修女，1755年发誓愿。后来成为隐修院见习修女主管，1774年当选为隐修院院长。马修斯长期以来即有意在美国建立修女会。很快美国革命扫除了美国天主教徒无合法资格的不利条件，神圣罗马帝国皇帝约瑟夫二世于1782年解散了荷兰的隐修院。筹集款项和申请许可直拖至1790年。同年4月，马修斯约同伴4人乘船赴美，7月，定居于马里兰州查尔斯县烟草港河滨钱德勒霍普。在那里建成隐修院，是美国第一所教会。3个月后，隐修院稍稍往河的上游迁移，吸引了附近的见习修女。1800年已有修女14名。马修斯担任院长直至去世。

Matthews, (James) Brander　马修斯（1852-02-21，新奥尔良～1929-03-31，纽约市）　美国散文作家、戏剧评论家、小说家和美国第一个戏剧文学教授。在哥伦比亚大学求学后取得律师资格，但从未开业，却改行从事写作和文学研究。1892～1900年任哥伦比亚大学文学教授，1900～1924年任戏剧文学教授。他是纽约文坛知名人物，曾创建纽约作家俱乐部和演员俱乐部。写过许多短篇小说和文学评论文章，并长期任《纽约时报》评论员，共创作或编写了40多部作品。《有信心的明天》（1899）公认为是他的最优秀小说。其他著作有《莫里哀的生平及著作》（1910）、《剧作家莎士比亚》（1913）以及《19世纪法国戏剧家》（1881）等。

Matthews, Stanley　马修斯（1824-07-21，美国俄亥俄辛辛那提～1889-03-22，华盛顿［哥伦比亚特区］）　美国最高法院大法官（1881～1889）。在辛辛那提学习法律以后于1842年获得律师资格，并开始在田纳西州的哥伦比亚执行律师业务，同时编辑一个周刊（《田纳西民主党人》），为未来总统J.K.波尔克助选。1844年回到辛辛那提，仍然把时间既花在新闻工作（担任反奴隶制的《辛辛那提先驱晨报》编辑）上，也花在律师业务上。不久即被任命为助理检察官。曾短时期担任俄亥俄州众议院书记，然后任民事法院法官，以后再次私人开业直至1858年被任命为俄亥俄州南部地区的联邦检察官为止。在任检察官期间不得不根据逃亡奴隶法对一个记者康内利起诉，从而给他的职业生涯带来了难以洗刷的具有讽刺意味的坏名声。在南北战争期间参加联邦军，战后他仍然私人开业。1877年为裁定海斯-蒂尔登总统竞选结果组成委员会，他作为委员会进行审理时的法律顾问，又一次引起了全国的注意。同年被选入美国参议院，他在参议院提出了“马修斯决议”案，使白银成为合法货币。在斯韦恩于1881年辞职时，海斯总统提名由他担任美国最高法院大法官。参议院拒绝批准对他的任命，提出他曾支持过海斯，曾对康内利起诉以及曾担任过有势力的铁路和企业界的律师的事实。反对任命马修斯的意见一直继续到加菲尔德政府时期，当时他的名字再度被提了出来以填补仍然空缺的席位，他仅以一票的多数获得批准。他同那个通过对宪法进行自由派解释以扩大联邦权力（特别是在商业和联邦借款方面）的法官集团站在一边。他在弗吉尼亚州利息票案件中代表最高法院发表意见，撤销关于不准用州公债的利息票交税的禁令。在“鲍曼诉芝加哥-西北铁路公司”一案中，他宣称，一个州不准运输业将酒运入该州的禁令是违反宪法的，因为它构成州对州际贸易的限制。他的最重要的意见是代表最高法院在“伊克·沃诉霍普金斯”一案（1886）中提出的，认为一项法律即使从表面上看是公正的和不偏不倚的，但如果在执行中违反了美国宪法第14修正案关于给予公民同等法律保护的保证，那么它也是违宪的。

Matthews, Sir Stanley　马修斯（1915-02-01，英格兰特伦特河畔斯托克汉利～2000-02-23，斯塔福德郡纽卡斯尔安德莱姆）　英国足球右边锋运动员。被认为是足球史上最善于带球过人的球员。是第一名被封为爵士（1965）的英国足球运动员。1938年起作为国家队队员参加国际比赛，到1965年退出球坛时已参加54次正式国际比赛。1953年率领布莱克浦队获足球协会杯锦标赛冠军。

Matthias　马提亚　统治者之名，按国别分列于后，并各以●为标记。

与此字相等之外语：

德　语	Matthias
匈牙利语	Mátyás

德意志/神圣罗马帝国

● **Matthias 马蒂亚斯**(1557-02-24,维也纳~1619-03-20,维也纳) 神圣罗马帝国皇帝(1612年起)。他一反其父马克西米连二世的政策,发起在哈布斯堡王朝的领地内恢复

美国不列颠百科全书公司供图

天主教,导致三十年战争的爆发。奥地利马克西米连大公(后为皇帝)的第三子。其父死时,他没有分得领地。1577年西属尼德兰的信奉天主教的贵族请他前去接替总督职位。1581年返回德意志。1593年他的长兄鲁道夫二世皇帝任命他为奥地利总督。他继续执行皇帝的支持反宗教改革的政策,1595~1597年镇压了几次农民起义。1594~1595和1598~1601年任帝国总司令,对土耳其人作战。1606年签订停战协定。后来他取得匈牙利王位(称马蒂亚斯二世),1611年又兼波希米亚国王。1612年继承帝位。

匈牙利

● **Matthias I 马提亚一世**(1443-02-24,特兰西瓦尼亚科洛斯堡~1490-04-06,维也纳) 别名马提亚·科尔维努斯。本名马提亚·匈雅提。匈牙利国王(1458~1490在位),曾试图以财政、军事、司法和行政改革为手段,大力重建经历数十年封建割据之后的匈牙利国家。军事领袖J.匈雅提(**Hunyadi, János**)之子。奥地利(哈布斯堡)国王L.波斯图姆斯死后,他于1458年1月由布达和佩斯的大议会选为国王。他击败贵族反对派和外国王位觊觎者几次三番的进攻,又遏制了已经吞并塞尔维亚和波斯尼亚地区的土耳其侵略者。他竭力增加国家收入,改革财政和税收,取消大封建领主的特别豁免权,定期征收"特别"

美国不列颠百科全书公司供图

税,但这些高额的赋税主要由农民担负。他试图改进中央政府的体制,主要是增加大臣、王室秘书和其他官员在政府中的作用。他命令法学家开始编纂法典。马提亚一世在国际政治、外交和战争方面所获的成功有助于巩固他本人的权威和国家的地位。在执政的第2个和第3个10年期间,他的外交活动愈益活跃,同教皇、威尼斯、那不勒斯和其他意大利人国家保持经常的外交关系,并屡屡同法兰西、勃艮第、瑞士和德意志的许多地区互换大使。后来,他还试图同俄国、波斯和埃及建立正常联系。1463年取得波斯尼亚的宗主权后,他企图占领波希米亚王国。马提亚一世在位的整个时期,差不多接连不断地与神圣罗马帝国皇帝腓特烈三世为敌,再三想使皇帝放弃对匈牙利王位的要求,但未获成功。波兰-波希米亚战争发生后,他趁机占领维也纳和哈布斯堡家族的一些领地。马提亚一世始终坚持读书和学习,他提倡各种艺术,曾创办著名的科尔维纳图书馆。

● **Matthias II 马蒂亚斯二世** 参阅 **Matthias**(Germany/Holy Roman Empire)马蒂亚斯(德意志/神圣罗马帝国)。

Matthias, Saint 马提亚,圣(活动时期1世纪) 犹大出卖耶稣后被选出取代犹大的门徒(《使徒列传》1:21~26)。马提亚从耶稣受洗时起一直跟从耶稣;犹大背叛之后,十一门徒通过摇签的办法确定马提亚补犹大之缺。一般认为,马提亚曾在犹太各地传教,后到外地传教。希腊人传说他曾到过今土耳其中部,后来在里海附近某地殉教。

Matthías Jochumsson(Icelandic writer) **马西亚斯·约楚姆松** 参阅 **Jochumsson, Matthías** 约楚姆松。

Matthisson, Friedrich von 马蒂松(1761-01-23,萨克森马格德堡附近霍恩多德莱本~1831-03-12,安哈特-德绍沃利茨) 德国诗人。曾在哈雷大学学习语言学,后任教师。1812年被任命为路易莎公主的侍读和旅途侍从,为符腾堡国王服务。国王任命他为公使馆参赞和宫廷剧院经理,后封为贵族和符腾堡王家骑士。他的诗在当时极负盛名。1787年出版了他的《诗集》,其中《阿德莱德》一诗由贝多芬配乐成为一首歌曲。他的8卷本《著作集》于1825~1829年间出版。

Mattioli, Pietro Andrea Gregorio 马蒂奥利(1500-03-23,意大利锡耶纳~1577-01-02,特伦托) 意大利医生、植物学家。其《论迪奥斯科里斯的学说》(1544)是迪奥斯科里斯所著《药物论》的评注译本,为现代植物学的发展提供了基础。1523年从帕多瓦大学获得医学学位。1530年发表第一部著作《论梅毒的合理治疗》,探索了梅毒的起因和治疗。曾任特伦托枢机主教贝尔纳多·克莱肖的医生。1554年他任神圣罗马皇帝斐迪南一世的医生,后任马克西米连二世的医生。《论迪奥斯科里斯的学说》(1544)用意大利文为医生、药师和草药医生写成,其中的评注可帮助他们学会鉴定和应用草药。马蒂奥利的1554年的拉丁文译本,使全欧洲的学者接触到迪奥斯科里斯的学说,其中包括以他自己和别人的观察为基础的详尽的注释和评论,以及细致的描述,还用几种语言列出植物的名称。

Matto Grosso, Planalto de(Brazil) 参阅 **Mato Grosso Plateau** 马托格罗索高原。

mattock 鹤嘴锄 一种挖土农具,为最古老的农具之一。参阅 **hoe**。

Mattoon 马顿 美国伊利诺伊州中东部科莱斯县城市。在国有林肯纪念公路线上。近小沃巴什河。1854年始建于伊利诺伊中部铁路和纽约中部铁路交会处,1857年设村,1861年设市。后发展成铁路枢纽和农业中心。1940年发现石油和生产照相灯具以后,经济得以发展。设有兰德湖初级学院(1966)。市东南有夏洛公墓(林肯父母安葬地)和州立林肯木屋公园。人口18 291(2000)。

Matura diamond 马图拉钻石 无色的宝石级锆石(**zircon**)的变种。

Māturīdī, Abū Manṣūr Muḥammad al- 马图里迪(?~944,撒马尔罕) 马图里迪神学院名誉院长。该校后渐成为传授伊斯兰教义最重要的机构之一。除了他去世的时间和地点,人们对他的生平细节几乎一无所知。他生活的时代正值穆斯林教派穆尔太齐赖派运用希腊逻辑学攻击公认的正统派穆斯林神学之时。马图里迪以其人之道还治其人之身,也用同样论据捍卫正统神学。马图里迪还以强调天职道德论著称,此举有助于以后几世纪正统学说的人文化。

Māturīdīyah 马图里迪学派 伊斯兰教正统教义学派之一。为阿布·曼苏尔·穆罕默德·马图里迪(?~944)所创,故名。其基本观点与另一正统派艾什尔里派接近。马图里迪学派推崇《古兰经》,反对推理和自由解释。他们认为,既然穆罕默德本人在这方面不运用推理,那么推理就是标新立异,而据先知说,标新立异是异端。然而,后来的马图里迪派有所变通,认为在必要时可以进行合理的推理。在关于"强制"和"自由意志"的争论中,此派强调真主绝对全能,同时人有最低限度的行动自由,因此应受惩罚或奖赏。后来此派又明确指出,人有最大限度的行动自由。马图里迪学派与艾什尔里派在教义上的差别在于,前者认为严格遵照《古兰经》和先知提出的要求履行宗教义务的,肯定能进天堂;而后者则坚持人能否得救,完全是取决于真主的意愿。

Maturín 马图林 委内瑞拉东北部莫纳加斯州首府。濒临瓜拉皮切河。1710年建立,周围产牛、可可、棉花和谷类,为农牧区的商业和制造业中心。附近有油田。公路南通巴兰卡斯。有国际机场。人口约181 000(1981)。

Maturin, Charles Robert 马图林(1782,都柏林~1824-10-30,都柏林) 爱尔兰剧作家、小说家、牧师。以写哥特小说著称,被称为"最后一个哥特体传奇经典作家"。曾就读于

都柏林三一学院,1804年任副牧师。以诗体悲剧《贝特伦》(1816)成名,在伦敦特鲁里街剧院演出,由E.基恩主演。后来又写两个剧本,都没有成功,从此改写小说。他的杰作《梅尔莫斯》是爱尔兰的浮士德的冒险故事,情节离奇,文笔生动。许多英国作家都读之入迷,在法国更是风靡一时。王尔德在流放中曾以"梅尔莫斯"为笔名。巴尔扎克还为其写过一个讽刺续篇。

Matute, Ana María　马图特(1926-07-26,西班牙巴塞罗那～　　)　西班牙女作家,以对儿童和青年的生活以及他们对被出卖和孤立的感受的同情描述著称。由于童年患病,同时家庭在巴塞罗那和马德里之间频繁搬家,以及1936～1939年间西班牙内战所造成的社会混乱,马图特的教育受到很大影响。十几岁便发表短篇小说,且成为职业音乐家。她在作品中频繁使用《圣经》中的引喻,经常用该隐和亚伯的故事来象征西班牙内战所造成的家庭分裂。第一部小说为《亚伯之家》(1948)。随后出版《在西北部的庆典》(1952)、《小剧院》(1954)和《迷失的儿童》(1958)。后写三部曲:《觉醒》(1959;美国版的书名为《太阳学校》)、《士兵在夜晚哭泣》(1964)和《陷阱》(1969)。小说《瞭望台》(1971)描写10世纪的欧洲,书中审视了骑士品质、理想主义、贫穷和偏见等主题。之后沉寂了25年,直到1996年才又出版了《奥尔维达多·雷·古督》,一本厚厚的寓言民间史诗,描述中世纪神秘的奥拉王国中的统治者、守护神、巫婆和其他人物的故事,时间上跨越了4代人。马图特著有几本短篇小说集,如《笨孩子》(1956)和《淡紫红墙》(1968)。还著有几本儿童读物。

Matveyev, Artamon Sergeyevich　马特维耶夫(1625～1682-05-25,俄国莫斯科)　俄国外交家和政治家,沙皇阿列克谢(1645～1676在位)的近臣,极力在俄国引进西欧文化。小官吏家庭出身。1654年升至莫斯科射击军首领。同年受命与波兰谈判,将斯摩棱斯克划归俄国。1669年任乌克兰事务长官,1671年任外交大臣。他极力推行欧化,在举行公共集会时让妻子参加讨论,教自己的儿子学习拉丁文和希腊文,组织在俄国宫廷中上演第一场戏剧。虽然出身低微,但受到沙皇阿列克谢的器重,封大贵族。1676年阿列克谢死后,费多尔三世登基。马特维耶夫被贬,流放到俄国最边远的地区。1682年彼得大帝登基后,又被召回莫斯科,但4天后就被叛乱士兵杀死。

Matzeliger, Jan Ernst　马泽利格(1852-09-15,荷属圭亚那帕拉马里博[今苏里南]～1889-08-24,美国马萨诸塞林恩)　发明家,发明用机械方法使鞋帮成形的楦鞋机。父亲为荷兰人,母亲为苏里南黑人。他19岁开始在商船上当海员,约6年后定居林恩,在一家鞋厂工作,研究用机器楦鞋的方法。经过6个月连夜独自钻研,终于用木料制出一台样机,1883年3月20日获得发明专利权。他的发明立刻受到欢迎,两年内便在林恩取代了手工楦鞋方法。他还取得另外几项制鞋机专利,其中包括第一台楦鞋机改进型号的专利。

matzeva　玛泽瓦　又拼 maẓẓevah。希伯来语,意为"石碑"。立于祭坛之侧高处的石柱,它代表某一神祇,具有神圣性,其附近立一木柱(阿谢拉 ashera),代表某一女神。早期以色列人在战胜迦南人之后,接过这种象征物为己所用,后来被认为属于拜偶像而禁止(如《申命记》16:21)。在《旧约》(《创世记》28:18～22;《撒母耳记下》18:18;《约书亚记》4:20～23),此词指石碑,尤指墓碑,例如以色列人祖先雅各之妻拉结的墓碑(《创世记》35:20)。后一义为现代希伯来语所保留。

matzo　无酵饼　又拼 matzoh,matza 或 matzah。犹太人过逾越节时为纪念举族离开埃及而食用的不含酵母的饼。当年希伯来人离开埃及出发仓促,没有时间发面,于是后来就规定下来,在为时一周的节日期间,禁用任何发酵剂。关于逾越节的礼仪要求犹太人至少要在节期的第一夜吃无酵饼,但恪遵教规的犹太人则在整个逾越节期间食用无酵饼。

Mau Escarpment　马乌陡崖　肯尼亚西部沿大裂谷西侧伸延的天然陡壁,在纳库鲁城西面和南面。位于赤道上,高耸达3 000米以上。顶部覆盖着大片森林。南面的森林比较开阔。

Mau Mau　茅茅运动　20世纪50年代肯尼亚基库尤人兴起的民族主义运动,主张以暴力推翻英国在肯尼亚的统治。自1952年10月兴起之后,英属肯尼亚政府就宣布处于紧急状态,对基库尤人开始历时4载的武力镇压。迄1956年末,有1.1万名基库尤战士被杀,2万多被投入拘留营。但是,基库尤人始终是肯尼亚独立运动的先锋。1953年因领导这一运动而被囚禁的乔莫·肯雅塔,10年后成为独立肯尼亚的总理。

Maubeuge　莫伯日　法国北部北-加来海峡大区北部省城镇。临桑布尔河,在蒙斯南面,近比利时边界。莫伯日在拉丁语里作"坏地方"或"坏住处"解。在圣阿尔德贡德隐修院(7世纪)周围发展起来。保存有17世纪建的城防工事和一座纪念碑(纪念1793年在附近发生的瓦蒂尼战役)。冶金、酿酒、化工和玻璃业是本城主要经济项目。佛兰德斯画家马比斯(约1478～约1532)的祖籍所在地。有动物园和17世纪要塞的蒙斯城门。人口35 225(1990)。

Mauch, Karl　毛赫(1837-05-07,符腾堡斯泰滕[德国]～1875-04-04,斯图加特)　全名为 Karl Gottlieb Mauch。德国探险家。曾对南部非洲地质和考古有所发现,尤以发现哈特利丘陵的金矿(1867)和津巴布韦古城的遗迹著称。毛赫曾作过几年私人教师,但并不如意,遂放弃教学,在一家船运公司谋到职业。1865年到达南非,找到一位瑞典资助人。1866年5月开始深入未经测绘的内地多次旅行。他未正规学过地质学,却是一位敏锐的观察家。旅行途中所记载的地质和植物资料(包括舌蝇的分布和山峦的高度)对南部非洲古生物学有所贡献。他绘制的该地区地图是自葡萄牙人绘制莫桑比克地图后200多年间第一批非洲东南部地图。毛赫开始寻找津巴布韦遗址(但他误认为所发现的古城是古圣经中示巴女王的都城俄斐的遗址),经过漫长和艰辛的旅途之后,他终于在1871年见到这座城市并绘出地图。

Mauch Chunk　莫赫琼克　宾夕法尼亚州自治镇,同邻近自治镇合并为*吉姆索普*(**Jim Thorpe**)镇。

maucherite　砷镍矿　一种镍的砷化物矿物,其化学成分接近于 Ni_3As_2 或 $Ni_{11}As_8$,属于硫化物矿物类。它常与红砷镍矿共生(即由砷镍矿变成的矿物)。产地有德国曼斯费尔德、西班牙马拉加及加拿大安大略。它的晶体属于正方晶系,与高炉的产品砷镍矿物相同。化学式和详细物理性质,参阅 **sulfide mineral**(表)。

Mauchline　莫赫林　苏格兰东艾尔郡政务会辖区的一个村庄,邻近艾尔河。与苏格兰民族诗人彭斯有密切关系。彭斯在1784～1788年与其兄弟住在附近的莫斯吉尔农场。村内国家彭斯纪念馆存有诗人的许多遗物。彭斯和其情妇J.阿穆尔居住的房子现已辟为纪念馆。有诗人在《圣节集市》中提到的莫赫林教堂墓地,以及在《快活的乞丐》中描写的普希南希山酒店(至今生意兴隆)。现在这个村庄主要用以居住,但也向周围的农业区提供服务。人口3 931(1991)。

Mauchly, John W.　莫奇利(1907-08-30,美国俄亥俄辛辛那提～1980-01-08,宾夕法尼亚安布勒)　美国物理学家和工程师。1946年他和J.P.埃克脱一起发明第一台通用的电子计算机——电子数字积分器和计算器(ENIAC)。该机实际上包含了后来的高速数字计算机的所有的概念和部件。他完成学业后,从事教学工作,最后成为费城宾夕法尼亚大学电气工程学副教授。第二次世界大战期间美国陆军请他和刚毕业的工程师J.P.埃克脱创造快速计算火炮射击数据的方法。他们因此建议制造通用数字计算机,以代码形式处理数据。1946年完成了ENIAC,这是一台巨型机器(装有18 000多只真空管),其中结合有由J.V.阿塔纳索夫研究出的特性。1947年美国陆军首次在马里兰州阿伯丁试验场用这台机器做弹道学试验。翌年莫奇利和埃克脱创办了计算机公司,1949年他们宣布造出二进制自动计算机(BINAC),它用磁带代替穿孔卡片。1950年埃克脱-莫奇利计算机公司被R.兰德公司(后称S.兰德公司)购买。莫奇利成为特种计划研究主任。在二进制自动计算机之后第3台计算机是通用自动计算机Ⅰ号(UNIVAC Ⅰ),它是为处理商业数据而设计的。莫奇利一直在计算机领域工作,获得了许多荣誉。

Maud(Holy Roman empress)　**莫德**　参阅 **Matilda** *马蒂尔达*。

Maudslay, Henry 莫兹利（1771-08-22，英国肯特郡伍利奇～1831-02-14，伦敦） 英国工程师和发明家，发明金属车床和其他设备。他曾从制锁家J.布拉默学艺，后来自己经营企业，开始时为M.I.布律内尔的船用滑轮工厂制造机器。在以后30年中他发明了不少对工业革命极为重要的机器，其中最突出的是金属车床。他还发明了花布印染法和供船舶锅炉用的海水脱盐法，并研制成了一种量具测准机，精确度可达到0.0001英寸。他首先认识到机械加工车间中作工具导向用的精确平面的极端重要性，因此他为工人生产的标准平面，平滑到两个平面叠放一起时就紧紧贴牢，只有靠滑动才能分开。他还设计和制造了大量固定式和船用发动机。维多利亚时代几位杰出的英国工程师，曾在他的工厂里学过艺，最著名的有J.内史密斯和J.惠特沃思。

Mauer 摩尔 德国西部内卡河畔一处著名的更新世地点和一个更新世沉积物——摩尔砂层的名称（更新世开始于约160万年前终止于约1万年前）。砂层厚约20米，含有剑齿虎、熊、马、河马和已绝灭的象的化石。1907年在那里发现了德国最古老的人类海德堡人（或摩尔人）的下颌骨。动物化石证据支持了这样的看法，即摩尔砂层是在更新世中气候比较温暖阶段，可能是贡兹-明德间冰期堆积的。

Mauer jaw 摩尔下颌骨 参阅**Heidelberg jaw 海德堡下颌骨**。

Maugham, Robin 毛姆（1916-05-17，英国伦敦～1981-03-13，布赖顿） 英国小说家、剧作家、游记作家。第一部长篇小说《仆人》（1948）出版后，毁誉参半。他是大法官赫伯特·罗默·毛姆子爵第一的独子（1939年继承其爵位），曾在伊顿公学和剑桥大学三一学院就读。第二次世界大战时期担任情报官职务，1944年因重伤退出现役。根据战争经历写出《灰飞烟灭》（1945）和《流浪者》（1947）。《仆人》被他的父亲斥为诲淫作品并要求停止出版，而叔父、著名作家W.S.毛姆却赞赏他的文学才华。这部小说很受欢迎，于1965年拍成电影。毛姆写有几部回忆录，其中包括《萨默塞特和毛姆全家》（1966）和《与威利的谈话：回忆W.萨默塞特·毛姆》（1978）。他有很多作品描写同性恋者。剧本《仇敌》（1970）写一个英国兵和一个德国兵在沙漠里狭路相逢，最终变敌为友。《最后一战》（1972）描绘一个对于命运失去信心的人物——喀土穆的戈登。他的自传有《躲开阴影》（1972）和《寻求涅槃》（1975）。

Maugham, W. Somerset 毛姆（1874-01-25，法国巴黎～1965-12-16，尼斯） 全名William Somerset Maugham。英国小说家、剧作家和短篇小说作家。作品以文体明晰朴素、取材广阔、对人性有透彻的理解为特点。10岁成为孤儿，由伯父抚育成人，就读于坎特伯雷市国王学校。在海德堡大学就读1年后，进伦敦的圣托马斯医学院学医。1897年取得开业资格。第一部长篇小说《兰贝斯的丽莎》（1897）即以做产科医生的经验为题材。这部小说成就虽小，却鼓励他弃医从文。曾前往西班牙和意大利旅行。1908年在戏剧方面取得巨大成就，4部剧本同时在伦敦演出。这使他在财务上有了保障。第一次世界大战期间做特工工作。战后重又周游各地，1928年在法国南部费拉角购置别墅，长期定居。作为小说家，他主要靠4本书成名：《人间的枷锁》（1915），是一本半自传体小说，叙述一个年轻医科学生走向成熟的痛苦进程；《月亮和六便士》（1919），写一个风格独特的画家，使人想起高庚的一生；《大吃大喝》（1930），写一个著名小说家的故事，有人认为系讽刺哈代和沃波尔；《刀锋》（1944），写一个年轻的美国退役军人如何探索令人满意的人生道路。他的剧本大部分是写爱德华时代社会生活的喜剧，很快就过时了。但是他的短篇小说日益为人所喜爱，其中许多篇描绘了在能激发起强烈感情的陌生环境中欧洲人的冲突。他处理情节时模仿莫泊桑的风格，以用词简洁、充满悬念为其特色。在《总结》（1938）和《作家笔记》（1949）中，他说明自己的人生哲学是无可奈何的无神论和对人类的善良与智慧持一定的怀疑态度。正是这种人生哲学在他的作品中定下严峻的愤世嫉俗的基调。

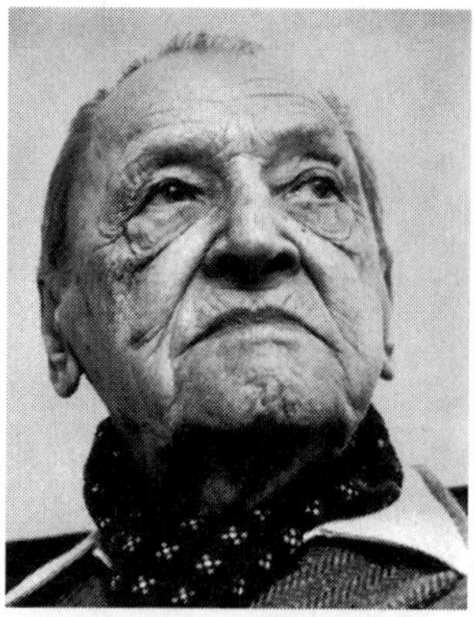

美国不列颠百科全书公司供图

Mauguin, Charles 莫吉恩（1878-09-19，法国普罗万～1958-04-25，维勒瑞夫） 法国矿物学家兼晶体学家，最先用X射线衍射分析研究云母类矿物的结构，他的工作是系统研究硅酸盐矿物作出的最早贡献之一。在巴黎高等师范学校学习后，1919年到巴黎大学理学院任教，后任矿物学教授（1933～1948）。对云母的研究使他得以解释云母按其内部原子结构分裂成薄片的特征性倾向。对过去标示晶体对称性的符号系统所作的修改，已被采用为国际标准（1935）。

Maui 毛伊岛 美国夏威夷州毛伊县火山岛。在莫洛凯和夏威夷岛之间。面积1 886平方千米，在夏威夷群岛居第二。以波利尼西亚人的一位半人半神之名命名。普库库伊和哈莱阿卡拉火山形成该岛东、西两半岛，之间连有11千米宽地峡。西部沿海的莱海纳港为早期捕鲸中心。其他重要城镇有怀卢库、卡胡卢伊和哈纳。畜牧以及甘蔗和菠萝种植为主要经济项目。毛伊县有4个岛，面积3 004平方千米。人口：县135 605（2003）。

Mauldin, Bill 莫尔丁（1921-10-29，美国新墨西哥芒廷帕克～2003-01-22，加利福尼亚纽波特比奇） 美国漫画家，初以描写第二次世界大战中前线士兵生活的讽刺画暂露头角，后以范围广泛的政治和社会问题的社论性漫画闻名。毕业于芝加哥美术学院，从事漫画工作，1940年应征入伍。1943年随部队至西西里，参加美国军方报纸《星条旗报》地中海编辑部，报道了西西里的萨莱诺战役（他在该地负伤），以及意、法、德等国其他地点的战况，其间所作漫画收成数集，以1945年的《在前线》最有名。同年，其作品《美国生力军喜庆胜利》得普利策奖。1945年退伍，作画表达军人复员为平民的困难过程。1958年，到圣路易斯任《快邮报》漫画编辑。以反映苏联压制公民自由的漫画第二次获普利策奖。1962年，入《芝加哥太阳时报》，主要反映国内和国际重大问题，由报业辛迪加广为发行。

Maule 马乌莱 智利中部一区。西临太平洋，东与阿根廷交界。1974年建立，包括库里科、塔尔卡和利纳雷斯三省，面积30 302平方千米，地跨海岸山脉、中央盆地和安第斯山脉。居民多聚居于河谷，从事农业，种植小麦、葡萄、稻米、大麦、马铃薯、蔬菜和饲料。塔尔卡的葡萄酒生产在智利居首位。饲养牛、马、羊、猪也占重要经济地位。泛美公路和南北铁路干线纵贯中央盆地，沿线有商业中心、区首府塔尔卡（**Talca**）。人口约834 053（1992）。

Maumee River 莫米河 源出美国印第安纳州韦恩堡附近，由圣约瑟夫和圣玛丽斯河汇成。向东北流入俄亥俄州，经莫米湾注入伊利湖。全长210千米。河口以上19千米可通航，是托莱多的港口。在迪法恩斯接纳其主要支流奥格莱泽河。

Maun 马翁 博茨瓦纳西北部村庄。位于奥卡万戈沼泽地南缘。为茨瓦纳人的传统首都。现为奥卡万戈河三角洲和莫雷米野生动物保护区旅游和狩猎活动的中心。人口26 768（1991）。

Mauna Kea 冒纳凯阿峰 美国夏威夷州夏威夷岛中北部休眠火山。位于一州立公园（面积202公顷）的中心，为该州最高点（4 205米）。冒纳凯阿意为“白色山峰”，因其顶部常年积雪而得名。圆形山顶跨度为48千米，有无数火山锥。山上的天文台装配有大型望远镜。冒纳凯阿峰流出的熔岩覆盖了其西北科哈拉山的南面山坡，而其自身的西面和南面山坡却被从附近冒纳罗亚活火山流出的熔岩所掩埋。在冰川时代，一座厚约75米的冰川覆盖山峰，在3 970米的高度形成了怀奥湖。山坡高3 780米处，有若干洞穴，古代夏威夷人曾从这些洞穴中采掘玄武岩用于制作扁斧和其他切割工具。波哈库洛阿（2 440米）有滑雪和狩猎营地。

Mauna Kea Observatory 冒纳凯阿天文台 设在美国夏威夷的天文台。因其极佳的观测条件，已成为世界上最重要的观测基地之一。

冒纳凯阿天文台由夏威夷大学管理，它位于夏威夷岛中北部的休眠火山冒纳凯阿峰顶，海拔4 205米。天文台于1964年在有影响力的美国天文学家G.柯伊伯的倡导下奠基。一架用于研究行星的2.2米反射望远镜于1970年建成投入观天。冒纳凯阿随后成为世界上最重要的、专门进行红外观测的望远镜群体的基地。三架大型反射望远镜于1979年投入使用，它们是3.8米联合王国红外望远镜（UKIRT）、3.6米加拿大-法国-夏威夷望远镜（CFHT）和3米美国国家航空和航天局红外望远镜（NASA IRTF）。此外，一架15米用于亚毫米波和毫米波的英国-荷兰望远镜已于80年代末建成，另一架属于加利福尼亚理工学院的、与之类似的10.4米毫米波望远镜也于90年代初使用。加利福尼亚理工学院和加利福尼亚大学联合研制的10米多镜望远镜——凯克望远镜——于1992年在冒纳凯阿建成。它是世界上最大的反射望远镜，兼用于光学波段和红外波段的观测。另一架凯克望远镜计划于1996年开始运作。由于冒纳凯阿的观察条件是所有地基天文台中最好的，所以它成为许多大型望远镜的基址。该处的海拔高度比其他大型天文台高出近一倍，位于40%的地球大气之上，因而阻碍遥远星光通过的大气层薄。局域的天气独特性以及大部分时间内山巅都处于云层之上，使冒纳凯阿大多数夜空晴朗、宁静且无云。高海拔和极其干且净的空气，使之成为观测发射远红外波段辐射（该辐射易被大气中的水蒸气所阻挡）的天体的理想基址。

Mauna Loa 冒纳罗亚 美国夏威夷州夏威夷岛中南部火山。在国家夏威夷火山公园内。为世界最大孤立山体之一。海拔4 169米。其穹丘长120千米，宽103千米，火山口莫库阿韦奥韦奥面积约10平方千米，深150～180米。冬季顶部常为冰雪覆盖。1832年起平均每隔3年半喷发一次。熔岩流经面积达5 120平方千米。多次喷发均限于火山口处，也有沿东北或西南裂隙的喷发。1935年喷发时，美国军队在熔岩通道上投掷炸弹以保护希洛。1950年6月持续23天的喷发摧毁了一座小村庄。1975年及1984年顶峰均有大的喷发。

Maundy Thursday 濯足节 又称圣星期四（Holy Thursday）。即复活节前的星期四，纪念耶稣基督设立圣餐。自从1956年起，天主教会规定这一天早晚都有礼拜活动。在晚间的仪式中要实行濯足礼，即礼仪式地为12个人洗脚，纪念当年耶稣基督给12门徒洗脚。东正教会在这一天也举行濯足礼。在英国，国王每年在不同教堂的仪式中向贫民发放周济。在大多数欧洲国家，濯足节一般都称为圣星期四，又称绿色星期四即清洁星期四。

Maunick, Édouard J. 莫尼克（1931-09-23，毛里求斯～ ） 非洲诗人、评论家、翻译家。出生在毛里求斯法语区少数民族文化的环境中，因是混血儿，遭到白人和黑人两方面的歧视。在路易港短期任图书馆员后，1960年定居巴黎，进行创作、讲学，并指导广播合作，还为《非洲存在》及其他欧洲杂志频繁撰稿。作品有诗集《血鸟》（1954）、《驯服海洋》（1964）等。他的《怒潮》（1966）重申了自己的孤独感。莫尼克谴责种族主义不仅是由于自己受到排斥，还因为它普遍否定欢乐和人类间的理解。1970年出版了《枪杀我》，表达了他对尼日利亚黑人屠杀黑人的愤慨。1967年访问美国，同移居美国的黑人中的诗人接触，并将L.琼斯的诗作译为法语。

Maupassant, Guy de 莫泊桑（1850-08-05，迪埃普附近的米罗梅尼尔堡～1893-07-06，巴黎） 全名Henry-René-Albert-Guy de Maupassant。法国自然主义短篇小说和长篇小说作

美国不列颠百科全书公司供图

家，公认的法国最伟大的短篇小说家。

早年生活 莫泊桑是古斯塔夫和洛勒夫妇的长子。母亲说他生于米罗梅尼尔堡，但此说不无争议。这对夫妇的第二个儿子埃韦生于1856年。

双亲均来自诺曼人家族。父系是小贵族，父母婚后失和，莫泊桑11岁时，双亲便永远分居。尽管出生在自由思想家庭，但他的启蒙教育却来自教会。他13岁时进入伊沃托的一所既收圣职人员又收世俗人员家孩子的教会学校。因极其厌恶这里的生活方式，他于1868年蓄意制造一起小事故而被逐出学校。他转入勒阿弗尔公立中学，次年毕业。1869年秋，他赴巴黎攻读法律，但学业因普法战争的爆发而中断。莫泊桑投笔从戎，开始是一名战场上的士兵，后来由于父亲的介绍转入军需部队。亲身的战争经历成为他的一些最优秀的短篇小说的素材。

1871年7月复员后，他继续在巴黎攻读法律。在父亲的又一次帮助下，他在海军部谋得一个职位，维持生活直到成为一名律师。他不喜欢官僚政治，但也不是毫无成就，他几次获得提升。按照他的愿望，父亲再次设法使他在1879年转入公共教育部。

师从福楼拜 莫泊桑的母亲洛勒是福楼拜密友阿尔弗雷德·勒·蒲瓦特万的姊妹。她本人和作家也保持着终生的友谊。1867年洛勒送他儿子去克鲁瓦塞结识福楼拜。莫泊桑战后返回巴黎，她要求福楼拜照看他的儿子。这就是莫泊桑从师学习写作、日后成为作家的开端。每当福楼拜逗留巴黎，他常邀请莫泊桑星期日与他共进午餐，向他讲授散文体写作，并修改其早期习作。他还介绍莫泊桑认识当时的一流作家，如左拉、屠格涅夫、埃德蒙·德·龚古尔和亨利·詹姆斯。福楼拜谈到莫泊桑时说："他是我的徒弟，我爱他如同儿子一样。"这是他们双重关系的简述。福楼拜既是日后作家莫泊桑的精神导师，同时又给予这个父母离异的孩子以养父般的关怀。1880年福楼拜突然意外去世，给了莫泊桑以无法忍受的打击。

左拉形容年轻的莫泊桑是个"惊人的划船手，只要高兴他能在塞纳河上一天划行50英里"。莫泊桑热爱大海和河流，它们成为他许多小说的背景，他在书中描写了许多航行的场面。尽管他对官僚政治缺乏热情，但作为公职人员的岁月仍是他一生中最幸福的时期。他把许多业余时间消磨在塞纳河上：游泳和划船。从短篇小说《苍蝇》（1890）中可以看到，他描写的不仅是划船远征，而且与他同游的姑娘和朋友常是妓女或未来的妓女。当然，说他在巴黎的早期岁月是他异常的性乱交的开始，也是无可怀疑的。

当莫泊桑20来岁时，他发现自己患上了梅毒。这在当时是一种令人恐怖且又广为传播的疾病。他弟弟早年死于同一疾病的事实，使他认为这可能是先天的。他顽固地拒绝治疗，致使疾病给他成年投下了阴影。他被神经衰弱所折磨，这也是他弟弟患有的疾病。

师从福楼拜期间，莫泊桑在不引人注目的外省杂志上用化名发表过一两篇短篇小说。福楼拜死前的1880年4月是他一生的转折点，他成为左拉领导下各撰写一篇普法战争故事、汇编成《梅塘晚会》集的6名作家之一。莫泊桑的短篇小说《羊脂球》不仅是6篇作品中最好的，可能也是他所有作品中最杰出的。故事说，一个乘公共马车旅行的妓女得到同行的法国旅伴友好的对待，因为他们急切地想分享她的食品。后来一个德国军官截住马车，不许其继续前进，除非让他占有她。这时旅伴们劝她满足他的要求。当马车得以上路后，旅伴们却蔑视她、排斥她。《羊脂球》体现了莫泊桑简洁、和谐的风格。

成年生活与创作 《羊脂球》一发表，莫泊桑成了报纸的炙手作家。他离开教育部，在随后的两年里为《高卢人》和《吉尔·布拉斯》报纸撰写文章。他的许多小说都首次发表在《吉尔·布拉斯》上。1880～1890年的10年是他的多产时期。他发表了约300篇短篇小说，6部长篇小说，3本游记和唯一的一本诗集。

《戴家楼》（1881）是一部有不同主题的短篇小说集，无论在主题选择或从生活的各方面客观地表现男女主角上都是莫泊桑总体成就的代表作。他选择"谦卑的真实"一词作为长篇小说《一生》（1883）的副题。作者在书中深怀同情之心探究了女主人公从天真的孩提时代到不幸婚姻的破灭直至最后寡居的一生。它是作者以一个儿童的眼光对普通人生活中的小小戏剧场面和逐日忙碌奔波所作观察的记录。他平心静气地刻画角色的性格，对他们不作任何个人的道德评价，但总是运用一个词、一个姿势或者甚至沉默来揭示每个人物的个性。此外，他还通过对角色所面对的物质世界和社会背景的描写来增强其效果。总之，简洁、活力、最精确的用语是莫泊

桑的艺术特点。

短篇小说集、长篇小说一部接一部地发表，直到疾病迫使莫泊桑躺下为止。两年间出版了6本新的短篇小说集。《菲菲小姐》（1883）、《蠢妇》（1883）、《月光》、《龙多利姊妹》、《伊韦特》和《哈里厄小姐》（后4集均出版于1884年）。这些故事可分为以下几类：关于普法战争类、诺曼第农民类、官僚政治类、塞纳河畔的生活类、使不同社会阶级激动的问题类以及在稍后的作品，如《奥尔拉》（1887）中的某种不祥的幻觉类。总之，这些作品是1870～1890年法国生活的综合画面。

莫泊桑最重要的长篇小说是《一生》、《俊友》（1885）和《比埃尔和若望》（1888）。《俊友》描写的是作者在巴黎观察到的精明厉害的商人和玩世不恭的记者们的世界，是对其成员为迅速致富而失去任何准则的社会的尖锐讽刺。俊友，这个和蔼可亲但缺乏道德的小说主人公，成为野心勃勃的机会主义者的标准文学形象。《比埃尔和若望》是关于一个男人对异父同母兄弟的悲剧性妒忌的故事，这个兄弟是他们母亲与人通奸生下的。

莫泊桑因作品畅销而致富。他在巴黎有一套带有供与妇女幽会密室的住宅，在埃特勒塔有一幢住房，在里维埃拉有两座住所和几只游艇。1881年他开始旅行，访问法属非洲和意大利。1889年他访问英国（唯一的一次），当他作为詹姆斯客人在餐馆进餐时，他指着邻桌一位妇女请詹姆斯"帮他弄到手"，从而使詹姆斯深为震惊。

法国批评家保尔·莱奥托称莫泊桑是个"十足的色情狂"。他对妓院和卖淫的异常迷恋，不仅反映在《羊脂球》中，也反映在诸如《戴家楼》等短篇小说中。然而值得注意的是，当这位颇有成就的作家开始更密切地关注贵族阶层的妇女时，他的小说中的视角也发生了变化，即从农民转向上层阶级，从妓院转向闺房。莫泊桑的晚期短篇小说集有：《图瓦纳》（1886）、《奥尔拉》、《乌松夫人的玫瑰》（1888）和《无益的美》（1890）。此外，出版的4部长篇小说是：描写争夺温泉区的《奥里奥尔山》（1887，又译作《温泉》）、《比埃尔和若望》、《像死一般坚强》（1889）、《我们的心》（1890）。

尽管从外表上看，莫泊桑是个结实、健康、运动员似的男人，但他的信中却满怀对自己健康状况，特别是眼疾和偏头痛的忧伤。随着岁月消逝，他越来越忧郁。他开始为消遣而旅行，但是他的精神状态又使那些曾是轻松愉快的假日逐渐变成强制性的病态漫游，最后他感到需要经常处于游荡中。

1888年发生了一场严重的家庭危机。莫泊桑的弟弟智力低下（今天可称之为停止发育），除了在园子里干点活外，什么也不会干。1888年他突然变成狂暴的精神病人，次年死于精神病院。弟弟的死使莫泊桑陷入绝望，虽然他的悲痛是发自内心，但也同他的梅毒已进入晚期不无关系。1892年1月2日，他在母亲身边试图割喉自杀。召来了医生，母亲勉强地同意送他去精神病院。据说，两天后他被套上紧身衣送往巴黎布郎什医师的私人医院。后来，他死在那里，死时距其43岁生日只差1个月。

莫泊桑的作品是彻底的现实主义。他塑造的人物生活在物欲和情欲的世界中，那里的主宰力量是淫欲、贪婪和野心，没有任何崇高的感情，即使有也注定要失败。许多故事的悲剧性力量在于莫泊桑把他的角色，贫苦的民众或富有的布尔乔亚，塑造成令人啼笑皆非的困窘的牺牲品，虽然进行了绝望的斗争仍被与之抗争的命运所打倒。由于他晚期的许多作品都描写精神失常，使人联想起莫泊桑在写作时自己也出现了精神障碍。然而，这些作品行文造句的对称和鲜明的人物性格，显示出作家并没有精神紊乱。莫泊桑笔下法国人的清纯和他们形象的精确，事实上正是他的作品最大成就的两个方面。

到20世纪下半期，一般来说莫泊桑作为短篇小说家受欢迎的程度有所下降，他在英语世界的读者远比法国为多，但这无损于他名副其实的成就——为各界读者创造出一种新的、高质量的、能赚钱的短篇故事。

Maupeou，René-Nicolas-Charles-Augustin de 莫普（1714-02-25，巴黎～1792-07-29，法国蒂伊） 法国大法官，曾一度剥夺高等法院的政治权力（1771～1774），使之不能阻止路易十五大臣们建议的改革；然而路易十六取消了莫普的措施，使他失去了可能防止大革命爆发的基本制度的改革。莫普出身于司法贵族之家，习法律。1763年任巴黎高等法院院长，1768年9月任大法官，接替其父的职务，翌年，他委任J.-M.泰雷神父为财政总监。泰雷计划向特权阶级征税，以稳定王家的财政。这一计划遭高等法院的强烈反对，法官罢审。1771年1月19日夜，莫普下令法官恢复工作，但几乎所有的法官都拒不从命。他把其中130人流放到边远省份，并撤销他们的职务。接着，他在巴黎高等法院司法辖区内建立6个区法院行其职责，以有薪金的法官代替官僚贵族。最重要的是，他否认巴黎高等法院有否决国王敕令的权力。这时，泰雷方得以实行他的税收改革计划。莫普建立开明专制主义的措施激起贵族和富有的资产阶级的愤懑。但在路易十五统治末年，新司法制度还是行之有效的。1774年5月路易十六即位，8月恢复了高等法院原有的权力，莫普被迫引退。莫普的失败预示杜尔哥的失败，而由此造成了法国大革命时期君主制本身的垮台。

Maupertuis，Pierre-Louis Moreau de 莫佩尔蒂（1698-09-28，法国圣马洛～1759-07-27，瑞士巴塞尔） 法国数学家和天文学家。他首次表述了最小作用量原理。1731年他成为巴黎科学院院士，次年把牛顿的引力学说介绍到法国。1736年率领一个考察队到拉普兰沿子午线测量每一度的长度。他的测量证实了牛顿的学说，即地球是一个扁球（两极扁平的球体）。1741年任柏林科学院院士，1745～1753年任院长。他为法国科学院学报撰写数学论文并发表有关地理学、天文学和宇宙论方面的著作六七部。在生物种属的研究中，他早就有了变种的概念。1744年他发表了最小作用量原理，认为物理规律包含一种经济法则，即作用量（定为$\int mv\,ds$）是一个最小量。为了想使他的原理能把宇宙间的各项法则统一起来，莫佩尔蒂在《宇宙论》（1750）中把这一原理与试图证明上帝存在的想法结合起来。

Maura（y Montaner），Antonio 毛拉（-蒙塔内）（1853-05-02，西班牙马霍卡岛帕尔马～1925-12-13，托雷洛多内斯） 西班牙政治家，曾5次出任首相，支持和实行一系列民主改革，以期阻止革命，推行君主立宪。1881年进入议会，1890年任自由党内阁的殖民大臣。提出古巴自治方案，但未获通过，因此辞职。1902年任内政大臣。1903年12月第一次任首相，一年后辞职。第2次任首相期间（1907～1909），曾改革地方政府，实行义务教育。但是，因在摩洛哥扩大西班牙势力，推进商业利益而引起了里夫战争，在国内引发了巴塞罗那总罢工和反教士的暴力行动，1909年10月辞去首相职务。1912年12月辞去议会席位和保守党领袖的职位。在发生危机时期，他又领导了3届短命政府。

Maurel，Victor 莫勒尔（1848-06-17，马赛～1923-10-22，纽约市） 法国歌剧男中音歌唱家，杰出歌唱表演家，以其呼吸控制和戏剧艺术技巧著称。先在马赛音乐学校学习声乐，后求学于巴黎音乐学院。1867年获学校一等奖；翌年在巴黎歌剧院首演，继而出现在米兰拉斯卡拉歌剧院和伦敦科文特加登剧院的舞台上。1873年首次在纽约演出G.威尔地的《阿伊达》。随后退出舞台直到1879年才重返巴黎歌剧院，保持主要男中音地位达15年之久。最令人难忘的成就是在威尔地《奥瑟罗》和《法尔斯塔夫》的世界首演中饰演伊阿古和法尔斯塔夫两个角色。1894及1899年两次演唱于大都会歌剧院。1909年退隐，在纽约市当声乐教师。他还学过绘画，1919年在大都会歌剧院为C.F.古诺的《米勒耶尔》创作布景。还写了几本有关歌唱和歌剧演出的书，自传《十年生涯》完成于1897年。

Maurepas，Jean-Frédéric Phélypeaux，comte de 莫尔帕伯爵（1701-07-09，法国凡尔赛～1781-09-21，凡尔赛） 即J.-F.菲利波。法国国王路易十五时代的大臣，路易十六在位头7年的首席顾问。由于劝阻路易十六实行经济与行政改革，他对最后导致法国大革命爆发的政府危机负有一定责任。蓬查特兰伯爵之子。1718年任宫廷大臣，掌管宗教事务和巴黎市政。1723年兼任海军大臣，开始整顿军心涣散的法国海军。1749年因与路易十五的情妇蓬帕杜尔夫人发生私人争执而失宠，遭流放。1774年被召回，任幼主路易十六的首席顾问。他虽然获准任A.-R.杜尔哥为财政总监，但并不支持杜尔哥将赋税负担转嫁给特权阶层的做法。1776年5月，他劝路易罢免杜尔哥，而委任J.内克负责政府的财政。但他逐渐妒忌内克的名声，1781年5月迫使其辞职。

Mauretania 毛里塔尼亚 古代北非的一个地区，相当于今摩洛哥北部以及阿尔及利亚的西部和中部。毛里塔尼亚的国王从公元前2世纪后期开始臣服罗马。公元1世纪中叶,罗马兼并这一地区,并划分为两个行省:廷吉塔纳毛里塔尼亚(首府在廷吉斯[今丹吉尔])和凯撒毛里塔尼亚(首府在凯撒里亚,前称约尔[**Iol**],今称舍尔沙勒,在阿尔及利亚)。毛里塔尼亚在5世纪实际上已经独立,7世纪为阿拉伯人征服。

Mauretania "毛里塔尼亚"号 肯纳德运输公司的横渡大西洋客轮。1906年9月下水,1907年11月初航,因其速度快,1929年前一直享有"大西洋蓝色绶带"的荣誉,只有其姊妹船"卢西塔尼亚"号(1915年5月7日被德国潜艇击沉)可与之匹敌。第一次世界大战中,它用作运输船和医疗船。除战时勤务外,它共往返大西洋269次。该船1934年秋作最后一次航行,1935年损坏。

Mauriac, Claude 莫里亚克(1914-04-25,巴黎～1996-03-22,巴黎) 法国小说家、文学评论家、先锋派"新小说"的实践者和诠释者。莫里亚克在他描述法国小说新倾向的《当代的反文学》(1958)一书中创造了"反文学"这个名词。在任戴高乐将军的私人秘书和《费加罗报》的电影及文学评论员期间,他写过言之有理、富有创见的论著,评论马尔罗、超现实主义作家勃勒东(获1949年圣伯夫奖)和普鲁斯特。他是小说家F.莫里亚克的长子,以《内心的对话》为总标题发表的四部作品确立了自己作为一个小说家的声望,《内心的对话》包括《所有的妇女都是不可抗拒的》(1957)、《在城中晚餐》(1959,获梅迪西斯奖)、《侯爵夫人五点钟出门》(1961)以及《成长》(1963)。这些作品讲述男主人公和叙事者贝特朗·卡尔内儒的各种奇遇。与他父亲那种情节紧凑、构思富有戏剧性的小说不同,他的小说不拘形式。他还发表过多卷本日记(1974～1978)和剧本,包括《交谈》(1964)、《盛怒之下》(1977)和《偶尔的永恒》(1978)。

Mauriac, François 莫里亚克(1885-10-11,法国波尔多～1970-09-01,巴黎) 法国小说家、剧作家、诗人、随笔作者、记者。获1952年诺贝尔文学奖。他与那些从永恒角度去审视现代生活的丑恶现实的法国天主教作家一脉相承。其主要小说是阴郁而严峻的心理剧,凝聚着一种难以和缓的紧张气氛。在其每一部作品的中心都有一个同罪孽、神恩和拯救等疑难相搏斗的虔诚的灵魂。他出身于一个笃信宗教、严守古风的上层中产家庭。曾求学于波尔多大学,1906年进入巴黎的国立文献学院,不久便放弃学业从事写作,1909年发表一部优美炽烈的诗集《合手敬礼》。最初的作品有《身戴镣铐的儿童》(1913)、《白袍记》(1914)等。《和麻风病人亲吻》(1922)确立了莫里亚克作为小说家的重要地位。《爱的荒漠》(1925)和《黛累丝·台斯盖鲁》(1927)表明他的技巧日臻完善,前者荣获1925年法兰西学院小说大奖。《蝮蛇结》(1932)通常被认为是莫里亚克的最佳之作。这是一个婚姻悲剧,描写一个年迈的律师对其家庭的仇恨、对金钱的贪婪和他最后的转变。同莫里亚克的其他小说一样,这部作品的人物在人与人间的关系中所徒然追求的爱,仅在对上帝的爱中才得到了满足。1933年当选为法兰西学院院士。此后的小说包括半自传体的《弗隆特纳克的秘密》(1933)、《海之路》(1939)以及剖析宗教伪善和统治欲望的《伪善的女人》(1941)。自1938年起转而写作剧本,顺利地写下《埃斯蒙黛》,主人公是个穷凶极恶跋扈的人,他控制着软弱的人们。自1962年起,他公开支持戴高乐,并著有《戴高乐传》(1964)。尽管莫里亚克在国外的名声不大,然而许多人认为他是继普鲁斯特之后法国最伟大的小说家。他此外还写有《小说家及其人物》(1933)、4卷本的《日记》(1934～1951),接下来又是3卷本的《回忆录》(1959～1967),内写有他的写作意图、方法和对当代道德价值的反映。

美国不列颠百科全书公司供图

Maurice 莫里斯 统治者之名,按国别分列于后,并各以●为标记。

与此字相等之外语:

荷兰语	Maurits
德　语	Moritz
希腊语	Mauricios 或 Maurikios
拉丁语	Mauricius

拜占廷帝国

● **Maurice 莫里斯**(约539,卡帕多西亚～602,君士坦丁堡) 杰出的将军和皇帝(582～602在位),他将业已衰弱的东罗马帝国改造成为新的、组织良好的中世纪拜占廷帝国。最初作为秘书进入政府。578年任驻守东方的帝国军队司令官。因反击波斯人战功辉煌,被提比略二世皇帝选为继承人。582年8月5日即帝位,8月13日加冕。在东方,莫里斯率兵进攻波斯。他扶立霍斯罗二世为波斯王以后,达成有利的和平协定。继而解决北方问题,对正在帝国境内建立永久性居留地的斯拉夫人和阿瓦尔人发动进攻。在西方,他以一种新的民政组织管理备受战争破坏的意大利。他认识到民政机构不足以保护残存的拜占廷领土免遭伦巴第人的进犯,因而向罗马和拉韦纳委派军事总督。然后,他在北非设立了迦太基总督管区,以抵挡柏柏尔部族的进攻。拉韦纳和迦太基两个总督管区是由军事长官管辖民政机构的两个行省,这成为尔后拜占廷帝国行省制度的基础。因连年征战,国库空虚,加重赋税,引起不满,造成多瑙河地区兵变。在福卡斯领导下,叛军进攻君士坦丁堡,城内居民响应。莫里斯被推翻,福卡斯加冕称帝。

尼德兰

● **Maurice 莫里斯**(1567-11-13,拿骚迪伦堡～1625-04-23,海牙) 又称莫里斯(拿骚的)。尼德兰联省共和国执政(1585～1625),他发展了军事战略、战术和军事工程学,使荷兰军队成为当时欧洲最现代化的军队。沉默者威廉的次子。1618年成为奥兰治亲王。父亲死时,他正在莱顿大学求学,但是荷兰议会立即选他为执政(最高行政长官)。后来,他还担任泽兰、乌得勒支、上阿瑟尔和海尔德兰等省的执政。他得到荷兰杰出政治家奥尔登巴内费尔特的支持。莫里斯、奥尔登巴内费尔特和莫里斯的堂弟W.路易(弗里斯兰执政)组成强有力的三人执政。在三人执政的领导下,尼德兰北方诸省稳步加强反西班牙统治的力量。奥尔登巴内费尔特主持内政和外交,莫里斯任联省军队总司令,由路易辅佐。莫里斯从少年时代起就爱好数学、弹道学和军事工程学。任总司令后,能够把理论与实际结合起来。他首先缩小军队的编制和改进军队的组织,使士兵得到良好的装备和充足的军饷。并加强正规的训练。他精通包围战的艺术。16世纪90年代,他不断攻占敌人的堡垒。经过一系列的斗争,西班牙人从各条战线龟缩回去,荷兰共和国的领土开始有今日的局面。荷兰各城镇兴高采烈地向它们的救星表示敬意。莫里斯曾图重新统一由于西班牙的征服而陷于分裂的尼德兰南北两部。他率兵进入佛兰德,但遭到彻底失败。1607年同西班牙人休战,1609年达成十二年停战协定。尼德兰仍然处于分裂状态。此后,莫里斯与奥尔登巴内费尔特展开争夺最高权力的斗争。莫里斯耐心等待时机,悄悄巩固自己的势力,1618年8月将奥尔登巴内费尔特逮捕,次年5月处死。在取得这一胜利后,莫里斯拥有极大的权力,"执政"实际上便是国王。然而,莫里斯只是一个伟大的军人,并不是一个伟大的政治家。他在1590～1609年曾经击退西班牙人,扩展并保卫荷兰共和国的疆界,然而他不但未能重新统一整个尼德兰,而且使荷兰共和国长久地分裂为奥兰治派和反奥兰治派。

萨克森

● **Maurice 莫里斯**(1521-03-21,萨克森弗赖贝格～1553-07-09,萨克森锡沃斯豪森) 萨克森公爵(1541～1553)和选侯(1547～1553)。他机智地操纵联盟与争端使韦廷王朝的支系阿尔贝蒂内获得广大的领地和选侯的尊荣。1541年承袭其父为公爵。他虽然是新教徒,但曾协助天主教徒皇帝查理五世反对土耳其人(1542)、克勒弗(1543)和法国(1544)。1545年查理以萨克森选侯之位拉拢莫里斯反对路德派的施马尔卡尔登同盟。在米尔贝格战役(1547-04-24)以后,莫里斯成为选侯,并得到大片领地。不久,他开始反对查理复兴天主教的计划,并继续监禁其岳父黑森地伯(地位相当于公爵的伯爵领主)高尚的菲利普。1550年莫里斯受命夺取反叛的路德派占据的马格德堡，他抓住时机起兵，并与法国和德意志新教诸侯签订反对哈布斯堡王朝的协定。1552年3月造反派占领德意志南部和奥地利的一部分，迫使皇帝出亡并释放菲利普。1552年8月，帕绍条约确认路德派的地位。莫里斯又回到皇帝的阵营，出征盘据在匈牙利的土耳其人。最后，在德意志西北部与反对帕绍停战的勃兰登堡的阿尔贝特二世·阿尔齐比亚德斯对阵。莫里斯在锡沃斯豪森打败阿尔贝特，但本人亦阵亡。

Maurice, Saint　莫里斯，圣（？～约286，日内瓦附近阿戈农）　信奉基督教的罗马军人。他和同伴们的殉教事迹至今为人们传颂。与他一同被害的有圣维塔利斯、圣坎迪杜斯和圣埃克修贝里乌斯等人。他们的事迹见于5世纪法兰西主教圣优切利乌斯所著《阿戈农圣徒殉教记》，据该书说，他指挥底比斯军团，该军团由信奉基督教的埃及士兵组成。马克西米安将军（日后为罗马皇帝）派遣该军团前往高卢镇压基督教徒农民暴乱。该军团在奥克杜伦（今瑞士马蒂尼）向马克西米安报到后抗命撤离到阿戈农。该军团官兵最后全部被害。对圣莫里斯和底比斯军团的崇敬普及瑞士、莱茵河流域和意大利北部地区。圣莫里斯的遗骸保存在波兰布热格圣莫里斯大教堂和意大利都灵。

Maurice of Nassau　莫里斯（拿骚的）　参阅 **Maurice**（Netherlands）莫里斯（尼德兰）项下的 **Maurice** 莫里斯。

Maurice,（John）Frederick Denison　莫里斯（1805-08-29，英国萨福克诺曼斯顿～1872-04-01，伦敦）　19世纪基督教安立甘宗神学家、著述家、基督教社会主义创始人。1838年发表《基督之国》，指出教会应为超越个人、宗派和门户的公正不倚的统一体。这种观点后来被誉为20世纪普世教会运动的先声，但当时引起安立甘宗正统派的疑忌。1848年他同安立甘宗温和派人士金斯利、勒德洛等人开创基督教社会主义运动，正统派益觉不安。莫里斯在1853年发表《神学杂论》，流露出不相信地狱永恒存在的思想，因而更遭反对，当年被免去剑桥大学教授职务。莫里斯于1854年筹办工人学院，自任院长，同时在工人中间组织合作性的协会。1860年莫里斯任圣彼得教堂职务，崇拜他的人们誉他为"先知"。1866年任剑桥大学教授，讲授伦理哲学。1869年发表《社会道德》一书。1870年起兼任剑桥圣爱德华教堂牧师。他的著作在第二次世界大战后再度引起注意，尽管某些评论家认为他的学说过时而不明朗，但对基督教社会主义研究者来说他的著作仍然是重要的资料来源。

Maurice, Furnley　莫里斯（1881-04-06，澳大利亚维多利亚科灵伍德～1942-02-22，墨尔本）　澳大利亚诗人。本名弗兰克·莱斯利·汤普森·威尔莫特。以所作《献给上帝：来自交战各国》（1917）享有盛名。这部作品强烈控诉了战争的破坏、残酷和愚蠢。他还写有许多抒情诗、讽刺诗和随笔。14岁在墨尔本一书店工作，后升任该店经理。1929年书店倒闭后成为独立经营的书商。因发现卖书不赚钱，3年后到墨尔本大学出版社任经理，直到逝世。不到20岁便开始写诗，为墨尔本工人刊物《警钟》撰稿。第一本诗集《几首诗》1903年以真名发表。一年以后，《另外几首诗》问世，但出版后不久又被收回。以上两书均未引起较大的关注，于是改用笔名莫里斯。《不受限制的歌曲》（1913）引起的反响不大，直到1917年发表《献给上帝：来自交战各国》，评论界才开始对他的作品感兴趣。同年出版的儿童诗《贝伊和帕迪的书：儿童歌曲》获得成功，发表后9年内再版3次。《警惕的目光》（1920）收有他的一些优秀作品。《墨尔本颂》（1934）中收有他在1934年获得墨尔本一百周年纪念奖的颂歌。

Maurienne　莫列讷河谷　阿尔卑斯高山峡谷。位于法国东南部。长130千米，有伊泽尔支流阿尔克河流过。由一系列盆地和窄谷构成。谷内有24座水力发电站为电化学厂、炼铝厂、电厂、钢厂和合金厂供电。上莫列讷河谷采伐云杉木作燃料和木材用。畜牧业、乳牛饲养和奶酪生产是当地主要农事活动。向北的跨阿尔卑斯山铁路沿莫列讷河谷至莫达讷，由此转向西南行通过塞尼斯山隧道至意大利的都灵。公路从日内瓦湖至尼斯向南行也从谷中穿过。山谷地区主要城市有莫达讷（旅游中心）、圣让（建有主要炼铝厂）和圣米歇尔。

Maurier, Sir Gerald Hubert Edward Busson du　莫里埃　参阅 **Du Maurier, Sir Gerald（Hubert Edward Busson）** 杜莫里埃。

Maurist　莫尔会修士　天主教莫尔会的成员。该会是由法兰西本笃会一部分修士于1618年成立的。其宗旨是恪遵本笃会规章并致力于历史研究及神学研究。该会第一任会长塔里塞（1575～1648）希望使学术研究成为该会一大特色，为此成立学校，培养人才。他在巴黎的圣日耳曼戴布莱所建的总部不久即成为许多学者荟萃之处。该会修士包括杰出的编辑和历史学家，他们的许多文本仍然是仅存的最好版本。该会修士也是对中世纪历史进行批判性研究的先驱者。莫尔会在1700年有隐修院180处，1789年法国大革命时受到镇压，1817年后其机构不复存在。

Mauritania　毛里塔尼亚　全称毛里塔尼亚伊斯兰共和国。非洲西北部国家，面积1 030 700平方千米。首都努瓦克肖特。该国西濒大西洋，西北和北与西撒哈拉接壤，东北与阿尔及利亚相连，东和东南与马里交界。西南与塞内加尔相邻。人口约3 069 000（2005）。

土地　毛里塔尼亚的大部分地区为地势低洼的沙漠，形成撒哈拉沙漠的最西部。沿岸平原海拔均低于45米；内陆平原较高，海拔介于180～230米之间。平坦的内陆平原散布有陡崖（有的高达270米）和许多残山（孤峰），其中以伊吉勒山最高（915米）。境内约有50%的面积为沙丘所覆盖。除了向南和向西流的塞内加尔河及其支流以外，境内河流多属内陆水系。干燥的内陆高原被切割成许多干谷，偶有洪水发生。

除南部某些地区外全境气候干热。南部地区属荒漠草原气候，7～10月为雨季；年降雨量仅约635毫米，大多数地方的夏季午后气温超过38 °C，内陆白昼最高温度常高达46 °C。但夜间气温则大幅下降，尤其是在内陆地区。冬季夜间最低温度介于7～13°C之间，而白昼最高温度介于30～36°C之间。

植被密度由南向北递减。该国南端为苏丹热带稀树草原，其间长有一些猴面包树和棕榈树。在中南部地区，热带稀树草原逐渐变为不连续的，偶然长有一些洋槐的萨海利植被带。该国其余地区向北直至西撒哈拉和阿尔及利亚的边界均为干旱沙漠。南部热带稀树草原生活着羚羊、狮子和大象。中南部的萨海利草原则常有瞪羚、鸵鸟、疣猪、豹、鬣狗和山猫；鳄鱼在终年有水的河流中可以见到。

毛里塔尼亚仅有一小部分地方为可耕地，已全部耕种。这些地方的粮食产量只能满足该国约一半的需求。近40%的土地为牧场和草地；大部分居民为游牧民，放牧的牲畜有山羊、绵羊和骆驼等。境内有丰富的铁矿、铜和石膏储量；钛和磷酸盐矿藏也已探明。

美国不列颠百科全书公司供图

人民　摩尔人(阿拉伯-柏柏尔人和苏丹黑人的混血种人后裔,使用以阿拉伯语为基础的方言哈萨尼亚语)占全国人口的绝大多数。其余几乎全部为黑人,其中有居住在塞内加尔河谷地的图库洛尔人,散居在南部的富拉尼人,居住在西南沿海罗索附近的沃洛夫人。图库洛尔人和富拉尼人均操富拉语;其他部族仍保留着各自的传统语言。境内居民几乎全为穆斯林。毛里塔尼亚的人口密度极低。

经济　毛里塔尼亚属发展中的混合型经济,主要以农业和矿产出口为基础。国民生产总值的增长慢于人口增长;人均国民生产总值相对较低。

农业约占国内生产总值的1/3,占用2/3的劳动力,主要以自给农业为主。粟、高粱、水稻和其他谷物均种植在塞内加尔河沿岸地区;椰枣生长在绿洲。牲畜生产是该国最重要的农业活动。周期性的干旱能使农作物大幅减产,为改善这种情况,政府计划在塞内加尔河兴建戈尔戈勒灌溉工程。

该国在大西洋有捕鱼业;鱼产量供应国内市场,亦为该国主要出口商品。政府准许外国船只在该国水域内捕鱼,但要把鱼在毛里塔尼亚当地进行加工,这样便可增加出口量。

毛里塔尼亚的其他主要财源来自铁矿的生产,该项生产约占国内生产总值的1/8,占用不到5%的劳动力。矿石由北部联合矿业公司负责开采;它原为一家欧洲控股公司,但于1974年被收归国有。1978年建成一座炼油厂,并成立一家新公司重新开采阿克茹特的铜矿。同年,国家矿产工业公司允许私人参股,进行石油、钨、铁、磷酸盐和铀等矿藏的勘探工作。除了采矿业之外,全国工业几乎没有取得任何重大进展。

服务业约占国内生产总值的2/5,占用约24%的劳动力。除矿石运输网以外,运输系统普遍很差;然而,1985年连接努瓦克肖特和该国东南部人口较多地区的横贯毛里塔尼亚的大公路建成通车后,情况有所改善。

毛里塔尼亚的财政预算长期出现赤字。20世纪70年代后期因军队介入西撒哈拉地区的纷争而使政府开支增加;后来毛里塔尼亚于1978年从该地撤军,1979年宣布放弃对西撒哈拉的领土要求。80年代初期,世界对铁矿的需求有所减少,贸易赤字随之出现。然而,80年代中期由于渔业获得迅速发展,使该国后几年的外贸一直保持顺差。主要贸易伙伴有法国、日本、西班牙、阿尔及利亚和意大利。

政体与社会状况　1978年发生军事政变后,毛里塔尼亚一直由一党制军人政权统治。1960年的宪法被中止,代之以1980年由救国军事委员会颁布的临时宪法;该宪法于1981年废除。1980年2月采用伊斯兰教义作为法律体制的基础。尽管1980年1月正式废除奴隶制,但据总部设在伦敦的反对奴隶制协会的报道,该国至少还有10万人仍处于奴隶状态。

虽然毛里塔尼亚很穷,但社会福利制度仍提供老年和生育津贴,但失业和疾病津贴却不足或缺乏。该国的普遍贫穷,主要反映在婴儿死亡率高(约127‰)和平均预期寿命短(约46岁)。尽管小学和中学的入学人数和比率一直在增加,但成年人口中的文盲比率仍高达40%以上。努瓦克肖特大学创办于1981年。

正常年景时粮食供应充足够糊口,但周期性的干旱会造成部分地区出现营养不良,引发疟疾、结核病、麻疹和流行性感冒等致命疾病的流行。唯一的一所大医院设在努瓦克肖特,全国大多数医生也都在那里行医。

毛里塔尼亚的新闻媒体均为政府所拥有和经营,主要有国家广播电台网(还有一家刚刚建立的电视台)。全国唯一一家日报发行量仅300份,电话不足15 000部。

努瓦克肖特的国家图书馆(创办于1965年,为该国最大的图书馆)藏书1万余册,并收藏有大量的原始手稿。阿拉伯和穆斯林的传统在摩尔人的艺术中有所反映。该国的建筑风格受到马格里布(北非地中海沿岸地区)的影响。金饰是该国传统工艺之一。

历史　毛里塔尼亚最早的居民是黑人和桑哈贾-柏柏尔人。11和12世纪期间,该国是柏柏尔穆拉比人运动的摇篮,该运动把伊斯兰教强加于非洲西北部邻近地区的许多部族。15世纪,阿拉伯各部族沿着毛里塔尼亚和摩洛哥之间的通商路线向南迁移;他们后来取代了柏柏尔人的势力。这些游牧部族建立了数个强大的联邦,有统治塞内加尔河地区的特拉扎与卜拉克纳、东部的昆塔和北部的里杰巴特。15世纪,葡萄牙人到达毛里塔尼亚,并建立了阿尔金要塞。沿岸地区成为欧洲各国商人的争夺之地,最后在1817年的《塞内加尔条约》中承认属于法国势力范围。1903年,正式的保护地扩大到全境,1904年划入法属西非;1920年该地成为殖民地。1960年毛里塔尼亚获得独立,脱离法国共同体。一年后毛里塔尼亚被接纳为联合国成员。该国首任总统M.O.达达赫在1978年的一场政变中被废黜,军人政府成立。1979年,毛里塔尼亚与阿尔及利亚争取西撒哈拉独立的波利萨里奥阵线签订一项和平协议,次年声明放弃了对西提里斯地区的主权;摩洛哥随即予以兼并。1980年文官政府成立,正式废除了北方游牧民实行的黑人奴隶制度。1990年政府工作均采用阿拉伯语,阿拉伯化趋势日益明显。1991年通过新宪法。20世纪90年代,居然在经济自由化方面获得一些成功,并且实行了自由选举制,但政府和反对派之间的关系却日益恶化。

Mauritius　毛里求斯

全称毛里求斯共和国。印度洋独立岛国,位于马斯克林群岛中央,马达加斯加岛以东约800千米。地处南纬20°18′、东经57°36′,南北长61千米,东西宽47千米。外国属岛有主岛以东553千米处的罗德里格斯岛,东北402千米处的卡加多斯卡拉若斯沙洲和北边933千米处的阿加莱加群岛。首都路易港。面积2 040平方千米。人口约1 245 000(2005)。

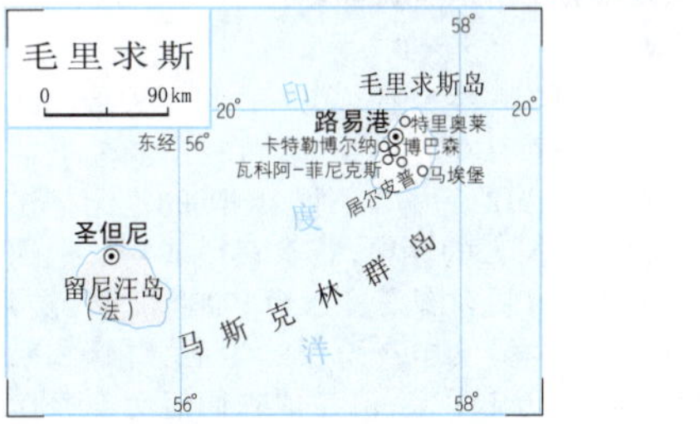

美国不列颠百科全书公司供图

土地　毛里求斯原为火山岛,四周几乎全被珊瑚礁所环绕。北部为平原,向中部隆起成为高原,海拔约270～730米不等。高原周边为连绵小山,可能原是一座古火山的边缘。最高点小黑河峰海拔826米,位于西南部。两大河流,东南大河(约40千米长)和西北大河,均为水电主要来源。瓦科阿湖为主要水库之一,也是主要供水源。

毛里求斯属亚热带海洋性气候,全年气温大致相同。平均气温海平面为23 °C,高原为19 °C。全年分两季,12～4月较热,6～9月较凉。年降雨量在西部沿海为900毫米,东南沿海为1 525毫米,中部高原约为5 080毫米。植被包括600种本土植物,但原始森林今已所剩无几。动物有桑巴鹿(深褐色长尾鹿)、无尾猬(多刺的食虫动物),獴以及各种鸟类和昆虫。

可耕地占国土面积的一半以上。甘蔗为主要作物。

人民　全国3/5的人口为克里奥耳人或法国人后裔,2/5为印度人后裔。欧洲人和华人的社区较小。一半人口为印度教教徒,约1/3人口信奉基督教,其余为穆斯林。各种族所使用的语种繁多,但官方语言是英语,克里奥耳语已成为该国的通用语。

人口密度属世界最高之列。20世纪60年代疟疾根除之后,人口过剩成为一个严重问题。尽管80年代的年人口增长率因人口外流而有所下降,但人口的自然增长率仍相对较高。约有1/3人口年龄不满15岁。

经济　毛里求斯为发展中的混合型经济,以出口加工业、农业和旅游业为基础。政府推行多种经营的努力已取得成功,因此该岛已不再单纯依赖蔗糖生产。90年代初期,国民生产总值的增长远比人口增长迅速。

农业约占国内生产总值的1/8,占用1/6的劳动力。蔗糖生产占出口收入的1/3,所用土地约占可耕地总面积的80%。该国粮食大量依赖进口,以大米为主。茶叶生产已有所扩大;其他重要作物有马铃薯、番茄、椰子和香蕉。由于日本和澳大利亚的技术援助,渔业得以复苏。

工业约占国内生产总值的1/4,雇用2/5的劳动力。制造业正稳步发展。毛里求斯出口加工区以对进口的原料或半成品进行劳动密集型加工以后再出口为主,成功地吸引了外国投资。在经济上占有重要地位的产品有纺织品、电子设备、塑料与皮革制品以及人造宝石等,电力大部依赖进口石油生产。

服务业占国内生产总值的1/2以上,占用2/5的人口。20世纪70年代,旅游业获得很大发展,已成为该国外汇收入的主要来源,一家国外的银行设施已于1989年开始运作。

进口商品以制造品、机械和食品为主;出口商品包括服装与纺织品、糖、钻石加工品和人造宝石、鱼;进口值超过出口值。2/3以上的出口商品销往欧洲共同体的保护市场;最重要的贸易伙伴有英国、法国、美国和德国。

政体与社会状况 根据1968年通过的宪法，毛里求斯实行君主立宪制，英王为其国家元首。1991年通过修宪议案，实行共和制，总统为国家元首。1992年修正案生效。立法权归属议会，每5年改选一次，其中有62名议员经选举产生，4名通过非选举产生。总统和副总统由议会选举产生，任期5年。以总统为首的内阁行使行政权力。最高法院为司法系统的最高权力机构。

社会福利体系包括由医院与诊疗所组成的网络；在没有社会福利中心的地区则设有社区中心。居民可享受养老金、家庭津贴和其他社会保障措施。城市区普遍存在过分拥挤情况；政府向地方当局提供贷款以推行城市住房建设计划。

全国90%以上的学龄儿童接受小学教育。中学教育的水平很高；毛里求斯大学(1965年创办)设有农学院、工学院、教育学院和行政管理学院。

毛里求斯广播公司除转播外国广播与电视节目外，也播放本国制作的广播与电视节目。学校广播教学亦为该公司的一项重要服务。大量的日报和周刊以英文、法文、中文及其他文字出版。

文化生活 艺术、文学和科学事业均获得各民办学会的支持。该岛不乏才华横溢的诗人和小说家。表现派和抽象派绘画艺术十分盛行。国家文化机构有毛里求斯研究院和毛里求斯档案馆。戏剧相当普及，地方业余戏剧团体经常演出，且水平相当高。岛内设有公共图书馆和学术机构图书馆。

历史 毛里求斯可能在10世纪或更早即为阿拉伯航海者所发现。16世纪初，葡萄牙人来到该岛，但未在岛上定居。1598～1710年间，荷兰人占领该岛，并以拿骚总督莫里斯的名字将此岛命名为毛里求斯。1638～1658年和1664～1710年期间，荷兰人两度尝试在该岛定居，但后来放弃该岛，将其留给了海盗。1721年，法国东印度公司占领毛里求斯，并将该岛改名为法兰西岛。以后的40年间岛上殖民进展缓慢。1767年法国航海部接管之前，毛里求斯一直由法国东印度公司管辖；该殖民地以甘蔗种植业为主，经济呈现一片欣欣向荣景象。19世纪初，英法两国交战，法兰西岛对英国和印度商船不断构成威胁。1810年，英国占领该岛；1814年恢复和平后，该岛根据《巴黎条约》划归英国。该岛仍保留法国的关税制度、法律和语言，但恢复了毛里求斯的原名。1835年，奴隶制宣告废除，原来的奴隶为印度劳工所取代。19世纪50年代，毛里求斯虽甚繁荣，但来自甜菜制糖业的竞争使岛上经济呈衰退之势。1866～1868年该岛流行疟疾，迫使船舶驶离路易港；1869年，苏伊士运河通航后，该岛更趋衰落。第一次世界大战期间，食糖价格上涨，该岛经济又呈现繁荣，但20世纪30年代，经济萧条又使局势发生剧变，结果造成1937年的劳工骚乱。第二次世界大战并未使岛上经济局势好转；1945年后政府实行经济改革，同时开始政治和行政管理改革，导致毛里求斯于1968年宣布独立，但仍留在英联邦内。1979年末克劳德特气旋和80年代世界食糖价格下跌的影响导致政府开始推行强有力的农业多种经营计划，发展出口加工业。独立后的毛里求斯成了政治成功的例子。它有开放的多党制、自由选举制度和竞争的政府机制。稳定的政局和温和的气候使毛里求斯在20世纪末发展为一个重要的旅游国家，但由此带来的繁荣并不能使社会所有阶层的人都能受益。

Mauritius hemp (*Furcraea gigantea*) **毛里求斯大麻** 法语作aloe，葡萄牙语作piteira。龙舌兰科植物及其纤维。其纤维属**叶纤维(leaf fibre)**类。原产于巴西，1875年左右才开始商业性生产。18世纪后期被引种到毛里求斯，产于高地者称为“马尔加什龙舌兰”，产于低地者称为“克里奥尔龙舌兰”。19世纪后期在东非、斯里兰卡和圣赫勒拿岛种植。剑形尖叶在短茎上密集丛生成莲座状。叶呈灰绿色，长1.2～2.1米，最宽处约20厘米，某些品种叶缘有刺。花茎在接近生长期末时出现，生长到高12.2米时，开出长约3.8厘米的白花。该植物生长期约8～10年。种植3～4年后开始收获叶片，此后每隔18～36个月收获一次，每次收获叶片25～30片。一般用机械剥取纤维，有时预先浸沤若干天。纤维经水洗和干燥，有时加以梳理，以增加光泽和柔软性。加工良好的纤维束长约4～7英尺，色乳白，有光泽。毛里求斯大麻的强度不如西沙尔麻和赫纳昆麻，但比较细软。对染料有亲和性，在淡水中不变质，在海水中会受到腐蚀。纤维供织造打包布和其他粗麻织物，有时与其他纤维合用以改善绳索的色泽。

Mauritshuis 莫里斯宫 全称(莫里斯宫)皇家绘画陈列馆，位于荷兰海牙。原为拿骚莫里斯亲王宫邸(1633～1644)。1820年开馆。以所藏15～17世纪的佛兰德斯和荷兰绘画而闻名。

Maurois, André 莫洛亚(1885-07-26，法国埃尔伯夫～1967-10-09，巴黎) 法国传记作家、小说家、小品文作家。原名E.埃佐格。近50年来法国文坛上的杰出人物。生于富

美国不列颠百科全书公司供图

有的纺织厂厂主家庭。第一次世界大战期间曾在英国军队中任联络官。在《布朗勃上校的沉默》(1918)一书中，他以幽默的笔调描述战争和英国人的性格，首次获得成功。他的小说包括《贝尔纳·盖奈》(1926)和《气候》(1928)集中描绘中产阶级的生活、婚姻和家庭。作为历史学家，他在他的通俗历史著作《英国史》(1937)和《美国史》(1943)中，显示出渊博的知识。他在法国和使用英语的国家地区中最为闻名，他所作的传记如同写小说一般文笔生动有趣。其中最成功的一些英、法作家传包括《雪莱传》(1923)、《拜伦传》(1930)、《雨果传》(1954)、《乔治桑传》(1952)和《巴尔扎克传》(1965)。《马尔塞·普鲁斯特研究》(1949)被许多人认为是他最优秀的传记著作。

Mauropous, John 摩洛普斯(约1000，拜占廷帝国帕夫拉戈尼亚[今在土耳其]～约1075至1081，君士坦丁堡) 拜占廷学者、教士、著作家。主要著作有讲章、古典诗、书信、圣徒传和一部圣诗集。他曾在11世纪最初20多年间在君士坦丁堡任家馆教师；皇帝君士坦丁九世在位期间(1042～1055)他在宫中供职，约1050年任小亚细亚地区欧卡伊塔都主教，后隐修。

Maurras, Charles(-Marie-Photius) 莫拉斯(1868-04-20，法国马蒂格～1952-11-16，图尔) 法国作家及政论家，是20世纪初欧洲知识界一位具有重要影响的人物。所倡“整

美国不列颠百科全书公司供图

体国家主义”理论曾预示法西斯主义的某些观点。

莫拉斯出身于一个保皇党兼罗马天主教之家。1880年当他正在普罗旺斯地区艾克斯的圣心学院就读期间，因患病而导致长期耳聋，于是便埋头于书卷之中。他放弃父母所信仰的天主教，研读自荷马以至米斯特拉尔这许多伟大诗人的作品以及希腊、罗马许多哲学家的著作，在此基础上形成了自己对世界的认识。

1891年，莫拉斯到了巴黎。不久，他与莫雷亚斯共同筹建一个青年诗社，其宗旨在于反对象征诗派。青年诗社后来以浪漫诗派之名为世所知。这些青年诗人们崇尚古典作品的严谨而明快的风格，对他们所认可的象征主义诗作的晦涩乃至凄婉之处表示不以为然。“德雷福斯事件”造成法国朝野意见向左、右两级分化，之后莫拉斯一度而成为狂热的保皇派。他于1899年6月参与创办评论性刊物《法兰西影响》，致力于宣传整体国家主义理论，鼓吹国家至上和国际交往中的法国利益第一。1908年，这个刊物在都德的协作下改为日报发行，变成保皇党的机关刊物。此后40年中，该刊所宣扬的宗旨，常因公众示威行动及公众暴乱和一些耸动一时的法庭诉讼和要案审理而更为彰明昭著。

莫拉斯亦因其某些著作而名噪一时。例如:《天堂之路》(1895)是一部富有哲理气息

的短篇小说集;《昂西尼:伯罗奔尼撒访古纪行》(1900)是一部主要以旅行希腊为内容的散文集;《威尼斯的恋人》(1900),则以叙述乔治桑与缪塞的爱情故事为主题。另外,《有关君主政体的探究》(1900)和《智慧的前途》(1905)曾详述其政治观点。第一次世界大战后,他又发表诗作《内心音乐》(1925)、文学评论集《野蛮与诗》(1925)和回忆录《花神的踪迹》(1931)等作品,因而仍然受到文学界的尊重。但是,1926年12月29日,罗马天主教教会宣布莫拉斯的某些作品以及《法兰西行动》为禁书,使得法国神职人员中许多同情他的人们与之疏远,从而导致他失去一些政治影响力。天主教会禁令的理由是当时形势要求教会措施应服从政治需要。

1938年,莫拉斯被选为法兰西学院院士。第二次世界大战期间,莫拉斯是贝当政权的强烈支持者。1944年9月,莫拉斯被逮捕,翌年元月被判终身监禁,并被法兰西学院撤销其院士称号。1952年,他因健康不佳自克莱尔沃监狱获释,住进图尔的圣桑福里安诊所。莫拉斯最后与天主教会和解,写有诗作《内心均衡》(1952)和一本有关教皇庇护十世的专著,题名《真福的庇护十世,法国的救星》(1953)。

Maurus Servius Honoratus　毛鲁斯·塞尔维乌斯·洪诺拉图斯　参阅 Servius 塞尔维乌斯。

Maury, Matthew Fontaine　莫里(1806-01-14,美国弗吉尼亚斯波特瑟尔韦尼亚县～1873-02-01,弗吉尼亚列克星敦)　美国海军军官、最早的水文学家、海洋学创始人之一。1825年参加海军,1826～1830年作环球航行。1836年晋升为上尉。1839年在一次公共马车事故中,伤腿致残,不适于服现役。1842年被任命主管海图及仪器库(美国海军天文台和水道测量处前身)。为收集海风和海流的资料,他向船长们分发了专门制备的航海日志,并据此描绘出领航图,使航船缩短了航程。1848年发表了世界主要风区图。他的工作推动1853年在布鲁塞尔召开第一届国际海运会议,并导致建立了国际航道测量局,他作为美国代表参加了会议。有了世界范围的资料,使他能够绘制出大西洋、太平洋和印度洋的海图。他的大西洋海床图证明了敷设横贯大西洋的海底电缆的可行性。1855年发表最早的现代海洋学教科书《海洋自然地理》。他在同年出版的《航路指南》中,建议东西向船只在北大西洋内分道航行以免碰撞。美国南北战争(1861～1865)爆发时,回到弗吉尼亚州主持南部邦联海军的海岸、港口和河流的防务工作,为此他曾试图研制一种电控水雷。1862年以南部邦联特使身份去英国,战争结束时去墨西哥,在那里马克西米利安皇帝任命他为帝国入境移民长官,致使他可能在墨西哥建立一块南部邦联的殖民地。1866年皇帝放弃这个计划,莫里又回英国。1868年回到美国,任弗吉尼亚军事学院气象学教授直到去世。马里兰州安纳波利斯有莫里纪念堂。他的生日是弗吉尼亚州学校的假日之一。

Mauryan empire　孔雀帝国(约公元前321～前185)　古印度国家,以松河和恒河汇合处的华氏城为中心。创立者为旃陀罗笈多。版图包括次大陆的大部分。阿育王皇帝在位时期(约公元前265～前238或约公元前273～前232)达到鼎盛。他死后,由于外部侵略和内部斗争,帝国日益衰败。最后一代皇帝为布里哈陀罗陀,他被大将普士亚密多罗所杀。随后,普士亚密多罗建立了巽伽王朝。

Mauser rifle　毛瑟枪　德国P.P.冯·毛瑟(1838～1914)设计的步枪和手枪。毛瑟原在枪械厂工作,1859年参加军队。他第一个成功的设计是1871型有枪机的单发步枪,口径11毫米。1880年他在步枪上使用圆筒形弹仓后,被普鲁士政府用作基本的步兵武器(1884),弹仓内装8发枪弹。圆筒形弹仓仍不十分完善,毛瑟不断改进其设计,最后发明一种装在枪内的5发匣式弹仓。1898年这种枪成为德国陆军的制式步兵武器,并被世界各国所仿造。它有多种口径,但德制毛瑟枪的口径均为7.92毫米。

mausoleum　陵墓　大型庄严的墓葬建筑。哈利卡纳苏斯的加里亚国王摩索拉斯的宏伟陵墓(约公元前353～前350)是最早的陵墓之一。最华丽的陵墓要推著名的印度泰吉·马哈尔陵,由莫卧儿帝国皇帝沙·贾汗为其妃(卒于1631年)建造,为白色大理石建筑。其他著名的陵墓有古罗马的哈德良墓(现为圣安杰洛城堡)、柏林附近腓特烈·威廉三世墓、英国汉普郡的拿破仑三世墓和莫斯科的列宁墓。

Mausolus　摩索拉斯(?～公元前353或352)　波斯总督,但其权势则不亚于安纳托利亚西南部卡里亚的君主(公元前377或前376～前353或前352在位)。他的巨大陵墓为古代世界七大奇观之一。Mausoleum一词现指任何规模宏大的陵墓结构。他把都城从内地的米拉萨迁到沿海的哈利卡纳苏斯,意在把卡里亚建为对外扩张的强国。公元前362年参加安纳托利亚各地总督反对波斯国王阿尔塔薛西斯二世的起义。后吞并东南近邻吕基亚和卡里亚西北几个爱奥尼亚希腊城市。支持罗得岛、科斯岛和希俄斯岛及其联盟者与雅典作战。联盟获胜后,罗得岛和科斯岛纳入他的势力范围。摩索拉斯的宏大陵墓在他生前开始建造,现已成为废墟。

Mauss, Marcel　莫斯(1872-05-10,法国埃皮纳勒～1950-02-10,巴黎)　法国社会学家和人类学家,主要贡献是对交换形式与社会结构之间的关系的具有高度创造性的比较研究,他有关人种学理论和方法的观点,也对许多社会科学家产生影响,其中包括C.莱维-斯特劳斯、A.R.拉德克利夫-布朗、E.E.埃文斯-普里查德和M.J.赫斯科维茨等人。莫斯是社会学家É.涂尔干的外甥,曾协助舅父编写许多著作,尤以《论自杀》一书,他出力最多。还协助涂尔干编辑《社会学年报》,最后继舅父任主编。1902年莫斯任巴黎大学高等研究院教授,讲授原始宗教,1925年创办巴黎大学人种学研究所,1931～1939年在法兰西学院任教。莫斯学识渊博,尤精于民族学和语言学。他多年活跃于政治舞台,1904年参与创办社会党报纸《人道报》。他对无文字诸社会中所存在的各种观点,也曾不遗余力地加以区别,从而使其生命力和独特性得以保持,同时也加强了心理学与人类学之间的联系。早期著作有论文"论牺牲的性质与作用"(1899)。最有影响的著作是《论赠与》(1925),该书着重论述了美拉尼西亚、波利尼西亚、北美洲西北部等地土著民族的交换形式和契约形式,并对赠与、接受及偿报等行为的宗教的、法律的、经济的、神话的和其他方面予以探讨,显示出莫斯对社会现象研究中所用的"小中见大"的方法。莫斯还就巫术、自我观念、丧礼以及其他课题发表过文章。所著《社会学与人类学》(1950)一书,收录了他1904～1938年间所发表的论文。

Mauthausen　毛特豪森　最臭名昭著的纳粹集中营之一,位于奥地利林茨以东20千米处多瑙河畔的毛特豪森村附近。1938年4月,奥地利被纳粹德国吞并后不久建立。原为达豪的卫星营,1939年春成为独立营地,整个奥地利的其他营地成为它的卫星营,统称毛特豪森。这些营地成为关押欧洲各地反纳粹分子(包括1万名西班牙共和党人)的主要中心;1941年11月开始关押苏联战俘。各类犯人都被正式定为"不愿遣返",他们被迫干最劳累的活(特别是在当地的采石场),并挨饿挨打。其他营地不服管的或被抓回的逃犯都押送到该营受惩罚,施以毒打、苦役、枪杀或用毒气处死。1945年5月美军解放主营。毛特豪森及其卫星营先后关押约33.5万人,有12.2万人被杀害或死于冻馁。

Mauthner, Fritz　毛特纳(1849-11-22,波希米亚霍日采～1923-06-29,德国梅尔斯堡)　德国哲学家、作家、戏剧评论家。他是对人类知识持批判态度的怀疑论哲学倡导者。尽管其小说和对于德国古典诗歌的通俗仿作使他获得一定的文名,但从1876～1905年大部分时间他是以戏剧评论家身份为《柏林日报》撰稿。作为哲学家,他关心的是语言的含义。他读过尼采的作品和O.路德维希的《莎士比亚研究》,并欣赏俾斯麦一生重视实际行动而蔑视语言和思想意识的做法。他认为语言具有实际的社会价值,由于人们是主观地使用语言并且语言一直在变化,因此它们只代表不完全的感性经验。而且语言并不能恰当地表现概念,它们必然会歪曲现实。这些想法把他引向哲学的怀疑主义,并且提出一种真理标准,这种真理标准的基础是由文化影响形成的个人经验。在他的两部重要著作《哲学辞典》,(2卷,1910)和《西方的无神论及其历史》(4卷,1921～1923)中均运用了语言分析。他通过语言来研究认识论的做法颇具特色。

Mauve, Anton　毛沃(1838-09-18,荷兰赞丹～1888-02-05,阿纳姆)　荷兰浪漫主义画家,曾受柯罗和巴比松画派的影响。作品大多是荷兰的风景和农村生活情景。1870年左右定居海牙，到邻近的渔村作画。1885 年移居乡村拉伦，与一群风景画家组成"荷兰巴比松"画派。毛沃的色彩柔和，在运用和谐的蓝与灰色方面与柯罗相似。主要作品有《草地上的乳牛》、《沙丘风景》等。

Mavrokordátos, Aléxandros　马夫罗科扎托斯（1791-02-11，君士坦丁堡[今土耳其伊斯坦布尔]～ 1865-08-18，希腊埃伊纳岛）　希腊政治家，希腊独立国家的奠基人和领导者之一。出身于法纳尔人家族，曾任瓦拉几亚（今在罗马尼亚）大公卡拉贾的秘书，1821 年参加希腊革命派，反抗土耳其人。不久在希腊西部的迈索隆吉翁任地方政府首脑。1821 年 12 月至 1822 年 1 月在埃皮扎夫罗斯召开的第一次国民大会上任主席，领导起草宪法的工作。后当选为希腊共和国第一届总统。因新政府很少实际权力，他不久就回迈索隆吉翁抗击土耳其侵略者。1823 ～ 1825 年任迈索隆吉翁总督，曾代表希腊政府接待支持希腊革命的著名英国诗人拜伦。后成为亲英派主要领袖。亲俄派卡波季斯蒂亚斯任总统期间（1827 ～ 1831）不受重用。在希腊第一位国王奥托统治时任财政大臣（1832），1833 年任首相。此后出使慕尼黑、柏林、伦敦和君士坦丁堡。1841 年被国王召回，任外交大臣。不久奉命组阁，兼内务大臣。但因其所实行的改良主义政策触犯了君主专制，不久被迫辞职。1843 年革命后再度出任首相（1844；1854 ～1855）。

Mavura　马武拉（活动时期17世纪中叶）　又称马努萨。非洲皇帝，葡萄牙人立为大姆韦尼·马塔帕帝国的统治者。1629 年葡萄牙人协助他废黜叔父卡普兰齐内，成为皇帝。他皈依基督教，取名菲利普，臣服葡萄牙国王。1631 年在葡萄牙人又一次援助下彻底击败其叔父。在他统治期间，葡萄牙人始将其势力从东非海岸的莫桑比克伸入内陆，在中部非洲建立起传教团和商站。

Mawangdui Hanmu　马王堆汉墓　Mawangdui 又拼 Ma-wang-tui。位于中国湖南长沙东郊马王堆的西汉墓葬。1972 ～ 1974 年发掘。为长沙国丞相、轪侯利仓及其家属的墓地。

湖南长沙马王堆汉墓出土的素纱单衣
中国大百科全书出版社供图

1 号墓为利仓妻墓，椁室用厚重的松木板构筑，中央放置华丽的四层套棺，周围边箱随葬各种物品。椁室外面填塞大量木炭，封以白膏泥。墓中女尸为 50 岁左右的轪侯夫人。由于深埋和密封性好，尸体软组织尚有弹性，外形基本完整。2 号墓为利仓墓，3 号墓为利仓子墓。1、3 号墓内有精致的提花、起绒和印花丝织品，说明当时机织提花和印染技术已达很高水平。随葬品有竹笥、漆器、木俑、乐器、竹木器和陶器，以及大批"遣策"竹简。3 号墓还出土《老子》、《周易》、《战国纵横家书》、《春秋事语》等帛书和彩绘帛画，另有医书 14 种以及《长沙国深平防区图》、《驻军图》等古地图。对研究中国西汉初期历史和文化艺术有重要学术价值。

Māwardī, al-　马瓦尔迪（？～1058，巴格达）　穆斯林法学家，在关于哈里发权威本质的正统政治理论的系统阐述方面起了重要的作用。青年时期马瓦尔迪便服务于哈里发，并很快就担负起处理与邻邦王侯重大交涉的职责。946 年起白益王朝的埃米尔（amīr，王公之意）把巴格达的哈里发置于其世俗权威之下，前者因内部不和及军事叛乱而力量渐衰，给予哈里发重振权威的时机。马瓦尔迪奉命撰写一篇有关宗教法赋予哈里发特权的说明。他的《治理之法令》成为穆斯林政治理论中有影响力的声明。尽管它基本上是理论性的（作为恢复逊尼派哈里发职位的设想），此作并非如部分学者认为的那样，是对哈里发权威作了抽象描述，它是将哈里发权威的正统理想与当时的实际情况相结合，探讨了诸如哈里发的权力、职责及其优越特性等课题。

mawlā（Muslim title）　参阅 **mullah** 毛拉。

Mawlānā（Persian poet）　**穆拉纳**　参阅 **Jalāl ad-Dīn ar-Rūmī** 鲁米。

Mawlawīyah　毛拉维教团　土耳其语拼作 Mevleviyah。伊斯兰教神秘主义苏非派教团。由波斯苏非派诗人加拉鲁丁·鲁米（？～1273）创立于安纳托利亚地区的科尼亚。该教团传遍安纳托利亚，到 15 世纪已控制科尼亚一带，17 世纪传到君士坦丁堡（今伊斯坦布尔）。尽管遭到政府反对，该教团在土耳其延续到 20 世纪后期。科尼亚的鲁米陵是国立博物馆，却仍有信徒前往谒拜。

mawlid　圣纪　又拼 mawlūd 或 mīlād。伊斯兰教用语，指圣者的生日，特别是指先知穆罕默德的诞辰纪念日。穆罕默德诞辰根据圣训定在伊斯兰教历拉比儿·奥沃勒月（3 月）12 日，亦即穆罕默德逝世之日，但至 13 世纪才被广大穆斯林作为一个纪念日举行庆祝活动。11 世纪末埃及什叶派法蒂玛王朝庆祝穆罕默德、阿里、法蒂玛和在位哈里发诞辰。但庆祝活动简单，仅由宫廷官员在白天列队行进，其高潮是在哈里发面前诵读三段呼图白。1207 年埃及苏丹萨拉丁的妹夫穆扎法尔·丁·库克卜鲁依在伊拉克境内摩苏尔附近埃尔比勒地方举行圣纪庆祝，日后伊斯兰教多数派逊尼派即以此为第一个圣纪。当代原教旨主义穆斯林如瓦哈比派仍将圣纪庆典视为属于偶像崇拜。

Mawson, Sir Douglas　莫森（1882-05-05，英国约克郡希普利～ 1958-10-14，澳大利亚南澳大利亚阿德莱德）　澳大利亚地质学家和探险家。其南极的旅行使他获得世界声誉。他于 1902 年获悉尼大学矿业工程学士学位，1909 年在新南威尔士州中西部布罗肯希尔矿区的野外研究工作使他获该校自然科学博士学位。1907 年参加沙克尔顿的南极探险队，成为其科学团的一员。1909 年 1 月 16 日与 T. W. E. 戴维到达维多利亚高冰原的南磁极。两人乘雪橇完成了这次里程碑式的旅行。1911 ～ 1914 年领导澳大利亚南极考察队。1929 ～ 1931 年指导英国、澳大利亚和新西兰的联合南极考察。他的多次考察使澳大利亚得以宣布对南极大陆的 647.5 万平方千米土地拥有主权。因为他作为一个探险家与科学家的成就，于 1914 年受封爵士。编辑并参加撰写《大洋洲南极考察报告》22 卷，著有《暴风雪之家》（1915）一书。

Max, Adolphe　马克斯（1869-12-30，比利时布鲁塞尔～ 1939-11-06，布鲁塞尔）　比利时自由党政治家，因作为布鲁塞尔市长在第一次世界大战爆发时反抗德军占领而闻名。曾

美国不列颠百科全书公司供图

就学于布鲁塞尔自由大学，1889 年获法学学位。1896 年起在布拉班特和布鲁塞尔的政府中任职。1903 ～ 1909 年为新闻记者。1909 年当选为布鲁塞尔市长。1914 年 8 月德军占领布鲁塞尔后，拒绝为敌人效劳。9 月被德国人逮捕，监禁在那慕尔要塞，后来押送至德国，直到战争结束获释。1918 年 11 月在群众的热烈欢迎中回到布鲁塞尔。此后不久被任命为国务大臣，次年选入众议院。一直任布鲁塞尔市市长直到去世。

Max Planck Society for the Advancement of Science　马克斯·普朗克科学促进会　德语作 Max-Planck-Gesellschaft zur Förderung der Wissenschaften。德国官方科学研究机构。总部设于慕尼黑。1911 年创立，原名威廉皇家学会，1948 年为纪念德国伟大物理学家普朗克（1858 ～ 1947，量子论创始者）而改名。该会由政府提供资金，研究领域包括科学上特别重要、特别专门或交叉学科的各个领域。这些领域的研究常需专用设备、大量经费与人力，不是单靠大学所能供应的，因此该会汇集必需的要素，以支持有效的长期研究。该会支持的研究所逾 35 个，遍及全德国。每个研究所专注于一个单独领域或一组领域的研究，包括医学和生物科学、化学、物理学及工艺学。有些研究所还致力于分子遗传学、生物化学、等离子体物理学和射电天文学等学科的研究。

Maxakali 马萨卡利人 南美印第安人，操大格语系马萨卡利语支的一组亲属语言。这些部落——马萨卡利人、马库尼人、库马纳肖人、卡波肖人、帕纳梅人和莫诺肖人——居住在巴西米纳斯吉拉斯省和巴伊亚省交界处的山区，近伊塔尼亚恩河河源。在前一个世纪期间，马萨卡利诸部落逐渐从穆库里河上游的原住地向东迁移。到20世纪末，约有400人。他们与葡萄牙人最初接触时期，已经是农民，种植玉米、甘薯、豆类、木薯及棉花，辅以渔、猎和采集野果。马萨卡利人传统上以家庭为单位，居住圆顶棕榈枝叶搭成的房舍。他们采取"茵苞芭"(embauba)树皮制成纤维，再编织成网、筐、袋、吊床和绳索。他们也制作和使用弓箭及其他武器。马萨卡利人熟悉并应用各种速效药物如鱼毒和幻觉剂。

Maxamed Cabdulle Xasan, Sayyid 穆罕默德·阿卜杜拉·哈桑(1864-04-07，英属索马里兰杜尔巴亨特地区[今索马里多尼巴汉塔]～1920-12-21，埃塞俄比亚) 索马里宗教和民族领袖，在索马里兰领导武装部队抵抗英国、意大利和埃塞俄比亚殖民军达20年之久。由于他对英国人的积极抵抗，和他建立起一个超越部族界限、在穆斯林兄弟情谊下团结一致的索马里的理想，哈桑被认为是现代索马里民族主义的先驱。哈桑的父亲属于一个来自埃塞俄比亚欧加登地区的部族，但他是在母亲的杜尔巴亨特部族长大的。年轻时他已表明对古兰经有深入的理解。在1894年去麦加朝圣途中，他参加了萨利希亚(一个好战的、改革的、严谨的苏非教派)。回到索马里兰不久，他开始号召驱逐英国"异教徒"及其传教士，所有索马里人都要严格遵守伊斯兰教规。通过他的煽动性演说和有教诲意义的诗篇(他的有些诗在索马里被认为是经典)，哈桑吸引了一群狂热的信徒，这些人被称为苦修僧人。1899年他向殖民政府及索马里的通敌者宣布圣战。1900～1904年，英国、埃塞俄比亚和意大利为讨伐哈桑而进行过4次主要的远征。1905年他被迫媾和，根据和约，他和他的追随者在意大利保护地建立起一个小小的神权国家。1908年他又开始发动圣战。1913年在杜尔马杜贝打了一次大胜仗。1920年初，这些苦修僧人在塔莱的堡垒受到轰击，哈桑逃往欧加登，死于流行性感冒。他死后，苦修僧人的反叛遂停止。

Maxentius, Basilica of 马克森提巴西利卡 又称君士坦丁巴西利卡。罗马最大的长方形大厅，兼作交易所、法庭和会议厅。由皇帝马克森提兴建而由君士坦丁大帝完成(约313)。面积约5 600平方米，中厅长80米，宽25米。在平面和构造上均仿照罗马大浴场的大厅。北面的部分拱顶已失去支承而仍悬挑不坠，可见古罗马混凝土结构的惊人的黏结力和坚固耐久性。

Maxentius, Marcus Aurelius Valerius 马克森提(?～312) 罗马皇帝(306～312)。马克西米安皇帝之子。305年其父与戴克里先退位后建立四头政治(即奥古斯都、凯撒各2名)，塞维鲁由凯撒升为奥古斯都。马克森提因对塞维鲁政策不满于306年10月也被宣布为奥古斯都。其父被召回重登帝位以支持马克森提击败并杀死塞维鲁(307)。不久父子间发生争执，马克西米安偕另一奥古斯都君士坦丁出逃。马克森提起初控制意大利、西班牙和阿非利加。308年阿非利加总督卢西乌斯·多米提乌斯·亚历山大叛离，两年后西班牙又被君士坦丁吞并。312年马克森提收复阿非利加，但他于312年在米尔维恩桥战役中被君士坦丁杀死。因这个时期的资料反映了对君士坦丁的吹捧，指责马克森提为暴君，但实际上他停止了对基督徒的迫害。

Maxillaria 颊兰属 兰科的一属。含300余种附生植物或高海拔陆生植物。原产于热带美洲。一些种高不到5厘米，有的种高达1米。假鳞茎的位置、形状和大小因种而异，但

一种颊兰属植物(*Maxillaria curtipes*)
美国不列颠百科全书公司供图

通常扁平，沿匍匐地下茎隔一定距离出现。叶厚，革质。花单生或数朵簇生。

Maxim, Hiram Percy 马克沁(1869-09-02，美国纽约布鲁克林～1936-02-17，科罗拉多拉洪塔) 美国发明家和制造商，尤以发明装在枪上的"马克沁消声器"而著名。他16岁毕业于麻省理工学院，1890年在美国弹药公司设在林恩的工厂任厂长。1895年制造出用以汽油为动力源的三轮汽车，因此哈特福德的波普制造公司请他负责生产三轮汽车，后来他还为该公司设计了哥伦比亚牌电动汽车。为了改进汽车，他对排气消声器进行研究，在研究中发现了制造著名的枪上消声器的原理。人们对他的发明毁誉参半，因为报刊编辑、作家和公众误认为消声器可以装在犯罪分子的手枪上，事实上消声器只能用于后膛密封的步枪上，因而销路始终不广。事态的发展使美国许多州和其他国家都禁止制造消声器，他不得不于1930年停止生产。不过仍将消声原理应用到排气消声器、安全阀、空气压缩机、鼓风机等设备上。马克沁在晚年竭力维护业余无线电工作者的权利，对于开放短波和超短波供他们使用起了积极作用。

Maxim, Sir Hiram (Stevens) 马克沁(1840-02-05，美国缅因桑格维尔～1916-11-24，英国伦敦) 富于创造力的发明家，因发明马克沁机枪而著名。他早年就显出发明的天才，1866年获得烫发熨斗的专利，后来又发明了照明用煤气发生器和机车车头灯。1878年任美国电灯公司总工程师，发明了制造炭灯丝的方法。1881年在巴黎博览会上他展出电动压力调节器。他由于对研究自动武器感兴趣而定居伦敦，1884年制造了第一批性能良好的全自动机枪，利用枪管的后坐力退出弹壳，并重新装弹入膛。为了提高机枪的效力，他研制无烟火药。几年之内，各国军队都配备了马克沁机枪或其改制型。19世纪90年代马克沁试制成由轻型蒸汽机发动的飞机，成功地从地面升起。但他认识到飞行的动力应该是内燃机，但他没有继续研究。他在英国和美国有数以百计的专利，其中包括捕鼠器、自动喷淋器、蒸汽自动水泵、真空泵、蒸汽机调速器和煤气发动机等。1884年他创办马克沁枪械公司，后并入维克斯公司，他任董事。1900年加入英国籍，1901年维多利亚女王封他为爵士。

Maxim, Hudson 马克沁(1853-02-03，美国缅因奥内维尔～1927-05-06，新泽西兰丁邮局) 美国发明家。所发明的炸药广泛用于第一次世界大战。在缅因州肯特山卫斯理会神学院学习化学，提出的关于原子的化合本质的假说，与后来公认的原子论并无差别。1888年，进入其弟H.P.马克沁建立的枪炮弹药公司，对各种炸药进行实验。1890年在新泽西州的马克沁开办了达纳炸药和火药工厂。他在该厂同R.C.舒普豪斯一起研制出马克沁-舒普豪斯无烟火药，这是美国的第一种无烟火药，也是美国政府最先采用的无烟火药。接着他发明了一种无烟炮药，这种火药的颗粒是圆柱形，由于多孔所以燃烧迅速，广泛用于第一次世界大战。1897年，把工厂和专利权卖给杜邦公司，但留任顾问工程师直到逝世。他发明的马克沁炸药爆炸力很强，威力超过达纳炸药50%，把这种炸药装进鱼雷，不仅不会因发射时的震动引起爆炸，也不会因鱼雷穿透装甲钢板时更大的震动而爆炸。然后用延时引信起爆，这种引信也是马克沁的发明。后来，他还制成了一种新的高度稳定的无烟火药，称为稳性火药和动力火药——一种能推进鱼雷的自燃物质。第一次世界大战期间，马克沁任海军顾问委员会军械炸药委员会主席，曾把几项发明献给政府。

Maxim machine gun 马克沁机枪 世界第一种全自动射击机枪。美国工程师兼发明家H.S.马克沁旅居英国时于1884年左右发明。因由维克斯公司制造，故亦称维克斯-马克沁机枪或维克斯机枪。各大国均曾采用。这种机枪靠后座力操作，由枪管外的水套冷却。第一次世界大战中曾广泛使用。

Maximian 马克西米安(?，下潘诺尼亚锡尔米乌姆～310) 罗马皇帝(286～305)。出身寒微。有军事才能，深得戴克里先的器重，285年被后者立为凯撒，次年为奥古斯都，理论上与戴克里先共治，实际上处于从属地位。但在治理罗马帝国西部时，他未能平定高卢和不列颠的叛乱。293年以后只管辖意大利、西班牙和阿非利加。他曾执行戴克里先迫害基督教徒的命令。305年戴克里先

在尼科梅迪亚退位时，他也在梅迪奥拉农宣布退位。后又重登大宝。308年再次宣布退位。两年后，被谋杀或自杀身亡。

Maximianus, Gaius Galerius Valerius　马克西米亚努斯　参阅 Galerius 加莱里乌斯。

Maximilian　马克西米连　统治者之名，按国别分列于后，并各以●为标记。

与此字相等之外语：

德　语	Maximilian
匈牙利语	Miksa
西班牙语	Maximiliano

巴伐利亚

● **Maximilian I　马克西米连一世**（1573-04-17，慕尼黑～1651-09-27，巴伐利亚因戈尔施塔特）　1597年起为巴伐利亚公爵，1623年成为选侯，三十年战争（1618～1648）中天

美国不列颠百科全书公司供图

主教方面最强有力的人物。1597年其父退位。他袭公爵位后，立即修订法典，整顿军队，加紧对国内和教会的控制。为了对抗新教联盟，他于1610年2月组织天主教同盟。1619年支援奥地利，1620年打败波希米亚人及其新教徒国王腓特烈（巴拉丁选侯腓特烈五世）。奥地利答应给他巴拉丁选侯位和领地。1622～1623年公爵手下的大将蒂利征服了上巴拉丁领地和莱茵巴拉丁领地，并为马克西米连争得选侯位。后来，马克西米连的军队又将丹麦人从德意志北部赶走（1626）。1630年他迫使独立的帝国军队首领华伦斯坦去职，解散了华伦斯坦的军队，但由于瑞典介入冲突，华伦斯坦旋又复职。1634年，马克西米连使用计谋使华伦斯坦垮台。巴伐利亚虽然落入瑞典人之手（1632），但在讷德林根战役（1634）后又得到解放。后来，他被法国和瑞典打败，分别签订停战协定（1647）。根据《威斯特伐利亚和约》（1648），他保有选侯之位和上巴拉丁领地，只将莱茵河流域的领土归还腓特烈五世的继承人。

● **Maximilian II Emanuel　马克西米连二世·埃马努埃尔**（1662-07-11，慕尼黑～1726-02-26，慕尼黑）　巴伐利亚选侯（1679年起），有才干的军人。为了王朝的扩大，他参加一系列战争，起先支持哈布斯堡王朝，后来又反对之，使他几乎丧失全部领地。选侯斐迪南·玛里亚之子。1683年参加奥地利对土耳其的战争，因攻克贝尔格莱德（1688）成名。在大同盟战争（1689～1697）中，他再度站在哈布斯堡王朝一边打仗，1692年任西属尼德兰总督。在西班牙王位继承战争（1701～1713）期间，他参与法国一方，指望他的维特尔斯巴赫王朝能够取代哈布斯堡王朝。1704年法国人

美国不列颠百科全书公司供图

与巴伐利亚人在布伦海姆败北，他被赶出故国。在1706年拉米伊战役后，他又失去尼德兰，到法国宫廷避难。1715年回到慕尼黑。1724年他组织维特尔斯巴赫家族同盟，以协调王朝在德意志事务中的活动。

● **Maximilian I　马克西米连一世**（1756-05-27，巴拉丁领地曼海姆～1825-10-13，慕尼黑）　巴伐利亚维特尔斯巴赫家族的第一代选侯（1799～1806）和第一代国王（1806～1825）。与拿破仑结盟使他获得了君主国的王位并把分散的管理不善的巴伐利亚建成巩固的现代国家。巴拉丁领地-茨韦布吕肯的君主腓特烈·米夏埃尔的次子。从1777年至法国大革命爆发，在法国军队阿尔萨斯团中服役。他终生维护和发展同法国的亲密关系。1795年他继其兄为茨韦布吕肯公爵，斯时该公国已由法军占领。1799年巴伐利亚和巴拉丁选侯查理·特奥多尔去世，他继承了维

美国不列颠百科全书公司供图

特尔斯巴赫家族的全部土地，称为马克西米连·约瑟夫四世。在精明强干的大臣蒙特格拉斯伯爵马克西米连的帮助下，他着手将巴伐利亚建成为一个有效率的、自由的国家。1799年在奥地利的压力下参加对法国的战争，1801年单独媾和。他不信任屡次企图吞并巴伐利亚领土的奥地利，而与法国结盟达10年以上。1803年他得到了维尔茨堡、班贝格、弗赖辛、奥格斯堡及其他领土，1805年又得到安斯巴赫。1806年1月1日他自立为巴伐利亚国王，称马克西米连一世。由于巴伐利亚参加莱茵联盟（拿破仑倡议的德意志各邦主的联盟），及其在法国对奥地利（1805）、普鲁士、俄国（1806～1807）的战争中所做的贡献，他得到了奥地利西部的大部分土地。拿破仑在俄国战败后，马克西米连与奥地利结盟，以保证王国的领土完整。1815年改组政府。1808年巴伐利亚公布自由宪法，1818年又批准新宪章，规定筹设两院制议会。这些措施使巴伐利亚在马克西米连当政的末年成为德意志最自由的国家之一。

● **Maximilian II　马克西米连二世**（1811-11-28，慕尼黑～1864-03-10，慕尼黑）　巴伐利亚国王（1848～1864）。曾企图以巴伐利亚为首联合诸小邦建立德意志事务中的"第三

美国不列颠百科全书公司供图

种力量"，遭到在德意志国家中居于支配地位的普鲁士和奥地利以及德意志议会的反对而失败。路易一世之长子，曾在格丁根和柏林受过良好教育，终生倾心于文化活动，广泛结交学者和艺术家，其中最著名的是历史学家兰克。1848年3月父王逊位，他在革命浪潮冲击整个德意志时继承王位。提出三强鼎立（由小邦组成联盟与两个保守的德意志大邦抗衡）的建议，不仅遭到普鲁士和奥地利的反对，而且遭到法兰克福国民议会的反对；法兰克福国民议会竭力要建成统一的德意志国家。1849年以后，巴伐利亚采取亲奥地利的立场。他继位后实行出版自由，采取内阁责任制，使慕尼黑成为德意志文化和艺术生活的中心。他与知识界人士保持密切的个人联系。对于有关石勒苏益格和荷尔斯泰因两公国的长期争执，马克西米连坚决支持奥古斯滕堡的世袭邦主腓特烈。在德意志各邦能够用武力解决这一问题之前，他就去世了。

● **Maximilian III Joseph　马克西米连三世·约瑟夫**（1727-03-28，慕尼黑～1777-12-30，慕尼黑）　巴伐利亚选侯（1745～1777）。神圣罗马帝国皇帝查理七世之子。根据菲森和约（1745-04-22），他收复了其父失去的领地，但条件是他正式承认国本诏书，不要求皇帝称号。他是启蒙运动派，曾经大力提倡农业、工业和开采矿产，并在慕尼黑创办科学院，以及废除耶稣会的新闻检查制度。

德意志/神圣罗马帝国

● **Maximilian I　马克西米连一世**（1459-03-22，奥地利维也纳诺伊施塔特～1519-01-12，韦尔斯）　奥地利大公、德意志国王和神圣罗

马帝国皇帝(1493～1519)。他使哈布斯堡王朝统治着16世纪的欧洲。为奥地利增加了大片土地,靠自己的婚姻获得尼德兰,靠条约和军事压力获得匈牙利和波希米亚,靠儿子菲利普的婚姻获得西班牙和西班牙帝国。他反对法国的一系列战争,大多在意大利进行。他的孙子继承庞大的哈布斯堡王国及帝位,称查理五世。皇帝腓特烈三世的长子。1477年同勃艮第公爵大胆查理之女玛丽结婚,因而获得尼德兰和法国东部边境一带大片勃艮第的领地。他抵御法王路易十一的进攻,1479年在几内加特战役中击败法军。1482年玛丽死后,他被迫允许尼德兰总议会(三级会议)充当其幼子腓力(后为卡斯蒂利亚的美男子腓力一世)的摄政,1485年重获摄政权。同时,根据阿拉斯条约,他还被迫同意其女奥地利的玛格丽特与法国的查理八世订婚。1486年当选为罗马人的国王(成为其父神圣罗马帝国皇帝的继承人),在亚琛加冕。他在西班牙、英格兰和布列塔尼的支持下,继续同法国和尼德兰作战。迄1490年,他已重新控制在奥地利的领地。当匈牙利王位虚悬时,马克西米连成为候选国王之一。在波希米亚的弗拉迪斯拉斯二世当选之后,他举兵反对弗拉迪斯拉斯,获胜。根据1491年的普雷斯堡条约,如果弗拉迪斯拉斯死后无男嗣,波希米亚和匈牙利王位则由哈布斯堡王朝继承。1493年腓特烈三世死后,他成为德意志王国的唯一统治者和哈布斯堡王朝的首领。随

美国不列颠百科全书公司供图

后,他将土耳其人赶出东南边界。1494年查理八世入侵意大利。1495年马克西米连同教皇、西班牙、威尼斯和米兰结成神圣联盟,1496年赶走法军。1499年马克西米连进攻瑞士邦联失利,根据巴塞尔和约,他被迫承认瑞士的独立。1500年经奥格斯堡的帝国议会议决,由21名选侯、公爵和其他人员组成的最高委员会"帝国参政团"行使马克西米连的一大部分权力,甚至考虑将他废黜。马克西米连采取有效措施转危为安。1504年在王朝战争中得胜,重振威名。1508年2月因不能去罗马加冕,经教皇尤利乌斯二世同意授予他当选的神圣罗马帝国皇帝称号。1508年他同法国、西班牙和教皇结成康布雷联盟,企图瓜分威尼斯共和国。1511年他解除与法国的盟友关系,而同教皇、西班牙、英格兰等结成新的神圣联盟。1513年在马刺战役中战胜法军。1515年法军在马里尼亚诺战役中得胜,使马克西米连重获米兰的努力遭到失败。根据布鲁塞尔条约,米兰归属法国,维罗纳归属威尼斯,马克西米连仅保有蒂罗尔地区。在东方,他积极取悦俄国,以推行向波兰、波希米亚和匈牙利扩展势力的计划。这时,马克西米连在中欧和伊比利亚半岛的联盟体系使他成为决定欧洲事务的有力人物。

● **Maximilian II　马克西米连二世**(1527-07-31,奥地利维也纳～1576-10-12,雷根斯堡[德意志])　神圣罗马帝国皇帝(1564年起)。他开明的宗教政策使得宗教改革最初的斗争

美国不列颠百科全书公司供图

以后德意志的天主教徒和新教徒之间出现了一段和平时期。他是人文主义者,赞助艺术,在国内外大都未能实现自己的政治目标。斐迪南一世的长子。曾在西班牙受教育。1553年成为皇位继承人。早年就开始同情路德派。1563年成为匈牙利国王。次年继承皇位。他给予奥地利的新教徒贵族信仰自由(1568),允诺尊重波希米亚的宗教自由(1575),并致力于天主教会的改革。在尼德兰,他劝告天主教和新教进行和解。他在宗教上保持中立,主要是为了维护帝国境内的安宁。

匈 牙 利

● **Maximilian　马克西米连**　参阅 **Maximilian II**(Germany/Holy Roman Empire)马克西米连二世(德意志/神圣罗马帝国)。

墨 西 哥

● **Maximilian　马克西米连**(1832-07-06,奥地利维也纳～1867-06-19,墨西哥克雷塔罗附近)　全名斐迪南·马克西米连·约瑟夫。奥地利大公和墨西哥皇帝,他的天真的自由主义使他经不住国际阴谋的摆布,这种阴谋把他推上王位,也推进墨西哥内部的残酷斗

美国国会图书馆供图

争之中,最终被处决。他是奥皇法兰西斯·约瑟夫一世之弟。曾任奥地利海军少将和伦巴底-威尼斯王国总督。1863年接受墨西哥王位,他误认为墨西哥人民真正选他为王。实际上,这完全是墨西哥保守派和法皇拿破仑三世的阴谋,前者企图推翻B.胡亚雷斯总统的自由派政府,后者打算从墨西哥收回欠债,并进一步在那里实现他的帝国主义野心。在取得法军给予支持的保证后,马克西米连和他的妻子卡洛塔(比利时国王利奥波德一世的女儿)乘船前往墨西哥。他于1864年6月10日加冕称帝,打算实行父母般慈爱的统治,把自己看作是印第安农民的保护人。他赞同胡亚雷斯的内容广泛的改革,因而激怒了土地所有者;他决心废除强迫劳役以抵偿债务的制度;他拒绝归还胡亚雷斯所没收的大批教会财产,因而招致天主教统治集团的怨恨。他的国库匮乏,以致不得不动用个人继承的财产收入作为日常开支。到1865年4月,法国军队已把胡亚雷斯向北驱逐到几乎进入得克萨斯的地方,从而成功地支持了马克西米连。但是就在那一个月,美国南北战争结束,美国政府认为法军驻在该地违反门罗主义,要求法军从墨西哥撤走。卡洛塔赶往欧洲,为丈夫向拿破仑三世和教皇庇护九世求援,她的努力落空。1867年3月法军撤走,胡亚雷斯率军开回墨西哥城。马克西米连拒绝退位,觉得遗弃"他的人民"是不光荣的,支持他的墨西哥保守派任命他为帝国军队的最高统帅。他的为数很少的军队被围困在克雷塔罗,粮食断绝,最后于1867年5月15日投降。尽管V.雨果、G.加里波底以及欧洲许多君主吁请胡亚雷斯拯救马克西米连的性命,但他还是在一个月后被处死在克雷塔罗城外的一个小山丘上。

Maximilian　马克西米连(1867-07-10,巴登州巴登-巴登[德国]～1929-11-06,德国巴登萨莱姆城堡)　德国首相,因为他一贯从事人道主义事业的声望使德皇威廉二世认为可以促成第一次世界大战迅速结束。腓特烈一世大公之弟巴登亲王威廉之子。第一次世界大战初期从事红十字会和救济双方战俘的工作。1918年10月3日,当德意志帝国行将崩溃时,他受命出任帝国首相和普鲁士总理。他匆忙主持修改宪法,建立真正的议会制度;开始停战谈判,并解除参谋总长鲁登道夫的职务。面对即将爆发共产党革命的形势,马克西米连要求威廉二世宣布退位,未得明确答复;11月9日马克西米连径自宣布皇帝退位,并辞去首相职务,让位给多数派社会民主党领袖艾伯特。他的著作有《国际联盟与真正和平》(1919)、《道德的攻势》(1921)、《记忆与文献》(1927)。

Maximinus　马克西米努斯(约173,色雷斯[现属保加利亚和土耳其]～238,阿奎莱亚[现属意大利])　第一位由普通士兵上升到罗马皇帝(235～238)的人。他的统治开始了罗马帝国长达半个世纪的动乱。色雷斯人,据说放过羊。从军后,以膂力绝群引起罗马皇帝的垂青。在塞维鲁·亚历山大时代(222～235),升任莱茵军团司令。塞维鲁被

美国不列颠百科全书公司供图

杀后，莱茵军团拥立他为皇帝。在位期大部分时间是在多瑙河和莱茵河畔与入侵的蛮族作战。238 年平定阿非利加地主集团的叛乱。但不久却被罗马元老院废黜。他率兵越过阿尔卑斯山，围攻意大利东北部的阿奎莱亚。几个月后为部下所杀。

Maximinus, Galerius Valerius　马克西米努斯(？～313，西里西亚塔尔苏斯)　本名达亚。罗马皇帝(310～313)，顽固迫害基督徒的人。牧羊人出身，加莱里乌斯之侄。从军

美国不列颠百科全书公司供图

后飞黄腾达。305 年 5 月被宣布为凯撒，襄助加莱里乌斯，负责管辖叙利亚和埃及。308 年升为奥古斯都。306 和 308 年两次下令祭祀异教诸神，凡抗命者即断其手足，送往矿山和采石场劳动。他鼓励各城市和行省呈递驱逐基督教徒的请愿书。学校里讲授反基督教的《彼拉多行传》。311 年占领小亚细亚。313 年在那里病逝。去世前不久，他转而实行宗教宽容政策，并归还所没收的基督教会财产。

Maximus OF EPHESUS　马克西穆斯(以弗所的)(？～370)　新柏拉图主义哲学家。他又是巫师，最突出的成就据说是使赫卡忒的一座雕像在他的巫术作用下居然"活"了起来。他的魔法使他对未来的罗马皇帝尤里安的思想具有很大影响。尤里安于 361 年即位时，就把马克西穆斯邀请到君士坦丁堡他的宫廷中来。尤里安死后，马克西穆斯被皇帝瓦林斯所囚禁，继而被释放。终因参加谋刺瓦林斯的阴谋而被处死。

Maximus THE CONFESSOR, SAINT　马克西穆斯(忏悔者)，圣(约580，君士坦丁堡～662-08-13，拉齐卡)　7 世纪最重要的拜占廷基督教神学家。原为东罗马帝国皇帝赫拉克略一世的廷臣，约 613 年为修士。当时有一派信徒认为，固然基督兼有神人二性，却只有一个意志和一种作用，称为一志论派。马克西穆斯参加与这一派的主张进行的争论。马克西穆斯主张基督具有双重意志，于是被召至罗马，649 年参加教皇马丁一世所主持的地区宗教会议，在会上参与谴责一志论。马克西穆斯和马丁被皇帝君士坦斯二世逮捕，马克西穆斯由 653 年被监禁至 655 年，后来经过酷刑而被放逐，死于黑海附近旷野。马克西穆斯的主要著作近 90 部，宣传基督中心神学和神秘主义。他论证上帝超然不受一切制约，而且不可预测，三位一体是上帝的本质，上帝通过基督与人相通。马克西穆斯力图把宗教理论和实践相结合，后世神学家中没有人继续就此进行探索，因而他可以说是基督教思辨哲学历史上独树一帜的思想家。

Maximus THE GREEK　马克西穆斯(希腊人)(1480，希腊阿尔塔～1556，莫斯科附近)　希腊正教修士、人文学家、语言学家。曾就学于巴黎、威尼斯和佛罗伦萨。俄罗斯正教会请求君士坦丁堡牧首派专家校正俄罗斯正教会所使用的经籍礼文，他以博学当选。到莫斯科后，在几名俄籍秘书的协助下，将希腊文经籍、礼文、神学著作多种译成俄文。16 世纪大部分时间俄罗斯正教会内部发生派别论战，马克西穆斯也涉身其中。无财产派(又称外伏尔加派)反对隐修院拥有财产，在政治上倾向开明自由；有财产派(又称约瑟夫派)主张寺院拥有财产，坚决拥护君主制，赞成专制独裁。无财产派的领导权逐渐由他和索尔斯基所掌握，有财产派则为沃洛科拉姆斯克的约瑟夫率领。1525 年有财产派莫斯科都主教丹尼尔指控他为异端分子，遂被捕，经过多次审讯于 1531 年被判徒刑 20 年。1551 年获释，声誉极高。沙皇伊凡四世公开推崇他，但不许他发表政见。

Maximus, Magnus　马克西穆斯(？～388-08-28)　僭位罗马皇帝，383～388 年统治不列颠、高卢和西班牙。原为西班牙人，出身微贱。曾在不列颠指挥罗马军队与皮克特人和苏格兰人作战。383 年春由部下拥立为皇帝。他立即跨过海峡，登上欧洲大陆，与西罗马帝国皇帝格拉提安交战，结果将格拉提安杀死。他驻跸特里尔(今德国境内)，开始与东罗马帝国皇帝狄奥多西一世进行谈判。后者由于蛮族压境，不愿与他作战，就承认了他的地位。稍后瓦伦提尼安二世也采取了类似的举措。387 年夏，他突然侵入意大利，迫使瓦伦提尼安外逃。388 年与狄奥多西发生战争。战败后被狄奥多西处死。

Maximus, Petronius　马克西穆斯(396～455-05-31，罗马[意大利])　西罗马皇帝(455-03-17～05-31 在位)，但未为东罗马帝国承认。420 年任罗马行政长官，曾两度任执政官。454 年设计暗杀贵族埃提乌斯。瓦伦提尼安三世被害后，他在第二天称帝，并强迫皇后欧多克西亚与他结婚。这时，可能是应欧多克西亚的邀请，汪达尔人的一支舰队逼近罗马。他企图逃走，但被愤怒的罗马群众擒获，肢解而死。

Maximus, Valerius　马克西穆斯　参阅 Valerius Maximus 瓦勒里乌斯·马克西穆斯。

maxixe　马克西克斯舞　1870年左右在巴西逐渐形成的一种舞厅舞。第一次世界大战前风靡全球。这是一种哈巴涅拉舞、波尔卡舞以及巴西和非洲农村黑人舞糅合而成的舞

马克西克斯舞
美国不列颠百科全书公司供图

蹈。成对男女呈舞厅舞姿势进行表演，往往有即兴的花样。此舞和探戈舞有关，有时亦称探戈-马克西克斯舞，为舞厅桑巴舞的前身。

Maxwell, Elsa　马克斯韦尔(1883-05-24，美国艾奥瓦基奥卡克～1963-11-01，纽约州纽约)　美国专栏作家、词作家和专业女主持人，以其欢快的盛大招待会闻名，专门招待当时上层社会和娱乐界人士。在加利福尼亚长大。14 岁离开学校，但自称曾继续在加利福尼亚大学和巴黎大学攻读。虽从未上过音乐课，却于少年时即在剧院做钢琴师和伴奏。1905 年离开加利福尼亚去剧团和音乐厅打零工。1907 年开始写作歌曲，最终发表了 80 首左右。约在此时，马克斯韦尔开始和重要的社交界人士来往，常现身于美国和欧洲的社交聚会。第一次世界大战结束时，她已在全欧洲为王公贵族和上层社会人士举办聚会。曾在威尼斯岛屿海滩浴场组织国际摩托艇比赛(1925～1926)。1926 年在摩纳哥亲王的赞助下，筹划建设蒙特卡洛海滩俱乐部、卡西诺旅馆和蒙特卡洛的海鲜餐厅。她的著名聚会不仅以其时髦的宾客闻名，还因由她想出来的那些令人兴奋的花样而为人们称道。20 世纪 30 年代初回到纽约市，但大萧条促使她于 1938 年去好莱坞发展，演出过几部不太成功的短片。1942 年开办广播节目《马克斯韦尔的聚会》，她还曾为稿件辛迪加写过"说长道短"专栏。于此同时继续为著名社会人士组织聚会。1936 年，她的《我靠自己的聪明过日子》在《哈珀芭莎》连载。两年后在《四海为家》连载《芭芭

拉·赫顿生平》。自传《请赐复》1954 年出版。1957 年她出版了《如何做：生动的招待艺术》，并开始每周在杰克·珀尔的电视节目《今夜》中出现。

Maxwell, Gavin　马克斯韦尔（1914-07-15，苏格兰威格敦莫赫勒姆附近的埃尔里格～1969-09-06，因弗内斯郡因弗内斯）　苏格兰作家、博物学家，以自传式作品闻名。牛津大学毕业后，成为自由投稿记者。第二次世界大战期间在苏格兰近卫步兵团服兵役。1945 年购买索埃岛，在《鱼叉历险记》（1952）中说明他打算在该岛建立捕鲨业。畅销书《明亮的水环》（1960）描写他在苏格兰西部高地的滨海小屋中与两个海獭共同生活的故事，《尚存的岩石》（1963）是前一部书的续篇。由于在西西里长期居住，他写出两本精彩作品。一是写江洋大盗吉乌利亚诺的《上帝保佑我》（1956），一是写岛民贫困生活的《临终的痛楚》（1959）。《风曳芦苇》（1957）叙述他在伊拉克的旅行。

Maxwell, James Clerk　麦克斯韦（1831-06-13，苏格兰爱丁堡～1879-11-05，英格兰剑桥郡剑桥）　詹姆斯·克拉克·麦克斯韦被大多数近代物理学家看作是19世纪的科学家，但

伦敦国王学院供图

他对 20 世纪的物理学影响很大；他的贡献带有基本的性质，他与 I.牛顿和 A.爱因斯坦齐名。1931 年，爱因斯坦在麦克斯韦生辰百周年纪念会上曾指出：麦克斯韦的工作“是牛顿以来，物理学最深刻和最富有成果的工作”，从而使物理现实的概念得到了改变。麦克斯韦提出的电磁辐射的概念和他的场方程组，是根据法拉第的电力线和磁力线的实验观察提出来的，从而引出了爱因斯坦的狭义相对论，并建立了质量和能量的等效性原理。麦克斯韦的思想也迎来了 20 世纪物理学另一重要革新理论，即量子论。麦克斯韦对电磁辐射的描述，引导人们从经典理论去解决热辐射问题，但最后得到的热辐射定律根本不能令人满意，因此推动了 M.普朗克提出量子假设——辐射热能只能以有限的数额（或量子）从热体向外发射。把电磁辐射和物质之间的相互作用同普朗克的假设结合起来，就能对发展原子和分子构造理论起核心作用。

早期生活　麦克斯韦出身生活舒适的中产家庭，他的家族原姓克拉克（Clerk），自从他父亲从麦克斯韦祖先那里获得了米德尔拜的房地产以后，就增加了麦克斯韦这个姓。詹姆斯是独生子，他的父亲是爱丁堡的律师，父母结婚较晚，他出生时，他的母亲已经 40 岁。出生不久，他家搬到格伦莱尔，住在米德尔拜庄园的一所农舍里。

他的母亲于 1839 年死于腹腔癌，而麦克斯韦也在同一年龄死于相同的腹腔癌。他的家庭教师不但愚蠢还不会鼓励学生，声称詹姆斯学得太慢，但实际上，他在幼年时代就显示出对事物的强烈好奇心，而且有非凡的记忆力。他的姨母 J.凯救助了他，从 1842 年起把他送到爱丁堡学院的学校里。他的同学中，有后来为他写传记的 L.坎贝尔和他的朋友 P.G.泰特。

麦克斯韦的兴趣远远超出学校的教学大纲，而且他对考试成绩并不关心。他 14 岁就完成了第一篇论文，描写像用钉和线绘制椭圆那样绘制一系列的卵形曲线，这种对几何和机械模型的强烈爱好一直贯穿于他的事业中，对他以后的研究帮助很大。

他 16 岁进入爱丁堡大学，贪婪地学着所有课程，并发表了两篇论文。1850 年，他到了剑桥大学，在那里，他的非凡才能得到承认。他的数学教师 W.霍普金斯是一位有名的“数学优等生制造者”（这是剑桥大学数学考试得到优等成绩较多的数学教师的荣誉称号），他的学生中有泰特、G.G.斯托克斯（后来的乔治爵士）、W.汤姆孙（后来的开尔文爵士）、A.凯莱和 E.J.劳思等。传说霍普金斯曾说过，麦克斯韦是他一生经历中所遇到的最不平常的人，说他似乎在任何物理问题的思考中都很少出错，但在数学分析方面，他是非常欠缺的（还有一些同时代的人认为，麦克斯韦宁用几何方法而不太喜欢用解析方法）。这种恰如其分的评价也可以从后来的事情中看出来，他曾经有好几次在建立重要公式时，数学论据错了，但物理结论却是正确的。

1854 年，麦克斯韦是第二名优等生和第一名史密斯奖得主（史密斯奖是奖给有创造性论文的、很有声誉的竞赛奖）。当他被选为三一学院院士时，他的父亲健康恶化，他希望回到苏格兰老家去。1856 年，他被任命为阿伯丁的马歇尔学院自然哲学教授，但他父亲在这任命发表前就去世了。由于麦克斯韦和他父亲的关系非常亲密，所以他父亲的去世给他带来很大的个人损失。1858 年 6 月，麦克斯韦与马歇尔学院院长的女儿 K.M.迪尤尔结婚。他们没有孩子，他的传记作者描写他们的“夫妻生活是非常恩爱的……”。

1860 年，阿伯丁大学的两个分部，国王学院和马歇尔学院合并，麦克斯韦成为冗余人员。他曾申请爱丁堡大学的空缺职位，但爱丁堡大学选用了他的好友泰特。他受聘于伦敦的国王学院任自然哲学教授。

此后的 5 年无疑是他的事业中最富有成果的时期。在这段时间里，他发表了两篇有关电磁场理论的经典论文。他表演了彩色照相的技术。于 1861 年人选皇家学会。他的关于气体黏性的理论和实验工作也是在这几年中进行的，而且最后在 1866 年皇家学会上做了报告。他为英国科学促进会监管电学单位的实验测定工作，而这种计量和标准化的工作导致国家物理实验室的创立。他还测量了电学的电磁单位和静电单位的比值，并进一步证实了这个比值非常接近于他的理论预测的光速值。

晚期生活　在 1865 年，他辞去了国王学院的教授职务，退休回老家格伦莱尔的庄园。每年春天，他继续去伦敦，在剑桥大学当数学荣誉学位考试的校外考官。1867 年春夏之交，他曾到意大利旅游，但这期间他的主要精力是用来写作论电学和磁学的著名论文。

使麦克斯韦成为历史上伟大科学家之一的工作是他关于电磁学的研究，在 1873 年出版的“论电学和磁学”的序言中有关于他的理论的最清楚的说明，麦克斯韦说，他的最重要的工作是把法拉第的物理观点用数学表达出来。为了试图说明法拉第的感应定律（即变化着的磁场引起感应的电磁场），麦克斯韦构造了一种力学模型。他发现这种模型在电介质中引起相应的“位移电流”，这种电介质可以是横波的传播者。在计算了这类横波的速度后，发现它们和光速很接近。麦克斯韦的结论是：“我无法避免做出这样的论断：光存在于介质的横波中，而该介质就是电磁现象的起因。”

麦克斯韦的理论曾提示，电磁波是能在实验室内产生的，这种可能性首先由赫兹在 1887 年实现了，这时麦克斯韦已去世八年。所以，具有广泛应用价值的无线电工业实际上来源于麦克斯韦的著述。

在电磁理论以外，麦克斯韦在物理学其他领域中也有重大贡献。在他还只有 20 多岁时，麦克斯韦曾写过一篇得奖的有关土星的论文，这篇论文显示他精通经典物理学，他论证了土星外围的那些环都是由一块块不互相黏附的物质组成的。100 多年以后，当第一架“航行者”太空探测器到达土星周围时，才证实了这个结论。

热力学函数的不同偏导数之间的等式的麦克斯韦关系是众所周知的，而且见之于每一本热力学（参阅 **thermodynamics**）的标准教科书中。虽然麦克斯韦并不是近代气体动理论的创始人，但他是用统计学和概率论的方法描写分子系集性质的首创者。于是他能证明原来认为是相等的气体中各个分子的速度应遵循某一统计分布规律（以后称为麦克斯韦-玻耳兹曼分布律）。在后来的一些论文中，麦克斯韦曾研究了气体的输运性质——即温度和压力的变化，对黏性、导热性和扩散的影响。

麦克斯韦远非仅仅是一个学识深奥的理论家，他还善于设计实验仪器。在他事业的早期，当他研究彩色视觉时，这种能力就表现出来。为了对托马斯·杨的三色假设进行试验，他设计了一种彩纸成分可调的彩色陀螺，以后又发明了一种彩色匣子，通过它人们可以使用彩色光谱而不必用有色颜料来进行实验。他的彩色理论研究使他认为，彩色照相可以先用三种不同原色的滤色镜进行拍照，再把它们的像组合而成彩色相片。为了演示这种建议的可行性，他于 1861 年在英国皇家学会演讲时用上述方法通过滤色镜投影合成了苏格兰格子花呢带的彩色相片。

除了这类众所周知的贡献外，麦克斯韦

还提出许多想法，这些想法虽然是他随便提出来的，但后来常会引出很有重大意义的发展。称为麦克斯韦精灵的假设的聪明生物是以后信息论发展中的一个重要因素。麦克斯韦对于速率调节器的分析处理一般都认为是控制论的基本论文。他的"等面积"构造是J.D.范德瓦耳斯发展的液体理论的基本组成部分。他在几何光学的研究中发现了鱼眼透镜。贯穿其科学研究生涯的始末，他的许多论文都充满了新颖和有趣的内容。他是第九版《不列颠百科全书》的撰稿人之一。

1871年，麦克斯韦被推选为剑桥大学第一位卡文迪什讲座教授，他设计了卡文迪什实验室，而且亲自监督施工。麦克斯韦的学生不多，但他们都有很高的学术水平，其中有W.D.尼文、A.夫累铭(即后来的阿姆布罗斯爵士)、R.T.格莱兹布鲁克、J.H.坡印廷和A.舒斯特。

1879年复活节那一学期中，麦克斯韦几度得病；在6月他回到老家格伦莱尔，但病情并未好转。1879年11月5日他因病短暂卧床后去世。麦克斯韦去世后并未公开举丧，他被静悄悄地安葬在苏格兰帕顿村的墓地里。

Maxwell (of Terregles), Sir John　麦克斯韦尔(特雷格尔斯的)　参阅 **Herries, John Maxwell, 4th Baron** *赫雷斯男爵(第四)*。

Maxwell - Boltzmann distribution law　麦克斯韦-玻耳兹曼分布律　对气体分子能量的统计分布的一种经典描述。它是由苏格兰物理学家J.C.麦克斯韦于1859年首先用概率论方法建立的，它给出了气体分子速度的分布；后由奥地利物理学家L.玻耳兹曼在1871年推广到气体分子能量的分布。服从这个分布律的气体的分布函数 f_{M-B}，可以用质点系统的总能量 E、气体的热力学温度 T、玻耳兹曼常量 k($k = 1.38 \times 10^{-16}$尔格/开)及一个选定的规一化常数 C(它使得概率的和或积分等于1)来表示：$f_{M-B} = Ce^{-E/kT}$(其中e是自然对数的底)。这个分布函数意味着，任何个别分子具有在 E 到 $E + dE$ 之间的能量的概率为 $dP = f_{M-B}dE$。总能量通常由几个独立的部分组成，每一部分对应于系统的一个不同的*自由度*(**freedom, degree of**)。事实上，总能量是均分为这些部分的(参阅 **energy, equipartition of**)。麦克斯韦-玻耳兹曼分布律可用几种方法推导出来，而没有一种是绝对严格的。但至今观察到的所有系统，只要量子力学效应不十分显著，看来都服从这个定律。

Maxwell Davies, Peter　参阅 **Davies, Peter Maxwell** *戴维斯*。

Maxwell Montes　麦克斯韦山脉　金星表面最高的山脉，高出金星平均半径约11千米，构成伊什塔尔台地的一部分。20世纪60年代，地基雷达观测首先发现，认为是一亮点。随后的地基和空间雷达探测才揭示其山峦实质。山脉由典型间隔3～10千米的彼此平行的山脊构成一幅复杂图像。这些山脊可能是金星岩石圈的褶皱活动和断层活动所致。山脉的一个圆形低槽，直径超过100千米，深2.5千米以上，公认是个撞击坑。

Maxwell's demon　麦克斯韦精灵　在物理学中，假想的能探测并控制单个分子运动的"精灵"或功能相同的装置，是1871年J.C.麦克斯韦为了说明违反热力学第二定律的可能性而设想的。热力学第二定律指出：热量不能自然地从冷的物体流向较热的物体；要想做到这一点就必须有外界作功。麦克斯韦想象两个盛有相同温度的气体容器由一个小孔连通，这个孔可由一个"精灵"(东西)随意开关，有选择地容许单个气体分子通过。只许快速运动的分子从容器A进入容器B、低速运动的分子从B进入A；这样，"精灵"(东西)就完成了一个从A到B的分子动能的有效转移。容器B中的过剩能可以用来作功(例如，产生蒸汽)，于是这个系统就成为一台可运转的永动机。如果容许全部分子只从A进入B，那么在两个容器之间就将建立起更加直接可用的压强差。1950年前后，法国物理学家L.布里渊指出：麦克斯韦"精灵"(东西)的行动所引起的熵减少，将被选择快速分子和低速分子所引起的熵增加所超过，从而这一"精灵"(东西)得以驱除。

Maxwell's equations　麦克斯韦方程组　一共是四个方程，它们结合在一起形成了对电场与磁场的产生及其相互作用的完整描述。19世纪英国物理学家J.C.麦克斯韦用这四个方程来作为他对电磁场的描述。这四个方程表示一些实验规律，它们分别是：①电场从电荷向四外发散，这是对于*库仑力*(**Coulomb force**)的一种表述；②不存在单独的磁极，但在磁铁的两极间作用着库仑力；③变化着的磁场产生电场，这是法拉第电磁感应定律的一种表述；④变化着的电场和电流都产生涡旋磁场，这是麦克斯韦把安培定律推广到包括变化着的场的相互作用。采用米-千克-秒制，写出这些方程的最简洁方式是引用矢量算符散度div和旋度curl。在下列表达式中，希腊字母 ρ 是电荷密度，$\boldsymbol{J}$ 是电流密度，$\boldsymbol{E}$ 是电场，$\boldsymbol{B}$ 是磁场；$\boldsymbol{D}$ 和 $\boldsymbol{H}$ 是分别与 $\boldsymbol{E}$ 和 $\boldsymbol{B}$ 成比例的场量。按照上述四项内容的顺序，四个麦克斯韦方程分别是：①$\mathrm{div}\boldsymbol{D} = \rho$，②$\mathrm{div}\boldsymbol{B} = 0$，③$\mathrm{curl}\boldsymbol{E} = -d\boldsymbol{B}/dt$，④$\mathrm{curl}\boldsymbol{H} = d\boldsymbol{D}/dt + \boldsymbol{J}$。

May　五月　格雷果里历的第五个月份。参阅 **month**。

May, Karl (Friedrich)　迈(1842-02-25，萨克森霍恩施泰因-恩斯塔尔[德国]～1912-03-30，拉德博伊尔)　德国作家。专写供青年阅读的游记和冒险故事，描写沙漠中的阿拉伯人和美国西部的印第安人。书中的描写真实而详尽，令人惊异。他是纺织工人之子，作过小学教员，因偷窃被捕。后曾因舞弊行为两度被捕，在数年铁窗生涯中读了许多书。1874年出狱后写了不少短篇小说，在不同的刊物上连载。19世纪90年代初期，他的短篇小说集和长篇小说陆续出版，使他名噪文坛。在他的60多部作品中，最著名的是《银湖中的珍宝》(1894)、《穿越沙漠》(1892)、《温内托》(3卷，1893)、《阿迪斯坦和金尼斯坦》(1909)以及自传《我的一生和奋斗》(1910)。为纪念他，特在德国班贝格(原在拉德博伊尔)设立卡尔·迈出版社，在拉德博伊尔建立卡尔·迈博物馆(收藏北美印第安人的文物)，在巴特塞格贝格和埃尔斯珀建立卡尔·迈露天剧场。他的作品在欧洲拥有广大读者，是世界上经久不衰的畅销书之一。

May, Phil　梅(1864-04-22，英国约克郡利兹附近沃尔特勒～1903-08-05，伦敦)　英国社会和政治讽刺画家，长于描绘维多利亚女王在位后期伦敦的中下层社会。当过翻砂厂计时员、赛马骑师、演员、戏剧服装设计师、广告和漫画家。曾到澳大利亚为《悉尼公报》工作，1892年回伦敦，重为《圣斯蒂芬评论》工作。以伦敦街头流浪儿和当小贩的姑娘为题材的习作迅速成名。其作画特点是线条异常简练，后期作品中有几幅优秀的政治肖像画。1896年后仅为《笨拙》和《写真》两周刊工作。

May, Thomas　梅(1595～1650-11-13，伦敦)　英国作家，以其历史著作维护英国国会反抗国王查理一世而闻名。毕业于剑桥大学后又到格雷法学院学法律(1615)。最终弃法学文。第一部戏剧作品是喜剧《继承人》(1620)，后又写了一部喜剧和3部悲剧。译过罗马诗人维吉尔、马提雅尔的作品。1627年因译卢卡的历史诗《法尔萨利亚》而引起查理一世注意，命他以韵文撰写亨利二世和爱德华三世统治时期的历史。可能由于对查理一世的奖赏不满，他转而同情议会党人。从1646年起任国会联合秘书，实际成为他们的宣传家。所写《从1640年11月3日开始的英国国会史》(1647)和《英国国会史概要》(1650)两书，虽然语气公正，事实上却是巧妙地为国会立场辩护。

May beetle　五月甲虫　参阅 **June beetle** *六月甲虫*。

May Day　五朔节　5月1日，中古时代和现代欧洲的传统春季节日。大概来源于前基督教时期的各种农事欢庆仪式。各地习俗不同，但庆祝活动一般包括举着小树、枝叶或花环游行；选"5月王"和"5月王后"；竖立"5月树"或"5月杆"。原为祷祝丰收和人畜两旺，但多数情况下已失其原有意义，仅以群众性活动形式流传下来。根据流传甚广的迷信，用这一天清晨的露水洗脸会使皮肤皎美。1889年国际社会主义者代表大会规定5月1日为国际劳动节。

May Fourth Movement　五四运动　1919年5月4日在北京爆发的中国人民反对帝国主义、封建主义的爱国运动。这次运动是现代中国的一场文化和思想上的启蒙运动。1918年第一次世界大战结束，德国战败。次年1月，各协约国谈判对德和约，决定将原德国在中国山东省的特权转交给日本，同时拒绝中国政府提出的希望列强放弃在华特权并取消日本政府1915年向袁世凯提出的“二十一条”的要求，而北京政府竟准备在“和约”上签字。5月4日，北京13所大专院校的3 000余

五四运动中北京大学学生的游行队伍
中国大百科全书出版社供图

名学生举行罢课，提出“外争国权，内惩国贼”、“取消二十一条”、“拒绝和约签字”等口号，同时举行游行示威。政府军警对运动实行镇压，逮捕学生32人，从而引起北京各校学生举行总罢课，并波及全国。6月3～4日，北洋政府进行了大规模逮捕，仅北京一地，即有千名学生被捕。这场斗争随即发展成为全国性的革命运动。上海、南京、天津及其他各地的工人举行罢工，上海各家商店举行罢市，以声援学生和工人，全国文化界也表达了对这次群众性斗争的同情。北洋政府最后被迫释放全部被捕学生，将3名亲日的内阁总长撤职，并答应将拒绝签订“和约”及“二十一条”。

五四运动前夕，一些先进的知识分子如李大钊、陈独秀、毛泽东开始创办刊物、发表文章，提倡民主和科学，批判中国传统文化，传播马克思主义思想，推动新文化。新文化运动，为五四爱国运动作了思想准备。中间派知识分子以胡适为代表，反对马克思主义，却强烈支持文学改革——主张用白话文代替文言文；提倡婚姻自由，反对父母包办；主张取缔娼妓；并以实用主义代替儒家学说。五四运动既加速了国民党的改组，又为共产党的建立提供了理论上和组织上的基础。

May Thirtieth Incident　五卅惨案（1925）中国共产党在上海领导的以工人为主体的群众性的反帝国主义运动。1925年5月15日上海日本纱厂资方枪杀工人顾正红，打伤工

五卅惨案发生地——上海南京路老闸捕房
中国大百科全书出版社供图

人十几名。暴行激起上海工人、学生、市民的愤怒，纷纷募捐、演讲，支持工人斗争。中国共产党中央决定组织群众于5月30日到租界举行反帝大示威。当天2 000余学生到公共租界演讲，散发“打倒帝国主义”传单。英警将演讲学生10余人逮捕，拘入南京路老闸捕房。随后近万人集中在巡捕房门前要求释放被捕学生。英警开枪打死13人，重伤15人，捕去53人，造成五卅惨案。中国共产党当即领导上海20余万工人举行总同盟罢工，5万余学生罢课和绝大部分商人罢市。全国近500个城市人民纷起示威游行、罢工、罢课、罢市，联合抵制日货、英货，要求废除英、日对中国的一切不平等条约，收回英、日租界和领事裁判权，严惩肇事者。抗议英警大屠杀的活动发展成为席卷全国的反帝爱国运动。其中省港大罢工规模最大，时间最长，给英、日帝国主义以沉重打击。运动持续3个月，直至英方处分肇事者及赔偿死伤者的损失，才于8月中旬复工。

Maya　马雅人　居住在墨西哥南部、危地马拉和伯利兹（前英属洪都拉斯）北部这一片几乎连绵不断的土地上的中美印第安人。至21世纪初有500多万人讲约70种马雅语。在墨西哥和中美洲被西班牙占领以前，马雅文明属于西半球伟大的文明之一。他们务农，建筑巨大的石犀和金字塔，冶炼金和铜，使用一种象形文字，这种文字现在已大致能解读。马雅文明主要分为两种：一种约于公元前4世纪至公元4世纪时盛行于危地马拉高地；一种约在公元3～9世纪时盛行于危地马拉低地和尤卡坦半岛。现代马雅人根据语言和地理可分为以下几部分：尤卡坦马雅人，居住在墨西哥的尤卡坦半岛，并扩展到伯利兹北部和危地马拉东北部；拉坎敦人，人数很少，居住在墨西哥南部乌苏马辛塔河与危地马拉之间的边境地区，一小部分居住在危地马拉和伯利兹；基切诸民族（凯克奇人、皮科莫希人、波科曼人、乌斯潘特克人、基切人、卡克奇克尔人、楚图希尔人、萨卡普尔特克人和西帕卡帕人），居住在危地马拉东部和中部高地；马姆诸民族（马姆人、特科人、阿瓜卡特克人和伊西尔人），居住在危地马拉西部高地；坎霍瓦尔诸民族（莫托辛特莱克人、图赞特克人、哈卡尔特克人、阿卡特克人、托霍拉瓦尔人和丘赫人），居住在危地马拉韦韦特南戈省及其毗邻的墨西哥地区；佐齐尔和策尔塔尔诸民族，居住在墨西哥南部恰帕斯州；乔尔诸民族，包拉恰帕斯州北部和塔瓦斯科州的琼塔尔人和乔尔人以及危地马拉东端的乔尔蒂人；瓦斯特克人，居住在墨西哥韦拉克鲁斯州北部及其邻接的圣路易斯波托西州。马雅文化主要分为高地文化和低地文化两种类型。尤卡坦人、拉坎敦人和琼塔尔-乔尔人属低地文化群。瓦斯特克人在语言和地理上属非马雅文化的独立群。其他马雅诸民族则居住在危地马拉高地。现代马雅人基本上务农，种植玉米、豆类和南瓜这些中美的传统作物。他们多聚居于一中心村周围的各个社区中。中心村有公共建筑和住房。在多数情况下，这些房屋大部空着；有时也长期住人。社区居民除节日和集市外，都住在各自的农舍中。种地使用锄，遇到坚硬的土地时用铲。尤卡坦人通常饲养猪和鸡，偶尔也养牛以备耕作。工业很少，手工制品只为满足家庭需要；陶器和织物则很普遍。一些商品作物和特产拿到外地出卖以购买本地没有的东西。在名义上几乎全部马雅人都信仰天主教，但他们的天主教一般带有一层当地的异教色彩。

Māyā（mother of the Buddha）　**摩耶夫人**
参阅 **Mahā Māyā** 摩诃摩耶。

maya　幻　梵语，意为“幻象”。印度哲学中，特别是正统吠檀多派中的不二论（非二元论）派的一个基本概念。“幻”原指魔力，神利用它使人相信实际上是幻象的东西，后来引申为产生宇宙幻象的巨大力量，将现象世界认作实在世界。在不二论者看来，“幻”乃是把无限的“梵”（最高存在物）表现为有限的现象世界的一种宇宙力量。在个人水平上，“幻”表现为人对自我的真正本质的无知（“无智”），而把这种自我真正本质误认为是经验的自我，但实际上经验的自我同梵是一回事。

Maya languages　马雅诸语言　Maya又拼Mayan。通行于墨西哥南部、危地马拉以及伯利兹的中美洲印第安语系。马雅诸语言从前也曾通用于洪都拉斯西部以及萨尔瓦多西部。可分为瓦斯特克语族、尤卡坦语族、西马雅语族及东马雅语族。最重要的东马雅语有：基切语、卡克奇克尔语，也包括马姆语、特科语、阿瓜卡特克语、伊克西尔语、乌斯潘特克语、萨卡普尔特克语、西帕卡帕语、波科曼语、波孔奇语以及凯克奇语。使用人数最多的西马雅语是策尔塔尔语，通行于墨西哥恰帕斯州，其他西马雅语包括琼塔尔语、乔尔语、乔尔蒂语、佐齐尔语、托霍拉瓦尔语、丘赫语、坎霍瓦尔语、阿卡特克语、哈卡尔特克语以及莫托辛特莱克语。尤卡坦诸语言包括尤卡坦语、拉坎敦语、伊察语和莫潘语，这些语言有时也算西马雅语；这些语言中以尤卡坦语为最重要，通行于尤卡坦半岛、危地马拉北部、伯利兹。胡亚斯台克语族由瓦斯特克语以及奇科穆塞尔特克语组成。参阅 **Yucatec language**；**Quiché language**。

Maya Mountains　马雅山　在伯利兹南部。自危地马拉边境向东北延伸至伯利兹中部，长115千米。东和北部陡然下降至沿岸平原；西坡较缓，构成巴卡高原，伸入危地马拉东部。山地和高原多谷地，高度变化小。最高点维多利亚峰海拔1 122米。该山因马雅人而得名，马雅人是在西班牙人到来之前放弃城镇中心退入这片山地的。

Mayagüez　马亚圭斯　波多黎各西部城市和城市区。1760年建立。1877年设市。1918年城市和港口被地震和浪潮摧毁，但很快重建。该市为波多黎各最发达的城市之一。19世纪末以来为政治活动中心。有优良深水港湾，为该岛西部主要港口。也是缝纫业中心。该市外贸特区的建立促进了组装业和电子工业的发展，增加了再出口产品。其他产品有食品、酒、家具、服装等。有铁路和商业班机通圣胡安。美国农业部在此设立的实验站据称收集热带植物品种之多冠于西半球。市内有波多黎各大学马亚圭斯分校。城市区面积

马亚圭斯市面对市政厅的哥伦布塑像
美国不列颠百科全书公司供图

200平方千米，包括5个城市性或半城市性分区和13个农村性分区。农产品有甘蔗、烟草、咖啡等。矿区有拉斯梅萨斯褐铁矿等。人口：城市 78 647（2000）；城市区 100 463（1999）。

Mayakovsky, Vladimir Vladimirovich 马雅可夫斯基（1893-07-19［旧历07-07］，俄罗斯帝国格鲁吉亚巴格达吉～1930-04-14，莫斯科） 俄国革命时期和苏联早期最重要的诗人。15岁加入俄国社会民主工党，因从事地下活动多次被捕。1909年在狱中开始写诗。出狱后入莫斯科艺术学院学习，并加入俄国未来派，不久成为该派主要人物。1912年他和别人合作共同发表未来派宣言《给社会趣味一记耳光》。他的诗不论在形式上或内容上也都显得自命不凡和目空一切。1914～1916年间，他完成两首长诗：《穿裤子的云》和《脊柱横笛》，二者都是写单恋的悲剧，表现出作者对现实世界的不满。他致力于诗歌的“非诗化”，采用市民的粗俗语言，在技巧上实

美国不列颠百科全书公司供图

行大胆的创新。尤其重要的是他的诗适合在群众中朗读。十月革命时，他完全拥护布尔什维克，所著《革命》（1918）、《向左进行曲》（1919）等诗深受欢迎。《宗教滑稽剧》（1921年首演）同样反映十月革命的胜利，描写在一次大洪水中，“肮脏人”（无产阶级）战胜“干净人”（资产阶级）的欢乐故事。他是共产党得力的宣传家，曾用多种方式表达自己的思想。他一方面在俄国各地进行演讲和朗诵，一方面创作出大量宣传诗和儿童读物。1924年完成一首长达3 000行悼念列宁的长诗《列宁》。1925年以后，他先后到欧洲、美国、墨西哥和古巴等地旅行，在一些诗歌和随笔《我发现了美洲》里记录了自己的观感。他还挤出时间写电影脚本，并在一些影片中扮演角色。在逝世前的3年间，他完成两部讽刺剧：《臭虫》（1929年公演）和《澡堂》（1930年公演），前者讽刺苏联新经济政策时期出现的市侩，后者抨击斯大林时代的官僚主义和机会主义。马雅可夫斯基的诗歌充满政治意义，尽管如此，并不能压倒他对爱情的追求，这种追求一再遭受挫折，又一再爆发出来。长诗《我爱》（1922）和《关于这个》（1923）表现得尤为强烈。1928年在巴黎逗留期间，他爱上了流亡女子雅科夫列娃，想同她结婚，但遭到拒绝。另外，他还与俄罗斯无产阶级作家联盟和苏联当局发生了龃龉。种种令人心烦的事情致使他在莫斯科自杀身死。马雅可夫斯基生前是苏联文坛的风云人物。现在他那些宣传性诗作多半已成明日黄花。不过，他的抒情诗篇和他的技巧创新对许多苏联诗人都发生影响，在国外给人们留下强烈的印象。

Mayall, John 梅奥尔（1933-11-29，英格兰柴郡麦克尔斯菲尔德～　　） 英国歌手、钢琴家、风琴手和吉他手。英国20世纪60年代初期到中期布鲁斯运动的旗手。创建“布鲁斯开拓者”乐队，吸引来E.克拉普顿、P.格林、M.泰勒等一些著名的音乐家，对摇滚乐的发展有间接的、但却重大的影响。他比多数同事年长10来岁，崇拜者对他的精明管理、严厉个性和非商业立场都十分钦佩。但是他并不偏狭保守，他的队伍中的乐手有许多另组乐队，如“精华”、“弗利特伍德迈克”、“圆剧场”和“自由”等。在美国也声誉日隆，60年代末移居洛杉矶，领导过一系列的乐队，以他苍沧有力的歌声闻名。

Mayan calendar 马雅历 又译玛雅历。一种把典祀周“特佐尔金”（有260个有名称和数序的日）同民用年（有365日）“吐恩”协调并用的中美洲古历法。马雅人把特佐尔金划分为13个时期，每期20日，把吐恩分成18个月，每月20日，外加一个只有5个无名日的月。无名日被称作是不祥之日，为了避灾，马雅人在这时须斋戒和祭祀。每个正常日都有四重标记，即日的名称、在260日周期中的日序、月的名称和该月内的日序。每隔52年，260日的周期和365日的周期又会回到最初的相配次序。现代学者把这种超过半世纪的周期称为“历的轮回”，马雅人如何称呼则不清楚。在一轮回中的18 900日的每一日，其日序、日名、月序、月名的组合都是互不相同的。马雅人树起石碑（厚石块或石柱），在碑上镌刻象征性的图画和统治者生活中的重要日期和事件。为准确表示某一日期，马雅人还建立一种长期计日法，即从某一初始日期起计的连续计日法，该初始日期（4阿华8贡库，公元前3113年）被看成是马雅历历元的开始。

Mayan hieroglyphic writing 马雅象形文字 约公元3～17世纪末（西班牙人征服墨西哥后200年），属于中美洲马雅印第安文明的民族所使用的文字体系。它是哥伦布发现美洲前发展起来的仅有的真正的书写系统。马雅铭文发现于石碑、横梁、雕像和陶器上以及仅存的刻本中。马雅文字约有850个象形文字，许多都是可以认知的实物图画，这些符号显然来源于图画，具有圆形生物状形式，而且字体非常刻板化。直至20世纪中期，马雅文字除一些表示数字和日期以及统治者名字，记录生、死、俘获事件的符号之外，尚未完全解读。20世纪60年代第1批描述马雅王朝统治者生活史的象形字由卡内基学会的T.普洛斯库里亚柯夫译读出来。进而认识到马雅文字既使用图画、又使用象形字、也使用语音符号。后来越来越多的象形字和语言符号

6世纪马雅碑铭中的马雅象形文字
墨西哥城国立人类学博物馆供图

被释解出来，到20世纪80年代已译读出85%的马雅文字。马雅碑铭已全部可以认读。从而导致对马雅文化和社会有了新的了解。用马雅象形文字写在野无花果树内皮上的作品可溯至1540年，但大部分作品被西班牙教士作为异端予以焚毁。现仅存3种马雅文字刻本：德累斯顿刻本，可能出自11世纪或12世纪，是公元5～9世纪早期文献的副本；马德里刻本，出自15世纪；巴黎刻本，可能比马德里刻本略早。

Mayan languages 参阅 **Maya languages 马雅诸语言**。

Mayapán 马雅潘 马雅古城址，位于今墨西哥梅里达城东南约55千米。后古典期早期（约900～1519）成为重要城市，其艺术及建筑模仿奇琴伊察城但稍逊一筹。马雅潘城有围墙，环筑于一大洞状陷穴之周，出土约3 600所房屋，多为住宅。另有金字塔及神庙等。此城曾与乌斯马尔及奇琴伊察结为三城市同盟，约1200～1450年间，另两城衰落，马雅潘乃成为尤卡坦地区重要的政治与宗教中心，此后废弃。

mayapple（*Podophyllum peltatum*） **鬼臼** 又作 mayflower 或 mandrake。又称五月花或盾叶鬼臼、盾叶足叶草。毛茛目鬼臼科（Podophyllaceae）多年生草本植物，原产北美东部，在荫蔽的潮湿肥沃土壤最常见。高30～45

鬼臼（*Podophyllum peltatum*）
美国不列颠百科全书公司供图

厘米。叶深绿色伞形，5～7 裂片，直径近 30 厘米。花呈杯状，具 6～9 枚白色花瓣，直径 2.5～5 厘米，4～6 月开放。浆果黄色，可食，可作果酱或饮料。其干燥的根状茎可用作泻药。植株并不美观但亦受人喜爱，常植于多阴面的野生植物园。

Maybach, Wilhelm **迈巴赫**（1846-02-09，德国符腾堡海尔布隆～1929-12-29，德国斯图加特） 德国工程师和实业家，第一批梅塞德斯汽车（1900～1901）的总设计师。从 1883 年起他与 G. 戴姆勒合作研制高效率内燃机，1885 年获得一种轻型四冲程发动机的专利。1890 年他们创办戴姆勒汽车公司，从 1895 年起迈巴赫任该公司的技术主任。他设计的化油器从 1893 年起被广泛应用。1909 年他和儿子卡尔在腓特烈港组织了一家公司，制造航空发动机，包括供齐伯林飞艇使用的动力设备。1922～1939 年制造迈巴赫牌汽车，对最早的梅塞德斯汽车作了重大改进，发动机改装为 24 马力，并装上可由司机调节的机械进气阀。他对研制装有蜂巢式水箱的压制轻钢底盘至少做了部分贡献。

Maybeck, Bernard (Ralph) **梅贝克**（1862-02-07，纽约市～1957-10-03，美国加利福尼亚伯克利） 美国建筑师。他的作品具有丰富

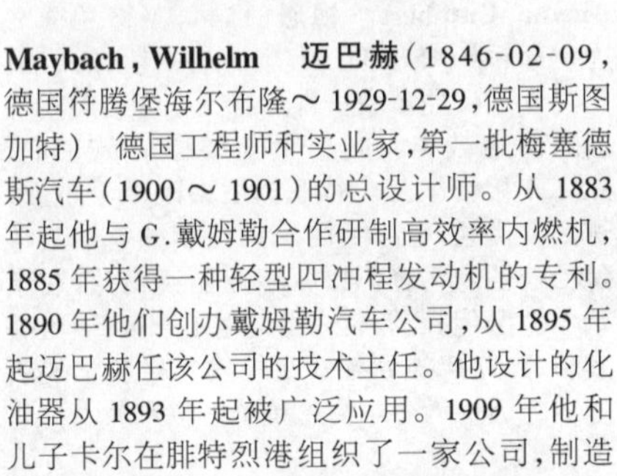

梅贝克设计的加利福尼亚州伯克利市的第一基督教科学会
美国不列颠百科全书公司供图

多彩的特色，从新古典主义、新哥特式直到现代住宅，都表现出 20 世纪早期的正统建筑观点。1880～1886 年在巴黎美术学院求学。1894 年在伯克利加利福尼亚大学任绘图教师，然后任该校的第一名建筑学教授（1898～1903）。他为加利福尼亚大学设计的赫斯特楼（1899，1922 年毁于火灾），为最早采用层积木拱架的建筑。他设计的住宅一般都有陡峭的屋顶。1907 年起他建造了几栋钢筋混凝土住宅，并对轻质、防火、经济的墙面材料进行试验，采用粗麻布作底，上敷混凝土，称之为"泡石"。

Maydūm **美都姆** 古埃及遗址，位于今尼罗河西岸的贝尼苏韦夫省，距孟斐斯很近。这里有古王国时期（约公元前 2575～约前 2130）的陵墓建筑群，包括金字塔本身、一座陵庙和一条通向尼罗河的斜坡堤道。美都姆的金字塔表面原有梯级，后来被改建成真正的金字塔。

Mayekawa Kunio（Japanese architect） 参阅 **Maekawa Kunio** 前川国男。

Mayence（Germany） 参阅 **Mainz** 美因茨。

Mayenne **马耶讷** 法国西北部卢瓦尔大区省份。位于诺曼底南和布列塔尼东。面积 5 171平方千米。由历史上曼恩省的西部和安茹省的西北部一带组成。马耶讷河流经该省，将全境分成南北两部分，可通航河段长 88 千米，沿河有古城马耶讷、省会拉瓦勒和 9 世纪建风景城镇贡捷堡。地貌以山林为主，气候为海洋性。19、20 世纪以来，砍伐大片森林以发展农业。主要提供放牧和种植苹果。贡捷堡的牲畜市场是法国最重要牲畜市场之一。保存有棉纺织和铸造业，也有一些印刷厂和食品加工厂。风景地有东南部埃韦河畔的、带有要塞的城镇圣苏珊等。省下设 3 个专区：拉瓦勒、贡捷堡和马耶讷。属雷恩教育区。人口 285 377（1999）。

Mayenne, Charles de Lorraine, duc de **马耶讷公爵**（1554-03-26，法国阿朗松～1611-10-13，苏瓦松） 法国神圣联盟（1589～1595）的领袖。曾反对纳瓦拉的亨利继承法国王位的要求。法国第一次宗教战争期间，曾与胡格诺派作战。1588 年，马耶讷公爵的兄弟吉斯公爵亨利和洛林枢机主教路易遇刺后，他成为天主教派领袖。1589 年任神圣联盟总委员会主席。亨利三世遇刺后，他支持波旁枢机主教作为"查理十世"争取王位的要求，反对胡格诺派的纳瓦拉的亨利（后为亨利四世，1589～1610 在位）继承王位。他虽然主张法国由一个天主教徒来统治，但压制了那些设法拥立西班牙公主伊莎贝拉为法国国王的极端派。1593 年他在巴黎召集三级会议，坚持由男性继承王位的原则，反对伊莎贝拉的要求。1595 年 9 月，他终于归顺亨利四世。根据《福朗布赖条款》（1596-01），他仍可保留夏龙、瑟尔和苏瓦松 6 年，他的追随者保持他赏赐给他们的荣誉和职位。他的儿子被任命为法兰西岛总督。此后，他与亨利四世保持着良好的关系。

Mayenne River **马耶讷河** 法国西北部河流。发源于奥恩省米尔通森林区的阿朗松西北偏西处。向南流 195 千米在昂热上游与萨尔特河汇合，汇合河流名曼恩河（**Maine River**），流经昂热注入卢瓦尔河。马耶讷河有约 117 千米长河段已运河化，有 45 座水坝和水闸。

Mayer, Johann Tobias **迈耶**（1723-02-17，符腾堡马尔巴赫～1762-02-20，格丁根） 德国天文学家，修订了月球方位表，对在海上测定经度的航海家有巨大帮助。迈耶还发现了月球的天平动（即视摆动）。迈耶是一位自学成才的数学家，他在 1746 年受聘于纽伦堡一家制图机构，任职之前，已发表了两篇几何学方面的文章。迈耶在纽伦堡宇宙志学会会刊上发表了他计算的月球天平动和赤道倾角的论文，从而使他获得了科学声誉。他于 1751 年被任命为格丁根大学经济学和数学讲座教授。1754 年受聘为大学天文台督导。1753 年，迈耶开始计算月球和太阳的方位表。两年之后，他受英国政府委托，完成了月球方位表的修订，用之可在海上测定经度，精度达到半度以内。1770 年问世的方位表的伦敦版本中，还载有根据月球距离（即月球和另一天体之间的角距离）测定经度的迈耶法以及修正大气折射造成经度误差的一个公式。

Mayer, Louis B(urt) **梅耶**（1885-07-04，俄罗斯帝国明斯克～1957-10-29，洛杉矶） 雄踞好莱坞长达 30 年的电影业巨头。作为最大、最有威望的米高梅影片公司的首脑，他在 20 世纪 20 和 30 年代创立明星制度。父母均为沙俄移民，14 岁起便帮助父亲做打捞船只和买卖废铁的工作。1907 年在马萨诸塞州开设一家小型镍币影院；到 1918 年时已在新英格兰拥有一批连锁影院。为了给自己的影院提供更多的影片，他在好莱坞创办 L.B. 梅耶电影公司和米特罗电影公司。6 年后，随着高德温电影公司的并入，成立米高梅影片公司，他便成为这个新公司的首脑。在他的影响下，米高梅的影片很少涉及有争议的题材，主要是以精巧的布景、豪华的服饰和美貌的女子为特点。特别注重发掘富有魅力的明星，许多大明星，如 G. 嘉宝、J. 克劳馥、R. 瓦伦蒂诺以及 C. 盖博等，都是他发现的。

Mayer, Maria Goeppert **梅耶夫人**（1906-06-28，德国卡托维茨～1972-02-20，美国加利福尼亚圣迭戈） 德国物理学家，与西德的 J.H.D. 延森和美国的 E.P. 维格纳共获 1963 年诺贝尔物理学奖，因为他们用质子和中子填充的壳层结构解释了原子核的细微性质。1930 年在格丁根大学得哲学博士学位，与美国化学物理学家梅耶结婚后，同去约翰斯·霍普金斯大学工作。1939 年，她到哥伦比亚大学研究原子弹工程中的铀同位素的分离；1945 年又去芝加哥大学的核研究所工作。1949 年她用核壳层理论解释为什么极端稳定而丰度又高的核具有特殊数量的中子（如 50、82 或 126）和同数量的质子。她与延森合

著《核壳层结构基本理论》(1955)。

Mayer, Simon 参阅 **Marius, Simon** 马里乌斯。

Mayer, Werner (composer) **迈尔** 参阅 **Egk, Werner** 埃克。

Mayerling **迈耶林** 下奥地利东部施韦夏特河畔的村庄,在维也纳西南24千米。原有猎人小屋,1889年1月哈布斯堡王储鲁道夫大公与情妇玛丽·费策拉在此神秘自杀。参阅 **Rudolf, Archduke and Crown Prince of Austria**。

Mayet (Egyptian goddess) 参阅 **Maʿat** 玛亚特。

Mayfield **梅菲尔德** 美国肯塔基州西南部城市,格雷夫斯县县城。东距肯塔基湖25英里,北距帕迪尤卡25英里。约1820年始建,1823年设建制。1854年新奥尔良—俄亥俄铁路(现为帕迪尤卡—路易斯维尔铁路的一部分)通车后发展成烟草、牲畜和谷物市场中心。后发展起轻工业和球状黏土开发业。南北战争期间南部邦联基地博雷加德营地(1861)的纪念碑在此。人口10 349(2000)。

mayflower **五月花** 原产于北美东部的两种春天开花的野生花卉的通称。即鬼臼(**mayapple**, *Podophyllum peltatum*)及匍匐浆果鹃(**trailing arbutus**, *Epigaea repens*)。

Mayflower **"五月花"号** 美国殖民史所说的1620年从英国运送清教徒到达马萨诸塞普利茅斯的船只,他们在那里建立第一个永久性的新英格兰殖民地。据海洋考古学家估计,"五月花"号重约180吨,长27米。在乘客中,最有名望的是W.布雷德福和船长M.斯坦迪什。因阻于风暴,"五月花"号未能抵达弗吉尼亚的原定授予地。航行66天后,于11月21日首先抵达今马萨诸塞州普罗文斯敦的科德角,圣诞节后第一天,102名移民在今普利茅斯附近上岸。翌年4月,"五月花"号启航返回英国。1957年为纪念"五月花"号的历史性航行,在英国按原样建造了一艘船,用53天驶抵马萨诸塞。

Mayflower Compact **《五月花公约》** "五月花"号船上的41名男乘客在马萨诸塞普利茅斯登陆前即1620年11月21日(旧历11月11日)签署的文件。所以签署这一公约,是由于害怕有些伙伴会脱离集体,各行其是。《五月花公约》使签名者在政治上结成一体,以便建立一个政府,并使他们发誓遵守此后制定的一切法律和规章。这个文件不是一部宪法,只是把教会的圣约运用到世俗的情况中,但它奠定了普利茅斯政府的基础。

mayfly **蜉蝣** 蜉蝣目昆虫,体细长,有小到中型;常见于溪流和池塘周围。约2 000种。特征为前翅膜质,三角形;后翅较小,圆形;有2至3根线状的细长尾须。蜉蝣是唯一在翅已有功能后蜕皮的昆虫。停歇时四翅直立于背上,而不像大部分其他昆虫的翅那样呈屋脊状。幼虫具咀嚼口器;成虫的口器退化。成虫交配产卵后即死亡。雄性成虫集成大群"飞舞"以吸引雌体。成虫发狂般的活动久已吸引了诗人和垂钓者的兴趣:诗人用之为生命短暂的象征;而垂钓者则用形似蜉蝣的诱饵,试图模仿蜉蝣。

mayhem **致残罪** 在英美法中,指犯罪人用暴力残害被害人身体的一部分,从而减弱其自卫能力,如残害臂、手、指、腿、足或眼。在有些司法制度中,毁容或给人重创也被认为是致残。构成致残罪,罪犯必须意图残害被害人的肢体,或必须重伤被害人而不顾可能造成致残的危险,即使并未意图致残。有些司法制度不区分致残和其他类型的殴打。日本对所有的殴打同样看待。然而,大多数刑法制度把殴打分为两类,对包括致残在内的"严重的殴打"处以较重的刑罚。关于这种罪的术语各国不同。例如,印度法律把身体伤害分为"伤害"和"重大伤害"。参阅 **assault and battery**。

Mayhew, Henry **梅休**(1812,英格兰伦敦~1887-07-25,伦敦) 英国新闻记者和社会学家、《笨拙》周刊创办人。他是一个多产作家,文笔生动,以所著《伦敦的工人和伦敦的穷人》(4卷,1851～1862)最为闻名。他在这部著作中对伦敦绘影绘声,给予狄更斯及其他作家一定的影响。梅休是律师之子,少年离家远航印度。回国后短期从父学习法律,但很快转向新闻业。他协助创办了《费加罗在伦敦》(1831)和《小偷》(1832)等期刊,1841年创办《笨拙》周刊并任主编。他还写过戏剧、神话和小说。梅休具有生动而敏锐地描写普通人和各种不同生活的天才,他善于把他的观察和深刻的社会经济分析结合起来,有些分析带有马克思主义色彩。

Mayhew, Jonathan **梅休**(1720-10-08,马萨诸塞马撒葡萄园[美国]～1766-07-09,波士顿) 波士顿传教士。他直言不讳的政治和宗教自由主义使他成为新英格兰殖民地最有争议的人物之一。1631年梅休合家到达美洲殖民地。在马撒葡萄园度过童年后,年轻的梅休入哈佛学院(1740～1744)。1747年在波士顿西教堂领圣职。在神学方面,他属于阿明尼乌派,摒弃加尔文派的教条主义和圣公会的权力主义,传播一种强烈信仰个人责任和不公开评判的"真正的原始宗教"。他认为反抗暴政是基督教徒的天职,并公开维护公民的自由。1765年初当英国政府在殖民地推行印花税条例的时候,他竭力表示反对,以致被指控煽动该年8月发生的反印花税条例暴乱的罪名,但他否认指控,并继续有力地反对该条例。

Maykop **迈科普** 又拼Maikop。俄罗斯克拉斯诺达尔边疆区阿迪格民族自治州城市和首府。位于别拉亚河右岸。工业以食品加工为主,也有冶金、机械制造和木材加工业。丹宁提取业亦重要。市西南有迈科普油田。1950年别拉亚河建成水电站。附近多矿泉,建有矿泉疗养所。设有师范学院和阿迪格语言、历史和文学研究所。人口约163 600(1994)。

Maymūn ibn Qays al-Aʿshā **迈蒙·伊本·凯斯·艾厄沙** 参阅 **Aʿshā, al-** 艾厄沙。

Maymyo **眉谬** 缅甸中部城镇。位于一浅谷的谷口,海拔约1 050米。国家首长在此有避暑寓所,并有军官训练中心。马路宽广,花木葱茏。有许多大型花园、果园、菜园。有公路通曼德勒,有铁路和航空线通仰光。附近有植物园和狩猎地。有一所职业高中学校。人口31 479(最新估计)。

Maynard, François **梅纳尔**(1582或1583,法国图卢兹～1646-12-28) Maynard又拼Mainard。法国诗人,马莱伯的大弟子。他像马莱伯一样,关心法语的纯洁性。1605年,他在瓦卢瓦的玛格丽特处得到一个职位,开始写田园诗。《菲兰德尔》即属于这一时期的作品,但直至1619年才付印。他依附于马莱伯,并帮助后者传播关于必须有标准文法、写作时应排除个人情绪、对题材应客观处理等主张。1634年当选为法兰西学院院士。作为诗人,他不如马莱伯的另一个弟子拉康。但他以继承清晰、有力和形式完美的传统著称。

Mayne, Cuthbert **梅恩**(1544,英格兰德文尤尔斯顿～1577-11-30,康沃尔朗斯顿) 英格兰女王伊丽莎白一世迫害天主教徒期间殉教的天主教徒。成长于圣公会信徒家庭,1561年接受圣公会神职。后来改奉天主教,逃离英格兰,在法兰西境内杜埃城英格兰学院受祝圣为司铎。1576年返回英格兰,在康沃尔地区传教,伪装成当地地主管家,被当局发现,1577年被处死。在杜埃英格兰学院所培养的天主教士中梅恩是第一位殉教士。

Maynooth **梅努斯** 爱尔兰基尔代尔郡的村庄。位于都柏林西24千米处。保存有古城堡和古庄园教堂的遗迹。成立于1795年的圣帕特里克学院是不列颠诸岛中最大的天主教神学院,现为国立爱尔兰大学一个学院。村镇东端有风景秀丽的卡顿庄园,约建于1740年。近几十年人口迅速增长。人口10 151(2002)。

Mayo **马约人** 聚居在墨西哥西海岸索诺拉州南部和锡那罗亚州北部的印第安民族。他们使用犹他-阿兹特克语系的卡伊塔语的一种方言。西班牙征服墨西哥这片土地之前的马约人的历史已无从查考。17世纪早期,马约人乐于与西班牙人联合起来共同反对其北邻亚基人。然而西班牙人对马约人的土地一步步地进行蚕食,使得马约人举行抗争,先是在1740年发生叛乱,后来也发生过叛乱,直到19世纪80年代他们才被墨西哥中央政府彻底安抚。马约人集中生活在马约河流域和富埃尔特河流域。这里土壤肥沃,有灌溉之利。这两条河恰好蜿蜒于一片半沙漠土地的中部,土地适于荆棘灌丛和仙人掌类植物的生长。马约人是定居下来的农民,传统作物以玉米、豆类、南瓜等为主，但后来也种植一部分棉花、小麦和红花（制油用）。马约人的宗教信仰是把天主教同土著的宗教习俗糅合在一起的。在20世纪后期，马约人大约有80 000。

Mayo 梅奥 爱尔兰语作Maigh Eo。爱尔兰西部康诺特省的郡。面积5 398平方千米。西、北濒大西洋。海岸线不规则，多小海湾。境内卡罗莫尔湖东面和北面有爱尔兰最大的沼泽（面积520平方千米）。主要河流有莫伊和埃里夫河；内芬山（807米）和克罗帕特里克山（765米）是突出的景观，基拉里港北面的姆威尔雷山（819米）是康诺特省最高峰。卡斯尔巴是郡首府，与巴利纳和韦斯特波特同为市区。巴利纳是基拉拉的天主教主教驻地。北部和西部山区农庄很小。当地居民多到大不列颠去工作。大量饲养牛、羊、猪，牛供应英国市场。旅游业正在发展。这一个区域对渔民和猎鸟人特别有吸引力。巴利纳有面粉厂，韦斯特波特有服装厂，福克斯福德有毛纺厂，卡斯尔巴有熏肉加工厂，贝尔马利特有玩具厂。人口115 184（1986）。

Mayo FAMILY 梅奥家族 美国最著名的医学世家，祖孙三代是协作组模式制度化的先驱、享有世界声誉的梅奥诊所的业主、梅奥医学教育和研究基金会的创始人。W.W.梅奥

W.W.梅奥
梅奥诊所供图

（1819-05-31，英国曼彻斯特～1911-03-06，美国明尼苏达罗切斯特）是英裔美国人，早年在曼彻斯特欧文斯学院学化学，1845年移民美国后改学医，师从印第安纳州拉斐特的一位执业医生。后获印第安纳医学院和密苏里大学的学位。1863年移居罗切斯特，并在那里创建了一家综合性的私人诊所。后因一场灾难性的龙卷风洗劫该地，蜂拥而至的伤员使得这家小诊所大有不胜之态。于是经认真筹划，他在圣方济各会修女帮助下，与他的两个儿子合作，于1889年10月1日宣布圣玛丽医院正式开张营业。梅奥父子三人便成为这家医院的执业医生。他退休之后，两个儿子继续医院的工作。W.J.梅奥（1861-06-29，明尼苏达苏尔勒～1939-07-28，罗切斯特），W.W.梅奥长子，1883年获密歇根大学博士学位，后与其父、弟一起在梅奥诊所就业行医。虽然他后来成为这家诊所的老板，但他从不自做主张，总是充分征求他弟弟的意见，达成一致后才付诸实施。1905年以前，圣玛丽医院的所有外科手术都是由他们兄弟联合主刀，他们成功的合作后来成为一种协作组模式，并以“梅奥手术组”之名传世。作为

W.J.梅奥
梅奥诊所供图

外科专家，他最精通胃肠、盆腔和肾脏手术。而且，直到1928年（67岁）他始终都活跃在临床一线。此后，他专心管理工作，直到1933年（72岁）退休。C.H.梅奥（1865-07-19，罗切斯特～1939-05-26，伊利诺伊芝加哥），W.W.梅奥次子，1888年获芝加哥医学院（即西北大学医学院）医学博士学位，同年回家就业。他以“外科奇才”闻名于世，好像没有他做不了的手术。甲状腺肿、神经外科和几种骨科手术的现代技术都是出自他手，他的白内障手术也做得极为成功。1930年退居临床二线，三年后卸任行政职务。他还是明尼苏达医学院（1919～1936）和明尼苏达大学研究生院的教授（1915～1936），《不列颠百科全书》顾问委员会委员。W.J.梅奥说他弟弟“有一种可以把他的生理、解剖学知识和对患者个性的理解融会起来的直觉思维”。第一次世界大战期间，他们兄弟曾轮流在军队服役，授上校军衔，任首席外科军医顾问。战后，兄弟二人均被授衔医学军团预备役部队准将。C.W.梅奥（1898-07-28，罗切斯特～1968-07-28，罗切斯特）是C.H.梅奥之子、外科专家、梅奥诊

C.H.梅奥
梅奥诊所供图

所董事会成员、梅奥协会主席、明尼苏达大学校董事会董事（1961～1967年任董事长）。1953年他代表美国在联合国的讲话使他一夜成名。

20世纪初，梅奥诊所的规模开始扩大，它不仅成为许多年轻人求职、就业的目标，而且还吸引了很多在基础医学领域学有所成的专家到诊所开展教学、科研工作。1919年，梅奥兄弟把实物和资本产业都划归《梅奥资产协会》（即后来的梅奥基金会）所有，这是一家具有永久经营权的、从事慈善和教育事业的法人社团。故此梅奥诊所的组织形式也出现了变化，从原来一个合作经营的诊所变成了一家由不同专业的众多专家、学者组成的志愿者学会。20世纪后期，该学会已有500多名会员，每年收治的病人数超过20万。1915年，梅奥兄弟向明尼苏达大学研究生院捐资150万美元，用以在罗切斯特成立梅奥医学教育和研究基金会，资助医学研究生的学业。1986年，梅奥诊所和圣玛丽医院、罗切斯特卫理公会医院合并；梅奥基金会也开始扩大规模，1987年在佛罗里达杰克逊维尔、亚利桑那斯科茨代尔先后成立了梅奥诊所。

Mayo, (George) Elton 梅奥（1880-12-26，澳大利亚阿德莱德～1949-09-07，英国萨里波尔斯登莱西） 澳大利亚出生的心理学家，美国工业社会学领域的先驱，强调生产率对小集团团结的依赖。并把这项与工厂系统联系的工作扩展到广大社会。曾于布里斯班的昆士兰大学、费城的宾夕法尼亚大学任教，1926～1947年任哈佛商业管理研究院工业研究教授。最重要的著作为《工业文明中人的问题》（1933）。1927年他在芝加哥西部电力公司的霍桑工厂着手一个开创性的工业研究计划；其同事F.J.罗特利斯伯格和W.J.迪克森在《管理和工人》（1939）一书中简述了这些研究结果。该项研究的某些部分（关于数据收集、劳资关系及工厂雇员中非正式的相互作用）至今仍有影响。梅奥还倡导建立一项工业人员咨询机构，为大企业工人对其职业得不到满足的心理进行治疗。

Mayo, Mary Anne Bryant 梅奥（1845-05-24，美国密歇根巴特尔克里克附近～1903-04-21，可能是密歇根） 美国农民组织者，以其为改善农民社会所作的努力著称。中学毕业后担任地区学校教师。1865年与P.梅奥结婚。两人同样对自我修养与改善社区组织产生兴趣。19世纪70年代，活跃于农业保护者协会（称作“格兰其”）和农民协会，一同被选入县级组织。她成为格兰其的非常活跃和高效的组织者。特别关心使妇女和儿童完全参加格兰其组织和参加农民协会的会议。在格兰其的领导下，她制定出“新鲜空气”计划，将城市贫苦儿童带入格兰其家庭，去乡下度假。经过长期努力，终于实现在农民协会中为妇女单独举行会议和开设课程及在密歇根州立农业学院（今密歇根州立大学）建立女生部（1897），1931年，该学院一座新的女生宿舍以她的名字命名。

Mayo, Richard Southwell Bourke, 6th earl of 梅奥伯爵（第六）（1822-02-21，都柏林～1872-02-08，安达曼群岛布莱尔港） 即R.S.伯克。爱尔兰政治家，因在任印度总督时改善同阿富汗的关系、进行第一次人口普查、使预算转亏为盈并创立农商部而闻名。五世伯

爵理查德·伯克之子。就学于都伯林三一学院。1845年去俄国旅行,发表两卷游记《圣彼得堡和莫斯科》(1846)。1847～1867年任议会议员。1852、1858、1866年3度任爱尔兰事务大臣。1869年1月任印度总督。同年3月接见阿富汗国王希尔·阿里,商谈结成更紧密的联盟,以削弱俄国的势力。1871～1872年镇压卢沙伊族。他实行财政分权政策,推动公共工程建设,并成立梅奥学院培训当地年轻酋长。在视察安达曼群岛劳役营时,被在押的一名阿富汗人刺杀。

Mayon Volcano　马荣火山　菲律宾吕宋东南部阿尔拜省活火山。俯瞰莱加斯皮市。被誉为世界上最完美的火山锥,底座周围130千米,耸立在阿尔拜湾海岸上,海拔2 421米。以火山为中心的马荣火山国家公园占地55平方千米。坡地有大面积的阿贝卡麻种植园。1616年以来火山爆发有记载者共30余次。1814年的一次破坏最为严重,卡沙瓦镇被全部覆没。

mayonnaise　蛋黄酱　源于法国烹饪中用植物油和生蛋黄乳化的一种冷调味酱。连续搅打蛋黄,同时点滴入植物油,直到形成浓稠稀奶油状即成。纯正的蛋黄酱以柠檬汁、芥末或醋提味。这种油腻而味淡的酱是制作多种酱的底料:如绿蛋黄酱(加入绿香草泥);利慕拉酱(加入鳀鱼、腌菜和刺山柑);蒜泥蛋黄酱(一种普罗旺斯风味的蛋黄酱,加有大量的蒜);以及沙拉酱,例如千岛式和俄式沙拉酱。此名可用来代表用这种酱调味的各种冷菜和沙拉,如龙虾蛋黄酱等。

mayor　市长　现代用语,指市政府首脑。市长一般总是市议会和市议会执行委员会的主席。此外还履行首席行政官、礼仪首脑和中央政府的地方代理人的职能。无论地方政府采取何种形式,市长的作用在很大程度上取决于他同市议会和中央政府的关系。市长可以是任命的,也可以是选举产生的。在欧洲,直到19世纪中叶以前,大多数市长是由中央政府任命的。随着代议制政府的兴起,越来越多的国家采取选举市长的做法,具体形式各不相同。在大多数欧洲国家,市长由地方议会从议员中选出,通常是多数党或一最大党的领袖。在瑞士、加拿大、新西兰、菲律宾以及日本,大多数市长由普选产生。在实行市长代表中央政府的国家,如法国,市长的地位基本上取决于中央政府,较市议会具有更大的行政权力。随着普选市议会的发展,大多数市长起着既是首席市政执行官,又是中央政府代理人的作用。在美国,中央政府从来不直接控制各城市,市长或由普选产生,或由市议会选出。在20世纪初改良的议会管理制中,市长只是议会的首脑,大多数行政权力另由议会聘任的**市政经理**(**city manager**)行使。

mayor and council system　市长和市议会制　由市长所领导的、地方选出的市议会所组成的市政府。市长或由普选产生,或由市议会从议员中选出。在美国,这个名词只适用于两种地方政府:在弱市长和市议会类型中,市长仅仅是市议会的主席,在很大程度上只有礼仪的和议会的职能;在强市长和市议会类型中,市长是城市或镇的真正首席执行官,具有否决市议会行动的特权。

mayor of the palace　宫相　6～8世纪西欧各王国的官吏,在墨洛温王朝法兰克人的统治时代,其地位从内府总管发展成为摄政或副王。墨洛温王朝国王采用的这一制度与罗马帝国的大地主雇用府第总管管理往往分散的大批地产的情况相仿。墨洛温家族委任宫相执行类似的任务。但宫相逐渐获得其他一些职权,如掌握宫廷内的人事安排,向国王建议封谁为伯爵或公爵,保护推荐给国王和受国王监护的人们,后来甚至指挥国王的军队。可能从6世纪末起,墨洛温王朝出现一系列的幼主,给这些幼主当老师的宫相遂得以操持朝政。后来,即使国王成年,他们也继续保持对政府的控制权。626～650年,加洛林家族成员在法兰克人的奥斯特拉西亚王国通常掌有宫相之权。687年丕平二世(埃斯塔勒的丕平)在特尔特里击败纽斯特里亚人之后,奥斯特拉西亚、纽斯特里亚和勃艮第等3个法兰克王国,在他任宫相的实际统治下,归于统一。751年,矮子丕平三世废黜墨洛温国王希尔德里克三世,自立为国王,即加洛林王朝的第一代国王。

Mayor Pablo Lagerenza　巴勃罗·拉赫伦萨市长镇　原称因加维或因加维堡。巴拉圭西北边境城镇。濒临蒂马内河。1935年查科战争(与玻利维亚)的最后决战场地。此镇为一地区集镇,大部为灌丛沙漠,居民是从事自给性农、牧业的瓜拉尼印第安人。人口约286(1982)。

Mayotte　马约特　全称马约特集体领地,法语作 Collectivité Territoriale de Mayotte,又名马奥雷。科摩罗群岛最东南端岛屿,位于印度洋莫桑比克海峡马达加斯加岛西北方约310千米,为法国属地。马约特首府及港口所在地是一个称作藻德济的礁质露头,与东方约2.5千米处的小岛帕曼济间有长1.9千米的堤道相连。

马约特岛上火山山脉为南北走向,有海拔500～600米的山峰。沿海有珊瑚礁环绕,陆地和珊瑚礁之间的水域有利于水运和渔业。该岛属温暖、潮湿的海洋性气候。8月份平均气温24 °C,12月份为27 °C;年平均降雨量5 000毫米。植被为繁茂常绿的热带林。大部分人为马拉加西血统的摩哈莱人,他们是深受法国文化影响的穆斯林;另有相当数量的天主教徒。官方语言为法语,但大多人仍操科摩罗语(与斯瓦希里语密切相关);马约特沿岸的一些村落则以马拉加西的方言为其主要语言。出生率大大超过死亡率,人口迅速增长。而且20岁以下的人约占总人口的50%,预示人口自然增长率高峰将会持续到21世纪。主要城镇有藻德济和马穆楚,后者为该岛最大的城市和选定的首府。居民主要务农,农业局限于中央和东北部平原。经济作物包括香草、芳香树、椰子和咖啡,另种木薯、香蕉、玉米和稻米。主要出口香精、香草、咖啡和椰干。输入品包括稻米、糖、面粉、服装、建筑材料、金属器具、水泥和运输装备。主要贸易伙伴为法国,经济亦大半依赖法国的援助。岛上有一个连接主要城镇的公路网;在德札欧德吉西南的帕曼济岛上设有一座岛际航空机场。自1976年起马约特与法国保持一种特殊的关系,是法国的集体领地,这是一种介乎海外领地与海外省之间的行政建制。它在法国国民议会与参议院中各有1名代表。该领地由1名高级专员和经选举产生的有17名议员的总议会管理。司法制度则仿效法国体制。马约特有几所小医院和一些诊疗所;主要疾病有疟疾、寄生虫病和肺结核病等。教育体制则包括研习可兰经的传统伊斯兰学校和法国人创办的中小学。15世纪时阿拉伯人入侵该岛,并使该岛居民(可能是早期班图人和马来-印度尼西亚人的后裔)改信伊斯兰教。16世纪葡萄牙人和法国人到达马约特。18世纪末,萨卡拉瓦人(马达加斯加岛上马拉加西族之一支)侵略并定居于该岛,同时也传入了马拉加西方言,1843年法国控制马约特,使其成为殖民地;20世纪初期,马约特、科摩罗群岛其他岛屿及马达加斯加岛成为一个法国海外领地。1975年科摩罗群岛最北端三个穆斯林占优势的岛屿片面宣布独立,马约特岛的穆斯林和基督教徒则选择归属法国;法国遂将马约特与科摩罗其余各岛分开管理。1976年法国政府给予该岛一个特殊的地位——"集体领地"。该岛居民原来要求建省,但遭法国政府拒绝。1979年12月法国国民会议投票决议延长该岛的特殊建制5年,5年后再行征求该岛居民的意见。同年联合国通过一项决议案,承认科摩罗对马约特拥有主权。

Mayow, John　梅奥(1640-05-24,英格兰伦敦～1679-10,伦敦)　英国化学家和生理学家。比J.普里斯特利和A.-L.拉瓦锡约早100年认识到氧是实际存在的有独特性质的空气实体。他虽是牛津大学的法学博士(1670),却以行医为业。在他的著作中曾正确地从解剖学角度描绘呼吸作用,并确认氧在金属燃烧中的作用。

maypole dance　五月柱舞　围绕一根高柱表演的一种民间礼仪舞,柱子饰有树枝和鲜

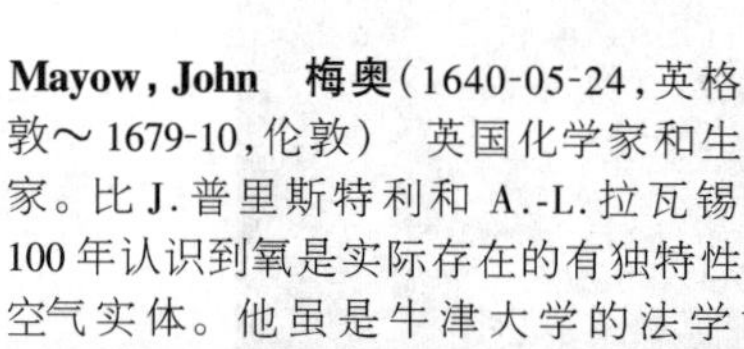

18世纪早期英国绣品中的五月柱舞图案
美国不列颠百科全书公司供图

花，还挂着被舞者编成的各种复杂图案的彩带。这种舞起源于古代的一种绕树而跳的舞蹈，作为春天祈求丰收的仪式的一部分。通常这种礼仪舞在5月1日举行。在北欧也有在仲夏日跳的；另一些地方，也有在其他节日跳的。这种舞在欧洲分布很广——如英格兰的塞林格轮舞、西班牙的彩带舞——甚至在印度也能看到。在哥伦布发现新大陆之前，类似的彩带舞在拉丁美洲已有人跳，后来被起源于西班牙的宗教舞蹈吸收。五月柱舞也可以在其他宗教舞蹈(例如巴斯克舞)中出现。

Mayr, Ernst 迈尔(1904-07-05，德国肯普滕～2005-02-03，美国马萨诸塞贝德福德) 德国出生的美国生物学家，因鸟类分类学、种群遗传学和进化方面的研究而闻名。1926年获柏林大学哲学博士学位，两年后在该校工作，曾率队到新几内亚和所罗门群岛进行第一次探险(这种探险活动后又进行2次)，地理分布对不同动物物种的影响给他留下深刻的印象。他早期研究了一个物种分离即分化成子系物种(物种形成)的能力，研究了由少数建群者(建群种群)建立的种群，从而成为现代综合进化论的创建者之一。该理论的内容包括基因突变和重组的生物过程、染色体结构与功能的变化、生殖隔离和自然选择等。1932～1953年迈尔任纽约美国自然博物馆鸟类馆馆长，他继续研究并写过100多篇鸟类分类学论文，包括《西南太平洋的鸟类》(1945)。1940年提出的物种定义被科学界广泛接受，导致大量前所未知的物种的发现。1953年任哈佛大学亚历山大·阿加西兹讲座动物学教授，1961年任比较动物学博物馆馆长，1970年退休。著有《系统动物学的方法和原则》(与E.G.林斯利和R.L.尤辛格合著，1953)，《动物物种与进化》(1963)和《生物学思维的发展》(1982)。

Mayr, (Johannes) Simon 迈尔(1763-06-14，巴伐利亚门多夫[德国]～1845-12-02，奥地利帝国伦巴第贝加莫[今在意大利]) 又拼Giovanni Simone Mayr。德裔意大利歌剧和教堂音乐作曲家，是最先在管弦乐中使用渐强技法的作曲家之一，此技法后来由G.罗西尼发扬光大。年轻时曾在因戈尔施塔特大学研读神学，但也学会弹奏数种乐器。后前往贝加莫和威尼斯学习音乐，他有数出清唱剧在两地上演。自第一部歌剧《萨福》(1794)问世后，他便受到欢迎，此后更随着每一部新作品的问世而愈受喜爱。1802年任贝加莫圣马利亚教堂唱诗班指挥，1805年成为贝加莫大教堂圣咏学校对位法教授和校长。1815年后，他专注于宗教音乐，包括弥撒曲、诗篇歌、经文歌和康塔塔，这多少是受了罗西尼的影响。后期作品的风格是将德国传统的丰富和声及管弦乐微差融入意大利的旋律写作中。迈尔写了一本纪念性的海顿传记、许多音乐理论书籍和一本在他死后才编辑出版的自传；他并为贫苦和年老的音乐家设立两所福利机构。在他的60余部歌剧作品中，历久流传的有《洛多伊斯卡》(1796)、《斯科齐阿的吉奈弗拉》(1801)、《美狄亚在科林斯》(1813)和《白玫瑰和红玫瑰》(1813)。

Mayrena, Marie-Charles David de 参阅 **David de Mayrena, Marie-Charles 梅瑞纳**。

Mays, Willie (Howard) 梅斯(1931-05-06，美国亚拉巴马韦斯特菲尔德～) 美国职业棒球运动员。1951年参加全国棒球联盟纽约巨人队，先以善于跳起接球和鱼跃接球引人注目，后成为公认的优秀击球员。1952～1954年在陆军服役。1954年赛季，巨人队夺得全国棒球联盟和世界系列赛冠军，梅斯个人击球率为0.345，击出41个本垒打，居联盟之首。由于与巨人队(1958年迁至旧金山)签订两年合同，他于1966年获得当时棒球运动员的最高收入。1972年转到纽约梅茨队，1973年赛季结束后退出球坛。在其全部经历中共击出660个本垒打，平均击球率为0.302。在1955、1962和1964～1965年他的本垒打数在联盟中首屈一指。退出比赛后，梅斯于1979年在一家公司担任公共关系工作。由于该公司与赌博业有牵连，梅斯入选棒球名人堂3个月后就被禁止参加与棒球有关的活动。1985年禁令取消，他成为巨人队的专职特别助理。

Maysville 梅斯维尔 美国肯塔基州东北部城市，梅森县县城(1848)。临俄亥俄河，与俄亥俄州阿伯丁有桥梁相通(1931)，1787年始建，由一小客栈发展起来。到1792年已成为西部拓荒者落脚点。1833年设市。现为河港，兼营农业和工业。为重要烟草市场。1967年建梅斯维尔社区学院。城西南40千米有州立布卢利克斯战地公园。人口8 993(2000)。

Maysvillian stage 梅斯维尔阶 北美奥陶纪的年代地层单元(奥陶纪开始于约5.05亿年前，持续约6 700万年)。位于伊登阶之上，里士满阶之下。在北美东部本阶主要由页岩和砂岩组成，一部分马丁斯堡页岩和帕拉斯凯砂岩是著名的例子。这些沉积物反映了奥陶纪阿巴拉契亚高地逐步上升期间的沉积情况。

Mayumba 马永巴 加蓬西南部城镇和大西洋海港。在狭长的姆巴尼奥潟湖外一岬角的顶端。为赤道森林木材的输出港。20世纪60年代开始在该城与西北370千米处的让蒂尔港之间近海开采石油。姆巴尼奥潟湖地区经济以渔业为主。当地有大片白沙滩和森林。内有象、水牛、大猩猩、羚羊、鳄鱼和彩色鸟。还有一些稀有的蝴蝶。因交通改善，旅游业日益发展。有公路通首都利伯维尔，并有机场。人口约17 700(1985)。

Maywood, Augusta 梅伍德(1825，纽约市～1876-11-03，奥地利帝国波兰勒武夫[今乌克兰利沃夫]) 原名奥古斯塔·威廉斯。蜚声国际的第一个美国芭蕾舞女演员。师从法比混血儿P.哈泽德，12岁时于费城在用英语演出的奥柏的歌剧芭蕾舞《神与舞姬》中初次登台。由于曾在巴黎学习，她得以于1839年在《瘸腿的魔鬼》一剧中在巴黎歌剧院初次登台演出，受到包括T.戈蒂埃在内的法国评论家们的赞赏。在巴黎歌剧院只呆了一年之后，就同舞蹈演员C.马比耶(她后来的丈夫)一起离开巴黎。她在里斯本和维也纳主演了几部芭蕾舞剧，其中包括《吉赛尔》和《仙女》。23岁时成为米兰拉斯卡拉剧院的首席芭蕾舞女演员，一直留在该院直到1862年退休。

Mazagan (Morocco) **马扎甘** 参阅 **Jadida, el-杰迪代**。

Mazama Ash 梅扎马火山灰层 广泛分布于美国西北和加拿大西南部的火山灰沉积层。由俄勒冈州的梅扎马火山喷发而堆积成。喷发形成了火山口湖。这次突变性事件大约发生在6 600年前。巨厚的浮石堆积在梅扎马火山坡上，而细粒物质则被风吹落到很远的地方。该火山灰层由于分布广泛而可在考古研究中用作标志层或年代层。与火山堆积有关的沉积物之研究表明，在火山灰形成的时代，该地区气候比较干旱。该火山灰的矿物成分独特，可与其他的火山灰堆积相区别。

Māzandarān 马赞达兰 伊朗北部历史地区，北濒里海。公元前1000年初，早期伊朗文明曾繁荣于此。约公元720年曾遭阿拉伯人蹂躏。为伊朗皈依伊斯兰教的最后地区。

马赞达兰地区的厄尔布尔士山脉
美国不列颠百科全书公司供图

13～14世纪被蒙古人侵犯，1668年哥萨克人攻击此地区，但被打退。1723年该地区割让给俄罗斯帝国；卡扎尔王朝统治时，归还伊朗。北部由里海沿岸低地和厄尔布尔士山脉北坡高地组成。沿海平原以沼泽地为主，山麓边缘有大片沙砾冲积扇。气候属亚热带，潮湿，夏季酷热。西部高地山坡陡峭，东部较徐缓。森林大部分被砍伐。海拔较高地方有夏季牧场，村落散布其中；冬季部分村落被放弃。多野猪、鹿和鸟类。以前低地有虎出没，现已消失。广泛用水牛作役畜。有恰卢斯河、海里斯河、塔拉尔河、塔坚河和内卡河等许多河流。河中多鳟鱼和鲑鱼。居民为伊朗人，还有许多突厥部族人(特别是土库曼人)、亚美尼亚人和俄罗斯移民。马赞达兰以出产阿拉伯马(或称土库曼马)闻名。沿海平原和戈尔甘地区经济繁荣发达，横贯伊朗铁路和3条公路与内地相通。沿海缺少天然良港。德黑兰北面的人工港瑙沙赫尔小于其西面的恩泽利港(前称巴列维港)。因泥沙淤积和水位降低，其他港口不能使用。少数民族有卡迪科拉希族、巴列维族和卡扎尔族等。其中一些是定居农民，另一些为游牧民。农业在经济中居支配地位。作物有水稻、小麦、大麦、烟草、棉花、油籽、黄麻、茶叶、水果和蔬菜。20世纪70年代中期进行农业改革，实行大规模机械化耕作，有10万公顷以上土地开垦为稻田，并建成几座大水坝。20世纪70年代石油开发促进了工业投资和主要行业的发展，如水泥、纺织、轧棉、渔业、木材加工、食品加工等。也开采煤矿和石料。

Mazār-e Sharīf 马扎里沙里夫 阿富汗北部城镇，在乌兹别克斯坦边境以南56千米处。海拔380米。该城由于发现先知穆罕默德之婿阿里哈里发之墓而得名（意为"圣人之墓"）。有一座蓝瓦清真寺和一个圣坛标出该墓所在地，墓受所有穆斯林的敬仰。城镇位于阿富汗最肥沃地区之一，有巴尔赫河灌溉农田，生产棉花、谷物和水果。工业有磨粉、丝纺和棉纺。有公路和航空线与喀布尔及其他城市相通，也是该国与中亚贸易的主要转运点。城内有一著名伊斯兰经学院。居民主要是乌兹别克人、塔吉克人和土库曼人。人口约127 800（最新统计）。

马扎里沙里夫镇的蓝瓦清真寺
美国不列颠百科全书公司供图

Mazara del Vallo 马扎拉-德尔瓦洛 意大利西西里岛西部城镇和主教区。属特拉帕尼省。原为腓尼基城市，希腊人自附近的塞利努斯（今塞利农特）来此屯垦。公元前409年陷于迦太基人，其后次第为罗马人、萨拉森人和诺曼人所占。著名建筑物有大教堂（1075；1694年重建）、诺曼人建圣尼科洛教堂和马耳他骑士团（医院骑士团）宫室（现为市美术和考古博物馆）。为该国最重要渔港之一。输出马尔萨拉酒和农产品。人口48 156（2001）。

Mazarin, Jules, Cardinal 马萨林（1602-07-14，那不勒斯王国阿布鲁齐佩希纳［今在意大利］～1661-03-09，法国万塞讷） 法兰西首相（继黎塞留之任）。早年入罗马耶稣会学校求学，后入西班牙的大学学习法律，毕业后回罗马。1624年任教皇军上尉。此后进入罗马教廷外交部，1628年任教皇驻米兰使节萨凯蒂的秘书。1630年1月正值西班牙和法兰西就曼图亚王位继承问题交战期间，萨凯蒂的继任者枢机主教巴尔贝里尼派马萨林去法兰西同大主教枢机黎塞留进行谈判。根据马萨林谈判达成的《凯拉斯科条约》（1631-06-19），法兰西取得曼图亚王位。马萨林对黎塞留非常敬仰，也得到枢机主教巴尔贝里尼的保护。1632年马萨林返回罗马，巴尔贝里尼把他先介绍到艺术家、画家和音乐家的圈子里面，1634年使他作为教皇特使驻在法兰西宫廷。他在黎塞留身边深得宫廷权势人物的眷顾，他也变得喜欢法兰西民族。后来他被召回阿维尼翁，1636年底回罗马。他通过同黎塞留保持通信，继续对法兰西政治施加影响。1638年法兰西国王路易十三推荐他做王室枢机主教候选人，给他教会津贴和薪俸，最后邀请他到巴黎。1640年马萨林离开教廷，进入法兰西政界。1642年底黎塞留死后，他成为法兰西首相。他竭力促进1644年4月10日在威斯特伐利亚的明斯特开始的和谈，1648年10月终于签订《威斯特伐利亚和约》。1658年马萨林趁哈布斯堡王朝势力衰落的时机，组织法兰西与紧靠法兰西边界的德意志各州的防御联盟（莱茵联盟）。1659年11月7日在比利牛斯边境同西班牙签订和约。马萨林受宠于奥地利的安娜，曾任路易十四的导师。路易十四即位后，马萨林引导幼主日益关心政府事务，并为幼主训练大批行政人员。另外，他曾创建皇家绘画和雕刻学院。

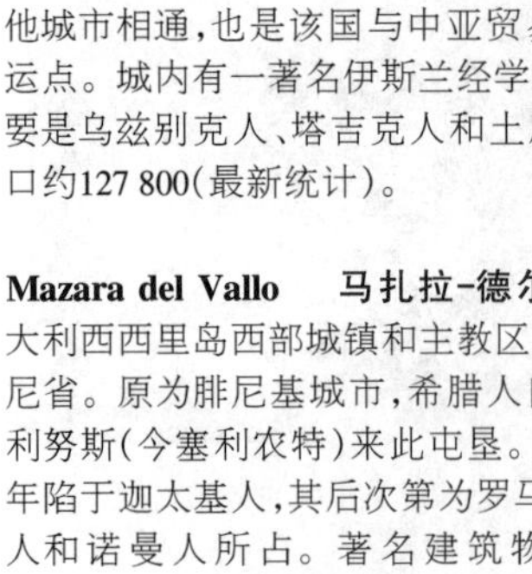

美国不列颠百科全书公司供图

Mazartag Shan 麻扎塔格山 中国新疆维吾尔自治区山脉。在塔克拉玛干大沙漠西部，叶尔羌河与和田河之间。东西走向，长约140千米，宽1～2千米。海拔约1 400米左右，相对高度约300～350米，最高峰1 570米。麻扎塔格山为荒漠性低山，山地两侧全为沙丘覆盖。

Mazaruni River 马扎鲁尼河 圭亚那中北部河流。源出西部帕卡赖马山脉，大致向北，出圭亚那高原转东南，至伊萨诺折向东北，在巴蒂卡接纳库尤尼河后与埃塞奎博河会合，全长560千米。仅有几处短河段可通航。其余河段为间断的急流。河流经过地区人口稀少，热带雨林密布。该河是圭亚那主要金刚砂产地。

Mazatec 马萨特克人 墨西哥瓦哈卡州北部的中美印第安人。他们的居住区多山，有小溪谷，动物区系与植物区系与他处大不相同。马萨特克语同乔乔语、伊斯卡特克语和波波洛卡语有密切关系。马萨特克人务农，主要种植玉米、豆类、南瓜和辣椒。种地主要用掘土尖棍和锄。房屋长形、草顶，聚为城镇或村落。原有纺织与制陶技术，现已几乎绝迹，代之以各类商品。妇女仍着宽松长衫和及踝长裙；男子穿棉布白衫、白裤。马萨特克人每两年选举自己的行政当局，候选人必须由长老议事会提出。市民要担任公共义务劳作。他们信仰带有异教成分的天主教。

Mazatenango 马萨特南戈 危地马拉西南部城镇。临锡斯河。海拔371米。太平洋沿岸低地商业和制造业的重要中心。主要作物为棉花、咖啡、甘蔗、可可、热带水果和橡胶。棉花在此加工为纺织工业原料，棉籽用于榨油。有公路和铁路通危地马拉城。是太平洋港口的运输中心。人口约30 350（1994）。

Mazatlán 马萨特兰 墨西哥太平洋沿岸最大港口和游览胜地。在锡那罗亚州西南部，以优美的沙滩著称。同下加利福尼亚尖端隔海湾相望，是半岛和大陆之间的交通枢纽。也通铁路、公路和航空线。马萨特兰有"太平洋明珠"之称。是旅游胜地，也是捕鱼和狩猎中心。人口380 265（2000）。

马萨特兰海滨
美国不列颠百科全书公司供图

Mazdā（Zoroastrian god） **玛兹达** 参阅 **Ahura Mazdā 阿胡拉·玛兹达**。

Mazda Motor Corporation 马自达汽车公司 曾名东洋工业公司（1927～1984）。日本汽车制造商，产品有马自达牌客车、卡车和公共汽车，其他产品有钻石机、机床与块规。1979年美国福特汽车公司收买该公司25%的股权。总部在广岛。1920年建立时是个软木加工厂。1931年开始制造三轮卡车，25年内生产了20万辆。第二次世界大战期间，向日军供应这种卡车和步枪。1960年生产出马自达有篷型小车，进入客运汽车市场。两年后生产轿车和旅行汽车。1967年生产使用旋转式活塞的万凯尔牌发动机。

到20世纪70年代初期有一半以上的马自达汽车都采用了这种发动机。这种发动机的缺点是耗油量大。由于后来汽油奇缺,装配这种发动机的马自达汽车销售量也随之猛降。此后,在住友银行的资助下,该公司才站稳脚跟。由于削减了劳动力,极大提高了劳动生产率,并改用传统的、燃油效能高的发动机,公司遂成为日本最大汽车生产商之一。公司的恢复与福特汽车公司有关。曾供应福特公司汽车中轴及运交现成待装配的部件。1984年用现名。

Mazdakism 玛兹达教 5世纪晚期兴起于伊朗的二元宗教,起源不详。该派教义认为有善(光明)与恶(黑暗)两元。光明按自由意志有计划地进行活动;黑暗则盲目地、无目的地进行活动。两者偶然混合而产生世界。光明元素有三,即水、火、土。世人都应崇拜光明神,他在乐园执掌王权,面前有四能,即感、知、忆、欢。这四能支配七臣十二灵,分别代表古代已知的7颗行星和黄道12宫。四能聚集于人身;七臣和十二灵统治世界。人应以自己的行动促进光明普照世界,其法是修身养德、禁欲苦修、不杀生、不食肉。该派主张实行共产共妻以鼓励友爱互助而防止贪欲与争斗。

maze 参阅 **labyrinth** 迷宫。

Mazeikiai 马热基艾 立陶宛西北部一个区的城镇和中心。濒临维尔维恰阿河。1980年在该镇西北约20千米处开始设厂炼油,加工经管道(1977年建成)输送的原油,为艾莱克特雷奈火力发电厂(1972)提供燃料。为公路和铁路枢纽。有食品加工和电子工业。有剧院和博物馆。人口45 875(1999)。

Mazepa, Ivan Stepanovich 马泽帕(约1644,波兰白采尔克瓦[今乌克兰白采尔科维]附近的马泽平齐～1709-09-08[旧历08-28],摩尔达维亚宾杰里[今摩尔多瓦]) 俄罗斯乌克兰的哥萨克首领,在北方战争中投奔瑞典人反对俄罗斯。曾在波兰国王卡齐米日的宫廷中当侍从。在西欧受教育。1663年到第聂伯河西岸乌克兰的哥萨克首领多罗申科手下服务。1687年继任乌克兰哥萨克首领。1689年对克里米亚鞑靼人作战。彼得大帝在位时期,他为了保全自己的地位而极力博取沙皇的欢心。然而,彼得却疏远他和哥萨克人,要他们缴纳重税,并且放纵俄国官兵去鱼肉乌克兰的老百姓。结果,在北方战争开始时(1700),马泽帕与瑞典的查理十二世进行秘密谈判。当查理率兵进入乌克兰时,他带领5 000名哥萨克投奔瑞典人。1709年波尔塔瓦战役后,他同查理一起逃往摩尔达维亚并死在那里。

mazer 硬木酒碗 中世纪的木质饮酒碗,通常用斑枫木车制而成。现存的最早实例制作于14世纪前期,碗口和碗足上镶有一圈银或镀银的边线,在碗内中心处有一錾刻或珐琅的圆形花纹浮雕。到15世纪硬木酒碗变得底浅而托宽,载有宗教或世俗特征的铭文。16世纪后硬木酒碗极为罕见。

Mazia, Daniel 梅齐亚(1912-12-18,美国宾夕法尼亚斯克兰顿～1996-06-09,加利福尼亚蒙特雷) 美国细胞生物学家。以核生理学及细胞生理学,特别是有丝分裂与酶化学方面的研究闻名。最先分离出海胆卵中的有丝分裂器;发现有丝分裂器很可能是与核糖核酸有关的一种蛋白质。又研究了将分裂的细胞内蛋白质合成的顺序;他证实有丝分裂的开始有赖于这些准备工作的完成。1937年获宾夕法尼亚大学博士学位。1937～1938年在普林斯顿大学全国研究理事会及马萨诸塞州伍兹霍尔海洋生物实验所任职。1938～1950年在密苏里大学任教,1951年到加利福尼亚大学伯克利分校任教。

Mazovia 马佐维亚 又拼Masovia。波兰中东部的低地。在维斯图拉河中游和布格河下游盆地波德拉西亚以西。包括普沃茨克-切哈努夫地区以及索哈切夫、格鲁耶茨和切尔斯克地区。10世纪前半叶并入波兰国。1138年博莱斯瓦夫三世将国土分封诸子,马佐维亚成为王国中的一个主要公国。13～14世纪,马佐维亚又分为几个小国。直至1526年才重新统一。18世纪末波兰遭瓜分,马佐维亚被普鲁士吞并。1807年归华沙公国。1815年归俄属波兰。1918年波兰复国,马佐维亚大部划在华沙省内。1945年后,马佐维亚分属华沙和比亚韦斯托克两省。

Mazovian Lowland 马佐维亚低地 波兰中东部谷地。位于波兰中央平原东部,马苏里亚恩湖区以南和同白俄罗斯交界的波德拉西亚低地以西。谷地蜿蜒,多沼泽和冲积平原,边缘地带为肥沃的河旁阶地。有维斯图拉河逶迤流经,有几处边缘为沼泽地的河段经常泛滥。部分地区为沙堆覆盖,无法耕作。首都华沙位于该地区。其他大城市有普沃茨克和谢德尔采。

Mazowiecki, Tadeusz 马佐维耶茨基(1927-04-18,波兰普沃茨克～　　) 波兰新闻工作者和团结工会负责人,1989年成为40年代后期以来一个东欧国家的第一位非共产党人总理。马佐维耶茨基在华沙大学法律系毕业后,进入新闻界,20世纪50年代中期在波兰年轻的天主教知识分子中享有盛名。1958年与人共同创办独立的天主教月刊《联系》,他任主编直至1981年。70年代与工人保卫委员会建立联系,该委员会的宗旨是保护波兰反对共产党的劳工积极分子免于受到政府的迫害。当格但斯克列宁造船厂的罢工导致团结工会于1980年8月成立时,马佐维耶茨基成为罢工者的主要顾问之一,并协助动员波兰知识分子支持他们。1981年团结工会领袖瓦文萨任命他为重新出版的团结工会刊物《团结周刊》的主编。在1981～1988年政府压制团结工会期间,马佐维耶茨基与瓦文萨的关系却不断加深。1989年初马佐维耶茨基担任政府与团结工会之间谈判的调停人,这次谈判的结果使团结工会合法化,并导致举行自1947年以来波兰最自由的全国选举。团结工会在6月全国选举中获得的巨大胜利,促使波兰共产党人总统雅鲁泽尔斯基将军在瓦文萨的建议下,任命马佐维耶茨基为总理。8月24日,马佐维耶茨基成为由团结工会会员、共产党员和小党党员组成的联合政府的总理。马佐维耶茨基在担任总理期间,进行旨在把波兰推向自由市场经济的激进改革。他的政府大大地放松物价控制,减少补贴和放松中央计划,同时实行企业私营化,建立稳定的可自由兑换的货币,以及限制工资增长以减少通货膨胀。通过这些办法,马佐维耶茨基在稳定波兰的消费品市场、增加出口和恢复政府财政等方面获得了成功,但却以失业急剧增长和实际工资下降为代价。群众对这些消极方面的不满情绪在1990年12月选择雅鲁泽尔斯基接班人的总统大选中变得很为明显:在这场瓦文萨获胜的选举中,马佐维耶茨基获得第3。马佐维耶茨基继续担任总理,直至瓦文萨任命的总理于1991年初接替他为止。

Mazowieckie 马佐夫舍 波兰中东部省份,北邻瓦尔米亚马祖尔省,东北邻波德拉斯省,东南邻卢布林省,南邻圣十字省,西南邻罗兹省,西北邻库亚瓦滨海省。为1999年波兰行政区划调整后建立的16个省份之一,主要包括原华沙省、奥斯特罗文卡省、拉多姆省、普沃茨克省、切哈努夫省和谢德尔采省。华沙为该省省会和国家首都。马佐夫舍为低地地区,气候夏季温暖,冬季凉爽。年平均降雨量500～600毫米。有2/3的居民生活在城市,华沙为波兰最大的大都市。其他大城市包括拉多姆、普沃茨克、奥斯特罗文卡、谢德尔采等。21世纪初,马佐夫舍是波兰工业产出和外商投资最多的省份之一。工业活动以华沙工业区为中心。主要国有企业的总部都设在华沙。华沙的主要产业包括汽车制造、钢铁制造、食品加工和商业服务。1991年华沙股票交易所成立。其他工业中心包括生产石油化工产品的普沃茨克和生产军需品的拉多姆。虽然该省实现高度工业化,但当地2/3的面积是农田。马佐夫舍是马铃薯的重要产地。其他主要作物包括黑麦、甜菜、水果和蔬菜。华沙也是铁路枢纽。华沙南郊的国际机场是全国最繁忙的机场之一。卡姆宾诺斯国家公园是波兰最大的国家公园,有很多华沙游客到此进行一日游。华沙有数十家剧院,设有国家交响乐团、国家戏剧院、国家图书馆和国家博物馆。华沙有很多著名的历史建筑和纪念物,包括旧城(14世纪初建立)和新城(15世纪开始建设)。新城和旧城在第二次世界大战中几乎被完全摧毁,但后来又奇迹般地重建,1980年被联合国教科文组织列为世界遗产。19世纪初,该地区归入依附于俄国的波兰会议王国。19世纪中期,成为波兰反对俄国统治的中心。19世纪后半叶工业、食品业、冶金业、纺织业和铁路运输业发展迅速。当时华沙工业区的大部分产品出口俄国。第二次世界大战德军占领华沙期间,由于大屠杀、犹太人口的灭绝、1944年华沙起义中20万居民的死亡以及起义后对城市左岸居民的驱逐,该城人口迅速下降。起义结束后,希特勒命令纳粹军队摧毁该城。波兰首都的重建成为战后主要任务。面积35 598平方千米。人口5 124 018(2002)。

Mazu 妈祖 英语作 Lady Matriarch。古称天妃或天后，又称天上圣母、水仙圣母。原为中国东南沿海民间传说中的女神，道教奉为航海保护神。传说妈祖为北宋林氏女，世居莆田湄洲屿。少时从老道士受“无微秘法”，后成为海神，当时人称通玄灵女。屡显神异，多现身海上平息风涛，护佑船舶。元时封为天妃。华南沿海多有天后宫，每逢天妃诞辰香火甚盛。船民出海前常往祈祷。今海外华侨聚居地也多有庙奉祀。

Mazu 马祖（709～788） 又拼 Ma-tsu。中国唐代禅师。姓马，名道一，亦称马祖道一。汉州什邡（今四川什邡）人。初从处寂出家学禅，后在渝州（今重庆）圆律师处受具足戒。此后去各地巡礼圣迹，并到湖南南岳专心坐禅。因怀让喻以磨砖不能成镜坐禅焉得成佛，马祖由此开悟，改随怀让学禅。后到江西各地弘传禅法。唐代宗大历（766～779）年间住洪州钟陵（今江西南昌附近）开元寺弘法，四方学者云集，创立洪州宗。卒后唐宪宗敕谥大寂禅师。弟子有百丈怀海等139人。

Mazu Islands 马祖列岛 又拼 Matsu Islands。中国福建省闽江口外岛屿。由马祖（南竿塘）、北竿塘、高登、东犬、西犬、东引、西引各岛，及附属无人小岛等19座岛屿组成，总面积约28.8平方千米。原为无人荒岛，元代有沿海渔船在此避风停泊。明洪武元年（1368）以后始有渔民移入渐成村落。其后戚继光曾派兵驻戍马祖岛以防倭寇；郑成功收复台湾时曾以此岛为训练基地。1949年国民政府在岛上驻军防守。马祖列岛位于闽江口外的东海中，扼闽江咽喉。其中以马祖岛最大，面积约10.4平方千米。地狭土瘠，不适农耕，仅种植高粱、玉米、瓜果等少量作物。居民多以捕鱼为业。人工造林成效显著。人口约6 560（1999）。

mazurka 马祖卡舞 由成对舞伴围成一圈跳的波兰民间舞。特点是跺脚和碰击脚跟，按照传统习惯，由风笛伴奏。乐曲为3/4拍子，重拍在第二拍上。这种舞无规定花样，带有高度即兴性质，现存50多种不同舞步。马祖卡舞起源于16世纪波兰中东部的马祖尔人，很快被波兰宫廷采用，然而它仍不失为一种农民舞蹈。马祖卡舞后来传到了俄国和德国的舞厅，19世纪30年代又传至英国和法国。作为舞厅里四对、八对或一对舞伴跳的舞蹈，马祖卡舞仍留有即兴发挥的余地。肖邦（1810～1849）创作的马祖卡钢琴曲集反映了他那个时代这种舞蹈的普及。华沙舞是由简单的马祖卡舞步发展起来的19世纪的对舞。流畅的库亚维亚克舞和有力的奥贝雷克舞都是与马祖卡舞有紧密联系的波兰舞蹈。

马祖卡舞

美国不列颠百科全书公司供图

Mazyadid DYNASTY **马季亚德王朝** 约961～1150年间统治伊拉克中部的穆斯林阿拉伯人王朝，首都为希拉。马季亚德家族原为贝都因人，10世纪中期在幼发拉底河畔希特和库费之间定居。不久以后，巴格达的白益王朝苏丹承认阿里一世·伊本·马季亚德（？～1018）为该地区的埃米尔。阿里死后，其子杜拜一世（1018～1081在位）继承其位，但两名兄弟与之进行长期的夺权战争。曼苏尔的短暂统治（1081～1086）之后是一个扩张王朝活动的时期。萨达迦一世（1086～1108在位）与塞尔柱人联盟，逐步控制伊拉克大部分地区，攻占希特、瓦西特、巴士拉和塔克里特。1102年，他把首都贾米安扩大，修筑城堡，更名为希拉。死后由子杜拜二世（1108～1135在位）继承，此人是反对十字军的伟大战士。杜拜死后，因3个兄弟争权，王朝一蹶不振，1150年终于臣服塞尔柱苏丹麦斯欧德，把希拉交给苏丹的一个将军。

Mazzei, Philip 马泽伊（1730-12-25，意大利托斯卡纳波焦阿卡亚诺～1816-03-19，比萨） 意大利医师、商人和作家，美国独立战争的积极支持者。原在佛罗伦萨学医，后去土耳其开业，1755年到伦敦改作酒商。1773年到达美洲殖民地，在杰斐逊经营的蒙蒂塞洛农庄旁办起实验农场。不久投身于独立运动，竭力主张弗吉尼亚争取宗教和政治自由。1779年受弗吉尼亚州州长P.亨利委托，向托斯卡纳公爵商谈借款。到达欧洲后，他发觉无法完成任务，因为大陆会议驻欧洲的代表B.富兰克林认为只有全国性的政府才有权举借外债。1788年在巴黎出版他的4卷《美国历史与政治研究》。1789年担任波兰最后一个国王斯坦尼斯瓦夫的顾问。多年来他与杰斐逊以及其他弗吉尼亚人不断通信，在杰斐逊写给他的一封信中有批评联邦党人的语句并牵涉到华盛顿，经美国报刊披露而引起一场小风波。在他去世前3年出版一册用意大利文写的记述他不平凡生活和游历的书。

maẓẓevah (Judaism) 参阅 **matzeva** 玛泽瓦。

Mazzini, Giuseppe 马志尼（1805-06-22，热那亚[意大利]～1872-03-10，意大利比萨） 热那亚宣传鼓动家和革命家，秘密革命社团“青年意大利”的创始人，意大利复兴运动的战士。医生之子。14岁进入热那亚大学。两年后见到一位爱国志士因起义失败而亡命国外，他开始认识到：“意大利人不但能够、而且应该为祖国的自由而奋斗。”1827年从大学法律系毕业，成为“穷人的律师”。他为进步刊物撰写文章，并希望成为戏剧家或历史小说家。由于热爱自由，加入了以推翻君主专

美国不列颠百科全书公司供图

制统治为宗旨的秘密团体“烧炭党”。1830年因有人出卖，被警察逮捕，关押在萨沃纳。1831年初获释。流亡到马赛后，一些意大利流亡者拥戴他为领袖。他在这里发起青年爱国运动，创立“青年意大利”，旨在将意大利各小国从外国统治下解放出来，建成自由独立的统一共和国。这是意大利第一个有各阶级广泛参加的民主运动，因为马志尼坚信“只有依靠群众的力量才能解放意大利”。“青年意大利”在热那亚和其他城市成立了地下支部，1833年已拥有6万名成员，他们把马志尼主编的《青年意大利》杂志和其他革命小册子秘密运进意大利。1833年“青年意大利”发动起义失败，12名成员被处决，1人自杀，马志尼被缺席判处死刑。几个月后，马志尼为逃避法国警察的搜捕而移居瑞士，他打算招募1 000名志愿兵攻打萨伏依，但因仅有200人报名，未能如愿。此后，他提出更广泛的革命计划，建立“青年欧洲运动”，并协助建立“青年德意志”、“青年瑞士”和“青年波兰”。1837年与几位意大利朋友移居伦敦，于是，英国成了马志尼的第二故乡。他住一间简陋的小屋，屋中尽是书报和鸟笼（养鸟是他的嗜好）。他在不列颠博物馆潜心研究，并为英国杂志撰稿。虽然身无长物，但仍然为侨居伦敦的意大利儿童开设学校，还创办了《人民使徒报》。他的《论人的使命》一书的若干章节就是在这一报纸上发表的。1840年重建“青年意大利”运动，努力在世界各地的意大利人中间唤起民族的觉醒。1844年马志尼与班迪耶拉兄弟来往密切。班迪耶拉兄弟准备在卡拉布里亚发动起义，不幸遭到失败。在两兄弟牺牲之后，马志尼告知两个英国议员朋友：他怀疑英国政府曾偷拆他的信件，将班迪耶拉兄弟的起义计划告知那不勒斯当局。这件事在英国议会中掀起轩然大波，英国政府不得不承认确有其事。1847年马志尼创建“人民国际联盟”时，得到许多英国自由党人的支持。1848年革命时期，马志尼回到国内，在米兰受到群众的热烈欢迎。在奥地利人重占米兰以后，他一度参加加里波第的非正规军队。不久以后仍回英国。1849年再赴意大利，最初到托斯卡纳，后来前往罗马，此时罗马已驱

走教皇，宣布成立共和国。他曾深信在帝国罗马和教皇罗马之后将是一个人民的罗马，如今他的梦想成为现实。这位伟大的爱国者受到人民的欢呼，被推选为共和国执政官之一，成为政府的实际首脑。他在宗教改革和社会改革方面表现出卓越的行政才能。由于罗马教皇吁请各天主教国家进行干预，法国军队在意大利登陆，共和国经过英勇的抵抗终于覆亡。马志尼离开了罗马。他回到伦敦后，1851年又建立一个新的组织“意大利之友社”，并多次策动在国内举行起义。1858年在伦敦出版《思想与行动》杂志，这个杂志的名称反映出他的观点：思想只有付诸行动才有价值。当加里波第一度在意大利南部建立政权时，马志尼曾经前往那不勒斯。1861年成立统一的意大利王国以后，他因坚持主张共和政体，拒不参加议会政府，又返回伦敦。19世纪60年代，他计划攻打威尼斯和罗马。此时他与第一国际的成员发生接触，但因他的思想既不能接受马克思的共产主义，也不能接受巴枯宁的无政府主义，很快就停止了来往。墨西拿曾多次选举他任国会议员，都为意大利政府所否决。1870年马志尼前往西西里领导共和党人起义，但在中途被捕，囚禁于加埃塔，后获释。意大利虽然遂他的意愿成为一个统一的整体，但所实行的却是君主制而不是他所期望的共和制。他感慨万分地说：“我认为我是在唤醒意大利的灵魂，但是我只看到面前的尸身。”马志尼在生命的最后几年还创办新的报纸《人民罗马报》，并为意大利工人代表大会的召开出谋献策。

M'ba, Léon　姆巴（1902-02，法属刚果利伯维尔［今在加蓬］～1967-11-28，巴黎）　又拼Mba。加蓬独立后第一任总统。1964年发生未遂军事政变后，其政权仰赖法国政府和商界的支持。第二次世界大战以前，姆巴曾被法国殖民行政当局视为肇事分子，1933～1946年间甚至遭到放逐，返回加蓬后不久即参加政治活动。1952年当选为领地议会议员，1956年担任加蓬首都利伯维尔市市长。他的政党加蓬民主同盟在1957年重要大选中获胜后，他担任加蓬行政会议副主席（非洲人在当时担任的最高职务）。此后不久，姆巴成为加蓬共和国行政会议主席兼总理。在1958年9月举行的公民投票中，加蓬决定留在法兰西共同体中。两年后加蓬独立时，姆巴早就以过分保守和亲法而受到党内人士的抨击，他监禁了其中的若干人。1961年姆巴当选总统后，愈趋于家长式统治和独裁，强调国家的统一和必须依赖法国。1964年初大选前夕，他单方面决定建立一党政权，结果引起武装起义，他曾被加蓬军队劫持过一段时间，但法国军队帮他恢复了政权。在法国的暗中扶持下，姆巴留任总统到1967年逝世为止。

Mbabane　姆巴巴内　斯威士兰首都和最大城镇。在该国西部海费尔德矿区内。1902年英国人控制斯威士兰时建立该镇。1964年有铁路通莫桑比克，主要输出铁矿石。到70年代末铁矿石生产实际上已停止。人口60 000（1998）。

Mbale　姆巴莱　乌干达东南部城镇。位于土地肥沃的咖啡种植区，是农产品（棉花、香蕉、蔬菜和谷物）的贸易中心，有全国主要乳制品工厂之一。是一条通往肯尼亚基塔莱的公路的终点。人口约53\600（1991）。

Mbalmayo　姆巴尔马约　喀麦隆中南部城镇，濒尼永河，在森林区内。在通往雅温得的主要公路干线上，是通往杜阿拉的铁路终点，又是尼永河港口，所以成为商业中心。有胶合板工厂。人口约43 858（1992）。

Mbandaka　姆班达卡　1966年前称科基拉维尔。刚果（金）西北部城市。位于赤道上，在首都金沙萨东北700千米。自1886年起为殖民地行政中心。为刚果河与鲁基河汇流处的河港。除船运外，经济以农林为主，产橡胶、咖啡、稻谷、木材。有酿酒厂、印刷厂、国立博物馆、师范学院和植物园。有飞机场。人口约169 841（1994）。

Mbangala（African people）　参阅**Imbangala 因班加拉**。

M'banza Congo　姆班扎刚果　又拼Mbanza Kongo，旧称São Salvador do Congo。安哥拉西北部城市。坐落在诺基东南约160千米的低地高原上。诺基为该城至刚果河最近之点。16～18世纪该城为刚果王国首都，原名姆班扎刚果或邦扎刚果，1534年，葡萄牙人在此建起天主教堂，尔后将该城更名为圣萨尔瓦多。即使在19世纪刚果主权为欧洲人摧毁之后，安哥拉和刚果（金）的非洲领导人仍然认为刚果王权依然存在，王位就设在圣萨尔瓦多，这种思想影响到现代中非政治。由于强迫劳动和强占土地而不断引起的该地区刚果民族的反抗活动，导致了葡萄牙人的报复行动，以及从1961～1974年刚果人向邻近的扎伊尔（今刚果）的大规模迁徙。1975年安哥拉脱离葡萄牙获得独立后，该城恢复旧称。现为周围地区出产的玉米、花生、扁桃、芝麻和木薯的贸易中心。人口约4 000（最新统计）。

Mbarara　姆巴拉拉　乌干达西南部城镇，海拔约1 480米。在首都坎帕拉西南约270千米，与基卡加蒂、布谢尼和马萨卡通公路。该镇地处林区，以所产木雕、陶器和编织物闻名，工业生产纺织品、肥皂、油脂、饮料、加工食品、绳和麻线及胶合板。周围地区为历史上的安科莱王国的一部分。设有机场。人口41 031（1991）。

Mbari Mbayo Club　姆巴里·姆巴约俱乐部　为在尼日利亚的伊巴丹和奥绍博的非洲作家、艺术家及音乐家而设。第一个姆巴里俱乐部于1961年由一群青年作家在伊巴丹大学教师乌利·贝厄的赞助下建立起来。姆巴里是伊博族词汇，其含义为“创造”，指该区定期更新的传统粉刷泥屋。伊巴丹俱乐部经营艺术馆和剧院，并出版尼日利亚艺术家的作品以及非洲和非美文学刊物《黑歌手》。约鲁巴剧作家D.拉迪波受到启发，在奥绍博建立一类似的俱乐部。奥绍博是一个人口达25万的城市，在伊巴丹东北方向约80千米处。在乌利·贝厄的协助下，他把父亲的房屋改建为艺术馆及剧院，并演出他的剧本。奥绍博俱乐部不仅是知识分子聚会之地，也成为奥绍博生活极其重要的一部分。没有文化的妇女无意中更改了俱乐部的名称，她们把伊博族的词mbari误解为约鲁巴的词组mbari mbayo，意即“一见喜”。为了迎合当地观众，拉迪波利用约鲁巴神话、击鼓、舞蹈、诗歌，发展成为新型的约鲁巴歌剧。在1961和1962年，乌利·贝厄在伊巴丹及奥绍博组织艺术创作室，招收无业的小学退学学生。办学的宗旨在于使艺术家有一批热心艺术和有批判能力的观众，其理论是，如果一味迎合无识别力的旅游者，艺术行将堕落。青年艺术家运用传说和当时的环境，很快地创造出一种崭新、高级的艺术。由于姆巴约俱乐部获得社会承认，该俱乐部为艺术家们提供了一些活泼而又坦率的当地观众，因而使艺术家免受低级旅游市场影响的问题迎刃而解。不久，当地的小组就委托人制作宫墙壁画、舞台道具、教堂门户，以及埃索石油站。在当地大力协助下，艺术家们得以将作品销售给欧洲的收藏家，并在国外展出，而又不致损害他们的艺术。在奥绍博，姆巴里·姆巴约俱乐部涌现出许多有名的艺术家。李生儿七七是一位舞蹈家、鼓手及蚀刻艺术家，其作品主题系根据约鲁巴神话及传说加以想象变异而来并且充满幽默感。J.布赖莫以利用当地珠子、碎陶片、石块做成镶嵌工艺品而著称。A.奥拉通德的铝版可以在尼日利亚的银行、教堂、酒吧间以及欧美的私人藏品中找到。他的恬静的民间艺术描绘了尼日利亚的生活，既受到知识分子的欢迎，又受到农民和市民的欢迎。J.奥拉代波制作了铜像、手镯、垂饰，被奥绍博艺术家佩戴为标志。姆巴里·姆巴约俱乐部的成功在于：它培育了许多艺术家，并在奥绍博具有社会影响，因为它再次肯定了非洲艺术与非洲社会由来已久的相互依存。

Mbayá　姆巴亚人　阿根廷和巴拉圭查科平原的南美印第安人，操圭库鲁语。在其极盛时期，居住在东部查科平原的贝尔梅霍河和皮尔科马约河之间。一度曾是游动的狩猎、采集野生食物的部落，与西班牙人接触并获得马匹后，成为好战的骑手，威胁邻族。姆巴亚人驯马始于16世纪末和17世纪初。当时西班牙人正由其海岸据点进入内地，到达大查科。17世纪中期即西班牙人到达大查科后不到百年，姆巴亚人已成为熟练骑手，其文化也发生急剧变化，袭击西班牙人和印第安人村庄的规模及激烈程度与日俱增。姆巴亚骑手捕获猎物的品种和数量不断增加，并能轻易地袭击西班牙的牛群和马群。姆巴亚人的社会结构阶层也较有马以前时期分得更多。20世纪的姆巴亚人是定居农民，他们与其他印第安人和非印第安人通婚，已能适应其所生活的农村社会。他们以其精制的纺织品及陶器闻名。

M.B.E.　五等爵士　大英帝国爵士勋位的一种，但这种官阶不颁给爵士位。参阅**British Empire, The Most Excellent Order of the**。

Mbeki, Thabo 姆贝基(1942-06-18,南非特兰斯凯伊杜蒂瓦～) 南非政治人物,1999年成为南非总统。其父为反种族隔离主义分子,姆贝基很早就受到政治熏陶。曾在英国萨塞克斯大学攻读经济学,后到苏联接受军事训练。1994年首次不分种族大选后,他被总统曼德拉任命为副总统,并很快接管政府的日常行政事务。虽然个人魅力不及曼德拉,但姆贝基为后种族隔离时代的南非拟定经济发展策略的能力,也使他赢得南非人民的尊敬。他的政府致力于继续从一个种族隔离国家过渡,降低犯罪率,控制艾滋病在非洲的传播。他还努力增加非洲的国外投资,鼓励减免非洲国家的债务。在2004年非洲国民大会的选举中赢得近70%的选票,连任南非总统。

Mbembe 姆本贝人 居住在尼日利亚境内克罗斯河中游地区。20世纪末人数约为10万,语言属尼日尔-刚果语系的贝努埃-刚果语族。姆本贝人种植薯蓣、稻谷、芋头及木薯。现在常雇用劳力平整土地,种植薯蓣。聚居区拥挤,住房草顶,以敷泥篱笆为墙,其大小可容100～3 000人之多。他们按父系和母系计算血统。动产(如薯蓣、钱财、衣物)按母系继承,母系集体负责管理其家人在权利、义务上的问题。房、地产权按父系继承,家系成员通常住在一起。姆本贝人的宗教包括信仰一位创世主和在活人与死人之间起中间作用的神灵。许多姆本贝人现在是基督教徒。

mbira (musical instrument) **姆比拉琴** 参阅 **lamellaphone** *薄片琴*。

Mbomou River (Africa) **姆博穆河** 参阅 **Bomu River** *博穆河*。

Mboya, Tom 姆博亚(1930-08-15,肯尼亚内罗毕附近的乞力马姆博戈～1969-07-05,内罗毕) 肯尼亚的主要政治领袖,国家独立6年后遭暗杀。卢奥族人,在教会学校毕业。初任内罗毕卫生督察员,旋即参加工会运动。在基库尤部落反对欧洲人占有土地的茅茅起义时期,他是民族主义运动的主要领导人。1953～1963年任肯尼亚劳工联合会总书记。后以工人候选人身份于1957年当选,进入立法议会,为仅有的8名非洲人议员之一。他反对英国殖民当局在20世纪50年代后期提出的多种族政治代表制的政策,推动在议会中成立肯尼亚独立运动,并协助组织内罗毕人民大会党。1959年他协助建立非洲赴美留学基金会,筹款选派东非(最初仅限肯尼亚)大学生前往美国深造。1960年参与组建肯尼亚非洲民族联盟,在肯尼亚独立前任联合政府劳工部长。后在民族主义领袖乔莫·肯雅塔领导的政府里任司法和宪法事务部长(1963),1964～1969年任经济计划和发展部长。1969年遇刺身亡,使基库尤族同卢奥等族的关系趋于紧张。

Mbuji-Mayi 姆布吉马伊 1966年前称巴宽加。刚果(金)中南部城市,在姆布吉马伊河畔。该地区在1909年发现金刚石后,欧洲人在此建立了一个矿业城镇。年产工业金刚石占世界总产量重量的1/3。在1960年该城只有3万居民,在此后15年中邻近地区人民大批移入,使人口增至9倍。设有师范学院。有公路通卡南加。班机可通金沙萨、卢本巴希和卡南加。人口约806 475(1994)。

mbulu-ngulu 姆布卢-恩古卢 非洲加蓬科塔部族制作的保护死者的木雕俑,外面覆盖一层铜或黄铜箔片。它作为护墓俑的传统职能直接影响了它的形式,均倚壁而立。木雕俑非常优美,其头部呈扇形,有金属带纵横交叉其上,金属带位于覆盖着头部的一捶平的金属片之上。头在一铜箔覆盖的圆柱形颈项上,由曲臂承托,其下为一短小基座。护墓俑显示出一种安详和奇异的超脱感,属于非洲雕俑中最具风格的一种。

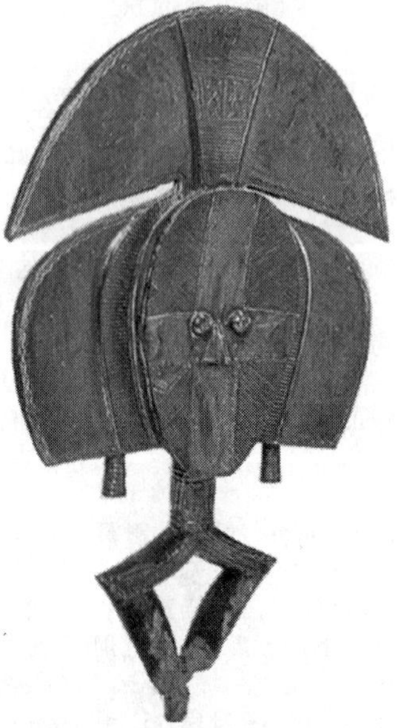

加蓬科塔部族人制作的姆布卢-恩古卢木雕俑
美国不列颠百科全书公司供图

Mbundu 姆本杜人 又称Kimbundu(金本杜人)。在安哥拉民族文化语言集团中名列第二,包括操班图语系金本杜语的各不同民族。20世纪末约197万人。其住地在安哥拉中北部和自首都罗安达向东的一片地区,介于北部的丹德河与南部的宽扎河之间。他们与住在南面本格拉高原、人口较多的邻族奥文本杜人不同。少量研究材料表明,姆本杜人的语言与奥文本杜人相近,文化传统则与北邻的刚果人相近。姆本杜人因一向实行部落间通婚,又与葡萄牙人等欧洲人长期接触,从而促进了其文化发展的多样性。姆本杜人主要部落是姆巴卡人、恩东戈人和姆邦多人。

Mbuti 姆布蒂人 又称Bambuti(班布蒂人)。是刚果(金)伊图里森林的俾格米人。他们平均身高不到137厘米,是非洲俾格米人中最矮、也许是最著名的一支民族。肤色比其邻族班图人和苏丹人浅得多,血型和其他身体特征也不同,可能是当地最早居民。姆布蒂人从事游猎和采集,几个小家族住在一起;一年之内,小家族的构成和人数多少常有变化,但一般由10～25个有父系亲缘关系的家庭结合在一起。他们既无首领,也无正式的长老议事会,各种问题和分歧由全体讨论解决。姆布蒂人信仰一位森林善神。音乐、舞蹈和哑剧既是巩固已有道德观念的方法,也是宗教活动的基本表现形式。婚姻采取交换姐妹的方式。俾格米人极少一夫多妻,家族关系紧密持久。姆布蒂人不关心来世,死者埋在他们的茅舍中或附近,茅舍旋即被废弃。有关姆布蒂人的考古文物十分缺乏,但古埃及的记载说明他们在4 500年前就在当地生活。

Mdina 姆迪纳 又称Notabile(诺塔比莱)或Città Vecchia(韦基亚城)。马耳他中西部城镇。在瓦莱塔西面,邻近拉巴特。可能起源于青铜器时代,有古迦太基人、希腊人和罗马人遗迹。保存有完好的要塞,城墙完整无损,内有许多15、16和17世纪所建马耳他式宫殿。主要名胜是圣保罗大教堂。姆迪纳和拉巴特有地下墓穴,有些足以显示早期基督教丧葬。城镇在第二次世界大战中曾遭破坏,但现仍保持其文艺复兴时期的风貌。人口约418(1992)。

Me 109 Me 109战斗机 Messerschmitt 109的缩略词。也称BF 109。纳粹德国的战斗机,第二次世界大战中曾广泛使用。最初为巴伐利亚飞机公司(BFW)1934年开始研制的BF 109型。后来,巴伐利亚飞机公司解散,此项设计由梅塞施米特公司接管,才重新定名为Me 109。Me 109在西班牙内战中投入使用,后经多次改进。Me 109E由于在不列颠之战中被广泛使用,可能是最驰名的型号。为单座单发下单翼飞机,最大时速为570千米,升限达11 000米。该机机翼上装有2门20毫米航炮和两挺机枪。Me 109总共生产了3.5万架,是德国占首位的战斗机,俯冲和爬高均快于英国的喷火式和飓风式,但机动性能较逊。再者,由于载油量小,作战半径受到极大限制。到1944年,盟国战斗机经不断改进后在性能上已超过这种飞机。

Me-baragesi (Mesopotamian ruler) **米巴拉格西** 参阅 **Enmebaragesi** *恩米巴拉格西*。

mead 蜂蜜酒 又称美舍琳(metheglin)。蜂蜜和水发酵而成的酒精饮料,有时加入酵母以加快发酵过程。在古代的斯堪的纳维亚、高卢、条顿人定居的欧洲地区、希腊,以及在中世纪,特别是在葡萄园不多的北方诸国,常用蜂蜜酿制酒精饮料。希腊和罗马的蜂蜜水,可能同凯尔特人和盎格鲁-撒克逊人饮用的蜂蜜酒相似。在凯尔特和盎格鲁-撒克逊文学如塔里辛的作品中,蜂蜜酒是国王和骑士的饮料;在乔叟的作品中磨坊主饮蜂蜜酒。10世纪豪厄尔大帝制定酿造蜂蜜酒的条例,证明威尔士人对蜂蜜酒有浓厚的兴趣,他们喜欢喝加香蜂蜜酒。16世纪初普通蜂蜜酒和加香蜂蜜酒都统称为美舍琳(源于威尔士语"医生",誉其具医疗作用)。但一度风行英国的酒精饮料蜂蜜酒,后来为爱儿啤酒、啤酒和葡萄酒所取代。17世纪开始大量进口西印度群岛的蔗糖,养蜂的积极性受到挫折,酿蜂蜜酒的原料也越来越少。现在的蜂蜜酒是含酒精量很低的干酒或甜酒,如宾夕法尼亚州荷兰移民区或芬兰出产的家酿蜂蜜酒，在当地也叫雪玛酒(sima)。

Mead, George Herbert　米德(1863-02-27，马萨诸塞南哈德利～1931-04-26，芝加哥)　美国哲学家。在社会心理学以及对实用主义的发展这两方面均负盛名。就读于奥伯林学院和哈佛大学。1891～1894年任密歇根大学哲学和心理学讲师。从1894年至去世前在芝加哥大学任教。在社会心理学方面，米德的主要贡献在于试图表明人的自我如何起源于社会的相互作用过程。他认为口语在这一发展过程中起着中心作用。儿童借助语言能够摹仿他人的行为模式，并根据自身的有意行为将对他人产生的影响来指导自己的行为。因而，米德的心理学观点是行为主义的。在哲学方面，他是美国实用主义的主要思想家。和同时代的许多人一样，他受到相对论和发生说的重大影响。他的哲学可称为客观相对主义。正如说某些东西是可以食用的，但这只是相对于某一种消化系统而言，因此，米德认为经验、生活、意识、人格以及价值只有在特定的条件下才有自然的客观属性。J. 杜威声称他自己极大地受惠于米德的哲学。米德去世后，他的学生从速记稿以及他的讲稿和未出版的文章中为他编成4卷文集：《当代哲学》(1932)、《心灵、自我和社会》(1934)、《十九世纪的思想运动》(1936)、《行动哲学》(1938)。

Mead, Lake　米德湖　在美国亚利桑那州和内华达州交界处，西距拉斯韦加斯40千米。由科罗拉多河上的胡佛水坝拦蓄而成。上溯185千米，宽1.6～16千米，面积593平方千米，蓄水量约383亿立方米，为世界最大人工湖之一。1936年建立米德湖国家游乐区(面积6 055平方千米，沿科罗拉多河延伸386千米。包括莫哈维湖和华尔派印第安人保留地的一部分)。

Mead, Margaret　米德(1901-12-16，费城～1978-11-15，纽约市)　美国女人类学家，具有个人道德影响力，敢于仗义执言主持公正，一如其学术成就之博大精深。以研究大洋洲

美国不列颠百科全书公司供图

无文字民族而闻名，尤其是对心理学和文化的不同方面如性行为的文化制约、天性以及文化变化等方面的研究，成绩卓著。作为著名人士，她深入探讨了如女权、育婴、性道德、核扩散、种族关系、麻醉品滥用、人口控制、环境污染和世界性饥饿等极为广泛的论题。1923年米德入哥伦比亚大学研究院，在F. 博厄斯和R. 本尼迪克特指导下进行研究，并深受其影响，还与本尼迪克特结成终身之交。米德1929年获得哲学博士学位。1925年到萨摩亚进行实地调查，写成她23本著作中的第一部《萨摩亚人的成年》(1928；新版1968)，成为长期的畅销书，也表现了她重观察而轻统计资料的显著特征。此书清楚地表明了她的文化决定论观点，引起20世纪晚期某些人类学者对其观察的确切性及结论的可靠性提出质疑。另著有：《新几内亚人的成长》(1930；新版1975)、《三个原始社会中的性生活和气质》(1935；重印1968)、《文化发展之连续性》(1964)等。她在纽约美国自然历史博物馆工作多年，曾任人种馆助理馆长(1926～1942)、副馆长(1942～1964)、馆长(1964～1969)及名誉馆长(1969～1978)等职。72岁时被选为美国科学促进协会会长。她去世后1979年被追授总统自由勋章，这是美国公民的最高荣誉。其他著作还有《男性与女性》(1949；新版1975)、《人类学：人类的科学》(1964)以及R. 本尼迪克特传记《文化与奉献》(1970)和米德本人早年自传《黑莓的冬天》(1972)。她的《书信选集》收录萨摩亚之行的全部信函，于1977年出版。

Mead, Richard　米德(1673-08-11，伦敦～1754-02-16，伦敦)　18世纪英国第一流的内科医生，对预防医学做出了贡献。毕业于帕多瓦大学及牛津大学。1703～1715年在伦敦圣托马斯医院和医学院任职，为一些当时最重要的人物提供过医疗服务，其中包括英王乔治一世、女王安妮、英王乔治二世、首相R. 沃波尔、科学家I. 牛顿及诗人A. 蒲柏等。他曾著文讨论鼠疫、天花、麻疹和坏血病的预防和治疗；所著《毒物的作用》(1702)包括对蛇毒作用的原始观察。他还是一位著名的大收藏家和学者。他的藏书室在英国数一数二，藏书近万卷。

Mead Lawrence, Andrea　米德·劳伦斯(1932-04-19，美国佛蒙特拉特兰～2009-03-31，加利福尼亚马默斯湖)　美国高山滑雪运动员。曾在一次冬奥会中获两枚金牌，3次美国滑降、回转和高山混合冠军以及1953年高山大回转冠军，1983年入选国际妇女体育名人堂。3岁开始滑雪，15岁参加1948年冬奥会，但因缺乏经验，名次不高。1950年在美国全国锦标赛获滑降、回转和高山混合赛第一。第二年赢得10项国际赛事。最好成绩是在1952年冬奥会赢得两枚金牌。在大回转中轻易获得第一枚金牌。第二枚则是在小回转中后来居上，以2秒优势跃居第一。1951年与滑雪运动员D. 劳伦斯结婚，育有5个子女，1967年离婚。退出赛场后执教滑雪，并积极参与环保工作。

Meade, George G(ordon)　米德(1815-12-31，西班牙加的斯～1872-11-06，费城)　美国陆军军官。由于在宾夕法尼亚州葛底斯堡击败南部邦联军(1863-07)，他在南北战争中起了关键性的作用。在南部任第3军区司令时，他公正严明，促进了战后重建工作的开展。1835年在西点军校毕业。在炮兵服役1年后退役，1842年再度服役。1861年为志愿兵准将，指挥宾夕法尼亚后备队第2旅。联邦军在弗吉尼亚州弗雷德里克斯堡惨败后，他指挥第5军，参加钱瑟勒斯维尔战役(1863-

美国国会图书馆供图

04-05)。1863年6月28日，林肯总统派他继任胡克将军指挥波托马克方面军。7月1～3日，他运用巧妙的战术，在葛底斯堡击退了李将军的进犯；但因坐视李军败后逃脱而受到批评。此后，他虽然仍任波托马克方面军司令，但是，自从格兰特将军于1864年3月就任联邦军总司令以后，他的独立行动权就受到了严格限制。1864年8月晋升正规军少将。战后又领导过几个军事部门。

Meade, James Edward　米德(1907-06-23，英国多西特斯沃尼奇～1995-12-22，剑桥郡剑桥)　英国经济学家。对国际经济政策的研究使他于1977年与瑞典B. 奥林共获诺贝尔经济学奖。在牛津大学学习时获一级荣誉奖(1928)；1930～1931年在剑桥大学为研究生，研究J. M. 凯恩斯《货币论》。第二次世界大战期间任战时经济学专家，1946～1947年为工党政府重要经济专家。1947～1957、1957～1968年分别在伦敦经济学院和剑桥大学任教授。早期从事国际经济政策理论研究，写成《国际经济政策原理》两卷。第一卷《国际收支》(1951)融汇凯恩斯和新古典学派论点，揭示各种不同的货币和财政政策对国际收支的影响；第二卷《贸易与福利》(1955)探讨了不同的贸易政策给经济福利带来的影响。他的著作导致了后来对贸易歧视及有效保护的论述。

meadow brown　草地褐蝶　参阅 **satyr butterfly** 眼蝶。

meadow grasshopper　草螽　螽斯科草螽亚

一种长角螽斯属(*Orchelimum*)草螽
美国不列颠百科全书公司供图

科(Conocephalinae)直翅类昆虫。体细长,小到中型,栖息于湖或池边的草地。受惊时跳入水中,爬在沉水植物上,可潜水数分钟。日间或夜间鸣叫,其声“卡嗒”或“营营”。长角螽斯属(*Orchelimum*)是数量最多、分布最广的属之一;眼大,橙色;虫体上部褐色,下部绿色。草螽属(*Conocephalus*,有时称 *Xiphidium*)体较小,鸣声较弱。

meadow mouse　草甸鼠　田鼠属(*Microtus*)多种田鼠类动物的统称。参阅 **vole**。

meadow rue　草甸芸香　即唐松草。毛茛科唐松草属(*Thalictrum*)约100种多年生草本植物的俗称。产于北温带和南美洲及非洲的林地和阳光充足的开阔地。复叶由3枚具柄

水银草(*T. dioicum*)
美国不列颠百科全书公司供图

的小叶组成。花被茸毛,簇生,常为浅绿色、黄色或紫色,萼片4或5枚,无花瓣。美洲的种类有雌雄异株唐松草(水银草,*T. dioicum*)和多节唐松草(麝鼠草,*T. polygomum*),栽植于野生植物园。某些欧亚种类花艳丽,著名的有耧斗菜唐松草(*T. aquilegiofolium*)和德拉韦氏唐松草(*T. delavayi*)。

meadowlark　草地鹨　拟黄鹂科草地鹨属(*Sturnella*)鸟类。体丰满,嘴尖。体长20～28厘米。北美洲的两个种外貌类似:背面褐色而有条纹;胸黄色,有一黑色“V”字纹;尾短,外羽白色。东美草地鹨(普通草地鹨,*S. magna*)分布在加拿大东部到巴西。西美草

西美草地鹨(*S. neglecta*)
美国不列颠百科全书公司供图

地鹨(*S. neglecta*)分布在加拿大西部到墨西哥(已引入夏威夷)。夏季食昆虫,秋冬吃草籽。巢隐蔽在田野中,用草筑成,圆顶。厄瓜多尔以南的红胸草地鹨(*Pezites militaris*)和亚热带近缘种小红胸草地鹨(*P. defilippi*)有时与红胸黑雀归为一类(参阅 **blackbird**)。

Meadows, Earle　梅多斯(1913-06-29,美国密西西比科林斯～　　)　美国撑竿跳高运动员。1937年与赛夫顿共创4.54米的世界纪录。1936年在柏林奥运会上获金牌,成绩4.35米。1937年在美国业余体育联盟运动会上赛夫顿夺魁,梅多斯名列第三。不久又于同年与赛夫顿并列第一,成绩为4.45米。此后又一次与赛夫顿同平这项运动的世界纪录。梅多斯在1940和1941年获美国业余体育联盟撑竿跳高冠军。他35岁时仍能跳出4.27米的成绩。

Meads, Colin Earl　米兹(1936-06-03,新西兰剑桥～　　)　新西兰橄榄球运动员。作为二道中锋的出色表演使他成为全国知名的人物。农民出身,自1955年为金郡队队员,直至1972年退役为止。共参加国际对抗赛55次,创新西兰全黑人俱乐部纪录。

Meadville　米德维尔　美国宾夕法尼亚州城市,克劳福德县县城。南距匹兹堡140千米,濒临法兰西河。是该州西北最早的拓居地(1788)。1823年设镇,1866年设市。为富庶的乳品产区的商业中心。附近蕴藏有石油和天然气。1923年至20世纪80年代中期拉锁生产是主要行业。现有多样化的工业。设有阿勒格尼学院(1815)。市西有州内最大的天然湖康尼奥特湖,市东有伊利国家野生动物保护区。人口约13 685(2000)。

Meagher, Thomas Francis　马尔(1823-08-23,爱尔兰沃特福德郡沃特福德～1867-07-01,美国蒙大拿本顿堡附近)　爱尔兰革命领袖,演说家,美国南北战争时期(1861～1865)联邦军军官。1845年参加青年爱尔兰党,1847年参加创建爱尔兰联盟。1848年与W.S.奥布赖恩举行反英起义,事败被捕并判死刑,后来减为无期徒刑。1852年越狱成功,逃往美国。他开始攻读法律,1855年取得律师资格。他成为纽约爱尔兰人的领袖,1856年开始编辑《爱尔兰新闻》。南北战争爆发时,他任纽约志愿兵上尉,1861年7月参加第一次布尔溪战役。然后组织爱尔兰旅,1862年2月晋升准将。在1863年5月的钱瑟勒斯维尔战役中,爱尔兰旅遭受重大伤亡,他辞去军职。同年12月,马尔又出任埃托瓦军区司令。战后,他被任命为蒙大拿准州秘书,代理州长。后不幸在密苏里河中溺死。

mealybug　粉蚧　同翅目粉蚧科小型吸汁昆虫。世界性分布。雌成虫多呈卵圆形,行动迟缓,长约1厘米。因虫体外有似玉米粉的白色黏粉而得名。雌虫和幼虫群集在叶脉上及叶背。雄虫有两翅,能飞。危害柑橘及盆栽植物。橘粉蚧(*Pseudococcus citri*)和柑栖

粉蚧
美国不列颠百科全书公司供图

粉蚧(*P. gahani*)为常见种。生物控制及有机杀虫剂能有效地控制粉蚧。

mean　平均　数学中,介于集合的极端元素值之间的量。存在若干种不同的平均。计算平均的方法由已知的或假定的支配其他元素的关系而定。n 个数 $x_1, x_2, \cdots, x_n$ 的集合的算术平均($\bar{x}$)定义为这些数的和除以 n:

$$\bar{x} = \frac{x_1 + x_2 + \cdots + x_n}{n}。$$

算术平均表示诸数的平衡点。例如,如果将单位质量放在直线上坐标为 $x_1, x_2, \cdots, x_n$ 的点上,那么算术平均就是这一系统的重心的坐标。在统计学中,算术平均最常被用作一个数据集合的单个典型值。对于一个有不同质量的质点系,重心是由更一般的平均(加权算术平均)决定的。如果对每个数 x_i 指定一个正的权数 w_i,那么加权算术平均定义为乘积 $w_i x_i$ 的和除以权数的和。这样就有

$$\bar{x} = \frac{w_1 x_1 + w_2 x_2 + \cdots + w_n x_n}{w_1 + w_2 + \cdots + w_n}。$$

加权算术平均也用于分组数据的统计分析中。每个数 x_i 代表一个区间的中点,而每个相应的权数则代表该区间中数据点的个数。

对于一个给定的数据集合,根据所关心的数据的特征不同,可定义许多可能的平均。例如,假设有5个正方形,每个正方形的边分别为1、1、2、5和7英寸。它们的平均面积为 $(1^2 + 1^2 + 2^2 + 5^2 + 7^2)/5$,即16平方英寸。它相当于边为4英寸的正方形的面积。这个数4就是5个数1、1、2、5、7的二次平均(或称均方根),它不同于这些数的算术平均3⅕。一般说,n 个数 $x_1, x_2, \cdots, x_n$ 的二次平均是这些数平方的算术平均的二次根:

$$\sqrt{(x_1^2 + x_2^2 + \cdots + x_n^2)/n}。$$

算术平均没有表示出数据对于平均的散布或偏离程度。偏离程度的度量可由 n 个差值 $x_1 - \bar{x}, x_2 - \bar{x}, \cdots, x_n - \bar{x}$ 的平方的算术平均或此 n 个差值的二次平均给出,它们分别称为 $x_1, x_2, \cdots, x_n$ 的方差和标准差。

算术平均和二次平均是 p 幂平均 M_p 当 $p = 1$ 和 $p = 2$ 时的特殊情形,M_p 由下式定义:

$$M_p = \left(\frac{x_1^p + x_2^p + \cdots + x_n^p}{n}\right)^{\frac{1}{p}},$$

式中 p 可为零之外的任何实数。当 $p = -1$ 时的情形称为调和平均。加权 p 次平均可定

义为

$$M_p = \left(\frac{w_1x_1^p + w_2x_2^p + \cdots + w_nx_n^p}{w_1 + w_2 + \cdots + w_n}\right)^{\frac{1}{p}}。$$

如果 $\bar{x}$ 是 x_1 和 x_2 的算术平均,那么 x_1, $\bar{x}$, x_2 3 个数成算术级数。如果 h 是 x_1 和 x_2 的调和平均,那么 x_1, h, x_2 3 个数就成调和级数。一个数 g,若使得 x_1, g, x_2 成为几何级数,则它可以由条件 $\frac{x_1}{g} = \frac{g}{x_2}$ 或 $g^2 = x_1x_2$,从而 $g = \sqrt{x_1x_2}$ 来定义。这个 g 称为 x_1 和 x_2 的几何平均。n 个数 $x_1, x_2, \cdots, x_n$ 的几何平均可定义为这些数乘积的n次根:$g = \sqrt[n]{x_1x_2\cdots x_n}$。

上述所有的平均是更一般平均的特殊情况。如果函数 f 有一反函数 f^{-1},那么数

$$f^{-1}\left(\frac{f(x_1) + f(x_2) + \cdots + f(x_n)}{n}\right)$$

称为 $x_1, x_2, \cdots, x_n$ 的连带函数f的平均值。当 $f(x) = x^p$ 时,则反函数 $f^{-1}(x) = x^{\frac{1}{p}}$,而平均值就是 p 次平均 M_p。当 $f(x) = \log_e x$ 时,则反函数 $f^{-1}(x) = e^x$,而平均值是几何平均。

mean free path　平均自由程　物体在两次碰撞间移动的平均距离。一个质点,如气体的一个分子,在碰撞前移动的真实距离(即自由程)一般是难以测定的,因为碰撞是个统计过程。如果碰撞是完全随机的,那么一个分子在两点(x 和 $x + dx$)间移动而不发生碰撞的概率正比于一个指数因子,即 $dP = e^{-x/\mu}dx$,其中 e 是自然对数的底,常量 μ 是平均自由程,即分子在两次碰撞间走过的平均距离。氧气分子在 1 个大气压和 25 ℃的平均自由程约为 8×10^{-6} 厘米。

mean life　平均寿命　在放射性中指某种不稳定原子的所有原子核的平均寿命。可以认为是样品中所有单个不稳定原子核寿命之和除以存在的不稳定原子核的总数。不稳定原子核的平均寿命,总是它的半衰期的 1.443 倍。例如,放射性铅 209 通过发射电子衰变为铋 209,平均寿命为 4.69 小时,半衰期为 3.25小时。

mean-value theorem　中值定理　数学分析中处理某种平均的定理,用于求近似值或建立如微积分基本定理那样的其他定理。中值定理指出,在一条光滑曲线上,连接任意两点的直线斜率等于这两点中间某一点处的切线的斜率。设 $g(x)$ 表示函数,x_0、x_1 是给定的两点,则 $[g(x_1) - g(x_0)]/(x_1 - x_0) = g'(c_1)$,其中 c_1 是它们中间的某一点,$g'(c_1)$ 表示 c_1 点处切线的斜率,可通过求导数得到。尽管中值定理从几何上看似乎是显而易见的,但不用图形来证明这个结果却牵涉到实数与连续函数的深刻性质。通过令 $g(x)$ 为某个特殊的函数,还可以从这个基本的定理得到其他的中值定理。例如,设 $g(x)$ 为 $\int_{x_0}^{x} f(x)dx$,应用上述结果便得到积分第一中值定理:

$$\int_{x_0}^{x} f(x)dx = (x_1 - x_0)f(c_1),$$

意思是,在两条垂直线间曲线下的面积等于某个矩形的面积,这矩形以这两条垂直线为界,其顶边穿过曲线的某一点。

meander　曲流　即河曲。指河流的急剧U字形弯曲,往往成串出现。河曲大都形成于冲积层(河流沉积物)中,因而可以依冲积层河谷的坡度自由调节其形状并向下游迁移。

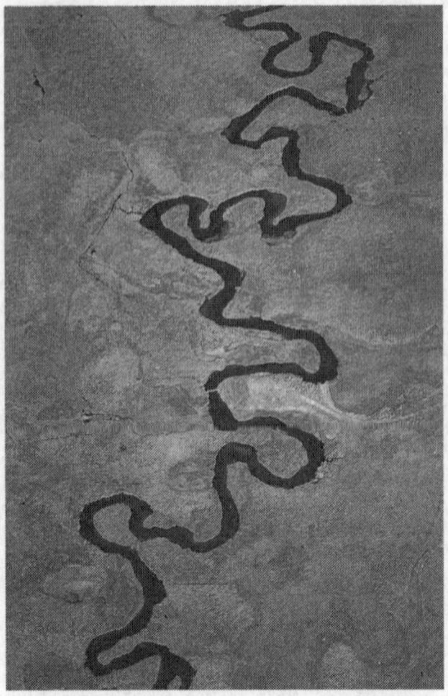

美国加利福尼亚州马默斯湖区附近的欧文斯河曲流

美国不列颠百科全书公司供图

曲流河槽长度一般约为河谷长度的一倍半,在曲流湾内表现为平静的深潭,而在两湾之间的河段则是螺旋状浅流。曲流的长度一般是河槽宽度的 7 ～ 10 倍。非均一物质抗侵蚀性的差异,使曲流河中出现不规则现象,如曲流向上游叠加、阻塞。这种现象常常使曲流收缩而形成"鹅颈"——即弯到极点的河曲。河水可能冲过鹅颈将河道截断,使先前的曲流河湾被封闭起来成为牛轭湖。泥沙堆积最终将这种湖填满而形成沼泽或曲流遗迹。地壳迅速隆起,曲流河可以向下切到基岩面里,造成嵌入曲流或深切曲流。这样形成的岩壁通常十分陡峻,而且在曲流河床的两侧有时是对称的。对曲流的形成提出了许多解释,包括河流发育阶段的改变、局部的堵塞、地球的自转以及河道内先前的弯曲的扩大等。尽管对曲流还并没有完全了解,但可以认为,曲流是波动现象的一种形式。曲流代表最大可能的河道形态,这是由于曲流能使水流的偏转角、水面的坡度以及河流所做的全部转弯功之类变量降低到最小值。后者是最关键的一点,因为自然系统总是倾向于做最小的功;水总是顺坡向下流而不是逆坡向上流,甚至在冰上、在玻璃上(如汽车挡风板)以及在水体内,如大西洋中的"湾流"都是要流出一个曲流途径。

meantone temperament　中庸全音律　盛行于约 1500 年到 18 世纪末的一种键盘乐器调音体系。它使键盘乐器能演奏 5 或 6 个关系很近的调,而不是只弹一个调。在用于中世纪单声部音乐的纯律调音体系中,音阶的所有音程的准确调音是从自然的完全五度与三度的不同增、减而得的。用这种调音法产生出的全音有两种"尺寸"。例如,当用一种按 C 调来调音的乐器去演奏 G 调的音乐时,大、小两个全音的顺序就会颠倒,乐器听起来就使人感到不准。"中庸全音律"则代之以一个取二者平均值的全音,故名"中庸"。这是通过把五度调得比自然五度略小(小16分;1 分 = 1/1 200 八度)而做到的。将中庸全音律的五度加以各种结合,便可确定键盘乐器在每一八度中的 12 个音的准确调音,结果获得三和弦的悦耳音响。但在黑键的调音中,采用同一键的两个音(如 F# 和 G♭),其音高却不相同。因此一个特定黑键可能只用于它所可能的两个音中的一个,通常的选择是 C#、E♭、F#、G# 和 B♭。如果一个乐器演奏时所用的调要求另一个音(例如用 A♭ 来取代 G#),那就会出现一种强烈的不协和音,即所谓"狼音"。这一不利因素导致中庸全音律在 18 世纪被**平均律**(**equal temperament**)取代。但在 20 世纪它又被恢复,用于一些特殊场合。

Meany, George　米尼(1894-08-16,纽约市～1980-01-10,华盛顿[哥伦比亚特区])　美国劳工领袖。与其父皆为铅管工。1915 年加入美国和加拿大铅管工人和汽管装配工人联合会。1932 年任纽约州劳工联合会副主席,1934 ～ 1939 年任主席。1939 年任美国劳工联合会书记兼司库,1952 年任主席。1955 年劳联与产联合并后任劳联-产联主席,直到 1979 年退休;其间独揽大权,压制一切反对保守政策的意见。终身为民主党人,在党内颇有影响。1972 年反对民主党人麦戈文竞选总统,1976 年卡特竞选时又回到民主党阵营。

Mearns, The(Scotland)　参阅 **Kincardine** 金卡丁。

Mears, Helen Farnsworth　米尔斯(1872-12-21,美国威斯康星奥什科什～1916-02-17,纽约州纽约)　美国雕塑家,人们至今怀念她受公众委托所制作的大型铜像和浅浮雕像。曾就读于奥什科什州立师范学校(今威斯康星大学的分校)。1892 年为在芝加哥举办的世界哥伦布博览会中的威斯康星馆制作一座妇女及展翅之鹰的雕像,名为《威斯康星的守护神》。在芝加哥艺术学校制作此雕像期间曾受到雕塑家 L. 塔夫特的鼓励。这件作品大获成功,后存放于威斯康星州议会大厦内。随后赴纽约市,注册加入艺术学生联盟。不久成为雕塑家 A. 圣高登斯的助手和学生。1897 ～ 1899 年间赴法国和意大利深造。1899 年返回纽约市后在华盛顿广场创办一工作室。其重要雕塑作品有:G. R. 克拉克和 W. T. G. 莫顿的铜胸像,圣高登斯和 E. 麦克道威尔的浅浮雕像,以及为美国国会大厦内国家雕像馆制作的 F. E. 威拉德的全身像。去世时仍留下若干未完成的作品。

measles 麻疹 又作 rubeola。一种病毒性传染病。在人群中每 2 ～ 4 年流行一次。最常见于婴幼儿，但亦见于幼时未患过本病的年长儿及成人。若孕母曾患麻疹，则婴儿于 4 ～5 个月内亦对之有免疫力。患本病后终生免疫。麻疹传染性极强，易感者与传染期患者稍一接触即可受染。皮疹即将出现时传染性最强，疹退后即无传染性。若无合并症本病多不致命。死亡原因多为继发细菌性支气管肺炎。潜伏期约 10 天。侵袭期长 48 ～ 96 小时，表现为发热、眼红、流泪、流涕、鼻及喉部黏膜充血，症状似重感冒，常致误诊。随后出现斑丘疹，此时体温升高，皮疹达到高潮时体温可高达40°C。皮疹出现前 24 ～ 36 小时，口腔黏膜出现典型的科普利克氏斑——多数蓝白色的斑点，围以红晕，直径约 0.75 毫米。1 ～ 2 天后皮疹变为深红色，渐渐消退，体温迅速下降，其他症状消失。麻疹必须与其他发疹性疾病相鉴别。幼儿急疹见于婴儿，高热 2 ～ 3 天后出现麻疹样皮疹，但同时热退。风疹的皮疹似麻疹，但症状较轻，病程较短。有时猩红热、血清反应等等可致身体某些部位出现麻疹样皮疹。苯巴比妥、苯妥英钠、磺胺、酚酞、青霉素等亦可引起麻疹样皮疹。20 世纪后婴幼儿卫生情况改善，磺胺药及抗生素应用后并发症得到有效治疗，因此麻疹病死亡率稳步下降。麻疹无特效药，治疗仅包括卧床休息、保持眼部清洁、注意大便畅通，有时可作蒸汽吸入以减轻支气管的刺激症状。60 年代后广泛应用麻疹活疫苗，但疫苗受热后迅速失效（日晒 10 分钟病毒即死亡），难以在热带应用。因此麻疹仍在世界流行。更稳定的疫苗正在研制中。

Me'assef 《文丛》 18世纪末和19世纪中欧、东欧犹太人哈斯卡拉文化运动出版的第一本希伯来语季刊。1784 年创刊于普鲁士境内柯尼斯堡，由摩西·门德尔松的众门生主编。致力于应用希伯来语和推动犹太人摆脱寄居生活处境。

measure 测度 数学中，对于不是由区间或矩形组成的某类点集而言的长度或面积概念的推广。抽象地说，测度是使集合对应到数的任何一种规则，具有非负性与可加性，即两个不相重叠的集合的并集的测度等于它们各自的测度之和。由有限个矩形组成的初等集合的测度可以简单地定义为它们通常的面积之和。对于其他集合，例如曲线包围的区域或带有空洞的区域，需要先定义外测度与内测度的概念，这与黎曼上下和有某些类似之处。集合的外测度是包含它的所有初等集合的面积的下界，而内测度则是所有包含在它里面的这种集合的面积的上界。如果集合的外测度与内测度相等，就称这个公共值为它的测度，称此集合为可测的。直线上点集的测度可类似地定义，只需用区间代替矩形。例如，从 0 到 1 之间的有理数集合不是由有限个区间组成的，它没有长度；然而它有测度。可用下法求出：有理数是可数的，而每个数可分别用长度为 1/8，1/16，1/32，…的区间盖起来，由无穷几何级数求和，可知它们的总长度为 1/4；有理数也可以用长度为 1/16，1/32，1/64，…的区间盖起来，它们的总长度为 1/8；起始的区间长度愈取愈小，覆盖有理数区间的总长度也愈来愈小，并趋向于下界零，可见 0 与 1 之间的有理数的外测度为零。而内测度永远小于或等于外测度，因而内测度也为零；所以有理数集合是可测的，且测度为零。

measurement 测量 把物理量和物理现象与数联系起来的过程。对于科学，对于工程、建筑和其他技术领域，以及几乎对于所有日常活动，测量都是必不可少的。出于这个原因，人们对测量的要素、条件、限制和理论基础作了大量的研究。测量可以单凭人类的感觉进行，称为估计，或者用仪器仪表进行。仪器仪表的复杂程度相差很大。例如，测量长度可以用简单的尺，而要探查和测量一些完全超出人类感觉能力之外的量，如来自远方星球的无线电波或亚原子粒子的磁矩，则需专门设计一些极其复杂的仪器系统（参阅 **instrumentation**）。

测量从定义测量对象开始，它总要涉及将测量对象与一个同类的已知量相比较，如果测量对象是无法靠近去作直接比较的，就需要把它变换成一种模拟的测量信号。因为测量时在测量对象与观测者或观测仪器之间总会有相互作用，所以就总会有能量交换。虽然这种能量交换在日常应用中可以忽略不计，但是在某些类型的测量中它却可能是相当可观的，并从而限制测量的精度。

测量系统一般由许多功能单元组合而成。需要有一个单元来辨别测量对象并感受它的尺寸或频率，然后借助物理信号将所得到的信息传遍整个系统。若测量对象是主动的，例如水流，就可由它来带动测量信号；若是被动的，就必须使它或者与光源或 X 射线管之类有活力的探测器相互作用，或者与载波信号相互作用，从而触发被测的信号。最后将被测物理信号与已知量的参考信号作比较；为适应要求的量程，需对该已知量进行细分或乘以倍数。为使系统中一个单元的输出与另一单元的输入相匹配，往往需要进行增大测量信号幅度而不提高其功率的放大，例如使读数仪表的尺寸与人眼的分辨本领相匹配等。测量的一种重要类型是共振分析，或一个物理系统变化频率的分析。这可以用谐波分析来实现，常见的做法是用无线电接收机将信号分类。另一个重要的测量过程是计算，通常是用某种形式的模拟计算机或数字计算机对测量信号进行数学处理。在监测系统的运行性能方面，计算机还可提供控制功能。测量系统中还可以包括用来远距离传输信号的装置。包括高度自动化的系统在内的所有测量系统，都包含有某种向观测者显示信号的手段。视觉显示系统可以由一幅经过标定的图表和指针组成，也可以是在阴极射线管或数字显示装置上进行整体显示。测量系统中常常包括一个记录单元。一种普通类型的记录单元是用记录笔在移动的记录纸上记下测量结果。为提高精度，电子记录仪还可以配有反馈读数装置。

测量仪器的实际运行性能受多种外部和内部因素的影响。外部因素中包括噪声和干扰，二者会掩盖或歪曲测量信号。内部因素则包括线性度、分辨率、准确度和精密度，它们全都属于一套给定仪表或系统的特性；另外还有动态响应、漂移和滞后，它们是在测量过程中产生的效应。测量误差的普遍问题产生了测量理论的问题。

测量理论 测量理论研究怎样把数赋予物体和现象。它所关心的是可测量的事物的种类，不同度量之间的相互关系，以及测量过程中的误差问题。测量的一般理论必须抓住 3 个基本问题：①误差；②表示方式，也就是数的赋予的正确性；③唯一性，即所选定的表示方式与所测量的物体或现象的唯一可能的表示方式所逼近的程度。作为测量理论的基础，已经提出了各种不同的公理体系，或者是规则与假设。最重要的几类公理包括次序公理、延展公理、差分公理、连带性公理和几何公理。次序公理保证通过将数赋予物体而加于物体的次序与在实际观测中获得的次序相同。延展公理处理诸如持续时间、长度和质量等属性的表示方法，这些属性的特点是，当有多个物体都显现所要研究的某种属性时，可以把它们的属性组合或连接起来。差分公理是管测量间隔的。连带性公理则是说，对于一些无法凭经验去测量的属性（例如响度、智能或饥饿），可以通过观测它们的分量尺度变化时的彼此连带关系来加以测量。几何公理管的是用一对一对的数、或 3 个一组的数甚至 n 个一组的数来表示一些维度复杂的属性。

误差问题是测量理论集中关注的问题之一。人们曾一度相信，只要对科学原理和设备进行改进，就可以最终消除测量误差。现在多数科学家已不再相信这一点，当今所报告的几乎所有物理测量结果都附带指明精密度的限度或误差的可能程度。必须考虑的几种误差类型有观测误差（包括仪器误差、个人误差、系统误差和随机误差）、抽样误差、直接误差和间接误差（用一个含有误差的测值去计算另一个测值时产生的）。

测量理论可追溯到公元前 4 世纪，欧几里德的《几何原本》中就记载了当时的希腊数学家欧多克索斯和泰亚特图斯发展出来的量值理论。关于观测误差的最早的系统性工作是英国数学家 T.辛普森于 1757 年发表的，但关于误差理论的基础性工作则是由两位法国天文学家 J.-L.拉格朗日和 P.-S.拉普拉斯完成的。把测量理论结合到社会科学中去的尝试最早也出现于 18 世纪，当时的一个英国功利主义道德家 J.边沁曾试图创立一种计算价值的理论。测量的现代公理理论起源于德国科学家 H.L.F.冯·亥姆霍兹和 L.O.荷尔德尔，而当代将测量理论应用于心理学和经济学方面的工作则大部分起源于 O.摩根斯顿和 J.冯·诺伊曼。由于社会性的理论大都属于思辨性的，所以为它们建立一套标准的测量序列或技术的尝试都只获得有限的成功。在社会性测量中会涉及各种问题，包括：缺乏公认的理论框架，因而也就缺乏可定量的被测对象；抽样误差；测量者对测量对象的干扰；从人类主体处收集到的信息的主观性质。经济学或许是社会科学中运用测量理论最成功的，主要因为许多经济学变量（如价格和数量)测量起来容易而且客观。人口统计学应用测量技术也是成功的,特别是在编制死亡率表方面。

度量衡 测量是通过把被测的量与某个已知的同类量进行比较来实现的。度量衡一词的意义就是用以进行这种比较的标准量。标准量的制订可以是随意的,也可以参照某个通用的常数来制订。不同类量的标准可以分别制订,也可以一体化为单位的逻辑体系。原来的标准度量有4种:质量(重量)、容量(液量或干量)、长度和面积。后来又增加了温度、发光强度、压强、电流等标准度量。

最早的标准度量出现于古代地中海文化中,它们是基于人体的某些部分、人畜所能运载的量、容器的容量或通用的土地面积等制订的。通常认为,埃及的腕尺是古代社会流行最广的线性度量单位。它于约公元前3000年开始使用,依据是从肘部到伸展的指尖的臂长。它是以一个花岗岩块制成的皇家规范腕尺为标准的,埃及的所有腕尺杆都要定期地按该标准来校验。已知最早的重量度量之一是巴比伦的米纳;存世的两件米纳样品相差很大,一个重640克,另一个978克。

盎司、英寸、磅和英里这几个词来源于罗马沿用的早期希腊测量单位。罗马的测量单位制在欧洲持续存在到中世纪,但其标准则千差万别。其后各国政府都致力于使本国的单位制标准化,结果引起了一股单位和标准常常混淆的浪潮。英国法定单位制和美国习用单位制就是两种最复杂的这类单位制。

后来成为米制的单位制最初是由法国教士G.穆通于1670年前后提出来的。他以地球表面1分经度的弧长为准,并按十进制分度,提出了一个标准的线性度量。穆通的提案虽经过多方讨论和改进,但直至1795年法国官方才采纳了米制。它在欧洲其他各地的流行因法国大革命和拿破仑在军事上的成功而加快了步伐,但在很多地方,它却经历了很长时间才胜过了已使用了多个世纪的不合理的习用度量衡单位制。

现在大多数国家都以米制为标准单位制,其标准已根据20世纪的技术进步实现了现代化。1960年在巴黎就一套以米制为基础的单位制通过了一项国际规定,即国际单位制(SI)。其中采用了6种基本单位:米(长度)、千克(质量)、秒(时间)、安(电流)、开(温度)和坎(发光强度)。每种单位都固定于一个标准值。千克由保存在法国塞夫尔国际计量局的一根铂铱合金圆柱体来代表,另有一副本保存在美国国家标准局。在6种单位中,只有千克一种是用一个物理实体作为标准的,米被规定为氪86在真空中的橘红色谱线的1 650 763.73个波长,其他几种单位也是结合以类似方式导出的天然标准规定的。

由基本SI单位导出的其他单位有库(电荷)、焦(能量)、牛(力)、赫(频率)、瓦(功率)、欧(电阻)和立方米(体积)。

measuring worm 尺蠖 又作looper,cankerworm或inchworm。鳞翅目尺蛾科所有大型蛾类的幼虫,遍布世界。因缺中间一对足,故以"丈量"或"屈伸"样的具特征性的步态移动,即伸展身体的前部,再挪移身体后部使与前部相触。形似小枝或叶柄,以叶为食,常严重伤害或损毁树木。春尺蠖(*Paleacrita vernata*)和秋尺蠖(*Alsophila pometaria*)侵害果树与遮荫树,食去叶肉并在枝条间纺丝。一般在

杂食尺蠖蛾(*Sabulodes caberata*)的幼虫
美国不列颠百科全书公司供图

土中化蛹,不结茧。由于幼虫的行为很具特色,因此尺蛾科有些种称为尺蠖蛾(参阅**geometrid moth**)。

meat 肉类 各种哺乳动物(一般指牛、猪、羊)的肉或其他可食部分,不仅包括瘦肉和肥肉,还包括腱和韧带。牛肉消费量最大,正常体重为450～540千克的成熟牛可产其体重55%～60%的牛肉。猪肉在世界供肉量中占第二位,一般体重为90～135千克的猪可提供约70%～74%的猪肉。羊肉和羊羔肉的生产规模比牛肉或猪肉都小得很多(少于牛肉供应量的1/10)。羊的平常体重为45～70千克,精选羊羔的体重不会超过14～18千克,它们的产肉量为其体重的48%～50%。世界上主要的肉类进口国是英国、美国和德国,主要的肉类出口国有阿根廷、澳大利亚、新西兰和丹麦。肉类以其营养丰富而具重要价值。一个22岁的成年男子一天食肉99克,即可获得所需蛋白质的45%,热量的9%,铁的36%,维生素B_1的31%,维生素B_2的15%,以及烟碱酸的26%。肉食色、香、味俱全,几乎人人爱吃。肉食的鲜味能刺激消化液的分泌,有助于消化。吃肉还具有很强的耐饥性。在具有生物价值的蛋白质中,肉蛋白最重要,因为人体必需而自身不能合成的8种氨基酸,肉蛋白质中都有。肉还含有丰富的乙种维生素和铁、磷、钾、钠、镁等多种矿物质。肉蛋白质主要由骨骼肌肉、结缔组织、脂肪和骨质组成。肌肉属胶体,含有约72%～73%的水,18%的蛋白质,1%～2%的可溶性非蛋白物质,数量不等的脂肪以及少量的灰分和碳水化合物。动物被宰杀后,肉很快从柔软变得强直硬韧,保水能力降低。应在0 ℃低温下悬挂若干天,一般存熟期约为2～3个星期,借酶的作用,使肌肉中主要的碳水化合物糖原分解为乳酸,胴体逐渐软化,并恢复其保水能力。加入木瓜酶可使肉嫩化。肉是一种十分理想的菌类培养基,易于因细菌作用而发黏、长霉;缺少空气时则会发酸、腐败而变质。因此肉类必须在合宜的温、湿度下保藏,防止微生物的生长。至于保藏方法,应考虑保藏质量、卫生程度、市场需要和实际成本等多方面因素。肉类加工业的经济性,很大程度上受肉类保藏情况的影响。冷冻贮藏已取代腌制成为保藏鲜肉的主要方法。低温可阻止微生物的生长,并抑制酶的作用和化学反应。在-2～0 ℃温度下保藏鲜肉的期限,与肉在冷藏前被污染的程度有很大关系。鲜肉可在-18 ℃以下冷藏数个月而基本保持原有的可口性。但未经适当包裹的冻肉,其表面会因冰结晶升华引起组织结构的变化,甚至严重变质,因此冷藏期不要超过数个月,以保证最佳的食用质量。冻肉的主要问题是脂肪的氧化,肉类在长期贮藏过程中会因此变味,猪肉尤为严重,因为猪肉中易氧化的不饱和脂肪酸的比率较牛、羊肉都高。直到19世纪,腌制还是保藏肉的主要方法,现在这种方法基本上是为了获得特殊的颜色和风味。肉的保藏方法尚有冷冻干燥法和罐藏法。加工的肉制品有香肠、腌肉、火腿、午餐肉等。在有文字记载之前,已有了制香肠的手艺。香肠在全世界都很普及,有鲜香肠、熏香肠、干香肠等。

现代化设备促成了经济的大规模自动化生产,科学研究则使生产环节紧凑合理。肉的理想质量是多方面的,包括加工后损失少,外观诱人,烹饪后富有营养,味道好,能引起食欲等。另外,肌肉与骨质、脂肪在肉中所占比重,也是判断肉类质量的一个因素。肉类的质量,可从颜色、肉汁、柔嫩度、芳香、风味等方面来进行检验。一般来说,肌肉颜色随动物年龄增长而变深。肉的紧密程度、纤维粗细、结缔组织等,都是影响鲜肉质量的因素。冻肉的质量与鲜肉的质量密切有关,冷冻不能提高肉的质量。早期的大批量肉类靠冰冷冻,屠宰只能在冬季进行。直到19世纪下半叶,出现了机械冷冻,才使肉类加工可全年进行。大约在1900年,肉类的机械分割和传送流程在加工中得到应用。20世纪50年代,工厂卫生和加工技术方面的进步,延长了肉的货架寿命,并发展了无人零售业务。20世纪60年代,肉类加工业的研究与开发取得了很大进展。现代大型肉类加工厂每年可处理几百万头牲畜。

目前,由政府来制定有关肉类产品的条例和进行质量检验已变得日益重要。世界粮农组织和国际卫生组织建立的食品规则委员会,在70年代初,对肉类进行了分类分等工作,并着手制订鲜肉的卫生标准。现代肉类加工的副产品都得到充分广泛利用,如原皮用于制革,牛羊毛及猪鬃用于毛纺及制刷,角蹄用于手工艺品,其他如羊毛脂、骨胶、骨粉、肠衣,以及从内脏、腺体和血液中提取各种贵重药物、营养品等都是变废为宝的例子。

Meath 米斯郡 爱尔兰语作An Mhí。原称Mide或Midhe。爱尔兰伦斯特省的郡。面积2 336平方千米。东濒爱尔兰海。郡首府为纳文。全郡95%以上土地用于种植庄稼和放牧。西南部有小片的森林和泥炭沼泽,西北部有小片山地牧场。全郡地貌几乎全部是冰川冰碛。河流有布莱克沃特河和博因河。纽格兰杰有巨大的新石器时代墓穴和墓冢。纳文、锡厄南努斯莫尔和特里姆为市区。大部分城镇是小型市场中心,城镇居民总数不到郡人口的1/4。纳文有服装厂、农具厂、地毯厂和家具厂。1970年附近发现有铅和锌矿并予以开采。锡厄南努斯莫尔有靴厂,特里

姆有一家制作办公用具的工厂。米斯郡农业优越,专门饲养菜牛出口。农业产量高。3/4农地为永久性牧场。1/6农地用于种植小麦、燕麦、大麦、马铃薯、甜菜等。当地还有一些佃农农庄,其中一些属于西部落后地区的操爱尔兰语居民。人口109 732(1996)。

Meath, Hugh de Lacy, 1st Lord of 米思勋爵(第一)(?~1186-07-25,爱尔兰伦斯特达罗) 爱尔兰的盎格鲁-诺曼最高司法官之一。1171年随亨利二世到爱尔兰。次年任都柏林总管和首席政法官。同年晚些时候回英格兰。1173年为亨利在诺曼底作战,保卫韦尔讷伊。1177年任爱尔兰的检察长,1181年解职。同年冬天复职,最终于1184年去职。据说他是一个能干而果敢的地方长官,但其貌不扬,黝黑而矮小。他在领地上修筑许多城堡,1186年7月25日在视察工地时被刺客砍头而死。

Meaux 莫 法国北部法兰西岛大区塞纳-马恩省城镇。在巴黎东北偏东,位于一精耕细作的农业区内和马恩河河湾上。中世纪起即为农业集市中心。公元4世纪成为主教区。923～1361年属于香槟公爵。在16世纪末宗教战争中,是庇护宗教改革者的第一个法国主教区。1572年圣巴托罗缪日当地曾发生几起对法国新教徒胡格诺派的屠杀。现有冶金、化工、食品加工、电机制造业。最杰出的建筑物有圣艾蒂安大教堂(12～16世纪),法国17世纪作家和宗教雄辩家波舒哀的坟墓。原主教宫现为波舒哀纪念馆。人口:城市49 421;大都会区67 956。

Mecca 麦加 阿拉伯语作Makkah,古代称Bakkah。为最神圣的穆斯林城市,位于沙特阿拉伯红海岸内陆的锡拉特山区内。面积约26平方千米。

麦加是一座与传统有密切联系的历史名城,20世纪以来从沙特阿拉伯石油经济中获得好处,但从朝圣得到的收入仍很重要。该城已经过大规模改建。宗教圣殿周围地区已经清除,清真寺已经扩建,住房和卫生条件有了改进,交通运输设施也有了提高。其结果是,麦加现在能接待人数持续增长的朝圣者。

麦加朝圣

美国不列颠百科全书公司供图

自然地理和人文地理

景观 城市位置 麦加位于易卜拉欣河及其几条短支流的干河床上,海拔277米,四面受锡拉特山地所包围,高峰有东面的艾季雅得山,高407.6米;阿布古拜斯山,高372.6米;西面的古艾坎山,高427.3米。东北面的希拉山高634.4米,山中有一洞,穆罕默德在成为先知前,曾在洞内寻求离世和显圣。也是在这个洞里,他接受了神圣《古兰经》的第一节。城南面的索尔山高759.5米,也有一山洞,先知在前往麦地那之前,曾藏身洞内,躲避麦加的众人。

通过周围山地的四个山口得以进入该市。从东北的通道可到达米纳、阿拉法特、塔伊夫;从西北可到达麦地那;从西面可到达吉达;从南面则可到达也门(萨那)。这四个山口也决定了该市当代的扩展方向。

气候 麦加因地势较低,尽管年降雨量很少,仍受到洪水季节性暴发的威胁。全年降雨量不足130毫米,主要在冬季几个月降雨。气温一年到头都很高,夏季可达45°C。

动植物 动物、植物都很少,都是能耐受高度干燥和炎热的种类。天然植被稀疏,其中有柽柳类和各种类型的金合欢。野生动物有野猫、狼、鬣狗、狐狸、獴和更格卢鼠(跳鼠)。

城市布局 麦加城以禁止非伊斯兰教徒进入的清真寺以及位于寺内的神圣的渗渗泉为中心。清真寺周围麦加宗教圣地密集建起房屋的地区是旧城,旧城向北和向西南方伸展,但东西两面都受附近山地限制。主要街道有清真寺以北的穆达阿街和莱尔街,以及以南的塞吉尔街。

第二次世界大战以来,麦加已通过几个山口沿公路向北面、西北面和西面扩展。现代住宅区中有沿通往米纳和扎希尔的公路建造的阿济济耶小区和费萨利耶小区,还有沿通往吉达和通往麦地那公路建的宰赫拉阿小区和沙里·曼苏尔小区。在城市扩展的同时,旧城内也建起了新的街道,并把麦加改造成为现代化城市,20世纪50年代以来在四个主要广场修建了喷水池。正方形的清真寺规模庞大,建筑宏伟。面积由原有的29 127平方米扩大到160 168平方米,同时可容纳30万人以上。清真寺附近的房屋已被铲除,现在周围是开阔的空地和宽广的大街,可通过地下人行道穿过大街以缓和交通。

住房情况 麦加旧城区的住房比现代住宅区内密集。二三层高的传统建筑用当地石料建成。现代住宅区内的别墅则用混凝土建筑。市内许多部分仍可见到贫民窟,其中居民主要是贫穷的朝圣者,他们朝圣来到麦加后,就留下不走了。

人民 麦加人口密度很高。大多数人都集中在旧城区内,现代住宅区的人口密度是市内最低的。

在朝圣的月份里,该市挤满了来自国内各地以及其他穆斯林国家的200多万朝圣者。

只有伊斯兰教徒才准许在麦加市内居住。不过,该城是世界上最世界性的城市之一,拥有来自亚洲和非洲的许多伊斯兰国家的居民。来自同一国家的人往往一起住在市内某一地区。人口约630 000(1991)。

经济 可耕地和水资源都很少。食品必须靠进口。蔬菜和水果要每日从周围的水道运来,诸如从东南偏东方向的塔伊夫地区的法蒂玛干河,以及从南方几个农业区,如加米德区和宰赫兰区等。粮食则要从国外进口,主要是通过西面72千米的红海岸上的吉达港运入。

工业 工业规模有限,有纺织品、家具和用具等制造业。总的城市经济是商业。

运输 与朝圣有关的运输和设施是主要的服务行业。麦加城无机场,也无水运或铁路设施。不过,它靠吉达海港和航空港以及城市间的卡车、公共汽车和出租车的业务而得到了很好的服务。1979年建立了一套地方公共汽车系统。有几条柏油路把麦加同沙特阿拉伯及邻近几个国家的主要城市连接起来。由于服务业的改进,朝圣者的人数又增多了。一年一度的人口涌进给该市带来了很好的收入,但也带来了超过200万的人口,所有这些人都需要有住房、食品、水、电供应和交通、医疗服务。

按照规定的路线,所有朝圣者都必须在穆斯林历十二月初九凌晨,从麦加运送到阿拉法特,距离约19千米。当天夜间,还必须把他们运送到离麦加差不多3.2千米的米纳。3天后,又要把他们全体送回麦加。由于修建了一套完好的公路网,有充足的车辆供应和对运输的控制,已经解决了这个问题。

行政与社会状况 政府 麦加市市长就是麦加直辖省的埃米尔,负责维护该市和该省境内的法律和秩序;他由国王任命并直接对内政部长负责。市议会负责市政府的运作,是在第二次世界大战后设立的,有议员14人,议员先经地方选出,然后由内政部长批准。麦加也是麦加直辖省首府,该省还辖有吉达市和塔伊夫市。

公用事业 麦加依靠周围的河供应饮水。8世纪时修建有祖拜代泉,水从西南约32.2千米的努曼干河经暗渠流来。阿济济耶泉从东北约96.5千米的沙米耶干河经管道送水。水和电都已送到差不多所有房屋。电是从位于通往麦地那的公路线上一座以石油为燃料的电站发出的。

教育 向男女青少年同样提供自小学至大学阶段的免费教育。乌姆古拉大学(建于1979年)设在麦加城内,此外还有大学的两个学院——圣训学院和沙特阿拉伯高等教育学院。

保健 保健服务和医疗全部免费,并能满足要求。尽管检疫仔细,但朝圣者仍可能把各种各样疾病带进麦加,特别是霍乱和脑脊髓传染病;不过,卫生保健部门有能力控制住这类问题。

历史

古代的麦加是旧商队贸易路线上的一处绿洲,这条路线把地中海世界与南部阿拉伯、东非及南亚连接起来。该市大致位于南面的马里卜和北面的佩特拉之间,到古罗马和拜占廷时期逐渐发展成为一处重要的贸易和宗教中心。托勒密只知其名为马科拉巴。

据伊斯兰教传说,亚伯拉罕和夏甲为他生的儿子以实马利建造了克尔白神殿,作为真主的寓所。在伊斯兰教于7世纪出现之前,麦加城内朝圣的中心点——立方形的石建筑——已经过多次摧毁和重建。在《圣经》时代,该城受一系列也门部落所统治。在古莱氏部落统治下,该城变成了一种城邦,与阿拉伯其余地区、埃塞俄比亚以及欧洲都有活跃的商业联系。麦加成为一个贸易、朝圣和诗歌节的活动地点。

随着公元570年左右穆罕默德的诞生,该城便取得了重要的宗教地位。这位先知于公元622年被迫从麦加逃亡,但8年后他又返回,并取得了对该城的控制。他扫除了麦加的各种偶像,宣布麦加是穆斯林朝圣的一个中心,并将其奉献给安拉。自此,该城一直是伊斯兰教的主要宗教中心。随着古代商队路线的日趋衰落,麦加失去了其商业的重要性,此后主要靠一年一度的朝圣活动和穆斯林统治者们的捐赠维持生存。

麦加保持着实际上的独立,虽说它承认大马士革的权势,后来又承认伊拉克巴格达的阿拔斯王朝哈里发的统治地位。公元1269年,它处在埃及的马木路克苏丹们的控制之下。1517年,这座圣城的主宰权转入君士坦丁堡(现伊斯坦布尔)的奥斯曼土耳其人手中。城市统治者都是从谢里夫(即穆罕默德的后裔)们中选出,他们对周围地区保持着强大控制。第一次世界大战后,随着土耳其势力的瓦解,谢里夫们同阿拉伯中部的沙特人(瓦哈比教派信徒)之间争夺对麦加的控制。国王伊本·沙特于1925年进驻麦加,于是该城成了沙特阿拉伯的一部分,并且是麦加直辖省的首府。

在沙特人统治下,强制推行了清教主义的道德准则和法律秩序,并改进了供朝圣者用的设施。自第二次世界大战以来,随着沙特阿拉伯石油资源的开采,麦加已有了高水平的经济发展。

Mechain, Pierre(-François-André) 梅尚 (1744-08-16,法国拉昂～1804-09-20,西班牙卡斯特利翁-德拉普拉纳) 法国天文学家和水文学家,和J.德朗布尔一道,在1792～1798年间测量了从敦刻尔克到巴塞罗那的子午弧,为国民议会所要求的米制长度单位建立基准。他还发现了11颗彗星,并计算了它们和其他已知彗星的轨道。梅尚生于贴涂天花板巧匠家庭,他在早年就显示出卓越的数学才能。在18世纪70年代,他在凡尔赛海图档案馆任水文师。后他从事天文学研究,1782年,因对彗星的研究获得成果而进了皇家科学院。此外,他还发现许多星云,后来由C.梅西叶收入其著名的星团星云表中。

mechanical advantage 机械利益 简单机械(例如杠杆、斜面、劈、轮轴、滑轮组或螺旋千斤顶等)的力的放大率。一个装置的理论机械利益,是在假定没有摩擦的前提下,做有用功的力与加于机械的力的比值。由于摩擦,实际的机械利益将比理论值小。

mechanical efficiency 机械效率 机械效率是一个机械装置工作效率的量度,通常表示为一个机械装置输出功和输入功之比。由于存在摩擦,机械效率的值总是小于1。对于简单机械如杠杆和千斤顶,效率是实际举起的载荷除以理论上传递的力。

mechanical energy 机械能 系统的动能(运动能量)与势能(由于其组成部分的位置而在系统中储存的能量)之和。只有重力的系统,机械能为恒量;另外,对理想系统,即没有摩擦力、空气阻力之类的耗散力的系统,或虽有这些力但最终可以忽略的系统,机械能也恒定。摆动着的钟摆,处于垂直位置时速度最大,但离地面的高度最小,因而动能最大,势能最小;当它摆到尽头时速度为零但高度最大,因而动能最小,势能最大。摆运动时其能量在两种形式之间不断交替转换。忽略支点的摩擦和空气对摆的阻力,摆的动能与势能之和(即机械能)为恒量。实际上,系统的机械能在每次摆动后都会减少,这小部分能量通过摆在克服摩擦和空气阻力中作功而转移到系统之外。地球-月球系统的机械能,由于动能与势能两种形式间有节奏地交换而近于恒定。当月球在近于椭圆的轨道上处于远地点时,速率最小,这时动能最小而势能最大。当月球处在近地点时运行最快,一部分势能转换为动能。

mechanical engineering 机械工程 有关发动机、机器的设计、制造、安装、运转以及生产过程的工程学科分支。它涉及对动力学、控制论、热力学和传热、流体力学、材料力学、材料科学、摩擦学、数学和计算技术中原理的应用,并且日益需要电子学,特别是有关微处理器的知识。原先工程仅指军事工程,直到18世纪末叶才包括非军事的土木工程(原泛指民用工程)。最早的工程职业团体土木工程师学会于1818年在英国成立,第一任主席为T.特尔福德。1847年,一批铁路工程师感到土木工程师学会没有代表因修建铁路新培养的工程师的利益,于是在英国建立机械工程师学会,G.斯蒂芬森任第一任主席。

如果说工业革命开始的时间有一个确切的年代,那么合理的选择是T.纽科门为了抽出矿井内的水制造出第一台实用的蒸汽机的1712年。J.瓦特发明了两冲程蒸汽机和独立的冷凝器,极大地提高了蒸汽机的热力学效率;他还发明了旋转式发动机。R.特里维西克于1802年发明高压蒸汽机,为1803年他制造出第一台机车奠定了基础。其他工程师,包括G.斯蒂芬森和R.斯蒂芬森,对机车的进一步发展也做出了贡献。到20世纪后半叶,蒸汽机车已大部分被内燃机车和电动机车所取代。发明蒸汽机是为了给抽水站、工厂、轮船、牵引车和第一台发电机提供动力。19世纪后期,C.帕森斯发明蒸汽涡轮机,在大多数应用中取代了往复式蒸汽机。最早用煤炭烧锅炉产生蒸汽,19世纪中叶后,煤逐渐被燃油所取代。随着燃油不断减少,核能部分地代替其他热能源发电。英国第一个商业性核能发电站于1957年开始发电。蒸汽被用于蒸汽牵引机和早期汽车中,这种动力后被由S.马库斯、G.戴姆勒和C.本茨等最先研制的,体积更小、使用更方便的内燃机所取代。现在内燃机仍然是汽车的主要动力,并广泛用作飞机的发动机,不过大型飞机已改用F.惠特尔发明的燃气轮机(喷气发动机)作动力。燃气轮机还用作备用发电机,油、气管道用的压缩泵,以及军舰推进机。另一种内燃机——柴油机——因为热效率高,广泛用作公共汽车和卡车的发动机、船舶推进机、备用发电机,并越来越多地用作汽车发动机。

机械工程同纺织机械、包装机、机床、焊接机、空调器、冷冻机、农业机械、印刷机械、金属加工机以及其他对产业经济至关重要的许多机器和工艺程序有着密切的关系。现在对新材料如高强度钢、铝合金、钛、塑料以及复合材料如玻璃纤维增强树脂和碳纤维增强树脂的知识和应用也有了很大的提高。机械工程愈来愈多地使用计算机,尤其是微处理器,以控制并加快设计和生产的进程和速度。计算机辅助设计和制图使设计人员可将他的构想显示在荧光屏上,并对应力、流体流动、传热等进行必要的分析,然后产生最后的轮廓图。计算机辅助制造可将计算机对零件的最后设计,直接传给由计算机控制机床制造零件的车间。机床、传输装置和机器人越来越多地由中央计算机直接控制,如向各机床分配工作,决定采用何种工具,并备有材料和工具贮存量的目录。这就是所谓的柔性制造系统。

mechanics 力学 研究力对物体的作用的科学。它是所有自然科学和工程学的主要部分;近代科学的发展的确是开端于I.牛顿对力学定律的阐明。对于原子尺度的微粒以及运动速度接近光速或在强引力场中运动的系统,牛顿的理论不能正确地描述其性状。在这些情况下,就需要更为现代的量子力学和相对论。

经典力学 牛顿的力学理论在今天称为经典力学,因为,尽管这种理论已被量子力学和爱因斯坦的相对论力学所取代,它却准确地说明了当时已知的各种情况下的力的作用。如果为求实用而把这种理论运用在大尺度(即非原子)的体系上,它几乎依然无可非议。经典力学可分为静力学和动力学。静力学研究平衡,在平衡情况下,任何数量的力都相互平衡，相互抵消。硬质的构架(如桥梁、车辆底盘或房屋的构架)要承受应力，应力因载荷特点而异。要判定构架的负荷限度，就必须研究静力学。假如作用于一个体系的诸力不能互相抵消，就会发生运动。分析这种情况，就属于动力学的范畴。在伽利略和牛顿的理论公布以前，人们对于物体的运动了解得空泛而不精确。大家曾经认为，如果没有力，则一切物体终将静止不动，要产生一种运动就需要不断作用的力。但是，箭所受到的全部推进力显然仅仅来源于弓，但箭却能在空中继续飞行，诸如此类的现象就费解了。地球不断围绕太阳公转，究竟是什么原因，也就无法解释。首先提出一整套数学定律来说明物体运动的，是牛顿。他提出，仅仅是运动，则并不需要力，只有加速才需要机械作用。匀速直线运动是"自然"的，如无某种作用的干扰，这种运动将继续不断。这是牛顿第一定律的基本内容。照此理看，车辆慢下来而停止，无非是由于诸摩擦力消耗了它的能量。在空间中，并没有摩擦力去遏制地球在太阳系里的运动。牛顿的第二定律把物体的加速度与作用于该物体的诸力联系起来。具体地讲，加速度与力成比例，比例常数是物体的质量，质量是衡量物体惯性的尺度。牛顿的第三定律说明作用与反作用相等，其原理在火箭研究上获得应用：气体的向后排放产生反作用力，这种反作用力驱动火箭的有效负载部分前进。这几条经典力学定律阐明了能量、动量与角动量的守恒；在研究孤立的机械体系方面，这些定律起主要作用。牛顿力学的应用包含对于连续介质的研究，这些介质中有流体、弹性固体、离散粒子(如在抛射体和行星体的情况下)、耦合粒子链(如晶格)。在19世纪，J.-L.拉格朗日和W.R.哈密顿在很一般性的数学范畴内对经典力学进行了修订，他们两人所提出的方程有继往开来的作用。

天体力学 牛顿验证了他的新力学定律，证明它们正确地解释了太阳系诸行星的运动。虽然不需要什么机械作用来照样解释地球的运动，但是它的轨道曲率则构成一个朝向太阳的加速度。牛顿把这一加速度归因于太阳的引力。他的定律实际上支持了J.开普勒先前提出来用以解释行星轨道尺寸和形状的那些定律。后来，对太阳系的研究越来越细，把行星轨道因其他行星引力场作用而产生的摄动、对整个系统稳定性的探讨和对其起源的推测也包括在内。拉格朗日、P.-S.拉普拉斯和F.W.贝塞尔在19世纪的研究工作始终保持了物理学理论以天体力学为其巨大试验场的传统。然而，到20世纪，这个学科的重要性降低了，因为经典力学作为物理学理论前沿的地位已经被量子力学和相对论力学所取代。

量子力学 经典力学在原子和分子的尺度上不成立。牛顿三定律既不能解释原子的结构和性状，又不能解释光的发射和吸收。对这一点的认识导致了20世纪的一项重要的科学革命——量子力学。量子理论主要是由N.玻尔、E.薛定谔、W.海森伯和M.玻恩发展的。它不仅用一组全新的定律取代了经典力学，而且需要一个全然不同的、抽象的、且只能用数学方法恰当描述的概念框架。量子力学的核心概念是不确定性和不可预知性。举例而言，这些概念意味着，在确定一个原子或亚原子粒子的特性(如位置和动量)时，其准确性总有个明确的限度。这理论完全是用概率的语言表述的。这些新奇的特性就包括在波粒二象性之中，即：一个像电子之类的粒子，它的运动遵循适用于波动传播的各种原理，因而能表现出如衍射、干涉等现象。按照这一情景，可以把观测到的离散的原子能级设想为波长不同的驻波。量子力学导致了对客观实体概念的彻底重新评价。不过它也是一个非常实际的课题。它一举解释了原子、原子核和分子的结构，亚原子粒子的性状，化学键的本质，结晶固体的性能，核能以及使坍缩的恒星保持稳定的各种力，它直接导致了激光器、电子显微镜、半导体和超导体的发展。它还一直是20世纪大部分物理科学的骨架，其范围从基本粒子的研究直至宇宙早期演化的探讨。

mechanics' institute 技工讲习所 1820～1860年间在英国和美国为教育体力劳工而普遍实行的一种自愿组织。从理想说来，技工讲习所应有一个图书馆、一所博物馆、一个实验室，应开设应用科学方面的公开讲座和各种技能课程，但能完全做到这些的实在寥寥无几。不同行业的技工应当互相学习，否定行会间排外的作法，增加人类的知识。技工讲习所的先驱是1796年建于英格兰的伯明翰兄弟协会。G.伯克贝克于1800～1804年间在格拉斯哥收集了不同行业的资料，在安德森大学开设讲座。他后来迁往伦敦，1809年在那里帮助成立伦敦传播科学、医学和艺术学会，而A.尤尔则继续在格拉斯哥工作。1817年T.克拉克斯顿在伦敦建立机械协会，开设了讲授-讨论课程有3年之久，直至他1820年离开伦敦。1822年建立的纽约机械科学讲习会是纽约许多寿命不长的讲习会中的第一个。格拉斯哥技工讲习所建于1823年，因为设有图书馆、博物馆和讲座计划而被认为是一个样板。同年，伯克贝克帮助组织了伦敦技工讲习所。宾夕法尼亚州弗兰克林技工讲习所于1824年建于费城，马里兰州技工讲习所于1825年建于巴尔的摩。克拉克斯顿来到波士顿后，于1826年建立了波士顿技工讲习所，但因它只进行讲课而失败。克拉克斯顿经再次努力，于1831年建立了波士顿技工学会。1829年在辛辛那提开办了俄亥俄技工讲习所。在法国，迪潘男爵于1826年前在拉罗谢尔和讷韦尔兴办了几个讲习所。1830～1860年，美国和英国办起了数以百计的讲习所。英国的传播实用知识协会(建于1825)成为英国讲习所的中心组织，美国则没有这样的中心机构。但许多讲习所寿命都不长；有些办得成功的讲习所，也被拥有金钱、闲暇并有听讲座欲望的非技工接管过去。规定技工占讲习所管理委员会多数的准则被忽视了。弗兰克林讲习所很早就成为应用科学高级研究中心，发表技工几乎无人能够理解的报告。俄亥俄技工讲习所变成了一所学校，开设技术课程，并颁发技术证书。马里兰讲习所在其建筑于1835年焚毁后停办，1847年重办。有些讲习所成了学会，另一些讲习所成了公共图书馆；还有的则成了展览机构。1860年后，大部分技工讲习所不复存在。但弗兰克林讲习所却一直是重要的研究中心；俄亥俄技工讲习所一直是一所独立学校，到1969年则成为辛辛那提大学的一部分(应用科学学院)；曼彻斯特技工讲习所一直开课，到1892年成为一所市立中等职业学校。马里兰讲习所1850年开办了一所设计学校；该校逐渐成为马里兰讲习所的核心，后成为马里兰讲习所艺术学院。

mechanism 机构 在机械构造上，指传递与改变一部机器或任何机械部件总体的运动的组合件。其主要特征为所有构件皆具约束运动，即仅能循一定方式相互间作相对运动。这些相对运动的性质主要取决于构件数及其连接方式。无论一部机器的机构多么复杂，它总是能视为许多简单的基本机构的组合，各个简单的基本机构包括若干构件或连杆，后者将运动由一运动连杆传递给另一个，其运动的自由度或类型可改变或不改变。一般以3种方式传动：利用**链**(**chain**)或带(参阅 **belt drive**)等缠绕连接；利用**凸轮**(**cam**)或**齿轮**(**gear**)直接接触；使用铰接连杆(参阅 **linkage**)。

mechanism 机械论 哲学中唯物主义的主要形式，认为自然现象能够而且应当根据物质、运动及其规律加以解释。这派哲学的支持者主要关心的是：从科学中消除那些不可观察的东西，即不能用数学方法处理的实体形式和隐秘性质。反对有机体的概念，将生物机能归结为物理化学过程，以此解决身心二元论。

mechanoreception 机械性刺激感受作用 动物感知和应答各种机械性刺激的能力。主要有触觉、痛觉、听觉、压力觉和体位感觉。机械性刺激感受器将机械刺激转变为神经生物电冲动，再通过神经反射功能启动效应器官。机械性刺激感受器是广泛存在于皮肤痛点或压力点的游离神经末梢。功能范围甚广，如被扎手指的迅速后缩常常并非痛觉反射，而是机械性刺激感受作用。痛点所在的体表位置不同，感觉的精细程度和分辨力也不同。如用一个间距2毫米的叉子分别扎指尖和手背，前者可感知二点刺激，而后者只觉一点；舌尖对此类刺激的分辨率是1毫米。很多鱼类的脊柱体表投影处都有侧线，两侧各一，贯穿头尾。这是一种特殊类型的机械性刺激感受器，能精细地感知水流震动，可防天敌。侧线是一排单个感受器(神经丘)，神经丘由神经毛细胞和支持细胞构成。神经毛细胞的毛状突外被一层胶状物质(冠顶)凸入水中。冠顶可不断被更新，以保持其高度敏感性。青蛙等两栖动物在胚胎和蝌蚪期间有侧线系统，成年以陆生为主后消失。鱼类的侧线系统最初仅为一沟，后从外侧闭合成一带孔水管。外界水流的异常震动可通过此管道系统刺激神经丘，激发相应的反射活动。还有几种类型的机械性刺激感受器，如有些浅水动物能利用水波涟漪来判断猎物的准确位置；有些动物是利用深水暗流或气流来为自己和其他相关动物定位。听觉感受器也属此类，用以感受空气的振动。此外还有平衡觉感受器、重力感受器和本体感受器（感知肢体位置和肌肉状态）。

Mechelen　梅赫伦　法语作Malines（马林）。比利时中北部安特卫普省城市。靠近代勒河，在布鲁塞尔东北偏北数英里处。1507～1517年和1519～1530年曾为荷兰首都和文化中心。1559年以后即为比利时大主教辖区。长期以来以生产饰带闻名。为西欧主要蔬菜市场之一。有铁路维修厂。有酿酒、家具制造和纺织业以及各种手工业（尤其是编织挂毯）等。圣鲁莫尔杜斯大教堂（13～15世纪）收藏有一架49个钟的钟琴和凡·戴克的画《耶稣受难图》。圣约翰教堂保存有鲁本斯的画《东方贤人仰圣图》。圣母院教堂收藏有鲁本斯的画《一网神奇的鱼》。市内四座博物馆中，以市博物馆和主教博物馆最有名。人口：城市区75 514（1991）。

Mechitarist　麦基塔尔会修士　又拼Mekhitarist。天主教亚美尼亚修会麦基塔尔会的成员。该会修士对19世纪初亚美尼亚语言学、文学和文化的复兴特别是亚美尼亚古代基督教著作手稿的刊行有重要贡献。该会由亚美尼亚司铎麦基塔尔于1701年在君士坦丁堡创立。1703～1715年被迫迁往摩里亚境内莫东。1717年定址于威尼斯。1772年有一批修士离开威尼斯，约在1810年在维也纳另立门户。威尼斯麦基塔尔会于19世纪初在罗马建立亚美尼亚学院，该学院不久即成为亚美尼亚学术中心。维也纳的麦基塔尔会积极四出传教，在奥匈帝国统治下的亚美尼亚人中间传教，并在布达佩斯、美国马萨诸塞州剑桥和洛杉矶建立堂区。

Mechnikov, Ilya Ilich　参阅 **Metchnikoff, Élie 梅奇尼科夫**。

Meckel, Johann Friedrich　梅克尔（1781-10-17，普鲁士哈雷［德国］～1833-10-31，哈雷）又称小梅克尔。德国解剖学家。最早描述骨化后成为鱼类、两栖类和鸟类下颚一部分的胚胎软骨（今称梅克尔氏软骨）。还描述过小肠上的囊状突出物（梅克尔氏憩室）。出身于医生家庭，在哈雷和格丁根学医，1802年毕业。其博士论文讨论心脏的先天性畸形。著作甚多，包括一部病理解剖学专著和一份描绘人类解剖异常的图册。

Mecklenburg　梅克伦堡　德国东北部历史地区。位于波罗的海沿岸平原，在吕贝克湾以东约160千米处。现属德国的**梅克伦堡-西波美拉尼亚（Mecklenburg-West Pomerania）**州。7世纪时，斯拉夫民族奥博德里人与留提契人分别于东西两方进占此地，驱逐了原来的日耳曼族居民。1160年，在萨克森公爵狮子亨利统治时期，引进了基督教；日耳曼人占优势。奥博德里统治者尼克洛特表示臣服，其子普里比斯拉夫成为亨利的陪臣，建立了梅克伦堡世族。经过一系列演变，在13世纪，普里比斯拉夫的曾孙辈分为四支：梅克伦堡（以维斯马以南的家族城堡米基林堡命名）、罗斯托克、居斯特罗和帕尔希姆。1436年，梅克伦堡一支获得全部继承权。1292年梅克伦堡世族取得施塔加德领主权，1358年又获得什未林伯爵封号。1348年德意志国王查理四世册封梅克伦堡家族为帝国的公爵及诸侯。在宗教改革运动中，梅克伦堡家族成为新教派。16世纪及17世纪初，该地区重新分为两个公爵领地，西为梅克伦堡-什未林，东为梅克伦堡-居斯特罗。在三十年战争中，华伦斯坦的阿尔布雷茨于1627～1631年驱逐了支持丹麦克里斯蒂安四世的公爵们，但瑞典人恢复了这些公爵的势力。通过《威斯特伐利亚和约》（1648）时，瑞典得到维斯马及周围地区，直到1803年止。1695年，随着居斯特罗一支的绝嗣，梅克伦堡家族领地再度统一，但后来根据《汉堡条约》（1701）又永久划分为二：大部领地归属梅克伦堡-什未林一支，而梅克伦堡-施特雷利茨一支只保有西北部的拉策堡和东南部的施塔加德两地的主权。1808年，两公国均加入拿破仑一世建立的莱茵联盟；1814～1815年的维也纳会议确认两国为大公国和德意志联邦成员。它们在七周战争（1866）期间支持普鲁士，1867年加入北德意志联邦，1871年加入德意志帝国。第一次世界大战后，魏玛共和国的宪法宣布废除大公制，改为民选政府。1934年，纳粹政权将这两个地区合并为梅克伦堡州。第二次世界大战后，稍作调整，一度（1949～1952）成为德意志民主共和国（东德）的一个州，其后又划归罗斯托克、什未林和新勃兰登堡专区。1990年东西德合并前，这个原先的州又由各专区重新组合为梅克伦堡-西波美拉尼亚州。

Mecklenburg-West Pomerania　梅克伦堡-西波美拉尼亚　德语作Mecklenburg-Vorpommern。德国东北部一州。位于波罗的海沿岸平原上，东西长约160千米。西面是吕贝克湾，东面是达尔斯半岛。该州有一片腹地，在西部向南延展到易北河下游，在东部一直过哈弗尔河的源头。梅克伦堡-西波美拉尼亚州的范围与历史地区**梅克伦堡（Mecklenburg）**相同。该州设于1990年东、西德统一的前夕，由东德的罗斯托克专区全部和什未林、新勃兰登堡等专区的大部分组成。州面积23 835平方千米，在前东德最北部，占其面积1/5。梅克伦堡-西波美拉尼亚州的河流大都注入波罗的海。州的中部由东到西是一片山地高原，土壤肥沃，山毛榉树成林，600多个湖泊星罗棋布，最大的是南部的米里茨湖。州的西南部在高原与易北河之间是一片沙地，土壤贫瘠；还有松林和沼泽谷地。北部高原有肥沃的黏土。沿海岸线是陡峭的石壁，间有海滩和沙丘。全州都在北欧大平原上。该州以农业为主，重要作物有裸麦、小麦、甜菜、马铃薯和饲草。较小的一块块地区出产玉米、豆类、油菜、大麻和亚麻。该地牧场牧养羊、牛和马群，内陆湖泊养鱼。梅克伦堡人口稀少，重要的城市中心只有罗斯托克、什未林和新勃兰登堡。人口约1 924 000（1991）。

Meconopsis　绿绒蒿属　罂粟科草本植物属。约45种。原产于欧亚，花似罂粟，许多种栽作观赏花卉。威尔士绿绒蒿（威尔士罂粟，*M. cambrica*）是唯一的欧洲种，多年生，高38厘米，有稀疏被毛，花黄色，有橙色花和重瓣花的变种。水苏叶绿绒蒿（蓝罂粟，*M. betonicifolia*）花蓝紫色。尼泊尔绿绒蒿（缎罂粟，*M. napaulensis*）花下垂，淡蓝至紫色。后2种常栽培。

威尔士绿绒蒿（*M. cambrica*）
美国不列颠百科全书公司供图

medal　奖牌　用以纪念某人、某地或某事的铸有图案的金属牌。奖牌可制成不同的尺寸和形状，从大的奖章到小的徽章或小型饰匾。大部分奖牌由金、银、青铜或铅制成，而贵金属则用来制作较精美的制品。一般认为1438年拜占廷皇帝约翰八世帕里奥洛加斯时期的青铜奖章是一组精制肖像奖章中的第一枚。意大利奖牌制造者们作了许多革新，包括文艺复兴时期的建筑师布拉曼特发展了制作铅质印模的压力机。某些最精美的16世纪奖牌系切利尼制作。德国的奖牌制造者在16世纪上半叶以弗勒特纳和纽伦堡流派的其他艺术家们的作品而获得无可争辩的声誉。17世纪法国的奖牌制造者，诸如迪普雷、瓦兰兄弟和在1610年铸造了路易十三国王精制奖章的布里奥，使法国流派突起。英国17世纪托马斯·罗林斯和兄弟西蒙制作了高质量的奖牌，西蒙于1660年所制刻绘蒙克将军的金质奖章便是一例。18世纪和19世纪初著名的奖牌制造者有意大利的皮斯特鲁齐和英国的克罗克，但这是奖牌艺术不景气

G.迪普雷于1603年制作的镀金铜奖牌，上镌亨利四世与玛丽·德·美第奇像
美国不列颠百科全书公司供图

的时期。从19世纪法国的蓬斯卡米和沙普兰以及英国的怀恩家族的作品中，可以看到这种艺术的复兴。20世纪的奖牌制造者们常常恢复使用较古老的手工雕刻和铸造技术。

medallion carpet　奎心图案地毯　中心突出位置有一星形、圆形、八角形或呈四叶片形的几何图案作为装饰的铺地用品。有时也指有几个奎心或几行奎心的地毯。波斯地毯，尤其是波斯古典地毯，奎心可能是16瓣盛开的荷花，或复杂的星形，或是尖裂瓣四叶片。地毯两端也可能再添上一个横向放置的椭圆或长方形涡卷花饰，有时缀以相当大的尖叶饰或悬垂饰。四角也可能各有一个1/4奎心，外形和点缀可以和中心奎心相同，也可能不同。15及16世纪埃及马木路克地毯均采

17世纪的波斯西北部奎心图案地毯
美国不列颠百科全书公司供图

用星形、八角形及八叶片奎心。奥斯曼帝国时期土耳其古典毯及埃及古典毯则常为圆形叶片奎心，近代中国地毯也是如此。奥斯曼帝国时代的织毯工人常在毯子四角织上1/4奎心，但中国织毯工人却愿在毯子四角用小圆花饰，以衬托中心奎心。18和19世纪，欧洲地毯图案设计师发明了五颜六色的新奎心，常包含建筑构形和文艺复兴式花饰。在波斯的几个地毯生产中心以及印度和日本的商品地毯中都出现了这类产品的仿制品。

Medan　棉兰　印度尼西亚北苏门答腊省省会、市。位于苏门答腊岛东北部，临德利河，外港为北面19千米处的马六甲海峡勿拉湾。主要历史建筑有德利苏丹宫。还建有大清真寺、烟草研究所、北苏门答腊大学和北苏门答腊伊斯兰大学。铁路从内地运来各种农产品。有国际机场。生产砖瓦和机械。棉兰原为德利苏丹的临时住地。1873年引进烟草种

棉兰市的邮政局
美国不列颠百科全书公司供图

植业后，成为一广袤出口农作物（烟草、茶叶、棕榈制品、橡胶）产区的中心。居民为华商和马来亚种植园工人的后裔以及爪哇合同工和巴塔克人移民。向苏门答腊北部石油、天然气田供应物资，输出传统农产品。1909年成为市，第二次世界大战在日本占领期间曾为东苏门答腊省会。人口约1 715 670(1987)。

Medawar, Sir Peter B(rian)　梅达沃(1915-02-28，里约热内卢～1987-10-02，伦敦)　英国动物学家。1953年发现动物于初生时即注射异体细胞，则成年后移植该原细胞供者的皮肤，便显出获得性免疫耐受性。这一发现使他与M.伯内特共获1960年诺贝尔生理学或医学奖。1949年伯内特提出假说：在胚胎期及刚落生时，机体细胞逐渐获得识别自身的组织物质和不需要的细胞及异体细胞的能力。梅达沃发现双卵双生的牛能接受彼此的皮肤移植，这说明某些称为抗原的物质在孪生胚胎的卵黄囊间互相“渗漏”，从而支持了伯内特的理论。他用小鼠做了一系列实验，发现只要受体在胚胎时注射过供体细胞，出生后即可接受该供体及供体孪生个体身上任何部分的组织，从而证明每个动物细胞均含某种由遗传决定的对免疫过程很重要的抗原。他的研究使免疫学的重点由研究动物的充分发育的免疫结构转移到企图改变免疫结构本身。新的免疫学已把科学家的兴趣吸引到如何设法抑制机体对移植器官的排斥反应上来。梅达沃1947～1951年在伯明翰大学、1951～1962年在伦敦大学任动物学教授，

美国不列颠百科全书公司供图

1962～1971年任伦敦国立医学研究所所长，1977～1983年任皇家研究所实验医学教授，1981～1987年任皇家医学研究生院院长。1965年封爵。1981年获功勋勋章。著有《个体的独特性》(1957)、《人类的未来》(1960)、《进步的希望》(1972)、《生命科学》(1977)、《冥王之国》(1982)及一本自传(1986)。

Medb　梅芙　又拼Medhbh。爱尔兰传说中的康诺特国女王。古代爱尔兰史诗《夺牛长征记》载，她领兵攻打阿尔斯特（今北爱尔兰）军队，在战争中其他女神运用法术，而梅芙则手持兵器亲临战阵。她并不是历史上的女王，而是凶悍冶荡的女神。

Mede　米底人　印欧民族的部落之一，与波斯人有血缘关系。大概早在公元前17世纪进入伊朗东北部，定居于后来称为米底(**Media**)的高原地区。

Medea　美狄亚　希腊神话中的一名女巫，曾帮助阿尔戈英雄的领袖伊阿宋从她父亲、科尔基斯国王埃厄忒斯那里取得金羊毛。她还可能是一位女神，善占卜。她嫁给伊阿宋并运用她的魔法和指点来帮助他。欧里庇得斯的《美狄亚》讲述了这个故事的后一部分，即伊阿宋和美狄亚带着金羊毛从科尔基斯逃走并被逐出约尔科斯（因为曾派遣伊阿宋去取金羊毛的约尔科斯国王珀利阿斯受到美狄亚对他的报复）之后的事迹。戏剧以这对夫妇住在科林斯时为背景，这时伊阿宋已抛弃美狄亚，与科林斯国王克瑞翁的女儿相爱；为了报复，美狄亚杀死克瑞翁、他的女儿以及她和伊阿宋生的两个儿子，然后逃到雅典国王埃勾斯那里。奥维德在《变形记》中把故事接下去。美狄亚逃离科林斯之后，成了埃勾斯的妻子，埃勾斯后来发觉她想毒死他的儿子忒修斯未遂，就赶走了她。希腊历史学家希罗多德记述说，美狄亚从雅典去了亚细亚后来被称为米底的地区，那里的居民于是把自己的名称改为米底人。美狄亚又是塞内加以欧里庇得斯的剧作为依据所写的悲剧《美狄亚》的女主人公。

Médéa　麦迪亚　又作Lemdiyya。阿尔及利亚中北部城镇。北距阿尔及尔90千米。西北为纳祖尔山(1 126米)，周围土肥水足。10世纪建立。1835年被阿尔及利亚民族领袖阿卜杜卡迪尔占领。1840年被法国占领。法国诗人黎施潘(1849～1926)在此出生。城市呈长方形，有公园和红屋顶建筑，具有法国风格。附近山丘遍布葡萄和果园，平原产优质谷物。生产葡萄酒、水泵等灌溉设备和工艺品。人口81 655(1987)。

Medeba(Jordan)　参阅**Ma'dabā 马代巴**。

Medellín　麦德林　哥伦比亚西北部城市，安蒂奥基亚省省会。濒临波尔塞河，位于中科迪勒拉山脉陡峭温暖的阿布拉山谷中。海拔1 500米。为全国大城市之一，工业发达，特别是钢铁工业。该城建于1675年，原是矿业小镇，现在已有广泛的工业基础，拥有食品加工、木器制作、冶金、汽车、化工、橡胶等工业。由于设有纺织厂和服装厂，又有“哥伦比亚的曼彻斯特”之称。1914年后，由于巴拿马运河建成和连接卡利的铁路通车，

麦德林市的比利亚努埃瓦大教堂
美国不列颠百科全书公司供图

迅速发展为重要的交通枢纽。有公路与加勒比海沿岸地区相连，并有一个国际机场。该市一直是全国最大的咖啡贸易中心之一。新建的国际机场已在20世纪80年代中期竣工。在20世纪末，麦德林成为哥伦比亚出产的可卡因的国际非法集散地。人口1 418 554(1985)。

Medelpad　梅代尔帕德　瑞典东北部省份。在西诺尔兰省境内。面积7 058平方千米。东濒波的尼亚湾。主要河流有永阿河和囚达尔河，原为木材水运线，现用于水力发电，两岸有肥沃的农田。两河谷之间地区多森林、山脉、湖泊。石器时代和青铜器时代文物表明该地为诺尔兰地区最早有人居住的地方之一。发现有海盗时代以来阿拉伯、盎格鲁-撒克逊和德国铸币，表明当地早年为重要的商业贸易地区。现工业以锯木和木材加工业为主。主要城镇有松兹瓦尔。人口约123 855(1988)。

Médenine（Tunisia）　参阅 **Madanīyīn** 梅德宁。

Medford　梅德福　美国马萨诸塞州东北部米德尔塞克斯县城市。位于波士顿正北，临米斯蒂克河。1630年创建，1684年设镇，1892年设市。早年有农、渔业。1631年始有造船业，建有美国首批远洋轮之一"海湾恩泽"号。该城商人曾经营"三角贸易"，用西印度群岛食糖制成的朗姆酒换取非洲奴隶，再将奴隶卖往西印度群岛。现主要为住宅区。经济以服务业和商业为主。设有图夫茨大学(1852)。现存的殖民时期建筑有罗亚尔大厦等。人口55 765(2000)。

Medford　梅德福　美国俄勒冈州西南部城市，杰克逊县县城(1927)。在罗格河谷，临贝尔溪。1884年建为俄勒冈—加利福尼亚铁路车站。1885年设市。后发展为梨和木材转运地。为一名胜区的中心。名胜区包括火山口湖国家公园和俄勒冈洞穴国家纪念地。设有罗格河国家森林总部。也是水果、乳品、蔬菜的贸易和包装中心。木材、梨和旅游业为该市主要经济支柱。城西有全州风景最秀丽的历史居民点杰克逊维尔(**Jacksonville**)。人口：市63 154；梅德福—阿什兰主要都会统计区181 269(2000)。

Medhbh（Celtic goddess）　参阅 **Medb** 梅芙。

Media　米底　古代国家，在伊朗西北部。大致相当于现代的阿塞拜疆、库尔德斯坦和克尔曼沙阿的部分地区。首次出现在亚述撒缦以色三世(公元前858～前824)文献中，其居民被称为米底人。约公元前625年以后，基亚克萨里斯将许多操伊朗语的米底部落统一成为一个王国。公元前614年攻占亚述。公元前612年与巴比伦结盟，率兵猛攻尼尼微，灭亚述帝国。在瓜分亚述时，米底国王获得伊朗的大部分、亚述北部和亚美尼亚的一部分。公元前550年居鲁士二世取得胜利，米底人臣属波斯。公元前330年亚历山大大帝占领米底，将这一帝国瓜分。约至公元前152年，米底被安息国王米特拉达梯一世夺取，臣属阿萨息斯王朝。约226年，米底转归萨珊王朝。此时米底人已失去自己的特性，混合到伊朗民族中。

Mediaş　梅迪亚什　罗马尼亚中部城市，濒临大特尔纳瓦河，13世纪由日耳曼人建立。原属奥匈帝国，1919年并入罗马尼亚。市中心是绿树成荫的大广场。有14世纪城堡遗迹和17世纪建的圣玛格丽特教堂。该市利用附近的天然气现发展为重要工业中心，主要产品有搪瓷用具、玻璃制品、纺织品和靴鞋。市郊种满葡萄。人口约64 488(1992)。

梅迪亚什市的圣玛格丽特教堂
美国不列颠百科全书公司供图

mediastinal emphysema　纵隔气肿　心脏周围形成气囊的一种病理现象。通常由肺破裂引起。当肺泡因创伤或疾病而破裂时，气体逸出，进入心脏周围的空间。心脏周围气体的压力可妨碍心脏的正常扩张和血液循环。潜水员潜水时吸入的气体密度较陆地为高；在深水中这不成为问题；但当浮回水面时，外界压力降低，肺内气体膨胀，使潜水员的两肺扩张。如果潜水员呼吸正常，并以适当的速度浮至水面，则过高的气压可通过呼吸排气而减轻。如果潜水员屏息、上升过快或有呼吸道梗阻(囊肿、黏液栓、疤痕组织等)，使气体不能充分排出，则肺会膨胀、破裂。气泡可直接进入静脉和毛细血管引起气栓，也可通过肺组织到达身体其他部位。纵隔气肿时气泡通常沿血管和支气管外部到达纵隔腔。潜水员继续上升时，纵隔内的气体膨胀，引起胸廓及肩下剧痛。膨胀的气体可压迫呼吸道，造成呼吸困难，甚至损害重要的血管。纵隔气肿的症状主要有胸骨后疼痛、休克、呼吸短浅、神志丧失、呼吸衰竭及紫绀。症状不严重时气体可被人体吸收，亦可通过针吸排出气体。若有呼吸和循环障碍则须将患者移入高压舱内，以便在气体排除前使机体基本功能得到恢复。参阅 **decompression sickness**。

mediastinitis　纵隔炎　纵隔的炎症。可由物理损伤、感染或肿瘤生长所引起。多数急性纵隔炎并发于食管穿孔。食管壁可被肿瘤生长或异物(如鸡骨、鱼刺、玻璃、针及儿童吞下的小玩具)所穿破。在试图取出异物时，食管壁可为外科器械所损伤。多数有胸骨下剧痛。疼痛可向颈部或背中部放射。常见寒战、高热及呼吸困难。可用抗生素治疗。囊肿、脓肿及肿瘤则需手术引流或切除。

mediastinum　纵隔　分隔两肺的组织和器官群。其范围前为胸骨，后至脊柱，侧面为心包和纵隔胸膜。由心脏和除肺外的所有其他胸腔器官组织组成。可分成前、中、后和上纵隔。

mediation　调解　在双方发生冲突时，由第三方帮助减少分歧或寻求解决纠纷的办法。调解与"斡旋"不同点在于：调解人通常更主动地提出解决问题的条件。调解与仲裁也不同，争执双方没有预先协议的约束，因而不一定接受调解人提出的建议。许多国家都有调解企业争端的标准程序。在劳资争端中，如果争议内容超出劳资协议的范围，或调解无法调处的，政府常出面调解。国际争端的调解程序尚不完善，虽然早在19世纪时就有过几次调解成功的事例。1899和1907年的海牙公约和《国际联盟盟约》进一步采取了建立调解机制的重大步骤。特别是《联合国宪章》的规定，要求成员国承担比以前大得多的用和平方式解决其争端的责任。宪章第2条第3款特别提出，所有成员国"应以和平方法解决其国际争端"。第33条规定，任何争端之当事国，于争端之继续存在足以危及国际和平与安全之维持时，应尽先责成他们"以谈判、调查、调停、和解、公断、司法解决、区域机关或区域办法之利用，或各该国自行选择之其他和平方法，求得解决"。如果当事国不能以这些方法解决时，将根据宪章第37条之规定，将该项争端提交安全理事会。若争端被提交给安理会或联合国大会，则它们将根据该事件的具体情况采取适当方式解决。安理会或联合国大会讨论后，争端可交付调解。由安理会和联合国大会任命的几个委员会曾具有调解争端的职能。几任联合国秘书长曾进行大量的、具有调解作用的个人外交活动。

medical association 医学协会 由医师组成的专业性组织或学术团体。其目的为提高医学教育、医学科学和医学伦理学的水平;促进及保护成员的利益。最大的医学协会是世界医学协会,成立于1947年,有团体会员60多个。美国医学协会(AMA)成立于1847年,1980年有会员约20万人,主要期刊为《美国医学协会杂志》(JAMA)。但随着许多专科协会及委员会的成立,AMA不再是美国唯一的医学组织。其他一些备受尊敬的刊物,如《新英格兰医学杂志》,也声誉日隆。英国有三个主要的医学协会组织:伦敦皇家内科医师学会(RCP)、英国皇家外科医师学会(RCS)及英国医学协会(BMA)。BMA成立于1832年,初名为外省内科及外科医师协会,是一个对抗性组织。它代表农村医师的利益,尤其对RCP和RCS的成员及与之有联系的医师采取排外主义态度。今天,BMA主要代表普通开业医师,它在决定国民保健事业法条款的措辞方面发挥了巨大的影响。

medical imaging 医学影像学 参阅 diagnostic imaging 影像诊断学。

medical jurisprudence 法医学 又作 legal medicine。医学资料与法律问题的关系及应用的科学。提供法律证据的医务人员可出席普通法院、行政法庭、死因调查团、执照发给机关、审证委员会或其他调查机构。

在大多数国家,医生在法律上有义务证实有关人能否取得劳工补偿金或其他国家保险金,证明出生日期或死亡的原因,向当局报告任何法定传染病的出现,及决定何时需拘留精神障碍患者以保护病人自身或其他人。这些例行工作为法医学最常见的任务。

以医生为证人的情形较少见,但可能更为重要。如果医生出现在法庭只是为了讲述他所观察的事实,则适用于一般证人的规则的约束。如果他必须用他的医学知识解释那些事实,他就属于司法鉴定专家,应当向请求他来的诉讼当事人提出公正而无偏见的意见。尽管有这种期望,法庭上的医学意见冲突却是司空见惯,也许是因为人体及其伤病不像法律问题那样易受条款支配。

医学和法律并不一定能和谐地合作。最常见的冲突系来自医学的保密性,有些医生主张他们在医疗咨询过程中得自病人的任何信息,依伦理规则均须绝对保密;若无病人同意,在任何情况下均不得将之泄露。如果没有这种规则,他们相信病人有时会不愿意将治疗所需的信息全部告诉医生。大多数国家的医生则认为,他们对居住所在社会的义务有时(虽然很罕见)会超过他们对病人的义务。很多医生,但不是全部,会向警察报告,某一患有严重癫痫的病人不顾医生的警告,仍然坚持要开车。在大多数国家,这种与法律的冲突之所以会发生,乃是因为法院在承认法律特权时(律师和其当事人间交换意见的保密性),并不承认医学顾问亦有相同的特权。其他与法律制度发生冲突的原因还有医生认为他们对向其咨询者的责任优先于其他所有责任。例如,国家或国际性医药学会曾建议某些刑讯属于合法的国家的医生,不可介入保证犯人能接受刑讯的检查。他们也曾警告医生在未经病人同意之前,不要涉入可能要求他们做出对病人不利的事的任何警察程序。

在司法医学协助侦查犯罪的这个法医学专业中,法律与医学能较和谐地结合。法医学专家也协助法庭——包括盎格鲁-撒克逊法系的验尸法庭——判定猝死及意外死亡的原因。在这类案件中,法医学专家的主要任务是验尸,包括对每一个器官及器官内含物作仔细检查,以及将某些器官的切片用显微镜检视或作化学测试。法医学含有戏剧性的行为,如仅以检查一些骨头来决定人体的尺寸及性别,或从牙齿形式来辨认尸体,或侦查强奸或无嫌疑的谋杀的证据。更通常的是一些较少戏剧性但并非不重要的技巧,如估计人的死亡时间,或测量开车人血液中的酒精含量,以确定其判断力丧失的程度。

Medicare and Medicaid 医疗保障方案和医疗援助方案 美国政府为保障养老、助贫而设立的两项健康保险计划,并以《社会保障法案》(1935年生效)修正案(第18、19章)的形式于1965年通过立法,1966年开始生效。医疗保障方案的适用对象是65岁以上的老年人,包括医院医疗保险(Part A)和辅助医疗保险(Part B)两个相关部分。Part A旨在为老人们支付住院费、家庭特护费和某些家庭健康服务费等;其财政来源是《社会保障法案》所规定的各项国家税收。根据规定:为每次得病住院支付的费用为最长不超过90天的医院账单("每次得病"的法律术语为"受益期间";时间界定为从入院或特护上岗之日开始直到脱离这些服务为止,其间有60个连续的服务日)。患者必须自付的费用有:①"保险扣除款":每个病人都要为其每个受益期间前60天的住院治疗一次性交纳一定数额的钱;②合理自付款:按天、按比例为住院治疗的后30天付费。医疗保障方案支付除此而外的全部费用。医院医疗保险对特护的处理方法如下:如果患者是在出院后30天之内申请特护,那么医疗保障方案涵盖的特护期限为100天,前20天免费,后80天需交纳合理自付款。因此,每个受益期间有190天,包括90天的住院治疗和100天的特护照顾。此外,医疗保障方案还涵盖临终关怀性质的家庭随诊费用。60天后,一个病人即可再次成为医疗保障方案的受益者,第二个受益期间的起始标志是再次入院或特护上岗。因为每个受益期间的90天期限是个没有弹性的死数,故每个人都有一份60多天的医院医疗"终身储备金",可供随时支补超支部分;不过,终身储备金的合理自付款的比例要高一些。辅助医疗保险为投保者划定一个最高的自费限额,其适用对象也是65岁以上的老年人。投保者需自付的款项为每次看病的保险扣除款和月保险费,而每次看病的线外部分之80%都由保险公司支付。这里,医疗费的范围被划定为各科的诊疗费、诊断费、化验费、其他服务费等。绝大多数投保者都是同时投保这两项保险。不过,Part B的财政来源是国家年度税收和投保者的保险费。医疗保障方案的立法程序是1965年在约翰逊总统任内完成的,但最早提出这一动议的是杜鲁门总统,此后,国会为之进行了20年的立法辩论。1972年通过的修正案将残疾人和慢性肾病患者也纳入此项保险的承保范围。医疗保障方案的承保范围以始料不及的速度迅速扩容,迫使联邦政府自70年代开始加快了对各种价格遏制措施的立法,其中引人注目的是1983年通过的特殊诊断项目的收费标准。

医疗援助方案的适用对象是65岁以下的低收入者,以及那些65岁以上、但医疗保障方案所给予他的"受益期间"业已用完者。此项计划的财政支出分别由联邦政府和州政府预算按比例划拨。按规定,州政府应把此项方案视为公共福利的一部分,并须在联邦政府规定的方针框架内制定出适用于本州实际情况的实施标准,如受益者的收入水平、财产状况等。各州用于此方案的财政经费的50%~80%由联邦政府支付。医疗援助方案所涵盖的医疗项目甚广,如住院费、医生服务费、特护费、家庭病房费、某些家庭保健项目收费、诊断费等。同医疗保障方案一样,医疗援助方案也以超过原来预期的速度迅速扩容。为减少国家和各州政府的财政预算,联邦政府于1972年出台了第一项关于价格遏制措施的法规,以后又有多项措施被陆续颁布实施。20世纪80年代以来,越来越多的医生不再愿意为医疗援助方案的患者服务,因为报酬太少。

medicated diet 药膳 用中药与食物共同调制而成的食品,是中医预防疾病的重要内容。因所选用的药物与食物的成分不同,可以使其分别具有食养和食疗的功效。药膳的主要功效是食养,即通过食用药膳,达到防病、健身和益寿延年的目的。常用的药物有黄芪、党参、人参、当归、枸杞、山药、茯苓、冬虫夏草等。药膳有时也用于治疗,可单用,但由于药膳的药性较为平缓,更多用来配合其他药物使用,或用于病后调养。药膳的烹制方法以炖、煮、蒸为主,少有煎、炸、炒制,这样既有利于药物的有效成分析出,又有利于人体的吸收。食用药膳应注意时令、季节、食用者的体质等因素,并且不宜作为普通膳食长期食用。

Medicean-Laurentian Library 梅迪契-罗伦佐图书馆 意大利语作 Biblioteca Medicea-Laurenziana。15世纪梅迪契家族的两位成员(老科西莫和高贵者罗伦佐)在佛罗伦萨城收集了一批书籍和手稿,其中一部分在1494年前向公众开放,但当年梅迪契家族就被推翻,他们的府邸遭到洗劫。劫后剩下的图书迁到罗马,由罗伦佐的儿子乔瓦尼收藏。乔瓦尼于1513年当选为教皇(利奥十世)。罗伦佐的侄子朱里奥于1523年当选为教皇(克雷芒七世),又将藏书迁回佛罗伦萨城,并委任米开朗琪罗建造一所适当馆舍。第一批设计图样制于1523年。同年设计雕花天花板,但10年后才由两个平凡的工匠完工。马赛克地板设计与天花板相同,雕花板凳由数位助手根据大师的草图完成。米开朗琪罗还设计了图书馆的楼梯;他的楼梯模型由巴尔托洛梅奥·阿曼纳蒂和乔治·瓦萨里在1559年完成。

1571年图书馆尚未竣工即开放。这宗藏书的重要性主要在于它的10 500件手稿，其中700多件为11世纪前的抄本。有些是世上最珍贵的古抄本——4世纪或5世纪一本著名的维吉尔抄本，6世纪的查士丁尼法学汇编，10世纪的贺拉斯抄本，许多很早期的古典和圣经文本，约100本但丁古抄本，薄伽丘同代人根据薄伽丘本人手稿抄写的《十日谈》和本韦努托·切利尼的自传手稿。

Medici FAMILY **梅迪契家族** 又译美第奇家族。意大利资产阶级家族，在1434～1737年的大部分时间里先后统治佛罗伦萨和托斯卡纳。它产生过4个教皇（利奥十世、克雷芒七世、庇护四世和利奥十一世）和2位法国王后（卡特琳和玛丽）。该家族本是托斯卡纳的农民，原居佛罗伦萨以北锡耶韦河谷的卡法贾洛村。12世纪时迁居佛罗伦萨，13世纪时已跻身富有的贵族行列。1340年后遍及欧洲的经济萧条使许多有权势的家族破产，但梅迪契家族躲过了这一厄运，甚至利用它确立了自己的名门地位。梅迪契家族不是军人，他们经常运用黄金贿赂而不是用大批的武装军人来与对手较量。此外，早期的梅迪契家族坚决寻求城市中产和贫苦阶级的支持，这种"平民化"的倾向保持了很长时间。最后，该家族成员都酷爱艺术、文学和建筑，并为此耗尽钱财，成为最仁慈、最慷慨的艺术保护人。

梅迪契家族最早见于记载的是13世纪初的基亚里西莫一世（詹博诺之子）。其后裔可分为3支。其孙基亚里西莫二世这一支竭力夺取政权，给家族带来50年的严重不幸（1343～1393）。萨尔韦斯特罗依靠平民的支持，一度当选市执政团首脑（旗手），但平民政府失败后被放逐。

梅迪契家族的3支

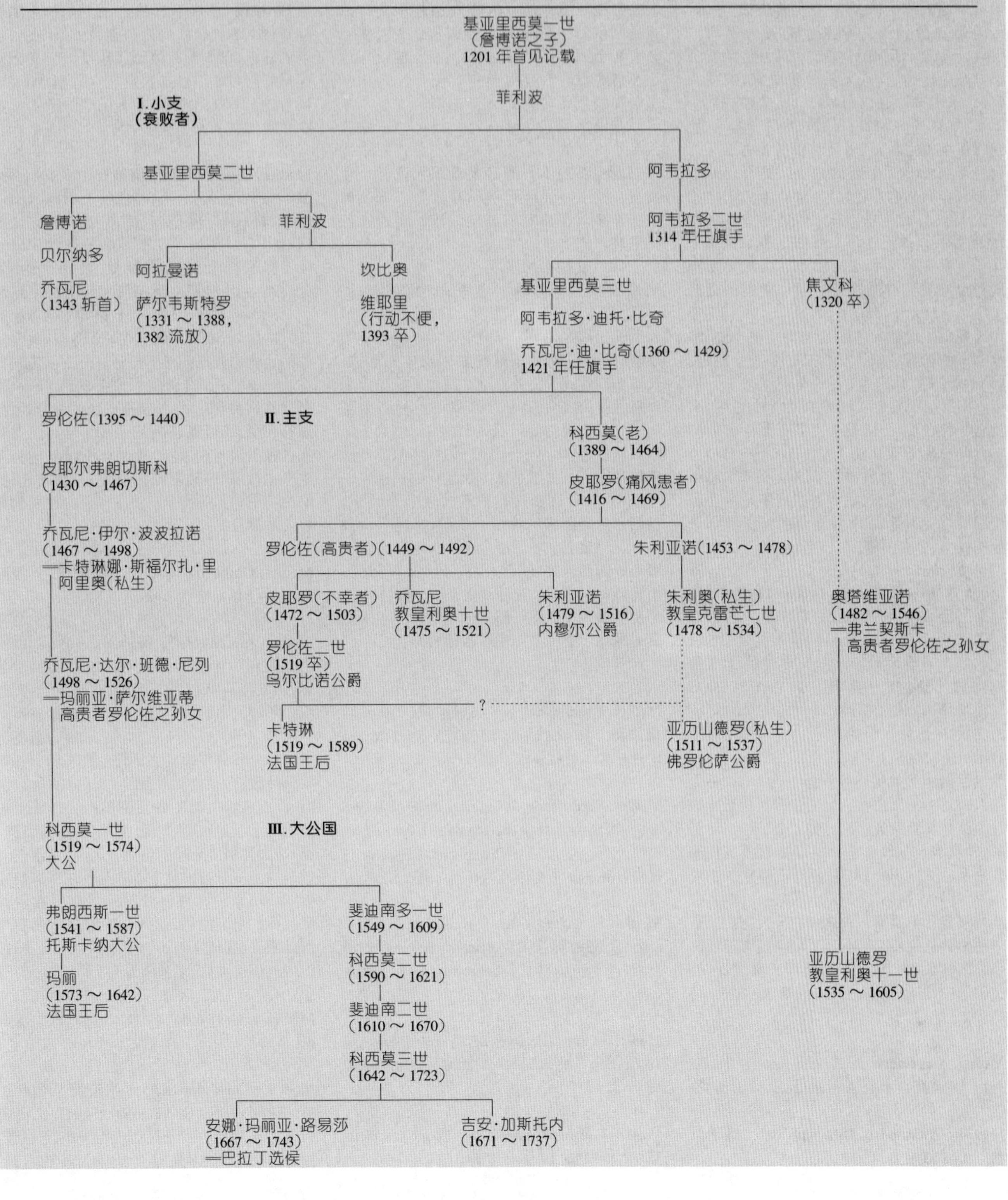

萨尔韦斯特罗的远房兄弟阿韦拉多(又叫比奇)的子孙们创造了家族的辉煌历史。其子乔瓦尼(1360～1429)继承以布匹、丝绸业及金融业为基础的家业,使家族兴旺发达。乔瓦尼的两个儿子老科西莫(1389～1464)和罗伦佐(1395～1440)成为家族著名支系的创造者。

老科西莫(参阅 **Medici, Cosimo de'**)奠定了家族的政治基础,曾供职于十人团。其长子皮耶罗(参阅 **Piero di Cosimo**)维护并巩固了家族的政治地位。皮耶罗的次子高贵者罗伦佐(参阅 **Medici, Lorenzo de'**)在佛罗伦萨和意大利的历史上均占有光荣的一席。他不仅是老练的政治家、艺术的庇护人,本人还是一位诗人。罗伦佐的长子皮耶罗(1472～1503)继承了家族的权力,但因与法国人站在一边,疏远了佛罗伦萨人,被视为背叛,家族被迫逃亡(1494)。罗伦佐的次子乔瓦尼(1475～1521,日后的教皇利奥十世)当时任枢机主教,利用其对教皇尤里乌斯二世的影响恢复了家族的地位。罗伦佐的幼子朱利亚诺(1479～1516)被封为法国内穆尔公爵。皮耶罗的孙女卡特琳(1519～1589)是法国国王亨利二世的王后,她的4个儿子中有3个都是法国国王。这几年是梅迪契家族最光辉的岁月,也称"利奥十世的世纪"。1513～1521年,利奥十世及由其任命为枢机主教的5名侄儿和堂兄弟一道,继承其父的遗风,关心艺术和文学甚于教务。16世纪20年代以后,科西莫一支的子孙稀少,为了确保该支系对佛罗伦萨的统治,高贵者罗伦佐的侄儿、教皇克雷芒七世于1532年立其私生子亚历山德罗(1511～1537)为世袭的佛罗伦萨公爵。亚历山德罗(**Alessandro**)残暴而专横,后为其亲戚所杀。亚历山德罗之死并未结束梅迪契家族在佛罗伦萨的权势,家族中的另一支(老科西莫之弟罗伦佐[1395～1440]的后裔)应运而生。罗伦佐的玄孙科西莫一世(**Cosimo I**)成为佛罗伦萨公爵,1569年又成为托斯卡纳大公。他继承了先人关心艺术和科学事业的传统。他的后人对佛罗伦萨和托斯卡纳的统治持续到18世纪。其子弗朗西斯(1541～1587)以猜疑霸道、狂征暴敛和艺术、科学的可敬的庇护人著称。弗朗西斯之女玛丽(参阅 **Marie de Médicis**)是法国亨利四世的王后。弗朗西斯的幼弟斐迪南一世(1549～1609)继任大公时为枢机主教。他的统治是托斯卡纳最为稳定和繁荣的时期。他建造了梅迪契别墅,并收购大量珍贵艺术品。斐迪南多长子科西莫二世(**Cosimo II**)在位时正值欧洲相对和平,托斯卡纳因出口谷物而富裕。此后,梅迪契家族开始衰落。1738年欧洲大国把托斯卡纳大公之位转交给与奥地利皇室有亲戚关系的洛林公爵。1743年科西莫三世之女、巴拉丁选侯约翰·威廉的遗孀安娜·玛丽亚·路易莎去世使这一支系消失。

Medici, Alessandro de' (grand duke of Tuscany) **梅迪契** 参阅 **Alessandro** 亚历山德罗。

Medici, Alessandro Ottaviano de' **梅迪契** 参阅 **Leo XI** 利奥十一世。

Medici, Caterina de' (queen of France) **美第奇** 参阅 **Catherine de Médicis** 卡特琳·德·美第奇。

Medici, Cosimo de' **梅迪契**(1389-09-27,佛罗伦萨～1464-08-01,佛罗伦萨附近卡雷治)又译美第奇。别称老科西莫。1434～1537年统治佛罗伦萨的梅迪契家族主要支系之一的开创者。乔瓦尼·迪·比奇之子。最初,他代表梅迪契银行,在康斯坦茨会议的走廊中参与资金周转的事务。此后管理罗马教廷的财政。1462年从庇护二世手中获得托尔法明矾矿开采权。他是当时最大的富豪。但他的巨大财力引起寡头政治集团的反对。另一个主要家族——阿尔比齐家族企图发动政变。1431年当他正在卡法杰洛度假时,接到传票,要审讯他"一贯企图凌驾于他人之上"的罪行。他本来可以在博洛尼亚暂避一时,但他宁可被关入韦基奥宫的一个小地牢。不久,阿尔比齐家族即发现不可能轻易就杀死这样一个富豪。狱卒被买通为他品尝食物。著名的金拖鞋满足了旗官的欲望,从而将通常的死刑减为流放。

科西莫避居帕多瓦和威尼斯。一年以后,梅迪契家族修改了选举法,重返执政团(即政府委员会)。他凯旋入城,他的宿敌被永远逐出佛罗伦萨。从此就开始了梅迪契家族的统治(1434)。他保持立宪政体的形式,使这一制度臻于完善。他在法律的实施上未作任何修改,但是从法律的本质上,他改变了一切。过去规定填补高级职位空缺由抽签决定。现在,他操纵这一程序,使抽中的都是能够信赖的人。由于承认专制政权的任期可以连任,两个市政会议的独立性遂名存实亡。他与米兰的斯福尔扎结成联盟,粉碎了1458年8月的政变。随后建立由100名忠实支持者组成的参议院,即百人团。此外,他还热心于建筑和对古代文献手稿的研究。他在卡雷治别墅重建柏拉图学园。他也是人文主义发展的推动者之一。死后执政团授与他"国父"的称号(1465)。

Medici, Cosimo de' (grand duke of Tuscany) **梅迪契** 参阅 **Cosimo I** 科西莫一世;**Cosimo II** 科西莫二世;**Cosimo III** 科西莫三世。

Medici, Ferdinando de' (grand duke of Tuscany) **梅迪契** 参阅 **Ferdinand**(Tuscany)斐迪南(托斯卡纳)项下的 **Ferdinand I** 斐迪南一世;**Ferdinand II** 斐迪南二世。

Medici, Francesco de' (grand duke of Tuscany) **梅迪契** 参阅 **Francis**(Tuscany)弗朗西斯(托斯卡纳)项下的 **Francis(I)** 弗朗西斯(一世)。

Medici, Gian Gastone de' (grand duke of Tuscany) **梅迪契** 参阅 **Gian Gastone** 吉安·加斯托内。

Medici, Giovanni Angelo de' (pope) **梅迪契** 参阅 **Pius IV** 庇护四世。

Medici, Giovanni de' **梅迪契** 参阅 **Leo X** 利奥十世。

Medici, Giovanni de' **梅迪契**(1498-04-06,教皇国弗利～1526-11-30,曼图亚侯爵领地曼图亚) 又译美第奇。原名 Lodovico,别名乔瓦尼·达尔·班德·尼列。梅迪契家族中最著名的军人。属梅迪契家族的幼支,即老科西莫的兄弟罗伦佐一支的后裔。这一支长期受长支控制,直到16世纪其他支系绝嗣,才得登上历史舞台。它的第一个重要人物就是这个教皇军队的英勇首领乔瓦尼·德·梅迪契。1516～1517年他为教皇利奥十世同弗朗契斯科·德拉·罗韦雷作战。1521年与法国作战。1522年接受法国的雇佣,1523年加入皇帝的阵营,1525年在帕维亚战役前又转回法国军队。1526年参加科尼亚克同盟的军队,反对皇帝。11月25日在曼图亚附近的战斗中负重伤,5天后去世。

Medici, Giuliano de' **梅迪契**(1479～1516-03-17,佛罗伦萨) 又译美第奇。原名 Lodovico de'Medici。佛罗伦萨统治者(1512～1513)。1494年佛罗伦萨共和分子在法国援助下驱逐了他的哥哥皮耶罗·德·罗伦佐,不久,教皇尤里乌斯二世组织了反对法王路易十二的神圣联盟。1512年教皇要求佛罗伦萨加入联盟,解除现任领导人的职务,让被驱逐的梅迪契家族返回佛罗伦萨。一支西班牙大军攻陷普拉托,迫使佛罗伦萨就范。同年9月他回到佛罗伦萨,曾镇压一次密谋活动,但总的来说,奉行温和政策。1513年其兄乔瓦尼枢机主教当选教皇,称利奥十世。他身为枢机主教,被任命为圣罗马教堂的旗官,因此前往罗马与兄长会合。1515年受封法国内穆尔公爵爵位。

Medici, Giulio de' (pope) **梅迪契** 参阅 **Clement VII** 克雷芒七世。

Medici, Ippolito de' **梅迪契**(1509,乌尔比诺公国乌尔比诺～1535-08-10,教皇国伊特里) 又译美第奇。16世纪20～30年代佛罗伦萨内乱中的一个牺牲者。内穆尔公爵朱利亚诺之子。7岁丧父,由伯父教皇利奥十世收养。1524年教皇克雷芒七世派他参加佛罗伦萨政府,预定到他成年时任佛罗伦萨公爵,而由枢机主教帕塞里尼摄政。1529年末克雷芒七世企图除掉他,另换亚历山德罗·德·梅迪契去统治佛罗伦萨。因此,克雷芒七世与神圣罗马帝国皇帝查理五世在博洛尼亚缔结一项密约。查理五世派兵包围佛罗伦萨。1530年陷城后,亚历山德罗成为佛罗伦萨政府首脑(1532年封佛罗伦萨公爵)。他被迫去当枢机主教,后被人毒死。

Medici, Lodovico de' 参阅 **Medici, Giovanni de'** 梅迪契。

Medici, Lorenzino de' **梅迪契**(1514-03-23,佛罗伦萨～1548-02-26,威尼斯) 又译美第奇。托斯卡纳大公亚历山德罗的行刺者。出身于梅迪契家族的幼支,是有才华的作家。

所著剧本《阿利德西奥》被公认为当时的优秀作品。他在罗马城捣毁了一些阿德里安时代最美的雕像的头颅。教皇克雷芒七世为此要将他绞死,他遂逃至佛罗伦萨,成为亚历山德罗的朋友。1537 年 1 月 5 日夜,他将公爵领到自己的住宅,在一个名叫斯科龙孔科洛的人协助下,将公爵杀死。佛罗伦萨人没有起来反抗专制政权,使他失望。他逃到博洛尼亚,后赴土耳其,转去法国,最后在威尼斯被杀。著有《辩护》一书,声称他的行为是受热爱自由的驱使,但他其后的所作所为完全否定了他在《辩护》中自称的高尚动机。

Medici, Lorenzo de'　梅迪契(1449-01-01,佛罗伦萨～1492-04-09,佛罗伦萨附近的卡雷治)　又译美第奇。绰号罗伦佐(高贵者)。佛罗伦萨政治家、统治者和文学艺术保护人。梅迪契家族最有才学见识的人物。1469年其

美国不列颠百科全书公司供图

父皮耶罗去世时,他与弟朱利亚诺共同继位。在执政之初宣布:他将遵循父亲和祖父的政纲,"尽量以法治国"。然而,这种说法不过是装饰门面,1471 年即取消了公民大会管理财政的权力。历史学家 F.圭恰尔迪尼认为罗伦佐政权不过是"一个立宪共和国中的仁慈的专制政权"。1478 年,帕齐银行从梅迪契家族手中夺走了罗马教廷的商业事务。之后,教皇西克斯图斯四世、他的侄子里亚里奥和比萨大主教 F.萨尔维亚蒂支持帕齐密谋刺杀罗伦佐和朱利亚诺。他们决定于 4 月 26 日复活节弥撒时在大教堂动手,同时,由大主教接管执政团(即政府委员会)。朱利亚诺的确死在圣坛前面,但是,罗伦佐却躲进一个圣器收藏室安然逃脱。大主教笨拙地对梅迪契家族的旗官发号施令,立即被吊死在韦基奥宫的窗户上。民众支持梅迪契家族,捉住阴谋者将其肢解处死。西克斯图斯威胁说:如果不把罗伦佐交给他,将推翻佛罗伦萨教权。佛罗伦萨市民和修士断然拒绝这一要求。然而,由于那不勒斯国王斐迪南一世支持罗马教廷,使局势非常危急。佛罗伦萨的统治者仅能指望得到米兰的有限援助和法国国王的声援。因此,罗伦佐只身前往那不勒斯,终于迫使斐迪南屈服,缔结了和约。西克斯图斯四世孤立无援,只得承认和约有效。通过这场斗争,罗伦佐取得了崇高的威望,被称为"智士"、"意大利天秤上的指针"。但他并没有利用这种地位使自己成为公爵,而是建立了一个七十人委员会,代替旧的百人团。罗伦佐在儿子乔瓦尼 13 岁时,从英诺森八世那里为他取得枢机主教的职位。尽管罗伦佐依然是一位普通市民,但已被称为"高贵者"罗伦佐。15 世纪下半叶,罗伦佐在卡雷治、费埃萨罗和波吉奥·阿·卡亚诺的别墅中建立了柏拉图学园。他本人也是一位极有天赋的诗人。他对待艺术家不以保护人自居,而容许被保护人像男子汉对男子汉一样同他站在一起。去世前不久,罗伦佐在圣马科的私人花园中开设了一所雕塑学校,其中的一名15岁的学生就是米开朗琪罗。

Medici, Lorenzo di Piero de', DUCA (duke) DI URBINO　梅迪契(1492-09-12,佛罗伦萨～1519-05-04,佛罗伦萨)又译美第奇。佛罗伦萨统治者(1513 ～ 1519)。N.马基雅弗利曾为他写了《君主论》一书,敦促他将整个国家武装起来,将外国入侵者逐出国门之外以完成统一意大利的大业。其父皮耶罗是"高贵者"罗伦佐之子。在他两岁时,父亲被法国支持下的共和分子赶出佛罗伦萨。1512 年教皇领导的神圣联盟在西班牙人援助下打败叛乱者,重建梅迪契家族在佛罗伦萨的统治。他的叔父枢机主教朱利亚诺在佛罗伦萨执政一年,1513 年 8 月将权力移交给罗伦佐,并封给乌尔比诺公爵领地。教皇以欺诈手段驱逐当地合法领主弗朗切斯科·玛丽亚·德拉·罗韦雷。但是,弗朗切斯科·玛丽亚不久返回乌尔比诺,受到臣民的欢迎。罗伦佐与之争战数月夺回领地,但在作战中负伤。其女卡特琳后嫁与法王亨利二世。

Medici, Maria de' (queen of France)　**美第奇**　参阅 **Marie de Médicis 玛丽·德·美第奇**。

Medici, Piero di Cosimo de'　梅迪契(1416 ～ 1469-12-02)　又译美第奇。绰号皮耶罗(痛风患者)。佛罗伦萨统治者(1464 ～ 1469)。他在战争中赢得的胜利使他得以保持其父老科西莫所树立起来的巨大威望。他患有严重的痛风症,行走不便,久卧病榻。然而,在其父老科西莫去世时,他发现有人密谋推翻他的统治,竟表现出非凡的勇气,躺在担架上,亲临佛罗伦萨,战胜了他的政敌。当威尼斯重新对佛罗伦萨宣战时,他立即与米兰和那不勒斯结盟,在伊莫拉打败威尼斯雇佣兵。根据 1468 年和约,他获得萨尔扎纳和萨尔扎勒罗。他是柏拉图学园的赞助人,还为多那太罗、S.波提切利、A.del 韦罗基奥等伟大艺术家提供了工作。

Medici, Piero di Lorenzo de'　梅迪契(1472～1503-12-28,意大利加里利亚诺河)又译美第奇。绰号皮耶罗(不幸者)。罗伦佐(高贵者)之子,统治佛罗伦萨仅两年(1492 ～ 1494)就被逐出。父亲死后,他在 21 岁时即轻易执掌权力。他具有漂亮的仪表,是一个优秀的军人,但极其缺乏政治头脑,他之所以获得"不幸者"的别号主要是因为他自己的判断错误。执政期间,他在国内受到改革家 G.萨伏那洛拉的谴责和梅迪契家族幼支的阴谋活动的威胁;在国外,法国入侵意大利的危机迫在眉睫。为此他作出了一个愚蠢而危险的决定,抛弃与法国的联盟,而与那不勒斯结盟。当查理八世率领"蛮族"越过阿尔卑斯山涌进托斯卡纳时,他突然认识到危难当头,以为只要摹仿他的父亲即可转危为安,遂仓促迎击入侵者。他从查理得到的屈辱性条约——在当时情况下唯一可能签订的条约——使佛罗伦萨民怨沸腾,爆发了叛乱,民众攻陷梅迪契宫,他被迫逃离该城。此后他一直过着流亡生活,再也没见到过佛罗伦萨。他为使自己重新在佛罗伦萨当政的各种阴谋(1496,1497,1498)均告失败。最后他随同路易十二的法国军队前往意大利南部,1503 年在横渡加里利亚诺河时淹死,葬于卡西诺山的隐修院。

Medici, Villa　梅迪契别墅　风格主义建筑的重要范例。位于罗马,建于 1574 ～ 1580 年,由利彼设计。原为枢机主教里奇·迪·蒙泰普尔恰诺建造,后为枢机主教梅迪契购买。1801 年由拿破仑收购,1803 年成为法兰西学院在罗马的总部,也供罗马大奖获得者使用。

Medici Chapel　梅迪契小教堂　安置梅迪契家族成员纪念像的小教堂,在佛罗伦萨圣罗伦佐教堂的新圣器厅内。这些丧礼的纪念像是在 1520 年由教皇克雷芒七世(出身于梅迪契家族)所委托,大部分由米开朗琪罗在 1520 ～ 1534 年间制作,在他离去后,由他的学生们完成。纪念像(为乌尔比诺公爵罗伦佐及内穆尔公爵朱利亚诺的墓室而作)分为两组,每组为一戎装坐像,立在壁龛中,其下石棺两侧各有寓言人物像倚棺而立。小教堂入口有一组大理石像,包括《圣母与圣婴像》,以及梅迪契的主保圣人科斯马斯和达米安像。《圣母像》完全由米开朗琪罗亲手雕制;圣徒像则是学生们根据大师的模型而雕塑的。

Medici porcelain　梅迪契瓷器　约1575～1587年间在佛罗伦萨由梅迪契家族弗朗西斯

约 1580 年的梅迪契软质瓷瓶
美国不列颠百科全书公司供图

科一世赞助的作坊生产的欧洲最早的软质瓷器。一般认为该瓷器的坯体是由玻璃、粉末状岩石晶体、沙子、来自维琴察的黏土和来自法恩扎的白土所组成。制品重,表面涂覆了一层颇为朦胧且多泡的釉料。产量可能有限,大部分作为赠予欧洲小国君主的礼品。现在存世的珍品(约60件)有长颈瓶、罐、碗、盘等日用品,也有像陶瓷画屏那样的纯粹的装饰品。梅迪契瓷器反映出它受到波斯陶器、中国瓷器以及当地马约利卡陶器的影响。装饰一般用蓝色和白色,偶尔也用锰紫色。梅迪契瓷器的标记为蓝色,表现的是佛罗伦萨大教堂的穹窿顶,下面带一字母F。

medicinal leech　医蛭　曾用于治疗人类疾病的蛭类,尤指欧洲医蛭(*Hirudo medicinalis*)。参阅**leech**。

medicinal poisoning　医药物中毒　又称药物中毒(drug poisoning)。由于治疗药物过量或由于人体组织对常规剂量的药物过敏(副作用)致使对人体健康产生的有害作用。大约到20世纪20年代,能够供医生使用的有效药物还没有几种,许多药物既无益亦无害。然而到20世纪中期,大量化学合成药物问世,其中不少具有肯定的疗效,但在许多情况下又确能带来危险。一般说来,适量与过量的界限是很狭窄的。判断往往发生错误:打算采取一个治疗剂量但事实证明已经过量。为避免药物中毒,有一系列安全措施。首先,新药需在大量动物身上做药理和毒性试验,以对其作用和限制作出初步估价;其次,对志愿者投以连续的剂量,仔细查核其反应;然后在患者当中进行临床试验;经过这个阶段新药才能在临床普遍使用。为了对新药的适应症、禁忌症及使用范围作出说明,使用中还要进一步观察。所有上述资料首先提供给负责生产新药的厂家。而厂家的工作依照惯例由政府机关(如美国食品及药物管理局等)进行监督检查。各国都有自己的立法,规定自行服用难保安全的药物无医嘱或处方不得销售供应。此外,药厂、专业协会和医学杂志开展宣传教育运动,以教育医生在处方时要慎重而有针对性,此外要使公众认识到滥用药品可有不良后果。但是尽管采取了这些措施,实际上医药中毒的例数仍多于其他原因的中毒。

medicine　医学　研究保持身体健康以及预防、缓解、诊断、治疗和康复疾病的科学。不列颠百科全书有关医学的内容共计2 500多条。宏观内容包括基础医学各学科门类、重要的基本概念、临床医学及各专业学科、重要医学人物传记、重要历史事件、最新研究进展、现代医学技术等。微观内容具体到一种药物药理、一种疾病概念、某种致病微生物的生物性质、重要的医学机构等。

Medicine Bow Mountains　梅迪辛博山脉　地处美国落基山脉中部,为弗兰特山脉西北延伸部分。在落基山脉国家公园西北。东南向绵亘约160千米。最高峰梅迪辛博海拔3 662米。山区部分划入梅迪辛博和罗斯福国家森林。O.威斯特以当地为背景写下著名的旧西部小说《弗吉尼亚人》。山脉名称概源于印第安人在此聚居以采集制弓木材并举行"梅迪辛"舞会仪式。

Medicine Hat　梅迪辛哈特　加拿大艾伯塔省东南部城市。在赛普里斯丘陵脚下,濒临南萨斯喀彻温河,位于卡尔加里东南264千米处。1882年被建为西北骑警队站点周围的居民区。相传一个克里族医生在此逃跑丢失帽子,故有此名。梅迪辛哈特为世界最大天然气田之一的中心。横贯加拿大的公路与加拿大太平洋铁路便交会于此。该市工业多样化,生产玻璃、陶器等。但仍以农业,特别是牧业及种植菜蔬为主。有著名的历史博物馆。由此可通往省立赛普里斯丘陵公园。市内有卡尔加里大学的分校梅迪辛哈特学院(1965)。1898年设镇,1906年设市。人口43 625(1991)。

Medicine Lodge　梅迪辛洛奇　美国堪萨斯州南部城市,巴伯县县城。位于威奇托西南113千米处,临梅迪辛洛奇河。印第安人视此为圣地,认为河水可以治病。1867年印第安人同意向白人移民开放。1873年规划,1879年设市。曾用短柄小斧捣毁酒吧、主张禁酒的纳辛夫人(1846～1911)的住所已辟为博物馆。现为小麦和牛的转运点,是一座大石膏厂的所在地,近处的石膏山也是风景区。人口2 193(2000)。

medicine man　行医术者　无文字社会的成员,这种人通晓不同物质(药物)的神效,善于习演宗教仪式以投用这种物质医治病人疾病或达到其他目的。行医术者一词主要用于美洲各种土著文化。有些行医术者要经过严格的入门训练以获得其"超凡"力量,另一些人则主要是有经验的专门人员。行医术者通常携带珍禽羽毛、形状与花纹奇特的石块、灵花神草等物;有时石块是在行医术者献身于这一行业时埋置于他体内的。行医术者治病时往往用吮吸、抽拔等方法将致病物质从病人体内抽出。无文字社会往往认为疾病或其他灾祸都是巫人作祟,因此18世纪西方学者谓诊治这种灾病的人为巫医;到了20世纪末,巫医一词常有贬义,因而出现了行医术者一词。

medicine society　医术社　通俗文学中指许多美洲印第安人部落中的一种仪式和复杂的医疗社团。更准确地说,这个词是北美奥吉布瓦印第安人的大医术社(Midewiwin)的别名。大医术社是一个秘密团体,有时成员达1 000多人,除能够交纳会费的人外,还包括部落的巫师、先知和占卜者。因此,这个社既是传播宗教知识的中心,又是借以取得社会威望之地。入社所需要的才能不仅是医治和造成死亡,同时还包括为部落取得食物和在战斗中获胜。

Médicis FAMILY　参阅**Medici family**梅迪契家族。

Médicis, Catherine de (queen of France) **美第奇**　参阅**Catherine de Médicis**卡特琳·德·美第奇。

Médicis, Marie de (queen of France)　**美第奇**　参阅**Marie de Médicis**玛丽·德·美第奇。

Medill, Joseph　梅迪尔(1823-04-06,加拿大新不伦瑞克圣约翰附近～1899-03-16,美国得克萨斯圣安东尼奥)　加拿大出生的美国编辑和出版商。1855年开始经营《芝加哥论

美国国会图书馆供图

坛报》,使之成为实力雄厚的大报。他是三个报纸发行人的外祖父:发行《芝加哥论坛报》的R.R.麦考密克;发行《纽约每日新闻报》的J.M.帕特逊和发行《华盛顿时代先驱报》的E.M.帕特逊。曾在俄亥俄州办报,后参与购买《芝加哥论坛报》(1847年创刊)并从一开始就主要由他决定了该报的编辑方针。他撰写反对奴隶制的社论,支持林肯竞选总统。整个美国南北战争期间(1861～1865)他支持林肯的政府,赞助激进共和党人提出的对战败的南方重建计划。1871年11月,芝加哥大火后一个月,梅迪尔当选该市市长。他改组了市政府,特别改革了财政制度,大力支持芝加哥公共图书馆的创建(1872～1874)。1874年辞去市长职务,任《芝加哥论坛报》总编辑。该报在对外政策上有强烈民族主义色彩。1898年的西班牙-美国战争之前发生的古巴危机中,该报力主美国进行干预。他的家族曾捐赠基金,在伊利诺伊州的西北大学建立了一所梅迪尔新闻学院。

Medina　麦地那　英格兰怀特岛郡东北部一个区(自治市)。面积117平方千米。包括纽波特、考斯和赖德诸城镇。纽波特为该岛行政中心,有重要的制造业和服务业。考斯久有造船业并以举办划艇比赛闻名。赖德是该岛主要旅游城镇。人口约70 100(1991)。

Medina　麦地那　阿拉伯语作al-Madīnah,在穆罕默德驻留该地之前,称耶斯里卜(Yathrib)。后改称为真主使者之城或最光耀之城。是仅次于麦加的穆斯林朝圣的第二圣地,位于沙特阿拉伯西部汉志地区内,在麦加以北约450千米、红海内陆160千米处。

自然地理和人文地理

景观　城市位置　麦地那位于一肥沃绿洲上,海拔625米。东面以一片广阔的熔岩区为界限,部分熔岩区起始于公元1207年的

一次火山喷发。其余三面为属于汉志山脉的干旱群山所包围，其中最高的一座是乌忽德山，高出绿洲610米以上。

城市布局　麦地那是一圣地，只有穆斯林才许进入该城。不过，机场位于圣地界限之外不远处，外国人可从在机场上着陆的飞机上对市容一饱眼福。

在土耳其人统治时期，在南面，在卫戍部队营房附近的苏勒塔奈，有一小块军用降落场，但这块地方现被王宫及其大片附属建筑所占据。该地还有早期伊斯兰对巴勒斯坦和埃及的著名征服者阿慕尔·伊本·阿斯墓的遗址。亚伦墓在乌忽德山最高点上。

麦地那先知清真寺的穹顶与庭院
美国不列颠百科全书公司供图

该绿洲上的其他宗教名胜还有：①伊斯兰历史上的第一座清真寺——拱北，先知曾被恩准从该寺看一看麦加；②里迈的两朝向清真寺，纪念礼拜方向从朝向耶路撒冷改为朝向麦加；③哈姆扎的墓，哈姆扎为先知的叔父与伙伴，在乌忽德战役（公元625年）中牺牲，先知在这次战役中负了伤；④先知负伤时在里面避难的乌忽德山侧翼的山洞。其他清真寺则纪念：①先知为那次战役披甲戴盔之处；②他奔赴战斗途中休息之处；③他展开军旗准备作战壕战斗之处；④穆罕默德在麦地那周围挖的战壕，里面堆放了苏丹·阿卜杜勒·迈吉德一世在位期间（1839～1861）那场大火遗留下的破砖烂瓦。所有这些地点都是来麦地那的所有穆斯林虔诚拜见的目标；这些地点对非穆斯林是禁区。此外，该城也是1961年建立的伊斯兰大学所在地。

但是，所有朝圣者万众一心的目标是穆罕默德亲自帮助建造的先知清真寺。后继的各代哈里发对该寺不断进行扩建和改建，到伍麦叶哈里发瓦利德·伊本·阿卜杜勒·马利克时期，扩建部分已将先知妻子们的卧房囊括在内了。该寺曾两次失火焚毁，一次在1256年，又一次在1481年，而其重建工程则是由几个伊斯兰国家的虔诚统治者分别按不同方式进行的。苏丹谢里姆二世（1566～1574）用镀金的镶嵌砖装修了寺的内部。苏丹穆罕默德于1817年建造了穹顶，并在1839年将其漆成绿色，这就是被公认的伊斯兰色。苏丹阿布杜勒麦吉德一世于1848年开始了一项实际上重建该寺的计划，并于1860年完成。1948年在国王阿卜杜勒·阿齐兹计划并由国王沙特于1953～1955年期间执行的现代扩建工程之前，上述工程最后一次翻修。该寺现在拥有一座周围有廊柱的北宫廷，所有廊柱的建筑风格都和19世纪的建筑相同，但不是用从周围山上采的石料造成，而是用混凝土。过去限制妇女礼拜者接近的牢房，现在已经拆平，但寺的南半部（即寺的主要部分）则除了小修缮外，一直保持原样未动。这部分由三个装饰性的铁结构组成，代表先知的家庭寓所，并分别含有（根据普遍的意见）：①在绿色大穹顶下面先知本人的墓；②最早的两任哈里发艾卜伯克尔和欧麦尔的墓；③先知的女儿法蒂玛的墓。有立柱的南柱廊的一段特别装饰部分，代表在里面建造了第一座简单的清真寺的棕榈丛。

麦地那的现代化历来不如吉达、利雅得和其他沙特城镇那样迅速。建设的发展包括对旧城墙的彻底拆除，以及将上述有历史意义的地区与在阿布吉达急流河床外现在建起来的朝圣者露营场和安纳利亚街区融合起来，该街区先前曾是商业区，土耳其人在区内建立了火车站和终点调车场。拆除时发现旧城墙的基础比堆积了泥沙和碎砖烂瓦的地面低；但不幸的是，没有设法对这些发掘物从考古学观点进行考查。对犹太人旧定居处的废墟也没有做过任何考古工作，遗址中规模最大的是耶斯里卜（即托勒密和斯特凡·拜占廷的 Lathrippa 或 Iathrippa），这在伊斯兰时代之前也是整个绿洲的名称。除古莱得哈村外，还有几个有趣的土墩，这些土墩肯定会提示出有价值的历史资料。1925年瓦哈比人征服时，巴基亚的伊斯兰公墓中圣徒墓上所有圆顶和装饰全被铲除；简单的混凝土坟墓取代了旧的墓碑，还修起了一道环形围墙。

人民　麦地那的居民是操阿拉伯语的穆斯林，大多数属于伊斯兰的逊尼派。该城是沙特阿拉伯人口最稠密的城市之一，而且，来朝圣的穆斯林常常就在该城定居下来。耕种和制陶是重要职业。人口约608 295（1992）。

经济　农业　为补充接待朝圣者所得的收入，麦地那还有一种经济是以培育水果、蔬菜和谷物为基础。麦地那以其椰枣树而特别闻名于世，所产椰枣在1953年建的一座工厂里加工和包装供出口。自20世纪初土耳其人统治时期以来就在使用的机械灌溉泵，已经实际上替代了旧的吊桶井。饮用水靠一条从绿洲南端一口泉的引水渡槽供应。除有不很深的大量地下水外，还有许多重要的河谷在麦地那附近汇合，并在冬雨季节带来汹涌的洪流。其中最著名的是从西山下来的阿基克河谷和从南面的塔伊夫地区流下来的一条河谷。

工业　尽管麦地那在伊斯兰时代早期就以金属加工、珠宝玉石和武器制造闻名，但这些行业一向规模不大，而到20世纪中期，大部分生产都同农业技术有关。主要产业有汽车修理、砖瓦制造、木器制作和金属加工等。

运输　1908～1916年，麦地那有汉志铁路与大马士革连接，铁路在第一次世界大战期间被破坏。对这条铁路的重新修建定期进行研究，但从来不曾见诸行动。麦地那与吉达、麦加、延布（麦地那在红海岸上的港口）之间通有柏油路；另一条公路穿过汉志向北延伸，将该城与约旦相连。附近的吉拉汀机场提供到沙特阿拉伯各中心城市的交通运输，而且也通往约旦、埃及和叙利亚。

历史

麦地那最早期的历史不详，虽然知道在基督纪元前那里就有犹太人定居。但犹太人大量涌入可能是由于公元135年罗马皇帝哈德良把他们从巴勒斯坦驱逐出来的结果。当时占据那片绿洲的很可能是阿拉伯的奥斯和哈兹拉吉部落；但在公元400年时，犹太人在该地区的人口总数和经济发展中都是重要因素。这一年，也门的赛伯伊国王阿萨德巡视了这块土地，并吸收了犹太教传说和教义，结果他接受了犹太人的宗教，一回去就定犹太教为也门的国教，以遏制当地的异教信仰。1949年移民到以色列的也门犹太教徒，大部分都是当年改变信仰的阿拉伯人后裔。先知穆罕默德从麦加出逃，于公元622年9月20日抵达麦地那，为该绿洲的历史翻开了新的一章。这次称作"希吉拉"的出逃标志着伊斯兰教历纪元的开始。起初受到宽容对待的犹太人，此后不久就从他们在汉志的所有居住地被赶了出去。麦地那成了一个稳步扩展的伊斯兰国家的行政首府，并保持这个地位到公元661年，是年，它的地位让给了伍麦叶哈里发的首都大马士革。

在哈里发于683年因该城难以驾驭而将其洗劫一空之后，当地的埃米尔们就享受着一种动荡不定的独立自主：或因麦加的谢里夫们的侵犯而中断，或断断续续受到埃及保护国的控制。

土耳其人继征服埃及之后，自1517年起就以更坚决的手段控制着麦地那，但他们的统治早在瓦哈比教派——一个纯教旨主义的伊斯兰派别——于1804年第一次夺取该城之前，就已式微，而且几乎徒具虚名。一支土耳其-埃及部队于1812年再次占领麦地那，而且土耳其人一直保持着实际控制，直至1912年瓦哈比运动在伊本·沙特领导下复兴时为止。在1904～1908年，土耳其人修建了从大马士革到麦地那的汉志铁路，力图加强奥斯曼帝国实力并保证帝国对朝觐的控制（朝觐是穆斯林义不容辞的到附近圣城麦加的朝圣活动）。第一次世界大战期间，麦加的谢里夫侯赛因·伊本·阿里起义，并借英国军官T.E.劳伦斯（诨号"阿拉伯劳伦斯"）的援助，破坏了汉志铁路，于是土耳其人的统治终止。侯赛因后来同伊本·沙特发生冲突，1925年该城落入沙特王朝手中。

Medina, Bartolomé de　梅迪纳（1528，西班牙里奥塞科城～1580，萨拉曼卡）　西班牙多明我会神学家。发明利用混汞法从矿石中提取银。1557年他在墨西哥帕丘卡采矿时发现混汞法，它在当时缺少燃料和水力的美洲特别有用。1786年引入匈牙利，后又传至欧洲各地。该法亦适用于低品位矿石，曾广泛使用到20世纪。梅迪纳于1576～1580年在萨拉曼卡大学讲授神学，热烈宣扬托马斯学说并系统提出盖然说（或然论）的诡辩理论。盖然说是解决道德问题的一种手段，一度曾用于指导道德行为。

Medina, Constitution of **《麦地那宪章》** 伊斯兰早期历史中的文献。是根据穆罕默德于622年率信徒迁到麦地那后与麦地那各氏族达成的两项协议制订的。有了这两项协议,迁士(穆哈吉勒,即追随穆罕默德的早期穆斯林)可以同麦地那的8个氏族(称辅士)平等相处;这9部分人共同组成乌玛,即第一个穆斯林社团。穆斯林与麦地那的犹太人之间的关系在协议中也有所规定。

Medina, River **麦地那河** 英格兰怀特岛河流。源出岛南部的砂岩高地,向北流经纽波特注入英吉利海峡的索伦特湾。全长19千米。

Medina del Campo, Treaty of **《坎波城条约》**(1489) 西班牙与英格兰之间的条约,但始终未被双方完全接受,成为15世纪末、16世纪初英西关系中的一个主要问题。该条约于1489年3月27日在西班牙北部的坎波城签订,次日由阿拉贡的费迪南德和卡斯蒂利亚的伊莎贝拉批准。《坎波城条约》规定了费迪南德与伊莎贝拉的幼女卡特琳公主与英王亨利七世长子亚瑟(1502卒)联姻的细节,并规定两国互相降低关税和统一政策以反对法国。亨利七世不接受反法联盟,在批准条约(1490-09-23)时提出修改,这些修改又为西班牙驳回。

Medina-Sidonia, Alonso Pérez de Guzmán, duke (duque) **de** **梅迪纳西多尼亚公爵**(1550-09-10～1619,西班牙桑卢卡尔) 西班牙无敌舰队总司令(1588)。贵族出身。1559年祖父古斯曼死后,他成为欧洲最大的富翁之一。西班牙的腓力二世对他十分信任,1588年任命他为安达卢西亚海岸地区军事长官。同年,国王派他统率无敌舰队对英格兰作战。他一再请辞无效,终因缺乏海上经验,而以失败告终。腓力三世在位期间,他一直掌握西班牙的海军。

Medina worm **麦地那龙线虫** 参阅**guinea worm** 几内亚龙线虫。

Medinipur (India) 参阅**Midnapore** 米德纳布尔。

meditation **默念** 静思或沉思。其法有专注、潜思和抽象,据说可以提高灵悟或使肌体宁静。默念自古在世界各地都有人习演,内容互异。有些退隐的奥秘修行者以默念达到静修的目的;若干教派和一般习演者以默念求恢复精神或体力,求丰富日常生活;武士上阵之前,音乐家未上台之时,靠默念进行准备以适应紧张活动。某些习演者发现,默念可以调整新陈代谢或其他生理过程,如降低心率和触觉敏感度,但也有人反对此说。最近的医学和心理学研究成果表明,默念如果习演得当,可以调节脉搏和呼吸,甚至可以在不同程度上控制周期性偏头痛、高血压、血友病等疾病的发作。世界主要宗教都对某种形式的默念有系统的理论。许多宗教认为,反复念诵默念某一灵验的声音、词语或文词,可以洗涤心灵,如印度教和佛教的曼怛罗、伊斯兰教的则克勒、基督教的《主祷文》。将注意力集中在某一形象(如花朵、远山)是日常潜思常用的方法,在许多文化形态中都已形成。用音乐诱发或加深默念的作法也十分普遍。根据若干文化传统,念珠、转经筒等机械体可用之于潜思,含有明显的礼仪意义。在20世纪的西方,人们不再相信高度技术发达的价值,开始重视东方哲学和实践。传授各种默念术,已成为十分赚钱的事,这些默念术多是以奥秘修行传统为依据的。参阅**prayer**。

Mediterranean anemia 参阅**thalassemia** 地中海贫血。

Mediterranean fever **地中海热** 参阅**brucellosis** 布鲁斯氏杆菌病。

Mediterranean flour moth **地中海粉蛾** 参阅**flour moth** 粉螟。

Mediterranean fruit fly **地中海实蝇** 又作med fly。实蝇(**fruit fly**)的一个种,危害极大的害虫。

Mediterranean local race **地中海地域人种** 高加索(欧洲)地理人种的一个亚群。大致相当于一个遗传隔离种群,由南欧、近东、阿拉伯半岛及北非的居民组成,具有以下特征:肤色轻度至中度棕褐色;发黑色或暗褐色,多数为卷曲型;眼睛褐色;身材矮小;体型细瘦;血液中含有异常血红蛋白,系因地中海贫血症和葡萄糖-6-磷酸脱氢酶(G-6-PD)缺乏症等疾病所引起的,但对当地流行的疟疾具有免疫能力。地中海沿岸居民集团最东边的诸居群,有时被单独划归另一个地域人种("伊朗地域人种"或"西亚地域人种")。参阅**Caucasoid geographic race**。

Mediterranean Sea **地中海** 世界最大的陆间海。位于南欧、北非与西亚之间。面积(包括马尔马拉海,但不包括黑海)约为2 512 000平方千米。西端通过直布罗陀海峡与大西洋沟通,最窄处仅13千米。航道相对较浅。东北部以达达尼尔海峡-马尔马拉海-博斯普鲁斯海峡连接黑海。东南部经苏伊士运河与红海沟通。地中海有记录的最深点是希腊南面的爱奥尼亚海盆,为海平面下5 121米。西西里岛与非洲大陆之间有一海岭将地中海分为东西两个部分。西地中海中有3个由海岭隔开的主要海盆,由西向东分别为:阿尔沃兰海盆、阿尔及利亚海盆和第勒尼安海盆。地中海东部为爱奥尼亚海盆(其西北为亚得里亚海)和勒旺海盆(其西北为爱琴海)。地中海中最大的岛屿为马霍卡岛、科西嘉岛、萨丁岛、西西里岛、克里特岛、塞浦路斯岛和罗得岛。地中海曾被认为是以前环绕东半球的特提斯海的残留部分。现在知道它是在结构上较为年轻的盆地,其大陆架相对较浅。最宽的大陆架位于突尼斯东海岸加贝斯湾,长275千米。亚得里亚海海床的大部分亦为大陆架。地中海海底是石灰、泥和沙构成的沉积物,以下为蓝泥。海岸一般陡峭多岩,成很深的锯齿状。隆河、波河和尼罗河构成了地中海中仅有的几个大三角洲。大西洋表层水的不断注入是地中海海水的主要补充来源。其海水循环的最稳定组成部分为沿北非海岸经直布罗陀海峡注入的海流。整个地中海海盆构造活跃,常有地震发生。地中海气候冬季温和多雨,夏季干燥炎热。除其南岸的突尼斯东部以外,气流经过山脉间隙进入地中海。北非沿岸大部分年降雨量很少超过250毫米,而在克罗地亚崎岖的达尔马提亚海岸,有些地区年降雨量为2 500毫米。由于海水中所含海洋生物必需的磷酸盐、硝酸盐比较贫乏,地中海鱼类资源不很丰富。有小规模的捕鱼业。最重要的鱼类有:鳕鱼、比目鱼、鲽鱼、大比目鱼、沙丁鱼、鳀鱼、金枪鱼、鲣鱼和鲭鱼。亦出产贝类、珊瑚、海绵和海藻。海生动植物的过量捕收仍为严重问题。西班牙、西西里、利比亚和突尼斯沿岸发现了石油,亚得里亚海发现了天然气。该地区特产为橄榄、柑橘、葡萄和软木。旅游业为地中海沿岸许多国家的重要收入来源。

Mediterranean vegetation **地中海植被** 由常绿阔叶灌木、灌丛和一般低于2.5米的小乔木组成的浓密灌丛植被。分布在南纬和北纬30°～40°之间的地区,这些地区的气候与地中海地区相同,其特点是夏季干热,冬季温和潮湿。在地中海周围,这种植被称为地中海夏旱灌木群落(**maquis**);在北美的西南部称为浓密常绿阔叶灌丛(**chaparral**);在非洲南部称为好望角植物区系(Cape flora);在澳大利亚西南部称为桉树矮林(**mallee**)。

medium **灵媒** 神秘学名词,指据说主要在鬼神附体状态下能够接触灵界的人。灵媒是降神会(**séance**)上的中心人物,有时还要借助于无形的居间者。据说在降神会上人们可以听到神鬼的讲话,或是直接来自空中,或是借灵媒之口。据说灵媒身体分泌一种"外质",它可以使神鬼显形,也可以显示人体某一部分,然后再使之返回原处。有时灵媒或物件看去犹如浮在空中,称为"升空"。

Medjerda, Oued (river, Tunisia) 参阅**Majardah, Wadi** 迈杰尔达河。

medlar (species *Mespilus germanica*) **欧楂** 蔷薇科乔木。与梨属(*Pyrus*)近缘,有时划入梨属。原产于欧洲自荷兰以南的地区及西亚。在英格兰中部和南部为多分枝、具刺的落叶小乔木。果球形,顶部凹陷,具叶状宿存萼片;果核半球形。栽培品种有数个。开始凋萎时方能食用,此时酸味适中,略有涩味。

Médoc **梅多克** 法国西南部葡萄酒产区。位于波尔多北,吉伦特河口湾左岸。地势为起伏的平原,延伸约80千米至格拉沃角。以其数百年来生产优质波尔多红葡萄酒的葡萄园闻名。葡萄主要种植在河口湾和朗德森林之间砂砾土壤带。

medulla oblongata **延髓** 又作medulla。位于脑干的最下端,也是脑最下端的结构。

上方，延髓通过桥脑和中脑相连；下方，以枕骨大孔为界，与脊髓相接。延髓中心部分是第四脑室（脊髓通向大脑的中央导水管在延髓的扩张部分，内充脑脊液），其实质中含有大多数脑神经的神经核团，延髓还是联系脊髓与高级神经之间神经束道的主要通路；此外，延髓又称生命中枢，很多基本的非自主生命功能，如呼吸中枢，位于脊髓。像大脑、小脑一样，延髓也含有无髓（灰质）和有髓（白质）二类神经纤维，不过，延髓灰质、白质的正常解剖关系和大脑正相反：白质在外，灰质在内——即第四脑室壁部分。中枢神经系统其他部位的有髓神经元及其突起构成一个复杂的神经纤维网，在它的协同作用下，延髓执行着复杂的整体功能。延髓含有许多重要的生命功能中枢，诸如自主神经活动、呼吸、心率、消化等；再有就是控制运动（协同小脑）、内脏感觉向躯体感觉的信息传递、协同丘脑控制唤醒和睡眠功能。后7对脑神经（外展神经、面神经、听神经、舌咽神经、迷走神经、副神经、舌下神经）分别自延髓发出，行使各自的功能。延髓中段的病变可导致对侧身体偏瘫，触觉和位置觉丧失伴舌肌不全麻痹；延髓侧壁的损伤可致痛觉、温度觉和咽反射消失，也可致吞咽困难、眩晕、呕吐和共济失调。

Medusa　墨杜萨　希腊神话中最有名的被称为戈耳工的怪物。一般形象为有双翼的蛇发女人。她是戈耳工中唯一不能长生的；所以珀尔修斯才能砍下她的头颅杀死她。从她脖子喷出的血中出现了她和波塞冬所生的两个儿子克律萨俄耳和珀伽索斯。她的被割下的头颅具有把所有看它一眼的人变成石头的魔力，这头为雅典娜所得，将之镶嵌在她的盾牌上。据另一说法，珀尔修斯将它埋在阿尔戈斯的市集内。据说赫拉克勒斯从雅典娜处得到一撮墨杜萨的蛇发（和头颅具有同样的魔力），送给了刻甫斯的女儿斯忒洛珀，以保护泰耶阿城免受攻击。这撮头发一出现在人们眼前，就会引起一场暴风雨，使敌人逃窜。

medusa　水母型　刺胞动物的两种主要体型之一，也是钵水母的主要的体型。呈钟形或伞形。中央有一垂管，其下端有口。口通入消化腔，消化腔伸出辐管通到伞的外缘。

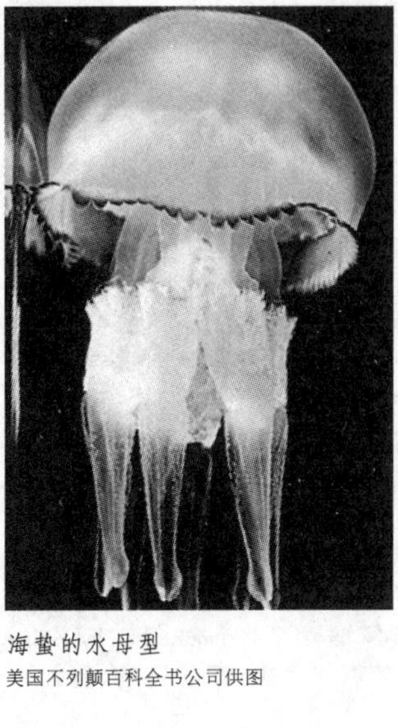

海蜇的水母型
美国不列颠百科全书公司供图

这种体型能自由游泳。肌肉有节律地收缩，产生对水的缓慢的推力，依靠反作用力而游动。刺胞动物的另一体型是水螅型（**polyp**）。

Medvedev, Roy (Aleksandrovich)　麦德维杰夫（1925-11-14，苏联格鲁吉亚第比利斯［今属格鲁吉亚］～　　）苏联历史学家，持不同政见者。20世纪后期苏联一流历史学家之一。罗伊·麦德维杰夫是生物学家若列斯·麦德维杰夫的同卵孪生兄弟。1938年他们的父亲在斯大林的一次大清洗中被捕，1941年死于劳改营。这一悲剧激发了他对苏联政治制度和历史的终生关注。1951年毕业于国立列宁格勒大学，1958年获莫斯科教育科学院相当于哲学博士的学位。20世纪60年代成为教育科学院高级研究员之前，他当过历史教员、中学校长和编辑。1956年成为共产党员，1969年被开除出党。1971年起，他以自由作家身份工作，住在莫斯科，在国外出版著作。他也遭到苏联当局迫害，但比他的兄弟若列斯所受折磨较轻。

他以历史学家的目光审视了自俄国革命至20世纪60年代苏联的政治和领导人物。他最重要的著作《让历史判断》（1971）可说是对斯大林主义的全面的历史研究，书中特别注意考查了这一运动的根源和后果。《赫鲁晓夫：当权年代》（1976，与若列斯合著）、《赫鲁晓夫》（1983）和《赫鲁晓夫：政治传记》（1986）是这位苏联领导人里程碑式的几部传记。《斯大林周围的人们》（1984）内容是斯大林死后仍在世的6个副手的传记。在《论社会主义民主》（1975）一书中，他展示了自己的政治观点，既主张民主改革，又主张维持国家的社会主义苏维埃制度。20世纪80年代末，在M.戈尔巴乔夫改革影响下，书报检查放宽，他的著作首次在本国出版。他成为苏联第一流的有独立见解的历史学家。

Medvedev, Zhores Aleksandrovich　麦德维杰夫（1925-11-14，苏联格鲁吉亚第比利斯［今属格鲁吉亚］～　　）苏联生物学家。20世纪后半叶成为重要的持不同政见历史学家。若列斯·麦德维杰夫是苏联历史学家罗伊·麦德维杰夫的同卵孪生兄弟。1950年毕业于莫斯科季米里亚泽夫农学院，同年获莫斯科植物生理研究所生物学硕士学位。1951～1962年在季米里亚泽夫学院做研究工作，后成为该院的高级研究员，并因对蛋白质生物合成和成熟过程生理的研究赢得国际声誉。20世纪60年代麦德维杰夫针对T. D.李森科（斯大林统治时期控制苏联生物学［1929～1953］的骗子，他对传统遗传学的攻击使苏联生物学数十年间丧失活力）的学说写了一部苏联科学史。苏联当局拒绝出版他的书，这部书1969年以《T. D.李森科盛衰记》书名在西方出版前，曾以苏联地下出版物形式流传。苏联政府不顾他日益提高的科学家声誉拒绝给予他出国参加科学会议的机会。20世纪60年代中期以来，他不断遭到克格勃的迫害。在《麦德维杰夫案卷》（1970）和《疯狂问题》（1971，与其兄弟罗伊合著）两书中，他详细叙述了包括短时被强制住进精神病院所遭受的痛苦。1973年他第一次出国住在伦敦期间，被取消苏联国籍。他在英国定居。在《苏联科学》（1978）、《苏联农业》（1987）和《切尔诺贝利的教训》（1990）等书中继续以大量纪实材料记述苏联科学内部情况。他所著《乌拉尔核事故》（1979）一书使西方第一次了解到1957年苏联发生的重大核事故的详情。1990年恢复了他的苏联国籍，他的书开始在苏联出版。麦德维杰夫还写了200多篇关于老年医学、遗传学、生物化学和其他题材的论文和文章。

Medwall, Henry　梅德沃尔（活动时期1490）第一部英语世俗剧本《富尔根斯和卢克丽丝》的作者。曾在坎特伯雷大主教、枢机主教J.莫顿手下任教士及法国加来与英国交界处的巴林格姆的教区长。所写剧本供枢机主教莫顿及其宾客消遣。道德剧《本性》是早期寓意剧的典范，表明作者既能写现实的对话又工于作诗。

Medway (England)　梅德韦　参阅**Rochester upon Medway 梅德韦河畔罗切斯特**。

Meegeren, Han van　梅赫伦（1889-10-10，尼德兰代芬特尔～1947-12-30，阿姆斯特丹）荷兰画家，以伪造并出售荷兰大师的绘画作品而出名。第二次世界大战后成立一个盟国美术委员会，以鉴别纳粹头子所藏美术作品的真伪并将其归还原主。该委员会在戈林的收藏品中发现大师弗美尔的一幅《基督和在通奸中被捉住的女人》，由于不辨真伪，就追查出售这幅画的美术品商梅赫伦。梅赫伦于1945年5月30日被捕，承认犯了伪造罪。在14幅伪造的弗美尔和德·霍赫的名作中，9幅已高价出售。这个案件的调查历经两年，最后梅赫伦被判监禁1年，服刑前死于心脏病。

Meekatharra　米卡萨腊　澳大利亚西澳大利亚州中西部城镇。建于19世纪90年代。后成为默奇森采金场的中心。金矿枯竭后成为广袤牧区的中心。经铁路与杰拉尔顿港和珀斯沟通。转运从布鲁姆沿大北公路运来的牲畜。为皇家飞行医疗队和第一所正规的空中学校所在地。也是当地矿藏勘探基地。人口1 414（1991）。

Meer, Simon van der　范德米尔（1925-11-24，荷兰海牙～2011-03-04，瑞士日内瓦）荷兰物理工程师，由于在发现大质量、短寿命的亚原子粒子——W粒子和Z粒子——上所作的贡献，与C.鲁比亚共获1984年诺贝尔物理学奖。这个发现对于70年代S.温伯格、A.萨拉姆和S.格拉肖所断定的电弱统一理论是个关键。1952年，范德米尔自荷兰代尔夫特高级技术学院获得物理工程学位后，到菲利浦公司工作。1956年到日内瓦附近的CERN（欧洲核研究委员会，今欧洲核研究组织）工作直到1990年退休。电弱理论首次对W粒子与Z粒子的质量作了可靠的预测——近乎质子质量的100倍。使高度加速的质子束穿过真空管道与迎面而来的反质子束相碰撞，这是产生能够释出足够的能量以形成上述粒子的物理相互作用的最有希望的方法。CERN的环形粒子加速器的周长6.4

千米，首先被改为碰撞束装置，以进行所需实验。操纵粒子束需要能够避免粒子由正确路径散射出来撞及管壁的高度有效的方法。为此，范德米尔设计一个机构，以监控环上特定点的粒子散射，并能引发环另一边的装置修正电场而使粒子沿着正确的路径前进。

meerkat　海猫　又拼 mierkat。灵猫科(Viverridae)某些食肉动物。包括*灰沼狸*(**suricate**)和*獴*(**mongoose**)的一些种类。

Meersch, Jean-André van der　梅尔斯（1734-02-10，奥地利属尼德兰梅嫩［今在比利时］～1792-09-14，达迪泽勒）　比利时反奥起义军领袖。1757年七年战争期间参加法国军队，1761年升为中校。后来在奥地利陆军中服役，1779年退休。1789年奥地利企图破坏比利时的自治权，比利时人民在让·弗朗索瓦·翁克领导下举行起义。梅尔斯指挥起义军，于10月24日在蒂伦豪特击败奥地利的分遣部队，此后又赢得几次胜利，12月同奥地利将军理查德·达尔通签订停战协定。1790年12月奥地利重新在比利时掌权后，他逃往法国。后被赦免，返回布鲁塞尔并隐退。

meerschaum　参阅 **sepiolite** *海泡石*。

Meerut　密拉特　印度北部北方邦西北城镇。地处德里东北，是公路、铁路交会点。为农产品贸易中心。有制造、熔炼、手工业、制糖、轧棉、磨粉和榨油等行业。设有密拉特大学及各学院。保存有12世纪陵墓和一些古庙宇、清真寺。为重要屯兵地，1857年印度兵变在此爆发。人口：城镇1 074 229；都会区1 167 399(2001)。

Megabyzus　迈加比佐斯（活动时期公元前5世纪初）　古代波斯阿契美尼德王朝的武将。佐皮罗斯之子，薛西斯一世的姻兄弟。公元前482年去巴比伦平定叛乱，将巴比伦城劫掠一空。曾随薛西斯入侵希腊，但后来又成为暗杀薛西斯（公元前465）的策划者之一。新王阿尔塔薛西斯一世即位后，他任叙利亚总督，并率大军去恢复阿契美尼德王朝在埃及的统治。埃及叛乱领袖投降，他原许诺保证其安全，但因王太后阴谋干预而食言，他返回叙利亚并发动叛乱。虽然他与阿尔塔薛西斯言归于好，但又在一次狩猎途中冒犯国王，并被流放至波斯湾的锡尔泰。5年后佯装患有麻风病获准回国。经王室调解，与阿尔塔薛西斯和好如初。

Megacles　麦加克勒斯（活动时期公元前6世纪中叶）　在从梭伦执政到庇西特拉图建立僭主政治之间的时期力争统治雅典的滨海派首领。麦加克勒斯是曾在雅典卫城下令屠杀西隆及其支持者（公元前612）的那个麦加克勒斯的孙子。屠杀导致他一家被放逐，逃到西锡安受僭主克利斯提尼的保护。后来麦加克勒斯成了克利斯提尼的乘龙快婿。虽然该家族后来被准许返回雅典，但仍被认为沾染了血腥的罪行。在雅典，麦加克勒斯的滨海派与利库尔戈斯领导的平原派间的斗争造成不安定的政治形势，使庇西特拉图在公元前560或前559年夺取了政权，但两派很快便联合起来赶跑了他。庇西特拉图在不到5年的时间里便同麦加克勒斯取得和解，麦加克勒斯不仅协助恢复了他在雅典的权力，而且把自己的女儿科叙拉许配给他。但僭主却虐待妻子，麦加克勒斯和利库尔戈斯再次把他驱逐。后来庇西特拉图纠合一支军队侵入阿提卡，麦加克勒斯及其族人再次被放逐。此后他和其子克利斯提尼继续与庇西特拉图斗争，但在僭主生前并没有成功。

megacolon　巨结肠　结肠肠腔高度扩张、肠壁肥厚。分为先天性巨结肠（赫希施普龙氏病）和获得性巨结肠二大类。前者结肠下段的神经纤维先天减少或短缺，该段结肠的肠壁肌肉因此而不能正常地蠕动（植物神经支配的内脏运动），导致粪便淤滞、肠腔扩张。上段肠腔须代偿性地加强蠕动，久而久之，上段肠壁变得肥厚、肠腔也有扩张。最后，结肠全段都呈高度扩张状态。先天性巨结肠主要表现为腹涨、严重便秘、生后无胎便等肠梗阻症状。获得性巨结肠的主要原因是儿童排便习惯不好和情绪障碍。精神发育迟缓或精神异常患儿常因拒绝排便而出现巨结肠症状。大量服用泻药常常不能从根本上解决问题。这样长期反复，就会导致器质性的巨结肠病变。这类患儿的治疗应从治疗精神病人手，并说服患儿接受排便训练。

megalith　史前巨石　新石器时代和早期青铜器时代建造各种纪念物的未经加工的巨石。在西班牙、葡萄牙和地中海沿岸，最古老的大型石墓可能要推石棚。石棚由数块竖石

英国威尔特郡埃夫伯里环状石林中的一块巨石
美国不列颠百科全书公司供图

支撑一块作顶用的扁平大石筑成，上覆土墩，土墩现多已被侵蚀。在北欧和西欧，石棚发展成为两种主要形式：一种筑有石顶长墓道，直通石棚；另一种是长棺形石箱墓，只有一长方形墓室，无特设的通道。另一种巨石纪念物是石柱，其状矗立，有的体积很大。在西欧，特别在布列塔尼最多。石柱常聚在一起，组成圆形、半圆形或巨大的椭圆形。英国最著名的两处巨石遗址是威尔特郡的巨石阵和埃夫伯里村。有些石柱平行地排列成若干行，称为石林，以法国卡纳克村石林最著名，共有2 935根巨石柱。石林大概是礼制建筑，在其一端往往用巨石围成环状或半环状。早期青铜器时代之初，多数地区的巨石建造者为宽口陶器人所取代。这些新来者继承巨石传统，建造单人圆墓，与新石器时代的集体葬巨石墓形成对照。

Megalopolis　迈加洛波利斯　希腊伯罗奔尼撒半岛阿卡迪亚州历史悠久的居民区。西北有一座同名古城。范围广及埃利森河两岸广大地区。公元前371～前368年建立，名称意为“巨城”。该城位于埃利森河岸，四周有坚固城墙，长约9千米。地域北延达39千米，为阿卡迪亚地区最大的城邦。公元223年遭斯巴达人洗劫。146年罗马人到达后，城市迅即衰落。据2世纪希腊旅行者所见，当地为一片废墟。1890～1893年在河北岸发掘出沿一方形广场四周建造的城市建筑。河南面发掘出希腊最大的一座剧院和其附近的议会厅。迈加洛波利斯在一褐煤储量丰富地区的中心，20世纪70年代初始开采并向几个热电站提供褐煤。人口4 875(1981)。

megalosaur　巨蜥　19世纪初期在欧洲和北非的侏罗纪(2.08亿年前至1.44亿年前)化石中发现的食肉类恐龙（属兽足亚目）。属名*Megalosaurus*。巨蜥为19世纪初最早发现的恐龙之一（发现人是W.巴克兰），当初是根据带着一些匕首般牙齿的下颚骨作出描述的，后来才被断定是体型中等至大型的一种专性两足食肉兽，有短短的前臂和带爪子的、可抓住东西的手。其颚骨带有锯齿片形的长牙，极像跃龙及其他大型兽足类的颚骨，巨蜥必然同它们有过密切的关系。

Megan's law　梅甘法　美国法律，要求执法人员将在本社区内曾犯有性侵犯罪者的情况通知当地学校、幼儿园和住户。该法以1994年新泽西州被奸杀的7岁女孩梅甘·坎卡之名命名；90年代各州纷纷通过类似立法，1996年成为联邦法律；后来发展到欧洲。一般认为这类性侵犯的受害者大多是还不懂事的孩子，许多州都制定严厉的性侵犯法，凡有性犯罪前科者都必须在当地警察机关登记。新泽西州的法律根据检察官关于其再次犯罪可能性的鉴定将罪犯分为三级，对危险性高的犯罪者警察要通知当地居民。这些法律的一项非预期的副作用是加重了受害儿童的心理创伤，因此传统上，检察官都力求与被告达成认罪协议，以免儿童再受出庭作证的折磨。有的梅甘法要求所有性犯罪者，不论轻重，均须在警察局登记，而此项登记必将严重影响其就业前途，以致有的被告宁可受审也不肯认罪。另外，有的公民自由论者认为登记所形成的羞辱和被排斥感，不啻于二次处罚，不利于罪犯的改过自新。

megapode　冢雉　又作 mound builder 或 incubator bird，又称营冢雉、恒温箱雉。澳大拉

西亚地区 12 种鸡形目冢雉科(Megapodiidae)鸡形鸟类的统称。会将卵埋起来进行孵化：大多数种类依靠发酵的植物质产生的热进行孵卵,另有些种类则利用阳光的热量或火山活动产生的热来孵卵。有3种类型：灌丛鸡

眼斑冢雉(*Leipoa ocellata*)
美国不列颠百科全书公司供图

(亦称丛林鸡)、灌丛火鸡(非真正的火鸡)及澳大利亚南部的澳大利亚油桉雉(澳大利亚野鸡、眼斑冢雉,*Leipoa ocellata*)。了解最多的是眼斑冢雉,体长 65 厘米,体羽浅褐色,具白斑。雄鸟用 11 个月建造冢巢。巢形似坟冢,地下部分深约 1 米,地面部分直径 4.5 米,由树叶和树枝构成,被雨水淋湿后,堆上 0.5 米厚的沙土。当发酵热度达到 33 ℃时,雌鸟在中心室产第一枚,以后以不规则的间隔陆续产卵,一个冢内的卵数可达 35 个。无论日夜温差如何变化,无论季节如何变化,雄鸟总能将冢的温度保持在 33 ℃左右。孵卵期 7 周,出壳的幼雏从冢的上部挖穴而出,一出来即能自行奔走。1～2 天后就能飞行。

Megara 麦加拉 又译墨伽拉。希腊阿提卡州萨罗尼克湾沿岸历史悠久的居民区,现址位于两座小山的南坡,原为墨伽拉古城的卫城。早期居民在多里安人入侵时期(约公元前 1100～约前 1000)被杀绝。公元前 8 世纪在西西里沿岸建立麦加拉商业殖民地并向北方、东方殖民扩张。公元前 630 年后,不断与强大邻邦雅典发生冲突,屡屡失利。公元前 4 世纪逐渐恢复繁荣。古罗马灭亡后,该地的地位仍很重要。1500 年威尼斯的强大使该城人口减少。诡辩哲学家欧克莱得斯(约公元前 450～约前 380)在此出生,他创立的麦加拉哲学学派对斯多葛学派有影响。麦加拉现为重要的农业和养禽业中心,附近沿海地区的迅速工业化促进了当地的经济发展。人口约26 562(1991)。

Megarian school 麦加拉哲学学派 公元前 4 世纪初在希腊由麦加拉的欧克莱得斯所创立。该派对亚里士多德的批评以及对斯多葛逻辑学的影响比它的任何正面主张都更为著名。欧克莱得斯是苏格拉底的学生,并且是苏格拉底对话的作者,但他的思想只流传下来一小部分。据说他曾主张"善是一,虽然它有许多名字,有时称为智慧,有时称为上帝,而有时又称为理性",以及"善的对立面是非实在"。这些论点使人感到来自巴门尼德和芝诺的爱利亚学派(强调静态的一个学派)的影响要高于苏格拉底的主要影响。麦加拉派学者至少在欧克莱得斯时期怀有一种伦理的和教育的目的,正是在这种精神下,他们坚持善的统一性。不过,和其他自封为苏格拉底信徒的人(如昔勒尼派和犬儒学派)相比,他们更重理论。麦加拉派学者自觉磨炼论辩技巧,正是这种苏格拉底的问答法,而不是他们任何正面的学理,把他们联系在一起。欧克莱得斯死后(约公元前 380),对实际以及对辩证法的兴趣降低,该学派的一翼采用芝诺的方式提出并研究悖论,其他人则推进了独立的逻辑学研究。

megaron 正厅 古希腊及中东建筑的中央部分,包括敞廊、门厅和一个大厅,其中央有火炉和宝座。所有迈锡尼的宫殿都有这种正厅,住宅中也采用。起源于近东,其敞廊常用柱子支承,这是爱琴海沿岸建筑的特征。正厅是早期希腊建筑和古典神庙建筑的主要部分。典型的例子是位于皮洛斯的涅斯托耳宫,其正厅作为皇家的起居室,面向庭院,人口门道两边有带凹槽的柱子装饰。

megass (natural fibre) 参阅 **bagasse** 蔗渣。

Megasthenes 麦加斯梯尼(约公元前350～约前 290) 古代希腊历史学家和外交家,著有《印度志》4 卷。爱奥尼亚人,曾被希腊化时期的国王塞琉古一世派往印度孔雀王朝国王旃陀罗笈多处当大使。虽然他轻信而又不精确,但是他对当时希腊世界所知道的印度作了最完整的记述。

Meghālaya 梅加拉亚 印度东北部一邦。地处山岳高原,风景秀丽。北部和东部邻阿萨姆邦,南部和西部与孟加拉国接壤。面积 22 429 平方千米。首府西隆。境内山区部族可追溯至印度雅利安时代以前。许多世纪来,部族人的生活方式大致未变。1972 年成为印度的一个邦。该邦的西部为海拔约 300 米的加罗丘陵;东部为海拔 1 200～1 830 米的卡西-贾因蒂亚丘陵。气候温和。居民大都为藏-缅语族的加罗族与孟高棉语族的卡西族,操这种语言或方言。基督教与印度教为主要宗教。此外有若干穆斯林和少数佛教徒。该邦矿藏丰富,有煤、石灰石、高岭土、长石、石英、云母、石膏、铝土,但多未开采。印度的硅线石几乎全部由此出产。资源虽丰富,但很少工业。山区交通不便,谷地也彼此隔绝。70%以上人口从事农业。主要农产品有稻米、黍类、玉米、马铃薯、胡椒、辣椒、棉花、姜、黄麻、槟榔、橘子、芒果、香蕉、菠萝和各种蔬菜。但传统的耕作方法侵蚀土壤,人民生活很穷困。梅加拉亚只有一种日报和一些周报。东北丘陵大学设在西隆。人口约 2 306 069(2001)。

Meghna River 梅克纳河 孟加拉国恒河-布拉马普特拉河三角洲的主要水道。该河几乎完全流向正南,在坚德布尔附近接纳来自博多河(恒河)和贾木纳河(布拉马普特拉河)两河河水。流经约 264 千米,分 4 个主要河口注入孟加拉湾。主要支流是托莱索里、古姆蒂和芬尼诸河。水道终年可通航,但有危险。春潮上涨时,海水以高达 6 米的浪头汹涌倒灌。

Megiddo 美吉多 即今泰勒美吉多。巴勒斯坦古镇,俯瞰今以色列埃斯德赖隆平原(耶斯列谷地)。位于以色列北部,在海法东南 29 千米处。该镇地处军事和贸易通道交叉点的战略位置,重要性远远超过城镇规模。考古发掘表明,公元前 4 千纪早期开始建镇。约公元前 1468 年被埃及国王图特摩斯三世攻占。后以色列即占领此镇,由所罗门国王重建为军事中心。曾发现近 4 万件腓尼基的象牙制品,表明曾受中东各文化区的影响。在近代,美吉多的名称与第一次世界大战末期指挥驻巴勒斯坦英军的英国将军 E.艾伦比获胜的一场重要战役有关。1918 年 9 月,艾伦比的骑兵在该镇附近切断土耳其第 7、第 8 军向北的退路,导致土耳其人在中东的最终失败。

Megillah 弥基洛 希伯来《圣经》第三部分"克图温"五卷中的任何一卷经卷。经文抄在经卷上,以便逢某些节日在会堂宣读。逾越节期间内的安息日读《雅歌》,五旬节读《路得记》,阿布月初九读《耶利米哀歌》,住棚节期间内的安息日读《传道书》,普珥节读《以斯帖记》。

Megiste (Greece) **迈伊斯蒂** 参阅 **Kastellórizon** 卡斯泰洛里宗。

Megrelian language 梅格列尔语 参阅 **Mingrelian language** 明格列尔语。

Mehābād (Iran) 参阅 **Mahābād** 马哈巴德。

Mehedinţi 梅赫丁茨 罗马尼亚西南部的县。西和南与塞尔维亚和保加利亚交界。境内有切尔纳山、阿尔默日山(特兰西瓦尼亚阿尔卑斯山脉[即南喀尔巴阡山脉]的一部分)和外喀尔巴阡山脉。多瑙河沿该县南部边界向东南流。莫特鲁河、切尔纳河及其支流向南流经该县。县首府德罗贝塔-塞维林堡是机器制造和木材工业中心。县内其他几个城镇生产纺织品和食品。古拉沃伊附近有自罗马时代开工的采石场。农业以饲养牲畜和种植谷物为主。电力由1964～1971 年间建在多瑙河上的铁门一号水电站提供。铁门二号水电站于 70 年代末期动工,1984 年竣工。从

前多瑙河上唯一有人居住的阿达卡雷岛在铁门一号水电站建成时被淹没。据传说，阿尔戈英雄们从该岛将橄榄引进希腊。县内古迹有在奥尔绍瓦港发现的古罗马营地和在奥格拉迪纳附近发现的古罗马日晷。奥格拉迪纳附近的韦泰雷尼山洞被认为是古代达契亚人信奉的扎莫尔克西斯神的圣殿。开采煤矿的小镇斯维尼察附近有14世纪的格卢贝特城堡。巴贝尔山上的自然保护区有鸢尾属、石竹属和无花果树等珍稀植物。有公路和铁路通德罗贝塔-塞维林堡、大文茹和斯特雷哈亚。面积4 933平方千米。人口约306 118（2002）。

Meher Baba　梅赫尔·巴巴（1894-02-25，印度浦那～1969-01-31，艾哈迈德讷格尔）　本名梅尔万·谢里阿尔·伊拉尼。印度西部地区宗教名人。自称阿婆多罗，意为天神在世的人形化身，是继历代阿婆多罗如黑天、乔答摩、穆罕默德、耶稣而出世的。他宣称，世界主要宗教是走向与无限觉识上帝相结合的道路上的不同各阶段。梅赫尔·巴巴的活动中心在艾哈迈德讷格尔附近，此地因而名为梅赫拉巴德。1931～1958年数次访问欧洲和美国。在60年代，他由于反对使用致幻觉药物而受到普遍注意。他并没有创立教派，也没有提出特殊的教条，但鼓吹人应当爱他人，关心他人，力戒自私，宣传各人都可以认识内心的上帝，这种道理获得不同宗教、不同阶层中许多人的赞成。

Mehmed　穆罕默德　又拼Mohammed或Muḥammad。奥斯曼苏丹之名。按年代顺序分列于后，并各以●为标记。

● Mehmed I　穆罕默德一世（?～1421-05-26，奥斯曼帝国埃迪尔内）　奥斯曼苏丹，他把1402年安卡拉战败后被肢解的奥斯曼重新团结起来，成为安纳托利亚和巴尔干的统

伊斯坦布尔大学图书馆供图

治者（1413年后）。帖木儿在安卡拉打败奥斯曼苏丹巴耶塞特一世之后，把奥斯曼人兼并的土库曼各公国归还原主，而把奥斯曼帝国余下的领土分给巴耶塞特的3个儿子：穆罕默德统治阿马西亚，伊萨统治布尔萨，苏莱曼统治鲁梅利亚。1404～1405年穆罕默德打败伊萨，夺取布尔萨。然后，他派另一个兄弟穆萨去攻击苏莱曼。1410年穆萨打败苏莱曼，但是在埃迪尔内自立为苏丹。1413年，穆罕默德在拜占廷皇帝的支援下打败穆萨，自立为安纳托利亚和鲁梅利亚的苏丹，以埃迪尔内为首都。他在位期间，在巴尔干实行较有节制的政策，虽然他迫使瓦拉几亚成为属国（1416），在阿尔巴尼亚占据领土（1417），并多次袭击匈牙利。在安纳托利亚，他重新树立奥斯曼帝国对大部西部省份的控制并使卡拉曼公国归顺其统治。

● Mehmed II　穆罕默德二世（1432-03-30，奥斯曼帝国色雷斯阿德里安堡～1481-05-03，君士坦丁堡附近马尔泰佩附近的洪卡恰伊）奥斯曼苏丹（1444～1446，1451～1481），杰出

伊斯坦布尔市托普卡珀故宫博物馆供图

的军事领袖。他攻占君士坦丁堡，征服安纳托利亚和巴尔干，使之成为其后4个世纪奥斯曼帝国的核心部分。穆拉德二世的第4子，母亲是个女奴。12岁时，根据惯例，穆罕默德在两位师傅的陪同下被送往马尼萨（马格内西亚），同年，父亲在埃迪尔内将他立为苏丹，然后逊位。在他第1次统治国家期间（1444-08～1446-05），经历了严重的国内危机。匈牙利国王、教皇、拜占廷皇帝，以及威尼斯都急于利用奥斯曼幼主执政的良机东侵。他们成功地组织了一次十字军远征。1444年9月，十字军渡过多瑙河。听到这个消息以后，埃迪尔内对受基督教影响的侯鲁非派进行大屠杀。全城一片恐怖，到处有人纵火。十字军包围瓦尔纳城以后，穆拉德二世赶回都城，指挥军队。1444年11月10日，他在瓦尔纳战役中取得胜利，战争结束后又去隐居。1446年灿达尔利发动禁卫军造反，请穆拉德二世重登王位。穆罕默德再一次被送往马尼萨。1451年父亲去世，穆罕默德第2次在埃迪尔内即苏丹位。这次继位后，他一心想要占领君士坦丁堡，为此进行一切必要的外交和军事准备工作。为了使威尼斯和匈牙利保持中立，他签署有利于它们的和平条约。1452年他构筑控制博斯普鲁斯海峡的博阿兹科森要塞，建设一支拥有31艘军舰的舰队，铸造新式的大口径火炮，并自任总司令。在向君士坦丁堡总攻的那天，他用大炮轰开城墙之后，亲自率兵从缺口冲入城内。他原来许诺部下在破城之后大掠3日，但在占领君士坦丁堡的第一天黄昏时分，就收回成命。入城以后，他逮捕并随后处决了灿达尔利。他决心重建君士坦丁堡，并改称为伊斯坦布尔。为了鼓励逃亡的希腊人和热那亚人返回君士坦丁堡的商业区，便退还他们的房舍，保证他们的安全。为了增加城内的人口，他将居住在安纳托利亚和巴尔干半岛的穆斯林和基督徒成群地驱赶到伊斯坦布尔，强迫他们定居。于是，这座大都市迅速发展起来。根据1478年的调查，伊斯坦布尔和相邻的加拉塔已有居民16 324户，店铺3 927家。不久以后，伊斯坦布尔已是欧洲最大的城市。在君士坦丁堡陷落后的25年间，穆罕默德二世对巴尔干半岛，甚至克里米亚和意大利南部的奥特朗托发动了一系列的战役和远征。1481年春，对安纳托利亚的新战役刚刚开始，穆罕默德二世在马尔泰佩市附近的洪卡恰伊去世，有迹象表明他是被毒死的。穆罕默德生前改组奥斯曼政府，将刑法和有关其臣民的法编成法典。另一部法典则为宪法。以后的立法均以此作为核心。他以宏伟气魄和自由思想著称。在他的宫廷中聚集了意大利人文主义者和希腊学者。他建立了8所学院，它们成为伊斯兰科学的最高教学机构。在他统治时期，天文学、数学、穆斯林神学达到了最高水平。

● Mehmed III　穆罕默德三世（1566，奥斯曼帝国马尼萨～1603-12-22，君士坦丁堡）奥斯曼苏丹（1595～1603）。在其统治时期，与奥地利进行了长期的艰苦战争，而在安纳托利亚又爆发了严重的叛乱。即位时，奥斯曼与奥地利的战争已经进行了两年。1595年格兰丢失给基督教同盟国后，1596年他亲自上阵，夺取埃劳，在哈科瓦高奏凯歌。1601年占领了卡尼扎要塞。1603年，由于镇压安纳托利亚的叛乱而与伊朗交战。

● Mehmed IV　穆罕默德四世（1642-01-02，君士坦丁堡～1693-01-06，奥斯曼帝国埃迪尔内）　奥斯曼苏丹（1648～1687）。在其统治时期，行政与财政日益衰退，后在柯普律吕家族出任首席大臣时期国家一度复兴。但他不大关注国事，对狩猎更为爱好。因其父易卜拉欣患精神病，6岁时即位。朝政由祖母和母后各派操纵。这一时期君士坦丁堡和安纳托利亚发生叛乱，财政危机无法解决。后来由柯普吕律家族出任首席大臣，国内局势暂趋缓和，并在地中海中打败威尼斯，在巴尔干战胜奥地利和波兰。穆罕默德四世曾亲自参加对奥地利（1663）和对波兰（1672）的战役。他反对首席大臣穆斯塔法帕夏征服维也纳的计划，却未能阻止穆斯塔法进行对奥地利的战争。由于多次失利，穆罕默德四世于1687年退位，在埃迪尔内终其余年。

● Mehmed V　穆罕默德五世（1844-11-02，君士坦丁堡～1918-07-03，君士坦丁堡）又名穆罕默德·赖萨德。奥斯曼苏丹（1909～1918），其统治以统一与进步委员会专权和土耳其在第一次世界大战中战败为标志。早年受伊斯兰传统教育，研究波斯文学，对历史有浓厚兴趣，但缺乏统治才能。其兄逊位后他继任苏丹。即位后企图建立君主立宪制度，把一切权力交给青年土耳其党人的组织统一与进步委员会。在委员会的劝告下，他于1911年出访色雷斯和阿尔巴尼亚。但在1912～1913年的两次巴尔干战争中，他几乎

美国不列颠百科全书公司供图

丧失了在欧洲的所有属地；而在同意大利的战争（1911～1912）中，又丧失了的黎波里。在第一次世界大战期间，奥斯曼帝国站在德国和奥匈帝国一边。在他逝世时，帝国的大部分领土落入协约国手中，6个月后，君士坦丁堡被军事占领。

● **Mehmed Ⅵ　穆罕默德六世**（1861-01-14～1926-05-16，意大利圣雷莫）　原名穆罕默德·瓦希德丁。奥斯曼帝国末代苏丹。1922年被迫逊位和流亡，从而为土耳其共和国在凯末尔领导下诞生铺平了道路。1918年

伊斯坦布尔市托普卡珀故宫博物馆供图

7月即位后，他企图亲自主持朝政。《穆德洛斯停战协定》（1918-10-30）后协约国在伊斯坦布尔建立军事政府。应协约国的要求，他于是年末解散议会，镇压民族主义分子。但是这些民族主义分子在凯末尔的领导下团结起来，要求苏丹支持他们的争取领土完整和民族独立的斗争。经过谈判，苏丹同意举行选举。在1919年选出的新议会中，民族主义者赢得多数席位。协约国害怕土耳其的统一，于是就扩大他们在君士坦丁堡的占领区，逮捕和流放土耳其的民族主义者。1920年苏丹终于解散了议会。然而，民族主义者在安卡拉建立了临时政府，他们击败希腊人以后，牢牢地控制了土耳其。1922年11月1日大国民议会废除苏丹制。16天后，穆罕默德六世乘英国军舰逃往马耳他。后来他试图在汉志使自己成为哈里发，但未成功。

Mehmed Ağa　穆罕默德·阿伽（活动时期16世纪末至17世纪初）　土耳其建筑师。1567年到伊斯坦布尔，是土耳其著名建筑师锡南的学生，1606年成为奥斯曼宫廷皇家建筑师。1609～1616年设计建造伊斯坦布尔艾哈迈德苏丹清真寺（因其瓦色，又称蓝清真寺）。其设计以6世纪的建筑杰作圣索非亚

土耳其伊斯坦布尔艾哈迈德苏丹清真寺（穆罕默德·阿伽于1609～1616年设计建造）
美国不列颠百科全书公司供图

教堂为蓝本，吸取了他老师的手法，作对称的处理，中央是一个大穹顶，边上由4个半圆顶支撑，外面再围绕许多小穹顶。C.埃芬迪曾撰写一本关于他的建筑理论的书。

Mehmed Es'ad　穆罕默德·埃萨德　参阅 **Gâlib Dede** 加里普·德德。

Mehmed Fuat Köprülü　穆罕默德·福阿德·克普律吕（1890-12-05，君士坦丁堡～1966-06-28，伊斯坦布尔）　又名柯普律吕扎德。土耳其学者、历史学家、政治家。曾对土耳其历史和文学作出重大贡献。祖上是17世纪奥斯曼帝国的名相。克普律吕曾在君士坦丁堡教中学，1913年在伊斯坦布尔大学主讲土耳其文学，后任该校文学院院长，创办土耳其学会并任该会第一任会长。1936年转入政界，初为国会议员，后为外交部长（1950～1954）。他是一位卓越而又多产的学者。去世后，在土耳其知识界中的影响依然很深。写过许多论述土耳其文学和历史的书籍。《土耳其文学中第一位神秘主义者》（1919）深刻地分析了中亚细亚和伊斯兰神秘主义的融合及其后对土耳其文学的影响，《奥斯曼帝国的发端》（1935）高明地修正了早期欧美史学家有关奥斯曼帝国兴起的论点。

Mehmed Siyah-Kalem　穆罕默德·西亚-卡莱姆（活动时期15世纪，突厥斯坦或伊朗）艺术家。土耳其帝国宫廷图书馆的收藏中有一组珍贵绘画，后世认为该画为其作品，并以此闻名。生平不详，但其作品表明祖籍中亚（可能为中亚突厥），深谙戎马生活。其组画见于《征服者画册》中，画册所以以此命名，系因其中一册有征服者穆罕默德二世苏丹的两幅画像。画册系以14、15世纪及16世纪初手写本书籍中选出的细密画编成，其中有一组画题有“画师穆罕默德·西亚·卡莱姆作”的字样。该画的某些风格和技巧，颇似中国绘画，表明绘者熟悉佛教艺术，特别是表现在所绘的怪诞鬼怪形象上。这些画面显示了一种悲观主义和现实主义的艺术魔力，为15世纪波斯艺术所无。这些特色可能对土耳其绘画产生过重大影响，使之脱离了波斯绘画艺术原有的抒情、萎靡和浪漫主义方向。

Mehmed Talât Paşa　穆罕默德·塔拉特帕夏　参阅 **Talât Paşa** 塔拉特帕夏。

Mehring, Franz　梅林（1846-02-27，波美拉尼亚施拉韦～1919-01-28，柏林）　德国激进派新闻记者、德国社会民主党历史学家、卡尔·马克思传记的作者。原为中产阶级民主主义者，后逐渐转向左派，曾一度参加F.拉萨尔的德国总工会，1883～1888年间主持自由主义左派报纸《柏林人民日报》。1890年加入社会民主党。尔后主编社会党的《莱比锡人民报》，并在党的刊物《新时代》工作。1914年与其激进左派盟友R.卢森堡、K.李卜克内西一起反对德国参加第一次世界大战，1916年支持革命和平主义的斯巴达克联盟。对德国社会主义运动的历史文献有重要的贡献，著有《德国社会民主党党史》（4卷，1897～1898）和《马克思传》（1918）。

Mehsāna　默赫萨纳　印度中西部古吉拉特邦默赫萨纳县县府、城镇。位于阿拉瓦利岭与小卡奇沼泽地之间低地上。12～14世纪时为拉杰普特人所建。据信旧城有4座城

默赫萨纳县莫德拉的太阳神庙
美国不列颠百科全书公司供图

门，现仅存其中之一。为集市贸易和制造业中心。西部铁路和几条公路在此交会。人口72 872（1981）。

Mehta, Sir Pherozeshah　梅达（1845-08-04，印度孟买～1915-11-05，孟买）　印度政治领袖，孟买市宪章的起草人，英文《孟买纪事报》（1913）的创办人。对外贸易商人之子，曾在英国学习法律4年，1868年取得律师资格，然后返回印度。1872年提出孟买市政法案，次年成为市政专员，1884～1885年和1905年两度任市政委员会主席。1866年起为孟买立法议会议员，1893年选入总督最高立法议会。1890年任国大党第6次代表大会主席。1910年任孟买大学副校长。次年参加创设印度中央银行。1904年受封爵士。

Mehta, Zubin　梅塔（1936-04-29，印度孟买～　）　管弦乐团指挥。任洛杉矶爱乐乐团（1962～1978）、纽约爱乐乐团（1978～

美国不列颠百科全书公司供图

1991)和以色列爱乐乐团(自1968年起)音乐总监。其父梅里·梅塔为小提琴家,曾协助建立孟买弦乐四重奏团和孟买交响乐团。梅塔童年就生活于西方音乐的环境中。曾去维也纳音乐学院学习。1958年获利物浦国际指挥比赛一等奖,并任皇家利物浦爱乐乐团副指挥一年,声誉倍增。曾到世界各地任客座指挥,1961～1967年任蒙特利尔交响乐团音乐总监。1962年起在洛杉矶爱乐乐团任音乐总监,是同时担任两个北美主要管弦乐团指挥的第一人。1965年在纽约市大都会歌剧院首次指挥演出歌剧《阿伊达》。1977年在伦敦首次指挥演出歌剧《奥瑟罗》。1968年任以色列爱乐乐团首席音乐顾问。1978年继P.布莱任纽约爱乐乐团音乐总监。对晚期浪漫主义及早期现代派作曲家最感兴趣。梅塔的指挥特点是以夸张的手势帮助观众理解音乐的乐节。

Méhul, Étienne-Nicolas　梅于尔(1763-06-22,法国阿登吉韦～1817-10-18,巴黎)　作曲家。对法国歌剧的发展很有影响,其作品具有18世纪末和19世纪初的风格。1782年创

美国不列颠百科全书公司供图

作一部康塔塔。受C.格鲁克和L.凯鲁比尼影响而转向戏剧音乐,1787～1822年创作40多部歌剧,主要在喜歌剧院上演。第一部上演的是《尤弗罗西尼和科拉丹》(或称《改邪归正的暴君》,1790)。最成功的作品是《年轻的亨利》(1797)、《托莱多的两个盲人》(1806)等。他还创作爱国主义作品,要求以大规模的合唱和管弦乐队表现法国大革命的节日气氛,如《理性的颂歌》(1793)。梅于尔具有大胆的和声意识,作为戏剧家和配器家才华横溢。所作歌剧强调乐队在剧中的作用。除歌剧外,还写有钢琴奏鸣曲、室内乐和交响曲。对年轻作曲家的影响甚大。

Mei Lanfang　梅兰芳(1894-10-22,中国北京～1961-08-08,北京)　中国京剧演员。名澜,字畹华。原籍江苏泰州,生于梨园世家。8岁学艺,11岁登台,13岁搭喜连成科班演戏。50年中上演剧目近400出。1915年起编演新戏《一缕麻》、《邓霞姑》。后又演昆曲《思凡》、《春香闹学》等,并改传统戏装为古装仕

梅兰芳在京剧《宇宙锋》中饰赵艳容
中国大百科全书出版社供图

女服饰,采用灯光、布景,编演《天女散花》、《黛玉葬花》、《霸王别姬》、《西施》、《廉锦枫》等,当时称为"古装新戏"。与琴师徐兰沅、王少卿合力革新唱腔、唱法,增添二胡为伴奏乐器,融会青衣、花旦、刀马旦演技创造新的旦行"花衫",发展为中国戏曲表演艺术的杰出流派"梅派"。演技全面,京剧、昆曲皆所擅长。扮相端丽,唱腔圆润纯正,台风雍容大方,善于刻画人物,旦行尊为一代宗师。1919、1923年两次赴日本演出《天女散花》、《御碑亭》等剧。1930年初在美国演出《汾河湾》、《霸王别姬》、《刺虎》等剧,获博士学位。1935年赴苏联演出《打渔杀家》、《贵妃醉酒》、《西施》的"羽舞"等,苏联戏剧家斯坦尼斯拉夫斯基、丹钦科、梅耶荷德等倍加称道。1931年"九一八"事变后,编演宋代梁红玉擂鼓战金山故事的《抗金兵》和描写战乱中人民颠沛流离生活的《生死恨》,借助历史故事激励爱国热情。抗日战争时期困居日军占领的上海,坚拒演出。中华人民共和国成立后任中国戏曲研究院院长、中国京剧院院长、中国戏剧家协会副主席。1956年率京剧代表团赴日本演出。1959年加入中国共产党。同年演出《穆桂英挂帅》,为晚年杰作。代表剧目有《宇宙锋》、《贵妃醉酒》、《霸王别姬》、《断桥》、《游园惊梦》、《凤还巢》、《抗金兵》、《穆桂英挂帅》以及《天女散花》等。拍摄影片有《生死恨》、《梅兰芳舞台艺术》。出版有《梅兰芳演出剧本选集》、《梅兰芳文集》及传记《舞台生活四十年》。

mei ping　梅瓶　英语作prunus vase。中国宋代(960～1279)流行的青瓷花瓶。小口、

中国清代雍正年间的梅瓶
美国不列颠百科全书公司供图

丰肩、敛腹、圈足。供插置梅花用。这种造型在元、明、清均沿用不衰。

Mei Qing　梅清(1624～1697)　又拼Mei Ch'ing。中国清代画家。字远公,号瞿山,宣城(今属安徽)人。学识渊博,能诗,有《天延阁集》,《梅氏诗略》。擅画山水,多写黄山风景,笔法豪纵。墨色苍浑,富于运动感,与清

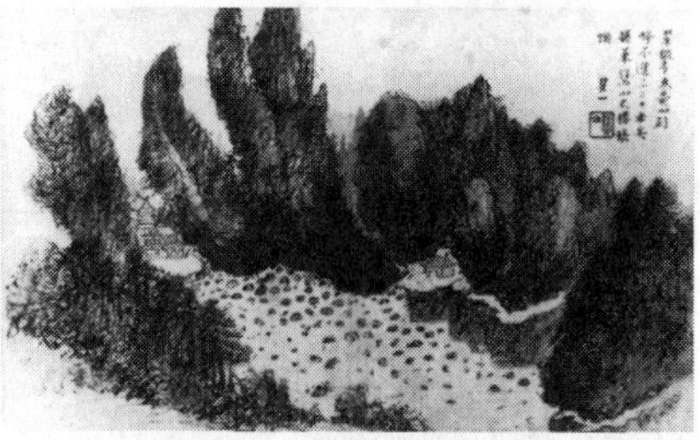

梅清绘《黄山图册·翠微寺》
中国大百科全书出版社供图

初新安画派之冷峭坚硬者有所不同。亦善画松。石涛早年曾从之问业。其弟(一说其侄)梅庚工画黄山风景,亦能诗,工八分书。二人在清朝均应举入仕。

Mei Wending　梅文鼎(1633～1721)　中国清代数学家、天文学家。字定九,号勿菴,宣城(今属安徽)人。曾参加编修《明史·历志》。毕生研究数学和天文学,著述80余种,《梅氏丛书辑要》所收23种可为代表。时西方数学、天文学传入中国不久,梅对西方科学知识力求融会贯通,并以通俗文字介绍,对清代数学的发展有较大影响。数学上有独创的成果,如正十二面体和正二十面体的研究等。梅文鼎之孙梅瑴成也是数学家,曾被康熙召入宫参加编写《数理精蕴》。

Mei Yaochen　梅尧臣(1002～1060)　又拼Mei Yao-ch'en。中国北宋诗人。字圣俞。宣城(今属安徽)人。宣城古名宛陵,故世称梅宛陵。仁宗时中进士,官国子监直讲,尚书都官员外郎。诗多反映民生疾苦,如《田家语》、

《汝坟贫女》、《村豪》等,愤激不平之气溢于言表,《鲁山山行》、《东溪》等写景诗则秀美清新,自然生动。诗风追求平淡质朴,一变当时崇尚浮艳的风气,但艺术上有散文化、议论化倾向。刘克庄称之为宋诗"开山祖师"。有《宛陵先生集》60 卷。今人朱东润有《梅尧臣集编年校注》(1980)。

Mei Yiqi 梅贻琦(1889-12-29,中国天津～1962-05-19,台湾台北) 又拼 Mei I-ch'i。中国教育家。他曾在清华大学任教 40 多年,为科技教育作出了贡献。梅贻琦号月涵。1904 年入南开学堂读书。1909 年通过第一批庚子赔款留美学生考试,入美国乌斯特工科大学攻读电机工程。1914 年回国,次年任教于清华学校(1925 年改制大学)。1922 年任物理系主任,1926 年兼任教务长,1928 年任清华留美学生监督。1931 年出任清华大学校长。1937 年抗日战争爆发后,梅贻琦与蒋梦麟、张伯苓共同担任国立长沙临时大学(由清华大学、北京大学、南开大学三所学校合并而成)校务委员会常务委员,共同主持校务。1948 年南京国民政府任命梅贻琦为教育部长,但未就职。次年他到美国。1955 年回台湾筹办清华原子科学研究所,翌年在新竹创设第一座原子炉,并负责筹备清华大学在台湾复校事宜。1956 年梅贻琦赴美国接洽延聘教授,同年 9 月台湾清华大学原子科学研究所正式招生。1958 年任台湾"教育部长",翌年兼"国家长期发展科学委员会"副主席,仍兼台湾清华大学校长。1961 年因病辞去"教育部长"之职。1962 年他当选台湾"中央研究院"院士。

Meidias Painter 米狄亚斯画家(活动时期公元前 5 世纪末至前 4 世纪初) 古希腊陶瓶画家,以精妙绚烂的风格和描绘飘动飞舞的衣饰而闻名。现藏不列颠博物馆的盛水陶器是其代表作。水器上的绘画取材于《留基

米狄亚斯于公元前 410 年绘制的《凉亭下的法昂与得摩那撒》
美国不列颠百科全书公司供图

伯的女儿们遭劫》和《赫拉克勒斯在赫斯珀里得斯的金苹果园》等故事。由他所绘的另两件器物,是《阿多尼斯坐在爱神的膝上》(现藏佛罗伦萨)和《妇女们和丘比特》(现藏牛津阿什莫尔博物馆)。

Meier, Richard (Alan) 迈耶(1934-10-12,美国新泽西纽瓦克～) 美国建筑师,曾就学于纽约州伊萨卡城康奈尔大学,早年曾在纽约市的斯基德莫尔、奥因斯与梅里尔建筑事务所和著名的国际风格建筑倡导者 M. 布罗伊尔事务所任职。1963 年自行开业,不久即以设计十分引人注意的私人住宅闻名,并在费城富兰克林大道的纪念喷泉设计竞赛中获胜(与画家 F. 施特拉合作)。后来他又设计了意大利佛罗伦萨的现代艺术博物馆(1974),而他设计的纽约布朗克斯发展中心(1976)备受世人称赞。他在住宅设计中试图强调面的交叉,例如室内的一片地板可能延伸出玻璃墙外成为室外平台,而建筑物的各个洁白干净的面层,又同周围的自然背景形成强烈的对比。他的获奖设计——密歇根州俯视密歇根湖的道格拉斯住宅——是一个杰出的例子。他的较大型作品同样以戏剧性和简洁性的结合为特征。他的作品常在大博物馆中展出。

Meier Helmbrecht 迈埃尔·黑尔姆布雷希特 中世纪现实主义叙事诗(约1250),以真切描写骑士制的没落著称。诗中的年轻农民黑尔姆布雷希特喜爱从事骑士冒险而不喜欢种田。他家为他花了不少钱财购买甲胄,他就干起骑士(即强盗)的营生。他回到家里,为偷来的财物和胡诌的外国话而趾高气扬,令人不堪容忍,还为他的妹妹和他的一个同伙张罗婚事。他们连连外出抢劫,把婚事办得很铺张。但是这伙强盗在结婚的早餐席上被捕。其中 9 人被处绞刑。黑尔姆布雷希特被弄瞎眼睛,并失去一手一足。他回家后又被伤心的父亲赶走,在森林里流浪,最后被农民抓住吊死。此诗写成于奥地利-巴伐利亚边区。关于其作者园丁威尔恩赫尔的情况不详。

Meighen, Arthur 米恩(1874-06-16,加拿大安大略安德森附近～1960-08-05,多伦多) 加拿大保守党领袖,加拿大最年轻的总理(1920～1921,1926)。原在马尼托巴省执律师业,1908 年选入议会。1913 年任副检察长。后参加 R. 博登的内阁,1917 年任内政部长。在第一次任总理期间,大力反对重订英日同盟条约。他认为美国的经济势力是加拿大人的致命威胁,因此主张实行保护关税制度。第二次当总理时因保守党在大选中失败,任期很短。

Meigs, Montgomery C(unningham) 梅格斯(1816-05-03,美国佐治亚奥古斯塔～1892-01-02,华盛顿[哥伦比亚特区]) 美国工程师、建筑师。曾任联邦陆军后勤司令兼军需局局长,在首都华盛顿地区监督建造了许多房屋和公共工程。1831 年毕业于宾夕法尼亚大学,1836 年毕业于美国军事学院,后在陆军工兵部队服役,监督了几项重要的政府工程,包括国会大厦的翼部和穹顶、邮政局的扩建。最重要的贡献是华盛顿高架渠,自波托马克河上的大瀑布城到乔治敦以西的一个蓄水库,长 19 千米。华盛顿市主要供水及交通桥卡宾约翰桥(1852～1860)是工程上的杰作,长 67 米,在 20 世纪前是世界上最大的单跨石拱。其他主要桥梁还有以铸铁建造的宾夕法尼亚大街桥(1916 年由现在的罗克克里克桥取代)。他在首都华盛顿的最著名的建筑工程是在他退休后设计的法院广场上的旧养老金大厦(1883),原为联邦陆军发放退伍军人养老金的中心,以罗马的法尔内塞府邸为蓝本,是一个巨大的砖砌建筑,内部面积达 2 787平方米。外部有一条浅浮雕陶瓦檐壁,描绘联邦军队的战争场面。美国总统克利夫兰、哈里森、麦金利、罗斯福和塔夫脱都曾在这里举行就职典礼。

Meiji 明治天皇(1852-11-03,京都～1912-07-30,东京) 名睦仁,1867～1912 年日本天皇,在位期间日本由一个封建国家戏剧性地变成世界强国之一。孝明天皇次子,1860年

美国不列颠百科全书公司供图

立为皇太子,1867 年登基。1868 年举行即位大典,改元明治。同年,幕府结束,天皇恢复国家最高治权。他和孝明不同,支持大众要求日本仿照西方实行现代化的一致意见。宣布《五条誓文》,使日本开始了西方化的进程。下令废除封建土地制度(1871),建立新学校体制(1872),采取内阁制政府(1885),颁布《明治宪法》(1889),并召开国会(1890)。在中日甲午战争(1894～1895)和日俄战争(1904～1905)中他都起积极作用。1910 年吞并朝鲜。明治本人也集中体现出在日本文化的基础上溶入西方观念与革新,他穿西装,吃西餐,但一生写出了 10 万首传统日本风格的诗篇。

Meiji Restoration 明治维新 日本历史上的一次政治革命。它推翻德川幕府,使大政归还天皇,在政治、经济和社会等方面实行大改革,促进日本的现代化和西方化。明治维新的主要领导人是一些青年武士,他们以"富国强兵"为口号,企图建立一个能同西方并驾齐驱的国家。1871 年废藩置县,摧毁了所有的封建政权。同年成立新的常备军。1873 年实行全国义务兵制和改革农业税。另外还统一了货币。在 19 世纪 70 年代中期,这些改革遭到两方面的反对:一方面是失意的武士,他们纠集对农业政策不满的农民多次举行叛乱;另一方面是受西方自由主义思想影响的

民权论者,他们要求实行立宪,召开议会,万事决于公论。明治政府在各方面的压力下,1885年实行内阁制,翌年开始制宪,1889年正式颁布宪法,1890年召开首届国会。在政治改革的同时,也进行经济和社会改革。明治政府的主要目标是实现工业化。军事工业以及交通运输都得到很大发展。1872年建成第一条铁路,到1880年全部主要城市间都有电报联系。私人公司得到政府财政支持的鼓励和1882年新建西式银行的帮助。为了满足现代化的需要,在"文明、开化"旗帜下大量介绍西方的文化(从思潮到衣着、建筑)。到20世纪初,明治维新的目标基本上已经完成,日本在现代工业国的道路上前进。1894年修订了通过治外法权给予外国司法和经济特权的不平等条约。随着1902年缔结英日同盟及其后对华对俄两次战争的胜利,使日本在西方世界赢得了尊重,第一次作为主要强国出现在国际舞台。1912年明治天皇去世,标志着这个时期的结束。

Meikle, Andrew　米克尔(1719,苏格兰～1811-11-27,东洛锡安邓巴附近休斯敦磨坊)　苏格兰磨轮机工,谷物脱粒机的发明者。1778年以迈克尔·孟席斯于1734年取得专利的机械为基础制造了一台脱粒机,后又以一种诺森伯兰原型为基础制成另一台,但均告失败。米克尔分析了失败的原因,制造了一种坚固的鼓轮(可能是仿自打麻机),上面装有固定的撞击器,通过撞击而不是摩擦使谷物脱粒。这种脱粒机于1788年取得专利,可能在1789年开始制造。他似乎未从这发明中取得财富,因为从1809年始即为救济他而募捐。他还发明了迅速收卷风车风帆以免受暴风损坏的方法。

Meiktila　密铁拉　缅甸中部城镇。濒临密铁拉湖。位于达西—敏建铁路上,是铁路、公路枢纽,另有机场。也是佛教中心。有一师范学院和柴油发电厂。盛产竹器、木器和纺织品。地处干旱地带。密铁拉湖是古代一灌溉水库,面积9平方千米,由几个湖泊连成,灌溉大片面积并供应饮水。东部有儿茶树和柚木资源。种植芝麻、棉花、花生、豆类、玉米、黍类等。附近矿藏有石灰石、铅、银、锌和锑。人口约26 372。

Meilingguan　梅岭关　中国江西省大余县粤赣边境的关隘。宋时置梅关,称梅岭关。现名小梅关。梅岭是中国五岭之一大庾岭的别称,位于江西南部和广东边界上,是海拔千米左右的花岗岩断块山。小梅关地势平坦宽阔,向为岭南岭北的交通咽喉。粤赣公路由此穿过,成为南北交通要道。

Meillet, Antoine　梅耶(1866-11-11,法国穆兰～1936-09-21,沙托梅兰特)　法国当时最有影响的语言学家之一。精确地运用比较法,清楚地阐释早期印欧语系统并追溯其历史。他一直强调对语言变化的任何解释都必须承认语言是一种社会现象。他还揭示出语音变化的心理因素。1891年任巴黎高等研究院比较印欧语言学系主任,1902～1906年任法兰西学院教授,讲授亚美尼亚语。1903年,出版最重要著作《印欧语比较研究导论》,阐明印欧系诸语言之间及其与原始印欧语之间的关系。他提出语言分化理论,主张同源诸语言中,凡离其源愈远者,则所受来源中心变化的影响愈小,从而可能保留同源诸语言共同的古老特征。20世纪初发表其权威性著作《古典亚美尼亚语比较语法纲要》(1902),而且对斯拉夫语研究做出显著贡献,以惊人的努力写出关于斯拉夫语、日耳曼语、波罗的语、凯尔特语以及古伊朗语的重要论文或语法(1915),还有两部关于希腊语和拉丁语历史发展及其重要意义的杰作(1913和1928)。在许多论文中,都把词义变化及其他语言现象与社会因素联系起来。

Mein Kampf　《我的奋斗》　希特勒的政治宣言,他所写的唯一的完整的书,并成为德意志第三帝国国家社会主义(纳粹主义)的圣经。该书的两卷本在1925和1927年出版,节选本于1930年出版。到1939年已售520万本,译成11种语言。第一卷的标题是《清算》(或译《复仇》),1924年写于莱希河畔兰茨贝格的巴伐利亚要塞,当时希特勒因1923年啤酒店暴动未遂而被囚禁该地。书中叙述了希特勒的青年时代、第一次世界大战以及导致1918年德国战败的"背叛";书中也表达了希特勒的种族主义思想,把雅利安人说成是"优秀"民族,而把犹太人称为"寄生虫";宣布德国人需要以斯拉夫人和可恨的俄国马克思主义者为代价在东方寻求生存空间。书中还号召向法国复仇。第二卷的标题为《国家社会主义运动》,写于1924年12月希特勒获释之后。书中概述了希特勒的政治纲领,其中提出国家社会主义在夺权时及其后在新德国运用权力时必须实行的恐怖主义办法。

Meinecke, Friedrich　迈内克(1862-10-30,普鲁士萨尔茨韦德尔～1954-02-06,柏林)　20世纪上半叶德国最重要的历史学家,与其老师狄尔泰一道被视为现代理智史学之父。历任斯特拉斯堡(1901)、弗赖堡(1906)、柏林(1914～1928)等大学教授。1896～1935年主编《历史杂志》。著有《世界主义与民族国家》(1908)、《现代历史中的权术政治思想》(1924)、《历史主义的由来》(1936)等。在《德国的灾祸》(1946)中,他指责促使希特勒和纳粹上台的各种力量和实体。第二次世界大战后任柏林自由大学校长。

Meinesz, Felix Andries Vening(Dutch geodesist)　**梅因纳斯**　参阅**Vening Meinesz, Felix Andries** 芬宁梅因纳斯。

Meinhof, Carl　迈恩霍夫(1857-07-23,普鲁士波美拉尼亚希拉夫附近巴尔兹维奇[今在波兰]～1944-02-10,德国格赖夫斯瓦尔德)　德国学者,研究非洲诸语言并第一个作出科学论述。他主要研究班图诸语言、霍屯督语、布须曼语和含语。A.韦尔纳在《非洲诸语系》(1915)一书中深入浅出地阐明了迈恩霍夫的各种概念。迈恩霍夫起初任中学教师,后来在济佐夫任牧师17年,在传道时接触非洲各民族,对非洲语产生兴趣。当一个杜阿拉人来求他辅导德语时,他反而说服对方教他杜阿拉语。1899年发表《班图语语音学概要》,详述6种近代班图语的音变规则并构拟出原始班图语。1902年由政府资助赴桑给巴尔考察,1903～1909年任教于柏林东方语言讲习班,1906年第二部主要著作《班图语比较语法原理》问世,专门论述班图语形态学问题。从1909年一直到去世,任教于汉堡殖民学院。

Meiningen　迈宁根　德国中部图林根州城市。濒临威拉河,在图林根林山和罗恩河之间。982年首见记载,1344年设市。1680～1919年曾为萨克森-迈宁根公国首府。在1874年大火中,公爵城堡(1509～1511)得以幸存,内藏有艺术品、古币和历史文物。19世纪晚期,此城以其戏剧学院、专业剧团和比洛(1880～1885任职)与雷格尔(1911～1914任职)指挥的管弦乐队闻名。该城因此逐渐发展成为一个表演艺术中心。该城有铁路修配厂和一些轻工业,也有繁荣的旅游业。人口约21 775(2003)。

Meiningen Company　迈宁根剧团　1866年开始的德国实验性表演团体。它是最早强调导演在演出中具有重要性的剧团之一。由萨克斯-迈宁根公爵乔治第二及其出身于下层社会的平民夫人、女演员弗兰茨领导。在演员克罗奈克协助下,曾带领剧团巡回演出。公爵坚持进行许多改革,如强调服装和布景的历史准确性和真实性;使用台阶和平台以保持戏剧行动在许多不同层次上顺利进行;将群众场面中的小组划分成有机的并且是有不同声响的实体;采用长期的、经过细心计划的排演;以及用立体布景装置取代平面画景,演员在其中可以成为他所处环境的一个自然组成部分等。1874年剧团在柏林进行第一次公开演出。1881年剧团访问伦敦,演出3部莎士比亚戏剧及一些德国的和非德国的古典剧目。随后又到莫斯科和布鲁塞尔等35个欧洲城市巡回演出。1890年剧团解散。这个剧团的现实主义演出对俄国导演斯坦尼斯拉夫斯基和法国导演安托万的思想产生深刻的影响,他们是现实主义演出方法的两个主要支持者。

Meinong, Alexius　迈农(1853-07-17,奥地利帝国加利西亚伦贝格[今乌克兰利沃夫]～1920-11-27,奥地利格拉茨)　奥地利哲学家和心理学家。以其对于价值论的贡献和他的对象论而知名。1875～1878年在维也纳师事哲学心理学家F.布伦坦诺,随后进入格拉茨大学哲学系,并从1889年到去世,一直在该校任正教授。迈农和布伦坦诺一道,协助推动了奥地利的价值学派,但终于同布伦坦诺在认识论的观点上发生分歧。在其主要著作《论假设》(1902)中,迈农讨论了人们在相信他们知道或不知道一个特殊真理时所作的假设。和布伦坦诺一样,他认为意向性或注意对象的趋向乃是精神状态的基本特征。他还将客观世界的每一经验区分为两种要素:"内容"使一种对象区别于另一种对象,而"活动"则使经验接近它的对象。迈农比现象论者更早地提出，对象即使不存在，对象依然是对象，并且有一种确切的性质和一些明确的特点。因此，即使在感性经验的世界里并不存在金山，但金山作为一个概念而存在，它仍然是一个对象。B.罗素就是一个受迈农这方面思想影响的人。正如不同的精神状态可以认识的所有其他类型的对象一样，价值也可以区分为不依赖价值经验而存在的对象和不依赖感性经验世界而存在的对象。价值感觉的两个例子是“存在的快乐”，即对一特殊对象的存在感到的快乐；还有“存在的悲哀”，即对于对象的存在感到的悲哀。在迈农的《论文集》(2 卷，1913 ～ 1914)和 J.N.芬德利的《迈农的对象论》(1933)两部著作中都讨论了他的对象论。迈农其他重要的作品还包括《论可能性与或然性》(1915)和《论感情的表现》(1917)。

meiofauna (zoology)　参阅 **mesofauna** 中型土壤动物。

meiosis　减数分裂　又作 reduction division。一种生殖细胞的成熟分裂过程：细胞核分裂两次，产生 4 个染色体数只有原细胞一半(单倍数)的配子。减数分裂为有性生殖的生物体所特有。单倍体细胞称为配子。受精过程中，两个配子结合，恢复为二倍体，形成新的个体。减数分裂前期，每个双倍体生殖细胞首先复制一次，形成连在一起的 4 个染色半体。减数分裂以二倍体细胞核中染色体的收缩开始。来自父方和母方的同源染色体沿细胞中线结合成对。在这个阶段，成对的染色体形成 4 个染色半体(二价体或四合体)，并进行遗传物质的交换(互换，参阅 **linkage group**)。成对的染色半体分开，每对被牵向细胞的一端，然后，细胞在中间处变细，形成两个子细胞。每一子细胞含有双倍染色单体。随之进行第二次核分裂，每一对染色半体分开，分别被牵向子细胞的两端，然后子细胞分裂。结果形成 4 个不同的单倍体细胞。参阅 **mitosis**。

Meïr　梅伊尔(活动时期公元2世纪)　拉比。大致在公元最初 200 年间活动于巴勒斯坦的约 225 名犹太教口传律法大师坦拿中最杰出的一位。继承恩师阿吉巴拉比的未竟事业，按题汇编哈拉卡(律法)，这些律法日后由以梅伊尔为师的犹大·哈纳西拉比收入密西拿汇编。梅伊尔生于小亚细亚，真名可能是尼霍赖或梅沙。阿吉巴拉比被罗马人在巴尔·科赫巴起义(公元 132 ～ 135)后的迫害中杀死以后，梅伊尔逃往巴勒斯坦，但后又返回乌沙城。他在那里帮助重建了犹太教高等法庭即犹太教公会。他还在其他城市建立了犹太教学院。当犹太教公会教长西米恩因为一个礼仪问题以逐出教会威胁梅伊尔时，他公然蔑视西米恩的权威，然后离开巴勒斯坦，返回小亚细亚。梅伊尔善于从正反两个方面分析某条律法的前因后果。据《塔木德》文献载，他可以举出 150 条理由论证某物为洁净，又可以举出 150 条理由论证此物不洁。《密西拿》中有 300 余处提到他的名字。他善于引用寓言故事讲道，娓娓动人。

Meir of Rothenburg　迈尔(罗腾堡的)(约 1215，法兰克尼亚沃尔姆斯[德国]～ 1293-05-02，阿尔萨斯昂西塞姆城堡)　13 世纪德意志犹太教拉比。曾先后就学于德意志和法兰西等地；1242 或 1244 年在法兰西目睹 24 车《塔木德》手稿被焚，有感而写成动人的诗。回德意志后，在多处任拉比，但以在罗腾堡时间最长。德意志犹太人本已遭受迫害，1286 年神圣罗马帝国皇帝鲁道夫一世又企图使犹太人成为“国有农奴”，剥夺他们的政治自由。迈尔率领全家和门徒企图逃离德意志，途经伦巴第被捕，终生监禁在阿尔萨斯境内一城堡内。现存有其所著律法问答约 1 500 条，是有关中世纪德意志犹太社团组织和习俗的丰富资料，还有《塔木德》评注多种，但他的主要教诲见于门生的著作。

Meir, Golda　梅厄(1898-05-03，基辅～1978-12-08，耶路撒冷)　原名戈尔迪·梅厄森。以色列国的创立者和第 4 任总理(1969 ～ 1974)。1906年随全家移居美国威斯康星州

美国不列颠百科全书公司供图

密尔沃基，进入师范学校学习，后来成为密尔沃基犹太复国主义工党领导人。1921 年她与丈夫梅厄森移居巴勒斯坦，参加梅尔哈夫亚基布兹。她代表基布兹参加工人总联合会，1928 ～ 1932 年任工人总联合会女工委员会书记。1934 年至第二次世界大战任工人总联合会执行委员会委员。在第二次世界大战期间，她与英国委任统治当局进行谈判，成为犹太复国事业的有力发言人。1946 年英国人逮捕许多犹太活动家，包括犹太代办处政治部主任夏里特在内。她担任政治部代理主任，为释放在押的同志和许多犹太难民而奔走。夏里特获释后任外交部长，她正式成为代办处的政治部主任。她亲自去见约旦国王阿卜杜拉，劝他不要参加其他阿拉伯国家对以色列的侵略行动。1948 年 5 月 14 日，她参加签署以色列独立宣言。同年任驻莫斯科公使。1949 年选入议会，至 1974 年一直为议员。1949 ～ 1956 年任劳工部长，极力执行住房和公路建设的宏大计划，坚决支持不限制犹太移民入境的政策。1956 年任外交部长，采取援助新独立的非洲国家的政策，以换取它们在外交上支持以色列。1966 年 1 月离开外交部后，担任以色列工党总书记。1967 年六日战争胜利后，她促使以色列工党与另外两个党合并为以色列工党。1969 年出任总理，维持各党联合政府。她要求通过外交手段和平解决中东问题。她曾东奔西走，其中包括去罗马尼亚会见齐奥塞斯库(1972)，去梵蒂冈会见罗马教皇保罗六世(1973)。1973 年邀请西德总理勃兰特访以。同年 10 月第 4 次阿以战争开始后，暴露出以色列缺乏战争准备，使全国人民大吃一惊。次年 3 月她勉强拼凑一个新的联合政府，但在 4 月 10 日就辞去总理职务。此后仍为重要政治人物。她死后外界才得知她患白血病已 12 年。著有自传《我的一生》(1975)。

Meireles, Cecília　梅雷莱斯(1901-11-07，里约热内卢～ 1964-11-09，里约热内卢)　巴西女诗人、教师和新闻工作者。她的高度个性化的抒情诗，形式虽往往简朴，但包含着复杂的象征和意象，为她在 20 世纪巴西文学中赢得了重要地位。早年父母双亡，由祖母抚养成人。9 岁即开始写诗，16 岁当公立学校教师。两年以后，出版一本象征主义传统的十四行诗集《群魔》(1919)，一举成名。1925 ～ 1939 年间，从事教育工作，写了几本儿童文学作品。1936 年在里约热内卢新建的联邦大学任讲师。经 14 年的沉默之后，发表诗集《纪游》(1939)。许多评论家认为，这表明她在诗歌创作上日趋成熟和具有独创性。从此她专心创作，经常发表诗集。她的诗大部分收入《诗集》(1958)。

Meiron (Israel)　参阅 **Meron** 梅龙。

Meirionnydd　梅里昂尼德　英语作 Merioneth。威尔士西北部历史郡。濒临卡迪根湾，在达维河口北。大部分位于圭内斯郡内，但北部一些地方属登比郡。是威尔士最古老的地区之一。传统上是个养羊郡，法兰绒和毛纺工业很重要。18 世纪，多尔盖莱以生产威尔士粗花呢而闻名，巴拉生产长筒袜和毛绒帽。16 世纪，兴起石板开采业，18 世纪成为主要行业。19 世纪，费斯廷约格、科里斯等地均有采石场，但大多数在 20 世纪都已关闭。有斯诺多尼亚国家公园。该郡美丽的风景吸引了越来越多的游客，这对当地经济十分重要。多尔盖莱为梅里昂尼德历史郡城镇。

Meishan　眉山　中国四川省辖地级市。位于四川盆地西部的岷江中游，成昆铁路经此。辖东坡区和仁寿、彭山、洪雅、丹棱、青神 5 县。面积7 186平方千米，其中市区面积1 331 平方千米。汉代为武阳县地。南朝齐建武三年(496)建齐通县，后更名广通县、通义县。北宋太平兴国初年(976)始名眉山县。历史上曾是齐通郡、通义郡、青州、眉州、嘉州等治所。元至元二十年(1283)废县入眉州。1913 年降州为眉山县。1950 年设眉山专区，眉山县城为专署驻地。1953 年归乐山专区，1985 年属省辖乐山市。1997 年设眉山地区，2000 年撤眉山地区和眉山县，设地级眉山市。地处成都平原西南缘，丘陵、平原、低山兼有，为四川主要商品粮和商品猪生产基地之一。矿产有煤、芒硝、石膏等。工业以机械、化工、电子、食品为支柱。特产有眉山火腿、东坡肘子、三苏大曲、小磨香油、苏花牌菜油及细篾扇等。眉山是北宋文学家苏洵、苏轼、苏辙的故乡。市区西南隅的“三苏祠”(三苏旧居)，是省内保存最完整的清代建筑群之一。现为四川省重点文物保护单位。祠内藏有宋、元以来“三苏”著作的历代版本，以及“三苏”的书法拓本。名胜古迹还有瓦屋山、仙女山、中

岩寺、大旺寺白塔等。人口:全市3 400 000(2005);市区820 000(2004)。

Meissen 迈森 德国东南部萨克森州城市。濒临易北河,在德累斯顿的东北。初为斯拉夫人移民点,929年由亨利一世建立日耳曼城镇。1205年建市。城内耸立着13～14世

俯瞰迈森市的大教堂和阿尔布雷希特堡城堡(左)

美国不列颠百科全书公司供图

纪的哥特式大教堂建筑群和阿尔布雷希特堡城堡(1471～1485)。以用当地瓷土和陶土制造瓷器闻名,也制陶器、金属器皿和皮革,酿造葡萄酒。人口约36 767(1989)。

Meissen, Heinrich von 迈森 参阅 **Frauenlob 弗劳恩洛布**。

Meissen porcelain 迈森瓷器 在英国又称德累斯顿瓷器,在法国又称萨克森瓷器。指萨克森德累斯顿地区(今德国)附近的迈森瓷厂生产的德国硬质瓷器。自1710年开始生产

约1750年的迈森硬质瓷鸟

美国不列颠百科全书公司供图

直至今日,是欧洲最早成功地制造的真正的瓷器,并左右了直至约1756年前欧洲瓷器的风格,后来则由法国的塞夫尔陶瓷厂最终取代其领导地位。与中国产品相类似的真正瓷器的奥秘,是炼金术士约翰·弗里德里希·伯特格和物理学家埃伦弗里德·沃尔特·冯·彻伦豪斯于1707年揭开的。对瓷器的研究使他们较早地制作出一种炻器,是已知同类产品中最硬的。早期的瓷器色调灰暗,半透明程度不高,后来作了改进。1731年之后,迈森厂以模仿雕塑家J.J.坎德勒的作品而进入全盛期。约于1739年,该厂设计了一种釉下蓝彩洋葱图案,后为许多其他制造厂广为仿造。迈森瓷器的标记是交叉的蓝色刀剑。

Meissner, Alexander 迈斯纳(1883-09-14,维也纳～1958-01-03,柏林) 奥地利工程师,他在天线设计、放大和检波方面的工作促进了无线电报的发展。曾在维也纳工学院就读,1902年获技术科学博士学位。1907年进入柏林的德律风根公司领导无线电方面的研究。对发射长波天线的设计进行了改进,还设计了新型真空管电路和放大系统,发展了无线电接收机外差原理。1911年迈斯纳设计了第一台旋转无线电信标,用来为齐柏林飞艇导航。1913年他最先在三极真空管中采用反馈原理来放大高频无线电信号,因而大大提高了接收机的灵敏度。1928年以后迈斯纳在柏林工科大学任教授。

Meissner corpuscle 迈斯纳氏小体 又称触觉小体。有包膜的卵圆形感觉神经终末结构,触觉感受器。见于无毛的皮肤组织,如手掌,足跟及指、趾端。以首先记述这种结构的19～20世纪德国生理学家G.迈斯纳的姓氏命名。参阅 **pacinian corpuscle**; **Ruffini ending**。

Meissner effect 迈斯纳效应 在材料成为超导体(superconductor)过程中,其内部排斥磁场的现象。这个所有超导体皆具备的性质,由德国物理学家W.迈斯纳和R.奥克森费尔德于1933年发现。当超导体在磁场中冷却至突然丧失电阻的温度时,材料内的全部或部分磁场即被排斥。其中相当微弱的磁场则完全被所有超导体的内部排斥。此处所谓内部,包括超导体内除表层(厚约10^{-6}英寸)外的全部材料。此时若外部磁场很强,阻止材料转变为超导状态,则不发生迈斯纳效应。一般而言,当冷却时,若材料内的原有磁场仅被减弱而非整个排斥,则各种中等的磁场强度均能产生部分的迈斯纳效应。第一类超导体(如锡与水银)可通过除去各种化学杂质与结构缺陷,以及选择适当的几何形状与大小而显现完全的迈斯纳效应。第二类超导体(如钒与铌)则无论选择何种几何形状与大小,在中等磁场强度下皆仅显现部分的迈斯纳效应。除非在相当微弱的磁场下,否则第二类超导体对外部磁场将不完全排斥,而随着其强度的增加,对磁场的排斥渐弱,直到在相当强的磁场下使超导状态突然停止。

Meissonier, (Jean-Louis-) Ernest 梅索尼埃(1815-02-21,里昂～1891-01-31,巴黎) 描绘军事和历史题材,特别是拿破仑战争的法国油画家和插图画家。最初向J.波蒂埃学画,后来进入L.科尼埃的画室。早年曾用大量时间为出版商作插图画。从19世纪40年代中期起屡获官方最高荣誉。其绝大多数作品画幅较小,主要是军事题材画和特定历史环境中的风俗画。其细致、严密的技法,在很大程度上得益于对17世纪荷兰画家的研究。他作画前对服装和武器的研究和对客观物象的细致观察(如对马的运动曾作过系统的分析),都是和19世纪的科学精神密切相联系的。其主要作品还有《拿破仑三世在索尔费里诺》(1863)和《1814年》(1864)。

梅索尼埃绘《1814年》(1864)

美国不列颠百科全书公司供图

Meissonier, Juste-Aurèle 梅索尼埃(1693或1695,萨伏依公国都灵～1750-07-31,巴黎) 法国金饰工艺家、室内装饰师、建筑师,被认为是影响广泛但持续时间短暂的洛可可装饰艺术的创始人。早年移居巴黎,1726年为法王路易十五设计寝宫和私室。想象丰富,思路开阔,奇特的洞穴式设计辅以富有生气、旋曲而非对称的金属饰品,相得益彰。作为一名金饰工艺家,他设计的鼻烟壶、表壳、剑把和汤碗等用品,以构思奇妙著称。他绘制了3套关于室内装饰、家具和金饰设计的图册,又为巴黎圣苏尔比斯教堂作过正立面设计(1726),但其在建筑方面的设想很少实现。

meistersinger 名歌手 14～16世纪以手艺人、商人为主体的德国诗人、音乐家。自称为12位古代大师——精通中世纪技艺和音乐理论的诗人——的后嗣;据说创始人是恋诗歌手H.冯·迈森。在某种意义上他们代表了城镇市民从宫廷恋诗歌手继承的传统。他们真正的先驱也许是由在教堂或其他场所演唱的非宗教人员组成的联谊会。后来,当音乐和诗歌被当成"手艺"来传授时,这些联谊会就成了像同业公会似的"歌曲学校",他们的主要活动是在教堂中举行歌唱竞赛。创作只限于为过去大师们的曲调配新词;主题内容、节拍、语言和演出都受到越来越严格的规则

的限制。沃尔姆斯的理发师兼外科医生 H.福尔茨劝说纽伦堡的“歌曲学校”扩大题材，创作新曲调。此后它的成员在通过学生、学友、歌手和诗人这些等级以及其创作歌曲被评审合格之后升为“名家”。在这种比较自由的创作气氛下，H.萨克斯得以大显身手。但是，音乐、曲式和题材一连几个世纪一成不变。音乐由格列高利圣咏和民歌及其他源泉派生而得，并决定所用格律，每一诗节由两个具有相同音乐的“柱句”和一个“歌尾”形成——这一形式来自恋歌，有时称为**巴尔曲式**(**Bar form**)。名歌手运动从最早的几个中心——美因茨、沃尔姆斯和斯特拉斯堡——传遍整个德国南部，直到西里西亚和波希米亚。德国北部有个别名歌手，但无“歌曲学校”。纽伦堡是当时名歌手活动中心，这些名歌手并不像 R.瓦格纳歌剧《名歌手》(1868)中那些享有声名的人物，他们多被职业音乐家、人道主义者和一般群众所忽视。他们的歌曲没有出版，也没有产生多少杰出歌曲或艺术家。其重要意义在于身处苦难时代却热爱他们的艺术，并经常致力于灌输宗教和道德原则。1600 年后曾作过多次现代化努力，均未成功，“歌曲学校”也终于消失。

Meit, Conrat　梅特(约1475，沃尔姆斯～1550 或 1551，安特卫普)　佛兰德斯雕刻家和奖章雕刻家，以其在北方文艺复兴时期所作的引人注目的现实主义肖像著称。其雕刻作品多用青铜、木及其他材料，表现出德国现实主义与意大利理想主义的结合。曾受教于汉斯·赛弗，并认识丢勒，丢勒显然推崇其作品。1511 年前为智者腓特烈服务，曾为奥地利的玛格丽特的宫廷雕刻家。玛格丽特将大多数订件委托给他。1534 年后住在安特卫普。其小型的现实主义的雕像是当时特别自然的作品。《亚当和夏娃》(16 世纪前半期)显示出原罪的历史观念已经不得人心，雕像显然像现代的人。其最著名的作品当推《犹滴》(1520)。还曾为玛格丽特家族陵墓作过一些大型作品。

Meithei　梅泰人　又称曼尼普尔人(Manipuri)。印度东北部曼尼普尔邦的主要居民。该地区一度全被那些同那加人、米佐人等山区部落体质相似的民族所占据。由于互相通婚及最强部落的政治优势，导致了种族集团的逐渐融合，结果形成了梅泰民族，人数约达 78 万。他们分为氏族，氏族之内不能通婚。虽然他们在遗传上是蒙古人种，并操藏缅语；但随从印度习俗，在文化上与附近山区部落不同。他们不吃肉(但吃鱼)，禁酒，严格遵守禁戒以防亵渎宗教礼仪，尊敬母牛。他们自称属高等种姓地位。种植水稻是他们的基本经济活动，善于养马，马球是全民族体育运动项目。曲棍球、赛船、戏剧演出以及舞蹈也是他们的文娱活动内容，舞蹈形成曼尼普尔风格，闻名于全印度。

印度曼尼普尔邦的梅泰族战士
英国《泰晤士报》社供图

Meitner, Lise　迈特纳(1878-11-07，维也纳～1968-10-27，英国剑桥)　奥地利出生的物理学家，她与化学家 O.哈恩及 F.斯特拉斯曼共获费米奖(1966)，因为他们的共同研究导致了核裂变的发现。1906 年在维也纳取得博士学位后，出席 M.普朗克(1907)在柏林的讲演会，并与哈恩合作研究放射性。在和哈恩合

美国不列颠百科全书公司供图

作的 30 年中，发现了镤并予命名，研究了核同质异能性和 β 衰变。在 30 年代和斯特拉斯曼研究了铀受中子轰击的产物。由于身为犹太人，迈特纳于 1938 年夏离开纳粹德国到瑞典定居。在哈恩和斯特拉斯曼证实受中子轰击的铀中出现钡以后，迈特纳和她的侄子 O.弗里施阐释了这种核分裂的物理特性，在 1939 年 1 月将这一过程命名为“裂变”。1960 年退休到英国。

Meixian(China)　**梅县**　参阅 **Meizhou 梅州**。

Meizhou　梅州　又拼 Mei-chou。中国广东省辖地级市。旧称梅县。位于省境东北部，韩江中上游。东北与福建龙岩相连，西北与江西赣南相邻。辖梅江区和梅县、蕉岭、大埔、丰顺、五华、平远 6 县，并代管兴宁县级市。面积15 925平方千米，其中市区面积 323 平方千米。南朝齐设程乡县。北宋开宝四年(971)置梅州，因其地多梅花，并有梅口镇(今松口镇)和梅溪(今梅江)，故名。明洪武二年(1369)废梅州。清雍正十一年(1733)升程乡县为嘉应州。1912 年废州称梅县。1978 年设梅州市，1983 年改称梅县市，1988 年复设梅州市。地处莲花山及韩江中上游丘陵性河谷盆地，属粤东平行岭谷区。市区在市境中部，程江和梅江汇合处。梅江流贯其中，分市区为南北两片。北属旧城区，为商业文化中心；南为新城区，政治中心所在。主种水稻，

始建于 860～874 年的梅州灵光寺，门前古柏一枯一荣，称“生死树”
中国大百科全书出版社供图

兼种小麦、蚕豆、甘薯、木薯、花生、大豆、甘蔗、水果等。梅县“沙田柚”、兴宁龙田龙眼等水果较为著名。矿产以煤、铁、稀土矿、石灰石储量较大。工业以食品、纺织、建材、化工、机械、电子、采矿、陶瓷等部门为主。特产有兴宁毛笔、珍珠红酒、梅县清凉茶、大埔高陂陶瓷等。为客家人聚居地，客家山歌闻名遐迩，客家民居独特，文化教育发达，素称“文化之乡”。有嘉应大学等高等院校。是著名的“足球之乡”。旅外华侨、外籍华人有 150 余万，遍及 50 多个国家和地区，是广东省著名的侨乡。名胜古迹有梅县学宫、千佛塔、人境庐、孔子庙、八角亭、大觉寺、西岩寺等。交通以公路为主，通广州、汕头、韶关及闽、赣二省。广梅汕铁路、梅坎铁路以及 205、206 国道等过境。新建的梅县机场有定期航班通广州、香港。人口：全市 4 990 000(2005)；市区 310 000(2004)。

Mékambo　梅坎博　加蓬东北部城镇。在贾迭河南岸。从该城至马科库有世界上最丰富的铁矿床。现为矿区的贸易中心。附近也有农业。出口咖啡和可可。有天主教堂、公立医疗中心、橡胶市场和木工及铁工技术学校。人口2 800(1993)。

Mekele　默克莱　埃塞俄比亚北部城镇。海拔 2 066 米，高踞于达纳基勒平原的盐矿之上，为该国内陆食盐贸易中心。生产香料和树脂。附近有史前村庄遗迹。有机场。人口约 96 938(1994)。

Mekhitarist(monks)　参阅 **Mechitarist 麦基塔尔会修士**。

Meknès　梅克内斯　摩洛哥中北部城市。梅克内斯市为全国四个皇城之一，10 世纪创建。11 世纪为穆拉比王朝的要塞。1673 年定为摩洛哥首都。1911 年为法军占领。市内有壮观的高大建筑，其中据说鲁阿马棚曾豢养 12 000 匹马。市内著名公园引人工湖水灌溉。该市为周围肥沃农业区的商业中心，是精美绣制品和地毯市场，产品主要由中阿特拉斯山区柏柏尔妇女织造。有公路通拉巴特，铁路通非斯、丹吉尔和卡萨布兰卡。附近有罗马遗址。产葡萄、谷物(小麦)、柑橘属水

梅克内斯市的古城门楼
美国不列颠百科全书公司供图

果和橄榄，有养牛羊业。附近有萤石矿。人口459 958(1994)。

Mekong River 湄公河 柬埔寨语作 Mékôngk；威妥玛拼音作 Lan-Ts'ang Chiang；汉语拼音作 Lancang Jiang（澜沧江）；老挝语作 Mènam Khong；泰语作 Mae Nam Khong；越南语作 Sông Tiên Giang。东南亚最长的河流，总长约4 350千米。湄公河流域面积超过810 600平方千米。源头为昂曲和扎曲两河。位于中国青海省南部海拔超过4 900米的唐古拉山。湄公河上游(澜沧江)向南穿行于云南省境内高原山脉之间，形成狭长深谷。此段约占全长的 1/4。接着成为缅甸-老挝、老-泰边界的一部分，然后流经老挝、柬埔寨和越南，最后经越南的胡志明市(原为西贡市)以南的三角洲注入南海。缅-老边界以南的湄公河下游流域汇集来自泰国呵叻高原、柬埔寨境内大部地区以及老挝和越南境内安南山脉西坡的河水，随后在湄公河三角洲地区，该河分成湄公河与巴塞河两条河流。云南省以南的湄公河流域大部分地区具有相似的土地形态、土壤及热带阔叶植被。老挝首都万象与柬埔寨首都金边均位于湄公河畔。湄公河在柬埔寨中部桔井地区的年平均水流量为 14 000 立方米/秒。水量主要来自下游流域的降雨，并随季风带来的雨量而变化。每年 7 至 10 月吹潮湿的西南季风时，该河水位升至最高点；上游最高水位出现于 8 或 9 月；南部河段最高水位最早到 10 月才出现；最低水位则出现在 11 月至翌年 5 月随东北季风而来的旱季。湄公河下游流域是约占柬埔寨、老挝、泰国和越南人口总和 1/3 居民的家园，这些居民中约 9/10 务农。水稻是该河流域地区的主要作物。但在漫长的旱季，水稻的耕种有赖于灌溉。1957 年，联合国发起湄公河发展计划，该计划号召老挝、泰国、柬埔寨和南越合作建设水力发电站，改善水利灌溉、防洪、排水和航运等设施。

Mekran (coastal area, Pakistan and Iran) 参阅 **Makran** *莫克兰*。

Mekri carpet 迈克里地毯 土耳其迈克里(今费特希耶)手工制作的铺地用品，以其祈祷毯与众不同而著称。主要生产小祈祷毯，一条地毯中有两个大地图案、两个米哈拉布(壁龛，祈祷毯特有的拱门图案)。这种地毯也叫作“兄弟毯”，估计是因为两个人可以同时在一块毯子上祈祷。兄弟毯中两个大地的颜色形成对照，上有小花饰。18 及 19 世纪这种地毯大都是用粗羊毛做的。

Mela, Pomponius 梅拉(生于巴埃蒂卡廷亨特拉[古罗马统治的西班牙]；活动时期公元 43 年前后) 用古拉丁文撰写的唯一古代地理学论文《世界概述》的作者。公元 43 或 44 年写成，其影响延续 13 个世纪，直到人类进入探险时代。大普林尼在《自然科学百科全书》中称其为权威之作。文章主要借用希腊人观点，资料多陈旧，但在古代地理学中有独到之处，如把地球作为宇宙中心，把世界分成：北寒带、北温带、热带、南温带、南寒带五个区。两个温带适合人类居住，但人们只知道北温带，因中间隔着人类承受不了其炎热的热带，北温带的人难以到达南温带。梅拉认为，地球表面大洋分成四个海，其中以地中海最重要。他不讲技术性细节，如距离等，常用简短语句描述提及的地方。对人们熟悉的地区讲得少，对遥远的国家讲得多，甚至包括传闻。

melaconite 土黑铜矿 *黑铜矿*(**tenorite**)的非晶质变种。

Melaka 马六甲 原作 Malacca。西马来西亚城镇和港口。濒临马六甲海峡，在马六甲河河口。约建于 1400 年。原为小渔村，建港后为商船补充食物，从山泉中取得淡水的停泊地。1511 年沦为葡萄牙殖民地。16 世纪发展为东南亚最重要的商埠。1641 年为荷兰占据。1826 年根据《英荷伦敦条约》(1824)与槟榔屿和新加坡一起沦为英国海峡殖民地。因马六甲港湾严重淤塞和新加坡的兴起，该市衰落。现为橡胶出口和杂货(白糖和大米)进口港。附近有许多小型果园和椰子种植园，但橡胶为其主要出口物资。当地华人 1898 年起率先经营橡胶生产，现有华人大小种植园多处。马六甲居民多为华人，通过与当地人通婚，这类混合种称作巴巴华人，连同马来人-葡萄牙人-荷兰人混血种是马来亚独特的人种。与吉隆坡和新加坡通航空线和公路。市内有许多殖民时期的平房，以及圣保罗教堂(1521)、市政厅、基督教教堂、圣约翰堡、曾洪登庙和华人公墓(始自明代)。有机场。公路通吉隆坡和新加坡。人口 74 962 (1991)。

马六甲城的基督教堂
美国不列颠百科全书公司供图

melamine 蜜胺 又称氰尿酰胺或三氨基三嗪。杂环有机化合物。无色结晶物质，主要用作合成树脂的原料。将双氰胺在压力下加热制得。其最重要的反应是与甲醛生成高分子量树脂性化合物。这类树脂系加热生成，但一经形成，便不再溶解和熔融。通常配以填料和颜料，模压成盘子、容器、普通用具、手柄等，或用作木材、纸张和纤维的层压材料或涂料。Formica 与 Melmac 是蜜胺树脂型产品的著名商标。丁基蜜胺树脂是丁醇与蜜胺和甲醛反应生成的液体产物，可用作油漆和清漆的配料。

Melampus 墨兰普斯 希腊神话中的一个预言者。小时救过两条小蛇的性命，后来小蛇在他熟睡时，舔了他的耳朵，醒来就发觉自己能够听懂鸟语。后来他帮助自己的兄弟比亚斯娶了皮罗斯的国王涅琉斯的女儿珀洛。一说墨兰普斯治好了梯林斯国王普洛伊托斯的两个女儿的疯病；墨兰普斯和兄弟比亚斯后来娶她们为妻。

melancholia 忧郁症 一种极端抑郁(参阅 **depression**)，感到毫无希望及毫无价值的精神状态。为*躁狂抑郁性精神病*(**manic-depres-sive psychosis**)的一种表现。

Melanchthon, Philipp 梅兰希顿(1497-02-15，巴拉丁领地布雷滕[德国]～1560-04-19，萨克森维滕贝格[德国]) 基督教信义宗的《奥格斯堡信纲》(1530)的德国作者、人文学家、宗教改革家、神学家和教育家。1509～1511 年在海德堡大学学习，获文学士学位；1512～1514 年在蒂宾根大学学习，获文科硕士学位。在这段时间里深入探求经院哲学思想，潜心研究荷兰人文学家阿格里科拉的修辞学、英国哲学家奥康与教会改革家约翰(韦塞尔的)的唯名论，钻研《圣经》，并与同学一起阅读古典作品。1518 年任维滕贝格大学希腊文教授。宗教改革运动发起人路德同梅兰希顿热情地互相响应，两人结为挚友。梅兰希顿全心全意地致力于福音派事业。在 1519 年末，他维护《圣经》的权威性，驳斥路德的对手埃克，先于路德批判变体论，确立因信称义为自己神学学说的基本原理；并且同人文学家罗伊希林公开决裂。同时他又发表了 7 本小书，获维滕贝格大学神学学士学位。梅兰希顿应路德的请求讲授《罗马书》，并于 1521 年发表《教义要点》，此书是福音派第一部系统的教义著作。此书主要论罪、律法和恩宠，兼及自由意志、发愿、希望、认罪和其他教义问题。梅兰希顿援引经文指出，罪不仅是外表的行动，罪透过理性而深入到人的意志和感情，因而人没有能力简单地决定做好事而在上帝面前成就善功。原罪是固有的习性，是污染人一切行为的漫无节制的自我关怀。但是，上帝的恩宠以赦罪的方式安慰人，人的行为尽管不完美，却是对于上帝的仁慈的欢欣而感激的回应。神圣罗马帝国皇帝有旨，凡支持路德者杀勿赦，但是梅兰希顿在1521年发表《驳巴黎神学家们的气急败坏的宣

美国不列颠百科全书公司供图

判》，尖锐地答复索邦大学对于路德的104点声明的谴责。同年，他又发表《基督的受难与敌基督》，利用克拉纳赫（1472～1553）的木刻画，辛辣地抨击教皇的生活方式，指出它同基督的生活方式完全背道而驰。1521年，在路德被押在瓦特堡期间，梅兰希顿在维滕贝格领导宗教改革事业。在第一次施派尔会议（1526）之后，梅兰希顿作为28位专员之一奉派巡视已经进行宗教改革的各州，协调各教会的组织章程。1528年《巡查人员须知》发表，此文献申明福音派的教义，并提出基础教育纲要，萨克森州落实了这套纲要，建立起第一个真正的新教公立学校体系。德意志全境很快采用了梅兰希顿的教育方案。通过他、他的教科书和他培训的教师，实际上改组了德意志整个教育体系。他参与创办柯尼斯堡大学、耶拿大学和马尔堡大学，改革了格赖夫斯瓦尔德大学、维滕贝格大学、科隆大学、蒂宾根大学、莱比锡大学、海德堡大学、罗斯托克大学和奥德河畔法兰克福大学。由于他的努力，他获得了“德意志之师”的称号。在奥格斯堡会议（1530）上，梅兰希顿是宗教改革运动的首要代表人物，他草拟了《奥格斯堡信纲》。在《信纲》中，他尽量避免伤害天主教人士，但又有力地申明了新教的立场。在就《信纲》通过问题所进行的谈判中，他似乎有妥协之意，但是他的《奥格斯堡信纲辩》（1531）表明，事情根本没有变化。《奥格斯堡信纲》和《奥格斯堡信纲辩》很快成为信义宗的权威信仰声明。另一份由梅兰希顿执笔的文献《关于教皇制的附件》（附在1536～1537年的《施马尔卡尔登条款》之后）也是如此。路德死后的第一年，新教事业似乎受米尔贝格战役（1547）的严重打击，有人力图通过奥格斯堡临时协议使新教与天主教实现联合。梅兰希顿认为，必须先确定因信称义为根本教义，然后才能承认临时协议。随后，为求安定与和平，他宣布，凡不违背因信称义教义的道理，可以不置可否。他承认，人要得救须有好行为，但是不是照旧说讲靠善功称义；他也承认七件圣事，但是仅以它们为礼仪而不认为它们具有使人得救的固有效验。在教义思想上，梅兰希顿从来没有摆脱路德而独树一帜，但是逐步修改了路德的一些意见。1530年梅兰希顿还在圣餐问题上与路德意见一致，但后来他开始离开路德的观点，而他1540年写进《奥格斯堡信纲》第10条的词句表明，他在圣餐问题上与加尔文观点一致。又如，他起先遵循路德关于恩宠的基本教义，似乎否认自由意志，把奥古斯丁关于恩宠不可抗拒的学说推到了宿命论的边缘。然而，他的《歌罗西书评注》（1527）却无形中否定了得救预定论；而到了1532年，他在《罗马书评注》中又在讲人为了接受或拒绝上帝之爱而进行奋斗。他在1535年版的《教义要点》中指出，人起码要接受上帝所赐救恩这份礼物，并说，因此，人对于自己的命运负有责任。梅兰希顿重视伦理学，因而逐渐强调好行为是信心的必然结果。梅兰希顿为求社会安定，日益强调法律和道德思想，但是他仍坚持福音派立场，认为人因信得救，好行为是信仰的“必然”表现，因为好行为从信仰涌出。

Melanesia　美拉尼西亚　太平洋岛群组成的人文地理区。包括（大致由西至东）新几内亚岛、阿德默勒尔蒂群岛、俾斯麦群岛、路易西亚德群岛、所罗门群岛、圣克鲁斯群岛、新喀里多尼亚群岛、罗亚尔特群岛、瓦努阿图岛（旧称新赫布里底）、斐济、诺福克岛和许多较小的岛屿。该岛群东面隔火山地震频繁的安山岩线与波利尼西亚相对，北面沿赤道和密克罗尼西亚相邻。南面是南回归线和澳大利

美拉尼西亚斐济瓦努阿岛沿萨武萨武潟湖生长的椰子树

美国不列颠百科全书公司供图

亚。美拉尼西亚之名源自希腊文“黑色”和“岛屿”。南海岛群航海图最早标明岛群分为3个区：美拉尼西亚，波利尼西亚和密克罗尼西亚。迪蒙·迪尔维尔的第3次航行使海图有了广泛修改。但自他19世纪初期的探险之后，语言和考古的证据都表明，“美拉尼西亚”的命名即使不过时，至少也是不确切，因为可以明显地区分出有着两种不同居民和文化。最早定居于该区的居民为巴布亚人，至少40 000年前就在莎湖大陆（后部分淹没形成新几内亚岛）上生活。在30 000年以前已有讲巴布亚语的人定居于新几内亚岛以东的俾斯麦群岛。巴布亚人早在9 000年前即从事最原始的农耕——种植块根作物和甘蔗，这或许与东南亚发展有间接联系。他们现在的后代讲巴布亚语。直至约4 000年前，出现了另一种文化。具有东南亚文化传统的航海民族约在此时开始移居新几内亚北部地区。考古证据，尤其是出土的独特陶器和相关工具以及属于拉皮塔文化的贝类装饰品，说明约在3 500年前即有人在俾斯麦群岛诸岛屿上居住。居民所用语言明显属于澳斯特罗尼西亚语系，与菲律宾和印度尼西亚群岛的语言有关。其文化基础以栽培块根作物和木本植物及航海技能为主。讲澳斯特罗尼西亚语的人在所罗门群岛南部、瓦努阿图岛、新喀里多尼亚群岛和斐济建立起沿海社区和贸易体系。拉皮塔黑曜石和贝类装饰物等商品的广泛分布，说明这些范围广泛的社区在政治上是相互联系的。一般认为，最初移居斐济的是创造拉皮塔文化的人，后来，斐济成为前往波利尼西亚西部地区的跳板，属于美拉尼西亚文化的黑肤色人到此定居。从语言学上讲，操澳斯特罗尼西亚语的居民明显居于多数。实际上，俾斯麦群岛以东太平洋诸岛上所有黑色人种所操语言均属于大洋洲澳斯特罗尼西亚语。移民前新几内亚和美拉尼西亚诸岛（新几内亚以东地区）的社会由以亲属和血统关系为基础的土著族群组成，靠内部通婚连结在一起。这种土著族群一般有20到100人，为相对自治的政治单位，特征是土地共有（虽然家族或个人可以拥有园地和所植树木）。血缘决定土地所有权。在新几内亚低地，瓦努阿图北部和新喀里多尼亚的大部分地区盛行父系制度。母系制度则盛行于马西姆大部分地区，即现今巴布亚新几内亚的米尔恩湾省（包括当特尔卡斯托群岛、路易西亚德群岛及附近岛屿），俾斯麦群岛，以及所罗门群岛和班克斯群岛的大部分地区。在许多地方土著族群散居在有着疏落房舍和村落的领地上。居住期一般不长，视耕种周期而定。在有意外攻击危险时社区聚集较近。在内陆地区社区一般建在山脊和山顶处以便防卫。居住模式各地极不相同。在新几内亚塞皮克平原的部分地区，基于血统的土著族群聚集在较大的村落中（有些人口在1 000人以上）。在特罗布里恩群岛（马西姆）基里维纳北部的农业中心地带，多达200人的村落则聚集在一个中心跳舞场的周围；所罗门群岛的马莱塔岛北部的一些至少有同样大小的村落则坐落在环礁湖四周的珊瑚礁小平台上。一般说来，世代久居的较大村落多在沿海地区，规模较小、移动的居住点则建在内陆。两性的划分明显，男女住地分离的情况很普遍。男子们住所或娱乐场所是举行仪式或军事结盟或二者兼顾的中心。这种情况常见于新几内亚和美拉尼西亚群岛的许多地区，尤以新几内亚塞皮克河流域和巴布亚南部沿海最为普遍。妇女和儿童则居于家中。在讲巴布亚语的新几内亚和讲澳斯特罗尼西亚语的美拉尼西亚群岛，土著族群首领都被称作“大人物”。“大人物”的地位靠经营成功、自身势力和履行相应义务获得。在欧洲人侵入美拉尼西亚群岛初期，各社团多由世袭酋长统治。

这种统治形式亦见于讲澳斯特罗尼西亚语的新几内亚沿海部分地区（如梅凯奥、莫图）、所罗门群岛部分地区（如鲁加拉、布卡、肖特兰、小马莱塔）、瓦努阿图部分地区（如阿内蒂乌姆）和新喀里多尼亚大部分地区。在其他一些地区，领导权依地位而定，但亦有世袭权利与才能表现结合的相互影响。放荒种植农艺（一种轮作法，将雨林中土地加以清理，种植并收获作物，然后休耕长达一代人之久）是巴布亚古代块根作物种植法及澳斯特罗尼西亚文化传统的基础。开垦森林使用石器工具（在某些珊瑚礁岛地区用贝壳工具），有时用火烧。岛上居民使用掘棍耕种，主要种植芋头和甘薯，兼或栽种大蕉、西米、露兜树和木薯等阔叶植物以及甘蔗等。除种植块根作物和木本植物外，岛上居民也喂猪养鱼，并捕猎有袋动物和鸟类，有时收捡昆虫和蛴螬。采集野生食品如球根、野菜、坚果（主要为橄榄属扁杏）和野果以增加食品种类或贮存以备急需。美拉尼西亚的巴布亚语区和澳斯特罗尼西亚语区逐步形成自己独特的交换制度。典型的做法是在举行隆重仪式时将剩余的猪和块根作物拿出来享用，而将典礼上的贵重物品（如贝壳、鲨鱼齿、狗牙和其他物品）加以交换。至少在有些地区，具有竞争性的交换制度取代了部族战斗（某些情况下似不再以杀人作为赔偿）。新几内亚东端周围岛屿的另一显著特征是有周密的区域性贸易体系。在马西姆，人们将安弗莱茨岛的陶器、穆鲁阿（即伍德拉克）岛的独木舟木料和绿岩刀、雕花浅盘、独木舟船首板和其他用薯类与猪皮制作的特产，从资源丰富地区运到生态环境较差的小岛。

讲巴布亚语的新几内亚人的宗教多种多样。在特莱福、比明库斯库斯明、巴克塔明等山区居民中，极复杂的男性启蒙礼仪逐步把宇宙秘密揭示给新入教者。在新几内亚，和美拉尼西亚岛一样，对巫术的恐惧极为普遍。如居住在高地的福雷人中，来自巫术的指控是各族群间相互敌对和血债世仇的主要原因。在讲澳斯特罗尼西亚语的美拉尼西亚，祖先的幽灵和其他神灵参与日常的社会生活。这些无形的神灵在战斗方案不定，园田种植和树立威望时对孤立的人给予坚定的支持。神灵的存在和影响可在梦中表明，在占卜中揭示，也可从人们的成败、祸福、生死中推断出来。美拉尼西亚的社会中没有专业的宗教巫媒。一些涉及园艺、捕鱼、招财进宝和引诱情人的日常巫道是众所周知的；其他方面如涉及战斗能力和盗窃的则秘而不宣。基督教逐渐取代了殖民以前美拉尼西亚盛行的各种宗教。新几内亚和美拉尼西亚沿海地区在殖民初期出现的**货物崇拜（cargo cults）**是一种极有趣的现象。这种宗教运动在某些方面类似于基督教的千禧年运动，鼓吹相信来自超自然资源的货物（意指欧洲货物）即将到达，新时代即将开始。美拉尼西亚的艺术，和宗教一样，也五花八门。在新几内亚高地，人体本身是大部分艺术的集中点，在脸上身上涂油彩、戴假发、头饰，穿精美的衣服。在新几内亚低地，如塞皮克地区和马西姆的奔放艺术传统，世界闻名。众多美拉尼西亚人的基督教化使许多音乐和舞蹈形式被过早抛弃，其种类和旨趣现大都只是猜想。由所罗门群岛马莱塔岛的管弦乐队演奏的音乐有守丧挽歌、情歌直到极复杂的多音排箫乐，有着多达八种的对位音。说书有叙事诗、神话、民间传说和演讲等多种形式，其中不乏暗喻和典故，亦是该区的特点。美拉尼西亚地区的大部分土著居民如今面临着基督教化和西方化的压力。在某些地区这股势力已持续一个世纪以上。但在一些内陆地区，尤其在新几内亚的险峻和封闭山区，直至 20 世纪 30 年代或更晚，才接触到西方文化。现在甚至美拉尼西亚最边远的山区也已开通，发生了变化。最显著的是该区由原先的无阶级社会向阶级社会转化。在现代美拉尼西亚各国，中心都市和边远乡村的分化日益加剧。自行定居于市郊的人口迅速增长以及人们不断移居都市，已将城乡生活连接在一起。最边远乡村仍旧贫困，几乎享受不到国家提供的教育、医疗和经济服务。可以想象，在那些与西方世界接触最少的地区，传统文化较易于恢复活力。资本主义企业，如咖啡和其他高价值作物的商品化生产，甚至在内地亦十分常见。公路和机场已使一度封闭的地区与全区交通网连在一起。

Melanesian geographic race 美拉尼西亚地理人种 新几内亚、俾斯麦群岛、路易西亚德群岛、所罗门群岛、圣克鲁斯群岛、新赫布里底（瓦努阿图）群岛、洛亚蒂群岛、新喀里多尼亚岛、斐济以及西南太平洋其他一些岛屿上的一组人类居民群。有些分类法把新几内亚的巴布亚人也包括在美拉尼西亚地理人种内，而另一些分类法则将巴布亚人划为澳大利亚人种（澳大利亚原居民）。美拉尼西亚地理人种的特征是：皮肤色素沉着浓重，波型发乃至卷曲型发，容貌粗犷，下颌骨粗壮，臼齿硕大，铲形门齿的出现率高，血型为 B 型（ABO 血型系统）和 S 型（MNS 血型系统），有地中海贫血基因和葡萄糖-6-磷酸脱氢酶缺乏症。美拉尼西亚人种显然是古代东南亚的一种类型，他们与澳大利亚地理人种的关系可能最为密切。

Melanesian languages 美拉尼西亚诸语言 属澳斯特罗尼西亚（马来-波利尼西亚）语系东部语族或大洋洲语族，通行于美拉尼西亚诸岛屿。美拉尼西亚诸语言约有 400 种，与密克罗尼西亚诸语言和波利尼西亚诸语言关系极密切。绝大多数语言只有几百人或几千人使用，操美拉尼西亚诸语言者总数不超过 100 万人。除少数例外，这些语言都极少有文献记载。斐济语是最重要的美拉尼西亚语（操用者约 33.4 万人），广泛通用于斐济报刊、广播和政府公文中。其他主要美拉尼西亚语有：莫图语，以波利斯莫图语的形式（皮钦语）通行于巴布亚新几内亚；罗维亚纳语，是通行于所罗门群岛的教会语言；班巴塔纳语，是通行于什瓦泽尔岛的教会语言；布戈图语，是通行于圣伊萨贝尔岛的通用语；托莱语，是通行于新不列颠岛和新爱尔兰岛的教会语言；雅宾语和格拉格德语，都是通行于巴布亚新几内亚马当省的教会通用语；莫塔语，是 19 世纪美拉尼西亚北部教会通用语和文学语言。

Melanesian Pidgin 美拉尼西亚混杂语 又称美拉尼西亚皮钦英语、新美拉尼西亚语、洋泾浜、檀香木岛英语。在美拉尼西亚流行的一种以英语为基础的混杂语，广泛用于贸易和传教。在一些地区，美拉尼西亚混杂语已成为一种混合语，亦即某些居民集团的本族语。它也成为通行数百种民族语的巴布亚新几内亚的通用语。美拉尼西亚混杂语的词汇主要源自英语，约1 500个英语词汇构成美拉尼西亚混杂语基本词汇的 90%，其词汇量虽小，但许多词已扩大或改变其含义，而复合词及其他新的结构又进一步扩大了其词汇量。尽管语法和句法因惯用法不同及受美拉尼西亚本地诸语言的影响，已经大为简化并有了某些改变，但它们还是以英语句式为基础的。发音和重音则显然受到非英语诸语言的影响。词的重音总是在第一个音节上，结果出现 bíkos"because"，másin"machine"。语音系统中 f 和 p，s，sh，ch 不加区分，以致出现 dispela"this fellow"，pinis"finish"，sap"sharp"，sok"chalk"等。Th 的发音不像在英语里那样（它发成 t 或 d，有时甚至是 r，如 dispela"this fellow"，tri"three"，arapela"other fellow"）。在两个元音间的 b 或 d，常分别变成 mb 和 nd，如 tabak"tobacco"变成 tambak，而 sidaun"sit，sit down，set"变为 sindaun。

melanin 黑素 皮肤、毛、羽、鳞和某些内膜中所含的黑色生物色素；许多动物（例如蛙）的体腔膜中也有黑素，但是黑素在那里的作用还不清楚。黑素是酪氨酸及其相关化合物代谢的最终产物，在人的皮肤黑痣中很多；黑素多的还有多数皮肤黑色的人的真皮黑色素细胞，如表皮中的褐色弥散点。黑色素沉着还见于某些病理状态，如黑素瘤。人的表皮在阳光暴晒下，由于黑色色素增加而逐渐变黑。白化病是遗传性黑色素合成障碍。参阅 **coloration；integument**。

melanoma 黑素瘤 发生于黑素细胞的易扩散、常复发的恶性肿瘤。在美国，黑素瘤在所有皮肤癌症中不到 5%，但其发病率正在上升，皮肤癌死亡病人中近 3/4 由黑素瘤引起。与其他皮肤肿瘤不同，黑素瘤总是恶性的。与所有癌症一样，黑素瘤也是由细胞内能改变细胞生长方式的 DNA 变化所引起。最常见的引起 DNA 损害的原因是来自太阳的紫外线照射。人们患黑素瘤的易感性各异。白种人患黑素瘤的可能性为黑人的 20 倍。多痣的皮肤和有几个大痣的皮肤，患黑素瘤的风险也高。黑素瘤的家族史可增加患此种恶性肿瘤的风险。早期症状通常可用肉眼看见。皮肤表面出现很大的或颜色异常的痣，是早期黑素瘤的症状。自己定期观察皮肤上的痣，可以发现早期的黑素瘤。如果发现痣的大小、形状或颜色有改变，应立即请医生检查。进行皮肤活体检查可确诊。若确诊，有几种治疗方法可供选择，采用何种治疗方法取决于肿瘤的严重程度及阶段。避免紫外线照射，可以大大降低患黑素瘤的风险。在紫外线强度最大的时间（上午 11 时到下午 3 时）待在无紫外线直射的地方，穿上衣服保护皮肤，或使用 SPF 等级为 15 或更高的防晒剂，都可以保护皮肤。儿童期受到严重的晒伤，会增加患黑素瘤的风险，因此儿童应特别小心避免晒伤。

Melas carpet　米拉斯地毯　土耳其西南爱琴海岸米拉斯城附近19世纪手工制作的铺地用品，尺寸较小。大边特宽，大地较窄。祈祷毯图案中指明通向圣城麦加方向的拱门有两条直边，每条直边下面各有一个三角形缺口，是当地人对16及17世纪奥斯曼宫廷祈祷毯中尖顶拱门的回忆图案。这种地毯的配色独具一格；大地为浓烈的红色，也常用黄色和紫色，配以浅蓝，但由于染色不匀，各条毯子上的浅蓝色都不一样。采用化学染色前的制品被认为是最具魅力的土耳其地毯。

melatonin　褪黑激素　松果体（位于脑部中央的小腺体）分泌的唯一激素。系耶鲁大学的A.B.勒纳和其他研究者于1958年发现的。人类、其他哺乳类、鸟类、爬行类和两栖类皆可形成之，惟存于人体的量极少。该激素颇早即知能使爬行类皮肤变白，但对于哺乳类则到20世纪70和80年代才发现具有调节睡眠周期和青春期性成熟激素变化的功能。松果体生成褪黑激素的量因日时和年龄而异；于夜间骤增，日间骤减，7岁前较青春期时高许多，青春期后至成人期量一直不多。由于促进性器官发育的性激素（如促黄体素）仅在其量减少后才出现，故其显然可阻止童体性成熟。此假说的佐证为罹有松果体肿瘤的孩童常出现异常性早熟现象，这可能是因松果体生成该激素被阻断所致。而其在睡眠周期的调节上似亦扮演着重要角色；受试者注射褪黑激素即入睡，暗示到了日暮其生成量即增乃是使人入睡的基本机制。天亮，松果体停止生成该激素，清醒遂随之而起。幼童的褪黑激素生成量高，亦可解释他们为何较成人睡得长。于人类以外的哺乳类，褪黑激素在冬季长夜生成量多、在夏季生成量少，故可能为生育与交配的暗示。交配或生育期恰与良好季节（如春季）一致的动物，或以其生成量作生理时钟，来调节视太阳日长短而定的生殖周期。

Melba, Dame Nellie　梅尔巴（夫人）（1861-05-19，澳大利亚墨尔本附近里士满～1931-02-23，悉尼）　原名海伦·阿姆斯。母家姓Mitchell。名噪一时的花腔女高音歌唱家。6岁公开演唱。能熟练地弹奏钢琴和管风琴。1882年开始学习声乐。1885年在悉尼、1886年在伦敦演唱，后去巴黎学习。1887年在布鲁塞尔以艺名梅尔巴首次登上歌剧舞台，扮演威尔地《弄臣》中的吉尔达。迄1926年一直在欧美各大歌剧院演唱。1918年被授予大英帝国二等女爵士勋位。1925年出版《旋律与回忆》。1926年重返澳大利亚，任墨尔本音乐学院院长。

美国不列颠百科全书公司供图

Melbourne　墨尔本　尽管墨尔本市中心人口没超过10万，但它是范围很广的都会区的核心，人口超过100万的世界最南都市区。它位于澳大利亚东南海岸菲利普港湾顶端，是维多利亚州首府。在澳大利亚，它的都会区人口仅次于悉尼，两城市在地理和历史方面各具特点，存在一种善意竞争的关系。虽然墨尔本由于地势平坦，街道均呈长方形有规律的发展，但有许多美丽的公园，对建筑的细部和历史具有观察力的人在此会发现许多丰富多彩和引人入胜的地方。墨尔本以保守和财力雄厚而闻名——这从其对墨尔本的发展作出的贡献，以及市中心迅猛兴起的建筑和东郊的飞速扩展即可看出。

墨尔本城市风光
中国大百科全书出版社供图

自然地理和人文地理

景观　墨尔本统计区包括在经济、社会方面与市中心关系密切的所有地区，面积6 109平方千米。大部分居民住在人口密度不断增加的都会区，面积不及统计区的一半。

城市位置　墨尔本都会区地处菲利普港湾北端，距海湾狭窄入口处55千米。地势平坦，大都不超过海拔120米。墨尔本最初从亚拉河口发展到今天的规模，与地理条件和土地的排水状况密不可分。在该城市最初位置以西，第三纪时期玄武岩流填满了原有的凹处，形成毫无起伏的平原。东部地区则是志留纪和泥盆纪时期遗留下来的凹凸不平、互相割裂的砂岩、页岩和砾岩层。东部地区较厚的土层，加上较高的年降雨量，因而比玄武岩平原有着较茂密的森林。毫不为奇，墨尔本自然主要向东发展到处于达雷宾溪、普伦蒂河和亚拉河，以及库南溪和加德纳斯溪之间的广袤土地。墨尔本的城区发展明显不对称，目前沿菲利普港湾东海岸排开，从亚拉河口到尼平角，绵延达97千米；而海湾西海岸的发展则仅为16千米。

气候　墨尔本的气候是东移的高压云泡被低压槽切断的结果。这种类型气候的过程是夏季经过大陆的南部，冬季则处于维多利亚北部上空。年降雨量660毫米，十分均匀地分布于全年，通常10月为最湿润月份，1月最干燥。气候温和，极少降至冰点以下，日平均最高温度从7月的13 ℃到1月的26 ℃。气流与向东移动的气候系统相结合，保证墨尔本免受其他某些大城市所受的严重大气污染。

城市布局　墨尔本原居住区如今已成为其金融、司法、行政和宗教中心，这一地区街区呈长方形布局，至今未改变，临亚拉河。在此中心有通往郊区和各州的铁路的主要车站、维多利亚州议会两院、英国圣公会和罗马天主教主教的大教堂、博物馆、法院、州立图书馆以及许多金融机构，包括墨尔本股票交易所和各大银行总部。中心区的两条主要街道——伯克街和斯旺斯顿街——被改造成步行商业街，不允许机动车进入。城市建筑大部分都是现代化的，但市政厅、法院和展览馆则是19世纪官方建筑的卓越范例。

最早的郊区——卡尔顿、科灵伍德、里士满、普拉兰、圣基尔达和布赖顿——其街道一般也分隔成长方形街区。成排的房屋，阳台上装饰着铁制的花边，曾是靠近市中心各郊区的共同景色，在卡尔顿和南墨尔本的部分地方，仍保留着这种传统式阳台。

人民　**移民方式**　1836年，墨尔本第一次官方人口普查共有177人，其中女性35人。在19世纪50年代，附近的一些维多利亚州地区出现淘金热，导致移民第一次大量涌入墨尔本。新移民主要来自其他澳大利亚殖民地和英国。到 20 世纪 20 年代，墨尔本的居民占维多利亚州居民的一半以上，第二次世界大战将近结束时，人口达1 000 000。这个移民潮持续了整个 20 世纪。至 2000 年，墨尔本都会区人口占维多利亚州的近 3/4。

20 世纪 50 年代，澳大利亚政府实行一项经过深思熟虑的政策，鼓励从欧洲移民，为澳大利亚正在发展的工业提供工人，这样就出现了第二次移民大潮。政府协助解决旅行费用，帮助移民在澳定居，必要时帮助他们学习英语，并为他们寻找工作。最初，移民大都来自波罗的海国家和东欧；其中许多是战争难民。后来，大量移民来自联合王国和爱尔兰。曾与荷兰、马耳他、西德、意大利、希腊和奥地利各国政府签订移民协定。这些计划播下了今天墨尔本具有多种文化特点的种子。意大利人、希腊人和南斯拉夫人形成非英语移民的最大多数，到70 年代中期，居民中有1/5 的人通常讲英语以外的语言。80 年代初，来自东南亚的移民，特别是越南和柬埔寨的难民人数增加。

移居郊区 40 年代，约 90%的墨尔本居民住在中心商业区 16 千米范围内，到了 80 年代，这一比例已降至 50%以下，外围郊区遂相应扩大。1966 年墨尔本地区的居民超过2 000 000，市区迅速向东扩展。来自欧洲南部的移民最初集中在老工业郊区，那里房租低廉，并可就近就业，他们还可从早来的移民和他们所建立的团体得到支持。但当这些人致富后，他们便同澳大利亚人一样梦想拥有一个建立在 1 000 平方米土地上的家，并开始向外围郊区迁徙。到 90 年代中期，人口超过300 万，然而到 20 世纪末，向外围郊区迁移的趋势开始逆转。随着一些正在老化的建筑物被修复作为住宅，市中心的住宅区不断增加。虽然西部某些地段可称之典型的工人阶级区，但就整体而言，墨尔本郊区是人数相当平均的各社会阶层和职业的人们混合聚居的地区。人口：统计区约 3 366 542(2001)。

经济 *工业和贸易* 墨尔本左右着维多利亚州的经济生活，这不足为奇，它占有该州人口的大多数。既是该州金融中心、政府所在地，又是连接该州与澳大利亚其他地区和世界各地的交通网的枢纽。

原来的市中心提供大多数就业机会，但在郊区，就业以更快的速度增加。市中心主要为服务行业，诸如银行、保险、零售、娱乐、公共设施和铁路运输等。在这个中心的周围为近郊工业区，是不完整的环形状。19 世纪在这一带建立起第一批服装厂和金属加工厂。第二次世界大战后，在远郊区，特别是东部，小型制造工业区开始发展起来，因为当时这些郊区可提供大面积的廉价土地，不存在交通拥挤问题，而且人口在增加。

墨尔本最重要的工业，以雇工人数而言，是金属加工，包括制造交通设备和工程设备。其他重要工业有：纺织和制衣、食品加工、造纸和印刷、化学制品、家具和建筑材料等。墨尔本还是澳大利亚计算机制造业居领先地位的城市之一，而且正在发展成为生物医学和生物工艺学中心。

墨尔本港位于亚拉河口开辟出来的一片平地，在商业区中心的西南。它是全国最大的一般货物吞吐港，主要货物有：粮食、原油、石油制品、化工产品和钢铁。

60 年代以来，在墨尔本远郊区到处建起了大型区域购物中心，市中心已失去零售业的主宰地位。许多居民就近在郊区购买服装、用具、家具和汽车等几乎所有物品，不用去市内采购了。

交通 公路网将墨尔本同邻近的州连接起来。高速公路系统在 20 世纪 90 年代得到了加固，包括西环路的修建。在城市连接方案中通过桥梁、隧道和公路将三条主要的高速公路连接起来，使交通更为便利。市中心商业区有环线地铁。墨尔本国际和国内机场位于塔拉马林，在市中心西北 23 千米。

行政与社会状况 *政府* 维多利亚州政府对墨尔本的主要计划决策负最终责任，并向它提供主要的卫生、教育和交通设备。墨尔本统计区地方政府管辖 30 个实体。参议员根据强制性的选择选举制选出，可得到薪金，是市民的代表。参议会通过地方法令，并掌管与建筑管理、社区福利、垃圾处理和车辆停放等有关的一些服务业。为这些目的而支付的钱，通过财产税来筹集。

保健与教育 由于从 1846 年起即实行公立医院免费医疗制，今天它已发展到包括治疗特殊病症或各科病人的许多专门设施，以及综合医院。此外还有许多私人医院。

墨尔本大学创建于 1853 年(1855 年第一次招生)，是澳大利亚最古老的大学之一；莫纳希和拉特罗布大学，创建于 20 世纪 60 年代；迪金大学建于 1974 年。另外还有几所高等教育学院，学习各种技术和理论，均可授予学位或毕业证书。

文化生活 *艺术* 1968 至 1984 年这一时期，在亚拉河南岸靠近市中心处建成维多利亚艺术中心，使墨尔本业已丰富多彩的文化生活更为加强。中心有维多利亚国家美术馆、墨尔本音乐厅和几座剧院，以及其他艺术设施。

国立维多利亚美术馆最初于 1861 年开放，1968 年迁至艺术中心的现址。它收藏几方面的杰出艺术品，最重要的有：从殖民地时期到现代的澳大利亚艺术品，欧洲艺术品(特别是 18 世纪的艺术品)和装饰艺术品。

墨尔本音乐厅有 2 600 座位。听众不仅可享受音响工程方面的光辉技术成就，而且还可以欣赏到大厅中珠光宝气的装饰，使该厅仿佛是从宝石矿山腰中开凿出来的一般。3 座剧院中，国家剧院主要演出歌剧和芭蕾；戏院上演话剧；演播室中观众与舞台较接近，用于表演卡巴莱歌舞、电视片和实验性的戏剧。每年的歌剧、芭蕾和音乐会季节都有外国艺术家们的演出。墨尔本交响乐团成立于1949 年，曾赴北美、日本和新西兰以及澳大利亚各大城市巡回演出。

娱乐 维多利亚的汽车牌照上标明"维多利亚——花园州"。墨尔本内城 27%的区域为公园和花园，不愧为花园州之首府。这些空地是 19 世纪中叶划定的，而当时其他城市的许多公民领袖所关心的是商业发展而不是生活质量。在新的远郊区，也划出了广阔的土地作为公园用地。墨尔本最负盛名的公园是皇家植物园。35 公顷园区是 1846 年划定的，如今内有湖泊、草地以及数千种有名称的树木和灌木。附属的植物标本室收藏着1 200 000份压干的植物标本，蜚声国际，可供学者使用。

墨尔本有数百处体育场、网球场、游泳池、高尔夫球场供积极参与体育活动的人使用。墨尔本板球场设施完备，可容纳 100 000人，用来进行板球和澳式橄榄球比赛。在费莱明顿赛马场每年 11 月举行墨尔本杯赛马。1956 年夏季奥运会曾在墨尔本举行。奥运会后又增加了一些体育设施，包括在墨尔本板球场附近的大型网球场。在菲利普港湾的划船和钓鱼运动、海滨的冲浪运动均深受人们喜爱，芒特布勒周围的冬季滑雪场亦很容易到达。

历史

早期殖民 欧洲人于 1802 年发现了菲利普港湾，同年 J.默里船长和 M.弗林德斯船长在不出几个月内分别到达该海湾。该地区当时是新南威尔士殖民地的一部分，殖民地总督 P.G.金命总测量官 C.格兰姆斯考察海湾沿岸以便确定将来殖民的地点。1803 年格兰姆斯一行发现了亚拉河并沿该河下流旅行。格兰姆斯不像同行者那样热心于将亚拉

墨尔本市的展览大厦
美国不列颠百科全书公司供图

河作为将来殖民的地方。同年晚些时候,D.科林斯船长带一小分队士兵和罪犯来到这里,在东海岸海湾入口内的索伦托附近定居。但不出数月,他认为这里不适宜,将他的人迁至塔斯马尼亚。

直到1835年,一位殖民先驱和创业者J.巴特曼与土著族长们订约购买菲利普港湾顶端的202 350公顷土地,才开始出现永久性殖民地。他为这片土地付出的代价是40张毛毯、30把斧头、100把刀、50把剪刀、30面镜子、200块手帕、100磅面粉和6件衬衫。根据条约巴特曼及其继承人每年均须提供同样的物品作为"进贡的租金"。

巴特曼在签约后数日离开,两个月后另一位先驱J.福克纳率领一批人在亚拉河两岸定居。对于究竟巴特曼和福克纳谁应视为墨尔本的创建者,曾有很大争论。两人似均有此声誉,但如果创建者一词应包括扩展和巩固殖民地的意思,则荣誉应归于福克纳。巴特曼所签条约未被新南威尔士总督批准,他于签约后不到4年死去,年仅38岁;他的财务混乱,对他的遗嘱也引起旷日持久的诉讼,致使他创造的产业遭到破坏。福克纳活到76岁,1869年卒于墨尔本,生平从事有益事业,创办数家旅馆、1份报纸、1家书店,获得大面积土地,担任立法议会议员18年。

墨尔本与澳大利亚其他州府不同,它不是由官方,而是由个人企业创建的。巴特曼、福克纳等人于1835年建立殖民地后,在悉尼的政府不得不承认这一事实。1836年,菲利普港区第一位行政官员到达,1837年这个新殖民地为纪念英国首相墨尔本勋爵而以他的姓氏命名。墨尔本于1842年成为镇,1847年建市,但到了19世纪50年代初在不到160千米远的本迪戈和巴拉腊特附近发现金矿后才出现了第一个发展的高潮。3年中墨尔本的人口增加了4倍,达到8万人。

城市的发展 墨尔本利用其维多利亚州中心的地位及其海港设施,掌握着这一地区的大部分贸易。1856～1873年间建成通往吉朗、巴拉腊特、本迪戈、伊丘卡和沃东加的铁路;1883年在奥尔伯里建成与新南威尔士铁路系统相连接的路线。1877年成立墨尔本港托拉斯;在亚拉河下游松软的冲积平原打通库德运河,提供了一条不受泥沙淤积问题影响的直接航道。

19世纪70年代,在高关税保护下制造业欣欣向荣,大部分领域继续取得进步,直到1889年发生金融危机,许多企业倒闭,使公众失去信心。随后10年经历了严重经济萧条,起初是海员罢工,一批银行倒闭,而1895～1902年间又连续7年干旱使萧条势所难免。1891年之前的10年,墨尔本的人口增加20万,而接下来的10年仅增加了6 000人。

20世纪初,人们的信心逐渐恢复。澳大利亚成为英联邦国家,1927年迁都堪培拉之前墨尔本一直是联邦首都。两次世界大战促进了制造业的发展,1945年后,欧洲移民开始大批涌入。

1971年后,由于移民减少,墨尔本的发展速度降低,整个70年代和80年代初经济状况恶化。但在此人口增加减慢时期,却发生了一些重大变化。内城面貌改观,旧的建筑物被多层的办公大楼和旅店所替代,公路干线系统明显改善,市郊有若干重要经济区兴起,降低了市中心在零售业和工业方面的重要性。维多利亚艺术中心的建成更使城市的文化生活大为活跃。随着居住人口的增加,墨尔本市中心的复兴在1990年后仍在继续。大规模的港区发展计划将长期以来被人们忽略的港区变成一道壮丽的城市景观。

Melbourne 墨尔本 美国佛罗里达州中部布里瓦德县城市。在大西洋沿岸,临印第安河。1878年英国一位退休教授来此拓居,1887年设镇,1913年设市。1893年通铁路。早期经济以旅游业、养牛业和种植蔬菜、柑橘、唐菖蒲花为主。1950年以后随卡纳维拉尔角航天基地和航天工业的兴起而发展。1958年建立佛罗里达理工学院。1969年墨尔本同帕特里克空军基地附近的欧加利合并。当地有墨尔本更新世动物骨化石层。人口:市71 382;墨尔本-泰特斯维尔-棕榈湾都会统计区476 230(2000)。

Melbourne, University of 墨尔本大学 墨尔本的一所男女合校高等学府,由澳大利亚联邦政府和维多利亚州政府资助。该校是澳大利亚历史最悠久的大学之一,1853年由维多利亚州立法机构创办,最初只开设文科课程,1857年增设法学院,1860年增设工程学院,1862年增设医学院,1895年开办了音乐学院。1904～1924年间,牙医学院、农学院、兽医学院、教育学院、建筑学院和商学院相继成立。1881年该校的文理科开始招收女生,1887年医学院开始招收女生。第二次世界大战后,该校迅速扩大。20世纪60年代成立了核科学和核工程研究委员会及应用经济研究所,并新设了印度、印度尼西亚和马来亚研究项目。

Melbourne (of Kilmore), William Lamb, 2nd Viscount 梅尔本子爵(第二)(1779-03-15,伦敦～1848-11-24,英格兰赫特福德郡哈特菲尔德附近布罗克特) 英国首相(1834,1835～1841),维多利亚女王的密友和主要政治顾问。虽为辉格党人,但本质上属于保守派。他不相信政治能使世界变好,因此更偏爱文学和神学。1804年取得律师资格。1806年进入下院。1827～1828年任爱尔兰事务大臣。1829年继承子爵爵位。1830～1834年任内务大臣,1834年任首相,不久即被英王威廉四世撤职。但因R.皮尔爵士的保守党未能在议会中获得多数席位,他再度组阁。维多利亚登基后,他一度成为女王的私人秘书。1839年在"宫廷内侍问题"的危机中辞职,但很快复职。1841年保守党在大选中获胜后再度辞职。

Melchiades, SAINT(pope) 参阅 **Miltiades, Saint** 米尔提亚德斯,圣。

Melchior, Johann Peter 梅尔希奥(1742-10-12,贝格杜塞尔多夫附近林多夫～1825-06-13,巴伐利亚宁芬堡) 德国陶瓷雕刻家,在与赫希斯特大德国瓷厂有关的艺术家中颇有名望。童年时对素描、绘画和雕刻感兴趣,一个亲戚送他到杜塞尔多夫的一个雕刻家那里当学徒。后声名大著,任赫希斯特工厂模型师(1767～1779)。梅尔希奥的最佳作品一般被认为具有从洛可可式向新古典主义过渡的风格。其富有感情的优美作品有:宗教组雕、田园风光、神话人物和生气勃勃的儿童像等。后期作品加强了新古典主义格调,减少了感情色彩。其主要作品为刻于素瓷(仿大理石、无釉)上的人物浮雕。

Melchite 麦尔基派 又拼Melkite。叙利亚和埃及的一派基督教徒。他们承认451年卡尔西顿会议的决议,相信基督有神人二性。他们的教义主张与拜占廷皇帝一致,因此,反对卡尔西顿会议而认为基督只有一性的人们讥讽他们为麦尔基派(古叙利亚语意为拥王派)。此词原仅指埃及基督教徒,后来泛指中东教会中一切拥护卡尔西顿会议的人们,最后其贬义丧失,成为亚历山大、耶路撒冷,尤其是安提阿等牧首座所辖管的一些信徒的称呼。麦尔基派信徒主要是希腊移民和阿拉伯化的埃及与叙利亚居民。该派采用拜占廷礼仪,因而于1054年随君士坦丁堡牧首塞鲁拉里乌斯与罗马教廷决裂。其后几个世纪许多安提阿牧首都试图要与罗马教廷重新联合,于是出现了少数麦尔基派天主教徒。最后于1724年实现联合。反对与罗马教廷联合的正教派推选西尔维斯特作牧首,获得奥斯曼帝国政府的法律承认,享有自主权。约100年后,经过许多迫害和同耶稣会及黎巴嫩马龙派的教义争执,天主教麦尔基派也自土耳其奥斯曼帝国获得了自主地位,因而得以正常地活动和发展。天主教麦尔基派礼拜遵循拜占廷礼仪而用通俗阿拉伯语,其信徒约有25万,另有15万在海外,主要是在巴西、阿根廷、美国和加拿大。

Melchizedek 麦基洗德 《旧约》人物,他的重要意义在于:既是王又是祭司;与耶路撒冷有关;亚伯拉罕尊敬他,向他纳什一税。《旧约》中有这样一段故事:亚伯拉罕的侄子罗得被劫持,亚伯拉罕打败由基大老玛率领的联军,救出罗得(《创世记》14:18～20)。麦基洗德作为陪衬人物出现在这个故事中。亚伯拉罕战胜归来,麦基洗德出来迎接,赠给他饼和酒(有些基督教学者说这预表圣餐,因而天主教弥撒经里有他的名字[默基瑟德]),并且奉"至高的神"之名为他祝福。亚伯拉罕为了回报他,把战利品的十分之一献给他。"麦基洗德"是迦南人的传统的人名之一,意为"我的王是洗德"或"我的王是正义"。麦基洗德是撒冷之王,这"撒冷"很可能就是耶路撒冷。亚伯拉罕竟然承认迦南祭司-王的权威和合法性,这是不寻常的,在《圣经》中再无他例。这段故事最终定型可能在国王大卫时代,大卫定都于耶路撒冷,命祭司也驻在该地,以此故事为说词。亚伯拉罕向耶路撒冷的祭司-王献什一税,预表亚伯拉罕的后裔向耶路撒冷至圣所中的祭司纳什一税。这段故事也可能反映亚伯拉罕后人利未系祭司与半路归奉雅赫维的撒督系祭司之间的冲突。《诗篇》110篇有句说:"耶和华……说,你是照着麦基洗德的等次永远为祭司”,隐隐间以祭司-王麦基洗德为弥赛亚的原型。据此,《新约·希伯来书》的作者就说:“麦基洗德……是仁义王,他又名撒冷王,就是平安王的意思”(《希伯来书》7:2)。这样,麦基洗德就预表基督——仁义之王、和平之王。

Melchizedek priesthood 麦基洗德祭司 摩门教会(耶稣基督后期圣徒教会)的两级祭司中较高的一级,主要负责灵性事务,不多管世俗事务。参阅 **Mormon**。

Melcombe, George Bubb Dodington, 1st Baron 梅尔库姆男爵(第一) 参阅 **Dodington, George Bubb** 多丁顿。

Meleager 墨勒阿革 又译墨勒阿革洛斯。希腊神话中狩猎卡利敦野猪的领袖。荷马史诗《伊利亚特》叙述他的父亲卡利敦国王俄纽斯(**Oeneus**)忘记向阿耳忒弥斯神祭献,阿

美国不列颠百科全书公司供图

耳忒弥斯就派一头野猪蹂躏该国。墨勒阿革集合了一队英雄把它赶跑,最后又亲自把它杀死。卡利敦人和枯瑞忒斯人(帮助围猎的邻地武士)为战利品而争吵,他们之间又发生了战争。枯瑞忒斯人围攻卡利敦,快要攻克围攻地点时,被墨勒阿革挫败。《伊利亚特》并没有描述墨勒阿革的死亡,而只是说他死在特洛伊战争之前。另一种说法是,墨勒阿革的母亲阿尔泰亚导致了他的死亡,因为她把同他有相同生命期限的一段木头烧掉了。墨勒阿革是欧里庇得斯《墨勒阿革》一剧的主人公,但此剧只有片断存留下来。

Meleager 墨勒阿格 (活动时期公元前1世纪) 又译墨勒阿革洛斯。希腊诗人。生于叙利亚的加大拉。他编有第一部大型警句诗集,它是组成《希腊诗选》(**Greek Anthology**)的若干诗集中的第一种。收有 50 个作者和他本人写的许多诗作。在序诗中他把每个作者比作一种花,全体诗人被喻为花环。他本人写的诗并不特别高明,但公认为结构简洁,色情题材处理手法巧妙。他住在推罗,老年时则在爱琴海上的科斯岛。

mêlée 混战球戏 又拼 mellay。流行于古代和中世纪的一种游戏,现代足球的前身。球圆形或椭圆形,一般用充气的动物膀胱制成。踢球、以拳击球、带球或射门皆可。来源不详,但根据英国一种传统说法,最早是用丹麦敌人的头当作球来踢。参加游戏的人数不限,也没什么规则,常常变得很粗野。

melegueta pepper (*Aframomum melegueta*) 参阅 **grains of paradise** 天国谷粒。

Melekess (Russia) **梅列克斯** 参阅 **Dimitrovgrad** 季米特洛夫格勒。

Meléndez Valdés, Juan 梅伦德斯·巴尔德斯(1754-03-11,西班牙里贝拉-德弗雷斯诺～1817-05-24,法国蒙彼利埃) 西班牙诗人、政治家、西班牙新古典主义时期的代表诗人。以用高尚趣味写成的肉感的、往往充满情欲的诗歌而闻名。曾在萨拉曼卡大学攻读法律和古典文学,1778 年任该校教授。1808 年法国军队入侵西班牙时,他几乎以叛国罪被西班牙军队枪决,但得以脱逃,成为拿破仑政府主管公众教育的官员。法国人撤退时,他逃离西班牙,在法国死于贫困。他的诗歌博采众长,深受法国、意大利以及古典诗人的影响。作为一个把伤感情调的崇拜引进西班牙的浪漫主义先驱,他也保持了罗曼采罗(一种戏剧性叙事歌谣)的传统。

Meletios Pegas 梅勒提奥斯·佩加斯(1549,克里特干地亚[伊拉克利翁]～1601-09-14,亚历山大) 希腊正教亚历山大牧首。1575 年以后不久即在亚历山大和君士坦丁堡西牧首公署中供职,1590 年任亚历山大牧首。他极力反对居住在波兰属立陶宛境内的乌克兰和白俄罗斯正教会同天主教会进行谈判,反对 1596 年成立的布列斯特-立陶夫斯克联合,因为这种联合使他们受罗马教廷的管辖。他在致波兰国王西格蒙德三世的信中驳斥教皇至高之说,反对东西两派教会联合。著有杂文多种,从神学角度陈述本人对教会的观点。1596 年撰写教义论辩文,驳斥天主教关于圣父、圣子、圣灵相互关系的教义。1593 年他针对犹太人发表文章,为基督教信仰辩护。

Meletius of Antioch, Saint 梅勒蒂乌斯(安提阿的),圣(?～381,君士坦丁堡) 基督教安提阿主教。358 年任塞巴斯蒂主教。360 年被选为安提阿主教,因为当时该教会厌倦于关于阿里乌主义的争论,希望选择温和而不偏不倚的主教。阿里乌派皇帝君士坦提乌斯二世不满梅勒蒂乌斯的观点,360 年将他流放。他离开安提阿以后,阿里乌分子被任命为主教,也形成了一个支持他的正统派。364 年信奉阿里乌主义的东罗马帝国皇帝瓦伦斯即位,将反对阿里乌派的人一律放逐。378 年正统神学派信徒格拉蒂安登位为全罗马皇帝,379 年封同派信徒狄奥多西为东罗马皇帝,包括梅勒蒂乌斯在内的被流放的反阿里乌派主教返回自己的教区。381 年梅勒蒂乌斯主持君士坦丁堡会议,接受《尼西亚信经》,结束罗马帝国的阿里乌主义,但安提阿教会在 20 年后才消除分裂状态。

Meletius of Lycopolis 梅勒蒂乌斯(利科波利斯的)(活动时期 4 世纪初) 上埃及地区底比斯城附近利科波利斯基督教主教。东罗马皇帝戴克里先在 284 ～ 305 年迫害基督教时,一些教会丧失神职人员,梅勒蒂乌斯擅自任命主教等人员,为此约在 306 年被亚历山大主教彼得免职。彼得曾在大迫害中逃往他处,梅勒蒂乌斯便指责他抛弃信众,还抨击彼得对在迫害中背弃信仰的教徒过于宽大,因而被人责为挑拨离间。308 年东罗马皇帝加莱里乌斯和马克西米努斯再次迫害基督教,他被押往巴勒斯坦采矿。311 年返回埃及,又被彼得处以绝罚。325 年尼西亚会议对两派的争端作出裁决,对梅勒蒂乌斯的管辖权加以限制。328 年亚大纳西继任亚历山大主教,梅勒蒂乌斯同阿里乌派与一部分科普特派成员联合,自称为“殉教者教会”,别立门户,成立新的虔修派别。该派大约到 8 世纪才绝迹。

Melfi 梅尔菲 南意大利巴西利卡塔区波坦察省的城镇和主教区。建于古罗马时期,先后属于拜占廷和诺曼人。曾为神圣罗马帝国皇帝腓特烈二世喜爱的住地,后衰落。1861 年归属意大利。曾几次遭受地震破坏,1851 年后重建。现保存有一些重要的古迹,包括带钟楼的罗马式大教堂(1153;1281 重建)和 13 世纪诺曼人城堡。为农业、林业和旅游业的重要中心,出产谷类、橄榄油、酒和水果,特别是苹果。人口:城市区约 15 751(1991)。

Meliaceae 楝科 芸香目的一科。50属,乔木或灌木,原产热带及亚热带。多为羽状复叶,形大;花穗多分枝;果为鲜艳的肉质果或革质蒴果。楝树(*Melia azedarach*)是原产于

楝树(*Melia azedarach*)
美国不列颠百科全书公司供图

亚洲的观赏树种,在热带及暖温带的许多地区广为栽培,果圆形,黄色。桃花心木属(*Swietenia*)的种类及 *Entando phragma* 等树木通常称为桃花心木,和香椿属(*Cedrela*,特别是烟盒香椿[*C. odorata*])一样都是经济价值很高的重要材用树。

Méliès, Georges 梅里爱(1861-12-08,巴黎～1938-01-21,巴黎) 法国早期电影实验家,第一个拍摄故事片的人。当吕米埃兄弟

拍摄的第一批正式影片 1895 年在巴黎放映时，他是一位魔术家和一家剧场的经理。那些影片只是从真实生活里拍下的一些片断，新奇之处是能活动。但他却立即从中看到未

美国不列颠百科全书公司供图

来的前景。他弄来一架摄影机，在巴黎附近盖了一个玻璃摄影棚；亲自写剧本，设计布景，并且使用演员拍摄故事影片。他以魔术家的直觉，发现并开拓摄影的基本特技：停机再拍、慢动作、溶暗、淡出、叠印和两次曝光。从 1899 年到 1912 年，梅里爱共摄制 400 多部影片，大显奇迹：就在观众眼前把人切成两半，使人消失不见，或者变成禽兽。这些影片有《克娄巴特拉》(1899)、《基督在水上漫步》(1899)、《月球旅行》(1902)、《不可能的旅行》(1904)和《哈姆雷特》(1908)。他还在摄影棚内重拍新闻事件，是为早期的新闻片。但他还没有想到用移动摄影机去拍摄特写镜头或远景镜头。

melilite　黄长石　由含铝和镁的硅酸钙组成的硅酸盐类矿物系列之任一成员；铝黄长石是这一系列中含铝的端员，镁黄长石是含镁的端员。这些矿物从富含钙的碱性岩浆中结晶出来，也可以从许多人工熔浆和高炉熔渣中结晶出来，它们产于接触带上热变质的石灰岩中，也产于受基性岩浆蚀变成似长石质岩石的不纯的碳酸盐岩石中。关于化学式和详细的物理性质。

Melilla　梅利利亚　西班牙一块飞地的主要城镇。在摩洛哥北部地中海沿岸，三叉角以南 16 千米处，地理上与摩洛哥相接，但为西班牙领土，行政上属西班牙马拉加省。面积 14 平方千米。原名鲁萨第尔，曾先后为古腓尼基人、希腊人和罗马人占据。1497 年成为柏柏尔人城镇，归属西班牙。此后虽曾长期遭受围攻，但一直属西班牙所有。1909 年左右西班牙获得了毗邻地区以后，使梅利利亚港口现代化，将该镇变为西班牙在摩洛哥的驻军基地和行政管理中心。1921 年里夫战争期间，摩洛哥部落在阿卜杜勒·克里姆率领下几乎攻占该镇。1936 年 7 月梅利利亚在西班牙城镇中率先起来反对人民阵线政府把西班牙抛入内战。1956 年摩洛哥获得独立，但梅利利亚仍为西班牙的飞地。梅利利亚港建在一个多岩半岛的东海岸，伸入海洋约 40 千米。现代城区在大陆上向南和向西发展，城墙围绕的老城介于港口与新区之间。由火车从邻近的摩洛哥内地运来的铁矿砂从此港口出口。梅利利亚亦是西班牙重要的军事基地。该飞地有 2/3 的人信仰罗马天主教。其余的人多信仰伊斯兰教。人口约56 497(1991)。

Melilla, War of　梅利利亚战争(1919 ～ 1926)　参阅 **Rif War** 里夫战争。

Méline, Félix-Jules　梅利纳(1838-05-20，法国勒米尔蒙～ 1925-12-20，巴黎)　法国政治家和总理(1896 ～ 1898)。1872 年选入国民议会，1876 年任司法部副部长时，又重新当选。1883 ～ 1885 年任农业部长，1888 ～ 1889 年任众议院议长。他是民族主义冒险家乔治·布朗热将军的最激烈的反对者之一。他要求保护法国工业，在起草 1890 ～ 1902 年的保护性立法中起了主要作用，因此，这一立法有时被称为"梅利纳关税法"。1896 ～ 1898 年任总理兼农业部长时，拒绝重审有争议的德雷福斯案件。他努力建立一个由温和共和派和保守派组成的联盟，以反对众议院中的左派政党。1903 年选入参议院，1915 ～ 1916 年再次任农业部长。

melioidosis　类鼻疽　由假单胞菌属假鼻疽杆菌引起的人、畜细菌性传染病。人的类鼻疽是因为损伤的皮肤直接接触到受污染的水源、土壤等，而非源于受感染的动物；吸入也是可能的感染途径之一。类鼻疽一词源于希腊语，原意是一种"类似驴温热的病"。本病主要分布在东南亚一带；可呈急性过程，亦可为慢性过程。急性类鼻疽重可致命，主要症状有发热、寒战、咳嗽、血性脓痰、腹泻、腹痛等。这些症状大都源于化脓性肺部感染，其他主要体征还有黄疸、肝、脾肿大等。慢性类鼻疽可自急性迁延而来，亦可有原发慢性者；多合并有骨炎、淋巴结炎、皮下、肺内和(或)腹腔脏器脓肿。本病之确诊有赖于从痰、血、尿、脓液中查出病原菌。治疗用磺胺类药物和抗生素有效，有时须佐以脓肿手术引流。

Melissus OF SAMOS　墨利索斯(萨摩斯的)(活动时期公元前 5 世纪)　希腊哲学家。爱利亚哲学学派最后一位著名人物。此学派拥护巴门尼德学说，即把实在看作单一的、不变的整体。尽管他拥护巴门尼德学说，但与巴门尼德仍有所不同：他认为实在在空间上是无限的，在时间上也是无限的(有过去和现在)。他曾是萨摩斯舰队的统帅，这支舰队曾在公元前 441 或前 440 年战胜雅典人。

Melito OF SARDIS　美利托(萨迪斯的)(活动时期 2 世纪)　希腊境内吕底亚地区(在今土耳其)萨迪斯城基督教主教。他所著关于复活节的论文《主的受难》于最近发现，由此文可见，他是早期基督教重要代言人之一。据 4 世纪该撒利亚史学家优西比乌斯的编年史载，美利托的身份是主教，他曾向罗马皇帝马可·奥勒利乌斯提出论文，建议以基督教为罗马帝国国教。优西比乌斯记录了美利托的 20 种著作，都是希腊文。在这些著作中，只有《主的受难》基本上保存完整，其他仅存残片。《主的受难》的莎草纸抄本发现后于 1940 年初次出版，1960 年全文出版。此文以高超的修辞手法对比而论永恒与时间、基督的神性与人性、犹太人与基督教会。

Melitopol　梅利托波尔　又拼 Melitopol'。乌克兰扎波罗热州城市。位于莫洛奇纳亚河畔。18 世纪末建居民点新亚历山德罗夫卡。1841 年成为梅利托波尔市。它是主要水果产区的中心。有机械制造厂和轻工业。人口约 178 000(1993)。

Melk　梅尔克　奥地利东北部下奥地利州城镇。位于多瑙河与梅尔克河汇合处。在圣珀尔滕以西。中世纪时德国史诗《尼伯龙根之歌》中称为梅德利克。976 ～ 1101 年为奥地利的巴奔堡统治者居住的城堡。1111年城

梅尔克镇的本笃会大隐修院
美国不列颠百科全书公司供图

堡及其周围土地属于梅尔克的本笃会大隐修院(1089 建立)。隐修院大多数富丽堂皇的巴罗克式建筑物是在 1702 ～ 1736 年间重建的。城内还有一座晚期哥特式的教区教堂和一些有名的文艺复兴时期建筑物。当地以产葡萄酒闻名。人口 5 139(1991)。

Melkart (god)　参阅 **Melqart** 麦勒卡特。

Melkite (Christianity)　参阅 **Melchite** 麦尔基派。

mellay (game)　参阅 **mêlée** 混战球戏。

mellee (Australian scrubland vegetation)　参阅 **mallee** 桉树矮林。

Mellencamp, John　梅林坎普(1951-10-07，美国印第安纳西摩～　　)　美国歌唱家和歌曲作家。以创作具有民间气息的硬摇滚乐闻名。在 20 世纪 80 年代颇为知名。青少年时代就在摇滚乐队演唱，70 年代后期曾有两张专辑，但已散失，1979 年末以单曲《我需要一个爱人》一炮打响，后来的两首歌曲《伤害至深》和《杰克和丹妮》又引起更大轰动，1982 年的新专辑《美国傻瓜》使他成为明星。尽管批评家认为其舞台表演缺乏幽默，但不久他就成为一个成熟的歌曲作家。在极其紧凑的乐队衬托下，他的抒情歌词更具有感染力，曲调更具有动人的魅力。《稻草人》(1985)和《孤独的欢庆》(1987)在艺术上和商业上都达到前所未有的高度。基于 R.里根总统任职期间对美国中西部的影响，他创作了名曲《小城》、《美国摇滚》和《樱桃弹》。后来推出的一系列专辑，在商业上和评论界都相当成功，但

已不如以前的作品受欢迎。1985年赞助举办帮助美国贫困农民的第一届助农音乐会，他在此类事业上一直十分活跃。

Mellitus OF CANTERBURY, SAINT **梅利特斯（坎特伯雷的），圣**（?～624-04-24，肯特坎特伯雷[英格兰]） 基督教第一任伦敦主教，第三任坎特伯雷大主教（619～924）。601年奉教皇格列高利一世派遣前往英格兰协助坎特伯雷大主教奥古斯丁向撒克逊人传教。约604年受神职任主教，奉命往东撒克逊王国传教。国王撒伯赫特在他主持下受洗，但其众子则拒绝入教。撒伯赫特死后，梅利特斯继续传教，据说因他不许不信教的诸王子参加圣餐礼而被放逐到高卢。不久被坎特伯雷大主教劳伦蒂乌斯召回，619年继承劳伦蒂乌斯之职。

mellohorn（musical instrument） 参阅 **mellophone 美乐号**。

Mellon, Andrew W. 梅隆（1855-03-24，美国宾夕法尼亚州匹兹堡～1937-08-26，纽约州南安普敦） 美国金融家、慈善家、财政部长（1921～1932）。他在20世纪20年代改革了美国政府的税收制度。由于他的捐赠，首都

美国不列颠百科全书公司供图

华盛顿才得以建立国立美术馆。在西方大学（现在的匹兹堡大学）毕业后，他就在其父的银行任职；他非常能干，其父1882年便将银行转交给他经营。在随后的30年间，梅隆利用向匹兹堡的各公司提供资金以开发铝、钢、石油、煤、焦炭、合成磨料之类领域而建起一个金融-实业帝国。梅隆对新技术及可望成功的商号和企业家独具慧眼、有敏锐的判断力，使他能够帮助建立美国铝公司和海湾石油公司。他同H.C.弗里克联手，帮助建立了联合钢铁公司；他们还是联合信托公司的主要组织者。1921年梅隆被W.G.哈定总统任命为财政部长。由于第一次世界大战的开支，1920年美国国债达240亿美元。在讨论中，梅隆认为：继续实行很高的战时税率会抑制经济发展，减少国库收入。主要由于他的努力，国会才废除了超额利润税，并逐步降低所得税率，到1926年最高附加税的税率已从原来的50%降低到20%。后来税率又进一步降低。到1928年6月底国债已下降到176亿多美元。梅隆的政策帮助促进了20年代的美国经济繁荣，他继续在C.柯立芝和H.胡佛二位总统的政府中任财政部长。然而，继1929年大萧条开始后，他的威信下降；1932年他拒绝担任美国驻英国大使一年而辞职。梅隆是美国第一流的艺术品收藏家，1937年他将价值2 500万美元的艺术收藏品交给美国政府。他还捐赠1 500万美元建起国立美术馆（1941年开馆）陈列他的赠品。

Mellon Bank 梅隆银行 美国主要的地区性银行，创于1869年，现在是**梅隆国民公司**（Mellon National Corporation；持股公司）的主要附属银行。

Mellon National Corporation 梅隆国民公司 美国的银行持股公司，所属主要机构梅隆银行为美国最大的地区性银行之一。总公司在匹兹堡。1869年，爱尔兰出生的T.梅隆（1813～1908）创建T.梅隆父子银行。1874年一子安德鲁（1855～1937）加入该行工作，他非常能干，1882年老梅隆便将银行转交给他经营。安德鲁（后几度出任美国政府财政部长）依靠该行的金融力量，协助创建了匹兹堡的若干大型工业企业，如美国铝公司和海湾石油公司。1902年该行改组成梅隆国民银行，并成为安德鲁的联合信托公司的子公司。1946年梅隆国民银行与联合信托公司完全合并，易名为梅隆国民银行及信托公司。持股公司于1971年成立，1984年取名为梅隆银行公司。自20世纪60年代起，梅隆银行公司率先在银行交易上应用先进的数字处理技术。80年代一开始，该公司便从事多样化经营，进入金融服务。1982年梅隆银行公司收购了费城一家大银行持股公司吉拉德公司，1985年又与位于宾夕法尼亚州哈里斯堡的金融业务公司联邦国民金融公司（Commonwealth National Financial Corporation）合并。梅隆银行1993年收购了投资和金融管理公司波士顿公司并于1994年收购了一家大共同基金经纪商德雷福斯公司。

mellophone 美乐号 又作 ballad horn，concert horn，mellohorn 或 tenor cor。一种铜管乐器，盘绕型，常用在行军的军乐队中代替圆号，为E♭或F调乐器。音域从中央C下面的第二个A或B到中央C上面的第二个E♭或F，是从管弦乐队的圆号派生出来的。它是一种圆形的次中音号（中音号），通常为右手操纵，形似圆号。

Melo 梅洛 乌拉圭东北部塞罗拉尔戈省省会。1795年建立。当时为西班牙对付走私者、劫匪和葡萄牙入侵军的军事据点。为羊毛、皮革、纺织品、肉类、酒和乳品集散中心。通公路、铁路和航空线。保存有殖民时代风格，但城市已现代化。该城著名人物有诗人伊瓦尔沃罗，常以梅洛作为她写的诗的背景地。蒙得维的亚至巴西的8号公路经此。人口约38 260（1975）。

Melo, Francisco Manuel de 梅洛（1608-11-23，里斯本～1666-10-13，里斯本附近阿尔坎塔拉） 葡萄牙军人、外交家和宫廷官员，以诗人、德育家、历史学家以及西班牙和葡萄牙语言文学评论家而享有盛名。出身于贵族家庭。曾在耶稣会学校学习古典文学和数学，后投身军界。当时葡萄牙尚处在西班牙统治下，他去马德里宫廷，结识西班牙著名讽刺作家克维多-比列加斯。加泰罗尼亚叛乱发生时，任皇家军队司令官的参谋长。这次经历使他写成《加泰罗尼亚战争史》（1645）。葡萄牙独立后，梅洛为葡萄牙新王朝服务，到荷兰去装备一支葡萄牙舰队，1641年10月率舰队安全返抵里斯本。1644年11月19日被囚禁或受监视达11年之久，原因至今不明。1655年，流放巴西3年，从事写作和食糖贸易。囚禁期间他不断写作，完成了加泰罗尼亚战争史的撰写工作并于1649年出版一些诗作，以及《夫妻生活指南》（1650）。本人从未结过婚。1664年出版《家信》，包括500封信，大多是写给克维多的，叙述他在狱中的经历和思想。1665年出版《韵文集》，包括西班牙文诗歌，以及葡萄牙文十四行诗和诗体信札，以有力、真诚和形式完美著称。

melodeon 美国式簧风琴 又拼 melodium，又作 American organ。由风使活动簧片振动而发声的键盘乐器，是簧风琴的美国式变体。与一般簧风琴有两个主要区别。它的脚踏风箱是吸入空气引动簧片而不是把空气压出去；并且簧片和共鸣箱的大小和形状也有特点，使整个音域力度更加均匀。发声比簧风琴迟缓，但更像管风琴，音质比较柔和。

mélodie 法国艺术歌曲 19及20世纪有伴奏的法国歌曲。它按德国艺术歌曲（利德）的模式，为严肃抒情诗谱写带有钢琴伴奏的独唱歌曲，并将诗与音乐结合成一个完整的统一体。mélodie一词19世纪20年代用于流行的舒伯特歌曲法语译本和改编本。柏辽兹是第一位用这种形式创作的主要作曲家。它摆脱了早期法国浪漫曲的严格分节歌形式和主要是轻松的情绪。另外一些第一流作曲家意识到法语诗歌的多样性和音乐性，又受到魏尔兰和波德莱尔诗篇的启示，将这种艺术歌曲塑造成典型的法国歌曲传统。梅耶尔、李斯特、古诺、比才、马斯内、圣-桑、拉罗和弗兰克都对这种歌曲的发展做出了贡献，虽然就弗兰克而言，他在这一领域中的重要作用更多的表现在教学上。弗兰克的学生H.迪帕克在1868～1877年创作的16首歌曲是法国音乐中最重要和受欢迎的一种风格的基础。大约同时，福莱也开始创作歌曲，其中有不少成为声乐套曲，并都有法国文学艺术的典型特色。福莱的创作对拉威尔这一代青年人影响很大，表明法国艺术歌曲正在果断地脱离德国艺术歌曲的形式，并出现了法国印象派风格的萌芽。德彪西在1897年写的《比利第斯之歌》是法国印象派风格的突出代表作。拉威尔及鲁塞尔的歌曲仿效了这种风格，但20世纪后期的作曲家的声乐作品则反映了当代艺术家和作家对各种形式的浪漫派及印象派的背离。这时经常运用新古典派、爵士乐、杂耍剧场音乐及其他所谓流行的风格。第一次世界大战后在巴黎形成的“六人团”中的两位成员普朗克和米约都对法国艺术歌曲的发展做了重要贡献。近年来法国艺术歌曲的性质变得更为模糊折衷，创作手法也由12音技巧演变为无主旋律性的序列主义。

melodrama 情节剧 西方感伤戏剧的一种，情节虚构，大都表现善恶斗争，结局通常惩恶扬善，皆大欢喜。常见的情节剧中的主要角色有英雄的男主角、长期忍受苦难的女主角和冷酷无情的反面人物。情节剧不着重刻画人物的成长过程，而追求耸人听闻的奇异情节和壮丽场面。角色的说白有音乐伴奏。一般认为情节剧的舞台演出起源于法国，到19世纪初情节剧已扩散到整个欧洲剧坛。在19世纪，情节剧中的配乐和唱歌被逐渐取消。由于技术的发展，真实的戏剧效果得以实现，因此就格外强调演出中的壮观景象，例如暴风雪、船只失事、战争、火车遇难、大火灾、地震和赛马。在美国和英格兰流行的情节剧中，众所周知的典型代表是《混血儿》(1859)和《爱尔兰女子鲍恩》(1860)，两剧均由鲍西考尔特主演。最为轰动的是《纽约的贫民》(1857)、《伦敦的夜晚》(1844)和《煤气灯下》(1867)。20世纪初，由于不断增加牵强附会的情节，舞台演出的情节剧不再受欢迎。但直到有声电影出现之前，用情节剧拍摄的惊险电影系列片仍属生动活泼的形式。其夸张的姿势、戏剧性的追逐、激动人心的场面、简洁单纯的角色和虚构的情节后来都被模仿和重新演出。情节剧构成了当代电视剧的精彩内容。

melody 旋律 在音乐中，指根据美学要求而产生的从一个音高进入另一音高的有节奏的特定连续进行。19世纪末，西方音乐把旋律当作一组和声的表层来对待。和弦的最高音成了旋律音；和弦的选择取决于色彩和相互关系间的方向感，同时还要使顶层声音按需要顺序排列。这样，从任何旋律都可以推断出它的和弦基础。因此，高明的吉他手通过内心分析即能为旋律配和弦。但旋律比和声要古老得多。单旋律早就高度发达，比如在中世纪欧洲和拜占廷素歌、法国南北方的行吟诗人和游吟诗人的旋律、印度和阿拉伯音乐的拉加和莫卡姆(旋律型)中。把几支旋律同时结合起来叫复调音乐，同时演奏一支旋律的变体称为支声音乐；把旋律与和弦结合起来称主调音乐。一条旋律线归纳起来有如下特点：①它有轮廓，即上升、下行、成拱形、波状，或以任何特点进行的总的线条。旋律的运动可以是不相连的跃进，也可以是毗连的级进；其进行有助于轮廓的形成。②旋律还有音域，它只能在人类能觉察的整个音高范围内占一段位置。有的原始旋律的音域为两个音；莫扎特《C小调弥撒曲》(K427)的《慈悲经》中的女高音独唱的音域为两个八度。③它有一个音阶。在音乐高度发展的文化中，音阶被正式确认为音的体系，而旋律就是从这些音构成的。而且，旋律发生在音阶的概念之前。作曲家和即兴演奏者从许多旋律资源中汲取素材：①一个主题就是一条旋律，它本身不一定是完整的，但作为一个丰满的乐句可以被辨认出来；②音型或动机在奏鸣曲的"展开部"中被组成新的旋律；③在模进中，一个音型或一组和弦在不同的音高上得到重复；④装饰音可用以修饰旋律。有些音乐体系具有复杂的公式化结构，称为调式或旋律类型，旋律即据以构成。

melon 甜瓜 又称香瓜。所有甜瓜(*Cucumis melo*)品种的统称。葫芦科蔓性藤本，由于果可食且常具麝香气味而被栽培。是不耐霜寒的一年生植物，原产于亚洲中部，在全世界各温暖地区有许多栽培品种。茎柔软，多毛，蔓生；叶大，圆形或有瓣裂；花黄色，直径约2.5厘米。各栽培品种的果实，在大小、形状、表面质地及果肉的色味上有很大的差别，重1～4千克不等。栽培的甜瓜可分为7类：网纹甜瓜(醉瓜)类包括小香瓜与波斯甜瓜，瓜皮具网状罗纹，果肉香甜，橙色。硬皮甜瓜(粗皮甜瓜)类，俗称坎塔卢波甜瓜，因产于亚洲西南部的原种很早便被引进罗马附近的坎塔卢波栽植，故名；特征是瓜皮粗糙多疣，果肉香甜，橙色。光皮甜瓜(冬甜瓜)类包括蜜瓜与卡萨巴甜瓜，果大型，瓜皮光滑，果肉微香，呈浅绿到白色。菜瓜类又称蛇瓜，果实直径达7厘米，长达1米，果肉稍酸如黄瓜。越瓜类又称梢瓜、东方酱瓜，果肉略呈绿色，既无麝香味也没有甜味。芒果瓜类果实的大小形状与柠檬或橘相仿，果肉白色，味似黄瓜。石榴瓜类有时称为臭甜瓜，特征为果实大如橘，有很浓的香气，可供观赏。硬皮甜瓜在欧洲常有商业性栽培。美国所售"坎塔卢波甜瓜"通常包括好几类甜瓜，特别是网纹甜瓜类。北美洲常见的尾食甜瓜为网纹甜瓜与冬甜瓜。芒果瓜、越瓜和蛇瓜可栽培作蜜饯和腌菜。石榴瓜因果实有观赏价值和香气而被栽培，但只在少数地方才有商业重要性。硬皮甜瓜和网纹甜瓜于发出香甜果实气味时成熟，熟时果实与蒂连接处很容易"脱落"。蜜瓜与冬甜瓜于果实变黄时成熟，熟时可从蔓藤上割下；其所以称为冬甜瓜类就是因为成熟得晚，而且果实可贮藏数周慢慢软化，但不显著变甜。类似甜瓜的植物包括西瓜(**watermelon**)、冬瓜(**wax gourd**)、番木瓜(**papaya**)以及果实紫色，果肉黄色有香味，原产于南美安第斯山脉的茄瓜(*Solanum muricatum*)。

melon cactus 甜瓜掌 仙人掌科甜瓜掌属(*Melocactus*)植物，约36种，原产于西印度群岛、中美及南美热带。大小及形状似甜瓜，故名。其特点是植株达到一定年龄时在顶部长

甜瓜掌属(*Melocactus*)植物
美国不列颠百科全书公司供图

出由绵毛和刚毛组成的花座，俗称"土耳其帽"，花座形状因种而异。花从花座中长出，只看得见花顶部，胭脂红色到粉红色，果实粉红色。产于牙买加的普通甜瓜掌(*M. communis*)高达1米，直径30厘米。

Meloney, Marie Mattingly 梅隆内(1878-12-08，美国肯塔基巴兹敦～1943-06-23，纽约波灵) 美国新闻记者和编辑，曾在数家著名期刊担任编辑，以积极关注公共服务和公开交流思想及信息著称。母亲曾任《肯塔基杂志》编辑及在华盛顿哥伦比亚特区女子学院任教，她自幼即在家受母亲教育。早年有志成为专业钢琴家，因意外致残，雄心未得实现。1895年去《华盛顿邮报》任记者。以不同政治人物的系列特写赢得《丹佛(科罗拉多州)邮报》华盛顿分社主任职位，时年仅18岁。1899年11月，因偶然发现杜威海军上将秘密结婚，在新闻界崭露头角。1900年移居纽约市，短期为《世界报》、《先驱报》和《太阳报》(1901～1904)工作，撰写专栏《城里的男人》。1904年6月与《太阳报》编辑W.B.梅隆尼结婚后即居家生活，历时10年。1914年出任《女性杂志》编辑，直至1920年该杂志停刊。1917～1920年还任《人人杂志》的副主编。1921～1926年任《描述》杂志编辑。在她任杂志编辑期间，曾发起过各项活动，包括战后欧洲的救济工作，法国和比利时政府还为此授予她勋章。她还从事癌症研究，并为此募集10万美元于1921年为居里夫人购买1克镭。1926年成为《纽约先驱论坛报》的《星期日》杂志编辑。1930年组织了第一届后来成为每年一届的"《先驱论坛报》时政论坛"，很快吸引世界各地的政治家们来到这一讲坛。1935年成为《本周》杂志编辑，这是《先驱论坛报》出版的试验性星期日杂志，将其与《先驱论坛报》和其他报纸一并在全国发行，发行量最终达到600万份。1942年退休。

melorheostosis 肢骨纹状肥大 罕见的骨科病。表现为骨皮质沿骨的主轴方向增生，状如烛泪。主要症状为疼痛，随即出现僵硬及畸形。通常仅累及一条肢体及与之相邻的盆带或肩胛带骨。该病在儿童期为进行性，但性成熟后停止进展，只后遗跛行。

Meloria 梅洛里亚 意大利中北部托斯卡纳岸外利古里亚海中的岩石小岛。以13世纪在此发生的两次海战闻名。都是比萨和热那亚长久敌对状态的结果。第一次海战(1241)是神圣罗马帝国皇帝腓特烈二世的舰队和比萨的舰队进攻热那亚的海军。第二次海战(1284)中，热那亚海军彻底击败数量占优势的比萨舰队，使比萨海军一蹶不振。

Melos 米洛斯 现代希腊语作Mílos。希腊基克拉泽斯群岛最西南端的主要岛屿之一，位于爱琴海中，面积150.6平方千米。大部地区崎岖不平，原为近期火山。西部的普罗菲蒂斯·伊利亚山(751米)为最高点。该岛因向腓尼基输出黑曜岩，促使其成为早期爱琴海文明的重要中心之一。首府米洛斯在主要港口阿扎马斯北侧。1820年，著名的米洛的维纳斯(阿弗罗狄特)在该岛古卫城阿达曼达附近出土。1896～1899年发掘出古卫城克利马，出土有宫殿、健身房和罗马剧院。已发现最重要的文化遗址是阿波罗尼亚附近的菲拉科皮，该城建于公元前2300～前2000年，公元前2000～前1550年在原址上建立第

二座城市,第三座城市建于迈锡尼时期,代表了基克拉泽斯文明的全盛时期,菲拉科皮约于1100年为来此定居的多里安人所毁。伯罗奔尼撒战争中,由于该岛人民保持中立,雅典人杀死该岛所有男人。剧作家欧里庇得斯为此创作并给雅典同胞演出了其反战剧作《特洛伊妇女》。史学家修昔底德在《米洛斯人对话》中再现了雅典人和米洛斯人在战前谈判中的言谈。在古代,米洛斯出产硫、明矾和黑曜岩矿,商业地位重要。现在,输出膨润土、珍珠岩、瓷土、钡、石膏、磨石和盐,种植橘、橄榄、葡萄、棉花和大麦。人口:镇735;岛4 554(1981)。

Melozzo DA FORLÌ **梅洛佐**(1438,拉韦纳附近弗利～1494-11-08,弗利) 意大利早期文艺复兴翁布里亚画派的画家,15世纪最杰出的湿壁画家之一。1475年左右到罗马,第一件重要作品是为梵蒂冈西克斯图斯四世的教皇图书馆画的壁画(1477年完成)。著名作品

梅洛佐绘《教皇西克斯图斯九世任命梵蒂冈图书馆馆长》
SCALA – Art Resource/美国不列颠百科全书公司供图

有众使徒教堂的《基督升天》壁画(约1480年),画中的人体充分表明他精于透视学与前缩法,以此在同时代画家中享有盛誉。

Melpomene 墨尔波墨涅 希腊宗教中的九位缪斯女神之一,主管悲剧与竖琴演奏。在

在希腊塔纳格拉发现的约公元前300年墨尔波墨涅赤陶像
美国不列颠百科全书公司供图

希腊艺术作品中,她的表征是悲剧面具和赫拉克勒斯之棒。在某些传说中,她同河神阿谢洛奥斯结合后生半鸟半女人的海妖塞壬。

Melqart 麦勒卡特 又拼Melkart。古代腓尼基人所信奉的神,又名提尔巴力。是提尔及其殖民地迦太基和加的尔(今西班牙加的斯)的主神。他有时与巴比伦人所奉执掌阴间和死亡之神勒加尔相当,名马尔库;又可能与沙姆拉角(古称乌加里特)的神灵莫特有关。麦勒卡特之像通常有长须、头戴圆高帽、着短裙,手持象征生命的安克架及象征死亡的有孔斧头。

Melrhir, Chott 迈勒吉尔盐湖 阿尔及利亚东北部湖泊。湖面积随季节而异,通常东西长130千米以上。所在地为从突尼斯的加贝斯湾伸展进入撒哈拉的一连串低地中最西端的一个。盐湖几乎完全处于海平面以下,中心位置附近为阿尔及利亚最低点(海平面下40米)。

Melrose 梅尔罗斯 苏格兰罗克斯巴勒历史郡苏格兰边界政务会辖区小城市。位于特威德河右岸,爱丁堡东南53千米处。7世纪时附近建有高隆班隐修院,公元839年时在苏格兰人和盎格鲁人战争中被焚毁。虽重建,11世纪中叶起即被废弃。1136年建的隐修院又频遭破坏,1545年被英格兰人夷为平地,1822年由苏格兰小说家司各特主持复修,完工后隐修院的所有者巴克勒奇公爵将其赠

梅尔罗斯大教堂遗迹
美国不列颠百科全书公司供图

给国家。司各特本人的故乡就在附近的阿伯茨福德。苏格兰民族领袖罗伯特一世的心脏葬于隐修院圣坛。该镇因有此隐修院而日趋繁荣。自从司各特逝世(1832)后,梅尔罗斯以其文学和历史的联系吸引了许多游客。东郊纽斯特德附近有罗马特里蒙蒂姆要塞。现为农产品市场城镇。人口2 270(1991)。

melting 熔化 参阅 **thermal fusion** 热熔解。

melting point 熔点 纯物质的固态和液态得以平衡共存的温度。对固体加热,温度就要升高,直至到达熔点为止。进一步加热,将使固体转变为液体,而温度保持不变。当所有的固体全都熔化完了后,再加热就将使液体的温度升高。晶态固体的熔化温度是一个特征数值,可用以鉴定纯化合物和元素。大多数混合物和非晶态固体的熔化发生于某一段温度范围内。固体的熔化温度一般认为与相应液体的**凝固点**(**freezing point**)相同;由于液体可以凝结成不同的晶系,又因为杂质能使凝固点降低,所以实际的凝固点可以不同于熔点。因此,在表征某一物质时,以用它的熔点为宜。参阅 **thermal fusion**。

Melton 梅尔顿 英格兰中南部莱斯特历史、行政郡一自治市(区)。面积482平方千米。富庶的牧区,饲养新莱斯特羊和肉牛与乳牛。区首府梅尔顿莫布雷为唯一的重要教区(城镇),有大型牛市,并以所产猪肉馅饼和斯蒂尔顿乳酪闻名。教区内生产针织品和畜类食品。在附近训练军马和军犬。居民喜爱猎狐活动。人口约46 300(1998)。

Melun 默伦 法国北部法兰西岛大区塞纳-马恩省省会、城镇。位于巴黎东南偏南45千米处。像巴黎一样,城镇跨塞纳河两岸,其古老的圣母院教堂建在塞纳河两岔流之间小岛上。教堂建于11世纪。城东北6千米处有17世纪建维克贡德城堡。罗马时代称梅洛迪纳姆。中世纪时曾是法王喜爱的住地。第二次世界大战中曾遭到猛烈轰炸。城镇位于枫丹白露森林北缘,是南部布里农业区的商业中心。每年5月举办商品交易会。工业项目有机械制造、航空和食品加工等。城北侧建起新城镇默伦-塞纳尔。人口34 379(1982)。

Melun-Sénart 默伦-塞纳尔 法国中北部新城镇,位于塞纳-马恩省和埃松省的默伦北面,巴黎东南面,是1965年以来发展的新城镇之一。默伦-塞纳尔集聚区包括默伦、布瓦塞和塞纳河畔利夫里等社区。新城镇埃夫里与之毗邻。人口:大都会区81 732(1982)。

Melville, Andrew 梅尔维尔(1545-08-01,苏格兰安格斯鲍尔多维～1622,法国色当) 苏格兰基督教归正宗学者。1574～1580年任格拉斯哥大学校长,1575年任阿伯丁大学视察员,1580～1606年任爱丁堡圣安德鲁斯大学圣玛丽学院院长。教学中运用在欧洲大陆所学的教育方法。1572年苏格兰新教领袖诺克斯死,1574年梅尔维尔继承他的领导职务,努力反对政府控制教会。1606年他和其他7名牧师被英格兰国王詹姆斯一世召到伦敦帮助消除危机。他们主张再次召开大会,但由于他作诗讥讽,圣公会不断对他施加压力而使他处境不利。他因不愿妥协而被囚禁在伦敦塔4年。获释后不能在本国任职,只好任法兰西色当大学圣经神学教授,在职终生。

Melville, George Wallace 梅尔维尔(1841-07-31,纽约市～1912-03-17,费城) 美国探险家和海军工程师,不幸的德朗北极探险中唯一幸存的小分队负责人。1861年参加美国

美国国会图书馆供图

海军,1879年加入德朗的"吉内特"号为船员。当该船在西伯利亚东北部岸外陷入冰块包围之后,他依靠所学工程技术帮助船只漂浮了几乎两年。船被挤破后,他和小组人员乘小艇和雪橇,经过长期艰苦的旅程,到达西伯利亚海岸,在勒拿河口得到了援助。他后来率领一支探险队在次年春末找到了德朗及其小组的遗物。他在其《勒拿河三角洲上》(1884)一书中简述了此次800千米的艰辛跋涉。以后又任"特提斯"号船的总工程师,于1884年6月援救出格里利的北极探险队的幸存者。1887年任美国海军总工程师,曾为120艘船设计了70万马力以上的发动机,进行了各种工程改革,包括三叶螺旋桨和立式锅炉。1903年以海军少将衔退休,退休前还大规模改组了海军工程部。

Melville (of Melville), Henry Dundas, 1st Viscount, BARON DUNIRA **梅尔维尔子爵(第一)**(1742-04-28,苏格兰中洛锡安阿尼斯顿～1811-05-28,爱丁堡) 又称H.邓达斯,或邓尼拉男爵。英国职业政客。曾在小威廉·皮特政府中任各种内阁职务,并机智地控制苏格兰政治,绰号"哈里九世国王"。爱丁堡大学毕业。1763年成为律师。1775年任苏格兰检察长。此后逐渐放弃法律事务而专心从政。1774年选入议会,并参加诺思勋爵的政党。1791年任内务大臣。1794～1801年任陆军大臣。1802年封梅尔维尔子爵和达尼拉男爵。1804年任海军大臣,进行许多机构改革。1806年因滥用公款受弹劾,此后未再任职。

Melville, Herman 梅尔维尔(1819-08-01,纽约市～1891-09-28,纽约市) 美国后期浪漫主义小说家、诗人,以描写海洋的小说著称。他的祖先在美国独立战争时期起过重要作用。13岁丧父,家境贫困,和哥哥不得不挑起家庭的重担。一生中当过银行职员、农业工人、教员、商船服务员和捕鲸船船员。航海生活使他到过利物浦、波利尼西亚的马克萨斯群岛、塔希提群岛、夏威夷群岛等。因为家计艰难,他一直想谋个公职,但命运多蹇,直到1866年才最后谋到海关监察员之职。年轻时即开始写作,1846年出版根据在马克萨斯群岛泰皮族中生活的一段经历写成的《泰皮》一书,把泰皮的生活描绘成富有诗情画意的乐土,远离熙熙攘攘、咄咄逼人的文明社会。接着出版根据在塔希提群岛的经历写成的《欧穆》(1847),对殖民主义者和传教士使当地土著过着悲惨生活的行径表示愤懑。其他小说还有《玛地》(1849),也是一部游记;记录船长残酷鞭挞船员的《白外衣》(1850);写波利尼西亚群岛历险的《雷得本》(1849)等。阅读莎士比亚的作品使他抛弃了超验主义者爱默生的关于人性善的乐观主义看法。1850年与霍桑相识,并受后者《红字》探索人性善与恶的影响,从而激发了他的创作力。他的代表作《白鲸》于1851年10月在伦郭问世,一个月后在美国出版。该书写船长埃哈伯为了追捕一条代表邪恶的、巨大无比的白鲸莫比·狄克,最后同归于尽的故事。表面上,该书十分真实、紧张、惊险地描写了捕鲸的全过程,极像一本捕鲸的百科全书;但它的深刻内涵却显示了梅尔维尔深刻关注的问题:不可臆测的人类精神上的失败和胜利,以及人类既有创造性的一面,又有嗜血性的一面。此后他的重要作品还有《皮埃尔》(1852)、《伊斯雷尔·波特》(1855)、《代笔者巴特贝》(1853)、《恩坎塔达斯山》(1854)、《贝尼托·锡里诺》(1855)、《骗子的化装表演》(1857)、《毕利·伯

哈佛学院图书馆供图

德》(1924)等小说,他还写有3本诗集:《战事集》(1866)、《约翰·玛尔和其他水手》(1888)、《梯摩里昂》(1891)及其他长诗。总的说来,他的作品由于不投时好,不但无法使他名利双收,相反,在他还只有33岁时,即已发觉自己的文学生涯已告失败。梅尔维尔的一生及其作品,是美国这一新生民族的内在冲突的象征,他与他那时代的不切实际的理想主义格格不入。这种理想主义认为这个年轻的民族是从欧洲腐朽的传统解放出来的、道德再生的形象,而19世纪美国的急剧扩张非但不是道德再生的标记,而且反映了资本积累的不择手段、受剥削移民的贫困不堪和人们的口是心非。他的作品多与航海有关,富有现实感并带有种种象征性。梅尔维尔与莎士比亚一样,认为人既是兽类,又是世间的精英,两者兼容并蓄,密不可分;而世界则像《白鲸》里的"皮阔德"号捕鲸船一样,受到两种互不相容的力量的作用,一种要使它直接驶向天堂,另一种则使它渴望驶向某个遥远的目的地。多年被忽视的梅尔维尔,到了现代,才终于获得与其他美国伟大作家一样的声誉。

Melville, James 梅尔维尔(1556-07-26,苏格兰安格斯蒙特罗斯～1614-01-13,英格兰诺森伯兰特威德河畔贝里克) 苏格兰基督教长老会改革家、教育家。曾就学于圣安德鲁斯大学。先后在格拉斯哥大学(1575～1580)和圣安德鲁斯大学(1581～1584)执教。1589年任苏格兰长老会大会主席,反对服从英格兰圣公会当局。1606年5月与叔父安德鲁·梅尔维尔及另外几名牧师应召到伦敦与国王詹姆斯一世商谈有关苏格兰长老会事宜。因不接受詹姆斯一世的政策而被扣押在英格兰纽卡斯尔,直到1613年才被释放。

Melville, Jean-Pierre 梅尔维尔(1917-10-20,巴黎～1973-08-02,巴黎) 让-彼埃尔·格伦巴赫的笔名,法国电影导演。他的早期影片的研究实验,对法国50年代后期富于创新精神的"新浪潮"电影运动影响很大。1946年成立了自己的电影制片公司,1949年建立了自己的制片厂。他的早期影片如《静静的海洋》(1942)只用很低的成本,聘请性格演员而不用大明星。他的其他早期影片有《可怕的孩子们》(1948,根据J.科克托小说改编的才华横溢的影片)、《纵火者鲍勃》(1955)、《曼哈顿两男人》(1958)。梅尔维尔的实景拍摄、使用自然光以及即兴表演对其后导演如C.夏布罗尔、F.特吕福和J.-L.戈达尔影响很大。他后来更趋商业化的影片中风格化的布景使人强烈回想起30年代的好莱坞电影。《莫兰神父》(1961)是他的第一部重要商业片,随后又拍摄了一系列好莱坞式的盗匪片。

Melville Island 梅尔维尔岛 帝汶海中的岛屿。在澳大利亚北部地方阿纳姆地岸外,隔克拉伦斯海峡与大陆相望。面积5 800平方千米。英国首次在澳大利亚北岸殖民时建立的邓达斯堡(1824～1829)所在地。居民多土著人。岛上有政府居民点和几处天主教传教站。出产珍珠贝、海参和木材。为澳大利亚仅有的几处仍为土著蒂维人占有的地区之一。1978年该岛所有权由澳大利亚政府交与蒂维人土地委员会。人口554(1981)。

Melville Island 梅尔维尔岛 北冰洋帕里群岛中最大的岛屿之一,分属加拿大西北地区和努纳武特地区。长约320千米,宽50～210千米,面积42 149平方千米。海岸线十分曲折。岛上无居民,适宜放牧麝牛,有天然气田。

Melville Sound (Arctic Ocean) **梅尔维尔海峡** 参阅**Viscount Melville Sound** *梅尔维尔子爵海峡*。

membrane 膜 组成细胞及细胞器界面的薄层物质。普遍存在于一切生物,但其结构和特性有很大差异。每个细胞均具细胞膜,用以分隔环境与细胞内部。但它并未将细胞隔绝,而是允许某些物质出入,这个筛选作用可能是它的最大功能。在细胞内,另一些膜包围着(或本身就包含着)称为细胞器的结构单位。不同细胞的膜在电子显微镜下呈现某些共同特点,如均显示一种分为三层的外观。一些细胞活动与膜结构密切相关。随着生物的进化,含膜的细胞器也越多,如线粒体和叶绿体只见于动植物细胞。在胚胎发育过程中,随着细胞分化而出现种种特化膜结构,如神经轴突的髓鞘。细菌和植物在细胞膜外还另具较硬的细胞壁,起保护和支持作用。

膜的化学组成以脂质和蛋白质为主。有少量糖，但均与前两者结合成糖脂或糖蛋白。某些细胞膜似乎含有少量 RNA。长期以来认为膜由双脂分子层外覆蛋白质分子组成，称为单位膜。“亚单位模型”假说认为膜系脂蛋白亚单位的片状组合。因膜含脂，故电阻甚高，且脂溶性物质较易透过。膜蛋白可能有助其完整性和弹性。膜蛋白还包括酶、抗体、转移蛋白及具抗原性物质。可能一切活的生物膜均具跨膜电位，这个电位靠代谢提供能量。当膜对各种离子的通透性不同而它们在膜两侧分布不等时，或当离子泵驱使单种离子聚集在一侧时，均可形成电位。

膜的功能有：①分室作用。在各细胞器的不同小室中进行着不同的酶促代谢反应，均借膜分隔。核膜在细胞分裂时消失，平时亦有核孔，故核内外经常有物质交换。线粒体的内膜上存在氧化产生 ATP 的酶类。溶酶体内含有多种水解酶，有助消化吞食进的异物颗粒和完成本身死亡时的自溶作用。②水的运输。脂膜可能允许水分子逐个扩散过去，而孔道则允许水的连续流动。水通过细胞膜的运动决定于渗透压和静水压力，故膜对溶质的通透性和对水流的影响极大。当膜对溶质的通透性小于对水的通透性时，一开始也可表现出一定的渗透压，但当溶质缓慢透过时此压力逐渐小至零。③溶质的被动运输。指由高深度向低深度的运输。一般说来，脂溶性物质是脂溶性越高、分子越小，越易通透；水溶性物质则主要与分子大小和离子电荷有关，分子较小者和离子与孔道电荷一致者，较易通过。但糖及氨基酸等营养物分子既大又不溶于脂类，借特殊机制运输（易化扩散）。此类运输具备下述特点：饱和性（超过一定最大值后浓度梯度再大也不能增加其通透性）、竞争抑制（存在相近物质时可能干扰运输）、特异性（如 D-葡萄糖可进入红细胞，而其光学异构物 L-葡萄糖却进不去）及逆流现象（在某些实例中当膜的另一侧存在类似物质时可以加速运输）。以上特点颇似酶促反应，可用存在载体来解释。载体因可通透脂膜似为脂质，但又具特异性，而更似蛋白质。因此一般认为载体是一种脂蛋白。还有一种特殊类型的易化扩散，称为交换扩散，指只在有另物交换时才得以通透的现象。细胞的通透性很不相同，如红细胞不透阳离子，但很多癌细胞恰恰相反。细胞分裂时通透性改变。红细胞在成熟过程中，对氨基酸的通透性下降。激素、代谢产物等亦均可影响通透性。④溶质的主动运输。是植物质逆浓度梯度或逆电场力的运输方式，需要代谢提供能量。主动运输也具备易化扩散中的饱和性、竞争抑制、特异性等特性。主动运输可能直接与供能的化学反应相耦合，也可能是间接的，如细胞摄入糖和氨基酸时要求钠泵自细胞内向外排出钠离子，后者与供能反应耦合。运输又可能是跨膜的，例如细胞向内吸收以弥补代谢及漏失消耗，或向外排出过多物质。运输还可能是跨细胞的，如小肠、肾小管或分泌腺细胞的吸收、排泄和分泌过程。这类跨膜运输的细胞具有极性，只是一侧营主动运输，例如肠上皮细胞吸收糖时，近肠腔面主动吸糖而近浆膜面被动扩散，但同时进行的排钠过程却是近浆膜面为主动，近肠腔面为被动。研究较多的还是钾钠离子的运输，一般均认为存在钾钠泵，或分别存在钠泵或钾泵。已知转运机制中包括 ATP 酶，该酶受钾钠离子的活化，但为洋地黄和毒毛旋毛素所抑制。其他无机离子如镁、硫酸根和钙也均为主动运输，不过机制均未经阐明。肠道对钙的吸收还受维生素 D 的影响。胃腺及肾小管的泌酸也是主动过程。植物根主动吸收硝酸盐离子，水则借渗透压进入根组织。至于有机物质，如前述小肠及肾小管细胞吸收糖及氨基酸似乎均依赖钠泵的协助。至于主动运输的机制，可能是载体分子只在某种状态下才能与被运输物质结合，在卸掉运输的物质后即转为另一种状态，然后需供能才能恢复原状态。载体分子可以不动，而只是结合部位来回移动。如结合部位位于孔区，结合部位可以根本不动。在某些细菌中发现一种磷酸转移酶，可从体内高能磷酸物质取得磷酸根再与体外糖分子结合而将其摄入，这提供了一种模型。最后还有一种胞饮和胞吞作用可以摄入或排出大分子或较大颗粒，这也是一种需能的活动。例如，细胞外介质中的糖可先借胞饮作用进入细胞浆内的小泡中，然后再经小泡壁被吸入胞浆中。

membranophone 膜鸣乐器 凡由紧绷的膜振动发音的乐器都属此类。除鼓以外，尚有薄膜乐器（如卡佐管）、摩擦鼓（由推拉穿过膜孔的棍而摩擦发音）等基本类别。鼓的外形可分为桶形、圆锥形、圆柱形、长形、瓶形、细腰形，以及有脚座的、有构架的和高脚杯式的等等。当要求从声学角度分类时，便以膜鸣乐器和体鸣乐器这两个术语取代笼统的“打击乐器”一词。参阅 **aerophone；chordophone；electrophone；idiophone**。

Memel（Lithuania） **梅梅尔** 参阅 **Klaipėda 克莱佩达**。

Memel dispute 梅梅尔争端 又称克莱佩达争端。第一次世界大战后关于前德国普鲁士梅梅尔地区的主权的争端。立陶宛攫取梅梅尔，最后得到几个大国认可。梅梅尔地区位于波罗的海沿岸，在涅曼（梅梅尔）河以北，战前为普鲁士领土。居民大部为立陶宛人。战后，新成立的立陶宛国要求把它归属己方。协约国虽然决定梅梅尔脱离德国（《凡尔赛条约》第 99 条），但并未交给立陶宛，而是设置了一个法国长官。直到 1922 年秋才成立一个专门研究梅梅尔地位问题的特别委员会。这一委员会同情使梅梅尔成为一个自由国家的计划。于是，当地的立陶宛居民就成立“小立陶宛解放委员会”，于 1923 年 1 月 9 日在锡卢泰宣布接管梅梅尔政府，将梅梅尔作为一个自治单位并入立陶宛。1 月 15 日，立陶宛武装部队已经控制全部地区。2 月 16 日，协约国大使会议终于作出决定，把梅梅尔地区交由立陶宛管辖。这个问题提交国际联盟后，立陶宛与英、法、意、日四国（大使会议成员国）签订梅梅尔法规，正式确定梅梅尔为立陶宛的一个自治区。1939 年 3 月 23 日，德国向立陶宛发出最后通牒，要求归还这一地区。第二次世界大战结束后，这一地区又为立陶宛所有。其时立陶宛已成为苏联一部分。

Memling, Hans 梅姆灵（1430或1435，美因河畔法兰克福塞利根施塔特～1494-08-11，布鲁日） 15 世纪末期佛兰德斯最多产和最有才华的布鲁日画派画家。其和缓、甜润的风格为

梅姆灵绘《圣母与马丁·范尼乌文霍弗的双连画》（1487）
美国不列颠百科全书公司供图

15 世纪尼德兰艺术通向 16 世纪意大利风格的北欧艺术架起了桥梁。出生于莱茵河中游地区，曾在科隆接受最初的艺术教育，15 世纪 50 年代来到尼德兰，可能在韦登的作坊学过画。1465 年定居布鲁日，并在这里建立画室，主要接受祭坛画和肖像画的定货。他的画的内容和构图特点在各个时期都重复出现，没有明显的年代分期，但在后期作品中，所画的圣母显得纤柔、温存和凝神内省，在背景处理上往往是透过窗口，展现出野外简朴的自然风光，这已成为他一种特有的程式。在其艺术中，可以清楚地看出同时代的画家对他的影响，在构图上，他借鉴布鲁日画派的奠基者凡·爱克的成就；韦登的人物造型和画面处理也给他很大影响。早期作品三联画《博士来拜》（1479，布鲁日，梅姆灵博物馆），可以明显看出韦登的《哥伦巴祭坛画》（1460～1464）中的风格。一些专家认为他可能直接参加了韦登这件作品的制作工作。晚期，主要为教堂和慈善机构作画，在一些充满着虔诚宗教情绪的圣经题材画上，往往把捐赠人也画在里面。他最后一幅大型作品是《基督受难三联画》（1491）。由于他的作品总是呈现着同时代画家的风格，因此艺术史家对他的评价不高。但他去世后，布鲁日的一位公证人在有关他的死亡的文件上称他为“基督教世界技巧最高的画家”。

Memmi, Albert 梅米（1920，突尼斯～　） 突尼斯法语小说家。对人压迫人现象作过研究，并写过不少这方面的社会学著作。他出身于突尼斯城一个穷苦犹太区，在那里的一个排外的法国中学求学。早年他觉得自己是穆斯林中的犹太人，欧洲人中的阿拉伯人，资产阶级中的贫民，传统束缚下的亲友中受法

国文化熏陶的人,与周围环境始终格格不入。正是这种同时生活在几个不同世界的精神上的紧张,成了梅米第1部自传性小说《呆若木鸡》(1953)的主题,为此获得迦太基奖和费内隆奖。以后写了论杂婚问题的《阿迦尔》(1955);结构错综复杂的心理内省故事《蝎子》(1969)以及描写以暴力和不义回应人生痛苦与飘忽不定的《荒原》(1977)。他最有影响的社会学著作是《殖民地人的写照》(1957)。《一个犹太人的写照》(上、下集,1962、1966)和《被统治的人》(1968),对受压迫者、尤其是对妇女、黑人和其他历来受人主宰的群体的处境作了剖析。梅米作为作家和评论家,对北非文学作出了贡献,这在一定程度上还由于他创办并领导了巴黎高等研究实践学校的北非文学研究组,他还曾在巴黎大学讲授社会学。

Memmingen 梅明根 德国南部巴伐利亚州城市。濒临阿赫河(伊勒河小支流),在乌尔姆的南面。1128年首见记载。1160年建为城镇。1286年为自由市,1803年被巴伐利亚合并。名胜古迹有城防工事遗迹、圣马丁朝圣教堂、圣母教堂(内有著名的哥特式后期的壁画)、巴罗克式赫曼斯堡(1766)等。市内本笃会大隐修院建于764年,有250个房间、20个大厅和6个庭院。梅明根为铁路枢纽。工业有酿酒、纺织、化学、电机和金属制造等。人口约41 133(2003)。

Memminger, Christopher G(ustavus) 梅明格(1803-01-09,符腾堡奈欣根~1888-03-07,美国南卡罗来纳查尔斯顿) 美国南方联盟的财政部长,对美国南北战争时期其政府的信用崩溃负有责任。父亲死后随母移居美国南卡罗来纳州查尔斯顿。1819年从南卡罗来纳学院毕业,继习法律,后执律师业。1830年因反对该州不执行联邦决议运动而出名。1836年被选入州众院,任财政委员会主席。他原来支持保守派,但到J.布朗袭击事件后的1860年1月,为南方反击北方的反奴隶制宣传活动出谋献策。A.林肯总统上台后,他力主南方脱离联邦,参加起草南方邦联的临时宪法,接受J.戴维斯总统的任命,出任财政部长。浩繁的军费迫使他印发大量纸币,到1863年严重贬值,加上军事失利和港口被北方封锁,财政陷入绝境,1864年6月因南方邦联政府信用崩溃而辞职。南北战争结束后回查尔斯顿,获总统赦免后,重执律师业。

Memnon 门农 希腊神话中提托诺斯和黎明女神厄俄斯的儿子、埃塞俄比亚国王。他在特洛伊的战士赫克托耳死后,率军前去帮助伯父普里阿摩斯(特洛伊的最后一位国王)抵抗希腊人。他在战斗中极为勇敢,但是被希腊英雄阿喀琉斯刺死。传说主神宙斯为厄俄斯的哭泣所感动,赐门农以永生。他的同伴们则被变成名叫门农尼德斯的鸟,每年都飞到他的墓地上空格斗哀悼。在埃及,门农的名字是和底比斯附近阿孟霍特普三世的巨大(21米)石像(其中有两座至今仍在)联系在一起的。靠北的一座于公元前27年被震毁,但却发生了一个奇异的现象。每天早上当阳光照到它时,它就发出拨弄竖琴的声音。人们认为这是门农在回答他母亲厄俄斯。公元170年罗马皇帝塞维鲁把雕像修复之后,这个声音就停止了。声音是由于空气通过石孔而产生的,而空气所以通过石孔则主要是日出时温度变化引起的。

memoir 回忆录 以个人的观察和经历写出的历史或记述。与自传极为相似,常常混淆不清。通常的区别主要在于,回忆录把重点放在外界事件上;自传则侧重以作者本人为主题,而回忆录作者通常是历史事件的参预者或切近的观察者,其主要目的在于描绘或解释这些事件。例如,17世纪英国的内战产生了许多此类回忆录。其中最著名的是E.勒德洛和J.里尔斯比爵士的《回忆录》。法国人在这一文学类型方面尤为突出;迪克·德·圣西门是他那一时代最杰出的回忆录作家之一,他的《回忆录》所涉及的时间从17世纪90年代初期一直持续到1723年,以入木三分的人物刻画著称,成为路易十四宫廷资料的极其珍贵的来源。另一位法国大回忆录作家是夏多布里昂,他在晚年完成了《墓畔回忆录》(1849～1850)。20世纪,许多杰出的政治家和军事家在回忆录里描绘了他们的经历。著名的第二次世界大战回忆录有英国的蒙哥马利子爵的回忆录(1958)和戴高乐的《战争回忆录》(1954～1959)。

memoria technica 参阅 **mnemonic** 记忆术。

Memorial Day 阵亡将士纪念日 美国、美国领地、美国武装部队悼念在战争中牺牲的美国公民的法定纪念日。此日原为悼念南北战争中死亡的将士,后来扩大为纪念死于历次战争中的所有美国人。1971年联邦政府规定5月的最后一个星期一为阵亡将士纪念日。大多数州接受联邦政府的规定,但有少数州仍在5月30日举行悼念活动。在阵亡将士纪念日,政府向弗吉尼亚州阿灵顿国家公墓中的无名英雄墓献花,这是代表全国的纪念活动。凭吊阵亡将士墓的习俗始于南北战争结束之前。在南方,密西西比州哥伦布城声称是在1866年正式悼念北南双方阵亡将士的。据说纽约州滑铁卢城是同年在北方率先举行这种悼念活动的城市。但是当时并未规定日期,直到1868年,退伍军人组织共和国大军总司令洛根才发出通令,规定5月30日为纪念日。在南方一些州,除全国的阵亡将士纪念日以外,还继续庆祝南部邦联阵亡将士纪念日。其他许多国家也都有类似的纪念日。

memory 记忆 人脑对过去经验的保持和提取过程。记住与遗忘的功能一般都具有适应性。如果不能记住,就不能学习、思考和推理;另一方面,遗忘也有许多功能:借助记忆随时间推移而逐渐消退的倾向可形成时间定向,通过丢弃或抑制旧模式可实现向新形成模式的调整,还能从痛苦经历所形成的焦虑状态中解脱出来。有些学者认为,记忆应该是一个单一的存储和提取系统。另一些学者则提出存在一个短时记忆系统,其中只能将有限的信息(5～9个项目)保持几秒种,然后信息经编码转入一个分离的长时记忆系统或丢失。对有机体进行的实验支持双重系统理论:若一个被称为海马的脑区受到损伤,则人虽能保留短时记忆功能,却明显地不能在长时记忆中存储任何新的内容。

记忆保持的测量 测量记忆保持的两个指标是回忆信息的能力和再认曾见物的能力。进行一个简单的记忆测验时,要先让被试者学习一个项目表,然后令其尽可能多地回忆表上的项目,回忆的顺序既可以按顺序,也可以是随机的。若进行再认测验,则要求被试者从一个新的项目表中找出属于学习项目表的那些项目。一旦被试者的回忆或再认成绩能够达到测验要求的标准(由测验的设计者事先确定),就认为他已经学会了这个项目表。这样,这个基本保持率与学会之后间隔一段时间再进行一次测验而得到的信息保持率之差,就反映出这两次测验之间出现的遗忘率。记忆保持的第三个指标是更迅速地完成一件已经从事过的活动的能力,相应的测验称为"重学测验"。在这类测验中,保持量是被试者对已经学会的任务所表现出的效率增加程度的函数。通过回忆、再认、重学而测量到的保持量是不同的。例如,间隔半年,被试者可能回忆不出任何项目,但却能非常迅速地进行一项操作。

记忆编码 在记忆的生理和行为基础方面进行的研究所力图描述的不仅是信息解码和提取过程,还包括信息的编码(把信息转换为可存储的形式)机制。一种研究途径是辨别能够增加记忆在神经系统中痕迹的神经化学代码。

在探讨编码机制的研究中,普遍使用的一种研究方法是对词的一些特性进行控制,把某种具有相关特性(如功能或结构相似、词性相同、声调相似)的词在一系列词表中同时呈现。理论上讲,如果所使用的相关特性(如各种家具)对编码过程是重要的,那么回忆作业的成绩就会下降,直到增加了另一个新的特性(如哺乳动物)。如果这个新特性的引入没有改善作业成绩,那么就可假设先前控制的特性对编码过程并不重要。

研究者们认为,所有记忆痕迹均包含一个属性集合,如猫、暹罗猫、蓝眼睛等,其中任何一种属性均可作为解码和提取的线索。回忆某个事物时所处的环境与学习该事物时的环境越接近,则对该事物的回忆效果越好。任何属性或联系均可用于信息编码,但是有一些更常用;例如,动物、蔬菜或矿物就比语法范畴更多地用于编码过程。再认中出现的错误经常可反映被试者在信息进行编码时所采用的形式;例如,若被试者把学习时使用的sea(海)错误地再认成see(看),则他在学习时可能采用了语音编码形式。

遗忘 理论上讲,随时间的推移,记忆的一些生理基础会发生变化,特别是神经痕迹会减退或消失。在行为水平上,根据记忆的编码和解码过程中的干扰或抑制现象建立了一个有影响的遗忘理论。一种现象是前摄抑制,已有记忆内容对新记忆内容的干扰;另一种干扰现象是倒摄抑制,新学习的内容对已有记忆内容的干扰。这些现象表明,记忆的

输入(学习)和输出(遗忘)之间存在一个平衡关系。记忆研究显示,就学习程度而言,所有正常个体的遗忘率都是一样的。也就是说,只要学习程度相同,两个个体就会有相同的记忆水平。当前流行的遗忘的干扰理论得到行为实验的支持,并与记忆的单一系统模型一致。

记忆异常 记忆障碍研究中使用的一些概念和技术可上溯到19世纪末出现的医学知识的扩展时期。这个研究领域的三位先驱者是:法国心理学家T.-A.里博、俄国精神病学家S.S.柯萨科夫和法国神经学家P.雅内。他们阐述了记忆障碍现象的跨学科特性。其观点可概括为:记忆丧失虽然与脑功能有关,但可能并没有器质性损伤(如癔病性遗忘),也不一定发生智力丧失(失去推理能力)。正如S.弗洛伊德指出的那样,记忆丧失实际上可以由情绪焦虑造成。记忆缺失是脑功能缺陷的最常见症状之一,既可以是暂时性的(如癫痫发作后的记忆缺失),也可以是持续性的(如严重脑损伤后的记忆缺失)。记忆新事物的能力出现缺陷的称为顺行性遗忘症,记忆以往经验的能力出现严重缺失的称为逆行性遗忘症。这两种遗忘症可以同时出现,但并不一定总是要同时出现。即使是最严重的遗忘症病人也会有完好的瞬时(短时)记忆,科学家们因此认为,这些病人能够对新经验进行最初的登记和理解,这就足以使病人对新事物作出反应。因此,许多把短时记忆与长时记忆系统区分开来的心理学家都认为,记忆障碍发生在当信息从一个系统向另一个系统转移的过程中。这种假设存在医学局限性。有些柯萨科夫氏综合征(不出现推理或判断丧失的遗忘症)患者虽然记不住言语信息,但却能学会新的手工技能。另外,如柯萨科夫所述,有些对新事物的学习过程是内隐的。例如,病人虽然说不出所住医院的名称,但是若让他进行猜测,则可以从一个医院名单中选出该医院。很显然,这个病例的结症在于对原有存储进行提取时出现选择能力的丧失。值得注意的是,他不能自由回忆起的项目却能被成功地再认。最后应该指出,人的活动受到当时对问题的关注和目标指向的驱动,大多数正常和异常的记忆过程都受其影响;若损伤或疾病破坏了对问题的关注和目标指向,那么由此引起的记忆丧失也是不足为奇的。

疾病与记忆障碍 柯萨科夫氏综合征除见于酒精中毒之外,在许多异常的生理状态下也可能发生。柯萨科夫氏综合征发生之前会出现一段逆行性遗忘症症状,但该综合征最主要的心理学鉴别特征是顺行性的同化新事物能力丧失。这种能力丧失的严重程度可达到使患者意识受限,无法对两个运动之间的联系进行描述。病人有时会出现虚构症,即从幻想而不是事实中无意识控制地重构出对过去经验的错误描述;而且有时会否认自己有记忆问题。某些类型的脑炎可使病人产生类似于柯萨科夫综合征的记忆障碍,但不会出现虚构症,也不会否认自身有记忆障碍。因生理损伤而出现意识丧失的病人,清醒后会出现几天的定向力障碍。待其恢复后,病人常常对这几天的任何事情都无法回忆,还会出现对更早发生的事情的逆行性遗忘。类似地,电休克常使病人出现惊厥,经此法治疗的精神病患者也会在电击后处于意识不清状态之中,而且对于这个状态下的事情难于回忆。连续的电休克治疗可使病人对日常生活事件记忆力下降。一旦治疗结束,大多数病人可在数周内恢复。为控制癫痫而接受大脑颞叶部分摘除手术的病人也会出现记忆障碍。若只在优势侧颞叶施行此手术,则会使病人在术后出现学习新的言语材料困难达三年之久。少数病例接受了双侧手术,会造成严重的记忆缺陷(类似于后部脑性遗忘症)。特定脑区的短时血流异常可导致暂时性的、全面或全部的记忆缺失。发病时,病人无法形成新的记忆。同时还会出现逆行性遗忘症,并在病愈后消失,只是丧失了对发病期内事件的记忆。记忆缺陷还可以是脑动脉硬化和衰老的早期症状。

记忆的心理学奇异现象 对催眠的研究表明,入定状态中,人的记忆是不完整的。催眠师的一个暗示就可以有效地阻止完整记忆的形成;如果愿意,催眠师只需再用一个暗示就可使记忆恢复。催眠暗示还可以恢复某些癔病性遗忘。癔病性遗忘与器质性遗忘不同,它似乎只发生在那些有浓厚情绪色彩的事件上,而且可以从动机的角度对它进行有效的解释。神游状态是指一个人暂时忘掉了自己的身份,离家游荡。对这种状态是以心理因素和器质因素两方面的模型为依据进行解释的。虽然报道过很多记忆容量超常现象,即所谓记忆增强现象,但对其机制知之甚少。记忆错误除无意识状态下的虚构症外,还包括回顾性错误(一种刻意修饰性的记忆)、似曾相识症(一种莫名其妙的感觉,总好像过去在哪里见过其实从未见到过的事物)以及陌生症(对本来十分熟悉的事物感到陌生)。

memory, computer 参阅**computer memory 计算机存储器**。

Memphis 孟斐斯 埃及古王国(约公元前2575～约前2130)都城,位于尼罗河三角洲之南的西岸,开罗南25千米。孟斐斯墓地有埃及著名的金字塔、狮身人面像。由北往南,主要的金字塔址有:阿布鲁韦斯、吉萨、扎瓦耶特阿尔扬、阿布西尔、萨卡拉和达舒尔。据传统看法,孟斐斯城由美尼斯在约公元前2925年所建。关于这位国王的确切历史身份仍有争议,但是对他与孟斐斯的关系或对这个城市最早时期的重要性是没有疑问的。孟斐斯的地方神是卜塔,工匠和手艺人的保护神,或造物者。在塞加拉发现的第1和第2王朝(约公元前2925～约前2650)的坟墓已确定为皇陵。但有些学者怀疑孟斐斯是不是这些王朝的唯一的或第一个首都。吉萨的3个大金字塔属于第4王朝后期的胡夫、海夫拉和门卡乌拉几位国王。吉萨的大狮身人面像建于海夫拉时代。帝王金字塔周围是埋葬朝臣和官吏的大墓地。某些墓的浮雕有日常生活的图像,为了解孟菲斯宫廷的工艺、服装以及各种活动提供了某些资料。由于宫邸及室内陈设所遗无几,这些浮雕便成了这方面资料的宝贵来源。某些学者认为古王国时期,由于孟菲斯宫廷能工巧匠及奉祀卜塔神的神学理论家的影响,其"古典"文化臻于极盛。埃及再度统一的中王国时期(公元前1938～约前1600?),孟菲斯的影响仍然存在。第12王朝的一些君主在达舒尔造金字塔。新王国时期(公元前1539～前1075),孟斐斯城随着贸易的发展、外国的征服以及旅游者的增多,越加具有世界都市的特点。孟斐斯城虽不位于尼罗河上,但有一条运河与之沟通,可能是重要的商业中心。在公元前8世纪,努比亚国王皮安希征服并统一了埃及。一块描写皮安希征战的铭文提到对孟斐斯城的包围。亚速国王以撒哈顿(公元前680～前669在位)留下的史料,提到孟斐斯城的被围。公元前525年,波斯王冈比西斯夺取孟斐斯。在波斯人统治多年后,公元前332年亚历山大大帝征服埃及。孟斐斯城的衰落开始于基督教兴起之后,其遗址位于现代米特鲁哈伊纳村附近。20世纪初,城墙倾圮但仍有残迹,现在则已荡然无存。唯一的遗迹是巨大的拉美西斯二世的雕像。考察该城遗址的第一位考古学家F.皮特里1908～1913年进行发掘,发现了卜塔大神庙的若干断面。1917年宾夕法尼亚大学的一支考察队在该遗址进行发掘,发现迈尔奈普塔(公元前1213～前1204)的宫殿基址;该大学在1955和1956年提供经费再次发掘,出土卜塔神庙的若干部分和拉美西斯二世的一座小庙。在19世纪,对金字塔地区的发掘工作一直没有停止。但在学者考察之前,几乎所有的金字塔都曾有盗墓者进人。

Memphis 孟菲斯 美国田纳西州西南端城市,谢尔比县县城(1819)。在濒临密西西比河的奇克索陡岸上。1819年于印第安人村址上创建。因南方植棉业扩展及其铁路与内

孟菲斯市活动中心
美国不列颠百科全书公司供图

河运输设施而迅速发展。1826年设镇,1849年设市。南北战争初期为南军军事中心。1862年被联邦军攻克。19世纪70年代的黄热病使8 000居民丧生,城市衰落。1879年取消市级行政单位。1893年经济恢复后再设建制。1900年人口逾10万,重新成为该州第一大城市。第二次世界大战后经济发展迅速。现为棉花和内地硬木主要市场、批发中心、混合饲料产地、药品和化工品销售处及附近农牧区的服务中心。有多种制造业。医疗和教育机构在经济上亦占重要地位。设有孟菲斯西南学院(1848)、勒莫因-欧文学院(1870)、基督教兄弟会学院(1871)、州立孟菲斯大学(1909)和田纳西保健科学中心大学。自1931年起举办棉花狂欢节(5月)。该市为黑人作

曲家 W.C.汉迪的故居,人权运动领袖马丁·路德·金的遇刺地和摇摆乐明星 E.普雷斯利的故居及墓地。市北有海军设施。市南有史前印第安人村落。人口:市 650 100;都会统计区 1 135 614(2000)。

Memphis Race Riot 孟菲斯种族暴动 (1866-05) 美国南北战争后,一些白人不愿让黑人分享公民权利,对田纳西州孟菲斯的黑人居民进行的袭击。在这次袭击中,46 名黑人(多为联邦军老兵)被杀,70 余人被打伤,5 名黑人妇女被强奸,12 座教堂和 4 所学校被焚毁。这一暴行促使国会于同年 6 月 13 日通过美国宪法第 14 修正案。

Memphite DYNASTY 孟菲斯王朝 埃及最初两个王朝(约公元前 2925 ～约前 2650)的共用名称。第一个王朝的建立者是美尼斯(Menes),他首先统一埃及;建都于塞加拉(后称孟斐斯)。

Memphremagog, Lake 门弗雷梅戈格湖 跨越南距纽波特(佛蒙特州)8 千米的美国和加拿大边界的狭长指形湖。宽 1.5 ～ 3 千米,长 43 千米,平均深度 15 ～ 23 米。南端有浅水区。湖水从北端(建有小型水电站)经梅戈格河和圣弗朗索瓦河泻入圣劳伦斯河。湖的四周群山环绕,最高处为奥尔黑德山(1 024 米)。

Men 美恩 月神。对他的崇拜在罗马帝国时代流行于小亚细亚,自公元前 3 世纪起也流行于阿提卡(今雅典)。他的表征常为松果、牛头骨(或骷髅)和雏鸡;他的像为男子,背后衬有新月。在皮西迪亚的安蒂奥克(今土耳其亚尔瓦奇)发掘出一座月神庙。

Mena, Juan de 梅纳(1411,科尔多瓦～1456,卡斯蒂利亚托雷拉古纳) 西班牙诗人,西班牙文艺复兴的先驱,以诗作《命运的迷宫》(1444)著名。该诗因篇幅甚长,又称《三百》,是一部模仿卢卡、维吉尔和但丁的复杂作品。他的主题是中世纪的,但是,他对许多拉丁语汇和修辞手段的运用以及他对许多古典人物的提及,表明他对后来与文艺复兴有关的新表达方式颇为喜好。

Mena (y Medrano), Pedro de 梅纳(-梅德拉诺)(1628-08,西班牙格拉纳达～1688-10-13,马拉加) 西班牙雕刻家,曾为西班牙和拉丁美洲教堂创作许多上色木雕和胸像,其作品具有典型的晚期巴罗克风格。初受教于其父阿隆索·德·梅纳,1652 ～ 1657 年在阿隆索·卡诺工作室工作。于 1658 年到马拉加,用 4 年时间为大教堂制作 40 处唱诗班座厢。后在马拉加建立工作室终其一生。1663 年曾访问马德里和托莱多,并被任为托莱多大教堂的雕刻师。他为当地教堂以及马德里、格拉纳达和科尔多瓦的教堂作了很多雕刻。在马拉加所作雕刻,有许多毁于 1931 年的骚乱。其中有圣多明各教堂的《圣母在伯利恒》,庄重、雅致,是安达卢西亚地区的典型风格。尚存作品有:托莱多大教堂的《墓中阿西西的圣方济各》,是一件朴素而十分动人的雕像;昆卡大教堂的《圣母哀恸》和另一《圣母哀恸》(1673,马德里赤足圣者教堂),两者均以明显的泼辣手法表现了主题。

梅纳(-梅德拉诺)的上色木雕像《圣方济各》(1663 ～ 1664)
美国不列颠百科全书公司供图

Menabé 梅纳贝 非洲历史上的萨卡拉瓦人王国,位于马达加斯加西南部曼戈基河和马南巴洛河之间。17 世纪由安德里安达希福齐国王(1685 卒)创建,他率领一大批萨卡拉瓦人从岛的南端进入上述地区。18 世纪为王国的全盛时期,几乎控制了马达加斯加整个西部地区,被其他王国奉为君主。但梅纳贝的盛事为期很短,到 19 世纪中期王国被不断扩张的梅里纳帝国吞并。

Menado (Indonesia) 参阅 **Manado** 万鸦老。

Menadra (Indo-Greek king) 参阅 **Menander** 米南德。

Menaechmus 门奈赫莫斯(约公元前 380 年,小亚细亚[今土耳其]阿洛帕库纳苏斯～约公元前 320 年,基齐库斯?[今土耳其卡匹达吉半岛]) 希腊数学家,柏拉图的朋友,据信发现了圆锥截面。门奈赫莫斯的贡献在于发现椭圆、抛物线和双曲线是平面和圆锥表面相交而成的不同截线——来自于埃拉托色尼(约公元前 276 ～前 194)的一句打油诗,大意是把圆锥切成"门奈赫莫斯的三块"。埃图库斯(活动时期约 520 年)描述了门奈赫莫斯关于边长为 a 的"立方倍积"的两个解法。门奈赫莫斯利用抛物线和双曲线的性质得到了线段 x 和 y,满足连比式:$a:x = x:y = y:2a$。(距此约 100 年前,希波克拉底也得到过这个连比式。)根据哲学家普罗克洛斯(约 410 ～ 485)的记载,门奈赫莫斯的弟弟狄诺斯特拉德斯因为发现了三等分角线的方法而成为闻名的数学家,这条用来三等分角的曲线可以实现"化圆为方"。

Ménage, Gilles 梅纳日(1613-08-15,法国昂热～1692-07-23,巴黎) 法国学者、文人。以哲学著作和他赞助达 30 多年的星期三文学会而闻名。星期三文学会创始于 1656 年,参加者有诗人和评论家。法国伟大的书简写作家塞维尼夫人和早期的小说家拉斐德夫人都是他的座上客。梅纳日喜欢幽默,又好争吵,树敌很多。剧作家拉辛就曾于 1684 年阻挠他进入法兰西学院。他的《辞典的申诉》批评了法兰西学院。他还写过一本关于女哲学家的史书(1690)和不少评论文章,其中包括两篇法语研究论文。据说莫里哀的戏剧《女学者》中的学究瓦迪于斯就是嘲讽他的。他的朋友在他死后汇集出版了《梅纳吉亚纳》(1693 ～ 1715)一书,其中发表了他诙谐和论辩的作品。

Menahem 米拿现(活动时期公元前8世纪中叶) 又拼 Manahem。以色列国王。在 10 年统治期间以暴虐闻名。约在公元前 746 年他杀死靠暗杀篡夺王位的沙龙,从而夺得王位。但达布亚城周围地区不承认他为王,于是他杀尽该城中百姓,包括孕妇。在米拿现统治的后期,亚述进攻以色列,他从国内搜集财物献给亚述国,并表示臣服。他还将不合规章的宗教仪式从亚述国引进以色列。

Menahem ben Saruq 梅纳赫姆·本·萨鲁克(约910,独立的摩尔人联邦托尔托萨～约 970,科尔多瓦?) 犹太词典编纂家、诗人。编纂第一部希伯来文《圣经》用语词典。早期的圣经词典都先用阿拉伯文而后译为希伯来文。梅纳赫姆旅行到摩尔人的西班牙城市科尔多瓦后,追随了伊萨克。伊萨克是科尔多瓦强有力的犹太政治家希斯代·伊本·沙普鲁特(Ḥisdai ibn Shaprut)之父。伊萨克死后,希斯代委任他为文学秘书,写出了致哈扎尔王国国王约瑟夫的历史性信件,要求他皈依犹太教。希斯代鼓励他编完词典。他的词典遭到语文学家兼诗人杜纳什·本·拉卜拉特的严厉抨击,这种抨击使希斯代转而反对梅纳赫姆。梅纳赫姆失宠后不久死去。他的门徒也反对他,其中之一就是希伯来语法学家犹大·本·大卫·海尤季。梅纳赫姆的词典题为《联词》,尽管有错误,确有许多优点。继续使用多年。他证实希伯来语是有明确规律可循的语言,并用许多优美的例句阐明语法原理。对于不会使用阿拉伯语工具书的欧洲犹太人来说,他的词典是研究《圣经》的非常宝贵的工具书。

Menai Bridge 梅奈桥 跨梅奈海峡连接威尔士的班戈和安格尔西岛的吊桥,跨度为 176 米,建于 1819 ～ 1826 年,是第一座重要的现代吊桥。双车道式桥面,用 16 条铁链悬吊在两端的石砌塔上。每条铁链由 935 节铁棒接成,共用熟铁 2 000 吨。该桥虽被暴风雨损坏,但因有横向支撑和桁架栏杆而未最终垮掉。1939 年,为适应日益增加的汽车交通,把铁链换为钢索。参阅 **Britannia Bridge**。

Menai Strait 梅奈海峡 爱尔兰海海峡。将安格尔西岛和北威尔士本土分开,长 15 英里(24 千米),宽 200 码(180 米)至 2 英里。1827 年架设托马斯·特尔福德公路吊桥,1849 年建成罗伯特·斯蒂芬森不列颠管桁铁路桥,两桥相距 2 英里,连接伦敦通往霍利黑德和爱尔兰间的现代化运输线。

Menam Khong (Southeast Asia) 参阅 **Mekong River** 湄公河。

Menander 米南德(约公元前342~约前292) 雅典剧作家。古代评论家认为他是希腊新喜剧的最重要诗人。一生成就有限,虽写过 100 多部剧本,但在雅典戏剧节上仅获胜 8 次。在他那个时代,喜剧已不写公众事物,而集中描写日常生活中虚构的人物。米南德用高雅的阿提卡语写作,这是当时希腊语世界的文字语言。他描写严厉的父亲、年轻的恋人、贪婪的娼妓、迷惑人的奴隶等角色十分在行。其轻松喜剧的笔触和技巧优美,人物性格与伦理原则间微妙的冲突和对比也许是他最大的成就。他的许多作品是由罗马作家普劳图斯和泰伦提乌斯改编的,通过他们,米南德影响了文艺复兴时期以来欧洲喜剧的发展。除《恨世者》(1958 年首次出版)外,他没有留下一部完整的作品。其生平不详。据说他很富有,出身名门,是哲学家泰奥弗拉斯托斯的门生。公元前 321 年,米南德创作了第一部剧本《愤怒》。公元前 316 年,他在一次节庆中以《恨世者》获奖,在次年举行的酒神节上第一次取得优胜。到公元前 301 年,米南德已写有 70 多部剧本。后在雅典港口比雷埃夫斯游泳时溺死。

Menander 米南德(活动时期公元前 160? ~前 135?) 又拼 Minedra 或 Menadra。在印度的最伟大的希腊人国王。西方和印度古典文献中都有关于他的记载。他是佛教重要著作《弥兰陀王问经》中的主题人物。在高加索出生。希腊传记学家普卢塔克说他是大夏的国王。他可能统治过大夏。他在印度次大陆的国土西起喀布尔河谷,东至拉维河畔;北起斯瓦特河谷(在今巴基斯坦),南至阿富汗的阿拉霍西亚。他可能远征过拉杰普塔纳,并沿着恒河远达华氏城(在今比哈尔邦)。米南德的钱币曾有大量出土,大多为银和铜制。这些遗物证明他在位的时期,以及在他的王国中,商业十分繁荣。

Menander PROTECTOR **梅南窦**(活动时期6世纪下半叶) 拜占廷历史学家。他所编的史书是研究 6 世纪的地理和人种的权威著作。他受皇帝莫里斯(582 ~ 602)之托,仿照阿加提阿斯史作的体例,续写拜占廷史。现存梅南窦之作,始于 558 年科特里古尔匈奴人到达色雷斯,迄于 582 年拜占廷与阿瓦尔人有关锡尔米乌城的谈判。此书大部保存下来。

Menard, John Willis 梅纳德(1838-04-03,美国伊利诺伊卡斯卡斯基亚~ 1893-10-08,华盛顿[哥伦比亚特区]) 美国第一个当选为国会议员的黑人,但其议员资格遭到国会的否认。南北战争期间(1861 ~ 1865)在内政部工作。1865 年在新奥尔良积极参与共和党的活动,先后担任海关检查员、街道专员,曾出版《自由南部报》。1868 年在路易斯安那州当选国会议员,但因落选者对他的竞选资格提出异议,以致为国会所拒绝。1871 年移居佛罗里达,仍为共和党活跃分子,并在杰克逊维尔出版《岛城新闻》。

Ménard, Louis-Nicolas 梅纳德(1822-10-19,巴黎~ 1901-02-09,巴黎) 法国作家,他对古希腊宗教和哲学的看法影响了帕尔纳斯派诗人。曾在路易大帝学院和师范学院受教育,是位才能卓越的化学家(火棉胶的早期研究者),也是画家和历史学家。梅纳德是社会主义共和党人,1849 年因在《一次革命的前奏》中表达了激进的政治主张,回忆了 1848 年 6 月他所积极参加的巴黎起义而被判刑。他逃往国外,1852 年返回巴黎。此后梅纳德致力于古典文学研究。在巴尔比宗作画数年,并于各沙龙展出画作(1857 ~ 1869)。1871 年梅纳德支持公社并为之辩护。1876 年出版《一个神秘异教徒的沉思录》,详述了他的哲学思想。其后主持装饰艺术和通史的学术讲座。梅纳德对勒孔特·德·李勒和埃雷迪亚有相当大的影响,但其诗作与后两人相比却黯然失色。中篇小说《圣希拉里翁传奇》(1875)引发了 A.法朗士创作《苔依丝》(1890)的灵感;长诗《被解放了的普罗米修斯》(1843)则为福楼拜的《圣安东的诱惑》(1874)提供了原型。梅纳德的历史和评论著作显示了他的重要学术地位。

Menasha 默纳沙 美国威斯康星州中东部城市,分属卡柳梅特县和温纳贝戈县。位于阿普尔顿之南,北距格林贝 50 千米。临温纳贝戈湖和福克斯河北支,与濒福克斯河南支的城市尼纳构成一个经济和社会单元。1843 年开始有人定居。1853 年设村,1874 年设市。利用河上水力发展制粉和造纸业,成为美国最大的纸张产地。印刷业、出版业和包装业也十分重要。有威斯康星大学福克斯瓦利分校(2 年制;1960),校内里有一座天文馆和一个地学博物馆。海克利夫州立公园跨湖而建。人口约 16 331(2000)。

Menasseh ben Israel 参阅 **Manasseh ben Israel** 玛拿西·本·以色列。

menat 护身链 古埃及宗教信徒的护身符,通常佩在颈后,与项链对应。常为挂釉陶质,多用作死者陪葬品。它可以保佑妇人健康多子,保佑男子精力充沛。

Menchik-Stevenson, Vera Francevna 孟奇克-史蒂文森(1906-02-16,俄罗斯莫斯科~1944-06-27,英格兰伦敦) 俄国出生的英国女子国际象棋大师。9 岁从父学着棋,1921 年随家迁居英格兰。在 1927 年伦敦首届世界女子锦标赛上获胜,此后保持冠军称号,直到 1939 年因第二次世界大战爆发而中止比赛。1937 年嫁给史蒂文森,入英国籍,死于伦敦空袭。

Menchú, Rigoberta 门楚(1959,危地马拉~) 危地马拉争取印第安人权利活动家,1992 年诺贝尔和平奖获得者。基切族马雅印第安人。其父是反对危地马拉军政府的一个农民组织的领导人,在抗议军队侵犯人权的活动中被烧死。其弟于 1979 年被军队的杀手队绑架,严刑拷打,也被烧死。翌年,其母被士兵绑架,惨遭奸污,手足被切断,最后被杀害。门楚于 1981 年逃往墨西哥,在那里受到天主教的一个自由教派组织的成员们的照顾。她随即投身于迫使危地马拉政府停止其野蛮的反对印第安农民的反暴动运动的国际行动,在她作出努力的过程中,成为一名训练有素的公众演说家和组织者。1983 年同她的被译成多种文字的书《我,里戈贝尔塔·门楚》一起获得国际声望。她在书中叙述了她的赤贫的青年时代的故事,描绘了她的弟弟和母亲受尽折磨和惨遭杀害的令人毛骨悚然的详细情节。她于 1992 年被授予诺贝尔和平奖,以表彰她为在危地马拉获得社会正义和相互和解所作出的不懈努力。

Mencius 孟子(约公元前372~前289) 又拼 Meng-tzu。中国战国时期思想家、政治理论家、教育家,儒家的主要代表之一。被尊奉为仅次于孔子的"亚圣"。名轲,邹(今山东邹

美国不列颠百科全书公司供图

县东南)人。孔子嫡孙子思的学生。早年历游齐、宋、滕、魏、鲁等国,一度任齐宣王客卿,因其主张不见用,退而与弟子万章等著书立说。孟子的政治思想是行"仁政",基本主张是"尊王贱霸",提倡"以德服人"的"王道",反对"以力服人"的"霸道",即主张以德政争取人心,统一天下。"仁政"学说的新观点是"民为贵,社稷次之,君为轻"的民本主义思想。对于"君臣"关系,孟子也提出臣不应绝对服从君的进步观点。"仁政"学说的理论基础是性善论。孟子认为人生而具有天赋的"仁心",即善的本性,这是实行"仁政"的保证。为了实施"仁政",孟子还提出"劳心者治人,劳力者治于人;治于人者食人,治人者食于人"的社会分工论,反对"君民并耕"的主张。孟子认为王权是"天"授予,"天"是宇宙万物的主宰,"天"意通过贤明的君主来实现。"天"是孟子哲学思想的最高观念。孟子十分强调人的主观能动性,主张"万物皆备于我",即我具备天下万物的优点。孟子强调思的作用,重视理性认识,这在中国认识史的发展上是有意义的。他的思想对宋明理学家有重要影响。由孟子及其弟子公孙丑、万章等编定

的《孟子》一书,是研究孟子思想的主要根据。

Mencius 《孟子》 中国战国时期孟子的言论汇编,儒家经典之一。由孟子及其弟子公孙丑、万章等编定。《汉书·艺文志》著录11篇,现存7篇,约3.5万字。相传另有《性善辨》、《文说》、《孝经》、《为政》等"外书"4篇,已佚。《孟子》记载孟子一生政治活动和学说,包括其哲学、伦理和教育思想,在君民、君臣关系上的新观点,以及天赋性善学说引起的论辩。书中还收录孟子论敌的言论,是研究杨朱、许行和告子等学派的资料。南宋朱熹把《孟子》与《论语》、《中庸》、《大学》合为"四书",影响益大。《孟子》注释通行本有东汉赵岐的《孟子注》、宋孙奭的疏本(《十三经注疏》)。其他著名注本有朱熹《孟子章句集注》(《四书集注》本)、清焦循的《孟子正义》以及近人杨伯峻的《孟子译注》。

Mencken, H. L. 门肯(1880-09-12,美国马里兰巴尔的摩～1956-01-29,巴尔的摩) 全名Henry Louis Mencken。美国评论家、幽默新闻记者,美国生活的尖刻讽刺家。在整个

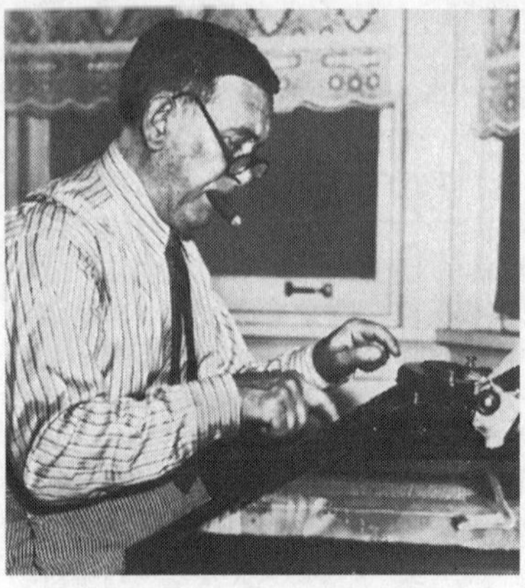

美国不列颠百科全书公司供图

20世纪20年代对美国小说产生了很大影响。在巴尔的摩私立学校和工业学校求学后,1899年任《巴尔的摩先驱报》记者,1906年参加巴尔的摩《太阳报》编辑部,在报馆工作了大半生。1914～1923年间与G.内森合编当时对美国文学发展最有影响的杂志《时髦人物》。1924年与内森创办《美国信使》杂志,并任主编直到1933年。门肯不断运用文学批评的武器抨击美国的时弊。他的评论杂文共6卷,取名《偏见集》(1919～1927)。在文学方面他反对用欺骗手法成名的作家,极力推荐德莱塞和刘易斯等文坛新秀。他的《美国语言》(1919出版;补编1945、1948)收集了美英语言辨异的例句和成语,一出版就引起人们的注意。他的自传三部曲《幸福的日子》(1940)、《在报社工作的日子》(1941)和《异邦时日》(1943)叙述了他从事新闻工作的生涯。

Mende 门德人 塞拉利昂民族,包括利比里亚的一个小群体。语言属尼日尔-刚果语系曼德语支。门德人以水稻为主要作物,也种薯蓣和木薯。经济作物有可可、姜、花生和棕榈油、棕榈仁。实行轮作制,由各家族的首领向各户分配田地,户为基本劳动单位。男子伐树并清理田地,妇女除草。他们住在小

门德人举行仪式时所佩戴的木雕面具
美国不列颠百科全书公司供图

城镇和村庄里,数个城镇和村庄形成区,几个区形成现在的酋长辖地。每一个区由一位副首领负责。整个辖地由最高首领领导。首领只是世俗领导人,宗教仪式的权力由秘密的波罗会掌握。任何担任领导职务的人,都必须取得波罗会成员的资格。女人的秘密社团是桑德会。传统的门德人宗教包括信仰一位至高无上的创世主、祖先的神灵和自然界神灵,现在许多人已是穆斯林或基督教徒。

Mende 芒德 法国东南部朗格多克-鲁西永大区洛泽尔省省会、城镇。位于克莱蒙费朗东南偏南,洛特河左岸中央高原海拔739米处,几乎无工业,经济主要依靠旅游业。城镇距雄伟的塔恩峡谷28千米。四周山区开发作为冬季运动场地。古迹有大教堂(主要建于14世纪)和一座14世纪建的洛特河窄桥。人口11 286(1990)。

Mendel, Gregor (Johann) 孟德尔(1822-07-22,奥地利海因茨恩道夫～1884-01-06,奥匈帝国布台恩[今捷克共和国布尔诺]) 奥地利遗传学家,孟德尔学派的创始人。自幼对自然科学感兴趣。1843年人布台恩(今捷克共和国布尔诺)的隐修院,仍自学自然科学。1847年任神父。1850年参加教师资格考

美国不列颠百科全书公司供图

试未中。1851～1853年到维也纳大学学习自然科学。回布台恩后在技术中学任自然科学教员至1868年。1856年起在隐修院的小花园中用豌豆进行杂交试验,并积极参加布台恩自然科学学会的活动。他取具有明显对立的性状(植株的高矮、花色的有无、花在茎上着生的位置、荚果的形状等)的豌豆进行杂交,观察其后代中性状出现的情况。总结出两条规律:①分离规律,细胞中有成对的基本遗传单位,在杂种的生殖细胞中,成对的遗传单位一个来自雄性亲本,一个来自雌性亲本,形成配子时这些遗传单位彼此分离。②自由组合规律、在后代中不同对的对立性状随机组合。性状决定于遗传单位,遗传单位的出现符合简单的统计学规律。这样就将遗传学建立在数学的基础上。1865年孟德尔在布台恩自然科学学会宣读论文《植物杂交实验》,但未引起注意。后孟德尔用别的植物(如山柳菊)进行杂交,但因该植物系孤雌生殖故未取得预期的结果。1868年任隐修院院长,忙于事务,科学研究进行较少,虽仍从事植物学,养蜂,气象观察等活动。他终生受同事及居民的爱戴,但直至临终也未被视为伟人的生物科学家。1900年C.科伦斯,E.切尔马克·封·赛塞内格和H.德弗里斯分别得出与孟德尔相似的结论后,在文献中提出他被人遗忘的论文。于是孟德尔的学说被人重新发现,称为孟德尔主义。实践证明,这理论不但对遗传学,而且对整个生物学都有深刻的影响,是生物学的基本原理之一。

Mendel, Lafayette Benedict 门德尔(1872-02-05,美国纽约州德尔亥～1935-12-09,康涅狄格纽黑文) 美国生物化学家。发现维生素和蛋白质的营养价值,从而有助于现代营养概念的建立。1903～1935年任耶鲁大学生理化学教授,与美国生物化学家T.奥斯本合作,确定了大鼠单纯食碳水化合物、脂肪和蛋白质不能生存的原因。同时与美国生物化学家E.麦科勒姆及M.戴维斯合作,1913年在鱼肝油和奶油中发现一种脂溶性因子(今知为维生素A),1915年在牛奶中发现一种水溶性因子(今知为维生素B复合体),二者对生命均不可缺少。他们又证明不同蛋白质的营养价值决定于所含必需氨基酸的数量。著有《食物供应的改变及其与营养的关系》(1916)和《营养:生物的化学》(1923)。

Mendele Moykher Sforim 门代尔·莫海尔·塞法里姆(1835-11-20,俄罗斯明斯克附近科佩勒[今在白俄罗斯]～1917-12-08,敖德萨[今在乌克兰]) 沙洛姆·雅各布·阿布拉莫维奇的笔名。犹太作家、现代意第绪文和现代希伯来文记叙体文学的奠基人,也是现代意第绪书面语的创始人。1858～1869年定居乌克兰别尔季切夫,开始发表希伯来文和意第绪文小说。他还用希伯来文改写了H.O.伦茨写的《益世自然故事集》(3卷,1862～1872)。由于厌恶当时那种严格仿效《圣经》古板的希伯来文体,曾一度用意第绪文写社会讽刺小说和剧本。他最伟大的作品《本杰明三世的旅行和历险记》(1875),反映了俄国犹太人的生活。1869～1881年,他住在日托

米尔，接受培养为犹太教拉比的训练，后来到敖德萨，成为犹太教一个传统派别塔木德·托拉派的首领，也是新兴文艺运动的首要人物，人称“门代尔翁”。1886年再次用希伯来文发表一篇小说（刊登在第一份希伯来文日报上），但他用的是一种融合了希伯来文前期文风的新风格。他在继续用意第绪文进行写作时，还逐步用希伯来文改写他以前的某些意第绪文作品。他的十分幽默和温和的讽刺小说，是研究当时传统结构正在瓦解的东欧犹太人生活的宝贵资料。

mendelevium 钔（Md） 周期表Ⅲb族锕系一个人工合成化学元素，原子序数101，这是第一个一次合成一个原子的元素。在自然界不存在。1955年，美国伯克利加利福尼亚大学的A.吉奥索、B.G.哈维、G.R.肖邦、S.G.汤普森和G.T.西博格在用氦离子轰击极少量（10亿个原子）锿253（原子序数99）所得产物中发现钔（同位素钔256）。在约12次的重复实验中，该科学家小组制得了17个钔原子，并用离子交换吸附-淋洗法进行鉴定（钔的化学性质和稀土同系物铥相似）。业已发现其他同位素，全都是放射性的。最稳定的同位素是钔258（半衰期两个月）。用放射性示踪技术进行的研究表明，正如根据钔在锕系中的位置所预计的那样，钔主要呈+3氧化态。已知中等程度稳定的+2氧化态也存在。钔原子序数101。最稳定同位素钔258。化合价2、3。电子组态2，8，18，32，31，8，2或$(Rn)5f^{13}7s^2$。

Mendeleyev, Dmitry Ivanovich 门捷列夫（1834-02-08，俄国西伯利亚托博尔斯克～1907-02-02，圣彼得堡） 俄国化学家。对化学的最重要贡献是建立了元素周期分类法，

美国不列颠百科全书公司供图

这是自18世纪科学化学开始以来，继拉瓦锡（把元素看成是用化学分析方法所能达到的终极物类）、J.道尔顿（把每种元素看作由可测的特定原子量的相同原子所组成）之后的又一功绩。门捷列夫生于西伯利亚托博尔斯克一位中学校长家里。在校时擅长数学、物理和地理学。1847年因父去世，其母决定次年携门捷列夫赴莫斯科入大学。因来自边区，资格不够，改入彼得堡师范学院。1855年取得教师资格，并获金质奖章。1856年获化学高等学位，1857年首次取得大学职位。1859年被派往德国海德堡大学进修，在此期间，他参加了著名的卡尔斯鲁厄大会（1860-09）与法国的化学家们和意大利化学家S.坎尼扎罗等进行了有意义的交往，这些化学家在区别原子量和分子量方面的坚决主张，对其影响很大。1864年，门捷列夫任工学院化学教授，3年后任圣彼得堡大学化学教授，1868～1870年写出《化学原理》。在著书过程中，他深入探索了元素性质间的关系，对所有已知元素按原子量递增的顺序排列成表，显示出元素性质具有周期性的变化规律。这使人们注意到元素的化学性质之间具有复杂的内在联系，而在过去，人们只是孤立地去研究。这个新体系，在开始时并没有取得广泛承认，但随着时间的推移，其科学性越来越明显。门捷列夫预言周期表上的空缺，将由未知元素来填补。在以后20年中发现的3个新元素，确实具有他所预言的性质。周期表逐渐成为大部分化学理论的骨架。20年后，在元素的放射衰变中，证明用周期表阐明元素之间的转变过程非常有用。门捷列夫很关心实用化学，1867年他对法国化学工业做了研究，从而改进了俄国的制碱工业。他热衷于社会改革，1890年为大学生传递要求改善不公正待遇的信件，被解除大学职务，也没有被选入俄国科学院。1891年被任命主持重化工产品的进口工作，1893年任度量衡局局长直到去世。晚年卷入俄国1905年革命。

Mendelism 孟德尔主义 G.孟德尔于1865年阐述的遗传学原理。其中包含通过遗传单位（或基因）传递的颗粒遗传系统的概念。孟德尔的两条基本定律：分离定律和独立分配定律被以后的发现（染色体是遗传单位的携带者）所证实。按现代的术语，孟德尔分离定律是：基因作为独特的独立单位而代代相传。基因对中的两个基因（等位基因）分别位于成对的两条同源染色体上，在亲本生物体产生性细胞过程中，上述等位基因分离，性细胞仅具有一个等位基因，子代的另一个等位基因来自另一亲本生物的配子。由这些性细胞形成的后代可反映出这种比率。用现代的术语来叙述独立分配定律便是：在一对染色体上的基因对中的等位基因能够独立遗传，与其他染色体对基因对中的等位基因无关；并且含不同基因组合的性细胞能够同另一个亲本的性细胞进行随机的融合。

Mendelsohn, Erich 门德尔松（1887-03-21，德国阿伦施泰因［今波兰奥尔什丁］～1953-09-15，美国加利福尼亚旧金山） 德国建筑师，以设计德国表现主义的代表作爱因斯坦天文台著称。在慕尼黑工学院攻读建筑时，靠绘画和为商店、剧院作美术设计维持生活，在此期间与德国表现主义画派联系密切。在第一次世界大战从军期间，作了许多想象丰富的建筑速写，战后在柏林展出，受到社会的注意。战后的第一项设计是波茨坦市爱因斯坦天文台（1919～1921），这座用砖和混凝土塑造的建筑造形奇特，有似雕塑，立即引起轰动。另一制帽厂建筑同样具有惊人的外貌，但完全从功能出发。20年代中设计了许多建筑，杰出的作品有斯图加特市的绍肯商店（1927），采用强烈的横线条构图和带形玻璃窗，想象力丰富。纳粹党掌权后，他被迫于1933年离开德国。到英国与S.舍玛耶夫合作设计了贝克斯希尔的德拉沃尔馆（1933），内有一全部用玻璃外墙的半圆形楼梯间。他在巴勒斯坦也设计了几项重要的建筑，主要有海法医院（1937）和耶路撒冷医院（1938）等。1945年定居美国旧金山，在那里的主要作品有迈蒙尼德医院（1946），在美国其他各地设计了很多犹太教教堂和社团中心建筑。

Mendelssohn, Fanny 门德尔松（1805-11-14，汉堡［德国］～1847-05-14，普鲁士柏林） 全名Fanny (Cäcilie) Mendelssohn (-Bartholdy)，婚后名Fanny Hensel。德国钢琴家和作曲家。作曲家费利克斯·门德尔松的长姐和契友。据说范妮·门德尔松的音乐才华不亚于其弟，姐弟二人受业于同一些音乐教师。费利克斯毫不迟疑地承认姐姐钢琴弹得比他好；在他离家以前范妮一直是他主要的音乐顾问。有人说范妮13岁就能背奏J.S.巴赫的整套《平均律钢琴曲集》。她于1829年与普鲁士宫廷画家W.亨泽尔结婚；1839～1940年间偕夫婿游览意大利。1842年母亲去世后，范妮接过门德尔松家族在柏林的住宅的管理大权，以这一身份组织地方音乐会，偶尔亦登台演奏钢琴。与弟弟费利克斯始终保持着亲密关系；她于1847年5月与世长辞，在很大程度上导致费利克斯6个月后的一病不起。范妮共作有乐曲约500首，包括约120首钢琴曲、许多德国艺术歌曲（利德），以及室内乐、康塔塔和清唱剧。有6首歌曲以费利克斯之名出版，收入其两套《歌曲十二首》（作品第8号和第9号）中。以她自己的名义出版的少量作品中包括几本钢琴小品集、若干德国艺术歌曲和一首钢琴三重奏。留存下来的作品大多为手稿。其音乐风格与其弟作品相似，范妮的日记和信函提供大量有关其弟费利克斯的资料；她的儿子塞巴斯蒂安以此为部分素材撰写一本门德尔松家族的传记。

Mendelssohn, Felix 门德尔松（1809-02-03，汉堡～1847-11-04，莱比锡） 全名Jakob Ludwig Felix Mendelssohn-Bartholdy。德国作曲家、钢琴家、指挥家和教师，浪漫主义早期最知名的人物之一。其音乐主要以古典主义的模式和实践为准绳，但同时又开创了浪漫主义的一些关键性的特点，倡导一种艺术动向，认为感情与想象力比严格的形式和传统更为重要。最著名的作品有《仲夏夜之梦序曲》（1826）、《意大利交响曲》（1833）、一首小提琴协奏曲（1844）、两首钢琴协奏曲（1831，1837）、清唱剧《以利亚》（1846）和若干室内乐曲。

早期生活和作品 出生于犹太人家庭，幼年从母亲学钢琴。姓氏中的“巴特霍尔第”（Bartholdy）一词原是其母舅的一座房地产之名，后来这位富裕亲戚的财产转移给门德尔松一家时，他们便继承了他的姓氏。1811年法国占领汉堡期间，全家迁往柏林；门德尔松开始从L.贝格尔学钢琴，从K.F.策尔特学作曲，策尔特作为作曲家和教师对他日后的发展有重大影响。门德尔松家的孩子还跟其他教师上文学和风景画的课程，因而他从小就得到广泛的熏陶。还曾和姐姐一起去巴黎进

修钢琴。门德尔松是一位极其早熟的作曲家,童年即作有大量乐曲,包括5部歌剧、11部弦乐队交响曲、协奏曲、奏鸣曲和赋格曲。1818年9岁时在柏林首次公开演出。1821年

美国不列颠百科全书公司供图

被带往魏玛拜见歌德,为他演奏了巴赫和莫扎特的作品,并将所作《B小调第三钢琴四重奏》题献给他。在这位垂暮的诗人和12岁的音乐家之间建立了不同寻常的友谊。1825年L.凯鲁比尼在巴黎发现了他的杰出才华。翌年所作《仲夏夜之梦序曲》在作曲上臻于炉火纯青之境。作品的朦胧效果和清新抒情的旋律揭示出一位独具匠心的作曲家的心胸,而绘声绘色的配器则预示了里姆斯基-科萨科夫的管弦乐手法。此时门德尔松在指挥方面也开始活跃起来。1829年3月11日在柏林歌唱专科学校指挥了巴赫逝世后第一次演出的《马太受难曲》,从而开始了巴赫音乐在19和20世纪的复兴。其间,在访问瑞士时结识韦伯,韦伯的歌剧《魔弹射手》激励他培育音乐中的民族风格。这一时期的伟大作品是《降E大调弦乐八重奏》(1825),不仅表现出娴熟的技巧和几乎是闻所未闻的轻巧笔触,而且显示了他的杰出的旋律和节奏独创性。1829年春首次访问英国,在伦敦爱乐协会指挥他的《C小调第一交响曲》(1824)。夏天去苏格兰,在阿伯茨福德与W.司各特相识。门德尔松的想象力中的文学、绘画和音乐的因素常常交织在一起。当他在赫布里底写信描绘浪涛拍击苏格兰海岸的情景时,他用音乐符号的形式记下了《赫布里底序曲》(1830～1832,又称《芬戈尔洞》)的开始几小节。1830和1832年他在德国、奥地利、意大利和瑞士旅行,1832年返回伦敦,指挥《赫布里底序曲》演出,并出版了他称之为《无词歌》(1830年在威尼斯完成)的钢琴音乐的第一卷。他主要成名于英国,在他短暂的一生中访问英国不下10次。当时他的音乐被认为主要是维多利亚时代风格的,他终于成为维多利亚女王宠爱的作曲家。他的《A小调第三交响曲》(又称《苏格兰交响曲》)题献给维多利亚女王。而且他还以其他方式获得英国音乐听众的爱慕。在婚礼上弹奏《仲夏夜之梦》中的婚礼进行曲的时尚源自该曲在1858年(此时门德尔松已去世)大公主婚礼上的演出。清唱剧《以利亚》于1846年在伯明翰首演后红极一时,确定了门德尔松作为作曲家的地位,他对英国音乐的影响可与韩德尔媲美。一系列新的经历在门德尔松第一次访英后的观光旅游中留下痕迹。他的长长一系列信件对旅行中的细节作了生动的描述。在歌德推荐下他阅读L.斯特恩的《感伤的旅行》,受其启发而以极大的激情记录了自己的印象。在威尼斯他对提香和乔尔乔涅的画如痴如醉。后来他和柏辽兹在莱比锡交换指挥棒;柏辽兹送他一根粗大并带树皮的欧椴树棍,而门德尔松则开玩笑地给他的这位同时代人一根鲸骨制的细棍。两根指挥棒的悬殊差别准确地反映了两位作曲家的迥然不同的性格。1833年他再次访英,指挥他的《意大利交响曲》,同年在杜塞尔多夫任音乐总监,开始写作他的第一部清唱剧《圣保罗》。1835年任莱比锡著名的布业会堂乐队指挥,不仅提高了管弦乐演奏的水平,而且使莱比锡成为德国的音乐之都。肖邦和舒曼都是他在莱比锡的朋友。

婚姻与成熟 1835年父亲去世使门德尔松悲痛欲绝。他遵从父亲遗愿,重新下决心投入《圣保罗》的写作,翌年在杜塞尔多夫指挥演出。同年他在法兰克福与比他小10岁的C.让雷诺相识,1837年3月结婚。他的姐姐范妮对这个弟媳赞赏备至。门德尔松和范妮不仅在感情上休戚相关,而且在音乐上也志同道合。范妮不仅本身是一位当之无愧的作曲家——她曾写了几首《无词歌》归入她弟弟名下——而且对他的内在音乐禀性的发展具有重大影响。1838年门德尔松着手写作《E小调小提琴协奏曲》;虽然他创作时一般速度很快,信手拈来就像写信一样,但是这最后一次抒情才华的体现却花费了他6年心血。直到20世纪此曲仍以其诚挚亲切的旋律和活泼轻快的表情而得到人们的赞赏。它依然盛行一时,并未因后来的勃拉姆斯、巴尔托克和贝尔格的更为浮艳和更为戏剧性的小提琴协奏曲而相形见绌。1843年在莱比锡创办音乐学院,并与舒曼一起在该院教作曲。接着又访问伦敦和伯明翰,因而引来越来越多的聘约。这些并不足以影响他的正常健康;他的生活一向是这么紧张而不稳定的。但是1847年5月在法兰克福接到范妮的死讯,使他肝肠寸断。自姐姐去世后门德尔松从此一蹶不振,不久便因血管破裂不治身亡。

评价 虽然门德尔松的音乐没有填满整个音乐舞台,但它却具有一些足以将这位多才多艺的19世纪作曲家和当时艺术界的主要人物统一起来的因素。在《仲夏夜之梦》中,门德尔松成了莎士比亚仙境王国中的一员。《芬戈尔洞》中的影影绰绰的印象主义效果预示了画家J.M.W.透纳后来的发展。瓦格纳理解门德尔松作为一位配器大师所具有的创造力,这可从他的《漂泊的荷兰人》中窥见一斑。后来20世纪的法国作曲家们也从他的优雅完美的风格中学到很多。近年以来,门德尔松作品的感染力并未衰减。尽管,《以利亚》的演出不如以前频繁,他的几首流利的钢琴曲也因贝多芬和舒曼的久演不衰的作品而黯然失色;但他的那些描绘性的音乐《苏格兰》和《意大利》交响曲却不断产生新的远景。门德尔松是19世纪伟大浪漫派作曲家中最早的代表人物之一,从这一观点来看他至今仍是一位值得发掘的人物。

Mendelssohn, Moses 门德尔松(1729-09-26,安哈尔特德绍[德国]～1786-01-04,普鲁士柏林) 德国犹太人哲学家、评论家和《圣经》翻译家、注释家;他致力于促进犹太人同化于德国中产阶级之中。

美国不列颠百科全书公司供图

他是贫寒犹太教律法学者M.M.代绍之子,在犹太社区中通称摩西·代绍,以门德尔松为笔名。他选择德文笔名,表明随德俗,他希望其他人也这样作。1743年他迁居柏林,研究英格兰哲学家J.洛克以及德意志思想家莱布尼兹和沃尔弗的思想。

1750年门德尔松任丝绸业者贝恩哈德之子女的家庭教师,1754年贝恩哈德吸收他到企业中工作。同年,门德尔松结识了德意志著名戏剧作家莱辛;先是,莱辛曾在所著剧本《犹太人》(1749)中描写一位可敬的犹太人士,至是遂认为门德尔松体现了他这种理想。随后,莱辛在所著剧本《智者纳旦》(1779)中即以门德尔松为典型,其智慧使得他被称为"德意志的苏格拉底"。门德尔松的第一部著作《哲学演说》(1755)在莱辛的援助下得以印行,这是歌颂莱布尼兹的著作,同年门德尔松还发表了《论感觉的书信》,强调感觉在宗教经验中的重要意义。

1763年门德尔松在文学评比中获普鲁士艺术科学院奖,于是普鲁士国王腓特烈大帝接受建议,免除门德尔松作为犹太人照例应受的限制,门德尔松的获奖论文指出,形而上学的命题,与数学命题一样,也是可以表述的,这是以他自己本名出版的第一部著作(1764)。他最著名的著作《斐多——论灵魂不死》(1767)维护灵魂不死说,反对当时流行的唯物主义,书名反映他对柏拉图的《斐多篇》的尊重。

1771年,门德尔松经过就基督教教义同瑞士神学家拉瓦特尔激烈争论而疲惫不堪。先是,拉瓦特尔于两年前将所译瑞士神学家博内著作寄给门德尔松,附言中劝告他,如不能驳倒博内为基督教辩护的论点,不如改信基督教。门德尔松厌恶宗教争论,但此时感到不得不重申自己的犹太教信仰。1774年,门德尔松着手翻译《诗篇》,关系才缓和下来。其后他着手编写用希伯来字母排印的德语《五经》(《旧约》的首5卷)(1780～1783),意在帮助犹太人把本民族的宗教传统与德意志

文化联系起来。同时，他又卷入新的一场争论，其中心问题是关于绝罚的教义。原来，门德尔松的友人基督教徒多姆允诺为阿尔萨斯的犹太人撰写请愿书，他们本来是请求门德尔松个人进行干预，争取他们的解放。多姆乃写成《论改善犹太人的公民权利》(1781)。呼吁解放犹太人，但又自相矛盾地提出，国家应当维护犹太教会堂绝罚犹太教徒的权力。多姆的书激起了反感，于是门德尔松在他为玛拿西·本·以色列的《为犹太人辩》一书德文本的序言(1782)中，表示反对绝罚制度。有人匿名著文斥责门德尔松违背摩西律法的一个主要内容，他遂即著《耶路撒冷——论宗教权威和犹太教》(1783)，指出人的行为可以由国家进行强力统治，而思想则不容教会和国家侵犯。最后，由于有人指责莱辛支持斯宾诺莎的泛神论，又发生了争论。门德尔松一方面写出他最后一部著作《晨课》(1788)支持莱布尼兹的有神论，另一方面为莱辛辩护。门德尔松著作选集共7卷，于1843～1845年出版。

门德尔松以本人的榜样表明，把犹太教与启蒙运动的理性主义互相结合，是可能的。因此，他是哈斯卡拉运动(犹太教启蒙运动)的发起人之一，也是其主要代言人之一，哈斯卡拉运动促进犹太人汇入现代欧洲文化之主流。门德尔松呼吁实行宗教宽容，而且他博学多识，甚孚众望，在促进犹太人摆脱当时在德意志所受的种种社会、文化、政治和经济限制而获解放方面发挥了重大作用。门德尔松之子亚伯拉罕是作曲家门德尔松之父。

Mendenhall, Thomas Corwin　门登霍尔 (1841-10-04，美国俄亥俄汉诺威顿～1924-03-23，俄亥俄拉韦纳)　美国物理学家和气象学家，首先提出用环摆测定绝对重力。1873～1878和1881～1884年，门登霍尔任哥伦布市俄亥俄州立大学教授。1884年任俄亥俄州立大学名誉教授和美国通信兵部队教授。1878～1881年任东京帝国大学的访问教授，帮助发展日本政府的气象系统。1889年被任命为美国海岸和大地测量局负责人；1894年起任伍斯特(马萨诸塞州)工业学院院长，直至1901年。此后赴欧洲工作了11年。门登霍尔发展了俄亥俄州的气象事业。他的研究工作包括电学、地震学和大气电学等方面。

Mendenhall Glacier　门登霍尔冰川　蓝色冰体，长19千米，宽2.4千米，最厚处高30多米。发源于由美国阿拉斯加东南的邦德里山脉开始的巨大朱诺冰原的南半部。这是一直延续到18世纪中叶的小冰期遗迹，为典型的后退冰川，每年后退约30～45米。可以看到处于自然状态的冰碛层，夹杂着长期埋没的森林的残迹。冰川与汤加斯国家森林毗连，是这一地区全年通汽车的唯一冰川。因奥克印第安人之故，原名奥克冰川。1892年以美国海岸和大地测量局负责人托马斯·科文·门登霍尔的姓氏重新命名。与冰川毗连的门登霍尔湖约在1900年形成，长约2.4千米、宽1.6千米，接近冰川正面中部处深65米。

Menderes, Adnan　曼德列斯 (1899，土耳其艾登～1961-09-17，伊姆拉勒)　土耳其政治家。1950～1960年任总理。富有的地主家庭出身。曾在伊兹密尔美利坚学院和安卡拉大学法律系读书。他后来把大部分地产售给或赠给小农，只保留一处农场，成为采用现代农业方法的示范农场。1930年作为凯末尔的共和人民党党员进入国会。其时，共和人民党是土耳其唯一合法政党，实行亲西方政策，严厉破除过去的社会文化传统，实行由国家严格控制的经济制度。1945年他被开除出党。1946年参与创建民主党。1950年土耳其举行25年以来的第一次自由选举，曼德列斯及其政党获大胜。曼德列斯较容忍传统生活方式，虽仍实行亲西方的外交政策，但试图接近各穆斯林国家。他鼓励私营企业与计划经济相抗衡，但由于盲目进口商品和技术而债台高筑。农民生活有所改善，但损害了国民经济的完整性。尽管如此，在1954年的选举中，民主党又获多数选票，他再次执政。他一贯不能容忍批评，想方设法使反对派缄口不言，建立新闻检查制度，逮捕新闻记者，操纵地方选举，不但激起知识分子的愤怒，也疏远了军界。1960年5月27日发生的军事政变推翻了他的政府。曼德列斯和数百名民主党领导人被捕，经11个月的审讯，他以侵吞国家资产、挥霍腐败等罪名被判处死刑并被绞死。

Menderes River　门德雷斯河　土耳其语称大门德雷斯河，史称迈安德河。土耳其西南部河流，源出安纳托利亚高原。向西流经一狭窄山谷和一狭谷，至萨拉伊科伊流入宽阔的平坦谷地。此地属典型的地中海景色，到处可见无花果树、橄榄树丛和葡萄园。该河在艾登镇附近折向西南，注入爱琴海。全程584千米。河口附近的米利都古港由于淤塞，已长期被陆地包围而遭废弃。

Mendès, Catulle　孟戴斯 (1841-05-22，法国波尔多～1909-02-09，巴黎)　法国多产诗人、剧作家、小说家、帕尔纳斯派成员之一。该派提倡节制感情，形式至上，为艺术而艺术，反对浪漫主义的无形式化。他是一个银行家的儿子。在巴黎创办的《幻想杂志》(1861)发表了介绍戈蒂耶(其岳父)、波德莱尔以及维利耶·德·利尔-阿达姆等诗人的后期作品。该派诗歌运动因他所编《当代帕尔纳斯》(1866，1871，1876)得名。孟戴斯则在《当代帕尔纳斯传说》中写下了诗人们的历史。他还赞助过一代较年轻的诗人，这些人后来开创了重要的象征主义运动。他的《诗集》(1892)和《新诗集》(1893)模仿众家诗人，使人很难辨别。剧作《死对头的母亲们》(1882)和《塔巴兰的妻子》(1887)均取得较大成功。

Mendes, Murilo　孟德斯 (1901-05-13，巴西茹伊斯-迪福拉～1975-08-14，葡萄牙里斯本)　巴西诗人、外交官。虽然一生大部分时间任教师和驻意大利使馆文化专员，但1930年后在巴西现代主义运动中起了重要作用。早期诗作以善意的讽刺幽默和口语词汇为特色，着眼于表现巴西日常生活中创造性和紊乱性因素。后来的作品显示出日益加深的超现实主义影响。1934年改信天主教后，与J.德·利马合作，创作玄学诗歌，如《时间和永恒》(1935)。其后又表现物质世界和宗教超脱之间的强烈矛盾。在生命的最后20年中，企图在诗歌中把庄严明晰同伊比利亚西班牙诗歌传统的"干瘪"结合起来，同时也在实体派技巧方面做了一些实验。

Mendès-France, Pierre　孟戴斯-弗朗斯 (1907-01-11，法国巴黎～1982-10-18，巴黎)　法国社会党政治家、总理(1954～1955)，在任期内谈判结束法国在印度支那的战争。曾任律师。1932～1940年任激进社会党众议员，1938年3～6月任布鲁姆政府财政部副部长。第二次世界大战期间，于1942年2月到伦敦，参加自由法国空军，1943年11月～1945年4月在戴高乐将军手下先后任财政专员和国民经济部长。他为制止通货膨胀而实行的严厉政策引起同僚们的不满，因而辞职。1946年6月重任众议员，严厉批评历届政府在经济、印度支那战争和北非等问题上奉行的政策。在奠边府于1954年5月被越盟占领以后，他保证在30天以内结束法国在印度支那的卷入，因而就任总理。在重新召开的日内瓦会议上，他的诺言得以实现，在北纬17度划定停战线。后又为突尼斯实现自治铺平道路，帮助挫败建立欧洲防务集团的活动，反之接受了英国提出的重新武装德国的计划。他的政策使他不得人心，1955年2月5日被击败。他着手掌握激进党，试图以激进党为中心组成非共产党的左派。在1956年大选中，他是中左的共和阵线领袖，1956年2～5月任摩勒政府的无任所副总理，后因摩勒拒绝在阿尔及利亚实行自由政策而辞职。由于他反对戴高乐掌权，1958年他未能重新选入国民议会，从此在激进党中的影响逐渐减弱，于1959年辞职。1965年总统选举中他支持密特朗反对戴高乐。1967年重返国民议会。

Méndez, Aparicio　门德斯 (1904-08-24，乌拉圭里韦拉～1988-06，蒙特维的亚)　乌拉圭律师、法学家、政治家和乌拉圭总统(1976-09～1981-09)。1930～1955年任位于蒙特维的亚的共和国大学行政法教授。1961～1964年任公共卫生部部长，1973年后任国务委员会委员。后被推翻博达维里总统的军事委员会任命为总统。1976年9月1日就职后颁布法令，剥夺所有参加1966和1971年大选的政治家的政治权利15年，受到这一措施影响的达数千人。门德斯的政府被广泛指责的是它非法拘禁和拷打政治犯以镇压反抗。尽管他表示恢复经济优先于政治自由，但1977年宣布在1981年举行大选。由于所宣布的大选临近，政府于1980年11月30日对新宪法进行公民投票，这部宪法在"有限民主"的范围内规定了武装力量的作用。选民们否决了这部宪法。

Mendi　门迪　巴布亚新几内亚中部城镇。位于1 675米高的门迪河谷平缓的火山山坡上。周围地区人口多，经济发展缓慢。种植蔬菜、茶叶和咖啡。有锯木厂。交通运输以航空为主,有通芒特哈根及去东北的公路。人口4 130(1980)。

mendicant 托钵修士 天主教修会中的一类托钵修会成员。托钵修士发神贫愿,靠劳动所得或慈善捐赠为生。托钵修会的两大创始人是多明我会的创始人圣多明我和方济各会的创始人圣方济各。在他们去世后的一代人时间内,该组织遍布欧洲并传入亚洲,其修士数以十万计。圣方济各的本意并不是要修士以乞讨募化为正常生活来源,他原是要求他们自食其力,不能维持生活时才乞讨。但是,后来这些修士几乎都成为司铎,以传教为专职,而且信徒人数日益增加,于是自食其力尤其困难,乞讨的作用就远较圣方济各所见更为重要。圣方济各显然是认为,修士一方面应当保持赤贫简朴,另一方面也应有最低的财产,虽然不得保有田产、资金或固定收入。这种主张在现实生活中行不通。多明我会和其他托钵修会都加以变通乃至完全废除这种规定。

Mendip 门迪普 英格兰西南部萨默塞特行政、历史郡一区。面积739平方千米。在布里斯托尔以南约32千米处。由境内门迪普丘陵得名。丘陵从东部弗罗姆和布鲁顿两镇之间延伸至区西北角,南坡陡然下降,形成多处山洞和峡谷。肥沃低地养猪、羊、家禽、奶牛和肉牛。工业以畜产品加工为主,生产鞋靴、毛织品和乳酪。最大城镇弗罗姆有印刷、金属铸造和织毯等轻工业。区首府谢普顿马利特是苹果种植业中心。人口99 200(1982)。

Mendip Hills 门迪普丘陵 英格兰萨默塞特地理郡境内的绵亘丘陵。自弗罗姆谷地向西北延伸23英里(37千米)。其西北坡在埃文郡境内。东门迪普丘陵较低,西门迪普丘陵形成宽6英里、高逾244米的高地。再向西以韦弗林和布利登两丘陵延伸至布里斯托尔海峡。其中有许多洞穴,诸如在伍基洞和切德悬崖上都有。在该地区曾发现有史前居民点重要遗迹。

Mendocian Stage 门多萨阶 智利和阿根廷早白垩世最早的年代地层大单元(白垩纪始于1.36亿年前,延续约0.71亿年)。由300米左右的海相黑色页岩和暗色灰岩组成,富菊石类头足动物(软体动物)化石。向东,以厚贝壳层为代表。位于惠特林阶之下。

Mendocino Fracture Zone 门多西诺断裂带 东太平洋的海底断裂带。从加利福尼亚州门多西诺角岸外约190千米处向西延伸至少4 000千米至西经175°和北纬38°处。大部分在地形上表现为一条不对称海岭的陡峭南坡(北坡平缓)。断裂带南北侧有较小而短的海岭和断崖与之平行。主断裂带在加利福尼亚岸外处高3 200米西端高2 560米。断裂带北面的海底深度始终小于南面,高度差别在792～1 189米之间。海底岩石的磁力强度表示出沿断裂带有1 127千米长的明显的侧向断错;北面岩石比南面的年轻2 300～2 700万年。这个明显的位错是转换断层的痕迹,这转换断层伴随着海底扩张而产生,海底扩张至今仍在沿断裂带以北的戈尔达海岭继续发生,在戈尔达海岭两侧速率估计为每年28毫米。结果从海岭顶脊沿断裂带向东直到海岸就产生地震。

Mendovg(Lithuanian ruler) 参阅 **Mindaugas** 明道加斯。

Mendoza 门多萨 阿根廷西部省份。面积148 827平方千米,相当大一部分位于安第斯山脉山麓和山区。安第斯山脉(和西半球)的最高峰阿空加瓜峰(6 959米)在西北角与智利

门多萨省山区的教堂

美国不列颠百科全书公司供图

交界处。人烟稠密的县集中在山麓地区,尤其是北部有门多萨河提供灌溉之利的地区。东部为贫瘠的沙质平原并有广阔的盐碱滩。阿图埃尔河和迪亚曼蒂河上所建水坝使圣拉斐尔城周围地区农业提高产量。1561年从智利来的西班牙人在门多萨定居。在整个殖民时期,该地一直是人口稀少的边境地区。1776年脱离智利,成为拉普拉塔总督辖区的一部分。1820年升为省。由于地理位置偏僻而发展迟缓。1885年修筑了通往省会门多萨(**Mendoza**)的铁路,情况改观。1910年又修筑了横穿安第斯山的铁路。门多萨生产的葡萄占全国产量的一大部分。种植苜蓿养牛,供应智利。矿产资源丰富,其中有铀、天然气、锰、金和铜。在20世纪80年代初,是全国最大的石油生产地之一。以山地疗养胜地为主的旅游业亦为经济收入来源。在海拔4 099米的乌斯帕亚塔山口有一巨大的塑像"安第斯的基督",象征阿根廷和智利之间和平相处。人口约1 500 818(1985)。

Mendoza 门多萨 阿根廷门多萨省省会。地处有灌溉之利的门多萨河谷,海拔761米。16世纪60年代建立和多次迁址。在争取脱离西班牙而独立的运动中,曾为J.D.圣马丁将军的司令部。他组织了一支远征军在1817年越过安第斯山,解放智利,纪念这一事件的纪念碑设在可以俯瞰该市的塞罗-德拉格洛里亚山上。1861年该城毁于地震,伤亡惨重。1863年规划建设一座新城,19世纪末移民(大多为意大利人)涌入,促进了经济发展。

门多萨市塞罗-德拉格洛里亚山上的远征军纪念碑

美国不列颠百科全书公司供图

气候干燥,但经灌溉可经营菜园、果园和葡萄园。酿酒、水果加工和石油化工工业重要。有铁路和公路通全国各主要港口,也是去智利的门户。市内有剧院、人类博物馆以及国立库约大学(1939)等大学和学校。阿根廷空军设有基地。人口:城市121 739(1991);大门多萨605 623(1980)。

Mendoza, Antonio de 门多萨(约1490,格拉纳达王国格拉纳达～1552-07-21,利马) 新西班牙第一任总督。出生于军人和政治家世家。因对西班牙国王查理一世效力有功,

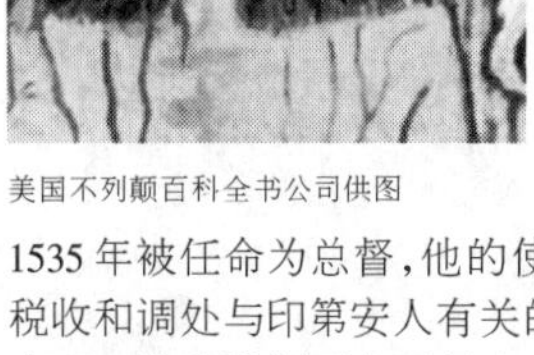

美国不列颠百科全书公司供图

1535年被任命为总督,他的使命是增加王室税收和调处与印第安人有关的事务。1542年查理一世为限制西班牙领主对其印第安属民的统治权颁布一系列法令,史称"新法令"。门多萨无法也不愿意实施这些法令,但是曾经限制矿山对印第安人的剥削,如固定工作时间,要求对自由印第安人给予劳动报酬,保护印第安人土地不被占领。印第安人前来请愿时,他总是在官邸中接待。他还引进印刷设备,兴建学校和医院,鼓励改进农业、畜牧和采矿业的技术。身兼行政、司法首脑、教会

庇护者、武装部队统帅和王室财政监督，俨然成为君主的化身。他在职15年，使墨西哥出现了和平与稳定。1551年升任驻秘鲁总督。但仅在该地进行一次广泛的考察，概略地规划了应采取的措施便去世。

Mendoza, Daniel **门多萨**（1764-07-05，伦敦～1836-09-03，伦敦） 英国徒手拳击运动员。第16届英格兰最重量级拳击冠军，第一个获得拳击冠军的犹太人，第一个把技巧与速度结合起来而不单以力取胜的重要拳击手，一改以往用拙力殴打的打法。最重量级冠军布雷恩退出拳击界后，1791年门多萨战胜当时被公认为英国最重量级最佳拳击手的汉弗莱斯，取得冠军称号。后曾两次保住冠军。1795年4月15日输给杰克逊。

Mendoza, Iñigo López de, marqués de Santillana **门多萨** 参阅 **Santillana, Iñigo López de Mendoza, marqués de** *桑蒂利亚纳侯爵*。

Mendoza, Pedro de **门多萨**（1487，格林纳达瓜迪克斯～1537-06-23，在大西洋船上） 西班牙军人、探险家、驻阿根廷拉普拉塔河地区第一任总督、布宜诺斯艾利斯城的创建人。出身于西班牙名门。西班牙人在意大利作战期间，他任军官。国王查理五世（西班牙国王查理一世）得知印加帝国十分富有，希望西班牙率先开发南美内地。门多萨被任命为远征队指挥，前往拉普拉塔河地区进行征服和殖民，并奉命在该地兴建3座城市。1535年8月24日，他带领约2 000人分乘13艘船出发。1536年初，远征队到大拉普拉塔河地区，建立布宜诺斯艾利斯。印第安人起初态度友善，但不久转而反对这些入侵者。由于患梅毒和一支深入内地的远征队受挫，门多萨失掉信心，决定返回西班牙。留下的殖民者与印第安人对峙5年之后，沿河而上，转移到亚松森。门多萨死在归国途中，被葬入大海。

Mendoza, Pedro González de **门多萨** 参阅 **González de Mendoza, Pedro** *冈萨雷斯·德·门多萨*。

Menedemus of Eretria **墨涅德摩斯（厄立特里亚的）**（约公元前339～约前265） 希腊哲学家，厄立特里亚哲学学派创始人。在麦加拉进行的一次军事出征期间，他开始听斯提尔波讲课，后来就参加了斐多在埃利斯创办的学校。他担任该校主持人之后，把它迁往厄立特里亚，即人们所说的厄立特里亚学派。由于他积极参加政治活动，在政敌逼迫下不得不亡命出走，几年后自杀。柏拉图在世时，他学园中的另一个学员也叫墨涅德摩斯是皮拉人，不可与这名厄立特里亚人相混。

Menelaus **墨涅拉俄斯** 希腊神话中的斯巴达国王，迈锡尼国王阿特柔斯的幼子。他的妻子海伦被诱拐，引起特洛伊战争。战争期间，他在哥哥阿伽门农、希腊联军统帅麾下服役。特洛伊陷落后，他重新得到海伦并把她带回家中。在荷马史诗《伊利亚特》和《奥德赛》里，他是一个令人注目的人物。因娶宙斯的一个女儿为妻，他得到死后在乐园享有一席地位的保证。诗人斯特西科罗斯（活动时期在公元前6世纪）对这个故事进行了加工，它被欧里庇得斯用于他的剧作《海伦》：被带到特洛伊去的只是一个幻影，真正的海伦去了埃及。墨涅拉俄斯从特洛伊返回途中，船只失事，在埃及救出了她，海伦的幻影就随之消失了。

Menelaus of Alexandria **米尼劳斯**（活动时期1世纪末，亚历山大城） 希腊数学家。首先确立了球面三角形的定义。他最重要的著作是关于球面几何的《球面学》。第一卷中他为球面三角形的数学处理奠定了基础，与欧几里得对平面三角形的处理相似。此外，他首创了在球面上使用大圆的弧而不用平行圆的弧，这是球面三角学发展的主要转折点。他定义球面三角形是球面上由小于半圆的3个大圆弧构成的图形。第二卷论述了球面几何学和球面三角学在天文测量和计算上的应用。第三卷论述了球面三角学，建立了米尼劳斯定理，对于平面三角形，这个定理的形式是当时人们所熟知的：如果一个三角形的各边被一条直线所截（一条边被截于其延长线上），则3条边上被截的不相邻的线段的乘积等于3条边上剩下的3个线段的乘积。他修改了这个定理并将它应用于球面三角形。米尼劳斯定理在球面三角学和天文学上是极重要的定理。他的重要著作还有：关于圆内的弦、关于几何学的原理，但都没有流传下来。

Menelik II **曼涅里克二世**（1844-08-17，埃塞俄比亚绍阿安科伯尔～1913-12-12，亚的斯亚贝巴） 即萨赫勒·米里亚姆。绍阿国王，埃塞俄比亚皇帝。埃塞俄比亚最伟大的统治

美国不列颠百科全书公司供图

者之一，将国土扩大到近于现在的边界，击退意大利人的入侵，并实行广泛的现代化措施。父亲海尔·马拉科特是绍阿国王。1855年埃塞俄比亚皇帝特沃德罗斯二世侵入半独立的王国绍阿，曼涅里克被俘，幽囚10年。1865年逃回绍阿，时年21岁。他率群众推翻特沃德罗斯二世任命的总督，自立为绍阿国王。特沃德罗斯二世死后，曼涅里克渴望能够登上皇帝的宝座。他先后将阿鲁西、哈勒尔、季马、克法和另外几个埃塞俄比亚南部的小王国并入自己的版图。到1889年，曼涅里克已经成为埃塞俄比亚最强有力的人物，终于取得了期待已久的皇冠。同年，他与意大利人缔结乌西阿利条约。但是，意大利人故意曲解这一条约，硬说条约规定埃塞俄比亚是意大利的保护国。曼涅里克遂即将条约废除。当时意大利人已在红海沿岸取得立足点，驻厄立特里亚殖民地的总督大肆进行阴谋活动。意大利军队悍然大举进攻埃塞俄比亚，1896年3月1日意军在阿多瓦战役中惨遭败北。两国终于签订了关于取消乌西阿利条约的协定，意大利不得不承认埃塞俄比亚的独立和主权。此后，曼涅里克极力改革内政，实施现代化教育，建设电报电话系统，修筑从吉布提至绍阿山区的铁路。

Menem, Carlos Saúl **梅内姆**（1930-07-02，阿根廷阿尼利亚科～ ） 政治人物和律师，1989年成为自1973年胡安·庇隆以后第一个当选阿根廷总统的庇隆主义者。他于1995年再次当选。梅内姆是叙利亚移民的儿子，受的是穆斯林教育。然而，他的政治抱负使他改奉阿根廷的国教罗马天主教。他于1956年参加庇隆主义运动。1958年在国立科尔多瓦大学获法律学位后开始在西北部的拉里奥哈市从事工会律师工作。1973年他当选为拉里奥哈省省长，1976年被推翻了伊莎贝尔·庇隆政府的军人执政团撤销职务。1983年他重新担任省长。在任省长期间，他扩大政府的规模，给商业优惠的减税，并推行其他典型的庇隆主义运动的政策。1989年5月，他在阿根廷历史上最严重的经济危机期间当选为总统。由于通货膨胀率很高，被迫放弃他的党的正统思想，以利于奉行一种财政上保守的适应市场需要的经济政策。在很多非庇隆主义者的内阁成员的协助下，他成功地稳定了经济。作为总统，他树立了一个光辉的形象并赢得了巨大的全国性的声望，尽管由于他赦免了一些已被定罪的与军事统治时期（1976～1983）有关的侵犯人权者而受到严厉的批评。

Menéndez de Avilés, Pedro **梅嫩德斯·德·阿维莱斯**（1519-02-15，西班牙阿维莱斯～1574-09-17，桑坦德） 西班牙水手，佛罗里达州圣奥古斯丁城的创建者，是一个西班牙征服者的典型范例，以大胆、精力充沛、忠于王室及残暴野蛮为其特色。地主家庭出身，14岁开始海上生活。1549年查理一世派他去驱逐骚扰西班牙海岸的强盗。5年后任西印度群岛舰队队长。后来，西班牙国王腓力二世派他去佛罗里达建立殖民地。1565年7月率11支舰船和约2 000名军队启航。到美洲后占领法国殖民地加罗林堡，杀全部居民，把尸首挂到树上。然后勘查大西洋沿岸，设立一系列堡垒。1567年回国。后死于组建船队反击英国人的工作岗位上。

Menéndez Pidal, Ramón　梅嫩德斯·皮达尔（1869-03-13，西班牙拉科鲁尼亚～1968-11-14，马德里）　西班牙学者，其有关西班牙语来源的著作和文献校勘，导致中世纪西班牙诗歌和编年史研究工作的复兴。1899～1939年任马德里大学罗曼语语文学教授兼历史研究中心主任。早期重要著作有《西班牙语历史语法手册》（1904，1949第8版）和关于《熙德之歌》的评论文章（1908～1911，新版刊于1949年）。曾创办《西班牙语文学杂志》（1914），并两度出任西班牙皇家学院院长（1929～1939和1948～1968）。其研究工作包括民间传说、文学史、古典作家风格论、词源学和地名等。在所有著作中，他都强调西班牙文化的民族根源，其中包括巴斯克、哥特及阿拉伯的文化。继《西班牙语的来源》问世（1926，1953第3版）之后，又出版了两卷本《熙德时代的西班牙》（1929，1947第4版）。其巨著《西班牙史》于生前虽未完成，但该书导言《历史上和文学上的西班牙人》（1947）为脍炙人口之作。

Menéndez y Pelayo, Marcelino　梅嫩德斯-佩拉约（1856-11-03，西班牙桑坦德～1912-05-19，桑坦德）　西班牙文学评论家、历史学家。以其渊博的知识和秀丽、活泼的散文闻名。他对中世纪、文艺复兴和黄金世纪西班

美国不列颠百科全书公司供图

牙文学的研究成果，迄今仍具有很大价值。1878～1898年在马德里大学任西班牙文学教授。1898～1912年任国立图书馆馆长。所著作品收集在《梅嫩德斯-佩拉约全集的国家版本》（43卷，1940～1946）中。

Menes　美尼斯（活动时期约公元前2 925）　埃及统一后第一代国王。据说他将上下埃及统一为一个单一的中央集权的君主国。公元前3世纪的埃及历史学家曼内托称他为美尼斯；公元前5世纪的历史学家希罗多德称他为敏（Min）；而两张第19王朝（公元前13世纪）国王名单则称他为美尼（Meni）。传统上，人们除了把通过战争和行政手段使埃及得到统一归功于美尼斯外，又把都城建在今开罗附近孟斐斯也归功于他。曼内托称美尼斯为提尼泰人，即原籍为上埃及的提尼泰省；事实上，在提尼泰省的王陵阿拜多斯曾经出土纳尔迈国王和阿哈国王的纪念物，那两个国王中的任何一个都可能是美尼斯。纳尔迈人像还出现在一块彩色小石板上，他头戴红白两色的王冠，这是上下埃及统一的象征；图像显示出他战胜了敌人，这可能指的是为统一埃

希拉孔波利斯出土的纳尔迈国王纪念物上的美尼斯浮雕像
美国不列颠百科全书公司供图

及而进行的战争。事实上，这种统一战争需经几代国王的统治时期，传说的美尼斯可能代表进行战争的几代国王。根据曼内托的记述，美尼斯在位62年，最后被河马咬死。

Mēness　美尼斯　立陶宛语作Mènuo。波罗的宗教所信奉的月神。他亏而复盈，将神力传给众生。新月称青年之月，最是有求必应，倍受农人崇敬。美尼斯着星袍，驾灰马牵引之车，英勇威武。但传说他追求太阳女神少勒，另说他与别神竞相追求少勒之女。

Meng Haoran　孟浩然（689～740）　又拼Meng Hao-jan。中国唐代诗人。襄阳（今湖北襄樊）人。少时隐居乡里，后到长安应进士举不第，终身未仕。漫游吴越，张九龄曾招为幕

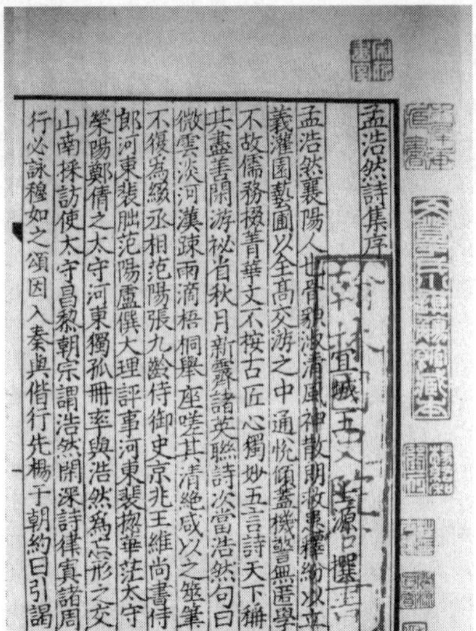

孟浩然詩集序

宜城王士源撰

孟浩然襄陽人也骨貌淑清風神散朗救患釋紛以立義灌園藝圃以全高交游之中通悅傾蓋機警無匿學不攻儒務掇菁華文不按古匠心獨妙五言詩天下稱其盡善閒游祕省秋月新霽諸英聯詩次當浩然句曰微雲淡河漢疏雨滴梧桐舉座嗟其清絕咸以之筴筆不復爲繼丞相范陽張九齡侍御史京兆王維尚書侍郎河東裴朏范陽盧僎大理評事河東裴摠華陰太守滎陽鄭倩之太守河東獨孤冊率與浩然爲忘形之交山南採訪使太守昌黎韓朝宗謂浩然閑深詩律寘諸周行必詠穆如之頌因入秦與偕行先揚于朝約日引謁

南宋初刻本《孟浩然集》
中国大百科全书出版社供图

客。不久病卒。诗的题材不广，大多写田园山水景色和羁旅行役心情。语言自然，风格清淡，韵味深长。是唐代山水诗代表诗人之一，和王维齐名，并称王孟。有《孟浩然集》。

Meng Tian　蒙恬（？～公元前210）　又拼Meng T'ien。中国秦代将领。祖、父皆秦名将。公元前221年率秦兵大败齐国，拜为内史。秦王朝建立后，率兵30万北逐匈奴，收复河南地（今内蒙古河套一带）。又修筑长城。驻兵上郡10余年，匈奴不敢进犯。秦始皇死后，赵高与公子胡亥、丞相李斯合谋，伪造遗诏赐死。胡亥即帝位后，迫蒙服毒自杀。

Meng-tzu　参阅**Mencius**孟子。

Mengelberg, (Josef) Willem　门赫尔贝赫（1871-03-28，荷兰乌德勒支～1951-03-21，瑞士库尔）　浪漫派传统的交响乐指挥。在担任阿姆斯特丹音乐厅管弦乐团指挥期间

中国大百科全书出版社供图

（1895～1945），将它训练成世界最优秀乐团之一。曾在科隆音乐学院学习钢琴。1891年在瑞士卢塞恩任指挥。以演出贝多芬、马勒和R.施特劳斯的作品著称。施特劳斯将音诗《英雄的一生》献给他。曾率领阿姆斯特丹管弦乐团到各国巡回演出。1911～1914年任伦敦交响乐团和皇家爱乐乐团常任指挥。1921～1930年任纽约爱乐乐团客座指挥，还与托斯卡尼尼合作指挥了几年。第二次世界大战结束时逃离荷兰去往瑞士。1945年荷兰议会指控他为纳粹的同谋者而缺席宣判终身流放，后减刑为流放6年。

Mengele, Josef　门格勒（1911-03-16，德国京兹堡～1979-02-07，圣保罗恩塞达贝蒂茄）　绰号"死亡天使"。奥斯威辛灭绝营医师，以用囚徒作医学实验而臭名昭著。巴伐利亚人。20世纪20年代在慕尼黑学习哲学，受到A.罗森贝格种族主义思想的深刻影响。后又在美因河畔法兰克福大学取得医学学位。1933年加入"冲锋队"，成为狂热的纳粹分子。曾担任军医（1939～1943），之后，由希姆莱派往奥斯威辛集中营当主任医师，负责决定新调入的犹太人是做劳工，还是被灭绝，并用犯人进行医学试验以寻求一种增加生殖能力的方法，满足日尔曼民族人口增长的需求。他的主要兴趣是双胞胎。战后被英军抓获，后逃脱，曾在巴伐利亚附近的罗森海姆当了四年马夫。后又经热那亚逃到南美；1958年以本名再婚于乌拉圭；1959年化名约瑟获巴拉圭国籍（1979废除）；其间潜回欧洲访友；1961迁居巴西。1985年证实门格勒已于1979年死于游泳时心脏病发作，化

名格哈特。

Menger, Carl 门格尔(1840-02-23,奥地利加利西亚～1921-02-26,维也纳) 奥地利经济学家、奥地利学派的创始人。1867年在克拉科夫大学获得哲学博士后,在奥地利行政机构任职。1873年在维也纳大学任政治经济学教授,除短时间中断外,任教至1903年退休。他的贡献是发展了边际效用说和创立了主观价值论。他分析个人的行为,用以解释社会的经济现象,即商品的交换价值在于使用价值,在于可使消费者满足欲望。最重要的著作为《国民经济学原理》(1871),阐明效用、价值、价格之间的关系。

Mengistu Haile Mariam 门格斯图·海尔·马里亚姆(1937,埃塞俄比亚克法省～) 埃塞俄比亚军官,国家元首(1974～1991)。他协助推翻了长达数世纪之久的古老君主制度,试图把埃塞俄比亚塑造成社会主义国家。门格斯图在霍尔塔接受军官训练,后来又去美国进行补充训练。当升至少校时,他成为青年军官小组的一员,加入因得不到照顾和晋升而心怀不满者的行列,密谋叛乱反对海尔·塞拉西一世皇帝的政府。1974年6月,他成为革命士兵委员会主席,9月皇帝被捕后,他出任担负政府职能的临时军事行政委员会(PMAC,通常称之为Derg)副主席。1974年11月23日,门格斯图下令刺杀持温和立场的临时军政委员会主席,纵容杀死60名贵族和前帝国军官。由于临时军政委员会内部的对手被消灭,门格斯图成为推行工业、土地国有化制度的众所周知的实权人物。

1977年2月,已升为中校的门格斯图在临时军政委员会内他的支持者和反对者间的战斗中幸存下来,委员会主席和另几名成员被杀,门格斯图成为国家元首和委员会主席。接着,发动血腥的"红色恐怖运动",粉碎了藏在民众中的武装反对派。同年晚些时候,他要求以苏联武器和古巴士兵击退来自索马里,操索马里语的欧加登地区发动的进攻。作为国家无可争议的统治者,1984年他监督成立了埃塞俄比亚工人党,1986年起草埃塞俄比亚宪法(次年批准)。1987年9月新的国家立法机关选举他为主席。然而,此时他已面对提格雷北部地区和厄立特里亚的武装叛乱,连续的严重干旱和饥馑折磨着埃塞俄比亚,农业因强制集体化和居民的重新定居而崩溃,此外还有内部敌人有时发动政变。苏联取消对他的支持,进一步削弱了他的地位。1991年5月他迅速宣布辞职,逃往津巴布韦。

Mengs, Anton Raphael 孟斯(1728-03-22,波希米亚奥西希[今捷克拉贝河畔乌斯季]～1779-06-29,教皇国罗马[意大利]) 画家,其艺术是早期新古典主义的集中体现。1744年任撒克逊宫廷画师,作宗教画和肖像画,后者主要是粉彩画。1755年定居罗马,继续作肖像画。1761年为阿尔班尼别墅所作的湿壁画《帕尔纳索斯》轰动罗马,为此确立了新古典主义绘画的支配地位。1760年去那不勒斯为国王作祭坛画。之后在马德里工作,部分是

孟斯绘《利昂若侯爵夫人像》
中国大百科全书出版社供图

为王室宫殿作装饰。其专著《绘画鉴赏与美的映像》(1762)在当时极有影响。

Mengzi 参阅 **Mencius** 孟子。

Mengzi 蒙自 中国云南省红河哈尼族彝族自治州辖县。位于省境东南部,自治州东部,昆(明)河(口)铁路及蒙宝(秀)支线经过境内。县政府驻文澜镇。面积2 228平方千

蒙自南湖风光
中国大百科全书出版社供图

米。唐代时南诏曾筑目则城。元初置蒙自千户所,隶阿僰万户。至元十三年(1276)改设蒙自县,隶临安路。清光绪十三年(1887)辟为商埠后,货物先用小船从越南运到河口,再用小车运到曼耗,然后用牲口驮运60千米至蒙自。当时贸易较盛,为滇南第一大商埠。1910年昆明至海防铁路建成,蒙自因不临铁路线,商业地位减弱。1915年修筑蒙自到个旧的铁路后,贸易状况有所回升。经济以农业为主,产稻谷、花生、玉米、薯类、甘蔗等,并产甜石榴。矿产有铅、锌、锰、金、银、铜。工业有化肥、丝绸、制糖、橡胶等,主要集中在文澜镇和雨过铺工业区。昆河铁路和开(远)河(口)、蒙(自)文(山)公路等过境。名胜有南湖、缘狮洞。云南风味小吃"过桥米线",源于蒙自。人口320 000(2005)。

menhaden 油鲱 又作pogy, fatback或mossbunker。鲱科油鲱属(*Brevoortia*)几种产自大西洋沿岸有经济价值的鱼类的统称,可用来炼油、制鱼粉、作肥料。体扁而高,腹缘锐,头大,鳞具齿缘。成鱼长约37.5厘米,重0.5千克或稍小。鱼群稠密,分布于从加拿大到南美海域。摄食时,在游动中将口张开,鳃孔

大西洋油鲱(*Brevoortia tyrannus*)
美国不列颠百科全书公司供图

扩张,以从水中滤取浮游生物。油鲱终年产卵,无固定产卵地点,卵漂浮,约2天孵化。幼鱼生长迅速,约3年达到成熟。世界上油鲱的年捕获量很大。鱼粉主要作动物饲料,将来可能有一天为人类提供廉价而容易获得的蛋白质。

menhir 史前巨石柱 史前用巨石建成的纪念物,巨石或单独竖立,或排列成各种形状。参阅 **megalith**。

Menia (Egypt) 参阅 **Minyā, Al-** 明亚。

Ménière's disease 梅尼尔氏病 反复发作的,而且通常是进行性加重的一组症状,包括失聪、耳鸣、头晕、双耳涨满感或压力感等,发作时常伴有恶心、呕吐。本病为阵发性,但很少超过24小时。本病的直接病因好像是内耳蜗管内的内淋巴液过多。蜗管是位于耳蜗骨性螺旋形通道中的一条膜性管道。但内淋巴液增多的原因尚不明确。服用利尿药和摄取低盐饮食有助于控制病情。

Menindee Lakes 梅宁迪湖区 澳大利亚新南威尔士州西部梅宁迪附近的一系列水库,为达令河水利工程的组成部分。包括梅宁迪湖、坦杜湖和康迪拉湖等。梅宁迪湖蓄水工程蓄水量为24.67亿立方米。梅宁迪湖和康迪拉湖均属于金奇加国家公园。

meninges 脑脊膜 包裹脑与脊髓表面的膜,由内向外共有三层:软脑(脊)膜、蛛网膜及硬脑(脊)膜。软脑(脊)膜与蛛网膜之间的腔隙和脑室系统充满脑脊液。脑(脊)膜和脑脊液的主要功能为保护中枢神经系统。软脑(脊)膜紧附于脑与脊髓的表面,为血管所穿透,并随血管进入一定深度的脑与脊髓的实质内。软脑(脊)膜与血管之间的小腔隙称血管周围间隙。软脑(脊)膜由纤维组织构成,极薄,表面被覆一层不可透过液体的扁平多角形细胞。蛛网膜包绕于软脑(脊)膜外侧。亦由纤维组织构成,极薄,柔嫩,透明。表面亦覆以一层不可透过液体的扁平多角形细胞。蛛网膜与软脑(脊)膜不同,不随脑、脊髓的表面而起伏,而可比喻为一个宽松的囊袋。蛛网膜与脑、脊髓表面之间有或大或小的腔隙。软脑膜与蛛网膜之间的腔隙称为蛛网膜下腔,有大量细丝状的蛛网膜小梁相连接。这是胚胎时期的软脑膜与蛛网膜共同组织来源残留而成,结构亦极为柔嫩。软脑(脊)膜与蛛网膜有共同的组织起源,结构上又极相似,故总称之为柔脑(脊)膜。硬脑(脊)膜位于最外层,由致密纤维组织构成,厚而坚韧,内面同样被覆一层扁平的多角形细胞。其解剖构造较柔脑膜复杂。称为硬脑膜窦的大静脉在硬脑膜内走行,收集脑部的静脉血送往

心脏。硬脑膜内面还发出若干板状的突起，深入脑表面的裂隙以分隔及支持脑的各个部分，如大脑两半球间的大脑镰、大脑与小脑间的小脑幕及从小脑幕向下方伸出、位于小脑两半球间的小脑镰。硬脑膜的外层紧贴颅骨内面，兼有颅骨骨膜的功能。硬脊膜分为两层，两层之间的间隙称硬脊膜外腔，充满脂肪与薄壁静脉。硬脊膜的外层兼有脊椎骨骨膜的功能。硬脑(脊)膜内层与蛛网膜之间的窄腔称硬膜下腔，充满脑脊液。在硬脑膜静脉窦区，蛛网膜与硬脑膜紧密附着而无硬膜下腔。局部蛛网膜形成多数指状突起，称为蛛网膜粒或蛛网膜绒毛，穿过硬膜组织突入静脉窦腔内。蛛网膜下腔的脑脊液经过蛛网膜粒流入静脉窦。

meningitis　脑脊髓膜炎　脑脊髓膜的炎症。感染性病原微生物有多种，如病毒、真菌、原虫等，但最常见和最严重的脑脊髓膜炎还是细菌性脑脊髓膜炎。病原菌有脑膜炎双球菌(奈瑟氏菌属)、流感杆菌(嗜血杆菌属)、多株种的肺炎球菌、链球菌和葡萄球菌。细菌性脑膜炎的致病菌可以随循环血液而来，亦可自周围器官、组织的炎症(如鼻窦炎、中耳炎等)扩散蔓延而来。致病菌引起脑脊髓膜的炎症、组织坏死、化脓、脑脊液也呈脓性，以及由此而引发的各种合并症和相应的神经症状。脑脊髓膜炎的典型临床经过大致可分为三个阶段：呼吸道感染阶段、败血症和毒血症阶段、脑脊髓膜炎阶段。本病开始时的症状和感冒极为相似，常可造成误诊。当细菌进入血液并将毒素释放入循环血液时(败血症)，患者可有高热、皮疹、出血点(见于由脑膜炎双球菌引起的脑脊髓膜炎)。进入第三阶段，细菌侵犯脑脊髓膜所引起的广泛急性炎症性渗出、化脓可以引发一系列颅内高压症状(喷射性呕吐、剧烈爆炸性头痛等)和脑膜、脊神经根刺激征——角弓反张。角弓反张的程度可因人而异，轻者仅有颈项强直，头向后仰；重者，尤其是幼儿，整个头、颈、脊柱一线呈向后背弯的弓状，角弓反张也就因此而得名。其他神经症状有深层反射亢进、(婴幼儿)惊厥等。脑脊髓膜化脓引起的脑脊液黏稠度增加、脑脊液回流不畅，进而贮留在脑室中，这也是颅内高压的主要原因之一。颅内高压如果得不到及时、有效的减压，可迅速致患者昏迷，甚至死亡。脑脊液的理、化和生物学指标的变化是脑脊髓膜炎的重要诊断根据，其中主要有腰椎穿刺时的脑脊液压力增加、黏稠度增加、细胞数(尤其是中性白细胞，即脓球)激增，以及阳性的细菌学结果。脑脊髓膜炎是一个涵称，不同致病菌导致的脑脊髓膜炎还有它们各自的习惯名称。由脑膜炎双球菌(奈瑟氏菌属)引起的脑脊髓膜炎又称流行性脑脊髓膜炎(简称流脑)，是一种全球性春季(2、3、4 月)传染病，飞沫传染，流行间隔无明显规律性。各年龄组人群均可受累，但主要侵犯 10 岁以下的儿童。在抗生素前时代，流脑的死亡率高达 40%～50%。青霉素极大地降低了流脑的发病率和死亡率。由嗜血性流感杆菌、肺炎球菌、链球菌和葡萄球菌引起的脑脊髓膜炎统称为化脓性脑膜炎(简称化脑)。流感杆菌性化脑多侵犯低龄儿童，其病程、症状、体征等都和流脑相同，但化脑不是季节性传染病，均为无季节特点的散发病例。肺炎双球菌性化脑多侵犯成人。各种脑脊髓膜炎的早期诊断、早期治疗是防止永久性脑损伤的关键，尤其是在低龄儿童。治疗流脑的特效药是青霉素；流感杆菌者是氨苄青霉素和氯霉素。这些抗生素已经使某些地区的脑脊髓膜炎的死亡率下降到 5% 以下。20 世纪 80 年代以来，B 株嗜血性流感杆菌疫苗已投放市场，临床实践证明，此疫苗可使低龄儿童有效地预防此型化脑。病毒性脑脊髓膜炎(不同于病毒性脑炎)的病程短、无合并症，且有明显自限性，多无须特殊治疗。

meningococcus　脑膜炎球菌　脑膜炎奈瑟氏球菌(*Neisseria meningitidis*)的俗名。人类流行性脑脊髓膜炎的病原菌。球形，直径 0.6～1.0 微米，经常成对存在，相邻的一侧平坦。唯一的天然寄主为人类。由鼻咽腔侵入人体。非流行性脑膜炎流行期间，30% 的人鼻咽部带有本菌，但并无症状。

Menippus　迈尼普斯(创作时期公元前3世纪)　希腊哲学家。生于加大拉(今约旦的乌姆盖斯)。他信奉第欧根尼的犬儒学派哲学，创立了迈尼普斯讽刺文学风格，既庄严又诙谐。这种风格为希腊语和拉丁语作家所模仿，对拉丁语讽刺作品的发展具有一定影响。据说，他生下即为奴隶，靠乞讨或放高利贷致富，后成为希腊第比斯公民。他的作品已散佚，但从他的模仿者瓦罗、塞内加和卢奇安处可多少有所了解。为争取尽可能多的读者，他的文章放弃了对话形式，改用讽刺风格，以散文和诗的混合形式嘲弄各种规章制度、见解和风俗习惯。他选用的背景与众不同，包括下地狱，拍卖和酒宴，具有显著效果；他的晚辈承袭运用了所有这些背景。

Menkaure　门卡乌拉(活动时期公元前26世纪末)　埃及第 4 王朝(约公元前 2575～约前 2465)第 5 代(某些传统说法是第 6 代)国王。他修建吉萨3座金字塔中的第3座也

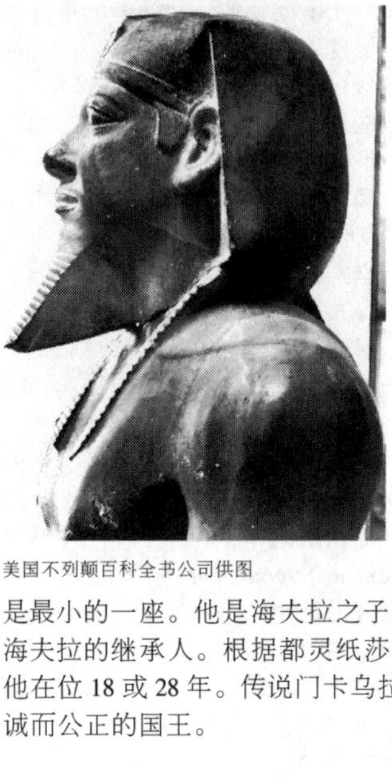

美国不列颠百科全书公司供图

是最小的一座。他是海夫拉之子，也可能是海夫拉的继承人。根据都灵纸莎草纸记载，他在位 18 或 28 年。传说门卡乌拉是一位虔诚而公正的国王。

Menken, Adah Isaacs　门肯(1835-06-15，新奥尔良附近～1868-08-10，巴黎)　原名多洛雷斯·阿迪奥斯·富尔特斯。美国女演员和诗人。以几乎裸体捆在马背上奔跑的惊险表演而驰名。早年为贫困的孤儿，后在新奥尔良和美国其他城市的舞台上演出。1856 年与门肯结婚。1864 年在伦敦阿斯特利剧场扮演玛泽帕，这是根据拜伦的诗作改编的一部戏剧中的角色，这个角色特别适合她那运动员式的健美体型。在英国和法国，她成为许多文学家的密友，如斯温伯恩、里德、狄更斯(1868 年她曾为狄更斯写了一部诗集，题为《不幸》)、戈蒂埃和大仲马。她在巴黎、维也纳和伦敦多次演出，曾在巴黎连续演出 100 夜。

Menlo Park　门洛帕克　美国加利福尼亚州西部圣马特奥县城市。位于圣弗朗西斯科湾西岸。门洛帕克初为铁路及种植园工人村落。1874～1876 年间与费尔奥克斯(后称阿瑟顿)合并。1927 年设市。第二次世界大战中，弗里蒙特军营(供美军工程师居住)占据了大部市区。战后发展成住宅区。门洛帕克市内有著名的斯坦福研究院(1946)和工业园区。也是该州出版业中心。设有门洛学院(1915)和圣帕特里克斯神学院(1898)。人口约 29 811(2003)。

Menlo Park　门洛帕克　美国新泽西州东北部米德尔塞克斯县未设建制的社区。位于纽瓦克西南 24 千米处。是爱迪生纪念塔及州立公园所在地，爱迪生曾于 1876～1887 年间在这里的实验室工作。该纪念塔高 40 米，顶部有高 4 米，宽 3 米的白炽灯。1929 年塔座又安装了一只长明灯。1676 年新泽西殖民地建立后，始建为乡村十字路口，曾为拉里坦镇一部分。第二次世界大战以来已发展为纽瓦克市郊区。

Mennecy porcelain　梅纳西瓷器　约18世纪30年代至1806年由法国一家工厂生产的一种质地特轻，且半透明的软质瓷器。制品一般小巧，如花瓶、咖啡具和梳妆台套具等。

约 1760 年的梅纳西软质瓷儿童群塑
伦敦维多利亚和艾伯特博物馆供图

装饰图案精致。梅纳西瓷器具有与众不同的绿黄色和柔和的棕色色调。

Mennin, Peter **门宁**(1923-05-17,美国宾夕法尼亚伊利～1983-06-17,纽约州纽约) 美国作曲家和教育家,以保守的新古典主义风格的交响乐作品为最著。曾在奥伯林学院和伊斯曼音乐学校学习,所作《第二交响曲》(1945)获第一届格什温纪念奖。1947～1958年执教于朱利亚德音乐学院,旋又任皮博迪音乐学院院长(1958～1962)和朱利亚德学院院长(1962～1983)。除9部交响乐和其他管弦乐曲外,还写过小提琴、大提琴和钢琴协奏曲及两部弦乐四重奏、一部钢琴奏鸣曲及其他室内乐和键盘乐器曲。声乐作品中有供讲解员、独唱者、合唱队和管弦乐队表演的《美德康塔塔》(1968～1969)。

Menninger FAMILY **门宁格家族** 美国医师世家,20世纪精神病治疗的先驱。1889年C.F.门宁格(1862-07-11,美国印地安那特尔城～1953-11-28,美国堪萨斯托皮卡)于托皮卡开始执医。他在1908年访明尼苏达州罗切斯特的梅奥诊所后,意识到集体医疗的重要性,遂于1920年与其子K.A.门宁格(1893-07-22,美国堪萨斯托皮卡～1990-07-18,托皮卡)共同设立门宁格诊所。K.A.门宁格于1917年自哈佛医学院毕业后,曾随波士顿精神病医院的E.索瑟德博士工作两年。由于对精神病学兴趣浓厚,加上托皮卡地方没有精神病医院,他乃负起治疗精神病的责任。C.F.门宁格的幼子W.C.门宁格(1899-10-15,美国堪萨斯托皮卡～1966-09-06,美国堪萨斯托皮卡)于1924年获纽约州伊萨卡的康奈尔大学医学院医学博士学位,在纽约市的贝尔维尤医院实习,翌年加入家族医业。他们创立了门宁格疗养院和精神病院(备有13个床位,专对精神病患者作集体医疗)。利用这个及随后的其他设施,门宁格家族将两个观念联系起来:用行为精神分析方法了解病人行为以治疗住院病人,以医院的社会环境作辅助治疗。他们试图将对病人的治疗与局部环境结合起来,院中所有工作人员——护士、治疗师,卫生员,甚至女管家——皆是病人治疗环境中起积极作用的一分子。从一开始,精神病研究便成为门宁格家族全部研究的重要部分。他们对精神病的照顾与治疗,使科学家开始对他们的观念产生兴趣,并渴望在医院学习。1926年门宁格家族为精神发育迟滞的儿童开办索瑟德学校,数年后接受所有类型的精神病童。

K.A.门宁格的第一部书《人类的心灵》(1930)阐明门宁格家族的哲学——精神病学是一门真正的科学,精神病患者与正常人的差别只是程度不同而已。1931年门宁格疗养院获准成为第一所专门训练精神病护理人员的中心,两年后为医师开设神经精神科住院治疗课程。1941年门宁格家族为将医疗、研究和教学结合起来,创立了门宁格基金会,4年后并建立门宁格精神病学院。该基金会广泛从事国际水平的精神病学教育、训练和研究;1974年基金会建立应用行为科学中心,为商业、工业和政府提供有关人类行为与动机的最新信息。

K.A.门宁格和W.C.门宁格在门宁格基金会的活动及研究机构的成长与多样化上扮演领导角色。W.C.门宁格任门宁格精神病院院长和门宁格基金会总裁。K.A.门宁格创立门宁格精神病学院(1946～1969任院长),并为门宁格基金会董事长;此外还继续著书探讨精神病学与社会的关系,及为外行人写精神分析理论的入门书。

Menno Simonsz(oon) **门诺·西门**(1496,弗里斯兰维特马瑟姆[荷兰]～1561,荷尔斯泰因吕贝克附近[德国]) 荷兰牧师,荷兰再洗礼派中和平派的早期领导人,他的追随者组成了门诺会。1524年门诺28岁,在乌德勒支受神职,任平朱于堂区司铎。1531年任故乡维特马瑟姆村司铎,任职第一年即开始怀疑基督身体是否真正存在于圣餐的饼和酒中。1528年虽仍任司铎职,但已是著名的福音派传教士。他进而怀疑婴儿洗礼和教会成员的意义。门诺阅读《新约》后坚信,教会是基督的身体,应当圣洁纯净。只有具有成熟信仰,承认耶稣是主而愿承担牺牲以追随他的人才有资格作为教会的成员,才可以受洗礼。洗礼是与上帝立约的印证,又是向全世界宣告信仰。亲身体验信仰的转变是门诺生平活动与神学思想的中心。此时,早期荷兰再洗礼派的激进派继续在发展势力。1535年4月,该派所占领的博尔斯瓦德附近的旧克洛斯特城被州的民兵部队攻克。门诺的一些信徒死于此次战役。此事促使他公开抨击激进派的错误。由于他言辞直率,安全受到威胁,1536年不得不隐藏起来。1536年底或1537年初,他受第二次洗礼,成为成立于1534年的和平再洗礼派领袖,受按立并结婚。1542年,神圣罗马帝国皇帝查理五世(1500～1558)发布谕令谴责门诺,悬赏100盾捉拿他。他虽不是门诺会的创立人,也不是早期再洗礼派神学最有力的发言人,但他冷静钻研《圣经》,发表著作,使再洗礼派的教理更加深入,对北支再洗礼派第一代领导人物发挥指导作用。

美国不列颠百科全书公司供图

Mennonite **门诺宗信徒** 基督教门诺宗的信徒。门诺宗是产生于16世纪宗教改革运动中激进再洗礼派的一个派别,荷兰牧师门诺·西门(Menno Simonszoon)在再洗礼温和派领导人物所进行的努力的基础上对该派进行了巩固和组织,故名。门诺宗信徒居住在世界许多地方,主要集中在美国和加拿大。门诺宗源于所谓瑞士兄弟会,瑞士兄弟会的第一个教团成立于1525年1月21日,当时新教神学家茨温利领导的瑞士国定教会将对拒绝归从国定教会的人们进行迫害。瑞士兄弟会信徒为了逃避迫害而散居欧洲各地,他们的教义观点被广泛接受。在荷兰,最后一位门诺宗殉教士于1574年为信仰牺牲,其后,门诺宗信徒获得了政治自由。此前,他们中许多人迁到维斯图拉河一带(今波兰北部)。由于许多行业依法不向他们开放,他们只好经商,因而发财致富,过城市生活。在信仰上,他们遵循17、18世纪的启蒙运动。他们中间出了许多艺术家、著作家和热心社会公益事业的人士。进入18世纪,瑞士继续迫害门诺宗,于是许多信徒逃往德意志南部、阿尔萨斯、荷兰和美国。17～20世纪,瑞士、德意志南部和阿尔萨斯的门诺宗信徒居住在半封闭的村落,实行简单的农业经济,在信仰上接受从信义宗内部兴起的虔敬主义的影响。从1788年起,大批门诺宗信徒陆续离开波兰北部(普鲁士)的维斯图拉河三角洲而定居在乌克兰,在该地购置田产,并逃避服兵役。1860年,俄罗斯境内的一小部分门诺宗信徒另行组成门诺兄弟会。19世纪70年代,俄罗斯不再允许门诺宗信徒免服兵役,于是大批门诺宗信徒迁出俄罗斯,其中也有门诺兄弟会信徒。这些移民不少定居在美国上中西部。俄罗斯境内的门诺宗信徒聚落,不是毁于第二次世界大战期间,就是在1945年以后不久被苏联政府解散。在19世纪末以前,北美洲的门诺宗信徒结成村落,务农颇有成就。他们依旧操德语。在1850年以后,由于在以英语取代德语、采纳主日学和传福音聚会等习俗以及文化适应这样一些问题上意见不一,门诺宗一再发生分化;同时从欧洲又迁来一些支派。最大的一派是(老)门诺会,其次有总协商门诺会、门诺兄弟会和老派阿曼门诺会。最极端化的是胡特尔兄弟会,他们保留公社生活,财富公有;他们人口不多,集中在北美洲大平原上部。再洗礼派和门诺宗思想的特点是宗教与世界分离。但是,到了20世纪中叶,门诺宗信徒已经深深卷入周围世界的社会、教育和经济,因而他们的生活和思想也发生了深刻的变化。门诺宗信仰上帝三位一体论,以《圣经》(特别是《新约》和耶稣的教导)为信仰和生活的终极权威,以早期教会为教会的典范。他们认为,洗礼的重要性是宣告信仰,圣餐是一种象征性的礼仪。有些派别实行濯足礼。不从世俗、不起誓、不服兵役而实行不抵抗主义这些教义以及特殊的戒规,虽然得到普遍确认,却并非普遍执行。门诺宗的礼拜以讲道为主。1925年成立了门诺宗世界大会,每5年开会一次,进行学习和探讨,但不作对各成员机构有约束力的决定。在20世纪,北美洲的门诺宗开始重视高等教育事业,主要是资助他们自己的学院和神学院,同时维持中等学校和圣经学校。

Menodotus OF NICOMEDIA **曼诺多图斯(尼科墨迪亚的)**(活动时期120年左右) 经验医学怀疑学派的哲学家,最早阐述了科学的观察方法。正如那个时期的许多医生一样,他也认为医学是一种艺术,因此他能既是怀疑论者,又能精通医术。曾著文反对阿斯克列皮阿德斯的原子论论点，反对"粒子失衡致病论"的说法。他著作甚多，且常被加伦提及；这表明他们是同时代人，并享有同等的声誉。

Menominee 梅诺米尼人 操阿尔冈昆语的北美印第安人。1639年，据教士——旅行者J.尼科莱首次报告，梅诺米尼人住在梅诺米尼河流域，即今威斯康星州与密歇根半岛北部边界之东段地带。他们定居于村庄，住圆顶房屋。其经济活动以采集野稻及其他植物为基础；种植少量玉米、南瓜、豆类及烟草；捕鱼；另有一些狩猎活动。社会结构由若干个族外婚氏族组成，氏族分属于两个主要胞族。但梅诺米尼人在广大地区分散地进行皮毛贸易时，便以流动的宗族形式出现，其社会组织即行改变，特别是在冬季狩猎时，更是如此。19世纪时，梅诺米尼人同美国政府签订许多条约，出售其地产权。1852年，美政府将约2 000名梅诺米尼人迁入威斯康星州沃尔夫河及奥康托河上游的保留地。1872年筹建一制材厂，以提供就业及收入，工厂为部落所有，在政府监督下进行业务活动。1961年，保留地撤销，改为威斯康星州的一个县，并设梅诺米尼股份有限公司，以接管部落财产。保留地撤销后，印第安人感到将要丧失已有的医疗条件，且有出卖土地的隐患，于是又鼓动恢复居留地，1973年12月获得国会批准。梅诺米尼人便开始设法筹组一个政府，以应付内部分歧及附近白人日益增长的反感情绪。

Menominee 梅诺米尼 美国密歇根州上半岛最南端城市，梅诺米尼县县城(1864)。临格林湾和梅诺米尼河口，与威斯康星州的马里内特市隔河相望。1796年建为毛皮贸易站。1883年设市。1832年始有伐木业，19世纪90年代达到巅峰状态，1930年衰落。现有纸制品、家具、电器和直升飞机等制造业，也产乳品。狩猎地和渔港。人口9 398(1990)。

Menon, V(engalil) K(rishnan) Krishna 梅农(1897-05-03，印度卡利卡特～1974-10-06，新德里) 印度民族主义者，印度反殖民主义和中立主义的斗士。伦敦经济学院毕业后，在中殿律师学院取得律师资格。成为热情的社会主义者，1934～1947年任伦敦圣潘克勒斯区议会工党议员。但是他在英国的主

美国不列颠百科全书公司供图

要政治兴趣是争取印度的自由，他从1929年任印度同盟秘书时起，就不知疲倦地为这一事业进行斗争。在此期间，他与印度独立后的第一任总理、民族主义者尼赫鲁开始长期的和亲密的友谊关系。1947年印度独立后，梅农被任命为印度驻英国高级专员(大使)。在英国居住27年，1952年返回印度。1953年成为印度国会议员，1956年任不管部长，1957年任国防部长。1952～1960年代表印度出席联合国大会，由于在联合国大会上有力地申明印度政府的反殖民主义政策和中立政策而赢得尊敬。作为国防部长，他给部内增添了新的生气，带来许多重大的变化，但是他的政策和方法遭到严厉的批判，有些人把1962年印度军队在喜马拉雅山区被中国人打败归咎于他的政策。在强烈的反对声中，被迫于1962年10月辞职。此后作为无党派人士致力于左翼政治活动。

Menongue 梅农盖 前称塞尔帕平托。安哥拉东南部城镇。位于奎贝河(奥卡万戈河支流)畔，海拔1 360米。为一要塞城镇和集市中心。当地人口稀少，气候半干旱。恩甘古卢人和乔奎人养牛和种植玉米等粮食。牛和牛皮的贸易在当地占重要地位。当地乔奎族的工艺美术师以制作传统面具和人物木雕而闻名。也为一内陆铁路终点站；该铁路长756千米，通往大西洋港口纳米贝。自从1975年安哥拉内战爆发以来，铁路不能正规运行。西南非人民组织设在梅农盖附近的希泰凯塔的军事总部1981年在南非军队的一次侵犯中被毁。人口约3 000(1970)。

menopause 经绝期 即女性的月经最终停止、生殖能力丧失的时期。绝经年龄平均48岁(45～50岁)，手术切除卵巢或放射治疗破坏卵巢功能可致人工经绝。人类卵巢功能活动可持续35年，经绝的原因是进行性的年龄性卵巢功能减退，排卵逐渐停止，并引起月经紊乱，如停经、月经周期改变(或延长、或缩短)、经期也长短不定、经血量也多少不等。有少数妇女完全没有上述改变，突然绝经。卵巢分泌雌激素减少，可致垂体-下丘脑功能紊乱，最有特征性的症状为热潮红，这症状发生较早，可持续2～3年，发作时先有上胸发热感，并蔓延至颈、面乃至全身，可有刺痛感、盗汗等，每天可发作数次。其他症状有神经过敏、头痛、头晕等。对衰老的恐惧、生活方式及家庭关系的改变均可加速症状的出现。体型及一般健康状况可无变化。部分妇女可发胖，原因多为活动过少及进食过多。经绝期的医疗措施包括：①教育妇女认识经绝期是正常的生理阶段，消除其顾虑；②定期体检；③激素疗法，用雌激素可迅速消除热潮红等症状。

menorah 多连灯烛台 又拼menora。犹太教礼仪用具，再献圣殿节8天期间燃烛使用。各个年代有各种形状，其基本形状总是有8个灯座，用以盛油或插蜡烛。每天依次点燃一盏灯或一烛。另附一灯座供点燃其他灯烛使用。多连灯烛台仿圣所中的7连金烛台制作，7杈象征上帝创造天地的7天。中央烛

罗马提图斯拱门上表现士兵从耶路撒冷神庙搬走多连灯烛台的浮雕

美国不列颠百科全书公司供图

座高于其他，代表安息日，两边各有3杈。7连烛台见于《塔木德》，自古是犹太教的徽号。

Menorca(island, Spain) 参阅**Minorca梅诺卡**。

Menotti, Gian Carlo 梅诺蒂(1911-07-07，意大利加德良诺～2007-02-01，摩纳哥) 意大利现代最受欢迎的歌剧作曲家。自撰台本的现实主义歌剧成功地将20世纪的戏剧情

胜利唱片公司供图

节和意大利歌剧的传统形式结合起来。所用和声基本上是传统的，有时亦采用不协和音与多调性以加强戏剧效果。11岁写出第一部歌剧《皮埃罗之死》。曾在米兰音乐学院学习，1927年移居美国后仍保留意大利国籍。1927～1933年听从托斯卡尼尼的建议在费城柯蒂斯音乐学院学习。1937年其歌剧《阿米莉亚赴舞会》在费城演出，轰动一时，1938年转至纽约市大都会歌剧院上演。此后写出广播歌剧《老处女与贼》(1939)和《岛神》(1942年首演于大都会歌剧院)，均不大成功，于是他转而写作情节剧题材的室内歌剧；第一部是《女巫》(1946)，接着是独幕喜歌剧《电话》(1946)。1950年，歌剧《领事》在百老汇演出，获普利策奖。像他的所有歌剧一样，此剧具有极强的戏剧效果。《阿马尔与夜客》(1951)是为电视写的第一部歌剧。《布利克街上的圣者》(1954)使他再次获普利策奖。1958年为S.巴伯的歌剧《万涅萨》撰写台本。1963年创作康塔塔《布

林迪西主教之死》、电视歌剧《迷宫》和喜歌剧《最后的野蛮人》。器乐作品有交响诗《启示录》(1951)和钢琴、小提琴协奏曲。1958年在意大利举办"两个世界音乐节";1977年在南卡罗来纳州组织该音乐节的新大陆分支机构。反战歌剧《塔穆-塔穆》(1973)是用英语和印度尼西亚语演唱的。歌剧《戈雅》(1986)叙述同名西班牙画家的一生。

mens rea 犯意 在英美法律中,指犯罪的意图或恶意。一般地说,一项刑事罪的定义不仅涉及一项行为或懈怠及其后果,而且涉及行为人的有关的精神状态。所有的刑事制度都要求大多数犯罪必须具备犯罪意图这个因素。然而,只有英美法系使用"犯意"这个术语。法国和日本等国家则仅仅指明,除非另有专门法令规定,否则必须有犯罪意图。美国法学会编纂的试验性的《模范刑法典》草案把关于"犯意"的术语定为4个方面:罪犯的行为必须是"故意地",即他必须有具体的、自觉形成的意图去实现犯罪的后果;必须是"明知地",即他意识到他的行为将产生这种后果;必须是"疏忽大意地",即他有意无视他的行为正在制造不合理的危害;还必须是"有过失地",即他不注意避免对一个有理性的人来说是明显的危害。在现代,所有的国家里都规定有相当多的不需要表明意图或其他精神状态的刑事罪。没有"犯意"常常是少数犯罪的特点,例如强奸少女罪,不需要知道该少女未达同意年龄才构成该罪。又如重婚罪,尽管双方都完全相信自己可以自由结婚也往往可能构成该罪。在有些规定经济活动或其他活动的犯罪的法令中,不需要表明有"犯意",这类犯罪通常称为侵犯公共福利罪,应处的刑罚较轻。在这类案件中不要求证明有犯罪意图的理由是从实际可行性出发的。一般认为,如果要求证明有犯意,或者即使只要求证明有疏忽大意,都将使这些管理法令中的有些法令归于无效或无法执行。如果任何违犯了关于烟草、酒精、毒品、机动车交通和武器的管理法令的人能够以不懂法律作为辩护理由的话,这些法令就将是无用的。然而,澳大利亚现在准许被告通过表明他在违犯法律时没有过失来挫败对他的指控。最后,所有的刑事制度都规定有某种类型的减轻责任的情况,例如酒醉、未成年或精神失常。所有的国家都规定有一个特定的年龄,达到这一年龄的少年可被认为应对其行为的后果负责。酒醉一般不被认为是对犯罪的辩护理由,除非他否定了某种特定的精神状态的存在。例如,在英美法中,在酒醉的情况下实施的谋杀被定为非预谋杀人罪而不定为谋杀罪,如果发现他不能具有定为谋杀罪所必须具有的"恶意的预谋"的话。参阅 **diminished responsibility**。

Menshen 门神 英语作Door God。中国神话中把守门户的神。旧时民间贴其像于门以驱鬼。汉时门神指神荼、郁垒。明、清以来易为唐武将秦叔宝、尉迟敬德。相传唐太宗(627～649在位)患病时闻门外有鬼魅呼号,秦叔宝和尉迟敬德请戎装在门前值卫,夜果无事。后太宗命画工绘二人形像于门上。

尉迟敬德

美国不列颠百科全书公司供图

Menshevik 孟什维克 俄国社会民主工党中的非列宁派,后来演变成单独的组织。这一名称源于1903年社会民主工党代表大会,以马尔托夫为首的一派反对列宁关于党只限于由职业革命家组成的纲领,而主张建立一个类似西欧社会民主党类型的群众党。列宁一派在中央委员会和《火星报》编辑部取得多数以后,自称布尔什维克(多数派);马尔托夫一派成为孟什维克(少数派)。此后两派分歧越来越大,除了反对列宁关于建立一个高度集中的党的主张以外,孟什维克还坚持认为无产阶级不应在资产阶级革命中占主导地位,主张同资产阶级合作建立自由资本主义制度,以此为过渡到社会主义的必要前提。1912年社会民主工党彻底分裂。1914年孟什维克内部由于对第一次世界大战的态度发生分裂。他们虽在1917年2月革命后成立的苏维埃和各地政府中取得领导地位并于8月正式成立自己的政党,但未能控制1917年政治形势的发展 。十月革命后,他们曾企图组成一个合法的反对派,但在1922年被彻底镇压,许多孟什维克流亡国外。

Menshikov, Aleksandr Danilovich 缅什科夫(1673-11-16,莫斯科～1729-11-23,俄罗斯帝国西伯利亚别廖佐夫) 彼得大帝在位时期及其后俄国著名政治人物。因有军事和行政才能,在俄罗斯帝国权势极大,但其贪婪和野心最终导致他的倒台。出身寒微。1686年进入宫中,任彼得一世的侍从,不久成为沙皇的亲信。1700年起指挥抗击瑞典人的北方战争,屡建奇功,获陆军元帅称号。1714年以后由于贪赃枉法而声名狼藉。1725年彼得一世的遗孀叶卡捷琳娜成为女皇,他因博得女皇的恩宠而成为俄国实际的君主。两年后叶卡捷琳娜病重,他又支持彼得大帝的孙子彼得二世,并且准备把女儿嫁给这位青年沙皇。但是他的政敌鼓动彼得二世下令褫夺他的官职和财产,将他流放西伯利亚。后在流放地死去。

Menshikov, Aleksandr Sergeyevich, Knyaz (Prince) **缅什科夫**(1787-08-26～1867-05-01,俄罗斯圣彼得堡) 克里米亚战争前半期俄军的指挥官。1809年从军。1816年成为少将。1853年出使伊斯坦布尔。由于坚持必须承认沙皇政府为奥斯曼帝国正教臣民的保护人,使俄土谈判决裂,并引起克里米亚战争(1854～1856)。他被任命为俄国驻克里米亚陆海军最高司令官。1854年9月20日在阿尔马河战役中被英、法联军打败。同年11月在因克尔曼战役中遭惨败,未能解塞瓦斯托波尔之围,1855年3月被解职,后任喀琅施塔得最高军事长官。

menstruation 月经 一种生理现象。女性卵巢排卵后,如未受孕就会周期性地从阴道排出血液、黏液性分泌物和脱落的子宫内膜组织。人的月经周期平均间隔28天(21～35天)、经期4～5天。月经周期开始时,子宫内膜呈增殖期改变,很薄,卵巢功能也处于低水平。在脑下垂体前叶分泌的促性腺激素影响下,卵泡发育成熟,颗粒细胞数量增多,分泌雌激素(主要是β-雌二醇),促使子宫内膜进入增殖期:内膜变厚,血管丰富,腺体增长。月经周期的第14天出现排卵;卵细胞从卵泡排出,经输卵管进入子宫。排卵后卵泡的颗粒细胞内积聚黄色脂质,称为黄体细胞。破裂的卵泡称为黄体,除继续分泌雌激素外,又分泌孕酮。在这两种激素作用下,子宫内膜呈分泌期变化,腺体进一步增大弯曲,细胞内含分泌物,基质细胞水肿,这种变化是为孕卵着床准备条件。若未受精,则卵细胞死亡,黄体退化,停止分泌激素,两种性激素突然减退,子宫内膜的血管痉挛收缩,功能层组织坏死脱落,只余基底层。脱落的组织与血液相混,从阴道流出,即为月经。月经第一次来潮称为初潮,出现于11～13岁,初潮后的数次月经周期可能不规律,月经量也可能很多;不过很快就会变得规律。经期时间和月经量的个体差异很大。个别妇女于月经期前有先驱症状如经前期紧张症,表现下腹不适、乳房疼痛、精神紧张等,可用利尿药及镇静药治疗,月经期子宫收缩可致疼痛(尤其是未生育过的年轻妇女)。因卵巢功能逐渐减退,故于45～50岁开始绝经。有些妇女的绝经发生得很突然,但大多数女性的绝经都要经历很长一段时间的月经周期不规律、并逐渐减少的过程。绝经意味着生殖能力的终止。和月经功能有关的疾病主要有:痛经、月经不规则或经血过多(内分泌激素紊乱所致)、各种盆腔疾病、情绪障碍、闭经等。整个妊娠期间和产后的一段时间没有月经,哺乳母亲的产后停经时间可长达半年左右。排卵后2天内性交可受孕,多数妇女的排卵日期较为恒定,安全期性交法即以此为据。但如果月经周期不准,就没有办法准确地判断排卵时间。有些女性不孕症是因为无排卵月经所致。口服避孕药亦可致无排卵月经。

mensural notation 有量记谱法 大约流行于1260～1600年的一种欧洲音乐记谱体系，用以记录原先记谱法（纽姆符）不可能记录的复杂节奏，1450年后得到极大的发展。P.德·维特里于1320年左右写的有高度影响的论文《新艺术》使这种记谱法向前迈出了重要的一步。有量记谱法以下述节拍划分为依据：长拍指将长音符（■）划分为2或3个短音符（■）；中拍指将短音符划分为2或3个小音符（◆）；短拍指将小音符划分为2或3个微音符（♦）。彩色音符（先为红色，后来用白色，如口、□、◇、◇）则表示时值的特定变化，例如3个彩色音符等于2个黑色音符。有量记谱法在16世纪后期让位于现代的记谱方法。

mental age 心理年龄 又称智力年龄或智龄。智力测验成绩的表示方法。它反应了在一个实际年龄段上人们对给定作业的平均成绩或典型成绩。一个个体的心理年龄除以他的实际年龄，再乘以100就是计算智商（IQ）的公式。这样，一个心理年龄和实际年龄相同的被试者的IQ就是100，这就是平均智力。若一个10岁孩子的心理年龄是13，则他的IQ就是130，超过平均智力。由于成人的心理年龄不会超过18，因此成人进行智力测验时实际年龄就定为18。法国心理学家A.比奈1905年编制了第一套智力测验，并首次引入心理年龄的概念。因不同年龄组的分数变异程度与其年龄大致成正比，故不能用心理年龄去比较不同实际年龄组的儿童之间的基本能力情况。

mental disorder 精神障碍 泛指一类有明显的心理和行为异常并伴有情绪痛苦、压抑或伴有重要的功能损伤的精神疾患。

精神状态和行为的"正常"和"健康"与否，并没有一套放之四海皆准的标准，故精神障碍的具体定义亦因社会、文化的不同而稍异。至于个体与社会间的不协调和冲突本身不能称为精神障碍，从个体的角度来看，有时只能称为社会违常。精神障碍的症状、严重程度、病程、预后和疗效都有很大的差异，它们可以对个人生活的任何一个或每一个方面，如享受、心境、态度、工作、事业、性功能、家庭婚姻生活、其他人际关系和理财能力等，产生不利的影响。

精神障碍主要可分精神病和神经症两大类。精神病的特征为妄想、幻觉、思维障碍、判断力和自知力丧失，以及无法客观地评价现实等。精神病依病因可分为器质性（如阿尔茨海默氏病）和功能性，如精神分裂症和躁狂抑郁性精神病，没有明显器质性脑部疾病，但可能是某种尚未为人发现的生物化学或其他方面的异常所致。神经症较精神病轻微且较易治疗，有时与单纯的不快乐、恐惧或处理日常生活障碍很难明确区别，但单纯的不快乐常可因外界环境的改变而减轻，而神经症则较不受实际生活影响，环境改善后精神症状无改变。神经症可能会使患者苦恼并在某种程度上干扰其生活，但他仍能客观地评价现实并正常处理其日常生活。神经症主要类型包括抑郁性神经症、焦虑性神经症、强迫性神经症、类偏执狂性神经症、创伤后应激性障碍、转换型癔病及其他心身性疾病和解体性疾病。

还有一些精神障碍无法归入精神病或神经症，其中主要的是各种人格障碍（指某个或某些与社会不相适应的人格特点长期持续）。还有许多在幼年时即开始出现的精神障碍，以及各种影响性别认同或性偏好的性心理障碍。尽管精神科医生试图将精神障碍作明确的分类，但许多病人同时兼有多种疾病的症状或表现为各种疾病的中间型。精神障碍患者全球皆有，且为数不少。精神分裂症是精神病中最常见者，约占总人口数的0.5%～1%；焦虑性和抑郁性神经症则各占5%。部分精神障碍，如阿尔茨海默氏病，很明显地是由器质性脑部病变引起，但其他多数精神障碍的病因至今仍不明，或临床上无法验证。精神分裂症的病因，部分可能与遗传有关。部分情感性精神障碍，如躁狂抑郁性精神病可能与脑部神经递质的不平衡有关，而此种不平衡目前已可用药物改善。神经症则主要与心理因素有关。如儿童时期的情感剥夺、挫折和被虐待，然后这些心灵创伤在许多年后以间接的方式转化成神经症。恐怖症等一些病例则可能是由条件反射形成的适应不良反应造成的。精神障碍的现代治疗包括*心理治疗*（**psychotherapy**）、*精神药理学*（**psychopharmacology**）治疗和*精神外科*（**psychosurgery**）。参阅**psychoneurosis**；**psychosis**。

mental hygiene 精神卫生 又称心理卫生。研究如何保持精神健康，防止精神病、神经症和其他精神异常的一门学科。通过联合国的努力，精神保健和精神卫生的现代概念已获国际社会的广泛认同。1946年，世界卫生组织宣布："健康是一种在躯体上、心理上和社会等各方面都能保持完全和谐的状态，而不仅仅是没有疾病或病症。"精神健康一词表达了一系列人类愿望：精神异常能得到康复；防止精神障碍的产生；在这个紧张烦乱的世界上能够减少精神压力；造就一种和谐状态，使自己能在与自己的精神潜能保持平衡的情况下，行使自己的社会职能。正如世界精神健康联合会所指出的那样，所谓最佳精神健康状态并非是一种绝对的理想状态，而是一种在适应不断变化的周围环境中所能达到的最佳状态。因此，精神健康被看作是一种与个人的心理容量和对环境的适应能力有关的精神状态，而精神卫生则是指用来促进和维护精神健康所采取的一切措施。社区精神健康是指社区的组织及其功能在多大程度上能决定或促进其成员的精神健康。

世界几千年的文明史记载了人们对精神障碍的恐惧和嫌恶，记载了精神病人的悲惨命运——被抛弃，被蔑视，被虐待。虽然医学古籍中关于精神病的记载里不乏与现代人相近的观点的词句，但同样记载了许多社会对此类病人残酷惩罚的事例，因为当时人们确信这些精神病人是被魔鬼附体所致。即使是一些改革者，有时也采用了严酷的方法对待精神病人。例如，18世纪美国的一位改革者、内科医生B.拉什就曾经用他设计的"安乐椅"限制精神病人。

早期的机构 对精神病人的管理反映了人类不同文化的差异。人类最早的精神病医院是公元前918年在阿拉伯世界的巴格达和开罗建立的，因为他们认为这些精神病人是在承受真主阿拉的苦难。当时的某些非洲部落认为幻觉是与神灵世界的一种沟通。印度文化对那些为西方所不容的精神病病态行为也表现得相当宽容。认为精神病是魔鬼附体的观点主要来自西方，这种思想长期统治欧洲和北美殖民地，在15～17世纪达到顶峰。

1247年在伦敦以及在巴黎建立的所谓疯人院后来成了18世纪典型的精神病机构，把病人收容进来以后，先用镣铐把他们锁起来，然后就不管不问了。据信，凡是被这些机构收容的人都没有人类情感，他们的管理人员冷漠甚至残忍。这些机构主要考虑的是将精神病人与正常社会隔离开。在英属殖民地美国，有些精神病人会像牲口样被拍卖给农场主供其驱使，有些则被法院驱逐出城镇，其余就被收容进疯人院。1773年，北美殖民化已经一个多世纪以后，英国殖民当局才在弗吉尼亚州威廉堡建立了第1座精神病收容院。18世纪90年代，法国改革者P.皮内尔把49个被关在疯人院里的精神病患者身上的镣铐去掉，这一行动曾在医务界引起极大的非议。但几乎就在同时，英国人W.图克（贵格会教徒，咖啡、茶叶商人）成立了约克郡精神病收容院，他为精神病人提供了较为人道的待遇。前面提到过的拉什是一位内科医生、美国《独立宣言》的签字者，他为维护精神病人的正当权益而积极奔走呼吁。美国独立半个多世纪后，一位来自缅因州的女教师D.迪克斯在马萨诸塞州看到精神病人还和刑事犯人关在一起，她对此大为不满。在整个19世纪40年代，她多方游说、奔走呼吁。她的努力终于获得成果，一场精神病机构的改革和扩建的风潮席卷美国、英国和加拿大。这些先驱者的人道主义努力极大地改善了精神病人的社会处境，也使得那些由国家资助的、高度集中的精神病机构迅速发展起来。可不幸的是，被关在这些地方的病人又成了新形式下的隔离对象，远离尘世，远离亲友。虽然这些机构有一个时髦的名称——精神病医院，但缺乏必要的社会监督。于是，这些可怜的病人又成了被虐待、被抛弃的牺牲品。

现代技术 现代精神健康运动真正起步于C.W.比尔斯，他是康涅狄格州人，曾患精神病。1908年，他出版了题为《重新回归之路》一书，书中记述了他的亲身经历和感受。这本书被译成多种文字出版发行。本书的影响所及，不受职业、年代的限制，极大地推动了社区、学校、医院的改善精神病人处境的运动。在社会各界，包括著名专家的支持下，比尔斯于1908年创立了康涅狄格州精神卫生学会，这是世界上第一家这类学会。学会章程规定，本会会员矢志所向的共同目标是：改善精神病人的境遇，预防精神病和精神发育

迟滞的发生，保持精神健康，正确地宣传群众。这些原则和方向直到今天也还是所有精神病学会的行为宗旨。半年多以后，1909 年 2 月 19 日，比尔斯又在纽约领导成立了美国精神卫生全国委员会，这一委员会又在 1950 年发起组织成立了美国精神健康学会。

比尔斯还为国际精神健康运动建立哲学和科学理论基础方面做出了杰出的贡献。当时，C.达尔文的进化论已经打破了关于固定潜力的人种不变的传统观念。到了比尔斯时代，他发动了一场大众的思想解放运动，使公众逐渐认识到发育中的儿童并非一定会受到其精神受损的父母的影响。当时新生的科学的心理学也向人们揭示：环境因素可以对人的调节能力产生影响。这一理论使人们了解到家庭和社区可以创造出一个优良的环境，使儿童的成长超出原来设想的水平。在这个理论的指导下，建立儿童辅导门诊和开办父母、公众的教育课程，很早就受到精神健康运动的高度重视。

第一次世界大战期间及以后，精神病学和心理学的发展为这一运动注入了新的活力。在此期间，由 S.弗洛伊德在维也纳创立的精神分析学说首先在欧洲发展起来。这一学说强调儿童时期的各种经历是各种精神病症状的主要决定因素。这一学说的发展还在世界范围内使公众认识到：心理的和社会环境的因素是导致精神病发生的两大主要原因。

国际组织 1919 年，比尔斯又组织成立了精神卫生国际委员会。至 1930 年第一届国际精神卫生大会在华盛顿召开时，已有 25 个国家建立了精神卫生学会。1948 年在伦敦召开的第三届国际大会上，世界精神健康联合会宣告成立。该联合会向社会提供医疗咨询，并在国际事务中和几个联合国机构，包括世界卫生组织（其精神健康署成立于 1949 年），共同承担很多双边职能。该会组织了很多国际研究协作组、专家委员会，多次主持了地区性的或国际性的学术会议，并和世界各国从事精神健康工作的科学家保持着密切的接触。现在，世界各国人民越来越清楚地看到，在精神健康、人口压力和社会动荡之间有密切的相互关系。因此，随着现代社会的发展，精神病和精神健康成为越来越紧迫的社会问题，世界各国都在为增进人民的精神卫生、正确地教育民众并营造一个有利于个体成长和和平发展的社会环境而苦苦地探索。

国家机构 第二次世界大战前的一个多世纪中，很多国家的精神病医院一直是地方政府管辖的机构。但是，根据 1946 年通过的《不列颠国家健康服务法案》的有关规定，中央政府授权医院行政当局作为卫生部的地方分支机构，有权处理几乎所有关于医院服务项目的具体设置问题。同年，英国的几家私人资助的精神健康机构联合组建了联合王国精神健康学会。这个民间的全国性组织不仅为精神病人提供居住设施，对他们实行追踪服务，而且负责组织培训专业人员，开办教育课程。1959 年的《精神健康法案》废止了早期针对精神病、精神发育迟滞所制定的各种法律和各项政策条款。该法案规定：对精神病的治疗和对其他所有疾病的治疗一样，都是医院应该提供的医疗服务项目。社区服务机构在地方卫生行政当局管辖下与医院及院外病人活动中心、门诊部密切配合下开展服务工作。在英国，政府资助的医学研究院是深入研究精神健康问题的主要领导者。

大部分欧洲国家基本上都是用这种方式组建精神病医疗设施和普及精神卫生知识的。但在共产党国家，精神病和精神发育迟滞病人的医疗保健设施的建立和发展，则完全是中央或地方政府的职能。在欧洲经济共同体国家，政府和宗教团体及其他非官方机构共同执行精神健康的职能。最近，欧洲又开始对精神健康服务做了许多革新，如所谓综合性社区服务，将应用精神镇静药、建立保护性康复训练班以及在一些重要岗位上雇用一些非专业人员等引入社区服务之中。

美国人和加拿大人传统上认为对精神病的治疗主要靠病人的自我改善和自我调整。20 世纪 30 ～ 40 年代，为了促进这两国精神健康运动的发展，他们引进了欧洲的有关思想，并成功地与自己的文化结合起来。

第二次世界大战和战后的退伍老兵问题，进一步刺激了公众对精神健康问题的兴趣。而且，精神健康运动和大众传播媒介相互合作。于是，一个通过各种新闻载体暴露精神病世界的各种问题的风潮，席卷了美国、加拿大。其中最引人注目的是 1948 年出版的 A.多伊奇的《美国的耻辱》一书。好莱坞还成功地把 M.J.沃德的《蛇窟》一书搬上了银幕。随后，影、视屏幕上出现了大量的真实地反映了心理问题的现实主义作品。用精神动力学方法理解并指导儿童行为的思想融入了北美公众文化。在精神病人的治疗方法中引入药物（如精神镇静剂和情绪调节剂）治疗又进一步推动了这一事业的发展。

1946 年通过的美国《国家精神健康法案》，使国立精神健康研究所（NIMH）得以于 1949 年宣告成立。随着国家财政预算的增加，国家的医院建设得以发展，而且，还有更多的联邦财政拨款用于研究、教育和临床建设。在美国，NIMH 是关于精神健康和行为科学的基础和应用研究、展览演示项目、专业人员培训的资金的主要资助者；其业务范围也已经扩大到从戒除药瘾到预防自杀之类的社会问题领域中的方方面面。它所开设的国立精神健康信息交流中心，出版期刊《精神健康文摘》，社会效果很好。美国的精神健康运动得到了社会各界的广泛支持，包括国立儿童健康和人类发展研究所、退伍军人管理协会、教育部、社会和康复学会、国家科学基金会和国防部医务司。多年来，慈善基金会也对此慷慨解囊相助。

澳大利亚和新西兰的情况与欧美相似。亚洲、非洲、拉丁美洲的精神健康运动的发展一直受到资金和人才短缺的困扰。很多发展中国家的精神卫生健康工作主要依靠宗教团体、国外的援助项目和联合国的有关机构的帮助。

mental retardation　精神发育迟缓　在个体发育期间，表现出的各种形式的智力功能低于正常水平及合并适应性行为能力低下。

认定标准 标准化智力测验是认定精神发育迟缓的通用方法，需要社会照顾和接受专门训练的标准是：智商（IQ）在 70 分以下。过去的痴愚、鲁钝、白痴的分类名称现已废弃不用。现代分类法遵循以综合考虑其生理发育和社会能力为主、以 IQ 为辅的原则，名称亦有新说。轻度精神发育迟缓：IQ 介于 53 ～ 70；有学习能力，经训练可获得职业能力，这部分病人占患者总数的绝大部分。中度精神发育迟缓：IQ 介于 36 ～ 52；有语言能力，生活可基本自理，能学会功能性学习技能，可在屏蔽车间从事半熟练工作。重度精神发育迟缓：IQ 介于 21 ～ 35；运动功能发育缓慢，交流能力低下，并可合并躯体畸形，但能说话，并可在监管下自理生活。极重度精神发育迟缓：IQ 介于 0 ～ 20；数量极少，除可进行高度结构性操作外，无任何精神和运动能力，必须收容监管。教育 IQ 分级法：可教育者 IQ：51 ～75；可训练者 IQ：25 ～ 50；须收容者 IQ：0 ～ 24。

病因 中至重度精神发育迟缓多源于遗传或围产期疾病，如唐氏综合征、先天性代谢性疾病、脑膜炎、各种先天性畸形、放射线辐射、铅或其他毒物中毒、颅脑外伤、营养不良等。轻度精神发育迟缓被认为在儿童早期受到社会、文化和经济的不公正待遇的结果。

治疗和教育 现代治疗不再强调社会收容，而是主张建立和完善各类医疗组织、父母教育、弱智学校、职业训练和屏蔽车间等智残设施。目的是使各种类型的精神发育迟缓病人尽可能多地重返社会，成为对社会有用的人。即便常常还需要特殊的或连续的监护和指导，但也还是值得的。现代监管设施只面向重度以上的精神发育迟缓者。根据现代心理学原则，现代监护病房多以社区环境为主，努力建立起一种家庭氛围，这样有利于智残患者的康复。办好学龄儿童的特殊教育是改善精神预后的关键环节。1968 年，美国联邦立法规定政府应努力扩大包括智残在内的所有残疾人的职业教育。作为主流方向，从特殊教育学校出来的学生和从正规学校出来的学生坐到一间课堂上课，是加快智残儿童回归社会的有效尝试。但光是坐在一起上课并不能保证健康儿童接受智残儿童，心理方面的融合是一个亟待解决的问题。

Mentawai Islands　明打威群岛　印度尼西亚西苏门答腊省岛屿。位于苏门答腊西岸外印度洋上，由约 70 个岛屿组成。主要岛屿有西比路、锡波拉、北巴盖和南巴盖岛，后两岛合起来亦称拿骚岛。主要城镇麻拉西贝鲁在西比路岛东南部。西海岸多岩石而陡峭。海拔低于 450 米。地震频繁。多数岛上有森林。居民似乎为原始马来人，多信奉万物有灵论而不信任基督教传教活动。在临时廓清的空地上种植块茎作物。除农业外，以养猪、狩猎、采集和渔业为辅。种植椰子，椰干为主要出口商品。人口 14 732（最新统计）。

Menteşe DYNASTY　门泰斯王朝　统治安纳托利亚西南部的穆拉－米拉斯地区的土库曼王朝（约 1290 ～ 1425），由门泰斯创建。他的公国的版图在爱琴海和地中海岸。公国的舰队从事贸易和海盗活动。1300 年，门泰斯之子梅苏德占领了罗得岛的一部分。约 1360 年，威尼斯人在该岛建立的贸易区分成两个主要分区，分别在拜拉特和贝钦设立它们的中心。1390 ～ 1391 年公国归奥斯曼人统治。1402 年一度恢复独立。1425 年为奥斯曼人永久吞并。

Mentha 薄荷属 唇形科的一属，芳香草本植物，25 种。原产欧亚大陆温带、北美、非洲南部和澳大利亚。薄荷属的花与唇形科的典型花不同，有4枚而不是5枚合生花瓣。花

野薄荷（*M. arvensis*）
美国不列颠百科全书公司供图

蓝色、淡紫色或白色，沿茎轮生。留兰香（绿薄荷，*M. spicata*）高约 90 厘米；穗状花序，花稀疏，粉红色或淡紫色；叶无柄，具有独特的薄荷香味。胡椒薄荷（*M. piperita*）香味浓；叶有柄；穗状花序，花密集，红色或淡紫色；可能是绿薄荷与水生薄荷的杂交种。水生薄荷（*M. aquatica*）茎有茸毛；叶呈宽阔的广椭圆形，有香气；花序球形，花淡紫色。唇萼薄荷（*M. pulegium*）植株低矮；叶小，广椭圆形，有香味；花淡蓝紫色。上述几种均原产欧亚大陆，在北美归化，常见于潮湿草地。野薄荷（*M. arvensis*）原产北美和欧亚大陆，高达 1 米。参阅 **mint**。

menthol 薄荷醇 又称薄荷樟脑。具有强烈薄荷清凉气味的结晶有机化合物，属于异戊二烯类化合物，经验分子式 $C_{10}H_{20}O$。几世纪来都获自日本薄荷油。用于卷烟、化妆品及香料中。最普通的光学异构体（分子式相同，结构不同）是左旋式（即能使偏振光的平面往左转的化合物）*l*-薄荷醇，存在于薄荷油中。少量从香茅醛中提取。外消旋薄荷醇即等量 *l*-薄荷醇和 *d*-薄荷醇（*d*-薄荷醇是右旋异构体）的混合物，与天然产物有所不同，因为清凉效应是左旋异构体所特有的。

Menton 芒通 法国东南部普罗旺斯山蓝岸大区滨海阿尔卑斯省城镇，在尼斯和蒙特卡洛东北，靠近意大利边界。为法国里维耶尔蓝岸地区一带最温暖的冬季胜地和人们喜爱的避暑胜地。城镇坐落在宽阔新月形海湾旁一岩石盆状地形下，中间隔有山嘴，西南以马坦角为界。沿岸旅游区有热带花园、豪华

芒通镇的游艇港
美国不列颠百科全书公司供图

旅馆和海滨大道，还有赌场和人造沙滩。17 世纪的狭窄拱形街道都在狭窄的海岬上。人口28 812（1999）。

Mentor 门托 美国俄亥俄州东北部莱克县城市。位于克利夫兰东北 35 千米，邻伊利湖。1815 年成立乡，1855 年分设门托尔村，1962 年乡和村合并，1963 年设市。第二次世界大战后，人口激增，工业发展迅速。美国总统 J. A. 加菲尔德的农场及其故居现改为博物馆。设有莱克兰社区学院（1966）。附近有多处花园。人口50 278（2000）。

Mentuhotep II 门图荷太普二世 即奈卜哈佩特雷。埃及第 11 王朝国王（公元前 2008 ～前 1957 在位）。约公元前 2008 年，他是埃及最南部的统治者，后打败对手，统一国家，创立了当时的中王国。

门图荷太普初登王位时，控制从亚斯文到离都城底比斯以北约 145 千米的古城西斯之间的上埃及。他继承的国家已和赫拉克利奥波利斯王国（当时统治中、下埃及）断断续续进行了约 60 年的战争，双方都想控制整个埃及。他在位的第 14 年对赫拉克利奥波利斯王国发动战争。战争的经过无从知晓，但敌人都城统治者的变更帮助了底比斯人。门图荷太普最迟于公元前 1968 年占领赫拉克利奥波利斯，统一埃及。其后，他连年在北方同惯于袭击三角洲的贝都因人作战，并兼并努比亚北部。为了巩固国家的统一，他接受中埃及地方省长的归顺，这些人大都保留原职，从而使中王国初期就具有封建性质。底比斯成为国家首都。他的忠实支持者都担任了政府要职，他还接纳了战败的赫拉克利奥波利斯王国中对新政权效忠的人。埃及统一后，贸易往来和建筑工程大为发展。门图荷太普在上埃及一些地方建造许多神庙，内有显示其胜利的浮雕，但留存下来的很少。他还在底比斯建造一座宏伟的神庙和陵墓的综合体。在纪念建筑周围的山丘上，布满历次战争中牺牲的官兵的坟墓。他于公元前约 1957 年去世，将一个统一、繁荣的王国传给继承人门图荷太普三世。历史传说给予门图荷太普二世与第 1 代和第 18 代王朝创建者的其他埃及统一者同样的荣誉。

menues verdure 绿茵挂毯 参阅 **millefleur tapestry** 百花挂毯。

Menuhin, Sir Yehudi 梅纽因（1916-04-22，纽约市～ 1999-03-12，柏林） 20 世纪最主要的小提琴大师之一。4 岁开始学琴，7 岁公开演奏 F. 门德尔松的小提琴协奏曲，引起轰动。曾在巴黎师从小提琴家和作曲家 G. 艾奈斯库，演奏风格深受老师影响，师生结为终生朋友。十几岁便广泛巡回演出，以其娴熟技巧与音乐演奏获得赞赏。1959 年移居伦敦，1963 年在萨里的斯托克达伯农创办耶胡迪·梅纽因音乐学校以培养有天赋的儿童。1965 年被授予爵士头衔，但他直到 1985 年入英国籍后才接受。他常在音乐会中演奏一些较少得到演出的和新创作的音乐，因而引人注目。他委托创作的作品中包括 B. 巴尔托克的《独奏小提琴奏鸣曲》。曾在瑞士格施塔德（自 1957 年起）、英国巴斯（1959 ～ 1968）和温莎（1969～1972）主持一年一度的音乐节。

美国不列颠百科全书公司供图

1966 年在巴斯、1967 年在联合国与印度著名锡塔尔琴演奏家和作曲家 R. 申卡尔演出二重奏。申卡尔为他写了独奏曲《普拉巴蒂》。梅纽因著有《主题与变奏》论文集（1972）、《小提琴六课》（1972）和自传《未完成的旅程》（1977）等。

Menuis（Egyptian religion） 参阅 **Mnevis** 尼维斯。

Menuisiers-Ébénistes, Corporation des 细木工匠-镶嵌工匠行会 法国18世纪木工手工业行会，细木工匠主要做木工和细木工的活，镶嵌工匠作薄片镶嵌和涂饰。路易十四的财政总监 J.-B. 柯尔贝尔继承中世纪行会制度，将其改造为有效的劳动管理组织，在行会会员中反复灌输职业自豪感，提倡高度专业化。这一做法造就了一代代能工巧匠，使 18 世纪的法国家具成为西方文化的辉煌成

就之一。当镶嵌艺术在17世纪后期获得发展时,出现了专做镶嵌活的细木工匠,后成为镶嵌工匠。1743年细木工匠行会改组为细木工匠-镶嵌工匠行会。虽然行会于1791年解体,但其影响一直延续到19世纪。

Mènuo（Baltic deity） 参阅 **Mēness 美尼斯**。

Menzel, Adolf（Friedrich Erdmann）von 门采尔（1815-12-08,普鲁士布雷斯劳～1905-02-09,柏林） 德国油画家、版画家、杰出的历史画家,其爱国主义作品迎合了19世纪由

门采尔绘《画家的姐姐在起居室中》(1847)
美国不列颠百科全书公司供图

于普鲁士的持续扩张而发起的宣传艺术的公众品味。20世纪他主要因对光的敏锐处理和小型风俗画的创造性构图而受到尊崇。1832年门采尔主管父亲遗留下的石版工作室,通过自学成为石版画家,他给讲述普鲁士历史(特别是讲述腓特烈大帝二世统治时期的历史)的书籍作插图。其油画以生动再现腓特烈大帝宫中的音乐会和国王威廉一世的宫廷生活而一举成名。1840年起所作的小幅油画和素描,描写室内景、街景和自然风光,显示出其非凡的想象力和对光的效果的敏感,如《带凉台的房间》(1845)和《画家的姐姐在起居室中》(1847)等,仿佛预示了印象主义的来临。其别开新径的工业题材画如《轧铁工厂》(1875),从仰视或俯视的角度来表现客观物象。

Menzel-Bourguiba（Tunisia） 参阅 **Manzil Bū Ruqaybah 布尔吉巴营**。

Menzies, Sir Robert Gordon 孟席斯（1894-12-20,维多利亚杰帕里特～1978-05-16,墨尔本） 澳大利亚政治家,任澳大利亚总理(1939～1941,1949～1966)时加强与美国的军事联系并扶植工业发展和鼓励自欧洲移民。原为律师,1929～1934年任维多利亚州议员,1934年选入联邦议会。1934～1939年任司法部长,1939年以澳大利亚统一党领袖身份出任总理。1941年由于各方面的压力被迫辞职。1944年组织自由党,1949年重新执政。20世纪50年代以高速发展工业,鼓励外国投资。素来亲英,1956年支持英国干涉苏伊士危机,20世纪60年代初又支持英国插手马来西亚与印度尼西亚的对抗。他认为美国是澳大利亚的保护伞,因此在1951年建立澳新美联盟,1954年参加东南亚条约组织。一贯反共,1951年企图解散澳大利亚共产党,但没有成功。支持美国在越南的战争。1966年退休。1963年受封为爵士。

Menzies, William Cameron 孟席斯(1896-07-29,美国康涅狄格纽黑文～1957-03-05,加利福尼亚贝弗利希尔斯） 英美电影界有巨大影响的布景设计师。1927～1928年为《暴风雨》和《鸽子》制作的布景为他赢得第一届奥斯卡美术设计金像奖。他为《乱世佳人》所作的设计规模宏大,使他以"制片设计"的名义第二次获得金像奖。他还导演了《未来之物》(1936)等影片,并自行设计布景。孟席斯常常运用强烈的透视,使景深显得比实际上更深远。他的另一技巧是运用对角线隔离物,如篱笆、墙壁或栏杆,以强调紧张气氛、悲伤和隔绝。

Meo（Southeast Asian people） 参阅 **Miao 苗族**。

Meo（Indian tribe, or caste） 参阅 **Mina 米纳人**。

mepacrine（drug） **麦帕克林** 参阅 **quinacrine 奎纳克林**。

meperidine 哌替啶 即度冷丁。一种人工合成的麻醉性镇痛药,对急性和慢性疼痛均有效。这是一种鸦片类制剂,其药理作用大都与鸦片或吗啡(提纯的鸦片)一致,但较弱。地美露是它的众多名称中常用的商品名。度冷丁主要作用于中枢神经系统和支配肠道的内脏神经。可口服、肌注或皮下注射,15分钟即可见效,持续时间为3～5个小时。常用于分娩,不过,度冷丁可降低母婴双方的呼吸频率。主要副作用还有嗜睡、欣快感、口干舌燥、乏力和恶心。度冷丁虽可致用药者成瘾,但因其成瘾性明显弱于吗啡,故在解除慢性疼痛方面应用甚广。

Mephistopheles 墨菲斯托菲里斯 浮士德传说的后期背景中众所熟知的魔鬼精灵。墨菲斯托菲里斯这个名字可能是第一本《浮士德》(1587)的匿名作者为历史上的浮士德而虚构的。在传说中,据云浮士德曾有一两次称这魔鬼为他的密友和姻亲。由于墨菲斯托菲里斯在阴间是个后来者,所以他从未成为早于他几千年的传统巫术和鬼魔的组成部分。他只是在浮士德名下的巫术活动中,被提及一下而已。他主要属于文学范畴。在英国剧作家C.马洛的《浮士德博士》(1604)中,墨菲斯托菲里斯是个被逐出天堂的天使,受着撒旦般的高傲和黑暗的绝望的折磨,他得到悲剧性的胜利。在歌德的戏剧《浮士德》(第一部1808年;第二部1832年)里,他冷酷、玩世不恭、聪明,也许更狡猾些,但肯定是个比较渺小的家伙。

Meppel 梅珀尔 荷兰中东部德伦特省城市。地近雷斯特河与两运河交汇处。为四周地区泥煤和农产品(谷物,奶制品、生猪)经销中心。生产运输设备、化工产品、印刷品、纺织品和革制品。附近发现有天然气。市内有15世纪教堂。附近有伯拉克韦德湖和贝尔特韦德湖。东南有森林。北有疏树草原。为公路和铁路交叉点。人口约24 427(1994)。

meprobamate 眠而通 一种安定药。白色结晶粉。化学结构上属丙二醇酸酯类,商业上即以丙二醇为原料制造。20世纪50年代中期以商品名"Miltown"上市。Miltown(米尔顿)是美国新泽西州的一个村庄,本药最初在此研制成。口服给药,主要用于治疗神经官能性疾病。对失眠、肌肉痉挛、焦虑和紧张状态、某些皮肤病及情绪因素引起的胃肠功能紊乱均有疗效。亦用于治疗酒精中毒,有时亦用于治疗癫痫小发作。是一种中枢神经系统抑制药,选择性地作用于脊髓及大脑高级中枢。其化学结构不受胃肠道内各种酶的影响,易为胃肠道所吸收,并很快分布全身。长期大剂量应用本品可产生躯体依赖性。主要副作用有嗜睡、步态蹒跚、姿势不稳等。

mepyramine（drug） 参阅 **pyrilamine 吡拉明**。

Mer de Glace 冰海冰川 阿尔卑斯山最长冰川之一。在法国沙莫尼附近勃朗峰的北坡,延伸5.6千米。由勃朗峰塔屈尔高原下两条冰川汇成。冰川下落到距沙莫尼山谷中的勒廷斯不到0.8千米处。冰川积石明显。有新月形流痕,表明冰川中心移动较快。邻近铁路,故吸引许多旅游者。

Meramec River 梅勒梅克河 密西西比河支流,源出美国密苏里州东南部欧扎克山区,向北,转东北,再折东南,流经梅勒梅克洞穴区与州立梅勒梅克公园,在圣路易斯城南注入密西西比河。全长333千米。沿岸铅矿于18世纪初已开采。河上客货运输繁忙。1776年在其河口建密苏里州第一个渡口。主要支流有布伯斯河和比格河。

Merano 梅拉诺 意大利北部特伦蒂诺-上阿迪杰区博尔扎诺-博岑省城市。在阿尔卑斯山脉中段山麓,博尔扎诺西北面的帕西里亚河与阿迪杰河汇流处。857年首见记载。原为蒂罗尔的一部分,1918年奥地利割让给意大利。引人瞩目的建筑有哥特式教区教堂(1367～1495)和普林奇佩斯科小城堡(1445～1480)。周围地区约有30座城堡,最著名的是蒂罗洛城堡。19和20世纪梅拉诺从一小山城转变为现代旅游疗养地。种植水果,生产葡萄酒和化工产品。人口:城市区约33 638(1993)。

Merapi, Mount 默拉皮火山 印度尼西亚爪哇岛中部的火山峰。在日惹正北约32千

米,在三宝垄市以南稍远一点的地方。海拔2 911米。是印尼130座活火山中最活跃的火山。其最大的爆发,有一次是发生在1006年,整个爪哇中部都布满了火山灰。其余多次大的爆发是发生在1786、1822、1930和1976年。

Merbecke, John (English composer) 参阅 **Marbeck, John** 马尔贝克。

merbromin 汞溴红 即红汞(Mercurochrome)。为取得汞的抗菌作用,又要消除氯化汞对皮肤的刺激性,人们把汞分子结合到一个有机分子上,这样就构成所谓含汞人体消毒剂(antiseptics),该词专指用于杀灭或抑制侵犯人体(而非动、植物体)组织的致病微生物的一类制剂系列。汞溴红是其中第一位成员。在小的刀伤、擦伤等外伤时,可用来预防伤口感染。涂上药液后,损伤及其周围皮肤被染成亮红色,并略带黄绿色荧光。因其抗菌作用弱,故已被更强力的药物取代,如硝甲酚汞、硫柳汞和抗生素等。

Merca (Somalia) 参阅 **Marca** 马尔卡。

Mercadante, (Giuseppe) Saverio (Raffaele) 梅尔卡丹特 (1795-09-17以前,巴里附近阿尔塔穆拉[意大利]~1870-12-17,那不勒斯) 意大利作曲家和教师。在歌剧创作上是介乎G.唐尼采蒂、G.罗西尼和V.贝利尼为一方、G.威尔地为另一方这二者之间的一位过渡性人物。他被认为是意大利歌剧的重要改革者。梅尔卡丹特是一个私生子。11岁被带往那不勒斯,1808年入圣塞巴斯蒂亚诺学院就读。学习期间作有若干器乐曲,其中包括3部芭蕾舞剧的音乐。他的第一部歌剧于1819年1月4日首次上演;不到3年(在此期间他足足写了5部歌剧)之后,《埃莉萨与克劳迪奥》在米兰拉斯卡拉歌剧院成功开演。1826年创作另一部脍炙人口的歌剧《卡里蒂亚,西班牙女王》,它的另一部剧名为《唐娜·卡里蒂亚》更为人们所熟悉。约1827~1830年,他一度关注西班牙和葡萄牙的意大利歌剧。1832年结婚,1833~1840年任诺瓦拉大教堂乐正。1835年开始接触G.梅耶贝尔的音乐,他的歌剧《誓言》(1837年公演,被认为是他最优秀的歌剧)反映出他从作曲家梅耶贝尔那里所学到的东西。此后他继续尝试把戏剧与音乐更加谐和地结合起来,带头追求简朴的声乐线条、独创性和富有思想内容的严肃音乐。从1840年直到去世一直担任那不勒斯音乐学院院长。作品除歌剧外还有圣乐(包括若干弥撒曲)、康塔塔、赞美诗、管弦乐曲和各种室内乐。

mercantile agency 商业征信所 在高度发达的国家经济中,从事提供商业公司的信誉和财务实力的专门组织。第一家名为"商业征信所"的这种机构,是1841年为了减少信贷损失于纽约市成立的。由于企业业务规模已从地区性扩大到全国性,许多公司已无法判断远方未来客户的信誉。1859年后,原名商业征信所的组织改名为邓恩公司(又译邓氏公司);1933年该公司与布拉德斯特里特公司合并,成为最驰名的邓恩-布拉德斯特里特公司。商业征信所或提供一般的服务(各类商业公司信息),或提供专门的服务(限于某特定行业或某特定区域内的公司信息)。大多数征信所提供两种报告:①一般报告:由征信所定期发行,内容有根据各公司财务报表所评定的等级,有征信所判断各公司应有的信用等级。②特别报告:征信所应顾客要求而发行,内容有某公司的历史、火灾纪录、保险纪录、财务报告、公开交易纪录及其他债权人的意见。

mercantilism 重商主义 一种经济学说和经济实践,16~18世纪风行于欧洲。它主张应由政府控制国家的经济,以便损害与削弱竞争对方国家的实力,增强本国的实力。它是政治上专制主义在经济上的翻版。重商主义的宣扬者们(最著名的为17世纪英国的托马斯·曼和斯图尔特以及法国的J.-B.柯尔贝尔和意大利的A.塞拉)从未亲自使用这一名词,待苏格兰经济学家A.斯密在《国富论》(1776)中使用后,它才流行起来。重商主义包含有一些相互关联的原理。①一国的财富必不可少的是贵重金属如金、银等。它如果没有或无法获得贵重金属矿场,就得通过贸易来取得。②对外贸易必须保持"顺差",也就是出口必须超过进口。这些欧洲国家大多拥有殖民地,可以作为出口商品的市场和原料的供应地。殖民地不得发展制造业,殖民地和母国之间的商业应由母国所垄断。按照重商主义学说,强国必须人口众多,因为人口众多方可提供劳动力、市场和兵源。人们的需求,特别是对进口的奢侈品的需求,必须尽量减少,因为进口物品能耗尽宝贵的外汇。必须通过厉行节约的法令(关系到食品和麻醉药品),保证降低需求。俭省、节约,甚至吝啬都被认为是美德,因为只有这样才能创造资本。实际上重商主义为早期资本主义的发展准备了良好的气候,提出了获利的前景。

mercaptan 参阅 **thiol** 硫醇。

Mercāra 梅尔卡拉 又称马图-盖里。印度南部卡纳塔克邦南部城镇。位于西高止山区,海拔1 160米,在迈索尔至门格洛尔的国家公路上。有建于1812年的堡垒和俯瞰着城镇的建在山顶上的寺庙。设有迈索尔大学法学院。人口24 724(1981)。

Mercator, Gerardus 墨卡托(1512-03-05,佛兰德亚珀尔蒙德[今在比利时]~1594-12-02,克利夫公国杜伊斯堡[今在德国]) 原名热拉尔·德·克雷默。佛兰德人,地图学家,他最重要的革新是一幅体现了后来所称的**墨卡托投影(Mercator projection)**的地图。该地图上纬度线和经度线所取的间距,使得任一点的纬度与经度的比值都是精确值。他首先使用地图集(Atlas)一词来代表一部成套的地图。墨卡托1530年入比利时卢万大学学习人文学和哲学,1532年毕业并获硕士学位。在低地国家的第一流理论数学家同时也是物理学家和天文学家的G.弗里休斯的指导下,墨卡托掌握了数学、地理学和天文学的精华。弗里休斯和墨卡托还与雕刻师和金匠G.密列卡过从甚密。这三个人的共同工作很快就使

美国不列颠百科全书公司供图

卢万成为地球仪、地图和天文学仪器重要的制造中心。墨卡托24岁时即已成为一名出色的雕刻师、杰出的书法家和技艺高超的科学仪器制造者。他与密列卡和弗里休斯合作制造了地球仪(1535~1536)和天体仪(1537)。墨卡托在这两套仪器上所展现的流畅而优美的斜体书法改变了16世纪地图的面貌。在该阶段,他也以一系列印制的地图学著作开始建立自己作为该世纪领先的地理学家的声誉。这些地图有巴勒斯坦地图(1537),画在双心形投影上的世界地图(1538)和佛兰德地图(1540前后)。1540年,他还出版了一本斜体书法简明指南。1544年,他涉嫌信奉异端邪说而被捕入狱,7个月后获释并恢复以前的生活方式。他获得印刷和出版书籍的特权并可自由地继续从事科学研究。1552年,墨卡托迁往克利夫公国的杜伊斯堡定居,帮助公爵建立了一所语法学校,为该校制订了课程表。在建立了一家地图工厂并雇用了自己的雕刻师之后,他又转到自己的主要兴趣上。1554年,出版了他在卢万即已开始绘制的一幅欧洲地图。1559~1562年间在语法学校讲授数学。在这些繁忙的岁月里,他还为威廉公爵研究了家谱,编纂福音书重要语词索引和为《保罗达罗马人书》第一部分编写了详细的注释。1564年,他完成了一幅洛林地图(今佚)和一幅不列颠群岛地图。同年被任命为威廉公爵的宫廷"宇宙志专家"。在这些年代里,墨卡托完善了他的投影法,使得航海家只需画些直线就能够长距离航行而无需不断调整罗盘。1569年用于其世界地图中的这项称为"墨卡托投影"的技术使他名传千古。自此以后,墨卡托开始执行一个系列出版计划,希图描述创世纪及其以后的历史,但是这本地图集始终没有全部实现。1569年,他出版了自创世纪至1568年的世界年表。随后又出版了原来由希腊地理学家托勒密绘制的27幅地图。地图集的另一部分于1585年出版,其中包括法国、德国和荷兰;1589年又加上了意大利、"斯克拉翁尼亚"(今巴尔干诸国)和希腊。1595年,在墨卡托死后由其子出版的一个版本中,在前几部

分之后又加上了不列颠群岛为最后部分。后来1606年的版本中又增添了一些地图,通称"墨卡托-洪第乌斯地图集"。

Mercator projection 墨卡托投影 1569年由G.墨卡托发明的地图投影法。常被描述为圆筒式投影,但必须从数学上进行推导。经线是等距和平行的垂直线,纬线是平行的

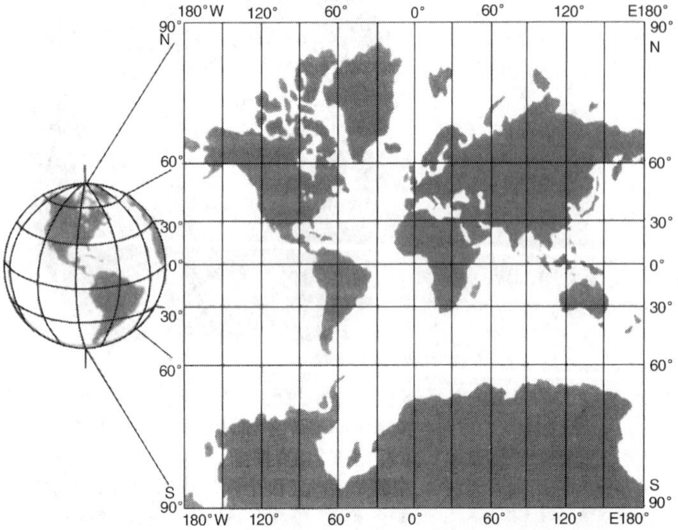

没有面积失真的地球球体(左)和面积失真越来越大的墨卡托投影(右),在纬度60°～90°之间失真尤其明显

美国不列颠百科全书公司供图

水平直线。距赤道越远,纬线间的距离就越大。这种投影广泛应用于航海图,原因是墨卡托投影图上的任意一条直线都是一条真方位角为常数的线,这样,航海家就能够把航线画成直线。对于世界地图,它就不大实用了,因为尺度失真,远离赤道的地区大得不成比例。例如,在墨卡托投影图上,格陵兰的土地面积显得比南美大陆还大,而实际上它比沙特阿拉伯还小。

Merced 默塞德 美国加利福尼亚州中部城市。位于弗雷斯诺西北90千米,临贝尔河。1872年创建,同年成为默塞德县城。1889年设建制。现为当地农产品加工和转运点,有金属加工等工业。经济亦获益于附近的卡斯尔空军基地(1946)。有加州大学的一个分校(2005)和一所社区学院(1962)。市东北有约塞米蒂湖和约塞米蒂国家公园。市西南有默塞德国家野生动物保护区。人口:市63 893;都会统计区210 554(2000)。

Mercedarian 慈爱圣母会会士 天主教慈爱圣母会的成员。该会又称圣欧拉利亚骑士团,其会士又称诺拉斯科门徒。该会是1218年由圣诺拉斯科在西班牙为赎救被摩尔人俘虏的基督徒而组建,起初是军事性修会。慈爱圣母会会士除发绝财、绝色和听命三愿外,还要发第四愿:在被俘基督徒有失去信仰危险时,将自己作为人质。该会会服为白色,本来用意是便于进入穆斯林地区;会士束宽皮带,上有链,表明他们过去经常佩剑。该会于1235年蒙教皇格列高利九世批准。该会自称共使约7万囚徒获释。1265年慈爱圣母会第二会成立于西班牙,是女会。1318年教皇约翰二十二世指示,该会领导人应为司铎,其后在俗骑士们脱离该会,该会后来成为托钵修会。慈爱圣母会会士随哥伦布到美洲,在拉丁美洲创办隐修院。该会在非洲、意大利、法国和爱尔兰也有组织。1602年冈萨雷斯发动改革运动,结果出现了慈爱圣母会赤足派。19世纪的反教会情绪使得慈爱圣母会濒临消失。1880年巴伦苏埃拉任总会长,修改会章,引导该会开展教育、慈善和社会工作。该会在20世纪继续进行这些活动。

Mercedes 梅塞德斯 又称维拉梅塞德斯,阿根廷中西部城市。在圣路易斯省中东部。建于1856年。周围土地分给曾保卫边境的退役军官。从1863至1865年该城经常遭到印第安人和山区叛军的袭击。因有河水灌溉,现已成为重要的谷物(玉米、高粱和裸麦)产区和养牛区。有大型谷物加工厂和加工出口牛肉的冷冻厂。1896年建市。人口约100 876(1999)。

Mercedes 梅塞德斯 乌拉圭西南部城市。临内格罗河。1781年建市,以其殖民时期建筑物、河滨、夏季赛艇会和网球比赛而著名。收入主要来自旅游业。也是行政、商业、畜牧

梅塞德斯市的大教堂及中心广场

美国不列颠百科全书公司供图

业和农业中心。有一些工业。有政府经办的电视台。有公路、航空线和铁路通蒙得维的亚。人口50 800(1996)。

Mercedes, El de las 亨利(慷慨好施者) 参阅 **Henry**(Spain:Castile)亨利(西班牙:卡斯蒂利亚)项下的 **Henry II** 亨利二世。

mercenary 雇佣军 不顾政治影响和后果而受雇于任何国家或民族并为之作战的职业士兵。使用雇佣军不但经济上耗费大,而且在政治上也很危险,如14世纪初叶拜占廷帝国雇佣的西班牙边民帮助拜占廷帝国打败土耳其人以后,就转过来攻打他们的雇主,并在肆意蹂躏色雷斯两年之后,继续糟塌马其顿。在15世纪,由瑞士、意大利和德国士兵组成的各个"自由连"受雇于各国亲王和公爵。这些雇佣军往往贪婪、残忍、毫无组织纪律,在作战前夕逃跑,大肆抢劫。他们逃跑多半是由于雇主不愿或无力支付酬金。如果及时付酬加以严明纪律,事实证明雇佣军还是有战斗力的。瑞士的各个州政府就曾大规模养兵,供欧洲各国雇用,这些雇佣军享有很高的声誉。法国在18世纪时,瑞士雇佣军是其正规军里的精锐部队。但是从18世纪末叶以后,雇佣军多半是兵痞。第二次世界大战后,某些第三世界国家,尤其是在非洲,政府和反政府集团都曾雇用雇佣军,战绩相当出色。

Mercer, David 默塞尔(1928-06-27,英国约克韦克菲尔德～1980-08-08,以色列海法)英国剧作家。20世纪60年代中期,以写英国社会腐败现象的剧本成名。14岁离开学校,在医学实验室当技术员。后来加入皇家海军,1948年退役后入泰恩河畔纽卡斯尔的国王学院学习绘画,1953年获达勒姆大学美术学士学位。在巴黎居住时开始写作,曾一度当过教师,20世纪60年代初成为职业作家。默塞尔的处女作为电视剧《分歧的由来》(1961),是三部曲《几代人》(1964)的第一部。1962年,《易疗的病人》被拍成电视剧,获作家协会奖,1965年制成影片,轰动一时。他的第一部舞台剧《长官夫人》(1965年上演)写一个落魄的丈夫变成狒狒而袭击冷淡的妻子的故事。多幕剧有《骑木马》(1965)、《贝尔彻的运气》(1966)、《燧石》(1970)、《追随哈格蒂》(1970)、《鸭之歌》(1974)和《弗拉迪米尔表弟》(1978)。

Mercer, Johnny 默塞尔(1909-11-18,美国佐治亚萨凡纳～1976-06-25,加利福尼亚贝尔艾尔) 歌词作家、歌唱家、作曲家、卡皮特尔唱片公司创办人。曾为许多百老汇音乐演出和好莱坞电影提供音乐。作有1 000余首抒情歌词,与作曲家H.卡迈克尔等人合作创作出许多经久不衰的流行歌曲,其中有《懒骨头》、《假正经》、《好莱坞好哇!》等。默塞尔曾在弗吉尼亚受教育,并活跃于社区戏剧小组。20世纪20年代末到纽约市。凭借其领悟力和出身于南方这一背景而创作出充满睿智、风趣、浪漫或富于地方色彩的歌词。1934年参加P.惠特曼的乐队,任司仪和主要歌唱家,同时继续为电影音乐剧谱曲。1939年参加B.古德曼的"骆驼大篷车"广播歌舞节目和B.克罗斯比的夏季轮换广播歌舞节目。与H.阿伦合作为百老汇舞台创作《圣路易女人》(1946)和《萨拉托加》(1959),另为G.德保

罗的《我的阿布纳》(1956)、R.E.多兰的《得克萨斯,我亲爱的》(1949)和《逗人的》(1946)等音乐作品作词。1942年与两位合伙人一起创办卡皮特尔唱片公司,任总裁,并亲自物色人才。作为声乐家,他曾同J.蒂加登、B.克罗斯比、N.K.科尔等录制二重唱唱片。为《艾奇逊、托皮卡、圣菲》(1946,沃伦作曲)、《在凉爽、凉爽、凉爽的傍晚》(1951,卡迈克尔作曲)以及《月亮河》(1961)和《酒和玫瑰花的日子》(1962,二者均为曼奇尼作曲)写的歌词获奥斯卡奖。影片《伟大的种族》(1965)、《在公园里赤脚》(1967)、《亲爱的莉丽》(1970)也采用他的歌词。他是歌曲作家名誉大会堂的第一任主席。

mercerization 丝光处理 纺织生产中的一种化学处理,用于棉纤维或织物,以赋予它对于染料和各种化学整理剂的亲和力。丝光处理还可增加棉布的抗拉强度和吸收性能,通常还有高度的光泽,视所用方法而定。丝光处理包括将纱或纤维短时间浸入氢氧化钠(苛性钠)溶液中,通常不到4分钟。然后将该材料用水或酸进行处理,以中和氢氧化钠。如果在此阶段将该材料保持在拉伸条件下,则可防止明显的收缩;如果不施加拉伸,则该材料可能收缩达1/4。高质量的棉织物通常进行丝光处理,这样处理后的织物更加有光泽,用染料较少而颜色更耐久。1844年英国印染工人J.默塞尔发现苛性钠对棉制品的影响,由此于1850年获取一项专利。

merchandising 推销 推销是销售的要素,特别指向消费者促销产品和服务。因此,推销主要是自由市场经济的一种特征。参阅**marketing**。

Merchant Adventurers 冒险商公司 英国商人所组成的特许公司。自15世纪初叶至1806年间,它从事对荷兰的贸易,后来从事对德国西北部的贸易。它于1407年获得特许状,主要从事英国新兴的毛纺织工业所生产的毛织品的出口。1689年被吊销特许状,但仍以一家商行地位在汉堡继续存在,直到拿破仑战争时结束。

merchant guild 商业公会 欧洲中世纪时期从事国际贸易的商人组成的协会。1020年左右由盖尔德斯的蒂尔的商人组成的行会是商业公会的前驱。11世纪末在法国圣奥梅尔的一个类似团体的章程上已使用"商业公会"这一名称。大多数商业公会只接纳同一城市的居民为会员。在欧洲大部分城镇,加入公会需缴高额会费,因而使公会具有排他性。这类公会难以度过13世纪末和14世纪城镇发生的社会剧变。到15世纪初欧洲的商业公会大都已湮没无闻,或者只作为一种组织涣散的团体存在,不起任何实际的经济作用。

Merchants Staplers 中心市场商行 英格兰13世纪末至16世纪控制羊毛出口的一家商行。为了易于收取出口税,英格兰的羊毛出口一向集中在一个市镇。这个地点常变,14世纪固定在当时归英格兰管辖的加来。国王授权中心市场的商人垄断羊毛出口,同时向商行收取税金。中心市场的商人在15世纪极有势力,成为国王的重要财政支柱之一;除经济活动外,还制定加来的贸易规章,执行该市的商法并代表国王完成政治和外交任务。16世纪以来,英格兰制造业大大发展,国内大量使用羊毛,出口相应减少。因此,中心市场商行已不如先前那样重要了。

Merchant Taylors' School 麦钱特·泰勒斯学校 设在伦敦的英格兰最大的(私人资助的)公学之一,由手工裁缝组织的伦敦麦钱特·泰勒斯公司于1561年建立。R.马尔卡斯特为首任校长。从一开始,这个学校的课程就以追随当代潮流著称。由其他行业建立的同名学校,迄今依然存在于英格兰各地。

Merci, Claudius Florimund, Graf von (count of) 参阅 **Mercy, Claudius Florimund, Graf von** *梅西伯爵*。

Merci, Franz, Freiherr von (baron of) 参阅 **Mercy, Franz, Freiherr von** *梅西男爵*。

Mercia 麦西亚 盎格鲁-撒克逊英格兰诸王国之一,国名来源于古英语 Merce(边民)。从7世纪中叶到9世纪初,大部分时间处于霸主地位。麦西亚原来包括位于盎格鲁-撒克逊人居住地区和被他们赶到西部的凯尔特人部落之间的边境地带(即现斯塔福德郡、德比郡、诺丁汉郡以及西英格兰中部地区北端和沃里克郡北部),后又吞并赫威赛人领土(即西英格兰中部地区和沃里克郡的其余部分、东赫里福德、东伍斯特和格洛斯特郡),还扩展到后来称为柴郡、萨洛普、西赫里福德和西伍斯特等地方。最后,麦西亚的版图包括以威尔士、亨伯河、东英吉利和泰晤士河为界的地区。第一位有史可稽的麦西亚王是独霸南英格兰的彭达(654卒)。他的儿子伍尔夫希尔和艾特尔雷德保持着麦西亚人的尚武传统。在艾特尔鲍尔德(716～757在位)和奥发(757～796在位)统治时期达到全盛。奥发建立的是囊括亨伯河到英吉利海峡整个疆域的单一国家,把较小的国王(西萨塞克斯,东英吉利、埃塞克斯,一度还有肯特的国王)当作自己的藩属。在他的统治下,英格兰的政治统一向前迈进了一大步。但在奥发死后,麦西亚日趋衰落。9世纪末受丹麦人攻击,自877年起分为英格兰区和丹麦区。10世纪初国王老爱德华收复丹麦人占领的土地后,麦西亚由已成为全英格兰之王的韦塞克斯国王派总督管辖。

Mercier, Désiré-Joseph 梅西耶 (1851-11-21,比利时布赖讷拉勒～1926-01-23,布鲁塞尔) 比利时教育家、枢机主教和19世纪复兴圣托马斯·阿奎那哲学的领袖。1874年受神职后,在比利时马林神学院教哲学(1877～1882)。1880年教皇利奥十三世要求在比利时卢万大学设立托马斯哲学的课程,他在1882年被任命为这一课程的教授。他联系现代哲学和科学来讲授托马斯主义,吸引了大量外国学生。在利奥支持下,梅西耶在卢万创办了高等哲学学院,并担任该院第一任院长(1894)。学院成为研究托马斯主义的主要中心,出版了《新经院哲学评论》(今为《卢万哲学评论》),并且对当代各哲学流派作出评价。教皇圣庇护十世1906年任命他为马林大主教,1907年又任命他为枢机主教。第一次世界大战期间,他反对德国人烧毁卢万图书馆并驱逐工人的立场,使他成了为比利时讲话的国际发言人。1919年应美国总统威尔逊邀请,访问美国,从而漫游了美国和加拿大。他载誉而归并获得重建卢万图书馆的资助。1951年,卢万设立枢机主教梅西耶讲座,支持来访哲学家讲演。其作品有:《现代经院哲学手册》(与卢万大学的教授们合编,英译本两卷,1917～1918)及《当代心理学起源》(英译本,1918)。

Mercier, Honoré 梅西埃 (1840-10-15,下加拿大伊贝维尔圣阿塔内斯～1894-10-30,蒙特利尔) 加拿大政治家,维护法裔加拿大人利益的斗士。19世纪60年代初期主编《圣西森特信使报》,支持保守党政府。1866年脱离保守党,坚决反对成立联邦。1871年参加组织民族党。1872年当选为众议院议员,1879年进入魁北克省立法会议,并任副检察长。1883年成为魁北克自由党领袖。1886年在省议会选举中获胜,1887年任魁北克省总理和检察长,极力推行民族主义政策。1891年访问罗马,教皇利奥十三世赐予罗马伯爵称号。同年因有人告发他使用铁路公款从事政治活动,被省督免职。1892年自由党遭惨败,但新政府成立后宣告他无罪。

Mercier, Louis-Sébastien 梅尔西埃 (1740-06-06,巴黎～1814-04-25,巴黎) 法国中产阶级戏剧早期作家之一。在《论戏剧》(1773)中强调戏剧的说教功能;在剧作中提出要使戏剧构思服从说教的目的论点。他批评法国传统悲剧矫揉造作、枯燥乏味,然而他也并未在技巧上有所创新。一生大约写了60部戏剧,包括社会喜剧《醋商小车》(1775)、根据英国戏剧家G.李洛的《伦敦商人》(1731)改编的《让纳瓦尔》(1767年发表,1781年首演)。其他剧作有《假朋友》(1772)和反军国主义的《逃兵》(1770年发表,1782年上演),及关于法国宗教战争的历史剧《利雪的主教让·埃尼耶》(1772)和《同盟的瓦解》(1782)。由于其反教权、反君主政体的倾向,后两剧直至法国大革命后也均未能上演。还写过想象预言式的作品《2440年》(1770)和开巴尔扎克式小说之先河、对社会典型人物进行分类的作品《巴黎的景象》(1781年出2卷,1782～1789年出12卷)。梅西埃尔绰号"让-雅克的猴子",深受让-雅克·卢梭社会观点的影响,摈弃流行的进步信念。作为国民公会的成员,他持温和见解,反对处死路易十六。在革命的恐怖时期遭到监禁,罗伯斯比尔死后才获释。

Merck, Johann Heinrich 默尔克 (1741-04-11,黑森达姆施塔特～1791-06-27,达姆施塔特) 德国作家、评论家。曾对18世纪末期狂飙突进运动的青年作家给予宝贵的指导。在吉森学过法律,后在达姆施塔特任军需官和军事参议。在德国文学界一度颇有影响,同情C.F.尼古拉、C.维兰德、赫尔德和歌德等主要作家的文学宗旨，曾帮助创立期刊《法兰克福学者报》(1772)，该刊发表过歌德的早期诗文。他还写过一些关于文学、艺术和绘画的论文。他的信札为研究当时的文学生活提供了极为宝贵的史料。最后因家庭不幸和事业上的挫折而自杀。

Mercoeur, Philippe-Emmanuel de Lorraine, duc de　梅尔克公爵(1558-09-09，法国诺梅尼～1602-02-19，纽伦堡)　法国布列塔尼贵族，领导反对法国国王亨利四世的抵抗运动。1577年继承其父的公爵领地。1582年起任布列塔尼总督，但在亨利三世指使人暗杀他的吉斯家族的表兄弟后，他发动叛乱。亨利三世遭暗杀(1589)后，他联合大部分布列塔尼天主教徒反对信奉基督教新教的亨利四世。他在南特设立了自己的高等法院，并立其子为"布列塔尼亲王和公爵"。西班牙支持他，但英格兰派军队和舰只反对他。1592年他在安茹的克朗虽获胜利，但1593年亨利皈依天主教后，他失去了反对亨利的理由，终于屈服，获得400万里弗尔，并同意他的女儿和继承人弗朗索瓦兹同亨利的私生子旺多姆公爵塞萨尔结婚。后与神圣罗马帝国皇帝鲁道夫二世的军队在匈牙利同土耳其人作战，返法途中死于热病。

Mercosur　南方共同市场　西班牙语 Mercado Común del Sur 的缩略语，葡萄牙语作 Mercosul。南美洲的地区性经济组织，由早先旨在使拉丁美洲经济结成一体的拉丁美洲自由贸易协会(1960)和后来的拉丁美洲一体化协会(1980)发展而成。1985年阿根廷和巴西签署《伊瓜苏宣言》，建立一个双边委员会以促进两国经济合作；翌年，两国谈判达成数项商业协定。根据1988年的《协调、合作与发展条约》，阿根廷和巴西致力于在10年内建立共同市场，并邀请其他拉丁美洲国家参加。1991年，阿根廷、巴西、巴拉圭和乌拉圭四国元首签订《亚松森条约》，成立南方共同市场。其后，其他几个国家相继被接纳为准会员国。总部设在乌拉圭首都蒙得维的亚。南方共同市场的目标是协调会员国的经济政策，促进经济发展。1995年1月1日正式成立自由贸易区和关税同盟。1995年末，各会员国同意在2006年分阶段废止内部关税，对从非会员国进口的货物设定共同税率。2003年，与安第斯共同体签订自由贸易协定，2004年7月1日开始生效。组织机构包括共同市场理事会、贸易委员会、经济和社会协商论坛。

Mercouri, Melina　迈尔库里(1925-10-18，雅典～1994-03-06，美国纽约州纽约)　希腊女演员和政治活动家，1981年成为希腊第一个社会党政府的文化科学部长。毕业于希腊国家剧院戏剧学校，20岁时扮演的第一个主角是E.奥尼尔的《哀悼》中的拉薇尼亚。但她最令人难忘的演出也许是在《欲望号街车》中扮演布朗歇及在电影《痴汉艳娃》(1960)中扮演好心的妓女，后者使她获得国际声望，并对她投身政坛大有帮助。她参与政治的原因是她对1967年希腊陆军校官发动军事政变夺取政权感到愤慨。迈尔库里在与法国出生的美国电影导演J.达辛(她演出的大部分电影由他导演)结婚后赴国外，此时政变发生，她在欧洲和美国鼓动反对政变集团，以致她的希腊国籍被政变集团取消。1974年希腊独裁政权崩溃，她返回希腊，旋即加入帕潘德里欧的泛希腊社会主义运动。同年她在贫困的比雷埃夫斯区竞选议员失败(该区使她在《痴汉艳娃》中成名)，但1977年她第2次竞选成功。1981年再度当选，在这次普选中泛希腊社会主义运动获胜，她迅即被帕潘德里欧任命为文化部长。担任这一职务后，她做出的重大努力之一是试图说服英国政府把埃尔金大理石雕塑品归还给希腊。1971年出版自传《我生来就是个希腊人》。

Mercurius　梅尔库里乌斯　参阅John(Papacy)约翰(罗马教廷)项下的 **John II** 约翰二世。

Mercurochrome(antiseptic)　**红汞**　参阅 **merbromin** 汞溴红。

Mercury　墨丘利　罗马宗教中的神灵。司掌商品，保佑商人，一般认为他相当于希腊的赫耳墨斯(**Hermes**)。他与女神迈亚有关，据说是他的母亲，母子两神同在5月15日受奉

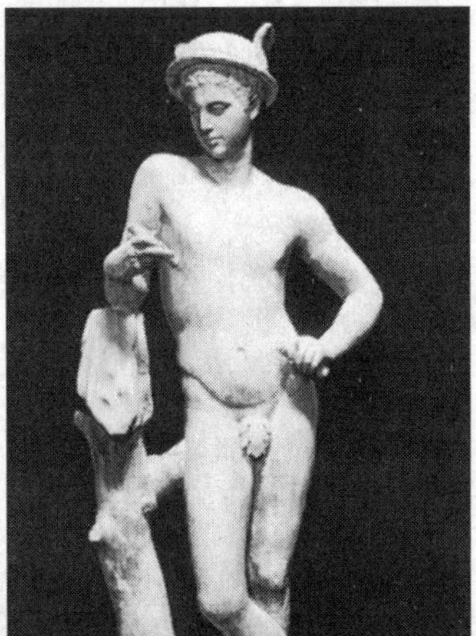

戴有翼之帽、一手执杖的墨丘利雕像
美国不列颠百科全书公司供图

祀。墨丘利之像作站立握钱囊状，象征他务商。艺术家不恰当地把赫耳墨斯的特征也加在墨丘利身上，因此他有时也着带翼靸鞋或戴有翼之帽，一手执杖。

Mercury　水星　太阳系中最靠近太阳的大行星。距太阳的平均距离约5 800万千米。它是太阳系八大行星中最小的行星，直径约4 870千米。

水星绕日公转的轨道是一个很扁的椭圆。其公转周期是大行星中最短的，仅88个地球日。它的平均轨道速度是大行星中最高的，为48千米/秒。水星的外文名恰如其分地取自罗马神话中的天神墨丘利，他相当于希腊神话中的赫耳墨斯，为众神的一位快腿信使。水星的自转速度很慢。正因为这样，水星上的1日，即自转一周，等于59个地球日。然而，由于水星绕日公转，水星上的1个太阳日(例如，一次日出到下一次日出之间的时间)为176个地球日。

由于水星离太阳太近，从地球上观测它很困难。在1974年，在美国的"水手"10号空间探测器发回大量水星的近距离照片以前，人们对水星地貌细节知之甚少。

水星表面很像月球，遍布为数众多的环形山，但又与之有许多不同之处。由于水星的表面重力比月球的大得多，水星上喷射物上升的高度仅及月球上它们上升高度的65%。在水星上称作环形山际平原的大片区域内，雨点似地布满了小陨星坑，但没有大型的陨星坑。在这类平原中，有一些看来和遍布环形山的地层一样古老，但另一些则似乎年轻得多。它们的起源仍不得其详。"水手"10号拍摄的、给人印象最深刻的是中心在水星北半球、半径达1 300千米的卡路里盆地。这个由巨型陨星撞击而形成的巨大环形构造，被高1～2千米的环形山脉所围绕。在卡路里撞击事件之后出现了平坦平原。它们在特征上不同于环形山际平原，但类似于月面海。还未证实，它们是否起源于火山活动。唯一比平坦平原更为年轻的表面构造是一些撞击的陨星坑，其中有些还具有伸展的辐射状结构。探测到的水星上另一类地貌结构是蜿蜒几百千米的峭壁。这种长而陡的峭壁可能起源于地壳的压缩。许多科学家都设想，水星的内核曾是熔铁，后因冷却而收缩了几千米。水星地壳的下沉致使形成峭壁式的大尺度褶皱。

根据在水星附近发现的磁场，可以认为水星也和地球一样，有一个巨大的铁质内核。这一内核的存在，足以说明水星的高平均密度。尽管水星比地球小得多，其平均密度约为5.44克/厘米^{3}和地球的5.5克/厘米^{3}相近。

水星的大气稀薄得可忽略不计，主要由一薄层氢、氦、钠、钾、氧组成，还可能有点氖。还有痕量的氩、二氧化碳、氪和氙。水星的重力弱，不足以保持住大量的大气。水星表面温度起伏大得惊人，从高达675K左右到低至100K上下。

mercury　山靛　俗名墨丘利草。大戟科山靛属(*Mercurialis*)植物。8种，一年或多年生

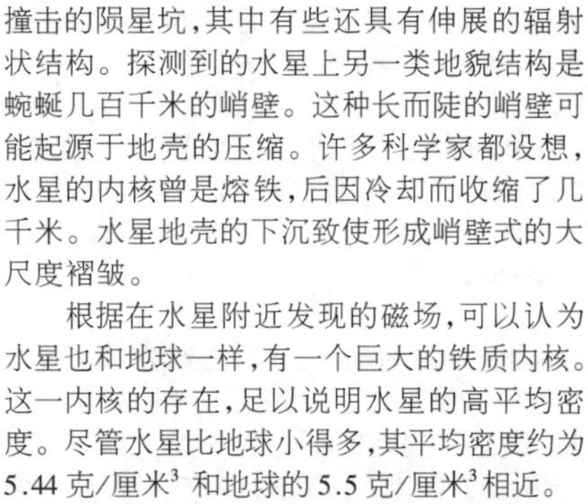

宿根山靛(*M. perennis*)
美国不列颠百科全书公司供图

野草,原产于欧洲、亚洲及北非,已在北美归化。一年生山靛(草山靛,*M. annua*)是耕地中的杂草,也生长于阴蔽林地。宿根山靛(多年生山靛、狗山靛,*M. perennis*)有恶臭气味,对牲畜有毒,广泛生长于欧洲林地,叶是一种不稳定的蓝色染料的原料;花单性,雌雄异株,花小,绿色,无花瓣,簇生;风媒传粉。三籽墨丘利草即同科不同属的弗吉尼亚铁苋菜(*Acalypha virginica*)。

mercury 汞(Hg) 又称水银。化学元素,周期表Ⅱb族锌族的液态金属。汞早为古代中国人和印度人所熟知。在公元前约1500年的埃及古墓中也发现了汞。汞是常温下唯一的液态金属元素(铯约在28.5 °C、镓约在30 °C、铷约在39 °C熔化)。汞为银白色液体,在潮湿空气中颜色缓慢变暗,在约-39 °C时凝固成像锡或铅一样的柔软固体。能与大多数金属(铁明显除外)形成汞齐。汞不浸润或黏附玻璃,加上在整个液态范围内体积膨胀均匀,故用于制造温度计。气压计和压力计则是利用其密度高和蒸气压低的特性。汞导电性良好,特别适用于密封的电器开关和继电器中。通过汞蒸气放电时能产生紫外线成分很大的淡蓝色辉光,这种性质已应用于紫外、荧光和高压汞光源中。由于汞热中子俘获截面高(360靶恩),导热性好,可用作核反应堆防护和冷却介质。大量汞用于制造药物和工农业生产中的杀菌剂,用作补牙填料,还用于电解法生产氯气和苛性钠的化工生产中。地壳中平均每吨岩石约含0.08克汞。汞的主要矿物是红色硫化物即朱砂。天然汞以游离液滴形式存在,偶尔也有大量的汞液存在,常与火山和温泉附近的朱砂矿共生。在西班牙(阿尔马登)、塞尔维亚阿瓦拉山、斯洛文尼亚伊德里亚、德国(莫歇兰茨伯格)和美国(得克萨斯州特灵瓜、加利福尼亚州新阿尔马登)均发现这种游离的金属。汞的天然合金极为稀少,已发现的有银汞矿、汞钯矿和金汞齐。在空气中焙烧硫化汞,然后使汞蒸气冷凝便可得到汞。汞有毒,如吸入汞蒸气、咽下可溶性汞化合物或经皮肤吸收汞,都可以引起汞中毒。天然汞为7种稳定同位素的混合物:汞196(0.15%)、汞198(10.02%)、汞199(16.84%)、汞200(23.13%)、汞201(13.22%)、汞202(29.80%)以及汞204(6.85%)。用作波长标准和用于其他精密研究工作的同位素纯汞仅由汞198组成,它是用中子轰击天然金即金197制备的。汞在化合物中为+1或+2氧化态。汞(Ⅱ)或高汞化合物占绝大多数。当温度低于300~350 °C时,汞虽能与氧化合形成氧化汞(HgO),但速度极低,无实用意义。在400 °C或更高温度下,反应朝反方向进行,使化合物分解成元素汞和氧。A.-L.拉瓦锡和J.普里斯特利在研究氧时,曾经利用过这个反应。汞(Ⅰ)或亚汞化合物相当少,汞(Ⅰ)离子Hg_2^{2+}是稳定的双原子离子。氯化汞(Ⅰ)Hg_2Cl_2(通常称为甘汞)也许是最重要的1价汞化合物,可用作防腐剂,氯化汞(Ⅱ)$HgCl_2$(也叫二氯化汞或升汞)也许是最常见的2价汞化合物。虽然升汞极毒,但这一无臭、无色的物质有着广泛的应用。在农业上它可用作杀菌剂;在医药上0.05%的水溶液有时可用作局部消毒剂;在化学工业上可用作氯乙烯生产的催化剂,以及作为生产其他汞化合物的原料。氧化汞(Ⅱ)HgO可为制备各种有机汞化合物以及某些无机汞盐提供元素汞。这个红色或黄色的晶体与石墨混合后也可用作锌-氧化汞电池以及汞蓄电池的电极。硫化汞(Ⅱ)HgS是一黑色或红色的晶体,主要用作油漆、橡胶和塑料的颜料。以朱砂矿形式存在的红色化合物是地球上汞的主要来源。汞原子序数80。原子量200.59。熔点-38.87°C。沸点356.9°C。比重13.5(20 °C)。化合价1、2。电子组态2,8,18,32,18,2或$(Xe)4f^{14}5d^{10}6s^2$。

Mercury "水星"号飞船 美国第一个载人航天器系列(1961~1963)。苏联航天员Y.加加林进入太空约3周后,"水星"系列飞船开始进行亚轨道飞行。A.B.小谢泼德乘"水星"系列第一艘飞船"自由"7号由红石火箭发射进行15分钟486千米的亚轨道飞行,达到186千米高度。后改为推力更大的"宇宙神"火箭发射。"水星"号飞船重约1 400千克,每次载一名航天员。美国第一次载人轨道飞行是J.H.格伦乘"友谊"7号于1962年2月20日发射,绕地球飞行3圈后降落于巴哈马群岛附近的大西洋。最后一次飞行是"水星"系列最长的一次飞行,L.G.小库珀乘"信心"7号于1963年5月15日发射,绕地球飞行22圈,历时34小时20分,后安全着陆。

mercury(Ⅰ) chloride 氯化汞(Ⅰ) 参阅calomel甘汞。

mercury lamp 水银灯 用电激发水银蒸气的原子而发光的放电灯(electric discharge lamp)。

mercury poisoning 汞中毒 各种汞化合物对身体组织和功能产生毒害作用的现象。某些现代工业生产过程和生物学过程将汞化合物浓集到危险的水平。汞大规模应用于工业,如化工及油漆、各种家庭用品、杀虫剂、杀真菌剂的制造业。汞的危害不仅来自含汞消费品,亦可来自遭受汞蒸气、烟雾和粉尘等污染的空气以及被含汞废物污染的水。污水中的汞可被淤泥中的细菌转化为有机汞,有机汞又在鱼和其他水生生物体内浓集起来,这些生物也是人类的食物。根据汞化合物的类型和接触的方式,汞中毒的症状亦有所不同。急性汞中毒多因意外或自杀而食入可溶性汞盐(如氯化汞)所致。汞在消化道内引起严重炎症,通常在数小时内即发生腹部痛性痉挛并伴以恶心、呕吐和便血。汞吸收后在肾脏浓缩,毒害肾小球,使尿量减少乃至尿闭,引起尿毒症乃至死亡。慢性汞中毒的病因可为职业性吸入汞蒸气、汞尘或挥发性有机汞,或为经皮肤吸收汞盐(如制造帽用毡的硝酸汞)。症状包括口中有金属味,流涎过多,口腔黏膜发炎,牙齿松动,牙龈出现蓝线,四肢疼痛、麻木、震颤,体重减轻、食欲不振及精神抑郁消沉。对含汞利尿药过敏可致哮喘、荨麻疹、皮肤损害及猝死。使用含汞油膏或长期服用甘汞可引起发热、皮疹、脾及淋巴结肿大。婴幼儿的肢痛病("红皮病")的病原即掺入家用油漆中用以防霉的苯基汞丙酸酯。症状包括兴奋不安、失眠、厌食、牙齿松动、口腔发炎及皮肤发红。有机汞化合物中毒的特点是中枢神经系统受损害。该型汞中毒于20世纪50年代早期在日本水俣市急剧暴发故名水俣病。该病表现有进行性肌肉无力、视觉丧失、大脑功能损害,最后瘫痪,部分病例可有昏迷和死亡。水俣的海鸟、家猫跟渔民一样主要以鱼为食,因此亦可有该病的表现。根据这点人们发现水俣海湾的鱼和蛤贝类含有很高浓度的甲基汞化合物,这些汞来源于一家工厂的排出物。在有些地区,农民食用经有机汞化合物处理的谷物种子后,亦出现过有机汞中毒的暴发。

Mercy, Claudius Florimund, Graf von 梅西伯爵 (1666,洛林~1734-06-29,意大利帕尔马) 奥地利陆军元帅,西班牙王位继承战争(1701~1714)和土耳其战争(1716~1718)期间最能干的指挥官之一。1682年参加奥地利陆军。曾在匈牙利和意大利指挥骑兵作战,功勋卓著。在西班牙王位继承战争爆发(1701)后,他曾指挥克雷莫纳战役(1702)、莱茵前线战役(1702~1703)、巴伐利亚战役(1704)以及抗击法国人的战役(1706~1709),威名大振。1716年奥地利恢复它对奥斯曼帝国的斗争时,他对于萨伏依的欧根亲王在彼得瓦尔丁(1716-08)、贝尔格莱德(1717)所取得的胜利,以及对于泰梅什保的巴纳特的征服,都起过很大作用。他被任命为东部边疆地区总督以后直至1734年留在匈牙利。他移入新居民、修筑道路和建立健全的政府,以加强巴纳特的防务并重建那里的经济。1734年再度被召到意大利,在帕尔马阵亡。

Mercy, Franz, Freiherr von 梅西男爵(约1590,巴尔公国隆维~1645-08-03,士瓦本阿勒海姆) 30年战争(1618~1648)期间奥地利和巴伐利亚陆军元帅,保卫巴伐利亚使他成为他那个时代最成功的帝国统帅之一。约1606年进入奥地利陆军。1634年因坚守莱茵费尔登达5个月之久一举成名。1638年为选侯巴伐利亚的马克西米连一世服务。他是一个精明的战略家,1643年粉碎法国对巴伐利亚的侵略计划,同年11月在图特林根击败法军。他一贯智胜敌人,而且只有在十分有利的条件下才进行战斗。在第二次讷德林根战役中,他终于为当甘和蒂雷纳的联军所俘,后被杀。

Mercy, Sisters of(R.S.M.) **慈善姊妹会** 天主教女修会。1831年由爱尔兰修女麦考莱创立于都柏林。1822年她已经开始实施指导训练贫苦女童、施衣舍食及其他慈善事业工作计划。1827年她在虔诚的富有妇女的协助下在都柏林市巴哥特大街创立慈善工作中心。该会成立后在英语世界发展迅速,从事教育、护理病人、关怀老人孤儿以及其他社会服务活动。

Mercy d'Argenteau, Florimund, Graf 梅西·达让托(1727-04-20,奥属荷兰列日~

1794-08-25,伦敦) 奥地利外交家,1751年进入外交界,曾任撒丁宫廷驻俄国大使,1766年起任驻巴黎大使。曾给玛丽·安托瓦内特(弗兰茨一世皇帝和奥地利的玛丽亚·特蕾西娅的女儿)当顾问。在1789～1790年法国大革命期间,他积极为法国王室奔走,但于1790年被召回。曾试图挽救玛丽·安托瓦内特免上断头台,未能成功,后任奥地利普鲁士驻荷兰军队的政务官。1794年任奥地利驻伦敦大使,但到任不久即死去。

mercy killing 参阅 **euthanasia** 安乐死。

Merdjayoune (Lebanon) 参阅 **Marj ʿUyūn** 迈尔季欧云。

Meredith, (Oliver) Burgess 梅雷迪斯(1907-11-16,美国俄亥俄克利夫兰～1997-09-09,加利福尼亚亚马利布) 美国演员和导演。以在舞台剧、电视剧和电影中饰性格角色而知名于世。1933年首次在百老汇参加演出《小老弟》。1935年在安德森《冬景》中饰米奥大获成功,次年,此剧被改编成电影,仍由他饰此角。他是1937年"新戏剧协会"的创始人,翌年又出任"演员协会"副主席。第二次世界大战期间在美国陆军航空队任上尉飞行员。战后演出了《西方世界的花花公子》(1946)、《巴巴拉少校》(1956)、《建议与认可》(1962)、《洛基》(1976)等。

Meredith, George 梅瑞狄斯(1828-02-12,英格兰汉普郡朴次茅斯～1909-05-18,萨里博克斯希尔) 英国维多利亚时代小说家、诗人。出生于一个裁缝家庭。一生写有20多部小

美国国会图书馆供图

说和许多诗歌。与19世纪后半叶其他英国小说家不同,他不注重结构和技巧,而以精彩的对话、充满机智和诗意的宏伟场面,以及对人物心理的刻画著称。他远远超越其时代,把妇女看成和男子平等的完全独立的个人。最著名的作品是《理查德·弗维莱尔的苦难》和《利己主义者》。

梅瑞狄斯早年在英国和德国受过中等教育,18岁到伦敦当过律师见习生,但对法律不感兴趣,而潜心研究《天方夜谭》和德国传说及文学,为文学杂志编辑并撰写文章。1851年,他的第一本诗集(其中包括《山谷中的爱》)问世,得到一些诗人的赞誉。1855年,他模仿《天方夜谭》写的《沙格帕的修面》出版。不久他第一次婚姻破裂,生活困难,需要抚养8岁的儿子,但仍在紧张写作中寻求安慰。1859年发表了他第一部有代表性的小说《理查德·弗维莱尔的苦难》,这是一个以悲剧结局的浪漫喜剧故事,描写一个男爵的儿子爱上一个社会地位低下的女子,遭到父亲反对,从而形成父子之间的冲突。书中的比喻和想象丰富,对话活泼、诙谐,作者时常插话评论,有3章像抒情的散文诗,对人物动机和心理分析极为深刻。这是作者最动人和读者最多的小说,但挑剔的读者认为该书淫秽而使有影响的公共图书馆将其列为禁书。1860年发表小说《伊万·哈林顿》,1862年发表描写自己婚姻悲剧的《现代的爱情》诗集,这是他对英国诗歌的不朽贡献之一。1864年出版小说《埃米莉娅在英格兰》(后易名为《桑德拉·贝洛尼》)。1865～1885年的20年间,他先后发表了《罗达·弗莱明》(1865)、《维托利亚》(1866)、《哈利·里奇蒙历险记》(1871)、《包尚的事业》(1875)、《利己主义者》(1879)、《处在十字路口的黛安娜》(1885)等成熟时期的小说。《利己主义者》描写结婚前挑选错误对象的危险性,《处在十字路口的黛安娜》则描写夫妻不协调的痛苦。这两部小说均强调男女平等,妇女不是玩偶,获得广大读者的欢迎和评论家的好评。从此荣誉纷至沓来,梅瑞狄斯成了英国文坛的首领。1885年后,他的作品,除《我们的征服者之一》(1891)、《奥蒙特老爷和他的阿明塔》(1894)和《令人惊异的婚姻》(1895)等3部小说和5本诗集外,更富有哲理,而不是富于诗意。梅瑞狄斯对小说的影响是间接而不是直接的。他广泛应用的内心独白是J.乔伊斯等人"意识流"技巧的先导。他和乔治·艾略特创造了心理小说,因此成为18世纪先行者和20世纪后继者之间的一个承前启后的重要人物。马克思主义评论家J.林赛认为梅瑞狄斯影响了吉辛、哈代、H.詹姆斯和斯蒂文森。J.B.普里斯特利则认为他还影响了吴尔夫、D.H.劳伦斯和E.M.福斯特。

Meredith, James 梅雷迪斯(1933-06-25,美国密西西比科西阿斯科～) 美国民权运动参与者,在1962年的民权运动的紧要时刻成名,当时他成为密西西比大学第一名非洲裔美国学生。州政府官员最初拒绝了美国最高法院取消隔离的命令,阻止梅雷迪斯入学,但在发生严重校园骚乱,死亡两人之后,他在联邦执法官的保护下被该校录取。曾在美国空军服役,后在一所全黑人的学校杰克逊州立学院读书。他多次向密西西比大学提出入学申请,但均因其黑人种族遭拒。后来他打赢官司获准入学,但不得不由联邦军队及司法部官员陪他到学校执行法院指令。他在密西西比大学的生活是短暂的,1963年毕业,并把这段经历写成回忆录,书名是《在密西西比的三年生活》(1966)。在20世纪60年代参加选民登记运动时,被一名白人至上主义分子开枪射伤。这个罪行使许多民权领袖站出来再次组织游行,他在住院治疗康复之后重新加入。

Meredith, Mary Gladys 梅雷迪思 参阅 **Webb, Mary (Gladys)** 韦布(夫人)。

Meredith, Owen 梅雷迪斯 参阅 **Lytton, (Edward) Robert Bulwer-Lytton, 1st earl of** 李顿伯爵(第一)。

Meredith, Ted 梅雷迪斯(1892-11-14,美国宾夕法尼亚切斯特海茨～1957-11-02,新泽西卡姆登) 美国中距离赛跑运动员。800米(1912～1926)、440码(1916～1931)、880码(1912～1926)赛跑世界纪录保持者。他所参加的4×400米接力赛跑队和4×440码接力赛跑队也先后于1912～1924年和1915～1928年保持世界纪录。在宾夕法尼亚州默瑟斯堡学校求学时开始从事赛跑活动,后在费城宾夕法尼亚大学继续训练。1912年在斯德哥尔摩奥运会上获800米赛跑金牌,创1分51.9秒的世界纪录,另创880码世界纪录(1分52.5秒)。1916年又将后一项纪录刷新为1分52.2秒。

Meredith, William 梅雷迪斯(1919-01-09,美国纽约州纽约～) 全名William Morris Meredith, Jr.。美国诗人,其规范、朴素的诗歌堪与R.弗罗斯特的诗歌相媲美。1988年获普利策奖。1940年获普林斯顿大学文学士学位。在读期间开始写诗歌。曾短期担任《纽约时报》记者,后入伍。第二次世界大战期间为海军飞行员。1952～1954年间参加朝鲜战争。曾在普林斯顿大学、夏威夷大学和康涅狄格学院任教。1978～1980年间为美国国会图书馆诗歌顾问(现为桂冠诗人职位)。第一部诗集《来自令人绝望之地的情书》(1944)以其雄辩和正直获得人们的赞扬。《船只和其他图形》(1948)、《公海及其他诗篇》(1957)和《"长尾鲨"号遇难记及其他诗篇》(1964)是关于航海主题。《偏袒的报道:新诗及诗选》(1987)获普利策奖,《努力恢复说话能力:新诗及诗选》(1997)获国家图书奖。其他出版物有《诗歌的诱因及批评的充分理由》(1982)和《诗歌很难读懂》(1991)。

Merelles (board game) 参阅 **Nine Men's Morris** 九连棋。

merengue 默朗格舞 男女对舞。起源于多米尼加共和国或海地,流行于拉丁美洲全境。这种舞蹈一直是农村民间舞蹈,后来也成为一种舞厅舞,但只是在上层阶级舞厅之外跳起来才最为自由。舞蹈时全身重量总落于同一只脚上,如同跛行。音乐4/4拍子,分为3部分:帕西奥(斗牛士入场)、默朗格(一步舞)、亚利奥(大骚动)。该舞还有多种变体,名称各异。

Merenptah (king of Egypt) 参阅 **Merneptah** 迈尔奈普塔。

Merenre 迈兰拉 又拼作Mernere。埃及第六王朝(约公元前2325～约前2150)第4代国王。他曾使一位官员拥有管辖整个上(南部)埃及的权力,并鼓励努比亚的开发和贸易工作。他在继承王位前,可能一度和父亲佩皮一世共为摄政王。单独执政的第一年,曾访问过埃及南部边界的埃利潘蒂尼(今阿斯

旺),并在那里接受努比亚酋长们的效忠。他任命一位埃利潘蒂尼人为最南地区总督,并率领考察和贸易代表团深入努比亚。他提升父王的心腹大臣乌尼为上埃及总督,把整个上埃及置于一人管辖之下。在两次远征阿斯旺取得石材修建金字塔过程中,迈兰拉在瀑布岩石上开凿5条运河,并要努比亚的一些酋长为他砍伐树木和制造船只。在尼罗河三角洲发现的一件纪念物表明:他可能任命过异母兄弟佩皮二世为共同摄政王,以保证佩皮二世顺利继承王位。迈兰拉单独执政不过4年,可能去世很早。

mereology　分体论　逻辑学的一个分支,由20世纪的逻辑学家S.莱希涅夫斯基创立。这一分支试图阐明类的表达,提出部分与整体的关系的理论。它要解释罗素提出的所有并非本身因素的那些"类"之类的悖论。莱氏认为在对类之表达形式的周延的解释与聚合的解释之间必需划清界限,否则罗素悖论的预设将成为真实。但是,只要划清界限,罗素的一些预设在两种解释中都显然是伪的。

Meres, Francis　梅尔斯(1565,英格兰林肯霍兰地区柯顿～1647-01-29,拉特兰温)　英国作家。著有《帕拉迪斯·塔米亚知识宝库》,因内有伊丽莎白时代诗人的史料而具有价值。曾在剑桥大学受教育。1602年任拉特兰郡温的教区长。《帕拉迪斯·塔米亚知识宝库》出版于1598年。该书收集了至1598年为止的莎士比亚剧目,还包括关于C.马洛、G.皮尔、R.格林之死的记载和对当时诗人的简略评价。莎士比亚被称为"在两种戏剧(喜剧和悲剧)中均最出色",而乔叟被誉为"英国诗人之神"。

Merezhkovsky, Dmitry Sergeyevich　梅列日科夫斯基(1865-08-14,俄罗斯圣彼得堡～1941-12-09,巴黎)　俄国诗人、小说家、批评家和思想家。在恢复俄国知识界对宗教哲学的兴趣上起过重要作用。毕业于圣彼得堡大学。1888年发表第一部诗集。《论现代俄国文学衰落的原因及新流派》(1893)一文有时曾被错误地描述为俄国象征主义的宣言,但实际上它是俄国现代主义的重要里程碑。20世纪初,他和妻子吉皮乌斯组织宗教哲学研究会,并主编《新路》杂志(1903～1904)。他的三部曲《基督和反基督》使历史小说在俄国得到复活,显示出作者渊博的学识,并表达了他的历史和神学观点。同样取材于俄国历史的作品有历史剧《保罗一世》(1908)、长篇小说《亚历山大一世》(1911～1912)和《十二月十四日》(1918)。他在写小说和文艺评论时,喜欢使用对比法,例如《托尔斯泰与陀思妥耶夫斯基》(1901～1902)、《果戈理与魔鬼》(1906)。1917年革命前反对沙皇政府,这从《沙皇与革命》(1907)一书可以看出。他欢迎二月革命,但反对布尔什维克当政。1920年亡命巴黎后,出版两部历史小说(总标题为《神的诞生》,1924～1925)和拿破仑、耶稣基督、圣奥古斯丁、圣保罗、圣方济各、圣女贞德、但丁等人的传记。他晚年视墨索里尼和希特勒为反共领袖。

merganser　秋沙鸭　又称sawbill(锯喙鸭)、fish duck(鱼鸭)或trash duck(垃圾鸭)。雁形目鸭科秋沙鸭族(Mergini)秋沙鸭属(*Mergus*)的几种鸟类。虽大多生活于淡水,但与海番

红胸秋沙鸭(*M. serrator*)
美国不列颠百科全书公司供图

鸭和金眼鸭一同归入秋沙鸭族(一个海鸭族)。秋沙鸭是体长、有冠的潜水鸭类。肉味腥臭,故俗称垃圾鸭。特征是喙狭窄,具齿状缘,尖端钩状,适于捕鱼。除稀有的巴西秋沙鸭(*M. octosetaceus*)外,均栖息在北方地区。体型较大的种类常见于开阔的大片河湖地区。普通秋沙鸭(*M. merganser*)与绿头鸭大小相似,雄鸟无明显的羽冠;营巢于北温带至亚北极附近的树洞中,越冬于较南方的河流。红胸秋沙鸭(*M. serrator*)体型稍小,在地面营巢,分布区与上述种相同。在美国红胸秋沙鸭和普通秋沙鸭常称为翘鼻麻鸭。北美洲温带的镜冠秋沙鸭(*M.* [或 *Lophodytes*] *cucullatus*)体小,营巢于水边林地的树上。斑头秋沙鸭(*M. albellus*)体小而壮,喙短;繁殖区自斯堪的纳维亚到西伯利亚,南至突厥斯坦,越冬于南至地中海和中亚的河流、湖泊。

Mergenthaler, Ottmar　默根特勒(1854-05-11,符腾堡哈赫特尔[德国]～1899-10-28,巴尔的摩)　美国莱诺铸排机发明家。幼年颖悟,14岁在钟表店作学徒,参加技术夜校学习。1872年移居美国,1878年入美国籍。当他受雇于巴尔的摩亲戚的机械厂时,设计一种制造纸型字模的装置,但不实用。他开始致力于机器排字的研制,1884年制造出莱诺铸排机——把铜字模与熔融而迅速冷却的合金进行短暂的接触,就很快地铸出一条一条的活字块。这种机器加速了印刷过程,降低了成本,促进了各个出版领域的蓬勃发展。

merger　兼并　指两家或更多的独立的企业公司合并组成一家企业,通常由一家占优势的公司吸收一家或更多的公司。兼并的方法:①可用现金或证券购买其他公司的资产;②购买其他公司的股份或股票;③对其他公司股东发行新股票以换取其所持有的股权,从而取得其他公司的资产和负债。兼并的形式:①横向兼并,双方公司为同一市场生产相同产品;②扩大市场的兼并,被兼并公司为不同市场生产相同的产品;③纵向兼并,被兼并的公司成为兼并公司的供应者或消费者。如果被兼并企业与兼并公司的业务无关,则新公司就称为跨行业公司。兼并原因很多,兼并公司可能是为了减少竞争,或提高生产效率,或使其产品、服务和市场多样化,或减少赋税支出。兼并活动随经济循环而有所不同,经营好时活动较多。

Mergui　丹老　又称墨吉,缅甸东南端城镇,安达曼海近海一岛上的海港,在大德林达依(大丹那沙林)河河口。是北与仰光、南与马来西亚进行贸易(橡胶、锡矿砂、藤条、干鱼、燕窝)的繁忙港口。近海产天然珍珠,附近有钨矿。有班机飞仰光、毛淡棉和新加坡。人口259 051(1983)。

Mergui Archipelago　丹老群岛　缅甸东南端德林达依(丹那沙林)海岸外安达曼海中岛群。包括格丹、德尧德汉基、当岛、萨甘迪、明珍、莱索欧、甘茂、兰比和泽代基等岛。诸岛均山峦起伏,丛林覆盖,风景秀丽。主要居民为塞隆人。有采珠业。一些岛上开采锡、钨矿,其他物产有燕窝和海参。

Meri, Lennart　梅里(1929-03-29,爱沙尼亚塔林～　)　爱沙尼亚学者,政治领导人,总统(1992～2001)。其父为学者,在两次世界大战之间任新独立的爱沙尼亚外交官,梅里因而在柏林、伦敦、巴黎接受教育。1953年获塔尔图大学历史学及语言学学位,并主要从事有关芬兰-乌戈尔人历史的著述和纪录片编制。1988年成立爱沙尼亚研究所,弘扬爱沙尼亚文化。1990年爱沙尼亚举行首次自由选举,在新政府中任外长。1991年爱沙尼亚宣布独立,1992年担任驻芬兰大使。其后作为祖国党领袖竞选总统。由于与祖国党结盟的各政党在议会占优势,梅里于1992年10月5日当选总统。总统一职虽在很大程度上属礼仪性职位,但仍积极参与政治及外交活动。1996年9月20日,由议会议员和地方政府官员组成的总统选举团选举梅里连任总统。

Meri, Veijo　梅里(1928-12-31,芬兰维堡～　)　芬兰20世纪60年代的小说家、戏剧家。他写了许多描写战争的小说和戏剧,但他不写战争的英雄人物或场面。他笔下的士兵都生活在一个支离破碎的世界中,如《白棕绳》(1957)中的约塞开小差时宁愿牺牲自己的生命,也要带走一条绳子,尽管这条绳子对他毫无用处。《1918年的事件》(1960)把1918年的内战描写成一系列十分混乱和彼此毫无联系的行动。《上校的司机》(1966)同样奇怪,书中描述一个司机为了取回上校遗忘的一只无关紧要的手提箱,竟开着车子曲曲折折地穿越大半个芬兰战区。梅里最受读者欢迎的剧本是以40年代战争为背景的《士兵约基森的婚假》(1965)。

Meriam, Junius L(athrop)　梅里安(1872-10-28,美国俄亥俄兰道夫～1960-06-29,加利福尼亚洛斯阿尔托斯)　美国教育家,强烈批评循序渐进的教育,以在实验学校的工作和与传统的教学方法决裂而闻名。在一家农场长大,曾就学于俄亥俄州奥伯林市的奥伯林学院(文学士,1895)、奥尔巴尼纽约州立师范学院(哲学学士,1898)、哈佛大学(文科硕士,1902)和哥伦比亚大学(哲学博士,1905)。在接受研究生教育期间曾担任各种行政和教学

职务。1904～1924年任密苏里大学教育学教授；1905年起任该大学各学院监督，1924年前往洛杉矶加利福尼亚大学任教育学教授，直到1943年退休。他既强烈批评依赖奖惩制度的传统教学方法，也反对循序渐进的许多做法；主张以启发小学生自然兴趣的方法来教他们读、写和算。他相信，儿童可以在从事他们感兴趣的活动的同时学习正规课程。他在数十篇期刊论文和5部主要著作中阐明了自己的观点。这些著作是：《师范学校教育和教学效率》(1905)、《儿童生活和课程》(1920)、《1932年以前的教学单元、活动、课题等目录》(1932)、《1932～1939年的活动、课题、教学单元分类目录》(1943)及《传统的和现代的课程》(1960)。

Merian, Matthäus　梅里安(1593，瑞士巴塞尔～1650，法国施瓦尔巴赫[今在德国])　雕版画家、蚀版画家、书商、17世纪德国主要的插图画家。1609年在苏黎世随油画家兼雕版画家D.迈尔学习。1613年赴南锡。在巴黎学习后，1616年赴法兰克福，1618年在那里与出版商兼雕版画家德布里之长女结婚。遂与岳父在奥本海姆一起工作，承继其业。1624年完成《旅印集锦》。1625～1630年期间出版《圣经》的插图；1635年开始创作版画《欧洲的剧场》组画，1642～1688年间出版蔡勒的《德国地形图》，附图2 000幅以上，由他和两个儿子蚀刻和雕印。其最后的作品之一为《死之舞》(1649)。

Meriç (Europe)　梅里奇河　参阅**Maritsa River**马里查河。

Mérida　梅里达　墨西哥东南部尤卡坦州首府。在尤卡坦半岛西北端附近，当地适宜种剑麻。1542年建城。现为游览胜地，附近有马雅古城遗迹。文化受印第安人影响颇大，尤其在语言和服装上表现明显。市内多殖民地时期建筑物，其中1549年建的蒙特霍大厦最著名。还有16世纪大教堂、考古博物馆、尤卡坦大学(1624，1922年重建)和梅里达地区工学院(1961)。通公路、铁路和航空线。人口660 848(2000)。

Mérida　梅里达　西班牙西部埃斯特雷马杜拉自治区巴达霍斯省城镇。临瓜迪亚纳河北岸。公元前25年由罗马人创建，后发展为卢西塔尼亚行省省会和伊比利亚半岛最重要城镇之一。规模之大，足以容纳9万驻军。7世纪在西哥特人统治下出现新的繁荣。713年被摩尔人占据。1228年被莱昂国王阿方索九世收复，赐予圣地亚哥骑士团。罗马统治时期的遗迹主要有约公元1世纪末所建的花岗石大桥，共81孔，全长785米。罗马剧场至今保存完好。并有寺院、圆形剧场等遗迹。现经济以农贸和旅游业为主。人口50 471(1998)。

Mérida　梅里达　委内瑞拉西部一州。面积11 300平方千米，除西北部伸向马拉开波湖岸外，大部处于梅里达山脉。玻利瓦尔峰海拔5 007米，为委内瑞拉最高峰。查马河从东北至西南流经该州。多数居民都居住在肥沃的查马河流域，包括州首府梅里达。农产品以咖啡、甘蔗和玉米为主。饲养牛羊。矿藏有马拉开波湖周围及湖底的石油，州内还蕴藏云母、黄金和绿宝石。乳品业很发达。泛美公路与另一公路横贯全州。人口约706 870(1997)。

Mérida　梅里达　委内瑞拉西部梅里达州首府。地处梅里达山脉，邻近查马河。海拔1 641米，为国内最高的城市，气候宜人。附近有五座高逾15 000英尺的雪峰。有据称为世界最长(12千米)、最高的缆车线通向埃斯佩霍峰(15 600英尺)。该城建于1558年，但因常发生地震和交通不便，发展受阻；为宗教和教育中心，有大教堂、隐修院和安第斯大学(1785建)。全天候公路建成后，成为该地区制造业和商业中心。以产果脯与穗饰羊毛斗篷著称，并可捕鱼、滑雪、登山。人口143 209(1981)。

Mérida, Carlos　梅里达(1891-12-02，危地马拉危地马拉市～1984-12-22，墨西哥墨西哥城)　危地马拉美术家，以壁画和版画著名。1910～1914年间旅游欧洲并学习绘画。1919年回到危地马拉后，举行首次画展。1920年对墨西哥的社会革命和美术革命发生兴趣，前往墨西哥市，成为该城壁画复兴运动的发起人之一。1927年再访欧洲后，用抽象的几何风格来描绘人物和形状。曾为墨西哥市的贝尼多·胡亚雷斯住宅建筑工程作了许多有名的镶嵌壁画(1952)，并为危地马拉市的市政大楼作了一幅镶嵌壁画(1956)。

Meriden　梅里登　美国康涅狄格州中南部纽黑文县城市，范围同梅里登镇。位于汉因丘陵之东，临昆尼派克河。1661年有人定居，1726年设为教区，1806年设镇，1867年设市。当地工业发达，以生产银器著称。1794年始有锡镴制品。1808年出现由锡、锑、铜合成的不列颠金器。1898年在此成立国际银器公司(世界最大银器厂家之一)。"200周年厅"(仿建的18世纪新英格兰房屋，展出古银器和锡器)为名胜古迹。人口：市58 244；纽黑文-梅里登都会统计区542 149(2000)。

Meridian　默里迪恩　美国密西西比州东部城市，劳德代尔县县城。西距杰克逊150千米。1854年始有人定居，1860年设镇，1865年设市。南北战争中为邦联军营，1863年曾为临时州首府。保存有壮观的南北战争前建筑梅里霍普宅邸。现为农产品和木材经销中心，出产纺织品、木器、陶器、化学品和机械。设有默里迪恩初级学院(1938)。附近有海军航空兵基地、奥卡蒂比水坝和水库。为纪念当地歌手J.罗杰斯(1897～1933)建有纪念碑并在每年5月举办乡间和西部音乐节。人口39 968(2000)。

meridian　子午线　在地球表面通过地理南北极的假想的南北线。用于标示经度。例如，第40条子午线代表东经40°或西经40°。参阅**latitude and longitude**。

meridians and collaterals　经络　中国传统医学中人体气血运行的通道，即经脉与络脉的总称。经脉又名正经，包括十二经脉、十二经别和奇经八脉。络脉又名别络，包括较大一些的十五络脉及其分出的网络周身各部的细小络脉，名为孙络；浮现于体表的细小分支，名为浮络。根据十二经脉气血流注所分布的部位，将全身筋肉分成十二群，名为十二经筋；将全身皮肤划分为十二分区，名为十二皮部。由经脉、络脉、经筋、皮部组成人体的经络系统。经络学说研究人体经络系统的组成、循行分布及其生理功能、病理变化以及指导临床各科治疗的中医学理论。是中国传统医学基础理论的重要组成部分。尤其针灸、推拿疗法直接作用于经络系统上，故经络学说成为针灸及推拿的理论基础。

Mérimée, Prosper　梅里美(1803-09-28，巴黎～1870-09-23，法国戛纳)　法国戏剧家、历史学家、考古学家和短篇小说大师。其作品题材浪漫、文体古典而有节制，是浪漫主义时期对古典主义的创新。出生于一个有教养的诺曼人中产阶级家庭，原攻读法律，但对希腊语、西班牙语、英语、俄语及这些语种的文学有更大的兴趣。19岁时创作了第一个剧本《克伦威尔》(1822)。他的好友、小说家斯丹达尔鼓励他在文学方面继续努力。他的戏剧作品集《克拉拉·加苏尔戏剧集》1825年问世。其另一部作品为《居士拉》(1827)，描写谋杀、复仇和荡妇。因使用假名，这两部作品甚至连当时的学者们也莫辨真伪。他最喜欢神秘主义、历史和怪异事物。受W.司各特所开创的、当时十分流行的历史小说的启发，他创作了《雅克团》(1828)这部以36个戏剧式场面来反映封建时代农民起义的历史小说，接着描写战争与和平时期宫廷生活的小说《查理九世朝遗事》(1829)问世。其短篇小说是他丰富的想象力和阴沉气质的最充分反映，其中许多作品带有神秘色彩，既有异国风味，又有地方色彩。俄国和西班牙的作品是他文学灵感的主要来源。在法国，他是俄国文学的第一个翻译者。普希金就是他师法的大师，他的作品中关于暴力、残忍以及在这两者之后的人的心理描写主要师承普希金。在他最著名的短篇小说之一《马特奥·法尔哥内》(1833)中，父亲由于儿子背叛了家族的荣誉而亲自开枪把儿子打死。著名的几本中篇小说有：《高龙巴》(1840)，写一个年轻的科西嘉姑娘迫使她的兄弟为复仇而杀人；《嘉尔曼》(1845)写一个在爱情上朝三暮四的吉普赛姑

美国不列颠百科全书公司供图

娘被一个深爱她的士兵所杀，这个故事由于比才所作歌剧《卡门》而传遍全世界。《洛基》(1869)和《蓝室》(1872)表明他对超自然的事物有着特别的热爱。1831年他结识年轻姑娘达克根，并终生与她书信往来，这些书信在他死后以《与不知名的姑娘的通信录》(1874)为名发表。他曾在法国海军部任历史纪念物总监，著有《航海札记》(1835～1840)，记录了他乘船经希腊、西班牙、土耳其到法国的旅程。他还是历史学家和考古学家，这方面的著作有《罗马史研究》(1844)、《希腊的纪念碑》(1840～1842)、《中世纪时代的军事建筑》(1843)、《卡斯提尔王唐·彼德洛朝史》(1848)，另写有文艺批评方面的著作。1830年在西班牙结识蒙蒂茹女伯爵，并与其成为终生朋友。1853年她女儿成为法国欧仁妮王后，梅里美得以出入宫廷并当上议员。然而他对拿破仑三世却无好感。不列颠博物馆图书馆馆长A.帕尼泽爵士是他晚年最亲密的朋友，他给前者的书信被认为是一部“第二帝国的历史”，这些书信在他去世后以《致帕尼泽先生的信：1850～1870》(1881)为书名发表。梅里美以文体精确细腻和严谨有力而著称于世。他的作品虽然充满了神秘和地方色彩，但其中的异国情调与人物心理刻画相比并不显得过分。

Merina　梅里纳人　又称安提梅里纳人、伊梅里纳人或霍瓦人。在马达加斯加岛中部高原上居住的、为马达加斯加各族中人口最多的一族。起源不详，15世纪进入该地区后不久即建立王国。早期的国王兴建了大规模的排灌工程，疏浚沼泽，开辟稻田。16世纪初，梅里纳人的统治在中部高原逐步扩展。安德里亚南普伊奈(1787～1810在位)是使梅里纳人统一起来的王国的君主。他的儿子拉达马(1810～1828在位)采取西方化和现代化的政策，欢迎传教士、欧洲顾问和西方教育。但这一政策被其妻、继承者拉纳瓦洛娜女王(1828～1861在位)所抛弃。拉达马二世(1861～1863在位)曾恢复了一世的政策。拉苏赫琳娜女王(1863～1868在位)和拉纳瓦洛娜二世(1868～1883在位)加强了中央权力，建立起欧洲式的王国政府。梅里纳人的国王们几乎把整个马达加斯加统一为一个单一的中央集权的国家。1895年法国军队占领其首都，把马达加斯加岛变成殖民地。梅里纳人种植稻米、木薯、马铃薯、洋葱和其他作物，饲养牛和猪。他们在马达加斯加受过教育的中等阶级和知识分子中占很大一部分，多为商人、技术人员、经理和政府官员。

Mering, Joseph, Freiherr von　梅灵(1849-02-28，科隆～1908-01-05，德国萨勒哈雷)　德国医师、生理学家、药理学家。与闵科夫斯基一道发现摘除狗的胰腺能产生糖尿病症状。1886～1890年在施特拉斯堡大学任教，1889年，与闵科夫斯基原打算通过摘除狗的胰腺以破坏其脂肪消化机能，因为胰腺是当时已知的分泌脂肪降解酶的唯一器官，但是狗却出现了糖尿病症状。他于1900～1908年在哈雷任医院院长，1902～1905年与E.费歇尔研制成巴比妥、佛罗那及二丙基巴比妥。

meringue　蛋白酥皮　经猛烈搅拌的蛋清与白糖的混合物，用于制造糖果及甜点，1720年由瑞士面包师加斯帕里尼发明。既可作为小甜点吃，也可用作水果、冰淇淋、布丁之类的覆盖物。经料袋挤于烤板上成形，再放入低温烤箱中烤干，通常不烤焦，保持象牙色。意大利蛋白酥皮所用的糖是热糖浆，用以覆盖布丁及冰淇淋表面。在美国，用湿润而稀软的蛋白酥皮浇盖西式馅饼。美国另有一种著名的蛋白酥皮甜食叫烤阿拉斯加，是将一块冻得坚硬的冰淇淋放在松蛋糕上，浇盖一层稀软的生蛋白酥皮，立即放入高温烤箱迅速烤焦，马上食用。这样，蛋白酥皮是热的而冰淇淋还未化开。

Merino　美利奴绵羊　一个细毛绵羊品种，起源于西班牙，早在12世纪就已闻名，可能为摩尔人所输入。特别适应干旱气候和游牧放养。已成为全世界许多国家主要饲养的品种。体躯大小、体型结构、皮肤皱褶多少等均有明显的变异；但流行的育种趋势为发展体型中等、具有优良的体型结构和皮肤皱褶最少的类型。美利奴绵羊脸部和四肢为白色；毛纤细，卷曲，形态美观。脸部多毛但很少挡住眼睛。美利奴绵羊广泛用作基本品系，通过选配及与其他品种杂交创造了许多有用的绵羊品种和品系。

Merioneth (Wales)　参阅 **Meirionnydd** 梅里昂尼德。

Merire (Egyptian kings)　参阅 **Pepi** 佩皮。

Merisi, Michelangelo (painter)　**梅里西**　参阅 **Caravaggio** 卡拉瓦乔。

meristem　分生组织　植物体内能分裂和生长的细胞区。其细胞较小，各方向的直径约相等，细胞质浓稠，液胞小而少。根据分生组织在植物体内的位置，可分为顶端分生组织(位于根和茎枝尖端，又称初生分生组织，能产生初生植物体)、侧生分生组织(维管束形成层和木栓形成层，为次生分生组织，能使根茎加粗)、居间分生组织(位于节间、叶基，尤见于某些单子叶植物，如禾草)。在受伤组织中能从其他细胞形成新的分生组织，以治愈创伤。

Merit, Legion of　军功勋章　美国唯一有明显等级的军事勋章，并且是第一种颁赠给外国公民的美国勋章。军功勋章授予在战斗或非战斗岗位上成绩突出、克尽职守及忠贞不渝者。美国军人只有资格获得最低一级的军士勋章，外国公民才可获颁军官、指挥官及总指挥官等3种高级军功勋章，而通常这些高级军功勋章系授予外国高级官员或外籍军事顾问的。勋章为镶红边的五棱形白十字，位于一个绿色花环上，花环中心为蓝色，内含13颗白星。

Merit, Medal for　功绩勋章　1942年罗斯福总统设立的褒扬非军职人员的一种勋饰。颁赠给美国和盟国的非军事人员，以表彰他们为推动战争胜利而建立的卓越功绩或表现出的勇敢行为。功绩勋章不适用于军职人员，而颁赠此奖的最后决定权属于总统。勋章为一展翅雄鹰嵌于饰有13颗白星的蓝色圆形底板上。

Merit, Order for (Prussia)　参阅 **Pour le Mérite** 功绩勋章。

Merit, Order of (O.M.)　**功绩勋章**　1902年英王爱德华七世设立的荣誉褒奖制度，以表扬在军队中建有特殊功绩或在科学、艺术、文学领域和促进文化方面取得卓越成就者。该勋章颁赠限额仅为24人，不过英国君主可以钦定外国人士为“荣誉受勋者”。受勋者并无爵士头衔，但可在姓名之后加上“O.M.”字样。功绩勋章分为军事或非军事两类，男女皆可受勋。1907年F.南丁格尔成为第一位获得功绩勋章的妇女，但直到1965年才产生第二位女性受勋者D.霍奇金。勋章呈皇冠形，上镌铭辞“以旌殊勋(For Merit)”。1837年曾设立一种印度功绩勋章，但现已废止。

Meriti (Brazil)　**梅里蒂**　参阅 **São João de Meriti** 圣若昂-迪梅里蒂。

Meritt, Anna Lea　梅里特(1844-09-13，美国宾夕法尼亚费城～1930-04-07，英国多塞特郡赫斯特本塔伦特[今在汉普郡境内])　原名Anna Lea。美国艺术家，通过肖像画和叙事主题画表现出一位蚀刻师和油画家的技巧。曾在费城师从W.H.弗内斯学绘画数年。后前往欧洲学绘画，主要是在德国德累斯顿，1871年后在伦敦。1876年向费城美国独立百年博览会提交的作品获奖。1877年与其英国导师H.梅里特结婚。婚后放弃了艺术事业。但3个月后丈夫去世，她重新拿起了画笔。之后几十年内的主要作品有：《驯鸟》(约1883)、《卡密拉王后》(1882)和《爱被关在门外》(1889)。《爱被关在门外》一画于1890年被专门收藏英国艺术品的英国塔特美术馆收购，这是该馆收藏的第一幅女艺术家的作品。梅里特为在芝加哥举办的世界哥伦布博览会的妇女馆画的《懊悔不已的夏娃》以及一幅壁饰画均获奖。1902年出版著作《老汉普郡一小村庄》，书中描写了1890年后她的定居地赫斯特本塔伦特。

Merjayun (Lebanon)　参阅 **Marj ʻUyūn** 迈尔季欧云。

Merkava　灵轮　又拼Merkabah，希伯来语。早期犹太教神秘主义者灵修默念时凝神的对象。他们认为一心思念灵轮就可以接近上帝，其根据在于先知以西结在异象中所见的轮(《以西结书》第1章)。灵轮奥秘派自1世纪起盛行于巴勒斯坦，7～11世纪时其中心逐渐移到巴比伦。只有少数德操昭著者才有资格参加灵轮派，事先必须禁食，可以使用咒语(称印信)，讨好守卫层层天门的天使以接近上帝。印信不合就会使人遭重伤或被焚死。据《塔木德》载，曾有四人习演灵轮术，结果一人死，一人癫狂，一人变节，只有拉比阿吉巴·本·约瑟得见真正的异象。习演灵轮术的称“灵界探索者”。

Merkle, Fred 默克尔(1888-12-20,美国威斯康星沃特敦～1956-03-02,佛罗里达代托纳比奇) 美国棒球运动员。在棒球运动经历中共参加16个赛季、1 637场比赛。但由于1908年他在比赛中发生不应有的重大失误,使他的成绩黯然失色。当时全国棒球联盟纽约巨人队与芝加哥幼狐队正进行夺魁赛,默克尔是巨人队队员。他踏上一垒后,看见队友越过本垒,以为胜利在望,未踏二垒便离开场地。此时幼狐队二垒手埃弗斯死扣规则,从司球裁判员手中要过球,在二垒位把默克尔封杀出局。这场比赛被判为平局,巨人队下一场失利,从而失去锦标。此后球迷和体育专栏作家纷纷嘲笑默克尔。1925～1926年,默克尔任美国棒球联盟扬基队教练兼替补击球员。

Merkys, Antanas 梅尔基斯(1887,俄罗斯帝国立陶宛斯卡皮斯基斯附近巴约莱～1955,苏联) 立陶宛政治家,1940年立陶宛并入苏联之前的最后一任总理。早年学习法律。第一次世界大战期间在俄军服役。1919年参加新独立的立陶宛军队。作为右翼民族联盟成员,在20世纪20年代4次任立陶宛国防部长,1927～1932年任克莱彼达(梅梅尔)省长,1939年任总理。1940年苏联占领立陶宛后被送往苏联。

Merle d'Aubigné, Jean-Henri 梅尔勒·德·奥比内(1794-08-16,瑞士莱索维夫～1872-10-21,日内瓦) 瑞士新教牧师、宗教改革运动史学家、福音派(自由教会派)的倡导人。其父是法兰西人,因信奉新教而逃离祖国。他本人曾在日内瓦学习神学。1817年受按立为牧师。主要著作分为两部分,一部分是5卷的通俗读物《16世纪伟大的宗教改革运动史》(1835～1853),另一部分是较为高深的专著8卷的《加尔文时代欧洲宗教改革史》(1863～1878)。书中虽对长老制有所偏袒,但使教会史研究有了生气。他对于第一手资料的搜集为当代之冠。

Merleau-Ponty, Maurice 梅洛-庞蒂(1908-03-14,法国罗什福尔～1961-05-04,巴黎) 哲学家、文学家、法国现象学的主要代表。曾在巴黎高等师范学校读书,1931年通过了哲学教授资格考试。第二次世界大战前在中学教书,战争期间是陆军军官。1945年被任命为里昂大学教授。1949年执教于巴黎大学。1952年在法兰西学院任哲学教授。最重要的专门哲学著作是《行为的结构》(1942)和《知觉现象学》(1945)。他深受胡塞尔的影响,但拒绝胡塞尔有关他者知识的理论,将其理论建立在身体行为和知觉的基础上。他认为知觉是知识的源泉,而在研究传统科学之前必须研究知觉。后来他又留心社会与政治问题,并于1947年发表一组马克思主义的论文《人道主义与恐怖》,这是对20世纪40年代后期苏联共产主义的最具诡辩性的辩护。他主张暂时不对苏联的恐怖行为作出判断,并且攻击他所认为的西方的伪善。朝鲜战争使他的理想破灭,并同替北朝鲜辩护的萨特决裂。1955年发表了又一批马克思主义的文章《辩证法的冒险》。但这一文集表现出一种立场上的转变:他认为马克思主义不再是对历史的结论,而是一种有启发作用的方法论。后来他又重新研究较为严格的哲学问题。

Merlin 墨林 中世纪亚瑟王传奇和故事诗中的巫师和贤人,与古代凯尔特神话中的人物(特别是威尔士传说中的米尔丁)有关联。在亚瑟王传奇中,他似乎是个不可思议的人物,性格反复无常,自相矛盾,往往受一个特定的故事情节的需要所支配,或取决于对魔术和巫法所持的各种不同的怀疑态度。因此,对墨林的处理反映了亚瑟王传奇本身发展过程的不同阶段。蒙茅斯的杰弗里在所著《不列颠诸王纪》(约1136)一书中,改编了威尔士古物收藏家内尼厄斯(活动时期约800年)讲述的一个名叫阿姆布洛斯的男孩的故事,他曾向传说中的不列颠国王沃蒂格恩提出过劝告。在杰弗里的故事中,墨林-阿姆布洛斯是尤瑟·潘德拉贡(亚瑟王之父)的顾问,后又担任亚瑟王本人的顾问。早在13世纪,罗贝尔·德·博隆的传奇故事诗《墨林》就把这个人物描写成具有基督徒色彩,使他成为圣杯的预言者。但是,拉丁文《圣经》故事组(参阅 **Arthurian legend**)第一部分的作者却把墨林恶魔似的性格置于主导地位。在后来的拉丁文《圣经》故事组的分支,墨林又再次成为圣杯的预言者,同时还担任亚瑟王的顾问。例如:他曾劝说尤瑟王建立圆桌骑士团,建议用是否能从巨石拔出宝剑来验明尤瑟的真正继承人。它还包括一个巫师迷恋湖上夫人的故事,巫师最终因此而丧命。

merlin (*Falco columbarius*) **灰背隼** 又称pigeon hawk(鸽鹰)。隼科小型蓝灰色鸟类。尾有窄白色条纹。整个北半球的高纬度地区均有;分布于美国西部南至科罗拉多;在欧

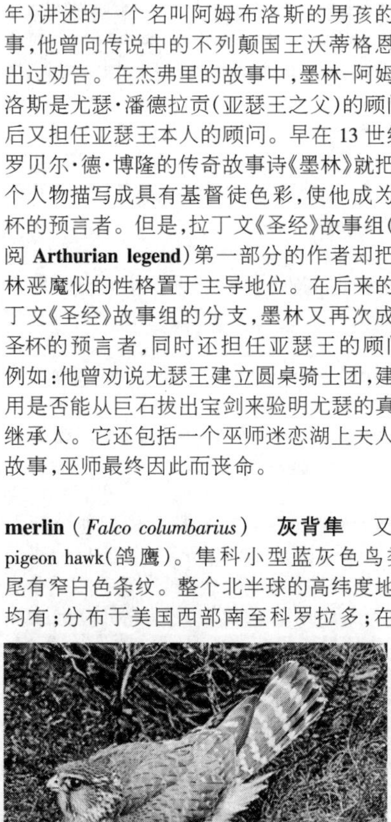

灰背隼(*Falco columbarius*)
美国不列颠百科全书公司供图

洲,分布于英国西部和斯堪的纳维亚。深色的种群繁殖于温哥华附近和冰岛。大多数迁徙到繁殖区南边的地方,有些种类则可远到南美洲北部。栖息于潮湿开阔的原野或针叶林和桦木林中。常产卵于灌丛中的地面上,但有时也占用秃鼻乌鸦和喜鹊在树上筑的巢。富于攻击性,一度用于鹰猎。

Merlin, Antoine-Christophe 梅兰(1762-09-13,法国蒂永维尔～1833-09-14,巴黎) 别名M.de蒂永维尔。法国大革命初期的极端民主派,1793～1794年的激进民主派雅各宾政权垮台后,成为保守的热月反动派的主要领导人之一。律师之子。早年习神学,1788年成为律师。1791年选入立法议会,曾力促议会没收流亡贵族的财产,扣留其家属作为人质。当时他是参加巴黎最激进的政治团体科德利埃俱乐部的3个议员之一。后蝉任国民公会议员。1792年12月因公去美因茨,他函请国民公会处死路易十六。当奥普联军围攻美因茨时,梅兰显示巨大勇气。但雅各宾派控制下的救国委员会怀疑他在美因茨通敌,翌年11月召他回巴黎。结果,他参加密谋集团,于热月9日(1794-07-27)促使雅各宾派领袖罗伯斯比尔垮台。在随后的热月反动中,他帮助组织“金色青年”。1795～1798年任督政府的五百人院议员,后任邮政总监。在拿破仑执政期间(1799～1815),他退居不出。1815年国王路易十八复辟,他设法逃脱了流放。

Merlin, Philippe-Antoine, Comte 梅兰伯爵(1754-10-30,法国阿尔勒～1838-12-26,巴黎)又名梅兰·德·杜埃。法国大革命和拿破仑时期最知名的法学家之一。在1789年的革命的制宪议会中,任代表杜埃城的议员,在通过废除封建领主特权的重要立法方面起过重要作用。1792年9月选入新的国民公会,翌年1月在审判路易十六时,他投票赞成处以死刑。1794年7月后连任救国委员会委员,支持对极端革命的雅各宾派采取行动。他曾起草1795年10月国民公会颁布的刑法典。督政府成立时(1795-11),他任司法部长。在果月十八日政变(1797-09-04)以后两天,他成为五个督政之一,1799年6月在受到弹劾的威胁时辞职。拿破仑统治时期,他任总检察长(1804)。在确定对《拿破仑法典》的解释方面,他比任何其他法学家起了更大的作用。1806年任国务参事,1810年为伯爵。在第一次复辟时(1814),他立即倒向路易十八,但在1815年7月被撤职。在拿破仑返回执政的“百日”时期选入众议院,并任国务部长。第二次复辟时被放逐,流亡荷兰。1830年七月革命期间回国。

Merlo 梅洛 阿根廷大布宜诺斯艾利斯的城市和行政区,在布宜诺斯艾利斯市以西,属布宜诺斯艾利斯省。在1580年第二次(永久性)建布宜诺斯艾利斯之后不久,该地区成为殖民地。1865年建立行政区。面积170平方千米。东北为莫龙行政区,东南界马坦萨行政区,西南接马科斯帕斯行政区,西北邻莫雷诺行政区和雷孔基斯塔河。除首府梅洛市外,城镇有圣安东尼奥-德帕杜阿、利伯塔德和马里亚诺阿科斯塔。梅洛市以往仅是周围农牧业区的铁路枢纽和贸易中心。现该区约1/2地方在大布宜诺斯艾利斯城市区内。人口430 213(1999)。

mermaid 美人鱼 雄性称人鱼(merman)。传说中的半人半鱼,栖息在大海或其他内陆水域。类似的仙人或半仙之体亦见于古代神话(如:迦勒底海神埃阿[Ea],或称奥安尼斯[Oannes])。在欧洲民间传说中,美人鱼(有

时称作塞壬[sirens])和人鱼都是自然界生物,但像神仙一样,有法术,能预言。它们爱音乐,常唱歌,虽然长寿,仍不免一死,并且没有灵魂。许多民间故事记述美人鱼(能变人形)与人婚配。绝大多数故事都是如下内容:

H.泰格纳尔所绘插图画中的美人鱼与人鱼,1900 年
美国不列颠百科全书公司供图

人类偷走美人鱼的帽子或衣带,梳子或镜子。这些东西未被发现时,她与他一起生活,一旦发现这些物件,她立即返回大海。某些内容大同小异,描写这类婚配若某些条件得到满足,婚配即可延续,否则就归于破裂。美人鱼和人鱼尽管有时是友善的,通常却对人类十分危险。他们的礼物带来厄运,如果冒犯他们,就会造成洪水或其他灾害。航行中见到人鱼是翻船的预兆。它们有时引诱人,把人淹死,如莱茵河的洛勒莱(Lorelei);或诱使年轻人和他们一块儿在水下生活,如英格兰康沃尔地区泽诺教堂长椅上所刻的那个美人鱼就是这样。一些水生哺乳动物,诸如儒艮和海牛,在水上给幼仔哺乳,其状如人类之行为,有些人认为这就是人鱼传说的来源。

Mermaid Tavern　美人鱼酒店　"星期五街俱乐部"在伦敦的聚会地,并以此著称。莎士比亚、W.雷利、J.多恩和本·琼森都是该俱乐部的显要成员。美人鱼酒店位于圣保罗大教堂的东面,店门分别开在面包街和星期五街。这个酒店一直是研究莎士比亚及伊丽莎白一世和詹姆斯一世时期其他伟大文学家的人们所感兴趣的地方。主要还因为剧作家 F.鲍蒙特(也是俱乐部成员)的诗《本·琼森的信》(1640)中有一节提到它。

mermaid's tresses (algae)　参阅 **spirogyra** 水绵。

merman　人鱼　参阅 **mermaid** 美人鱼。

Merman, Ethel　默曼(1909-01-16,美国纽约阿斯托里亚～ 1984-02-15,纽约市)　美国女歌唱家、女演员,十几部百老汇音乐剧的主要演员。曾当过私人秘书和业余歌唱演员,后于 1929 年被聘为职业演员。1930 年首次登台演出音乐剧《疯狂的女孩》,取得引人注目的成功,成为当时许多歌曲作者偏爱的歌唱演员。1934 年出演第一部大型影片。1935 年主演了她自己的每周广播剧。尔后继续在百老汇演出,最成功的有《杜·巴里是位夫人》(1939)、《安妮,拿起你的枪》(1946)、《叫我太太》(1950)和《吉普赛人》(1959)。其最大特色为音量大而清晰,多年来的各种演出使她多次获奖,包括 1972 年获得的托尼奖。她的自传《谁能要求更多的东西?》1955 年出版。

Merneptah　迈尔奈普塔(?～公元前 1204?)　又拼 Merenptah。埃及国王(公元前 1213 ～前 1204 在位),曾成功地抗御了利比亚的一次重大入侵。他是长寿的拉美西斯二世的第 13 子,继承王位时已年近六旬。在父王统治末期,埃及的战备已经废弛,利比亚人渗入三角洲绿洲西部的缓冲地带,侵犯埃及的领土。约公元前 1209 年,迈尔奈普塔得悉:一些被迫离开小亚细亚和爱琴海地区在中东漂泊的海上民族同利比亚人结盟,企图进攻接近三角洲顶点的行政和宗教中心孟斐斯和赫利奥波利斯。这位年迈的国王梦中得到危在旦夕的孟斐斯的卜塔神的神谕,立即率兵准备迎敌。公元前 1209 年春天的一个早晨,利比亚人及其盟友突然出现,显然准备激战。迈尔奈普塔指挥弓箭手进攻,同时命令步兵和战车严阵以待。经过 6 小时的激战,他的弓箭手杀伤大量敌军,敌首潜逃。埃及战车和步兵紧紧追击溃败的敌军,取得重大胜利。利比亚人和海上民族损失了近9 400人。埃及的危险解除后,迈尔奈普塔命令铭刻4块碑文以资纪念。其中之一就是著名的《以色列石碑》,叙述在巴勒斯坦镇压叛乱的经过。迈尔奈普塔把以色列人列为他击败的民族之一。希伯来学者认为:碑文所讲的情况与《出埃及记》和《士师记》所述的情况大致相符。

Mernere (king of Egypt)　参阅 **Merenre** 迈兰拉。

Merodach-Baladan II　米罗达巴拉丹二世(?～约公元前 694)　又称马尔杜克-阿帕尔-伊迪纳二世。巴比伦尼亚国王(公元前 721 ～前 710 和公元前 703 年中 9 个月在位)。他面对亚述人的军事优势,保持王国独立达 10 余年。公元前 728 年起,亚述国王兼有巴比伦尼亚国王称号。米罗达巴拉丹当时任迦勒底地方长官。公元前 722 年,亚述因萨尔贡二世继位问题发生变乱,他趁机进入巴比伦称王。两年后,埃兰人进攻亚述,大大削弱了亚述的力量。因此,米罗达巴拉丹未受亚述干扰,稳坐 10 年江山。他在位期间重修庙宇,发展灌溉,一派太平景象。据亚述文件记载,公元前 710 年萨尔贡南征,粉碎了埃兰军队和米罗达巴拉丹的其他盟军之后,挥师直捣巴比伦。米罗达巴拉丹出逃,巴比伦士绅迎接萨尔贡入城。于是,萨尔贡正式成为巴比伦尼亚国王,次年又攻陷并摧毁米罗达巴拉丹的首府杜雅金。公元前 705 年萨尔贡死后,米罗达巴拉丹派使臣去见犹太国王希西家,企图发动反对亚述新王的叛乱。公元前 703 年他又夺得巴比伦尼亚的王位。同年末,亚述新王南征,击败巴比伦军。公元前 700 年又追至比特-雅金。米罗达巴拉丹逃到埃兰南部,694 年前后去世。

Meroe　麦罗埃　古代库施的城市,其遗址在尼罗河东岸、今苏丹凯布希耶以北约 6.4 千米处。其周围地区亦称麦罗埃。公元前 656 年以后,古埃及第 25 王朝撤至库施,在麦罗埃复位,发展埃及-库施文化。约公元前 590 年,麦罗埃成为库施王国的首都,面积扩大,经济繁荣。后来由于黑人部族的侵扰,逐渐衰落。公元 4 世纪阿克苏姆人入侵中陷落。1902 年开始对麦罗埃进行发掘,已经发现这个人口稠密的古代大城市的街道和建筑,遗址有河岸码头、宫殿和阿蒙神庙。

Meroitic language　麦罗埃语　公元前200 年至公元 4 世纪通行于现属苏丹的古城麦罗埃及其周围地区的语言。麦罗埃语碑铭是用两种文字书写的:线性文字或称通俗体文字主要用于一般记载;象形文字用于王室或宗教碑铭。写法像埃及僧侣体和俗体字写法一样,从右至左。碑铭有时也竖写。这些文字似乎受埃及对应字体的影响,因而埃及语和麦罗埃语有时用相同的符号。现存麦罗埃语文献是墓志铭(大多数文献为此)、寺庙浮雕题铭、墙壁题词,也有一些长篇的王室纪念文献;有些纸莎草纸文书的断片在努比亚低地的干燥地区一直保存至今。在修建阿斯旺水坝时又发掘出一些新文献。虽然已知少数语词和少量语法,但对麦罗埃语大部未解读成功,和其他语言关系目前还不确知。不过,有些学者认为麦罗埃语或属于努比亚语,或属于东苏丹语。

Meron　梅龙　又拼 Meiron。以色列北部个体农户居民点及其附近山名。位于上加利利地区。附近有一眼终年淌水的泉水,很可能是《圣经》记述约书亚战胜巴勒斯坦诸异教国王时提到的"梅龙水边"。西北 3 千米的梅龙山海拔 1 208 米,为 1967 年以前以色列境内最高点。梅龙见述于 F.约瑟夫斯所著《犹太战争史》,保存有 2 世纪拉比西缅·本·约海墓等遗址。1949 年由匈牙利和捷克斯洛伐克的退役军人在旧址附近建新定居点。现经济以农业为主。梅龙山森林密布,景色优美,已划为自然保护区。人口 508(1983)。

Meropidae (bird family)　**蜂虎科**　参阅 **bee-eater** 蜂虎。

Merovech　墨洛维(活动时期约450)　又拼 Merowech 或 Merwich。萨利安法兰克人国王。法兰克传统说法认为墨洛温王朝因他得名。希尔德里克一世(?～481 或 482)之父,克洛维一世(约 466 ～ 511)之祖父。生平已无可考。图尔的格列高利所著《法兰克人史》一书中曾提到他。根据后来的史料,他曾在卡塔洛尼平原战役中与匈奴人阿提拉作过战(451)。

Merovingian DYNASTY　**墨洛温王朝**　法兰克人的王朝(476 ～ 750),传统上被认为是法兰西国王的“最初家系”。王朝之名源自墨洛维。关于墨洛维,只知他是希尔德里克一世之父,后者从其首都图尔奈统治一个萨利安法兰克人部族。481 或 482 年希尔德里克之子克洛维一世继位。克洛维将其统治扩及所有的萨利安法兰克人,征服或兼并里普利安法兰克人和阿勒曼尼人的领地,而且除勃艮第和今日的普罗旺斯以外,统一了几乎全部高卢地区。他在 496 或 506 年信奉了基督教。511 年克洛维一世去世后,其国土分给 4 个儿子:提奥多里克一世、克洛多梅尔、希尔德贝尔特一世和克洛塔尔一世。虽然兄弟间时常发生流血斗争,但他们仍扩展法兰克人的统治范围,约在 531 年达到图林根,534 年达到勃艮第,并且控制了地中海海岸塞蒂马尼亚、巴伐利亚及北方的萨克森领地。到 558 年,克洛塔尔一世是克洛维一世最后一个仍然健在的儿子。直到他去世(561),法兰克国土再次获得统一。561 年,国土再次分割于卡里贝尔特一世、贡特拉姆、西日贝尔和希尔佩里克一世兄弟之间。家族间的斗争与阴谋随即发生。王朝中的冲突以及邻近部族的压力使法兰克各王国重新组合。东部一些地区合成奥斯特拉西亚,西部出现纽斯特里亚,南部是扩大的勃艮第王国。613 年,整个法兰克的统一再次实现。到 639 年,这片国土再次分割。后期的墨洛温王朝国王变成了傀儡,由势力强大的铁腕宫相任意加冕或废黜。墨洛温末代国王希尔德里克三世于 750 年被奥斯特拉西亚宫相矮子丕平三世废黜,最后篡位,建立*加洛林王朝*(**Carolingian dynasty**)。

Merovingian script 墨洛温字体 法国前加洛林王朝时期字体名称,由拉丁草体派生而来。在 7 ～ 8 世纪中,勃艮第的吕克瑟伊隐修院是墨洛温草体发展的一个重要中心。在吕克瑟伊隐修院的子会科尔比隐修院所发展的字体风格,受安色尔字体和半安色尔字体的影响,尤为明显。墨洛温字体对古文字学家来说是很有重要意义的,因为它对中世纪流行的黑体字的形成起到一定作用。墨洛温字母与西哥特字母颇有相似之处,笔画挺拔有致,继承了古罗马的拉丁草体之风。由于当时盛行楞角分明的字体以及书页侧部字母密集,此种字体遂为 20 世纪书法家称之为“篱笆体”,在墨洛温手稿的第一行中,这一特征尤为显著。

Merowech(Frankish king) 参阅 **Merovech** *墨洛维*。

Merriam, Clinton Hart 梅里亚姆(1855-12-05,美国纽约市～ 1942-03-19,加利福尼亚伯克利) 美国生物学家,人种学者。曾协助建立全国地理学会(1888)及美国农业部鱼类和野生动物署的前身。梅里亚姆曾在耶鲁大学谢菲尔德理学院及哥伦比亚大学内外科医师学院学习(1879 年获医学博士学位)。1872 ～ 1876 年间,作为博物学家随海登地质调查队去犹他、爱达荷、蒙大拿和怀俄明旅行。最后共勘探了 48 个州和阿拉斯加、百慕大群岛和圣劳伦斯河一带并采集了标本。1885 ～ 1910 年任美国农业部鸟类学和哺乳动物学处处长。1896 年该机构改名美国生物调查局,后又改称鱼类和野生动物署,他仍担任领导。他研究了美国西部动植物的分带,设计了根

美国不列颠百科全书公司供图

据温度的差异区分生物区带的方案。他在任史密森学会副研究员(1910 ～ 1939)和美国地名委员会主任(1917 ～ 1925)时,研究了太平洋沿岸印第安人的分布、语言和神话,搜集了 157 个印第安部落的资料。著有《北美生物的地理分布》(1893)和《世界的曙光》(1910)。

Merriam-Webster dictionary 梅里厄姆-韦伯斯特词典 乔治和查理·梅里厄姆公司(1982 年改名为梅里厄姆-韦伯斯特公司)所出版的各种辞书。该公司总部设在马萨诸塞州斯普林菲尔德,自 1964 年起为不列颠百科全书公司的下属机构。梅里厄姆-韦伯斯特各种词典之中,包括了《韦氏第三版新国际英语词典》(1961)以及好几版《新韦氏大学词典》。《韦氏第三版新国际英语词典》收入 47 万余条词条,并提供了目前可能得到的有关美国英语最详尽的记录。1831 年成立的梅里厄姆公司原是出版中小学教科书的,1843 年诺阿·韦伯斯特死后该公司获得了他的《美国英语词典》的版权。该词典初版于 1828 年问世,是第一部美国的非节本词典(1840 年曾出过第二版),以后的各版由该公司于 1847、1864 年相继出版。1890 年的修订本经过 10 年始完成,定名为《韦氏国际词典》。1909 年继出《韦氏新国际词典》,共收词条约 45 万条。1934 年出第二版。1961 年出的第三版就是上述《韦氏第三版新国际英语词典》。80 年代,开始出版韦氏系列词典的电子版。1996 年该公司推出梅里厄姆-韦伯斯特在线,这是一个网站,能提供韦氏大学词典和韦氏大学同义词词典的全文。

Merrick, David 梅里克(1912-11-27,美国密苏里圣路易斯～ 2000-04-25,英格兰伦敦) 美国多产的戏剧演出人,20 世纪 60 年代上演了许多美国剧坛上最成功的剧本。他曾在圣路易斯大学获法学士学位,但 1949 年以后放弃法律业务,在纽约市成为专职的戏剧演出人。他第一个独立演出的剧本是《鲁男子》(1949),在此后 40 年间陆续上演 85 部以上的百老汇歌舞剧,其中有《愤怒的回顾》(1957)、《吉普赛》(1959)、《一尝蜜味》(1960)、《贝克特》(1960)、《喂,娃娃!》(1964)、《哦,多么可爱的一场战争!》(1964)、《仙人掌花》(1965)、《马拉被杀记》(1965)、《山姆,再演奏一次》(1969)、《第 42 街》(1980)和《战利品》(1986)。他往往同时在百老汇上演几个剧目。他除了精通戏剧舞台演出工作外,还以巧妙利用宣传吸引观众出名,他所上演的许多剧本都博得极大好评,票房收入甚丰。

Merrick, Joseph Carey 梅里克 参阅 **Elephant Man** *象人*。

Merrifield, Bruce 梅里菲尔德(1921-07-15,美国得克萨斯沃思堡～) 全称 Robert Bruce Merrifield。美国生物化学家和教育家。因发展出一种依预定顺序合成氨基酸链或多肽的简单而巧妙的方法,获得 1984 年的诺贝尔化学奖。梅里菲尔德 1943 年毕业于洛杉矶加利福尼亚大学。1943 ～ 1944 年以化学工作者身份工作;1948 ～ 1949 年担任教学与研究助理;1949 年获洛杉矶加利福尼亚大学生物化学博士学位。同年他到纽约市的洛克菲勒医学研究所(今洛克菲勒大学)工作至今。他在 50 和 60 年代发展的革新方法来自其构想:多肽合成的关键在于将第一个氨基酸固定在不溶性固体上,其他氨基酸随后便可一个接一个地连于固定端,顺序进行的步骤结束后所完成的链即可轻易地与固体分离。这一过程可利用机器执行,经证明效率颇高,在激素和酶等物质的研究上,以及在胰岛素等药物和干扰素等物质的工业生产上意义都很重大。

Merrill, Charles E(dward) 梅里尔(1885-10-19,美国佛罗里达格林科夫斯普林斯～ 1956-10-06,纽约南安普敦) 美国投资银行家。在从事一系列的工作如记者、棒球运动员与商人之后,1911 年加入纽约一家商业票据交易所——乔治·H.伯尔公司。他在交易所组织了债券部。不久加入伊斯曼-狄龙公司工作 1 年,然后同林奇合伙创建自己的投资银行梅里尔-林奇公司。生前他一直担任该公司董事。由于第一次世界大战前承销 125 万美元股票成功,梅里尔-林奇公司赢得信誉,成为一些最大连锁商店证券的中间商行,这些连锁商店有克力司吉公司、彭尼公司、安全商店、第一国民商店等。1926 年梅里尔本人在创设安全商店中起重要作用,6 年后在其赞助下设立“家庭杂志”社。预见到即将来临的证券市场的崩溃,1928 年梅里尔劝告自己公司的顾客减少手中的证券,其中很多人接受劝告,减少了损失。公司致力于有价证券的承销与投资银行业务,1930 年曾停止中间商业务,但 1940 年又恢复。由于合并,1941 年公司易名为梅里尔-林奇-皮尔斯-芬纳-比恩公司(梅里尔去世后,又易名为梅里尔-林奇-皮尔斯-芬纳-史密斯公司)。梅里尔一大贡献是将股票及债券作为一种投资选择介绍给美国中产阶级。1956 年梅里尔去世时,他的公司在美国发展了 115 个办事处。

Merrill, James 梅里尔(1926-03-03,美国纽约州纽约～ 1995-02-06,亚利桑那图森) 美国诗人,尤以抒情与史诗体作品写得技巧圆熟、语言俏皮而知名。投资银行梅里尔-林奇公司创立人 C.梅里尔之子。1947 年毕业于阿默斯特学院,获文学士学位。其第一本作

品为《最初的诗》(1951)。随后的几本诗集显示了作者精通诗的形式与技巧,但被认为稍嫌拘谨、刻板、矫饰。《水街》(1962)一书出版后,评论家们注意到作者行文趋于自然,作品中显现出富于个性的想象力。《日日夜夜》(1966)、《炉栏》(1969)和《冒着风雨》(1972)出版后,梅里尔获得更多读者的赞赏。这几本诗更带有自传性,着重写他在爱情和家庭生活中的悲痛时刻。他的史诗体的三部曲:《神曲》(1976)、《米拉贝尔:诗歌集》(1978)和《为露天表演而写的脚本》(1980)发表后,确立了梅里尔为他那一代最重要的美国诗人之一的地位。三部曲是他对毕生关注问题的思考的一个总结,后被收入《圣多弗变幻之光》(1982)一书中。1982年出版了选集《从最初9首:诗(1946～1976)》。他还写有小说、剧本、随笔和回忆录《一个与众不同的人》(1993)。他的第15部也是最后一部诗作《撒盐》在他死后于1995年问世。

Merrill Lynch & Co., Inc. 梅里尔-林奇公司 美国的金融业务持股公司。1973年成立,总部现设在纽约。所属主要子公司梅里尔-林奇-皮尔斯-芬纳-史密斯公司为美国最大的证券经纪商。1914年,C.E.梅里尔创立一家小型投资银行,次年吸收E.C.林奇入伙,专营连锁商店证券的包销业务。梅里尔1930年退出,1940年重返华尔街。在他的领导下,经纪行向中等收入的美国人介绍证券市场经营情况,吸收了大量的一般投资者参加证券交易。该公司大量宣传代客服务,建立小额账户,创办经纪人培训学校;50年代还向若干选定的大城市郊区派出"证券交易车",提供金融服务。该公司是第一家公布其证券持有情况的证券经纪行。20世纪70年代在董事长D.T.里甘(后任里根政府的财政部长)的领导下,该公司积极参加房地产、保险等其他金融活动,并建立全国最大的货币市场共同基金。另外在梅里尔-林奇国际公司名下,该公司还拥有几所国际业务机构,如1995年所购的英国有价证券公司史密斯纽考特公司(Smith New Court PLC)。

Merrimack and Monitor, Battle of "梅里麦克"号和"莫尼特"号之战 参阅 **Monitor and Merrimack, Battle of "莫尼特"号和"梅里麦克"号之战**。

Merrimack River 梅里马克河 美国东北部河流,源出新罕布什尔州中部的怀特山脉。向南流入马萨诸塞州,折向东北注入大西洋。全长177千米。下游35千米河段为潮路。水力资源丰富,沿岸主要城市在1850年至20世纪30年代间利用该河水力生产纺织品和针织品。沿河可达怀特山脉的度假中心。

Merriman, John X(avier) 梅里曼(1841-03-15,英国萨默塞特斯特利特～1926-08-01,南非联邦斯特伦博斯附近) 南非政治家、总理(1908～1910)。1849年随家人由英国移居开普殖民地。1869～1910年为开普众议院议员,曾两次参加开普内阁(1875～1878和1881～1884)。他反对成立联邦的计划,并曾试图说服英国宣布西南非洲为保护国。他主张英布合作,1890～1893年在密友塞西尔·罗得斯的内阁中任职。但在詹姆森袭击德兰士瓦事件(1895-12-29)发生之后,与罗得斯决裂。1898年加入威廉·施赖纳内阁,努力为避免南非战争(1899～1902)奔走,但没有成功。1900年辞职。他反对帝国主义,有亲阿非利堪人思想,因而成为1903年建立的南非党的天然领袖。1908年2月任总理,努力恢复战后经济和通过南非宪法。他是1909年赴伦敦递交《联邦法案》的代表团的成员。南非联邦建立时未能任总理,失望之余,他拒绝加入路易·博塔的内阁,但在联邦议会中支持博塔和扬·斯穆茨的政府。1924年退休。

Merritt Parkway 梅里特公路 富有创新精神并广泛受到模仿的美国公路,20世纪30年代建于康涅狄格州格林尼治至斯特拉特福之间。为具有车种行驶限制的双向四车道公路,以路容美观著称,沿路弯道连绵,路旁林木葱郁。

Merry, Ann Brunton 梅里(1769-05-30,英国伦敦～1808-06-28,美国弗吉尼亚亚历山德里亚) 英国出生的美国女演员。父亲掌管英国皇家剧院,1785年得以在《希腊的女儿》中首次登台,同年在伦敦首演《罗马父亲》。其后7年间在考文特花园演出《罗密欧与朱丽叶》、《孤儿》、《悲伤的母亲》、《珍肖尔》、《无事生非》、《羞怯的恋人》、《洛伦佐》和《毁灭之路》等剧,深受欢迎。1791年与作家R.梅里结婚,次年退出舞台。由于丈夫挥霍无度,不得不于1796年接受费城剧团的邀请到美国。12月在费城栗树街剧院首演《罗密欧与朱丽叶》。1797年在纽约演出《获救的威尼斯》。后半生一直在栗树街剧团。优雅、温柔和甜美的嗓音使其成为美国舞台最主要的悲剧女演员。1798年丈夫去世,1803年与栗树街剧团经理T.威格尼尔结婚。在威格尼尔去世后接管了栗树街剧团。1806与演员W.沃伦结婚。后在一次南方旅行中去世。

Merryman, Ex Parte 梅里曼案(1861) 美国司法史上发生于南北战争期间的案例。该案对总统在全国紧急状态下中止人身保护状的权力提出争议。1861年5月25日一个名叫J.梅里曼的脱离主义者在巴尔的摩麦克亨利堡被指控进行亲南部邦联活动,以军令逮捕入狱。首席法官R.坦尼以梅里曼非法被拘为由发出人身保护状。但是,麦克亨利要塞司令G.卡德瓦拉德将军却以A.林肯总统已中止人身保护状为根据,拒绝执行。坦尼以藐视法庭罪传讯他。林肯总统于1861年7月致函国会为他的决定进行申辩,并坚持在整个南北战争期间停止实施人身保护状。但梅里曼后仍获释。

Mers el-Kebir 凯比尔港 阿尔及利亚西北部港口和城镇。在奥兰湾西端。15世纪由特莱姆森统治者占领。后西班牙人、葡萄牙人和土耳其人争夺其所有权。1830年由法国人控制。1939～1956年为法国重要的海军基地。1940年法国在那里停泊的大多数船只被英国战舰摧毁,以免被德国人掳走。1962年有关阿尔及利亚独立的埃维昂协定规定,法国可占领该港15年。但在1968年已将控制权交还阿尔及利亚。港口避风,有防波堤。人口约11 002(1987)。

Mersa Maṭrūḥ(Egypt) 参阅 **Marsā Maṭrūḥ 马特鲁**。

Merseburg 梅泽堡 德国东部萨克森-安哈尔特州城市。在萨勒河左岸,哈雷的南面。建于800年前后,当时是防斯拉夫人入侵的边塞,后为亨利一世、奥托一世和亨利二世等最喜欢的住处。1188年建市。三十年战争期间为瑞典人占领。1815年并入普鲁士。第二次世界大战中遭到猛烈轰炸。最引人注目的建筑物是巍峨的城堡和大教堂。工业有酿酒、制砖、造纸和铝箔等。有一家大化工厂和建于邻近施科保的电站。著名的国家化工综合企业建在南面的洛伊纳。有一所化工学院。人口约41 528(1994)。

Mersenne, Marin 梅森(1588-09-08,法国曼恩奥依泽附近～1648-09-01,巴黎) 法国数学家、自然哲学家和宗教家。于1644年提出了梅森数,这是推导出可以代表一切素数的公式的开拓性探索。虽然梅森数只代表某些素数,但这个公式促进了数论的进展。1611年他参加了巴黎的宗教活动,先后在两个女隐修院教授哲学。他强烈反对炼金术、占星术,努力支持科学,保卫R.笛卡儿的哲学和伽利略的天文理论。1620年起在西欧广泛旅行。梅森数是由公式 2^p-1 产生的,其中 p 是一个素数,并不是每一个 p 的素数值都能得出一个素数,但是这个公式长期以来在研究素数和寻找新素数方面是令人感兴趣的。他最重要的贡献之一是长期为全欧洲的哲学家和科学家的通信服务,因为当时没有科学杂志,人们可能毕生研究同一个问题,而互不知道。他经常会见一些著名人物并和他们通信,包括笛卡儿、G.德扎尔格、P.费马、B.帕斯卡和伽利略,传说:"向梅森告诉一个发现就意味着在全欧洲发表。"他还调查研究了摆线并建议荷兰物理学家C.惠更斯使用摆作为计时器,从而产生了摆钟。他发表的著作有《科学中的真理》及《宇宙的和谐》等。

Mersey, River 默西河 澳大利亚塔斯马尼亚州北部河流。源出中央高原湖区,有达希尔河和费希尔河流入,流向北转东折北,在德文波特注入巴斯海峡。全长146千米。与福斯河和威尔莫特河相通,通过罗沃兰湖水库向福斯河电厂供水发电。上游为林木区,下游生产乳品、羊毛、水果、马铃薯。

Mersey, River 默西河 英格兰河流。由源出奔宁山脉西坡的戈伊特和塔姆两河在斯托克波特汇合而成。流经兰开夏和柴郡平原大部分地区以及曼彻斯特南郊,在弗利克斯顿接纳右岸主要支流欧韦尔河(已改造成曼彻斯特通海运河),在朗科恩接纳左岸主要支流威弗河后形成面积逾75平方千米的河口湾,最终注入爱尔兰海。全长110千米。

Merseyside 默西赛德 英格兰西北部都会郡。跨默西河下游两岸。包括5个自治市：克诺斯利、圣海伦斯、塞夫顿、威勒尔和利物浦。1974～1986年，默西塞德是一个行政单位。1986年失去行政权，它的一些市镇变成自治行政单位。现默西塞德是一个没有行政权的历史郡。面积642平方千米。默西河口湾是爱尔兰海主要的水湾，不断被潮水冲刷，因而利物浦港不同于西北部的许多港，未被淤泥所阻塞。13世纪初利物浦是约翰王征服爱尔兰人的出发点。17世纪时为奴隶贸易船只始发地。19世纪为去新大陆的移民、从美国进口棉花和其他原料的出入港。当地有一哥伦布雕像，上面的题词是"美洲的发现者就是利物浦的创造者"。默西赛德在第二次世界大战中遭严重空袭破坏。1973年湾口皇家锡福斯码头启用，使利物浦继续成为英国最重要的港口之一。19世纪发展起的修造船业从利物浦发展到河对岸的伯肯黑德。河口两岸通两条渡船线、两条公路隧道和一条地铁线。默西赛德一直为全国闻名的日用品产地和文体活动中心。产生过多位表演艺术家和歌唱家（包括甲壳虫乐队），还有埃弗顿和利物浦两个享有国际声誉的足球队，建有安特里赛马场、霍伊莱克高尔夫球场和皇家伯克代尔高尔夫球场。人口约1 409 400(1998)。

Mersin 梅尔辛 土耳其中南部城市、海港。濒地中海。位于阿达纳西南偏西65千米处一未经确认的古代居民点遗址附近。考古发掘表明，远在新石器时期该地即有村落。其人工港已改建为奇里乞亚平原和安纳托利亚东南部农产品和矿产品的出口港。该地因无淤塞，并有铁路和公路通内地，而选作港址。伊斯坦布尔—巴格达铁路支线与梅尔辛及阿达纳连接。港口有轮渡通塞浦路斯。建有全国最大炼油厂之一。人口约501 398(1997)。

Mersing 丰盛港 西马来西亚港口。濒临南海丰盛河口。居民以马来人为主，多临海或临河居住在渔村中。有些当地的锡矿开采点和橡胶园。与巴株巴辖、新山（柔佛巴鲁）和新加坡通公路。人口13 888(1980)。

Merta 梅尔达 印度西北部拉贾斯坦邦中部城镇。约建于1480年。曾为一重要贸易中心。附近数度为古代战场。有许多纪念性石柱，亦有一清真寺。现为农产品集散地，建有榨油厂和轧棉厂。人口31 728(1991)。

Mertens, Pierre 默顿斯(1939-10-09，比利时布鲁塞尔～) 比利时小说家。既是一名国际知名律师，也是比利时文化界名人。第一部小说《印度还是美洲?》(1969)和更为精心编写的《古人的节日》(1971)都重现了他对一个幻想破灭、与世隔绝的童年的回忆。短篇小说集《海平面》(1970)和讥讽小说集《讣告》(1977)也都带有自传的特征。《避难地》(1978)是丰富多彩、文笔流畅的超文本，描写一个智利难民在比利时海岸边的遭遇。其悲观主义在后期作品几部作品中尤其明显，特别是《目眩》(1987；书中回顾了第一次世界大战中被占领的比利时)和《旧金山的海豹》(1991)。1993年发表第一部剧本《火焰》。小说《王室的和平》(1995)给他带来了数个奖项，可也让他卷入了与比利时王室的官司。

Mertensia 滨瓣庆属 又称滨紫草属。紫草科的一属，约50种。分布于北美和欧亚大陆的温带地区。弗吉尼亚滨瓣庆（弗吉尼亚蓝钟花、弗吉尼亚滨紫草，*M. virginica*）是为人喜爱的一种园艺花卉，亦有野生者，高达60厘米；叶椭圆形，光滑；花下垂，钟状，粉红色，后变为蓝色，春季开放；原产北美东部的阴湿林地和潮湿草甸。海滨滨瓣庆（海滨滨紫草，*M. maritima*）株高同上种；叶肉质，淡灰色；花较小，夏季开放；分布于北美北部和欧洲北部沿海石滩。锥花滨瓣庆（锥花滨紫草，*M. paniculata*）产于北美西部；植株较小，被毛；花小，低垂，夏季开放。

海滨滨瓣庆(*M. maritima*)
美国不列颠百科全书公司供图

Merthiolate (antiseptic) **硫汞柳酸钠** 参阅 **thimerosal** *硫柳汞*。

Merthyr Tydfil 梅瑟蒂德菲尔 又作 Merthyr Tudful。威尔士中格拉摩根郡工业城镇和郡级自治市。自治市包括塔夫河谷岸和周围陡峭的山。梅瑟蒂德菲尔城镇位于自治市的中心地带，其北部可延伸到布雷肯比肯斯国家公园。自治市的大部分区域（包括梅瑟蒂德菲尔城镇）位于格拉摩根历史郡内，其北部一些区域属布雷克诺克历史郡。梅瑟蒂德菲尔源自5世纪一位在此遇害的威尔士基督徒公主"殉道者塔德福"之名。1804年特里维西克在此建造了世界上第一辆蒸汽机车。1757年后建成的4座大型钢铁厂构成该市现代发展的基础。钢铁厂之后又兴起采煤业，特别是1841年后铁路取代了18世纪末的格拉摩根郡运河而成为通往加的夫的主要运输手段。到1850年道勒斯钢铁厂已是世界上最大的钢铁厂。1918年后，该地采煤业严重衰落，道勒斯的最后一批钢铁厂也已关闭。第二次世界大战期间该市工业复兴，现有多种制造业，其中胡佛洗衣机最为著名。该市亦是重要的商业中心和地区服务中心。西法尔思法古堡(1825)原为一钢铁厂主的私邸，现为国家公园所在地，内有一座博物馆。出土文物有公元1世纪的陶器，现藏于威尔士国家博物馆。该区有18～19世纪随梅瑟蒂德菲尔市一起开发的若干矿区。1966年，东南部的阿伯万发生矿区惨案，一座滑动倾煤机引起塌方，致使144名村民死亡，其中有116名儿童。河谷地区的大规模的矿区改造工程已在进行，部分为了开展旅游业。地区的公路网交会于梅瑟蒂德菲尔市。人口：城镇约39 482(1991)；郡级自治市约57 000(1998)。

Merton 默顿 大伦敦外围自治区。位于旺兹沃斯南部。1965年由米彻姆、温布尔登自治市与默顿、莫登市区合并建立。包括以下一些地区和历史村庄：温布尔登、默顿、雷恩斯帕克、莫登、米彻尔、圣赫利尔（部分）和北奇姆。默顿是萨里历史郡的一部分。在盎格鲁-撒克逊时代或更早时期，该地被罗马人占领。残存的罗马道路现在称作石街。在16世纪30年代修道院解散之前，默顿是威斯敏斯特教堂统治下的一个教区，而温布尔登则在坎特伯雷大主教的控制下。1938年温布尔登通铁路，但该地区的发展仍比伦敦其他郊区慢。在第一次世界大战和第二次世界大战期间，为了减轻伦敦内城的拥挤，该自治区日益发展为住宅区，工业也有所增长。温布尔登因其一年一度的草地网球锦标赛（始于1877）而享有国际盛誉。默顿约1/6的地方用作公共地带。少数民族约占人口的1/5。面积38平方千米。人口187 908(2001)。

Merton, Robert C. 默顿(1944-07-31，美国纽约州纽约～) 美国经济学家，以其对金融理论和风险管理的工作成就而闻名；他尤以在股票期权（优先认股权）和其他衍生金融工具的定价方面所做的贡献而著称。1997年他和M.S.斯科尔斯共同获得诺贝尔经济学奖。斯科尔斯的期权定价模式，即斯科尔斯与F.布莱克一道研究制订的布莱克-斯科尔斯公式在很大程度上为默顿的工作提供了基础。布莱克死于1995年，因死者不能获取诺贝尔奖金，他1997年未能入选获奖者名单。默顿在哥伦比亚大学研读工程数学、1966年获理科学士学位，1967年在加利福尼亚理工学院研读应用数学、1967年获理科硕士学位；然后，他转入麻省理工学院研读经济学并于1970年获哲学博士学位。1970年他在麻省理工学院斯隆管理学院任教，直至1988年他转入哈佛商学院任教。除教学工作外，他还是许多经济学杂志的编委，并且是他和斯科尔斯合办的投资公司——长期资本管理公司——的成员。默顿有许多经济学论文，还著有《连续时序金融》(1990)一书。尽管他的研究涉及金融理论和经济学的许多领域，但他的期权定价工作可能是最具影响的。1973年即布莱克和斯科尔斯发表其划时代意义的公式之前，由于期权这种给投资者在未来某一确定时间购买或出售资产权利的契约的性质，确定股票期权的价值是极具风险和困难的。期权的要求就是要预测期权在该久远时间的价值。在布莱克-斯科尔斯公式应用之前，那些期权的投资者都要确定风险溢价以免遭受巨大的财务损失。布莱克-斯科尔斯公式表明，对于股票期权投资来说风险溢价是不必要的，因为这种溢价已作为因素计入股票价格之中了。默顿运用其基础的数学知识，消除了布莱克和斯科尔斯所设定的某些限制和假定（例如不太可能发生的股票没有股息回报的假定），扩大了该公式的运用。默顿改变了这一公式，使之适用于其他的金融问题，诸如抵押和学生贷款。

Merton, Robert K(ing)　默顿（1910-07-05，美国宾夕法尼亚费城～2003-02-23，纽约州纽约）　美国社会学家。曾探索多种研究领域，包括科学与职业社会学、社会学理论以及大众传播学等。默顿于1936年获得哈佛大学博士学位后，即在该校任教，曾提出基于不同类型的社会适应性所产生的越轨行为的学说。1941年任教于哥伦比亚大学，1947年升为教授并于1963年任吉丁斯讲座教授。1942～1971年，默顿担任该校应用社会学研究所副主任，与P.拉扎斯菲尔德共同工作。拉扎斯菲尔德有关明辨概念的逻辑及其有关质与量并重的研究方法，影响了默顿的历史研究方向，而默顿的理论天才，又影响了拉扎斯菲尔德从哲学角度去了解社会学的研究方法。他们进行了重要的研究工作，并著书论述改善社会科学训练标准的各种方法。在《社会理论与社会结构》（1949；1968年修订版）一书中，默顿曾阐明社会学说与实验研究之间的相互关系，提出了研究社会所用的结构-功能研究法，并揭示了明显功能、潜在功能、明显功能失调、潜在功能失调等概念。在科学社会学方面，他探讨了清教徒思想与科学兴起之间的关系，著有《17世纪英国的科学、技术与社会》（1938；1970再版）及《科学社会学》（1973）两部书。另著有《理论社会学》（1967）、《社会学说与功能分析》（1969）及《社会矛盾现象》（1976）等。他曾主编为纪念拉扎斯菲尔德学术活动而刊行的论文集《社会定性与定量研究》（1979），还主编《代代相沿的社会学传统》（1980）。默顿与拉扎斯菲尔德在1941～1976年间在哥伦比亚大学的教学与研究工作中相互配合、相得益彰，启发了许多学生。1994年，他成为第一个获得美国国家科学奖的社会学家。其子经济学家罗伯特·默顿于1997年获诺贝尔奖。

Merton, Thomas　默顿（1915-01-31，法国普拉德～1968-12-10，泰国曼谷）　天主教修士、诗人、20世纪最著名的美国天主教著作家之一。在英国剑桥大学肄业一年后，入纽约哥伦比亚大学，1938和1939年连续获得学位。1938～1939年在该校、1939～1941年在纽约州奥利安市附近圣波拿文都拉大学讲授英语。1941年入肯塔基州路易斯维尔市附近客西马尼的特拉伯苦修会隐修院，1949年受神职。默顿第一批作品是诗集，1948年发表自传体作品《七重山》，开始受到国际上注意。他的早期作品内容限于灵修，从20世纪60年代初起逐步发表社会评论，更加晚近的作品则显示他对东方哲学和神秘主义造诣甚深，胜过西方其他人士。

Meru　梅鲁　肯尼亚中部城镇。地处内罗毕东北约180千米东部高原上，海拔1 600米，为栎树密林区。西有肯尼亚山，东有梅鲁国家公园。该镇为梅鲁族部落中心，与恩布通公路。经济有农具制作、陶器、编织业等。人口约126 427（1999）。

Meru, Mount　弥楼山　印度教神话所传屹立在宇宙中心的金山，是世界之轴。天神居于此山，此山余脉即喜马拉雅山，喜马拉雅山南即婆罗多婆舍国（婆罗多众子的地方）。主要天神都居住在此山或其附近有各自的天国，信者死后在这些天国与他们一起等待转生。

Meru, Mount　梅鲁火山　坦桑尼亚北部火山锥（4 565米）。在肯尼亚边界附近乞力马扎罗山西南偏西68千米处。从南山脚下阿鲁沙城前往该山的死火山口很方便。南坡和东坡人口稠密，有信风，水源充足。肥沃的火山土为咖啡种植创造了良好条件。直到海拔2 900米左右的山坡上有热带雨林。

Merv　梅尔夫　中亚细亚古城。位于土库曼斯坦马雷州现代城镇马雷附近。在古波斯文献中称作莫鲁，楔形文字铭文中称马尔古，均系波斯阿契美尼德王朝地方总督驻地。7世纪阿拉伯人统治时期建为呼罗珊的都城，为穆斯林向中亚细亚并向中国扩张的基地。在阿拔斯王朝时期，为研习伊斯兰教义的主要中心，塞尔柱苏丹桑贾尔（1118～1157在位）及其继位者定都于此，使该城达到极盛时期。1221年为蒙古人所毁。15世纪该城及其灌溉系统虽经重建，但以后未再繁荣。1884年俄国人占领时该地为土库曼族特克人所统治。

Merwan Sheriar Irani（Indian religious leader）　**梅尔万·谢里阿尔·伊拉尼**　参阅**Meher Baba** 梅赫尔·巴巴。

Merwich（Frankish king）　参阅 **Merovech** 墨洛维。

Merychippus　草原古马　早期马类的绝灭属。化石见于中及上中新世（1640万年前至530万年前）。是较早的副马属（*Parahippus*）的后裔。已知它与副马属之间的完整演化系列。齿型基本上与现代马一样，牙齿变得较高，出现了牙齿的黏结剂，使其能吃草。骨骼的其他改进也是明显的。个体增大，几乎像现代矮马一样大。头骨更拉长成为很像真马的样子。四肢比例变得更像真马、更适应奔跑。有些类型的三趾仍较长；但该属进步的种里，三趾短而小，中趾比其他趾长得多，支撑着动物的大部分体重。大的中趾上有发育完善的蹄。权威们认为，其毛的色彩模式很可能像斑马。

草原古马（*Merychippus*）模型
美国不列颠百科全书公司供图

Méryon, Charles　梅里翁（1821-11-23，巴黎～1868-02-13，圣莫里斯）　法国版画家。其蚀刻版画富有浪漫主义色彩，描绘了19世纪中叶巴黎的生活。在法国海军服役时作了大量新西兰海岸素描。后将这些习作改成蚀刻版画。退伍后，人A.布莱里的工作室学铜版蚀刻技法，并临摹荷兰蚀刻版画家的作品。1850～1854年完成铜版组画《巴黎的景色》。除了这22幅蚀刻版画外，还制作了约70幅其他版画。后生活清贫潦倒，患幻觉症，1868年自杀。其蚀刻版画一般表达强烈的痛苦和哀愁，采取传统的形式，除个人的天赋之外，别无创新，然而其独特性和现代性至今依然是惊人的。《巴黎圣母院外景》（1855）被认为是梅里翁的杰作，表现了他对光线和氛围效果的锐敏感觉。

梅里翁绘《巴黎圣母院外景》（1855）
美国不列颠百科全书公司供图

Merzifonlu Kara Mustafa Paşa（Ottoman grand vizier）　**梅尔济丰鲁·卡拉·穆斯塔法帕夏**　参阅 **Kara Mustafa Paşa, Merzifonlu** 卡拉·穆斯塔法帕夏。

Mesa　梅萨　美国亚利桑那州中南部马里科帕县城市。为菲尼克斯市东南郊区，其“台地”1878年即有摩门教徒居住。1883年设镇，

1930年设市。由于推行索尔特河开垦计划，发展为农业、水果生产中心。第二次世界大战后迅速发展，除农业外，制造业、旅游业、零售商业相继兴起。市内有摩门教神殿(1927)、梅萨社区学院(1966)、亚利桑那大学农业实验站。有索尔特河印第安人保留地。人口396 375(2000)。

mesa 桌子山 顶部平坦而一个或几个侧面陡峭的台地，常见于美国科罗拉多高原区。地垛与桌子山相似，不过小一些，两者都由侵蚀作用形成，在侵蚀(即下切和剥离)期间，高原中比较坚硬的岩层构成河谷之间地区的保护帽，而河谷里侵蚀作用活跃。这种结果就造成了平台型大山(桌子山)或堡垒状小山(地垛[**butte**])。

Mesa Central 中央高原 墨西哥中部高原地区。包括墨西哥高原南部。从萨卡特卡斯山脉向南延伸到肥沃的巴希奥地区。海拔1 800～2 300米。比北部高原高得多也更为潮湿。由于火山活动频繁，许多河流和小溪被阻塞，形成大面积的浅湖和沼泽，其中主要的有查帕拉湖、帕茨夸罗湖和奎采奥湖。高原地区人口稠密，有瓜达拉哈拉、莱昂和克雷塔罗等城市。中央高原地区气候温和，雨量充沛，又有肥沃的冲积土和火山土壤，有利农牧业生产。主要作物有玉米、豆类、小麦和甘蔗。瓜达拉哈拉有糖厂和谷物加工厂。高原地区其他工业有纺织、水泥及化工等。

Mesa del Norte 北部高原 又作Northern Plateau。墨西哥高原的北部地区。从美国-墨西哥边界向南逐渐升高，延伸1 100千米至萨卡特卡斯山脉，横跨墨西哥东西海岸之间。东缘为东马德雷山脉，西缘为西马德雷山脉。大部分地区土地干旱，人口稀少。多集中在萨拉多河上游和拉古纳盆地。萨拉多河上游流域种植小麦，拉古纳盆地为墨西哥主要产棉区，其他作物有玉米、豆类和苜蓿。干旱地区用作牧场。出产铅、锌，也有少量铁和银。

Mesa Verde National Park 弗德台地国家公园 在美国科罗拉多州西南部，1906年为保护崖壁上的史前居民遗迹而建立。占地21 078公顷。有几百个1 300年前的印第安村

弗德台地国家公园内峭壁上的前哥伦布时期印第安人居住地
美国不列颠百科全书公司供图

落遗址。最引人注目的是建在悬崖底下的多层居室。最大一座“崖宫”(1909出土)有几百个房间，包括印第安人举行仪典用的圆形洞室。公园内植物有矮松-桧属植物林，灌木和野花。园中多鹿，并有少量熊和山狮及小型哺乳动物。蛇、蜥蜴和鸟的种类繁多。

Mesabi Range 梅萨比岭 美国明尼苏达州三个铁矿山中最大者(另外两座为弗米利恩岭和库尤纳岭)。长180千米，高60～150米，最高点610米。大部铁矿为磁性硬铁燧

梅萨比岭的皮尔斯伯里铁矿
美国不列颠百科全书公司供图

石，矿层厚，宽达5千米。当地主要采矿中心为希宾和弗吉尼亚。

Mescalero 梅斯卡莱罗人 新墨西哥中南部的东阿帕切人，原先也有若干个宗族住在得克萨斯的戴维斯山地，并且向南延伸至墨西哥奇瓦瓦州(参阅 **Apache**)。梅斯卡莱罗一名来自“梅斯卡尔”(佩奥特)仙人掌，此种植物可提供纤维、食物、饮料，对于以狩猎-采集为生的民族，非常重要。梅斯卡莱罗人自平原印第安人文化中引进一些生活要素，如：圆锥帐篷。梅斯卡莱罗人缺乏集中的部落组织，其主要单位是宗族，宗族再分成较小的地方居民集团。宗族的规模很小，各个成员都差不多可以知道与其他成员的亲属关系。

mescaline 仙人球毒碱 又称β-3,4,5-三甲氧苯乙胺。自然界存在的生物碱。墨西哥和美国西南部的佩奥特掌(**peyote**)花球中的活性成分，用作致幻药。在结构上仙人球毒碱分子与肾上腺分泌的两种激素(肾上腺素和去甲肾上腺素)有关系，后两者均为儿茶酚胺化合物，它们参与神经冲动的传递。1896年仙人球毒碱作为佩奥特掌的活性组分而被分离出来，1919年认知其结构类似于肾上腺素。实验用药后2～3小时方起作用，持续可达12小时以上。致幻作用有极大的个体差异，即使同一特定个体，各次用药的效应也会大不相同，这点似乎与用药者的情绪、个性及用药的背景有关。本药常致幻视，其次是幻听。副作用为恶心、呕吐。仙人球毒碱用萃取和提纯方法从佩奥特掌制取，但也可人工合成。

Meschke, Michael 梅施克(1931-07-14，德国但泽[今波兰格但斯克]～) 斯德哥尔摩提线木偶戏院原籍德国的创办人和演出人。梅施克7岁时，全家从受纳粹政府统治的但泽逃往瑞典。在求学期间对于木偶戏发生兴趣，1951～1952年与当时开办西欧唯一木偶戏学校的H.西格尔同在西德不伦瑞克学习，1953～1954年在巴黎师从哑剧演员E.德克劳，并与哑剧演员M.马尔索成为莫逆之交。回到瑞典后，便从事木偶戏的创作和演出。1958年从斯德哥尔摩市政当局获得一家老旧的戏院，更名为提线木偶戏院。在多年的木偶戏演出中，他使用自己手工制作的、具有高度风格化的木偶，有的自上方用提线操纵，有的从下方用木杆操纵。他还将操纵木偶的人置于舞台上，操作者穿黑色衣服配合黑色背景，或白色衣服配合白色背景，并操纵发光或彩色的栩栩如生的木偶。他的著名成就包括演出雅里的《乌布王》和布莱希特的《三分钱歌剧》。

Meselson, Matthew Stanley 梅塞尔森(1930-05-24，美国科罗拉多丹佛～) 美国分子生物学家，以用实验证实沃森-克里克关于DNA结构的理论而著名。1957年与F. W.斯塔尔一起进行了一次经典性的试验，证明在细胞分裂期间，细胞内DNA的复制是“半保留式”的，即DNA两条长链解开，每条单链均成为模板形成一条与之对应的新链，然后一同进入子细胞。又发现，往细菌培养基中加入含氮的重同位素的营养物质，则细菌可将该氮的重同位素结合入自己的DNA中；然后将细菌重新置于含普通氮的营养物质中培养，细菌复制后形成一种中等重量的DNA(用一种新技术——密度-梯度离心法可将这些分子按重量分开)；加热时，该DNA分成两部分：一条重链，一条轻链。他们得出结论：新DNA分子由一条遗传来的重链及一条新合成的轻链所组成。梅塞尔森于1957年获加利福尼亚理工学院博士学位，并留校任教，1960年任哈佛大学生物学副教授。一直继续研究DNA、RNA及蛋白质的合成。

Mesene 梅塞纳 又名查拉塞纳。古代安息国的属国，在巴比伦尼亚以南(今伊拉克南部)。公元前129年由地方诸侯希斯保西尼斯建立。直到狄奥纳修斯四世(约111～112在位)灭亡，存在200余年。

Meseta Central 中央高地 伊比利亚半岛内地大高原。马德里为其中心。面积约21万平方千米。平均海拔700米。西坡平缓，形成杜罗、塔古斯和瓜迪亚纳3河流域。其他3面的边缘陡然抬升，北部成为坎塔布连山脉，东部形成一系列山岭。东北的埃布罗

中央高地的阿尔曼索尔峰
美国不列颠百科全书公司供图

和南部的瓜达尔基维尔两河形成两条对称的构造地槽。中部隆起的山地把高原分成旧卡斯蒂利亚北部高盆地和由新卡斯蒂利亚和埃斯特雷马杜拉构成的南部较低高原。西部多晶体岩，土地贫瘠，东部平原属石灰质和泥灰岩，是主要农业区，东南部为拉曼查地区。

Meseta Central（Costa Rica） **中部高原** 参阅 **Valle Central** 中央谷。

Meshed 麦什德 又拼 Mashhad。伊朗东北部城市。位于卡沙夫河河谷。现为政治和宗教中心，每年到此朝圣者在 10 万人以上。有铁路通德黑兰，另有一机场。是伊朗最富庶的农业区之一，也是北部羊毛贸易中心，出口地毯。本城有哈里发哈伦·拉希德和什叶派领袖阿里·里达的陵墓和圣殿。1220 年虽遭蒙古人几次破坏，但一部分建筑没有受损。

麦什德市的阿里·里达圣殿
美国不列颠百科全书公司供图

16 和 17 世纪，遭土库曼人和乌兹别克人的劫掠。阿拔斯一世（1588 ～ 1629）又重建城市。纳迪尔王（1736 ～ 1747）在此建都。人口 1 463 508（1986）。

mesia（*Leiothrix argentauris*） **银耳相思鸟** 又作 silver-eared mesia 或 silver-ear。雀形目画眉科鸣禽。分布在从巴基斯坦到印度支那半岛一带的灌木和次生丛林中。体长15厘

银耳相思鸟（*Leiothrix argentauris*）
美国不列颠百科全书公司供图

米，背部橄榄色，腹部黄色，生有黑色羽冠和银色耳斑，尾稍带深红色。6 ～ 30 只一群，活跃于森林的灌丛及林冠部，寻找浆果，或在树叶下觅食昆虫。巢环形，产卵 4 枚。发悦耳的笛声般的鸣啭声。有时被饲为笼鸟。

mesite 拟鹑 鹤形目拟鹑科（Mesitornithidae，有时作 Mesoenatidae）几种小型褐色地栖鸟类。体长约 30 厘米，翅短，尾厚。栖息于马达加斯加。拟鹑与其他鹤形目类的不同

本施氏孤拟鹑（*Monias benschi*）
美国不列颠百科全书公司供图

之处在于有粉䎃，不断分解为细粉末用来修饰羽毛。成对或小群行动，觅食种子和昆虫。行走时点头翘尾如鸽。褐拟鹑（*Mesitornis*［或 *Mesoenas*］*unicolor*）和白胸拟鹑（*M. variegata*）栖息于森林中。本施氏孤拟鹑（本施氏秧鸡，*Monias*［或 *Mesoenas*］*benschi*）栖息于灌丛，不是真正的秧鸡。这 3 种拟鹑都在灌丛下构筑平台式的巢。

Mesmer, Franz Anton 梅斯梅尔（1734-05-23，德国士瓦本伊兹纳格～ 1815-03-05，士瓦本梅尔斯堡） 又译麦斯麦。德国医生，现代催眠术的先驱。曾师从英国医生 R. 米德，1766 年获维也纳大学医学博士学位。其治疗体系人称梅斯梅尔主义，主张：行星的万有引力通过一种能感觉到但肉眼看不见且无处不在的流体影响着人的健康。1775 年，他把他的动物引力理论修订为“动物磁性”。这样一来，人体内的那种看不见的流体就可以按照磁性法则加以运作了。按照梅斯梅尔的说法，一位训练有素的人可以用一个磁化了的物体操纵别人的动物磁性；所谓疾病就是因为这种磁性流体的运行受阻；为了打通淤滞、重建正常流体，须建立一种“危象”；他也为此设计出好几种治疗程序。据记载，他建立危象的方法多是些装神弄鬼、呼风唤雨的把戏，目的是使病人“入定”。入定后的病人只要一开始说胡话、甚至惊厥，那他的病就算是好了。1778 年，维也纳的医生们指控他行骗。梅斯梅尔只好逃到巴黎继续他的营生，但也不为法国同行所容。1784 年，法国国王路易十六任命了一个学术委员会负责调查梅斯梅尔主义。委员会中有美国发明家、政治家 B. 富兰克林和法国化学家 A.-L. 拉瓦锡。委员会的报告对梅斯梅尔主义持否定态度，他的营生从此也就难以为继了。但不管怎么说，梅斯梅尔和其患者之间的关系极为融洽，而且他也使一些病人的精神症状得到某些缓解。最重要的是人们并没有忘记他的方法，后来合法的催眠术就是在梅斯梅尔主义的基础上发展起来的。

Mesoamerican civilization 中美洲文明 16 世纪西班牙探险和征服之前，墨西哥和中美洲部分地区土著文化的复合体。这种文明在其王国和帝国的组织、纪念物和城市的现代化和文化成就的范围和优雅程度方面，同南边可比较的安第斯文明（**Andean civilization**）一起构成一个新世界，与古埃及、美索不达米亚和中国的文明相对应。考古学家发现早在公元前 21000 年中美洲就有人迹。到公元前 11000 年，覆盖北美洲北部的冰川以南的新世界的大部分面积为狩猎和采集的人们所占据。与今日气候相比，当时的气候较为凉爽，对草场植被有利，高地山谷尤为如此，那里是大群放牧动物的理想场所。在公元前 7000 年左右，一次巨大的全球性暖流使冰川后移，热带森林覆盖了中美洲草场，此后明显地开始向定居型的农业转移。以后数千年有收获的食用植物——特别是一种变异的有包皮的玉米——逐渐驯化，到公元前 1500 年左右已有不少人过着长期村居的务农生活。除玉米外，作物还有豆类、南瓜、墨西哥胡椒和棉花。随着农业生产力的提高，在考古学家称之为的早期形成时期（公元前 1500 ～前 900），出现了文明的雏形。早在公元前 2300 年，这一地区的某些地方就有了陶器，或许是从南方安第斯文化引入的，陶器具有各种各样精致的形式。寺庙-金字塔的想法或许就在这一时期扎下根基。一个地区——墨西哥南部韦拉克鲁斯和塔瓦斯科的潮湿而肥沃的低地——种植的玉米产量充足，可使许多人力转而从事其他活动，诸如艺术和商业。人们争相控制这片肥沃但是面积有限的农田，结果出现一个居统治地位的地主阶级，形成第一个伟大的中美洲文明：奥尔梅克文化（**Olmec**）。历史最久的闻名的奥尔梅克文化中心圣洛伦索建在公元前 1150 年左右，当时中美洲其他地方至多处于新石器时代。这一地区以其特殊的石头纪念物而闻名，特别是高达近 3 米的“巨型人头”，可能代表一次神圣的橡皮球游戏中的比赛者。称作中期形成时期（公元前 900 ～前 300）的这段时期是文化地区主义加强的时期，此时拉本塔都市兴起并蓬勃发展。例如萨波特克人在阿尔班山（**Monte Albán**）取得高度发展，产生中美洲第一种文字和书面历法。然而在这一地点以及墨西哥谷地，可在多处见到奥尔梅克人。在随后持续到公元 700 ～ 900 年左右的后期形成时期和古典时期，著名的马雅、萨波特克、托托纳克和特奥蒂瓦坎文明都在其共同的奥尔梅克遗产基础上发展了各有特色的形式。例如，马雅人（**Maya**）使天文学、数学、历法、象形文字以及纪念物建筑在新世界高度发展。与此同时，墨西哥谷地中的特奥蒂瓦坎成为包括中美洲大部分地区的政治和商业王国的首府。约公元 600 年后，特奥蒂瓦坎的势力衰落，以后数百年中许多国家争夺霸权。墨西哥中部图拉的托尔特克人（**Toltec**）从约 900 ～ 1200 年（古典后时期初期）强盛。托尔特克人衰落后，古典后时期晚期又出现一段骚乱时期，持续至 1428 年，当时阿兹特克人（**Aztec**）打败了敌对的阿斯卡波察尔科城，成为墨西哥中部的统治力量。这最后一个土著中美洲帝国在 1521 年落入以 H. 科尔特斯为

首的西班牙人手中。

mesoderm 中胚层 解剖学术语，指胚胎3个胚层中间的一层(位于外胚层和内胚层之间)，出现于动物胚胎发育的早期。脊椎动物的中胚层发育成肌肉、结缔组织、软骨、骨、脊索、血、骨髓、淋巴组织及血管、淋巴管、体腔、肾、输尿管、性腺、生殖管、肾上腺皮质、关节腔及某些其他组织的上皮。参阅 **ectoderm**；**endoderm**。

mesofauna 中型土壤动物 又作 meiofauna。又称较小型土壤动物。中等大小的动物(体长大于 40 微米，即约为人发粗细的 3 倍以上)。线虫、螨、弹尾类、原尾类、烛蛀等是典型的中型土壤动物。它们可能摄食微生物，其他土壤动物则食腐解中的植物性或动物性物质和活的植物、真菌等。大多数中型土壤动物食用腐解中的植物性物质，它们去除植物的根从而使土壤中出现可排水和通气的管隙。管中含有中型土壤动物的粪便物质，粪便物质可被更小的生物所分解。

Mesohippus 渐新马属 又译间属。早、中渐新世(3 660万年前～2 370 万年前)马类的绝灭属。化石通常见于美国南达科他州巴德兰兹地区的岩层中。是最早的三趾马，虽然只有科利牧羊犬大小，但外表上很像真马。仍以嫩叶为食，直到后来，更进步的马的牙齿才适应吃草。该属演化出中新马属(*Miohippus*)，一种较大的类型，通常出现于渐新世晚期(3000 万年前～2370 万年前)。

mesolite 中沸石 沸石族矿物，与*钠沸石*(**natrolite**)相似。

Mesolithic Period 中石器时代 又作 Middle Stone Age。人类发展的古代文化阶段或其水平，介于*旧石器时代*(**Paleolithic Period**)及其打制石器与*新石器时代*(**Neolithic Period**)及其磨制石器之间。中石器时代的工具以打制石器为基础，常常包括细石器，即可以装在柄上的非常小的石器。磨制石器曾见于中石器时代的石器组合中，另有各种骨制、角制和木制工具。中石器时代常特指西北欧的一个发展阶段，起于约公元前 8000 年，亦即更新世结束以后，止于约公元前 2700 年。在西北欧以外地区，没有中石器时代的直接对应物，所以这个术语不再用来反映假设性的世界人类文化演进序列。参阅 **stone-tool industry**。

Mesolóngion 迈索隆吉翁 又拼 Missolonghi。希腊埃托利亚-阿卡纳尼亚州首府。濒临帕特雷湾。在一大型浅潟湖畔。希腊东正教大主教活动中心。希腊独立战争(1821～1829)中，当地因两次英勇战斗闻名。该城又因 1824 年英国诗人拜伦在此病逝而出名。赫鲁恩战争纪念馆立有拜伦塑像和纪念碑。有堤道穿潟湖通岸外深水港托利达。人口10 164(1981)。

mesomorph 粗壮体型 人体的一种类型(体型)。按照美国心理学家谢尔登所制定的体格分类法测定，粗壮型体型的特征是肌肉发达，超出常人。虽然谢尔登分类法对各种体征并不划出绝对差别值，但如果一个人的体型粗壮程度超越肥胖型或细瘦型，就可列为粗壮型。极端粗壮型体型者头部方而大，胸部和肩部宽厚，心脏大；四肢粗壮，脂肪极少，肌肉发达。这种人肌肉易于发达，肌肉发达程度常与那些进行过健身锻炼以使肌肉发达的人们显著不同。参阅 **ectomorph**；**endomorph**。

meson 介子 由偶数*夸克*(**quark**)和反夸克构成的亚原子粒子族的任何一种。由于组成介子的夸克是强相互作用的，介子对于强力敏感。由于介子是由具有半整数自旋的偶数夸克组成，因而它们有整数自旋。介子的质量范围很宽，由 140 兆电子伏到约 10 吉电子伏。自从 1935 年日本物理学家汤川秀澍第一个预言介子的存在以来，已发现了各种类型的介子，迄今已识别的最重要的介子是 π 介子和 K 介子。π 介子主要承担原子核中质子和中子之间的强相互作用。K 介子有几种不同的衰变模式。对这些过程的研究能达到更好地理解*宇称*(**parity**)及其非守恒性。介子是研究夸克的相互作用和性质的有用工具，夸克是组成所有*强子*(**hadron**)的物质基本单元。虽然介子不稳定，但对于用粒子探测器的观察而言还是足够长(10 亿分之几秒)的，这就有可能为研究者重现夸克的运动。任何试图解释夸克的模型都必须能正确地阐明介子的性状。由物理学家 M.盖耳-曼和 Y.奈曼提出的八重法是现代夸克模型的先声，它的早期成就之一就是预言并接着发现了 η 介子(1962)。几年后，π 介子衰变成两个光子的衰变率被用来支持夸克可以取三种“色”(即量子数的值)中之一这个假说。通过对 K 介子系统中的 CP *破坏*(**CP violation**)的研究证实：介子性状中的令人惊奇之处也是重要的。介子还提供了识别新夸克的手段。1974 年发现的 J/ψ 粒子已判明是由粲夸克及其反夸克组成的介子。它是粲数的第一次具体化，而粲数这个新量子数的存在暗示夸克是成对地出现的。随后发现了另一类重介子，称 Υ 介子，宣示了底夸克及其反夸克的存在，并引起了存在顶夸克的推测，但找到这个第六类夸克的努力尚未成功。它令人确信的存在证据，可为研究者提供支持流行的夸克模型基础假设的直接证明。

mesonephros 中肾 两栖类及大多数鱼类的永久性肾，为成对器官，其发育较胚胎和幼体阶段的前肾为迟并逐渐代替了前肾。由肾单位所组成，肾单位被膜过滤肾小球的血液。肾小管细胞则重吸收水分和营养物质，并排出含氮废料。某些海鱼无肾小球，尿就在小管中形成，这有助于保存水分。肾小管通人沃尔夫氏管(前肾的残余器官)。在更高级的脊椎动物中，胚胎时期也发育出中肾，但人胚 10 周后的中肾，又由后肾替代。

Mesopotamia 美索不达米亚 希腊语意为“河间之地”。指西亚幼发拉底河和底格里斯河之间的地区。狭义的美索不达米亚指巴格达至安蒂托罗斯山北麓以北地区；广义的美索不达米亚指东邻扎格罗斯山，西抵阿拉伯高原，南止波斯湾的地区。总之，它的大部分在现在的伊拉克境内，是人类文明的摇篮之一。

美索不达米亚和伊拉克有5 000年的历史，地处两河之间，土地肥沃，灌溉发达，农产品丰富。在 1840 年首次发掘以前，关于古代美索不达米亚过去2 000年的知识只有三个来源：《圣经》，古希腊、罗马作家的书籍和巴比伦人贝罗索斯用希腊文写的残本。近 130 年来经过法、英、美、德、伊拉克等国考古学家的系统发掘，它的历史才比较清楚。古代美索不达米亚文化的主要贡献有：陶器制品、楔形文字的泥版书、数学上时计和度数的 60 进位法、一昼夜分为 12“双时”、天文上的黄道十二宫，神话、史诗、哀悼诗、赞美诗等也达到较高水平，《汉穆拉比法典》尤为有名。它的新石器时代和铜器时代大约在公元前 1 万年左右。人们逐渐由游牧向定居生活过渡，开始种植谷物，建筑房屋和神庙。先用手工制作陶器，继用陶轮制作，并加火使之变硬，适于家用，且用雕刻和绘画加以装饰，同时开始使用铜器。他们当时驯养的动物有绵羊、山羊、牛、猪，种植的谷物有小麦、大麦、豌豆、扁豆。公元前 4000 ～前 3000 年是美索不达米亚由史前时期转向历史时期的开始。最先表示文字的符号是象形文字，继而发展成表音符号和指意符号，又发展成用芦管在泥版上挑刻的楔形文字。这项发明被认为是南美索不达米亚苏美尔人的贡献，也可说是近东最早的书写文字。苏美尔人最有名的最早城市是埃利都、乌鲁克、尼普尔、基什等。公元前 2700 年左右在美索不达米亚出现了第一个历史人物——基什的国王恩米巴拉格西。

公元前 2350 年是美索不达米亚历史的转折点，一个帝国首次兴起于这块土地，萨尔贡以阿卡得城为首都，建立了阿卡得王朝(约公元前 2334 ～前 2154)。阿卡得人从此与苏美尔人并列，“苏美尔和阿卡得的土地”成为南美索不达米亚的名称。据说萨尔贡征服苏美尔人的许多城邦，俘虏了 50 个统治者，并俘获了乌鲁克的卢伽尔扎吉西。国王纳拉姆辛(公元前 2290 ～前 2254 在位)时攻下了苏萨，自称“天下四方之王”，并以“阿卡得之神”自居。公元前 22 世纪时由于游牧的阿莫里特人从西北入侵和古蒂人从东部底格里斯河和扎格罗斯山之间的地区渗入，导致阿卡得王朝的衰落。根据铭文，古蒂人可能在公元前 22 世纪时统治幼发拉底河中游 50 ～ 100 年。乌鲁克的马图-凯格尔推翻古蒂人的统治，建立乌尔第三王朝(约公元前 2112 ～前 2004)。国王乌尔纳姆(约公元前 21 世纪后半叶在位)时制定苏美尔语的《乌尔纳姆法典》。公元前 20 世纪末埃兰人侵入乌尔，乌尔遂分裂为许多小邦。此后阿莫里特人苏木阿布在巴比伦建立了巴比伦第一王朝(约公元前 1894 ～前 1595)。国王汉穆拉比(公元前 1792 ～前 1750 在位)时国力最为强大，征服了埃利都、乌尔、乌鲁克、尼普尔、基什、伊辛、拉尔萨、马里等，统一两河流域。汉穆拉比制定阿卡得语的《汉穆拉比法典》共计 280 条，包括民法和刑法。此后巴比伦数度被亚述人攻陷，王国终于公元前1595年为赫梯人所灭，直到公元前7世纪末才兴起了新巴比伦帝国。

亚述位于两河流域北部底格里斯河中游一带。首都为亚述城，后迁尼尼微。亚述时盛时衰，公元前10世纪起进行征服和扩张，后遂成为新亚述帝国（公元前746～前609）。萨尔贡二世（公元前721～前705在位）时东占米底的一部分领土，北征乌拉尔图，南下巴比伦。公元前671年亚述又攻占埃及首都孟斐斯，取得对埃及的统治。到公元前7世纪末，国内战争频仍，帝国衰微。公元前612年米底王国与新巴比伦帝国结成联盟，攻下尼尼微，亚述遂亡。

新巴比伦帝国（公元前626～前539）为迦勒底人所建，以巴比伦城为首都。尼布甲尼撒二世（公元前604～前562在位）时经常出征叙利亚和巴勒斯坦，公元前589年攻陷耶路撒冷，成千上万犹太人被掳到巴比伦，犹太王国沦为帝国的一个省。他使巴比伦成为西亚最富庶的地区。他维修原有的水渠，兴建辅助水渠，商业贸易也繁荣起来。他还扩建王宫，兴建空中花园和巴别塔。其后帝国逐渐衰落，公元前539年为波斯国王居鲁士所灭，但巴比伦仍是波斯帝国最富庶的省份之一。亚历山大征服波斯后，巴比伦于公元前331年成为文明世界的中心，亚历山大帝国分裂后成为塞琉西王朝的领土。公元前141～前129年巴比伦又并入伊朗东部的安息帝国。随着罗马帝国在近东的崛起，美索不达米亚成为罗马与安息之间互相争夺的边境地区，3～7世纪它是罗马人与波斯的萨珊王朝之间的战场。

美索不达米亚于7世纪被阿拉伯人征服，此后的历史汇入伊拉克历史。

Mesopotamia　美索不达米亚　阿根廷东北部东北-西南走向的狭长地理区域，包括米西奥内斯、科连特斯、恩特雷里奥斯省。西接阿根廷的大查科，北邻巴拉圭，东北连巴西，东南界乌拉圭。美索不达米亚希腊语意为"两河之间"，因处于巴拉那河（西南面和北面）和乌拉圭河（东南和东北面）之间而得名。美索不达米亚东北部（米西奥内斯省）包括巴西的巴拉那高原向东南延伸的部分，为亚热带长绿雨林覆盖。有几条河流自玄武岩高原边缘跌落，形成伊瓜苏等壮观的瀑布。科连特斯和恩特雷里奥斯两省在几个方面不同于米西奥内斯省。这两省的地表与东边的乌拉圭相同，是树木稠密的沼泽低地上面隆起绵延不断的青草覆盖的小丘。16世纪后期，西班牙殖民者从巴拉圭的亚松森为重建布宜诺斯艾利斯返回途中最早辟为殖民地，到19世纪许多来自德国、意大利和瑞士的农学家在此区域定居。美索不达米亚南部是阿根廷羊毛和亚麻主要产地之一，也饲养牛。稻米和柑橘生产集中在科连特斯市。巴拉那河和乌拉圭河多湍流、沙洲，河床多变，不能用作运输干线，货物必须用吃水浅的船只运输。公路网四通八达，但公路一般质量差。东部有布宜诺斯艾利斯—阿松森铁路。20世纪80年代初乌拉圭河下游萨尔托格兰德综合工程完工，巴拉那河上游巨大的阿皮佩-亚西雷塔综合工程兴建，终于使美索不达米亚两边河流的水电潜力得到利用。人口约2 284 000（1983）。

Mesopotamian mythology　美索不达米亚神话　古代美索不达米亚的神话、史诗、赞美诗、哀歌、忏悔诗、咒语、箴言录以及有关仪式、征兆的手册的总称。美索不达米亚流传下来的文献主要是刻写在泥板或石碑上。文字资料的制作和保存是寺院及宫廷的文牍的职责。在宗教与世俗著作之间无法作明确的划分。寺院作为分配食物中心的职能，使表面上看来是世俗的运送货物的收发也有宗教性的一面。同样，法律也被视为天神所赐。国王们在战争中的胜利，常与天神的佑护联系起来，其文字记载亦被用来赞美神祇。当时各个政权之间的条约的制定与执行也与神灵有关。

一大批阐明征兆的文献至今犹存。人们认为从神泄露的征兆中，可以了解神的旨意，于是便小心在意地收集各种征兆性的迹象及其所宣示的情事。只要详察迹象，即可用举行适当的驱邪仪式来避免未来不吉的事件。比较著名的征兆文献有《假如一胎儿……》，就是观察动物与人的畸形儿的出生。后来又有一系列观察人体特征的类似文献。梦兆的文献也有，但为数极少。另有观察征兆来引导医生对病人病情进行诊断和治疗的文献。最大的征兆集录题为《假如一个城市位于山上……》，由100多块泥板组成。

有几类祈祷文也被保存下来。祷文以赞美神祇开始，随之以信徒的请求或申诉，而以预先感谢神灵使之如愿以偿的颂辞作结。有些祷文就是行法的符咒，经由神的干预，使祈祷者摆脱各种病痛的折磨，有的则是哀歌或赞颂某一神明。

存留至今的还有一些明确无误的有关各种礼仪的文献。在巴比伦新年庆典中诵读创世纪史诗《伊纽玛·艾利什》是重大仪式。刻写这一史诗的泥板首先记载的是众神的世系，然后是马尔杜克杀了提亚马特之后，从提亚马特的身体化出的天与地。马尔杜克升为众神之主是史诗的基本主题。人类作为他的宇宙构造的一部分，是用金乌（提亚马特的同伙）的血所创造，而巴比伦则被建为马尔杜克之城。

另一著名文献是吉尔伽美什史诗。史诗共有12块泥板，叙述吉尔伽美什和他的好友恩奇杜的功业，从乌鲁克（吉尔伽美什所建城市）的城墙开始，于同一城墙结束。两人的冒险生涯中，以击败守卫雪松山的怪物胡瓦瓦为最著。恩奇杜死后，吉尔伽美什转而追求永生，因此接触了诸如因经历洪水而不死、被赐永生的乌特纳庇什廷这类人物。吉尔伽美什有3次几乎达到目的，但都功败垂成。

美索不达米亚流传下来的故事中，另有几个也以永生为主题。在阿达帕神话中，阿达帕因折断了南风的翅膀，而被传唤到众神面前。由于曾得到父神埃阿的警告，他拒绝吃喝众神给他可使他永生的食物。有关无子嗣的基什国王伊坦纳的故事谈到了另一类永生。为了得到所谓生育草，他释放了一只被囚禁的鹰，骑在它背上飞往天堂。

其他美索不达米亚神话包括智者阿特拉哈西斯的故事，有神警告他，要他造船以防洪水，因而搭救了他的性命。伊什塔尔下阴间重又回阳间的神话显然与孕育的轮回相关。内尔格勒和厄里什基迦勒的故事叙述内尔格勒如何成为阴间的主宰。伊拉史诗说明巴比伦之神马尔杜克如何把该城托付给别的神祇而导致该城的毁灭。史诗以马尔杜克重返巴比伦、恢复该城的繁荣作为结尾。《让我来礼赞智慧之主》描写一位王子被他的神遗弃后的痛苦，有人曾将它与《约伯记》相提并论。后来王子重获神恩，于是对神（马尔杜克）的赞美成为作品的中心。

Mesopotamian religion　美索不达米亚宗教　先后居住在古代美索不达米亚地区的苏美尔人、阿卡德人以及巴比伦人、亚述人的宗教信仰和习俗。

早期苏美尔人的神祇多是地方性的，与一地居民的生活生计相关。当时和其后一段时间人们主要关心的是土地的肥力、水源和畜群。神的外形与他所代表的现象相同，例如代表雨云的神，其像如狮头玄鸟在空中盘旋。

亚述人和巴比伦人的诸神并没有取代苏美尔人的神，而是逐渐与他们同化。人们认为，诸神积极参与该地区的历史和底格里斯河-幼发拉底河流域各城邦关系的变化。巴比伦帝国和亚述帝国疆域扩大，人们用国王的威权比拟神的超然。神逐渐具有人的特征。人们相信神临格于神像，向它供食供衣，并有人伺候，如同伺候宫中的君王。神也同君王一样，主要负责各业丰产，国泰民安。

庙宇不仅是宗教中心，又是国王控制下的粮食分配中心。许多庙宇规模不大，但是巴比伦城的马尔杜克庙（名埃萨吉拉）闻名于世。庙中的宗教活动并非一律公开，只有在特定的日期才把神像从庙中抬出，在街道上巡行，任人瞻仰。美索不达米亚地区最著名的宗教建筑物或许就是塔庙。

有一批人员专门从事拜神活动，其中为首的是国王本人，他兼任一国之神的祭司长。每年春季举行新年礼拜，其中国王特别突出，使人觉得，国王在发挥神的作为。礼仪中的"神婚"是专门保证本年百业丰产的。有一整套通过观兆以判明神意的方法，其中一种重要方法是脏卜，即观察牺牲的内脏。

美索不达米亚宗教的神灵有几百，但是见于文献者不多。较早期的诸神中特别重要的有天神安努，他是众神中最古老者；有恩奇，他后来与阿卡德人的水神埃阿融为一体；还有地神恩利勒，他显然是众神之主。按照古代中东的习俗，各神都专管一城：安努管乌鲁克；恩奇管埃利都；恩利勒管尼普尔。

除了这些古老的神灵之外，还有一些新兴的神。巴比伦城在美索不达米亚地区的政局中日益突出，于是该城之神马尔杜克也就具有了较古老之神的许多特点。当亚述取得霸权之时，其神阿舒尔也有这种变化。一方面美索不达米亚宗教始终是多神教，另一方面已经有了走向单一主神教的倾向，像马尔杜克这样的神逐渐具备了较小的诸神的一切属性。

美索不达米亚宗教中的一些小神也十分活跃。在天体诸神中最重要的有太阳神沙玛什，他在拉尔萨和西巴尔受崇拜；还有月神辛，他在吾珥和哈兰受崇拜。此外，风暴之神阿达德（还有其他名称）主要在亚述及亚述以西地区受崇拜；内尔格勒与他的配偶厄里什基迦勒共同统治冥界；坦木兹保佑丰产。某些山、树木，河流乃至犁等人造物也被奉为神圣。

Mesosaurus　中龙　早期爬行动物的绝灭属。化石见于宾夕法尼亚纪晚期和二叠纪早期（宾夕法尼亚纪终止于2.8亿年前，在二叠纪之前）地层。中龙是长约1米的细长水生动物，生活于淡水湖和池塘中。具有长而窄

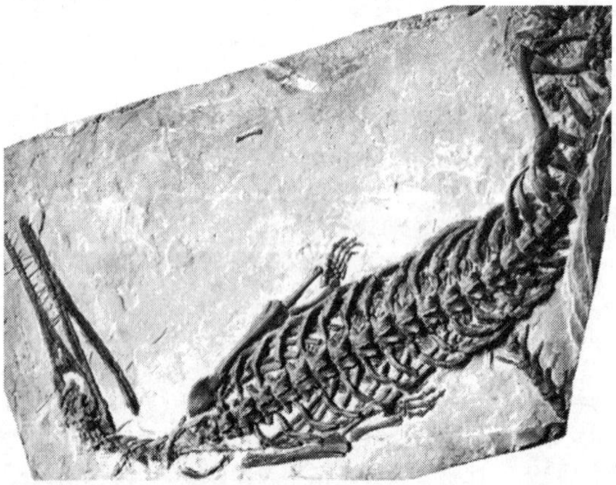

中龙（*Mesosaurus braziliensis*）
美国不列颠百科全书公司供图

的头骨和可能用于推动躯体涉水的尾。有许多长的尖齿可以从吸进它口中的水中过滤小的甲壳动物；牙齿太脆弱而不能咬。四肢和脚在形态上是原始的。但是，据认为趾间长有蹼，有助于游泳。可能很少登陆。化石仅见于南非和南美的淡水沉积层内。由于中龙类不可能渡过宽广的大洋，其地理分布表明南半球的大陆以前是连接在一起的。据认为，中龙类代表爬行动物演化的早期旁支。

mesoscaphe　浅水探海艇　瑞士科学家J.皮卡德制造的能在预定深度自动悬停的潜水船。第一艘浅水探海艇是为1964年在洛桑举行的瑞士国家博览会建造的，设计为载客40人的旅游潜艇，虽然它可下潜到600米以下，但1964和1965年在日内瓦湖所作的1 100次下潜中，大多数只到达90米深。第二艘较小的浅水探海艇，其设备能维持一个多月的潜航，在60年代后期从佛罗里达下潜，在水下漂航到新斯科舍，成功地对斯特里姆湾流进行了研究。

mesosphere　中间层　地表面上空约50～80千米间的高层大气。其底部定在平流层顶部出现温度最大值处。平流层和中间层之间的边界，通常称作平流层顶，但有时称作中间层最高温度点。从中间层向上伸展到温度最低值处这个高度定为热层的底部。中间层和热层之间的边界，称作中间层顶。中间层中大气的氧、氮和二氧化碳的含量，与紧靠地表的低层大气中的基本相同。主要区别是：在中间层中水蒸气很少，而臭氧的含量百分率比低层要高。

mesozoan　中生动物　中生动物门（Mesozoa）微小、具纤毛的多细胞动物，约50种，寄生于海生无脊椎动物体内。形似蠕虫，无消化、呼吸、神经和排泄系统；身体由两层细胞组成，每层各含细胞20～30个。有性生殖和无性生殖均存在。中生动物的构造简单，但究竟是原始的特征，还是寄生生活所致的退化尚属未知，故它与其他动物的亲缘关系亦不详。有人认为中生动物与扁形动物门有亲缘关系。中生动物可分为2纲：二胚虫纲（Dicyemida）和直游虫纲（Orthonectida），两纲的形态和生活史差异极大。二胚虫类，如伪二胚虫属（*Pseudicyema*）种类，寄生于乌贼和章鱼的肾内。直游类，如直尾虫属（*Rhopalura*）种类，寄生于多种海生无脊椎动物，如蛇尾、双壳类软体动物及多毛类环节动物中。最新的观点认为二胚虫纲与直游虫纲无近缘关系，并将其分为两门。在二胚虫和直游类中，任何具体种的体内细胞数目相对恒定，这些种类在胚胎发育过程中达到其最后的细胞数

图1　二胚虫的线形体

目。因此以后的生长只包括现存细胞的增大和分化。二胚虫和直游类在发育早期，将要分化为体细胞的细胞进行分裂时会出现染色质消减。两种类型均广泛分布于浅海底部存在合适寄主的环境中，但不见于外海环境，亦未从热带珊瑚岛的寄主体内发现过。在某些地区，二胚虫感染全部底栖头足类（如乌贼和章鱼）种群，而直游类仅侵染某一定地区内一小部分寄主。直游类中，变形体阶段产生的拟配子（无性生殖细胞）发育成有性的成体，该成体离开寄主，营短时期的自由游泳生活，此时雌体受精。受精卵发育为具纤毛的幼体，可感染新的寄主，并发育为新的变形体。在寄主体内，变形体有无性生殖阶段，在此阶段拟配子体形成。二胚虫的生活史较为复杂。在头足类寄主体内要经历两个生殖阶段。①在线形体阶段，拟配子体发育成与成

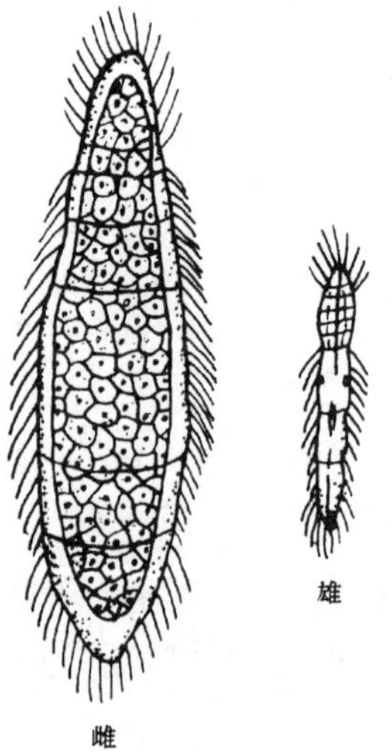

图2　直游虫

体相似的蠕虫样幼体。线形体留在同一个寄主体内，从而使寄生种群增大。②在下一个阶段——菱形体阶段，少数轴母细胞变成微小的滴毛形幼体原体，滴毛形幼体原体是退化的雌雄同体个体，留在菱形体的轴细胞内，并产生精子和卵，合子发育为滴毛形幼体（或称游动幼体），该幼体离开其母体菱形体以及头足类寄主。

Mesozoic Era　中生代　显生宙时期地球的三大地质代当中的第二个代，也是今天所知大陆块由于大陆漂移作用而从劳亚古大陆和冈瓦纳古大陆这两个超级古大陆分离开的时段。

中生代经历了极其多种多样的高等植物群和动物群的进化，它们同早先在古生代期间出现的和后来将在新生代期间出现的那些植物群和动物群都非常不同。中生代持续的时间是自约2.45亿年前至6 640万年前，包括三叠纪（**Triassic Period**）、侏罗纪（**Jurassic Period**）和白垩纪（**Cretaceous Period**）。

到中生代中期，包括北美洲大部分和欧亚大陆在内的劳亚古大陆就从位于南半球的冈瓦纳古大陆被特提斯海完全隔离开了。中生代岩层在各个大陆上都已广泛分布，海水侵袭造成了海相沉积物，海水的侵袭在海面水位高时造成了陆表浅海。海相沉积物也堆积在沿北美洲东岸和墨西哥湾的地槽（长条形大沟）里、北美洲和冈瓦纳古大陆的边缘上以及现在的太平洋盆地边缘周围。

爬虫类是中生代的主要陆生动物。三叠纪时有迷齿兽，是笨拙的大型两栖类动物，几乎全部时间在水里生活，但却突然绝灭了，只遗留下蟾蜍和蛙类，两者终于繁荣起来。在晚石炭世（3.20亿年前至2.86亿年前）出现的杯龙类，即“血统爬虫”（stem reptiles），分化成为爬虫的主要系列，产生出龟类、主要的海生爬虫类、哺乳类样的兽孔类以及槽齿类。

就是从槽齿类进化成了中生代最著名的称为恐龙的爬虫类。在侏罗纪时恐龙演变成为庞大而令人生畏的巨大种类，其中有雷龙

(*Apatosaurus*)和梁龙(*Diplodocus*),两者都是草食类;带尖刺的剑龙(*Stegosaurus*);两条腿的巨大肉食者跃龙(*Allosaurus*)。肉食者当中最大的是硕大无比的霸王龙(*Tyrannosaurus*)。恐龙类在整个白垩纪时兴旺发达而又种类繁多,直到白垩纪末时突然绝灭,这是古生物学上不可思议的奥秘之一。

翼龙(pterosaur),一种具有蝙蝠样的翼的动物,是真正飞行者鸟类的祖先,并且是爬虫类最异乎寻常的适应形式之一。展开的膜状大翼在空气动力学上效率很低,所以翼龙只不过是从高处使自己起飞的滑翔者而已。

事实上,鸟类确实是从爬虫形状进化来的,其证据是历来发现过的最为壮观的化石之一,即始祖鸟(*Archaeopteryx*)的化石;始祖鸟是已知的最早的鸟,不仅明显地具有爬虫类特征,而且具有鸟类从爬虫的鳞片演变而成的羽毛。

中生代的水生爬虫类有多种多样的变化,而且对海洋环境已完全适应。最著名的大体型种类当中有幻龙类(nothosaurs)、盾齿龙类(placodonts)、鱼龙类(ichthyosaurs)、蛇颈龙类(plesiosaurs)和沧龙类(mosasaurs)。现代鱼的某些祖先是在中生代期间演变成的。硬骨鱼最原始的形式是软骨硬鳞目(Chondrosteiformes),已逐渐绝灭。它们在现代的代表是鲟。全骨鱼类替代了软骨硬鳞鱼,但是在数量上也减少了,只有少数几个现代品种存活下来,如密西西比雀鳝。真骨鱼类,即硬骨鱼类,是最成功的海生脊椎动物,它们在晚白垩世时成为主宰,而且今天还有很多代表。最知名的幸存者大概是在中生代时出现的各种各样现代的鲨。其中有些品种与其侏罗纪和白垩纪的祖先相比并没有多大改变。

海洋无脊椎动物当中最重要的是菊石类,是现代的珠光鹦鹉螺在中生代时的亲属,各种各样的菊石都极为兴旺。菊石类的直的或螺旋状的多腔室的形状是中生代岩层的一种宝贵的标准化石,因为这些形状往往可用来认定隔开很远却是同时代的地层剖面。菊石类几乎完全像恐龙那样是中生代的一个奇迹,而且也在白垩纪末突然绝灭了。

Mesquite 梅斯基特 美国得克萨斯州北部达拉斯县城市。西与达拉斯市相连。1873年得克萨斯-太平洋铁路征地建为车站。后为住宅和工业中心,居民多在达拉斯工作,1950年后迅速扩大。得克萨斯电力电灯公司、伦斯塔煤气公司和西南部贝尔电话公司均在此设有地区总部。市内有伊斯特菲尔德学院(1970)。人口约124 523(2000)。

mesquite 牧豆树 豆科牧豆树属(*Prosopis*)植物,具刺灌木或小乔木,分布南美至美国西南部,形成范围广阔的植物丛。最高的种高约15米,根可深达20米以吸收水分。树干直径可达45厘米,但多数种的茎较细或呈灌木状。在美国的温暖地区牧豆树被视为杂树并被清除。羽状复叶,小叶占多数,狭窄,橄榄绿色或被白毛。花奶油色,密生成葇荑花序,长约8厘米。荚果狭长,淡黄色,长15～20厘米,果肉味甜,可饲养牲畜。木材以前用制枕木,现偶用于制做家具和小饰物,但经济价值不大。低矮的种或称匍匐牧豆树。

Mesrob, Saint 梅斯罗布,圣(约350,亚美尼亚哈齐克[今土耳其穆什]～439或440)又作Mashtots。修士、神学家和语言学家。他整理亚美尼亚和其他同语族高加索诸语言的字母,并运用这些语言翻译《圣经》,从而有助于亚美尼亚基督教文学黄金时代的形成。约395年开始修道生涯,终身苦行,创建过几所隐修院。他在国王弗拉姆莎普的支持下按照希腊语的样式把亚美尼亚字母分类整理,核定由38个字母组成的字母表。约于410年,首次使用这套字母把希腊文《圣经》译成第一部流行的亚美尼亚文《圣经》,即梅斯罗布《圣经》。他亲自负责翻译《新约》和《旧约》中的《箴言》,随后校订全书。梅斯罗布曾派人到君士坦丁堡、亚历山大和罗马搜集《圣经》手稿和文献手稿。据说他还辑有圣经评注集,翻译教父著作,并创作礼拜仪式祈祷文和赞美诗等,为亚美尼亚本民族语礼拜仪式奠定基础。据说梅斯罗布还曾为格鲁吉亚字母的选定作出贡献。

Messager, André(-Charles-Prosper) 梅萨热(1853-12-30,法国蒙吕松～1929-02-24,巴黎) 法国指挥家和作曲家,其轻歌剧在法国和英国红极一时。成名作是轻歌剧《贝亚恩人》(1885年在巴黎首演;1886年在伦敦首演)。1890～1926年创作出14部轻歌剧,其中有《菊花夫人》(1893,剧情类似普契尼的《蝴蝶夫人》)、《眼睛》(1894)和《博凯尔先生》(1919)。所写3部芭蕾舞剧以《两只鸽子》(1886)最负盛名。创作风格轻快典雅,是典型的巴黎特色。1898年任巴黎喜歌剧院院长。1901～1906年任科文特加登剧院、皇家歌剧院艺术总监,后任巴黎歌剧院副院长。1902年指挥C.德彪西的歌剧《普莱雅斯和梅丽桑德》的首演。其妻为爱尔兰作曲家H.坦普尔(1859～1938)。

Messager, Charles 梅萨热 参阅**Vildrac, Charles** 维尔德拉克。

Messali Hadj, Ahmed 梅萨利·哈吉(1898,阿尔及利亚特莱姆森～1974-06-03,法国巴黎) 阿尔及利亚革命民族主义领袖。1927年作为巴黎阿尔及利亚工人协会的领袖而崭露头角。他的第一个团体"北非之星"于1929年被法国人解散。30年代中期创建阿尔及利亚人民党,又遭镇压,1946年它重新出现,改称"争取民主自由胜利运动",但他的影响力下降。1954年另行组织阿尔及利亚民族运动,但无法与民族解放阵线相抗衡。他陷于孤立,在巴黎度过晚年。

Messalina Valeria 梅萨利纳·瓦莱里娅(约22～48) 罗马皇帝克劳狄的第三个妻子,以淫乱和阴险出名。贵族家庭出身。嫁克劳狄后生一子一女,其女屋大维娅日后与尼禄联姻。42年她唆使克劳狄处死元老西

美国不列颠百科全书公司供图

兰努斯,这一事件加剧了皇帝和元老院之间的紧张关系。从此,克劳狄实行白色恐怖。由于梅萨利纳的诬陷,许多元老都死于屠刀之下。后来被人指控与情夫已经秘密结婚并阴谋夺取政权。克劳狄终于把她处死。

Messalla Corvinus, Marcus Valerius 梅萨拉·科尔维努斯(约公元前64～公元13) 罗马贵族和文学赞助人。后三头同盟时期被放逐。他逃往布鲁图和卡修斯的营地,后又投奔安东尼,再后为屋大维转战沙场。公元前31年与屋大维同为执政官,和安东尼兵戎相见。他曾征服阿基塔尼亚(今法国西南部),几次出任东方指挥官。公元前11年出任水道主管,重修拉丁姆大道,并修复了一些建筑。他资助文学事业,在周围聚集一群文人,其中有提布卢斯、苏尔皮西亚、奥维德。著有凯撒死后的内战回忆录、各种体裁的诗歌和研究语法的文章,皆失传。苏埃托尼乌斯和普卢塔克利用了他的回忆录。演说模仿西塞罗。

Messana (Sicily) 参阅**Messina** 墨西拿。

Messapic alphabet 梅萨比字母 又拼Messapian alphabet。源于塔兰托-爱奥尼亚字母的两种意大利字母系统之一,前者又是希腊字母的变体。前罗马时期居住在意大利东南部的梅萨比人在公元前500年采用了这种字母。

Messapic language 梅萨比语 又拼Messapian language。前罗马时期和罗马建国初期通行于意大利东南部梅萨比和艾皮杰亚诸部族中的印欧语言。梅萨比语碑铭溯源自公元前6世纪至公元前1世纪。学者认为这种语言与已消亡的伊利里亚诸语言有关系,后者通行于亚得里亚海以东地区。

Messapii 梅萨比人 意大利半岛东南部(卡拉布里亚和阿普利亚)罗马时期以前的古代民族。他们可能在公元前1000年左右从亚得里亚海的彼岸进入意大利。梅萨比人操印欧语系的梅萨比语。

Messau (Nigeria) 参阅**Misau** 米绍。

Messene 麦西尼 现代希腊语作Messíni。希腊伯罗奔尼撒半岛西南部古城(南面有同名现代村镇)。约建于公元前369年。公元

前338年后被纳入马其顿腓力二世的领地。罗马帝国时期地位一直重要。中世纪时状况不可考。1957年开始考古开发,已出土古希腊广场、剧院、竞技场和议会厅。西北部的古城墙保存最为完好。原址一部分现为马夫罗马蒂翁村所占。人口6 854(1981)。

Messenger 信使 (1780年出生) 英国纯种赛马,但后来成为标准轻驾车赛马的基本种畜。生于英格兰,1788年转运到美国费城。它的后代都以善于快步著称。

Messenia 麦西尼亚 现代希腊语作Messinía。希腊伯罗奔尼撒半岛西南部古地区和今州名。东接塔依耶托斯山,北与奈扎河和阿卡迪亚山脉为界,南、西濒伊奥尼亚海。首府卡拉迈。中部的麦西尼亚平原在历史上是希腊最富庶的地区之一。现出产柑橘、枸橼、杏仁、无花果、葡萄和橄榄。西南沿海岸有数座岛屿。麦西尼亚最著名的新石器和青铜器时代居民地是迈锡尼时期的内斯托尔宫,在伊奥尼亚海岸的皮洛斯北面,1939年发现。公元前1200年后多里安人入侵,与当地居民混为一族。约735年,斯巴达人吞并了中部平原。公元前7世纪时麦西尼亚人战败,将剩余的领土割让给斯巴达。146年这一地区曾经成为罗马统治下的阿哈依亚省的一部分。在中世纪,麦西尼亚曾与伯罗奔尼撒半岛其他地区共命运,并受到斯拉夫游牧部落的侵扰。史迹证明麦西尼亚曾是拜占廷、法兰克、威尼斯和土耳其人相互争战的战场。人口159 818(1981)。

Messenia, Gulf of 麦西尼亚湾 旧称卡拉马塔湾(Gulf of Kalamáta)。伊奥尼亚海湾。在希腊伯罗奔尼撒半岛西南部,麦西尼亚州境内。西抵利科季蒙山和阿克里塔斯角,东接马尼半岛。有帕米索斯河(源出麦西尼亚明西山,不通航)注入。临海湾的卡拉迈为制造业中心和伯罗奔尼撒半岛第二大港。阿克里塔斯东侧有科罗尼港,保存有拜占廷、威尼斯和土耳其要塞。希腊独立战争中,法国人在此登陆(1828),帮助将土耳其人逐出伯罗奔尼撒半岛。

Messenian Wars 麦西尼亚战争 公元前8世纪和前7世纪时古希腊斯巴达和麦西尼亚之间的冲突。现代许多历史学家认为早期麦西尼亚战争仅有两次:第一次(约公元前735～约前715)斯巴达征服麦西尼亚;但是麦西尼亚的起义又导致第二次战争(约公元前660),斯巴达最终取得胜利。渴求兼并土地的斯巴达似乎直到公元前600年左右方才彻底征服麦西尼亚。

Messerschmitt, Willy 梅塞施米特 (1898-06-26,美因河畔法兰克福～1978-09-17,慕尼黑) 德国飞机设计家和工程师。就学于慕尼黑理工学院,1923年获工程学位。1926年开始在奥格斯堡的拜恩飞机制造厂任总设计师和工程师。初期设计的飞机包括BF-109单翼单座飞机,还带有他所爱好的滑翔机的特点。1938年成立梅塞施米特股份公司,在BF-109型飞机的基础上制造出第一架梅塞施米特型军用飞机ME-109,1939年这架飞机以775千米/时的速度创世界纪录。第二次世界大战期间他共为德国空军制造了约3.5万架该型飞机。战时生产的其他飞机中,ME-110为双座轰炸机和夜间战斗机,ME-163是第一架实战用的火箭发动机飞机,ME-262是第一架实战用的喷气式飞机。战后被美国占领军拘留2年。1952年任西班牙政府顾问。1958年重新开始从事生产飞机。1968～1969年成立梅塞施米特-伯尔科-布洛姆公司,他任荣誉主席。该公司制造人造卫星、直升机、导弹和飞机。

Messerschmitt 109 (German aircraft) 参阅 **Me-109** Me-109战斗机。

Messiaen, Olivier 梅西昂(1908-12-10,法国阿维尼翁～1992-04-27或28,巴黎) 全名Olivier-Eugène-Prosper-Charles Messiaen。具有独创性和影响深远的法国作曲家、管风琴家

美国不列颠百科全书公司供图

和教师。其父皮尔·梅西昂是一位研究英国文学的学者,其母C.索瓦热为诗人。他在格勒诺布尔和南特成长,7岁开始作曲并自学钢琴。11岁入巴黎音乐学院,师承著名管风琴家M.迪普雷和作曲家P.杜卡。在音乐学院的后几年,他开始广泛自学东方与西方节奏,研究鸟鸣和微分音音乐(其中采用小于半音的音程)。1931年被任命为巴黎三一教堂管风琴师。随着他的《被遗忘的奉献仪式》(1931)和《救世主的诞生》(1938)的公演,他作为作曲家一举成名。1936年与作曲家A.若利韦、D.勒絮尔和Y.博德里埃一起创建"青年法兰西"小组,以弘扬新的法国音乐。自1936年起任教于圣乐学校和音乐师范学校,直到1939年第二次世界大战爆发为止。作为一名士兵他被俘而囚禁于格尔利茨,在狱中创作《末日四重奏》,1941年在战俘营中演出。1942年被遣返后,恢复在三一教堂的职务,并继续在巴黎音乐学院任教。学生中有两位20世纪音乐的主要人物:K.施托克豪森和P.布莱。梅西昂的音乐中有许多是受罗马天主教神学的启迪而作,他以类似神秘主义的方式来演绎神学,值得注意的有女声合唱与管弦乐队的《敬神礼仪小曲三首》(1944)、钢琴曲《凝视圣婴20次》(1944)、两架钢琴的《阿门的幻想》(1943)、管风琴曲《永恒教会的显圣》(1932)和《圣灵降临节弥撒曲》(1950),以及管弦乐队与唱诗班的《我主基督之变形》(1969)。最重要的管弦乐作品之一是《图朗加里拉-交响曲》(1948),共10个乐章,其中有一个突出的钢琴独奏声部,并以佳美兰乐队方式(这是东南亚一种调音打击乐器的乐队)运用打击乐器,还有马特诺电琴。由18件独奏弦乐器、管乐器和打击乐器演奏的《时间颜色》(1960)也十分引人瞩目。《百鸟苏醒》(1953)、《异国鸟》(1956)和《群鸟录》(1959),惟妙惟肖地记录了小鸟鸣啭的歌声。梅西昂的作曲方法在所著《我的音乐语言的技巧》(1944)一书中有叙述。

messiah 弥赛亚 源自希伯来语的*mashiaḥ*,意为"受膏者"。在犹太教中,特指被期待的大卫世系的国王,他将把以色列从外族的奴役下拯救出来,恢复黄金时代的荣光。希腊文《新约》内译为"基督",成为耶稣的尊称。

《旧约》从未提及一位末世论的弥赛亚。然而许多现代的学者相信:以色列的弥赛亚主义系由与王权有关的信仰产生的。但历史上的以色列国王的实际现实和表现都令人失望,因此"弥赛亚"王权思想便指望在未来具体化了。

但是在巴比伦囚虏以后,犹太人预言者的幻想是建立一个上帝的王国,而这种王国是与大卫家族带领下回到以色列这种期望紧密相连的。

但是,圣殿被毁、流亡、遭迫害以及苦难反而加强了犹太人的弥赛亚主义,它继续在神学方面发展,并在各种弥赛亚运动中表现出来。几乎每一世代都出现弥赛亚主义的先驱和冒充弥赛亚的人,著名的例子如17世纪的伪弥赛亚沙贝塔伊·泽维。相信有弥赛亚并热切盼望弥赛亚出现,已成为犹太教坚定不移的原则,并包括在迈蒙尼德的十三项信条中。犹太教的各种现代主义运动曾试图维持世界最后得救的传统信仰和一个弥赛亚式的未来,而不坚持有一位实际的弥赛亚人物出现。伊斯兰教虽然不讲救世主弥赛亚,却也发展出世界末日救世主再现的思想。伊斯兰教的救世主通常称为马赫迪(阿拉伯语,意为"被引上正道的人")。有关马赫迪的教义是什叶派信条的基本部分。

在未受圣经传统影响的许多宗教中,也有具有弥赛亚特征的末世性人物。佛教的大乘教派认为:将来弥勒佛会从他天上的居所下降,带领信徒前往极乐世界。琐罗亚斯德教完全采取末世论的方针,期待琐罗亚斯德的一个遗腹子完成世界最后重建和使死人复活的任务。

具有千禧年性质的许多近代运动,尤其是一些原始部落的运动(如美拉尼西亚的货物崇拜),被称为弥赛亚式的。但对他们来说,期盼一位由上帝派遣或"受膏者"的人身救世主未必是最重要的。

Messier, Charles 梅西叶(1730-06-26,法国巴东维莱～1817-04-12,巴黎) 法国天文学家,曾率先编制系统的星云星团表。在梅西叶的时代,星云是一个用来表示天上任何模糊不清光源的术语。1751年,梅西叶在法国著名天文学家J.-N.德利尔处当天文观测

描图员和纪录员。他是法国第一个观测到预期在 1758 ～ 1759 年回归的哈雷彗星的人。从此以后，梅西叶成了一位新彗星的热情搜索者。国王路易十五称他为“彗星的猎手”。梅西叶独立发现了 13 颗彗星并观测过其他许多彗星。1760 年他开始编星云表，以便能更好地区别星云和彗星，在他当时的小望远镜中，这两种天体看上去是一样的。有许多星云（包括一些最著名的星云）迄今仍沿用梅西叶星云表上的号数来称呼。1764 年，梅西叶当选为伦敦皇家学会的外籍会员；1770 年在巴黎科学院获一席位。

Messier catalog（M） **《梅西叶星表》** 简称 M，由 C.梅西叶编纂，包含约 109 个星团、星云和星系的表。梅西叶本人就发现了表中的许多天体。这本星表对天文爱好者仍然是很有用处的，尽管《星云星团新总表》代替了它；这两个星表的编号现在还广泛沿用。星表中包含各种像蟹状星云（M1）、昴星团（M45）和仙女座中的大旋涡星系（M31）的天体。他编制这一星表的目的是要列出那些可能被误认为彗星的永久性深空天体，以便使搜寻深空彗星的工作容易一些。1771 年，他出版了包含 45 个这种天体的初版本，10 年后又编成了总表。到 1784 年一共编入 103 个天体；1786 年，P.梅尚又增加了 6 个。有 5 个梅西叶天体（M40、M47、M48、M91、M102）人们现在怀疑可能并不存在。

Messikomer, Jakob **梅西科默**（约 1828，瑞士～?，瑞士） 瑞士农民，后为考古学家，发掘了瑞士普费菲孔湖附近的石器时代晚期重要居住遗址罗本豪森。1857 年在罗本豪森附近挖出戴青铜首饰的人骨一具，随即向瑞士著名湖上居所研究权威凯勒报告，凯勒鼓励他继续在普费菲孔湖周围搜寻史前遗存。1858 年发现湖上居所特有的桩木。然后自购泥炭地一块，逐片系统挖掘，达 50 余年之久，发现古代居民之 3 个更迭时期，获得燧石、木制、草编和骨质等手工制品多件。出土家畜骨骸、残存谷物和其他食物，大大丰富了当时正在形成的石器时代生活的画面。他因这一成就而获得苏黎世大学名誉博士学位，但生活日益拮据，不得不将所获古物大量出售。

Messina **墨西拿** 希腊语作 Zankle（赞克勒），拉丁语作 Messana。意大利西西里岛墨西拿省省会。临墨西拿海峡与雷焦卡拉布里亚隔海相望。早为西库尔人殖民地，约公元前 730 年首见记载。公元前 5 世纪初被希腊难民占领。公元前 396 年被迦太基人摧毁。后卷入迦太基人和叙拉古人之间的战争。公元前 289 年落入马麦丁人之手，墨西拿成为其统治西西里的中心。公元前 264 年马麦丁人与罗马结盟，导致第一次布匿战争，战争结束后，墨西拿成为一自由城市。西罗马帝国崩溃后先后为哥特人、拜占廷人（公元 535 年）和阿拉伯人（842）占据。1061 年后在诺曼人统治下，城镇趋于繁荣，成为商业和文化中心。后分别属于安茹王朝、阿拉贡人和西班牙波旁王朝。1860 年获解放。1908 年发生地震，几乎摧毁全城。震后进行了现代化重建。名胜古迹有大教堂和可能原来属拜占廷的教堂。当地国家博物馆藏有地震后幸存的艺术珍品。有一所 1548 年创办的大学以及海洋生物研究所和植物园。该市是一重要港口，1943 年是轴心国增援部队和给养的中心，以对付盟军对西西里岛的侵犯。与意大利大陆通渡轮（包括火车渡轮和水翼船）。与巴勒莫和锡拉库萨等地通铁路。主要行业有商业、柑橘水果业、化工、制药、食品、蜜饯和港务等。出口水果、葡萄酒、橄榄油、化学品、药品、医疗器械和建材等。人口：城市区约 259 156（1999）。

Messina **墨西拿** 南非德兰士瓦省北部城镇。邻近林波波河。为南非最北的城镇。建于 1904 年。1968 年正式建镇。有南非最大的铜矿及炼铜厂。河谷有些耕地，养牛业占重要地位。当地特产猴面包树受国家保护。居民以黑人为主。人口 11 006（1991）。

Messina, Strait of **墨西拿海峡** 地中海的一个海峡。在西西里岛和意大利之间，连接第勒尼安海和伊奥尼亚海。长 32 千米。北段宽 3 千米，南段宽 16 千米。北端水深 90 米。海峡内的暗礁和漩涡在希腊神话中为女魔的化身，称为斯库拉和卡律布狄斯（**Scylla and Charybdis**），被古代的水手视为畏途。主流由南向北，但还有一支副流，方向相反，水流每 6 小时变换一次。海峡上还时常出现海市蜃楼，称为仙女摩根（**Morgan le Fay**），更使传说的恐怖感流传下来。墨西拿海峡沿岸风景如画，以有考古遗迹和游览地闻名。主要港口有墨西拿和雷焦卡拉布里亚。盛产鱼和浮游生物。

Messíni（Greece） 参阅 **Messene** 麦西尼。

Messinía（Greece） 参阅 **Messenia** 麦西尼亚。

Messmer, Otto **梅斯梅尔**（1892-08-16，美国新泽西尤宁城～1983-10-28，新泽西蒂内克） 美国动画家，创造了米老鼠问世前世界上最受欢迎的卡通明星菲利克斯猫。年轻时喜欢绘画和电影，向 H.迈尔学习动画技术，并在 1914 年一起拍摄广告片。1915 年 P.沙利文发现了梅斯梅尔的才华，吸收他加入在纽约开设的新电影厂，共同制作了许多广告片。后梅斯梅尔在军队服役 3 年，而沙利文获罪入狱。1919 年重新合作。梅斯梅尔为派拉蒙电影公司创造出菲利克斯猫，这一角色引起了国际轰动；其后沙利文的工作室将菲利克斯猫的系列动画一直制作到 1931 年。该系列片中最精彩的有《菲利克斯在好莱坞》（1923）、《菲利克斯斗巫婆》（1927）和《恶作剧》（1928）。菲利克斯猫被认为是第一个卡通明星，其快乐、狡猾、淘气，一遇到难题就兜圈子的新颖、独特、复杂个性得到观众的喜爱。菲利克斯猫在 20 年代大行其道，使它成为第一个被商品化的角色，填充玩具、钥匙链和连环画上都有它的形象。1923 年，梅尔梅斯还创作了菲利克斯猫连环画，在报纸上长期连载。同年，歌曲《菲利克斯走个不停》被评为英国最受欢迎的流行歌曲。1931 年，沙利文拒绝有声影片的到来，中断了菲利克斯的创作。1933 年，沙利文因引酗酒致病去世。在 40 多年里，人们一直认为沙利文是菲利克斯动画的创作者、导演和首席动画师，因为他的名字是唯一出现在电影、漫画和商品上的名字。直到 20 世纪 60 年代晚期，梅斯梅尔才获得了迟来的荣誉，被誉为早期动画大师和先驱。1931 年，菲利克斯动画系列结束后，梅斯梅尔继续创作菲利克斯漫画书，并在 1936 年拍摄了 3 部菲利克斯的影片；此外，为纽约时代广场设计动画广告牌，执导电视的动画广告。

Messner, Reinhold **梅斯纳**（1944-09-17，意大利布雷萨诺内～ ） 意大利登山运动员。1980 年登上世界最高峰珠穆朗玛峰（8 848 米），是不使用人工氧气单独登上此峰的第一人。此前梅斯纳于 1978 年与奥地利人哈贝勒一同不带氧气登上该峰。1970 年从南坡登上喜马拉雅山南伽Ⅰ峰（8 126 米），他的弟弟在攀登途中丧生。1975 年梅斯纳与哈贝勒不带氧、不用后援从西北坡首次登上喀喇昆仑山脉的加舒尔布鲁木Ⅰ峰（8 068 米）。1978 年单独从新路再次登上南伽Ⅰ峰。1979 年率领 6 人登山队登上世界第二高峰乔戈里峰（8 611 米）。1983 年率领登山队从西南坡开辟新路线登上卓奥友峰（8 201 米）。梅斯纳是第一位登上世界所有 14 座 8 000 米以上高峰的人，他还是第一位不带狗或机器而穿越南极的人。梅斯纳还创办高山登山学校，并著有登山运动书籍。

Messys, Quentin（Flemish artist） 参阅 **Massys, Quentin** 马西斯。

Mesta, Perle **梅斯塔**（1889-10-12，美国密歇根斯特吉斯～1975-03-16，俄克拉何马俄克拉何马城） 美国社交界名人和外交家。自 20 世纪 30 ～ 50 年代，曾招待过全世界工商界和政治界上层人士，并曾出任美国驻卢森堡第一任公使。出生于俄克拉何马城富裕家庭，受过私人教育。1917 年与宾夕法尼亚州匹茨堡一富有的制造商 G.梅斯塔结婚。第一次世界大战时，丈夫在华盛顿哥伦比亚特区工作，她首次涉足政治和置身华盛顿社交场合。战后夫妇二人去欧洲各处旅行，1925 年丈夫去世时，她在政商两界已广结人缘。1929 年定居于罗得岛纽波特，不久即成为著名的女东道主。约在 1935 年，她开始将大部分时间投入实际政治工作。参加了全美妇女党，并成为平等权利修正案的很起作用的游说者。她还一度是该党公共关系委员会主席。在选举政治中，她直至 1940 年都支持共和党，后来则支持民主党。1940 年前后移居华盛顿哥伦比亚特区，不久即成为首都最著名的女东道主之一。她是 H.S.杜鲁门的早期支持者，1944、1948 年选举中为他出力不少。1949 年成为美国第一任驻卢森堡公使，1953 年卸任。20 世纪 50 年代中，她仍是华盛顿的首位女东道主，招待人们的那种不拘小节的魅力和欢乐气氛，吸引了国际社会的精英。然而肯尼迪执政后，新的社会环境使她的影响力下降。1960 年出版了《珀尔：我的故事》一书。

Mesta River（Greece） **梅斯塔河** 参阅 **Néstos River** 奈斯托斯河。

Mestghanem（Algeria） 参阅 **Mostaganem** 穆斯塔加奈姆。

mestizo 梅斯蒂索 阴性名词拼作mestiza。用来表示混血儿。在中美和南美地区，该词指印第安人与欧洲人的混血儿。在有些国家——例如厄瓜多尔——这个词已有社会和文化的含义：一个采用欧洲服装和习俗的纯血统的印第安人，就叫作梅斯蒂索（或 cholo "乔洛"）。在墨西哥，人们发现这个词的意义变化太多，所以在人口普查报告中已不使用。在菲律宾，梅斯蒂索是指外国人（例如中国人）与当地人所生的混血后裔。

Mestre 梅斯特雷 意大利北部威尼托区威尼斯省威尼斯市西北郊区。罗马时代即已存在，为12世纪一重要要塞的所在地。1337年起在威尼斯管辖下。1926年正式并入威尼斯城市区。现有马尔盖拉和马尔盖拉港两个工业区（后者为意大利最重要的工商业港口之一，建于1919～1928年间）。有化工、冶金、炼铁、玻璃制作、煤加工、炼油、机械制造、修造船等工业。出口当地产品，进口煤炭、石油、矿砂和谷物等。人口约181 900（1991）。

Meštrović, Ivan 梅斯脱维奇（1883-08-15，奥匈帝国斯拉沃尼亚弗波尔什［今在克罗地亚］～1962-01-16，美国印第安纳南本德） 雕刻家，作品特点是刀法大胆，设计富有力度。

梅斯脱维奇的《画家肖像》（1915）
美国不列颠百科全书公司供图

出身克罗地亚农民家庭，13岁学艺，3年后进维也纳学院，学习到1904年。其作品曾在维也纳分离派艺术展览会、1906年伦敦伯爵广场举行的奥地利展览会，以及慕尼黑、威尼斯和巴黎等地展出，在巴黎曾博得罗丹的赏识。他曾发起克罗地亚美术运动，其高潮是1910年的萨格勒布展览会。1912年被任命为萨格勒布美术学院院长。1947年1月迁居美国，1954年入美国籍，次年任圣母大学美术教授。作品包括许多用胡桃木雕刻的宗教题材的浮雕和雕像，如伦敦塔特美术馆的浮雕《耶稣下十字架》。1947年在纽约市大都会艺术博物馆举行个人作品展览，展出约伯与失望之神的雕像和一座5吨多重的圣母马利亚哀悼基督的雕像。他不仅是雕刻家，也是建筑师，他自己设计的坐落在克罗地亚斯普利特的住宅现已成为其作品的博物馆。

Meta 梅塔 哥伦比亚东部省份。1959年建省。面积85 635平方千米。西南部有马卡雷纳山，东部有东科迪勒拉山，其余地区都是低地。农业集中在山麓地区，种植谷物、油

梅塔省的养牛业
美国不列颠百科全书公司供图

籽、咖啡等。养牛业发达，有煤矿，产食盐。省会比亚维森西奥（**Villavicencio**）是全省的工商业中心，有酿酒厂、鞍具厂、肥皂厂、咖啡烘制厂。有公路通往波哥大。该省东部的交通以航空和水路为主。人口约388 917（1981）。

Meta River 梅塔河 奥里诺科河主要支流，在哥伦比亚东部和委内瑞拉西部，由源出东科迪勒拉山东坡的乌皮亚河和瓜尤里瓦河在哥伦比亚梅塔省汇流生成。蜿蜒流向东北偏东，在新安蒂奥基亚转向东流，成为哥伦比亚-委内瑞拉界河，在哥伦比亚卡雷尼奥港和委内瑞拉帕埃斯港之间注入奥里诺科河。长1 046千米，大部分可通航。但并不是主要运输通道，因为该河流域人口稀少。

metabolism 新陈代谢 发生在生物活细胞中的所有生物化学反应过程，为生命过程提供能量，并为之合成新的生命物质。新陈代谢含合成代谢和分解代谢二个过程。前者利用能量将原料小分子合成为自身细胞的结构性或功能性大分子；后者通过降解食物大分子产生可供生命之需的能量。为了维持生命过程，每种生物都须从其周围环境中摄取可以被它直接利用的自由能，并终将回报给环境以等量的非生物性热能。说到底，生物能都是来自太阳能。绿色植物通过光合作用直接利用水、二氧化碳和氨等无机物合成为有机物。没有光合作用的生物则必须直接或间接地以光合生物为食物，从中获得各种营养物质（如蛋白质、脂肪和碳水化合物等），并以此为原料产生自身所需的生物能，合成自身的细胞结构和功能成分。这是利用太阳能的间接形式。

所有生物细胞代谢过程的能量都是来自特殊的供能化合物——三磷酸腺苷（ATP）。ATP的放能反应是其高能磷酸键的水解过程。从ATP水解到ADP（二磷酸腺苷），再水解到AMP（一磷酸腺苷）时，都伴有能量的释放，故合成代谢须和ATP的放能反应相配合。反之，在糖的有氧氧化、三羧循环中，从AMP到ADP再合成到ATP，就是能量储存过程。所有合成代谢和分解代谢中的细胞生化反应都是由酶催化进行的。生物体通过食物获得能量的第一步是消化。通过消化，食物大分子被分解成小分子物质。如蛋白质被降解为20几种氨基酸，脂肪降解为脂肪酸和甘油，碳水化合物被降解为单糖。这些小分子物质被机体的细胞吸收，开始它们的分解代谢过程。和产生能量有关的分解代谢的主要途径是糖的有氧氧化。可分为三个阶段：①糖经磷酸化后被氧化成丙酮酸；②丙酮酸进入线粒体，被氧化脱羧转化成乙酰辅酶A；③乙酰辅酶A进入三羧循环被彻底氧化。三羧循环是H.克雷布斯在1937年首先阐明的。三羧循环以乙酰辅酶A和草酰乙酸缩合成有三个羧基的6碳柠檬酸开始（三羧循环也因此而得名）；柠檬酸脱羧成为5碳的α-酮戊二酸；再脱羧成4碳琥珀酸；再经两次脱氢反应又形成草酰乙酸。完成一个三羧循环共释放出二分子二氧化碳、四对氢原子（后与氧化合为水）以及伴随脱氢而产生的36～38克分子的ATP。ATP合成过程需氧，故名氧化磷酸化作用。酵母等微生物并不通过有氧氧化和氧化磷酸化作用生成ATP，而是通过无氧酵解产生能量。酵母菌使糖生醇发酵的最终产物是乙醇；而在供氧不足情况下，人类和动物肌肉组织无氧酵解的最终产物是乳酸。但二者的基本过程是一样的。酵解是在无氧条件下进行的，只产生2克分子ATP。从理论上讲，三羧循环的所有中间产物都可以循环使用而不消耗。但实际上，其中的某些循环成分还参与其他生命结构物质的合成代谢，如乙酰辅酶A，就是为合成代谢和分解代谢所共有。不过，它们都有各自的更新途径，不会在一条路上乱挤。

整个代谢过程都是在酶的作用下进行的。主要的调节方式是所谓别位调节（变构调节），这是指某些物质能与酶分子的非催化部位相互作用，使酶蛋白分子的构象发生改变，从而改变了酶的活性。能够受到这种调节作用的酶称为别位酶，能使酶蛋白分子发生变构作用的物质称为变构剂。变构剂可以是ATP、AMP、ADP或多种代谢的中间产物或终产物。从变构剂的种类可以看出：别位调节是一种生物反馈性调节，即当某种代谢终产物（或中间产物）的量多了或是少了，机体就会以别位调节的方式反馈地抑制或激活那些作用于起始反应的酶，以达到代谢平衡。

人们可以通过多种途径了解机体的代谢情况。各种疾病或精神紧张可致代谢失衡，造成某些代谢产物的尿、血浆含量异常升高，人们可经化验查知。放射性同位素技术常用来示踪某种物质的代谢过程。具体方法是令受试者吃下含有放射性同位素的食物，然后用监视器示踪同位素（连同所查物质）的体内经过，直到排空为止。用这种技术人们才真正澄清了一些重要的代谢过程，如肝细胞蛋白每五天更新一遍，而肌肉和脑组织的蛋白更新周期就要长得多。人们还用基因技术除去编码某种酶蛋白的基因片段，以培育出任意一种酶缺乏的突变型实验动物模型，用以研究该种酶作用物的生物活性。代谢性疾病的病因类型多种多样，主要有各种营养物质缺乏（如维生素、蛋白质等）、各种内分泌疾

病、各种肝病、肾脏疾病和遗传性疾病等等。

metacarpal 掌骨 陆生脊椎动物前肢腕骨和指骨间的多块管状骨，相当于足的蹠骨。在进化的早期掌骨为5块，进化过程中许多哺乳动物的掌骨已发生较大改变，数目有所减少。例如马的下腿只有一块粗壮的掌骨，蹄的后方和上方的两块赘骨都是退化的掌骨，而其余两块掌骨已消失不见。人的5块掌骨在手背成平面，在掌面弯曲，形成纵向的弓状，以容纳掌部肌肉、腱和神经。掌骨还形成横向弓，这种安排使各指指尖能与拇指尖对拢。

metacentre 稳心 造船学的基本概念，指浮体上一个理论的点：假想有一垂线通过浮心，它与另一条假想的通过新的浮心（浮体倾斜时，即使只是微倾，都会产生新的浮心）的垂线相交的交点，即为稳心。漂浮物体的浮心即为其所排开的水的有效中心。不管船怎样倾斜，稳心总保持在浮心的正上方。当船静止平浮时，浮心应在重心正下方，也在稳心的下方。当船倾斜时，一侧排开的水多于另一侧，浮心移动，不再位于重心的正下方，但不管倾斜量多大，浮心总是位在稳心的正下方。若稳心在重心之上，当船倾斜时，浮力就使船恢复稳定。稳心与重心之间的距离称为稳心高度；稳心高度愈大，稳定性愈好。如果稳心在重心之下，船就不稳定，一有倾斜便将导致倾覆。

metachromatic leukodystrophy 异染性脑白质营养不良 罕见的遗传性代谢性疾病。由于缺乏一种重要的酶——脑苷脂硫酸酯酶（芳香基硫酸酯酶A），结果神经鞘脂类在神经组织中堆积而不分解，脑白质内出现髓鞘脱失，引起精神障碍、精神颓废、感觉及运动功能障碍。本病至少可分为两种类型：①婴儿型，较常见，患儿初生时发育正常，2岁后出现进行性的行为障碍、精神颓废及失明，数年后死亡。②成人型，主要特征为精神症状，包括痴呆。或认为有第三型——少年型，症状似婴儿型，但发病较晚，病程较长。

metacinnabar 黑辰砂 一种汞的硫化物矿物，化学成分与辰砂（HgS）相同。典型的标本采自意大利、罗马尼亚和美国加利福尼亚。是硫化物矿物中一种具有等轴晶系的闪锌矿族矿物，当加热到400～550℃时，可变成辰砂，后者是硫化汞更稳定的形式。详细物理性质，参阅 **sulfide mineral**（表）。

Metacom 米塔科姆（约1638，马萨诸塞～1676-08-12，罗得岛） 又称菲利普王或菲利普（波卡诺克特的）。美洲万帕诺亚格印第安人的酋长，曾领导新英格兰历史上最残酷的印第安人战争即菲利普王之战。马萨索伊特的次子。在父兄去世后，于1662年成为部族首领，他感到日益难以与白人和平相处，1675年6月殖民当局杀害3名万帕诺亚格族战士，引起印第安人的暴力斗争。在纳拉甘塞特、阿布纳基、尼普穆克和莫霍克等部族的联合支援下，万帕诺亚格族起初取得胜利。但经过一年鏖战，双方的生命财产都受到相当损失，印第安人的联盟开始解体，粮食也越来越短缺。米塔科姆见到大势已去，就回到自己的故乡。后死于战场，在普利茅斯被悬首级示众达25年。

metaethics 元伦理学 伦理学的一个分支。它通过分析道德语言的逻辑方面和语义方面的问题，来确定道德概念和道德判断的性质。分析哲学家（亦称为语言哲学家）区分一阶语言和二阶语言；所有的人用一阶语言互相交谈，哲学家们试图用二阶语言理解、分析和阐明一阶交谈的性质和意义。元伦理学作为二阶工作的一个用语，表明了道德哲学家的根本任务就是：对于是和非、义务和禁止、善和恶这类道德语词的意义进行逻辑的分析；对于出现这类语词的陈述语之相互作用进行逻辑的分析；对于用以支持这些陈述的理由或道德推理的性质进行逻辑的分析。分析派哲学家一致认为伦理学学说的基本问题是元伦理学的，有些分析派哲学家甚至断言这类问题是唯一适合于道德哲学家研究的，而规范性的问题则可由一切人以道德家的地位来研究。因此，道德哲学家的地位类似科学哲学家的地位；科学哲学家考虑的只是科学陈述的逻辑，对哪些是真和哪些是假的问题则保持中立。不过，元伦理学是否能对道德语言成功地进行中立的分析，甚至分析派哲学家自己也很怀疑，例如W.K.弗兰肯纳。他们认为关于道德语言的预先假定，其本身是规范性的，它们是分析工作的基础，决定分析的理论结果。元伦理学的几种主要理论是自然主义、非自然主义（亦称直觉主义）和非认识主义。自然主义者有R.B.佩里、S.C.佩珀、W.T.斯塔斯、R.B.布兰特、G.J.沃诺克等人；非自然主义者有G.E.穆尔、H.A.普里查德、W.D.罗斯、A.C.尤因等人；他们都同意道德语言是认知的，也就是说可以知道道德要求是对的还是错的。可是如何进行这种了解，他们的看法是不一致的。自然主义者认为既可从只使用非道德语词的陈述进行推理，来证明道德要求合理，也可用非道德语词（即自然的或与事实相似的语词）来解释道德语词。直觉主义者（即非自然主义者）反对这两种看法，认为道德语词是自成一类的，而道德陈述则在逻辑上具有独立自主的地位。A.J.艾尔、C.史蒂文森、R.M.黑尔等非认识主义者认为道德语词并非认知的，而只是赞成或反对的感情表现，或者是对于行动的指示或禁止。

metagenesis 参阅 **alternation of generations** 世代交替。

metal 金属 具有高电导率、高热导率以及可塑性、延展性和高反光性的物质。所有已知的化学元素中有近3/4的是金属。地壳中丰度最高的金属是铝、铁、钙、钠、钾和镁。绝大多数金属都存在于矿石（含矿物的物质）中，但也有少数几种金属，如铜、金、铂和银等，由于难与其他元素发生作用，常以游离状态存在。

金属通常是晶状固体，在大多数情况下，它们具有比较简单的以原子的密堆积和高度对称性为特色的晶体结构。有代表性的是金属原子的最外层电子数小于将其外层全部补足的全部电子数目之半。由于这一特性，金属间不能形成化合物，但它们却很容易与非金属（如氧和硫）化合。这些非金属原子的价电子数一般都大于将金属外层电子都补足的全部电子数目之半。金属的化学活性有很大的差异，活性最高的有锂、钾和镭，而活性低的有金、银、钯和铂。简单金属（周期表中的非过渡金属）的高电导率和高热导率可用自由电子理论很好地解说。根据这一理论，这些金属中的单个原子丢失价电子给整个固体，而且这些能引起电导率增高的自由电子成群地在固体中移动。在较复杂的金属（即过渡元素）中，可用能带论（**band theory**）来较好地解释电导率，它不仅考虑到自由电子的存在，还考虑到它们与d电子的相互作用。金属的机械性能，如硬度、抗反复受力的能力（疲劳强度）、延展性和可塑性，常取决于它们的晶体结构中的损伤或缺陷。例如，在金属的密堆积结构中如缺少一层原子，可使金属发生塑性变形和避免脆裂。

metal carbonyl 金属羰基化合物 镍、钴或铁等重金属被羰基（CO）包围而组成的配位化合物或络合物。常见金属羰基化合物有：四羰基镍[$Ni(CO)_4$]、五羰基铁[$Fe(CO)_5$]和八羰基二钴[$Co_2(CO)_8$]。通常，金属羰基化合物是由一氧化碳与粉碎的金属直接作用制得。它们用于超纯金属的制备和用作有机合成的催化剂。每个分子含一个金属原子的金属羰基化合物（单核羰基化合物），大多具有和稀有气体元素极为相似的电子结构。例如，四羰基镍中在镍核周围有36个电子（28个来自镍原子、8个来自4个羰基）。这个数值称为有效原子序数（EAN），也是稀有气体元素氪的总电子数。

metal cut 金属镌刻 在金属（通常为铅或铅合金）上的镌刻，或指用这种版印出的东西。最早金属镌刻的例子是15世纪的点刻法，以点构成图案。英国诗人和美术家W.布莱克（1757～1827）曾经做过金属雕刻试验，然而此技法最主要的代表者是墨西哥的铜版画家何塞·瓜达路浦·波萨达（1852～1913）。

何塞·瓜达路浦·波萨达的金属镌刻画，1913年
美国不列颠百科全书公司供图

由于金属镌刻的印刷品与木刻版画往往不差分毫，许多木版画家转而用铅合金镌刻，以代替木版。

metal fatigue　金属疲劳　机器、运载工具或结构中的金属部件由于反复施加应力或载荷而引起的强度削弱状态，最后在远小于一次加载直至断裂所需的应力下即可导致断裂。虽然金属疲劳一词早在19世纪就已出现，而且从19世纪至20世纪上半叶人们曾对这种现象进行大量的观察，但直到1954年英国彗星式喷气客机压力舱发生了惊人事故后，金属疲劳才引起工程界的广泛重视。20世纪70年代，仍有许多有关金属疲劳的问题尚待研究，但已证明经验方法对于克服金属疲劳是有效的。已研制出抗疲劳的金属，并通过表面处理再提高其性能。在飞机和其他装置中，从设计上避免应力集中可显著地降低疲劳应力。也采用大尺度原型试验和新的试验方法(包括金相显微镜)来研究金属疲劳现象。

metal point　金属尖笔　一种上承古希腊、罗马时代的铁笔，下启现代的铅笔，可在纸或羊皮纸上绘制精确构图的带尖的小金属棒。可以是铅、银、铜或金制，而通常是银制，

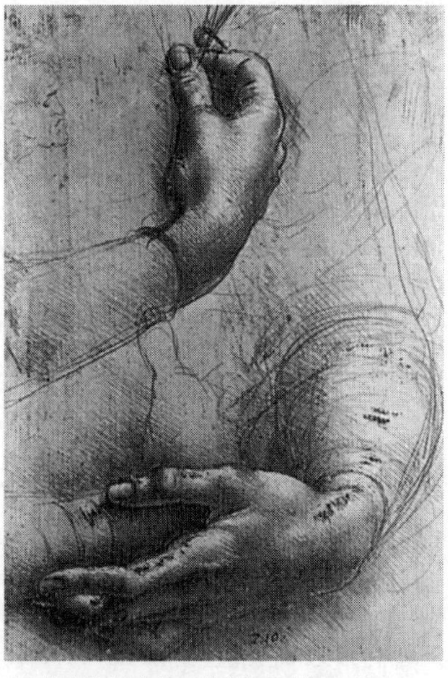

达·芬奇的银尖笔画《手的研究》
美国不列颠百科全书公司供图

因为银尖笔迹留在纸上难以擦去，宜于长期保存。银尖笔的线条醒目、清晰度高，对细微图画家很有价值。由于15世纪佛兰德斯画家凡·爱克兄弟、R.van der 韦登和 H.梅姆灵等人用来作画时得心应手，而十分流行。德国画家 A.丢勒使用银尖笔绘制其《自画像》(1484；维也纳阿尔贝蒂纳)，效果显著。银尖笔在17世纪中一度废弃，以后又为18世纪的细微图画家所采用，因而再度得以流行，现代画家仍偶有使用银尖笔的。

metalanguage　元语言　在语义学和哲学中，对于对象语言进行分析时所使用的语言。对象语言就是用于谈论世界诸对象的一种语言。所以，一种元语言可以被看成是关于另一种语言的语言。像德国出生的逻辑实证主义者 R.卡纳普和波兰出生的数学家 A.塔尔斯基这些哲学家们都认为，哲学问题和哲学命题只有根据一种句法规则结构而加以考察时才能解决。语义学的逻辑只决定命题之真实性而不决定命题本身之非传统的或现行的意义。卡纳普认为，运用一种元语言中符号标志，坚持逻辑规则，就可能避免形而上学的判断，在他的体系之中，这些形而上学的判断都是由于不正确的定义造成的。

metalation　金属化作用　将金属原子引入有机分子中形成有机金属化合物的化学过程，但更一般的情况是氢和金属之间的交换过程。例如苯(C_6H_6)的金属化即由乙基钠(C_2H_5Na)与苯反应生成苯基钠(C_6H_5Na)和乙烷(C_2H_6)。氢-金属交换法的金属化作用是从化合物中除去氢原子(以氢离子H^+形式)的非常有效的方法，该反应在研究像烃一类极弱的酸的相对酸性时特别有用。

Metallgesellschaft AG　五金公司　德国的工业公司，经营矿冶，工厂设备的设计和制造，化工制造，金融，保险，运输等业务。1881年由 W.默顿设立。通过一系列兼并、收购、扩张已成为德国和欧洲最大工业企业之一。主要加工锌和铜。在美国有五金、化工子公司；在意大利、奥地利、法国、瑞士、加拿大的一些公司中占有股权。它本身的股本为其他企业所占有。总部在美因河畔法兰克福。

metallic bond　金属键　使金属物质中的原子维系在一起的力。这种固体是由紧密堆积的原子组成的。在大多数情况下，每个金属原子的最外电子层与大量的邻近原子相重叠。结果，价电子不断地从一个原子运动到另一个原子，而不与任何特定的一对原子相结合。简言之，与共价键物质中的价电子不同，金属中的价电子是不定位的，能相对自由地在整个晶体中游动。电子离开了的原子成为正离子，而在这种离子和价电子之间的相互作用，产生了使金属晶体维系在一起的结合力。金属的许多特性都可归因于价电子的不定位特性或自由电子特性，如金属的高电导率。价电子在外加电场作用下可以移走，而不需任何热激化，即无需像共价晶体那样必须把电子加热到导带。存在于可移动的价电子及金属离子间结合力的无方向性是大多数金属具有延展性的原因。金属在定型和拉伸时并不碎裂，这是因为金属晶体结构平面中的离子相互间相当容易移动的缘故。而且，不定位的价电子在相同电荷的离子之间还起着缓冲剂的作用，从而防止它们相遇和产生可使晶体碎裂的强排斥力。

metallic fibre　金属纤维　纺织中一般指用金属抽成的纤维、涂金属的塑料纤维或涂金属(通常为铝)的合成纤维。薄膜型金属纤维先做成金属箔，涂上素色或彩色塑料薄膜，然后切成细条。镀金属纤维由金属喷涂的聚酯薄膜夹在未经喷涂的薄膜之间制成，薄膜中可加入颜料。金属纤维重量轻、不变色。用聚酯薄膜做成的金属纤维强度最高，伸长能力和回弹性能好。金属纤维一般能经受洗涤，熨烫温度低，能用普通洗涤剂干洗，不受虫蛀和霉菌侵蚀。常与其他纤维配合制作镶边和彩带等装饰品，也可制成针织物、晚礼服、游泳衣、领带、窗帘、沙发布、台布，工业中用作汽车装饰布、收音机及电视机罩布和剧院幕布等。

metallic wood-boring beetle　吉丁虫　又作 jewel beetle。又称首饰甲虫。鞘翅目吉丁虫科昆虫，是色泽最鲜艳的昆虫之一，约15 000种。大部分广布于热带区。窄长而扁，腹部

一种窄吉丁属(*Agrilus*)吉丁虫
美国不列颠百科全书公司供图

后端渐尖。有的种类的鞘翅呈蓝色、铜绿色或黑色，有金属光泽，有时用于首饰。有的种类体上的艳丽色泽被色泽暗淡的鞘翅遮住，只在飞行时或从腹面才能看到。掠食者追逐带金属色泽的飞行的甲虫时，当猎物落在枝上，仅露出暗淡的深色的鞘翅时会辨认不出来。幼虫在树干内穿孔道。接眼吉丁属(*Chrysobothris*)危害树和灌木，常对果树造成大害。窄吉丁属(*Agrilus*)形成虫瘿，幼虫在其中生活。小而扁的叶吉丁属(*Brachys*)在叶内穿孔道。幼虫白色，无足，似蝌蚪；头扁，向一侧扩展，身体其余部分窄而呈圆柱形。

metallogenic province　成矿区　又称成矿省。主要是一种矿床或一类矿床产出量比较高的地理区域。其成因不明，但设想这种地区下面的岩浆的某些矿物含量可能较他处更丰富。北美洲成矿区的实例有：①加拿大地盾上延伸达3 200千米的金矿区，加拿大所有大的金矿均位于该区内；②密西西比河谷铅锌矿区，世界上最大的铅锌产地；③美国西南部以及墨西哥与之邻近的一些部分的铜矿区，在一个时期内世界上约有1/3的铜产自该区；④在墨西哥中北部的巨大银铅矿区，拥有广泛分布的富含银的铅锌矿石。南美洲有从智利向北延伸到秘鲁的铜矿区，世界上的铜有很大一部分是由这里提供的。欧洲的一些成矿区比南、北美洲的都小，而且界限不那么清楚；德国的几个铅矿区、英国的锡矿区以及斯堪的纳维亚的镍矿区都是很好的实例。非洲有好几个突出的成矿区：①威特沃特斯兰德(南非)和奥兰治自由邦(南非)的一些金矿区；②赞比亚和沙巴(以前的加丹加)的一

些铜矿区。亚洲的成矿区有:①西伯利亚地盾的金矿区;②乌拉尔的铂矿区;③格鲁吉亚的锰矿区;④马来亚的锡矿区;⑤中国的钨矿区。澳大利亚维多利亚州和新南威尔士州有一些规模很大的金矿区和新南威尔士州布罗肯希尔有银铅锌矿成矿区以外,其他地区大都形不成明显的成矿区。

metallography 金相学 研究金属与合金组织结构的学科,特别指采用显微镜(光学和电子显微镜)和X射线衍射技术进行的这类研究。用肉眼或小于10倍的放大镜、金相显微镜或双筒显微镜检查金属表面和断口,可获得有关结晶的、化学的和力学的不均匀性的重要资料。结晶不均匀性在金相学中称晶粒;化学不均匀性是由杂质、化学元素偏析和非金属夹杂物引起的;力学不均匀性包括由于冷加工过程造成的组织局部形变、非金属夹杂物和化学偏析区的伸长或歪扭。用显微镜在放大100～1 500倍范围内检查经过抛光或蚀刻的表面,可显示诸如晶粒的尺寸和形状、组成相和非金属夹杂物的分布、显微偏析以及其他关于组织的情况。金相蚀刻是将抛光表面置于腐蚀性试剂中,通过有控制地选择溶解,显示出金属的结构,或由表及里地毁坏金属。产生这种连续性破坏是由于各组织的组元对腐蚀剂的侵蚀有不同的溶解速率。偏振光适用于显示晶粒组织、测定择优取向、鉴别不同成分的相、检验表面氧化膜等。在电子显微镜中,射在试样上的不是光束,而是电子束。只有高能量的电子束才能穿透厚度大于0.05微米的金属膜,通常都另制备一个显微镜试样的表面复型来进行观察。制备复型是将塑料溶液倾于试样的蚀刻表面,溶液凝结后在与试样表面接触的一面形成表面形状的负像。现在用能量为10万电子伏以上的透射电子显微镜,已有可能详尽地观察到金属薄膜的内部组织。X射线衍射技术包括一束X射线撞击在金属样品上和随后射线束从规则排列的原子平面衍射,通常衍射的射线被记录在照相底板上。这一技术被用来研究涉及原子本身组合的一些现象,通过测量衍射图样上的线条或斑点,或分析反射射线的强度,可得到关于样品中原子位置的信息,从而了解各种相的晶体学、有无内应变和固溶体中溶质原子的存在。

metalloid 准金属 性质介于典型金属和非金属之间的化学元素。通常认为属于这类的化学元素有硼、硅、锗、砷、锑和碲。有时也把稀有元素钋和砹包括在内。这类元素大部分是重要的工业材料,用于制造晶体管及其他半导体器件、陶瓷制品、太阳能电池和某些聚合物。准金属通常是脆而稍具光泽的固体。在室温下表现为电绝缘体,当受热或有少量某种元素加进其晶体结构的晶格中时,则变得和金属类似,成为电的导体。准金属的电子结构介于典型金属(外电子层几乎是空的)和非金属(外电子层几乎充满)之间,因而它们具有足够多的空电子轨道,从而能让电子向这些空的轨道移动而导电。准金属的化学性质介于电正性原子和电负性原子之间。

metallophone 金属击鸣乐器 指任何由一套金属条组成的敲击乐器。例如印度尼西亚佳美兰乐队中的"萨隆琴"和"根德尔琴",西方的钟琴、颤音琴和钢片琴(有一键盘)。中国在7世纪已有这类乐器。约于17世纪下半叶从印度尼西亚传到北欧,在那里起初仅作练习乐器使用,到18世纪成为演奏乐器。

metallurgy 冶金学 从矿石中提取金属并加工到适于应用的技术和科学。一般而言,冶金学涉及的是商业性的应用,与实验室使用的方法不同。后者还包括金属的化学、物理和核性能以及金属组成合金的原理。冶金生产可追溯到公元前4000年左右。铜是最早从矿石中提炼出的金属,中东很多地方有过铜矿,开采出的金属用于制造武器和其他用具。公元前4000～前1400年间,出现了比自然铜坚硬的铜锡合金——青铜。公元前3000年中东开始使用铁,到公元前1200年,铁在中东和西南欧获得普遍使用并逐步传入亚洲。公元前1600～前600年间,作为铜和锌合金的黄铜获得了发展,古罗马人用它来制作首饰、盔甲并将它用作货币。公元前500年左右成功地开采出银,后来又从银矿中回收铅。作为最早开采金属之一的金用于和银生成合金以制取琥珀金。在公元前500～公元500年间,印度首先开始以较大规模生产钢。虽然古罗马人在冶金方面的发明不多,但对现有的采矿和铸造技术做出了贡献并发现了金属的多种新的用途。16世纪V.比林古乔和G.阿格里科拉把当时已有的大部分冶金知识写成了书,使冶金原理首次广为传播。

从原矿中提取金属要经过两个阶段——选矿和冶金。在第一阶段,对矿石逐步进行破碎,把原矿中有用的金属元素分离出来。最常用的从矿石中提取矿物的方法为破碎和磨碎,随后再对矿石进行挑选,或手选(此时矿石必须至少具有肉眼可以区别的特征),或用更先进的方法进行,如重选、浮选、电选或磁选或其他专用的方法。第二阶段为冶金过程,它包括把从矿石中分离出来的矿物冶炼成金属、合金并使之适合专门用途的若干步骤。普遍应用的3种方法为火法冶金、电冶金和湿法冶金。所得产品还可采用附加的冶金技术如蒸馏来进一步提纯。火法冶金通常是在炉子内用高温加热矿石。在大部分情况下,火既起化学作用,也起物理作用。火可烧掉矿石中的某些成分,或使矿石脱氧而还原。在电冶金中,对矿石进行电解以提取并提纯金属。在湿法冶金中,用酸或盐溶液从矿石中提取金属,再用某些合适的试剂使溶液中的金属沉淀。能把金属提炼成纯产品的方法不多。一般而言,所获得的金属多多少少是不纯的,需对它们进一步精炼,才能达到商业、工业或研究目的。

金属的加工方法主要有6种:机械加工(冷加工和热加工)、铸造、表面处理、粉末冶金、核冶金和热处理。在冷加工中,金属得到硬化,发生结构变化而不是化学变化。在热加工中,金属因加热而软化,这一过程使金属的结晶度发生变化,以便接着进行精炼。金属可进行锻造或通过轧制或拉拔来成型。铸造是在铸模内浇铸金属,使每件产品具有均匀的尺寸和形状,铁、钢和有色金属均可用铸模进行浇铸。表面处理法包括对金属表层进行热浸、电镀和渗碳等,进行表面处理的目的是产生一层对基材起保护作用的表层或者改变金属表面的特性。粉末冶金是把要加工的金属粉末放进模子压成一定的形状并随后进行烧结(通过加热来进行扩散黏结),使之形成整体并增加强度,金属粉末可用机械法或化学法来制取。核冶金涉及为核能工程生产高度专用的金属,尤其涉及裂变物质的隔离。在热处理中,对金属进行加热以产生或改进某些所需的性质,如硬度和延展性等。

金相对冶金学十分重要。这是一门用显微镜和X射线设备研究金属成分和结构的科学。

metalmark 蚬蝶 鳞翅目蚬蝶科昆虫。主要分布于南美洲。形小。特征为翅上有金属色斑纹,故得其英文名。许多蚬蝶模拟其他蝶类的形态,颜色和翅形多种多样,故不易辨认。雄体的前足多退化,雌体的前足则正常。幼虫宽扁,一般被毛;食千里光及蓟类植物。

metalogic 元逻辑 关于形式语言和形式系统与语义学和句法学之间各种关系的研究与分析的一门学科。语义学涉及表述同意义之间的关系;句法学则探讨诸表述方式之间的关系。因之,元逻辑就包括数学和逻辑两种学科,其范围是就其形式以及就其自实际应用中所得出的抽象概念加以阐述。

元逻辑发展的主要早期推动力是19世纪不同的几何学的出现和随之而出现的把理论数学与空间直觉加以区分的那种愿望。希尔伯特在其《几何基础》(1899)一书中,就曾把欧几里得的几何学组成一种更为严密的公理系统,结果发现许多未知的公理,并开辟了一条途径,以使相互关联的研究把数学和逻辑学其他领域予以公理化。由于这种求得透彻及详尽解释的愿望的支配,学者们开始把更多的注意力放在语言和系统之形式上的句法特征方面,而不仅仅注意它们的直觉意义。使用谓语演算方法来确定各种关系,进一步推动了公理数学、符号学和逻辑学向元逻辑这个领域集中。

元逻辑的某些方面,使得研究者试图把自然科学和行为科学发展为一种元逻辑形式的想法成为可能。卡纳普及其他逻辑实证论的阐释者,根据维特根斯坦的早期著作,力求把自然科学和行为科学分解成形式语言,这些语言则以逻辑上合理的句式同普遍的逻辑范畴(即适合于全部可能情况的诸句型)相结合,也同更为有限范畴之内的事实上的真正句式相结合。他们这种尝试的成果之一,将是对"意义"这个问题的一种形式上的解决方式。这些期望的破灭,便导致研究者缩小元逻辑的探讨范围。大量数学性的研究工作,一直在公理集合论、模态论及递归论等方面进行着。

晚近以来,元逻辑的一些中心问题是以公理为基础的一种形式系统之完整性与相容性等方面的问题。对于这些问题的理解,哥德尔曾有两项重要贡献。1931年,他提出,任何一个形式系统，只要它的复杂程度足以生成一种初等算术的话，那么，这个系统就不可能证明其本身的相容性，也就是说，那种能在本系统内进行形式化的系统，就不存在它的相容性证明。后来在1934年，他又提出递归函数的概念，亦即可由一纯组合式的有限级数机械地运算的那种函数的概念；这个概念，再由丘奇、图灵和波斯特等人进一步详细论述，于是就发展起了递归论。运用这一理论，人们可以证明，诸问题中的某些种类有的能够机械地予以解决，有的便不能，同时，逻辑学家们也可根据这个理论最终得出一个界说清楚的形式公理系统的概念以及界说清楚的可确定性之诸概念。

1936年，丘奇又发展了哥德尔的研究成果，提出凡是令人感到兴趣的诸形式系统，既无法对诸定理方面予以确定，也无法对真正的句式予以确定。这个不完全性定理表明，应用定理的系统之真实性是不可确定的，因为如果这些定理的真实性都可确定时，则所有的真正句式会形成一个递归组而被视为一个形式系统中的诸公理，那将是不证自明的。或者再从另一角度加以探讨，可知由于某一系统的语言之真实性本身不可能在本系统中表示出来(即可以予以界说)，那么，如果全部递归或运算的功能与关系都能在本系统中得到表示时，则此语言之真实性本身就不可能是递归性的(即可以确定的)。由此得出，一个相容性系统，在有关诸定理方面同样是不可确定的。

尽管令人感兴趣的诸形式系统是不完全的和不可确定的这点已经得到证实，但普雷斯布格尔和斯科莱姆两人都在1930年证明了算术只有在加法和乘法这两方面才是可以确定的。塔斯基则在1951年为初级几何学和初级代数学求出了一项判断程序。关于相容性诸证明的研究方面，根岑在1936年发表的著作中，就已开创了一个探究古典数论的广阔领域，其中有大量课题需待解决。哥德尔在1958年把他在古典数论的论述拓展到直觉论，并就原始递归泛函数而言，获得了有关古典数论中诸句式的一些结构性解释。晚近期间论述相容性诸证明的著作，已把研讨范围扩展到上述诸学者的论述之外，并设法给康托尔第二数集作出结构性的符号表述形式。相容性诸证明已引起很多讨论，主要是涉及它们在认识论方面的一些含义。

在形式逻辑的研究中，元逻辑涉及完全性和相容性的论述产生了重要的成果，如：命题演算中由于每一个合理句式都是一条定理，就可说明命题演算是完全的。又如：相容性可根据其诸公理的合理性而论证这些公理在全部可能出现的场合都是真实的，同时，由于推论的规则是由合理句式出发而达于合理句式，也可说明这些公理的真实性。因为所有合理句式，而且也只有合理句式，才能成为定理，所以说，演算是可以确定的。对于第一级谓语演算来说，这可证明演算是相容的而其所有定理都是合理的。更为重要的是，这种演算被证明是完全的然而却是不可确定的。前一种情况由哥德尔在1930年进行了论证，后一种情况由丘奇和图灵于1936年应用截然不同的方法予以论证。

元逻辑的另一重要领域是模态论，研究形式逻辑框架中定形化诸理论的解释问题。例如模态论曾得出证明，表示凡是涉及无穷模态的理论，没有一条是直言判断的；或者说，理论中的任何两种模态都是同构的，无论模态是由无穷基数组成或由任何不可数的基数集组成，都是如此。模态论使得林斯特罗姆于1969年大体上构成其论点，用以说明在无数可能的逻辑推理之中，只有初级逻辑才能满足罗文海姆-斯科莱姆定理之可公理化性的各种条件。模态论衍生出第二级逻辑的模态以及诸无穷逻辑的模态，同时又借助于其有关超级过滤器、超级产品和超级动力等方面的概念，被用来发展一个精确的理论基础，以阐明运用诸无穷小的古典微分学之精蕴。

metalwork　金属制品　用金属(铜、青铜、黄铜、金、银、铁、铅等)加工制成的用品和装饰品。最早人类用地面上的天然材料石、木、骨制造器物，后来学会从地下开采金属，并锻制成用具、首饰、武器和祭祀器皿。金属通过各种技术加工成器具或装饰品，主要的成形技术为锻和铸。锻是最古老的技术，金属经锤锻后铆接或钉在实芯上。约公元前2500年以后，人类同时使用锻和铸两种方法。铸是将熔融的金属注入铸模中冷却，所用铸模的种类不同，浇铸的方法也不同。失蜡法在耐热铸模内嵌入蜡制模型，炽热的熔融金属将蜡熔化后注满原蜡制模型的空间，金属凝固后打碎外面的铸模，因此铸模只能用一次。在其他方法中，使用木制或石膏铸模，可多次浇铸。装饰技术包括锻打、模压、錾花、雕刻、镶嵌，上珐琅和镀金等。乌银镶嵌是将熔融的硫化银嵌入已经刻有装饰花纹的硬金属表面的一种装饰方法。每一种装饰加工都有其特殊的技术，要求工匠具有熟练的技巧。

古代已有金、银制品，特别是用作装饰品的首饰。银制实用器具在古代已很普遍，现在仍然重要。希腊、波斯和罗马是制作金、银器的中心，从拜占廷时代即开始为基督教堂制作贵重的金、银制品，许多还有珠宝、镀金、珐琅等豪华的装饰。12世纪，金匠和银匠组成受王室、贵族和富商保护的行会，中世纪末英国实行检验银器纯度的质量认证。16世纪，在佛兰德(今在比利时和法国北部)和德国制造出精美的金器；17世纪以后英国制造的大部分银制餐具现仍保存完好，并以其高雅、质朴受到称赞。哥伦布到达前的美洲的金、银器质量很高。在现在的哥伦比亚、中美洲和墨西哥用失蜡法铸造成空心首饰，并用金、银箔装饰光彩夺目、精美绝伦的祭祀用器皿。在美国西南部，印第安人，特别是祖尼人和纳瓦霍人制作的银器独具特色。

铜是第一种经人类锻制的非贵重金属，不久便出现了铜锡合金和铜锌合金等，使铜更坚硬耐磨并便于制作。铜的制作方法与金、银相似，铜比较柔软，富有韧性，常饰以珐琅。古代埃及人制造了许多铜器，如铜镜和铜壶；17～18世纪欧洲广泛使用铜制家庭器具；18世纪中叶开始用铜作设菲尔德盘的主要成分，这是一种用银包在铜上的金属盘。铜锡合金称为青铜，铜锌合金称为黄铜，都可制作多种器具，只有青铜通过浇铸成型。古希腊制作了精美的青铜瓶和青铜像。青铜还是希腊大型雕塑的最重要的材料，在小型器件如甲胄和花瓶上面还锻制成美观的装饰花纹。大部分重要的青铜器如钟、烛台和枝形吊灯等是中世纪以来为基督教会铸造的。文艺复兴时期最重要的青铜器中有15世纪L.吉贝尔蒂制造的佛罗伦萨大教堂洗礼堂的青铜门。13～16世纪英国用黄铜制作墓碑，许多现在还立在教堂墓地上。17、18世纪法国的家具匠人用镀金黄铜作底座。中国使用黄铜约有3 700年的历史，早期大部分为祭祀用具，其中有些质量很高，可与雕塑品媲美。白镴是锡和铜或铅的合金，纯锡太脆，不易熔化，不适于铸造。白镴不宜冲压或雕刻，因此用铸模浇铸成形式和装饰都比较简单实用的器具。约公元1500年，在西里西亚制造了一批酒壶，据认为是最精致的白镴器皿。整个17、18世纪还流行用白镴制造茶盘和大酒杯，但自18世纪中期逐渐被价格低廉的陶器和瓷器所取代。生铁和熟铁长期以来用于制造建筑上的装饰物，熟铁既可锤锻，也可扭曲，16世纪以来用于制造铁门和铁轨。在中世纪和英国的都铎王朝时期，教堂的大门常使用装饰性铁制铰链，窗户常用熟铁栅栏保护。由于铅能防水，通常用来覆盖屋顶。古代铅被用作青铜和贵重金属的代用品铸造金属雕塑品。公园里和广场上的铅制雕像，不受风雨侵蚀，呈柔和的银白色，在17世纪后期很为流行。

metameric segmentation　参阅 **segmentation** 分节。

metamorphic rock　变质岩　由先存岩石变质所产生的岩石，这种变质是由于温度、压力和机械应力的变化，以及化学成分的加入和带出等环境条件的改变而引起的。先存岩石可以是火成岩、沉积岩或其他变质岩。

上述物理条件的相对影响决定了涉及到的变质作用的类型。变质作用过程有4个基本类别：①碎裂变质作用，应力与低压力作用；②接触变质作用，高温与低压作用；③区域变质作用，低至高温，一般配合着相应的压力；④交代变质作用，有溶液存在，温度压力变化幅度很宽。

任一给定的变质岩的构造和矿物成分，是特定类型的、产生这种岩石的变质作用的反映；变质岩的结构决定于晶粒间相互关系的变化。晶粒间关系变化是颗粒固态生长的结果，这是与液态结晶作用不同的。新晶体的形状可以是不规则的或规则的，其晶面取决于矿物类型和是否有应力存在。花岗变晶结构表示岩石颗粒无优势形态或无择优取向。择优取向是因为矿物以板状或长条状习性生长。这种特殊的结构是由片岩中的云母造成的。大多数云母的平行排列使岩石呈现层状结构或叶状结构。残余结构指那些从先存岩石继承下来的结构。常见的残余结构包括被新的稳定矿物过度生长保护不发生反应的先存矿物或代表沉积层的矿物层。褶皱或其他变形构造可以用于确定应力的方向。

接触变质作用所形成的变质岩，在分布

上是有限的，与火成侵入体密切伴生，无压力梯度，流体影响取决于侵入体的类型。由此而产生的典型岩石具角岩结构，颗粒为细粒等轴状。在普通的沉积岩中，矿物基本上随温度的变化顺序生成。这类矿物包括红柱石、堇青石、钙长石、透辉石、钙铝榴石和硅灰石。

因为区域变质作用影响面积很大，最常见的变质岩是这种作用产生的。典型岩石包括片岩和片麻岩（粗粒的、富含等轴状颗粒长石的岩石）。这种岩石粒度之粗和区域性的分布规模表明，这种变质作用是地槽沉降区特有的长期变质作用。沉积层序经常可以在很大距离内追索到，与变质作用相关的矿物成分变化也可在任何有限的成分范围内识别出。对于每一个成分来说，正如特殊类型的沉积岩或火成岩所代表的，矿物成分的变化可以在温度-压力图上表示为一个区域，在此区域中，一定矿物组合是稳定的。研究变质岩层序发现，除了矿物变化外，还存在几种结构型式或构造型式。在低级变质作用下产生板岩，是云母质的细粒岩石。板岩再变质成千枚岩或较粗粒的纹层状板岩，继而变成片岩。进一步变质导致挥发性物质消失，发生交代变质变化，产生片麻岩，随后产生麻粒岩（无云母但有辉石-长石-石榴子石的片层状岩石），最后产生混合岩，其中有部分熔融的证据存在。其他成分的岩石也显示平行的变化顺序。石英砂岩变成石英岩。随着压力和温度的变化，石灰岩变成含有一系列硅酸盐矿物的大理岩。基性火成岩变成绿片岩、角闪岩，最后变成榴辉岩。特征矿物的出现，提供了可作图表示的指示变质强度的特征。黑云母、石榴子石、十字石、蓝晶石或矽线石的首次出现以等变度表示。等变度是一定变质条件的标志。

metamorphism　变质作用　固体岩石为适应不同于其最初形成时的物理和化学条件所进行的矿物方面和构造方面的调整。各种地表条件如压实之类，以及极高温的作用如部分熔融之类所引起的变化，往往不包括在内。变质作用最重要的因素有温度、压力和应力。化学环境的变化同样也很重要，它们能引起两种变质作用：①机械错位，岩石变形，特别是由于应力差异而变形；②化学重结晶，一种矿物组合因温度和压力的改变而失去平衡，并形成新的矿物组合。

根据机械变化和化学变化的相对影响，变质作用可分为3类：①动力变质作用或碎裂作用，主要是机械变形所引起，很少有长期的温度变化。由这种调整所产生的结构，变化范围从棱角状粉碎的岩石碎块组成的角砾岩，到颗粒极细的粉末状岩石，并具有显著的叶理或线理。原先存在的粗大矿物颗粒可因应力造成变形。②接触变质作用，主要是由于温度升高的结果，而应力差异是次要的。常见的现象是靠近火成岩侵入体所产生的效应，那里有变化的矿物组合所代表的几个变质带，反映出从高温侵入体到低温围岩的温度梯度；这些带是相对于侵入体成同心状的。因为受影响的体积很小，压力几乎不变。所产生的岩石因缺少应力而具有等轴状的颗粒，又因变质过程短暂而往往是细粒的。③区域变质作用，由广大区域内温度和压力（往往互相关联）普遍升高造成。不同的矿物组合可代表变质作用程度或强度。这些矿物组合或者给出温度的相对值，或者对实验室的实验作出校准后给出温度的绝对值。根据观测到的矿物组合序列可以把区域变质作用分为不同的温压条件。

还可以有其他一些类型的变质作用。例如：①退化变质作用，矿物组合适应温度和压力下降；②交代作用，同原始组合相比，组分有所增加或减少；③复变质作用，多次变质事件的作用；④热液变质作用，在高温高压下有水参与的变质作用。这些条件都影响到所产生的矿物性质和反应速度。

metamorphosis　变态　在生物个体孵化或出生后形式和构造发生显著变化的现象。看来无种特异性的蜕皮激素和保育激素调节这些变化。这些身体变化不但包括生长和分化，而且生理、生物化学和行为也随之改变。由于幼体对环境的适应以及生活方式与成体不同，因此同种的幼体和成体在食物和生存空间上不发生直接的竞争。变态的例子如水生幼体期的蝌蚪会变为陆上生活的蛙。海星和其他棘皮动物则从两侧对称的幼体变态为辐射对称的成体。虾蟹等甲壳动物和螺蚌等软体动物的变态形式也是众所周知的。尾索类（如海鞘）的蝌蚪状幼体自由游泳，成体固着生活，并有些结构退化。昆虫的变态最为显著，研究得也最透彻。昆虫根据变态的类型可分为无变态、不完全变态和完全变态3大类。无变态发育的幼体形态与成体相同，只是大小逐渐增加，如衣鱼、弹尾虫和其他原始昆虫。不完全变态的生活周期包括卵、幼体、成虫3个阶段。如果幼虫与成虫在形态上比较相似，生活环境及生活方式一样，只是身体大小和各部比例、体色不同，性器官未成熟，翅还停留在翅芽阶段，则这种幼虫称为若虫，蜕皮数次变为成虫。完全变态的生活史包括卵、幼体（**larva**）、蛹（**pupa**）和成虫4个阶段。幼虫与成虫区别极大，无翅，其形状和习性适应于生长和发育，而不是适应于生殖。蛹期不吃不动，此时体外出现翅，幼虫的组织和器官进行剧烈的改造，变为成虫的结构。完全变态的昆虫如鳞翅目、鞘翅目和膜翅目。复变态是完全变态的一类，其特征是有一系列的幼虫期，见于某些甲虫、蝇类。

metanephros　后肾　爬行类、鸟类及哺乳类等陆生动物的永久性肾。人胚在10周时即由沃尔夫氏管的下部发育而成后肾，替代了中肾。后肾由包括许多肾单位的一对实体器官组成。由沃尔夫氏管分出输尿管，从后肾通至膀胱。

Metaphen（disinfectant）　**梅塔芬**　参阅**nitromersol** *硝甲酚汞*。

metaphor　隐喻　辞格之一。指两个不同的实体之间的比较，与用"像"、"仿佛"等词为标志进行明白比较的明喻不同。隐喻是诗歌的基本语言，虽然它通用于各个层次和一切语言中。许多词虽然现在已经是死的隐喻，它们原来的贴切性已经失去，可是它们本来是很生动的形象，例如，英文的daisy（day's eye）"雏菊"。还有些词，例如nightfall"黄昏"，是暂停活动或休眠状态的形象。除了一些单词外，日常用语中有大量的词组和成语也曾经是隐喻。"光阴似箭"就是古代一句隐喻性的成语。当有一位诗人说"时间之鸟只有一小段路程，拍打着翅膀，它正在鼓翼飞去"（欧玛尔·海亚姆《鲁拜集》），他是在更为古老更为常见的隐喻的基础上创造出一个新的隐喻。当T.威廉斯把他的剧作题名为《可爱的青春之鸟》时，他也涉及了飞逝的时间之鸟。隐喻的语言正像普通的语言一样，就是这样不断地在复杂的状态中发展着。在诗歌中，隐喻可以起不同的作用，它可以仅仅标示出一种相似性，也能够引起一系列的联想；它既可以作为作品的一种陪衬的美而存在，也可以是诗歌的中心概念和起支配作用的形象。混合的隐喻则是把两个或两个以上本无联系的因素结合起来，常常因作者对词语的实际意义没有察觉或错误地进行比较而产生意想不到的戏剧性的效果，但混合隐喻也可以用得非常有成效。

Metaphysical painting　形而上绘画　主要流行于1911～1920年间的意大利艺术家G.德·希里科、C.卡拉、G.莫兰迪作品的艺术风格。这些画家的再现性的、荒诞离奇的想象，

G.德·希里科的《形而上绘画大师》(1917)
美国不列颠百科全书公司供图

创造出怪异不安的视觉效果。将一些截然不同的事物并列处理在透视感深远的背景上，对20世纪20年代的超现实主义画家有强烈影响。形而上绘画由希里科首创。他年轻时在慕尼黑被19世纪德国浪漫派绘画所吸引，又对哲学家叔本华和尼采的著作发生浓厚兴趣。尼采对表面现象以外的秘密含义的探讨及其对意大利城市都灵那些被拱形建筑物所围绕的空荡荡的广场的描写，给希里科留下极其深刻的印象，其1915年画的《都灵的沉

寂》,就表达了这种印象:极不正常的强烈明暗对比使人对这一景象产生一种神秘的预感。画中的连拱廊好像在隐隐约约地移动,一座建筑物正门口的钟也是如此。希里科的许多画都给人以这种奇异的、令人生疑的形象。希里科有许多画也像一度热衷于未来主义的卡拉一样描写了人体模特儿,卡拉也受了希里科的影响。1917年,两位艺术家在费拉拉相遇,同希里科之弟诗人、音乐家兼知名画家阿尔伯托·萨维尼奥一起制订了形而上画派的纲领。

Metaphysical poet　玄学派诗人　指英国17世纪倾向于表达个性和理性的复杂和专一的诗人。这种特点反映在玄学派诗人的代表约翰·多恩的作品中。其他玄学派诗人还包括:G.赫伯特、H.沃恩、R.克拉肖、A.马韦尔、J.克利夫兰和A.考利等。他们的作品是情感和理性创造的混合体,富于**奇想**(**conceit**)或"风趣",即有时将表面上互不关联的概念或事物突然联系在一起,从而使读者感到惊讶,并不得不认真思考诗中的论点。玄学派诗歌注重分析情感和对意识深处的探索,而不是仅仅抒发情感。他们的诗采用大胆的文学手法——特别是暗喻、讽刺及反论——并用取自日常生活的极其直截了当的语言加强效果。对玄学派诗歌的推崇在20世纪30和40年代达到最高峰,主要原因是受T.S.艾略特的一篇论文《玄学派诗人》(1921)的影响。艾略特在文中指出,这些诗人的作品表现了后世诗人无法做到的思想和感情的融合,因为"脱离感情",结果他们的作品既具有理性又富于感情,但同时又不是两者。但在他们所处的时代,"玄学派"一词用于贬义:1630年,苏格兰诗人W.德拉蒙德(霍索恩登的)对其同代人中那些企图"将诗歌抽象化为玄学概念和学究式诡辩"的人表示反对。在17世纪末,德莱顿指责多恩假冒"玄学"和"用空谈哲学的漂亮话"搅乱"女性的思想,而他本应用爱的温柔来充满她们的心"。S.约翰逊在论及他们诗中表现的学识时,亦称他们为"玄学派诗人",从此这一称呼便沿用至今。

metaphysics　形而上学　一种哲学研究,其目的在于确定事物的真实本质,也就是确定存在物的意义、结构和原理。

形而上学的性质和范围　从语源上讲,形而上学意为"物理学之后"。这个词是安德罗尼柯在编辑他的老师亚里士多德的著作时对其"第一哲学"那部分论著的命名。对形而上学有四种看法:①它是对存在物的探求;②它是关于终极实在的科学;③它是对世界整体的研究;④它是第一原理(或本体)的理论。在形而上学与哲学其他部门的关系问题上,康德一派称形而上学是各种科学(包括哲学科学)的女王,认为那些在逻辑和伦理领域工作的学者同物理学家和生物学家一样,都必须在形而上学家所赞成或改正的设想上进行研究。20世纪的哲学思潮(尤其在英、美)主张逻辑学和伦理学独立自主,不依赖形而上学,否认形而上学是哲学的基础。现代英美哲学家一般主张哲学应从事于哲学的分析,而形而上学学者的兴趣则在于推测,他要揭示到现在为止还未为人知的关于整个世界的事实。因此,形而上学学者所从事的活动同科学家所从事的迥然不同;其最重要的差异是,科学的理论可证之于经验,而形而上学的理论则不可能。还有值得说一下的是:只有当分析者没有形而上学的假定时,分析才可进行得适当。如果事情果然如此,那么他将采取什么方法来选择供分析之用的概念呢?尽管休谟宣称向"神学书和形而上学书"开战,但他仍有着自己承认的一套形而上学。事实上,形而上学与分析并不像现代分析学家所假想的那样彼此分离。以往的思辨哲学家并不反对分析。一个形而上学哲学家毕竟也是一个哲学家。罗素与逻辑实证主义者在进行"逻辑分析"时也并非对各种形而上学都不偏不倚。而试图抛弃一种形而上学理论这种活动本身也就是在搞形而上学。17、18世纪的理性主义哲学家们都认为哲学有两个任务,首先是分析,然后是综合。前者的任务是把错综复杂的概念分解成它们的单一部分;后者的任务则表明这些单一部分的知识如何用以解释事物的组成。

形而上学的问题　①关于形式、范畴和个别的存在:柏拉图的理论,主张形式或理念是永恒不变的终极实在,是物理世界的范型。亚里士多德针对理念论而提出范畴论,认为存在可以多种方式述说。中世纪哲学讨论的一个重大论题是共相问题。休谟认为只有印象和观念是真正存在的。罗素大体赞同这种观点,并辅之以逻辑方面的论证。②关于上帝的存在:安塞姆提出了对上帝存在的本体论证明,不过多数人愿意从经验的基础上进行论证,因而T.阿奎那的五种证明所采用的方法在以后较为流行。休谟和康德对上帝存在的各种传统证明给予了毁灭性的批评。达尔文的自然选择理论极大地削弱了这些证明的力量。③关于灵魂、心灵和身体:柏拉图主张灵魂不朽,认为灵魂是与身体有别的实体。亚里士多德用功能解释灵魂。笛卡儿争辩说精神实体与物质实体截然不同。斯宾诺莎主张唯一的实体(上帝或自然)具有精神与物质两种属性。当代关于身心问题的讨论极为活跃,主要有三种观点,其代表人物分别为H.D.刘易斯、G.赖尔和P.F.斯特劳森。与此问题相关的还有人与机器的差异问题。此外,尚须提及在身心问题上的极端唯物主义,它主张心灵状态即大脑状态。④关于自然与外部世界:形而上学哲学家常常认为外部世界仅仅是现象,它们实际上是不完全的。有些人主张物质有第一性的质和第二性的质。在自然界的有机原理即自然因果律方面,亚里士多德持目的论观点,笛卡儿则持机械论观点。康德认为万事都服从因果律,但在道德行为中认为自己是自由精神世界的一部分,从而使自己高于自然界。黑格尔则认为自然界是精神世界的对照和预示。⑤空间与时间:许多形而上学家都否认时间和空间有终极实在性。康德将时空描述为"直感事物"。布拉德利反对时空是"个体化原则"的观点。柏格森讨论了持续与运动的观念。当代英美哲学家受G.E.穆尔的影响,很少讨论时空问题。⑥关于精神概念:唯心主义断言存在物是精神或至少是由精神所渗透的。莱布尼兹说自然界的真正原子是单子或灵魂,除心灵外,无物存在。伯克利宣称没有存在于心外的可感事物。黑格尔认为存在物与其说是纯粹精神,不如说是精神的明显表现。那些对人文科学(尤其是对历史的研究)感兴趣的哲学家一般都喜欢用精神来解释宇宙。

形而上学的种类　①柏拉图主义:其本质在于区分两种世界,即现象世界和真正实在的不可见的世界。②亚里士多德主义:亚里士多德认为形式体现在物质之中,他认为哲学家的任务就在于了解此时此地的现世。亚里士多德主义的基本概念是实体、形式与内容、潜能与现实以及原因。③托马斯主义:是一种在中世纪以后仍有影响的基督教形而上学。其主旨是对日常事物和日常世界的反复思考,启示人们向往上帝。④笛卡儿主义:采纳了伽利略的物理观,认为外界世界的一切变化和运动都纯粹可以用机械论的观点予以解释,而所需要于上帝的只是给整体自然体系以初步的推动,也就是既承认物质实体也承认精神实体。康德的学说在某些方面可视为笛卡儿主义的一种发展。⑤唯心主义:有两种解决笛卡儿二元论的办法,即唯物主义与唯心主义。唯心主义就是把物质归结为精神。伯克利的唯心主义主要基于认识论方面的论证。黑格尔的唯心主义则是一套关于第一原理的学说。⑥唯物主义:断言物质是唯一基本的存在。其修正形式是自然主义,主张存在物均可以按照自然的说法予以充分解释。

形而上学的论据、主张和方法　科学可大致分为先验科学与经验科学两种。笛卡儿和斯宾诺莎的哲学具有演绎系统的形式,即将形而上学看作是一门先验科学。其困难在于有些人不能了解这种形而上学的基本前提的自明性或自证性。这不是因为他们缺乏注意力或洞察力,而是因为他们对世界有不同的看法。另一种主张则认为这些基本前提虽非自明或自证,但仍有事实基础,这就意味着承认形而上学是经验科学。实际上,形而上学也许像诗歌一样是个想象力的问题。但最初形而上学的洞察力都渊源于对某些明显事实的反复思考。这种洞察力实际上在数量上是有限的。人们常根据其是否内在一贯而比较各种形而上学理论的可靠性。有些研究"哲学的哲学"的作家认为大多数形而上学体系所以执着不衰,都可用个人的或社会的因素予以解释。形而上学的陈述有两类:关于有哪些存在物的陈述和关于如何理解这些存在物的规定。许多形而上学的论证是演绎的。归纳论证首先根据有限的事实构成基本论题,然后用以解释各种现象。此外还有先验论证,即从一件事实推进到它唯一可能的情况。

对形而上学的批评　形而上学是一种对超感觉事物的知识。对柏拉图归之为现象的一些东西,现代科学家亦持相同观点。多数唯物主义者也承认有超感觉的知识。休谟根据观念均来于印象的原则以及对因果关系的分析,否认人们能够从可感觉的东西推论出超感觉的东西。康德则认为形而上学作为对超感觉事物的知识,是不可能的,但作为对经验前提的研究则是一门科学。逻辑实证主义

者提出非分析陈述的意义在于其证明的方法,他们用这种证明原则来攻击形而上学。G.E.穆尔根据常识批评某些形而上学的论点。维特根斯坦则基于其对现行语言的见解反对形而上学。在当代许多宗教哲学家看来,形而上学不仅是含糊的、可疑的,而且是不必要的。

当代形而上学的倾向　康德和黑格尔的思想是当代形而上学的背景。①在美国,J.杜威提出主体和客体间的关系不是外在关系,而是一种在更高的统一之中的关系,这种统一本身即由两者之间的关系所组成。他还认为形而上学是对存在的一般特性的研究。W.詹姆斯试图找出科学在知识和文化中的作用。②在欧洲大陆,胡塞尔用现象学这个词来称呼整个哲学。他为了使其先验研究摆脱经验的先入之见,并为了发现构成物理学和心理学基础的必然真理的意义上的联系,对一切存在判断和经验因果关系都加上括弧,悬置不论。法国存在主义者萨特和梅洛-庞蒂认为存在的意义不能还原为任何一套可限定的意义。德国存在主义者海德格尔放弃意识概念,而提出一种"基本本体论"。他想建立一种真正的现象学,他认为世界的超越性只有当它显现时才能被理解。③怀特海的思想。他认为实在的基本单位是有机统一体;上帝的原初本性是对世界的进程予以全面安排。

形而上学的前途难以预卜,这主要不是因为遇到了20世纪逻辑实证主义者的批判,而是因为它本身也没有充分的能发挥预断作用和控制作用的精力。

metaplasia　组织转化　动物学术语,指一种类型的活细胞或细胞群转化为另一种类型的活细胞或细胞群的再生方式。例如蝾螈眼的晶状体被损坏或移出后,附近含有色素的虹膜细胞便能转化成晶状体细胞。又如环虫可由表皮细胞再生为脑细胞。另外,组织转化一词也指一种类型的细胞为其他类型的细胞所取代的异常现象。

Metapontum　梅塔蓬图姆　意大利古希腊城市,在他林敦海湾,近布拉达努斯河(布拉达诺河)河口。约公元前700年为来自锡巴里斯和克罗顿的一个亚该亚移民团所建。毕达哥拉斯约公元前500年在此逝世。公元前207年后城市衰退,居民在汉尼拔失败后随军撤退。梅塔蓬图姆有两座神庙遗迹,建造时代在公元前570～前480年间。前者可能供奉阿波罗-莱西厄斯神,仅有基座留存;另一座为塔伏莱·巴拉丁神庙,在古城之外,尚存有15根圆柱。

Metasequoia (tree)　**水杉属**　参阅 **dawn redwood** 水杉。

metasilicate (mineralogy)　**偏硅酸盐**　参阅 **inosilicate** 链状硅酸盐。

metasomatic replacement　交代作用　同时发生溶解作用和沉积作用,从而使一种矿物取代另一种矿物的过程。这种过程在后生矿床(在母岩形成之后形成的矿床)的形成中,在高、中温热液矿床的形成中,以及在表生硫化物的富集(通过大体是向下的运移而富集)中,都具有重要意义。交代作用是使木质石化的作用(硅取代木纤维),也是一种矿物形成另一种矿物假象的作用,或是一个矿体取代等体积岩石的作用。当含矿溶液遇到了在这种矿液中是不稳定的矿物时,就会发生交代作用。这时原矿物被溶解,而几乎同时被交换成另一种矿物。这种交换不是一个分子换一个分子,而是一定的体积换一定的体积,所以,密度较小的矿物以为数较少的分子取代密度较大的矿物为数较多的分子。交代作用首先沿母岩中热溶液流动经过的主要通道发生。比较小的空隙,甚至像毛细管那样大小的空隙,也最终发生蚀变作用,而最小的空隙,在热液无法流动之处,则靠交换前沿上的扩散作用来充填。早期形成的交代矿物本身又可被交代,于是就建立了固定的矿物生成顺序。在较常见的深成的(通过一般是上升的溶液形成的矿床)金属硫化物矿物中,一般生成顺序是黄铁矿、硫砷铜矿、黝铜矿、闪锌矿、黄铜矿、斑铜矿、方铅矿、浓红银矿。虽然交代作用在任何温度或压力下都可以发生,但温度提高时,交代作用更为有效,因为在这种条件下化学活动性增强了。由冷循环水引起的交代作用大都局限于可溶性岩石如石灰岩中。这类岩石可被各种氧化铁、氧化锰或磷酸钙所交代。铜和锌的碳酸盐的大量地表堆积也是在石灰岩被交代的地方形成的,而有价值的矿床则出现在表生硫化物发生富集的地方。交代作用随温度增高而不断增强,在高温下,几乎任何岩石都要被交代。溶液在中温下大部分形成简单的硫化物和含硫盐,而在较高的温度下,则形成硫化物和氧化物。交代矿床是所有金属矿床当中除铁矿外规模最大和最有价值的矿床。

metastable state　亚稳态　在物理学和化学中,原子、核或其他系统的特殊受激态,其寿命长于一般受激态,而短于基态。因此亚稳态可以认为是一种暂时的能阱,或系统半稳定的中间态,其能量可按离散的值损失掉。用量子力学的术语来说,从亚稳态跃迁是"禁戒"跃迁,几率比从其他受激态的"容许"跃迁小得多。原子系统和核系统中有许多亚稳态的实例。分析原子光谱常常发现亚稳态是比较低的能级,它的电子是在发光过程中从高能级降下的。亚稳汞原子捕获光能一段时间,可用来说明这个元素的许多光化反应。原子核的亚稳态产生核同质异能素,它们的放射性衰变模式与能量值,有别于同一元素的其他原子核。亚稳态原子存储的能常常未及辐射之前就因与其他原子碰撞而损失。但是在地球高层稀薄的大气中,原子在碰撞前有一段时间较长的行程;北极光和南极光特有的绿色,似乎是亚稳氧原子的辐射所致。亚稳原子核通常由 γ 衰变而丧失能量。

Metastasio, Pietro　梅塔斯塔齐奥 (1698-01-03,罗马～1782-04-12,维也纳)　意大利诗人、欧洲最负盛名的歌剧歌词作家,18世纪时为正歌剧写歌词。原名彼得罗·特拉帕西。1708年他即席作诗的惊人技巧引起文学家格拉维纳的注意,并把他定为继承人,因而他的姓氏也改为希腊化的"梅塔斯塔齐奥"。他从格拉维纳处受到良好教育,1712年又被送到斯卡莱阿,师从笛卡儿派哲学家卡洛普雷斯。14岁时以塞内加风格写出一部悲剧《朱斯蒂诺》。1717年出版一部诗集。1718年入阿卡迪亚学院。1719年前往那不勒斯一所法律事务所工作,并凭其优美的婚礼诗篇得以进入上流贵族社会。为庆祝奥地利女皇的生日,谱写了一部以田园生活为题材的半歌剧性大合唱曲《金苹果园的仙女》(1721),这个歌剧的女主角由罗曼尼娜担任,她对诗人产生了爱慕之情。在罗曼尼娜要求下,他不再从事法律事务,并写出他第一部情节剧,即抒情悲剧《被遗弃的狄多》(1723)。在1726～1730年间,他又创作包括《卡托在乌蒂卡》在内的6个剧本。1729年他接受奥地利皇帝邀请,于1730年3月前往维也纳,在那里他以帝国宫廷桂冠诗人身份度过后半生。在查理六世当政时期,他写了一些清唱剧、神剧及11部情节剧,其中最杰出的有《奥林匹克竞技会》、《蒂托的仁慈》、《阿蒂利奥·雷哥洛》等。其他作品有《书信集》和5首《短歌》。

metatarsal　蹠骨　跗骨与后肢各趾骨间的管状骨,在陆生脊椎动物中相当于手或前爪的掌骨。人的5根蹠骨沿足内外侧形成纵弓,在足的拇趾球处形成横弓。连接拇趾趾骨的第一蹠骨增大并变粗,在站立和两脚行走时起支持体重的作用。

metatarsalgia　蹠痛　一种骨科病。表现为站立时体重落到足前弓的中心(第三蹠骨),而不落到足内侧和外侧的蹠骨上。行走时疼痛可很剧烈,受压部发生胼胝,且往往发生蹠骨骨折。病因为发育异常,也可继发于其他疾病。治疗方法是将海绵橡皮垫置于鞋内以保持足前弓的正常形状。有一种特殊类型的蹠痛称为莫顿氏趾,发生于中年人,病因为穿经蹠骨之间走向足趾的趾神经肥大,其主要症状为持续性剧痛,治疗方法是将肥大的神经切除。

metatexis　选择重熔作用　又称分异深熔作用。混合岩(具有花岗岩质夹层或脉状体的混合岩石)的类似岩浆的部分侵位于不同成分的主体岩石中的作用。混合岩可以由花岗岩质岩浆(变质熔体)注入主体岩石中形成,或由主体岩石自身部分熔融而形成。这类岩石是在区域变质作用过程中温度和压力达到极端情况下形成的,一般与麻粒岩相的岩石伴生。这些岩石被认为代表了褶皱山带的较深部分,常常与巨大花岗岩体伴生。这些花岗岩的成因与混合岩关系密切,因为混合岩是变质成因还是岩浆成因可以被推断来解释花岗岩体的成因。

metatheory　超理论　一种以另一理论为研究对象的理论。该理论所证实的结论称为元定理。最著名的例子由德国数学家希尔伯特提出,他于1905年试图构造数学相容性的基础证明。为此需要一种理论研究数学,将数学证明当作研究的对象。虽然此计划据美国数学逻辑学家哥德尔 1931 年证明的定理难望成功,但其元数学成为后来成功研究的先驱。20 世纪 20 年代后期,侧重科学和语言的重要哲学家卡纳普以元逻辑和逻辑句法为名,将这种探索扩展到一般形式化语言的研究。在讨论形式化语言时,通常必须使用第二种更有力的语言。前者称为对象语言,后者称为元语言。

Metatron 迈塔特龙 犹太教神话传说中最大的天使。但说法不一:或称他为御前之君、御前使者,或谓即天使长米迦勒,又谓即升天的以诺。一说他在天上司掌记录世人功罪,另说他负责护卫天上玄机,又说他在神与人之间作中介。还有人称他为"小雅赫维",即人的原型或"名如其主者"。

Metauro River 梅陶罗河 意大利中部马尔凯区的一条河。源出埃特鲁斯坎亚平宁山脉,向东北偏东流,在法诺南注入亚得里亚海。全长 109 千米。下游曾是公元前 207 年古罗马人大胜迦太基人的战场;该战役是第二次布匿战争的转折点。

Metaxas, Ioannis 迈塔克萨斯(1871-04-12,希腊伊萨卡～ 1941-01-29,雅典) 希腊将军和政治家。1936 ～ 1941 年期间的独裁者。1897 年参加希土战争。后去德意志习军事。巴尔干战争期间在总参谋部工作,表现突出,1913 年任参谋长,1916 年晋升将军。第一次世界大战期间极力保持希腊中立,但未成功。他反对韦尼泽洛斯首相征服小亚细亚的帝国主义计划。在政治上是坚定的君主派,1917 年康斯坦丁国王退位,他离开祖国,1920 年国王复位,他又重返家园。1923 年废除君主制度,他又短期离开希腊。但在共和国时期担任过部长(1928)。此后领导一个极端保皇派的小党,坚决反对共和政府。1935 年王政复辟。翌年春国王乔治二世任他为首相。同年 8 月,他开始实行独裁统治,采取各种法西斯手段,以暴力镇压反对的政党。但在同时,也进行了一些经济和社会改革。1940 年意大利进犯希腊时,他使希腊参加西方盟国集团。他掌握权力直至去世。

métayage 分成制 意大利语作 mezzadria。指耕种者使用土地而向土地所有者缴纳实物地租的土地租佃形式。纯粹分成制是将约半数的年收获量缴给土地所有者,而佃户则永久占用其所耕种的土地。分成制代表 18 世纪法国和意大利一些地方土地租佃的主要形式。典型的法国分成制的佃农拥有少量土地(连成一小片的或分散的),通常由地主提供主要生产资料(可能包括牲畜)。1800 年后随着市场经济发展,货币地租契约日益增多,分成制就基本上让位于单一的自耕农占有制。在不同时期内,在印度、日本、东欧和美国南部也存在过产生这种分成制的经济、社会条件,因而也产生过类似的谷物分成制。

Metcalfe (of Fern Hill), Charles T(heophilus) Metcalfe, Baron 梅特卡夫(1785-01-30,加尔各答～ 1846-09-05,英国汉普郡马尔尚格) 英国海外官员,在任印度代理总督期间进行了一些重要的改革,特别是开放新闻自由,确立英语为官方语言。他是东印度公司首脑 T.梅特卡夫少校的次子,毕业于伊顿公学。1801 年返加尔各答。1803 年任总督韦尔斯利的私人秘书。在第 3 次马拉塔战争中,任莱克将军的政治助理。1808 年出使拉合尔,确保锡克人协助英国阻止法军进入印度。然后历任驻瓜廖尔(1810)、德里(1811 ～ 1819)、海得拉巴(1820 ～ 1822)总督代表。1822 年继承男爵爵位。1835 年任代理总督,次年任西北省省长。1838 年辞职回国。次年任牙买加总督,1842 年因病辞职回国。1843 年任加拿大总督。1845 年晋封贵族后不久因病辞职回国。

Metchnikoff, Élie 梅奇尼科夫(1845-05-15,乌克兰哈尔科夫附近～ 1916-07-16,巴黎) 俄国动物学家、微生物学家。因在动物体内

美国不列颠百科全书公司供图

发现噬细胞而与 P.埃尔利希共获 1908 年诺贝尔生理学或医学奖。1864 年毕业于国立哈尔科夫高尔基大学,1870 ～ 1882 年任敖德萨大学动物学和比较解剖学教授。1882 ～ 1886 年在意大利墨西拿研究海星幼体消化器官的发生时,观察到海星幼体中某些与消化作用无关的细胞能包围并吞噬注入的靛蓝染料颗粒和碎屑,便称之为噬细胞。1886 ～ 1887 年在敖德萨细菌学研究所、1888 ～ 1916 年在巴黎巴斯德研究所(1895 ～ 1916 年任该所所长)工作,证实噬细胞是包括人类在内的大多数动物抵御急性感染的第一道防线(人类的噬细胞就是白细胞)。1903 年和 É.鲁一起成功地使类人猿感染梅毒。1906 年起致力于研究产乳酸的细菌,认为这类细菌可使人长寿。著有《炎症的比较病理学》(1892)、《传染病中的免疫性》(1901)及《人的本性》(1903)等。

Metel, François Le 梅特尔 参阅 **Boisrobert, François Le Metel, seigneur de 布瓦罗贝尔**。

Metellus, Lucius Caecilius 梅特卢斯(?～公元前 221) 第一次布匿战争(前 264 ～前 241)期间的罗马大将。公元前 251 年任执政官。曾在帕诺木斯(今西西里岛巴勒莫)以使敌方大象惊慌的战术大败迦太基的哈斯德鲁巴。公元前 247 年再任执政官。据说公元前 241 年维斯太神庙失火时,他为抢救密涅瓦女神的塑像而烧瞎双眼。

Metellus Celer, Quintus Caecilius 梅特卢斯·塞莱尔(?～公元前59) 罗马政治家,贵族党的主要支持者。公元前 66 年任庞培驻亚细亚使节。公元前 63 年任行政长官,公元前 60 年任执政官。庞培与他的姐姐离异,他转而反对庞培。曾说服元老院否决计划给庞培军团退役老兵分赐土地的土地法。

Metellus Creticus, Quintus Caecilius 梅特卢斯(克里特的)(活动时期公元前1世纪上半叶) 罗马将军。公元前 69 年任执政官。曾奉命征讨地中海的海盗巢穴克里特岛。两年后元老院通过一项立法,授予庞培以肃清海盗的全权。克里特人向庞培请降。于是,庞培就下令梅特卢斯停火。但是,梅特卢斯拒不听命,继续作战,他终于完成对克里特岛的征服,使之成为罗马的一个行省。公元前 62 年前,庞培的同伙不让梅特卢斯参加罗马举行的胜利庆典,梅特卢斯则率元老院拒不批准庞培的亚洲定居点方案,以示报复。

Metellus Macedonicus, Quintus Caecilius 梅特卢斯(马其顿的)(?～公元前115) 罗马将军,政治家。公元前 148 年任马其顿军政长官时,将马其顿纳为罗马的行省。公元前 143 年任执政官时,征服西班牙北部克尔特伊比利亚人。公元前 131 年任监察官时发表一篇著名演说,主张强迫所有公民结婚以提高出生率。他反对格拉古兄弟的土地改革。

Metellus Numidicus, Quintus Caecilius 梅特卢斯(努米底亚的)(?～约公元前91) 罗马将军,元老院贵族党的首领。公元前 109 年任执政官,在北非击败努米底亚人首领朱古达。公元前 102 年任监察官。公元前 100 年流亡国外。公元前 99 年返回罗马,但此后未参与政治活动。

Metellus Pius, Quintus Caecilius 梅特卢斯·庇护(?～约公元前63) 罗马将军。人们所以称他为"庇护"(意"孝顺的"),是由于他力图使流亡在外的父亲被召回国。公元前 89 年任军政长官。公元前 86 年苏拉投入东方战役时,他负责卫戍南意大利。但在马略派袭击下,未能守住罗马城。后来在反马略派的内战中得胜。公元前 80 年与苏拉同任执政官。从约公元前 81 年起一直担任最高祭司。

Metellus Pius Scipio, Quintus Caecilius 梅特卢斯·庇护·希皮奥(?～公元前46) 罗马政治家。庞培的岳父,在庞培与凯撒的权利争夺中是庞培的主要支持者。公元前 52 年任执政官。公元前 49 年在元老院提出:如果凯撒不解散自己统率的军队,就宣布他为国家公敌。此后任叙利亚军政长官。内战时期(凯撒反对庞培和贵族党的战争,公元前 49 ～前 45),在塔普苏斯战役中败于凯撒的军队。在逃往西班牙途中被擒,后自刎。

metempsychosis 参阅 **reincarnation 转世**。

meteor 流星 又作 shooting star 或 falling star。行星际空间的固体小质点在进入地球大气时同大气的原子和分子相撞，使小质点表面和大气的原子或分子电离、激发而产生的光迹。小质点称为流星体，也有少数体积较大的。特别亮的流星叫火流星。它们的亮度甚至会超过月亮或太阳，而且在头部的后面还拖着一条彩色缤纷的尾巴。根据对流星的高度、速度和亮度的分析，发现多数流星体的密度小于水，而且比较容易碎裂，只有不超过 10%（也许只有 1%～2%）的流星体密度较大。它们或是镍铁的（密度约为 8 克/厘米^3 或是石质的（密度为 3～4 克/厘米^3）。易碎的流星体可能来自彗星，密度较大的流星体则可能是小行星的碎片。

1833 年 11 月 13 日黎明前，北美洲东部地区出现一次大流星雨。众多流星好像是从狮子座的同一点（即辐射点）向四面八方辐射出来。流星群和流星雨通常以辐射点所在的星座命名。流星群的成员实际上都是平行落向地面的，呈辐射状只是一种透视效应。辐射点代表流星体进入大气层时的空间方向。有些流星群的流星体在轨道上分布比较均匀，如出现在 8 月中旬的英仙座流星群和 12 月中旬的双子座流星群，它们总是在每年同一时候以差不多一样的流星数有规律地出现。狮子座流星群则不同，峰年时出现很多流星，其他年份则很少甚至没有。狮子座流星雨峰年的周期为 33～34 年。流星群可能是由彗星在其轨道上逐渐扩散物质碎片形成的。当地球穿越这些彗星的轨道时，就会同它们相遇而出现流星雨。流星雨每小时出现的流星数最少为 2～10 个，最多可达 1 万至 10 万个。在不出现流星雨时，一个观测者在晴朗的夜晚平均可看到 5～10 个流星。一般说来，后半夜出现的流星可能比前半夜要多，因为后半夜的观测者位于地球前进方向的前方；在前半夜，只有那些速度特别快的流星体才能追上地球并闯入大气层成为流星。

流星体进入大气层的速度取决于它本身的速度和地球环绕太阳运动的公转速度（约 30 千米/秒），地球引力可使这一速度增加 1～3 千米/秒，因此，观测到的流星速度一般在 15～70 千米/秒之间。所有观测到的流星的轨道都很接近圆形，因而它们是太阳系的成员。对大量暗流星轨道的分析表明，在太阳和地球轨道之间的行星际空间，微流星体的密度较大，而从地球到木星轨道之间的行星际空间，密度渐趋减小。据认为，能产生亮度为 0 等流星的流星体重约 1 克，地球每天遇到的这类或更重的流星体的总数可能超过 100 万个。产生肉眼刚能看到的流星，其流星体重约 0.01 克，这种流星一天可能有 4 亿个左右。每天落到地球的微流星体或流星尘埃可能达数百吨。

Meteor Crater 流星陨石坑 又称贝林杰陨石坑、昆比尤特、代阿布洛峡谷。在美国亚利桑那州代阿布洛峡谷地区平原上，温斯洛以西 30 千米处。为大陨星撞击形成的带沿碗状大坑。直径 1 200 米，深约 180 米，沿高近 60 米。经钻探发现，陨石位于坑下 210～240 米处。火山口的地层是朝上的，覆盖着

加拿大北方省戈斯布拉夫的流星陨石坑
美国不列颠百科全书公司供图

和底岩相同的碎石，表明了地层的翻转。1891 年发现。估计年龄5 000～50 000年不等。陨石坑周围 260 平方千米范围内，发现很多镍-铁碎块，小的如沙砾，大的可达640

美国亚历桑那州的流星陨石坑
美国地质勘查局供图

月球表面上的流星陨石坑
美国国家航空和航天局供图

千克。从几千吨沙粒大小镍-铁颗粒的分布和成分看来，它们是由金属尘雾凝聚而成。1960 年当地发现经高压作用形成的硅石-柯石英和密质硅土，有助于证明其原为陨石。

meteor shower 流星雨 在几乎同一时刻和同一位置沿相互平行的轨迹进入地球大气的许多同源流星体。许多流星雨同彗星有关，有些流星雨每年定期出现，有些则要隔更长的时间。它们的出现是否有规律，取决于流星雨的轨道与地球轨道之间的相对位置。流星雨的名称通常取自该流星雨的辐射点（天空中的一点，轨迹平行的流星由于透视效应好像都从该点射出）所在星座（或该处恒星）的名称。有的流星雨则按与它相关的彗星命名，如比拉流星雨（现称仙女座流星雨）。1913 年的西里尔流星雨没有辐射点（它似乎是从环绕地球的圆形轨道上进入大气的），它是按亚历山大城的圣·西里尔命名的，因为观测到这个流星雨的那一天正好是他的祝典节（2 月 9 日）。1833 年 11 月 12 日夜间在整个北美洲观察到狮子座流星雨中数以 10 万计的流星体，从而开始了对流星雨第一次认真的研究。后来发现狮子座流星雨每隔 33 年出现一次，并且有关这种流星雨的记载还可追溯到公元 902 年。从 1945 年前后起，雷达观测还发现一些按时出现在白昼天空而用光学方法根本看不见的流星雨。

Metéora 迈泰奥拉 希腊色萨利区特里卡拉州卡拉巴卡镇（中世纪称斯塔戈伊）北面各个岩石山顶的隐修院群。山平均高度 300 米，数座达 550 米。有一峰名祖皮亚尼柱，峰巅的隐修院是该地历史最悠久者。峰麓的圣

迈泰奥拉的万圣隐修院
美国不列颠百科全书公司供图

童贞小教堂或许始建于 12 世纪。1350 年左右，从圣山隐修地来了一位修士，名叫基诺维蒂斯，登“广岩”，开始营造“大迈泰奥龙隐修院”，该院禁止妇人进入。1367 年隐士尼洛斯

在几个岩顶共建造4座教堂,今仅存其一。1388年,基诺维蒂斯的门人隐士伊奥阿萨夫(塞尔维亚国王之子)扩建大迈泰奥龙隐修院,使之成为最华丽、最引人注目者。在15～16世纪,土耳其人占领色萨利地区后,又有几所隐修院建成。在16世纪,该地共有16所隐修院,必须靠绳索和网梯才能到达。今日大多数隐修院都无人居住,但有4所最大者仍有修士:大迈泰奥龙隐修院(1356～1372)、万圣隐修院(约1530)、圣司提反隐修院(1312)、圣三一隐修院(1458),都有桥和梯道可通。在第二次世界大战和其后的希腊内战中,各隐修院损失严重。1960年进行修复,保存了古代手稿和16世纪的壁画。20世纪60年代筑成公路,招来大批游客,但修士不再到该地隐修,原有修士中也有不少人迁往圣山以图清静。

meteorite　陨石　从行星际空间陨落到地面的固态物质。在陨落过程中,通常出现火球和雷鸣般的音响,俗称火流星。陨石有很大的科学价值,因为它可为研究太阳系早期历史提供宝贵线索。例如,石质球粒陨石的平均元素丰度,除部分易挥发的元素外,接近于太阳系的元素丰度。陨石一般以陨落地点或发现地点的名称命名。陨石主要分3类:铁陨石(或陨铁)、石陨石和石铁陨石;还可根据成分再细分为若干小类。鉴别铁陨石最好的办法是根据它的化学成分和金属含量:在已知的铁陨石中,含镍量没有低于4%的,超过20%的也很少,大多在4%～7%之间。地球的自然铁中含镍量一般不超过3%。在铁陨石中,有很明显的所谓维斯台登图案的交叉条状结构,这种结构在地球上无法形成。分析物质中的微量元素(主要是镓、锗、铱、铜、铬等)就能确定该物质是否来自地球以外。

在3类陨石中,收集到的石陨石远少于铁陨石。但根据观测,落到地面上的石陨石远多于铁陨石;而在行星际空间,石陨石比铁陨石还要多得多,只是因为石陨石比较脆弱和易碎,在穿过大气层时大多消失了。已收集到的陨石比较集中于几个小类。在全部铁陨石中,约1/3为中粒八面体陨铁;石铁陨石的一半以上为橄榄镍铁陨石;石陨石中的80%以上为球粒陨石,而球粒陨石中被称为普通球粒陨石的橄榄石-古铜辉石球粒陨石和橄榄石-紫苏辉石球粒陨石两小类,几乎各占40%。陨石可从任意角度进入大气上层,如果它近乎垂直地进入大气,以火流星形式存在的时间就很短;而当它近乎水平地进入地球大气层时,地面上很长一段距离(可达2 000千米)的人,都会看到火流星现象。当火流星越来越深入大气层时,它的速度逐渐变慢,亮度减小。一个中等大小的陨石一般在17～25千米的高空便开始不发光而落向地面。陨石同地面撞击的速度取决于陨石进入大气层的角度以及陨石的大小和形状,如果是碎片,则取决于分裂时的高度。记录表明,一块重数千克的易碎陨石着地时并不很猛烈,也不会造成多大损害;而一块50～200千克的陨石,有可能砸入黏土层1.25～3米。陨石在陨落过程中如果崩裂,碎片就会散落在地面上一个很大的椭圆形地区。椭圆的形状主要取决于陨石的陨落角度和崩裂时的高度。在一般情况下,较大较重的陨石块会飞得较远并落在椭圆区域的前端。

同普通球粒陨石相比,地壳的火成岩明显地缺铁、铬、锰、铁、钴、镍、锗和铂类等金属而富含石质物质,如氟、铝、钛、锶、钡、锌、钝、铀等。陨石中的易挥发性物质也较少,如铷、铯、锌、铟、碲、铅、铋等。有关陨石的成因及其起源的任何理论,都必须考虑这些化学组分的特点。除碳质球粒陨石外,陨石中的主要矿物都可以在地球上找到,如橄榄石、斜方辉石以及铁纹石、镍纹石等。也有些次要矿物在地球的自然环境中找不到,它们只能在一些极端情况下形成,而在顽火辉石球粒陨石和无球粒陨石,以及一些古铜辉石球粒陨石和特殊的铁陨石中找到。测定陨石年龄有重要意义,这指的是它的地面年龄(陨落年龄)、宇宙射线暴露年龄、气体保留年龄、凝固年龄、形成间隔年龄等。

近期研究结果肯定所有陨石环绕太阳运动的轨道都是椭圆形的,而且其轨道平面都离黄道面不远,其中的代表是轨道已经测得比较精确的普日布拉姆陨石。这块陨石于1959年陨落在捷克,由于在陨落过程中被好几个观测站用照相方法观测到,它的椭圆轨道被测得比较精确:近日点为0.8天文单位,远日点约为4天文单位。

有关陨石的来源及其母体的大小迄今缺乏一致的认识。一般认为,球粒形成于原始太阳星云的较冷区域,而半径为100～250千米的陨石母体——小行星,则是在寒冷的条件下,聚集球粒、金属和氧化物颗粒以及碳化合物形成的。衰变周期短的放射性元素所放射出的热,使小行星不大的核心融化,并使较大的一部分区域加热,核心分馏而形成无球粒陨石、铁陨石和橄榄镍铁陨石,而在离核心较远处,热的作用产生各种岩石类型的球粒陨石。表面的薄层被从里层分馏出来的一氧化碳、水和硫等易挥发物质所改变而形成碳质球粒陨石。这些过程约在45亿年前完成,整个过程约需时1亿年。

meteorite crater　陨石坑　陨石同行星体碰撞所形成的低洼地,又称环形山。在宇航时代之前,陨石坑被认为是地球上的稀有现象,而在月球上则是普遍现象。望远镜能观测到的月球环形山,直径大于1.5千米的有30万个,而空间探测器发现的环形山,直径大于1米的(包括月球背面的)也许有3万亿个。行星探测器“水手”4号、6号和7号在火星表面

可能源于撞击的著名陨石坑

名　称,位　置	形态†	直径(千米)	年龄(100万年)
阿克拉曼湖,澳大利亚,南澳大利亚州	cr	160	600
奥沃卢*,毛里塔尼亚	s	0.37	3.1(±0.3)
比·布拉夫(尤瓦尔迪),美国,得克萨斯州	s	2.4	40或少于
别因乞米-萨拉塔,俄罗斯,雅库特地区	c	8	65或少于
博苏姆推湖,迦纳	c	10.5	1.3
布伦特*,加拿大,安大略省	s	3.8	450(±30)
东清水湖*,加拿大,魁北克省	c	22	290(±20)
西清水湖*,加拿大,魁北克省	cr	32	290(±20)
深水湾,加拿大,萨斯喀彻温省	c	12	100(±50)
埃利格格特根湖,俄罗斯,楚科奇地区	c	22	3.5(±0.5)
弗林湾,美国,田纳西州	c	3.8	360(±20)
戈特·帕多克,澳大利亚,西澳大利亚州	c	5	50或少于
霍顿,加拿大,西北地区	c	20	15
卡拉*,俄罗斯	c	50	57
利物浦,澳大利亚,北部地方	s	1.6	150(±70)
洛纳尔,印度,马哈拉施特拉邦	s	1.8	0.05
马尼夸根湖,加拿大,魁北克省	cr	70	210
曼森,美国,艾奥瓦州	c	35	70或少于
流星陨石坑*,美国,亚利桑那州	s	1.2	0.1或少于
魁北克新陨石坑,加拿大,魁北克省	s	3.2	5
瓦尔克济兹,阿尔及利亚	c?	3.5	70或少于
帕托姆,俄罗斯	s	0.09	0.003
波皮盖*,俄罗斯	cr	100	39(±9)
雷德温湾,美国,北达科他州	c	9	200
里斯*,德国	cr	24	15
舒纳克,吉尔吉斯斯坦	s	2.5	12
斯廷河,加拿大,艾伯塔省	c	25	95(±7)
施泰因海姆,德国	c	3.4	15
萨德伯里,加拿大,安大略省	c	140	1 840(±150)
达坂·喀喇·鄂博*,蒙古	s	1.3	30或少于
塔莱姆赞,阿尔及利亚	s	1.7	3或少于
泰努迈尔,毛里塔尼亚	s	1.9	2.5(±0.5)
弗里德堡,南非	c	140	1 970(±100)
西霍克湖,加拿大,马尼托巴省	s	2.7	100(±50)
扎曼欣*,哈萨克斯坦	c	10	4.5

* 指含有陨石、可辨认的陨石组分或陨石特征成分富集的撞击构造

†:s简单的一个坑;c中央隆起的复合陨石坑;cr带有环形壁的复合陨石坑

上也发现环状构造的低洼地，水星上也有许多环形山口，这说明行星受陨石轰击也许是一种普遍的自然现象。在太阳系一切无大气保护的行星表面，陨石撞击经常发生。一般地说，行星表面上单位面积的环形山数同行星大气的性质、密度、表面受侵蚀的程度以及行星周围在长时间内的轰击物质流有关。

目前在地球上发现的陨石坑数远少于理论值。据计算，加拿大地面上应有直径大于2.5千米的陨石坑约300个，但迄今能肯定的只有17个。就全世界来说，直径大于1千米的陨石坑在近10亿年间应在13万个以上，而现在能肯定的只有50～100个。出现这种差异是由于侵蚀作用以及古老地貌被较年轻沉积物覆盖所致。地球上陨石坑的典型代表是美国亚利桑那州的大陨石坑，直径为1.2千米，估计是1.5万年前至4万年前一次猛烈的铁陨石撞击造成的。尽管可用形态和地球物理性质的异常来鉴定陨石坑，但唯一确定无疑的标志还是岩石本身。在撞击成坑的瞬间，任何岩石都会承受明显的变化，即所谓冲击变质作用。这种作用会使岩石在结构基本不变的情况下，从形态到性质发生巨大的变化，用显微镜观察，这种变化是显而易见的。岩石的其他性质也可能由于冲击而发生变化，如岩石中矿物的折射率可能变得比任何未经冲击的矿物都低。在地球上，一个环状构造、低洼地或角砾岩地区如果同时具备一些冲击标志，则可认为是陨石坑。对月球或火星作现场直接考察目前仍有一定困难，因而要对它们表面上成千上万个环状构造进行鉴定实际上是不可能的。有的环形山口本来是同类型的，但侵蚀作用使它们显得年龄各异。有的环形山显然并不是由于撞击形成的。月球探测器证实，在月球上，陨石坑和火山口两种全有。

在月球背面的东方海内环里，两个年龄相仿的大型环状构造分别被看作是撞击坑和火山口的代表。撞击坑的标志是：环壁上有众多的开阔地，环内地面粗糙，有中央峰，环壁外面则是一片广阔而起伏的“大陆架”式的区域，从坑口向外延伸的辐射纹可达撞击坑半径数倍以外。火山口的标志是：口内的地面比较平坦，无中央峰（尽管有时也可能有），内壁不甚平整，口外四周平滑而有比较狭窄的抛射堆集物，无明显的大辐射纹状构造。从根本上说，月球上每个环形山的起源，只有通过直接考察方能最终确定。

meteoritics　陨石学　研究流星和陨石的科学。从古时起，陨铁就备受人们重视。有的古代记录曾证实它们来自天空，在陨石降落时伴随出现的令人惊骇的声响和亮光，使古人认为陨石来自神，因而把陨石看作是令人敬畏和崇拜的神物，陨石同奇迹和宗教的这种联系使18世纪的科学家怀疑其真实性。当时的最高科学权威——法国科学院的院士们深信，天上降落石头纯属虚妄。欧洲博物馆的保管员随之扔掉了真正的陨石，认为它们是迷信时代的可耻遗物。在这种背景下，德国物理学家克拉尼却于1794年开拓了陨石学的研究。他当时为陨石降落报道的真实性作辩护，1803年在法国莱格勒陨落的一阵陨石雨终于使科学界对陨石的真实性深信不疑。1833年11月12日出现在北美的巨大流星雨更激起了人们的巨大兴趣。从19世纪初叶起，许多天文学家、物理学家、化学家和矿物学家都致力于陨石学的研究，而大多数自然博物馆则从事陨石的搜集。在长时期内，观测流星的唯一方法是依靠肉眼，观测者在一张星图上描出流星在众星中穿行的路径，并注上流星的视星等、时间和其他资料。若在60千米以外也描下一张同一流星的图，就可以大体估算出流星的高度以及流星轨迹的方位。现在采用照相方法和无线电方法能更精确地得到这些资料，但目视观测仍可继续提供有关流星星等的情报并作为对采用仪器方法的一种校验。望远镜和双筒望远镜把目视观测的范围从肉眼的极限星等——5或6等扩大到12或13等。从地球表面上相距几千米的两个观测地点所拍得的流星余迹照片，可获得计算流星轨道的最精确资料。由于无法事先知道何时将出现流星，所以在背景光不致影响底片的质量的前提下，总是让照相机镜头尽量长时间地打开着。镜头前面装有迅速转动的快门，把拍得的流星轨迹分割成一系列短线，由此可算出流星的速度和减速情况。流星穿过高层大气会出现一条几千米长的电离余迹。20世纪30年代，科学家发现这种电离余迹能反射射电波。这一领域在40年代末取得长足的进展。从地面发射机发出的雷达脉冲（具有射电频率能量的短而强的爆发），经余迹的反射可收回一小部分能量。用这种方式，可确定流星余迹的位置和流星速度。

meteoroid　流星体　进入地球大气的行星际较小物体。该物体以极大速度和大气原子、分子碰撞并开始燃烧，使周围气体增温，所产生的发光现象称作*流星*（**meteor**）；若该物体穿过大气后仍残存并着陆，则称为*陨石*（**meteorite**）。流星体的大小由直径不足1微米的尘粒到数千米的物体不等；大多由岩石物质（多为硅酸盐）或镍-铁合金构成，部分则由两者混合组成。对流星体轨道所作的观测和理论研究，及对已知陨石所作的实验室研究，都有力地表明流星体多为位于火星和木星轨道间的小行星带内的小行星相互碰撞所生成的碎屑。也有事实证明，有些流星体（特别是较小者）源于*彗星*（**comet**）。彗核由冰和不易挥发的物质（主要为岩石尘粒）组成，当彗星接近太阳时，冰开始蒸发，埋于其中的尘粒遂自彗核中被带出，于是直径数毫米至数厘米的粒子便可能进入地球大气，成为流星体。

meteorology　气象学　研究大气现象，特别是对流层和平流层下层大气现象的学科。气象学对短期内日常的温度、湿度、气压、风、云量和降水的变化及其原因进行系统的研究，为天气预报提供依据。它同研究一定地区内长期天气状况（从1月至数百万年）的*气候学*（**climatology**），既有密切的联系，又互相区别。

气象学分为两个主要的学科分支：动力气象学和天气学。动力气象学主要研究大气的运动和气流的物理过程，在这个领域内的研究包括大量运用计算机，建立起全球环流模式以及如龙卷风和飓风等小尺度运动系统的模式，这些数学模式使得人们对低层大气的物理性质和结构有了更好的了解。天气学重点研究与天气有直接关系的大气现象，将规定时间内同时测得的大气资料标示在大范围的天气图上，以便了解该范围内的天气概况。天气资料由包括地面雷达和遥感系统（如无线电探空气球和气象卫星）在内的全世界气象网定期提供，气象人员利用这些资料作出本地短期天气预报，这种预报指出未来数小时至12小时的天气特点。对广大地区内长期天气的预测，气象预报员采用包括非线性的运动、热量、质量和湿度等守恒定律的数学表达式——偏微分方程在内的数字天气预报模式，这种数字模式同高速超级计算机相结合，即可准确地预报压力场和温度的异常变化，并可在较小的程度上准确地预报降水的异常变化。用这种方法可相当准确地预报5～7天的天气。数字预报大部分以动力气象学的理论和方法为依据。

meter　参阅 **metre** *格律*。

metes and bounds　土地疆界　指以河流等自然标志标明的或以道路等人工建造物标明的，或以界桩或其他标记标明的一片土地的界限或边界。作为美国的一种主要的法定土地描述形式，通常用疆界来描述大小和形状不规整的勘测地区。该地的边界以走向与距离勾出，并在转弯和拐角处安置自然的或人工的碑记。在这方面，走向是指一条线的方向，一般是以一条子午线，有时是以北磁极为基准。距离是指一个走向的长度，一般是以众所周知的长度单位如英尺或测链来计量，而有时，例如在测量墨西哥让与地时，是以瓦拉（1瓦拉约等于33英寸）为计量单位。一个三角形地块的疆界可以描述如下：“起于科罗拉多州博尔德县第6条子午线（一条南北向的基准线）以西第70排测区的，北第一测区第4块的北图角45°东南方1 320英尺的一点，该点立有一铁标桩；由此向南600英尺到也立有一铁标桩的一点；然后向西北45°经700英尺到一棵大栎树；然后向东北回到起点。”

Metge, Bernat　梅其（1350，加泰罗尼亚巴塞罗那［今在西班牙］～1413，巴塞罗那）　西班牙加泰罗尼亚诗人，散文家。他的杰作《梦》（1398）使加泰罗尼亚文学开始产生古典主义倾向。他在《梦》中思考了人类的脆弱和爱情的不幸，《梦》的背景为梦境，主要人物有约翰一世、传奇诗人和乐师俄尔甫斯、底比斯的盲人先知提瑞西阿斯。他把学究式的探索和富有诗意的想象糅为一体，探讨灵魂不朽和寿终天年，并议论妇女的德行。他这部散文杰作为后世加泰罗尼亚作家所仿效。

methadone　美沙酮　强力的合成性麻醉品，镇痛作用似吗啡。二战后开始作为镇痛药投入临床实用。药用其盐酸盐，白色结晶粉状、味苦，可溶于水、酒精和氯仿。20年后，人们发现美沙酮还是最有效的戒除海洛因毒瘾的药物。戒毒程序是：每日口服基本维持量的美沙酮即可取代海洛因，然后再戒除美沙酮。因为：①美沙酮能有效地消除海洛因的戒断症状，抑制吸毒者对海洛因的药物饥渴；②美沙酮没有强烈的欣快感效应，故吸毒者对美沙酮的药物饥渴感不像海洛因那么强烈；③机体不会对美沙酮产生耐受性，长期服用无需加大剂量；④维持量的美沙酮可阻断海洛因的欣快效应，吸毒者若再吸食海洛因不会有往日的那种感觉；⑤美沙酮的上述作用，再加上它的 24 小时长效，可使吸毒者从事正常的工作、学习、家庭和社会生活。不过，美沙酮也致成瘾，只是戒除起来要比海洛因容易一些。临床实践证明，用美沙酮替代疗法虽然能成功地戒除海洛因，但戒除美沙酮也非轻而易举的事。

methamphetamine　脱氧麻黄碱　又作 d-desoxyephedrine。属于苯丙胺系列的效力强大的兴奋药。1947 年开始应用。作用似*苯丙胺*(**amphetamine**)，口服或静脉注射。医药上用作食欲遏止药以治疗肥胖症，又用作中枢神经兴奋药以治疗麻醉药过量、精神抑郁症及发作性睡眠等。用药后表现疲劳感消除、精力旺盛、自觉良好。结果导致滥用。但本药有不良作用（如心率增加、血压上升等），如果误用十分危险；并且它和其他苯丙胺类药物一样，能很快产生耐受性，故不宜长期用药。

methanal　参阅 **formaldehyde** *甲醛*。

methane　甲烷　又称沼气。无色无味气体，在自然界中作为天然气的主要组分、煤矿坑气组分以及植物在水下被厌氧细菌分解的产物而大量存在。工业上，通过干馏烟煤以制成煤气和焦炉气时也产生甲烷。活化污泥处理污水过程中也产生富含甲烷的气体。甲烷是烷烃中最简单的化合物，化学式 CH_4，比空气轻，相对密度 0.554，微溶于水。在空气中易燃，生成二氧化碳和水蒸气。甲烷火焰色浅、不太明亮、热度很高。甲烷沸点 -164.0°C，熔点 -182.5°C。一般来说，甲烷很稳定，但含有 5%～14%（体积）甲烷的空气具有爆炸性。这种混合物的爆炸屡见于煤矿、矿井并引起许多矿井事故。甲烷的主要来源是含 50%～90% 甲烷（取决于气源）的天然气，自干馏烟煤、煤焦化生产的甲烷对于缺天然气的地区具有重要性。因产量高、价格低、洁净、易于管理，天然气一直主要用作燃料。甲烷是氢和某些有机药品的重要来源，甲烷在高温下与水汽反应生成一氧化碳和氢，而氢用于制氨供作肥料、炸药用。用甲烷制取的其他重要产品有甲醇、甲醛、氯仿、四氯化碳和硝基甲烷。从甲烷的不完全燃烧可生产碳黑。

methanol　甲醇　又作 methyl alcohol，又称木醇、木精。醇类有机化合物中最简单的一种，分子式 CH_3OH。是木材干馏产生的醇。现在甲醇的制法是基于氢和一氧化碳在催化剂作用下直接合成；多数甲醇是由天然气的*甲烷*(**methane**)制取的。纯甲醇是化学合成的重要原料。甲醇的衍生物大量用于合成各种化合物，其中有许多重要的合成染料、树脂、药品和香料。大量甲醇转变成二甲基苯胺和甲醛，分别用于生产染料和合成树脂。甲醇还用作汽车防冻剂、火箭燃料和普通溶剂。甲醇也是一种高辛烷值、干净燃烧的燃料，是机动车辆用汽油的潜在的重要代用品。从木材制得的甲醇主要用来掺入酒精，使酒精不宜饮用。甲醇为无色液体，沸点 64.96°C，凝固点 -93.9°C。与空气混合形成爆炸性混合物，燃烧时发出无光火焰。甲醇又是剧毒品，饮用含甲醇的饮料可造成失明或死亡。

methemoglobinemia　正铁血红蛋白血症　红细胞携氧能力降低的疾病，可为遗传性亦可为获得性。红细胞中的血红蛋白必须处于还原状态方能与氧结合，正铁血红蛋白是氧化型血红蛋白，因此不能运输氧气。正常情况下，各种酶的作用使血红蛋白保持在还原状态。遗传性正铁血红蛋白血症是由于这些酶有先天性缺陷或由于血红蛋白分子结构异常（血红蛋白 M）使其变得易于氧化所致。获得性正铁血红蛋白血症可由某些药物或化学制剂引起。这些药物或化学制剂能够在血循环中产生氧化剂，很快地使血红蛋白氧化。症状的严重程度视其血循环中正铁血红蛋白的含量多少而异，有皮肤、黏膜青紫，无力及呼吸困难，乃至眩晕。遗传性正铁血红蛋白血症的治疗通常使用一些还原剂，如维生素 C、美蓝等。获得性正铁血红蛋白血症常在病因去除后自行消失。

methionine　甲硫氨酸　一种含硫氨基酸。可由许多普通蛋白质水解制得。1922 年首次从酪蛋白得出。占卵白蛋白重量的 5%。在其他蛋白质中含量很少。是哺乳动物和家禽的必需氨基酸，即这些动物不能合成该氨基酸，微生物则可从半胱氨酸和天冬氨酸合成。甲硫氨酸在甲基化作用（向化合物引入甲基 [—CH_3] 的过程）中有重要作用，亦为胱氨酸及半胱氨酸的前体化合物。

method, the (acting)　参阅 **Stanislavsky method** *斯坦尼斯拉夫斯基表演法*。

method of exhaustion (mathematics)　参阅 **exhaustion, method of** *穷竭法*。

methodic doubt　方法的怀疑　笛卡儿哲学中，通过虽然是尝试地、但却是系统地怀疑一切事物以寻求知识确定性的一种方法。首先按照知识的类型和来源，把一切陈述或命题分为：传统的知识、经验的知识和数学的知识，然后对每一类例证加以考验。假如能发现一种怀疑任何一个陈述或命题真实性的方法，则这种类型的其他一切陈述或命题也将被认为是可疑的而加以抛弃。这种怀疑之所以称为方法的怀疑，不仅因为它保证系统的完全性，同时也因为它并不主张一切（或者甚至任何一个）可疑的陈述或命题在实际上都是虚假的，或按照通常的意义不信任它们。这个方法是将一切并非不容置疑的知识的陈述与类型设想为不真实的而置于一旁。这样做，是希望将其真实性在某一方面受到怀疑的一切知识的陈述和类型去掉，以便求得某些不容置疑的确定知识。17 世纪上叶，笛卡儿运用方法的怀疑寻求确定的知识，获得思想活动中的自我的存在，可以用"我思故我在"这个不可怀疑的命题表达。

Methodism　循道宗　18世纪约翰·卫斯理为使英国圣公会重获活力而开创的运动。这个运动一直持续到今天，其表现形式为世界范围内的循道宗教会。据卫斯理在自己的《日记》中所述，在 1738 年（当时他是圣公会牧师）参加一次宗教会议时，他感到"内心奇妙地热了起来"，经受了一次从未有过的体验，确信自己获得了救恩。其后不久，他与怀特菲尔德合作，举行户外布道会，向被社会遗弃的人即自己感到不见容于圣公会的人们讲道。后来卫斯理基于教义上的原因与怀特菲尔德分手，但是许多平信徒和少数曾受按立的神职人员聚集在他的周围，其中主要人士是他的弟弟查理，查理写赞美诗宏传循道宗奋兴运动的信息。循道派在圣公会内成立了一个"会"。卫斯理从未希望这些人脱离圣公会，但是经过多年的紧张关系，这些人与英国圣公会正式决裂，此事发生在 1795 年，也就是他死后 4 年。循道派加强了他们的教会管理体制，结合高度中央集权与有效率的地方机构和吸收平信徒参加布道，从而使循道宗在 19 世纪一直迅速发展，势头不衰。循道宗取得重要成功主要是在新兴的工业地区，在这些地区，循道宗人士一方面帮助劳动民众以精神方法克服经济困难，另一方面又往往是鼓励他们节俭过简单生活，以提高自身经济地位。在美国，美以美会于 1784 年在阿斯伯里和科克的指导下成立，它是一个自主的机构；他们二人组织美以美会遵循卫斯理的原则，但又针对新定居区和边疆地区的需要有所变通。第一批循道宗巡回布道员在美国独立战争前不久才到美洲，但是，到了 19 世纪中叶，循道宗在信徒人数上已超过美国其他任何会派。这种突出的进展特别发生在拓荒地区，在那里，骑马的循道宗巡回布道员用通俗的语言向拓荒的人们传教。但是，循道宗之所以成为美国新教中一支生气勃勃的力量，其原因却在于它的独具特色的组织机构。1844 年，循道宗内部南北两支在蓄奴问题上分道扬镳。经过南北战争之后，南北两支在人员和物质资源上继续飞速进展。循道宗逐渐与适应美国中产阶级的新教打成一片，于是，它的内部兴起了一股"圣洁"运动，它在 19 世纪后期脱离循道宗主体教会，南北两支在 1939 年恢复统一，后来在 20 世纪进一步合并，但是，源起于圣洁运动的圣洁派教会和五旬节派教会依然独立存在。黑人循道宗各教会于 1939 年成立新的中央管理机构，1968 年以后又逐步与该宗一般教会融为一体。英美循道宗人士都热衷于国外传教事业，遂使循道宗成为普世的运动。源起于美国循道宗各传教会的教会数目较多，分布也较广，而在英国影响范围内各教会走向自主的过程较为平稳。英美循道宗在 19 世纪发生过一系列分裂，但是，在 20 世纪，循道宗稳步趋向统一。虽然循道宗人士的信仰、习俗和社会地位各不相同,他们共同热诚地承认基督教的传统教义,在教义问题上不强求铁板一块,也不强调神学思辨。循道宗一致强调的教义是:圣灵有能力坚定信徒的信心并改变人的个人生活,信仰的核心在于个人同上帝的关系;礼拜仪式从简;教牧人员与平信徒都参加教会的礼拜和教会的管理;关怀权利低薄的人们,注重改善社会条件;成立小型团体以在信仰上互相促进、互相启迪;在教会管理方面实行联系制(凡教牧人员都与教会的中央当局保有"联系",教会机构实行集中化管理);忠于卫斯理。

Methodius, SAINT 美多迪乌斯,圣 参阅 **Cyril and Methodius, Saints** 西里尔与美多迪乌斯,圣。

Methodius I, SAINT 美多迪乌斯一世 (788或800,西西里锡拉库萨～847-06-14,君士坦丁堡[今伊斯坦布尔]) 希腊正教君士坦丁堡牧首(843～847在位)。在反对崇拜圣像的拜占廷皇帝狄奥斐卢斯统治期间(829～842),美多迪乌斯虽主张崇拜圣像仍得以留在君士坦丁堡宫中。他得到崇拜圣像的皇后狄奥多拉的支持。狄奥斐卢斯死后,其子迈克尔三世即位,狄奥多拉摄政,842年任命美多迪乌斯为牧首,在他的协助下,宣布崇拜圣像合乎拜占廷帝国法律。

methotrexate 甲氨喋呤 抗恶性肿瘤药。为叶酸的抗代谢药,因此可妨碍核酸的合成,从而阻止癌细胞的繁殖,用于减缓某些癌细胞,尤其是绒毛膜上皮癌细胞的生长。亦用于治疗牛皮癣,又为某些类型免疫反应的抑制剂。

methoxychlor 甲氧基氯 又称1,1,1-三氯-2,2-双(对甲氧苯基)乙烷。无色结晶的有机卤化物,用作杀虫剂。甲氧基氯和DDT非常相似,但作用较快,持久性较低,不像DDT那样在动物的脂肪组织中积累。可由三氯乙醛与苯甲醚在硫酸存在下制得,商品纯度约为88%。

Methuen (of Corsham), Paul Sanford Methuen, 3rd Baron 梅休因(1845-09-01,英国威尔特郡科舍姆考特～1932-10-30,科舍姆考特) 在南非战争中被布尔人击败(1899-12-11)的英国军队指挥官。曾在黄金海岸(今加纳)和贝专纳(今博茨瓦纳)服役,1898年升为中将。1899年在南非任英军第一师师长。在指挥作战时,他在马格斯丰坦高地被布尔将军J.H.德拉雷伊和P.A.克龙涅击败。1902年3月被德拉雷伊生俘于特威博什。他后来曾任南非军队总司令(1907～1912)和马耳他总督(1915～1919)。1911年晋升陆军元帅。

Methuselah 玛士撒拉 《旧约》人物。据《创世记》记载,他在世969年,是传说中最长寿的人。《创世记》仅在概述人类祖先世系时提到玛士撒拉,说他是塞特的第六代孙,塞特是亚当与夏娃在他们的儿子该隐杀死其兄弟亚伯一百多年后所生之子。玛士撒拉是拉麦的父亲,挪亚的祖父。

methyl alcohol 参阅 **methanol** 甲醇。

methyl bromide 甲基溴 又称溴代甲烷。无色、不可燃、易液化、毒性强的气体,属有机卤化物。可用作食品、烟草、苗圃的熏蒸杀虫剂和杀鼠剂,小部分用于制取其他有机化合物。甲基溴由甲醇与氢溴酸反应制得。微溶于水,能溶于许多有机溶剂。常将甲基溴与氯化苦混合用作熏蒸杀虫剂,氯化苦有强烈气味在其中作为警戒剂。

methyl chloride 甲基氯 又称氯代甲烷。无色、可燃、有毒气体,属有机卤化物。用于制取聚硅酮、四甲基铅(汽油抗爆剂)、甲基纤维素(纺织品上浆剂)和生产丁基橡胶的溶剂。过去还用作冷冻剂,但现已多为毒性小、可燃性低的化合物所代替。1835年首次用甲醇、硫酸和食盐制得甲基氯。最早的工业生产方法是将甜菜制糖工业的废弃物——甜菜碱进行热分解,后来改用甲醇与氯化氢反应或用甲烷与氯反应的方法。甲基氯通常的贮运形式为液态,在大气压下沸点为-24℃。

methyl group 甲基 有机化合物的最普通结构单元之一。由3个氢原子与1个键合在分子其余部分上的碳原子连接形成。甲基游离基(CH_3)、甲基阳离子(CH_3^+)和甲基阴离子(CH_3^-),是许多化学反应中的过渡中间体。

methylene (chemistry) **亚甲基** 参阅 **carbene** 卡宾。

methylene blue 亚甲蓝 鲜艳的蓝绿色有机染料,吩噻嗪类化合物。主要用于韧皮纤维(如黄麻、亚麻、大麻等柔软的植物纤维),而在纸张、皮革和媒染棉纱中用量较少。用亚甲蓝染丝和毛耐光性很差。在检验牛奶的结核病感染中亚甲蓝用作生物着色剂,也用作化学氧化-还原指示剂。亚甲蓝发现于1876年,约在1886年开始由二甲基苯胺作为主要原料生产。

methylene chloride 亚甲基氯 又称二氯甲烷。无色、不可燃的挥发性液体,属有机卤化物。在工业上由甲烷氯化同甲基氯、氯仿及四氯化碳一起生产。常压下,亚甲基氯的沸点是40℃,比重大于水,在水中溶解甚微,是脂肪、油、润滑脂和许多聚合物的有效溶剂,大量用于配制脱除油漆膜的溶剂。由于它毒性低,不易燃,稳定性高,易于回收再用而受到欢迎。

methylmorphine 甲基吗啡 参阅 **codeine** 可待因。

metic 客籍民 希腊语拉丁字母转写作metoikos。古代希腊的外籍居民,包括解放后的奴隶。除斯巴达外,多数城邦都有客籍民。雅典是客籍民人数最多的地方,他们在雅典的地位处于来访的外国人与公民之间,既有权利也有义务。他们被公认为社会成员,并受专门的法律保护,虽然在婚姻和产权方面要受限制。他们作为人力和熟练劳动的重要来源,公元前5世纪在雅典人口中占很大部分。客籍民刻法洛斯(即吕西阿斯之父)是柏拉图《理想国》中人物;帕西翁也是客籍民,当过奴隶,后来成了公元前4世纪雅典的大金融家。

Métis 混血人 特指加拿大历史上的印第安人与法国人或苏格兰人血统的混血人。第一批混血人是当地印第安人女子与在今曼尼托巴省雷德河地区经营毛皮的欧洲商人所生的子女。1869年加拿大人接管西北地区时,他们曾进行反抗。半个世纪中,他们已发展起一种独特的生活方式,从而自认为自成一个民族,拥有西北地区的所有权益。由于担心从安大略来的移民浪潮,他们在混血人路易斯·里尔的领导下建立一个临时政府。1870年他们的政府与加拿大谈判联合问题,结果建立了曼尼托巴省。

Metochites, Theodore 梅托齐特斯(约1260,尼西亚帝国尼西亚[今土耳其伊兹尼克]～1332-03-13,君士坦丁堡[今伊斯坦布尔]) 拜占廷首相,14世纪主要的文学家和哲学家之一。著名的东正教教士之子。梅托齐特斯深得安德罗尼卡二世皇帝的宠信,多次受命寻求外援,以反抗奥斯曼土耳其人的入侵。1298年前往斯科普里的塞尔维亚宫廷,企图通过联姻与塞尔维亚人结盟,以扭转拜占廷的军事和政治颓势。结果,塞尔维亚虽在军事上强大,却承认东罗马皇帝的宗主地位。梅托齐特斯在其《外事文书》中,留下了有关这些谈判的珍贵史料,也描述了拜占廷对斯拉夫王朝的影响。1321～1328年他任帝国首相,掌管朝政。此后,由于他曾效忠安德罗尼卡二世,而被安德罗尼卡三世剥夺财产、流放。1331年他退隐君士坦丁堡科拉隐修院进行学术研究,他从建筑和艺术两方面对隐修院的修复进行指导。这座隐修院的镶嵌艺术品成为14世纪拜占廷镶嵌艺术的顶峰。梅托齐特斯著作甚丰,自科学以至神学,均有论述。最著名的是《个人评论与注释》,通常称《哲学与史学杂抄》,其中收录70多名希腊作家论述古典思想、历史和文学的文章。还有关于物理学、天文学、生理学以及亚里士多德心理学的论文,现在仅存拉丁文译本。有关柏拉图《对话集》的评论文章对15世纪柏拉图学的复兴有重要的影响。

Metonic cycle 默冬周 又译默冬章。纪年法中的一种为期19年的周期。其中包含235个太阴月或朔望月。经过这一周期,月相又重现于太阳年或季节年中的同一日子。这个周期是雅典天文学家默冬(活动于公元前432年)发现的。按现代数据,235个朔望月为6 939日16.5时,19个太阳年为6 939日14.5时。参阅 **golden number**。

metonymy 换喻 辞格之一。源于希腊语,意为"改换名称,用词不当"。一个事物或概念的名称被一个密切有关的词代替，或者由原来的词暗示出来。例如，以“王冠”代“国王”，换喻与提喻(以部分代全部或以全体代部分)密切有关，是一种常见的诗歌修辞方法，它有创造具体生动的形象以代替一般化的效果。例如，以一个具体明确的“坟墓“以代替抽象的“死”。换喻是标准的新闻文章和标题所常用的，例如，用“市政厅”代替“市政府”，以“白宫”代替“美国总统”或以“克里姆林宫”代替“苏联政府”。

Métraux, Alfred　梅特罗(1902-11-05，瑞士洛桑～1963-04-12，法国巴黎)　瑞士人类学家，曾对南美人种史的研究和海地非洲文化的探讨做出首创性的贡献。1928～1934年任阿根廷图库曼大学人种学研究所所长，1928年写了两部有关巴西已灭绝的图皮南巴族印第安人的人种史，成为经典著作。1934～1935年去复活节岛考察后，在檀香山毕晓普博物馆工作，后来又去阿根廷和玻利维亚从事实地考察。写有两本专著：《复活节岛人种志》(1940)和《复活节岛考察记》(1935)，提出复活节岛土著居民不论在文化上还是在体质上都属于波利尼西亚人种，岛上著名的独石雕刻系当地居民的作品而不是亚洲人或美洲印第安人的作品。1941～1945年参加史密森学会美洲人种志局的研究工作，所编的《南美印第安人手册》(共7卷；1946～1959)提供各民族的历史构拟材料。1946～1962年任职于联合国和联合国教科文组织。在教科文组织任期内，从事亚马孙河流域(1947～1948)和海地(1949～1950)的研究工作，著有《海地的伏都教》(1958)，提出了伏都教起源于非洲之说，且与海地的罗马天主教关系密切。

metre　米　又作meter。在测量上，指公制与国际测量制中的长度基本单位，等于美国习用度量的39.37英寸。1791年曾由法国科学院加以定义，即由北极经巴黎到赤道(地球圆周的1/4)的千万分之一长；1889年国际计量局并将铂(90%)铱(10%)标准棒两线间的距离设为国际米原器。到了1960年，由于测量光波长技术的进步，使得建立一个更精确与容易复制的标准(不须仰赖任何人工制品)成为可能。目前在国际单位制(**International System of Units**)中，米定义为氪86原子于特定条件下的橙红谱线波长之1 650 763.73倍。到20世纪80年代，激光测量技术的进展，使测定光速数值达到空前的准确度。1983年国际计量大会决定，这一常量公认的确切数值是299 792 458米每秒。因此，米现定义为光在真空中1/299 792 458秒的时间内行程的长度。

metre　格律　又拼meter。在诗歌中，指一诗行的节奏形式。人们设想出以语言的自然节奏为基础的各种不同原则，把诗句组织成有节奏的单元。这些原则构成了各种不同的诗体，其中最常见的有音量诗体、音节诗体、重音诗体和重音-音节诗体4种。

①音量诗体，即古希腊和拉丁诗歌的格律。在朗读音节时只管音量大小和发音时间的长短，而不管它们是否重读。长、短音节(长音节发音的长度约比短音节长一倍)的不同配合构成基本的节奏单元。人们曾试图把音量诗体用于现代语言，但成效不大。

②音节诗体，最常见于重音不明显的语言，如罗曼诸语言和日语。它以一行诗中固定数量的音节为基础，不过重音或重读音节的数目可以有所变化。所以，法国诗歌的古典格律是亚历山大体，每诗行有12音节，中间(第6音节后)有一顿。日本的俳句为17音节，由各有5/7/5个音节的诗行构成。

③重音诗体，出现在重音强烈的语言中，如日耳曼语。它只计诗行内重音或重读音节的数目，而非重读音节数目则可以伸缩。古诺尔斯语和古英语的诗歌就是以具有固定数目的重音音节(加上头韵来强化)的诗句为基础的。在通俗英诗和儿歌中，重音的格律是十分明显的，如“Óne, twó, Búck | lĕ m̆y shóe.”19世纪后期，英国诗人霍普金斯就用重音诗体作为他所创新的跳韵(**sprung rhythm**)。

④重音-音节诗体，这是英诗的常见格式。它把罗曼语系音节的算法和日耳曼语系重音的算法结合起来，形成有固定数目的重读与非重读音节相互交替的诗行。英诗中最常见的格律，即抑扬格五音步格，就是有10个音节或5个抑扬格音步的诗句。每一抑扬格音步都是一个非重读音节后面跟一个重读音节。

上述这些正规格律的任何一种不仅允许有所变化，而且这种变化是不可避免的，也是人们所希望的。例如ă | gáin和fŏr | lŏrn两词都可构成一个抑扬格音步，但是两词在音质上差别甚大。甚至在最正规的格律中，某些音的音质、高低和力量，加上其他写诗手法，诸如母韵、子韵、头韵或尾韵的相互作用，都会有助于加强基本韵律格式，或使这一格式不易看清。

诗歌的正规格律的功能很复杂。最简单的格律，如在儿歌或民谣中，也能产生由摇动、摆动、快步或用脚轻轻击拍等任何一种简单的有节奏的活动所提供的肉体的乐趣。如用以拟声，它可以或轻柔缓慢，或急促快捷，或断续交替，或重而慢，或轻而快，以适合诗的内容及情调。在更复杂的诗歌中，正规格律是一种微妙的、灵活的手法，它通过与语言的自然节奏和词义的极其微妙的相互作用，有机地融进全诗中。尽管在19世纪后期和20世纪初期许多诗人已冲破了正规的格律诗的束缚，但是如何将想象的冲动纳入合乎格式的框架，这一挑战对诗人仍有诱惑力(参阅**foot; scansion**)。

metre　节拍　由称为拍的基本时间单位有规律地组成小节的音乐节奏式样。按西方记谱法，用小节线把毗连的小节划分开。节拍记号见于曲首，指明每小节的拍数及每基本拍的时值。例如3/4拍表示每小节有3个4分音符。节拍记号还暗示重音应规律地出现在每小节的第一拍。单节拍分2拍(如2/2、2/4)、3拍(3/4、3/8)和4拍(4/4、4/8)。复合节拍也分2拍(如6/8、6/16)、3拍(9/8)或4拍(12/8)，但节拍记号所指数目是拍数的3倍。因此，例如6/8拍，可分为各有3拍的两个基本部分，总数仍为6拍。有些不常见的，既非2拍亦非3拍(5/4、7/4)的节拍可以视作2拍和3拍的复合——2/4 + 3/4或者3/4 + 2/4 + 2/4。自17～20世纪以来，有规律的节拍相传沿用，成为标准节拍。

metrētēs　米突里蒂斯　古希腊主要液量单位，等于39.4升或约9加仑。在希腊制中，科泰尔(kotyle，等于16.5立方英寸、0.475品脱或270立方厘米)为最小容积单位，米突里蒂斯等于144科泰尔、12科奥斯(khous)或2埃克斯蒂斯(xestes)。修复的在雅典卫城发掘出土的陶制圆筒，为希腊液量制已知的最古证物。

metric space　度量空间　又称距离空间。数学中，一个集合连同被称为距离函数的一种规则的总称。这种规则使集合中每两个元素对应于一个数，它具有类似于欧几里得空间中的距离的那些性质，即这种距离函数(dist)总是正的，并且对任意3点满足三角不等式。任何度量空间都可变成拓扑空间，只要把拓扑结构的开子集取作与欧几里得平面上的圆内部相类似的东西；即对于每个点 p 和每个正实数 r，对应的开子集是由所有使得 $dist(p, x)$ 小于 r 的点 x 所组成。度量空间的一个重要特性是具有豪斯多夫性质，在这种情况下，每一序列点至多只能有一个极限点。度量化是使适当的豪斯多夫拓扑空间成为度量空间的一种方法，它使得通过运用距离函数按照上面所说的办法得到的开集正好就是原来拓扑的开集。确切地决定何种类型的拓扑空间是可度量化的，是一般拓扑学中的重要课题之一。如果任意一个闭集和它外面的任意一点能够分别包含在两个不相交的开集中，则这个空间称为正则的。1924年，苏联数学家P.乌雷松证明了正则的有可数基的豪斯多夫空间是可度量化的。所谓基是指一组开集，通过它们的并集和交集可以确定该拓扑的所有其他的开集。找出拓扑空间可度量化的最一般的条件是个更为困难的问题，由三位数学家：J.长田润一(美国)、Y.M.斯米尔诺夫(苏联)、R.H.宾(美国)，在1950年独立地解决。

metric system　米制　又译公制。以米为长度基准、以千克为质量基准的国际十进位度量衡制。1795年法国率先采用，至20世纪晚期已为大多数国家法定使用。1789年的法国大革命，提供了一个将屡次讨论过的想法付诸实行的机会，即以合理的十进制取代混乱的、传统的量度单位。1791年法国国民议会命法国科学院呈报法国度量衡的混乱状况，并决定新制应以自然的物理单位为基础，以确保恒久不变。该学院决定将经由巴黎的子午线周长的一象限之1/10 000 000定为长度单位。经过6年辛勤的测量，终于从巴塞罗那至敦刻尔克间子午线弧长得到此长度单位的值为39.370 08英寸，并称它为米(源自希腊语metron，意指量度)。

其他米制单位皆由米衍生出来，包括重量单位克(1立方厘米的水于密度最大时的重量)和容积单位升(1立方米的1/1 000)。并将希腊字首pico-(1/1 000 000 000 000)至

tera-(1 000 000 000 000)定为 10 的倍增系数，其中包括较熟知的微(micro-，1/1 000 000)、毫(milli-，1/1 000)、厘(centi-，1/100)和千(kilo-，1 000)。因此，1 千克等于1 000克；1 毫米等于1/1 000米。1799 年，米和千克的存档原器(新单位的铂原件)被宣告为法国一切度量制的法定标准，并在原器上铭刻"万国万世通用"的箴言，表达了对新单位的期望。

直到 1875 年，签订成立国际计量局的国际会议才在巴黎召开。会议所签署的米公约中规定，在巴黎附近的塞夫尔设永久性实验室，以保管国际标准、检查各国标准复制物，并进行度量衡学研究；由大约 40 国(1990 年已达 47 国)外交代表组成的国际计量大会每 6 年集会一次，商讨改革事宜。会中并遴选 18 位科学家组成国际计量委员会(每年开会一次)，管理国际计量局。

为了方便起见，国际米与千克原器的制作一度根据存档原器，而非直接根据对地球的实际测量。1960 年重新采用依据自然常数所作的定义，当时米重新定义为氪 86 光谱中橙红谱线波长的 1 650 763.73 倍，1983 年又重新定义为1/299 792 458秒时间内光在真空中行进的距离。千克则仍定义为保存在塞夫尔的国际原器的质量。

米制在 20 世纪衍生出科学与工业技术上需要的许多单位制，借以表示比单纯长度、重量、体积更复杂的物理性质。在国际单位制(**International System of Units**)建立前，厘米-克-秒(CGS)制与米-千克-秒(MKS)制则一直为主要使用的单位制。

metro（metropolitan transit） 参阅 **subway** 地下铁道。

Metro-Goldwyn-Mayer，Inc.（MGM） **米高梅影片公司** 一度是世界上规模最大、获利最丰的电影制片厂，在 20 世纪 30 和 40 年代达到其顶峰。在那段时间先后与米高梅签约的著名演员有 G.嘉宝、L.钱尼、N.希拉、巴里摩尔兄妹、J.克劳馥、J.麦唐娜、C.盖博、J.哈洛、M.洛伊、K.赫本、S.屈赛、J.迦兰、M.罗尼、E.泰勒、G.凯利和 G.嘉逊等。1920 年电影发行人 M.洛伊买进米特罗影片公司，使该企业初具规模。4 年后与高德温制片公司合并。1925 年 L.B.梅耶影片公司也入伙。由梅耶任公司行政领导达 25 年之久。米高梅影片公司拍摄了《大饭店》(1932)、《大卫·科波菲尔》(1935)、《大地》(1937)、《费城故事》(1940)、《米尼佛夫人》(1942)、《煤气灯下》(1944)和《柏油丛林》(1950)等大获成功的影片。还有拍过两次的史诗片《叛舰喋血记》(1935，1962)和《宾虚传》(1925，1959)，以及由该公司主要出资并独家发行的 D.O.塞尔兹尼克的影片《乱世佳人》(1939)。米高梅公司还以豪华的歌舞片闻名，如《绿野仙踪》(1939)、《齐格飞女郎》(1941)、《圣路易斯相会》(1944)、《一个美国人在巴黎》(1951)、《雨中曲》(1952)和《琪琪》(1958)等。50 年代米高梅公司逐渐走下坡，60 年代开始了一系列经营管理上的改变，制作了《日瓦戈医生》(1965)和《2001 太空漫游》(1968)等影片。70 年代出售了大部分资产并分散于诸如饭店、赌场等非电影的企业。从 1973 年起米高梅公司与联艺公司进行多种财务上的协作。

Metro Toronto Zoo **大多伦多市动物园** 位于加拿大安大略省西山地区的一所动物园，1974 年由多伦多市政府和多伦多市动物学会创办，面积 287 公顷，为世界上最大的动物园之一。取代了位于里弗代尔的旧式的狭小、拥挤的多伦多市动物园。该动物园拥有动物近 280 种，数千只。展览方式采用动物地理学原则，把产于每一大洲的动物安排在一起，同时，在每一区建立一个展馆，以收容小型的以及不能忍受加拿大寒冷气候的动物。馆内种植各洲的有代表性的植物，以创造一种与各产地相应的自然背景。例如非洲馆的一半布置成非洲丛林的生境，在这里收容大猩猩和紫羚羊；另一半则是沼泽地，收容倭河马和林羚一类的动物。户外有 20 公顷人工的稀树草原，在这里混合展出斑马、白犀牛和其他大型鸟兽。另一处大规模展览就是"加拿大动物领地"，观众可以乘小火车穿行于这块 166 公顷的区域，参观在这里展出的大型兽类。

metrology **计量学** 测量的科学。由长度、质量和时间 3 个基本量可以推导出所有的力学量，如面积、体积、加速度和功率等。一个实用的综合测量系统至少还应包括其他 3 个基本量：电磁量、温度和辐射(如光)强度。据此，1960 年的第 11 届国际计量大会采用 6 个量和单位，以它们为基础，建立了国际单位制(**International System of Units**)。测量一个量意味着确定它与同类型的某一不变量(称为单位)的比值。单位是一种抽象概念，它要参照某个任意选定的物质标准或自然现象来下定义。例如米制中长度单位的定义，在 1889～1960 年是指一根特种金属棒上两条线之间的间隔，现在则为在给定条件下某种原子产生的光波波长的一定倍数。

metronome **节拍器** 表明音乐速度的仪器。曾误认为德国人 J.N.梅尔策尔(1772～1838)所创，实为其同行对手荷兰人 D.N.温克尔(约 1776～1826)发明。节拍器内设钟摆机构，装在枢轴上用手旋发条装置驱动摆杆摆动，由擒纵机(摆动控制器)作用，发周期性"答答"声。枢轴下方有一固定摆锤，上方有一可移摆锤。面板上有数字刻度表，指明在可移摆锤移到摆杆上某一点时每分钟的摆动数。如 M.M.(梅尔策尔节拍器的缩写)𝅗𝅥 = 60，就表示以 2 分音符为一拍，每分钟 60 拍。传统的节拍器装在棱锥形盒子里。亦有袖珍式和电节拍器。

Metrophanes Kritopoulos **梅特罗法内斯·克里托波洛斯**(1589，奥斯曼帝国马其顿贝罗亚～1639-05-30，奥斯曼帝国瓦拉几亚)希腊正教亚历山大牧首(1636 就任)、神学家。起初，1638 年君士坦丁堡会议通过决议，谴责原君士坦丁堡牧首卢卡里斯倾向新教，克里托波洛斯事后表示赞成这项决议。1624～1625 在德国黑尔姆施泰特用希腊文撰写《东方使徒公教会信纲》，阐明东正教会的传统信仰。他一方面反对基督教和天主教的若干教义，另一方面设法调合各派神学，态度模棱。

metropolitan **都主教** 天主教会、东正教会和英国圣公会中教省的首脑。在罗马帝国时代，都主教指大城市或省会的主教，所辖教区范围与所在行省相当。在斯拉夫语地区的东正教会，都主教指各自主教会和少数重要主教区的首脑；在希腊语地区的东正教会，领有教区的主教均称都主教，以区别其他主教。在西方中世纪天主教，特别是 9 世纪以后，教皇集权制形成，都主教权力逐渐消失。教皇将大主教称号授予德高望重的都主教，因此，大主教一词主要强调宗教权威，而都主教一词则主要体现世俗权力。这种区别仍存在于今日天主教会。在英国圣公会，都主教与大主教为同义词。参阅 **archbishop**。

metropolitan area **大都会区** 又称大都会。包括大城市及其郊区、附近城镇以及该城市的经济、社会影响所支配的地区。大都会一词源于希腊文 metropolis，意为"母城"，顾名思义，母城四周自然会有附属的子城。有时会出现两个以上大城市组成的都会，如日本的东京-横滨大都会区；有时则由都会区结合成一个大都会，如英国的大伦敦。美国人口普查委员会规定了"都市统计区(MSA)"计算单位，它包括：①5 万以上人口的城市；②都市化区域人口在 5 万以上，全都会人口在 10 万(在新英格兰是 7.5 万)以上的地区。所谓都市化区域是指至少拥有 5 万以上人口，而且人口密度须在每平方英里 1 000 人以上的地方。

Metropolitan Museum of Art **大都会艺术博物馆** 纽约市最大和最全面的艺术博物馆，也是世界上最重要的博物馆之一。该馆于1870年筹建，两年后对外开放，后不断扩建。藏有埃及、巴比伦、亚述、远东和近东、希腊和罗马、欧洲、前哥伦布时期、新几内亚和美洲的重要艺术品，包括建筑、雕刻、绘画、素描、版画、玻璃器皿、陶瓷器、纺织品、金属制品、家具、古式房间、武器、盔甲和乐器。设有一个服装馆和一个青少年博物馆。托马斯·J.沃森图书馆建于 1964 年，是世界上收藏艺术和考古书籍最完善的图书馆之一。中世纪欧洲艺术品在中央公园综合陈列馆和隐修院

大都会艺术博物馆内的隐修院回廊
纽约大都会艺术博物馆供图

回廊两处陈列。后者是大都会艺术博物馆设在特赖恩堡公园的中世纪艺术博物馆，1938年开放，其建筑由中世纪的隐修院和教堂两部分组成。

Metropolitan Opera Association　大都会歌剧院协会　美国纽约市主要的歌剧公司。自1883年10月22日开演（古诺的《浮士德》）以来，以拥有杰出的歌唱家著称。1892年在H.E.艾比、W.舍费尔和M.格劳经营下，节目的安排是德、法、意3国的歌剧鼎足而居。格劳是大都会歌剧院“黄金时代”（1898～1903）的经理，从世界各地聘来很多卓越艺术家。在G.加蒂-卡萨扎任总经理的25年中，开展了一周一次的电台广播演出。E.约翰逊在1934～1950年任总经理时期，积极支持美国作曲家和艺术家为该院创作、演出。其继任人R.平在演出上作了改进，并聘请第一批黑人歌唱家。他还为歌剧院举办首次电视演出和组织巡回演出团。大都会歌剧院于1966年迁至纽约市林肯表演艺术中心演出。

Metsähine（Finnish god）　**梅采希内**　参阅 **Tapio 塔皮奥**。

Metsu, Gabriel　梅曲（1629-01，尼德兰莱顿～1667-10-24下葬，阿姆斯特丹）　荷兰生活场景画家。从画宗教题材开始，转而描绘市场生活和画室生活，均能发挥自如。著名作品有《音乐课》、《艺术家和他的妻子》等。

Metsys, Quentin（Flemish artist）　参阅 **Massys, Quentin 马西斯**。

mettā（Pāli）　**梅塔**　指佛教教义中完美的同情心美德。参阅 **brahmavihāra**。

Metternich, Klemens, Fürst von　梅特涅（1773-05-15，特里尔选侯领地科布伦茨～1859-06-11，维也纳）　全名Klemens Wenzel Nepomuk Lothar Fürst von Metternich-Winneburg-Beilstein。奥地利政治家，外交大臣（1809～

美国不列颠百科全书公司供图

1848），保守主义的斗士。他组织了反对拿破仑一世的胜利同盟，并使奥地利恢复了其欧洲强国的地位，1814～1815年间主持维也纳会议。

早年生活　梅特涅是莱茵河地区古老的贵族家庭的后裔，是梅特涅-温尼堡伯爵弗朗茨·格奥尔格·卡尔和贝亚特丽克斯·卡根纳格女伯爵之子。当时，其父是帝国驻莱茵公国的奥地利使节。梅特涅的青年时代在莱茵-摩泽尔地区度过，这一段时光使他终生难忘。

1788年他入斯特拉斯堡大学学习外交。法国革命的扩展促使他在1790年离开斯特拉斯堡转入美因茨大学。在法国革命军队进入美因茨之前，他前往奥地利属尼德兰的布鲁塞尔，当时，他的父亲正在那里任首席大臣。1794年他赴英国去完成一项外交使命。在那里，他出版了一本小册子号召德国人民全面武装。同年10月，他与其父重逢。由于法国人侵尼德兰，其父当时已逃往维也纳。在维也纳，他潜心研究自然、科学和医学，对这些他始终抱有浓厚的兴趣并且后来曾极力鼓励对这些方面的研究。

1795年9月，他与奥地利前首相考尼茨伯爵文策尔·安东的孙女和继承人埃莱奥诺雷·考尼茨女伯爵结为伉俪。与奥地利高层贵族联姻为他提供了他长期向往的通向高官的门路。在拉施塔特会议（1797～1799）末期，他曾充任帝国的罗马天主教威斯特伐利亚伯爵们的代表，这次会议批准了对被法国人从莱茵河左岸领地逐出的德意志公爵们的补偿。此后，他于1801年被任命为奥地利驻德累斯顿萨克森宫廷的公使。在那里，他与德国共和主义外交家根茨建立了友谊。1803年之后，梅特涅任奥地利驻柏林公使，但他未能说服普鲁士国王威廉三世同奥地利一道进行1805年的反法战争。不过，他却对普鲁士王国内部的衰败有了深刻的了解，并预言它将很快崩溃。

拿破仑战争期间的外交生涯　1806年梅特涅担任奥地利驻法国公使。在与拿破仑幼妹卡罗琳和巴黎上层社会其他女士们的接触中，他以放荡不羁闻名。但是，他正是通过这些女士们以及通过与法国外交部长塔列朗和俄国大使的关系才能够获得关于法国国家事务的精确报告。尽管梅特涅在导致法奥两国签订《枫丹白露法奥条约》的谈判中所取得的成功意义不大，但他却对拿破仑一世皇帝的性格有了深刻的了解。然而，他过分估计了西班牙人1808年的崛起对拿破仑体制所产生的影响。他的乐观报告在促使奥地利参加1809年那场反对法国的灾难性的战争中起了很大作用。瓦格拉姆战役之后，他曾在和平谈判中力图得到有利的条件，但遭到了拿破仑的断然拒绝。

1809年10月8日，弗兰茨皇帝（当时奥地利的弗兰茨一世已不再是神圣罗马皇帝）任命梅特涅为外交大臣。6天之后，与法国签订了屈辱的《申布伦条约》。奥地利这时极需一个喘息的机会，梅特涅巧妙地利用拿破仑的自负，促成弗兰茨一世的女儿玛丽-路易丝女大公和拿破仑的婚事而使奥地利得到了这一机会。他希望这次婚姻能在多大程度上遏制拿破仑的进一步征服，人们不得而知，但是至少，他使法国和奥地利之间的关系变得缓和，足以使奥地利保持采取行动的自由：奥地利既没有加入莱茵联盟——一个受拿破仑保护的德国公爵们的联盟；也没有成为拿破仑的附庸。由于国力消耗殆尽和债台高筑，奥地利无力再抵制拿破仑的任何进一步要求，但当时奥地利至少已不再是拿破仑敌对行动的主要目标。

为了促进奥地利国内的发展，早在1811年，梅特涅就想按联邦制改组国家，而不再继续约瑟夫二世所规定的中央集权制度。然而，梅特涅却一直未能克服绝对专制主义的国王的反对。与此同时，他那直到1809年一直保有的要把全国武装起来和德意志民族崛起以反拿破仑的热情开始被一种强烈反对一切民众运动的感情所代替。与皇帝意见一致，他把这些现象视为对多民族的哈布斯堡帝国的威胁。他成为欧洲势力均衡论的最坚决的倡导者——这种理论最初是由科赫、后来又由他的外交界朋友根茨灌输给他的。

1812年当拿破仑发动对俄国的侵略时，梅特涅为卡尔·施瓦岑贝格公爵率领的伴随法军出征的奥地利军队争得了独立部队的地位。拿破仑军队的灾难性失败对梅特涅来说大为意外。1813年1月30日施瓦岑贝格与俄国人达成了一个无限期停战的协议。但是，考虑到奥地利军事力量的不足，梅特涅难以决心转到俄国人一边反对拿破仑。抵制住所有不成熟的计划，特别是约翰大公（他曾因未遂的反法起义而被软禁在阿尔卑斯山中）的计划，梅特涅坚定地采取了中立的立场。与此同时，奥地利却在秘密地进行重新武装。他甚至一度把萨克森王国拉入中立的阵营。1813年后期，萨克森回归法国和拿破仑在包岑打败俄军和普鲁士军的胜利，动摇了梅特涅进行战争的决心，并使拿破仑的态度变得强硬。这时，梅特涅在法国、俄国和普鲁士之间进行斡旋，达成停战。即便如此，其后在奥地利、普鲁士和俄国于1813年6月24日签订《赖兴巴赫条约》的谈判中梅特涅断言，如果拿破仑拒绝他提出的和平条款，奥地利就会参加反对法国的战争。

通过控制与法国在1813年夏天所进行的谈判，梅特涅为重整军备赢得了更多的时间。在这一点上，梅特涅对彻底消灭拿破仑的势力并不感兴趣，同样，弗兰茨皇帝出于对自己的女儿玛丽-路易丝的考虑，也不愿意全面毁灭法国。梅特涅也不相信俄国的亚历山大一世皇帝，担心法国崩溃之后，欧洲会落入俄国的手中。拿破仑的固执使问题的解决遇到了障碍。但是，当8月奥地利终于向法国宣战时，梅特涅通过其高超的谈判技巧，为奥地利赢得了政治和军事两方面的领导权。1813年10月，奥地利皇帝授予他世袭的公爵称号。

为了反对普鲁士公使斯泰因男爵卡尔和俄国皇帝的计划，梅特涅对莱茵联盟的南德意志诸邦作出许诺：如果他们转向联军一边，他们不会失去他们追随拿破仑时已取得的地位。许诺表明，他一方面努力求得一个兼顾各方利益的解决办法，另一方面还想与南德意志诸邦结盟反对普鲁士和俄国的扩张企图。拿破仑在滑铁卢战败并退位后，梅特涅以不现实为由，否决了斯泰因男爵等人提出恢复神圣罗马帝国的建议。第一个《巴黎条约》（1814年5月30日）使德意志得到的只是一个松散的邦联。

领导维也纳会议　维也纳会议（1814-09～1815-06）是梅特涅重建工作的顶峰。这个会议能在维也纳举行就是他的莫大成功。他对建立欧洲新秩序的基础有着十分明确的概念，一开始他就知道，如果他准备利用哪怕是他计划中的一小部分来与那些只顾自己利益的公爵们的反对立场作对，那么他将不得不对这些计划作出实质性的修改。他通过组织两个联盟来保住奥地利的支配地位，一个是德意志联盟，一个是意大利联盟。奥地利在这两个联盟中均为主导大国。在德意志，他建议设立一个世袭的皇帝称号，而且他认为奥地利和普鲁士应该分担保护德国西部边境的任务。一方面与普鲁士保持友谊，另一方面与巴伐利亚和好，在他看来是取得成功的先决条件。在英国外交大臣卡斯尔雷勋爵的支持下，梅特涅力图阻止摧毁法国，他把法国看作是与俄国抗衡的一个必要的筹码。而且，他抵制俄国和普鲁士的领土扩张，特别是反对普鲁士吞并整个萨克森的企图。维也纳会议成为一个显著的社会大事。通过一系列连续不断的庆典活动，梅特涅让与会的君主们始终保持着一种心态，使他们无意于干涉政治家们的实质性的工作。梅特涅多情善交、倜傥风流，扮演社会代表和政界领袖的双重角色挥洒自如。

但是梅特涅的计划并没有取得完全的成功：德意志帝国的计划因弗兰茨坚决拒绝而完全失败，意大利联盟也未能实现。而德意志联盟于 1815 年 6 月成立时，也只是建立在基于巴伐利亚妥协建议的一个简短而又不承担义务的联邦法案之上。但是，在欧洲事务中，梅特涅却取得了较大的成功。他为法国争得了平等的地位，他制止了俄国进一步的扩张要求。实际上，俄国和普鲁士都受到由梅特涅建立的英、法、奥联合阵线的牵制。梅特涅的稳健使欧洲获得了长期安定。这应归功于他的外交才能，而不是他的政治远见。奥地利在德意志邦联中的地位得到了加强，但是皇帝对德意志王冠的拒绝表明在邦联中具有同样地位的普鲁士有能力与奥地利抗衡。

在德意志邦联中的作用　甚至在奥地利帝国的内部，梅特涅也未能实现他扼制民族革命精神的想法（这种想法早已是他 1811 年计划的基础）。他想通过恢复旧的历史地区和他们在前专制主义时期所享有的特权来扼制这种精神。他试图根据过去的原则来组建新取得的意大利诸省，但受到弗兰茨皇帝的阻挠。皇帝虽然接受了梅特涅的主张，但把两个互不相容的地区合并成一个历史上未曾有过的“伦巴第-威尼斯王国”，从而毁掉了梅特涅扼制泛意大利民族主义的希望。而且，正如梅特涅所担心的，最初十分强烈的亲奥地利的情绪走向了反面。

奥地利的重建完全按照约瑟夫二世皇帝的意志进行，实行中央集权主义和专制主义，丝毫未考虑民族的差异，也不建立梅特涅所要求的各有专司的部。经过多次徒劳无益的劝谏，梅特涅最后屈从于皇帝。皇帝本人对维新深恶痛绝，不许任何人冒犯他的尊严。蒂罗尔和加利西亚领地古代议会的重建在某种程度上与梅特涅关于重建省议会的想法不谋而合。梅特涅想借此建立一个针对日益强大的、要求建立中央议会的自由主义势力和相反意见的抗衡力量。但是，他又谴责警务大臣为达到这些目的而采取镇压措施。

奥地利的国内事务在 1816 年美因河畔法兰克福开幕的邦联议会上给梅特涅造成了许多困难。他本想利用这次大会来反对全德意志的革命思想。梅特涅以蒂罗尔和加利西亚为例，在 1817 ～ 1818 年意欲鼓励德意志诸邦采用重建历史上的省份的宪法并设立他们自己的议会以代替中央议会。但是，1818 年夏天，巴伐利亚和巴登所颁布的宪法却没有体现梅特涅的思想，而是以 1814 年 6 月法国宪章为蓝本实行有限君主制。1819 年革命运动因戏剧家奥古斯特·冯·科策布的被谋杀达到高潮。此外，巴伐利亚和巴登的议会开幕式上风云突起，于是梅特涅决定镇压这些难以控制的自由主义潮流。他设法使普鲁士首相卡尔·奥古斯特·冯·哈登贝格确信他为省议会所设计的法规是正确的。接着，在确知普鲁士不会效仿德意志南方的榜样之后，他得以静观那些违背他的忠告而建立起来的议会是如何实现他的预言而反对德意志公爵们的自由主义倾向的。结果，在 1819 ～ 1820 年的卡尔斯巴德和维也纳大臣会议上，出乎德意志南方各邦的意料，梅特涅没有试图去废除新的宪法，只是简单地限制了已经成为他的累赘的邦联议会的活动。他重新调整其对德政策，开始不再依靠议会而依靠公爵们的共同利益。通过个人交往，他已经使这些公爵们与他的观点达成一致。于是，不再是联邦法案赋于奥地利以特权而是梅特涅个人的品格力量保证了奥地利在德意志邦联中的主导地位。

衰落年代　梅特涅曾经希望有一个会议制度，在会议上列强可以协调行动，以维持欧洲的和平。在艾克斯拉沙佩勒会议（1818）、特罗保会议（1820）、莱巴赫会议（1821）和维罗纳会议（1822）上，梅特涅的国际声誉达到顶峰，但当英国放弃干涉他国国内革命的政策时，大国论坛的分裂就十分明显了。在特罗保和会上，卡斯尔雷为这一变化开了路。继任的英国外相乔治·坎宁坚持给予起义反抗西班牙统治的南美殖民地人民、以及造反抵制土耳其的希腊人以民族自决权，从而使梅特涅在西欧的影响趋于消失。随着亚历山大一世的去世（1825），梅特涅对俄国的影响似乎也接近终点。普鲁士对奥地利优势的忌妒给他造成更多的困难，当时法国 1830 年的七月革命及随后发生在比利时、波兰和德国的暴动，似乎又一次证明梅特涅悲观的预言是正确的，并使东部列强奥地利、普鲁士和俄国相信他们应该按照他的原则团结一致。

1821 年 5 月 25 日，梅特涅被任命为奥地利首相，但是由于科洛夫拉特伯爵安东被任命为国务大臣和内阁会议主席（1826），他在奥地利的权势受到了极大的限制。科洛夫拉特反对等级分明的政府组织而且拥有很大的左右弗兰茨皇帝的力量。随着自己的影响力日渐减弱，梅特涅日益爱好虚荣，令人生厌，而且喜欢高谈阔论，他的讲话愈来愈啰嗦冗长，甚至有时近于荒唐。为了维持正统，他不顾一般的意见，向弗兰茨提出后患无穷的建议，立其长子、优柔寡断的斐迪南大公为王位继承人。1835 年斐迪南继承王位时，梅特涅最初同路易大公一起，后来一个人掌管行使摄政职能的国务会议大权。1836 年他似乎终于能够实行他的关于等级分明的政府的想法。但是，在关键时刻，科洛夫拉特设法使约翰大公和路易大公转而相信他自己的理论。之后，梅特涅的职权只局限于对外事务。当时一些法令本非他所制定，与他的观点也并不一致，但为了掩饰其影响之衰落，他竟为它们承担责任。这样，他成为压制与反动的象征，为人们所憎恶。最后，作为革命的第一个牺牲者，他被迫于 1848 年 3 月 13 日辞职。他艰难地逃亡英国，1851 年回到维也纳，8 年后在维也纳逝世。1825 年他的第一位夫人去世后，1827 年梅特涅娶了安托瓦妮特·莱卡姆女男爵为妻。1829 年她去世后，1831 年他又娶了梅拉尼·西齐-费拉里斯女公爵，她于 1854 年去世。他第 2 次婚姻中所生的儿子理查德 1859 ～ 1870 年任奥地利驻巴黎大使，是当时最重要的外交家之一。

Metz　梅斯　法国东北部洛林大区摩泽尔省省会、城镇。位于摩泽尔河和塞耶河汇合处，施特拉斯堡西北，卢森堡边界的南面。第二次世界大战后部分重建，郊区有很大扩展。高卢人部落曾以此为首府。后罗马人在此设防。公元 4 世纪成为主教管区。5 世纪受匈奴人劫掠后，转由法兰克人统治。843 年加洛林王朝解体时，梅斯成为洛林的首府。中世纪在神圣罗马帝国统治下，为自由城市，经济渐趋繁荣。1648 年根据《威斯特伐利亚和约》，与图勒和凡尔登一起割让给法国。摩泽尔河分成若干岔流流过该城，沿河有河滨大道。名胜古迹有哥特式圣艾蒂安大教堂（12

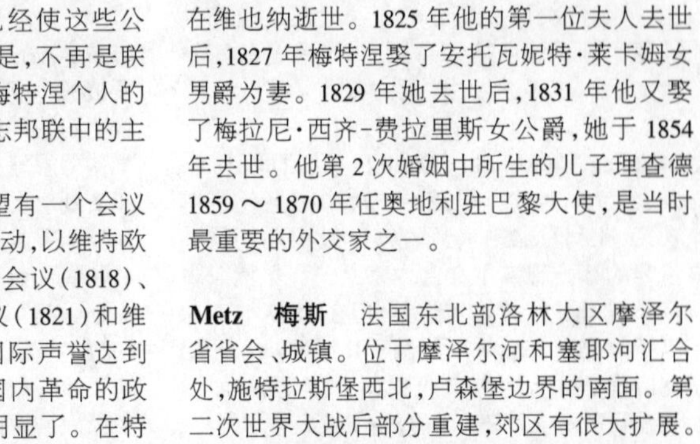

梅斯的旧城门——德意志门

美国不列颠百科全书公司供图

世纪)和旧城门(13、15世纪,上有带射击孔的城楼)等。博物馆收藏有高卢-罗马时代文物,在1935年发现的罗马浴场遗址上展出。梅斯位于南锡—卢森堡铁路线上,为公路和高速公路网中心,扼摩泽尔运河。靠近洛林铁矿盆地和摩泽尔煤矿。有汽车制造、电力、机械制造、食品加工和烟草加工业。为洛林经济计划区两个首府城市之一(另一个是南锡),也是法国发展规划中的八个地区中心之一。与南锡之间通高速铁路。人口123 920(1990)。

Meudon 默东 法国巴黎大区上塞纳省城市,巴黎西南郊区。位于塞纳河南岸山丘上。从默东可一览巴黎全貌。默东台地上18世纪初建造的王室城堡中有默东天文台。19、20世纪,雕塑家A.罗丹、画家E.马奈、P.A.雷诺阿以及作曲家R.瓦格纳都曾在此居住过。罗丹故居辟为纪念馆,内有他的坟墓和许多作品。城外有航空博物馆。工业有机械制造等,集中在下默东区。人口46 173(1990)。

Meulen, Adam Frans van der 默伦(1632-01-11,布鲁塞尔～1690-10-15,巴黎) 佛兰德斯巴罗克画家,擅长描绘战争场景。所作佛兰德斯战役诸画(1667)深受路易十四喜爱,从此每次作战奉令随行。他还为戈布兰挂毯厂画了许多挂毯草图,描绘路易的军事业绩。1673年进入法兰西学院。

Meunier, Constantin (Emile) 默尼耶(1831-04-12,比利时埃特贝克～1905-04-04,伊克塞勒) 比利时雕刻家、画家,19世纪后期欧洲重要的社会现实主义艺术家之一。虽然以雕刻家身份开始其艺术生涯,但在1857～1884年间暂停雕刻而从事绘画。其绘画从一开始就以强烈的人道主义表现体力劳动者,如博里纳日的矿工、安特卫普的码头工人、冶金工人和妇女劳动者。1882年去西班牙,主要画宗教画。回比利时后,开始探索以青铜雕刻来表现以前在绘画中表达的社会主题。著名的作品还包括《搬运工》(1905,青铜)和大型群雕《劳动纪念碑》(1930年立于布鲁塞尔的特罗兹广场)。

Meurthe-et-Moselle 默尔特-摩泽尔 法国东北部洛林大区省份。建于1871年,由默尔特省和摩泽尔省的一部分组成。面积5 241平方千米。南接孚日省,北连比利时和卢森堡。中部有摩泽尔河谷和省会南锡(Nancy)。境内多山林。西南部海拔约370米,山地被默兹谷穿切。东南部孚日山区海拔2 000英尺以上。多山林的北部有布里埃铁矿盆地的很大一部分,并拥有高度工业化的隆维铁矿区,这里集中了大量鼓风炉和铸造厂。其钢铁产量占法国总产量相当大的比重。准备放弃铁矿开采的计划将对当地经济产生极大的影响。该计划是以与汽车有关的企业取代之。马恩-莱茵运河由西向东穿过该省,流经南锡和默尔特河畔栋巴勒的岩盐矿,开采岩盐是提供化工重工业厂用。气候主要属于大陆性,冬季寒冷(平均20～30天下雪),夏季炎热。林业重要。农作物有谷物、甜菜、马铃薯等。养牛业向地方市场提供肉和奶制品。传统地方工业有南锡的酿酒业,巴卡拉的玻璃制造业和蓬塔穆松的铁管制造业。省下设南锡、图勒、吕内维尔和布里埃专区。吕内维尔有模仿凡尔赛宫的18世纪宫殿。南锡是教育管理中心。人口约709 700(1992)。

Meuse 默兹 法国东北部洛林大区省份。由历史上的洛林(Lorraine)省和香槟省的一部分组成。东北与比利时交界达8英里长。面积约6 220平方千米。默兹河(Meuse River)从东南偏南向西北偏北流100多英里,流经深谷和古老的要塞城市凡尔登(Verdun)。西南部有马恩河支流奥尔南河流经省会巴勒迪克(Bar-le-Duc)。海拔约400米的默兹山延默兹河东岸延伸,曾是第一次世界大战中发生激战的地区。由于海拔高,该省气候严酷,冬季漫长寒冷。高原覆盖着森林。经济向以农业为主,饲养牛及种植谷物和饲草。原先种有葡萄的山坡现种上李树和杏树。工业是最大就业部门。过去工业限于金属加工和食品加工业,主要在巴勒迪克、科梅尔西和凡尔登,这些是三个专区的行政中心和唯一具有规模的城镇。现工业发展普遍,但规模小,没有改变该省农业经济的特点。属南锡教育区。人口约196 400(1988)。

Meuse-Argonne, battles of the 默兹-阿尔贡战役(1918-09-26～11-11) 第一次世界大战中西线的最后一系列对抗。1918年7月德军从马恩河撤退后,F.福煦将军和联军司令部策划对已受重创的德军发动一系列差不多同时开展的攻势。其中之一是在默兹河流域采取联合行动,攻占梅齐埃尔和色当的铁路中心。美军从默兹河以西开始行动,法军则从阿尔贡森林以西出动。美军途经最难逾越的天然障碍——稠密的阿尔贡森林。进攻逐步深入德军防守阵地,美军发动攻势的第11天,德军清楚地知道侧翼已受包围,就开始撤退,以免被俘。其间,法军稳步前进,穿越了埃纳低地。10月间默兹-阿尔贡地区继续激战。100多万美军投入战斗。到10月31日,阿尔贡已无德国部队。11月10日,联军抵达色当,切断铁路线。向德国本土发动最后攻势之前,11月11日宣布了停战。

Meuse River 默兹河 Meuse拉丁语作Mosa,佛兰芒语作Maes,荷兰语作Maas。发源于法国朗格勒高原的普伊。大致向北流,经比利时和荷兰注入北海,全长950千米。在法国境内穿过圣米耶勒和凡尔登之间险峻的深谷,经过沙勒维尔-梅济耶尔后,在狭窄的峡谷中蜿蜒穿过阿登高原地区,在日韦进入比利时后继续向北流至那慕尔。在其左岸(西岸)接桑布尔河,后折向东流至列日。默兹河在此处形成一段天然的航道,是工业发展的中心。列日段的默兹河又深又窄,高度低于高原顶部约137米。后折向北流,在马斯特里赫特(荷兰)至马瑟塞克(比利时)构成荷兰和比利时边界。过芬洛(荷兰),渐弯向西,降至海平面高度并分流:一支注入荷兰运河(通向北海的出海口),另一支在霍林赫姆附近与瓦尔河(莱茵河的运河)汇合成为梅尔韦德河。在多德雷赫特附近,梅尔韦德河分流:向北流的一支为诺德河,与莱克河汇合形成新马斯河;向南流的一支为旧马斯河。新马斯河和旧马斯河在通向北海的新水道汇合。默兹河大部分河道可以通航,是西欧较为重要的水路之一。在马斯特里赫特附近,阿尔贝特运河从默兹河分出,向西北流至安特卫普;朱丽安娜运河与默兹河平行向北流入荷兰南部。默兹河及其运河是繁忙的小型货船和驳船航道。默兹河谷是一道天然屏障,历史上曾为从东部进入巴黎盆地中心通道上的防御工事的一部分。其走向使凡尔登要塞具有相当重要的战略意义,曾为第一次世界大战激战的战场。在第二次世界大战中,德军横渡默兹河,于1940年5月成功地突破防线进入法国。

Mevleviyah (Islām) 参阅**Mawlawīyah 毛拉维教团**。

Mewār painting 麦华绘画 17和18世纪印度最重要的细密画派之一。其特色是色彩单纯明亮,具有直接的情绪感染力。留存最早的作品是一帧乐调插图(1605)。早期杰出

18世纪初期的麦华绘画——克里希纳举起哥瓦尔坦纳山

美国不列颠百科全书公司供图

的麦华画家是萨希布丁。此画派一直持续到19世纪,作品十分丰富。

Mewati (people) 参阅**Mina 米纳人**。

Mexia, Ynes Enriquetta Julietta 梅克西亚(1870-05-24,美国华盛顿[哥伦比亚特区]乔治敦～1938-07-12,加利福尼亚伯克利) 美国植物采集者及考察者。她的发现有助于使植物资料更加清楚和完整。先辈为生活在得克萨斯州的墨西哥裔美国人,她曾生活于得克萨斯、费城和墨西哥城,1908年新寡后移民旧金山。她原系社会工作者,51岁时作为一名特别生进入加利福尼亚大学。她在大学时对植物学特别感兴趣。1925年她开始进行一系列的旅行,前往南美洲和中美洲的边远地

区以及阿拉斯加。在旅行中收集植物标本达15万种之多，发现菊科植物的一个新属（*Mexianthus mexicanus*）以及500种以上的新植物，其中有许多以她的名字命名。

Mexicali 墨西卡利 墨西哥北下加利福尼亚州首府。在墨西卡利谷地，与美国边境城市加利福尼亚州卡莱克西科相邻。城名由墨西哥和加利福尼亚两个地名的前两个音节组成，象征两国友谊。墨西卡利谷地的灌溉条件有所改善，1937年土地重新分配，1937～1967年成为免税区，因而该城拥有资本，改进了运输设施，移民拥入。经济过去完全依靠旅游业，现经济以加工和销售长绒棉、水果、蔬菜和粮食为主。1957年建成下加利福尼亚自治大学。有公路、铁路和航空线通美国西南部及墨西哥各地。在20世纪有飞速的发展。人口550 000(2000)。

Mexican hairless 墨西哥无毛狗 一个玩赏狗品种，可能是16世纪末传入墨西哥的中国无毛狗的后代。腿颇长，体重约4.5千克。除头顶上有一束顶结毛和长尾上有些绒毛外，全身无毛。皮肤柔软，粉红色、暗蓝灰色或灰色。在墨西哥称为中国狗，美国养狗俱乐部未正式承认此品种。

Mexican hat dance 墨西哥帽子舞 颇受欢迎的墨西哥民间舞蹈，属**哈拉贝**（**jarabe**）的一种。

Mexican jumping bean 墨西哥跳豆 某些墨西哥灌木，尤其是大戟科地杨桃属（*Sebastiania*）灌木的种子。舞小卷蛾（*Laspeyresia saltitans*）的幼虫在种子内蛀食，因受热刺激而活动加剧，使种子看来似在跳动。

Mexican lion 墨西哥狮 参阅 **puma 美洲狮**。

Mexican process（silver production） **墨西哥法** 参阅 **patio process 混汞法**。

Mexican Revolution 墨西哥革命（1910～1920） 墨西哥各派系之间的长期流血斗争，以结束30年的独裁统治、建立立宪共和国告终。革命起因于人民对P.迪亚斯长期的独裁统治的普遍不满。1910年迪亚斯想第7次连选连任，引起F.马德罗以"反对连任党"领导人身份宣布自己为候选人。迪亚斯逮捕了马德罗，于6月举行假选举，宣布自己获胜。马德罗获释后，在得克萨斯圣安东尼奥发布"圣路易斯波托西计划"，号召11月20日举行起义。起义失败后，在北方，P.奥罗斯科和P.比利亚动员他们的部队袭击政府驻军；在南方，E.萨帕塔开展反对地方政治首脑的流血斗争。1911年春，革命军攻克华雷斯城，迫使迪亚斯辞职，并宣布马德罗为总统。马德罗政府从一开始就不稳定，萨帕塔对马德罗不立即将土地归还给被剥夺土地的印第安人表示愤懑，转而反对他。马德罗的支持者奥罗斯科不满新政府改革步伐缓慢，也在北方发动了反政府运动。美国担心新总统过于妥协，怕墨西哥内战影响美国的商业利益，也转而反对马德罗。当独裁者迪亚斯的侄子费利克斯·迪亚斯领导的军队和V.韦尔塔指挥的联邦军队在墨西哥城发生冲突时，局势极为紧张。1913年2月18日韦尔塔和迪亚斯在美国大使亨利·莱恩·威尔逊的办公室签署所谓"大使馆计划"。商定共同反对马德罗，由韦尔塔出任总统，次日，马德罗被捕，韦尔塔就任总统。数日后马德罗遭杀害。在北方，反对韦尔塔专横统治的力量也发展起来，比利亚、A.奥夫雷贡和V.卡兰萨结成联盟。卡兰萨提出"瓜达卢佩计划"，要求韦尔塔辞职。1914年春夏，起义军围攻墨西哥城，韦尔塔出走。8月20日，卡兰萨不顾比利亚的反对，宣布自己为总统。国家陷入混乱和流血的状态，直至比利亚、奥夫雷贡和萨帕塔举行会议，一致认为比利亚和萨帕塔之间的斗争使秩序无法恢复，并选举E.古铁雷斯为临时总统。比利亚支持古铁雷斯。奥夫雷贡则与卡兰萨联合，于1915年4月在塞拉西击败比利亚。卡兰萨再次任总统。他主持起草1917年宪法，赋总统以独裁权力，但规定政府有权没收富有地主的土地，保障工人权利和限制罗马天主教的权力。卡兰萨清除异己（1917年萨帕塔被刺），以保持自己的地位。但当他在1920年企图破坏索诺拉的铁路工人罢工时，反对他的浪潮达到顶点，实际上他已众叛亲离。他在5月21日企图逃跑时被杀。阿道弗·德拉韦尔塔任临时总统，直到11月奥夫雷贡当选总统为止。许多历史学家认为，墨西哥革命在1920年即告结束。然而，联邦军和叛军之间的冲突时有发生，直至1934年改良主义者L.卡德纳斯就任总统后才算平静下来。

Mexican Revolutionary Party 墨西哥革命党 西班牙语作Partido Revolutionario Mexicano。墨西哥主要政党**革命制度党**（**Institutional Revolutionary Party**）的旧名。

Mexican tulip poppy 墨西哥郁金香罂粟 参阅 **golden cup 金杯**。

Mexican War 墨西哥战争 又称墨美战争。美国与墨西哥之间的战争（1846-04～1848-02），起因于墨西哥对美国1845年吞并得克萨斯的愤怒，以及关于得克萨斯究竟以努埃塞斯河为界（墨西哥要求）还是以格兰德河为界（美国要求）的争执。战争以美国获得约130万平方千米墨西哥领土告终。美国吞并得克萨斯后不久，墨西哥于1845年3月与美国断绝关系。9月，J.K.波尔克总统派J.斯利德尔秘密出使墨西哥城，拟就有争议的得克萨斯边界进行谈判，解决美国对墨西哥的领土要求，并准备以3 000万美元的代价购买新墨西哥和加利福尼亚。墨西哥官员拒绝接待。波尔克获悉这一怠慢举动后，下令Z.泰勒将军指挥部队进占有争议的地区。1846年5月9日，波尔克开始准备提交国会的战争咨文。5月13月，国会批准宣战。但国内意见有分歧：民主党人强烈支持战争，多数辉格党人认为波尔克的动机是不道德的土地掠夺，废奴主义者则认为这次战争是蓄奴州企图扩大奴隶制度。美国原计划由泰勒将军从格兰德河入侵墨西哥心脏地区，S.卡尼上校占领新墨西哥和加利福尼亚。后者未遇重大抵抗，但泰勒所部却经历了几次大战才占领重镇蒙特雷，击败墨军主力。波尔克看到泰勒缺乏大举占领墨西哥领土的热情，又派W.斯科特将军从海上夺取维克鲁斯，向墨西哥城进军，从而结束了战争。1847年9月14日墨西哥首都的失陷导致了这场冲突的军事阶段的终结。波尔克指派国务院主要官员N.特里斯特随斯科特部队行动，谈判和约。1848年2月2日签订《瓜达卢佩-伊达尔戈和约》，墨西哥把现在的新墨西哥、犹他、内华达、亚利桑那、加利福尼亚、得克萨斯州和科罗拉多州西部的几乎全部领土割让给美国，得款1 500万美元。墨西哥战争使原已平熄的扩展奴隶制问题死灰复燃。

Mexicana Airlines 墨西哥空运公司 西班牙语全称为Cia. Mexicana de Aviación, SA（CMA）。北美洲最早的航空公司，1924年成立于墨西哥坦皮科，现总公司设在墨西哥城。该公司初期经营货运，将工资从坦皮科运往油田。首次定期航班始于1928年，往返于墨西哥城、图斯潘和坦皮科之间。同年又增开墨西哥城、韦拉克鲁斯和梅里达航线。1929年开辟墨西哥城—坦皮科—布朗斯维尔航线，飞行员为C.A.林白。此后数十年中，航线与经营范围均有扩展。泛美航空公司在该公司中的股权先有增长后又回落（由于墨西哥法律对外国产权的限制）。1967年泛美公司将其在该公司所余股份全部出让。1982至1990年墨西哥政府握有该公司大部分股权，1990年政府将该公司卖给私人投资者。20世纪后期，该公司通航地点在国内约有20座城市，此外还有美国、加勒比地区、中美洲和欧洲的许多城市。

Mexico 墨西哥 全称墨西哥合众国。拉丁美洲最北部国家，面积1 958 201平方千米，为该洲第3大国。首都墨西哥城是世界最大城市之一。墨西哥位于北美大陆西南部，大致呈三角形，从西北至东南长逾3 000千米。北部宽度超过1 900千米，南部宽度在特万特佩克地峡处不到215千米。北与美国毗邻，东南与伯利兹及危地马拉接壤，东临墨西哥湾和加勒比海，西、南濒太平洋。人口约107 029 000(2005)。

土地 墨西哥的地形复杂多样，中心地带为高原，东、西和南部边缘有山脉环绕；东部及西部的海岸平原将山脉与大海隔开。有两个主要半岛：东南部的尤卡坦半岛（宽320千米）和西北部的下加利福尼亚半岛（宽40～240千米）。太平洋上的雷维亚希赫多群岛是一组火山岛，位于下加利福尼亚半岛末端以南约480千米、沿海港口曼萨尼约以西725千米处。

处在中央位置的墨西哥高原占墨西哥领土的大部分地方。高原为西面的西马德雷山脉、东面的东马德雷山脉，南面的特万特佩克地峡和西北面多丘陵的下加利福尼亚半岛所围绕。北部平均海拔900～1 200米，中部2 000～2700米。中南部的科迪勒拉新火山

美国不列颠百科全书公司供图

带有全国最高峰奥里萨巴峰（5 700 米）和波波卡特佩特峰（5 380 米）。再往南，南马德雷山脉沿南太平洋岸延伸至特万特佩克地岬，与索科努斯科山及恰帕斯高地合成的山脉相连接。

墨西哥湾沿岸平原从得克萨斯边界沿墨西哥湾一直延伸至尤卡坦半岛，长约 1 450 千米。其外缘有海滩、沙洲、沼泽和潟湖。狭窄而又不连成一片的太平洋沿岸平原（长约 800 英里，宽 60 ～ 100 英里），有阿卡普尔科及曼萨尼约等天然良港。尤卡坦半岛的沿海低地属石灰岩喀斯特地貌，有灰岩坑和地下洞穴。墨西哥的大河不多，除得克萨斯边界的格兰德河（在墨西哥称布拉沃河）及在韦拉克鲁斯以南进入墨西哥湾的帕帕洛阿潘河外，其余均为水流湍急的小河。

墨西哥南部地震及火山活动频仍。1985 年墨西哥城遭到灾难性的地震破坏。1982 年墨西哥城以南 650 千米处的埃尔奇琼火山爆发，导致数百人丧生，农作物和牲畜受到严重损害。

墨西哥地形的多样性也表现在当地的气候上。低地以及 3 000 英尺以下的丘陵属“热地”，平均温度约为 25 °C；3 000 ～ 6 000 英尺的热带高原属“温地”，平均温度为19°C；6 000 ～7 000英尺的中央高原及恰帕斯高地属“寒地”，平均温度为 17 °C。约 14 000 英尺以上的最高山峰则属“冻地”，温度很少超过 10°C。墨西哥有一半土地为干旱不毛之地，年降水量低于 600 毫米；2/5 为半干旱土地；湿润土地不到 1/10。在干旱的西北偏北地区，雨量低于 250 毫米；在沿海平原，雨量为 1 000 ～2 900 毫米；而在恰帕斯高地，雨量则超过 5 000 毫米。

植物和动物也随气候和地形的不同有很大差异。仙人掌、龙舌兰及丝兰花这类植物，主要生长在干旱的北部、西北部和中部地区。在南部及东部、尤卡坦与西海岸则主要是雨林和大草原。南部中央山脉及马德雷山脉（海拔 5 000 ～ 13 000 英尺）为针叶林与混合林。南部海岸则多为红树沼泽。鸟类、爬虫类、昆虫类及各种哺乳动物（诸如产于炎热南部的猿猴、美洲豹、貘和食蚁兽，以及产于干旱北部的犰狳、鹿、美洲狮和狼）极多。

墨西哥的自然资源品种繁多，石油与水电蕴藏为巨大的潜在能源。墨西哥储藏的煤连同哥伦比亚储藏的煤，是拉丁美洲唯一能直接转化为焦炭的矿藏。墨西哥还有在经济上十分重要的银、锌、铅、金、汞、镉、铁砂和铜矿的储量。

人民 墨西哥的全部人口中约有 3/5 为梅斯蒂索人，1/3 为印第安人，其余来自欧洲的人。90% 以上人口为天主教徒，其余大多是基督教新教徒。官方语言为西班牙语，极少数人口只讲一种印第安语，可是所使用的印第安语有 50 多种。

自 20 世纪 40 年代以来，墨西哥人口的最重要特征之一是自然增长率迅速上升。该国政府认为高人口增长率不符合需要，因为它给国家经济造成重大压力，使其发展速度必须超过人口增长。尽管在 20 世纪 70 年代初政府便开始教育人民实行计划生育，而 80 年代的人口自然增长率又有所下降，但人口出生率仍高得难以令人容忍。堕胎受到法律禁止，但仍被广泛应用。墨西哥政府把创造新的工作机会和重新分配所得视为该国人口未来福利的必要先决条件。由于经济原因而向国外移民（主要前往美国，多数为非法移民）一直很普遍。

男性平均预期寿命 67 岁，女性 73 岁，这对一个发展中国家而言已相当不错，但婴儿死亡率仍很高。约有 1/3 的人口年龄不足 15 岁。尽管总人口密度已经较高，人口的地理分布却很不平衡。3/4 以上的人口住在都市区，主要集中在墨西哥城、瓜达拉哈拉、内萨瓦尔科约特尔和蒙特雷 4 大城市。

经济 墨西哥属混合经济，主要以批发及零售业、制造业、农业和矿业为基础。国民生产总值的增长低于人口的增长，不过人均国民生产总值仅次于巴西，居拉丁美洲第 2 位。农业、林业和渔业等主要部门约占国民生产总值的 1/10，占用了约 1/4 的劳动力。由于普遍为小块耕地，农业产量一直很低。可耕地约占土地总面积的 1/8。灌溉设施不足。政府曾提倡集体农庄的发展，以增加农业产量，但墨西哥在农业上尚不能自给自足，自 20 世纪 80 年代以来，该国一直是粮食纯进口国，有许多人营养不良。

主要粮食作物有玉米、小麦、水稻和菜豆。甘蔗、高粱、香蕉、番茄、柑橘和马铃薯也是主要作物。咖啡、棉花、水果及蔬菜则供出口。牛和猪为主要牲畜。墨西哥还是世界最大的天然蜂蜜生产国之一。森林覆盖面占全部土地面积的 1/5 以上，主要出产针叶圆木。渔业为重要产业，冷冻对虾供出口。

采矿业十分发达，约占国民生产总值的 1/12。墨西哥已探明的原油储量居世界第 7 位；已探明的天然气储量亦颇丰富。原油的生产由政府通过墨西哥石油公司进行控制。该公司是墨西哥最大的投资者与雇主。墨西哥是世界最大的白银生产国，也是天青石、砷、氟石、锑、铋、镉、天然石墨、铅、汞、锌、硫磺、长石及天然硫酸钠的主要生产国。政府通过矿业促进委员会，对许多矿山进行投资。

制造业几乎占国民生产总值的 1/4，雇用近 1/7 的劳动力。由于石油产量上升，石化工业发展迅速。主要制造品有加工食品、化学品、运输车辆、电动机械、印刷和纸制品、纺织品、金属制品及钢铁制品。墨西哥约 3/4 的电力由石油和其他燃料产生，其余靠水力及地热提供。旅游业为重要行业和外汇来源。

工会活动是合法的，多数工会为墨西哥劳工大会之附属组织。劳工大会创立于 1966 年，与占优势的政党革命制度党关系密切。

联邦政府的开支主要靠扩大石油收入，该项收入在 1979 年增加了 1/3，1980 年几乎增加了 2/3。80 年代初，由于石油的国际市场价格下跌，政府岁入锐减，导致财政赤字大幅上升和联邦经费大幅削减。1970 ～ 1980 年间，墨西哥的外债增加了 10 倍以上。80 年代初，因采取大量减少进口，降低工资涨幅，取消消费补贴及降低汇率等措施，收支开始出现盈余。但在 80 年代后期，墨西哥的外债数额仍居世界最高之列，经济受到增长缓慢和高通货膨胀率的阻碍。

政体与社会状况 墨西哥为一联邦共和国。1917 年的宪法规定行政、立法和司法三权分立。总统是最高行政首脑，由直接选举产生，任期 6 年，不得连任。总统拥有广泛的任命权，可对某些经济和财政事物进行立法。立法权属于两院制立法机构，其中众议院有议员 500 人，参议院有议员 128 人。众议员任期 3 年，参议员任期 6 年，允许连任两届。1929 ～ 2000 年，占优势的革命制度党候选人赢得每届总统和几乎所有的州长、立法机构和地方选举。司法权属于联邦法院和州一级的司法机构，最高法院为联邦法院系统的最高司法机关。

就大多数农村人口及城市贫民而言，墨西哥的生活水平仅够勉强糊口。社会福利制度提供医疗服务、工人赔偿费,并对老年和残疾者提供退休救济金。但不提供失业保险。卫生设施主要集中在大城市区。乡村地区缺少医护人员及医疗设备。尽管保健制度正在改善,该国仍受到各种严重疾病的困扰,其中最常见的是胃肠方面的寄生虫病或传染病。肺结核、其他呼吸系统疾病、疟疾、性病及流行性感冒的发病率也很高。住房严重短缺,尤其是在城市。另外,现有的大部分单元房也不合标准。公房的大量兴建对中等收入家庭帮助很大。

墨西哥的人口识字率约为85%。6年小学为免费义务教育。最大的高等学府有墨西哥国立自治大学、瓜达拉哈拉大学及国立工业学院。

几乎所有报纸均以西班牙文出版且多为私人所有,但在政府的管理之下经营。最有影响的几份日报是《至上报》、《消息报》和《宇宙报》,均在墨西哥城出版。广播和电视得到普及。互联网发展迅速。

文化生活 墨西哥民间艺术品受到全国喜爱。它们大多由乡村居民制作,供使用或装饰。尤为著名的是瓦哈卡谷地制造的陶器,以及托马拉村庄出产的鸟类及动物塑像。到处可见棉质彩绣服装、棉质或羊毛的披巾和外衣,以及色彩鲜艳的筐篮与地毯。在墨西哥历史上,民间音乐一直是主要艺术形式之一。歌手扮作牛仔,以吉他和小号伴奏,在节日及特殊场合表演。

墨西哥的绘画在20世纪蜚声国际。画家里维拉、奥罗斯科和西凯罗斯以紧凑、生动的造型构图手法,在巨幅壁画中描绘祖国的历史与文化而知名。20世纪的文学虽不再描写墨西哥的革命,但农民的痛苦和对农民的关怀仍是鲁尔福这类作家的写作主题。20世纪后期,墨西哥文学中的人物和主题更具普遍性,从而使包括阿里奥拉、富恩特斯及诗人帕斯在内的一批优秀作家能被世界读者所理解。作曲家查维兹创作出超越国界的音乐,一些年轻作曲家又将这种形式进一步发展。类似的发展,通过乌希格里等剧作家的范例,也出现在当代戏剧中。国立美术学院致力于美术的研究与传播。墨西哥交响乐团和各类芭蕾舞团一样;都受到了政府的大力支持。

历史 早在公元前21000年,即有以狩猎与采集为生的民族在墨西哥居住。村社农耕显然开始于公元前1500～前900年间。公元前900～前300年开始形成较复杂的文化,而这些文化中的一部分在公元100～900年间发展成为伟大的文化,如奥尔梅克、托尔特克、马雅及阿兹特克诸文化。在西班牙征服时期,于公元1200年前后崛起的阿兹特克人是墨西哥大部分地区的统治者。

古巴征服者贝拉斯克斯·德奎利亚尔通过派遣埃尔南德斯·德科尔多瓦探测尤卡坦海岸,派科尔特斯探测墨西哥,为西班牙征服墨西哥奠定了基础。科尔特斯在一次持续两年之久的战役中征服了阿兹特克人,于1521年占领其首府特诺奇蒂特兰,并在那里建起墨西哥城。1526年F.德蒙特霍占领了马雅人居住的其他地方。至16世纪40年代,墨西哥北部的大部分地区均已被征服。

从西班牙征服时期至1821年宣布独立,墨西哥一直是新西班牙总督辖区的一部分。西班牙王位继承战争(1701～1713)之后,由于新的统治家族波旁王室实行了几项以法国为样板的行政改革,目的在于增加西班牙各殖民地经济效益,墨西哥的殖民地地位有了改变。尽管西班牙采取独裁统治和重税政策,但在19世纪之前很少遭到反抗。1810年伊达尔戈-科斯蒂利亚领导的起义和1814年莫雷洛斯-帕冯领导的起义均被镇压下去。独立运动于是转变为由格雷罗领导的游击战争。

1820年格雷罗与伊图尔维德——一位克里奥尔地主与前西班牙陆军军官——通过与西班牙人谈判,取得现状之下的独立,并选出国会。在1823年的一场军事叛乱中,伊图尔维德被迫离开该国,国会宣布墨西哥为共和国。1824年通过一部以美国宪法为蓝本的联邦宪法,维多利亚当选为墨西哥第一任总统。1833年自由派的一次反叛使圣安纳取得政权。此后,圣安纳多次担任墨西哥总统。1845年美国政府投票决定兼并得克萨斯,在随后发生的一场墨西哥战争中,圣安纳的军队被打败,墨西哥城也被美国占领。1848年2月2日两国签订《瓜达卢佩伊达尔戈和约》,墨西哥将包括今亚利桑那、科罗拉多西部、内华达、犹他、得克萨斯、加利福尼亚及新墨西哥在内的几乎全部地区割让给美国。

1857年作为胡亚雷斯所领导的"改革"基础的新宪法颁布,以期废除残余的殖民主义。在反对1857年宪法的保守派与胡亚雷斯领导的自由派之间发生的那场内战(1858～1861)中,自由派获胜,尽管法国人几度尝试在墨西哥建立一个君主政体;胡亚雷斯于是成为墨西哥总统。

1876年迪亚斯发动了一场叛乱,从此登上总统宝座直至1910年退位。尽管有一段时期(1880～1884)不在位,他仍然通过独裁统治为墨西哥建立起秩序和一个运转正常的政府。但由于日益严重的财富分配不均和墨西哥小自耕农及农业工人的苦难加深,迪亚斯执政后期地位开始不稳。

1910年,另一位革命者马德罗继任总统;可是由于农民和工人要求进行更多的改革,这场使马德罗上台执政的革命并没有停止。叛乱和政变继续不断发生,直至1929年国民革命党建立。该党由一些来自墨西哥北部的革命者和改良主义政治家所控制,在20世纪一直治理着墨西哥。1938年国民革命党改名为墨西哥革命党,1946年又改名为革命制度党。

在20世纪的20、30和40年代中,革命制度党及其政治前辈们在好几位能干、果断的墨西哥总统领导下,制订了一系列社会与经济改革方案。例如,在30年代后期,卡德纳斯总统进行了大规模的土地改革,并成立由许多小型工会组成的墨西哥劳工联盟。第二次世界大战后,墨西哥政府非常重视经济发展。在70年代中期,在波蒂略总统领导下,墨西哥成为主要石油生产国之一,其后10年间极大地促进了该国的经济发展。但到波蒂略的任期结束时,由于政府凭借其石油收益无限制地借款,试图以此为经济发展筹措资金,墨西哥累积外债的数额巨大。80年代中期由于世界石油价格下跌,墨西哥在波蒂略总统的后继者们领导下,面临着一场严峻而且显然是无止境的财政危机。几届总统均努力改善政府财政状况,鼓励更广泛基础上的经济增长,突出的举措有包括将若干国有企业私有化在内的80和90年代的经济自由化。自90年代中期以来,总统E.塞迪略一直面临财政危机、墨西哥城的公众示威和恰帕斯的骚乱,他进行了政治和选举的改革,这使得革命制度党放松了对权力的控制。随后该党失去了关键性的选举,包括2000年的总统选举。选举由反对党国家行动党的候选人V.福克斯赢得,从而结束了革命制度党长达71年的统治。

México　墨西哥 墨西哥中央高原一州,差不多环绕联邦区。面积21 355平方千米。海拔3 000米以上。气候凉爽宜人,土地肥沃,雨水充沛,人口稠密。州内多西班牙人征服前的遗迹。**托卢卡(Toluca)**为州首府。州北部大部分地区为湖成平原和山间盆地,其中湖泊大都已消失,只留下沼泽、潮湿的草地和潟湖。1900年开凿的特基斯基亚克隧道将湖水导入墨西哥湾。1951年建成一系列隧道和输水管,为该州和联邦区提供饮用水和水力发电。农业、矿业和制造业为经济支柱。铁路和公路交通发达。该州为全墨西哥人口最密的一个州。人口约13 083 359(2000)。

Mexico　墨西哥 美国密苏里州中部城市,奥德雷恩县县城。临索尔特河南支流。1836年建,1857年设市。1858年铁路通车后促使当地商业日益发展。自西部炉衬工厂(1887)建立后,经济以耐火土工业为主,农业、制鞋业以及养马业也占重要地位。有奥德雷恩县历史协会博物馆和密苏里军事学院(1889)。人口约11 355(1999)。

Mexico, Gulf of　墨西哥湾 西班牙语作Golfo de México。北美洲东南沿海水域。通过佛罗里达海峡与大西洋相连,经尤卡坦海峡与加勒比海相通。西北、北和东北为美国,西、南和东南为墨西哥,东临古巴。海湾呈椭圆形,面积为1 550 000平方千米。最深点在墨西哥海盆的锡格斯比海沟,深5 203米。墨西哥湾流(一种河水一样的暖流)从加勒比海经尤卡坦海峡流入,而后经佛罗里达海峡汇入大西洋,成为进出于墨西哥海湾的主要洋流。密西西比河和格兰德河是流入该海湾的主要河流。海水含盐度在开阔海域为36‰,向北至密西西比河汇入处锐减为14‰～20‰。冬季上层海水水温由北部水域的18°C到南部尤卡坦沿岸水域的24 °C不等,夏季水温可高达32 °C。6月至10月南大西洋中酝酿的热带风暴进入海湾形成飓风。海湾是食物、能源和原材料的重要来源,沿岸水域亦广泛用于娱乐和污物处理。红鳖、比目鱼、小虾、鲻鱼、牡蛎、蟹等水产资源为海湾商业捕捞提供了基础,大海鲢和大鲭鱼则供人们捕捉消遣。大陆棚上石油和天然气资源丰富。主要港口有墨西哥的韦拉克鲁斯,美国的加尔维斯顿、新奥尔良、彭萨科拉和坦帕。

Mexico, National Autonomous University of 墨西哥国立自治大学 设于墨西哥城，由政府资助的男女合校高等学府。建于 1551 年。原校舍始建于 1584 年，1910 年遭毁坏，1954 年迁至墨西哥城新址。这所国立大学由新西班牙首任总督安东尼奥·德·门多萨作为皇家宗教大学而创建。从 1553 年起，该校由天主教会控制，直至 1867 年被朱亚雷斯政府关闭。尽管该校原来的学术水平与中世纪西班牙其他大学大体相当，但政治上的和宗教上的干涉，使它未能同 17 ～ 19 世纪席卷欧洲的哲学与科学革新并驾齐驱。1867 年以后，政府建起了一系列独立的专业学校——法学院、医学院、工程学院、建筑学院等。1910 年在迪亚斯政府时期，这些分立的学院合并成为墨西哥国立大学。20 世纪 20 年代，墨西哥所有大学均被政府接管，但这所国立大学在 1929 年获得了行政自治权。1968 年 7 ～ 12 月间，该大学成为学生示威抗议政府政策的中心之一，同年 9 月校园被军方占领。目前，虽然仍有人指控政府干涉大学事务，但该大学却正式保持着行政的独立性，由校长和一个包括教师和学生在内的委员会管理。这所国立大学现有会计学和商务管理、建筑、化学、牙医、经济学、工程、法律、医学、哲学和文学、政治学和社会科学、职业研究、心理学、自然科学、兽医及动物学等学院。它还有音乐、护理和妇产、造型艺术及社会工作等国立学院。20 世纪末期，这所大学有 35 万余名学生在册。

Mexico Basin 墨西哥海盆 墨西哥湾三角形洋区，深度多在 3 400 米以上，最深处锡格斯比海沟达 5 203 米。海盆中心的锡格斯比海丘，据认为是下面的盐丘从平坦盆底上升而形成。

Mexico City 墨西哥城 西班牙语作 México 或 Ciudad de México。14 世纪时由阿兹特克人所建，称之为特诺奇蒂特兰（Tenochtitlán）。这座未来的墨西哥城很快就成为前哥伦布中美洲最大帝国的中心。现代墨西哥城为墨西哥合众国的首都，该国的政治、经济、文化中心。虽然一度被称为“宫殿之城”，而且据称具有世界上“最明净的空气”，但是人口的迅速增长和工业的发展，使其成了一座拥挤、污染和社会局势紧张的城市。不过，该城仍然保持着相当的魅力，有著名的殖民时期和现代的建筑，以及许多杰出的博物馆和公园。

墨西哥城街景
中国大百科全书出版社供图

墨西哥城位于墨西哥高原中央，在墨西哥山谷内，新火山山脉的北面。虽然 1970 年墨西哥城首次正式使之等同于联邦区（即联邦政府控制的划作国家首都的地区），但是墨西哥城的称谓继续用作整个大都会区的名称。其北部超越了联邦区的边界，南部则靠近联邦区的边界。联邦区的面积为 1 479 平方千米。1987 年墨西哥历史中心和霍奇米尔科区被联合国教科文组织列为世界遗产。

自然地理和人文地理

城市特点 墨西哥城是一座对比明显的都会。虽然它是世界上最大的和人口最多的城市之一，但是在扩张中被吞没进去的那些原来的小城镇仍然保留着自己的许多传统特色。虽然它是一座独特的拉丁美洲城市，而且以其既有印第安起源又有西班牙起源而自豪，但由于与美国毗邻的缘故，某些地区带有明显的北美特点。该城殖民时期与 19 世纪建筑和钢-玻璃结构建筑并肩矗立。西区以及城南一些郊区的富裕和东北部以及都会区域内被称为“穷城”的非法居留地的贫穷形成对比。

墨西哥城长久以来就是权力中心的象征。最初是阿兹特克帝国，后来是新西班牙总督辖区，最后是独立的墨西哥。城区内上千的政府建筑都是城市在行政管理上所起作用的提示。对首都明显特权的怨恨是造成与全国其他各地摩擦的原因。但是墨西哥城及其某些纪念物，诸如查普特佩克堡以及独立纪念碑，却被看作是全国的标志。

景观 *城市位置* 墨西哥城位于一个内流（以向内流水为特点）盆地，海拔约 2 240 千米。周围环绕的山脉在西边为蒙特阿尔托和蒙特巴霍两山，西南为克鲁塞斯山，正南为阿胡斯科山和奇奇瑙津山。该城终止于东面连接内华达山脉的一片平原上；该山脉有两座火山：伊斯塔西瓦特尔山（5 286 米）和波波卡特佩特山（5 452 米），两山从前曾经是墨西哥城远眺的常见景象，如今却由于污染而时常模糊看不清。伊斯塔西瓦特尔山处于休眠期，而波波卡特佩特山自 20 世纪 90 年代初以来十分活跃，2000 年的火山爆发导致附近村庄数千人撤离。北面的特佩亚山冈和瓜达卢佩山曾是本城传统界限，但是新的城区已经扩展到其周围及更远处。

原来建立特诺奇蒂特兰的岛屿也被选定为建造殖民新城的地点。其周围湖泊被排干，建筑物扩建到干涸的湖床上，但由于下层土柔软，在地震发生时很不稳固。城市商业区有一部分已在逐渐下沉，危及许多历史古迹，这也是由于地下软土造成的后果。虽然本城城区中心土地平坦，但是却向着西面和西南方向的山地徐缓升高。

气候 墨西哥城位于世界热带地区之内，但是由于它的海拔高度使它相对凉爽。其年平均温度为 18 °C；季节变化甚微。12 月和 1 月为最冷的月份，有夜霜，但是在白天温度也会上升到 21 °C左右。4 月和 5 月是最热的月份。雨季一般从 5 月末延续到 9 月，使气温下降，缓解经常干燥的空气。

空气污染——主要是臭氧、悬浮物和二氧化硫等造成——部分遮蔽了阳光，影响了气候。周围高山环绕，使空气流通不畅，加重了污染。经常性的东北风，在 2 月和 3 月尤为强烈，卷起尘埃吹进城内，但是特斯科科湖的部分改造已经开始缓解这个问题。冬季热力倒流，经常将烟雾滞留于山谷内。

全城各区的天气并不单一。西部和西南部地势较高，树木较多，因而比较凉爽，比他处多雨。北部和东北部，大都植被稀少，因而是最炎热最干燥的地区。

城市布局 阿兹特克人建立其首都的岛屿已成为墨西哥城的中央地区。索卡洛（以前名为大广场，现在正式定名为宪法广场）是本城的传统中心。索卡洛的北边，临近从前阿兹特克的主要神庙的地方，矗立着都会大教堂。国家宫，从前的总督府，现在是合众国的权力机构所在地，是建造在阿兹特克皇帝宫的废墟之上。殖民城区就在索卡洛周围延伸了几个街区。该区以历史中心闻名，许多独立以前的建筑物仍然矗立在那里。

中央林荫大道大致即为旧殖民城区的西部边界。从其附近的改革大街，一条宽阔的林荫路，直向西南通往查普特佩克。这座树木茂盛的山丘已经改建为公园，其 18 世纪的城堡现为历史博物馆。到了查普特佩克之后，改革大街向西折去，进入本城最为富裕的居民区，例如波兰科和查普特佩克岗。

起义大街为墨西哥城主要的南北中轴线。在历史中心附近横穿过改革大街，向北向南，直到城区两端尽头。玫瑰区为主要的旅游和娱乐地带。由于城市居民不断增加，中产阶级向南发展，但起义大街仍然保持着其贸易和商业性质。从前南部的一些小市镇，例如塔库瓦亚、米斯科阿克、圣安赫尔和科约阿坎，都已经并入本城。起义大街穿过大学城，也就是墨西哥国立自治大学的校园，一直到特拉尔潘为止，后者从前是一个独立的市镇，现在成了本城的南部边界。起义大街南端的西面，为圣安赫尔石滩，一个富裕的居民点，有许多引人注目的现代化建筑物。

城的东南端为另一并入城区的小城镇霍奇米尔科，以其“漂浮花园”而成为著名的旅游胜地，所谓“漂浮花园”就是用芦苇编成的船只，上面栽种花木，漂浮在湖面；印第安人在前哥伦布时期就已这样种植作物了。人工保存下来的霍奇米尔科湖是这个盆地古老湖区的少数遗迹之一。有一部分中产阶级的居民点扩展到了霍奇米尔科以北地区。但是城市的北部却日益贫穷，人口日益密集。历史中心之东，为贝尼托华雷斯国际机场；该机场曾处在城外，现在被人口密集的劳动阶级区域所包围。机场的北面和东北面，有好几英里的贫穷居民点，其中许多甚至缺乏起码的生活服务设施。在联邦区之外，但是仍属都会区的一部分，为内萨瓦尔科约特尔城镇，这是都会区最贫穷的地区之一；如果以其本身来衡量，它是该国的最大城市之一。

历史中心之北，为特拉特洛尔科，是下层中产阶级的居民点，由以前被阿兹特克人所征服的印第安城市发展而成。再往北，就是瓜达卢佩-伊达尔戈镇，以其瓜达卢佩圣母的圣坛而闻名，是墨西哥全国朝圣者的目的地。尽管该“镇”传统上认为是该城北部边缘，但是城市化却继续向北推进，进入到墨西哥州。西北部是工业区，有一部分在联邦区以内（例

坐落在墨西哥城索卡洛的都会大教堂
美国不列颠百科全书公司供图

如阿斯卡波察尔科)，有的却在联邦区以外(例如瑙卡尔潘)。再向西北，围绕着卫星城，是另一片中产阶层的郊外居民点，也在墨西哥州以内。

由于都会区范围十分庞大，其每一部分都发展了各自的商业和服务地段。市中心，从前一度是中产阶层的购物区，现在已经不太重要。庞大的郊区购物商场，例如西北部的卫星商场，以及南部的佩里苏尔，都已经取代了城内商业中心的位置。中央默塞德市场，从殖民时期以来，就是该城主要的食品批发中心，20世纪80年代，已被一座位于东端的现代化供应中心(阿瓦斯托斯中心)所取代。

人口 墨西哥城是世界上发展最快的城市之一。1950年时人口大约为3 000 000。在以后的几十年中以每年3%的速度递增。现都会区的人口已占该国总人口的1/5以上。

该城传统的居民为梅斯蒂索人(欧洲人和印第安人的混血后裔)和克里奥尔人(欧洲血统的墨西哥人)，但是国内各地不断涌来的移民，使它具备了更多的印第安特色。虽然并没有形式上的种族歧视，克里奥尔人却占据了上层和上中层阶级不成比例的数目。

该城大部分居民为罗马天主教徒，尽管有一部分人改信基督教新教。另外，还有一部分人数虽少但有影响的犹太教徒。人口：市区8 591 309；联邦区 8 605 239(2000)；都会区 18 268 000(2001)。

经济 *工业* 墨西哥城的都会区生产着全国约1/3的工业品。20世纪50年代以后，开始有把重工业迁出城外的趋势。但是一部分重要的工厂仍旧留在城区以内，尤其是西北部。其主要工业为化学制品业、塑料、水泥、纺纱和织布等制造业。轻工业正在成为该城经济支柱。

商业和金融 由于其居民的相对富裕，而且该城担当着国家中央地区的主要供应中心，因此40%以上的国内销售是在墨西哥城内进行的。随着重工业的迁出，服务性行业占据了本地经济日益增长的重要位置。旅游业为其收入的重要来源。

墨西哥的金融业比其他经济活动更集中于首都。银行的数目由20世纪70年代末的50家以上缩减为不到20家，是政府在1982年将私营银行收归国有的结果。国内唯一的证券交易所亦在该城运行，国家的中央银行墨西哥银行也设在该城。

运输 墨西哥城是全国交通运输系统的枢纽。5条主要公路把首都和全国各地，以及美国和危地马拉相连接。有铁路线向南、向东、向北延伸。贝尼托华雷斯机场经营着国内国际的航班。20世纪80年代末，有一些航班改在托卢卡机场升降，以减轻前者终年的饱和状态。

城内交通运输系统甚为混乱而且过分拥挤。数百万辆轿车、货车和公共汽车在区内运行；这个数目还在继续增加。车辆经常连续几个小时都在“爬行”，在许多地区则整天都是“高峰时间”。1982年，联邦区的私营公共汽车系统被政府没收，与此同时，进行了巨额投资，以提高超载的地铁线路的效率。

行政与社会状况 *政府* 墨西哥城的大部分居民并不选举他们的地方政府。国家的总统指定一位代理人或市长，担任联邦区行政机构的首脑。这位代理人任命委员负责联邦区16个城区的行政事务；每个城区都拥有相当的自治权。许多城区人口超过了国内大多数的城市和某些州。联邦区以外的地区，则选举各自的市长，并参加墨西哥州州长的选举。联邦区的居民投票选举联邦议会的众议院和参议院议员，也选举国家的总统。20世纪80年代末，成立了一个选举咨询委员会。墨西哥城为国家行政、立法、司法权力机关的所在地。

服务设施 饮水供应是墨西哥城长期存在的一个问题。自从其本身储备实际上已枯竭之后，建造了花费昂贵的输水系统，从越来越远的地区运水。排水系统在70年代和80年代也部分地进行了更新。城区内生产一部分电力，但是大部分却购自外面的电厂。电话系统总是设备不敷，1985年的地震摧毁了该城的主要交换站，80年代末，安装了一套分散的新系统。一般做饭和烧水用的丙烷气，是由可以携带的气桶出售，或者由气罐车运送到家庭的储气槽。没有家庭取暖设备。

保健 西半球最古老的医院，拿撒勒的耶稣医院，是16世纪初由H.科尔特斯在墨西哥城建立的。政府开设了许多保健机构，有巨大的总医院和医疗中心，后者是一各门专科的集合体。也有许多私立医院。全国各地的病人常常到首都来进行治疗。

虽然卫生条件高于墨西哥其他地方，但肠胃病仍很普遍，尤其是下层居民的儿童。呼吸系统的疾病也很流行，这是污染的结果。另外是人口过密引发的心理错乱。随着卫生条件的普遍改进，具有发达国家特色的疾病，例如心血管病和癌症，更加普遍起来。

教育 墨西哥城以超过90%的识字率而自豪，这个数字确是明显地高出于国内其他地方。其教育设施在墨西哥全国也是无与伦比的。公立学校体系辅以大量私立学校。初等和中等学校的辍学率仍相当高。

国内高等教育设施高度集中在首都。墨西哥国立自治大学成立于1551年，是世界上最大的大学之一，有学生350 000余人。其建筑物上精美地装饰着D.里维拉和其他人画的壁画。国立工业学院和都会自治大学都属于诸多重要的公立高等院校之内。私立大学则有伊比利亚-美洲大学，阿纳瓦克大学，以及合众国国际大学。另外，还有许多专门的研究性质的机构，其中有颇具声望的墨西哥学院。

文化生活 墨西哥城一向是拉丁美洲杰出的文化中心之一。有好几个交响乐团，许多美术馆、博物馆、剧团、舞蹈团等。位于市中心的艺术宫，是传统的音乐会和歌剧的演出场地。国立大学校园内的大学文化中心，内有国立图书馆、一座大型交响乐演出厅和好几个剧场。国立人类学博物馆，一般认为是世界上该专业最佳的博物馆。墨西哥城也是本国最重要的美术、音乐、舞蹈等学校的所在地。

墨西哥城也是西班牙语世界最重要的书籍出版中心之一，有30余种日报在该城出版；还有许多新闻、文艺以及其他专业的期刊。

每一个地区都有各自的公园和花园。西南部的查普特佩克公园，是其中最大、最美的一个，占地大约647公顷。园内有博物馆、动物园、植物园、游乐场，以及喷泉、湖泊等。“狮子荒野”是本城西南面16千米处的另一座公园，拥有广阔的山岭、松林、泉水以及沟渠。索卡洛西边的中央林荫大道，创建于1592年。

群众最爱观看的体育项目是英式足球和斗牛。足球赛在阿兹特克运动场和国立大学的奥林匹克运动场内举行。墨西哥广场则是世界上最大的斗牛场。此外，还有许多其他体育设施。

历史

早期 *起源* 13世纪时，阿兹特克人来到墨西哥山谷。根据传说，他们经过多次迁徙，在特斯科科湖中一座岛屿上看见了他们的神维齐洛波奇特利所指出的召示:一棵仙人掌上一头鹰在啄食一条蛇,于是他们就建立了特诺奇蒂特兰(意为"特诺奇大祭司之地"),它很快扩展到全岛和沼泽地。它发展到成为城市后,分成为许多地区,每个地区都有公用的土地和学校。

1519年西班牙人在H.科尔特斯率领下到来的时候,特诺奇蒂特兰大约有100 000居民。岛屿由三条堤道通向陆地:向北至特佩亚,向南至伊斯塔帕拉帕,向西至塔库瓦——三条堤道都集中到大神庙和皇宫附近的礼拜中心。

殖民城市 科尔特斯于1521年夷平了特诺奇蒂特兰,在其废墟上建立了一座西班牙城市。征服者们占据了城市的中心部分,把战败者驱赶到四周围。城市建立于1522年,而且其市议会获得了承认,并于1535年被授权领导新西班牙的其他市议会。该城不久便发展成为美洲最重要的城市,其管辖范围延伸到现在的美国,向南一直到巴拿马。

墨西哥城此时仍是湖水环绕的中心,直到经常的洪水逼使人们将山谷的湖床填满。17世纪时,这个首都已是一个包括有住房、公共建筑、教堂以及修道院的集合体。在实现他们的欧洲建筑设计时,殖民者和印第安工匠利用本地的火山岩,其分量轻而多孔,建造出精美而讲究的房屋门面。巴罗克风格在18世纪新西班牙建筑的黄金时期达到其最高表现。此后,雕塑家兼建筑师M.托尔萨将新古典主义的理念介绍了进来。

独立后的墨西哥城 **革命之前** 经过墨西哥皇帝伊图尔维德的短暂统治之后,1824年的共和宪法建立了联邦区,把国家的政府集中于墨西哥城。19世纪40年代,首都被美国军队占领。19世纪50年代的反教会改革运动期间,该城所有的修道院或被拆毁,或移作他用。1865年,市区得到扩展,哈布斯堡大公马克西米连(当时的墨西哥皇帝)建造了皇帝大街(今改革大街),将其皇宫和查普特佩克堡连接起来。1876至1911年,P.迪亚斯统治期间,墨西哥城仿效奥斯曼男爵的巴黎样式进行了现代化建设。邮局和美术宫便是主要受法国建筑影响的范例。也是在这个时期,该城进行了许多公共设施和公用项目的建造;1907年完成了下水道系统,引进了煤气、电灯和电车。

20世纪 墨西哥革命期间(1910～1917),该城成为战场。乡村地区的混乱造成了从乡间拥向首都的人潮。1924年,随着起义大街的建设,城市建设工程得到更新,法国式的宫殿被设计现代的建筑所取代。30年代,建成了最早一批高层大楼,但是松软的下层土以及经常性的地震活动,限制了高层建筑的发展,只能达到适当的高度。

50年代和60年代墨西哥的繁荣和稳定,改变了这座城市。公众的投资到了70年代,尤其是1978～1981年间的石油高潮,更加速了它的发展。虽然1982年开始的石油价格暴跌使公众的消费受到了限制,但该城仍继续在发展,而服务设施却在日益恶化。1985年的一场地震震撼了该城,摧毁了许多建筑物,死亡大约7 000人。1987年通过的新建筑法考虑到某些地区的松软下层土,以及地震发生率高的危险性。政府努力分散联邦行政管理权,但效果并不明显。

Meyer, Adolf **迈耶**(1866-09-13,瑞士下韦宁根～1950-03-17,美国巴尔的摩) 1900～1940年美国有影响的精神病学家,他的许多学说在英、美等英语国家已吸收入精神病学

约翰斯·霍普金斯学院供图

的理论和实践之中。他出生于瑞士,1892年移居美国时,在神经解剖和神经生理学方面已受过良好的训练。到美国后研究了W.詹姆斯、J.杜威等人的思想,把这些不同的思想融合成为一种有关人类行为的概念,称之为行为客观精神生物学或心理生物学。1893～1895年任伊利诺伊州坎卡基东方精神病院的神经病理医师,强调准确采取病史的重要性。在弗洛伊德的理论被普遍接受之前,他就提出,儿童期的性情感可以促成严重的心理问题。后认为,精神病基本上由人格障碍引起,而非由脑病理变化引起。1904～1909年任康奈尔大学医学院精神病学教授。他越来越认识到社会环境在精神障碍的形成中的重要性,于是他的妻子开始访问患者家庭,她的访问被认为是精神病社会福利工作的第一个尝试。他认为在精神病的诊断和治疗中,必须把患者作为一个整体的人来看待。这观点给几代学生以深刻的印象。他的研究发表在《论文汇编》(4卷,1950～1952)和《心理生物学》(1957)中。

Meyer, Annie Florance Nathan **迈耶**(1867-02-19,美国纽约州纽约～1951-09-23,纽约市) 美国作家、教育家、反对妇女参政者。以其推动创建纽约市巴纳德学院为世人所铭记。成长于动荡不定的家庭,自幼酷爱读书。1885年就读于哥伦比亚学院(今哥伦比亚大学)附设的女子读书课程。1年后辍学,1887年嫁给A.迈耶。婚后即开始积极筹备建立正式附属于哥伦比亚学院的女子学院。为获得支持,经她建议以哥伦比亚学院已故院长巴纳德之名为学院命名。该女子学院于1889年9月开学。她担任学院董事达60余年,直至去世,并不停为学院招收学生、聘请教师并募集经费。她还大量撰写文章和短篇故事向杂志投稿。有几年她是报刊杂志上主要的反对女权主义者。其著作有:《美国妇女的工作》(1891)、《海伦·布伦特医生》(1892)、《罗伯特·安尼斯:可怜的教士》(1901)和《巴纳德的早期事业》(1935)。她还写有20部左右的剧本,大都已为人们遗忘。其自传《快乐一生》于1951年问世。

Meyer, Conrad Ferdinand **迈耶**(1825-10-11,苏黎世～1898-11-28,瑞士基尔希贝格) 瑞士重要作家。中学毕业后,开始学习法律,但由于精神抑郁症被迫进入精神病院治疗。因长期在瑞士法语区居留,得以了解法国的文学和文化,于是改学历史,在巴黎和意大利进行研究。罗马,特别是米开朗琪罗的作品,在他的一生中影响极大。米开朗琪罗的宏伟气派成为他要在诗中体现的一种理想。他的晚年是在苏黎世度过的,仍从事写作。1892年,精神抑郁症再次迫使他住院一年,从此再也没有创作。迈耶很晚才开始写作,作品数量不多。他出版了两本不大重要的诗集和一本具有永久价值的作品,刚劲有力的诗篇《胡滕的末日》(1871)获得第一次成功。在叙事诗《恩格尔贝格》(1872)发表后,又发表了11篇中篇小说,即《护身符》(1873)、《圣徒》(1880)、《一个少年的苦难》(1883)、《修士的婚礼》(1884)、《佩斯卡拉的诱惑》(1887)等。

Meyer, Eugene **迈耶**(1875-10-31,洛杉矶～1959-07-17,美国纽约芒特基斯科) 美国社会政治生活中具有影响的领袖人物,1933～1946年《华盛顿邮报》发行人。1895年从耶鲁大学毕业后去欧洲各大城市工作两年,学习银行业务,回国后不久建立了自己的投资银行,成为有影响的金融家。1917年被威尔逊总统任命为政府有色金属顾问,后在威尔逊手下任战时财政委员会执行主席,并在以后的六届总统手下担任高级职务。他为胡佛总统起草设立复兴金融公司的法案(1932)并任第一任董事长。他还是1946年建立的国际复兴开发银行(现为世界银行)的第一位总裁。1933年买下《华盛顿邮报》,指定其妻艾格尼丝·恩斯特为副社长,其时艾格尼丝·恩斯特已是有影响的作者和记者,以卫生、教育和社会状况方面的著述知名。迈耶1933～1940年任《华盛顿邮报》发行人,1940～1946年任主编兼发行人。在他的管理下,该报发行量增加了两倍多。该报开辟了强有力的社论版,形成了勇于负责的报道传统。1947年他将该报交给他的女婿菲利普·L.格雷厄姆经营。

Meyer, Kuno **迈尔**(1858-12-20,汉堡～1919-10-11,莱比锡) 德国凯尔特语学者和编辑。他的译作使他成为向英国和德国读者介绍爱尔兰早期文学的主要译者。1884年任大学学院即后来的利物浦大学德语讲师,出版英译本《麦康林的幻觉》(1892),该书为古爱尔兰通俗讽刺作品。约在担任凯尔特学教授时,与努特合作出版《布兰游记》的英译本(二卷,1895～1897),此书为周游古爱尔兰冥府的故事。1903年,在都柏林筹建爱尔兰学学院,翌年创办该院院刊《爱尔兰》。他还创办几种德语的凯尔特语研究期刊而且是其主要撰稿人。1911年,所辑《古爱尔兰诗选》第二版问世,被聘为柏林腓特烈-威廉大学凯尔特学教授。另著有《五世纪爱尔兰学术》(1913)一书。

Meyer, (Julius) Lothar **迈耶尔**(1830-08-19,奥尔登堡法勒尔[德国]～1895-04-11,蒂

宾根） 又译迈尔。德国化学家，与门捷列夫无联系，独立研究出元素周期分类法。他虽然学的是医学，但他的兴趣主要在化学和物理学上。1859 年，他开始了科学教育工作者生涯，任过许多职务，后来在蒂宾根大学任化学教授（1876 ～ 1895）。所著《现代化学理论》（1864），是明晰论述化学科学基本原理的著作，包括按原子量排列元素的初步方案，并讨论了元素的原子量和性质之间的关系。这一有影响的著作曾屡经增订，出了许多版。1868 年前后迈耶尔编制了一个扩大的表，在许多方面与 1869 年发表的门捷列夫周期表相似。但是，直到 1870 年，迈耶尔才发表了自己的周期表。表中列出了原子体积和原子序数，清楚地表明元素的周期性关系。他没有宣布自己居先，承认自己迟迟没有像门捷列夫那样预测未发现的元素的存在。迈耶尔曾从事几个化学领域的工作，但是他的活动主要是专心于元素分类。他不断从事许多原子量的重新计算，并利用元素周期表预测和研究相关元素的化学性质。

Meyer, Lucy Jane Rider 迈耶（1849-09-09，美国佛蒙特纽黑文～ 1922-03-16，伊利诺伊芝加哥） 美国社会工作者和教育家，其在卫理公会的活动旨在培训和组织工人为贫民、老人和儿童提供医疗保健和社会服务。1872 年毕业于俄亥俄州奥柏林学院，后入宾夕法尼亚女子医学院（1873 ～ 1875）。1875 年未婚夫死后即返回佛蒙特。任波尔特尼特洛伊联合会高级中学校长（1876 ～ 1879），在麻省理工学院攻读化学（1877 ～ 1878），后在伊利诺伊州莱巴嫩麦肯德瑞学院任化学教授。1881 ～ 1884 年，出任伊利诺伊州主日学校协会地方联络员。1885 年与芝加哥商人 J. S. 迈耶结婚。二人同样对卫理公会及其工作深感兴趣。同年晚些时候他们开办了芝加哥城市、国内和外方传教会培训学校。学校发展迅速，很快得到卫理公会的正式支持。卫斯理纪念医院、芝加哥老人院和莱克布拉夫孤儿院不久即在迈耶夫妇及其学生的努力下建成。后来有大约 40 所慈善机构也以同样方式成立。1887 年获得芝加哥女子医学院医学博士学位。同年她组织学生访贫问苦，参加社会工作，短短几个月这些社会工作者就组织起事实上的美国第一个女执事会。她以大部分时间投入女执事运动，并把她的期刊《预言》（创办于 1886 年）改为《女执事倡言者》，自任编辑直至 1914 年。1889 年，出版《女执事运动史》。1908 年，组建卫理公会女执事协会。与丈夫于 1917 年辞去芝加哥培训学校校监和校长的职务，当时该校毕业生已超过 5 000 人。

Meyer, (Marie-) Paul (-Hyacinthe) 梅耶尔（1840-01-17，巴黎～ 1917-09-07，巴黎） 法国语言和文学学者，中世纪法语和普罗旺斯语的权威之一，并以其文学史和多种中世纪著作校勘本而著名。从 1863 年起供职于巴黎国家图书馆手稿部，1876 年任法兰西学院南欧语言文学教授，1882 年兼巴黎文献学院院长。初期的研究都与古普罗旺斯文学有关，但他却不断拓展其罗曼语研究的领域。著有《末期普罗旺斯行吟诗人》（1872）和三卷本的《反阿尔比派圣战之歌》（1875 ～ 1879）。经他校勘的文献包括三卷本纪尧姆元帅的《历史》（1882 ～ 1902）。

Meyer, Ray 迈耶（1913-12-18，芝加哥～ ） 美国大学篮球队教练。1940 ～ 1942 年在圣母大学队任副教练。1942 年任芝加哥市德保罗大学主教练直至 1984 年退休。在全部经历中他所培训的队共胜724场，得胜率为 0.671。1979 年被评为当年最佳篮球教练。1978 年人选篮球名人堂。

Meyer, Viktor 迈尔（1848-09-08，柏林～ 1897-08-08，巴登海德堡） 德国化学家。对有机和无机化学均有重大贡献。在海德堡大学师从分析化学家 R. 本生、有机化学家 E. 艾伦迈尔和物理学家 G. 基尔霍夫，1867 年获博士学位。1889 ～ 1897 年接替本生在海德堡大学的职务。在此之前曾任苏黎世工业学院（1872 ～ 1885）和格丁根大学（1885 ～ 1889）化学教授。发明高温下无机物蒸气密度测定法（1871），并发现碘和溴的双原子分子遇热离解为原子，还发现脂肪族硝基化合物（1872）。是“立体化学”这个名词的提出者，它研究化学结构相同、空间构型不同（立体异构体）的分子。迈尔于 1878 年发现肟，即含 >C=NOH 基的有机化合物，并证明肟的立体异构现象。他还提出“位阻”这一术语，表示有机分子各部分旋转的能垒，位阻是由分子中存在庞大侧基引起的。锐敏的迈尔把一次演示实验的失败变成噻吩的发现（1882）。噻吩是一种物理和化学性质与苯类似的含硫有机化合物（1882）。

Meyer-Lübke, Wilhelm 迈尔-吕布克（1861-01-30，瑞士杜宾多尔夫～ 1936-10-04，波恩） 瑞士一德国语言学家，他对罗曼语及通俗拉丁语的比较研究使罗曼语言学的研究工作得到彻底的革新。遵循新语法学派的语言学原则，他极力献身于方法论的研究。先后任耶拿大学（1887 ～ 1890）、维也纳大学（1891 ～ 1914）及波恩大学（1915）教授。早期重要著作意大利语语法（1891），是一历史考据兼校勘之作。作为比较语言学家，其成名之作是四卷本《罗曼语族语法》（1890 ～ 1902）。因长于方法论，其研究成果在《罗曼语言学研究导论》（1901）一书中达到顶峰。另出版大量有关古撒丁语、古葡萄牙语、加泰隆语和罗马尼亚语的手册和专论。他的广泛影响持续至今。20 世纪 60 年代重刊其著作，1968 年修订出版巨著《罗曼语词源词典》，该书最初于 1911 ～ 1920 年间问世。

Meyerbeer, Giacomo 梅耶贝尔（1791-09-05，柏林附近塔斯多夫～ 1864-05-02，巴黎） 德国歌剧作曲家，在巴黎确立了壮丽的浪漫派歌剧的时尚。先后在柏林和达姆施塔特学习作曲，并与 C. M. 冯·韦伯结交。1816 年定居意大利，后写出 5 部罗西尼式歌剧，其中以《十字军勇士》（1824）为最佳。与 E. 斯克里布合写的法语歌剧《恶魔罗贝尔》（1831，巴黎）演出规模盛大，极尽铺张之能事，旨在迎合当时人们对中世纪风格、超自然事物与恐怖题材的浪漫主义兴趣。歌剧一举成功，从而成为法国大歌剧的典范。《胡格诺派教徒》

美国国会图书馆供图

（1836）得到同样成功。1842 年回柏林，任普鲁士国王音乐总监，推动了瓦格纳《漂泊的荷兰人》的演出。在此期间创作德语歌剧《西里西亚一军营》（1844）。根据斯克里布的台本而写的第 3 部浪漫主义歌剧《先知》于 1849 年在巴黎上演。其后他转向比较轻快的风格，创作出两部传统喜歌剧：《北极星》（1854）和《普勒尔梅尔的宽恕》（1859）。最后一部歌剧《非洲女郎》是在他弥留之际排练的。其歌剧的壮观场面、声乐写作的戏剧性风格和别具一格的配器意识，特别是对低音单簧管、萨克斯管和大管的新颖用法，对歌剧发展产生显著影响。他的一些歌剧，特别是《非洲女郎》，在 20 世纪得到复兴。

Meyerhof, Otto 迈尔霍夫（1884-04-12，德国汉诺威～ 1951-10-06，费城） 德国生物化学家。因研究肌肉代谢的化学反应而与 A. V. 希尔共获 1922 年诺贝尔生理学或医学奖。尽管受到其他研究的种种修正，他的有关糖原-乳酸循环的研究工作对了解肌肉作用做出了基础性的贡献。1909 年获海德堡大学医学博士学位，后在基尔大学和德国其他大学讲授生理学和物理化学。1929 ～ 1938 年任海德堡威廉皇家医学研究所生理研究室主任。曾赴巴黎 2 年，后任宾夕法尼亚大学研究教授，并在英国和美国多处讲学。1924 年著《生命现象的化学动力学》。

Meyerhold, Vsevolod Yemilyevich 迈耶霍尔德（1874-02-09，俄国奔萨～ 1940-02-02，莫斯科） 俄国戏剧演出人、导演和演员。他在非现实主义戏剧中所进行的那种引起争论的实验，使他成为现代戏剧的创新力量之一。1896 年进入莫斯科音乐戏剧学校，在莫斯科艺术剧院创始人之一的涅米罗维奇-丹钦科

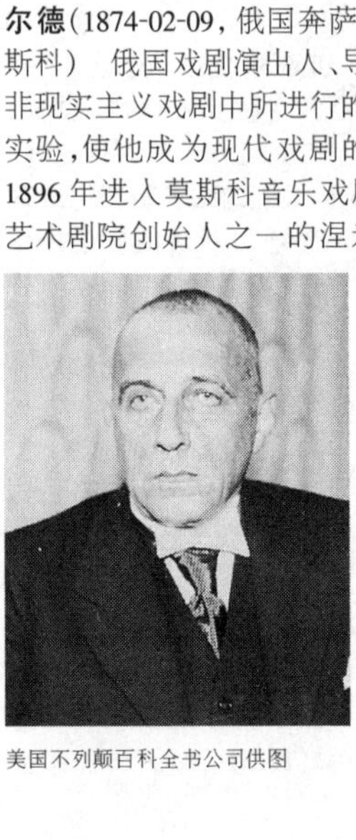

美国不列颠百科全书公司供图

的指导下学习。两年后加入莫斯科艺术剧院，开始系统地提出了他的象征性或"条件性"戏剧的先锋派理论。1906年任维拉·科米萨尔热夫斯卡娅剧院演出主任，并按照他非写实派戏剧的基本思想上演了不少象征派戏剧。1906年以一种完全非现实主义的手法上演了易卜生的《海达·加布勒》，来抵制斯坦尼斯拉夫斯基艺术戏剧所宣扬的风格化的自然主义，并指导其演员用傀儡般地机械式方法进行表演。这次演出至少标志着俄国戏剧一次革新的开始，并以**有机造型术**(**biomechan-ics**)而知名。迈耶霍尔德非正统的演剧方法导致他于1908年与科米萨尔热夫斯卡娅剧院决裂。此后，他吸收即兴喜剧和东方戏剧传统，继续在彼得格勒(圣彼得堡)演出剧目。自1920年上演克罗姆兰克《出色的戴绿头巾的人》起，到1935年以引起争议的手法上演普希金的《黑桃皇后》止，这段时间可说是其导演艺术的全盛时期。他虽然拥护1917年的俄国革命，但强烈的个人主义性格和在艺术上的固执却招致苏联评论界的非难与谴责，他被指责为只要神秘主义而不要社会主义现实主义。他拒不接受艺术一致性的约束，维护艺术家进行实验的权利，1938年被捕入狱，几个星期后，其当演员的妻子在他们居住的公寓里被残害。直至1958年，西方才从《苏联大百科全书》中得知他已于1942年去世。后来再版的《苏联大百科全书》又将其死亡年代改为1940年。

Meyers Enzyklopädisches Lexikon 《迈耶百科词典》 全名为《收有100篇专文的25卷迈耶百科词典》。德国曼海姆1971～1979年出版的25卷本百科全书。迈耶百科1840～1945年原在莱比锡出版。这套新版百科词典恢复了不完全的第8版(1936～1942，其中有纳粹意识形态的影响)以前达到的质量和标准。新版兼收简明词典式条目和阐述详尽并附有广泛新书目的大主题条目。全书插有数千幅高质量的图表和插图。地理条目阐述较详，并附有地图和图表。人物条目包括在世人物。全名中提到的100篇署名专文是有关主要学科的长篇专论。1974年出版一本地图集。

Meyerson, Émile 迈耶松(1859-02-12，俄罗斯帝国波兰卢布林[今在波兰]～1933-12-04，法国巴黎) 波兰出生的法国化学家和科学哲学家。他根据变化过程的结果所得出的理性认识的概念在20世纪30年代的科学理论家中间颇为流行。在德国跟随R.W.本生接受了经典自然科学和化学的教育。1882年移居巴黎，在那儿他成为工业化学家、哈瓦斯新闻社的外语编辑、欧洲和小亚细亚的犹太移民协会的领袖。尽管他和正规的大学没有联系，但他的渊博的著作，特别是《个性和实在》(1908)、《科学中的解释》2卷本(1921)以及《思想方法》3卷本(1931)使学者们深信要理解科学的哲学必须分析科学史。他把自己的观点扩展到其他一些领域，如量子力学、哲学和原始思想以及相对论，关于后者的著作有《相对主义者的推论》(1925)。

Meymaneh 梅马内 又拼作Maimāna(迈马纳)。阿富汗西北部城镇。位于托克斯坦山脉北麓，海拔870米。为受盖萨尔河灌溉的农业区服务，并与游牧民从事紫羔羊贸易。有公路与邻近城镇相通，但在春季洪水期若干路段不能通行。原为乌兹别克族汗国首都。1868年被阿富汗埃米尔征服。1885年该汗国经俄阿边界委员会正式划归阿富汗。人口约45 100(1988)。

Meynell, Alice (Christiana Gertrude) 梅内尔夫人(1847-09-22，英国伦敦附近巴恩斯～1922-11-27，伦敦) 母家姓汤普森。英国诗人、散文作家。幼年大部分时间在意大利度过，1872年左右改信罗马天主教，这点在她的作品中有反映。在丁尼生和帕特莫尔的鼓励下，于1875年出版了第一本诗集《序曲》。一首十四行诗《我的心将是你的花园》使她和威尔菲里德·梅内尔(1852～1948)建立了友谊，并于1877年同他结婚，生有8个子女。她继续从事文学活动，同时辅佐丈夫的工作。梅内尔先生是《每周记事》的编辑，并于1883年创办月刊《快乐的英国》(1883～1895)。她为该杂志写过多篇论文。弗朗西斯·汤普森曾是穷困的诗人，在梅内尔夫妇的帮助下，通过向他们的杂志投稿成了著名诗人。梅内尔夫人的诗篇以词汇朴实和宗教上的诚挚闻名，表达着一丝淡淡的哀怨和时光易逝的情绪。所写诗篇很受人欢迎，在丁尼生去世后，被提名为桂冠诗人的候选人。

Meynell, Sir Francis (Meredith Wilfrid) 梅内尔(1891-05-12，英格兰伦敦～1975-07-10，萨福克拉文纳姆) 英国图书设计家，设计了无双出版社的许多精装本著作。该社采用现代机械方法印刷，效果可与手动印刷机相比。曾在都柏林三一学院学习，1914年开设罗姆尼大街印刷所，手工印刷，只出版过两种书。1916～1923年经营鹈鹕出版社，它印刷的《活版印刷术》(1923)是一部很有影响的活字样本集和有关图书出版的短论。1923年创办无双出版社，并阐明该社宗旨说："我们的全部资财就是一种理论，认为机械手段可以为美好目标服务，印刷机是可以控制的工具。"该社的主要成就之一，是出版7卷本《莎士比亚全集》(1929～1933)。第二次世界大战后，他参加英国水泥研究机构的筹建工作；1946～1958年，担任水泥和混凝土协会会长，但仍继续从事精美书刊的设计工作。著有《诗17首》(1945)、《诗及其他》(1961)以及自传《我的生平》(1971)。1946年受封为爵士。

Mezhdurechensk 梅日杜列琴斯克 俄罗斯中部克麦罗沃州城市。位于托姆河与乌萨河汇流处。20世纪50年代发展成为库兹涅茨克煤田托姆-乌辛斯基地区的采煤居民点，称奥尔热拉斯，1955年设镇改用今名。现为典型的重工业新城镇，主要从事采煤业。人口约107 400(1994)。

Mézières (France) 梅济耶尔 参阅**Charleville-Mézières 沙勒维尔-梅济耶尔**。

Mézières, Philippe de 梅齐埃尔(约1327，法国梅齐埃尔～1405-05-29，巴黎) Mézières又拼作Maizières。法国贵族、作家、最后一次十字军的坚强战士。贫寒贵族出身。起初在意大利当兵。入十字军后，1346年参加士麦那战役，封为骑士。军队解散后，他于1347年前去耶路撒冷和塞浦路斯，并在塞浦路斯结识王储，即未来的彼得一世。1359年彼得即塞浦路斯王位，任他为掌玺大臣。他们同去欧洲鼓吹再组织一次十字军东征。1369年彼得被暗杀，他在威尼斯一直停留到1372年。1373年去巴黎，给查理五世的王储(未来的查理六世)当导师。查理五世死后他被迫退居巴黎塞莱斯廷隐修院，对公共事务仍发挥影响。著有《教皇使节彼得·托马斯的一生》(1659)等。

mezuzah 经文楣铭 又拼mezuza(希伯来语，意为"门柱")，复数作mezuzoth或mezuzas。小块羊皮纸上面由老资格的书法家写上经文(《申命记》6:4～9，11:13～21)，用以提醒犹太人勿忘对上帝的义务。写好后将小块羊皮纸叠成折或卷成束，置于金属、木质或玻璃匣中，而将"全能"字眼露在背面。经诵读特定祝词后，经文楣铭被固定在房门的主门柱上(进门时的右侧)。依照一些犹太人的习俗，经过时要吻这楣铭。将此种经文装在项链上佩戴是晚近才兴起的做法。

mezza majolica 仿马约利卡陶器 majolica又拼maiolica。将陶器坯体浸入泥浆并使其覆盖一层铅釉，表面像真的马约利卡陶器或锡釉陶器。在德国有时称为"半彩陶"。但这两种名称都不确切，这种陶器更确切的分类应属刻花陶器，因为它是在泥浆涂层上进行刻划，从而使涂层下各种不同颜色的黏土显露出来。从15世纪末直至18世纪在意大利生产这种陶器。主要中心是博洛尼亚。由于使用的是铅釉而不是真马约利卡陶器所用的锡釉，故在烧制时，釉料会流动，这样就会使画面模糊，虽不致总是破坏审美效果，但至少是不可预料的。这种装饰方法有时与绿色和锰紫色彩釉结合使用，技术上同一些中国和朝鲜的器皿相似。拜占廷的陶工们在君士坦丁堡应用了这项技术，产品约于1500年在意大利问世。

mezzadria (land tenure) 参阅**métayage 分成制**。

mezzo-soprano 次女高音 在声乐中，音域介于**女高音**(**soprano**)与女低音之间的女声分类。通常是从中央C下的A到中央C上的第2个F或G。常简称女中音。

Mezzogiorno 梅佐乔尔诺 大致与昔日的**那不勒斯王国**(**Naples, Kingdom of**)领域相当的一个经济不发达地区。按现在意大利行政区划，它包括一个由意大利南部的阿布鲁齐、莫利塞、坎帕尼亚、普利亚、巴西利卡塔和卡拉布里亚组成的大陆亚区和一个由西西里和撒丁组成的岛屿亚区。在意大利语中，梅佐乔尔诺一词是"中午"或"正午"的意思，意大利南部因午间日照强烈而得此名。

1130～1198 年意大利南部归诺曼人统治,后又由日耳曼的霍亨斯陶芬王朝管辖。1266 年法国安茹王朝将霍亨斯陶芬王朝废黜,并大大扩展封建贵族的权力。1420～1442 年间阿拉贡的阿方索五世征服南意大利,设立"羊关卡",对羊及其他牲畜征税。这个关卡鼓励将农田改为牧地,使得小农场主和农工数目减少。1734 年南意大利与西西里成为西班牙波旁王朝统治下的一独立王国,只进行了很少的改革,直到 1786 年,南意大利的大多数人还都处于某种形式的封建约束之下。1806 年普利亚的曼弗雷多尼亚附近进行了小规模的土地改革,接着进行一系列开垦沼泽地与改良排水系统的工程。1861 年意大利统一后,梅佐乔尔诺仍受大地主的控制,南部地区社会与经济的落后状态成为 19 世纪晚期南方文学的主题。直到 1946 年南意大利完成大规模的土地改革前,许多大地产依然没有触及。1950 年设立"梅佐乔尔诺基金",作为意大利政府的一个部门,由议会拨款,对南意大利、西西里及撒丁的社会经济发展进行投资。私人对南方工业发展的投资则要通过 1946 年创立的梅佐乔尔诺工业发展协会的渠道进行。

南意大利以亚平宁山脉为主,约有一半的土地因太陡而无法耕作。仅那不勒斯、萨莱诺、福贾及塔兰托等都市近郊才有沿海平原,这些平原通常很窄,而且排水不良。疟疾在多沼泽的平原盛行,直至第二次世界大战后才完全灭绝。亚平宁山脉多是石灰岩及其他易受侵蚀的软岩,几世纪以来对森林、灌木地的过度砍伐与过度放牧,造成山脉和山丘表土的剥落,处处是陡坡与深蚀山谷的荒凉景观。年降雨量很少超过 510 毫米,而且几乎全是在冬季下暴雨,加重土壤的侵蚀。由于大多数河川在夏季呈干涸状态,灌溉与水力发电的发展有限。

南意大利的人口集中在沿海城镇,城镇是靠牺牲亚平宁山区村庄而发展起来的。新建的小房屋成排地散布在由沼泽填筑的低地上。南意大利人口的自然增长率较北意大利高,但因劳工移往北意大利、法国、瑞士及德国等工业中心而大大地减少。人均收入不及北意大利,且农业雇工在南意大利的劳动力中一直占有过大的百分比。主要作物有小麦、橄榄、葡萄、桃、杏、梨及各种蔬菜。梅佐乔尔诺基金大量投资于造林以及灌溉、公路、铁路、港湾等设施的扩充与现代化。48 个工业中心靠该基金的支持建立起来,欧洲经济共同体的欧洲投资银行也资助梅佐乔尔诺的工业化。经济计划人员主张在南部发展重工业。但是,此类工业雇用的劳工比较少,无法吸引辅助性的工业。由巴里、布林迪西及塔兰托组成的三角工业区生产钢铁、机床、农业机械及石油化工产品;那不勒斯附近的工业较多样化,生产纺织品、各种消费品、钢铁、办公机械、电缆、汽车及船舶等。亚平宁山区的工业较少。旅游设施集中在沿海地带。

梅佐乔尔诺的文盲十分普遍,尤以卡拉布里亚为最。南意大利的生活水准不如北意大利。大房地产的雇工通常住在拥挤的住宅集合体,一楼为马厩和谷仓,二楼以上为住屋。农舍多为石造的两层长方形建筑。阿普利亚的传统农舍则是在圆柱形的地基上以石材建成圆锥形的"石顶圆屋"。马泰拉省居住洞穴的情形非常普遍。卡拉布里亚许多城镇由阿尔巴尼亚人聚居。科森扎省普遍欢度阿尔巴尼亚春节。卡拉布里亚的方言保存一些希腊词汇。阿普利亚的烹调受西班牙的影响,大量使用橄榄油与佳酿。

mezzotint　美柔汀法　又称黑格调(black manner)。在金属版表面上有系统而均匀地刻刺出无数个可容受油墨的细孔,印刷后可产生一些大面积的色调变化的磨刻凹版法。

日本画家滨口阳三用美柔汀法创作的《蝶形花瓣》(1967)

美国不列颠百科全书公司供图

版面上的刻刺早先是采用一种滚点器(布满尖锐针点的小滚轮)来制作,后来改用一种称为摇点刀的工具,即一种类似有齿状边缘的小铲子,它在刻划过程中会在金属版上推出一些粗糙的突起物,称为粗糙孔缘。在印刷后需要留白的地方,则将这些地方的粗糙孔缘削磨掉。20 世纪常用金刚砂在版面上以不同的方向来回处理而产生粗糙效果。美柔汀一词源于意大利语 *mezza tinta*,意为"中间色调",原指这种处理能够制作出柔美细腻的色调浓淡层次。在单独应用时,美柔汀作品常呈现模糊不清,因此可以利用雕刻或蚀雕出的一些线条来使整个画面更为鲜明。美柔汀技法虽然是 17 世纪为在德国出生的荷兰画家路德维希·冯·西根所发明,但却立即在英国狂热而近乎独占地风行起来。这种技法十分费力,因此不适于创作原件。然而它那如黑绒般饱满的色泽与细腻的层次,特别是它适用于套色印刷,因此成为制作复制品的理想技法。17、18 世纪和 19 世纪初期,美柔汀法是使广大人民得以欣赏大画家名画的唯一方法。19 世纪摄影术发明后,美柔汀法罕为人用,20 世纪法国画家 G.鲁奥和英国雕刻家 S.W.海特,都制作一些此类磨刻版。20 世纪中叶最著名的美柔汀法提倡者——定居在巴黎的日本画家滨口阳三——发展了彩色美柔汀法,其他画家如英国的 M.阿瓦提和法国的 M.埃文斯等都精通此法。

Mfecane　姆菲卡尼　又拼 Difaqane(压榨)。19 世纪 10～20 年代非洲祖鲁人与恩古尼人之间的一系列战争和被迫迁移的行动,它改变了南部和中部非洲及部分东部非洲的人口、社会和政治状况,是由恰卡(1787～1828)的军事王国的崛起引起的。在姆菲卡尼过程中,各部落间斗争的范围日益扩大;南非难民相偕逃亡,荒废了大片土地;白人乘机侵入纳塔尔和高地草原;与此同时,建立了一些反白人入侵的王国(如巴苏陀、斯威士、恩德贝勒和加扎)。姆菲卡尼的影响远远超出南非,因为躲避恰卡军队的人们一直逃到东北方的坦桑尼亚和马拉维以及西北方赞比亚的巴罗策兰。

Mfengu　姆丰古人　又称芬戈人(Fingo),住在南非的特兰斯凯和西斯凯地区,传统上操科萨语(属班图语系)。姆丰古人是由纳塔尔"姆菲卡尼"大动荡中逃出的难民的后裔。他们到达开普东部后受到当地各酋长的援助。在 1835、1846 及 1851～1853 年历次战争中,他们协助英国军队,共同反对科萨人,因而得到特兰斯凯和西斯凯边界地带的土地。1879 年他们的土地被并入开普殖民地。到 20 世纪许多姆丰古人要求恢复他们的班图斯坦黑人家园。现在一些姆丰古人仍遵循原有生活方式:男人放牧,妇女种田。但是,不少姆丰古人在大城市做商人、职员、律师和教员,这些成了他们现代经济活动的组成部分。

M'fumbiro Mountains(Africa)　**姆丰比罗山脉**　参阅 **Virunga Mountains** 维龙加山脉。

MG 42　MG 42 机枪　德国的通用机枪,被许多国家用作制式武器。原为德国 1938 年所设计,1942 年投入使用,口径为 7.92 毫米。西德参加北大西洋公约组织后,将口径改为 7.62 毫米,使之能发射北大西洋公约组织步枪和机枪用的制式枪弹。改口径后出厂的新枪型号称为 MG2,原 MG42 旧枪则改称 MG1,后来又生产 MG3,可用作高射机枪。这种枪无枪托装三脚架时全长 43.2 英寸,枪管长 22.25英寸;有枪托装两脚架时全长 48.25 英寸。不连两脚架重 23.1 磅。用金属弹链供弹,射速每分钟 700～1 300 发。它用空气冷却,枪管能很快拆换(枪管过热射击不准确)。

MGB　苏联国家安全部　苏联早期的间谍和反间谍机关,克格勃(**KGB**)的前身之一。

Mhí, An(Ireland)　参阅 **Meath** 米斯郡。

Mhow　姆豪　印度中部中央邦印多尔城市。位于马尔瓦高原南部昌巴尔河和讷尔默达河分水岭上。1818 年为英军兵站。现仍为重要的兵站,并建有飞机场。饲养奶牛为主要行业。设有印多尔大学管理学院。人口:兵站约 74 852;都会区约 83 649(1991)。

MI 5　英国安全局　正式名称为 Security Service。英国负责国内安全与反情报活动的情报机构,被授权调查任何可能威胁国家安全的个人或活动。最早的前身是由后来成为伊丽莎白国务大臣 F.沃尔辛厄姆爵士于 1569 年设立的一个保密局。20 世纪初开始感到集中控制情报工作的需要。1909 年成立安全局,由皇家陆军上尉 V.凯尔领导,负责查明并反击当时在不列颠活动的德国间谍，收效颇大。1924年凯尔以少将军衔退役，随后又封爵位，但他仍主持该机构，直至1940年（MI5的名称是在这一时期叫起来的，因为当时它是"陆军情报局"的"5处"）。英国安全局无逮捕权，而是移交给警察局负责。

MI6　英国秘密情报局　正式名称为Secret Intelligence Service。英国政府负责搜集、分析和分发国外情报的部门。自16世纪伊丽莎白一世女王时期英国国务大臣弗朗西斯·沃尔辛厄姆爵士创建英国保密局后，曾几度变更其机构形式，直到1912年才由曼斯菲尔德·卡明海军准将组建成现在这样的机构。20世纪30、40年代，它被公认为世界上效能最高的情报机构。在纳粹德国猖獗之时，MI6在欧洲、拉丁美洲以及亚洲大部地区从事谍报活动（MI6的名称是在这一时期叫起来的，因为当时它是"陆军情报局"的"6处"）。当美国介入第二次世界大战时，英国秘密情报局曾帮助美国战略情报局培训过情报人员。从那时起，这两个情报机构之间一直保持着合作关系。后来美国战略情报局改组为中央情报局（CIA）。50年代中期，关于苏联间谍自30年代起就打入MI6的丑闻败露，引起公众震惊。英国的新闻报道极少透露MI6的工作情况及其与有关方面的联系。该局有权根据政府保密法对此类报道实施新闻审查。因此，即使是秘密情报局局长的名字，除了有限的范围，甚至在MI6向其提供情报的外交部里也很少有人知道。

Mi Fu　米芾（1051～1107）　中国宋代书画家。字元章，号襄阳居士、海岳山人等。世居太原（今属山西），迁襄阳（今属湖北），后定居润州（今江苏镇江）。曾任书画学博士、礼部

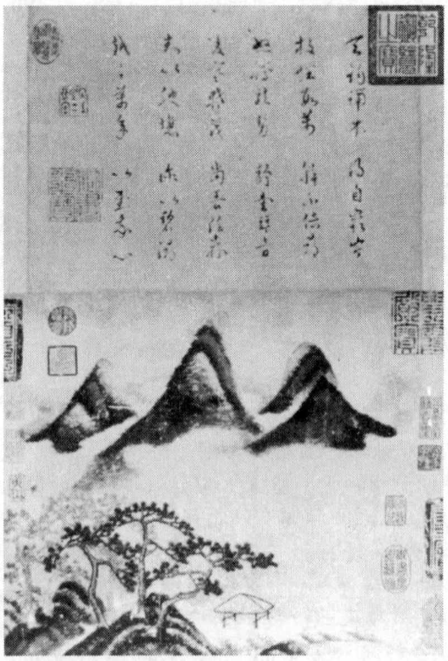

米芾绘《春山瑞松》
中国大百科全书出版社供图

员外郎等官职。与王安石、苏轼、黄庭坚、李公麟、王诜等以文会友，过从甚密。能诗文，擅书画，广收藏，精鉴别。醉心于书画艺术，爱石成癖，举止颠狂，故世称"米颠"。其书法广泛学习前辈，尤得力于王献之；论者谓其亦有取于唐太宗。行书最妙，能改变古法，自出新意。他用笔俊迈，有"风樯阵马，沉着痛快"之誉；苏轼称赞他的"超妙入神之字"。他和苏轼、黄庭坚、蔡襄（1012～1067）并称"宋四家"。其绘画擅梅、松、兰、菊，晚年画人物古贤，均能另辟蹊径。其影响于后世最大者乃在"多以烟云掩映树石，意似便已"，"不求工细"的山水画。经过其子米友仁的发展，遂建立画史上著名的"米家山"或"米氏云山"等新的画派。其书法作品存世甚多，代表作有《多景楼诗》、《苕溪诗》、《蜀素》、《紫金砚》等帖。其所著《山林集》已佚。传世书画理论之作有《书史》2卷，记载他生平目见和家藏的法书；《海岳名言》1卷，对古人书法批评有独到之处；《画史》1卷，为中国画鉴评著作，举晋以来名画，评论鉴别。此外还有《宝章待访录》、《砚史》等。

米芾长子米友仁（1074～1153），字元晖，幼年颖异，受到黄庭坚的奖誉；壮年艺成，所作《万里长江图》与《楚山清晓图》经其父手先后进呈皇帝。南宋初官至兵部侍郎、敷文阁直学士高职。他的山水画既继承家学，又师法造化，其代表作看似草草，但皆是数十百次积累而成，故能丹碧绯映，墨彩晶莹。其用墨几于神化，笔中有墨，墨中有笔，云烟满纸，而景物层次分明。细笔勾云，墨点成象，更增奇趣，用模糊的笔墨，作不模糊的表现，很能启发、扩大人们的想象力，这是绘画艺术上的大胆创作。"米家云山"对后世影响很大，高克恭、沈周、陈淳、董其昌、龚贤、吴历、蓝瑛、王翚等无不学米。米友仁亦工书法，精鉴别，唯有时迎合皇帝之意，不如其父鉴定书画态度之严肃认真。传世作品有《潇湘奇观》、《云山得意》、《远岫晴云》、《云山》等图。

Mi Hsi　宓羲　参阅 **Fu-hsi** 伏羲。

Mi-la ras-pa　米拉日巴（1040～1123）　中国藏传佛教噶举派名僧。生于贡塘（今西藏吉隆）。7岁丧父，家产被伯父霸占，随母过贫困生活。据传成年后，为报仇杀死仇家多人，后悔过学佛法。为噶举派始祖玛尔巴嫡传弟子。注重苦修。晚年声望很高，门徒众多。84岁时被人毒死。米拉日巴自幼喜爱歌唱，他以民歌的形式向弟子和信徒宣扬佛法，并创作了许多道歌，广泛流传于民间。15世纪噶举派僧人桑吉坚赞撰成《米拉日巴传》，并将其近500首道歌辑录成册，题为《米拉日巴道歌集》。这些诗歌把社会生活、自然景观与佛教哲理融合在一起，生动形象。后世仿作甚多，形成了藏族诗歌的一个流派。

Mi-Sinai tune　米西奈曲调　德系犹太人（讲意第绪语）的音乐中，任何一组用指定的旋律创作的圣咏，供大圣日和其他节日礼拜之用。12～15世纪在莱茵兰获得发展，受到高度重视，以米西奈闻名（意为"来自西奈山"）。犹太人受镇压时期里的一些歌词往往具有神秘意义，或表达对弥赛亚（救主）的渴望。在音乐上，米西奈曲调属犹太音乐中的上乘之作，将借自欧洲音乐的因素完美地融入传统的犹太音乐，因此在它们的旋律中可以看到14世纪法国作曲家G.德·马肖、15世纪勃艮第人、德国世俗恋诗歌手歌曲、法国和德国民歌以及格列高利圣咏等音乐中的一些片段，但在节奏上和调性上经过变化。

Miacis　小古猫　食肉类的绝灭属。化石见于北美的早始新世到晚始新世地层、欧洲和亚洲的晚始新世地层（始新世开始于5 400万年前，延续1 600万年）。小古猫属是早期食肉动物小古猫类的代表型，也是现代食肉类的祖先。小古猫兽类保持着肉齿类（较老的食肉哺乳动物）的原始特征，例如颅骨低、体细长、尾长、腿短；小古猫属保持着原始的齿数：44个。但在进化过程中这个数目显然稍有减少，而有些齿的体积减小。后肢比前肢长，骨盆的形态和构造很像犬类。脊椎上有一些特化的特征。该属和与之相关的类型具有比原始的肉齿类更大的脑。与身体大小相比，脑子增大很可能反映智力增加。小古猫属大概在森林中以较小的动物为食料，外形很像黄鼠狼。

Miami　迈阿密人　操阿尔冈昆语的印第安人，17世纪初次为欧洲人发现时，居住在今威斯康星州格林贝一带。另外，在伊利诺伊州东北部和印第安纳州北部的密歇根湖南端以及密歇根州卡拉马祖河沿岸这些地带，也建有其居民点；他们继续扩展至底特律及俄亥俄州，但后来又从东部地区撤回，定居在印第安纳州。社会结构以族外婚氏族为基本单位，各族族长组成村议事会；从议事会成员中选出一人担任文职首领，另一名军事首领则根据其领导袭击活动的能力进行遴选。迈阿密人最初与法国人相遇时，有6个宗族，其中韦亚人和皮安卡肖人后来成为独立的部落。他们的主食是一种特殊品种的玉米，质地较其邻近部落所种植者为优。夏季，居住在永久性的农村，从事农作；冬季则移居草原，共同猎捕野牛。各村除有草席覆盖的房屋之外，还有一所大型建筑，用于会议及举行仪式。宗教信仰的主要特点是大药师会；这是一个秘密宗教组织，据信其成员能祈福禳灾，医治疾病。19世纪时，迈阿密人把大部土地割让给美国政府，1867年只有一个宗族留在印第安纳州，其余移往俄克拉何马州的居留地。

Miami　迈阿密　美国佛罗里达州东南部城市和运输业、商业中心，戴德县县城（1844）。比斯坎湾主要游览地和港口。临迈阿密河口。大迈阿密为本州最大都市区。16世纪，西班牙人在此发现有2 000年历史的印第安村庄。1567年建立西班牙传教机构。1821年归属美国。1896年修通铁路，疏浚港口，建起皇家帕姆饭店，旅游业兴起。同年设建制。1898年西-美战争重点即为迈阿密同古巴及拉美的关系问题。20世纪20年代该市地产业兴旺，人口几乎增长3倍，但此后20年间并无长足进展。曾几度遭飓风破坏，以1926和1935年的两次为重。地处亚热带气候区，为美国最豪华的冬季旅游地之一。数英里长的海滩上摩天大楼林立，小船坞、游艇俱乐部及高尔夫球场点缀其间。经常举行各种比赛。有奥兰治鲍尔体育场、比斯开艺术博物

迈阿密城市风光
中国大百科全书出版社供图

馆及其他许多名胜和各种娱乐场所。20世纪50年代后，工商业发展，经济地位与旅游业并重。经扩建的迈阿密港经营沿海和对外货运，迈阿密国际机场主要向拉美和加勒比地区运送货物。通数条公路。设有迈阿密大学(1928)、巴里学院(1940)、比斯坎学院(1961)、佛罗里达纪念学院(1892)、国际美术学院(1965)和佛罗里达国际大学(1972)等。该市海底研究方面居世界首位，有迈阿密大学罗森斯蒂尔海洋以及大气学院和国家海洋和大气局的海洋学实验室。人口：市362 470；迈阿密主要都会统计区2 253 362；迈阿密-劳德代尔堡联合都会统计区3 876 380(2000)。

Miami　迈阿密　美国俄克拉何马州东北部城市，奥塔瓦县县城(1907)，位于尼奥肖河畔，欧扎克山麓，邻近格兰德湖。地处养牛业、乳品业主要地区，早年为贸易站，1891年规划，1910年设市。1905年发现铅、锌矿，迅速发展为商业中心。轻工业有钢簧、家具、地毯等。设有东北俄克拉何马农业机械学院(1919)。人口13 704(2000)。

Miami Beach　迈阿密滩　美国佛罗里达州东南部戴德县城市。临大西洋，与大陆和迈阿密市隔比斯坎湾相望。1912年前为红树林沼泽。后得到开发并建起跨海湾的桥梁和堤道。1915年设建制时，该地区经疏浚成为岛屿(19平方千米)，有13千米长的海滩。现为繁华的四季旅游地和会议中心。无工业、铁

迈阿密滩鸟瞰
联合航空公司供图

路和机场，游人取道迈阿密前往。人口87 933(2000)。

Miami Herald, The　《迈阿密先驱报》　迈阿密出版的晨报，是佛罗里达南部的主要报纸，也是世界上报道拉丁美洲情况的最大报纸。1910年创刊。该报初创时就以"记者的报纸"而出名，因为它让不少作者享有畅所欲言的自由。它还以尖锐的暴露性新闻和对迈阿密的西班牙语社区的报道而赢得声誉。1937年由J.S.奈特购下，成为美国最大的报系之一奈特-里德报系的一部分。1946年奈特创办该报的英文国际版，在20多个拉美国家发行。该报一贯反对有组织的犯罪，揭露社区生活中存在的问题，并以出色的本埠新闻报道而知名。社论立场一般偏向保守，但在社会问题上持进步观点，政治上保持独立。

Miami River　迈阿密河　也称大迈阿密河。源出美国俄亥俄州中西部印第安湖，向西南流，在辛辛那提之西注入俄亥俄河。全长257千米。主要支流为斯蒂尔沃特等河。1913年严重泛滥后，于1915年建迈阿密河管委会，修筑庞大的堤坝和滞洪区系统工程。

Miami Seaquarium　迈阿密海洋馆　美国佛罗里达州迈阿密的一所私人海洋馆，世界上收集海洋动物最多的单位之一。有400种鱼类，10 000尾；6类海兽，35头；50多种无脊椎动物，500个个体。其大水族馆建筑有两个三层大水箱和许多小水箱。最大的水箱能容海水170.3万升，内养多种大动物，如鳐、美洲鳗、锯鳐、鮨和海龟。较小的大水箱称为海礁水箱，专门展出热带珊瑚礁，内养多种鱼类和海洋无脊椎动物。除室内水族池外，还有室外展览，展览面积24公顷，既供参观，也进行表演，展出的有逆戟鲸、鲨、海狮、海牛和海豚。除展出和现场表演外，还放映电影、发行有关海洋生物的教育材料，还有一个海洋科学图书馆。

Miāni, Battle of　米亚尼战役(1843-02-17)　C.内皮尔爵士率领的约2 800名英军与信德埃米尔的2万多名士兵之间的战役，结果英军获胜，信德大部分被英国人兼并。英国人对第一次英国阿富汗战争期间(1839～1842)信德埃米尔对英国的态度不满。内皮尔强加给埃米尔一个苛刻的新条约，遂激起人民起义并引发这场战争。驻扎官J.乌特勒姆批评这一行动，因而引起一场著名的论战。后来总督埃伦巴勒被召回，但是信德仍为英国人占据。

Miānwāli　米安瓦利　巴基斯坦旁遮普省城市。米安瓦利市为县首府，位于印度河东岸，有公路、铁路通木尔坦和拉瓦尔品第。1868年建立，1903～1904年被委以市称号。设有医院和旁遮普大学几所学院。人口59 159(1981)。

Mianyang　绵阳　中国四川省辖地级市。位于四川盆地西北部，涪江纵贯南北，北依剑门和摩天岭天险，南接川西沃野平川，地理位置重要，有"剑门钥匙"、"蜀道咽喉"之称。绵阳西汉名涪县，西魏末年名巴中县，隋开皇元年(581)改巴西县。西晋永嘉年间(307～312)起为巴西郡、梓潼郡治所。隋开皇五年

绵阳古迹平阳府君阙(建于东汉末期)
中国大百科全书出版社供图

(585)为绵州治所。元代废巴西县，地入绵州。1913年改绵州为绵阳县，因城北有绵山，山南为阳，故名。1976年设县级市，1985年改为省辖市。辖涪城、游仙2区及安县、梓潼、平武、三台、盐亭、北川羌族自治县6县，并代管江油县级市。面积20 281平方千米，其中市区面积1 570平方千米。市境东部为丘陵和平原，主产水稻、小麦、油菜籽、棉花、生猪、蚕桑等，是四川省重要农业区。麦冬、附片等中药材产量冠于全省。西部为茶坪山地，有煤、铁、金、硫铁矿、石灰石等矿产。建有平武县的王朗和北川县的小寨子沟两个大熊猫自然保护区。

绵阳是中国西部重要的科学研究中心，市内有中国工程物理研究院、中国空气动力研究与发展中心、中国磁学研究单位等，拥有一流的机械、电子、物理、化学、风洞等多种性能的试验、分析手段和设备。有四川建材学院等高等院校。电子、食品、机械、建材和纺织为全市五大支柱产业。市内的长虹机器厂是中国最大的彩色电视机生产厂之一。作为川北重要交通枢纽，宝成铁路、108国道穿境而过，另有成绵高速公路、省道四通八达。市内名胜古迹众多，市中区的平阳府君阙属中国重点文物保护单位。还有玉女泉、北山院石刻、西蜀子云亭等，是中国剑门蜀道国家级风景名胜区的重要组成部分。人口：全市5 290 000(2005)；市区1 110 000(2004)。

Miao 苗族 又作 Hmong(蒙)。主要分布在贵州、湖南、云南、四川、广西、湖北、广东、海南等省和自治区,在黔东南和湘鄂川黔的交界地带(以湘西为主)有较大的聚居区。人口8 940 116(2000)。语言属汉藏语系苗瑶语族苗语支。有湘西、黔东、川黔滇三种方言。部分地区使用侗语或瑶语。1956年创制了4种拉丁拼音文字。大部分兼通汉语,使用汉文。族源可远溯传说时代的"三苗"和殷周时代的"髳人",近者可追溯到秦汉时聚居于今湘西、黔东一带的"五溪蛮"和"武陵蛮"。3～9世纪陆续西迁川、滇、黔、鄂。唐、宋时住在沅水上游雄、樠、酉、溈、辰5条溪流流域的少数民族统称为"苗"。由于地域分布广、方言差别大,各地名称不一。湘西、黔东和川黔滇一带的分别自称为"果雄"、"模"和"蒙"。有些则以居地、服饰而得名,如"长裙苗"、"红苗"、"高地苗"等。宋、元时开始确立封建领主制,清代改土归流后,逐步发展地主经济。在长期封建统治下反抗迭起,清代咸丰、同治年间(1855～1873)张秀眉率领的苗民大起义是规模最大、时间延续最久的一次。主要从事农业。黔东南地区种植水稻,染织、冶铁等手工业也很发达。还大量生产油桐、油茶、八角、天麻、杜仲、田七等油料、香料和药材。小型地方工业和小水电站遍布各地。贵昆、湘黔铁路通车后改变了苗寨长期与外界隔绝的状况,促进了经济的发展。住房大都木结构,山区基本上是依坡而筑的"干栏"。以大米、玉米、薯类为主食,善渍各种酸菜。服装以青、黑色为主。妇女擅长刺绣和蜡染,裙、衫、围腰、腰带多绣以色彩绚丽、图案别致的花纹,喜戴各种银饰。"游方"(摇马郎)是青年男女传统的社交形式,但缔结婚姻需父母同意。节日举行跳芦笙、赛马、斗牛、对歌等群众性娱乐活动。过去信奉多神,崇拜祖先,祭鬼时"椎牛"。少数人信仰基督教、天主教。1951年以后建立贵州黔东南苗族侗族自治州、黔南布依族苗族自治州、鄂西土家族苗族自治州等6个自治州,镇宁布依族苗族自治县、紫云苗族布依族自治县、威宁彝族回族苗族自治县、关岭布依族苗族自治县和广西龙胜、隆林、湖南靖州、海南琼中、保亭等23个联合自治县,以及230个民族乡。

苗族妇女
美国不列颠百科全书公司供图

Miao language 苗语 中国苗族语言。属汉藏语系苗瑶语族苗语支。主要分布在中国贵州、云南、湖南、广西、四川等省(区)。使用人口约400万。此外还分布在越南和老挝境内。分湘西、黔东、川黔滇三个方言。苗族(大南山)语音特点:有34个单辅音声母,包括:双唇、舌尖中、卷舌、舌根、小舌塞音(分清和清送气2套共10个);舌尖前、卷舌、舌面前塞擦音(分清和清送气2套共6个);双唇、舌尖中、舌面前鼻音(分清浊2套)和舌根浊鼻音1个,共7个;唇齿、卷舌、舌面前擦音和边音(分清浊)共8个;还有舌尖前、喉门清擦和双唇半元音各1个。有18个鼻冠复辅音和3个带边音作后置辅音的复辅音。有23个韵母,包括:5个单元音韵母,12个复元音韵母和6个带舌尖中、舌根鼻音韵尾的韵母,这些韵母多数出现在汉语借词中。有8个声调:次高降(1)(括号内的数字为调类,以下同)、低降(2)、高平(3)、次低降(4)、次高平(5)、低升(6)、中平(7)、中升(8)。词类有名词、代名词、指示词、数词、量词、动词、形容词、状词、副词、介词、连词、助词、叹词13类,以虚词和词序表示句子成分的关系。动词后常使用增加状态、程度等附加意义的副词;指示词与数量词共同修饰名词时,指示词必须在名词后;领属性名词定语或代词定语放在中心词前;名词作限制性修饰语,形容词、指代词作修饰语时,放在中心词后;句子主语在谓语前;宾语、补语在动词后。苗语原有英国传教士1905年设计的拼音文字;1956年根据3个方言的语音特点设计三种拉丁字母形式的方案。1957年经中央民族事务委员会批准试验推行。

Miaodigou Site 庙底沟遗址 中国黄河中游新石器时代的重要文化遗址。位于河南陕县南关的庙底沟。1956～1957年发掘。遗址下层为*仰韶文化*(Yangshao culture),上层为仰韶文化向*龙山文化*(Longshan culture)过渡的文化,称为庙底沟二期文化。下层石器以磨制为主,有很多石铲、石刀,表明农业发达。陶器多为红色,有环形口尖底瓶、釜、甑、灶、敛口钵、曲腹盆、夹砂罐、敛口瓮、盂、颜料杯等。彩陶以黑彩为主,也有红彩或红黑二色彩。纹样多种。通常把这种仰韶遗存称为庙底沟类型。庙底沟上层陶器以灰色为主,胎壁甚厚,做工粗糙。器类有鼎、斝、釜、灶、罐、碗、盆、豆、杯等,也有个别喇叭口尖底瓶。陶器上多饰附加堆纹和篮纹,也有个别彩陶。碳14测定并经树轮校正的年代为公元前2780±145年。

庙底沟遗址出土的彩陶盆
中国大百科全书出版社供图

Miaoli 苗栗 又拼Miao-li。中国台湾省西北部县。面积1 820.31平方千米。县治设苗栗市。旧名"猫里社",意指"平原",或谓"美丽"之意。原为高山族(泰雅族)巴里番社聚居地。清康熙五十年(1711)以后,始有汉人入境垦荒。乾隆年间(1736～1795),粤省客家人亦入垦苗栗地区。光绪年间(1875～1908)曾设县治。日本占领时期置新竹州,辖今1市6镇11乡县。1950年正式设县。境内大部为山地丘陵,东部有雪山山脉。大安溪流经南部边境,中部是后龙溪流域。因山多地少,向有"山城"之称。该县为台湾省石油及天然气等能源的主要产地。以农业为主,农特产品有雕刻,茶叶、草莓、杨桃、红枣、葡萄、柑橘、水梨、枇杷等。其中尤以雕刻,大湖草莓、卓兰水果闻名全省。该县是台湾省新兴工业区,头份镇的石化工业区是台湾北部石油化工中心之一。其他工业有化学、木材加工、纺织、制糖、橡胶、食品加工等。西部交通方便,有纵贯铁路,中山高速公路及一般公路可通达各大城镇。东部山区较闭塞。北部的狮头山寺庙众多,是台湾佛教圣地之一。虎头山、火炎山、虎山温泉、明德水库、秋茂公园等都是著名的风景区,还有文昌祠、天后宫、法云寺等名寺。人口534 000(2004)。

苗栗县法云寺
中国大百科全书出版社供图

Miaoli 苗栗 又拼Miao-li。中国台湾省西北部苗栗县辖市及县治所在地。面积37.89平方千米。位于新竹市西北约31千米,地处西部海岸平原北段。发源于雪山山脉南麓的后龙溪流经市区东缘。旧名"猫里社"。清乾隆年间(1736～1795)已有粤省客家人移民垦地,光绪年间(1875～1908)改今名。现为周围地区所产稻谷、茶叶、香茅油、柑橘、西瓜、草莓等农产品集散中心。附近有油气田。交通便利,地当中山高速公路及西部纵贯铁路必经之地,东北可达台北市,向南直抵最大工业城市高雄。市内有文昌祠、东岳庙、天后宫及福星山公园等古迹名胜。人口约90 403(1999)。

Miaoulis, Andreas Vokos　米亚乌利斯（1769,希腊埃维亚内格罗蓬～1835-06-24,雅典）　希腊爱国志士。在希腊独立战争期间（1821～1830）曾统率希腊革命海军并立了战功。曾把经商所积聚的大量资财贡献给希腊人反土耳其、争取独立的事业。1822年他统率希腊海军主力,1825～1826年他在莫东、马塔潘角、苏达和帕帕斯角海上战役中连续击败土耳其人。希腊独立战争结束后,成为有影响的亲英派中的首领。后来他反对亲俄的总统卡波季斯蒂亚斯,支持伊兹拉岛的反政府起义军,促使他攻占政府的波罗斯海军兵工厂（1831-07-27）并焚烧政府的舰队（1831-08-13）。他还受托把希腊的王冠献给巴伐利亚的奥托亲王（后来称奥托）并在死前不久任舰队副司令。

Miass　米阿斯　俄罗斯中西部车里雅宾斯克州城市。濒临米阿斯河。1773年建为冶铜中心,后为炼铁中心。现主要生产车辆。附近开采金矿。北郊有伊尔门矿物自然保护区（建于1920年）。人口约167 000（1997）。

mica　云母　一类含水的钾铝硅酸盐矿物之任何一种。它是层状硅酸盐的典型,呈现出二维叶片状或层状构造。在主要的造岩矿物当中,云母在全部三大岩类——火成岩、沉积岩和变质岩中都是常见的。云母除了有大量的钾和铝之外,还可以含各种各样的金属。这些金属包括镁、锂、锰、钛以及高价铁与低价铁。在晶体结构上,每一个云母层都由一个八面体和二个四面体单元组成。这四面体单元是含硅四面体的网,每个含硅四面体与其余含硅四面体共用3个氧原子。共用的氧原子是近乎在一个平面内,正如硅和未共用的顶端氧原子的情况那样。这个四面体单元的纯粹硅氧比值是$(Si_2O_5)^{-2}$；铝可以取代硅。云母层的另一构造单元是含铝或含镁八面体的二维阵列,前者具有$[Al_2O_4(OH)_2]^{-4}$的成分,后者具有$[Mg_3O_4(OH)_2]^{-4}$的成分。这个八面体单元位于两个四面体中间,并与其共用顶端的氧原子。氟可以取代氢氧根。可利用的八面体晶位只有2/3为三价离子（例如铝）所充填,而对于二价离子（例如镁）来说,所有八面体晶位都是充满的。云母的这两种类型分别叫做二八面体云母和三八面体云母。单个的云母层被钾、钠、钙原子与邻近的层微弱地相连,这3种原子对氧来说配位数是12。通过铝置换四面体晶位中的硅而使电荷达到平衡。云母的层可在几个相对方位上堆积,可以有规则重复的序列,也可以没有规则重复的序列,前者就造成比理想的构造更大的单元细胞。云母的层之间薄弱的联系就是形成极完全解理的原因。

云母矿物的成分,首先可以依据二八面体层或三八面体层,然后可依据八面体种类以及层间种类而定。这样一来,它总的分子式可以写成$X_2Y^{4\text{-}6}Z_8O_{20}(OH,F)_4$,式中$X$是层间阳离子（钙、钠、钾）；$Y$是八面体阳离子（铝、三价铁、锂、镁、二价铁）；$Z$是四面体阳离子（硅、铝）。云母是分布广泛的矿物,以其解理而易于辨识,这极完全解理形成了相对较软的矿物。白云母是云母中最丰富的变种,它在如像花岗岩这样的酸性火成岩中很常见；它也常常在伟晶岩中形成很大的"书扉"（"books"）。在变质岩中,白云母常常出现

云　母

名称及化学分子式	颜色	光泽	莫氏硬度	比重	结晶习性或晶形	解理	折射率	晶系	备注
黑云母 $K_2(Fe^{+2},Mg)_{6-4}(Fe^{+3},Al,Ti)_{0-2}[Si_{6-5},Al_{2-3}O_{20}]O_{0-2}(OH,F)_{4-2}$	黑至深褐色,浅红褐色,或绿色	玻璃光泽	2½～3	2.8～3.2	板状晶体或短的假菱面柱体	一组极完全解理,片状解理	$\alpha=1.565\sim1.625$ $\beta=1.605\sim1.696$ $\gamma=1.605\sim1.696$	单斜晶系	黑云母与金云母之间连续变化
硬绿泥石 $(Fe^{+2},Mg,Mn)_2(Al,Fe^{+3})Al_3O_2(SiO_4)_2(OH)_4$	暗绿色	珍珠光泽	6½	3.5～3.8	一般呈粗糙叶片状体,也呈束状集合体,板状晶体	一组极完全解理,片状解理	$\alpha=1.713\sim1.730$ $\beta=1.719\sim1.734$ $\gamma=1.723\sim1.740$	单斜晶系 三斜晶系	
绿脆云母 $Ca_2(Mg_{4.6}Al_{1.4})[Si_{2.5}Al_{5.5}O_{20}](OH)_4$	无色,黄色,绿色,浅红褐色	珍珠光泽,亚金属光泽	3½～6（决定于晶面）	3.0～3.1	假菱面状晶体	一组极完全解理,片状解理	$\alpha=1.643\sim1.648$ $\beta=1.655\sim1.662$ $\gamma=1.655\sim1.663$	单斜晶系	黄绿脆云母除光方位外,与绿脆云母一样
海绿石 $(K,Na,Ca)_{1.2-2.0}(Fe^{+3},Al,Fe^{+2},Mg)_{4.0}[Si_{7-7.6}Al_{1-0.4}O_{20}](OH)_4\cdot nH_2O$	绿色,浅黄绿色或浅蓝绿色		2	2.4～3.0	小的、形状不好的片之细粒磨圆状集合体	一组极完全解理	$\alpha=1.546\sim1.63$ $\beta=1.57\sim1.66$	单斜晶系	
伊利石 $K_{1-1.5}Al_4[Si_{7-6.5}Al_{1-1.5}O_{20}](OH)_4$	白色、各种各样的淡色	土状光泽	1～2	2.7（较少含吸附水）	小薄片状集合体	一组极完全解理	$\alpha=1.545\sim1.66$ $\gamma=1.57\sim1.66$	单斜晶系	与白云母及与蒙脱石形成固溶体系列
锂云母 $K_2(Li,Al)_{5-6}[Si_{6-7}Al_{2-1}O_{20}](OH,F)_4$	紫色和粉红色至无色	珍珠光泽	2½～4	2.8～2.9	短柱体或小薄片集合体,大板状晶体	一组极完全解理,片状解理	$\alpha=1.525\sim1.548$ $\beta=1.551\sim1.585$ $\gamma=1.554\sim1.587$	单斜晶系	与白云母形成固溶体系列
珍珠云母 $(Ca_2Al_4)[Si_4Al_4O_{20}](OH)_4$	浅灰粉红色;淡黄色,淡绿色	珍珠光泽或玻璃光泽	3½～4½	3.0～3.1	薄片的透明集合体	一组极完全解理,片状解理	$\alpha=1.630\sim1.638$ $\beta=1.642\sim1.648$ $\gamma=1.644\sim1.650$	单斜晶系	
白云母 $K_2Al_4[Si_{6-7}Al_{2-1}O_{20}](OH,F)_4$	褐色、绿色或红色至无色的淡色调	玻璃光泽至丝绢光泽或珍珠光泽	2～2½	2.8～3.0	大的板状块体（所谓"书"）,假六方晶体,细粒集合体	一组极完全解理,片状解理	$\alpha=1.552\sim1.574$ $\beta=1.582\sim1.610$ $\gamma=1.587\sim1.616$	单斜晶系	双折射现象,高度抗酸性,与锂云母及与伊利石形成固溶体系列
钠云母 $Na_2Al_4[Si_6Al_2O_{20}](OH)_4$	无色;淡黄色	玻璃光泽	2½	2.9	细粒状、块状、鳞片状集合体	一组极完全解理,片状解理	$\alpha=1.564\sim1.580$ $\beta=1.594\sim1.609$ $\gamma=1.600\sim1.609$	单斜晶系	
金云母 $K_2(Mg,Fe)_6[Si_6Al_2O_{20}](OH,F)_4$	黄色至褐色或浅红褐色	珍珠光泽	2～2½	2.8～2.9	鳞片或薄片	一组极完全解理,片状解理	$\alpha=1.530\sim1.590$ $\beta=1.557\sim1.637$ $\gamma=1.558\sim1.637$	单斜晶系	薄片显示出星彩图;金云母与黑云母之间连续变化

在变质程度较低的岩石里，而在变质程度较高的岩石里，它就发生反应而形成碱性长石和硅线石。云母的另外两个主要类型是黑云母和金云母。黑云母与后者不同，它含的铁比镁多，结果造成它特殊的褐色至黑色的色调。黑云母在花岗岩和像辉长岩、苏长岩那样的过渡性火成岩中很为常见，并且它在含大量铁的沉积岩发生变质作用时，常常形成富含云母的黑云母片岩。金云母发现于超基性岩中，这反映了它含镁量高。金云母标本曾发现于金伯利岩中，这使人们推想它可能是深位岩石中挥发组分的贮集者。云母的另一主要变种——锂云母存在于富含锂的花岗伟晶岩中。混有黏土的细粒云母作为碎屑矿物、也作为黏土成岩作用的产物而存在于沉积岩中。典型情况下，这些云母是白云母和海绿石。

云母有各种各样的工业用途。含铁量较少的那些云母变种可在若干器械和像电容器那样的电气设备中用作热和电的绝缘体。粉末状态的云母用来生产墙壁纸、屋顶纸和油漆。粉末云母还用作填充剂、润滑剂、吸附剂以及包装材料。

Micah, Book of　弥迦书　《旧约》十二小先知书的第六卷。此书卷首指出，犹太先知弥迦活动于公元前 8 世纪下半叶，但该书所用一部分资料的年代远在弥迦之后。第 1 ～ 3 和 6 ～ 7 章 7 节的严厉警告一般认为是弥迦所发，但是第 4 ～ 5 和 7 章 8 ～ 20 节的预言一般认为是在几个世纪之后说的。有些预言似乎预计到耶路撒冷的沦陷以及其后的巴比伦囚虏（公元前 6 世纪），但是，另一些预言是在巴比伦囚虏时代以前或弥迦在世时代所写。此书第 4 章 1 ～ 4 节颂赞锡安，第 5 章 2 ～4 节体现弥赛亚思想，这都反映巴比伦囚虏时代以前的耶路撒冷流行的锡安崇拜。弥迦警告的是拜偶像者、欺压小人物者、利用职务谋私利的祭司和先知以及贪赃枉法的官吏。弥迦的预言强调锡安的重要，谓雅赫维或替他行道的君王要在锡安统治和平的王国，还强调以色列和犹大两国人必将返回故土。

micelle　胶粒　物理化学术语。分散在某种连续介质中的数十个或数百个原子、离子（带电原子）或分子疏松地聚集形成的胶体颗粒（一种超显微颗粒）。胶粒在表面化学中具有重要性，如肥皂溶液分散不溶或仅微溶于水的有机化合物的能力，可用胶粒性质予以解释。

Michael　米迦勒　《圣经》和《古兰经》所载天使长之一。他常被称为“伟大的统帅”、天上万军的领袖、护佑以色列儿童的武士；在早期基督教会人们认为他护佑教会军抵御异教势力。米迦勒的各种艺术形象都反映他是武士：手中执剑，作斗龙或降龙状，这是依据《启示录》的叙述。天主教定 9 月 29 日为圣米迦勒节，5 月 8 日为圣米迦勒显现瞻礼日。相传这次显现约于 492 年发生在意大利阿普利亚地区加尔加诺山，此山在中世纪成为重要朝圣地。

Michael　迈克尔　又译米哈尔、米格尔、米哈伊、米哈伊尔、米哈伊洛。统治者的名字，按国别分列于后，并各以●为标记。

与此字相等的外语：

希腊语	Michael
波兰语	Michał
葡萄牙语	Miguel
罗马尼亚语	Mihai
俄语	Mikhail
塞尔维亚-克罗地亚语	Mihailo 或 Mihajlo

拜占廷帝国

● **Michael I Rhangabe　迈克尔一世·兰伽柏**（?～约843）　拜占廷皇帝（811～813）。尼斯福鲁斯一世皇帝之婿，在一场政变中被拥立为皇帝。迈克尔支持使用圣像。他承认查理曼的帝号，作为将威尼斯及其他亚得里亚海地区城市割让给拜占廷的回报。812 年，保加利亚汗克鲁姆攻占拜占廷城市代韦尔图斯并将其居民迁往保加利亚。当时他正忙于平定反对圣像派发动的叛乱，无暇他顾。在叛乱平定之后，他又拒绝了克鲁姆提出的和平条件。克鲁姆再次发兵，812 年 11 月占领麦森布里亚城。翌年，迈克尔几次打败保加利亚人。但在 813 年 6 月 22 日，由于亚美尼亚人将领利奥率部哗变，他在阿德里安堡附近的威尔西尼基阿战役中遭到失败。利奥废黜迈克尔，即帝位，称利奥一世。迈克尔退隐普林斯群岛上的一所隐修院。

● **Michael II　迈克尔二世**（?，亚细亚主教区阿莫里乌姆～829-10）　拜占廷皇帝，阿莫里阿王朝（亦即弗里吉亚王朝）的创始人，曾力图缓和造成9世纪拜占廷分裂的圣像破坏

9 世纪钱币上的迈克尔二世像
美国不列颠百科全书公司供图

之争。出身卑微，后为军事指挥官。他是亚美尼亚人利奥的亲密战友。813 年利奥登皇帝位后，迈克尔却遭疑忌，以反叛罪入狱。820 年 12 月 24 日被判死刑。但翌日，他的党羽刺死利奥，拥立他即帝位。他在位期间虽镇压了斯拉夫人的叛乱（823），但无力抵御阿拉伯人的进攻，先后丧失了克里特岛（826 或 827）和西西里的部分地区（827 ～ 829）。尽管他属于反对圣像派，但实际上奉行宗教宽容政策。他召回被流放的前大主教尼斯福鲁斯、狄奥多尔·斯图狄乌斯以及其他因主张圣像崇拜而流放的神学家。

● **Michael III　迈克尔三世**（838，君士坦丁堡～ 867-09-23，君士坦丁堡）　拜占廷阿莫里阿王朝末代皇帝（842 ～ 867）。在位期间拜占廷教会重新使用圣像，对阿拉伯人及斯拉

9 世纪钱币上的迈克尔三世像
美国不列颠百科全书公司供图

夫人的战争取得胜利。842 年 1 月 20 日父皇狄奥菲鲁斯去世，他被立为帝，同时设立以皇太后狄奥多拉和首相特俄克提图斯为首的摄政会议。843 年恢复使用圣像，对圣像破坏者则采取宗教和解政策。同年在希腊与斯拉夫人进行的战争，在小亚细亚、爱琴海以及尼罗河三角洲与阿拉伯人进行的战争，均取得一定的成功。855 年 11 月迈克尔与母后发生争吵后，纵容母舅巴达斯谋杀首相特俄克提图斯，并在巴达斯的帮助下亲政。狄奥多拉企图复辟失败，被送进女隐修院。因迫使支持母后的牧首伊格那提乌斯辞职（858）而与教皇不和。这时，拜占廷军队不断打败阿拉伯人。859 年迈克尔亲自统率军队深入到幼发拉底河流域。此后，迈克尔日益听信内侍马其顿人巴西尔陷害巴达斯的谗言，默许巴西尔暗害了巴达斯（865 年 4 月）。866 年 5 月迈克尔立巴西尔为同朝皇帝。翌年，巴西尔派人刺死迈克尔，自立为帝。

● **Michael IV　迈克尔四世**（?～1041-12-10，君士坦丁堡）　拜占廷皇帝。在位 7 年，与埃及的法蒂玛王朝订立重要条约，在西西里取得暂时胜利，平息了保加利亚的叛乱。出身卑微，靠其兄有权势的宦官约翰发迹。约翰将他引进宫廷。老皇后马其顿人佐伊与他相爱，1034 年 4 月佐伊的丈夫罗曼努斯三世死后，佐伊与他结了婚。约 1037 年迈克尔与法蒂玛哈里发王朝签订了为期 30 年的和平条约，从而结束了战争频仍的时代。他在位期间，拜占廷一度占领西西里的若干地方，包括墨西拿（1037）和锡拉库萨（1040）。在巴尔干地区，他未能使其统治者泽塔降服，却平息了保加利亚行省发生的一起叛乱。他从保加利亚战场返回拜占廷后，因癫痫病恶化，入隐修院。

● **Michael V Calaphates　迈克尔五世·卡拉法提斯**（?～ 1042 后）　拜占廷皇帝（1041 ～ 1042）。是迈克尔四世的侄子，由叔母佐伊皇后收为养子。1041 年 12 月 10 日即位。数月后把佐伊逐入女隐修院，由此爆发

起义。为扑灭起义，他迅速召回佐伊，但其政敌却把他废黜，刺瞎，送入隐修院。

● **Michael VI** Stratioticus **迈克尔六世·斯特拉提奥提卡斯**（活动时期11世纪中叶） 拜占廷皇帝，在位一年（1056～1057），未能控制军事贵族，遂遭废黜。他被马其顿王朝的

11世纪钱币上的迈克尔六世·斯特拉提奥提卡斯像
美国不列颠百科全书公司供图

末代统治者狄奥多拉女皇择为继承人。1056年8月21日狄奥多拉去世后即位。小亚细亚的军事领袖们反对他所实行的政策。1057年6月8日，他们拥立伊萨克·康尼努斯为帝。后进军君士坦丁堡，8月20日打败迈克尔的军队。11天后，迈克尔被迫退位。

● **Michael VII** Ducas **迈克尔七世·杜卡斯**（1050，君士坦丁堡～1090，拜占廷帝国萨摩斯以弗所） 又称迈克尔七世·帕拉皮纳塞斯。拜占廷皇帝，其政策加速了突厥人征服小亚细亚的行动。君士坦丁十世的长子，1067年5月21日父皇死时，他尚年幼，由母后摄政。由于局势险恶，母后不久即与军事指挥官罗曼努斯·戴奥吉尼斯结婚。1068年

11世纪钱币上的迈克尔七世·杜卡斯像
美国不列颠百科全书公司供图

1月戴奥吉尼斯加冕为同朝皇帝，称罗曼努斯四世。1071年罗曼努斯被塞尔柱突厥人击败，迈克尔遂于10月24日宣布为唯一的君主。在位期间，诺曼雇佣军反叛，企图在小亚细亚建立单独的王国。拜占廷向突厥人求援，但突厥人乘机占领小亚细亚，建立了鲁姆苏丹国。迈克尔由于采取由国家垄断粮食的政策，不但触犯了地主的利益，而且造成了物价上涨。于是，君士坦丁堡爆发骚乱。争夺皇位的两名军官尼斯福鲁斯·布里恩尼乌斯和尼斯福鲁斯·波塔尼阿提斯各自率兵攻打京城。1078年3月31日迈克尔退位，遁入隐修院。

● **Michael VIII** Palaeologus **迈克尔八世·帕里奥洛加斯**（1224或1225，尼西亚～1282-12-11，色雷斯） 尼西亚皇帝（1259～1261）、拜占廷皇帝（1261～1282）。1261年，使拜占廷帝国在被拉丁王朝统治57年之后，重归希腊人手中；创建了帝国最后和最长的一个王朝——帕里奥洛加斯王朝。迈克尔八世是几个前王室（杜卡斯、安吉鲁斯、康尼努斯）的后裔。他的青少年时代主要在尼西亚和尼科梅迪亚的宫廷中度过。很早就显露出搞阴谋活动的非凡才干。21岁时，尼西亚的约翰三世皇帝便认为他有犯上作乱的嫌疑，但被他巧言开脱。1258年狄奥多尔二世皇帝去世，由

美国不列颠百科全书公司供图

6岁的儿子约翰继位，迈克尔担任摄政。迈克尔逐步窃取大权，1259年竟将约翰逐出皇宫，刺瞎双目，然后篡位加冕为皇帝。迈克尔从拉丁人手中收复君士坦丁堡，使自己的统治合法化。但是，他的帝位自一开始就不牢固，四面八方都受到拉丁人的包围。君士坦丁堡末代拉丁皇帝鲍德温二世最为活跃。为了从迈克尔手中夺取帝位，鲍德温二世与法王圣路易的兄弟安茹的查理联姻，并结成外交同盟。查理是西欧最有手腕的外交家，其谋略与迈克尔几乎不相上下。他侵入南意大利，赶走霍亨斯陶芬王朝的末代国王，占领巴勒莫和那不勒斯，其下一个目标就是穿过巴尔干半岛夺取君士坦丁堡。这个计划不但威胁迈克尔，连教皇也坐卧不安，因为查理一旦攻下君士坦丁堡，教皇将沦为查理在意大利的附庸。为了使教皇阻止查理进攻君士坦丁堡，迈克尔答应统一宗教，把希腊教会和罗马教会合而为一。尽管迈克尔的人民强烈反对，但他排除万难，终于在1274年第2次里昂会议上宣布了两个教会的联合。不过当他死后（1282），希腊教会立即宣布联合无效。查理和迈克尔展开了紧锣密鼓的外交斗争。迈克尔积极争取邻国，他先后与教皇结盟，与西西里的霍亨斯陶芬王朝签订秘约，以及取得热那亚的支持。最重要的是，他与阿拉贡国王彼得三世秘密结盟。结果，拜占廷帝国总算没有再被拉丁人蹂躏。迈克尔去世的时候，给他的儿子安德罗尼卡二世留下一个完整的帝国。迈克尔政绩辉煌，使拜占廷帝国又多存在了两个世纪。他重建君士坦丁堡城和君士坦丁堡大学，赞助学术事业，使拜占廷的“文艺复兴”在14～15世纪中得以持续不衰。

● **Michael IX** Palaeologus **迈克尔九世·帕里奥洛加斯**（约1277～1320-10-12，拜占廷帝国塞萨洛尼卡） 拜占廷皇帝。安得罗尼卡二世之子和同朝皇帝（1295起）。他虽努力抗击土耳其人，抵御加泰罗尼亚雇佣军的侵犯，但未能挽回帝国颓势。1303年拜占廷雇佣由罗杰·德·弗洛尔率领的加泰罗尼亚军团，但雇佣军既攻打和劫掠拜占廷人，也攻打和劫掠土耳其人，为了除掉这一祸害，1305年4月迈克尔设计在皇宫将弗洛尔害死。结果加泰罗尼亚人造反，蹂躏色雷斯达数年之久，然后移向色萨利。迈克尔先其父去世，因而没有成为唯一的皇帝。

波　兰

● **Michael** Wiśniowiecki **米哈尔·维希尼奥维茨基**（1640-07-31，波兰勒武夫～1673-11-10，勒武夫） 波兰国王（1669～1673），在位时期充满亲哈布斯堡王朝和亲法兰西的政治派系斗争。他是土生土长的波兰人，国王弗瓦迪斯瓦夫二世亚盖沃的兄弟科雷布特的后裔。波兰贵族一致推选他为国王，但他只是哈布斯堡王朝手中的一个驯服工具。亲法派有鉴及此，便团结在名望日隆的陆军司令J.索别斯基周围。两派阵营的纷争使波兰在土耳其和哥萨克联合力量面前又一次遭到失败。1672年签订《布恰奇条约》，根据这一条约，波兰的乌克兰全境归土耳其人所有。这次失败的耻辱到1673年索别斯基在霍廷获得光辉胜利时方才洗刷干净。也正因为如此，在国王米哈尔早逝后，索别斯基得以登上王位。

葡　萄　牙

● **Michael** **米格尔**（1802-10-26，葡萄牙克卢什～1866-11-14，巴登布龙巴赫） 葡萄牙国王约翰六世的幼子，1828年2月起为葡萄牙摄政，1828～1834年自立为国王，但没有得到普遍承认。1807年，为了躲避拿破仑军的进攻，他与王室成员一同去巴西，但在1821年又回到葡萄牙。1823年，当法国推翻西班牙的激进派政权时，他发动一次军事政变，解散葡萄牙议会。他的父亲应允实行经过修订的宪法，但却任用一些自由派分子当大臣。1824年4月米格尔又领导一次军事政变。政变未成，父王约翰六世把他流放到维也纳。1826年约翰六世死去，其长子巴西皇帝佩德罗继位，称佩德罗四世，但按照宪法，他应让位给佩德罗的女儿玛丽亚（当时只有7岁）。条件是：玛丽亚必须同米格尔结婚，而米格尔则必须接受佩德罗的“宪章”。米格尔宣誓接受“宪章”，回到葡萄牙，担任摄政（1828），但不久即自立为国王，并获得罗马教廷、西班牙、美国和俄国的承认。1831年佩德罗放弃

巴西皇帝帝位，回到欧洲，发动一次内战。米格尔失去了波尔图，但斗争却长期拖延下去。最后在外国干涉下，他离开里斯本，1834年5月26日在埃武拉-蒙特投降。他放弃对王位的继承权，定居在意大利和德意志。

罗马尼亚

● **Michael　米哈伊**（1921-10-25，罗马尼亚锡纳亚～　　）　罗马尼亚国王，第二次世界大战时期为1944年8月政变的主要领导人。这次政变切断了罗马尼亚与轴心国之间的联系。卡罗尔二世之子。1927年祖父斐迪南国王逝世后即王位。1930年卡罗尔返国，将他降为王储。1940年9月卡罗尔退位，他复登大宝，但实际上成为新建的I.安东内斯库将军独裁政权的阶下囚。1944年8月推翻军人独裁政府。第二次世界大战结束后，他竭力反对共产党人在罗马尼亚夺取政权。1947年12月30日被迫退位，流亡国外，在日内瓦给一家美国经纪行当经理。

美国不列颠百科全书公司供图

俄　国

● **Michael　米哈伊尔**（1596-07-22～1645-07-23，莫斯科）　全名米哈伊尔·费多罗维奇·罗曼诺夫。俄国沙皇（1613～1645），罗曼诺夫王朝的创始人。留里克王朝末代沙皇费多尔一世的亲戚。1613年2月由缙绅会议选立，7月21日加冕，年16岁。起初，母系亲属参政。尽管他们追逐个人利益，但镇压了国内的叛乱，重建秩序，并与瑞典、波兰缔结和约。他的父亲原来幽囚在波兰，1619年获释归国，任东正教牧首，称菲拉雷特，与米哈伊尔共同执政。他们与西欧加强外交、商业和文化的联系，广泛利用缙绅会议作为民众咨询机构，想方设法解决俄国长期的财政困难，改革地方政府结构和加强农奴制度。其父死后，米哈伊尔的母系亲戚在政府中重起重要作用，直到他逝世，传位于其子阿列克谢。

美国不列颠百科全书公司供图

塞尔维亚

● **Michael Ⅲ　米哈伊洛三世**（1823-09-16，塞尔维亚克拉古耶瓦茨～1868-06-10，贝尔格莱德附近科苏特尼亚克）　塞尔维亚大公（1839～1842，1860～1868），现代塞尔维亚最开明的统治者，实行法治并试图创建针对奥斯曼帝国的巴尔干同盟。M.奥布廉诺维奇的次子，1839年7月嗣位。1842年因发生起义而逃亡国外。1858年返国，任陆军总司令，1860年复为大公。他使塞尔维亚逐渐摆脱土耳其人的控制，到1867年，土军已经全部撤走。然而，他苦心经营的巴尔干同盟却在他死后迅速土崩瓦解。在内政方面，他曾经改革司法制度，修订选举法，实行征兵制，建立正规军队，创办银行、塞尔维亚学会和国家剧院。1868年遇刺身死。

瓦拉几亚

● **Michael　米哈伊**（1558～1601-08-19，瓦拉几亚托尔达）　罗马尼亚民族英雄、瓦拉几亚大公，一度将未来民族遗产的大部分纳入他的统治之下。1593年即位。为了在反抗奥斯曼帝国统治的斗争中得到支持，1595年5月他臣服于特兰西瓦尼亚大公。同年8～10月，他在克卢格雷尼和朱尔朱大破土耳其军。1598年宣誓效忠哈布斯堡皇帝鲁道夫二世，又与土耳其人签订了和约。翌年进攻特兰西瓦尼亚，得胜后自立为特兰西瓦尼亚大公。1600年征服摩尔多瓦，自称“瓦拉几亚、特兰西瓦尼亚和摩尔多瓦大公”。但在同年9月鲁道夫二世的部队夺去了特兰西瓦尼亚，10月波兰军队又占领了摩尔多瓦。1601年，他参与镇压马扎尔人的起义。不久以后，他被G.巴斯塔将军下令处死。19世纪期间，罗马尼亚的民族主义者尊称他为“罗马尼亚人之父”。

Michael Cerularius　米恰尔（色路拉里乌斯）（约1000，君士坦丁堡～1059-01-21，君士坦丁堡附近马迪图斯）　希腊正教会教士，1043年由拜占廷皇帝君士坦丁九世任命为牧首。1052年强行命令辖区内拉丁教会采用希腊语礼拜并用希腊文祈祷书，遭到抗拒，于是下封闭令。1054年教皇利奥九世派遣3名使者到君士坦丁堡谈判有关与拜占廷帝国结盟的事宜，色路拉里乌斯拒绝会见。谈判过程中教皇利奥九世去世，使者之一法兰西枢机主教洪贝尔于1054年7月宣布判处色路拉里乌斯及其属下人员以绝罚。色路拉里乌斯则召开圣主教公会，将教皇使者一律处以绝罚。君士坦丁九世调解失败，从此罗马与君士坦丁堡彻底分裂。继君士坦丁九世之位的伊萨克一世于1058年废黜并放逐色路拉里乌斯。

Michaelis, Georg　米夏埃利斯（1857-09-08，普鲁士海瑙～1936-07-24，德国上萨洛夫-比斯科夫）　德国政治家，第一次世界大战期间任帝国首相，在职仅15个星期。1879年成为普鲁士官吏。1885～1889年执教于东京德意志法学校。1892年重返普鲁士政界，1909年任财政部副国务秘书，第一次世界大战中主持粮食供应局（1915起），1917年初任普鲁士食品供应长官。同年7月14日受最高军事统帅部之命组织新政府。在任期间庸碌无为，对和平谈判未作任何努力，最后失去议会的支持，并为军方唾弃，被迫于1917年10月31日辞职。1918年3月～1919年4月主持波美拉尼亚政务，之后从事新教教会组织工作及学生福利事业。

Michaelis-Menten hypothesis　米夏埃利斯-门滕二氏假说　又译迈克利斯-门顿假说。1913年首次提出的一种假说，对酶催化反应的速度及大略机制作了全面的解释。假说认为在酶及其底物（生成产物的物质）之间能迅速而可逆地形成一个复合物。还认为产物形成的速率与复合物的浓度成正比。当催化反应在酶分子上得以发生的所有位点（活性部位）都被底物占满时，即底物浓度很高时，反应速度达到最大。该假说是全部酶动力学研究的基础，也应用于研究物质通过细胞膜时载体对之有何影响。

Michaeliskirche（Hildesheim，Ger.）　参阅 **Sankt Michael 圣米迦勒教堂**。

Michaelmas　米迦勒节　基督教节日，纪念天使长米迦勒。西派教会定在9月29日，东正教会定在11月8日。在中世纪米迦勒节是隆重节日，其日期恰逢西欧许多地区秋收季节，不少民间传统都与它有关。英格兰人有在此节日食鹅肉的习俗，据说这是为了保证来年生活富裕。爱尔兰人过此节时把戒指掺在馅中作饼，吃到这枚戒指者，有即将结婚之喜。

Michajlovka（city，Russia）　参阅 **Mikhaylovka 米哈伊洛夫卡**。

Michaux, André　米肖（1746-03-07，法国萨托里～1802-11-13，马达加斯加塔马塔夫）　法国植物学家。曾花费12年的时间搜集并研究北美植物。1779～1781年在英国、西班牙和法国中南部的奥弗涅地区旅行，研究植物。1782年受法国政府委派到波斯搜集植物和谷物，1785年把搜集物带回法国。后又被派到北美收集植物供重建巴黎西南部被砍伐殆尽的朗布依埃森林之用。他从今美国东南部和中西部各州采集的植物，在两家苗圃培育。1797年在返回巴黎途中航船失事，采集的植物散失大半。1800年他赴马达加斯加，后在该地患热病去世。

Michaux, Henri　米绍（1899-05-24，比利时那慕尔～1984-10-18，巴黎）　比利时出生的法国抒情诗人、画家。他的艺术范畴属于由梦、幻想和致幻药所展示的内心世界。当水手时曾到亚洲和南美洲旅行，最后定居巴黎。在那里做过一段时期教师，后又受雇为诗人J.絮佩维埃尔的秘书。他的诗集《我曾是谁》

(1927)引起人们的注意,1937 年首次举办个人画展。1941 年,纪德写了一篇有关他的诗歌的论文,使他的诗歌一度十分受人欢迎。1955 年,取得法国国籍。米绍关于人类状况的观点是阴暗的,他的诗歌强调,当生活影响个人时,人却无法领会生活的意义。有时候,米绍用散文诗表达他的主题。三本自选集为《内心世界》(1944)、《他乡》(1948)和《褶层中的生命》(1950)。

Miche, Jean-Claude 米什(?,法国布吕耶尔-昂孚日～1873-12-01,西贡) 法国天主教传教士。他有功于法国 1863 年取得对柬埔寨的保护权。米什于 1836 年到达交趾支那(今越南南部一带),不久被反对在境内进行传教活动的越南皇帝判处死刑。米什被捕后受监禁,1843 年 3 月 19 日被营救出狱。1856 年,他在法国领事蒙蒂尼的指使下劝说柬埔寨国王东接受法国援助以摆脱暹罗控制,未能成功。到了 1863～1864 年,米什已获得东的继位人诺罗敦的信任,他同海军军官拉格莱诱使诺罗敦允许法国在柬埔寨建立保护国以对抗暹罗。米什于 1864 年任柬埔寨首席宗座代牧,从事传教活动终生。他编成拉丁文-高棉语词典。并为《传信年鉴》(1863)提供一批通讯,报道当时时事。

Micheaux, Oscar 米修(1884-01-02,美国伊利诺伊梅特罗波利斯～1951-03-25,北卡罗来纳夏洛特) 多产的非洲裔美国制片人、导演。自默片时代开始在好莱坞独立制作影片直到 1948 年。1906 年当行李搬运工时在南达科他购买了一处田产,后由于家庭纠纷失去田产,但根据自身经历写了一系列书,包括《自耕农》。1917 年,一家非洲裔美国人电影公司希望购买《自耕农》的电影版权,他予以拒绝,自己将该书拍成电影;从此走上独立制片人的道路。1919～1948 年间为非洲裔美国观众创作、制作、执导并发行电影 45 部以上。坚韧的性格、超凡的魅力和才华使之成为少数坚持到有声影片时代的非洲裔美国独立制片人。米修的影片仿效了好莱坞的电影风格并适度地利用明星制度以吸引观众。其影片揭示了非洲裔美国人生活中的种族意识,有些直接涉及种族问题,如白人对黑人的歧视(《大门之内》);不同种族间的爱情故事(《被放逐者》);黑人内部的肤色问题(《上帝的继子和继女》)等。由于资金缺乏,不得不降低制片成本,因此影片的技术水准较差,照明、剪辑、台词、连贯性、声音都较差。但是影片主题非常严肃,改变了好莱坞影片中黑人的形象,成为成功地运作于主流电影之外的另一类型。

Michel, Hartmut 米歇尔(1948-07-18,西德路德维希堡～) 德国生物化学家。由于测定了某些对光合作用至关重要的蛋白质复合物的结构,与 J.戴森霍费和 R.胡伯尔共获 1988 年诺贝尔化学奖。1977 年米歇尔获维尔茨堡大学博士学位,1979 年任德国马丁斯里德的马克斯·普朗克生物化学研究所的工作人员,开始进行他的获奖研究。1987 年任位于美因河畔法兰克福的马克斯·普朗克生物物理研究所所长。米歇尔的初步研究于 1978～1982 年进行,为三位科学家的共同研究奠定了基础。他们需要测定四种蛋白质复合物(被称为光合反应中心)的三维结构,这种复合物对于某些细菌的光合成过程是至关重要的。米歇尔完成了将蛋白质复合物还原为纯晶态形式的这一过去从来不可能实现的伟绩,从而使之有可能利用 X 射线衍射技术来逐个地测定蛋白质结构中的原子。

Michel, (Clémence-) Louise 米歇尔(1830-05-29,法国弗朗库尔-拉-科特～1905-01-10,法国马赛) 法国无政府主义者。原为女教师,1866～1870 年在巴黎教学期间即接受革命思想。德军围攻巴黎时(1870～1871)从事救护工作。1871 年参加巴黎公社,为反抗凡尔赛军队而英勇战斗。公社失败后入狱。1880 年大赦后重新开始革命活动。曾因煽动暴乱罪入狱 3 年。1886 年旅居伦敦,与大陆革命活动保持接触。1896 年回到法国宣传革命思想,直至去世。除著有《回忆录》(1886)外还有诗歌和散文问世。

Michel-Lévy, Auguste 米歇尔-莱维(1844-08-07,巴黎～1911-09-27,巴黎) 法国矿物学家和岩石学家,显微岩石学的先驱者。1862 年考上巴黎综合工科学校,后来进入矿务学校,1867 年以全班第一名毕业。1870 年到政府的地质图供应局供职,自 1887 年起任局长直到去世。1896 年任科学院院长。提出用双折射率研究矿物薄片,并测定许多矿物的双折射率。他还研究出了统计技术,用以描述长石的化学成分,这个方法被推广到其他矿物上。他创立了第一个根据矿物成分、化学成分和结构的火成岩分类。同 F.富凯一起,在火成岩的人工合成法方面广泛地做过研究和实验。他们指出了同样的熔融混合物由于结晶条件不同,可以产生出矿物成分不同的岩石,并且指出冷却的速度决定晶体的大小。两人合写了《显微矿物学:法兰西火成岩》2 卷(1879)及《矿物和岩石的人工合成法》(1882)。同 A.拉克鲁瓦合写了《矿物和岩石数据表》(1889)及《岩石的矿物》(1889)。

Michelangeli, Arturo Benedetti 米凯兰杰利(1920-01-05,意大利布雷西亚～1995-06-12,瑞士卢加诺) 意大利钢琴家,以其演奏浪漫派音乐,尤以演奏 C.德彪西作品而最为著名。3 岁学小提琴,10 岁入米兰音乐学院,随 G.安福西学钢琴。1933 年毕业后,短期转学学医。1939 年在日内瓦国际钢琴比赛中获一等奖。第二次世界大战期间,在意大利空军服兵役。在伦敦(1946)和纽约(1948)的首演获得评论界的赞扬,于是开始了他的国际演出生涯。1964～1969 年他在布雷西亚创建和领导国际钢琴学院。他的学生中有 M.阿尔赫里奇和 M.波利尼。在演奏中,米凯兰杰利表现出精湛的技巧,特别是在音色清晰和控制以及旋律方面达到完美无缺的境界。

Michelangelo 米开朗琪罗(1475-03-06,佛罗伦萨共和国卡普雷塞[意大利]～1564-02-18,罗马) 米开朗琪罗在世时即被认为是当时活着的最伟大的艺术家,并且自那时起一直被看作是所有时代最伟大的艺术家之一。他在绘画、雕塑和建筑领域的许多作品属于现存最著名者之列。西斯廷小教堂(梵蒂冈)的天顶湿壁画大概是他的作品中在当今最广为人知者,但艺术家本人却认为自己主要是一位雕塑家。不过,他对几种艺术门类的实践在他那个时代并非不同寻常,当时所有这几种艺术门类均被认为是以设计或者素描为基础。米开朗琪罗一生都在创作大理石雕刻,只在某些时期从事其他艺术。人们对西斯廷天顶画的高度评价在一定程度上反映了绘画在 20 世纪受到了更大的重视;另一方面也说明了这样的事实,即与艺术家用其他媒质创作的许多作品不同,这是一件得以最终完成的作品。

米开朗琪罗在世时的声望为他赢得了一个副产品,即他的艺术生涯要比同时代或以前的任何艺术家都得到更为完整的记载。他是在世时即有传记问世的第一位艺术家,而且有两部相互对立的传记。第一部是由画家和建筑家 G.瓦萨里撰写的艺术家传记(1550)中的最后一章。这是唯一论述在世艺术家的一章,并且明确地将米开朗琪罗的作品描述为绝顶完美的艺术,远远超越了他之前的所有艺术家的成就。尽管有如许溢美之词,米开朗琪罗却没有完全满意,而是命助手 A.孔迪维另著一部简短的单行本(1553);这部书大概是依据艺术家的口述而成,对他的描述正如他自己的意愿。米开朗琪罗去世后,瓦萨里在第二版(1568)中提出了反驳。学者们经常偏爱孔迪维一书的权威性,而瓦萨里的生动叙述、整体著作的重要性以及用多种语言屡次翻印的事实,已使它成为很多流行说法的最常用依据。米开朗琪罗的名气也使得无数遗留物得到保存,其中包括数以千计的信札、画稿、诗歌,这些又远远多于同时代任何人。不过,尽管所有这一切给他带来了极大的好处,但在有争议的问题中,人们经常只知道米开朗琪罗有争论的一面。

早期生平和作品 米开朗琪罗·勃那罗蒂的家庭几代人一直是佛罗伦萨的小银行家,但到他父亲这一辈却未能守住这个地位。他父亲只担任临时性的政府工作,米开朗琪罗出生时才当上了独立的小镇卡普雷塞的镇长。可是时隔数月之后,全家又迁回了在佛罗伦萨的永久居住地。当时做一名艺术家在社会上会被认为是走了下坡路。所以米开朗琪罗学徒时间较晚,那时他 13 岁,可能是在克服了他父亲的反对之后。他跟随城里最知名的画家 D.吉兰达约学画,3 年期满,但他在一年后即离师而去,因为(据孔迪维所述)已无甚可学。吉兰达约及佛罗伦萨的老一辈大画家乔托和马萨乔的几张素描和人物画复制品,从这时期即已流传下来;这些摹本是学徒们的标准范本,但很少听说流传至今。由于才华横溢,他受到该城的统治者、人称伟大的罗伦佐·德·梅迪契的庇护。罗伦佐以一些诗人和知识分子为座上客,米开朗琪罗亦在其内。更重要的是,他由此得以见到梅迪契家族的艺术收藏,其中大多为古代罗马雕像残部。(罗伦佐并不是像传说的那样是当时艺术的资助人;他所拥有的时髦艺术品是用于装饰他的宅邸或表示政治地位。)青铜雕塑家贝托尔多是梅迪契家族的朋友,负责这个家族的收藏,他最接近于米开朗琪罗的雕塑教师,但米开朗琪罗既不照搬他的材料,也没有较多地遵循他的方法。相反,这位艺术家早年创作并保存至今的两件大理石雕刻中,有一件是根据古罗马石棺上的构图而创作的变体作品,而贝托尔多则用青铜制做了类似的一件。这件作品就是《怪物之战》(约 1492)。人物的动作和力量远比《梯旁的圣母》(约 1491)更多地预示了艺术家后来的兴趣。后者是一件浅浮雕,反映当时在佛罗伦萨雕塑琪罗所作,现存于佛罗伦萨的博纳罗蒂故居,那些相信这正是这位艺术家的作品的人们还认为该作品在设计上是《巴克斯》的前身。)《巴克斯》以古罗马裸体人像为出发点,但更灵活,外形也更复杂。有意识的不稳定非常巧妙地使人想起酒神以及酒神节的狂欢场面。这件雕像是为一座花园而作,在米开朗琪罗的作品中独树一帜,可以从各个侧面进行观赏而不是像通常那样只取正立面。

《巴克斯》很快使米开朗琪罗得到了《圣母怜子》的订件(1498),现存圣彼得大教堂。作品的名称并不是(像通常所推想的那样)专静止状态,而绘画(《圣家族》)和其中一件浮雕(《圣母子与幼年圣约翰》)则充满了运动的活力,人物的手足呈动作性的交叉,以此暗示时间过程中的运动。人物姿势本身象征性地意指着基督未来的死亡,这在当时的童年基督形象中很普遍,同时也揭示出艺术家对莱奥纳尔多·达·芬奇作品的迷恋。米开朗琪罗一贯否认有人对他产生过影响,他的自述总是被人们毫无异议地接受。但是莱奥纳尔多在离别近 20 年之后于 1500 年返回佛罗伦萨的事使当地年轻一辈艺术家倍感激奋,近代学者一般认为米开朗琪罗当在受感染者之

米开朗琪罗绘于西斯廷小教堂天顶的湿壁画《创造亚当》(1508 ～ 1512)
美国不列颠百科全书公司供图

家 D.达·塞蒂尼亚诺等人中间的最新流行的方法。

这一时期的佛罗伦萨被认为是主要的艺术中心,产生了欧洲最优秀的画家和雕塑家,艺术家之间的竞争颇为激烈。然而,这个城市已不像从前那样有能力提供大批的订件,佛罗伦萨出生的重要艺术家如莱奥纳尔多·达·芬奇和他的老师韦罗基奥等也已迁居其他城市以求更好的机遇。梅迪契家族于 1494 年被推翻;甚至在这场政治骚乱结束之前,米开朗琪罗就远走高飞了。

在博洛尼亚,他被雇接替一位刚去世的雕塑家的工作,雕刻用于完成大型工程圣多米尼克陵墓和神祠(1494 ～ 1495)的最后几件小型人物像。3 件大理石人像既新颖独特又极具表现力。与其前任的奇异想象相反,米开朗琪罗以缜密的形式赋予形象以庄严感,这一形式得益于古典风范和自乔托以降的佛罗伦萨传统。这种对庄严感的强调还反映在他选用大理石为材料的做法上,随之而产生的对体块的简化与当时更为常见的让表现对象尽可能地与人体的质感和细部相吻合的倾向是相对立的。当然,尽管这些是米开朗琪罗的艺术中永恒不变的特质,但也经常因为其他因素,如作品的具体功用或其他艺术家富有启发性的创造,而被暂时地抛弃或变更。米开朗琪罗现存第一件大型雕像,即在短暂返回佛罗伦萨后于罗马创作的《巴克斯》(1496 ～ 1497)就是这种情况。(有些学者认为新近发现的一件木质耶稣受难像是米开朗

指这件作品,而是指一种普遍的传统类型的虔诚形象,而这件作品则是如今最著名的例子。这组由两个人物形象组成的提炼群像是从哀悼基督之死的叙述性场面中截取的一个片断,其构思旨在唤起观者对导致基督献身的罪恶进行忏悔性的祈祷。这件作品的出资者是法国一位红衣主教,而这种样式早先在北欧比在意大利更为常见。设计者所遇到的复杂问题就是要从一块大理石中分离出两个人物形象,这是所有时期中都不太寻常的做法。米开朗琪罗像以前一样将群像当作一个密不可分的体块来处理,以使之具有一种雄强的力度,然而他又着力突出原有的诸多对比,男性与女性、垂直与水平、着衣与裸体、死者与生者,从而将他们分为两个部分。艺术家由这件作品树立起来的显赫名声随后又因佛罗伦萨大教堂的《大卫》订件(1501)而得到加强。这件巨大的雕像是该城空前庞大的订件,米开朗琪罗为此重新动用了约 40 年前即弃而未用的一块巨石。雕像的造型特别接近古典遗产的程式,简化的几何形体适合于雕像的巨大尺寸,但其不对称中又掺入了对有机生命的含蓄肯定。这件作品一直是文艺复兴的完美人性理想的最好宣言。

米开朗琪罗在这些年间(1501 ～ 1504)还顺带为私人宅第制做了几件圣母像,这是当时艺术家工作的主要部分。其中包括一件小型雕像、两件在暗示空间深度的层次方面接近绘画的圆形浮雕,还有这位艺术家唯一的架上绘画。雕像(《圣母子》)为体块结构且为列。莱奥纳尔多的作品也许是对改变米开朗琪罗的作品最为有力也最为持久的外部影响,而米开朗琪罗又能够将这位艺术家表现瞬间过程的才能与自己表现重量和力度的能力相融合,同时又不失后者的任何优点。由此产生的结实的人体形象,动作刚劲有力,成为独到的的艺术创造,构成了米开朗琪罗最受世人推崇的重要作品中的主要部分。

中年时期 继 1504 年的《大卫》成功之后,米开朗琪罗的作品几乎完全由巨型工程构成。他为那些颇显野心的工作所吸引,但同时又拒绝使用助手,所以这些工程中的大多数均因不切合实际而终未完成。1504 年,他同意为佛罗伦萨市政厅绘制一幅巨型壁画,以与刚刚由莱奥纳尔多开始的另一幅相呼应。两幅壁画均是记录该城的军事胜利,但也是考验该城这两位倍受称颂的艺术家的特殊才能:莱奥纳尔多的设计稿表现的是奔腾的群马,米开朗琪罗着重描绘生动的裸体——士兵们中止游泳,听到警报爬上河岸。两件作品都只有摹本和草图传世。1505 年,艺术家开始为佛罗伦萨大教堂创作计划好的一组十二使徒大理石像,但其中只有《圣马太》一件真正开凿。扭曲的痴迷动作第一次显示出他将莱奥纳尔多流动的结构运动与自己宏大力量的完全融合。这也是米开朗琪罗未完成的作品中第一件令后世观者心醉神迷的作品。人物形象好似表示他们正挣扎着从石头中解脱出来。这意味着作品的未完成状态是有意为之的,可是他无疑又的确想完成

所有这些雕像。不过，他确曾写有一首十四行诗，表述雕塑家是多么难以将潜在于石块中的完美人物形象显现出来。因此，即使这些作品因缺少时间及其他外在原因而未得最后完成，其现有状态仍然反映了艺术家在创造过程中固有的强烈的紧迫感。

米开朗琪罗的《圣母怜子》(约 1550 ～ 1555)细部——亚利马太人约瑟(也可能是尼哥德慕)
美国不列颠百科全书公司供图

教皇尤利乌斯二世召米开朗琪罗赴罗马一事中止了他在佛罗伦萨的这两项工程。教皇觅得一处陵墓，需米开朗琪罗雕刻 40 座大型雕像。当时的陵墓越建越壮观，其中包括佛罗伦萨雕刻家 A.波拉约洛为两位教皇建造的陵墓、威尼斯行政长官的陵墓，以及当时正在修建中的神圣罗马皇帝马克西米连一世陵墓。尤利乌斯教皇有一个宏大的构想，与米开朗琪罗不谋而合，但因为其他计划，如圣彼得大教堂的新建筑及他的军事战役，显然很快就被工程的造价所困扰。米开朗琪罗认为是营造圣彼得大教堂的同样颇负声望的建筑家布拉曼特影响了教皇，使自己的经费被削减。于是他离开了罗马，但教皇又给佛罗伦萨市政当局施加压力，要求米开朗琪罗返回。他被迫为教皇在其刚征服的城市博洛尼亚做一尊庞大的青铜塑像(该城市民在驱逐教皇的军队后不久就将此像拉倒)，其后又投入一项造价不算昂贵的工程，即绘制西斯廷小教堂的天顶画(1508 ～ 1512)。

西斯廷小教堂作为梵蒂冈主要的神圣空间而对教皇制度具有十分重要的象征意义，这里用于举行重大的典礼，如新教皇的选举和就职仪式。它已经拥有不少杰出的壁画，米开朗琪罗则被要求在相对不太重要的天顶位置加绘几件作品。十二使徒被定为这些作品的主题——天顶部分通常只描绘单个形象，而不是戏剧性场面。这项工程的图样又见于米开朗琪罗创作的 12 件巨型人物像:7 位先知和 5 位西比尔(即古代神话中的女预言家)。女性形象被安排在其中极为不寻常，虽说并不是完全没有先例。米开朗琪罗将这些人物形象置于天顶的边缘四周，而以取自《创世纪》的 9 个场面填补中央穹隆长长的弧形表面:3 个场面描绘对世界的创造，3 个场面描绘亚当和夏娃的故事，另 3 个场景描绘挪亚的故事。在先知和西比尔的下面自然地过渡到由亚伯拉罕开始的基督的 40 代祖先的小的形象。这项巨大的工程不足 4 年即告完成，而且在 1510 ～ 1511 年间还因资金短缺而中断大约 1 年的时间。

绘制工作是从末尾场景开始的，描绘挪亚故事的场面安排在入口门楣上方，由此而向祭坛推进，绘制方向正与故事发展顺序相反。开头的形象和场景很自然地反映出画家是在重新运用此前作品中的画法，如《圣母怜子》，因为他是以尚不熟知的媒介着手如此恢宏的作品。最初的人物形象相对较为呆板，所画场面也相对较小。随着绘制的进展，他的信心也在增强。事实上，近年对他所用技术方法的研究表明，他画得越来越快，逐渐减少乃至最终抛弃了预先画出完整的素描草图和做石膏小稿的辅助手段。日渐大胆的想法同样可见于人物形象自由而复杂的动作以及丰富的表情。这些形象始终是那样咄咄逼人、刚劲有力，但同时又越来越多地被注入了紧张和悲伤的意味。这一点可在工程过半时所绘制的先知以西结的形象中得到详察。这一形象将恢宏力度和力量与动作和表情凝聚于一体，表明决意达到虽无把握成功的目的。这类不去充分展现巨大力量的形象是对英勇而悲壮的人类的一种表现，也是米开朗琪罗意欲留予后世的核心精神。在创造夏娃的场面一侧画着夏娃和上帝与亚当在一起，挤缩在一个无法显示其辉煌的窄小空间里。这种压缩处理被解释为远离文艺复兴对和谐的关注，而为常被称为风格主义者的年轻一代艺术家如蓬托莫等指明了道路。米开朗琪罗的天顶画创作曾一时中断，可能就在这些人物形象完成之后。他画后一半时，似乎是在重复由沉着的稳妥到复杂和强劲的相同发展过程。所以他从创造亚当的平静壮观而和谐的场面一路画到先知约拿强烈扭曲的精神压力。然而在第二部分中，他又显示了更为强烈的内在表现力，给予早期对纯粹人体的表现注以更多的沉思默想。

天顶画一结束，米开朗琪罗又回到了他较为偏爱的工作，即建造尤利乌斯教皇的陵墓。1513 ～ 1515 年间，他雕刻成《摩西》，这件作品被认为是他在创作西斯廷天顶画先知形象时所运用的巨型人物画法在雕塑中的再现。对石块中假比重的控制蕴含着巨大的力量；表面细节和造型比以前更加丰富，凸出部位已断然截去。表面肌理亦比以往的雕刻更多变化，艺术家此时已懂得了如何丰富细节而又不失体量感。大约在同一时期还有两件被缚的囚徒或奴隶雕像，这也是陵墓工程的一部分，但却从未利用过，因为在后来修改过的设计中这两件的尺寸与整体不符。米开朗琪罗一直将这两件雕刻保存到晚年，后来赠予在他生病期间曾给他帮助的一家人；现藏于罗浮宫。此处他又一次用石头再现了他在天顶画中画有许多变体的诸种模式，如在先知宝座上方手持花环的一对对裸体人物。错综复杂的人物姿势表现了强烈的感情，这在文艺复兴时期的巨型大理石雕刻中没有先例。具有这类特点的古代作品唯有希腊化时期的古典遗产，米开朗琪罗通过 1506 年《拉奥孔》群像的发现而对之颇为熟知。这组由老人和他的两个少年儿子组成的群像自然启发了米开朗琪罗的 3 件雕像以及天顶画中的相关人物像。不过 1508 年天顶画中的最先几个形象尚未受到太多影响；米开朗琪罗只是在胸有成竹时才利用了希腊化时期扭曲和错杂的动作姿势，甚至在《拉奥孔》被发现之前他就已经走上了这一创作方向，这一点显见于 1505 年创作的《圣马太》一例中。

1513 年尤利乌斯二世的去世使得建造其陵墓的大部分经费遭到削减。继任教皇利奥十世是伟大的罗伦佐之子，他在童年时即与米开朗琪罗相熟。他主要是在佛罗伦萨雇用米开朗琪罗从事与梅迪契家族的而非教皇的荣耀相关连的各项工程。佛罗伦萨当时处在利奥的堂弟梅迪契大主教的统治之下，此人于 1523 至 1534 年间成为教皇克雷芒七世；米开朗琪罗在两位教皇统治期间都曾与他密切合作过。这位大主教极为赏识米开朗琪罗的作品。他提出过许多详细的建议，但同时给予艺术家充分余地，由其自己决定。米开朗琪罗为梅迪契宅邸的一项小型再造工程及其教区的圣罗伦佐教堂的一项大型工程进行了建筑设计。他以极高的热情投身这类工作，其原因无疑是工程规模的巨大以及有大量的石头可供他自由地摆布。那项较大的工程从未付诸实施，但米开朗琪罗和大主教却更出色地完成了一项稍小的相关工程，即附属于为梅迪契家族陵墓修建的那座教堂的新建小教堂。

小教堂建成后紧接着就是这个家族的两个年轻的继承人、随祖先取名的朱利亚诺和罗伦佐分别于 1516 和 1519 年去世。米开朗琪罗在 1527 年之前的精力主要集中于这个小教堂的大理石室内装修，集中于极为独到的墙壁设计和陵墓上的雕刻人像；后者是墙壁细节的活泼外形在有机形式上的延伸。其结果就是米开朗琪罗想法的完全再现。窗户、门楣等的比例和厚度十分奇特，这意味着是对建筑中的传统古典形式进行了非理性的、故意的修改。邻近这些活泼的壁面的是室内相对的墙垣上安置的两座陵墓，由其弧形的顶部开始，造型亦十分独特。两座陵墓的弧形基座上各坐着一对男女形象；其中一座陵墓上的形象据艺术家本人所述是象征昼和夜，另一座墓上的形象则据以前的说法是象征晨和暮。这类拟人化雕像在以往的陵墓上从未出现过，据米开朗琪罗之意，这些是意指必然的时间运动，它周而复始但最终导致死亡。这组人物形象是这位艺术家最著名、也是最完整的创造之一。《昼》和《暮》巨大而结实的人物形象尽管高大壮观，但相对显得很安详，不过《昼》也许还暗示着内在的火焰。两个女性形象的比例修长，小脚在当时被认为很美；但在其他方面二者却大为不同:《晨》是个处女形象，顺着身下的弧形昂首向上，似乎尽力挤入生活；《夜》正在熟睡，但其姿势似乎说明她正处于紧张的梦中。

这 4 个形象自然要比埋葬在这里的两位梅迪契成员高高深藏在壁龛中的塑像更能立刻引起人们的注意。两座塑像的制作很平常，不过两者之间亦有区别:以传统手法分别处理为一动态一沉思。这两个人物被处理成标准的年轻士兵形象，乍看不像是肖像倒更像是理想化的超人形象，这既是由于他们高贵的地位，也是因为他们是超脱坟墓的灵魂。两个塑像均面对室内同一侧，人们自然认为他们是在注视着《圣母》，这件雕像亦出自米开朗琪罗之手，位于这面侧墙的正中央，两侧各有一位圣徒。然而，两尊塑像的头部转侧的程度不同，其共同的焦点是在小教堂的一个角落以及教堂的入口。在这一塑有《圣母》的第三面墙壁上，从未作任何建筑性的处理。

同样是在这些年间，米开朗琪罗为同一座教堂设计了另一座附属建筑劳伦图书馆，用来接收利奥教皇遗留下来的图书；佛罗伦萨等地的传统是将图书馆修建于女修道院内。这座图书馆的设计受到了现有建筑物的限制，并且是在旧有的结构之上建造起来的。第二层一小块可利用的面积被用做入口门廊，并且还容纳了一副楼梯通向新建第三层上稍大些的图书室。楼梯间中有米开朗琪罗最著名、最新颖独到的墙面设计。他对传统建筑成分的大胆而自由的重新组合更前进了一步，例如他将列柱隐现于墙面之中而不是像通常那样置于墙面之前。这一做法使得这件作品常被引用为风格主义建筑风格的第一个也是主要的实例，被界定为一件故意将古典与和谐相对立而偏爱表现性和独创性或者是为了风格因素而强调风格因素的作品。相比之下，长长的图书室则受到了更多的限制，传统的成排桌椅与窗户的排列节奏相适合，地板和天花板上有些小的装饰细节。这使人想到米开朗琪罗并非一成不变的深沉而大胆，而是根据特殊情况调节自己的方法，此处的效果则较为柔和而平静。正因为如此，这一设计在对他的作品的研究中不太受到人们的注意。在穿越楼梯过去的长条间的另一端，有一扇门通往拟作保存图书馆中的珍本的空间。原来定为三角形的房间，位于长条形门厅式的入口处尽头，但这一部分并未按照艺术家的设计建造。

1527年罗马遭洗劫时，教皇克雷芒不光彩地逃跑了，佛罗伦萨人也起而反抗梅迪契家族，恢复了传统的城市共和国。但时隔不久，佛罗伦萨于1530年被包围并被击败，梅迪契家族的统治又一次得以长久地稳固。该城被包围期间，米开朗琪罗担任筑城设计师。他懂得当时现代化的防御结构须用简单的材料造出复杂的外形，给进攻者以最小的攻破点而给大炮以最大的抵抗力。这种在14世纪中叶即被运用的新式武器赋予战争中的进攻一方以更大的威力。因此，取代中世纪用于防御目的的高大城堡而建成的较低矮但更厚实的建筑群就更为实用。凸出于建筑群之外的部分也可以有助于反攻，其规模大小不等，通常是根据具体的地形而定。米开朗琪罗快速生动的素描草图反映了这种灵活多变的新图样设计，这些草图常以其纯粹的形式感而倍受推崇。

梅迪契家族于1530年返回后，米开朗琪罗又回去建造这个家族的陵墓。他在政治上可能更多是受这个城市的约束，而不是受具体官方组织的限制。这期间他创作了两件大型雕像，一是赠送一位政治新贵的《阿波罗》或称《大卫》(其定名尚存异议)，另一件是《胜利女神》，雕像的脚下踩着一个战败的敌方老者形象。这件作品可能是为他从未忘怀的尤利乌斯教皇陵墓创作的，因为这一主题已显见于他为尤利乌斯陵墓的设计稿中。战胜者和战败者的姿势均极为复杂；战败者好像被捆缚于石块之中，而胜利者——与《阿波罗》一样——其造型是作轻捷的螺旋式上升状。《胜利女神》群像成了风格主义群体中的年轻雕塑家们至爱的范本，他们将这一程式运用于许多象征性的题材。

1534年，米开朗琪罗最终离开了佛罗伦萨，尽管他一直希望能回去完成那些尚未完成的工程。他在罗马度过了余生，所进行的工程有些也很宏伟，但大多数是全然不同的新工程。从这时起他寄往佛罗伦萨家中的大部分信件都被保存下来；其中有许多是集中讨论他侄子的婚姻安排，这对保证其家族的传承问题至为重要。米开朗琪罗的父亲死于1531年，他最亲近的兄弟也在大约相同时间去世；他自己也对自己的年纪和死亡越来越表示不安。就是在这个时期，这位年近六旬的艺术家书写的信件中表达了极为爱慕年轻人的强烈感情，这些信件主要是寄给颇具天赋的贵族T.卡瓦列里，此人后来活跃于罗马的城市事务界。这些当然可以解释说米开朗琪罗是个同性恋者，但据艺术家本人所述这一反应是愚蠢而无知的。艺术家在年轻时期并未出现类似的迹象，这说明上述看法越发不大可能。这些信件与其他新发现的事情之间的相互关系似乎正符合这样一种看法，即他是在寻找一位代理儿子，有目的地选择一位在各方面都称人心意且自愿担任这一角色的年轻人。米开朗琪罗的诗歌亦是从此时起有大量作品流传下来。他开始显然是以当时非专业诗人中流行的方式写一些像风雅信件一样的短诗，但后来发展到更为独创也更具表现力的方法。他现存诗歌约300首，尚不包括零散的一二行诗句，其中约有75首是完整的十四行诗，95首为完整的抒情短诗，这种诗的行数与十四行诗相当，但其形式结构较为松散。在英语国家中，人们爱说"米开朗琪罗的十四行诗"，好像他的诗全部是用这种形式写成的，这部分是因为十四行诗从维多利亚时代起即在英文译本中流传，部分是因为抒情短诗在英语诗歌中还很陌生。(这不是伊丽莎白音乐中广为人知的那种歌体，而是一种音律不齐、长短不一、诗行不定的诗歌形式。)不过，米开朗琪罗留下了大量的十四行诗，而只有少数抒情短诗没有写完，这一事实说明他更偏爱后一种形式。约1545年前写成的诗歌，其主题均基于彼特拉克的爱情诗传统，其哲学思想则基于米开朗琪罗在少年时代即在伟大的罗伦佐的宫中接受了的新柏拉图主义。这些诗歌表达了这样一个主题：在人类艰难地追求神灵的奋斗中，爱是一种帮助。

1534年，米开朗琪罗在时隔1/4世纪之后重又回到湿壁画的创作上来，为新教皇保罗三世在西斯廷小教堂的尽头墙壁上绘制了巨幅《最后的审判》。这一主题在中世纪乃至1500年前的意大利教堂中一直是用来绘制教堂尽头巨大墙面的好题材，但后来却不再流行了。人们通常认为这种恢复虔诚传统的做法同样缘自在保罗三世庇护下引向反宗教改革运动的那种种推动力量。这幅作品的绘画风格与25年前迥然相异。整体色调单纯，棕黄色的人体映衬着深蓝色的天空。人物形象不如以前那样强劲有力，其外形轮廓亦不十分明确，人体躯干多像是没有腰围的纯粹肉团。画面顶部正中央，审判者基督正抬起手臂拯救在他右侧的众生，另一手臂垂下以将左侧的生灵打入地狱；用当时的俗语说，这就是以天平衡量人们的法码。被拯救的灵魂正穿过浓烟缓缓上升，而被诅咒者则在下降。在壁画的底部是露出坟墓的白骨，这一主题直接取自中世纪的壁画先例。画面右侧，冥界渡神正将众生灵渡过冥河，这是非基督教的主题，但丁在《神曲》中曾使之为基督教徒所接受，翁布里亚艺术家西纽雷利在1500年左右曾将这一主题引入绘画。米开朗琪罗极为推崇这位艺术家通过精确的解剖以表现戏剧性感情的技巧。

晚年岁月 米开朗琪罗晚年较少从事雕塑，而更多投身于建筑以及绘画和诗歌，但在建筑方面他并不需要付出任何的体力劳动。他被请求为全新而现代的罗马设计壮观的纪念碑，以通过建筑来标示这个城市作为世界中心的地位。其中的两件纪念碑式的建筑物卡皮托利尼广场和圣彼得大教堂穹顶，现在仍然属于该城最醒目的视觉形象之列。这两座建筑他都未能最终完成，但在他去世之后两座建筑物都以多种方式得到续建，这些方式大概与他的规划不会有太大出入。

小小的卡皮托利尼山丘在古罗马时期曾是城市中心，16世纪时曾是非宗教市政府的中心，而在教皇统治的城市中这只是微不足道的因素，不过教皇们还是愿意对之表示敬意。米开朗琪罗改造了广场一侧的旧市政大厅，又为与之相邻的另两侧设计了两座相同的建筑。他赋予这些建筑物以丰富多变而又刚劲有力的正面，其主要手段是运用巨大的列柱，从地面至顶部高达两层楼距离，这些巨柱的旁边则衬以小得多的一层楼高的密集柱子。这一发明创造了一种极具活力的节奏感，同时也以一种理性的方式明确了正立面后面的建筑结构。他还为这两座新建筑物之间的广场设计了一种特殊的地面——即中心为一尊塑像的椭圆形图案(塑像为古罗马马库斯·奥雷利乌斯皇帝纪念碑)，从而赋予整个这一区域以一座纪念堂的效果。因为地处小丘之上，整个广场不是呈长方形状，而是在靠近市政厅的一侧稍宽广些，对面一侧稍窄小些，并且未建任何建筑物。这空旷的一侧是公众的入口，到此入口之前需爬上一段长长的阶梯。游客会发现左右两侧建筑物的正立面随着他们由入口处退出而越显得相距甚远；这正是为了减弱欲使建筑物墙面在越远处越显靠近的透视法倾向，从而加强了壮观的开阔效果。

圣彼得大教堂的穹隆顶主要用作观者在远处的视觉焦点，它既是一个有形的目标，又是这座城市重要的象征。这个穹隆结构因其双重的目的而被多次摹仿，如华盛顿市的国会大厦。它源自佛罗伦萨大教堂的穹隆顶，后者比它早100年，或许也是第一个主要目的在于外形效果而不是为了覆盖教堂的巨大穹隆顶。但是，只有米开朗琪罗的穹隆顶才使这种功能变化被世人广为接受。然而，这个穹隆顶在米开朗琪罗去世后才告建成，并且建造者遵循他的设想的程度也存在着很大的争议。这个穹隆顶由后继者建造，比米开朗琪罗最为人知的工程中所见到的纯半球外形要尖得多。不过，米开朗琪罗后来改变了他的想法，也很有可能就走了这个路子。

米开朗琪罗在世时，把建造圣彼得大教堂的主要精力放在教堂的下半部分。他摒弃在他之前主建这座教堂的建筑师们的构想，而只赞同富于独创精神的设计者布拉曼特的想法。他恢复了带有4个相等十字臂的古代教堂设计，以代替近代加以修改了的更为流行的拉丁十字设计。他也不喜欢由上一位建筑师添加上去的大量重复的琐碎装饰因素，因为那样就削弱了宏伟规模的效果。他对布拉曼特设计的内部作了详细的修改，使之更接近一个整体空间。它的四周各用一面巨大的半圆形墙垣加以围合，如此形成的几个小空间正与穹隆顶内的半球空间相类似。米开朗琪罗实际的建构工作多是在祭坛后面的那面弧形墙垣，并且使紧相毗邻的大小列柱之间产生更为强烈的对比效果，这一做法早已见于卡皮托利尼山的建筑。但是此次这些列柱不是承重柱，而是从外部反衬弧形墙垣的稀疏的壁柱。因此，这些列柱随着墙垣方向的不断变化而产生强劲的向上推力和同样强烈的水平节奏，从而使建筑物产生大幅度的跳跃式的活力。人们至今仍可亲睹这位雕塑家的建造方法，即以石头的凸凹作为他的建筑媒质。

在穹隆顶的底座四周，米开朗琪罗设置了一条柱廊。柱的顶部用飞梁与穹顶相连，但柱与柱之间不加顶盖。因此，这些柱子具有哥特式建筑的飞扶壁效果，用以支撑穹隆顶沉重的下压力。可是，这一设计在形式上又颇为古典，柱廊的水平效果因此解决了穹隆顶与整个建筑物的下部水平结构之间的视觉过渡问题。

米开朗琪罗去世前一直是圣彼得大教堂的首席建筑师，但同时又在罗马接手许多小规模建筑工程。他完成了教皇保罗三世家族居住地法尔内塞府邸的主体部分。庭院顶层墙垣是他亲自监督下全部完成的建筑部分，这在他是实属罕见的例子。他晚年一些极富想象力也颇为独创的建筑设计，如为一座城市设计的皮亚门及为罗马的佛罗伦萨人社团设计的教堂，要么是在后来被大幅度地改建，要么就是在米开朗琪罗提出的结构形式上丝毫没有越出设计范围一步。

他最后创作的绘画作品是梵蒂冈保罗小教堂中的湿壁画，但公众至今难得一见。与他的其他湿壁画不同，这些湿壁画在用于叙述性绘画的正常位置，在一面墙上，而且离地面不特别高。空间深度和叙述情节的处理前后一致，画法更接近同一时期的其他作品而不似画家以前的作品。提香是米开朗琪罗了解并推崇的画家之一，他在米开朗琪罗这项绘制工程期间曾访问过罗马（1542 ～ 1550），这些湿壁画在色彩方面似乎透露出他的影响。米开朗琪罗晚年的诗歌也有了新的特色。这些诗主要是十四行诗，均为非常直接的宗教语句，使人联想到祈祷文，不再具有精美的用词和精彩的思想。

米开朗琪罗晚年只有两件雕塑作品，是为自己而作，均是表现哀悼基督的场面，但都未最后完成。第一件也是较大的那一件是为自己的陵墓准备的，亚利马太人约瑟（也有可能是尼科迪默斯）悲哀的形象是他本人的自塑像。（米开朗琪罗在以前的作品中即以罪人或忏悔者的角色采用了自己的形象，尤以《最后的审判》中殉教的圣巴多罗买被剥下的人皮上的脸部最为著名。）因为不满意这件雕塑，米开朗琪罗砸毁了其中一个人物并丢弃了整个作品。这倒成了贯穿艺术家创作中的未完成主题的又一变化。他最后一件雕塑作品亦在同一块石头上经历了多次修改，从现状来看几乎成了一件无物质特性的粗稿，表现的是两个倚靠在一起的人物形象。米开朗琪罗肯定强烈地意识到了自己的不完美，但也同时认识到自己作品的品位，因此对那些他认为未尽到责任的雇主倍感愤怒。他于1564年2月18日去世。

评价和影响 在后人看来，米开朗琪罗永远是少数最高尚的艺术家之一，人们认为他与莎士比亚或贝多芬一样，最深刻也最广泛地表达了人类的悲剧体验。

艺术家的作品与其巨大声誉相比，它们对后世艺术的视觉影响却相当有限。这不能解释成由于他的艺术太伟大而使人不敢贸然模仿，因为拉斐尔那样的艺术家们也同样被认为是伟大的，但他们的艺术在相当大的程度上被看作是艺术的源泉。相反，其原因可能在于这种与米开朗琪罗相关的特殊表现模式几乎极尽天地之间的辉煌，因而令人敬而远之。他的作品所产生的有限影响包括少数几乎完全照猫画虎的例子，以他的画风进行创作的最富天才的艺术家是沃尔泰拉。此外，米开朗琪罗的作品在有限的具体几个方面被人视为范本。17世纪时，他被认为是解剖素描的高手，但其艺术更为广泛的诸多因素很少受人赞誉。风格主义画家利用了见于他的一些湿壁画中的简练空间画法以及后来《胜利女神》雕塑中的蛇形姿势，19世纪的艺术大师罗丹则采用了他的未完成的大理石块效果。17世纪一些巴罗克艺术大师也许是最全面地借鉴了他的艺术，但在创作方法上已有很多改变，不存在任何直接的相似。贝尔尼尼之外，画家鲁本斯可以最好地体现米开朗琪罗的创作对于后世一位大艺术家的有用性。

Michelet, Jules 米什莱（1798-08-21，巴黎～1874-02-09，法国耶尔） 法国民族主义历史学家，以其不朽巨著《法国史》闻名于世。他的著述方法是在叙述中投入其本人个性，试图借此使过去的历史重现，结果使具有巨大戏剧性力量的历史综述问世。父亲是印刷工人，竭力使他受到教育。米什莱头脑聪明，勤奋好学，29岁时即在高等师范学校教授历史和哲学，当时他已经刊印了几种教科书和G.维科《新科学》的法文译本（1827）。1830年的法国革命使他更坚定地接受维科的学说，强调人本身在形成历史中的作用，认为历史就是人类反对宿命、争取自由的持续不断的斗争。这一主题思想贯穿在米什莱全部后期著作中。1831年出版《罗马史》两卷之后，他致力研究中世纪史和近代史。由于在国家档案馆任历史部主任，他得到宝贵的资料来完成不朽的名著《法国史》（1833～1867）。

美国不列颠百科全书公司供图

1847～1853年撰写《法国革命史》（7卷），这是一部生动活泼、热情洋溢的编年史书。他还写过一系列自然科学著作：《鸟》（1856）、《昆虫》（1858）、《海洋》（1861）、《山岳》（1868）。这些著作反映出他于1849年同比他年轻30岁的A.米亚拉雷结婚带来的影响，文笔优美，富有抒情色调。他所写的《爱情》（1858）和《妇女》（1860）是色情和说教的著作。1870年的普法战争打破了他对德意志的幻想，几年后死于耶尔。他的日记经过其遗孀窜改，直到1959年才开始全部发表。日记记载了漫游欧洲历程，揭示了其个性，说明了他个人亲自经历与著作之间的关系。

Michelin 米其林公司 全名 Compagnie Générale des Établissements Michelin。又译米什兰公司。法国最大的轮胎及橡胶制品制造商。总部设在克莱蒙费朗。1888年米其林兄弟安德烈（1853 ～ 1931）和爱德华（1859 ～1940）创立公司制造自行车和马车用轮胎。19世纪90年代以前还没有汽车用的气胎。为演示可卸式气胎能成功地用于汽车上，米其林兄弟装配了一辆在轮圈上用螺栓固定有这种轮胎的汽车，参加了1895年举行的巴黎—波尔多公路汽车比赛。虽未赢得胜利，却引起公众对充气轮胎的兴趣。他们的公司成为欧洲一家主要的轮胎生产厂家。1948年米其林首创钢丝子午线轮胎。1906年公司在意大利杜林建立了第一家国外工厂，如今已发展到许多国家。1951年改组为控股公司，除生产轮胎，还制造其他橡胶制品和合成橡胶。公司还出版国际旅游指南丛书，通称"米其林指南"以及一系列公路地图。安德烈倡议出版指南丛书意在推动汽车旅游从而支持他的轮胎工业。1900年出版的第一部"红皮指南"为法国旅游指南，袖珍型，列有依字母顺序排列、可提供旅馆及车场服务的法国大小名城和胜地，并附有标准等级符号。为此，米其林甚为驰名。如今这套符号系统已扩大到指示住宿舒适的水平（从豪华型到经济型），以及是否有游泳池、花园、网球场和空调等设施。"红皮指南"中还列有饭店的等级，除用三星标出若干可提供"特殊饮食旅游"服务水平的一流饭店外，也列出可供经济实惠饮食的餐馆。1957年公司开始发行西欧各国的红皮旅游指南，如西班牙与葡萄牙、意大利、英国与爱尔兰、比荷卢(比利时、荷兰和卢森堡)以及西德。米其林指南丛书中除红皮指南最受欢迎外,还有"绿皮指南",该书为旅游者提供有关博物馆、自然奇观、名胜古迹等详尽的信息。米其林还出版大量极其周详、资料齐全的地图。

Michell, John　米歇尔(1724,英国诺丁汉郡～1793-04-21,约克郡桑希尔)　英国地质学家和天文学家,被尊为地震学之父。1760年当选为伦敦皇家学会会员,同年完成了《地震原因的推测和地震现象的观测》,文中提出了他对1755年里斯本大地震研究的结论。他证明那次地震的震源位于大西洋底下。他提出地震的原因在于水与地下火接触时所产生的高压蒸汽。他对天文学的贡献包括第一个实际估计了地球与星体间的距离。他还推测双星在物理上是彼此近似的,它们彼此间围绕对方一定轨道旋转,这点后来为英国天文学家J.赫歇耳所证实。1762年任剑桥大学地质学的伍德沃德席位的教授。1767年任桑希尔学校校长。1750年发表关于人造磁铁性质的重要著作。他与法国物理学家C.-A.库仑各自独立地构想出了扭秤的原理。他希望用这仪器来测定地球平均密度。虽然他在这项工作结束前逝世了,但英国物理学家H.卡文迪什继续他的工作,在实验中测定了万有引力常数*G*(重力强度之测定)。

Michelozzo　米开罗佐(1396,佛罗伦萨～1472,佛罗伦萨)　意大利建筑师、雕刻家,以发展佛罗伦萨文艺复兴建筑而闻名。早年从名雕刻家L.吉贝尔蒂学习青铜铸造技艺。1420年后二人合作塑造佛罗伦萨圣米凯莱教堂的圣马太像。1427～1438年,米开罗佐和雕刻家多那太罗合办雕刻工场。二人最杰出的作品为普拉托大教堂中的布道坛(1428年设计)。1433年随同其资助人C.de梅迪契流放至威尼斯,他的建筑生涯是梅迪契1434年在佛罗伦萨恢复权势后开始的。1436年他开始重新建造佛罗伦萨圣马可隐修院。他为该隐修院修建的图书馆成为意大利15世纪图书馆建筑的典范,1444～1445年,他主持了佛罗伦萨的至圣领报圣母教堂的重建工作。1446年F.布鲁内莱斯基死后,他曾临时继任佛罗伦萨大教堂工程的建筑师。在佛罗伦萨宫的设计上曾进行革新,其平面为方形,通常为3层,中央有露天庭院。外部立面上3层间用横的腰线划分,石砌做法每层粗细程度不同。这些特点在他设计的佛罗伦萨梅迪契府邸(1444～1459)上颇为显著,这是早期文艺复兴建筑的最佳作品之一。

Michels, Robert　米歇尔斯(1876-01-09,科隆～1936-05-03,罗马)　德国出生的意大利政治社会学家和经济学家,以提出"寡头政治铁的法则"闻名。他认为政党和其他社团不可避免地会走向寡头政治、极权主义和官僚主义。他出身于资产阶级家庭,后来成为社会党人。大半生在意大利教书。他在主要著作《政党:现代民主制的寡头政治倾向之社会学研究》(1911)中,提出这样的论点:即便是民主组织,因为要迅速处理问题,全面进行活动,寡头政治也不可避免地要抬头。在以后的著作中,他认为少数人统治不但不可避免,而且是人所渴求的;他并不反对意大利法西斯主义的兴起。另著有《政治社会学教程》及其他论文。

Michelsen (Peter) Christian (Hersleb Kjerschow)　米克尔森(1857-03-15,挪威卑尔根～1925-06-28,卑尔根附近菲约桑厄尔)　挪威政治家、首相。早年当律师,后创立航运公司。1891年选入挪威国会,最初为"纯粹"左翼党,1903年加入联合党(保守派和温和自由派)。1905年3月任新联合政府首相。在职期间,挪威宣布脱离瑞典成立新挪威王国。1907年10月因病退休。1909年参与建立比较保守的自由左翼党。1910年起退出政治舞台。

Michelson, A(lbert) A(braham)　迈克耳孙(1852-12-19,普鲁士斯特列耳诺～1931-05-09,美国加利福尼亚帕萨迪纳)　德国出生的美国物理学家,测定了光速作为一个基

芝加哥大学供图

本常量并从事光谱学和气象学研究。获1907年诺贝尔物理学奖。2岁时随父母到美国。17岁进入马里兰州安纳波利斯美国海军学院,在该学院,他科学精进而船艺则低于常格,1873年毕业,1875～1879年在海军学院任科学讲师。1878年开始从事他毕生癖爱的工作——光速的准确测定。为了研习光学,创造条件以取得真正的进展,1880年旅居欧洲,在柏林、海德堡和巴黎花费了两年时间。1881年从海军退役。回到美国后,他测得光速为299 853千米/秒。在欧洲时,他开始制造一种干涉仪,用以测定地球相对于"以太"运动的速度。在柏林的早期实验表明,没有干涉条纹,因而也没有地球相对于以太的运动。1883年他接受了俄亥俄州克利夫兰市凯斯应用科学学校物理学教授的职位,在那里他集中精力改进他的干涉仪实验的精度。到1887年,在他的同事美国化学家E.W.莫雷的帮助下,发表了后来称为迈克耳孙-莫雷实验的结果:结果仍然是否定的,没有干涉条纹,并且看来也没有地球相对于以太的运动。这也许是科学史上最重要的一次否定性的实验。按照经典的牛顿物理学,这些结果是荒谬的:光速加上任何其他的附加速度仍然只等于光速。要解释这一实验结果,必须对物理学在新的更为完美的基础上加以改进。终于,在1905年爱因斯坦的相对论理论形成了。

自1889年起,迈克耳孙在马萨诸塞州伍斯特市克拉克大学任物理学教授,1892年后应聘到新组建的芝加哥大学任教授和第一任物理系系主任,直到1929年退休。1923～1927年曾任全国科学院院长。1907年因为他在光谱学和气象学研究方面的成就而成为美国第一个获得诺贝尔科学奖金的人。以此为始,他曾多次获奖。迈克耳孙曾倡导用某个特定光波的波长作为距离的标准(该建议已于1960年被普遍接受),并于1893年以炽热的镉发射的红光为准,测定了标准米。他的干涉仪使他能够测定天空中物体的宽度。1920年他将一个6米长的干涉仪装在一架254厘米的望远镜上,成功地测出了参宿四(猎户星座α星)的直径为386 160 000千米(太阳直径的300倍)。这是首次准确地测定星球的大小。1923年他又回到光速的准确测定问题,用特殊的八边形旋转镜得到光速为299 798千米/秒。为进一步提高精度,他利用一个长的真空镜筒,令光束在其中往复反射,直至在真空中经行16千米。迈克耳孙逝世前,他最后试验的结果尚未计算出来,1933年宣布其数字为299 774千米/秒,比1970年承认的结果高出不到2千米/秒。

Michelson-Morley experiment　迈克耳孙-莫雷实验　探测地球相对于以太的速度的实验。以太是假设在空间存在的一种介质,曾被认为是光波的载体。这实验最初由物理学家A.A.迈克耳孙和E.W.莫雷于1881年在美国进行,以后又经他们两人以及其他很多人作了改进。实验过程是靠一台迈克耳孙干涉仪完成的,这是一种灵敏的光学仪器,用来比较光分别沿相互垂直的两个方向运动时的光程长度。这样做的理由是,如果光相对于以太的速度是不变的,而地球又在以太中运动,则通过比较在地球运动方向上与垂直地球运动方向上的光速,就能够探察到地球穿过以太的运动。实验发现,光速并没有差别。这一徒劳的结果使得以太理论受到重大的怀疑,最后终于导致爱因斯坦在1905年提出了光速始终不变这一假定。

Michener, James A(lbert)　米切纳(1907-02-03?～1997-10-16,得克萨斯奥斯汀)　美国小说家,他也许比任何别的作家都更成功地通过小说使外国环境易为美国人所了解。他的长篇小说最为著名,所写史诗般的细密作品被列为写实性小说。他是在宾夕法尼亚的多伊尔斯敦被人发现的一个弃儿,M.米切纳收养了他,把他培养为教友会信徒。十几岁时离家逃跑,成为教师和编辑。1944～1946年,在南太平洋任海军史编者。早期小说就以这个时期的经历为基础。他的《南太平洋故事集》(1947)获1948年普利策奖。这部作品把南太平洋描绘成一个充满异国情调的地方,但仍然是人类社会的一角。他的小说跨度大,内容广泛,总是首先叙述一个地区的早期历史、地质概貌、动植物情况,最后描写在这里定居和统治的人。他写一部书要花几年的时间,在西班牙写《伊比利亚:在西班牙的旅游和观感》(1968)时就是如此。他写作时善于运用记者的技巧,旨在给人以教益。

虽然他的小说因大量的细节和事实而受到指责，但它们非常受欢迎，总是在读者面前展现一个精心创造的世界。晚年，兴趣转向美国的山水景色，这表现在他的《百年纪念》(1974)和《切萨皮克》(1978)之中。《契约》(1980)写南非和种族隔离政策的背景。

Michiel, Vitale II　米奇尔(？～1172，威尼斯)　威尼斯执政官。当教皇派(归尔甫派)与皇帝派(吉伯林派)斗争开始时，他严守中立。1160年皇帝腓特烈一世围攻米兰时，他向米兰人提供支持。他在名义上臣服拜占廷帝国，实际上保持威尼斯的独立。1166年拜占廷皇帝要求威尼斯提供军费，他拒不交付。后来，他率领舰队攻击拜占廷。后因瘟疫流行，民众归咎于他，暴民刺杀了他。骚乱平息后威尼斯宪法作了修改，限制了执政官和人民的权力，而富有的寡头家族的势力扩张了。

Michigan　密歇根　又译密执安、密西根。1837年1月26日加入联邦，成为美国第26个州，也是从西北地区划出来的第4个州，自此以后，密歇根即为美国经济生活的主要财源。该州最大城市底特律的名称在全世界成为美国汽车工业的代名词。该州还一直是农业大州，而且，由于境内的内陆湖星罗棋布，又濒临五大湖中的4个，有许多荒野地段，密歇根逐渐成为美国主要旅游区之一。

在位于北美大陆上的美国49个州中，只有密歇根州被分隔成两大部分：自威斯康星州北部向东延伸，介乎苏必利尔湖与密歇根湖之间的地带为北半岛，人口稀少但矿藏丰富；自印第安纳州和俄亥俄州向北延伸为南半岛，形如连指手套。1957年建成长8千米的麦基诺大桥，俗称"大麦克"，横跨西通密歇根湖，东连休伦湖的麦基诺水道，自此这两个地块即连为一体。南半岛夹在休伦湖与伊利湖之间，隔圣克莱尔湖以及圣克莱尔河和底特律河与加拿大安大略省遥遥相望。州名源出于印第安人奥吉布瓦语(又称奇佩瓦语)，意为"大湖"。该州陆地面积151 586平方千米，在美国各州中居第23位，但如把该州管辖的五大湖水面计算在内，面积即为251 495平方千米，居全国第10位。

该州70%以上人口居住在城市区，主要集中在南半岛各工业中心。这个因素，再加之种族复杂和工会势力强大的工厂召来的大批不够熟练的工人，使该州许多城市以经济进步与贫困并存为特色，时而难以维持社会稳定。设在兰辛的州政府推行多项计划，力图减轻这种悬殊差别，同时建成公立高等学府体系，无论在门类范围和知名度上，都在全国居领先地位。

自然地理和人文地理

土地　*地形*　密歇根的乡间田野地势略有起伏，对于早期务农的移民颇具吸引力。海拔不高。南半岛的最高点在卡迪拉克附近，海拔1 600英尺。只有在北半岛的西部才有海拔1 900英尺的高地。

密歇根的几种自然地貌颇具吸引力。密歇根湖滨上沙丘连绵，每年都有成千上万的人前来度假；州立森林区、公园及野生动物保护区总面积超过1 619 000公顷，森林茂密，景色各异，使得密歇根成为美国中西部的主要旅游胜地。

水系　密歇根的河流(大多在南半岛的南部)流经内陆大部分地区。许多河流浅而窄。这些河道都可通航，建桥也很容易，因而人们纷纷前来定居。有几条河，特别是在北半岛者，有多处瀑布，可供开发水电。

密歇根有11 000个内陆湖泊，湖面悬殊极大，小湖不过几英亩，大湖如南半岛中北部的霍顿湖竟有8 000公顷。许多湖岸避暑小屋成排，各大湖岸许多地段也是如此。该州有两个游乐区：苏必利尔湖畔的岩画国家湖畔游乐区和密歇根湖畔的睡熊丘国家湖畔游乐区。

湖、河之中共有大约500个岛屿。底特律河上有两个著名的岛屿：格罗斯岛基本上是住宅区；贝尔岛是公共游乐中心。麦基诺岛是度假区，禁止使用机动车辆。罗亚尔岛是面积近900平方英里的生荒旷野，为苏必利尔湖西部的国家公园。

土壤　密歇根的土壤因气候、地形和水文条件的变化而有所不同。南半岛南部为黏土和壤土，可进行大规模耕作，而南半岛北部则以缺乏肥力的沙质土壤为主。北半岛肥沃壤土地带仅有几英亩，其余大多为沙质土壤，与南半岛北部相似。该州全境，特别是南半岛东南部，遍布酸沼或腐殖土，是内陆湖泊的有机物充填而形成的。这种土壤对蔬菜栽培特别有利。

气候　五大湖对夏季热风起到降温作用，对冬季冷风起到升温作用，因而密歇根比中北部其他各州气候温和。北半岛比较凉爽，但是气温变化幅度在最北部与最南部的各城市之间相差不大。在最北部的苏圣玛丽，平均气温在1月约为-10～-9 °C，7月约为18 °C。在东南部的底特律，1月和7月相应的平均温度分别为-3 °C和22.8 °C。该州南部降水量最多，全州平均降水量约为787毫米。该州中部降水量低于北半岛，密歇根湖岸狭长地带因向西移动的风暴经过湖面而经常有特大降雪量。植物生长季节在北半岛约为3个月，在南半岛的靠南部分为6个月。

动植物　密歇根全境过去基本上是林木茂盛，仅在西南部有原始草原，即林中空地。产硬质木材的树种有山核桃、栲、栎和铁杉，而在北部最常见的树种是五针松和赤松。本地动物种类繁多。五大湖有大量白鲑、湖红点鲑和鲑，州内许多河流中都有可供食用的各种鲑鳟鱼。内陆湖有大量的鲈、狗鱼和金鲈，州自然资源部在湖岸办有孵化场，大力开发旅游业，河狸曾是早期毛皮商的抢手货，其他产毛皮的哺乳动物也曾大量生活在该地区。该州许多县现在仍有鹿、熊以及鹑和鸭。

住区模式　许多密歇根人都认为他们所居的这个州分为北半岛和南半岛两个地区，而根据地貌学原理则把该州分为苏必利尔高地和中部低地，这两种划分之间有交叉。高地包含北半岛上的崎岖不平的西部地区，蕴藏着丰富的铜和铁，因而这一地区在经济上依赖矿业，其中比较大的城市有艾恩伍德、艾恩山、汉科克、霍顿和马凯特。农业不占重要地位，但是旅游业和游乐业提供开发多门类经济的可能性。

由于地理和历史原因，北半岛东部各县与南半岛贝城-马斯基根走廊以北地区是一个整体，称为密歇根北部地区。该地区五针松森林已经开发；土壤为沙质，水分充足，盛产马铃薯及粮食。在密歇根湖滨的特拉弗斯城以北地段栽培果树已获成功，因为湖水的影响防止了不利于果树生长的早霜。北部地区的市镇是旅游和农业的中心，往往还是政府机关所在地。许多较大的地区已经有小规模的制造业。该地区城市有苏圣玛丽、佩托斯基、拉丁顿、马尼斯蒂、卡迪拉克和特拉费斯城。

贝城-马斯基根走廊以南，土壤为肥沃的黏土，植物生长季节长，作物种类多，产量高，特别是粮食。密歇根州的农业财富，很大一部分是由南部各农业县提供的。该地区还有一批工业集中地和大城市，包括底特律(美国第6大城市)、弗林特、兰辛、大急流城和巴特尔克里克。

人民　密歇根州的居民来自不同地区，这对该州特色的形成是一个重要因素。但是，外国出生和第一代移民的公民比例却不高，即使是在底特律也是如此。

在早期的非英语移民中，德国人数量最多。底特律在19世纪30年代中期已经有很多德国人，某些农业县到1850年也是如此。人口众多的爱尔兰人基本上都在城市，但密歇根南部以及北半岛(1860年)也有了爱尔兰农人。1847年荷兰人在霍兰定居成功，现该市周围的各西部县还可感受到荷兰人的影响。芬兰人和康沃尔人曾在北半岛的经济生活及文化生活中发挥重要作用。早期波兰移民定居在农村，19世纪90年代局面为之一变，大批波兰人聚居于底特律，该市目前人口中波兰裔甚多。近年来，许多西班牙裔、亚裔及中东移民迁来此地，使密歇根的民族结构更趋复杂。

20世纪密歇根州最主要的人口现象是黑人的增加，在1900年黑人只有近1.6万人，而到了20世纪末则远远超过100万人。60%的黑人居住在底特律，该市人口将近2/3为黑人。许多黑人已迁到郊区具有悠久历史的黑人社区。由于一些比较老的社区和市中心区的房价并非特别高，黑人也向这些地方迁移。但是，底特律较新的郊区黑人人口却很少。

密歇根的宗教历史与美国中西部其他州稍有不同。由于第一批定居于底特律的欧洲人是天主教徒，因而，即使是在19世纪大批爱尔兰人、意大利人和波兰人迁来之前，也有不少信奉天主教的移民前往该市。底特律于1833年成为主教区，1937年升为大主教区，马凯特、大急流城、兰辛、萨吉诺、盖洛德和卡拉马祖也均设主教区。在基督教(新教)各派中，德裔和斯堪的纳维亚裔中许多人信奉信义宗，而循道宗则在该州城乡地区很有势力。第一批荷兰定居者为基督教归正会信徒，反对荷兰国定教会荷兰归正会，在教义和社会价值观上别具一格而趋于更加保守。长老宗、浸礼宗和圣公会在该州也有许多信徒。密歇根新教派别总共有近200个，其中有些派别人数甚少。最早来到密歇根的犹太人大多在德国居住过。1851年底特律犹太人成立了犹太教会堂。目前该州的犹太教会堂分别代表犹太教各派。人口约9 938 444(2000)。

密歇根州北半岛岩画国家湖畔游乐区中莫斯基托河河口附近的苏必利尔湖风光

美国不列颠百科全书公司供图

经济 在19世纪,密歇根的经济依赖矿业和伐木业,从20世纪20年代起,汽车工业成为支柱产业。农业、旅游业、林业和多种门类的工业生产、办公设备、粮食、油类、化工产品和医药,贡献很大,但是,密歇根州的兴衰一直与各大汽车公司紧密相连。20世纪70年代一些石油输出国实行禁运,外国生产的汽车大批涌进美国市场,美国经济衰退,使得密歇根陷入经济危机。1979～1982年,该州失业率回升至15%以上,居全国之首。其后,该州汽车工业略有起色,而且州政府和企业界领袖发起多项计划,扩充州内制造业基础,延揽新的高技术企业,促进经济中的服务门类发展。尽管如此,汽车工业仍然是该州经济的主体,从业人口约占全部制造业的1/3,产值也占全部制造业的1/3。

州政府开办许多研究机构,为多种经济门类提供帮助。州农业部办有关于牲畜保健、产品销售和土壤保护的研究机关。州赋税制度力图防止私人经济受到歧视。该州自1912年起实行工人补偿法。各种社会立法,包括失业补偿,于第二次世界大战之前便在该州实行,其后又有所扩充。

资源 密歇根是美国主要铁矿产地之一,其产量约占全国总产量的1/3,但是,由于美国钢铁工业的变化,该州的铁矿开采已大受损害。1984年,梅诺米尼山脉的开采活动全部停止,而马凯特县马凯特山的生产仍在继续进行。有些石膏(供生产水泥用)和井盐的矿藏犹待开发,勘探石油和天然气的作业也仍在继续。

农业 尽管密歇根农场数量仍在下降,但由于土地肥沃,该州目前还是农业大州。但是,该州农业的前途部分取决于价格。许多农民在工厂或为政府部门打零工,这在许多农村是一项重要经济收入。玉米是该州的主要大田作物,但是该州的水果生产最为著名。在樱桃产量上,密歇根居全国之冠,同时该州也是美国苹果的主要产地之一。在正常情况下,该州也是美国干豆类的主要产地。另一种重要的农产品是圣诞树。密歇根的森林提供了大量生产纸浆的木材,伐木业也正在复兴。

工业 汽车工业兴起于底特律,人们对此列举出许多原因。该州很久以来即以制造客货车辆、自行车和船用发动机而享有很高的知名度,该州拥有众多的熟练和半熟练工人,资金来源充足。其他几个城市在这几方面的优势与底特律相等,在汽车工业的开创阶段,底特律便面对一些竞争对手。

在底特律发展成为世界汽车工业中心的过程中,一些名人发挥了主要作用。首创该市汽车工业者为兰辛的R.奥尔兹,其父为汽油发动机制造商。奥尔兹的事业在1901年获得成功,于是汽车业人士目光集中于底特律。H.福特的名声甚至更大。他于1903年组成福特汽车公司,到1908年,便开始集中生产廉价标准式T型汽车。他强调生产的汽车要维修方便,要有汽车修理厂以及具有实用性。弗林特的W.杜兰特认为,汽车的购买者会是那些希望以车代步的人而不是赶时髦的玩车人。他希望通过成立资本雄厚的大公司以加速技术进步,从而夺取有待开发的中产阶级市场,通用汽车公司充分体现了他的这种想法。

汽车工业的工资丰厚,许多汽车制造厂的工人都步入到了中产阶级。由于工资高,工人们并不想参加工会,这种情况直到20世纪30年代经济大萧条时期才有所改变。

汽车工业也大大促进了弗林特、庞蒂亚克和兰辛等城市的发展。大急流城因它的家具制造业而闻名,巴特尔克里克则是全国著名的谷物市场。

由于对森林、河流、湖泊和湖滨地带进行保护,防止了随意开发和污染,旅游业每年都给密歇根州带来千百万美元的收入。

运输 密歇根州的第一条铁路伊利—卡拉马祖铁路,于1836年修通自托莱多至埃德里安段,到1870年,该州已有1 600英里的铁路。铁路总长度于1910年达到9 000英里,其后逐渐缩减了一半以上。相比之下,生产汽车的收益大得惊人。州政府与地方政府遂进行合作,在密歇根州建立了现代化交通体系,包括州交通干线、县级公路和城市街道。州际高速公路的修建主要靠联邦政府资助。

密歇根的客运航空业始于1926年。底特律大都会机场每年运送旅客数百万人次,全州另有大约20个主要机场以及几个短途航空公司。底特律大都会区的大量空中货运由威洛伦机场承担,该机场在第二次世界大战期间是为一个生产轰炸机的工厂而建。

水路承担大量的货运,该州许多出口商品都经由底特律港运出。矿石以及运往其他州的大宗货物一般也由水路运输。

行政与社会状况 *政府* 为精简政府,使之更好地解决现代化工业和城市社会存在的诸多问题,1963年宪法规定了许多条款。宪法修正案必须由州议会或通过提案申请向选民提出,但所有修正案都须经选民直接投票才能通过。

行政权由州长行使,任期4年。州长通过初选选出,但副州长由政党代表大会选举。州长任命各行政委员会,它们向行政长官负责,也向几个顾问委员会负责。重要政府部门大多分属各部,各部向州长负责。有几个部门(如州公路委员会)必须是代表两党的。

州议会包括参众两院,有参议员38名,经选举产生,任期4年;众议员110名,经选举产生,任期2年。每次联邦人口普查之后,一个专门的两党委员会便重新划分立法区。州最高法院由7位法官组成,是州最高一级的法院。该州还有一个上诉法院、若干巡回法院、遗嘱检验法庭以及由州议会明确规定有限司法权的法庭。

密歇根州有2 600多个地方行政单位,包括县、自治市、镇、学区以及公园管理局这样一些特殊的单位。虽然多数县由一监督委员会管理,但地方自治权允许较大的县委托县行政专员进行管理,地方自治市也享有广泛的自治权。学区按人口分级,享有不同的政府权力。

选区是政党组织的基层单位,选区代表在每年一次的政党代表大会上发挥重要作用,副州长、州司法部长、州务卿、管理州高等教育的各委员会的委员和州教育委员会委员的候选人提名均在政党代表大会上进行。州最高法院法官按照非党派原则提名。州政党代表大会还选举代表出席全国总统选举代表大会。

黑人对政治的关心是民权运动的产物,而民权运动组织又激发了黑人选民的政治自觉性。共和党和民主党都曾提出黑人为州和地方各级职务的候选人,1973年C.扬当选为底特律市市长，是担任此职的第一位黑人。1986年共和党提名W.卢卡斯为密歇根州州长候选人，是参加这种竞选的第一位黑人，他在竞选中败于J.布兰查德。工会在密歇根政坛上十分活跃，联合汽车工人工会曾在自治市、州和全国的选举中支持候选人。

个人所得税和公司所得税是密歇根州总收入的主要来源，而联邦政府的补助及销售税和财产税的收入在保障该州财政体系的稳定方面也发挥了重要作用。汽油税和车辆税收入专门用于公路建设。

教育 州议会的许多重要拨款提案都是为该州许多公立高等学府，包括许多社区学院提供经费的。但是，有大笔钱又转拨给各地区的公立中学和小学。许多中小学校，无论是在市内或郊区，都往往被当作研究对象以发现教学中的问题，州内各大学的教育工作者和心理学家还进行改良教学方法的实验。州有关当局经常注意使各学区获得充足而均等的资金。从1988年起，密歇根允许该州居民向密歇根教育信托基金投资。该项计划保证投资者子女进入州内学院或大学时，可免交学费。

1817年，密歇根州早期历史上的重要人物之一、法官A.伍德沃德提出建立"普智学院"的设想。1837年密歇根大学在安亚伯开学，这种思想遂在一定程度上得以实现。该校逐渐被公认为美国最好的大学之一，设有大学本科及研究生课程。1849年，一所培养师资的机构在伊普西兰蒂开课，该机构日后改为东密歇根大学。1855年，今密歇根州立大学的前身密歇根州立农学院，建校于东兰辛。该校与密歇根大学互相竞争，在许多研究及学术方面超出了农业的范围。密歇根理工大学（设在霍顿），于1885年建校，最初是密歇根矿业学校。韦恩大学原为底特律市立大学，1956年为州所收购，更名为韦恩州立大学。该校推广了许多教育实验，20世纪60年代，该校的校园及物理学研究设施成为美国教学建筑的典范，其设计师为美国建筑学家山崎实。

密歇根还设有远近闻名的专门学校。1927年，音乐学校成立于因特洛肯，即今国立音乐学园的前身，现该校授课内容包括音乐、戏剧学及有关艺术。设在布鲁姆菲尔德希尔斯的克兰布鲁克和金斯伍德学院，率先为高中学生提供高级艺术课程，其校舍均由美国建筑师沙里宁设计。

保健和福利 州公共卫生部管理医院、疗养所、老年人之家、长期护理单位等保健设施的运作、建设和执照发放。该州年度预算中拨出很大一部分款项用于社会福利计划。设在卡拉马祖的精神病院早在1859年即开始收容病人，其后许多救济机构相继成立。自1936年起，该州许多福利事业都根据联邦的模式，把援助转交与各地方政府。例如，老年救济以及对抚育儿童、盲人、残疾人的救济在州一级有专人掌握，而大部分救济金则在地方上发放。

文化生活 早期密歇根的文化生活以底特律为中心，该市居民背景复杂，来源不一，因而该市有世界一家的气氛。该州最早一批巡回剧团是在底特律演出的，在南北战争以前该市即有一所歌剧院。1819年曾领导许多早期民间活动的L.卡斯组成青年会，以推动辩论会、讲座和一般文化生活的发展。

但是，创业的农人无暇追求文化享受。让农人在耕种或收获之余轻松一下的社区舞会和各县的物产博览会都十分重要，届时人们以礼仪形式总结一年的收获。因此，密歇根的文化基本上来源于大众生活，在许多方面具有"大众文化"的特色。底特律市在各大公园举办管乐队演奏会，后来又主办交响乐音乐会，旨在把其他音乐形式推广开来。由市政府办的底特律艺术学院一向坚持举办面向公众的展出。

1987年密歇根庆祝150周年纪念，举办了历史纪念活动，及探讨当代问题的集会。密歇根历史委员会公布了一批重要历史遗迹，例如早期定居点遗址和福特汽车公司最早的厂房。许多城市都重视"还乡节"，一般为社区正式建制的周年纪念日。各地的民间节日尤其受重视，霍兰市每年5月举行"郁金香花季节"，其庆祝活动在当地范围以外也倍受重视。弗兰肯默斯每年举行"巴伐利亚节"，非德裔人士也纷纷参加。特拉弗斯城每年举办全国"樱桃节"。该州北部的一些城市庆祝"保罗·班扬节"以纪念过去的伐木时代。底特律及其他城市的各民族集团都举办各种民间节日活动，体现他们同欧洲文化的亲缘。底特律的非洲裔美国人历史博物馆使人们长忆黑人社会的优秀传统。

底特律艺术学会成立于1885年，其收藏艺术品在全国闻名。其他知名度较高的博物馆有马斯基根艺术博物馆（1911年成立）、卡拉马祖艺术学会和大急流城艺术博物馆。兰辛的密歇根历史博物馆因收藏有关军事和印第安人的文物而著称，许多县级博物馆藏有当地历史文物。1988年，州博物馆、州图书馆和州档案馆迁入在兰辛建成的新址，展示了该州的文化资源。

州图书馆创建于1828年。1936年州图书馆委员会成立，于是各大城市相继成立了大规模的公共图书馆。在主要的专门图书馆中，有设在密歇根大学内的克莱门茨图书馆，专门收藏有关美洲历史的图书；伯顿历史图书馆属底特律公共图书馆，以地方历史和族谱为收藏范围；克拉克历史图书馆设在中密歇根大学内，藏书范围为州史和地区史；福特博物馆设在大急流城；福特图书馆设在安亚伯。

密歇根的户外游乐场主要在林区和水乡。早在19世纪30年代，五大湖就是美国东部地区人们度假的胜地。现在，密歇根州南部居民以及来自其他地区的游客纷纷到该州的湖滨及森林度假、游泳、垂钓、徒步旅游或狩猎。自1919年起，该州逐步建成州立公园体系，州政府经营的公园和游乐区共有约90处。此外，密歇根还拥有390万英亩的州有森林和2 500万英亩的国家森林，这是落基山脉以东最大的一片国有森林区。

19世纪50年代末和60年代初，密歇根州内几个城市都成立了棒球队，该州有组织的球队比赛随之开始。1881年，底特律棒球队第一次参加全国比赛，从此该州与猛虎队结成不解之缘。橄榄球是流行于各高等学府的一种主要体育运动，密歇根大学队和密歇根州立大学队结成宿怨，两队之间的角逐是每年赛季的主要内容。底特律地区的职业橄榄球队、曲棍球队和篮球队都拥有一批热心的球迷。

历史

在17世纪，今密歇根州境内的印第安人口估计有12 000～15 000人，其中大部分，包括渥太华人、奥吉布瓦人、迈阿密人和波塔瓦托米人，属于阿尔冈昆语族。另有休伦人和温达特人（怀恩多特人），人数较少，主要居住在密歇根东南部。渥太华人和奥吉布瓦人帮助法国人开发毛皮贸易。渥太华人注重商业，制造了一种新型独木舟，在五大湖地区使用十分便利。波塔瓦托米人的主要特征是林地文化。休伦人在农耕技术上最为先进。密歇根地区的印第安人都居住在小村落中，没有私有财产的概念。

殖民地 É.布律莱是游历密歇根一带的第一位欧洲人士（1622），后来，相继而来的有许多探险家、传教士和毛皮商人，他们为法国对该地区的统治铺平了道路。密歇根历史最悠久的定居点是苏圣玛丽，建于1668年，该地原为1641年法国传教士为2 000奥吉布瓦人主领弥撒之处。1701年，法国商人卡迪亚克建底特律城，之后成为毛皮贸易中心和行政点，该城不久即成为整个五大湖地区的主要法国城镇。法国人在麦基诺水道旁建有一座城堡，后由英国人和美国人继续维持。

1760年，法国的所有要塞都移交给英军，根据《巴黎条约》的规定，英国于1763年取得对加拿大以及密西西比河以东法国领地（不包括新奥尔良）的管辖权，在英国统治下，密歇根依旧是加拿大的一部分。在美国独立战争中，底特律是英军的主要补给基地之一，英军不断攻打肯塔基一带，1779年英军将领汉密尔顿被俘。

美国准州 尽管密歇根于1783年被判给美国，但英国人仍拒不离开底特律及其他军事要塞，直到1796年才撤走。1787年，密歇根成为新设立的西北地区的一部分。该地区印第安人反对美国统治，直到最后A.韦恩率美军在今俄亥俄州托莱多附近的鹿寨战役中取得胜利。1796年，该地区的美国化作业开始，几年后完成。1805年，密歇根从印第安纳划出，另立准州，以底特律为首府。第一任准州州长W.赫尔在1812年的战争初期把底特律交给了英国人，1813年末，O.佩里准将在伊利湖战役中获胜，恢复了美国对该市的管辖权。

此次战争以后不久，密歇根准州的真正发展遂即开始，新准州州长卡斯鼓励移民前来定居，促进辖区发展。尤其发挥重要作用的是新型运输事业。1818年，自底特律至纽约布法罗通航轮船，湖上运输遂进入一个新时代。卡斯还兴建简易公路，自底特律通往芝加哥、萨吉诺和休伦港，便利在内地建立多种类型的定居点。1825年伊利运河竣工，于是底特律成为纷纷涌来五大湖地区安家落户的人们的主要集散地。

建州时期和发展 密歇根急切要求设立州的建制，以便发动更加远大的内部发展计划。第一部州宪法于 1835 年颁布,但是,由于与俄亥俄州有边界纠纷而引起托莱多战争,建州之举一直拖到 1837 年。密歇根州放弃了对托莱多附近莫米河河口地区的领土要求,却获得了北半岛的西半部以及在历史上属于准州的东部地区。

在 19 世纪 40 和 50 年代,密歇根州发展迅速。成千上万的农业移民,满怀对未来的憧憬,纷纷来此安家落户,其中许多人出生在外国。底特律及其他主要城市受益良多,40 年代北半岛发现了丰富的铁矿和铜矿。1847 年,州府自底特律迁到地理位置更为适中的兰辛。蓄奴问题引起紧张关系,导致今日的共和党于 1854 年 7 月在杰克逊成立。

在南北战争期间,密歇根对联邦政府的事业贡献颇大,共有 9 万人在北军服役,其中约 1.4 万人牺牲。密歇根黑人团队包括了来自其他许多州和加拿大安大略省的士兵。战后,共和党在该州处于优势地位。在 90 年代,先任底特律市长,后任密歇根州长的 H. 平格里会同其他领导人,实现进步立法。

20 世纪 在 1900 年以前,密歇根州所有 83 个县都已有人垦殖,在农业、伐木业、矿业和制造业的带动下,经济发展一日千里。但是,从整个 20 世纪来看,该州经济一直以汽车工业为主导。在第一次世界大战期间,各个层次的工业生产都加紧进行。城市扩充和工业发展引起的一系列新问题,在该州 1908 年颁布的第三部宪法中被提出。

密歇根州的工业产品不属于日常生活必需品,因而大萧条在该州特别严重,其失业率和通货紧缩率都大大高于全国平均值。1932 年,密歇根脱离了共和党营垒,其后即成为以观望摇摆为特征的州,劳工组织形成强大的政治及经济因素。1937 年,联合汽车工人工会成为代表通用汽车公司工人同资方谈判的代理机构,到了第二次世界大战爆发时,它已成为所有汽车工厂的主要工会组织。在战争进行期间,底特律号称"民主国家的武器库",战后,底特律的工业生产仍持续高产,大量新汽车和受战争影响而减少的消费品被投放到国内市场。

自从第二次世界大战以来,密歇根州一方面经历了种族两极分化(如 1943 和 1967 年的底特律骚乱),另一方面,当局采取有力措施,力图使少数民族、承疾人和妇女享受平等的机会。1963 年的密歇根州宪法是美国国内第一部规定成立州民权部的宪法。

战后年代也是城市郊区蓬勃发展、州内公路系统迅速扩充的时期。但是,自从 20 世纪 50 年代起,各市中心的人口、工业和服务业都呈现下降趋势。底特律的文艺复兴中心是一个新落成的高层河滨饭店,也是批发及零售商业中心,象征着该州美化城市、改善城市居住条件的决心。

70 年代末和 80 年代初的经济严重衰退,导致该州出现普遍的失业现象,企业倒闭,州政府机构裁员。其后,州政府、实业界和教育界通力合作,努力发展新兴工业,为年轻人提供更多的就业机会,壮大劳工队伍,并且进一步促进旅游业的发展。

Michigan, Lake 密歇根湖 北美五大湖中面积居第三位、唯一全部属于美国的湖泊。与密歇根(东、北)、威斯康星(西)、伊利诺伊(西南)和印第安纳(东南)诸州相邻。北部经麦基诺水道与休伦湖相通。南北长 517 千米,最宽处 190 千米,湖盆面积 11.8 万平方千米。水域面积 57 757 平方千米。最深处 281 米。水流平缓。有约 100 条小河注入其中。北端多岛屿,以比弗岛(密歇根州)为最大。沿湖陆地起伏低缓。有多处湖波冲蚀成的悬崖。东南岸多沙丘,尤以印第安纳国家湖滨区和州立公园的沙丘最为著名。湖区气候温和,东岸水果产区颇有名。大湖区-圣劳伦斯河航道穿经该湖,沿线有国际贸易往来。12 月中旬至 4 月中旬港湾结冰,航行受阻,但湖面很少全部封冻,几个港口之间全年都有轮渡往来。南端邻近以芝加哥为中心的大工业区(经卡柳梅特、加里和埃斯卡诺巴港输入大量铁矿石、煤和石灰石等原料)。其他主要港口有密尔沃基、格林贝、芝加哥、密歇根城、沃基根、基诺沙、拉辛、华盛顿、马尼托沃克、马尼斯蒂、拉丁顿、马斯基根、格兰德港和本顿港等。由于重新引进鳟鱼和鲑鱼,湖区垂钓业再度兴旺。大部分湖岸区为游人众多的避暑地。

Michigan, University of 密歇根大学 密歇根州立大学。1817 年建于底特律,原为一所预备学校,1837 年迁往安阿伯。1841 年开始开设大学课程,现为世界上主要的研究型大学之一。1956 年(在弗林特)、1959 年(在迪尔伯恩)分别建立分校。密歇根大学不是根据 1862 年莫里尔法案得到国家赠地的大学,但在 1826 和 1836 年联邦政府的两次土地赠予中它都得到好处。在亨利·P.塔潘任该校校长(1852 ～ 1863)期间,他有意识地采纳了欧洲特别是德国的模式,扶植师范教育。在塔潘和詹姆斯·伯里尔·安吉尔(1871 ～ 1909)这两位精力充沛的校长的领导下,密歇根大学带头扩展了高等教育。该校在阿勒格尼山脉西面建立了第一所医学院,并在所有学院中第一个开设了美国史课程。它是首先招收女生(1870)和黑人(1868)的大学之一。安吉尔把所有主要的专业学院和一所研究生院都包括在密歇根大学之内,成功地对该校进行了结构改革;把选修课包括在课程之内,扩大了课程设置。组成密歇根大学的学院有文学、科学和人文学科学院,以及建筑、艺术、商业管理、牙医、教育、工程、法律、图书馆学、医学、音乐、自然资源、护理、药学、公共卫生和社会工作等专业学院。该校还拥有一些特殊设施,开设一些特别课程,其中包括社会研究所、调查研究中心、G.R.福特总统图书馆、菲尼克斯实验室(装有一个 2 兆瓦的核反应堆)、一所综合医院、一个广播台、一个航空航天工程实验室、一个供船只设计研究使用的试验池、五大湖研究船只和研究飞机、若干博物馆,以及在密歇根和夏威夷的太阳研究观察站。

Michigan City 密歇根城 美国印第安纳州北部拉波特县城市。在密歇根湖南端。1830 年规划,1836 年设市。曾是重要木材港口,现为一工业中心。因邻近印第安纳沙丘国有湖滨区(1966),也是该州主要度假场所之一。生产普尔曼火车厢和采矿设备。附近的伯恩斯港有钢厂。大湖区最早的古灯塔(1858)现已辟为博物馆。有印第安纳州立监狱(1860)。市南韦斯特维尔有珀杜大学中北分院。市东有国际友谊公园。人口 33 822 (1990)。

Michinaga (Japanese regent) **道长** 参阅 **Fujiwara Michinaga 藤原道长**。

Michoacán 米却肯 墨西哥中西部一州。西南濒临太平洋。面积 59 928 平方千米。地势由狭长的沿海平原向内地的西马德雷山脉逐渐升高。地处火山活动带,1759年由于火山爆发,霍鲁约山拔地而起。1943 年帕里库廷火山在乌鲁阿潘附近突然涌现,形成这一火山的这次爆发持续到 1952 年。注入太平洋的主要河流有莱尔马河和巴尔萨斯-特帕尔卡特佩克河,用于大面积灌溉。谷地肥沃,凉爽宜人,但沿海平原气候炎热。州内的查帕拉湖和帕茨夸罗湖均为游览胜地。16 世纪 30 年代巴斯科·德·基罗加修士建立第一个传教会,很有影响,其名深受当地人民崇敬。它所教授的手工艺保留至今。盛产林产品、热带作物、谷物、矿产、石油和硫磺。有公路、航空线和铁路。主要城市有州首府**莫雷利亚(Morelia)**、乌鲁阿潘、萨莫拉和帕茨夸罗。居民以印欧混血种人和印第安塔拉斯坎人为主。人口约 3 534 042(1990)。

米却肯州帕茨夸罗湖哈尼奇奥岛外的居民用蝶形网捕鱼

美国不列颠百科全书公司供图

Michurin, Ivan Vladimirovich 米丘林 (1855-10-27[旧历 10-15],俄罗斯多尔戈耶附近韦尔希诺庄园～ 1935-06-07,俄罗斯苏维埃联邦社会主义共和国米丘林斯克) 俄罗斯园艺学家,由于力图证明获得性可以遗传,并培育出 300 多种新型果树,而受到苏联政府赞扬。当孟德尔的遗传学在苏联受到攻击时,他的杂交理论经李森科发挥后被苏联政府采纳为官方的遗传科学,尽管几乎全世界的科学家均拒绝接受这种理论。

Michurinsk 米丘林斯克 又拼 Mičurinsk。1932 年前称科兹洛夫。俄罗斯西部坦波夫州城市。濒临列斯诺伊沃罗涅日河。1636 年建科兹洛夫要塞,1779 年设市。为铁路枢纽,也是园艺中心。有蔬菜及水果加工工业。1935

年以前苏联科学家I.V.米丘林在此居住，现有他创建的园艺研究所。1932年为纪念他更用现名。人口约109 400(1991)。

Miciński, Tadeusz 米钦斯基(1873-11-09，俄罗斯帝国波兰罗兹～1918-02，俄罗斯奇里科瓦附近) 波兰文学新浪漫主义时期作家、诗人和剧作家，表现主义和超现实主义的先驱。曾在克拉科夫大学攻读哲学，在德国和西班牙游历，受到波兰基督教救世主信念和尼采、陀思妥耶夫斯基的影响。长篇小说《涅托塔，塔特拉山秘史》(1910)富有想象力地再现了20世纪初波兰的生活。他在长篇小说《浮士德神父》(1913)中预言波俄将通过革命达到亲善，但在第一次世界大战结束时，他在俄国革命的动乱中被暗杀。

Micius(Chinese philosopher) 参阅 **Mozi** 墨子。

Mickey Mouse 米老鼠 W.迪斯尼的动画影片中的极受欢迎的动物角色之一。最初出现在第一部有声动画片《威利号汽船》(1928)中，由迪斯尼本人配音。这个拟人化的老鼠形象后来在100多部动画短片中充当主角，成了一个大受崇拜的形象。1932年迪斯尼因创造米老鼠角色而获得电影艺术和科学学会的荣誉奖。

Mickiewicz, Adam (Bernard) 密茨凯维奇(1798-12-24，俄罗斯帝国白俄罗斯新格鲁多克附近扎奥西耶～1855-11-26，君士坦丁堡) 波兰最伟大的诗人之一。毕生为维护波兰民

美国不列颠百科全书公司供图

族的自由而奋斗。出生于破落贵族家庭，1815～1819年在维尔纽斯大学求学。1817年参加秘密爱国学生团体"爱学社"，后又参加"爱德社"。第一部诗集《诗丛之一》(1822)包括歌谣、传奇和一篇重要序言，表示他对这些西欧文学形式的赞赏，以及他想把这些形式传播到祖国的愿望。《诗丛之二》(1823)包括《先人祭》第二部和第四部，在两书中，他把民间传说和神秘的爱国主义融为一体，创造了新形式的浪漫主义戏剧。他与其他"爱德社"成员由于散布波兰民族主义情绪被流放到俄国。在莫斯科做工期间和多数著名俄国作家，包括诗人普希金，建立了友谊。1826年访问克里米亚，发表情诗《克里米亚十四行诗》。长诗《康拉德·华伦洛德》(1828)描写立陶宛人和条顿骑士团的战争，实际是反映波兰和俄国由来已久的宿怨。1832年完成《先人祭》第三部。1832年定居巴黎，写了《圣经》体散文《波兰民族及其朝圣者之书》。他的杰作，伟大的史诗《塔杜施先生》(1834)通过两个贵族家族之间的宿仇，描绘了19世纪初波兰贵族的生活。1839年任瑞士洛桑大学拉丁文教授。一年后辞职，在法兰西学院教斯拉夫文学。1848年初前往罗马，说服新教皇支持波兰民族的自由事业。1849年3～10月，主编激进的《人民论坛报》。1855年9月被恰尔托雷斯基亲王派往土耳其，死于途中。密茨凯维奇是波兰主要的浪漫主义诗人。他的抒情诗简洁明快，充满激情和寓意，把妇女的形象提高到波兰文学中前所未有的理想顶点。他以崇高的爱国主义、神秘的情愫、对波兰生活中的积极方面的热情赞赏，向祖国后来的几代作家展现了波兰的精神。

Micmac 米克马克人 加拿大东部沿海各省(新斯科舍省、新不伦瑞克省、爱德华王子岛省)最大的印第安部落。由于他们的阿尔冈昆方言与其邻族的方言差别极大，学术界认为他们是史前时期迁到这里的后来者。从历史上看，米克马克人可能是1497年首次被J.卡伯特遇见的印第安人。虽然史料记载他们勇猛好战，但他们是最早接受耶稣会布道和白人通婚的印第安部落之一。17～18世纪间，他们联法反英。到20世纪晚期，他们的后裔已和白人混居，人口约10 000，多是贫苦劳工。米克马克人曾组成几个氏族的联盟("米克马克"一名意为"联盟")，每个氏族各有其标记及领袖，不过领导人无多大权力。一般说来，即使战时领袖，也只是由表现特别勇敢的人担任。这显然没有社会阶级，也不存在奴隶制(经常将男战俘拷打致死，俘虏的妇女、儿童则转为本部落的成员)。米克马克人是季节性的游牧民族。冬季猎捕驯鹿、驼鹿及一些小动物；夏季捕鱼，拣拾贝壳动物并在沿海猎捕海豹。冬季住房为覆以桦树皮或兽皮的圆锥形棚屋；夏季住所则式样不一，一般为长方形的露天棚屋。衣着为东部林地印第安人的典型式样：男人缠腰布，女人着紧身衣；均着罩袍，缘饰甚多。男女善驾独木舟。据说米克马克人的礼仪繁缛，但其宗教信仰及仪式鲜为人知。

Micon 米康(活动时期公元前5世纪) 一译米孔。古希腊画家和雕刻家，波利格诺托斯的学生，两人是最早研究绘画中空间处理的画家。米康以雅典政治集会广场彩柱廊上的壁画和在雅典忒修斯神庙的绘画闻名。公元前460年后不久便同波利格诺托斯一起从事彩柱廊的工作。当时波利格诺托斯为彩柱廊绘制主要的构图，米康制作的《亚马孙之战》又称《忒修斯和亚马孙女族之战》放在波利格诺托斯的作品的右边。公元前475年后不久便开始在忒修斯神庙工作，作品有：《半人半马怪和拉皮斯之战》、《忒修斯之死》。

microbiology 微生物学 鉴定并研究微生物结构和功能的科学。微生物指一大类极为多样的微小生物，包括细菌、立克次氏体、酵母菌、霉菌、藻类、原生动物、病毒。这些生物不同于动物和植物，统称为原生生物。其中的细菌、立克次氏体、病毒和蓝藻无明确的细胞核结构，称为原核生物；酵母菌、霉菌、原生动物和除蓝藻外的其他藻类与其他高等生物一样具有明确的细胞核结构，称为真核生物。微生物几乎无处不在，在自然界起着无法估量的作用。微生物与人类生活息息相关，因此微生物学是一门涉及面很广的科学。微生物学随着显微镜的发展而诞生，17世纪70年代A.列文虎克用显微镜观察并记录了多种微生物，但直到19世纪后期，当人们认识到微生物的重要性之后，微生物学才奠定了发展的基础。20世纪40年代后，微生物学得到了巨大的发展。微生物学不仅在医学、工业和农业方面给人类带来了巨大的利益，还加深了人们对整个生物世界的了解。微生物学与生物化学、遗传学、细胞学和分子生物学等多种学科关系密切。微生物是上述学科的良好实验材料，而上述学科的成果又丰富了微生物学。微生物学研究的主要对象之一是细菌，研究细菌的分支学科称为细菌学。其他还相应有原生动物学、病毒学等。细菌学的奠基人是德国植物学家F.J.科恩、法国微生物学家L.巴斯德和德国细菌学家R.科赫等，他们分离了各种病原细菌，并认识到细菌在多方面与人类生活有着密切关系。细菌学家不仅研究细菌的行为，还研究它们自身以及细菌彼此之间、细菌与其他生物的关系。当代微生物学的尖端课题是如何利用微生物为宇宙飞船这个封闭系统提供氧气和食物；探寻外层空间和其他星球的微生物。利用微生物作生物武器则是当代微生物学研究中的一股逆流。从实用角度上，微生物学又可分为医学微生物学、工业微生物学、农业微生物学、食品微生物学、水体微生物学、土壤微生物学等。纯粹微生物学研究特定类群的微生物，以便了解它们的形态、生理、分类、分布、变异、遗传和进化，最终了解它们的本性；应用微生物学则有目的地发掘微生物的对人类有益的作用和控制其有害活动。用霉菌生产酶和抗生素(如青霉素)。有些细菌可商业性合成乳酸(共衍生物用作溶剂或用以治疗贫血、钙缺乏症等)，故有大规模培养。用遗传工程技术改变遗传结构的细菌可合成胰岛素及其他有重要医学价值的生物化学物质，故有全新的工业应用价值。微生物学的研究方法甚多，除显微镜技术外，必须掌握各种培养微生物的技术(包括无菌培养、稀释方法和纯培养、富集培养等)和染色技术，还必须借助生物化学、生理学、有机化学及物理学等各分支学科中采用的各种技术。

microburst 微下击暴流 一种从雨云吹向地面，并在水平面上成扇形散开的强风。持续时间很短，通常只有约5～15分钟。其影响较小，波及范围一般为直径1～3千米的地区，有时伴有雷暴和大雨。它引起的风向和风速的突然变化——这种突变情况称为风切变——特别危及起飞和着陆的飞机，因为驾驶员会意外地遇到风向突然从逆风变为顺风。在干旱地区，伴随微下击暴流的雨在下沉气流到达地面前已经蒸发，因此看不出有微下击暴流出现的迹象；在潮湿地区，微下击暴流往往产生一可以看见的雨柱。其机制现在尚未完全了解。

microcephaly 小头畸形 一类先天性异常,以头小为特征,常有严重的智能低下及体格发育的迟缓。原发性小头畸形系脑部过小而颅顶部的骨骼生长缺乏刺激所致,亦有因颅骨骨缝融合过早而阻碍了脑的发育者。妊娠头3个月内,若母体患风疹、弓形体病或腹部受到辐射,则有时可造成婴儿的小头畸形。该畸形可不同程度地伴发于各种遗传综合征(如胡尔勒氏综合征)或某些染色体疾病。

microclimate 小气候 在任一较小的区域,距地表上下数米以内以及在植物覆盖层下面的气候状态。在靠近地表的上面和下面,温度和湿度梯度发生巨大的和周期性的变化。小气候的复杂性对各种生命形式的存活是必要的,虽然任何单一物种可能只适应有限范围的生物气候,但十分邻近并具有强烈反差的各种小气候为植物和动物的许多物种提供了共同生存和互相影响的总环境。小气候状况取决于温度、湿度、风和湍流、露、霜、热量平衡和蒸发等因素。土壤的类型对小气候也有很大的影响,例如沙土、粗土、松土和干土等,地表温度可上升至最高点或下降到最低点。地表土壤的反射性质也很重要,浅色土壤反射能力强,因此昼间受热较少。对小气候具有重大影响的还有土壤吸收和保持水分的能力,这种能力决定于土壤的成分及其用途。植被对下面的土壤也具有绝热作用,可减小其温度变化,暴露的土壤温度变化最大。在一定场合下地形能影响空气的垂直运动,因而也影响相对温度和空气循环。例如:上坡风使气压下降,并常以雨雪的形式释放水分;背风面的下坡风使空气压缩并加热,因此空气比较干燥,温度较高。在起伏的地形上因密度差形成的空气运动,也可引起小气候变化。一个地区的小气候同一般气候的平均湿度、温度和风有密切的关系,也同纬度、高度和季节有密切的关系。有时天气和气候反过来又受小气候的影响,特别是在地表特性发生变化的状况下。例如:潮湿的地面促使蒸发,增加大气湿度;相反,干燥的裸土表面形成一层外壳,妨碍地下水分向上渗出,出现持续性的干燥空气。小气候控制地表蒸发,因此对水分循环也很重要。在风化过程中岩石的碎裂以及后来形成土壤,主要由占优势的小气候来决定,因为岩石的碎裂同岩石孔隙中的水反复冻结有关。岩石最后风化为黏土和土壤中的矿物成分主要是一个化学过程,但比较温暖和潮湿的小气候会影响风化的速率和程度。

microcline 微斜长石 一种常见的长石矿物,是含钾铝硅酸盐($KAlSi_3O_8$)的一种形式,产于火山岩中。绿色变种称为天河石,有时被当做宝石。微斜长石形成聚片双晶,并且两组细片晶彼此正交,这种格子状双晶可使微斜长石与其他长石区分开。微斜长石发现于意大利的巴维诺、挪威的克拉格勒、马达加斯加,作为天河石则产于俄罗斯乌拉尔、美国科罗拉多州弗洛里森特。详细的物理性质,参阅 **feldspar**(表)。微斜长石是钾长石的一种形态,在最低的温度下稳定。其结构与正长石的区别在于铝硅酸盐晶体格架中硅和铝原子的分布不同。微斜长石呈现对称性的变化。个别标本呈三斜对称(3条不等的轴彼此斜交)到与单斜对称(3条不等的轴中只有一条是斜交的)几乎难以区分的对称的变化。微斜长石与钠长石形成一系列混合物,在微斜长石的晶体结构中钠原子代替了钾原子,就成为钠长石。该系列的中间成员称为微斜长石-微纹长石,并出现不混溶的钠相和钾相,而成为性质不同的纯化合物晶体的交生。人们已经提出这种化学成分的变化也可影响其对称性。

Micrococcus 微球菌属 微球菌科(Micrococcaceae)的一属,遍布自然界。革兰氏阳性,直径0.5～3.5微米。通常不认为有致病性。正常寄居人体,有助于保持皮肤上各种微生物区系的平衡。有些种附着于飘浮空气中的尘埃上(玫瑰色微球菌[*M. roseus*])、土壤中(脱氮微球菌[*M. denitrificans*])、海洋和各种海洋水体中(生皱微球菌[*M. colpogenes*])、脊椎动物表皮上及皮肤腺体或其分泌物中(黄色微球菌[*M. flavus*])。藤黄微球菌(*M. luteus*)、变异微球菌(*M. varians*)及弗罗伊登赖希氏微球菌(*M. freudenreichii*)之类见于牛奶中,有时称作牛乳微球菌,能使乳制品腐败。

microcomputer 微型计算机 用微处理器(**microprocessor**)作中央处理器的小型电子数字计算机。这种微处理器可以执行各种逻辑和算术运算。微型计算机中除了微处理器以外,还有一些半导体芯片,例如用来存储程序指令和数据的主存储器、用来同外部设备(如键盘、显示器和打印机等输入/输出设备及辅助存储器)交换数据的接口芯片等。20世纪70年代最初面市的较小的微型计算机只有一个芯片,中央处理器、主存储器和接口电路都集成在这个芯片上。随着大规模和超大规模集成技术的发展,在一块半导体芯片上可以集成的晶体管的数目越来越多;用这种集成电路制成的微型计算机的功能也越来越强。80年代,微型计算机除了用于电视游戏机和一些简单的娱乐机之外,还广泛用于其他方面。例如,功能不断增强的微型计算机开始用于个人计算机系统和工作站。高性能的微机系统广泛用于商业、工程、工厂和办公室的"智能"机器及军用电子系统中。90年代初期推出了具有台式个人计算机能力的便携式微机和袖珍式微机,其显著特点是携带方便、性能很高、成本较低。参阅 **digital computer**。

microcopy 缩微复制 参阅 **microform** 缩微成像。

microcosm 微观世界 源于希腊语mikros kosmos,意为"小世界"。西方哲学术语,指出人是一个"小世界",在人身上反映出一个宏观世界,即宇宙。古代希腊的世界灵魂之说(如柏拉图的学说)赋予世界以生命,由此推论人的躯体亦被看作由它自己的灵魂赋予生命的一个微型宇宙。在西方哲学中,关于微观世界的概念可上溯至苏格拉底时代(德谟克利特专门提到过这一点),即公元前5世纪。新柏拉图派特别宣扬这一思想,以后就传至诺斯替教派、基督教经院哲学学派、犹太教的希伯来神秘哲学信徒以及文艺复兴时期的哲学家帕拉切尔苏斯等。整体与局部被认为具有类似之处,这不仅发展成一种宇宙论使个人的实在受到适当注意,而且对占星术和相信人与自然界其余部分存在形而上学关系的其他领域来说,也是重要的。在以后的哲学中,G.W.莱布尼兹的单子论提出了人和宇宙相似的观点;到19世纪,R.洛采曾为他论述知识和实在的学说的主要著作题名为《微观世界》。

microcredit 小型信贷 又称小型银行业务或小型融资。一种提供贷款的手段,通常是对非传统型的借款者,如农村或不发达地区的穷人,以无抵押的形式提供小额贷款。这种方式是穆罕默德·尤努斯1976年创立的。他是一位在美国受教育的孟加拉经济学家,他看到世界人口中有很大一部分得不到脱贫所必需的资金,于是着手通过在孟加拉创办格拉敏银行来解决这一问题。格拉敏的方式可谓特殊,因为这种小额贷款是由借款人所在社区成员来担保;来自群体内部的压力促使借款人按时还款。格拉敏的客户是穷人中最穷的人,他们中许多人从来没有过任何钱款,是靠以物易物来维持日常需要。利用小额贷款,借款人可以买回牲畜,或开始经营自己的生意。到1996年,格拉敏已向300万以上借款人提供了信贷,它是孟加拉最大的银行,有1 000多家分支机构。小额贷款在孟加拉的成功导致其他欠发达国家,包括玻利维亚和印度尼西亚,实施同样计划。有些由基金会、宗教组织或非政府组织发起。不同于格拉敏的另一种形式是分段借贷,借款人开始极小额借款,还款后即可继续借到更大金额。

microcrystalline wax 微晶蜡 从石油衍生的塑性物质,具有比石蜡细小得多的不明显晶体、更高的熔点和黏度。主要用于层压纸产品、内外表面涂料、黏合剂、密封剂及各种擦亮剂。与石蜡不同,微晶蜡的特性随原油来源及精制方法、精制程度不同而有很大差别。有的质软如蜂蜡,有的质硬而脆,也有的在触摸时易碎。熔点比石蜡高,工业级产品为63～93 ℃,颜色乳白至深褐。脱色困难,因为有臭味,在某些应用中会造成不便。把原油蒸馏后的渣油精制或用溶剂使石油膏脱油均可制得微晶蜡。改变溶剂温度可调节物理性质。分离方法有溶剂稀释法、冷冻结晶法、离心分离法、过滤法或这几种方法的不同组合。在化学上,各种微晶蜡均由饱和脂肪族烃组成。

Microcycas 小苏铁属 苏铁科的一个属,状似棕榈,原产古巴。仅美冠小苏铁(*M. calocoma*)一种,茎为柱状,偶有分枝;高达9米或9米以上,常被误认为棕榈。

microeconomics 微观经济学 对个别消费者、公司和行业的经济行为以及总产量和总收入在它们之间分配的研究。微观经济学认为个人既是劳动力和资本的供应者,又是最终产品的最后消费者;它分析公司既是产品供应者,又是劳力和资本的消费者。微观经济学还试图分析市场或其他形式的能确定各种商品和劳务相对价格的并能在许多可供选择的用途中分配社会资源的机制。

microelectromechanical system 微电子机械系统 缩写为 MEMS。机械零件和电子电路结合组成的微型设备,典型地用在半导体芯片中,尺寸从几十微米到几百微米。微电子机械系统的常见应用包括传感器、执行器和过程控制元件。20 世纪 80 年代,创造微电子机械系统的兴趣兴起,但几乎花了 20 年才建立起它们商业发展所需的设计和制造的基础设施。有大批销路的第一批产品之一是汽车安全气囊控制器,它将探测碰撞和电子控制电路以调度安全气囊做出响应的传感器相联。微电子机械系统的另一项初期应用是在喷墨打印头上。涌现的产品还包括在电信中用于光学开关的镜阵,射频应用(例如手机)中的带集成机械振荡器的半导体芯片,以及大范围地使用在制造业、医学和安全设施中的生物化学传感器。微电子机械系统由集成电路(IC)制造中使用的加工工具和材料制造,在一个硅片上可有多个微电子机械系统。此外,同传统机械设备的制造相比,微电子机械系统的组分实质上是"按位置构造"而没有连续装配的要求。微电子机械系统制造中的一个技术问题涉及构造电子和机械组分的顺序。微电子机械系统进一步商业渗透的障碍包括它们与更普通的工艺的费用比较、设计和塑造工具的非标准化以及对更可靠的封装的要求。

microfauna 小型土壤动物 小型,常需显微镜才能观察到的动物,尤其是那些栖于土壤中、器官中或其他局限生境的动物。原生动物、小型线虫、小型无节蠕虫、缓步类动物是最常见的小型土壤动物。许多小型土壤动物栖息在落叶或土壤中的水膜或孔状空隙中,它们以体型更小的分解有机物质的微生物为食。

microform 缩微成像 亦称"缩微复制"或"缩微记录"。用照相或电子方法将印刷品或其他资料进行高度缩小复制的过程,缩小后还可用光学装置放大,以供阅读或复制。缩微成像系统提供耐久、密集度极高和易于检索的档案记录。使用窄胶片(缩微胶卷)缩微复制最早的大规模商业用途始于 1928 年。那时,用连续自动照相机在 16 毫米胶片上拍摄文件,首先,是用来复制银行转账和结算支票,不久,这种方法的应用便推广到商业、政府和教育等领域。除 16 毫米胶片外,还使用 35 毫米胶片。20 世纪后期出现了多种多样的缩微方法:有用连续媒体制成的缩微胶卷;有用自动检索系统中的可编码单张缩微胶片;有上端具肉眼可读的标题或编码的缩微胶片卡。目前磁带录像法也已用于缩微成像。用于单位记录或连续媒体的自动化设备也可用来对缩微胶片进行高速度处理,这类设备通常在文件存贮器内贮存具有相应地址码的缩微影像;接到制作副本的申请时,它自动地从文件存贮器内选择所需的影像,并根据不同的设备类型,制成纸印副本或缩微副本。有的自动缩微系统的影像还有机器代码形式的索引,可进行机械化检索。

micrometer 螺旋测微器 英文全称为 micrometer caliper。用于精确测量线性尺寸(如直径、厚度、长度)的仪器。它是一个 C 形框架,上有一活动夹头,用与之连成一体的螺杆来拧动。测量精度取决于螺杆的导程(螺杆每转一圈,测杆和测砧间距离的变化量)及每一圈分划为多少刻度。其准确度则决定于螺杆螺母组合体加工的精密程度。

micrometre 微米 又作 micron。米制度量长度单位,符号为 μm,等于 1/1 000 000 米,这个单位常用于度量微细物体如微生物和胶粒的厚度或直径,也用于度量红外辐射的波长。

Micronesia 密克罗尼西亚 按人种地理学划分的太平洋岛屿的岛群,在太平洋岛屿西端,大部在赤道以北。包括基里巴斯(原吉尔伯特群岛)、关岛、瑙鲁、北马里亚纳群岛联合邦、密克罗尼西亚联邦、马绍尔群岛共和国和帕劳共和国等小岛和岛群。岛上多为红树及热带林和灌丛。西密克罗尼西亚可能在3 500 年前即有印度尼西亚人和菲律宾人定居。东密克罗尼西亚可能在大约同一时期有东美拉尼西亚人定居。大多数密克罗尼西亚岛上目前仍属自给农业和渔业经济。主要经济作物为椰子(制作椰干)。关岛及其他大岛养牛和水牛,但所有岛上均多鸡、猪。牛奶和乳品则多需进口。矿产资源有限,仅瑙鲁岛上有磷酸盐开采。许多岛上用珊瑚石灰石制作水泥和其他建筑材料。当地工业多限于农产品加工及生产小船、瓶装软饮料和手工艺品。因航空运输有发展,旅游业已日益重要。1947 年由联合国将密克罗尼西亚交由美国托管。1973～1974 年酝酿独立。1978 年有 4 个地区联合成立密克罗尼西亚联邦;北马里亚纳群岛选择了作为美国的联合邦地位。马绍尔群岛于 1979 年独立。至 1991 年只有帕劳地位仍未定。

Micronesia 密克罗尼西亚 全称密克罗尼西亚联邦。西太平洋共和国,由位于加罗林群岛(从西向东)的雅浦、丘克(特鲁克)、波纳佩和科斯拉伊(科斯雷)4 个岛州组成。首都帕里基尔,位于波纳佩岛。面积 701 平方千米。人口约 111 000(1991)。

土地 600 多个大小岛屿可分为两组。东面(丘克、波纳佩和科斯拉伊州内)的岛屿是由洋底升起的火山冠上的珊瑚礁构成;西面(雅浦州内)为大陆性岛屿,由高出洋面的地壳褶皱构成。雅浦岛和丘克岛群中的 6 个岛屿高度超过 150 米。科斯拉伊岛和波纳佩岛均有高度超过 600 米的山峰。境内其他部分多为在珊瑚礁上形成沙岛的低洼环礁,中央为潟湖。亦有少数分散的珊瑚岛。波纳佩是境内诸岛中最大的岛屿,面积 334 平方千米。岛屿和环礁东西长 2 800 千米,南北宽 965 千米。

当地属热带气候。年平均气温 27 ℃。降雨量自东向西递减。波纳佩为 5 000 毫米,雅浦为 3 000 毫米。每年有许多台风在该地区形成。在科斯拉伊、波纳佩和丘克岛群的高海拔岛屿上,海岸的植被为红树沼泽,其余是草地、森林或向上连接中部山地雨林的灌木。在珊瑚环礁和雅浦岛上,植被主要为椰树、棕榈和面包果树。

人民 土著密克罗尼西亚人在体型、文化和语言上差异很大。波纳佩西南部卡平阿马朗伊和努科罗环礁的居民具有波利尼西亚文化。全国约有一半人口居住在波纳佩、丘克岛群的韦诺(莫恩)和雅浦。仅波纳佩一处的人口就约占总人口的 27%。丘克岛群(包括韦诺岛)的人口约占 50%。科斯拉伊人口也相对较多。人口大多数居住在传统的村落中。多数人信奉基督教。当地通行马来-波利尼西亚语和英语。

经济 生存农业和渔业为主要经济活动。主要粮食作物有面包果、芋头、椰子和香蕉,一些高地亦种植山药、木薯和甜薯。财政收入的主要来源为美国政府的拨款,约占国民生产总值的 70%。椰干出口和出让海洋

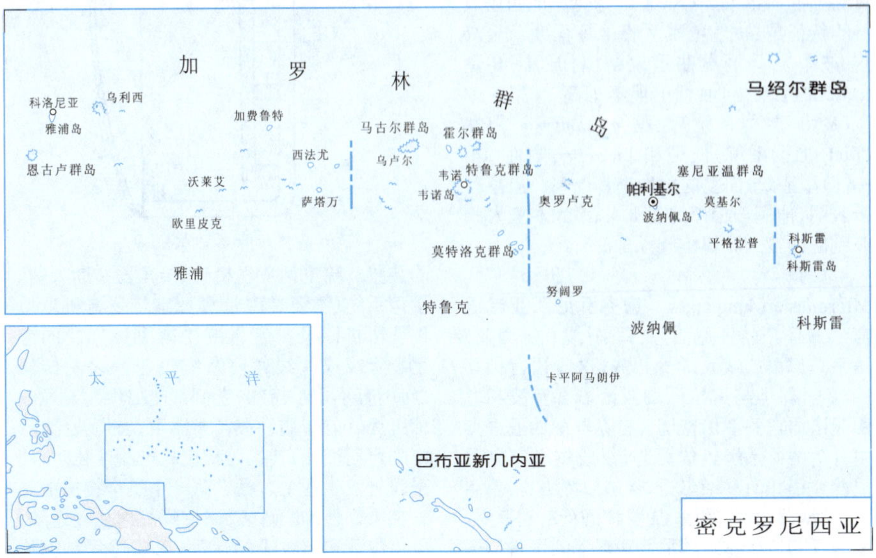

美国不列颠百科全书公司供图

捕鱼权获得的收入(主要面向日本)是财政收入的另一来源。波纳佩种有黑胡椒供出口。此外,还有一些旅游业。进口商品包括大米和其他食品以及制成品。

各岛之间有船或飞机相通。主要商业港口有波纳佩附近的达卡蒂克、科斯拉伊、雅浦、科洛尼亚和韦诺。雅浦、波纳佩和韦诺建有国际机场和电视台。

政体与社会状况 政府由一院制国民议会选举的总统和副总统组成。国民议会由各州选出的一名代表全州的参议员(任期4年)和按人口比例由单个选区选举产生的参议员(任期2年)组成。各州地方政府的州长通过普选产生,设有一院制立法机构。

根据1982年与美国签订的《自由联盟条约》的规定,美国负责该国内部安全和防务,并且提供财政援助。该条约还允许密克罗尼西亚无论何时都可以通过公民投票来决定是否完全独立或改变与美国的关系。

雅浦、韦诺、波纳佩和科斯拉伊建有医院,其他有人居住的岛上建有医疗站。每个有人居住的岛上至少有一所小学。雅浦、乌利西、韦诺、韦帕特(丘克群岛)、波纳佩和科斯拉伊均建有中学。密克罗尼西亚社区学院(建于1970年,前称密克罗尼西亚师范教育中心)位于波纳佩。

历史 大约3 500年以前,来自东美拉尼西亚的人即可能开始在密克罗尼西亚诸岛上定居。17世纪时群岛成为西班牙的殖民地。第一次世界大战后该地区又由日本人统治。第二次世界大战后,美国人占领了这些岛屿。这块由4个州环绕的地区后来分成3个行政区。1947年成为联合国太平洋岛屿托管地的一部分,由美国管理。1979年,根据密克罗尼西亚联邦宪法,该托管地实行内部自治。1982年,密克罗尼西亚与美国签订《自由联盟条约》。1983年,该条约经全民公决和1985年经美国法律批准生效。密克罗尼西亚于1991年成为联合国会员国。

Micronesian geographic race 密克罗尼西亚地理人种 西南太平洋马里亚纳群岛、加罗林群岛、马绍尔群岛、吉尔伯特群岛以及瑙鲁岛上的一组人类居民群。密克罗尼西亚人种的特征是:肤色色素沉着中等程度乃至浓重,波型发乃至卷曲型发,身材矮小,B型(ABO血型系统)血型出现率稍高,N型较M型(MNSs血型系统)血型多,Duffy——阳性(Duffy血型系统)血型和Diego——阴性(Diego血型系统)血型的出现率都很高。血型分析表明,他们与相邻的亚洲人、澳大利亚人和波利尼西亚人分属不同人种。

Micronesian languages 密克罗尼西亚诸语言 属澳斯特罗尼西亚(马来-波利尼西亚)语系东部语族或大洋洲语族,这些语言相互难以理解,但与美拉尼西亚诸语言及波利尼西亚诸语言关系极密切。密克罗尼西亚语支中有7种关系极近的语言,组成核心密克罗尼西亚语,即:马绍尔语、吉尔伯特语、特鲁克语、波纳佩语、库赛语、加罗林语及乌利蒂语。另两种通行于密克罗尼西亚群岛的语言是属于波利尼西亚语支的努库奥罗语和卡平加-马兰吉语。还有两种是与澳斯特罗尼西亚语系西部语族最近的语言——与菲律宾语近似的查莫罗语和亲缘不清但显然与印度尼西亚语关系相近的帕劳语。此外雅浦语和瑙鲁语,虽是两种密克罗尼西亚语,但与核心密克罗尼西亚语的关系尚不确知。核心密克罗尼西亚诸语言音位相似,结构相近,而关系密切的诸语言的词汇量中相似成分却不足25%。

micronutrient 微量营养素 参阅 trace element *痕量元素*。

micropegmatite 微文象岩 石英和碱性长石的极为细密的交生体,微细得只有在显微镜下才能分辨;否则它与文象花岗岩较粗粒的交生体就没区别了。石英与长石的界面是平面,石英部分的横切面趋向于三角形。这些石英斑的光性方位是平行的,所以长期都认为它们在观察面上下都是连续的;然而,对许多伟晶岩中常见的较粗交生体的详细研究却表明,各种各样的石英斑通常都是不相连的单体。石英部分有棱角的字形(楔形文字状,或字母型)及其光学性质的平行性,明显是对生长条件的结晶反应。微文象岩通常产于花岗岩和辉绿岩中,并组成文象斑岩的全部或大部。当交生体足够粗且多,能够进行化学分析时,则其总成分平均约为:石英占25%,长石占75%。这种成分往往是花岗岩和流纹岩的成分,在辉绿岩中,微文象岩可以是充填间隙的,形成扁豆体(粗圆柱状雪茄烟形集合体)、薄层或岩脉。

microphone 传声器 又称话筒。将声功率转换为电功率并保持其波形特性基本相似的器件。虽然电话发送机方面使用大量的传声器,而现代传声器这一术语多用于电话以外

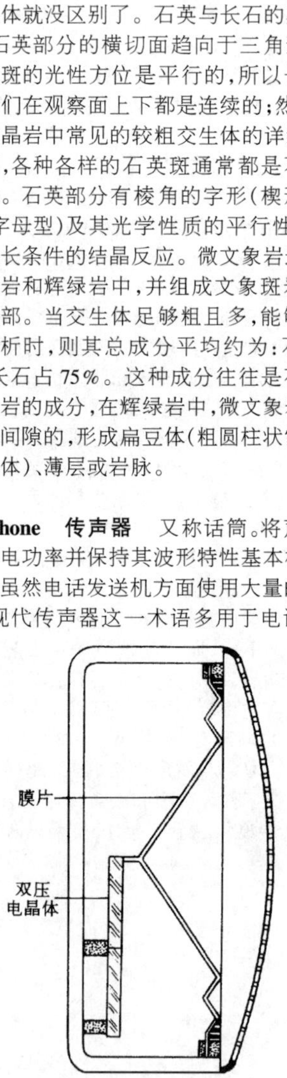

晶体传声器的横截面

的装置。除电话发送机外,传声器在助听器、录声系统(主要是磁带和数字带录音机)、口授录声机以及扩音系统中得到极广泛的应用。无线或有线通信系统也普遍采用传声器,还有不用手持的,它们都能提供比普通电话机更好的音质。在传声器中,当声波(空气中的声压变化)转换为相应的电流变化时,几乎同时发生两个过程。第一个是声波撞击具一定柔韧性的膜片表面,使膜片作往复运动,以相应于空气粒子的运动;第二过程是膜片的运动使电路的一些特性产生相应的变化。例如,在炭粒话筒中,会引起炭粒接触电阻的变化;在静电传声器中,会引起静电电容的变化;在动圈传声器和带式传声器中,会引起音圈或导体在磁场中运动;在晶体传声器中(见图),会引起压电晶体的扭曲。各种话筒膜片的运动都产生电输出的变化。通过适当的设计,可以赋予传声器以方向性,使它主要能从单方向、双方向或近乎均匀地从各个方向接收声波。

microprocessor 微处理器 具备完成数字计算机的中央处理器功能所必需的算术、逻辑和控制电路系统的各类小型电子装置。事实上,这类集成电路既可以处理算术运算也可以解释和执行程序指令。20世纪70年代后期,微处理器因大规模集成(LSI)电路的出现而研制成。这种大规模集成电路使得有可能在一个不足5毫米见方的薄硅片上组装成千上万个晶体管、二极管和电阻。80年代初期,超大规模集成(VLSI)电路极大地增加了微处理器的电路密度。一块尺寸同大规模集成电路相等的超大规模集成电路薄片可以容纳几十万个电子元件。微处理器的成本低廉,因此计算机的工程技术人员得以发展微型机。这类计算机系统比手提式电视机还小,但其计算能力却能完成大量的商业、工业和科学计算工作。以微处理器为基础,还开发了所谓智能终端设备,如零售商店所用的柜员机和销售点终端。还有,通常称为"单片机"的微处理器,提供了工业机器人、测量仪器和各种医疗设备的自动控制。这类计算机的发展还引起了一系列家电产品的计算机化,包括可编程序的微波炉、自动调谐电视机和电子游戏机。另外,有些小汽车具有为提高效能和节约燃料而设计的由微处理器控制的点火装置和燃料系统。

microrace 少数人种 一个表现为单独遗传集团的居民群。由于人口稠密,该地区出生的人不需远离本土以求婚配或谋生。在这种情况下,与较大地域内的诸地区居民,虽无任何自然障碍,仍能历若干个世纪之久在遗传上互不影响,从而构成诸独立的少数人种。例如,斯德哥尔摩的居民与奥斯陆的居民,在遗传成分上微有不同,这只是因为斯德哥尔摩的每个居民最易于与另一斯德哥尔摩居民婚配;其次是愿意与斯德哥尔摩周围地区的居民婚配;而很少与奥斯陆或斯德哥尔摩以外的居民有婚姻关系。产生少数人种的条件是人口密度大而流动性又较小。这样,在欧洲,由于大都市居民的流动性大,少数人种的分化及形成现象多出现于小城镇。同理,欧洲就比美国更易出现少数人种。如果地区的人口密度及流动性均低,则这种分化形成过程就会加速,最后导致*地域人种*(**local race**)的产生。

microrecord 缩微记录 参阅 microform *缩微成像*。

microscope 显微镜 将肉眼无法直接看清的微小物体放大成像的仪器。经显微镜放大后的像,可以直接从目镜观察,也可用光屏观

察，还可拍摄成照片。用显微镜观察的物体可以是透明的，也可以是不透明的。显微镜分光学显微镜和电子显微镜。光学显微镜又有单显微镜和复显微镜之分。复显微镜可看到细菌；电子显微镜可看到更小的东西，例如病毒和大分子。

单显微镜是单组透镜，可用单片正透镜（平凸或双凸）。为消除色差并增加放大率，常用两片或三片透镜胶合（或不胶合）构成。将物体置于透镜组的前焦面处或焦面以内，就可以得到一个放大了的直立虚像。放大率等于明视距离（25 厘米）除以透镜组的焦距。

复显微镜由物镜和目镜两组透镜组成。物镜将物体作第一次放大成一实像，这一倍率叫物镜倍率。目镜的前焦面与物镜所放大的物体实像重合，起到单显微镜的作用，人眼通过这组透镜观察最后放大了的虚像。目镜的倍率按单显微镜的放大率计算。显微镜的总放大率是物镜倍率与目镜倍率的乘积。

显微镜的历史　15 世纪中叶就有了单片透镜的单显微镜，用来观察昆虫。荷兰显微镜学家 A. van 列文虎克磨制的镜头很出名，倍数较高。大约 18 世纪末，在荷兰首先制出消色差透镜。其设计理论基础（用两片消色差透镜胶合成一块可完全消除色差）是英国显微镜学家 J.J. 李斯特于 1830 年提出的，19 世纪后期德国物理学家 E. 阿贝对显微镜设计的理论和实践起了突出的作用。显微镜的功能不能只看放大率，还要考虑分辨率（使像的细节清晰可见的程度）。他强调了光的衍射对确定分辨率的重要性。引入“数值孔径”（简写为 NA）的概念，并于 1873 年证明物镜的分辨率与 NA 成正比；同时，NA 也表征物镜的集光能力。阿贝研制成油浸物镜；他与德国蔡司厂结合，于 19 世纪末搞出一系列达到理论分辨率的新物镜。假定物镜没有*像差*（**aberration**），放大率也要相应的 NA 配合。通常取总放大率等于 500NA，最多取 1 000NA，即使放得再大，而 NA 没有跟上，叫做无用放大。

设计显微物镜时，要尽最大努力消除它的像差，除球差外，还要校正彗差、像散、畸变和场曲。特别要注意校正色差。只有消除了像差，才能充分发挥数值孔径的作用，以保证应有的分辨率和像质。倍率低，NA 小，校正像差较易；倍率高，NA 大，校正比较困难，往往要增加透镜片数，这是造成显微镜价格昂贵的因素。若用油浸镜头（即标本与物镜的前置透镜间加一滴油）可增大 NA。显微物镜往往按消除色差的情况分为消色差物镜、复消色差物镜和半复消色差物镜。消色差物镜是使红、蓝两波长的光线在轴上与边缘之间的中间带汇合在一起，在轴上和边缘也相距不远。但会剩下二级光谱（与黄光线不重合）。设计消色差物镜时同时也校正好球差和彗差。复消色差物镜于 19 世纪 80 年代发明，使用天然萤石做镜头可使色差大为减小。但仍存在横向放大率色差，常采用补偿目镜来消除。半复消色差物镜，居于消色差物镜和复消色差物镜之间，它的效果比前者好，构造比后者简单，数值孔径可以比同焦距的消色差物镜大 15% ～ 30%。它也需用补偿目镜。

显微镜的构造　物镜后焦面到实像面的距离叫做光学筒长，它往往取定一个标准数字。它除以物镜的焦距就是物镜的倍率。一般显微物镜的规格如下表。

显微物镜规格

类型	焦距（毫米）	数值孔径	物镜倍率	工作距离（毫米）
消色差（干）	50	0.11	2.7×	50
	25	0.18	5.5×	16
	16	0.25	10×	5.0
	4	0.65	40×	0.5
消色差（油浸）	4	0.85	40×	0.35
	2	1.25	100×	0.1
复消色差（干）	16	0.30	10×	4.85
	8	0.65	20×	0.75
	4	0.95	47×	0.18
复消色差（油浸）	2	1.40	90×	0.06
半复消色差（干）	16	0.30	10×	4.0
	8	0.60	25×	0.54
	4	0.75	40×	0.33
半复消色差（油浸）	3	1.25	63×	0.65
	2	1.30	100×	0.12

观察标本切片时常需盖玻片，盖玻片对高倍干物镜的球差影响显著。设计时应予考虑。金相显微镜物镜和观察不透明物体的显微物镜不用盖玻片，而需配用垂直照明器并把物镜镀上减反射膜。

所有物镜均有一定的场曲，校正之法是加入一个场曲等值而反向的透镜，与原来物镜的场曲抵消而获得平视场。物镜筒应该是齐焦的，即转换不同倍数的物镜后，不必重新调焦或只作轻微的调焦就能看清原来的物像，所对位置也没有过多的偏移。有些物镜筒装有压簧，避免调焦不小心时顶坏标本。常用的显微目镜有惠更斯目镜、冉斯登目镜、克耳纳目镜（消色差冉斯登目镜）和补偿复消色差物镜的横向放大率色差用的补偿目镜。显微照相时，还要使用显微照相目镜。

为保证物镜的数值孔径发挥作用，就需要有同样数值孔径的光束照明标本，所以照明标本使用有相同 NA 的聚光镜。照明标本的范围（照明场）的大小与聚光镜的焦距有关，焦距愈长，照明场愈大。现代显微镜全用电灯作照明光源。照明方法有两种，一是光源聚焦，将光源的像聚在标本平面上，这种方法要求光源面积较大而且发光均匀；另一种方法叫做柯勒照明，研究显微镜大多采用这种方法照明。

显微镜的不同类型　按不同使用目的，显微镜还有以下各种类型：①双目立体显微镜，两个显微系统的光轴交角约为 16°，能用双目看到立体的像；②超显微镜，用暗场观察小至 5 ～ 10 纳米的微小悬浮质点，用强光束从侧面照明；③金相显微镜，观察不透明标本的抛光并浸蚀过的平面，附以显微照相设备，照出金相；④相衬显微镜，可以看到未经染色的活细胞；⑤干涉显微镜，也可以观察透明标本，并且能进行测量；⑥紫外和荧光显微镜，紫外线波长短，可得更高的分辨率，但只能用照相记录显示或电视显示，紫外线也可以用来激发荧光物质而后用一般的显微镜观察，就是荧光显微镜，可用以判定化学成分，在生物学和医学中用得越来越多；⑦反射式显微镜，反射式物镜没有色差，紫外线、红外线的焦点和可见光的焦点在同一位置上，而且工作距离长得多；⑧红外显微镜，显微镜装上变像管，使用红外线照明，可以识别出可见光所探测不到的现象或疵病；⑨偏光显微镜，显微镜装上偏光元件，可识别晶体和矿物等；⑩电视显微镜，将电视摄像机接到显微镜上，图像就可以在电视屏上显示。电视摄像机输出的视频信号还可以送到电子计算机作图像分析。除显微镜主体外，还有各式新技术，如激光技术、全息技术、X 射线技术等的应用。

电子显微镜　为了提高显微镜的分辨率，1924 年法国物理学家 L. 德布罗意推出公式表明，用 6 万伏高压加速电子，其有效波长为 0.05Å。用它成像就可以大大提高分辨率。1926 年又有人实验证明，静电场或电磁场对电子或其他带电粒子能起到透镜的作用。这些就是电子显微镜和电子光学的缘起。到 1935 年，在英国首先开始了电子显微镜的商品生产。

透射式电子显微镜主要部分为：①电子枪和电子束会聚系统；②成像系统；③录像系统。

电子枪由阴极发出电子，阴极为一被加热的 V 形钨丝（附一屏蔽罩），其尖端朝向会聚透镜。阴极和屏蔽罩都带有负高压而与仪器的其他部分绝缘。另有中心开孔的圆盘阳极，电子离开阴极和屏蔽向着阳极加速。电子束的强度和角孔径由位于电子枪和标本之间的会聚透镜（静电场或电磁场）系统控制。电子透镜也有各种像差、色差、球差及场曲等问题。

成像系统包括载物台、物镜、中间透镜和投影透镜。标本安装在铜网格上，由载物台上的小支架带动。物镜通常是短焦距（1 ～ 5 毫米）的，以 20 ～ 200 的倍率成一中间实像，这实像的一部分再由其后的投影透镜放大。电子显微镜在荧光屏上的总放大率为 1 000 ～50 000 倍，如欲再大，可通过照相放大来实现。透镜的供电电源要求高度稳定。电子枪、标本室、镜身和照相机都应抽成真空。放入标本和照相感光板时，应保持气密，以缩短显微镜重新运转之前的抽气时间。

录像系统是将电子束的成像转变为人眼可以接收的形式，通常用荧光屏映像，还可加图像增强器。

近代透射式电子显微镜的分辨率高，可以看到大分子。但也有不足：①标本必须放入真空镜身内观察，无法观察活标本。②6 万伏的电子的穿透本领极有限，标本不能厚于 0.1 微米，切片困难。③由于标本要求薄，不易探测三维的立体结构。④电子束成像需靠标本中能散射电子的重原子来实现，可能限制其生物学应用。

将显微镜的加速电压加高到 10 万～ 120 万伏称为高压电子显微镜，其分辨率可以提高，也可观测厚标本。

此外，还有扫描电子显微镜，用来研究标本的表面；电子探针显微分析仪，用于非破坏性元素分析；场发射显微镜，用来研究耐热金属；质子散射显微镜，用于探测金属的晶体取向。

microscopic reversibility, principle of 微观可逆性原理 平衡状态的动态描述原理。约于1924年美国科学家R.C.托尔曼提出：一个物理体系的某些给定性质不产生净变化的状态称为平衡，例如在化学反应中反应物和产物的浓度不发生变化的状态。荷兰化学家J.H.范托夫也早已认识到这种状况是可逆反应正、反两向速率相等的结果。根据微观可逆性原理，处于平衡时虽然宏观(可观测的)上可以认为体系是静止的，但从微观(即从原子和分子的角度)上看，体系则仍处于不断运动状态。由于生成的速率等于毁掉的速率，所以在任一方向上都无净变化发生。因此，在处于平衡的化学反应中，单位时间内反应物转变成产物的数量等于产物重新转变成反应物的数量。微观可逆性原理用于多阶段化学反应时，称为精细平衡原理，它的基本思想是处于平衡时每个单独反应步骤的正、反向速率相等。

Microsoft Corporation 微软公司 个人计算机软件系统和应用软件的领先开发者，还出版书和多媒体出版物并提供电子邮件服务。它有遍及全世界的子公司。公司总部设在美国华盛顿州雷德蒙。1975年，比尔·盖茨和P.G.艾伦编成BASIC语言(个人计算机的第一种程序设计语言)后，将它售给MITS("牛郎星"微型电子计算机的厂商)。不久盖茨和艾伦创办微软公司；此名来源于"微型电子计算机"和"软件"两字。在以后几年中，他们改进了BASIC语言，并将所改进版本的许可证发给许多公司；他们也开发了另一些程序设计语言。1980年国际商业机器公司(IBM)请求微软公司为其个人计算机(IBM PC)生产操作系统。微软公司从其他公司购买一个操作系统并加以改进，称微软盘操作系统(MS-DOS)。1981年，它与IBM PC一起交付使用。此后，许多个人计算机厂商取得许可，将MS-DOS作为它们的操作系统，致使微软公司获得巨额收入；到20世纪90年代，销售这一程序达1亿份以上，并打败了与它竞争的操作系统，如CP/M和OS/2。微软以视窗图形命令程序(第三版于1990年推出，并赢得了广泛的拥护)巩固了它在操作系统领域的地位。到1993年，Windows 3.0及其升级版本以每月100万份的速度销售，世界上有约90%的PC机(个人电脑)在运行微软操作系统。1995年，微软发布了Windows 95，首次将视窗操作系统与MS-DOS完全整合，在使用的方便性上能与苹果公司的麦金托什操作系统(Macintosh OS)相匹敌。微软还成为提高工作效率软件(如文字处理软件和电子制表软件)的领导者，在此过程中将长期以来的竞争对手Lotus和WordPerfect抛在后面。

微软戏剧性地扩张它的电子出版部门(1985年创建)。多媒体百科全书Encarta获得了引人注目的成功。同时，微软以广泛的产品和服务进入信息服务业和娱乐业，最著名的是微软网和MSNBC(微软同全国广播公司合资所建)。

到90年代中期，微软成为美国历史上最有影响的、最赚钱的公司之一。截至1996年6月30日，净收入达21亿美元。

微软在这个激烈竞争和快速变化的行业的飞速发展在竞争者中招致了怨恨和妒忌。他们控告微软违反了美国的反不正当竞争法。1994年美国司法部的调查作出裁决并给出了解决方案——微软应改变某些销售策略。政府的这一主张更促使微软不公平地阻碍了操作系统消费者尝试其他可选择的程序。1995年，司法部成功反对了微软收购Intuit公司(个人电脑财务软件的最主要制造商)的提议。由于在个人电脑软件上的极大成功，微软并未迅速意识到网络系统和因特网的商机。1993年推出的Windows NT是个里程碑式的程序，它将各自独立的PC机连接起来，并提供更可靠、更安全的网络系统。销售最初令人失望，但到1996年令人欣慰地成了PC网络事实上的标准，挑战了Novell公司的NetWare操作系统。微软一直没有进入因特网软件领域，直至网景公司开发出Navigator("领航员")网页浏览器，大大简化了曾经很神秘的万维网的操作过程。微软迅速开发出它自己的浏览器Internet Explorer("网络探险家")，免费提供给用户，并说服计算机制造商和因特网服务商专门来发布它。1996年微软将浏览器同Windows操作系统捆绑，并开始将浏览器直接整合到Windows操作系统上。网景公司于是控告微软违反了它1995年所认可的判决，促使美国司法部再次展开对微软广泛的调查。1999年，在持续了30个月的审讯后，法官判定微软违反了谢尔曼反垄断法，并命令拆分公司。2001年，上诉法院推翻了拆分命令，但还是确立公司企图非法垄断的罪名。

microsporidian 微孢子虫 寄生性的微孢子虫门(Microsporidia或Microspora)的原生动物。主要寄生在昆虫的消化道上皮细胞以及鱼类的皮肤和肌肉中，也见于环节动物和某些其他无脊椎动物体内。感染的特点是病变组织肿大。微孢子虫具有微小的孢子(2～20微米)，内含单一极丝以及具传染性的孢原质。孢子被新寄主吞食后，虫体进入肠道上皮并通过血液或体腔到达特定组织。在寄主细胞中生长发育并反复进行无性分裂，每次产生两个或更多的个体。最后，成熟的寄生虫(营养体)经有性生殖产生合子，合子再产生新孢子。蚕微粒子虫(*Nosema bombycis*)引起蚕孢子虫病(参阅**Nosema**)。

microsurgery 显微外科 又称显微操作或显微手术。在复杂的显微镜高倍放大下对微小物体进行操作的专门技术。包括显微解剖、显微活体解剖、显微分离及显微注射。操作用特别纤细的针头及吸量管进行，精细到可对直径不足8微米的人血细胞进行穿刺及解析。显微外科技术应用广泛，特别用于细胞、细胞成分及胚胎等的研究，亦可用于各种技术检查。有了显微外科，人体的外科手术，尤其是耳、脑及小血管的精细手术才可能取得重要进展。现代手术显微镜配备有电视摄像机和监视器，并有全套精细的手术器械。显微外科技术始于20世纪20年代的内耳手术；50年代，这项技术得到了充分的发展。显微外科技术的发展使外科学治疗发生了巨大的变革。此前的许多不治之症，如断指再植、视网膜修补术、中枢神经系统肿瘤的切除等，现在都可在显微外科手术中得到治愈。

microtonal music 微分音音乐 由相隔不完全均等的半音数目的音所构成的音乐。现代钢琴的两键之间的最小音程是半音，这个音程也可按100"音分"计量。因此，一个八度中有12个相等的半音，或1 200个音分。但世界上有很多古、今音乐都使用大于或小于100音分的音程。在过去300年上下的非西欧艺术传统的音乐中，微分音程往往是由于采用了在音律上与自然泛音列的音相近的音而产生的。印度音阶把一个八度分成22个音程，而东亚音乐则大多由五度相生法产生出12个乐音。一些西方作曲家和音乐理论家假定以一个八度分成12个相等的半音(每个半音100音分)为出发点，并建议使用由此派生的微分音程——例如1/4音(50音分)、1/6音(33.3音分)、1/12音(16.7音分)和1/16音(12.5音分)。在最后这一情况中，一个八度包含96个等分，因此现代的半音就等于其中的连续8个等分，例如，在B-C之间共有8个相等的1/16音的音程。即使在西方音乐中，至少从古希腊时期开始就似乎使用过这样或那样的微分音程。以往许多理论家在评论当时的音乐实践时或是在提出一些理论性建议供作曲家采用时，都曾谈到过微分音音乐。现代微分音程作曲家中较著名的有C.艾甫斯、H.帕奇、J.卡里略、A.哈包和K.彭德雷茨基。

microtubule 微管 动物和植物细胞内的细小而无一定长度的以膜为界的管状结构。有助于使许多细胞维持一定的形状，在细胞分裂期间参与形成纺锤丝，亦是纤毛及鞭毛的主要组成结构。亦有助于神经细胞内物质自胞体向轴突末端的流动。

microwave 微波 频率(**frequency**)范围从0.3千兆赫到300千兆赫或波长(**wavelength**)范围从1毫米到1米的电磁辐射。

microwave oven 微波炉 亦称电子炉。利用高频电磁波(微波)对食物加热的烹调装置。微波炉的体积较小，像一个盒子，食物在里面受高频电磁场的照射而温度升高。微波被水、脂肪、糖以及某些其他物质的分子吸收，发生振动而生热。结果食物内部产生热量，周围空气并未加热，从而极大地缩短烹调和烘烤的时间。用传统的炉子需要几个小时做完的事，微波炉只需要几分钟。微波炉是由一种叫磁控管的电子管产生频率约2 450兆赫的高频辐射。由于热量的产生决定于物质对高频辐射的吸收过程，所以微波炉对各种食物烹调所用的时间并不相同。例如，较潮湿的食物烹调得快些。如果食物的外层潮湿，则高频辐射未达到食物内部时先被外层吸收了大部分，因而对内部的烹调作用会慢些。此外微波炉不能把食物的外层烤出棕黄色或发脆。大多数类型的玻璃、泡沫聚苯乙烯(商标)、聚乙烯、纸以及其他类似的材料都不吸收微波，所以不致发热。放在金属器皿内的食物在微波炉里无法烹调，因为微波穿不进金属。所有微波炉都要达到一定的安全标准，保证漏出炉外的微波辐射量最低，不致伤害人体健康。

Mictlantecuhtli 米克特兰特库特利 中美洲阿兹特克人所崇奉的死神。其像多为髑髅正面。他与妻子共同掌管米克特兰（阴间）。因战争、人祭、难产、溺水、雷击或某些疾病而

约 900 年的米克特兰特库特利石雕像

美国不列颠百科全书公司供图

死的人，其灵魂不能升入乐园，须在米克特兰度过 4 年，饱受煎熬而后幻灭或休息。

micturition 参阅 **urination** 排尿。

Mičurinsk（Russia） 参阅 **Michurinsk** 米丘林斯克。

Mid-Atlantic Ridge 中大西洋海岭 沿大西洋南北轴线延伸的海底山脊，它占据了界于一系列与大陆海岸相连接的深海平原之间的盆地中央部分。中大西洋海岭实际上是一个相当长的山链，它从北冰洋到接近非洲南端这一曲折途径上延伸约16 000千米。这个海岭与它两侧的大陆之间是等距离的。形成这海岭的山脉宽度达 1 600 千米。这些山脉有时达到海平面以上，这样就形成亚速尔群岛、阿森松岛、圣赫勒拿岛和特里斯坦-达库尼亚群岛等。沿着中大西洋海岭的顶部有一个长长的谷地，宽约 80 ～ 120 千米。这个裂谷包含着海底扩张带，在这个带里，熔融的岩浆由地壳之下连续不断涌出，然后冷凝，并逐渐从海岭的侧翼向外推开。能证明这一现象的事实是：中大西洋海岭两侧的地壳物质明显地比远离该处的地壳物质年轻。由于海底扩张、洋底运动和大陆远离海岭向外运动，其结果便是大西洋盆地大致以每年 1 ～ 10 厘米的速率不断扩宽。除了海底扩张而外，沿中大西洋海岭延长方向的某些部分还是火山活动和地震发生的地点。

Mid-autumn Festival 中秋节 中国传统节日。节期在农历八月十五，该日正值仲秋满月时节，故又称仲秋节、团圆节、月亮节等。流行于汉、鄂伦春、土、壮等民族。中国很早就有秋分“夕月”的祭祀，后世演变为中秋祭月、拜月，但唐宋时才成为仲秋节日。明清时，中秋已上升为民俗大节。近代以后，随着中秋月亮信仰的淡化，传统的祭月拜月活动消失，品尝月饼、欣赏中秋明月、亲友往来贺节成为多数人的节俗习惯。韩国、日本、越南等东亚国家也过中秋节。

Mid Bedfordshire 中贝德福德 英格兰中南部贝德福德行政郡一区。面积 504 平方千米。该地区大部分位于贝德福德历史郡内，但桑迪以北一小块区域属剑桥历史郡。地处乌斯河集水盆地，其间有东北-西南走向的低矮丘岭。主要为农区，东半部是大伦敦的蔬菜、水果产地，大量种植抱子甘蓝、马铃薯及豆类。区内亦生产小麦、大麦，并饲养奶牛。西北部有制砖业。比格尔斯韦德和安特希尔同为区行政中心。人口约123 000（1998）。

Mid Devon 中德文 英格兰西南部德文行政、历史郡一区。1978 年前称蒂弗顿（Tiverton）。面积 915 平方千米。位于埃克斯穆尔和达特穆尔两片荒凉的高沼地之间，是一块被严重切割的内陆台地，海拔 120 ～ 245 米。有各种不同的土壤，适合于种植牧草，只有中南部埃克斯、库姆和约河等河谷可种植谷物（尤其是大麦）、马铃薯、饲料作物和早季蔬菜。全区大量饲养绵羊、奶牛和肉牛。蒂弗顿镇为区府所在地，14 至 19 世纪之间成为羊毛贸易的主要中心，现在仍为纺织业中心，生产弹性渔网、尼龙纺织品和花边等。人口约 67 400（1998）。

Mid Glamorgan 中格拉摩根 原为南威尔士一郡（1976 ～ 1996），现并入布里真德、卡菲利、加的夫、梅瑟蒂德菲尔、朗达卡农塔夫、格拉摩根谷 6 个单一政区。

Mid-Indian Ridge 中印度洋海岭 印度洋海底的山脊，与中大西洋海岭相连。两者都是世界规模的大洋中脊系统的一部分。中印度洋海岭从南大西洋进入印度洋之后，向北延伸，到罗德里格斯岛附近分成两支。一支继续向北延伸到亚丁湾，与东非裂谷系相接；第二支往东南伸向麦夸里群岛。在亚丁湾与罗德里格斯岛之间的这段中印度洋海岭称为卡尔斯伯格海岭。这个海岭与一个地震震中带相伴生，因而是地震活动区，这一事实可在起伏地形和薄沉积盖层上进一步观察到。

Mid Suffolk 中萨福克 英格兰东南部萨福克行政、历史郡一区。面积 871 平方千米。地处郡中部，为地势低而起伏不平的丘陵地带农业区，大量种植谷物（包括小麦、大麦和燕麦）、甜菜，饲养牛和猪。主要商业城镇斯托马基特也是轻工业中心。区首府艾伊城。区内有许多小村庄和中世纪教堂。人口约 81 900（1998）。

Mid Sussex 中萨塞克斯 英格兰东南部西萨塞克斯行政郡一区，属萨塞克斯历史郡。面积 333 平方千米，占据郡的东部。区的北部多覆盖林木、草地的山地丘陵区，中部有乌斯和埃德两河河谷的草地，南端属南部丘陵。区内农业以乳品生产与商品园艺业为主。首府海沃兹希思和伯吉斯希尔是布赖顿—伦敦铁路线上的通勤车站、住宅区和轻工业中心。威尔德地带的东格林斯特德是一个较老的市场中心，也是轻工业基地。人口约 127 100（1998）。

Midas 弥达斯 古希腊和罗马传说中以愚蠢和贪欲而知名的国王。有关弥达斯的故事（狄俄尼索斯传说组的一部分）首次在雅典羊人剧的欢快诙谐表演中得到发挥。据神话，弥达斯曾捉住酒神狄俄尼索斯的同伴西勒诺斯。由于西勒诺斯受到弥达斯宽厚仁慈的对待，所以狄俄尼索斯准备满足弥达斯的一个愿望，以示酬谢。国王的希望是自己触摸到的东西都能变成金子，但当他的食物因此也变成黄金、以致几乎饿死时，他才认识到自己的错误。狄俄尼索斯于是答应使他获得解脱，办法是要他在帕克托勒斯河中沐浴。该河中出现金沙，即由此而来。据另一个故事，他曾在阿波罗和玛息阿进行音乐比赛时作评判，因为他判玛息阿获胜，阿波罗使他头上长出两只驴耳朵。弥达斯用头巾把耳朵包起来，并要他的理发师发誓不把此事泄露给任何活着的人。理发师心里藏不住这个秘密，就把这事轻轻地对一个地穴讲了，从那里长出来的芦苇在微风吹过时，发出丝丝的声音，宣扬了这个秘密：“弥达斯长着驴耳朵。”

Midas 米达斯（活动时期公元前700年？）安纳托利亚中西部古老地区弗里吉亚的国王。首见于希罗多德的希腊文献，说他在盖吉兹之前（约公元前 700 年前后）在德尔斐获得王冠。后来许多著作提到他同阿伽门农的一个女儿结婚，并与西部的廷岛进行贸易。在上萨卡里亚地区一块巨大石碑的正面也刻有米达斯的名字。公元前 700 年前，亚述军队曾在托罗斯与“穆什基的米塔”的军队作战，这个被称为摩什奇国王的人可能就是米达斯。

Midas 导弹预警卫星 Missile Defense Alarm System 的缩略词。又译米达斯，是美国用来针对苏联洲际弹道导弹突然袭击而发出警报的不载人军用卫星。米达斯是世界上第一个防御导弹突然袭击的警报卫星，于 60 年代初期发射上天，这种卫星装有红外探测器，能够在洲际弹道导弹发射后很快就探测出其火箭喷出的热能。为了使其探测范围能覆盖全球，卫星被送入极地轨道上。导弹预警卫星 1 号和 2 号分别于 1960 年 2 月 25 日及 5 月 24 日发射，曾发生机械故障。到 1961 年 7 月 12 日发射导弹预警卫星 3 号以后，这一预警系统才可有效地工作。

Middelburg 米德尔堡 荷兰西南部泽兰省省会。位于前瓦尔赫伦岛上。中世纪时为营销葡萄酒和布匹的兴旺城镇，后通过荷兰东印度公司的贸易活动繁荣起来。第二次世界大战中曾遭水淹，现大部分已修复。经济以旅游、金属制品和纺织业为主要收入来源。古建筑有市政厅（约 1512）、圣尼古拉斯隐修院（1150，现为省政府所在地）和 16 世纪建新教堂。另保存有几座旧城门。人口约 44 481

(1999)。

middle age 中年 人类成年期的一个阶段,紧接其后便进入老年。尽管确定为中年的年龄段并无明确的界限,且因人而异,但一般认为人的中年阶段为 40 ～ 60 岁。中年人所经历的生理上和心理上的变化主要是体力逐渐减弱和意识到死亡即将来临。在中年时期,人们日益倾向于缅怀过去而不是放眼未来,因而使过去、现在和将来的相对分量也发生了变化。如果处理得积极得当,中年时期可以为一个人进入令人满意而且富于成果的老年期做好充分的准备。参阅 **psychological development**。

Middle Ages 中世纪 指欧洲历史上从5世纪罗马文明瓦解直至文艺复兴的这段时期(文艺复兴的开始有 13 世纪、14 世纪与 15 世纪等不同说法,视欧洲地区及其他因素而定)。中世纪这一名称及其传统含义由意大利人文主义者别有用心地制定:他们正从事复兴古典学术与文化,而一个长达千年的黑暗愚昧时代将他们与古代的希腊罗马世界分隔开来,适足以使人文主义者自己的工作和理想显得突出。从某种意义上说,人文主义者创造了中世纪这一名称,以便使自己与之区别开来。然而,中世纪却为人文主义者本身文艺复兴的转变提供了基础。公元 410 年,西哥特人首领阿拉里克大肆掠劫罗马,对西方世界的政治结构与社会风气产生了巨大影响。这是因为罗马帝国曾为欧洲大部地区提供了社会凝聚的基础。5 世纪强行迁入欧洲南部与西部的日耳曼部落虽最后改信基督教,但他们仍保留自己许多习俗和生活方式;他们引起的社会组织形式的变化使中央集权政府与文化统一无法实现。罗马帝国时期产生的生活质量的进步,如较高效的农业、广泛的道路网络、供水系统、航运通道,这时均大为衰败,艺术与学术亦一蹶不振。这种衰落在有时称作黑暗时代(亦称古代晚期或中世纪早期)即从罗马崩溃直到1 000年中一直持续下去,只是在查理大帝建立的加洛林王朝鼎盛时期有一个短暂的间隔期。除了这一穿插的间歇期外,欧洲没有出现任何大的王国或其他政治结构能够提供稳定的局面。唯一能够提供社会团结基础的力量是罗马天主教教会。因此,中世纪呈现出一个试图在宗教基础上对自身进行政治结构建设的社会。这个图景是混淆的,往往是矛盾的。这种尝试由于恰好在文艺复兴以前时期,在世俗世界中牢固奠定基础的艺术、商业及其他活动的兴起而终于结束了。

罗马帝国瓦解后,兴起了将欧洲视为一个巨大的教会-国家的观念,即基督教世界。基督教世界包括僧侣政治与最高政治权力(即世俗领袖)。理论上,这两个集团相辅相成,分别管理人民的宗教与世俗需要。在宗教事务方面,教皇拥有最高权力,而在世俗事务方面,最高权力则属于皇帝。但在实际运行中,两个集团经常产生分歧,发生争吵以至战争。皇帝声称有权任命教会官员及干预教义问题,试图管理教会活动。另一方面,教会不仅拥有城市和军队,而且管理国家事务。

在 12 世纪,一个文化与经济的复兴发生了;许多历史学家追溯文艺复兴的根源到这一时期。经济力量的平衡从地中海东部缓慢地转移到西欧。哥特风格在艺术与建筑中获得了发展。城镇开始兴旺发达,交通变得更加迅速、安全、方便,商人阶级开始崛起。农业发展是带来这些发展的一个原因;在 12 世纪,种植豆类使所有社会阶层在历史上首次获得均衡的饮食。人口因此迅速增长。这是最后导致旧的封建结构崩溃的一个因素。

13 世纪是中世纪文明的顶峰时期。哥特式建筑与雕刻的经典模式已经形成。许多不同种类的社会组织激增,这包括行会、协会、市民议事机构和教士会等,它们迫切希望获得某种程度的自治。重要的法律的代议观念有了发展,终于产生了政治议会,其成员作出决定,对于选出他们的全体公民具有约束力。文化生活由罗马天主教教会支配,终于导致经院哲学的方法论,其杰出的代表圣托马斯·阿奎那在论述亚里士多德和早期基督教会作家的著作中达到了西方文化史上最伟大的综合之一。

封建结构的瓦解,意大利城邦的增强,西班牙、法国和英国国家君主制的出现以及如世俗教育的兴起这类文化上的发展,最后导致一个具有新精神的、自觉的新时代的诞生。这个时代回顾古典学术,汲取灵感,亦即称作文艺复兴的时代。

Middle America 中部美洲 在南落基山脉和安第斯山脉北端(或一般称为美国南部边界至哥伦比亚北部边界)之间的地峡区域,标志着从北美过渡到南美的地区。中部美洲和中美洲(**Central America**)的区别在于:前者包括墨西哥和加勒比海各岛。

Middle America Trench 中亚美利加海沟 中美洲西海岸外太平洋中的海底洼地。自墨西哥中部至哥斯达黎加从西北向东南延伸 2 750 千米以上。最深点为 6 669 米,总面积 96 000平方千米。海沟北部较浅,沿墨西哥沿岸弯曲,大致与大陆架断裂带平行;海沟南部较深,且更直。海沟南部常常与陆地上活火山的活动有关联,如 1982 年墨西哥南部埃尔奇琼火山爆发时,这一地区海沟底部就相应地发生异常现象。

Middle Anglia 中英吉利 盎格鲁-撒克逊英格兰的一个省,位于东英吉利和麦西亚之间,包括宁河、韦兰河和大乌斯河等河流域,沼地以西地区,可能还远及现牛津郡。部分地区早有居民。但对它 653 年前的政治历史无人知晓。653 年归麦西亚,由彭达之子皮达统治,他引进了基督教,但在 737 年前未曾建有永久性的主教管辖区,直至 737 年才在莱斯特建了一个。圣威尔夫里德在 691 ～ 705 年流亡在此期间管辖该省。

Middle Atlas (mountains, Morocco) 参阅 **Moyen Atlas** 中阿特拉斯山。

Middle Comedy 中期喜剧 约公元前 400～前 320 年间流行于雅典的一种戏剧体裁。中期喜剧注重社会主题,是旧喜剧向新喜剧的过渡。阿里斯托芬的最后一部剧本《财神》就是流传到现在的反映这个过渡剧种的一部作品。安提法奈斯和亚历克西斯是中期喜剧的杰出作家,但他们的剧作均未能流传下来。

middle-distance running 中距离赛跑 田径运动项目,包括 800 ～ 3 000 米距离内的各级赛跑。在国际比赛中,中距离赛跑包括 800 米、1 500 米和 3 000 米(男子为障碍赛跑,女子为普通赛跑)。在英语国家中,直到 20 世纪后半期,880 码(半英里)和 1 英里赛跑相当于 800 米和 1 500 米赛跑。中距离赛跑与 200 米或更短距离的短跑的区别是所要求的步速不同,短跑以最高的速度跑完全程,而中距离赛跑要求运动员先保持稳定的速度,到最后才进行冲刺。早期,在中距离赛跑中人们喜爱的项目是 1 英里赛跑,在 20 世纪前半期跑完这个距离要用 4 分钟以上。普遍认为打破"4 分钟极限"是不可能的。但是,在 1954 年 5 月 6 日,英国 25 岁的罗杰·班尼斯特在牛津举行的田径对抗赛中创造了 3 分 59 秒 4 的纪录。此后,气候条件和地面条件日益受到控制,计时装置日益精确,这项纪录多次被刷新。

Middle East 中东 指环绕地中海南岸和东岸的地区,从摩洛哥延伸至阿拉伯半岛和伊朗(有时更远)。该区域的中心部分旧称近东,是倾向于把东方划分为 3 个区域的首批现代西方地理学者和历史学者所定。近东指最接近欧洲的地区,从地中海到波斯湾;中东指从波斯湾到东南亚一带;远东指面临太平洋的地区。这些名词的习惯用法第二次世界大战前开始渐渐改变,而于大战期间逐渐确定。当时英国把设在埃及的陆军指挥部称为中东陆军指挥部。这样,中东就包含了土耳其、塞浦路斯、叙利亚、黎巴嫩、伊拉克、伊朗、巴勒斯坦(今以色列)、约旦、埃及、苏丹、利比亚和阿拉伯半岛各国(包括沙特阿拉伯、科威特、也门、阿曼、巴林、卡塔尔和特鲁夏阿曼[今阿拉伯联合酋长国])。广义而言,日后发生的一些事件使涵括在这个定义下的国家有增加的倾向。突尼斯、阿尔及利亚和摩洛哥等 3 个北非国家在情感和外交上已和阿拉伯国家密切结合。此外,地理上的因素常使政治家等把阿富汗、巴基斯坦和中东事务一同考虑。1821 年希腊人为要求脱离奥斯曼帝国而独立,起而叛乱,现代的中东问题(当时称近东问题)开始明朗化,所以希腊有时亦列人中东的范围(参阅 **Eastern Question**)。土耳其、希腊和围绕地中海东端大部分操阿拉伯语的国家过去也称为黎凡特(**Levant**)。不过,中东这一术语的使用仍不很确定,某些机关(如美国国务院和联合国某些机关)仍在使用近东一词。

Middle English language 中古英语 约 1100 ～约 1500 年间通行于英国本地的口语和书面语,上承古英语,下接现代英语。中古英语一般分为三个阶段:① 1100 ～ 1250 年的早期中古英语,其时古英语的文字系统仍在使用;② 1250年～1400年的中期中古英语,其时文学方言逐渐形成,正字法受到盎格鲁-诺曼文字系统极大影响,词尾非重读-e已不发音,且有大量盎格鲁-诺曼语借词;③ 1400～1500年的晚期中古英语,其时伦敦文学方言经J.高尔和G.乔叟等作家而开始传播,苏格兰方言和其他北部方言之间逐渐分化。这时期开始出现现代英语中所具有的词尾变化的基本轮廓。中古英语和古英语的主要区别在于其自然"性别"被语法"性"所取代以及古英语中名词、形容词、代词变格系统的消失。中古英语方言通常划分为三大分支:①南部方言(细分为东南方言和西南方言),主要通行于泰晤士河以南各郡;②中部方言(约相当于古英语时期的麦西亚方言区),通行于自泰晤士河到南约克郡南部和兰开夏北部这一地区;③北部方言,通行于苏格兰低地、诺森伯兰郡、坎布里亚郡、达勒姆郡、兰开夏北部以及亨伯赛德郡、西约克郡、北约克郡大部地区。

Middle Himalayas(Asia) **中喜马拉雅山** 参阅 **Lesser Himalayas** *小喜马拉雅山*。

Middle Passage 中央航路 向新大陆贩卖非洲奴隶时的旅程之中段,即横渡大西洋的中部航路。1518年～19世纪中期,英国、荷兰、葡萄牙、法国等国水手驾驶的帆船把数以百万计的非洲男女和儿童运往美洲。在21～90天的航海旅程中,帆船内拥挤不堪。贩运奴隶的船长们要在几内亚海岸外停泊1个月至1年之久,以凑足其150～600人的载运量。以后便开始一个险象丛生的漫长航行阶段,包括停靠港口时土著居民的袭击、奴隶骚乱、流行病、海盗或敌船的截击、险恶的天气等等。在中央航路这一航程中,男性奴隶被锁在甲板上以防止骚乱的发生。此种惨状,在1699～1845年即有55份详细记载。为取得最大的装载量,奴隶被迫面背相接,状如汤匙,挤卧舱中,每人平均只有183厘米长、41厘米宽的地位,不能站立或翻身,许多奴隶即以此种姿式挤死于船中。如遇恶劣天气或赤道零级风时,则旅程拖长,每日两餐的配给量即水加煮过的稻米、小米、玉米或蒸过的薯蓣就要大大减少,引起饥饿及伴随而来的各种疫病。白天如遇好天气,奴隶们就被赶到甲板上进行"体育锻炼"或"跳奴隶舞"(即被迫上下跳跃)。此时,有良心的船长们就要命令水手把奴隶挤卧之地打扫干净;但天气恶劣时便造成底舱高温闷热,空气污浊,热病痢疾猖獗。估计因时疫、自杀、饥饿、抑郁、叛乱而致死者的比例高达13%。众多的已死或奄奄一息的非洲奴隶被抛入海洋,鲨鱼就定期尾随这些驶向西方的奴隶贩运船。中央航路向新大陆源源输送劳动大军,使奴隶贩子不断取得巨额利润。这使非洲人民在肉体上和心灵上付出极度痛苦的高昂代价;而贩奴者漠视人类痛苦的铁石心肠于此亦昭然若揭。

Middle Rhine Highlands 中莱茵高地 又称莱茵板岩山脉。主要位于德国西北部,并延伸至比利时东南部、卢森堡北部和法国东部,该延伸部分称为阿登台地。为地势变化很大的高原,有一些崎岖的山地,如绍尔兰地区的艾弗尔高原及罗塔尔山。其他还有陶努斯、摩泽尔河以南的洪斯吕克以及韦斯特瓦尔德等高地。主要由板岩和砂岩构成,但也有大片的石灰岩地区,这些地区地势平缓,土地较肥沃,人口较稠密。高原被莱茵河河谷及其支流(如摩泽尔河)的深河道切割。参阅 **Ardennes**。

Middle Stone Age 参阅 **Mesolithic period** *中石器时代*。

Middle Way 中道 梵语作 Madhyama-Pratipadā;巴利语作 Majjhima-Patipadā。佛教所谓既避免自娱又避免自苦这两种极端的一整套一般和特殊伦理规范和哲学观点。参阅 **Eightfold Path**。

Middle West 中西部 美国北部及中部地区,位于阿巴拉契亚山脉和落基山脉之间。在俄亥俄河和北纬37°以北。范围包括伊利诺伊、印第安纳、艾奥瓦、堪萨斯、密歇根、明尼苏达、密苏里、内布拉斯加、北达科他、俄亥俄、南达科他和威斯康星12州。具体又可分成西北地区和大平原两部分。中西部已成为一种概念。西北准州(老西北地区)于1783年加入美国。大平原于1803年并入。大平原以发展农业为主。西北地区土地肥沃,自然资源(煤、石油、铁矿和石灰石)丰富。既宜工又宜农。随着运河、铁路等交通干线的出现,中西部加大了同东部市场的联系,开始发展工业。中西部同南方也有联系,不仅诞生了一个新的政党派别——共和党,而且培养了两位杰出伟人:A.林肯和S.A.道格拉斯。南北战争后,交通、移民和工业化各个领域得到全面发展。1890年建城历史不到60年的芝加哥成为全国第二大城市。制造业劳动大军占全国同行业总数的29%;产值占总产值近1/3。大平原发展较为缓慢。早期是移民去西海岸的过渡地带。到19世纪后期征服印第安人、开始使用带刺铁丝网和去内地的铁路修通后才有大批移民来到。19世纪70年代成为格兰其(保护农业社)运动的重要地区,哺育过多位进步党领导人和工业巨子。有独特的建筑艺术和经营方式。它是禁酒活动的中心,也是新的自然主义文学流派的灵感源泉。其强大的工业化城市与保守的内地农业区结合为独特的美国生活模式和社会类型。像其近邻东北部地区一样,中西部现已衰落,其经济增长率低于全国平均水平。尽管如此,该地区仍不失为美国最重要的经济区域,制造业和农产品交易额仍居首位。

Middlebury 米德尔伯里 美国佛蒙特州中西部城镇,艾迪生县县城。1773年始有居民。1800年建米德尔伯里学院(以举办夏季作家会议著称)。公理会教堂建于1806～1809年。1803年开始开采大理石。现有一些轻工业。目前经济收入主要来源于滑雪运动和夏季游览。附近佛蒙特大学附设的农场饲养著名的摩根马。面积101平方千米。人口8 183(2000)。

Middlesboro 米德尔斯伯勒 美国肯塔基州东南部贝尔县城市。位于坎伯兰峡谷西端的谷地中,肯塔基、田纳西和弗吉尼亚三州交界处附近。1889年前无人居住。后由英国投资者建为钢铁中心。1890年设市。1893年英国公司破产后,成为肯塔基东部重要的煤田中心。也为烟草和牲畜贸易中心。有制革和食品加工业,生产塑料管和活动房屋等。城东有国家坎伯兰峡谷历史公园,城北有州属肯塔基里奇森林,城南有弗恩湖及野生动物保护区。人口10 384(2000)。

Middlesbrough 米德尔斯伯勒 英格兰北约克地理郡城镇和单一政区。属约克历史郡。面积54平方千米。濒蒂斯河南岸,在其河口湾顶端。为蒂赛德都会区最大的城镇。1830年通斯托克顿和达灵顿铁路后建为港口城镇,是英国第一座因通铁路才能建起的城镇。1850年附近埃斯顿比肯发现铁矿后,又在煤出口贸易之外迅速发展起钢铁工业。现经济以重型机械制造业为主,也有新兴轻工业。随着蒂赛德都会区的发展,该市成为其地区中心。现米德尔斯伯勒为该郡商业和文化中心。1830年的老城以南为购物中心。原"铁匠区"有河滨公园。人口约145 100(1998)。

Middlesex 米德尔塞克斯 英格兰东南部历史郡,由泰晤士河北岸的中伦敦及其北部、西部地区组成。由于行政管理的需要,1965年来德尔塞克斯的大多数地方划入大伦敦。泰晤士河与其历史息息相关。约公元前8000年,贸易者和居民就利用泰晤士河作为他们的水道。最早的居民区建于铁器时代(约公元前500年),在现今的布伦特福德和希思罗两地。公元前1世纪比利其人迁入英格兰东南部,该地区成为其卡图维勒尼部族的领地。罗马人曾占据斯泰恩斯和布伦特福德两地。公元5世纪初被撒克逊人占领。704年特许状上首见记载。早期米德尔塞克斯由伦敦市统辖。作为伦敦富商的乡间别墅区达数百年。最杰出的建筑为汉普顿科特皇宫;其他还有奥斯特利、赛恩和斯韦克利斯等宅第。近代伦敦城区由伦敦市向外扩张,延伸至米德尔塞克斯的一些地区,如现在的陶尔哈姆莱茨、威斯敏斯特、卡姆登和伊斯灵顿。到19世纪末,伦敦包括了米德尔塞克斯东南部的所有地方。1888年其130平方千米土地和250万人口划入新的伦敦郡,然后剩余部分设立新的米德尔塞克斯行政郡,有其自己的郡长,威斯敏斯特的议会广场上的大厅仍属于米德尔塞克斯作为会议地点。20世纪初,伦敦郊区覆盖了米德尔塞克斯的大多数地方。新的都会郡大伦敦于1965年成立,并入了米德尔塞克斯的大多数地区以及邻郡的部分地方。外伦敦各区或全部或部分从原米德尔塞克斯划出,如豪恩斯洛、希灵顿、伊灵、布伦特、哈罗、哈林盖、恩菲尔德、泰晤士河畔里士满和巴尼特。内伦敦的区,如卡姆登、哈克尼、哈默史密斯、富勒姆、伊斯灵顿、肯辛顿-切尔西、陶尔哈姆莱茨、威斯敏斯特,以及伦敦市也位于米德尔塞克斯历史郡内。米德尔塞克斯的大部分地方位于大伦敦都会郡内,斯泰恩斯和森伯里两区属萨里行政郡,波特斯巴区属赫特福德郡。根据 1964 年司法管理条例,米德尔塞克斯法律上仍定为郡。米德尔塞克斯一名继续用于邮政区名以及许多郡机构和组织的名称中。

Middlesex, Lionel Cranfield, 1st earl of 米德尔塞克斯伯爵(第一)(1575～1645) 即 L.克兰菲尔德。詹姆斯一世(1603～1625 在位)时的英格兰财政大臣。原为伦敦商人和金融家。1612 年结识掌玺大臣亨利·霍华德,次年出任海关总监。1614 年霍华德死后,他又依附于国王的宠臣乔治·维利尔斯。1620 年任枢密官,次年任财政大臣,1622 年封伯爵。他在增加国王收入方面有些成绩,但因企图压缩王室的开支,很快就与詹姆斯一世发生隔阂。他以财政问题为由反对与西班牙作战,1624 年被主战的国会弹劾。后因贪污罪被课以罚金并短期入狱。1626 年获国王查理一世赦免,在退隐中度过晚年。

Middleton, Arthur 米德尔顿(1742-06-26,南卡罗来纳查尔斯顿附近～1787-01-01,美国南卡罗来纳古斯河) 英属美洲种植园主、议员、《独立宣言》签署人、导致美国独立战争

美国国会图书馆供图

(1775～1783)的有争议的领袖之一。曾在英格兰就学,1763 年返回南卡罗来纳,当选为殖民地议会的议员。1775～1776 年任安全委员会成员,这是一个领导殖民地准备革命的机构。1776～1778 年担任南卡罗来纳立法委员会委员,参与州宪法的起草工作,并任大陆会议代表。1780 年查尔斯顿包围战中,他在民团中服役,城陷后为英军所俘。1781 年 7 月交换战俘时获释。此后米德尔顿历任大陆会议代表(1781～1783)、南卡罗来纳州议员(1785～1786)及查尔斯顿学院董事。

Middleton, Charles Middleton, 2nd earl of 米德尔顿伯爵(第二)(约1640～1719) 英国詹姆斯党人,支持英格兰的詹姆斯二世和老觊觎王位者詹姆斯·爱德华。第一代米德尔顿伯爵的长子。查理二世和詹姆斯二世时期,历任驻维也纳特使和苏格兰大臣等职。1684 年任国务大臣。詹姆斯二世逃往法国后,他仍留在英格兰,设法通过和平手段使詹姆斯复位。1693 年前往圣日尔曼与流亡的英王会合,任国务大臣。后在詹姆斯·爱德华的宫廷任国务大臣。1707 年詹姆斯党人在苏格兰上陆失败,他负有部分责任,因而于 1713 年辞职。

Middleton, Sir Hugh (Welsh merchant and politician) 参阅 **Myddelton, Sir Hugh** 米德尔顿。

Middleton, John Middleton, 1st earl of 米德尔顿伯爵(第一)(约1619～1674-06,丹吉尔) 英王查理一世和查理二世在位时期的苏格兰保王党人。早年在法国当兵。1648 年任驰援查理一世的苏格兰军队的司令官。普雷斯顿战役后被俘。1650 年查理二世到达苏格兰,他加入其军队。在伍斯特战役中指挥保王军骑兵,但第二次被俘。他逃出伦敦塔到达巴黎。1653 年查理二世命他领导准备在苏格兰举行的起义。他于 1654 年 2 月到达苏格兰,但起义遭到彻底失败。1656 年查理二世封他为伯爵。1660 年随查理二世返回英格兰,任苏格兰军队总司令兼驻苏格兰国会高级专员。因鼓吹恢复主教制而于 1663 年被免职,后于 1667 年起任丹吉尔总督,死于任上。

Middleton, T(homas) F(anshaw) 米德尔顿(1769-01-28,英格兰德比郡凯德尔斯顿～1822-07-08,加尔各答) 基督教圣公会国外传教士。1814 年受按立为加尔各答第一任主教,负责澳大利亚和印度全境圣公会传教工作。他严格遵守安立甘宗教义,但允许德国信义会所办的基督教益智会在他的辖区内活动。1820 年创办加尔各答圣公会主教学院以培训传教士及教员。

Middleton, Thomas 米德尔顿(1570-04?,伦敦～1627-07-04,英国萨里纽因顿布兹) 英国伊丽莎白时代晚期剧作家。到1600年他已在牛津学习两年并出版3本诗集。曾与德

美国不列颠百科全书公司供图

克和韦伯斯特等人合作学习写作剧本。1620 年任伦敦市史官。舞台上的主要成就是《一局棋》(1625),这是一出针对西班牙和耶稣会教士的政治讽刺剧,这出戏在寰球剧院演出,卖座率空前,却遭到西班牙大使的抗议,詹姆斯一世只好下令禁演。他的杰作是两部悲剧:《妇女相互提防》(1621?,1657 出版)和《傻子》(与罗利合写,1622;1653 出版)。他的喜剧均描写世人财迷心窍,大多数人能捞就捞,能抢就抢,不择手段。《妙计捉鬼》(1606?,1608 出版)演两个高利贷对手都想智胜对方,却被聪明的侄子所骗。《奇普赛德的一个贞洁姑娘》(1613?,1630 出版)是一部风趣喜剧,嘲笑幼稚而自鸣得意的伦敦人。《咆哮的女郎》(与德克合著,1604～1610?;1611 出版)写女郎宁要自由而不愿结婚,实际是写女扮男装的罪犯弗里思。他的悲喜剧情节牵强,但以场面紧张见长。他的其他剧作大多为喜剧。

Middletown 米德尔敦 美国康涅狄格州中部米德尔塞克斯县城市。范围同米德尔敦镇。临康涅狄格河。1650 年创建,1651 年设镇,1784 年设市。18 和 19 世纪为海港和造船业中心。曾为"三角贸易"(与非洲和西印度群岛之间进行的朗姆酒、奴隶和糖蜜贸易)和与中国快船贸易的基地。1799 年建美国第一家手枪制造厂。现经济多样化,有农业和制造业(纺织、机械、化工)。设有原子能委员会实验所(1955)、米德尔塞克斯社区学院(1966)、卫斯理大学(1831)和潜艇图书馆-博物馆。附近有波德岭滑雪区及哈伯德公园。人口:市 43 167(2000);主要都会统计区 90 320(1990)。

Middletown 米德尔敦 美国纽约州东南部奥兰治县城市。位于纽约市西北 97 千米处,临沃尔基尔河,在哈得孙河及特拉华河之间。1756 年有人定居,1798 年前属阿尔斯特县。1843 年后为伊利铁路的终点。1848 年设村,1888 年设市。地处乳品和水果产区,为通向附近山地和湖泊游览区的门户。有轻工业,生产服装、革制品、机械等。设有奥兰治县立社区学院(1950)。人口 25 388(2000)。

Middletown 米德尔敦 美国俄亥俄州西南部巴特勒县城市。临迈阿密河,位于代顿同辛辛那提之间。与附近的哈密尔顿构成一个都会区。建于 1802 年。很快成为活跃的农产品贸易社区,所产小麦、玉米、烟草、牲畜、水果、蔬菜等由马车、船等运往辛辛那提、新奥尔良等地。1883 年设市。通巴尔的摩-俄亥俄、大福、伊利和宾夕法尼亚 4 条铁路。烟草、造纸和钢铁等为其早期主要工业。1900 年钢厂可生产钢板。亦生产飞机、导弹部件及机械。设有迈阿密大学分校(1966)。人口:市 46 022;汉密尔顿-米德尔敦都会统计区(初步)291 479(1990)。

Middletown 米德尔敦 美国罗得岛州纽波特县城镇。在罗得岛,临纳拉甘西特湾,地处纽波特与朴次茅斯之间。1743 年设建制。现为住宅区。镇郊出产乳品、马铃薯和苗木。有圣乔治男校(1896)、历史建筑白厅(1729)和诺曼鸟类保护地及博物馆。面积 34 平方千米。人口 19 184(1996)。

middot 解经准则 犹太教解经学名词。指根据新情况的需要阐释《圣经》用词或经文章节的方法或原则。已知最早编辑成文的解经准则出自 1 世纪希勒尔的手笔,共 7 条。其后约在 100 年以实玛利·本·以利沙又拟订 13 条。约在 150 年伊·本·约斯拟订 32 条。比较重要的解经准则有"扩延"(即从小前提推演到大前提)和"比较"(即用类比法进行推理)。耶稣在登山训众时(《马太福音》5～7)曾应用比较准则,他说:"你们虽然不好,尚且知道拿好东西给儿女,何况你们在天上的父,岂不更把好东西给求他的人么。"(《马太福

音》7:11)

Mide (Ireland) 参阅 **Meath** 米斯郡。

Midfa'i, Jamil al- **米德费**(1890,巴格达～1959) 伊拉克政治家,几度任首相。毕业于伊斯坦布尔工程学院。初在土耳其军队任炮兵军官,1916年参加在谢里夫·侯赛因领导下举行起义的阿拉伯武装力量。1921年伊拉克独立时回国,任省长,颇有才干。他是参加过阿拉伯起义、后成为伊拉克王国骨干力量的那些军官的代表人物。曾任内政大臣,1930年任国会议长,1933～1934年两度任首相,后任国防大臣。在1937年社会混乱和财政困难时期,又出任首相,并与亲英反德的一群政客结成联盟。1941年这群政客迫使摄政王阿卜杜勒·伊拉流亡,他随同出走。但不久即恢复君主政体,他回国再任首相。第二次世界大战后,伊拉克政治家努里·赛义德得势,他的声望一落千丈。

Midgard **米德加尔德** 又称"人类的家园"。据古斯堪的纳维亚神话,米德加尔德是大地的中心、人类居住之地,由最初创造出来的人——巨人奥尔盖尔米尔(即伊米尔)的身体形成。据传说,诸神曾杀死奥尔盖尔米尔,把他的尸体推入宇宙中心的空间,造成米德加尔德。奥尔盖尔米尔的肉变成土地,血变成海洋,骨变成山,牙变成峭壁,头发变成树木,脑子变成云。奥尔盖尔米尔的头盖骨被4个矮子——诺尔德里、苏德里、奥斯特里和威斯特里(四个方位)举起,变成天穹。日月星辰则是由存于头盖骨中的零星火花变成的。米德加尔德位于北面的尼弗尔海姆即"冰之国"和南面的穆斯佩尔海姆即"火之地"之间。把它同阿斯加尔德(诸神住所)连接起来的是比弗洛斯特虹桥。

midge **摇蚊** 又作 chironomid, nonbiting midge或 gnat。双翅目摇蚊科(Chironomidae)小型昆虫。形虽似蚊但无害,体和翅上无鳞片,翅脉也与蚊不同,口器小而不延伸成吸

一种摇蚊科(Chironomidae)摇蚊

美国不列颠百科全书公司供图

管。雄体触角羽状。摇蚊傍晚前后在池、河边麇集发出嗡嗡声。在水中、粪肥中或树皮下繁育。幼虫水生,蠕虫状,体软,常呈血红色,是水生动物(尤其是鳟鱼和幼鲑)的重要食料。摇蚊不咬人,与*拟蚊蠓*(**biting midge**)近缘。关于瘿蚊科(Cecidomyiidae 或 Itonididae),参阅 **gall midge**。

midget **矮人** 体格短小,但身体各部比例、智能及性发育均正常的人。它是俾格米人的种族特征,也散见于其他成员体格均正常的

矮人

美国国会图书馆供图

家族中。在儿童期,矮人的身高及各部比例往往大致正常。参阅 **dwarfism**; **pygmy**。

midget-car racing **微型汽车赛** 流行于美国的一种汽车比赛,使用微型前引擎赛车,在1/4或1/2英里的土路或铺好的道路上进行。赛程一般不超过25英里。所用汽车的发动机排出量有限,按不同类型的引擎可分为114立方英寸型、76立方英寸型等。微型汽车赛于20世纪30年代由一些无力用大型汽车比赛并加以保养的赛车迷发起。比赛由美国汽车俱乐部的一个部门主办。参阅 **karting**; **automobile racing**。

midget moth **微蛾** 鳞翅目微蛾科(Nepticulidae,有时称 Stigmellidae)昆虫,有近300种,包括一些鳞翅目中最小的种类。世界性分布。翅大多长而尖,盖有鳞片和刺状毛。翅展3～6毫米。幼虫一般潜食叶肉,也有的形成虫瘿。在叶内虫道中化蛹,或在垃圾堆和松土中结一厚的丝茧以化蛹。

Midgley, Thomas, Jr. **米奇利**(1889-05-18,美国宾夕法尼亚弗比弗福尔斯～1944-11-02,俄亥俄沃辛顿) 美国工程师和化学家。曾发现四乙基铅是汽油的有效抗爆添加剂。为一伦敦移民发明家之子,在宾夕法尼亚州和俄亥俄州长大,1911年毕业于康奈尔大学。曾从事多种工作,1916年在代顿(俄亥俄州)工程实验公司参加研究工作。从1923年起,任乙基汽油公司副董事长;1930年起,任动力化学制品公司副董事长;1933年起,任乙基-道氏化学公司董事;1940～1944年任俄亥俄州立大学研究基金会会长兼副董事长。在第二次世界大战中,他领导过国防研究委员会一个分部。米奇利因研究发动机爆震问题而成为内燃学的先驱,1921年发现四乙基铅。在研究铅添加剂使用中的问题时发现,可以海水提溴。在第一次世界大战期间,他曾为空投鱼雷(一种类似第二次世界大战中V-1型飞弹的螺旋桨推进装置)研制多种控制系统。他致力于无毒、不易燃的冷冻剂的研究,终于在3天内发现了二氯二氟甲烷(商品名氟利昂-12)。氟利昂-12和几种相近的化合物广泛用作冷冻剂,后又发展为喷雾剂。米奇利曾对天然橡胶和合成橡胶的组成进行深入研究,也是早期一种烃裂化催化剂的发现者。

Midhat Paşa **米德哈特帕夏**(1822-10,奥斯曼帝国君士坦丁堡[今土耳其伊斯坦布尔]～1883-05-08,阿拉比亚塔伊夫[今沙特阿拉伯]) 两度出任奥斯曼帝国首席大臣,以其正直、推行改革和倡议帝国第一部宪法(1876)而闻名。法官家庭出身,受过政法教育。最初在首席大臣府工作。1861年任尼什的行政长官,政绩卓著。因此苏丹阿卜杜勒·阿齐兹命他协助制订一项计划,以便在帝国的其他部分实行同样的改革。1869年他被任命为巴格达行政长官,在那里取得如在尼什一样辉煌的成就。1872年任首席大臣,但因过分地摆脱宫廷,只掌权3个月。后来任司法大臣和国务委员会主席。1876年再次出任首席大臣,主要由于他极力主张,奥斯曼帝国于同年12年颁布保障广泛民主自由的第一部宪法。1881年苏丹下令将他逮捕,但他逃脱,吁请欧洲强国为他进行干预,不久却又自首,被判死刑,由于英国调解,改判终生流放。后来他很可能在塔伊夫被害。

Midi **米迪** 法国文化区,包括阿基坦、朗格多克、普罗旺斯三个大区。南邻西班牙和比利牛斯山脉;东北部与意大利和阿尔卑斯山接壤。中央高原的南翼延伸至朗格多克省。低地包括阿基坦盆地、朗格多克平原和罗讷盆地。全区多数地区属地中海型气候。加泰隆文化经鲁西永传入米迪,意大利对米迪的影响来自尼斯。

Midi Canal **米迪运河** 又称朗格多克运河。从比斯开湾到地中海的内陆水路系统的主要连接线。17世纪法国的重要工程。运河连接图卢兹与地中海,提供一条经奥德河和加龙河通大西洋的水路。在51.5千米长的航路上,通过26道船闸,升高63米达到最高水位。最高河段有5千米长。然后向下流183.5千米,经过74道船闸,水位下降189米。工程师里凯大胆革新,在建筑中采用黑色炸药爆破,开凿出一条6.7米宽、8米高、157米长的隧道,贯通了贝济耶附近的岩石高地。这是第一条用这种方法建造的运河隧道,也是第一次在地下建筑中使用炸药。运河于1665～1681年间兴建,1692年完工。

Midi-Pyrénées **米迪比利牛斯** 法国西南部大区,包括洛特、阿韦龙、塔恩、塔恩-加龙、热尔、上比利牛斯、上加龙和阿列日诸省。首府图卢兹。全区面积45 349平方千米。南部与西班牙接壤。南部的比利牛斯山区包括上比利牛斯、上加龙、阿列日三省的大部分。属海洋性气候。人口稀少,1851～1946年间,人口减少31%以上,后略有所增加,但远低于全国的平均数。从突尼斯和摩洛哥归国的移民有助于扩大阿基坦盆地的小麦种植业。葡萄种植业一般只分布在热尔省的孔东和欧兹、塔恩省的加亚克、上加龙省的弗龙通。比利牛斯山区以畜牧业为主。该大区工业不发达。电力-冶金工业集中在比利牛斯山谷地带。比利牛斯山区的内斯特河和阿列日河,中央高原的特吕耶尔河和帕尔卢湖均建有水

利发电站。人口约2 551 687(1999)。

Midianite 米甸人 又称以实玛利人。《旧约》所载与以色列人密切相关的游牧部族。其活动范围大致在阿拉伯沙漠西北部亚喀巴湾以东;他们以畜牧、行商和劫掠为生。以色列人出埃及时期(公元前 13 世纪)和士师时期(公元前 12 世纪)都与米甸人频繁接触。据《士师记》载,以色列人的士师基甸把米甸人赶到巴勒斯坦西部,其后他们基本上不见于《圣经》。据《创世记》载,米甸人是米甸的后裔,米甸是希伯来人祖先亚伯拉罕与第二个妻子基土拉所生之子。米甸人的一支基尼人的祭司-首领叶忒罗和他的女儿西坡拉(摩西的一个妻子)对早期希伯来思想发挥了影响:米甸人的主雅赫维向摩西显现,自称希伯来人之神。米甸人先于以色列人实行割礼。

Midland 米德兰 加拿大安大略省中部偏南锡姆科县城镇。临米德兰湾。1887 年建,是加拿大内陆第一批建立的欧洲移民点。有海关、大型码头设施和谷物起卸机。地处农业区。为乔治亚湾旅游胜地汽船终点站。镇内有安大略省第一座医院以及学校和农场。附近有小湖公园、博物馆和沼地野生动物中心。人口16 214(2001)。

Midland 米德兰 美国密歇根州中东部城市,米德兰县县城(1850)。临蒂塔巴沃西河,位于贝城和大学中心正西。19 世纪 30 年代始建为伐木工人定居点,1869 年设村,1887 年设市。因富藏盐水,1888 年开始有化工工业。现生产工、农业用和日用化工产品以及石油化工产品。该市以其现代化的建筑著称。人口:市约 41 685;萨吉诺-贝城-米德兰都会统计区约 403 070(2000)。

Midland 米德兰 美国得克萨斯州西部城市,米德兰县县城(1885)。位于奥德萨正东,地处高平原南部边缘。1884 年建为得克萨斯—太平洋铁路线上一车站,1906 年设市。以饲养赫里福德牛著名的 12 个县大牧区的中心,亦为蕴藏大量石油、天然气、硬石膏、盐和钾的广大珀米安盆地的金融与贸易中心。1923 年发现石油后发展成为国内最重要的石油中心之一,并设有米德兰珀米安盆地石油博物馆。经济以石油销售、石油化工与饲养牲畜为主。米德兰学院开办于 1969 年。人口:市约 94 996;奥德萨-米德兰都会统计区约 241 600(2000)。

Midland Bank PLC 密德兰银行 又译"米兰银行"。原英国银行,曾为世界上最大的银行之一,1992 年成为汇丰控股公司的一部分。1836 年创办于伯明翰,称为伯明翰和密德兰银行。在兼并了英格兰中部地区的几家银行之后,1891 年与伦敦中央银行合并,迁入伦敦,改称伦敦和密德兰银行。1918 年又与伦敦合股银行合并,改称伦敦联合城市和密德兰银行。1923 年改称密德兰银行有限公司。拥有北方银行、克拉台斯台尔银行等。前者为爱尔兰北部最大银行,也是爱尔兰共和国四大银行之一;后者在苏格兰三大银行中名列第三,但在苏格兰西部和北部实力特强。1972 年购得托马斯·库克集团(又译"通济隆集团";发行旅行支票、经营外汇、银行券、代办旅游业务),1973 年购得塞缪尔·蒙塔古公司(伦敦专营黄金的商人银行)。70 年代后也在国外重要金融中心设立代表机构。1981 年与总部在美国加州的克罗克国民银行合并,结果却为其带来重大损失。1982 年注册为公开股份有限公司,并改名为密德兰银行股份有限公司。1992 年汇丰控股有限公司(总部在伦敦;旧称汇丰银行)取得了密德兰银行的控股权。

Midlands 英格兰中部地区 英国中部的行政区。分东、西两部分。东部包括林肯郡(**Lincolnshire**)、北安普敦郡(**Northamptonshire**)、德比郡(**Derbyshire**)、诺丁汉郡(**Nottinghamshire**)和莱斯特郡(**Leicestershire**)。西部包括斯塔福德郡(**Staffordshire**)、沃里克郡(**Warwickshire**)、什罗普郡(**shropshire**)、赫里福德-伍斯特(**Hereford and Worcester**)和西米德兰兹(**West Midlands**)。有伯明翰(**Birmingham**)、考文垂(**Coventry**)、莱斯特(**Leicester**)、德比(**Derby**)、沃尔索尔(**Walsall**)、特伦特河畔伯顿(**Burton upon Trent**)、达德利(**Dudley**)、伍尔弗汉普顿(**Wolverhampton**)和特伦特河畔斯托克(**Stoke-on-Trent**)等大工业城市。人口约 9 176 700(1988)。

Midlothian 中洛锡安 又译米德洛锡安。苏格兰东南部历史郡和政务会辖区。位于福斯湾南部。历史郡和政务会辖区所辖范围略有不同。政务会辖区包括爱丁堡东南部和南部的一些郊区和乡村,其北部是福斯湾周围沿海低地平原,其他部分为平缓的丘陵地带,地势逐渐向南升高至穆尔富特丘陵。埃斯克河穿过该区向北注入福斯湾。政务会辖区完全位于历史郡内。此外,历史郡还包含西洛锡安行政区东南部地区、苏格兰边界加拉河上游附近的穆尔富特丘陵以南的多山地带、东洛锡安行政区的马瑟尔堡镇,以及爱丁堡市的大多数政务会辖区。当地一些山顶上有史前要塞的遗迹。在因弗雷斯克和克拉芒德已经发现了古罗马的一些居民点。这些居民点可能位于从英格兰通向北方的古罗马大道两侧。该地区后被诺森伯里亚的盎格鲁人占据,但公元 11 世纪,国王马尔科姆二世(1005 ~1034 年在位)使苏格兰获得了对该地区的所有权。15 世纪爱丁堡成为苏格兰首府,从此,该郡的历史基本上是爱丁堡的历史。在 20 世纪以前,该郡被称为爱丁堡郡。该地区有许多教会建筑遗址,其中有纽巴特尔的西多会大教堂和坦普尔的圣殿骑士教堂。1400 年后所建的许多城堡和乡间大宅,尤其爱丁堡附近者,依然存在。原郡内著名古战场在平基(1547)、卡伯里山(1567)和鲁林格林(1666)。农作物有燕麦、大麦、马铃薯、萝卜、小麦,还饲养奶牛和绵羊。最主要的工业是电子器件制造业,集中在爱丁堡市外的郊县。此外,还有服务业。达尔基斯为行政中心。其他的大城镇有邦尼里格、伦黑德和佩尼库克。面积:政务会辖区 355 平方千米。人口:政务会辖区 81 680(1999)。

Midnapore 米德纳布尔 又拼 Medinipur。印度东北部西孟加拉邦中南部城镇。位于开赛河北岸。为加尔各答至阿姆利则大干线公路上的重要农贸中心。克勒格布尔横跨开赛河,有铁路与各处相连。主要工业有碾米、化工、丝绸服装业等。为教育中心,设有加尔各答大学多所学院。稻米、玉米、豆类、油籽为附近地区主要农产品。人口约 153 349(2001)。

midnight Sun 子夜太阳 北极区或南极区才能见到的太阳。由于地球自转轴同地球轨道平面有倾角,在极区每年至少有一个 24 小时的极昼时期和一个 24 小时的极夜时期。在极点处,白天和黑夜按理论各占 6 个月。不过由于晨昏蒙影,实际的亮、暗周期有些变化。自转轴的倾斜效应在低纬度地区表现为夏季白昼长和冬季白昼短。

阿拉斯加波因特巴罗的子夜太阳(摄于 8 月份,每半个小时曝一次光)

美国不列颠百科全书公司供图

Midrash 米德拉西 犹太教中以口传律法来解释和阐述《圣经》的方法。米德拉西一词亦指以此种解经法从希伯来文圣经中演绎出的大量哈拉卡(内容为律法方面的)和哈加达(内容为非律法方面的)。此词源出希伯来文词根 darash(意为探求或研究),指对圣经章节的精神作深入的研究或探讨,而不是从字面上解释。由于《摩西五经》(《旧约》的头 5 卷)中的成文律法需要根据后来的历史情况重新加以解释，又由于法利赛人和撒都该人对于口传律法的看法不一致，这种"探讨"遂成为当务之急。(参阅 **Pharisee**)。因此，米德拉西就作为解释《圣经》词义的一种语言学方法而出现。它发展成为用于解决《圣经》中的矛盾、确立新律法的经文根据以及赋予经文以新的意义的一套复杂的解释体系。公元2世纪，以实马利·本·以利沙和阿吉巴·本·约瑟两位拉比分别创立的学派将米德拉西解经活动推向最高潮。《塔木德》(犹太教口传律法学者的解释)引用所有的米德拉西文集，并运用米德拉西解经法的所有规则。

米德拉西文集可分为两大部分：1.哈拉卡米德拉西，可定义为对来自成文律法的口传律法的学术演绎；2.哈加达米德拉西，含有训示性的著作，旨在启迪教徒，而非订立法规。二者均试图揭示《圣经》的内在意义。哈加达米德拉西深受人们尊崇，但不及哈拉卡米德拉西具有权威性。哈拉卡米德拉西的文字往往枯燥乏味，拘泥于字句，较为审慎；而哈加达米德拉西的文字则很少呆板，常充满幻想和教诲，不怎么严肃。

Midway, Battle of　中途岛战役　第二次世界大战中的美日海战，完全以飞机进行战斗，摧毁了日本第一线航空母舰实力，歼灭其训练有素的海军航空兵大部，一举解除了日军进一步侵犯太平洋的威胁。1942年5月珊瑚岛之役，日军尽管受创，仍计划夺取中途岛及阿留申群岛各基地。由于美国海军在数量上仍处于劣势，日军集合4艘重型航空母舰和3艘轻型航空母舰，企图找到并歼灭美国海军舰队，但美国情报部门破译了日本海军密码，掌握了日军企图，作好迎战准备。1942年6月3日，战斗开始，美国轰炸机对中途岛东南约220英里处的日本军舰进行轰炸，未取得效果。次日凌晨，日机猛炸中途岛，日舰再次避过美国陆基飞机的轰击。但美军舰载机群于上午再度出击，击沉日本重型航空母舰3艘，重型巡洋舰1艘。下午，美机又击沉日本重型航空母舰1艘，而日机则重创美国航空母舰"约克城"号。6月6日，日本潜艇施放鱼雷，使"约克城"号航空母舰和1艘护航的美国驱逐舰遭受致命打击。但日军因损失4艘航空母舰而丧胆，已于6月4～5日夜间开始总撤退，取消其登陆中途岛的计划。中途岛战役使太平洋战区日美双方海军力量大致势均力敌，是太平洋战争的转折点。

Midway Islands　中途岛　美国无建制领地。位于太平洋中部，檀香山西北2 100千米处。为珊瑚环礁，周长24千米，环抱东岛和桑德岛。陆地面积5平方千米。亚热带气候。1867年正式归属美国，称中途岛。1903年T.罗斯福总统将该岛划归美国海军管辖，1936年为旧金山至马尼拉邮线上一站。1940年美国海军建航空和潜艇基地。第二次世界大战中的中途岛战役(1942-06-03～06-06)是太平洋战争的转折点。战后其商业航空站的地位下降。1950年取消定期航班，同年海军撤离，仅剩下留守部队。现有国家野生动物(鸟类)保护区。

Midwest (region, U.S.)　参阅 **Middle West 中西部**。

Midwest City　米德韦斯特城　俄克拉何马城东郊居民区。在美国俄克拉何马州中部俄克拉何马县。1942年在米德韦斯特航空站(现为俄克拉何马城空军后勤中心总部)建成之后建立该社区，计划建成模范规划城市，有曲线街道和广阔公园。1943年设建制。人口54 088(2000)。

Midwestern Regionalism　美国中西部的地区主义　19世纪后期美国的一场文学运动，着力对美国中西部小城镇和乡村生活作如实的描写，是美国现实主义文学发展过程的初期阶段。E.W.豪的《一个乡间小镇的故事》(1883)、J.柯克兰的《朱利》(1887)和《麦克维伊一家》(1888)出版后，中西部地区主义最重要的代表作家H.加兰的短篇和长篇小说相继问世。加兰所著《大路》(1891)和《中部边地的农家子》(1917)是描述中西部乡村生活的贫苦和艰辛的代表作。这两部作品打破了拓荒者的生活富有诗情画意的神话。芝加哥是中西部现实主义文学活动的中心，加兰曾在该城住过一段时期，德莱赛、E.L.马斯特斯和S.安德森等作家也在那里住过。后3人都是来自中西部小城镇的作家，深受19世纪90年代中西部地区主义的影响，成为20世纪现实主义和自然主义的主要代表人物。

midwife toad (*Alytes obstetricans*)　**产婆蟾**　盘舌蟾科(Discoglossidae)行动迟缓的陆生两栖动物。见于西欧，以其生殖行为著名。体丰满，长约5厘米，体色暗灰，皮肤有疣。夜出

用后肢搬运卵的雄性产婆蟾(*Alytes obstetricans*)
美国不列颠百科全书公司供图

活动，完全陆栖。春夏季繁殖，到黄昏雄体发出清晰的口哨般的鸣声，在陆上交配。雄体抱住雌体的腰，用其趾刺激雌体的泄殖腔区，直至卵被逼出。卵大而黄，包在胶黏物质形成的囊内，连成两串，形如念珠。卵产出时，雄体将精液排于其上，使之受精。卵受精后，雄蟾将卵卷于后肢上，然后返回其惯常的栖居处，并在极为干燥的夜间短时浸入水中。约3周后幼体将孵出时雄体进入水中，幼体咬破卵壳而出，幼体体长稍长于半英寸，直到所有幼体孵出，雄体才弃卵壳。

midwifery　助产学　照顾分娩妇女的理论与实践。助产士大概是人类最古老的职业之一，因为在《圣经·旧约》中就已有记述，而在古希腊和古罗马时代已得到社会的广泛认可。但是，这种古老的产科学由于知识太贫乏，到了中世纪便基本上不存在了，剩下的也都掺杂着迷信色彩。在当时，分娩是一件极不容易的事，婴儿死亡率极高，那些无法顺利地生下婴儿和没有人帮助的产妇随时都可能有生命危险。17世纪，培训助产士的工作开始在欧洲萌动。18世纪，一些大都市开始建立专科产院，并兼有培训助产士的功能。19世纪的欧洲开始对助产士的培训和执业行为进行立法，行动最早的国家有荷兰、斯堪的那维亚国家、德国和法国。英国根据第一个《助产士法案》(1902)成立了一家助产士中央理事会，负责制定助产士学校的课程设置、审批执业资格、协调在岗助产士之间的业务活动。这无疑是一大进步，因为在当时的英国，绝大多数产妇都是把助产士请到家里来，而不是去产院分娩。《助产士法案》以法律形式保证了英国助产士的技术水平，她(他)们中的绝大多数人在取得国家资格助产士(S.C.M.)的证书之前，都已经取得了国家注册护士(S.R.N)的执业资格。在19世纪末和20世纪初，妇产科学的迅速发展使得主要西方国家的产妇把分娩场所从家里搬到了医院。但到了60年代，社会经济的发展又重新唤起了人们对家庭助产士的兴趣，"护士助产士"的行当便在美国应运而生。取得资格证书的护士助产士(C.N.M.)首先必须是一名注册护士，然后再接受助产士培训，并通过"美国护士助产士学会"的资格认证。即便如此，护士助产士也只能处理那些顺产产妇，不能对产妇进行手术，如遇到难产，则必须请医生到场。护士助产士的执业场所可以是医院、诊所、分娩中心，也可以是产妇的家。她(他)们向产妇提供产前和产后的各项服务、妊娠前后的生殖健康咨询以及有关计划生育的咨询、服务。非专业助产士是指那些不具有上述各种学历和执业资格的游医，他(她)们大多自学成才、走街串巷、随处揽活，活跃在广大发展中国家的农村地区。全世界每年出生的婴儿中大约有3/4是在各种类型的助产士的帮助下降生的，她们有的有资格证书，而有的什么资格也不具备。

Mie　三重　日本本州中部一县。在纪伊半岛，东临伊势湾，南滨太平洋，面积5 778平方

三重县沿海的渔妇
美国不列颠百科全书公司供图

千米。当地深深凹进陆地的太平洋海岸以及沿海岛屿和古城伊势,构成了伊势志摩国立公园的主要名胜。避风的湾汊人工养殖珍珠、龙虾等。鸟羽港为旅游中心。沿海有“夫妇岩”,人们将其比作神道教男女二神,并用巨大草绳相连。重工业有化工、石油和钢铁。传统生产有纺织品、陶瓷、木材、水泥和玻璃。首府津市在伊势湾西岸,建有一所大学(1949)。人口约 1 827 000(1994)。

Mielziner, Jo　梅尔齐纳(1901-03-19,法国巴黎～1976-03-15,美国纽约州纽约)　美国舞台设计师。从 1924 年起,他在百老汇的 360 多次演出中所介绍的几种设计一直是 20 世纪舞台演出的标准。他的发明之一是为《推销员之死》(1949)设计的清晰的轮廓结构布景,允许不相连的时间和地点同时出现。他非凡的设计技巧和对舞台环境有机构成的掌握,使他能在不同性质的舞台设计工作如《哈姆雷特》和音乐喜剧《安妮,拿起你的枪》中取得成就。曾就学于纽约全国设计学会、艺术学生联合会以及费城的宾夕法尼亚美术学院,还在巴黎和维也纳上过学。回到美国后即在舞台名师琼斯和西蒙森指导下学习。他是纽约市林肯中心轮演剧目剧场和洛杉矶音乐中心的合作设计师。在纽约世界博览会(1964～1965)梵蒂冈大厅中米开朗琪罗的“圣母怜子”雕像就是在他设计的布景中陈列的。1968 年后任美国剧院规划局主任兼剧院设计顾问。

Mien-yang (China)　参阅 **Mianyang** 绵阳。

Miercurea-Ciuc　米耶尔库雷亚丘克　罗马尼亚哈尔吉塔县县城,濒奥尔特河。铁器时代即有人定居。现为重要公路枢纽和工业城镇,有木制品、拖拉机、服装和食品工业。有基于山区温泉、徒步旅行小径和朝圣中心的旅游业。在居民中,马扎尔人占大多数。人口约 46 029(1992)。

Mieres　米耶雷斯　西班牙西北部阿斯图里亚斯省和自治区城镇,位于奥维耶多市东南偏南。为工矿业中心。附近开采铁、硫、软硬煤和汞矿;镇内有钢铁冶炼、冶锌、民用及矿山用电动机、机械修造等行业。城镇在马德里至希洪和奥维耶多至乌霍间铁路线上。人口约 53 379(1991)。

Mierevelt, Michiel Janszoon van　米雷费尔特(1567-05-01,尼德兰代尔夫特～1641-06-27,代尔夫特)　荷兰肖像画家,受顾于欧洲许多国家皇族。以画静物开始,最后从事肖像画。所画肖像通常是小尺寸,性格刻画真挚,结构谨严,图样朴素,色彩协调。由于定货多,雇有许多助手,成百幅地出产肖像。有他署名的 2 000 多幅(同时代某人说 1 万幅)作品中,完全出于他的手笔的并不多。

Mieris, Frans van, THE ELDER　**米里斯(老)**(1635-04-16,尼德兰莱顿～1681-03-12,莱顿)荷兰画家,莱顿绘画家族的主要成员。其不超过30～38厘米的小型作品亮光闪闪,有

米里斯(老)绘《女人与鹦鹉》
美国不列颠百科全书公司供图

金属光泽。处理得最好的题材是表现富裕阶层的风俗画,有时画的家庭事件和肖像也很成功,偶然也作寓言画。其子威廉姆·范米里斯(1662～1747),和孙子弗兰斯·范米里斯(1689～1763)也都是有造诣的风俗画家。

mierkat　海猫　又拼 meerkat。灵猫科(Viverridae)某些食肉动物的统称。包括*灰沼狸*(**suricate**)和*獴*(**mongoose**)的一些种类。

Mies van der Rohe, Ludwig　密斯·范·德·罗厄(1886-03-27,德国亚琛～1969-08-17,美国伊利诺伊芝加哥)　德国出生的美国建筑师。发展了一种具有古典式的均衡且极端简

美国不列颠百科全书公司供图

洁的建筑风格,成为*国际风格*(**International Style**)建筑的典范。未受过正规的建筑训练,幼从其父学石工,对材料的性质和施工技艺有所认识,又通过绘制装饰大样掌握了绘图技巧,21 岁时设计了第一件作品,以其娴熟的处理手法引起当时德国最著名的建筑师 P.贝伦斯的注目而进入他的事务所任职。贝伦斯为德意志工匠联盟的领导人之一,该组织的目的旨在赋予机械制品(包括建筑)以形式和韵味,鼓吹“艺术与技术的结合”。为此贝伦斯竭力推崇 19 世纪初德国建筑师 K.F.申克尔简洁质朴的新古典主义风格。正是申克尔对密斯成为一名现代派建筑大师产生了决定性的作用,在他一生中,他从申克尔优雅清晰的风格中找到了适宜新环境的最好形式。他还受到荷兰现代建筑的先驱者 H.P.伯尔拉赫的影响,使他提出了“建筑上的完整”和“结构上的真诚”的信条。他主张以结构的真实面貌,而不是以外观或戏剧性的处理作为建筑的特征。第一次世界大战后在魏玛建立了先锋派艺术学校包豪斯,它在宣言中宣称,建筑、绘画和雕塑不但正在寻求新的表现形式,而且正在趋向于多面性和国际性。密斯在这段时间里参加了几个现代派的建筑团体,并组织了许多展览,积极鼓吹新艺术和现代建筑。但他的建筑设想此时仍停留在图纸(现存纽约现代艺术博物馆)上。1927 年德意志工匠联盟在斯图加特附近的魏森霍夫举行博览会,当时他任联盟的副主席。会上展出了欧洲 16 位现代派建筑师的 33 所示范住宅和公寓。由此形成了被称为“国际风格”的统一风格。他为 1929 年德国在巴塞罗那举行的国际博览会设计的德国馆实现了他的技术与文化融合的理想,这是一所非常简单的建筑。在一块 53.6 米×17 米的石灰华平台上,呈现出一系列奇妙的空间,部分在一个很薄的屋顶下面,部分在室外,由镀铬的钢柱支承。这一系列空间由米黄色的缟玛瑙、绿色的蒂尼安岛大理石和磨砂玻璃的墙来分隔,其中除了他设计的几把椅子和一带雕塑的水池以外,并无展品,而是以建筑本身说明问题。1930 年任包豪斯的校长,但纳粹上台不久学校被迫停办(1933)。1937 年移居美国,任芝加哥阿穆尔学院(后来的伊利诺伊理工学院)建筑系主任。到他 1958 年退休时,该学院以严格的教学方法和由他设计的校舍而在全世界享有盛名。第二次世界大战后密斯进行了大规模的设计,其中的几座高层建筑设计成钢框架外覆玻璃幕墙的立面。主要设计有在芝加哥的海角公寓(1949)、湖滨大道公寓(1949～1951)和在纽约的西格拉姆大厦(1956～1958,与 P.约翰逊共同设计)。西格拉姆大厦是他的代表作之一,堪称国际式风格的顶峰。影响所及,美国各地,甚至世界各地,都出现了玻璃盒子式的建筑。后期的作品有墨西哥市的卡巴迪大厦(1961)、巴尔的摩的查尔斯中心 1 号写字楼(1963)、芝加哥的联邦中心(1964)、华盛顿市的公共图书馆(1967),以及最有密斯特色的柏林 20 世纪美术馆(1968 年建成,后称为新国家美术馆)。他是唯一的一位系统地表达了为当代普遍应用的建筑准则的建筑师。20 世纪 70 年代,他的作品因僵硬、冷漠和缺乏特色而受到批评。

Miescher, Johann Friedrich　米舍尔(1844-08-13,瑞士巴塞尔～1895-08-26,达沃斯)研究细胞代谢和发现核酸的瑞士学者。1869 年,在蒂宾根大学 E.霍佩-塞勒研究室工作期间,米舍尔发现脓液白细胞的细胞核中有一种含有氮和磷的物质,便称之为“核素”。但其后不久他又发现:核素可被进一步分解为一个蛋白质分子和一个酸性分子,于是就改称为“核酸”(1874)。现在,人们根据“核

酸”的分子结构为之命名为脱氧核糖核酸(DNA)。回到巴塞尔大学任教后,又从鲑鱼精子中分离出核酸及其结合蛋白——鱼精蛋白。他还发现:能以血液浓度(即分压)方式对呼吸进行调节的血液气体成分是二氧化碳,而不是氧。1885年建立了瑞士第一家生理学研究所。

Mieszko　梅什科　波兰统治者之名,按年代顺序分列于后,并各以●为标记。

● Mieszko I　梅什科一世(约930～992-05-25)　波兰皮亚斯特王朝大公(约963起)。他把波兰变为基督教国家并把疆域扩展到波罗的海。966年他直接从罗马接受基督教,以抵制德意志人的强迫改宗和把波兰并入神圣罗马帝国。他牺牲波希米亚而将波兰领土扩展到加利西亚,并通过并吞波美拉尼亚而推进到波罗的海。

● Mieszko II Lambert　梅什科二世(990～1034-05-10)　波兰国王(1025～1034在位)。梅什科一世之孙。他精神错乱,受其妻德意志人丽克萨控制。大部分领土丧失给波希米亚和神圣罗马帝国。他死去时,波兰陷入无政府状态。

● Mieszko III　梅什科三世(1126或1127～1202-03-13)　1173～1177年以及1190(或1191)和1194年内战时期的大波兰君主。他是博莱斯瓦夫四世的兄弟和继承人。为人残暴专横,因而引起权贵反对,权贵们将他赶下台,并且几经波折,终于以他的兄弟卡齐米日二世代替了他。

Mietek(Polish Communist leader)　**梅特克**　参阅 **Moczar, Mieczysław** 莫恰尔。

Mifepristone　米非司酮　一种人工合成的类固醇药物,可于妊娠早期数周内导致流产,有多个商品名,如RU-486、美非锭、含珠停等。米非司酮是一种抗孕酮药,可阻断孕酮的作用。孕酮是一种自然生成的激素,可促使子宫内膜产生分泌期的变化,为受精卵的着床作准备,并为胚胎和胎盘的生长发育提供适宜的环境。用于受孕7～9周的妇女,口服,用药两天内子宫内膜即开始解体,通常会引起与正常月经相似的出血。随后口服一种人工合成的前列腺素——米索前列醇(亦可用阴道栓剂),以刺激子宫收缩。于是胚胎排出体外,此过程与自然流产甚为相似。在少数案例,药物导致的人工流产不完全,此时必须进行手术(最常用的方法是负压抽吸)。米非司酮引产最常见的副作用就是流产常见的症状——痛性痉挛、出血,偶见恶心、头晕和腰痛。只在妊娠数周内有效,也不能用于异位妊娠(受精卵在子宫外,如输卵管内着床)。系鲁塞尔-乌克拉夫制药公司大约在1980年研制成功,1988年首次在法国上市。随后得到世界各国的批准,批准要不顾反流产团体的反对,又经常得到流产权利团体的热情支持。对用药的妇女来说相对较为安全,而且使用方便,私密性强,即使在无手术流产条件的诊所也能应用。需在医务人员监督下应用,但前列腺素则可在家中用药,子宫收缩及其内容物的排出也发生在家中。因为有这些优点,使用米非司酮进行医学流产很可能会成为最受欢迎的终止早孕方法。

Mifraz Shelomo(Egypt)　**所罗门湾**　参阅 **Ra's Naṣrānī** 纳斯拉尼角。

Mifune Toshirō　三船敏郎(1920-04-01,中国山东省青岛～1997-12-24,东京)　第二次世界大战后日本影坛的主要演员,尤以在黑泽明导演的影片中扮演武士角色而闻名国

美国不列颠百科全书公司供图

际。第二次世界大战期间服兵役。1946年在《愚蠢的时代》(1947)中扮演小角色。1947年在黑泽明的《泥醉天使》(1948)中扮演一名匪徒,受到评论界的赞扬,并获得票房上的成功。在古装片《罗生门》(1950)中扮演一名强盗,赢得国际声誉。他扮演武士的古装片还有:《七武士》(1954)、《宫本武藏》(1956)、《秘堡三恶人》(1958)、《保镖》(1961)和《椿三十郎》(1962)。三船敏郎戏路极宽,主演过极不相同的影片,如根据莎士比亚的《麦克白》改编成日本故事的影片《蛛网宫堡》(1957)、根据高尔基的戏剧改编的《在底层》(1957)、侦探惊险片《天堂与地狱》(1957)以及《红胡子》(1965)。后者是他在黑泽明的影片中最后一次演出。三船敏郎参加演出的国际合拍影片有:《大奖》(1966)、《太平洋上的地狱》(1969)、《虎!虎!虎!》(1969)、《红太阳》(1971)、《纸老虎》(1975)和《中途岛》(1976)等。他还在美国电视剧《将军》(1980)中演出。

MiG　米格设计局　正式名称 ANPK imeni A. I. Mikoyana,亦作 ANPK MiG,旧称 OKB-155。俄罗斯航空航天设计局,是该国喷气式战斗机的主要生产厂家。它研制出技术先进的米格系列飞机,包括苏联的第一架喷气式战斗机。为国营的多个航空航天公司组成的综合体 VPK MAPO(军事工业综合体-莫斯科飞机制造公司)的一部分。总部设在莫斯科。米格设计局从体制上来说是更大的米格飞机制造公司的一部分。自从第二次世界大战初建成以来,该局参与了大约250种不同的飞机项目,其中120个已经达到建造阶段。21世纪初,米格局设计的战斗机服役超过其他类型的战斗机,约占全世界战斗机总和的20%。米格局和苏霍伊设计局平分了俄罗斯的战斗机市场,但在90年代的经济困难时期促使米格设计局努力开拓国外市场,把飞机外销到中东、南亚、非洲和东欧国家,并谨慎地朝多元化发展,开始进入民用客机市场。始建于1939年。当时为了研制新型军用战斗机,苏联领袖斯大林下令在著名的航空设计师 N.N.波利卡尔波夫所在的以莫斯科为基地的设计局内部组建一个部门。领导这个项目的是局里一位很有前途的工程师 A.I.米高扬,他随后找来一位亲密同事 M.I.古列维奇作他的副手。二人互补,合作无间。他们第一个设计的是I-200单引擎高空截击机,1940年首飞,最终取名为米格-1(MiG是米高扬和古列维奇两个俄语姓名的首字母加上i组成的,俄语i的意思是“和”)。1942年米格部门与一家莫斯科的飞机厂重组为一个独立的设计局,取名为OKB-155(155实验设计局)。冷战期间,155实验设计局研制出一批苏联最著名的高速喷气式战斗机。米格设计局为苏联空军和40多个国家的空军生产了32种机型的9 000多架米格-21,并授权在中国生产一种机型。1964年古列维奇退休。1970年米高扬去世,由他的副手 R.A.别利亚科夫接替。80年代末设计局的正式名称改为米高扬航空科学生产综合体,不过人们通常还是称其为米格设计局。1991年苏联解体后,公司像前苏联的其他许多国防企业一样进行了改组。1995年俄罗斯政府将一些飞机制造厂与设计局合并建立 MAPO-MiG(莫斯科飞机生产组织-米格公司)。翌年,俄罗斯总统 B.叶利钦建立巨大的 VPK MAPO,它合并了12家大型航空航天公司,包括 MAPO-MiG,组成一个单一实体,专门从事飞机、发动机、航空电子系统,以及其他航天产品的研究、开发、制造及经销。90年代末 MAPO-MiG 面临贪污丑闻、来自苏霍伊的残酷竞争、大量裁员以及几个高级设计人员的辞职等事件的困扰。1999年政府把它当作一项总体重组工程的一部分,将 MAPO-MiG 更名为米格飞机制造公司。该公司为了求生存,故而将米格-29现代化机型销往海外。尽管政府已兴趣不再,但公司仍继续开发先进的战斗机理念,包括1.42多功能的第5代战斗机。这种飞机也称作1.44I,2000年首飞。

MiG　米格战斗机　苏联的一个军用战斗机系列,以最初设计者的姓氏 A.米高扬(Mikoyan)和 M.古列维奇(Gurevich)的首字母命名。米格-1、米格-3、米格-5和米格-7是螺旋桨式战斗机,第二次世界大战期间大量生产。米格-9是苏联生产的第一种喷气式战斗机,1946年首次试飞。米格-15是单座、单发动机亚音速喷气式战斗机,1947年12月首次试飞,曾广泛用于朝鲜战争。至今仍为俄罗斯高级教练机,共有15个国家使用。米格-17是单座单发动机截击机,1950年首次试飞,1958年停产,但仍有许多国家在使用。米格-19是单座双发动机截击机,1953年首次试飞,是苏联第一种平飞时能达到超音速的飞机;1960年停产,苏军现仍大量装备,与米格-15和米格-17一样,目前也为中国、巴基斯坦、越南等国使用。米格-21是单座单发动机轻型截击机,1955年首次试飞,型号甚多,现

有20余国使用。其基本型为昼间战斗机,结构简单,造价低,机动性好,易维护,可在简易机场使用。米格-23是苏联第一种可变后掠翼战斗机,1967年首次试飞,可执行多种任务,1971年装备苏军,也为埃及、伊拉克、利比亚、叙利亚和古巴等国使用。米格-25是高性能双发动机全天候战斗机,用来夺取空中优势和进行侦察;1963～1964年首次试飞,1970年装备苏军。已测得该机最大速度为2.7～2.8马赫,实用升限24 400米以上,装有空空导弹和先进的火控雷达。除米格-23和米格-25外,其他型号的米格飞机也在中国、波兰、捷克斯洛伐克和印度等国生产。米格-29是双发动机全天候空中优势战斗机,1985年装备苏军。米格-31是双座全天候截击机,1983年装备苏军。

Mighty Five, The (Russian music) **五人强力集团** 参阅 **Five, The** 五人团。

migmatite 混合岩 在地质学上,指由变质(蚀变)基底物质夹条纹状或脉状花岗岩物质组成的岩石,其名称含义是"混合的岩石"。一般具片麻状(条带状)构造,组分是酸性的,而不是基性的;可以在高度变质作用地区以区域性规模产出。很多混合岩可能表明在极度变质作用过程中变质主岩的部分熔融;熔化温度较低的岩石组分被熔化和聚集,产生了花岗岩的条纹。一些前寒武纪变质岩地区的混合岩可能是由这种作用形成。也可能是当有些岩浆注入邻近变质岩中时,混合岩在大型花岗岩侵入体附近形成。

Mignard, Pierre 米尼亚尔(1610-11-17,法国特鲁瓦～1695-05-13,巴黎) 法国古典巴罗克风格画家,以宫廷肖像闻名。为路易十四画像成功而得宠于宫廷。因与勒布朗不和,拒绝进入以他为首的法国皇家学院,并组织力量反对勒布朗的权威性。其作品技巧熟练、布局雅致弥补了创造性和性格感的不足。勒布朗去世(1690)之后,米尼亚尔接任了他的一切职务。

Migne, Jacques-Paul 米涅(1800-10-25,法国圣弗卢尔～1875-10-24,巴黎) 天主教司铎,19世纪神学著作的重要出版家。1836年在巴黎附近小蒙特鲁日创办出版社,出版大量廉价神学著作集。原址1868年毁于火灾,后在巴黎设一新址。所出最著名的是《教父学说大全》,该书广收博集,包括许多孤本。

Mignet, François 米涅(1796-05-08,法国普罗旺斯地区艾克斯～1884-03-24,巴黎) 法国历史学家和档案学家。他的清晰评注对19世纪的法国史学研究颇具影响。米涅早年去阿维尼翁求学,并于1815年在该处成为教授,后返回故乡艾克斯研究法律,1818年取得律师资格。他的第1篇论文《关于圣路易的法制》于1821年曾受到铭文与纯文学院的称赞,但他脱离学术生涯,进入巴黎的政治新闻界。他在巴黎与后来的法兰西第三共和国的总统A.梯也尔共事。最初在《法兰西信使报》工作,这是一份反对恢复君主政体的报纸。后来于1830年与梯也尔和A.卡雷尔共同创办《国民报》,该报曾有助于促成导致路易-菲力普登上法国王位的七月革命。米涅放弃了政治和新闻活动,重返历史工作,就任外交部档案室主任,并担任此职直至1848年辞职。1832年他被选入伦理与政治科学院,1837年成为该院常任秘书,1836年被选入法兰西学院。他的著作有《法国革命史》(2卷,1824)、《安东尼奥·佩雷斯与腓力二世》(1845)、《玛丽女王史》(2卷,1851;此书利用了未经公布的重要文件)、《弗兰西斯一世与查理五世对抗史》(1875)。他的一部外交文件集《关于路易十四时代西班牙王位继承的谈判》(4卷,1835～1842)未能完成,但其中包括极为重要的导论文章,曾在《历史纪事》(1843)中转载。

Mignon, Abraham 米尼翁(1640-06-21,德国美因河畔法兰克福～1679,韦茨拉尔或美因河畔法兰克福) 德国巴罗克画家,主要从事静物画,有时也试作肖像。师承J.马莱尔,约1660年随老师到荷兰。其花卉作品观察精密,加工细心,处理灵巧。

Mignone, Emilio Fermin 米戈内(1922-07-23,阿根廷卢汉～1998-12-21,布宜诺斯艾利斯) 阿根廷律师,法律社会研究中心创建者,该组织记录了1976～1983年独裁统治期间阿根廷军队所犯下的侵犯人权的罪行。被认为是阿根廷主要的人权捍卫者。20世纪50年代,米戈内在阿根廷司法部工作,60年代初,在华盛顿哥伦比亚特区担任美洲国家组织教育政策专家。1973年参与创立卢汉国立大学。1976年退休,从事教材编写。1976年5月,在阿根廷军队推翻I.庇隆政府的两个月后,一群武装分子冲入米戈内家中,逮捕他24岁的女儿。虽然米戈内和妻子竭尽全力寻找,但再也没有见到过自己的女儿,也不知道她最终命运如何。为了帮助寻找女儿和其他"消失的人",他于1979年成立了法律社会研究中心。该中心记录了阿根廷军队犯下的数千宗失踪、绑架、酷刑、谋杀罪行,这些证据对于后来调查针对左派游击队和其支持者的"肮脏战争"起到了关键作用,调查表明有1.3万～1.5万人被杀,另有至少1万人被绑架或长期关押。该中心也为受害人和其家人提供法律援助,并就涉及严重侵犯人权的案子起诉政府。在一系列的集体诉讼中,米戈内说服阿根廷最高法院要求政府承认有大量人员失踪的事实,并对失踪者的命运给予解释。米戈内领导了该中心的公众宣传活动,并负责联络外国政府和国际人权机构,他成功地确保阿根廷的人权状况始终得到全世界关注。1981年,米戈内和中心其他领导人被逮捕,但对他们的国际声援使得他们在一周后获释。1983年12月,阿根廷恢复了民主政府,该中心继续从事阿根廷人权状况和公民权利的监督和报告。

mignonette (*Reseda odorata*) **木犀草** 木犀草科(Resedaceae)一年生灌丛状草本植物,原产于北非。花穗尾状,花小,黄绿色,花药橙黄色,散发麝香气味。广泛栽培以提取香精油作香料。

木犀草(*Reseda odorata*)
美国不列颠百科全书公司供图

migraine headache 偏头痛 与中枢神经系统症状并发的以头部动脉内压痛性增高为主要原因的头痛。参阅 **headache**。

migrant labour 流动劳工 惯常从一地区到另一地区流动,寻求临时性、常常是季节性工作的无固定职业的不熟练工人。在北美,流动劳工常常受雇于农业;一般从事收获和体力的、重复的、易于学习的工作,几乎不要求有任何技能。农业对流动劳工的需求,源于它对工人需求的季节性。在欧洲和中东,雇用的流动劳工常常是在城市而不是在农业中工作,居留时间较长。在南非、中东、西欧、美国、印度以及其他地区的流动劳工有着各种不同的形式。

造成流动劳工需求的经济条件是农业生产迅速增长,或者城市工资高而使农场工人数目迅速减少。另一方面,流动劳工的来源也受这种工人家乡经济和社会条件日渐恶化的影响。

农业中流动工人的劳动市场极为混乱,部分地是因为这种工人的雇佣关系非常短暂。大多数流动工人没有重新受雇权利,通常没有工会组织,没有什么有组织地寻找工作的门路。中间人、工作介绍人、包工头、工头在这种劳动市场根本无组织的情况下应运而生。包工头一方面招集运送、监督工人和分发工资,一方面负责寻找雇主、谈判工资和劳动条件。

流动工人的工资、劳动条件和生活水准都低于其他各类工人。他们常常必须在苛刻的要求下长时间地工作。在某些国家,特别是印度,流动工人中童工很普遍,即使在美国,流动工人中不劳动儿童常常不上学,因为在大多数地区的学校只对本地居民开放。流动工人的住处常常只能容身,其识字水平、社会凝聚力和政治参与率也都异常之低。

造成这种病态是因为流动工人不问是来自本国或外国,对其工作的社区来说,本质上都是外来人。当地居民即使愿意看到他们来,也更愿意看到他们走。流动工人难于获得当地的卫生和社会服务,他们的权利常常受剥夺,不享有向法院求助的权利,并受到雇主的剥削和虐待。

流动工人"今天在这里,明天去那里"的

实际情况使得对他们的劳动和生活条件难于作出规定。工会和政府为正规的工业和农业工人所订立的劳动标准对流动劳工来说一般并不存在，即使在有这种标准的地方，其实施也是有限度的和非正规的。各级政府一般都承认有许多与流动劳工有关的严重的社会问题，但声称它们无力作出有效的处理。在通过了社会立法并对流动工人的生活有所改善的地方，主要的效果是迫使雇主提供更多的居住和卫生设施，并管制包工头的活动。

在北半球，流动劳工随着收获季节从南往北移动(在南半球则由北向南)。在这个大方向以内，大多数流动工人按照历来固定的格局移动。例如在美国，工人冬天在佛罗里达帮助采摘柑橘，然后同来自得克萨斯和波多黎各的工人一道，向北去新英格兰，远至缅因州，帮助收获番茄、马铃薯、苹果和其他农产品。另外一支工人大军春天从得克萨斯出发，走向中北部、山区和沿太平洋各州，收获水果、蔬菜、甜菜和棉花。第三支流动工人队伍从事蔬菜收获，从加利福尼亚南部向北，途经太平洋沿岸各州。

在美国，主要由于耕作日益机械化，目前仍然从事流动劳动的只有不到50万人；但在40年代则有100万以上，20年代人数还要加倍。受雇的流动工人有些是墨西哥裔美国公民，其他的有许多是来自南部边境外的非法移民。大多数是不到30岁的人，以男子为主，绝大多数所受教育不超过8年。美国的流动工人也和其他国家的一样，许多人就业不充分，居住条件很坏，被排斥在正常的社区生活以外。他们的工资通常很低，平均年收入只及大多数美国工人的一小部分。但自60年代以来，美国流动工人的命运有所改善，工会开始试图组织他们，有些州和地方政府也设立了特别委员会，实行和扩大有利于他们的社会立法。

其他各洲流动工人的格局与北美大不相同，城市(而不是农业)工作所占的比重要大得多。南非大量使用流动劳工，黑人工人从农村到城市工作，无居住权。这种由于种族而造成的流动是20世纪后半叶种族隔离制度的重要部分，迫使无数黑人劳工在他们的黑人“家园”和城市之间穿梭往来。在城市中他们和更多流动劳工一样，只享有极其微小的权利。

20世纪后半叶，比较良好的流动形式在欧洲和中东盛行。例如在西德，第二次世界大战后几十年中工业迅速增长，严重缺乏劳工，从土耳其、希腊、意大利和南斯拉夫吸引了几百万人前来工作。同样，法国从北非、西班牙和意大利吸引了许多人前来工作。英国则从其在南亚、非洲和西印度群岛的前殖民地吸引来许多工人。70年代西欧经济增长陷入停滞后，如此众多的外国工人变成了一些东道国社会紧张的根源。在70和80年代出现发石油财的波斯湾国家的流动工人，是一个更加引人注目的例子。数以百万计的工人从埃及、也门、约旦、巴基斯坦和其他穆斯林国家流动到经济迅速发展的沙特阿拉伯、阿拉伯联合酋长国、利比亚、伊拉克和科威特工作。

印度仍然可能比其他亚洲国家在农业中有更多的流动工人，他们主要从事收获茶、棉花和稻谷工作。在澳大利亚和拉丁美洲的南端国家，在牧场上的流动工人比在农场多，他们从事剪羊毛和肉类加工。

migration 迁徙 动物个体在两地间周期性往返。通常与季节变化密切相关，常以年为单位周期进行。大部分迁徙是水平方向的，其距离为几英里到上万英里；也有垂直方向的。许多海洋无脊椎动物进行长途迁移，但其中大部分，特别是浮游生物，不能主动移动，而顺海流漂移，有些浮游生物以日为周期垂直迁移，而捕食它们的动物也随这种节律移动。甲壳类有繁殖迁移，包括陆水间、淡咸水间和深浅水间的迁移。昆虫有3种迁移：①迁出。如蝗虫从一不适宜地区迁往另一适宜地区去繁殖，当一地区内虫口剧增，食物贮量下降时，迁飞型蝗虫就增多。其颜色、结构、行为和生理等方面都与非迁飞型蝗虫不同。②在繁殖地与取食发育地之间的取食迁移。③从繁殖地到休眠地之间的迁移。休眠地常常位于适宜的繁殖气候带之外，这类迁移常出现在长寿命的昆虫，在它们生活史中常有滞育期和休眠期。山地昆虫常在不同的海拔高度间和山地与平原间进行迁移。迁移中，昆虫在不同纬度地区繁殖的代数也不同。有些种类有不迁移的世代。标志重捕表明，大王蝶一天可迁飞80英里(129千米)，最远可飞1 870英里。鱼类的迁移称回游，常是对气候的反应。成体主动地进行定向回游，常逆流去繁殖，而卵和幼鱼则多是被动地顺水漂移。鱼类有3种回游：①海洋回游。有些鱼类终生在海洋里生活和迁移(如鲱鱼)。②逆河繁殖回游(如鲑鱼)。③降海繁殖回游(如鳗鱼)。两栖类和爬行类只有繁殖迁移，但它们中的大多数，活动范围很有限，以冬眠来度过不利时期。如蛙类、蟾蜍类每年进行迁徙样的移动，到池、湖中产卵。海龟可迁移很长的距离，到特定的海滩上产卵。鸟类的迁徙高度发育，进行长距离迁飞，是为保证得到在某地区不能全年供应的食物，和维持其身体的高代谢率，而发展出的一种高效率的对策。候鸟与留鸟的特征区别不大，在候鸟与留鸟之间有多种中间类型，在一个种或种群内可存在各种过渡类型，这样的种或种群只进行部分迁徙。鸟常有漂飞现象，如有些鸟会在一定条件下在某地出现并繁殖，然后飞离。漂飞是对生态条件不规律变化的反应。鸟类在不同地区的迁徙倾向不同。如山雀、红额金翅等在西欧为留鸟，而在北欧则是候鸟 。鸭类中有换羽迁飞，它们离开繁殖地到不会被捕食的安全地区换羽，换羽时失去飞翔能力，换羽后飞往越冬地。北半球的鸟类往往飞到南方越冬；热带鸟类则按干、湿季的变换而迁飞；远洋鸟类飞行距离大于海滨鸟类，后者只在近陆地处迁飞，但可飞到纬度不同之处。北极燕鸥在欧洲、亚洲和美洲最北部海岸繁殖，主要迁飞到11 000英里外的南极厚冰沿岸过冬。它们是迁徙距离最远的鸟类。多数鸟类是集群迁飞，此时，最不合群的鸟类也集成大群。鸭类、鹤类排成V字形飞行，队伍凝聚力极强。有些迁飞种群分散到很大面积上，其前沿可宽达数百英里。鸟类都有一定的迁飞路线，迁飞路线取决于地理因素(山川、河流和海岸等)和气象因素(风力和风向)等。大多数鸟类迁飞的高度低，如小型雀类只能飞于200英尺(61米)以下，迁飞的最高纪录为9 000米。燕子、鹳等鸟白天迁飞；水禽、鹬等夜间迁飞。迁徙的倾向性与运动能力直接相关。陆生兽类行走速度相对较慢，行走能耗高，因此季节性迁移种类少。多数陆生迁移兽类属偶蹄类，它们栖于气候和生物状况变化大的地区。飞行兽类和水生兽类迁移倾向较强。有些蝙蝠进行短途迁移，以改善越冬条件，或去休眠。迁移动物常能准确地返回出生地繁殖。归巢试验证明动物有定向导航能力，归巢动物可认出熟悉的地表标志——地形标志、生态标志(植物带

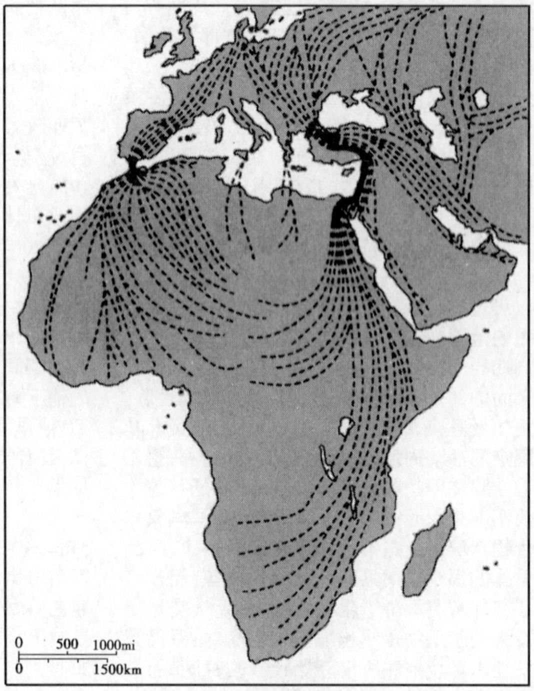

欧洲白鹳(*Ciconia ciconia*)从欧洲繁殖地迁往非洲越冬地点的基本路线图

等)和气象标志(温、湿度不同的气团、盛行风等)。无论在什么位置放飞,鸟类均可找到归巢方向,然后保持这种方向飞行。有人认为鸟能感受地球磁场的强度和方向的变化,并以此定位导航,也有人认为鸟能感受地球的旋转力,从而能导航。但没有相应的感觉器官和生理过程可证明这些假说。实验证明,鸟类以天空目标为基础定向,白天,鸟以太阳定向,它们有所谓内时钟机制用以测定太阳的方位。许多种动物都有这类与光周期有关的机制,用人造光节律打乱鸟的内部节律后,归巢行为发生异常。G.V.T.马修斯提出,鸟可以根据太阳的最高点和运动弧线与地平线的关系确定方向、时间和经纬度。夜间,鸟根据星辰来确定经纬度导航。在人造星空下,向喉莺等按这个星空的方向南迁或北返。许多甲壳类、昆虫和鱼类也能相当准确地利用太阳定向。地形特征、水中温度和各种化学物质含量,也对鱼类定向起重要作用。兽类以可见的地表标志定向,气味痕迹也在很有限的范围内起作用。迁移构成迁移动物生命周期的一部分,并取决于影响整个机体的复杂的内部节律,特别决定于内分泌腺和性腺。垂体受昼夜长度和光强度的影响,但又有其固定的活动周期,它影响全身代谢过程,也影响性腺和甲状腺。甲状腺控制动物迁移前的代谢变化。而留居种没有这些变化。气象和生物状况等生态条件的变化不很规律,因此垂体的固定周期只能为迁移作准备,而开始迁移却常要取决于生态因子,如天气突然变冷会刺激动物提早出发迁徙。椋鸟、百灵等鸟类由环境条件决定开始迁飞的时间,而由温度和气压决定飞行方式。也有一些种类,如黄鹂、楼燕等,不受气候的影响,每年准时迁飞。食物短缺等生态条件刺激兽类开始迁移。而水的物理条件影响鱼类和海洋无脊椎动物的迁移时间。迁移可能是由向有利环境的扩散逐步发展而形成的。自然选择有利于迁移者,加强了迁移的倾向性和稳定性。有些越冬地可能是原始栖息地,鸟离开这里去繁殖,季节变化又迫使它们回到原处越冬;有些鸟类的原栖息地就在现在的繁殖地,气候变冷被迫南迁越冬。如此看来,迁移是动物周期性地迁入或迁出的结果,迁移有着重要的生态意义。迁移种只居住于越冬地和繁殖地的环境都发生剧烈波动的地带。它们的生活周期与其不同的栖息地的状态相协调。迁移使可迅速移动的动物能够利用波动的资源,利用食物生产的高峰。两个栖息地的容纳能力都控制迁移动物的数量。在以生产力波动为特征的生态系统的年周期中,包含着迁移活动的过程。

migration, human 参阅 **human migration** 人类迁徙。

Mihailovgrad (Bulgaria) 参阅 **Mikhaylovgrad** 米哈伊洛夫格勒。

Mihajlović, Dragoljub 米哈伊洛维奇(1893-03-27,塞尔维亚伊万尼察～1946-07-17,南斯拉夫贝尔格莱德[今在塞尔维亚]) 南斯拉夫军官,第二次世界大战期间领导名为切特尼克(Chetnik)的保皇派地下军。他曾参加巴尔干战争和第一次世界大战。1941年德军入侵南斯拉夫时升任上校,他拒不投降,组织切特尼克。同年南斯拉夫流亡政府任命他为将军和陆军大臣。他的切特尼克与铁托领导的游击队共同抗御德军,但由于政治分歧,互不信任,最后发生武装冲突。盟军获悉他在意大利占领区勾结敌军攻打游击队,于1944年转而支持铁托。南斯拉夫解放后,他被游击队捕获,以叛国罪在贝尔格莱德绞死。

Mihalache, Ion 米哈拉凯(1882-03-03,罗马尼亚托波洛韦尼～1953?,加拉茨) 罗马尼亚政治家。1918年创立农民党,翌年11月,该党在选举中取得巨大胜利。1919～1920年在联合政府中任农业大臣,曾提出土地改革计划,因触犯国王和保守派的利益引发1920年3月的保皇政变,右派将军阿韦雷斯库成为首相。1926年米哈拉凯任民族农民党副主席。1928～1930年再次任农业大臣,1930～1933年任内务大臣。第二次世界大战期间,曾参加反对安东内斯库军事独裁的地下解放运动。1945年共产党夺取政权后,他准备成立罗马尼亚流亡政府。后被捕,1947年11月入狱,可能在1953年死于狱中。

Mihara 三原 日本本州广岛县城市。位于沼田川河口,濒临备后水道。在1582年所建三原城堡周围发展起来。17世纪大量开垦农田。长期以来便为濑户内海重要港口。20世纪初已建有许多工厂,生产纤维、水泥和铁路车辆。20世纪70年代初建成化工厂。人口85 518(1990)。

Mihira 参阅 **Varāhamihira** 彘日。

miḥnah 米哈那 伊斯兰教史名词,指阿拔斯王朝哈里发马蒙(813～833在位)于833年为强迫臣民接受穆尔太齐赖派的《古兰经》被造说而设立的一种伊斯兰教审判所。穆尔太齐赖派认为,《古兰经》无非是安拉为了使人易于理解真道而创造出来的;而传统教义却认为:《古兰经》并非受造物,是外在的,从起初就与安拉同在。马蒙赞成穆尔太齐赖派的观点,命令帝国内一切法官和法律学者都要接受考核,以明确他们在此问题上所持的观点。大部分接受审讯者被迫隐瞒其真实信仰。848年哈里发穆塔瓦吉勒(847～861在位)下令,凡散布穆尔太齐赖派学说者一律判处死刑,米哈那乃结束。参阅**Muʿtazilah**。

mihrab 米哈拉布 伊斯兰教用语,意为"壁龛",指清真寺内朝向麦加方向的壁上的小阁子。其大小不一,装潢富丽。伍麦叶王朝哈里发瓦利德一世(705～715在位)统治时期首创米哈拉布。麦地那、耶路撒冷和大马士革等地的著名清真寺都建于这一时期。这一建筑形式是根据科普特基督教僧侣的礼拜室的壁龛加以改造而成的。参阅**mosque**。

Mijikenda (people) **米吉肯达人** 参阅 **Nyika** 尼伊卡人。

Mikael Sehul 米卡埃尔·塞胡尔(约1692～1784,埃塞俄比亚阿多瓦) 埃塞俄比亚贵族,以摄政身份统治埃塞俄比亚达25年之久。他结束了统治埃塞俄比亚达27个世纪的古所罗门王朝,开始了漫长的政治动乱时期。所罗门王朝最后一代君主之子伊约阿斯在位时期(1755～1769),他奉召辅佐国王,抵御南方加拉人争夺王权的祸患。加拉人传统信奉伊斯兰教,与信奉基督教的北方为世敌。他乘机率部占领王都,自立为摄政王。伊约阿斯谋刺米卡埃尔未遂,反被他判处绞刑(1769)。曾选立3个国王,先后都受他的控制。1784年加拉贵族组织联军将他击败,允许他返回故乡提格雷省,任总督。

Mīkāl 米卡伊来 又译米卡勒。伊斯兰教义中的大天使。火狱初造之时他见到之后大为震惊,从此再无笑容。根据穆斯林神话,米卡伊来和吉布里勒是依从安拉指示而敬拜阿丹的第一批天使。在穆罕默德自麦加夜行到耶路撒冷并登霄之前,这两位天使净化穆罕默德的心灵。据说米卡伊来还曾于624年援助穆斯林军在阿拉伯取得首次重大胜利。

Mikan, George (Lawrence) 米坎(1924-06-18,美国伊利诺伊乔利埃特～2005-06-01,亚利桑那斯科特斯德) 美国职业篮球运动员和篮球运动管理人。1950年被美联社评为20世纪前半叶最佳篮球运动员。他所在的明尼阿波利斯湖人队先后参加了全国篮球联盟、美国篮球协会和全国篮球协会。在这些协会主办的9个赛季里,米坎参加520场正式比赛,得11 764分,平均每场得22.6分;在91场锦标赛决赛中得2 141分,平均每场得23.5分。1967年2月2日职业的美国篮球协会成立,米坎任会长(主任干事)。

Mikawachi porcelain 三河内瓷器 日本江户时代在肥前藩(在今长崎县境内)平户岛上的三河内窑烧制的瓷器。虽然该窑是由朝鲜陶工于17世纪建造的,但直至1751年才开始在平户侯的赞助下制作全白和青花的制品,并因此而闻名于世。三河内瓷器的坯体质地细腻,色泽净白,通常以小型绘画为其装饰风格,装饰纹样有釉下蓝的风景、树木、花卉或人物等。绘画的人物极有特征,尤以中国式婴戏图中的人物为最。浮雕装饰和颜色釉,尤其是暗棕色釉,也都是常用的。制品有滴水瓶、小香炉、笔架、调色盘以及捏雕的动物形象等。对三河内瓷器的赞助在1843年终止,其质量也从此开始下降。

Mike Fink (folklore hero) **迈克·芬克** 参阅 **Fink, Mike** 芬克。

Mikhailovka (Russia) 参阅 **Mikhaylovka** 米哈伊洛夫卡。

Mikhailovsky, Nikolay Konstantinovich 参阅 **Mikhaylovsky, Nikolay Konstantinovich** 米海洛夫斯基。

Mikhaylovgrad 米哈伊洛夫格勒 参阅 **Montana** 蒙塔纳。

Mikhaylovka 米哈伊洛夫卡 又拼 Michajlovka。俄罗斯西部伏尔加格勒州城市。濒临梅德韦季察河。位于沃罗涅日和伏尔加格勒之间的公路干线上。工业以面粉、罐头和肉类包装为主。附近有石灰石矿，可供应数家水泥厂。人口约58 700(1991)。

Mikhaylovsky, Nikolay Konstantinovich 米海洛夫斯基(1842-11-27，俄罗斯梅晓夫斯克[今在俄罗斯联邦]～1904-02-10，圣彼得堡) Mikhaylovsky 又拼 Mikhailovsky。俄国文学评

美国不列颠百科全书公司供图

论家和政论家，其观点为民粹派运动提供了大部分理论根据。贵族家庭出身，曾就学于采矿工程学院。1860 年开始为报刊撰稿。1868～1884 年在圣彼得堡文学杂志《祖国纪事》上发表文章。他是俄国最早以社会学分析为基础的评论家，著有《托尔斯泰伯爵的右手和左手》(1873)和对陀思妥耶夫斯基《恶魔》的评论《一位残酷的天才》(1882)。尽管他没有亲身参加地下革命活动，但他的鼓动性著作和他对革命的同情有过很大影响。他反对从社会意义上理解进化论，认为历史不是按预定的模式发展的。1882 年和 1891 年曾两度因与革命组织有牵连而被赶出圣彼得堡。1892～1904 年任自由主义民粹派杂志《俄国财富》的主编。

Miki 三木 日本本州西部兵库县城市。在 1468 年所建城堡周围发展起来。明治时代(1868～1912)为主要金属器具产地。第二次世界大战后成为神户的卫星城。人口 76 509(1990)。

Miki Kiyoshi 三木清(1897-01-05，日本兵库县～1945-09-26，东京) 马克思主义哲学家，曾为第二次世界大战后在工人和知识分子中盛行的非共产主义的民主社会主义运动奠定理论基础。京都帝国大学毕业。留学德国。1927 年任东京法政大学哲学教授。1928 年创办《在新兴科学的旗帜下》，宣传马克思的社会主义学说。随后发表一系列著作，阐明马克思主义在哲学中必然会占绝对优势。他也开始得到大批追随者。但是，由于他怀有自由主义思想，企图把民主主义与社会主义综合为一体，1930 年被日本共产党领导的无产阶级科学研究所开除。具有讽刺意味的是，同年日本政府以他支持共产党的罪名，把他关押了 6 个月。回到大学讲坛以后，他反对军部势力的不断增大。但在 1942 年，他被军队报刊选派到菲律宾工作一年。当他出差结束时，对政府的反对减弱。1945 年因掩护一名共产党员再次被捕。日本投降后 40 天，在东京丰玉监狱中死去。

Miki Takeo 三木武夫(1907-03-17，日本土成～1988-11-13，东京) 日本政治家，首相(1974-12～1976-12)。四国地主家庭出身。曾在东京明治大学读书，后去美国求学，1937 年得法律学位。几个月后选入国会。他公开反对日本对美国作战，故战后美国占领当局没有干涉他的政治前途。他先后当过 10 次大臣，包括通产大臣和外务大臣(1966～1968)。1974 年 12 月田中角荣辞职后，被财务丑闻困扰和严重分裂的自民党推选他继任总裁和总理大臣(首相)。他计划改组自民党，并要求政府对正在暴露的田中接受美国洛克希德飞机公司高级官员贿赂一事进行调查。尽管作出这些努力，但 1976 年 8 月对田中的起诉严重影响了自民党的选票。1976 年 12 月大选时，自民党仅得到国会 511 席中的 249 席。他为党的势力下降而引咎辞职。

Mikimoto Kōkichi 御木本幸吉(1858-01，日本三重县～1954-09-21，名古屋附近) 日本珍珠养殖场场主和商人，提倡养殖珍珠的商业性生产。1892 年，他把半球形珍珠母小粒植入珍珠贝，成功地使珍珠贝在这个异物周围形成半粒珍珠。御木本幸吉的女婿西川幸吉完成了圆球形珍珠的养殖技术。御木本幸吉严格坚持生产优质珍珠，送往国际博览会展出，并在海外设立推销点。尽管他对人工养殖珍珠业的垄断被逐步打破，但他终生都在继续研究，改进御木本珍珠的质量。

Mikkeli 米凯利 瑞典语称圣米歇尔(Sankt Michel)。芬兰东南部省份。萨沃森林区大部分在本省境内。陆地面积 16 342 平方千米，其中约 1/3 为塞马湖区和派延奈湖区。省会米凯利。萨翁林纳市为湖港、铁路枢纽和旅游中心。黑诺拉是铁路终点站和游览胜地。有林业和木制品业、金属品制造业，食品加工和采石业也很重要。人口约 208 345(1991)。

Mikkeli 米凯利 芬兰东南部米凯利省省会。在赫尔辛基东北。1838 年建镇，1843 年成为省会。工业有胶合板厂和花岗石开采场。旅游活动以滑雪为主。人口：城市区约 31 904(1991)。

Mikkelsen, Ejnar 迈克尔森(1880-12-23，丹麦西布伦讷斯莱乌～1971-05-03，哥本哈根) 丹麦极地探险家、作家。以北极探险而闻名。迈克尔森 14 岁就出海，梦想北极探险。16 岁时曾步行 515 千米，从斯德哥尔摩到哥德堡，要求 S.A.安德烈让他参加北极气球探险未成。1900 年第一次参加去东格陵兰的丹麦探险队。1901～1902 年参加鲍德温-齐格勒考察队。1903～1904 年担任北大西洋国际水文考察队负责人。他在《征服北极冰》(1909)一书中记述了穿越北极区波弗特海的远征。迈克尔森最著名的探险是 1909～1912 年在格陵兰北部寻找早期探险家米留斯·埃里克森 1907 年遗留的地图和日记，后来他把这段艰苦的经历写入《迷途北极》(1913)一书。1924 年迈克尔森率领一支探险队到格陵兰东部斯科斯比湾建立爱斯基摩人定居点。1932 年领导一支科学考察队去格陵兰东南部。1934～1950 年任格陵兰东部监察主任，在建立格陵兰东海岸爱斯基摩人移殖区中起着重要作用。他的其他著作有《冰冻区的正义》(1922)和《两个与冰雪搏斗的人》(1957)。

Miklas, Wilhelm 米克拉斯(1872-10-15，奥地利克雷姆斯～1956-03-20，维也纳) 奥地利第一共和国总统(1928～1938)。基督教社会党党员，1907～1914 年任帝国议会议员。1919 年以后为新奥地利共和国民族院议员，后任议长，并当选为联邦总统。奥地利被纳粹德国合并时，他被迫辞职，退出政界。

Mikołajczyk, Stanisław 米科瓦伊奇克(1901 07 18，德国盖尔森基兴附近何尔斯特豪森～1966-12-13，华盛顿[哥伦比亚特区]) 波兰政治家，第二次世界大战后试图在波兰建立非苏维埃的民主政权。他是农民党领袖(1931～1939)和议会议员。1939 年德国入侵波兰后逃往伦敦，任波兰流亡政府内政部长，1943～1944 年任总理。1945 年 6 月 27 日返回波兰，参加共产党控制的临时政府，任第二副总理兼农业和土地改革部长。在波茨坦会议中，他试图维护自由的波兰，虽得到同意但未被重视。他所领导的农民党是唯一有组织的非共产主义反对党。当 1947 年受操纵的选举预示斯大林派将接管政权时，米科瓦伊奇克逃往英国，后转赴美国。著有《苏维埃统治的模式》(1948)。

Mikon (Greek painter) **米孔** 参阅 **Micon** 米康。

Míkonos 米科诺斯岛 爱琴海基克拉泽斯(**Cyclades**)群岛东部小岛。属希腊。位于蒂诺斯岛和纳克索斯岛之间，靠近提洛岛。面积 85 平方千米，由花岗岩组成。最早居民为爱奥尼亚人。弗兰克时期(约公元 1253)为纳克索斯公爵所有。后归属威尼斯。19 世纪初希腊独立战争中该岛人民曾击退土耳其进攻。岛上多教堂、古迹。土壤贫瘠，缺水，少农业。主要作物有大麦、葡萄、无花果。开采锰矿。旅游业为主要经济活动，为去提洛岛(有神殿)的出发点。有飞机通雅典，船只通群岛各岛。各种杏仁饼干和五彩手织服装、餐巾以及小地毯为岛上土特产，驰名全国。设雅典美术学院分院，招收世界各国学生。人口 5 503(1981)。

Mikoyan, Anastas Ivanovich 米高扬(1895-11-25，亚美尼亚萨纳因～1978-10-21，莫斯科) 老布尔什维克和极有影响的苏联政治家。1915年参加布尔什维克党，成为高加索革命运动的领袖之一。1918 年被干涉俄国内战的英国军队逮捕。获释后进入共产党的组

织工作。由于在20世纪20年代初期的权力斗争中支持斯大林,于1923年成为党中央委员会委员。1926年被任命为内外贸易人民委员,此后一直担任这方面的职务。1935年当

美国不列颠百科全书公司供图

选为政治局委员,成为政治局中贸易问题的专家。1942年2月任国防委员会委员,主管军需物资的采购和运输。1946年任苏联部长会议副主席,负责领导全国的贸易工作。后来他显然已有失宠的危险,但未及被清洗斯大林即已逝世(1953-03)。在以后的政府中出任贸易部长和部长会议副主席,并且保持其在党中央主席团(前政治局)中的席位。后来他支持赫鲁晓夫上台,终于成为赫鲁晓夫的亲密顾问和部长会议第一副主席。赫鲁晓夫下台后,他从1964年至1965年12月担任最高苏维埃主席团主席这一主要为礼仪性的职务。他虽然在1966年4月被排除在党的主席团外,但仍为中央委员会委员。1978年去世后,没有葬入克里姆林宫的城墙,而是埋在莫斯科新圣母公墓,这是二流政治人物下葬之地。

Mikszáth, Kálmán 米克沙特(1847-01-16,匈牙利斯克拉博尼奥～1910-05-28,布达佩斯) 匈牙利小说家,被公认为19世纪末20世纪初匈牙利最杰出的作家。先攻读法律,不久转入新闻界。1887年被选入匈牙利国会。短篇小说集《斯洛伐克乡亲》(1881)和《善良的波洛茨人》(1882)是他的成名作。1894年出版第一部长篇小说《围攻别斯特尔采城》,描写一个脾气古怪的匈牙利贵族。他早期的写作手法属浪漫主义的。到19世纪末,作为描写日常生活的作家,变得更为现实,但仍毫不迟疑地用冷嘲热讽去揭露社会的缺点。去世前不久,他创作了长篇小说《奇婚记》(1900)和《年轻的诺斯季和托特·玛丽的故事》(1908),这是他的两部主要作品,前者描写匈牙利19世纪初叶一对情人如何为反抗匈牙利的压迫势力进行斗争;后者写一个轻薄的贵族恶少想勾引一个富有的中产阶级姑娘以发财致富。最后一部作品《黑色的城市》(1910),也是他写得最美的一部历史小说。

Mikulicz-Radecki, Johannes von 米库利奇-拉代基(1850-05-16,罗马尼亚切尔诺维茨～1905-06-04,德国布雷斯劳) 波兰外科医师,对许多疾病的手术方法都作出了革新。促进了现代外科学的发展。1875年获维也纳大学医学博士学位,1875～1882年为腹腔外科学创始人T.比尔罗特的助手,并为普及J.利斯特的抗菌法做了大量工作。1882～1905年先后任克拉科夫工科大学、柯尼斯堡大学和布雷斯劳大学外科学教授,对肿瘤外科,特别是对消化器官的肿瘤手术作出了巨大的贡献。1885年第一个缝合胃溃疡穿孔,1886年手术修补一段食管,1903年切除结肠癌的病变部分,并描述了米库利奇氏病(淋巴组织过度增生,造成泪腺及唾液腺体的对称性肿胀)。1881年改进了食管镜和胃镜。

mikvah 净身池 又拼miqwe。犹太教名词。指容天然清水以便信徒按宗教礼仪沐浴净身的池塘。《密西拿》就净身池水质和水量有详细规定。在现代,净身礼已很少实行,但拘泥传统的犹太人仍使用净身池。根据《哈拉卡》规定,新入教者也要净身。平时男子每星期五和主要节日之前净身,妇女根据律法在婚前、产后和行经之后净身。

mīlād (Islām) 参阅 **mawlid** 圣纪。

Milan 米兰 米兰的命运就像世界上许多大城市的命运一样,留有一些历史上费解的事实。一些有力的因素支持这样一个论点,即米兰应是统一的意大利的首都,这正是许多米兰人的信念,尽管意大利的统一始于1870年的都灵,而不是米兰。

自然地理和人文地理

城市特点 就财富而言,当代米兰是意大利最富有的城市,也是欧洲最富有的城市之一。当米兰人坚持认为米兰是意大利的精神之都时,他们不仅表达了具有意大利特征的、并以钟楼(指每一个城市的教堂钟楼)著称的古地方主义,还提到米兰在历史上和在当代所处的地位和价值。米兰这座城市在近代、特别是意大利统一后在各个领域(经济、文化和思想意识)对国家作出的贡献证明这种看法是完全有道理的。

景观 位置 米兰位于意大利北部波河盆地中心,占有提契诺河与阿达河之间广阔平原的一半土地。海拔122米。北面为阿尔卑斯山南侧一大片连绵的坡地。在这一山脉半圆形地区与南面的波河流经的河道之间,横亘着一个辽阔地带,其北面干旱,而靠近波河的地方则为沼泽、沼泽树丛和稻田。正是在这两个迥然不同的地区的分界线上,建立起了米兰,而如今沼泽地仅标志着古城的位置。最早的居民曾利用塞韦索河、尼罗内河、兰布罗河和奥洛纳河等小河道来加强其防御。

气候 米兰属大陆性气候,冬季潮湿寒冷,夏季炎热湿润,12月至2月之间为降雪期,春季多雨。冬季气温在-1℃与10℃之间,夏季则在20℃与30℃之间。作为波河盆地的特点,城市常为雾气所笼罩;稻田从南部地区迁走后,减轻了这一现象,但这却多少为在城市四周建立起来的鳞次栉比的建筑物所抵消,这些建筑物影响当地空气的流通。

城市规划 历史上的每一个危机、进步和巩固时期,在米兰的城市结构上都有反映。在过去的一千年里,城市中心坐落在今多摩大教堂的西南,是一个长方形并有四个城门的麦迪奥拉农城,连同在加洛林王朝时期加以巩固的外围不规则的防御工事一起构成,有道路从每一个城门伸出至周围农村地区。该城市中心一直影响着直至近代的城市规划。王朝争夺时期和阿尔卑斯山山北国家的强行进入促使该城市进一步发生变化。在该城于1162年被夷为平地后,建成了一座扩大了的椭圆形城市,其外城的痕迹在当今的街道上仍依稀可辨。西班牙统治者促使建立另一个外城,这是16世纪重建的结果。这在当今的林荫大道上亦可辨认。在城市中心区内,主要的活动中心场所集中于斯福尔扎城堡,该城堡是15世纪王朝争夺时的产物,西班牙人于16世纪加以加固;商业广场是中世纪经济活动的中心;大教堂广场是1489年建在大教堂前的。集中于科尔杜西奥广场的城堡、大教堂和较新的商业区,是近代城市中心的主要建筑,也是米兰人生活动力的象征。

自19世纪后期起,城市规划者数次制定了更具有机性的城市规划蓝图,置传统的呈辐射状的街道设计于不顾,从而使新的地区筑成宽阔的、交叉成直角的街和大道。新的郊区中心通过主干线与旧城中心连接。整片工业地区发展起来了,特别是在北部和东北部,以及南部和西南部。遗憾的是,当周围地区获得充分的发展时,中央地区却没有从相似的变化中得到好处,狭窄的街道和广场给现代化交通造成困难。第二次世界大战结束后,各工业区的兴起几乎都集中在城市周围地区。自1950年以来,市中心在工业化的影响下每况愈下,许多旧的街道和房屋任意地为拥挤的街区和带有公寓和办公室的摩天大楼所取代。

人民 自第二次世界大战以来,米兰的人口迅速增长,主要原因是贫穷的意大利南部的大量移民涌入,试图进入工业化的北方的工厂,以改善生活状况。人口的压力导致贫民窟和诸如布里安扎棚户区的出现,以及城市规模扩大。米兰以重新唤起的活力向外围扩张,渗入附近农村地区,特别是东北部向克雷申扎戈扩展,南部则扩展至罗戈雷多和维真蒂诺。米兰大规模的城市发展对其经济的增长作出了贡献。人口约1 182 693(2001)。

经济 工业 米兰是意大利最重要的经济中心,这是由于它所处的地理位置所决定的。它位于瓦尔-帕达那各条交通线的中心,横亘在南面肥沃而灌溉良好的平原上的先进农业区和北面有限的农业区之间。此外,它还有引人注目的工业发展做后盾。米兰的富有和人口极为稠密的环境使之与意大利其他大制造业中心有所不同,这些特点增加了它在经济方面的重要性和扩张的潜力。一个广阔的公路和铁路交通运输网正向外围地区、特别是向北延伸,给予这个城市以其他意大利城市所没有的经济优势。

机械工业十分发达。汽车、飞机、摩托车、主要电气用具、铁路器材和其他金属制品的生产约占用了一半的劳动力。纺织厂(棉布、麻织品、丝绸和人造纤维)在米兰周边地区经营,而米兰市则以生产成衣和服装设计为主。米兰市的服装设计在商业方面居重要地位,市内有一些世界最知名的设计师成立的沙龙。化学品生产也相当可观。除生产大

米兰市斯福扎城堡墙内的达米广场和萨伏依古堡塔楼

美国不列颠百科全书公司供图

量药品外,还生产染料、肥皂和各种酸性物质。城市经济中还值得一提的是书画刻印艺术和出版印刷,以及食品、木材、纸张和橡胶制品。米兰作为意大利电子媒介中心的地位,由于有数据处理和电信在内的高技术工业的迅速发展而得到加强。

商业 工业发展促进了城市的商业活动。意大利几个最大的批发市场都在米兰。出口贸易最为重要,出口品有人造纤维、棉和羊毛制品、化学产品和机械。这一巨大的经济综合体得益于该市银行和股票市场的高效率。米兰是意大利主要的交易中心。每年4月米兰市都要举行国际样品交易会,是欧洲主要的贸易展览会之一。

运输 米兰除了是生产和交易中心外,也是全国运输枢纽。通过认真设计与实施的规划国营铁路与市内景观相辉映。例如,矗立着皮雷利大厦和其他高大建筑物的共和国广场就位于原火车站所在地。货物吞吐在朗布拉特-奥提卡车站进行。其他两个车站为客运站。还有5个车站供各种货物使用。最大的装运场是中央火车站。通向阿尔卑斯山那边的隧道和其他铁路干线联运把米兰与欧洲所有地区连接起来,并且还有许多往返于主要城市之间的直达列车。米兰的重要性还在于有川流不息的外国和本国旅游者来往。米兰除了是许多主要公路的枢纽外,也是著名的称之为"太阳高速公路"的旅游线路的起点。都市交通部门经营全都市区的大规模公共汽车、有轨电车和地下铁道网。

行政与社会状况 *政府* 该城正式名称为米兰市,是以同样的名字命名的省和伦巴第区的首府,在意大利共和国的管辖之下。意大利国家政府由一个中央政府和周边或地方行政系统组成,后者对某一特定地区拥有有限的管辖权。周边系统中最重要的组成部分是行政公署,其首脑是地方行政长官,是米兰省的最高行政当局。它监督公共行政活动。省在其自己的地区内,行使管理医疗卫生、公共工程、福利、教育、农业和商业的重要职权。米兰省同意大利其他省一样,有一个副省长,一个行政公署顾问和一个省议会,议长和议员均由省长挑选,米兰市则由一个委员会和一名市长治理。市长是市行政长官,代表意大利共和国中央政府。市长的职责包括主持婚礼,出生和死亡登记,以及代表每一个公民维持安全和秩序。

服务部门 邮政总局每天24小时营业。该市拥有一个庞大的、人员充足的街道和环卫部门,努力维护城市清洁及其公民的健康。但某些地区过分拥挤和恶劣的居住条件给这一任务造成困难。尽管如此,该市医疗设施一般良好,并拥有一个庞大的公营和私营医院与门诊所系统,以及研究机构。

文化生活 在米兰仍能见到的最引人入胜的古迹是米兰大教堂,一个哥特式建筑的杰作;它是当代欧洲第三个最大的教堂,可容纳20 000多人。它始建于1386年,历经5个世纪才告竣工,矗立在一度为圣特克拉教堂和圣马利亚教堂所占据的地方。大教堂最宏伟壮丽的部分是它的侧面,顶端的两个十字架和半圆形后殿。后者有3扇用意大利淡红色大理石精雕细刻的哥特式大窗户,给人留下难忘的印象。大教堂的外部覆盖着大量醒目的角楼、尖塔和3 000多座雕像。内部有52根支柱,每根支柱高80英尺以上,直径和支承超过10英尺,壁龛内以头像代替柱头。

米兰有许多宫殿,其中最著名的是布雷拉宫,建于1651年,建筑师里奇诺将全部米兰的巴罗克风格都溶入他那简洁风格内。意大利最大的美术馆之一布雷拉绘画陈列馆收藏有意大利北部的绘画精品。该建筑物内附设国家布雷登塞图书馆,其美丽庭院内矗立着A.卡诺瓦的拿破仑雕像。圣辛普利齐亚诺教堂坐落在加里波第大街,传说于4世纪由圣安布罗斯建造。它的半圆形后殿有15世纪贝尔戈尼奥纳的壁画《圣母马利亚的加冕》。其他坐落在中心地区的著名教堂有圣萨蒂罗、圣埃乌斯多尔乔、圣洛伦佐和圣巴比拉教堂。拿破仑山大街有几座富丽堂皇的宫殿,其中有巴加蒂-瓦尔塞奇宫殿。文艺复兴时期最著名的绘画之一达·芬奇的壁画《最后的晚餐》就在多明我会的圣马利亚感恩女隐修院的原餐厅里。在卡武尔广场内有纪念这位伟大的意大利政治家的纪念碑,广场也以他的名字命名。自然历史博物馆坐落在"瑞士中心"。其最令人感兴趣的展品之一是图拉蒂派鸟类学收藏品。前王宫,现改为现代美术馆和当代美术陈列馆,也在附近。

安布罗塞图书馆(建于1609年)和市立图书馆也都具有重要的价值。其他设施良好的图书馆则设在各大学、伦巴第科学与文学学院研究所、语文学俱乐部和多纳蒂基金会内。国家档案馆也藏有极富价值的收藏品。米兰是3所大学的所在地:圣心天主教大学(1920),是意大利最好的天主教学校之一;国立米兰大学(1923)和伯科尼商业大学(1902)。其他高等学府有:核工程学院、费密核研究中心和威尔地音乐学院。

米兰的斯卡拉歌剧院(通称斯卡拉)由新古典主义建筑师皮耶尔马里尼于1776～1778年建造,是世界上著名的大剧院之一(皮耶尔马里尼偶然设计了罗马纳门大街,这是近代欧洲的第一条铺设路面的街道)。米兰还有其他几座剧院,有歌剧院、奥德翁剧院和斯塔皮勒剧院,后者是意大利主要剧团之一的所在地。此外,还有许多电影院。

于16世纪兴修的运河网,有几段至今仍保存着,特别是在城市的南部,仍完好无损。夏天可乘旅游船泛舟于提契诺河港和波河港之间的运河上,观赏16～19世纪为米兰贵族们修建的乡村庄园。

米兰是意大利主要的体育运动中心。许多体育设施在该城西北边缘的圣西罗运动场内。运动广场是娱乐建筑的典范。占有大片赛马场地的跑马场是欧洲最好的跑马场之一。米拉贝洛跑马场也非常好。此外,圣西罗还有一个很好的足球场、一个市民竞技场和许多其他的运动场,其中举行自行车比赛的现代化的维戈雷利运动场十分有名。利纳特机场旁的人工湖——水上运动场,也是一个公众娱乐场所。蒙扎附近的汽车大奖赛场地享有国际声誉。

历史

早期 *创建与早期发展* 米兰最早的居民点是由高卢人于公元前600年左右建立的,在随后的几个世纪里发展成为一支称为因苏布雷人的凯尔特部落首府。公元前222年罗马征服时期,当时的麦迪奥拉农已成为阿尔卑斯山罗马人一侧叫作山南高卢地区的

米兰市的多摩大教堂
美国不列颠百科全书公司供图

最强大城市之一。在奥古斯都皇帝的统治下,它成为意大利第11区的一部分,获得了日益显赫的威望和经济力量,直至成为西罗马帝国仅次于罗马的第二大城。公元3世纪,在戴克里先皇帝实行帝国分治后,它被定为两帝之一的住地和行政中心。君士坦丁大帝宣布它是意大利教皇的驻地。公元452年,匈奴国王阿提拉蹂躏该城;539年,复遭哥特人破坏。该城虽遭如此野蛮的入侵,却未被全部摧毁。10世纪下半叶,城市生活重新复苏。在加洛林帝国统治下(该区于774年并入查理曼帝国版图),米兰的生活显示出日益强大的活力,主要是由于大主教安斯佩托·达比亚索诺的努力,他对9世纪末倒坍的城墙进行了加固和重建。在阿里贝托·达安蒂米亚诺的统治下(1018～1045),大主教管区的政治权力达到顶点。约于1000年起,大主教开始拥有世俗权力,这可以被认为是米兰后来强大的起因。

1045年,由于大主教统治所酿成的紧张局势,以及城市总体上的日益发展和巩固,米兰成为一个自治市,具有永久性的自治政府结构。在由此而引起的伦巴第各城市间争夺霸主的斗争中,米兰陷入了一系列反对不太繁荣的邻城,诸如帕维亚、克雷莫纳、科莫和洛迪等的长期的战争之中。1111年,米兰人将洛迪夷为平地。在经过了1118年至1127年的鏖战之后,科莫被摧毁了。这成为腓特烈一世(红胡子)干涉的借口,他决定把米兰置于他的神圣罗马帝国中央帝国权力的直接管辖之下。该城拒不退让,直至1162年在被围困了9个月之后才投降。它的防御工事被摧毁,米兰人被迫迁至附近乡村避难。但战争一直持续到1183年签署《康斯坦茨和约》,不过在新成立的伦巴第联盟的保护下,米兰又于1167年重建,在1176年莱尼亚诺战役中,对打败巴尔巴罗萨的德国军队发挥了主要的作用。米兰重新赢得了它的特权,在此后的100年里,进入了一个经济上辉煌的繁荣时期。

封建斗争 12世纪初期,新的工业阶级,特别是羊毛和军火工人行会的力量和影响不断加强。大主教与其同盟者之间的关系具有封建性质,意味着大主教对在公民中出现的社会和政治力量不得不作出巨大的让步,以巩固自己的一方,这样就削弱了教会的财政特权。在与士瓦本的腓特烈二世的关系变得更坏之后,米兰人宣布戴拉·托雷家族的巴加诺为他们的摄政者,这个家族是该城封建性较少的权力集团的领导人。但城市军队在科特努奥瓦战役(1237)中为腓特烈二世所打败。在随后托雷家族与米兰另一个强大的家族维斯孔蒂的斗争的阴影下,"执政团"时代诞生了。托雷家族成为新的民众力量的领导人,取名"归尔甫派";贵族们所跟随的维斯孔蒂家族,则领导着"吉伯林派"。

1277年,米兰大主教奥托内·维斯孔蒂在代西奥战役中彻底打败敌军。他的侄子马泰奥继承其位,于1311年开始,马泰奥及其继承者作为该城及其周围城邦的最高君主进行统治,取代了自治市的政治形式。在这种君主统治或"执政团"统治之下,工业和商品经济获得了迅速发展,产生了各经济行业的进一步强有力的联合。但是,1450年,米兰再次被围困。残酷无情和雄心勃勃的将军弗朗切斯科·斯福尔扎(1401～1466)占领该城,并建立了一个新的王朝,这是以他与维斯孔蒂家族中的一位私生女的婚姻为依据而提出的要求。在斯福尔扎家族的权力基础上,以及随着丝绸业的引进,米兰进入繁荣期。这时正是意大利文艺复兴的黄金时期。

斯福尔扎王朝仅短期享有权力。1499年米兰公国落入法国国王路易十二之手,他也是维斯孔蒂家族的一个旁支。1500年,卢多维科·斯福尔扎征服该国,但同年在诺瓦拉被打败。法国人继续统治直至1513年,同年他们被得到瑞士支持的卢多维科之子马西米利亚诺·斯福尔扎所推翻。路易十二的继承者弗兰西斯一世于1515年获得了著名的马里尼亚诺之战的胜利,重又征服米兰。根据1529年签订的一项和约的条件,米兰再次归还给斯福尔扎家族。

近代米兰的演变 1535年在职公爵猝然去世,米兰及整个米兰公国落入哈布斯堡皇帝查理五世的统治之下,1540年他将公国授予其子(即未来的西班牙菲利普二世)。在西班牙统治下(这一统治一直持续到1706年),米兰迅速陷入与毫无生气的异族统治俱来的经济停滞与政治衰落之中。1630年,该城受到大瘟疫的袭击。西班牙统治时期造成的荒芜与贫穷的结束,始于西班牙查理二世去世后爆发西班牙王位继承战争的1701年。1706年9月,萨伏依君主欧根进入米兰,成为它的第一任奥地利总督,该城从受西班牙人统治转为受奥地利人统治。虽然18世纪上半叶以被忽视和受压迫为特征,但《艾克斯拉沙佩勒条约》签订之后,新的统治者与米兰富有的商人阶级合作,得以促成纵使是专制的、但却是启蒙性的发展。这在文化领域尤为显著。正是在这一时期人才辈出,例如卓越的犯罪学家和经济学家C.贝卡里亚和天才的行政官员和文学家P.韦里。这些人和米兰的"拳头会"成员,置奥地利的审查于不顾,接受法国大革命理论家们的革新思想。新古典主义建筑在这一时期也至为盛行。1796年5月15日,当拿破仑率领法国共和军进入米兰时,受到了热烈的欢迎,特别是中产阶级的欢迎。1797年颁布了阿尔卑斯山南共和国宪法。1805年米兰成为拿破仑统治下的意大利王国的首都,拿破仑在米兰加冕为王。当王国统治扩及意大利半岛大部分地区时,米兰随之繁荣,在米兰人民的思想意识中也随之出现了真正的觉醒。

但是,随着拿破仑帝国于1814年崩溃和次年维也纳会议后奥地利重新进行统治,米兰人民的希望破灭了。伦巴第-威尼托王国的这一新的异族统治持续了将近50年。由于受到新的意大利统一潮流和称作意大利政治统一运动的民族主义的影响,以及对奥地利的暴虐统治痛心疾首,米兰公民们终于举行了"五天起义"(1848年3月18～22日)。米兰摆脱了奥地利人的统治达数月之久,直至这一起义最后被镇压下去。尽管1848年8月6日年迈的奥地利司令官J.拉德茨基的野蛮军队重又占领米兰,米兰抵抗力量仍决心继续反对侵略者。青年人越过皮埃蒙特-撒丁王国的边界加入米兰军队,一直坚持到第二次意大利独立战争,终于从异族的统治下最后解放了米兰,在马真塔战役(1859-06-04)数天之后,米兰人民目睹两个盟友维克托·伊曼纽尔二世和拿破仑三世胜利进入该城。米兰——这时正处于强调生产金属制品的产业革命的阵痛之中——从此与新的意大利国家的命运连在一起,一直保持着自己在国民经济中所处的头等重要的地位。它对该国的政治发展也起了一定作用。1919年3月23日,该城好战的右翼集团的成立标志着法西斯主义的开端。在第二次世界大战中,米兰遭到同盟国的猛烈轰炸,蒙受重大损失。战后,城市为此付出艰苦的努力,进行重建,极力医治战争创伤。战后米兰的发展大多以社会和经济冲突为特征，这种冲突表现为一个强大的、挑衅性的共产党的存在，它的影响从战争结束时起至随后比较富裕的数十年里始终存在。

Milan 米兰 美国俄亥俄州北部伊利县和休伦县村庄。位于桑达斯基东南，临休伦河。1816年辟为村并以意大利的米兰命名。有运河与休伦湖相通，为小麦的水运中心。因拒绝莱克肖尔至密歇根铁路途经该村，其商业地位日渐衰退。发明家T.爱迪生1847年生于该地。其故居现为地方历史博物馆。人口1 445(2000)。

Milan III(or I) 米兰三世(或一世)(1819-10-21，塞尔维亚克拉古耶瓦茨～1839-07-08，贝尔格莱德) 塞尔维亚大公(1839)。19岁继父位。因患严重肺病，无力亲政，由3人摄政掌国。在位仅25天死去。

Milan IV(or II) 米兰四世(或二世)(1854-08-22，摩尔多瓦默勒谢什蒂～1901-02-11，维也纳) 塞尔维亚大公(1868～1882)、国王(1882～1889)。1868年即大公位，由摄政当权，1872年亲政。由于压制臣民的泛斯拉夫主义感情和不支持波斯尼亚-黑塞哥维那人民反抗土耳其统治者的起义，他很不得人心。他一向采取亲奥地利政策，如任命亲奥的大臣，缔结依赖奥地利经济的贸易和关税协定等，因此，奥地利支持他将塞尔维亚公国升格为王国，并自立为国王。1883年他派兵镇压农民大起义。1885年与保加利亚开战，遭到惨败。1889年颁布一部比较开明的宪法。同年3月退位。1892年放弃塞尔维亚国籍，定居巴黎，称塔科沃伯爵。1897年回国担任总司令，尽管他支持军队改革，但仍然不受欢迎。1900年再次流亡国外。

Milan, Edict of 《米兰敕令》 罗马帝国宣布宽容基督教的公告。313年2月罗马皇帝君士坦丁一世和李锡尼在米兰达成政治协议，随后李锡尼于同年6月向东罗马发布这项敕令。规定任何人都有崇拜所奉之神的自由，基督教徒享有合法权利(包括组织教会的权利)，没收的教产立即发还。

Milán, Luis 米兰(约1500，阿拉贡巴伦西亚～1561后，西班牙巴伦西亚) 作曲家、朝臣和比乌埃拉琴(诗琴的西班牙变种)演奏家。最著名的作品《教师》是一本比乌埃拉琴曲和由比乌埃拉琴伴奏的独唱歌曲集，这是一套比乌埃拉琴曲集的第一本，成为西班牙对16世纪音乐最杰出的贡献。其中的乐曲按难易顺序编排，西班牙和葡萄牙语的比良西科、浪漫曲和意大利的十四行诗曲大都十分优美，其器乐伴奏丰富多彩。

Milan, University of 米兰大学 米兰的一所男女合校公立高等学府。1924年由路易吉·曼贾加利创办，称米兰皇家大学。当时已有的两所科学研究机构——皇家科学和文学院(根据1859年《卡萨蒂法令》建立)和临床医学研究所(1906)构成这所新大学的基础。1934年该大学已成立了60个不同的科学研究所、诊疗所和高级学院。其中有一所学院，它的毕业生要送到农村地区实习。法西斯主义者将该大学置于国家控制之下，它今天依然受政府管辖，但却享有行政自主权。1969年以后的10年间，意大利各大学的入学要求放松，米兰大学学生注册人数从约1.1万上升至6万多。19个学科需要学习4～6年方能获得学位。

Milan faience 米兰彩陶 18世纪时米兰的几家工厂生产的锡釉陶器(在意大利通常称为马约利卡陶器)。已知的最早的制品是由开设于1745年左右的费利斯·克累里齐工厂制作的。这些制品仿自或受启迪于中国和日本的瓷器的样式。1759年帕斯卡尔·鲁伯蒂工厂开始生产马约利卡陶器，其装饰仿效瓷器。

Milanese lace 米兰花边 17和18世纪在米兰制造的花边。是一种线轴编织花边(棒槌花边)，图案有醒目的传统树叶、涡卷和条纹装饰，点缀以武器、人和动物形象等。图案由连绵不断的带或辫组成，编制时在一个枕垫(有衬垫的椭圆形或圆形板)上进行，然后在周围缀上线条或网状的衬地。

17世纪晚期的米兰花边

伦敦维多利亚和艾伯特博物馆供图

Milano(Italy) 参阅 **Milan** 米兰。

Milazzo 米拉佐 意大利西西里岛北部墨西拿省城镇。位于墨西拿以西米拉佐湾西侧一个长5千米的半岛的地峡上。建于公元前716年。后又分别属雅典人和叙拉古人。1860年意大利民族主义者G.加里波第在该镇外击败两西西里王国的波旁军队。第二次世界大战中受盟军猛烈轰炸。部分城区有16世纪西班牙城墙环绕。镇内有13世纪诺曼人城堡。为埃奥利群岛的中转港。为旅游地，也出口水果、葡萄酒和橄榄油。化学工业和炼油业逐渐发达。人口：城市区约31 497(1984)。

Milbank 米尔班克 美国南达科他州东北部城市，格兰特县县城(1883)。临惠特斯通河南支流，在苏福尔斯以北200千米、明尼苏达州界西16千米。1880年设铁路分段站后移民纷纷定居。1881年设村，1894年设市。现经济活动主要包括农业生产乳制品、家禽、玉米、大豆、小麦、黑麦和燕麦)、花岗石开采、商业服务、保险业、电话销售、仓库贮存和食品加工。人口3 640(2000)。

Mildenhall 米尔登霍尔 英格兰萨福克行政、历史郡福雷斯特黑思区一城镇。濒拉克河。该镇还保留着它的六角形市场，为亨利五世统治年代建筑，现在列为古建筑物。圣马利亚教堂连同其34米高的钟塔为13～15世纪建筑。米尔登霍尔为所在农业区的主要服务中心。所谓米尔登霍尔宝藏是1946年英国博物馆获得的一窖罗马银餐具，共34件，大多为4世纪时的手工艺品，有些为地中海工厂的产品，很可能在盎格鲁-撒克逊人入侵时被当时的所有者埋藏于此。人口10 468(1991)。

mildew 霉 各种真菌的子实体和菌丝形成的显眼的团块。可使布匹、纤维及皮革制品发霉，亦可致某些植物疾病，如霜霉病(**downy mildew**)和白粉病(**powdery mildew**)。真菌以上述物品及寄主植物为营养来源，以供生长繁殖之用。

Mildner glass 米尔德纳玻璃制品 18世纪末期由J.J.米尔德纳用夹金玻璃品(**Zwischengoldgläser**)工艺(把刻有图案的金箔夹在两层玻璃之间的技术)制作的玻璃器皿。他曾在奥地利的古滕布伦玻璃工场做过工。他的作品以用作礼品的平底酒杯最为著名，其特点是把蚀刻在金箔或银箔上的圆形图案置于红色的底子上。图案有肖像、交织字母、盾形纹章等，不常出现的有寓言、圣徒像，还偶尔在图案背面刻有诗文。他的部分作品(1787～1808)至今犹存。

Mildura 米尔迪拉 澳大利亚维多利亚州城市，靠近墨累河和达令河的汇合处。19世纪40年代发展牧羊业后命名为米尔迪拉，在原居民语言中为“红色土地”之意。殖民地政府给予来自加利福尼亚的加拿大人乔治和威廉·查菲100 000公顷土地，供其开垦半干旱的马利(**Mallee**)地区。1886年两人引进灌溉农业后开始有人定居。最初在19世纪90年代有些挫折，但后来灌溉取得成功，居民日增。米尔迪拉于1920年设乡，1922年设镇，1934年成为市。是该州大部分干果的产地，有铁路和公路运送新鲜水果和蔬菜到东南方467千米的墨尔本。工业有水果加工及包

米尔迪拉市郊的灌溉农田

美国不列颠百科全书公司供图

装、面粉、酿酒、制砖、石膏、管子等。人口约17 840(1985)。

mile 英里 法定英里(5 280英尺)等一些距离单位的统称。按国际单位制,1英里等于1.60 935千米。英里源自罗马的千步(mille passus,相当于5 000罗马英尺或4 840英尺)。1500年左右,"老伦敦"英里定义为8浪,当时浪以较长的北方(日耳曼)英尺测量为625英尺,从而1英里等于5 000英尺。在女王伊丽莎白一世时代,因1593年的法令批准使用较短的英尺,使浪等于660英尺,致使英里较原来多出了280英尺,而成为5 280英尺。不列颠群岛其余地区使用较长的英里,其中包括长6 721英尺的爱尔兰英里和长5 951英尺的苏格兰英里。至于海里则为地球表面1弧分的长度,或按国际单位制定义等于1 852米(6 076.12英尺或1.1 508法定英里);此量度单位在航海与航空运输业上仍普遍使用。另外,时速1海里称为1节。

Miles City 迈尔斯城 美国蒙大拿州东部城市,卡斯特县县城。在黄石河与汤河汇合处。1877年建,以曾在此作战的美军将领N.A.迈尔斯姓氏命名。1881年北太平洋铁路修到此后,成为牛、羊、羊毛和农作物市场。现生产马鞍。每年有牛马集会和竞技表演会。市内有迈尔斯社区学院(1939)和州立男子工业学校。附近有山地骑手博物馆,一个鸟类保护区和鱼苗孵化场。1887年设市。人口8 487(2000)。

Miles Gloriosus 吹牛军人 又作Braggart Warrior。自罗马时代至现代夸张喜剧中的定型人物。源于罗马剧作家普劳图斯约在公元前205年写的一出喜剧。普劳图斯的剧本是一出复杂多变的闹剧,以几部无名作家的希腊剧本为基础。剧中写一个自负、好色、愚蠢的士兵皮尔戈波利尼斯被他聪明的奴隶和一名上等妓女愚弄的故事。这部作品非常流行,而皮尔戈波利尼斯就成为后来喜剧中许多狂妄自大的懦夫的原型。意大利16世纪中期即兴喜剧中神气活现的卡皮塔诺是类似的定型人物。莎士比亚及伊丽莎白时代许多剧作家笔下也有这种类型的人物,如法尔斯塔夫等。吹牛军人这个人物的影响还可在高乃依、萧伯纳和布莱希特的剧作中看到。

Milescu, Nicolae 米列斯库(1636,摩尔多瓦瓦斯卢伊[今在罗马尼亚]～1708,莫斯科)出生于摩尔多瓦的作家、学者和旅行家。在君士坦丁堡希腊主教学院学习后,于1653年返回摩尔多瓦的雅西,被任命为乔治·斯特凡亲王的秘书。1671年旅行到莫斯科被任命为外事机构的翻译,改名为N.G.斯帕法里。因取得两位权贵的信任,1675年,被派往北京,担任驻华使节,1678年1月离任返回。米列斯库学识渊博,可用希腊语、拉丁语、罗马尼亚语和俄语写作,留有大量手稿,曾把希腊语《圣经》译为罗马尼亚语。1688年瓦拉几亚亲王舍尔班·康塔库济诺印行的《圣经》,就是以他的译文为基础的。他的全部作品中最有价值的是《从西伯利亚……到中国旅行记》(1882出版)。

Milesian tale 米利都传奇 简短的爱情或流浪汉奇遇故事,最早由米利都人阿里斯提得斯(约公元前2世纪)所写或搜集。公元前1世纪,卢西乌斯·科尔内留斯·锡塞纳把这个故事集译成拉丁文。后来佩特罗尼乌斯的《萨蒂利孔》(公元1世纪)和卢西乌斯·阿普列乌斯的《金驴记》(公元2世纪)即以此书为写穿插故事用的蓝本。《萨蒂利孔》叙述的是三个声名狼藉的主人公所干的那些无法无天的勾当;而《金驴记》叙述的则是一个变成驴子的主人公的种种不光彩的经历。希腊文和拉丁文的《米利都传奇》是后来许多故事集的原型,其中包括薄伽丘的《十日谈》(1348～1353)、昂古莱姆的玛格丽特的《七日谈》(1558～1559)。

Miletus 米利都 土耳其语称巴拉特(Balat)。安纳托利亚西部的古希腊城市,在现土耳其瑟凯市南。在爱奥尼亚希腊人移民以前,该地居民为卡里亚人。这个希腊城市的建立,可以追溯到尼莱奥斯和由皮洛斯跟着他前来的人。这个城市是安纳托利亚内地物产的天然出口地,并与意大利南部的锡巴里斯有大宗羊毛贸易。米利都对埃及诺克拉提斯希腊殖民地的建立起过重大作用,它在黑海沿岸建立过60多个殖民地,其中有阿拜多斯、库齐库斯、锡诺普、奥尔比亚和庞蒂卡派姆。公元前500年以前,米利都是希腊在东方最大的城市。除了商业和殖民,该城还以文学界和科学哲学界的人物驰名,其中有泰勒斯、阿那克西曼德、阿那克西米尼和赫卡泰奥斯。米利都人和其他两个卡利亚的爱奥尼亚城市米厄斯和普里恩的人共操一种独特的爱奥尼亚方言。对于公元前500年以前的米利都政治情况,至今不详。但是,公元前6世纪初期和末期,该城曾为僭主色拉西布洛斯和希斯提艾奥斯所统治。公元前7世纪,米利都与邻国吕底亚发生冲突,可能在公元前6世纪中叶承认了吕底亚的霸权。公元前6世纪后叶,该城与安纳托利亚其他希腊城市都归属波斯统治。约公元前499年,米利都人领导了"爱奥尼亚起义",这次起义标志着**希波战争(Greco-Persian Wars)**的开始。公元前494年,该城遭到波斯人攻打和劫掠。波斯为希腊所败(公元前479)之后,米利都参加了雅典控制下的提洛同盟;但到公元前5世纪中叶该城即因内部分裂而元气大伤,民穷财尽,公元前442年在战争中被邻邦萨摩斯所败。不过,该城的经济不久即已恢复,米利都人开始按照当地人希波达莫斯所创始的方块式城市规划重新建城。公元前412年该城联合斯巴达反对雅典;公元前350年以前卡利亚的摩索拉斯统治过该城,但该城在公元前334年落入亚历山大手中。希腊化时期在米利都角逐的君主有塞琉西的安条克四世和帕加马的欧迈尼斯二世。米利都受到罗马皇帝奥古斯都和图拉真的特别垂青,仍保持它在商业上的重要位置。但到6世纪,该城因两个港口淤泥堵塞,终于被放弃。该城遗迹在原安纳托利亚半岛卡拉巴克山北部,山上残留有公元前6世纪所建神庙的一部分。神庙之南有公元前5世纪至罗马帝国时期城市的大量废墟,并有最早为世人所知的希腊化时期议会厅的几根真正壁柱。

Milford 米尔福德 美国康涅狄格州西南部纽黑文县城市。临长岛湾,邻近胡萨托尼克河口。1639年建立。1959年设市。经济以采集牡蛎和蛤、农业、轻工业和夏季旅游业为主。1894年S.莱克在此发明平底鱼雷潜艇。人口约52 305(2000)。

Milford 米尔福德 美国特拉华州东部肯特县和萨塞克斯县城市。被米斯皮林河分成南、北两部分。北米尔福德建于1787年,南米尔福德建于1819年。早期运输业和造船业发达。1867年设市。现为家禽和海产品加工转运中心。制造牙科器械。有一些保存完好的历史建筑。人口6 732(2000)。

Milford Haven 米尔福德港 威尔士语作Aberdaugleddyf。威尔士彭布罗克历史、行政郡的港口,在天然深水港北岸。几百年来,这段港湾是由威尔士到爱尔兰航线上的必经之路。1793年建镇。1900年左右成为一个重要渔港。1960年起,为欧洲的主要油港,是西欧能容纳最大油船的少数港口之一。建有3个大炼油厂,另有一个转运油库,用管道与兰达西炼油厂相连。附近有石油发电厂。人口约13 194(1991)。

Milford Haven, Louis Alexander Mountbatten, 1st marquess of 米尔福德·黑文侯爵(第一)(1854-05-24,奥地利格拉茨～1921-09-11,伦敦) 即L.A.蒙巴顿。英国海军元帅。黑森的亚历山大亲王的长子。1868年参加皇家海军后即归化英国。曾参加英国1882年对埃及的入侵,包括炮轰亚历山大城。1904年晋升海军少将,1908年晋升海军中将。1908～1910年指挥大西洋舰队。1912年任第一海军大臣。1914年7月命令后备舰只处于现役状态,因此在1914年8月3日英国参加第一次世界大战前一天英国舰队即已实行全部动员。但由于他出生德国,被迫辞去第一海军大臣职务(1914-10)。1917年应英王乔治五世的要求,他放弃德国称号,改姓蒙巴顿,封米尔福德·黑文侯爵。1884年他与维多利亚女王的孙女结婚。

Milford Sound 米尔福德湾 塔斯曼海的峡湾。在新西兰南岛西南。为海水侵入一冰蚀谷而形成。宽约2英里,延入内陆12英里。谷壁由迈特峰(5 560英尺)和彭布罗克峰(6 710英尺)的高度降至水下,在湾口深180英尺,顶端深达1 680英尺。所处地区年降水量平均达6 426毫米,有诸多河流注入。1792年第一批欧洲水手来此前,毛利人即在该地开采绿岩(一种玉石)。现为峡湾地带国家公园最北部的峡湾,米尔福德小道的终点。出产小龙虾。米尔福德桑德镇是该地区仅有常年性居民点之一。

Milhaud, Darius 米约(1892-09-04,法国普罗旺斯地区艾克斯～1974-06-22,日内瓦)

法国20世纪主要作曲家，特别以发展多调性闻名。出生于普罗旺斯的犹太家庭，在巴黎音乐学院师从杜卡和丹第。评论家H.科莱把他和其他几位年轻作曲家归类为“六人团”

中国大百科全书出版社供图

(Six, Les)。1940年任加利福尼亚州奥克兰市米尔斯学院教授。1947年后在巴黎音乐学院执教。晚年因患关节炎而跛足，但仍继续作曲和指挥。他的大胆、独特及不协和风格特别表现在《人和他的欲望》(1918)、《屋顶上的牛》(1919)、《世界之创造》(1923)等芭蕾舞剧中。还为克洛岱尔翻译的埃斯库罗斯希腊悲剧《阿伽门农》(1913)、《奠酒人》(1915)和《复仇三女神》(1917～1922)配乐。在这部三联剧的配器中加用了鞭子和锤子，并要求其中的合唱队呻吟、吹口哨、尖声喊叫，具有强烈的戏剧感。其他歌剧作品有《哥伦布》(1930，克洛岱尔作词)、《可怜的水手》(1926，科克托作词)、《大卫》(1954)、《美狄亚》(1939)等。约自1913年起，米约的音乐即以采用二重调性和复式和弦为特色。他是第一个分析(虽然不是第一个运用)多调性和不断发展这种技术的音乐家。他运用多调性的一个例子就是《回忆巴西》(1921)。虽然他的风格到了晚年趋向纯朴，但和声仍以多调性为主。他的音乐虽然不协和，但保持抒情的性质。作品有400多部，其中包括广播和电影音乐、一套犹太教《安息日早祷》的配乐、交响曲(8部用大管弦乐队，5部用小管弦乐队)、合唱作品和用两架钢琴演奏的组曲《斯卡拉穆恰》(1936，后来改编为萨克斯管或单簧管与管弦乐队演奏曲)。室内乐作品有小提琴、单簧管、钢琴组曲和18首弦乐四重奏。还有为克洛岱尔、罗塞蒂和马拉梅的诗谱写的歌曲。

Miliana　米利亚纳　阿尔及利亚西北部城镇。在宰卡尔盖尔比山南侧。建于10世纪。在由阿尔及利亚民族领袖阿卜杜卡迪尔控制时，曾在1840年当法军的面烧毁。1842年被法国占领。城镇有围墙。新建城区树木成荫，中心有钟塔。旧阿拉伯区有带顶棚的集市和供两年一度朝圣的摩尔式清真寺。山下有果园、葡萄园和花园。附近山上常有积雪，水量丰富，为镇内面粉加工、制瓦等轻工业提供电力。人口27 183(1987)。

miliaria　粟疹　即痱子。位于汗腺开口处的多发性小皮肤炎症。病因为汗腺导管阻塞、汗液溢入皮肤各层。多发生于天气闷热时；俟气温下降出汗减少即可消退。粟疹可分四型：①晶形粟疹，为汗液溢入表皮的表浅部聚集而成的壁薄、清澈、非炎症性的露珠样小水疱，常见于发热患者或曝晒后。②红色粟疹，为最常见的一型。汗液溢入表皮内，形成散在、密集、帽针头大小的水疱或红色丘疹。皮疹主要发生于躯干及四肢，可引起搔痒或烧灼感。在热带，痱子的发病率较高，尤好发于婴幼儿。③脓疱性粟疹，在汗液潴留处发生脓疱。④深在性粟疹，汗液溢入、潴留于真皮，呈坚硬的丘疹。

Milíč (of Kroměříž), John　米利茨(克罗梅日什的)(约1305，波希米亚克罗梅日什[今在捷克共和国]～1374-06-29，法兰西阿维尼翁)　基督教神学家、演说家和改革者。他曾在布拉格受教育，1350年祝圣为司铎。教皇英诺森六世任命他为中级教士兼布拉格市圣维图大教堂司库。1363年辞职隐修。归来后鼓吹整顿教会，宣扬苦修，劝说在教会和世俗社会崇尚清贫，抨击教会世俗化，主张以《圣经》为生活准则。传教多用捷克语或德语，很少按传统用拉丁语。异端裁判所以异端嫌疑监禁米利茨，教皇乌尔班五世予以释放。他返回布拉格，每天在大教堂对神职人员用拉丁语，对在俗信徒用捷克语讲经。他的言论传遍中欧，引起要求改革教会的呼声。后来又有人指责他为异端，1373年在神圣罗马皇帝和大主教约翰的支持下向教皇格列高利十一世申诉。格列高利十一世宣布他无罪，邀请他到枢机院讲经。由于他曾企图改革教会，主张使用本地文本《圣经》，并用本地语言讲经，并由于他的教义影响后来的胡斯，因此尽管他一直没有脱离天主教会，人们仍然认为他是波希米亚宗教改革运动的先行者。

Milid　米利德　今阿尔斯兰泰佩。幼发拉底河上游附近的古城，在土耳其中东部、马拉蒂亚镇以北6.5千米处。公元前4千纪开始有人居住，后为赫梯人的重要城市。公元前

米利德出土的公元前10～前8世纪的石狮

美国不列颠百科全书公司供图

12世纪赫梯帝国解体后，米利德作为独立城邦幸存。有时臣服于亚述。罗马时期迁至新址，成为小亚美尼亚首府。后相继被萨珊波斯人和阿拉伯人占据。公元12世纪受鲁姆的塞尔柱苏丹统治。米利德古城旧址1932年起由法国考古学家发掘，出土的浮雕为现存的赫梯艺术的珍品。

milieu (literary criticism)　环境　参阅**race, milieu, and moment** 种族、环境、时代。

Milinda-panha　《弥兰陀王问经》　佛教名著。记公元前2世纪末期统治印度和希腊一些地区的弥兰陀王和高僧那先比丘关于佛教教义的问答。大概是1世纪或2世纪某无名作者在印度北部某地所编纂。原文可能为梵文。此书以上座部正统观点讨论巴利文经典普遍注意的问题，从无我教义开端。

military, naval, and air academies　陆军、海军和空军院校　武装部队教育和训练军官的各种学校。起源于17世纪后期，当时欧洲各国开始发展国家常备陆军和海军，需要为它们培训军官，但是直到18世纪中叶以后才成立各自的院校。在20世纪以前，训练的重点是武器的使用、部队的操练和管理、战略和战术以及礼仪；对海军学员则包括航海学。在20世纪有些国家成立独立的空军院校。为了适应科学技术和组织工作在现代战争中的作用日益增大的情况，课程内容扩大，包括更多的科学课程和普通课程，同时从比过去更广泛的社会阶层中招收学员。

普鲁士也许是第一个研究和实施现代化的高效率的综合性军事教育计划的国家，以后是德意志帝国，该国早就出现了沙恩霍斯特、格奈泽瑙和克劳塞维茨等杰出的改革家。它的军事组织机构和制度在19世纪时得到各军事强国的尊重(通常还要模仿)。军官训练体系的基础是最终达到8所军官学校，主要训练名门望族的精英；10所军事学校，主要接收一般人才，两类学校都训练培养军官。这一体系的顶峰是柏林历史悠久的军事学院，该院创建于1810年，为军官提供高等教育。有许多技术学校和后勤学校，如骑兵和工兵学校，充实到这个体系中。第一次世界大战后该体系解体，但军事传统仍保持下来。西德从1952年起在军事学校教育中采取更加民主的方式。

竭力仿效普鲁士制度的国家有奥匈帝国、沙皇俄国和日本。俄国于19世纪中叶建立了第一批真正的军事院校。1917年十月革命后布尔什维克立即在莫斯科成立新的中央级的苏联军事学院，接着又成立海军、空军、工程兵和军事政治院校。在日本主要训练军官的学校是陆军大学(1868年成立)和海军大学(1869年成立)，第二次世界大战后这两所大学都被解散了。但东亚地区最有名的军事学校可能是黄埔军官学校，该校1924年由中国国民党领袖孙中山在广州附近建立，蒋介石是首任校长。

在法国，教育体系发展过程比较简单，培养军官有两条传统的渠道。工程兵、炮兵和其他技术军官在综合工科学校(**École Polytechnique**)训练，这是1794年成立的工程学校。步兵和骑兵的参谋以及其他军官则在圣西尔陆军专科学校训练，这是拿破仑在1803年创建的(参阅 **Saint-Cyr**)。从上校中选拔的高级训练则在高等军事学院。设在布雷斯特的海军学院训练海军军官，设在普罗旺斯地区萨隆的空军学院训练空军军官。

英国在1939年以前，由设在伍利奇的皇家军事学校(1741年成立)负责训练炮兵、工程兵和通信兵军官；由设在桑德赫斯特的皇家军事学院(1802年成立)负责训练骑兵和步

兵军官。从1940年起这两所院校合并到桑德赫斯特(**Sandhurst**)学院,1947年正式命名为桑德赫斯特皇家军事学院。英国海军学员在达特茅斯的皇家海军学院学习,空军学员则在克兰韦尔的皇家空军学院(1920年建立)学习。从军官中选拔的学员在帝国国防学院接受高级战略和政策教育。

美国有四所主要军事院校:①设在纽约州西点的美国陆军军官学校(**United States Military Academy**,1802年成立);②设在马里兰州安纳波利斯的美国海军军官学校(**United States Naval Academy**,1845年成立);③设在科罗拉多州科罗拉多斯普林斯的美国空军军官学校(**United States Air Force Academy**,1954年成立);④设在康涅狄格州新伦敦的美国海岸警卫队军官学校(**United States Coast Guard Academy**,1876年成立)。另外还有一所设在纽约州金斯波因特的美国商船学校(**United States Merchant Marine Academy**,1943年成立),该校毕业生可申请在海军预备队任军官。这个体系的最高学府是在高级战略和政策方面训练三大军种军官的国防学院和武装部队工业学院,后者专门研究军事动员的经济问题,还有几所学院和非军事大学提供高水平训练。

Military Appeals, United States Court of 参阅 **United States Court of Military Appeals** 美国军事上诉法院。

military bridge 军用桥 工程兵在敌方炮火下用现成材料迅速建造的临时性桥梁。历史上最早的浮桥,以波斯人、希腊人、罗马人和蒙古人建造得较多,最著名的是横跨达达尼尔海峡的大桥,长达3千米。罗马人常建造耐久的军用桥梁,如莱茵河上著名的凯撒木桥和多瑙河上的图拉真木拱桥。17世纪时,架桥成为欧洲和土耳其军队训练内容之一;当时除木浮船外,还用皮革、铜和锡制浮船。第二次世界大战中出现钢质桥面的充气浮船。军用浮桥通常有两种架设方法:自河的一岸逐渐向对岸铺设;或将桥分段制成船形,在水面上对接。在河岸陡峭及需要保持航道通畅之处架设桁架桥,桥的跨度视材料类型和桁架高度而定。第二次世界大战中,英国人发明卓有成效的贝利桥,开军用桁架桥之先河,在意大利战役中曾为盟军发挥重要作用。同期还出现了剪式突击桥,由一对桁梁各支撑一块甲板构成,两部分以铰链连接,用架桥坦克运至河岸,初打开时呈"∧"形,逐渐伸展为水平桥。

剪式突击桥
美国不列颠百科全书公司供图

military engineering 军事工程学 设计与建造军事工事以及建造与维护军事交通运输线的学术与实践。军事工程学是最古老的工程技能,也是土木工程学的前身。现代军事工程学可以涵盖3项主要任务:①战斗工程学,或战场战术工程保障;②在战区后勤地带为所需的工事与勤务而提供的战略保障,如修建机场和修理基地,改建港口、公路与铁路运输线,以及油料的储备与分发;③辅助保障,如提供与分发地图,处置未爆炸的炸弹与弹头。和平时期的军事工程学也进行各种民用工程项目。罗马军事工程工事的代表作迄今在欧洲及中东仍随处可见。罗马人的军事要塞城堡由防御土墙和壕沟作保护,城堡之间由笔直的军用公路相连,罗马军团可沿公路快速行进。罗马与迦太基为争夺海上霸权展开了激战,在历次迦太基战争(从公元前264年断断续续进行至公元前146年)中,为了抵御海上入侵者,罗马人建造了港口和设防的海军基地,周围建有完善的瞭望塔和要塞。罗马的工兵部队因此能非常熟练地建造沿海防御工事、港口、灯塔及其他导航设施,许多世纪以来这些始终是工兵部队的任务。英王威廉一世(征服者)将一种新颖的木质要塞以预制件的形式从诺曼底带到了英格兰,1066年将其设立于黑斯廷斯滩头。随着威廉一世横扫英国,他建造了大量此类临时性堡垒。然而建造永备城堡后,就将这些临时性堡垒废弃掉了。莱奥纳多·达·芬奇是文艺复兴时期杰出的工程师。他精心分析了使用镐、铲、篮筐和手推车搬除挖掘出来的土等基本工兵任务。他提出了火炮铸造法,同时又是使用火药的专家,他将火药既作为推进剂使用,又作为炸药使用。他还设计了起重机、推土机、多种类型的强击登陆艇和桥梁以及几种围城装置。17世纪末期和18世纪初期杰出的军事工程师是法国的塞巴斯蒂安·勒普雷斯特尔·德·沃邦(1633～1707)。他设计了筑城工事的经始线,使炮和滑膛枪的直射与侧射火力可以控制所有的接近路,这一模式被后代工兵原封不动地继承下来。19世纪技术的发展改变了军事工程学的面貌。英国和法国的工兵在克里米亚战争(1853～1856)中首先使用了电报。前沿司令部通过陆上线路与各自的司令官保持联系,各司令官则通过皇家工兵铺设的550千米长的海底电缆以及横跨大陆的各种通信线路,与伦敦和巴黎各自的政府保持联络。美国南北战争(1861～1865)期间,组建了工兵水下布雷部队,在战时布设电子控制的水雷,保护海军基地和重要商业港口。"布伦南鱼雷"(一种射程900米的线控制导炸弹)也研制出来了。布设水雷后来成为海军的任务。19世纪60年代初期,法国、英国和美国的工兵部队将气球用于各种军事目的,特别是用于搜集情报。随后在风速过大、不宜使用系留气球的情况下,采用载人风筝校正炮兵射击。有动力的飞艇和飞机服役后,随之出现了空中导航、地对空无线电通信以及航空照相。铁路投入使用后,工兵部队承担了铁路系统永久性线路及桥梁的修筑与维护任务,负责部队与军用物资的铁路运输,以及机车和车辆的维修。他们使用铁甲火车负责超重型火炮的铁路装载。为了提高机动性和作业量,工兵于19世纪60年代开始使用能牵引一列火车挂车的蒸汽牵引车。这些牵引车是军用公路机械运输车的前身。第一次世界大战中持久的堑壕战把工兵部队传统的围城技能全都调动起来了。战争期间工兵部队进行了空前规模的布雷与排雷行动。最大的战果是1917年6月英国爆破手把45万千克炸药置于16个30米深的药室中并将其引爆,完全炸毁了比利时境内的梅西讷山脊,造成2万名德军官兵伤亡。为向前沿部队提供保障,修建了堑壕有轨铁路和轻型铁路。进行了大型伪装工程,将火炮阵地、物资储存地以及军队的机动行动隐蔽起来,使敌人难以观察到。增加了林业部队与采石部队,建立了生产车间,为建立堑壕支撑点和散兵坑支撑物提供材料,并满足后方地域进行大规模建筑工程对材料的需求。军事通信的范围急剧增大,其规模与复杂程度都极大,到第一次世界大战结束时,在各国陆军中军事电信工程兵都成为一个独立兵种。为确定敌人炮兵阵地的位置,研究出新的技术。还研究出通过航空照相(航测)制图的方法。野外晒印可提供大量交战地域的地图,采用坐标方格网系统覆盖整个战区的地图。法国工兵设计并建造了马奇诺防线,这是保卫法国与德国和卢森堡共同边界的最现代化的而且据认为是坚不可摧的防御体系。德国在同一边界建造了齐格菲防线;捷克也建造了保护其北部边界的防御体系。第二次世界大战的工兵在利用空运、土壤稳定技术、研制各种机场道面材料与技术方面取得了长足进步。对于太平洋战区的联合作战,工兵部队研制出了铆接在一起的预制件构成的浮动机场。第二次世界大战中工兵阻止敌装甲部队推进时采用的最普通的装置是反坦克壕和反坦克地雷。反坦克壕只有在无法绕道而行以及时刻处于观察与火力控制之下的地方才有效。为了布雷、探雷和排雷通过雷场,英国和德国的工兵进行了专门的地雷战训练,采用了专门的技术并研制了相应的装备。第二次世界大战中军事工程学最杰出的功绩是1944年盟军修筑的补给公路,这条公路起点是印度的拉多,终点是滇缅公路中国控制处。这条于1945年1月通车的史迪威公路(原称拉多公路),在山脉、沼泽和丛林中绵延达 770 千米。太平洋战区的主要作战特点是美国进行两栖作战。虽然在这些作战中工兵的任务规模各不相同,但基本上是类似的。其任务包括拆除滩头障碍物,排除滩头地雷,修筑滩头道路,开辟海滩出口和摧毁固定防御阵地,在滩头上修筑道路和后方地域,修筑前沿登陆场和空投区。为了完成上述任务研制了特种装备,包括必须能从登陆舰涉水上陆的装甲工兵装备。第二次世界大战中工程师们以及历史上任何军事工程机构完成的最庞大的任务毫无疑问要算"曼哈顿计划",该工程研制了投掷在广岛和长崎的原子弹。大量征募民用机构的科学家及工程师从事这项庞大的工程。该工程的成功为后来不同领域的大批科学家与工程师参与的大规模研制任务树立了榜样。50 年代后期,美国的工程兵建立起了由横穿加拿大的雷达预警系统和许多"奈基"防空导弹连组成的网络,该网络保卫着易遭突击的地点,使之不受飞越极地冰层的载核弹的喷气式飞机的突击。60 年代,工兵们修建了众多的洲际弹道导弹发射阵地。洲际弹道导弹的出现使军事测量员更为关注地球表面的形状和大小。他们研究出了利用测地卫星使导弹基地与远方目标联成一起的种种方法。

military government 军政府 占领国在其占领的领土上行使行政、立法、司法等权限的管理机关。根据国际法,领土实际置于敌对武装力量的权力之下,则被视为占领。在合法政府倒台或无法履行其职责的情况下,有必要成立军政府。在敌国领土上建立的政府是否由军事或民事或两者混合管理则无关紧要。由于军政府的通常概念与交战国的占领有联系,所以这一定义不适用于在友好或中立国家领土驻军并与地方民政当局共同负责当地治理的情况。

military-industrial complex 军工复合体 与武器生产和军事技术有关的个人和机构网。一个国家的军工复合体通常都倾向于推动政府继续提供或增加军事开支的政治支持。该词最初由美国总统艾森豪威尔提出。他认为,军工复合体往往促使并不符合美国最大利益的政策(如核武器竞赛)得以通过,如不加以制止将会损害美国的民主。其实,军工复合体并非新现象。与军事有关的政府各部、设有军事基地或军工厂地区的议员和生产武器和军需品的私人企业代表都会游说政府,使之优先为军事力量投资。所以有的批评者称他们为政府官员、立法者和军工公司之间利益一致的"铁三角"。军工复合体的特点随国家经济面向市场程度的不同而异。例如,美国的武器生产在 20 世纪上半叶已转移至私人企业,而法国则由政府拥有和管理。军工复合体大多在一国之内运作,但在欧盟却是多国的。尽管有所区别,但经济发达国家的军工复合体都具有高技术工业部门、熟练技工和集中规划管理的特点。由于现代武器技术复杂,且优先考虑国内供应商,以致军工市场几乎没有竞争,更兼预算过程高度政治化,政府采购的武器系统往往过于昂贵,而对国家安全的价值也值得怀疑。此外,军工复合体会对高额军事预算施加压力,并可能造成国家非军工企业枯竭,因为熟练技工会被高薪酬的军工企业挖走。军工复合体一词还用以指军工生产的具体位置。军费开支使从事研究、开发、制造武器系统和技术的总承包商、分包商、顾问、大学、技工和政府机构高度集中,如美国加州南部的宇航中心、韩国南部沿海的造船中心和西伯利亚的科学城。有时政府还会为过时的武器系统继续投资(如美国的 B-2 轰炸机和海狼潜水艇),以维持依赖这些军工生产的社区的生存。苏联解体和冷战结束至少暂时使美、俄等国的军工复合体的作用减少。但中东地区军事卷入的升级以及对恐怖主义的担忧,使军工复合体在美、俄两国乃至全世界仍是有影响的政治力量。

military law 军法 与维持武装部队中的纪律有关的法律的总称。一切国家都要求制订一种关于建立、维持及管理它们武装力量的法典和规章,所有这些,都被看做是军法涉及的范围,但军法这一名词一般只限于军法的惩戒方面。以往这一部分法律也被称为军事管制法,目前这个名词指的是在占领地或在发生骚乱期间用军事方法在普通居民间维持秩序的做法。在现代情况下,武装力量的成员不能免除他作为公民和一般人应尽的义务。所以军法必须保证军人不逃避本国的一般法律或国际法所加于他的义务。

历史的发展 惩戒性法典的目的在于保证司令官的命令得到执行。军法来源久远。早在公元 1 世纪的罗马,当时的军法审判是比较粗糙、严酷的,后来经过了中世纪和近代各国的发展。比较重要的军法有:英国 1717 年根据以前的兵变法所制定的军法令。美国 1775 年和 1806 年所颁布的军律。此后,1881 年英国通过了逐年更新的陆军法案,1955 年又加以修改。美国则于 1951 年制定了统一的军事司法法典。

受军法管辖的个人 军法的管辖权并不限于军内成员违反军纪的案件,各国都在不同程度上把军法扩大到管辖军内成员所犯的一切罪行和军外人员所犯的有害军纪的案件。在实行义务兵役制的国家里,拒绝应征就要以逃亡、自残等罪名受到军法处分;即使被批准请假脱离现役或暂时处于预备役期间也要对拒绝应召的罪行负责。在意大利,预备役人员犯有叛国、私通外国或泄露机密等罪行时也受军法管辖。在一些国家里,例如在西班牙、意大利和土耳其,平民犯有叛国、叛变、损害军事效率或对军队财产有营私舞弊等罪行,要依军法处理。在其他一些国家里,例如在荷兰和挪威,这些罪行必须是在战区内或戒严期间犯下的才受军法管辖。还有一些国家,例如德国,平民如果进行煽动或参加军事犯罪也要受军法处分。此外,战俘也受军法管辖。1949 年的日内瓦战俘协定规定,除了交战国的法律有明文规定归一般法庭审判的以外,战俘要受军事法庭审判。

违反军法的犯罪 英国法系国家在这方面与大多数欧洲大陆国家不同。后者把军事犯罪分为两类:应受司法刑罚的犯罪和仅受行政处分的破坏纪律行为。前一类国家不承认这种区别,把一切违反军法的行为都视为犯罪。除了一些特殊的属于军事性质的犯罪,例如兵变、违抗命令、逃跑、交战时或执行任务时的失检行为之外,当一个军人的行为构成一般法律中的罪行时,通常也就构成军法所承认的罪。但何种法庭(一般法庭还是军事法庭)对它有管辖权,则各国的规定并不一致。但有一个原则是确定不移的,即一罪不受两次刑罚。

简易刑罚 在多数国家里,简易刑罚只能由拥有上尉以上的军衔的军官发布,该军事单位的司令官则是实施惩戒的主管官。这种刑罚的形式通常是在一定的期限内剥夺其特权、罚款或剥夺自由。高级军事司令官一般有权处理少校以下的军官。在英美和其他普通法国家里,对简易刑罚可以通过军事指挥系统一直上诉到最高军事当局。在其他国家里,上诉则向法院提出。还有一些国家容许任选一种程序。在英国法系国家中,超出司令官处理权限的犯罪是由军事法庭审理的。在欧洲大陆各国,军事犯罪和类似的犯法,同样由司法程序加以处理,并设有一种中级的法庭来处理更严重的违纪行为,它所判处的刑罚可能影响一个军人的前途,如降级、撤职、开除或剥夺退休金。

军事法庭 这是比简易程序更正式的程序。通常在审判前有一个调查程序。在审判前,被告人适用无罪推定原则。必须给予他一切便利来为他自己辩护。如要加以逮捕,必须由被告人的军事长官发布命令,并只能短期拘禁。法庭的组织视案件的类型而定,不能少于三名、五名或七名法官。法官一般都由军官充任,但有一些国家的部分法官由士兵充任。此外,大多数国家的军事法庭都设有训练有素的律师。在一些国家里,军事法庭是有等级的。在英美,一般军事法庭应由不少于五名军官和一名法律顾问组成。它可以审判一切应受军事法管辖的人员,并根据军事法典作出判决。特别军事法庭或地区军事法庭至少由三名军官组成,具有有限的权力。在大多数国家里,负责起诉的是有法律训练的军官。一个受到简易刑罚或纪律处分的军人是没有律师辩护的。而在军事法庭中,各国都准许被告人接受律师的帮助,在有些国家里则必须有律师辩护。

上诉 在英国法系统中,军事法庭的判决必须经召集军事法庭的军事指挥官或其上级确认后方能生效,还要经部队当局审查。也可以上诉到较高级的法庭。在有数级军事法庭的国家里,上诉要向上一级提出。其他国家则有特设的军事上诉法院。在欧洲大陆国家里,上诉常向最高法院提出。在一些国家里还有军外的调查官接受上诉。

战时的程序 在战时,那些在平时军人受普通法院管辖的国家里一般都会设立完全由军人组成的军事法庭。混合法庭里的文职审判员也会被军人所取代。较低级的军事法庭的权力也会扩大。上诉程序可能被司令官废除,特别是关于死刑的执行是如此。

目前的发展趋势 目前趋势是给予不执勤的军人以较大的自由,尽量保留他作为公民所拥有的权利。在民主国家里,军人仍有

投票权，但不能从事有害纪律和社会安全的活动。司令官对下级的私生活必须保留足够的控制权，以保证纪律和良好秩序。为维持纪律和秩序发布的任何命令都是合法的，即便这些命令限制了士兵的行动。因此，吸毒、同性恋、酗酒在一切军队中都是特定的军事犯罪。

Military League　军人同盟　希腊青年军官组织。它仿效青年土耳其团结与进步委员会，试图改革国家政府和重建军队。1909 年 5 月建立，由 N.佐尔巴斯上校领导。1909 年 8 月，雅典卫戍部队开赴邻近的古迪山，强迫 D.拉莱士首相辞职，代之以 K.马夫罗米查尔斯，并强迫国王乔治一世解除诸王子的军队指挥权。但这一同盟发现自己不能创立一个新的政治体系，因而招请克里特的政治家 E.韦尼泽洛斯来雅典给他们当政治顾问。韦尼泽洛斯说服国王修改宪法，并要求同盟为成立国民议会而解散。1910 年 3 月，军人同盟自动解散。

Military Museum of Chinese People's Revolution　中国人民革命军事博物馆　中国综合性军事历史博物馆。位于北京市西部复兴路。1958 年兴建，1960 年 8 月 1 日正式开放。馆址占地面积约 8 万平方米，建筑面积约 6 万平方米，陈列面积约 4.2 万平方米。建筑具有中国民族特色，主楼中央 7 层，两侧 4 层，楼顶塔座上托着直径 6 米的中国人民解放军军徽。馆内共收藏中国古代、近代、现代军事历史文物 12 万余件，分第二次国内革命战争馆、抗日战争馆、第三次国内革命战争馆、保卫社会主义建设馆、抗美援朝战争馆、兵器馆、古代、近代军事史馆等 9 部分。1983 年后，又筹备完成了介绍 1924～1927 年间中国国民党和中国共产党合作，共同进行反对帝国主义和北洋军阀武装斗争史的第一次国内革命战争馆。馆刊为双月刊《军事史林》。

military police　宪兵　由一般士兵组成，在军队中执行警察和有关任务，主要维护军法和军纪的部队，必要时和步兵一样参加战斗。在美国，宪兵是陆军的一个独立兵种，称为宪兵队。1776 年，乔治·华盛顿曾为联合殖民地军任命一位宪兵司令；第二次世界大战期间及战后，宪兵队形成一个统一指挥的兵种，迅速扩大到一切美军部队。在英国，宪兵队的组织同陆军作战部队一样，1946 年以来称作皇家宪兵队。其职责除宪兵通常执行的任务外，还包括部队基地之外的军风纪、巡逻、交通管制、维持治安以及打击犯罪。战时除管理战俘和收容掉队士兵外，还主持情报哨、站，照顾难民和防止抢劫。除欧洲大陆的国家外，世界上大多数国家都仿照美英两国方式，成立了宪兵队。

military unit　军事建制单位　又称建制单位（UNIT）。较大军事组织里具有一定规定的规模和特定战斗或支援角色的团体。古代世界主要的军事建制单位是希腊人的方阵（**phalanx**）和罗马人的军团（**legion**）。现代陆军所用的建制单位源于 16～18 世纪，即中世纪结束后职业军队又在欧洲崛起之时。从那时起，连、营、旅、师的基本建制单位一直保留下来。

陆、海、空军按军阶组成越来越小的单位，由军阶越来越低的军官指挥。原型建制单位是陆军所有。陆军中最小的单位是班，每班有 7～14 名士兵，由一位士官带领。（稍大的单位是分队，每分队有 10～40 名士兵，但通常只归指挥部或支援的组织使用。）3～4 个班组成排（**platoon**），每排有 20～50 名士兵，由一位中尉指挥。2 个或 2 个以上的排组成连（**company**），每连有 100～250 名士兵，由一位上尉或少校指挥。在这一级引入行政功能，其形式是有由一位士官负责管理的连部事务长，负责管理补给、保养以及其他事务。

2 个或 2 个以上的连组成营（**battalion**），每营有 400～1 200名士兵，由一位中校指挥。营是拥有参谋军官（司人事、作战、情报、后勤）的最小单位。数个营组成旅，每个旅有 2 000～8 000名士兵，由一位上校或准将指挥。（团［**regiment**］一词在不同国家的陆军中可指营或旅。）旅是将各类战斗和支援建制单位结合为一个功能性组织的最小单位。例如，一个战斗旅通常拥有步兵、装甲兵、炮兵和侦察单位。

2 个或 2 个以上的旅，还有各种不同的特种营组成师（**division**），每师有 7 000～22 000名士兵，由一位少将指挥。师拥有独立履行军事任务所需的全部武器和部队。2～7 个师和各种不同的支援建制单位组成军团（army corps 或 corps），军团是支 5 万～30 万人的部队，由一位中将指挥。军团是常设的最大的陆军编制，虽然战时 2 个或 2 个以上军团可能组合成野战军（由上将指挥），而数个野战军可能再组成一个方面军。

海军建制单位遵循更具灵活性的组织指导准则。行政上，数艘同类的舰只（例如驱逐舰）组成一个中队。数个中队组成分遣队，而数个分遣队再组成舰队。然而，为了作战需要，许多海军部队将其舰船合编成特遣分队（3～5 艘舰船）、特遣或战斗支队（4～10 艘舰船）、特遣部队（2～5 个特遣支队）、舰队（数支特遣部队）。

空军的基本战斗单位是中队，包括数架同类飞机（例如战斗机），且常是同型飞机（例如 F-16 战斗机）。3～6 个飞行中队和其支援建制单位组成联队。（中队和联队之间的单位是空军大队或大队，包括 2～4 个中队。）数个联队有时组成空军师或空军部队。

militia　民兵　受过一定军事训练的公民的军事组织。在紧急情况下可用于作战，一般用于本地区防御。民兵自古就有，例如，在腓力二世（公元前 336 卒）统治下的马其顿，在边境地区就有一支由部族人组成的民兵，外敌入侵时，召之能战。中世纪初期的欧洲，在盎格鲁-撒克逊民族中民兵在国家民军中形成制度，每个身强力壮的自由男子都要服兵役。其他国家也作了类似的规定。后来，中世纪出现由半职业军事贵族出面保卫其所控制的土地和奴隶的权利，使得民兵制度衰落。随着国家君主制度的兴起，常备军日益扩大，民兵制度起了提供兵源的作用，特别是在人力缺乏的地方。在 18 世纪的法国，每年有 1/18的民兵参加正规军。在殖民地时代的美洲，英国没有正规军，只驻扎根据民军制度组建的民兵，是防御敌对的印第安人的唯一武装。在独立战争时期，美国武装力量的主体是民兵，民兵还是正规军的兵源。在 1812 年第二次英美战争和南北战争期间，民兵起了类似的作用 。以后，大多数州建立由生活富裕的人（能够自费购置装备的人）组成的志愿兵部队。这些志愿兵大多是参加过南北战争的老兵，在 19 世纪 70 和 80 年代，被称为国民警卫队，由州长用来镇压罢工。这些由州建立的部队是美国唯一经过训练的后备队，每年由联邦政府拨给武器费用。两次世界大战中，国民警卫队（常常仍称民兵）往往应召参加联邦部队。英国在 1908 年建立本土部队，是保卫本土的民兵式后备队组织，1921 年改为本土军，并到海外执行任务。在第二次世界大战期间，建立英国国民军时遵循民兵制度的原则。1942 年，所有 17～65 岁的男性公民都必须服兵役。今天，在瑞士、以色列、瑞典和其他几个国家，武装部队的主体是民兵部队，即曾进行过短期军事训练、转入后备役的征召士兵。中国和其他一些拥有庞大常备军和征召士兵后备队的国家，也保持庞大的民兵部队，这种民兵部队带有后备队性质，用于本地区防御。

militia movement　民兵运动　美国激进的准军事团体的运动，其成员一般都将政治理解为高度阴谋，并认为他们自己是反对政府压迫的传统自由的捍卫者。20 世纪 90 年代其成员猛增，90 年代中期最多时约有 900 个团体，成员至少有 4 万人（有些人认为成员达 25 万人）。民兵运动的支持者 T.麦克维于 1995 年在俄克拉何马城引爆一颗自制的大型炸弹，造成 168 人死亡。公众对此反应强烈，政府采取严厉制裁，故到 21 世纪初期，民兵运动的规模和影响都已明显缩小。在美国，民兵绝不是一个新现象。历史上的类似事件包括 20 世纪 30 年代法西斯和"标志衫"运动网以及 60 年代初期的装备精良的右翼反共秘密武装组织。新的民兵团体是 70 年代建立的，尽管约有 40 个州立法禁止民兵组织或准军事团体，或者两者均被禁止，但民兵团体仍非常活跃。其中有些团体信奉法西斯观点、反犹太或其他种族主义观点（如相信美国正被由犹太人控制的犹太复国主义政府所统治），并提倡新纳粹文学。有些民兵团体还接受普通法运动的、古怪的拥护宪法的教义。该运动否认县级以上的所有政府机构的权威。80 年代，民兵运动把美国公众设想为"未组织起来的民兵"，认为可以把他们补充进国家武装和各州的国民警卫队。不过，随着新的秘密民兵组织得到训练和武装，他们越来越多地采取公开反政府的政策。80 年代，越来越多的美国人被活命主义所吸引。该运动预料社会将全面崩溃，所以主张人们退回到自给自足、设备先进的农村居民点生活。活命主义者常常提醒人们：核袭击的结果会使美国面临崩溃。后来，各反政府派别，包括活命主义者、普通法运动的成员、白人至上主义者和武装抗税和反堕胎者合并成“爱国者运动”。运动的支持者可以通过因特网广泛、廉价地传播和讨论他们的信念。这段时期发生了多起事件，激励了爱国者运动及其迅速蓬勃发展的民兵团体采取行动，如得克萨斯州韦科附近的大卫教派事件。从民兵运动的角度来看，这些事件都表明了政府对持不同政见者进行迫害和杀害。运动随即吸引了大批支持者，特别是在美国西部各州，也包括中西部几州，尤其是密歇根州。1995年4月19日，麦克维在俄克拉何马城联邦大楼的爆炸事件成了民兵运动的转折点。这以后的几年中，民兵运动及其领导人经常在流行文化中受到抨击。在美国政府的严厉制裁后，到90年代末，仍在活跃的民兵团体减到约200个。

Miliukov, Pavel Nikolayevich (Russian statesman) 参阅 **Milyukov, Pavel Nikolayevich 米留可夫**。

milk 奶 雌性哺乳动物生育后从乳腺分泌的汁液。家畜的奶也是人类的一个重要食物来源，或饮用鲜奶，或加工成奶油和干酪等奶制品。西方国家主要消费牛奶，牛奶与奶制品是重要商品。奶还有另外一些重要来源。绵羊和山羊奶在南欧和地中海国家占有特别重要的地位；亚洲国家广泛饲养水牛取奶；骆驼奶是中东和北非人的重要食品。所有哺乳动物的奶都是脂肪和蛋白质在水中的乳浊物，并含有糖、矿物质和多种维生素，但其比例则因动物种类而异(见表)。每个物种的奶似乎都是其本身幼仔出生后一段时间内的完美食品。在幼仔胃中，奶被转化为软的凝乳将脂肪球包住，使脂肪变得易于消化；乳糖被婴儿肠中产生的酵素乳糖酶打破，成为较简单的易消化的糖。不能产生乳糖酶的婴儿会发生乳糖过敏而导致各种肠胃症状。乳蛋白质富于营养，含有全部必需的氨基酸，可补婴儿体内合成能力之不足。奶的矿物质中有磷与钙，能充分满足婴儿骨骼正常发育的需要，但缺少铁质。奶中还含有多种维生素B和少量维生素C、D。生奶因含微生物，易引起酸败，冷冻到略高于其冰点，能减少细菌繁殖，延长奶的保鲜时间。很多国家立法规定奶必须经过巴氏灭菌法处理，免受有害微生物污染；巴氏灭菌法是一种部分灭菌法，它通过将奶加热到足够高的温度以杀灭病原菌和大部分引起酸败的细菌。灭菌后低温保存在密闭容器内的奶约可保质2周。乳脂密度低于奶的其他成分，可在乳脂分离器中用离心法有效地去除，以获得低脂奶或脱脂奶。低脂奶含脂肪1%～2%，脱脂奶含脂肪0.5%以下。市售乳经过均质化，并通常增补脂溶性维生素D和A。

人类和某些家畜全奶中的营养成分(每100克含量)

奶源	热量(千卡)	脂肪(克)	胆固醇(毫克)	蛋白质(克)	钙(毫克)	磷(毫克)	碳水化合物(克)
人类	70	4.38	14	1.03	32	14	6.89
牛	61	3.34	14	3.29	119	93	4.66
山羊	69	4.14	11	3.56	134	111	4.45
绵羊	108	7.00	—	5.98	193	158	5.36
水牛	97	6.89	19	3.75	169	117	5.18

Milk, Harvey 米尔克(1930-05-22，美国纽约长岛伍德梅尔～1978-11-27，加利福尼亚旧金山) 全名Harvey Bernard Milk，原名Glimpy Milch。美国政治人物，争取同性恋权利积极分子。1951年毕业于奥尔巴尼的纽约州立师范学院，朝鲜战争中在海军服役，1955年被开除(后自称因同性恋被开除，但军事记录不支持此种说法)。其后在纽约担任财务分析员。1972年移居旧金山，开了一家照相机商店，不久成为同性恋社群首领。为同性恋者争取权益而日渐闻名。1977年入选市监督委员会，成为美国历史上最早公开承认同性恋身份的当选官员之一。次年，与市长G.莫斯科内一起被D.怀特枪杀于市政厅内。后因对怀特的判刑较轻曾引起社会骚乱。

milk fever 牛泌乳热 又称分娩热。牛的一种疾病。其特征是血中钙浓度异常降低(低钙血症)。最常发生于母牛产仔后三日之内，这正是泌乳对母牛体内钙储带来最大负担时。早期症状包括食欲下降、消沉或烦躁，继而出现后肢无力或痉挛。在急性病例中，后肢麻痹，进入昏迷，最后死亡。在未处理病畜中，死亡率可达90%。发热并非本病症状。最有效疗法是静脉注射葡萄糖酸钙，注射后病畜迅速恢复。现仍无有效预防方法，但在发达国家现代疗法已使母牛死于此病的情况很少发生。

milk glass 乳白玻璃 不透明的白色玻璃。威尼斯及佛罗伦萨先后于1500年以前和1575～1587年制造过这种玻璃，用以模仿瓷器。北欧也曾生产这种玻璃品，但数量很少。

产自德国的17世纪乳白玻璃杯
美国不列颠百科全书公司供图

17世纪生产的乳白玻璃制品十分稀少，多产自德国或波希米亚。18世纪，英国、德国和特别是威尼斯都开始制造这种玻璃作为受到赞赏但难以仿制的中国瓷器的代用品。

milk leg 股白肿 又称髂股血栓性静脉炎，产妇白腿肿。一种股静脉的炎症，静脉内形成血凝块，阻塞管腔。可在分娩后不久发生，亦可能是应用口服避孕药的结果；其他致病因素有年龄大、恶性病和慢性感染。临床表现为腿部肿胀、苍白、疼痛。若阻塞持续则可发生溃疡。患者应卧床，患肢抬高、保持不动；应用抗凝药以去除血凝块，用抗生素以抗感染；腿部可绕以绷带以防止水肿；大范围的阻塞可行手术治疗。若血块脱落则有肺动脉阻塞的危险。

Milk River 米尔克河 流经美国蒙大拿州和加拿大的河流。由源出美国蒙大拿州西北部落基山麓印第安人保留地的两条溪流在加拿大艾伯塔省境内汇合而成，向东转东南，复入蒙大拿州，在纳舒厄下游佩克堡坝及水库(1940)东北汇入密苏里河。全长1 006千米。哈佛附近有弗雷斯诺水坝拦蓄的湖泊用于灌溉。

Milken, Michael R. 米尔肯(1946-07-04，美国加利福尼亚恩西诺～) 美国金融家，他的次等债券交易激发了20世纪80年代大量的公司兼并。米尔肯曾在伯克利加利福尼亚大学攻读商学，1968年毕业。1969年在宾夕法尼亚大学沃顿金融学院学习时，即开始参与德雷克塞尔·费尔斯通金融公司工作，不久后该公司同伯纳姆公司合并而成一家大型金融投资公司——德雷克塞尔·伯纳姆·兰伯特股份有限公司。1971年，米尔肯任该公司债券交易部经理，他看到被人忽视的“次等债券”的巨大潜能。次等债券是较小的新公司或时运不济的老公司发行的非投资级别的债券。尽管次等债券同投资级别债券相比，前者投资收益率曾远远高于后者，但人们认定次等债券更易于违约。因此，大型机构投资商例如储蓄贷款协会、养老基金、保险公司以及共同基金等认为次等债券风险过大，而此类大型机构投资商曾向美国的大公司注入大量资本。米尔肯的研究表明，由于高收益，次等债券的违约率可以为人接受。他说服了越来越多的机构购买次等债券。时至1984年，德雷克塞尔·伯纳姆公司已有可能通过新的次等债券上市，筹措巨大数额的资金。米尔肯运用那些债券为一批新企业家及“共同扰乱市场者”融资，使其发展业务或收购其他公司。米尔肯庞大的、日趋强盛的次等债券网络促成了20世纪80年代的“合并热”。在此过程中，他的委托人、合伙人、同盟者与其他人一起卷入公司兼并、公司收购、敌意接管以及利用资金周转作手段购买全部产权的浪潮。20世纪80年代末，次等债券市场规模发展到1 500亿美元，德雷克塞尔·伯纳姆公司成为美国最大的金融公司之一。米尔肯本人的业务至少创该公司利润的一半，他的薪金从1970年的2.5万美元剧增至1987年的5.5亿美元，成为当时最高的年酬。1986年，德雷克塞尔的委托人I.博伊斯基因内幕交易被判有罪，其非法金融交易使米尔肯及德雷克塞尔·伯纳姆·兰伯特公司受到牵连。1988年，米尔肯及德雷克塞尔·伯纳姆公司被控犯有证券舞弊罪。当年晚些时候，德雷克塞尔同政府达成协议,同意支付6.5亿美元罚款,1989年米尔肯脱离该公司。因失去米尔肯的操纵,次等债券网络的发行人及购买人分崩离析,随后次等债券市场瓦解,德雷克塞尔·伯纳姆公司最终于1990年破产。同年米尔肯对证券舞弊6条罪状服罪,被判刑10年,交纳罚款6亿美元,并被永久禁止从事证券交易。

milkfat 参阅 **butterfat** 乳脂肪。

milkfish (species *Chanos chanos*) **遮目鱼** 又作bandeng或bangos。鼠鱚目遮目鱼科银白色食用海鱼类,为本科中唯一现存种,化石始见于白垩纪。在热带地区,常采集其幼鱼

遮目鱼(*Chanos chanos*)
美国不列颠百科全书公司供图

饲养于半咸水或淡水池中以供食用。无牙,草食性,长0.6～1.5米,尾鳍深裂。见于太平洋和印度洋的所有暖水区,并能耐受潟湖的浅水高温(31 °C)。3～5月间,在浅半咸水中产卵,总卵数可达几百万粒。

milkweed **乳汁草** 萝藦科(**Asclepiadaceae**)植物的俗名,能产生乳液,故名。

milkweed beetle (species *Chrysochus cobaltinus*) **马利筋叶甲** 鞘翅目叶甲科肖叶甲亚科(Eumolpinae)昆虫。深钴蓝色。为罗布

马利筋叶甲(*Chrysochus cobaltinus*)
美国不列颠百科全书公司供图

麻叶甲的近似种,但形稍小,遍布于美国最西部,以罗布麻为食。

milkweed butterfly **斑蝶** 又译马利筋蝶。鳞翅目斑蝶科(Danaidae,或蛱蝶[**brush-footed butterfly**]科斑蝶亚科[Danainae])昆虫。著名者如王蝶(**monarch butterfly**)及后蝶。多产于新、旧大陆热带,但在温带也有一些重要种类。成虫大型,艳丽。翅长,通常浅棕色,有黑、白斑纹。前足小,不用于行动。飞行缓慢,有的种类(如王蝶)能长距离迁移。幼虫有鲜艳的带或纹,身上有2～4对肉质突起;主要以马利筋属植物为食,有时亦食茄属植物;因食此类辛辣、含乳汁的植物,幼虫以及蛹、成虫都具有一种难闻的气味,加之色彩鲜明,因此无天敌。其他蝶类也有貌似斑蝶(拟态)而获得保护的。

milkweed floss **马利筋绒** 萝藦科北美植物普通马利筋(叙利亚马利筋,*Asclepias syriaca*)和蝴蝶草(肉红色马利筋,*A. incarnata*)的种籽纤维。纤维轻软,有浮力,呈黄白色,有光泽,单纤维长1～3厘米,直径20～50微米。籽荚内含纤维,用轧棉机将纤维从种籽上剥离。纤维含油质和木质素,质脆,不适于纺纱。马利筋绒用于救生衣、救生圈等救生设备,在支承重量为自身30倍的物体时仍能浮在水面上;也用作家具衬垫料和绝热材料。同相似的种籽纤维一样,有时称为植物丝。

Milky Way Galaxy **银河系** 由恒星和星际物质组成的巨大的、盘状系统,太阳是系统中的一员。银河系中的众多繁星的光形成了银河,成为环绕夜空的外形不规则的发光带。这条星光带大体上位于银盘平面上。银河系是构成宇宙的亿万个星系中的一个。它拥有几百亿个恒星和相当大量的星际气体和尘埃。银河系是星系类型中的旋涡星系一类的典型。它的核心周围是一个巨大的中央核球,并有缠绕着它的旋臂。这些弯曲的旋臂,使银河系的外形看上去像是一个庞大的车轮。旋臂均沉陷在银盘中。银盘是银河系的主要组成部分,直径约70 000光年。银核为星际尘埃粒子屏蔽,它们吸收银核辐射中的可见光和紫外光。但科学家可以在射电、红外、X射线和γ射线的波段,记录并研究银核区发出的辐射。特别是红外辐射和X射线中的强发射,表明存在着高速运动的电离气体云。现在多认为,这种气体云在环绕一个超大质量天体运转,很可能是一个质量约为400万个太阳质量的黑洞。科学家已确认,中央核球的主要成分是星族Ⅱ天体,即天琴RR型变星和球状星团这一类的老年恒星和老年星团。旋臂的成分则是完全不同的另一类天体。旋臂中的天体属于极端星族Ⅰ,即十分年轻的亮星和疏散星团。此外,在旋臂区域内是星际气体和尘埃粒子的最高度集聚区,所以那里也是新的恒星形成的最适合的所在。太阳位于这些旋臂中的一条,即猎户臂的内侧边缘附近,距银河系中心约为银河系半径的2/3距离处。银核位于人马座天区方向,和太阳的距离约为23 000光年。银盘的上和下为一球形区域(称为球状成分),其中充斥着球状星团和其他年龄很大的星族Ⅱ天体,例如贫重元素的矮星。银河系的外围,一直到可见的边缘,为一个巨大的大质量银晕。它的成分、形状和延伸大小尚不十分清楚。整体银河系统银心自转,但不同组成部分的天体并不以相同的速度公转。距银心远的天体比距银心近的天体速度慢。距银心相当远的太阳以一个近似圆形公转轨道绕银心的运动速度估计为225千米/秒。由于太阳的公转速度较慢,它绕银心公转一周约需2亿年。

Mill (board game) 参阅 **Nine Men's Morris** 九连棋。

Mill, Hugh Robert **米尔**(1861-05-28,苏格兰凯斯内斯瑟索～1950-04-05,英格兰萨塞克斯东格林斯特德) 英国地理学家和气象学家。对地理教学的改革和气象学的发展有重大影响。在爱丁堡大学攻读化学,1883年毕业。1886年以研究海水化学获博士学位。热爱海洋和航海导致他著名的开拓性考察,写有《英国的湖泊》(1895)。但因身体不佳(晚年完全失明)未能成为探险家。1892年被任命为皇家地理学会图书馆馆长,后成为世界知名的海洋学和南极考察问题专家。所著《自然王国》(1891)一书对地理学教学改革影响很大。曾任英国降雨量组织主席(1901～1919),《英国降雨量》和《西蒙斯气象学杂志》的编辑,皇家气象学会名誉干事(1902～1907)和会长(1907),《不列颠百科全书》第11版地理编辑(1911),皇家地理学会副会长(1927～1931)。他对气象学的发展有突出贡献。为此皇家气象学会设立休·罗伯特·米尔奖章,米尔成为获奖的第一人。1933年他因健康恶化而谢绝担任皇家地理学会会长。晚年双目失明,在自传即将出版之际逝世。米尔的其他著作有《教师学生地理参考阅读书选用指南》(1897)、《新陆地》(1900)、《征服南极》(1905)等。编有《世界地理》一书(1911)。

Mill, James **穆勒**(1773-04-06,苏格兰福弗尔北水桥～1836-06-23,伦敦) 英国哲学家、历史学家和经济学家。哲学激进主义的重要代表。这种激进主义思潮又称功利主义,它强调哲学需要有一个科学基础,而对政治学和经济学则需要采用人文主义的方法来研究。他的长子就是著名的功利主义思想家约翰·斯图亚特·穆勒(1806～1873)。他原系爱丁堡大学希腊语学者,1789年被批准为长老会的传道士。但不久就返回教学岗位,研究历史和哲学。1802年赴伦敦,致力于新闻事业。1804年写了一本论谷物贸易的小册子,反对把补助金给予谷物出口者。1806年开始撰述《不列颠印度史》(三卷,1817)。1808年结识功利主义创始人杰里米·边沁。作为边沁多年来的主要伙伴,他接受了边沁的全部原则并且比任何人都更加热心于宣传这些原则,以对抗刚刚出现的浪漫主义。1825年伦敦大学创建,他曾参与其事。曾为4～6版的不列颠百科全书撰写政治、法律和教育条目。所撰"政府"一文对19世纪20年代的舆论影响很大。虽然他在《不列颠印度史》中对英国在印度的统治进行了猛烈的抨击,但1819年他仍然被任命为印度署的官员。作为他的主要作品,这部史书第一次全面论述了对印度的征服。他以他自己的政治理论来评论印度文化的发展,严厉地批判了英国对印度的征服与统治,因为欧洲利益和政策掩盖了印度的传统。这一著作本身和作者在其一生的最后17年中同印度的官方联系使印度的政治制度发生了彻底的变化。穆勒对英国的政治也有影响。他的作品和他同激进政治家的个人联系促使一种政治观点的转变,即从法国革命所宣布的人权和人们绝对平等的理论转向主张通过广泛扩大选举权以保证有一个良好政府。他的《政治经济学原理》(1821)是一部特别精确而明晰易懂的作品,

此书总结了激进哲学家的观点，这些观点主要以经济学家李嘉图的著作为依据。穆勒通过他对思想的联系所作的解释发展了边沁的学说。他在《人类精神现象的分析》（两卷，1829）中提出的这一理论，集中讨论了精神概念的相互关联性。

Mill, John Stuart **穆勒**（1806-05-20，伦敦～1873-05-08，法国阿维尼翁） 约翰·斯图亚特·穆勒是英国哲学家、经济学家，也是19世纪变革时代杰出的政治评论家。穆勒作为

美国不列颠百科全书公司供图

一位逻辑学家和伦理学理论家，也始终受到人们的关注。

早期生活与经历 穆勒是英国历史学家、经济学家和哲学家詹姆斯·穆勒的长子。1806年5月20日生于其父在伦敦彭顿维尔的寓所中。持身严谨的父亲对他进行了专门的教育。8岁前，穆勒已能阅读《伊索寓言》、色诺芬的《远征记》以及历史学家希罗多德全部作品的希腊文原著。他熟知讽刺作家卢奇安、哲学史家拉尔修、古雅典作家与教育理论家伊索克拉底和柏拉图的6部对话集。他还阅读了大量英文历史书籍。8岁时他开始学习拉丁语、欧几里得的《几何学》和代数学并教习家中更小的孩子。穆勒阅读的主要范围仍是历史，但他也涉猎了通常是在中学和大学里阅读的所有罗马和希腊作家的著作。到10岁时他已经能轻松地看懂柏拉图和雅典政治家狄摩西尼的论著。约12岁时，穆勒开始攻读经院逻辑学，同时阅读了亚里士多德有关逻辑学论著的原作。次年，他被引入政治经济学之门，学习苏格兰政治经济学家和哲学家斯密以及英国经济学家李嘉图的著作。

小穆勒所受的教育很自然地引起了人们的惊讶与非议，然而，其最重要的方面却是在这种教育的熏陶下使他能亲切地体会到父亲那奋发向上的性格和敏锐的才智。从很小的时候起，穆勒就在父亲的书房里度过很多时光并在父亲散步时常常陪伴着他。因此他不可避免地接受了许多他父亲的理论观点和对这些问题的思辨方法。但是他并不是完全被动地和机械地接受这种影响。父亲对每一个问题都亲自收集和衡定论据的责任感给他留下了深刻的印象。穆勒的童年并非不幸福，但却使他的身体过度劳损，使他缺乏自然的和自觉自愿的发展。

自1820年5月到1821年7月，穆勒在法国和英国功利主义哲学家、经济学家和法理学家边沁的胞兄，塞缪尔爵士一家住在一起。穆勒当时所写的日记里有许多段文字表明，他那段时间正在有计划地进行阅读和写作，学习化学和植物学，探讨高深的数学问题，并对这个国家的风景、民众和各种风习作了笔记。他这时也把法语学得十分精通。1821年穆勒回国后，又在自己的苦读中增加了对心理学的研究，并与奥斯丁共同攻读罗马法，因为他父亲已初步决定把当律师作为他最合适的职业。然而，1823年，当他刚满17岁便进入印度署检察处工作以后，当律师的打算便被放弃了。在一段短暂的实习之后，1828年升任助理检察官。从1836年（是年其父去世）到1856年的20年间，穆勒负责处理英国东印度公司与印度各邦的关系，1856年他被任命为检察处长。

1822年，穆勒在读杜蒙特的《立法论》时读到了有关边沁学说的论述，这对他产生了持久的影响。他受到这种影响的证据是：他开始研习英国的心理学家和两位18世纪法国哲学家的著作——两位哲学家中一位是孔狄亚克，他也是心理学家，另一位则是以强调肉体感觉著称于世的爱尔维修。不久以后，在1822至1823年间，穆勒同一些朋友建立了“功利主义学会”，这一名称，正如穆勒自己所说，取自高尔特描写苏格兰乡村生活的小说《教区年鉴》。

有两家报纸欢迎穆勒的投稿：边沁的一个朋友主编的《旅行家》，另一家是穆勒父亲的朋友布莱克主编的《记事晨报》。穆勒最早期所做的努力之一就是他写给《记事晨报》的一系列信件，这些信件结合19世纪英国的一位激进分子与自由思想家卡莱尔受到指控一事为言论自由作了有力的论证。穆勒抓住一切机会揭露议会和裁判法庭偏离正确原则的事实。《威斯敏斯特评论报》的创办（1824-04）为他开辟了另一个投稿之处，这是哲学激进主义者的机关刊物。1825年，他开始编辑边沁的《论司法证据》（5卷本，1827）。穆勒和到他家来看望他父亲的许多著名人士进行热烈讨论，同时参加了1825年在英国历史学家格罗特家中成立的读书社的定期讨论会，还参加了同年成立的“伦敦思辨学会”的辩论活动。

公共生活与著作 穆勒的《自传》一书告诉我们，1826年他对自己确定的奋斗目标的价值产生的怀疑是如何抑制了他的热情。在伦敦思辨学会，他第一次检验了自己在公开论战中的力量，然而他却发现自己被人们好奇地看做是一个早熟的怪物、一个“被不自然地创造出来的人”，一架随时准备发出某种声调的智力机器。与柏拉图一样，老穆勒是把诗人视为真理的敌人来反对的；他压抑私人的情感而把它置于公众的感情之后；兰多的名言“少认识人，少交朋友，更不要有知己”得到了老穆勒衷心的赞同。小穆勒感到应当强迫自己放弃这些信条。但他对父亲无比敬畏，不敢把这种想法告诉父亲，而自己只能在郁闷和孤独中和自己心中的疑惑默然地进行斗争。经过这次思想斗争，他对人生的幸福有了更豁达的看法，敢于为诗而爱诗，他在论辩中的态度比以前温和了，他对宗派主义感到厌恶，而他的心志仍同以往一样高尚和无私，然而不再那样好高骛远而比较注重实际了。思辨学会举行的论辩渐渐吸引了一些能给他人带来活力和灵感的人物。1829年穆勒不再参加这个学会，但他从这个学会带走了一个坚定的看法，即深信一个真正的政治哲学体系“要比他以前所想像的要复杂得多和广泛得多，其任务不是要提供一套模范的制度，而是要建立可以衍生出适合于任何特定环境的制度的若干原则”。

穆勒在巴黎之行中结识了年轻一代的自由党人，归来之后，他于1830年秋季在《评论家》杂志上发表了一系列信件，这些信件可以被视为他又重新信心十足地投入社会活动的一个标志。他以《论时代精神》为题所写的一系列文章于1831年也发表在同一刊物上。在1832年至1833年期间，他在《泰特氏杂志》、《法学家》和《文粹月刊》上写了许多文章。1835年，莫尔斯沃思爵士创办《伦敦评论》，由穆勒任编辑，该杂志于1836年和《威斯敏斯特评论》合并为《伦敦与威斯敏斯特评论》，继续由穆勒任编辑直至1840年。他后来也是该刊物的老板。在1840年及以后的年月里，他在《爱丁堡评论》上发表了几篇重要的文章。为这些刊物撰写的短论中的一部分被重印成穆勒《论文与讨论集》的第一、二两卷（1859），这些论著表明穆勒的研究兴趣所涉猎的范围在不断拓宽。其中较重要的文章有：《关于诗歌及其品种的思考》（1833）、《阿尔弗雷德·德·维尼之作品》（1838）、《论边沁》（1838）、《论柯尔律治》（1840）、《托克维尔的〈论美国的民主〉一书》（1840）、《米什莱的〈法国史〉》（1844）和《关于基佐的史学短评及演说》（1845）。有关边沁和柯尔律治的姐妹篇体现了穆勒正处于颠峰状态的思辨力，并十分清楚地表明了他在试图给英国的激进主义注入一种新精神。

在这些年间，穆勒还写了有关逻辑学和政治经济学问题的精彩而系统的论著。他对人性问题的研究热情重新复活，这体现为他渴望给伦理学和社会科学方面的结论提供一种无懈可击的验证方法。虽然这里有法国实证主义哲学家A.孔德的某些影响，但主要的灵感无疑是来自英国科学家和数学家牛顿爵士。牛顿的物理学已经被洛克、休谟、边沁和詹姆斯·穆勒这样一些早期的英国哲学家作为科学论述的模式而接受。但是穆勒决心不让新逻辑学只是简单地反对旧逻辑学。1828年他在《威斯敏斯特评论》杂志上发表的一篇评论R.惠特利的《逻辑要素》的文章里，已在为三段论法的逻辑进行辩护，反对那些谈论着要用“归纳逻辑的某种特定体系”来取代三段论法的苏格兰哲学家们。他要求自己的归纳逻辑“只是补充而不是替代”三段论法。他在探求事物彼此间联系方式的研究工作上花去了数年时间，然而却徒劳无功。最后在1837年，穆勒读了休厄尔的《归纳科学哲学》并重读了赫歇尔的《自然哲学研究绪论》，他终于看清了自己如何来创立科学的研究方法，同时又如何将新逻辑学作为补充并入旧逻辑学的道路。两卷本的《逻辑学体系》于1843年出版（第3版到第8版的内容有许多

变动,1851～1872)。该书第6篇是他的一次大胆尝试,运用休谟著作中的术语,在以因果关系解释一切的基础上,创立一种包括历史学、心理学和社会学在内的人文科学逻辑学(这个体系近年来已受到激烈的批评)。

穆勒把他成为一位政治经济学家的过程分作三个阶段。1844年,他发表了名为《关于政治经济学中若干尚未解决的问题》的评论集,该书是他几年前写就的。其5篇文章中的4篇讨论的是如何去解决若干令人棘手的技术性问题——国际贸易利润的分配、消费对生产的影响、生产性与非生产性劳动的定义、利润与工资之间精确关系等等。在这里,穆勒在大多数问题的论述上都显示出是李嘉图的门徒,只是力求把话说得更明白一些并得出进一步的结论而已。在穆勒作为政治经济学家的第二个阶段,在他耗尽心血得出那些作为他的《政治经济学原理》一书出发点的理论观点的过程中,创见与独立性变得更加明显了。《原理》一书于1848年问世(初版2卷本;第2版[1849]与第3版[1852]在内容上有明显的不同),大约在同一时期,穆勒还致力于鼓吹实行耕者有其田,作为解决爱尔兰的贫困与骚乱的良策。此后,他对社会主义作家进行了更加深入的研究。他相信社会问题和政治问题同等重要。他认为,私有财产最初本是在原始社会为实现社会安定而设想出来的,到当今这样一个完全不同的社会阶段,私有财产目前的发展形式未必就是神圣不可侵犯的。他把生产问题和分配问题分开,他不能容忍一种使劳动阶层陷于悲惨处境、在许多情况下甚至被饿死的分配制度,他并没有以社会主义作为解决方法的结论,但他的巨大功绩在于从新的角度研究了社会的存在基础。他把这一阶段称为他作为一个政治经济学家的第三个阶段,据他说,他达到这一阶段得力于1851年成了他的妻子的泰勒(哈里埃特·哈迪)女士的帮助。

一般人都认为穆勒对其妻哈里埃特能力的描述只不过是一个恋人的过甚之辞。事实上,他本人也明确表示过,他的妻子在他的学术理论上根本没有出过力,她仅仅是影响了他看待个人和社会的人生理想,直接受过她的启发的也只有《论妇女的选举权》这一篇文章而已(该文收入他的《论文集》,卷二)。然而,穆勒和她的关系在某种程度上始终是一个令人不解之谜。

在婚后的7年中,穆勒日益专心致志于英国东印度公司的工作,其结果是,他这一时期发表的著作比他的一生中的任何其他时期都要少。1856年,他晋升为印度署检察处长,以后在直至1858年公司解散的两年任职期间,办公室工作占去了他的全部时间。当人们要求东印度公司必须向政府移交权力的问题提出后,作为部门的负责人,为公司主持下的印度政府写辩护书的任务便落到了穆勒头上。他反对将权力移交出去,他为公司行政管理所作的辩护状是文笔辛辣而文体庄严的申诉文章的典范。公司解散之后,穆勒被邀请参加新成立的管理委员会,但他拒绝就任,于是以每年领取1 500镑养老金而告退休。几乎是在他刚刚退休不久,他的妻子就在法国阿维尼翁去世。此后,穆勒晚年的大部分时间都是在阿维尼翁附近圣韦朗的一座别墅中度过的,每年只回到布莱克希斯家中住一段很短的时间。

晚年生活 妻子死后,穆勒以出版一系列有关伦理学与政治学的书籍来寻求精神的寄托,这些书都是他长期思考的成果,其中有一部分是和他妻子合写的。《论自由》于1859年出版,书前题有纪念他妻子充满深情的献词。《关于议会改革的思考》也于同年问世。在《代议制政体论》(1861)一书中,他把许多零星的论文和短评已经提出过的论点加以系统化。穆勒既对民主充满热情,又对民主体制可能会带来的后果持悲观主义态度。他在自己的论著中把这两者有机地结合了起来,这是很突出的。实际上,这些书对每一个问题的讨论都体现了这种特色。他的《功利主义论》(1861年刊登在《弗雷泽杂志》上;1863年以单行本出版)是一篇严谨而有条理的文章,目的是答复对他的伦理学理论的反对意见和消除人们的误解。他特别急于澄清,他是把潜心思考的乐趣和高尚情感的满足包括在"功利"范畴之内的,并在他的理论体系中为遵循一定的做人原则留下一席之地。

穆勒又开始撰文讨论他过去写逻辑学一书时曾经深感兴趣的各种更加广泛的哲学问题。1865年,他出版了《威廉·汉密尔顿爵士哲学探讨》和《奥古斯特·孔德和实证主义》,但是在这两部著作中,他的主题在很大程度上都是政治性的。正由于穆勒把汉密尔顿爵士的著作和言论视为在英国宣扬直觉哲学的大本营,所以他才自告奋勇地对这位爵士的自负进行还击。在对孔德的论述中,穆勒把孔德早期哲学的实证主义学说和后期的人道宗教截然地区分开来。对实证主义他予以推崇,正像他早年经常做的那样,因为他把这种学说视为贝克莱和休谟哲学观点的自然发展。但对宗教他予以攻击,在穆勒看来,这种宗教仅仅是想强加给苦难深重的人类一个教士等级统治的另一次尝试而已。值得注意的是,他在这些著作中使用的语言与边沁和J.穆勒的语言贴近的程度,要比他童年以来一直使用的语言贴近的程度大得多。1869年,他重新出版了带有补充例证和说明性注释的《人类思想现象分析》一书,这本书是他父亲写的,重印此书是一个表示孝心的举动。

穆勒在这些年主要从事理论研究,同时,他也没有忽略对时事政治的关注。在美国南北战争期间他支持北方,他大声疾呼地指出,双方斗争的真正关键是废除奴隶制的问题。1865年,在获得保证会让他严格遵循他个人立身处世原则的条件下,他同意作为威斯敏斯特选区的议员候选人参加竞选。他自己并不四处奔走,并不出钱雇人为他竞选,也不愿意过问本选区的地方事务,甚至好不容易才说服他参加选民的集会发表演说。但他还是当选了。穆勒积极参加了1867年《改革法》通过前的议会辩论,和其他人一道迫使政府同意对该法案作某些有益的修改,以阻止腐败行为。爱尔兰土地租佃制改革(参阅他所写的《英格兰与爱尔兰》,1868;《关于爱尔兰土地问题的文论与讲演集》,1870)、妇女代表权(参见下文)、公债的削减、伦敦市政府的改革、废除《巴黎宣言》(1856,涉及克里米亚战争期间海上财产运输费用问题)等等,这些都是穆勒参加过讨论的一部分题目。他不止一次地要求实施他常常鼓吹的一项主张,即让英国承担起为支持自由事业而干涉外国政治的责任。作为一个演说家,穆勒讲话时显得有一些迟疑不决,但是他在即席辩论中却表现得驾轻就熟。在当选为圣安德鲁斯大学的校长后,他于1867年发表了《在圣安德鲁斯大学的就职演说》。

穆勒对自由思想家和激进的政治家布雷德洛选举费用的捐助和对总督E.J.埃尔在牙买加的所作所为的攻击,或许是他在1868年议会大选中失败的主要原因。但他着意鼓吹不为人所熟悉的种种改革计划也使他招致了"温和的自由党人"的不悦。他怀着一种如释重负的心情退休回到阿维尼翁。他的屋里堆满了书籍和报纸,四周的田野供他随意漫步。他读书,写作,讨论,散步,种植花木。他对音乐极为爱好,本人还是个相当不错的钢琴家。他的继女海伦·泰勒(卒于1907年1月)在他妻子死后是他经常的同伴。穆勒毕生都是一个狂热的植物学研究者,是《植物学家》杂志上札记与简短论文的经常撰稿人。他最后一次去阿维尼翁,目的就是为了去欣赏春季的百花和写成一部当地植物志。

穆勒没有放松他勤勉的习惯和对人间事务热切的关心。他的《论文集》第4卷(1875;第3卷已于1867年问世)中的文章——论养老金、论土地、论劳动、论思辨哲学及心理学问题——都是在短期任议员之后断断续续发表在《双周评论》上的。1867年,他与泰勒夫人、戴维斯女士等人一道创立了第一个妇女选举权协会,该协会后来发展成为全国妇女选举权协会联合会。1869年,他出版的《论妇女的从属地位》(写于1861年)是一部研究妇女选举权问题的经典性理论著作。他最后参与的公共活动是协助成立土地租佃制改革协会,为此他在《评论家》上著文鼓吹并在去世前几个月的一次公开演说中支持该协会。不劳而获的土地自然增值的收益应该归国家所有和促进合作农业是他的政纲中最引人注目的部分,鉴于欧洲劳资之间的冲突迫在眉睫,他把自己的这项计划看做是避免冲突的一个及时的妥协。他的《自传》和《论宗教的三篇短评》(1874)在他去世后才出版。

穆勒逝世后,他的铜像屹立于伦敦泰晤士河畔,G.F.瓦茨画的穆勒肖像原作摹本悬挂于国立美术馆内。

影响与意义 穆勒的生活方式极其朴素。穆勒的著作对于当时英国人思想的影响是不可估量的,他研究所处时代的重大问题时显示出的自由主义信念和勤于钻研的精神的价值也是毫无疑问的。但是,除此之外,人们对他的哲学的持久价值一直有着不同的看法。乍看之下,穆勒是一位文字最清晰的哲学家。许多人都谈到过他的著作那令人惊叹的通俗易懂性。然而,一般地说,这种感觉总是维持不了多久,怀疑便开始悄悄地产生。尽管这种易懂性仍然存在,但其持续时间在某种程度上却显得有限了。人们时常会因为穆勒对同一问题的正反两个方面都同样阐述得明明白白而产生某种不知何去何从的尴尬。

然而,说来奇怪的是,这种判断并没有导致人们对穆勒有任何忽视。今天,人们已经很少注意汉密尔顿或休厄尔,但是在哲学讨论中穆勒的名字还是不断被提到。情况所以会如此,部分是因为穆勒提出了一个完整的学说体系并在许多学科方面都创造了整套的术语(特别是在归纳法上),事实证明这些术语在课堂上是极其有用的。但更加重要的一个原因却是,穆勒已经逐渐被人们视作哲学上某种倾向的一种化身,它对于阐释或揭示某种思想来说总是必不可少的,这样才会对严肃思考的人具有强大的吸引力。因此,穆勒成了一位或者被人们说成是一位功利主义者;然而已经有人指出,恰恰是他著作中的某些章节无比强烈地表现出了他对功利主义所持的反对态度。与此类似,他又被人说成是一个经验主义者(虽然穆勒自己讲过他并不是),但他的三段论法和数学理论却经常被用来论证经验主义的思想方法会带来多么致命的后果。

无任何保留地侈谈穆勒的功利主义是会把人引入歧途的。即使再做些补充,说穆勒为应付维多利亚时代对功利主义的批判而在某些方面修正了他从父亲和边沁那里继承来的功利主义理论,那也是不够的。诚然,他有时候确实给人们留下了这种印象(例如在他的《功利主义》一文中);但是在其他地方(例如在他的《论自由》一文中),他几乎不试图掩饰他的逻辑前提是完全独立于边沁的哲学的事实。因此,和一般的看法相反,随意地确定穆勒在任何重大哲学课题上的准确立场是很危险的。有时候,他不顾后果地任性行动,看上去更像是一个浪漫主义者而不是一个功利主义者。此外,他也从另一个方面表现出他是一个彻底的浪漫主义者:他十足地代表了他那个时代的精神,这就是,他是那样如饥如渴地寻求并吸收一切显示出点滴生命力的独特的思维方式。他宣称自己"向一切人学习的能力和意愿"强过与他同时代的大多数人,事实上,不管他父亲对他进行教育时是多么小心谨慎,却没有任何人能够比得上穆勒对外来的影响更少保守性。在穆勒的著作中,人们可以辨识出19世纪初期每一种学术理论留下的印迹。

Milla, Roger　米拉(1952-05-20,喀麦隆雅温德～　)　喀麦隆足球运动员,以完美的技术和文雅的风度著称,是喀麦隆国家队的主力前锋,为喀麦隆队成为首支进入世界杯1/4决赛的非洲球队立下战功,两次被评为非洲足球先生(1976,1990)。1970年加入杜阿拉豹队,1972年第一次获国家冠军。1972年转入雅温德霹雳队,1975年在喀麦隆杯决赛和非洲优胜者杯的比赛中发挥主要作用。1978年到法国,先后在瓦朗谢讷(1978～1979)、摩纳哥(1979～1980)、巴斯蒂亚(1980～1984)、圣埃蒂安(1984～1986)和蒙比利埃(1986～1989)等队踢球。1981年法国杯决赛中踢进绝妙的一球。1990年挂靴。

Millais, Sir John Everett, 1st Baronet　密莱司(1829-06-08,英国汉普郡南安普敦～1896-08-13,伦敦)　英国油画家、插图画家,

密莱司绘《盲女》(1856)
美国不列颠百科全书公司供图

拉斐尔前派的奠基人之一。11岁即入皇家学院的美术学校,获得所有的学院奖。1848年偕同W.H.亨特和D.G.罗赛蒂为反对当时的学院派绘画而组成拉斐尔前派。1850年所作《基督在父母家中》的艺术处理是世俗化的,受到猛烈抨击,因为许多人认为它是亵渎神灵和不虔诚的。19世纪50年代,其艺术进入成熟阶段。《鸽回方舟》(1851,牛津阿什莫尔博物馆)受到英国批评家J.罗斯金和法国著名作家T.戈蒂埃的好评。《释放令》(1853)曾获得E.德拉克洛瓦的赞赏,其最受欢迎的作品是《盲女》(1856)。1863年后其风格更为开朗,内容也更自由通俗。曾为G.达尔齐尔的《寓言》、丁尼生的诗歌作插图,并为《一周一次》、《恭维话》和其他期刊作插图。但后期作品一般质量低劣。1870年,其第一幅纯风景画《寒冷的十月》问世。许多风景画描述的是珀斯夏,秋季他曾在那里狩猎和垂钓。后期还创作过丁尼生等人的几幅肖像画。1885年被授予爵士封号,1896年被选为皇家科学院院长。

Millardet, Pierre-Marie-Alexis　米亚尔代(1838-12-13,法国蒙梅雷拉维尔～1902-12-15,波尔多)　法国植物学家。研制成第一个有效的杀真菌剂波尔多液,还控制了葡萄根瘤蚜,拯救了法国的葡萄园。曾就读于德国海德堡大学和弗赖堡大学,后在法国获医学和理学博士学位。1869年任斯特拉斯堡大学植物学助理教授,3年后移居南锡;1876年任波尔多大学植物学教授,至1899年退休。1858～1863年间,葡萄根瘤蚜随来自美国的用于嫁接的葡萄而传入欧洲并迅速蔓延,为害甚烈。他引进具有抵抗力的美国葡萄作为与欧洲品种嫁接的砧木,从而控制了虫害传播。与葡萄根瘤蚜同时传入的还有葡萄霜霉(*Plasmopara viticola*),为害水果和蔬菜,尤其是葡萄。法国麦多地区的农民数百年来一直用硫酸铜、石灰和水混合配成的浓溶液喷淋葡萄,喷过药的葡萄的外观令人倒胃口,偷葡萄的窃贼望而却步。1882年10月他注意到这种溶液也能控制霜霉病,便建议用之为杀真菌剂。通过3年的实验取得成功,结果在《实用农业杂志》上公布。这种溶液即称波尔多液,是在世界范围内广泛使用的第一种杀真菌剂,并开创了农业技术的新纪元。

Millau　米约　法国南部米迪比利牛斯大区阿韦龙省城镇。位于大科斯高原上,塔恩和杜尔比河汇合处,罗德兹东南。罗马以前时期是一个凯尔特人村庄。罗马人将其发展成

大科斯高原上的米约镇
美国不列颠百科全书公司供图

为陶瓷业中心。1183年获特许状。中世纪时由阿拉贡人和英国人统治。宗教改革中成为胡格诺派信徒的要塞,并于1620年背叛路易十三。以生产手套和罗克福特奶酪著称。人口22 840(1999)。

Millay, Edna St. Vincent　米莱(1892-02-22,美国缅因罗克兰～1950-10-19,纽约奥斯特利茨)　美国女诗人、剧作家。20世纪20年代浪漫主义反叛和冒险精神的女性化身。最早

哈珀斯-罗出版公司供图

的诗篇发表在儿童刊物《圣尼古拉斯》上。作品充满了对海滨和乡村景色的形象描绘。1912年的《抒情诗年刊》收入了米莱的诗《新生》,使她崭露头角。这首诗使米莱受到一捐助人的关照,使她得以进入瓦瑟学院。1917年从瓦瑟学院毕业后,在纽约以南希·博伊德的笔名发表短篇小说,并担任普罗温斯敦剧团演员和编剧。1917年出版第一本诗集《新生与其他诗篇》,书里充满了青年人的浪漫和豪放不羁的感情。诗集《荆棘之果》(1920)中一首诗里的名句"我的蜡烛在两头燃烧"成为那个时代的"火一样的青年人"的口号,使她声名远扬。《第二个四月》(1921)标志她的诗

重新又回到早年的情调和技巧。1921年还发表3部诗剧:《两个懒妇和一个国王》、《灯与铃》和《从头重复的咏叹调》。出于热爱母亲的激情写的诗《竖琴制造师》收入1923年出版的诗集《竖琴制造师和其他诗篇》。她曾受托为D.泰勒的歌剧《国王的心腹》写脚本,该剧1927年在大都会剧场首演,获得美国歌剧史上空前的成功。晚年的重要作品有:《雪中雄鹿》(1928),诗的情调更为忧郁;《决定命运的会见》(1931),是一组受到高度赞扬的十四行诗;以及《用这些葡萄酿成的酒》(1934)。1952年A.麦克杜格尔编辑出版了她的书信集。

Millburn 米尔本 美国新泽西州东北部埃塞克斯县城镇。位于纽瓦克西,临罗韦河和帕塞伊克河。毗邻肖特希尔斯高级住宅区。约1664年来自纽约的移民向印第安人购地定居,1793年建斯普林菲尔德乡,1857年设镇。从前的宝石造纸厂已改建为造纸厂剧场(新泽西州立剧院)。独立战争期间,斯普林菲尔德战役(1780-06-23)曾在今城郊市政厅周围进行。早期工业有造纸业和制帽业。现经济以保险业和轻工业为基础。人口约19 765(2000)。

Mille, Cecil B. de 参阅 **deMille, Cecil B.** 德米尔。

Mille Miglia 一千英里赛 意大利最有名的汽车公路赛。比赛路线在23年间13次改变,但起点和终点总是罗马,全程蜿蜒曲折,经过山区和小城镇。首次一千英里赛于1927年3月26～27日举行,以布雷西亚为起点,冠军仅用20小时多一点驶完全程,平均时速达48英里。1938年比赛时发生毁车事故,死观众数人,于是该项比赛于1939年遭墨索里尼禁止。1947年恢复,但1957年比赛中又有2名驾驶员和11名观众在车祸中丧生,其后再未举行。

Milledgeville 米利奇维尔 美国佐治亚州中部城市,鲍德温县县城(1807)。临奥科尼河。建于1803年,1806年设镇,1836年建市。1807～1867年间为佐治亚州首府。美国南北战争期间该市略有损失,战前建筑大多

米利奇维尔市的原州议会大厦
美国不列颠百科全书公司供图

保留下来。原州议会大楼现为佐治亚军事学院(1879)的一部分。现为农业贸易中心。轻工业制品有纺织品和利用当地黏土制造的产品。旅游业也十分重要。设有佐治亚州立中心医院(1837)。人口19 159(2003)。

millefiori glass 千花玻璃制品 嵌有像花朵一样图案的玻璃器皿。方法是先将一捆不同颜色的细玻璃棒加热熔粘在一起,把它拉细、冷却,再横切成有花朵图案的小圆片,把

公元前1世纪或公元1世纪的罗马千花玻璃碗
美国不列颠百科全书公司供图

这些圆片放到热吹成形的玻璃制品例如花瓶或碗上,再加热进行第二次吹制,即成为嵌有色彩鲜明、花样繁多且不退色的图案的玻璃制品。千花玻璃制品的制造工艺是公元前1世纪由罗马人发展起来的。15世纪由威尼斯的玻璃工匠恢复并加以改进。从19世纪中期起,这种工艺常用于制造镇纸和游戏用的弹子。

millefleur tapestry 百花挂毯 又称绿茵挂毯。底子花饰是许多小花。大多数图案是普通景色和寓言故事。人们认为百花挂毯最初是15世纪中期在法国卢瓦尔地区制作的。

15世纪末、16世纪初的法国或佛兰芒挂毯,图案为被擒的独角兽
美国不列颠百科全书公司供图

嗣后十分盛行,法国许多地方以及低地国家均有生产,一直持续到16世纪末。

Millenary Petition 《千人请愿书》 1603年英格兰圣公会内部的清教派教牧人员向国王詹姆斯一世提出要求改革圣公会某些常规的措词温和的请愿书。据执笔者说,签署者有清教派教牧人员1 000名。清教派在请愿书中表示反对若干礼仪,如牧师在施洗礼时作十字号、婚配礼上使用戒指、坚振礼、牧师着白罩衣等。为此,国王召开**汉普顿宫会议(Hampton Court Conference)**,拒绝请愿书中所提出的大部分要求。

millennium 千年纪 周期为1000年的纪年。创建于1582年并被大多数国家使用的格里列高历在公元前到公元元年之间的过渡中没有0年。因而第1个千年纪定为1～1000年,第2个千年纪是1001～2000年。虽然许多公众庆典活动都在2000年之始进行,但21世纪和第3个千年纪还是应始于2001年1月1日。

millennium 千禧年 基督教神学名词,指耶稣基督复临在地上建立他的王国的1 000年期间。《新约》仅仅在《启示录》第20章明确提出关于千禧年的教义。关于异象的说法是,撒旦被捆绑,扔在无底坑里1 000年。殉教士复活,与基督一同统治1 000年。末期撒旦被暂时释放出来迷惑列国,其后失败。于是一切死者聚合起来接受最后审判。关于千禧年有多种解释。有些基督徒相信基督的复临,开始了1 000年世界公义时代,这派人叫作千禧年前派。另有一些人认为,最后基督教将为普世所接受,1 000年基督教公义时代的高潮将是基督复临,死人复活,最后审判,这些人叫作千禧年后派。根据此词的比较一般的用法,它还含有期望在短期内在地上享受物质福利的意义;这表明,早期基督教的一些作家,尤其是接近犹太基督教的人士,可以叫作千禧年主义者。后来孟他努派兴起,这时许多基督教人士才觉得这种教义的危险性。孟他努派认为,天城耶路撒冷不久便会在弗里吉亚实现,其首领就是《约翰福音》所预言的"保惠师"。同时,较为正统的导师们也拥有类似的愿望;据说叙利亚和本都的一些主教率领他们的会众到旷野等待基督降临。在罗马皇帝君士坦丁一世在位期间,基督教会取得了胜利,这类愿望开始平息下去。西派教会的大神学家奥古斯丁早期是千禧年主义者,后来改变了观点。在以弗所会议(431)上,千禧年主义观点没有受谴责,有人提到了它,却受到漠视。后来,当这类观点可以用来反对教会的权威时,它就会偶尔出现。因此,它在中世纪热衷于灵修的人们中间盛行,特别是在宗教改革运动时代,由于社会的和宗教的激情交互作用,在散漫分化的再洗礼派各支派中尤其盛行。比较保守的宗教改革家与天主教都认为基督的降临主要是过去的事,不是未来的事,所以认为地上的上帝之国就是教会,但是这种认同从来没有被人认为完备。在较为近期的西方历史中,千禧年主义往往在重大社会变迁或危机时期再起。从西方的工业化中兴起的这类派别有基督复临安息日会、耶和华见证会和耶稣基督末世圣徒教会(摩门教)。

Millennium Democratic Party(MDP) 新千年民主党 韩国温和派自由主义政党,前身

为新政治国民议会(1997～2000)。新千年民主党原是金大中于1995年成立的新政治国民议会。3年后,执政党新韩国党(1997年与民主党合并成为大国家党)内部爆出腐败丑闻,金大中成为韩国第一个以在野党领袖身份当选的总统。2000年该党更名为新千年民主党。2001年新千年民主党在议会选举中的成果十分令人失望,只获得61席,金大中因而辞去党主席职位。在其后的几年里,该党一再失败,特别是输给开放国民党;在2004年的选举中,该党的席位减少到9席。新千年民主党主张扩大人权、改进与朝鲜的关系和建立该党所谓的"生产性福利"体制。

Millennium Dome　千年穹顶　又译千禧巨蛋。英国伦敦格林尼治的巨大建筑和旅游景点。修建该建筑的目的是为了举行迎接21世纪和第3个千年纪(始于2001年1月1日)的展览。主体结构是全世界最大的穹顶,面积约为原纪录保持者佐治亚穹顶(位于美国佐治亚州亚特兰大)的两倍。其建筑地点围绕本初子午线(0°经线),在格林尼治半岛北端的泰晤士河岸。1997年首相T.布莱尔的工党政府组成新千年体验公司,负责建造穹顶、主展馆和在全国各地的一系列较小项目。同年,建设工作开始。1998年基本完工,室内面积达8万多平方米。屋顶直径320米,最高约50米。屋顶由呈环形挂在12根钢桅的2 600条钢索网支撑。这些钢桅略微偏离垂直线,高约100米。穹顶的不寻常设计毁誉参半。该建筑一开始就有争议。1999年12月31日,包括首相和女王在内约10 500人在此参加新年庆典。2000年1月1日起开放,后又因入不敷出而关闭。2001年12月卖给一家公司。

millepore　多孔螅　又作stinging coral或pepper coral。刺孢动物门水螅纲多孔螅目多孔螅属(*Millepora*)海生无脊椎动物。与水螅(**hydra**)近缘;而与珊瑚纲的真珊瑚虫不同

一种多孔螅属(*Millepora*)多孔螅

美国不列颠百科全书公司供图

纲。常见于热带深度30米以内的浅海。有几种呈树状,高达50厘米。有的呈块状而无定形,或呈叶状。多数灰白、淡黄或肉色。具刺丝囊。

miller (moth)　参阅 **owlet moth** 夜蛾。

Miller, Alice Duer　米勒(1874-07-28,美国纽约斯塔滕岛～1942-08-22,纽约州纽约)　婚前名Alice Maude Duer。美国女作家。出身于高贵富有家庭,但后来由于银行破产,家道中落。她依靠写散文、诗歌和短篇小说的稿费,才得以完成在纽约市巴纳德学院的学业。1896年第一本作品《诗》出版。1899年毕业后不久便与实业家H.W.米勒结婚。婚后夫妻住在哥斯达黎加。其间她继续在杂志上发表文章。1903年夫妇两人回到纽约市。1907年前她在一所女子学校教写作,在巴纳德学院辅导数学。出版《现代障碍》(1903)、《卡尔德隆监狱》(1904)、《蓝拱门》(1910)、《东西》(1914)和《妇女是人吗?》(1915)等。《走出厨房》(1916)是她第一部获得成功的作品,在《哈珀》杂志连载,后结集出版,改编成舞台剧在百老汇上演,并拍成电影。后接连出版《仪态学校》(1919)、《极其珍贵的珍珠》(1924)、《不情愿的公爵夫人》(1925)、《遗弃所有的人》(1931)、《崭露头角的明星》(1935)等作品。她在好莱坞用了大量时间去写电影脚本,并在社会习俗等方面提供咨询。1940年出版的《雪白的悬崖》获得最大成功。该书描写在被战争破坏了的英国发生的爱情和毅力的诗体故事。战争结束时,该书销量已达70万册。L.方丹曾两次在无线电台朗诵该书,并录音。根据该书改编的电影《香衾情泪》于1944年上映。

Miller, Arthur　米勒(1915-10-17,纽约市～2005-02-10,康涅狄格罗克斯伯里)　美国剧作家。他的作品将社会意识与对剧中人物内心生活的敏锐观察交织在一起,并以其剧作

美国不列颠百科全书公司供图

《推销员之死》(1949)而闻名。成长于大萧条时期,其父是大萧条中破产的小业主,这使年轻的米勒感到现代生活毫无保障。中学毕业后在一家货栈工作。靠挣来的钱进入密歇根大学,上学期间即开始创作剧本。第一部成功之作是写排犹运动的长篇小说《焦点》(1945)。《全是我的儿子》(1947)是他的第一部重要剧本,描写一个生产劣质军用物资的制造商,剧本表明他受到易卜生的强烈影响。《推销员之死》是当时美国最著名的剧本之一,写一个小人物被虚伪的价值观念所毁灭。《炼狱》(1953)以1692年马萨诸塞州塞勒姆市的巫术审讯案为题材,用以影射50年代遍布美国的调查颠覆活动之风。1956年曾被众议院非美活动委员会传讯,因拒不说出10年前在一个所谓的共产党作家会议上见到的人的姓名而被判藐视国会罪,后经上诉获胜。短剧《两个星期一的回忆》和另一部短剧《桥头眺望》(写一个美籍意大利码头工人因热爱外甥女而导致毁灭的悲剧),于1955年在舞台上同场演出。《堕落之后》(1964)写世态炎凉及其后果。《代价》(1968)通过剖析两兄弟之间的紧张关系,探索谁应负罪责这一主题,1969年由他自己导演在伦敦演出。他的《大主教宅邸的顶棚》于1977年在华盛顿(哥伦比亚特区)上演,《美国人的时钟》于1980年演出。米勒还为他的第二任妻子玛丽琳·梦露(1926～1962)写了电影剧本《不合时宜的人》(1961)。短篇小说集《我不再需要你》1967年出版。1977年出版他的戏剧论文集。

Miller, Cincinnatus Hiner　参阅 **Miller, Joaquin** 米勒。

Miller, David Hunter　米勒(1875-01-02,纽约市～1961-07-21,华盛顿[哥伦比亚特区])　美国律师和条约专家。曾参加起草国际联盟盟约。1911～1929年在纽约市当律师,曾在一个为巴黎和会(1917～1919)搜集资料的专家机构咨询处工作,并且是参加和会的美国代表团的法律顾问。作为美国国务院的一位官员(1929～1944),他率领美国代表团参加了1930年为编纂国际法法典而举行的海牙会议。他发表的著作有:《我在巴黎和会期间的日记和一些文件》(21卷,1924～1926)、《美国签订的条约及其他国际协定》(8卷,1931～1948)。

Miller, (Alton) Glenn　米勒(1904-03-01,美国艾奥瓦克拉林达～1944-12-16,从伦敦去巴黎途中葬身大海)　美国作曲家和长号演奏家。因身后声名大振而成为流行音乐界最锋芒毕露的人物之一。曾受教于博尔德的科罗拉多大学。1926年成为专业长号演奏员。1930年时是纽约颇受欢迎的自由职业乐师,后多次组织男子乐队。1939年以大乐队领队身份荣获国际声誉,并任美国驻欧洲空军军乐队队长,后升少校。在一次由英国飞向巴黎的途中失踪。他在舞厅取得的成功来自动人的乐队配器和细致的演奏。他那很快能被人识别和广泛被人模仿的萨克斯管声音和包括所写《月光小夜曲》在内的一切巨大成就,都是基于相当简单的音乐规律。他在好莱坞拍的两部电影《太阳谷小夜曲》(1941)和《乐队的妻子》(1942)使他获得更大声誉。但是长久留在人们记忆中的却是他的电影传记片《格伦·米勒的故事》。

Miller, Harriet Mann　米勒(1831-06-25,美国纽约奥本～1918-12-25,加利福尼亚洛杉矶)　婚前名Harriet Mann,笔名O.桑尼、H.M.米勒或O.T.米勒。美国儿童文学作家。由于父亲不断在各地游荡,她是在美国各地城镇长大的,因而所受教育很不正规。1854年与W.T.米勒结婚。1870年发表了第一篇短篇小说后,在其后几年中为儿童写了几百篇短篇小说和文章。其短篇小说通常都署名O.桑尼。她用H.M.米勒这个笔名写了若干描写自然的短文。有几篇短篇小说后来结集

出版，书名分别为《宁普的麻烦》(1879；从本书开始使用O.T.米勒这个笔名)、《玛西家奇怪的宠物》(1880)和《亚洲的矮人》(1882)。1885年出版《鸟的习性》，这是供成人和儿童阅读的描写鸟的系列书籍中的第一本，广受欢迎。其他著作有《长四只手的人》(1890)、《女人俱乐部》(1891)、《克里斯蒂奇怪的圣诞节》(1904)、《克里斯蒂出人意料的晚会》(1905)和《克里斯蒂雨天的野餐》(1906)等克里斯蒂系列小说。

Miller, Henry (Valentine) **米勒**（1891-12-26，纽约市～1980-06-07，美国加利福尼亚帕西菲克帕利塞兹） 美国作家。一生放荡不羁，所著自传性小说写得非常坦率，对性生活的描写非常露骨，这些作品形成了20世纪中期文学上的一股解放力量。他还以文风平易洒脱、富于喜剧才华而著称。主要著作由于对性生活的过多描写，60年代以前在英国和美国一直被列为禁书，但早在此之前从法国偷运入境的他的著作已广为流传。米勒在布鲁克林长大，《暗淡的春天》(1936)写他童年时期在纽约的生活。1924年辞去在纽约西部联合公司的工作专心从事写作。1930年到法

美国不列颠百科全书公司供图

国。《北回归线》(1934年在法国出版，1961年在美国出版)写他在大萧条阴影笼罩下的巴黎勉强糊口的生活。《南回归线》(1939年在法国出版；1961年在美国出版)描写早期纽约的情景。1939年访问希腊，后来发表《马洛西的大石像》(1941)一书，论述了这个国家的重要性。1940～1941年在美国各处旅行，写了尖锐批评美国的《空气调节器的恶梦》(1945)，论述人类为机械化和商品化所付出的代价。在加利福尼亚海岸的大瑟尔定居后，米勒成为一批崇拜者的核心。他在大瑟尔写了《在玫瑰色十字架上受刑》三部曲，由《性》、《神经》和《关系》组成，美国版本将3集合在一起于1965年出版。"回归线"在美国出版后曾被指控为淫书，1964年最高法院否决了州法院的裁决。其他重要著作有论文集《宇宙论观点》(1939)和《心的智慧》(1941)。他还是水彩画家，举行过国际展览，并写过一本论美术的书《绘画是爱的再现》(1960)。

Miller, Hugh **米勒**（1802-10-10，苏格兰克罗默蒂郡克罗默蒂～1856-12-24，爱丁堡） 苏格兰地质学家、无神职的神学家，被认为是19世纪最卓越的地质作家之一。他的作品在唤起公众对地质历史的兴趣方面获得了广泛的成功。经过在克罗默蒂早年的文学探索活动并做过6年银行会计之后，于1840年到爱丁堡担任新创办的报纸《见证》的编辑。这家报纸反对苏格兰教会的圣职授予权，通过米勒的社论赢得了很大声誉。他还为该报撰

美国国会图书馆供图

写精彩的地质学连载文章，其中一部分以《老红砂岩》(1841)为书名出版。在这部著作中，他描述了自己在克罗默蒂的泥盆纪(4.08亿年前至3.6亿年前)地层中发现的化石。其他关于地质学的著作中，《造物主的足迹》(1849)一书最有独创性，该书记录了他对其在老红砂岩中发现的绝灭的鱼之复原，并从神学立场坚决主张这些鱼类的发育之完善就证明进化论是不能成立的。他还发现了一种后来命名为 *Pterichthyodes milleri* 的鱼。主要由于他的著作，泥盆纪才被称为"鱼类时代"。

Miller, Joaquin **米勒**（1837-09-08，美国印第安纳利伯蒂附近～1913-02-17，加利福尼亚奥克兰） 辛辛纳图斯·海纳·米勒的笔名。美国诗人、记者。他最优秀的作品表现了旧西部地区的庄严感和令人刺激的事物。最著名的诗《哥伦布》中的叠句"前进，乘风破浪前进！"曾经为数百万小学生所熟悉。早年在西部与矿工、赌徒和印第安人生活在一起，过着传奇式的流浪冒险生活。曾在俄勒冈州尤金的哥伦比亚学院上过一年学(1858～1859)，1860年进入俄勒冈律师界。1862～1866年间拥有一家快马邮递公司和一家报纸(《尤金民主纪事报》)，并任俄勒冈州坎宁城的县法官。他曾在《尤金民主纪事报》上撰文，为墨西哥强盗乔昆·穆里泰辩护，后来用乔昆作为

美国国会图书馆供图

他的笔名。最初的诗集《标本》(1868)和《乔昆及其他诗篇》并未受到重视。1870年到英国旅行，在那里自费刊印《太平洋诗歌》(1871)。他的成名作《群山之歌》(1871)在英国备受赞扬，但在美国却因过分浪漫而受到奚落。其他诗集有《森兰兹之歌》(1873)、《沙漠之舟》(1875)、《纽约男爵夫人》(1877)、《意大利之歌》(1878)、《记忆与诗韵》(1884)和《诗歌全集》(1897)等。他的作品具有惠特曼的气质，但常常矫揉造作，言过其实。因为他喜爱拜伦式的做作，他的自传作品，如《与莫多克部落一起生活》(1873)，一般认为不真实。

Miller, Jonathan (Wolfe) **米勒**（1934-07-21，英格兰伦敦～ ） 英国演员、导演、制片人和医生，并且还是位多才多艺的文人。米勒是一位精神病医生和小说家之子，1956年毕业于剑桥圣约翰学院，随后进入伦敦大学医学院攻读医学，并于1959年获医学学位。1961年在爱丁堡戏剧节上作为时事讽刺剧《边缘之外》的演员和剧本合著者开始其专业舞台生涯。1963年开始编写电视剧本并导演舞台剧。他对古典戏剧作品(从莎士比亚和谢里丹的作品到《艾丽丝漫游奇境记》)的引起争议的诠释使他声誉不佳。1973年他被任命为缺乏创新精神的英国国家剧院的副院长，进一步使他受损，他遂于1975年辞职。后转入歌剧界工作，以导演柴可夫斯基的《叶甫盖尼·奥涅金》一剧最为知名。1978年他为英国广播公司撰写了一部13集系列节目《人体问题》，讲述医学发展史和对人体的看法；这套节目同时也编成一本畅销书。以后他仍致力于歌剧和话剧工作，同时继续医学问题的研究。1988年他成为伦敦老维克剧团的艺术指导，随团遍访德国、意大利和美国，并巡回英国各地。

Miller, Marilyn **米勒**（1898-09-01，美国印第安纳埃文斯维尔～1936-04-07，纽约州纽约） 原名Mary Ellen Reynolds。20世纪20年代最受欢迎的美国音乐喜剧女演员。4岁首次登台演出。尔后10年在国内和国外巡回演出。后L.舒伯特邀她到纽约市冬季花园剧场演出。在该地演出了《1918年齐格飞活报剧》，后又主演《萨利》一剧，演了570场。接着演出一些获得很大成功的剧作，如《阳光明媚》(1925)、《罗莎莉》(1928)和《齐格飞的微笑》(1930)等。1930年前往好莱坞；同年演两部根据舞台剧《阳光明媚》和《萨利》改编的电影，均获成功。1931年与W.C.菲尔兹合拍电影《爱情阁下》。后重返百老汇主演《万众欢呼》(1933)，3年后因病突然去世。

Miller, Merton H(oward) **米勒**（1923-05-16，美国马萨诸塞波士顿～2000-06-03，伊利诺伊芝加哥） 美国经济学家，1990年与H.M.马科维茨(**Markowitz, Harry M.**)和W.F.夏普(**Sharpe, William Forsyth**)共获经济学诺贝尔奖。他的贡献——也是其同事F.莫迪利亚尼的贡献，莫迪利亚尼在1985年获得诺贝尔经济学奖——被称作莫迪利亚尼-米勒定理，在财政理论领域中具有开拓性。米勒在哈佛大学上学，1944年获文学学士学位；在美国财政部工作过；1952年在马里兰州巴尔的摩的约翰斯·霍普金斯大学获博士学位。他在宾夕法尼亚州匹兹堡的卡内基理工学院——现称卡内基-梅隆大学——教学，直到

1961 年接受芝加哥大学工商管理研究生院的财政学教授职位。米勒的工作是以马科维茨和夏普的工作为基础的。马科维茨的最佳证券投资理论证实：财富最好投放到那些风险及预期收益可以变化的资产上去。夏普发展了一种"资本资产作价模型"，这种模型可解释有价证券价格如何反映风险和潜在的收益。莫迪利亚尼-米勒定理可以解释公司的资本资产结构和红利政策与公司的资本市场价值和成本之间的关系。该定理证明：比较而言，一家制造商如何为其活动提供资金不及这些活动的获利能力(盈利率)重要。在发展公司财政的理论和实务分析上，米勒被公认为最重要的角色之一。他除了任商业学院的 R.麦考密克讲座优异服务教授外，还兼任芝加哥商业交易所的董事。

Miller, Neal E(lgar)　米勒(1909-08-03，美国威斯康星州密尔沃基～2002-03-23，康涅狄格州哈姆登）　美国心理学家。与 J.多拉德结合早期有关行为与学习的一些强化理论，提出以满足心理社会驱力为基础的动机学说。曾在西雅图的华盛顿大学和加利福尼亚州帕洛阿尔托的斯坦福大学就读，1935 年获耶鲁大学心理学博士学位。后留在耶鲁的人类关系研究所继续研究方面的实验。在《社会学习与模仿》(1941)和《人格与心理治疗》(1950)两书中，米勒和多拉德发表了他们的实验结果。这些结果显示：行为模式是在生物源或社会源的驱力基础上经条件作用及强化作用而形成的。1950 年任耶鲁大学心理学教授。1966 年辞职，接受洛克菲勒大学的教授职位，1981 年成为该校名誉教授。

Miller, Oskar von　密勒(1855-05-07，慕尼黑[德国]～1934-04-09，慕尼黑)　德国电气工程师，创建了德国的电力工业，并创立了位于慕尼黑的德国科学技术博物馆。密勒就读于慕尼黑工学院，并组织了 1882 年慕尼黑电气博览会，这在德国是第一次。他在博览会上做了用导线把电能传输 57 千米的演示。1883 年，他和 E.拉特瑙创办了德国爱迪生公司；1887 年，该公司改名为通用电气公司(AEG)，承担了德国第一个电力系统的大部分安装任务。密勒本人设计了柏林的第一座中央发电站。1891 年，他担任法兰克福电气博览会的技术总监，修建了一条电缆，把 25 000伏的交流电传送了 180 千米，引起了全世界的注意。由于对水力转换成电能深感兴趣，他在巴伐利亚州发展了水力发电站。1903 年，密勒建议造一座博物馆，不仅保存工艺制品，也通过操作展品和运用拉洋片的方法，对参观者进行科学原理的教育。由此产生的位于慕尼黑的德国科学技术博物馆就是这类具有教育性质的第一个博物馆，它已成为遍及全世界的科学博物馆的典范。

Miller, Samuel Freeman　米勒(1816-04-05，美国肯塔基里士满～1890-10-13，华盛顿[哥伦比亚特区])　美国最高法院大法官(1862～1890)。反对利用宪法第 14 条修正案保护企业免受政府节制的主要人物。在最高法院第一次试图把美国南北战争后通过的这项修正案解释为主要是保障新近解放的奴隶的权利时，他是该法院的发言人。他当时是站在大多数法官一边，但他关于该项修正案并不妨碍对企业施加立法限制的意见到

美国国会图书馆供图

19 世纪 90 年代时不再流行，直到 20 世纪 30 年代再度得势。曾行医 12 年，同时学习法律，并于 1847 年取得律师资格。由于对奴隶制持反对态度，于 1850 年从蓄奴州肯塔基迁移到自由州艾奥瓦，在艾奥瓦成为一位杰出的律师和共和党领袖。1862 年 7 月 16 日由林肯总统任命为最高法院大法官，是来自密西西比河以西各州的第一位大法官。在南北战争期间，支持对反叛的平民实行军事审判和对南部邦联实行封锁。与最高法院的意见不同，他还赞成联邦和州在紧接着战后的时期要求律师、教师和传教士们履行忠诚宣誓。屠宰场案件(1873)使最高法院第一次有了解释宪法第 14 条修正案的机会。在这些案件中，一批牲畜屠宰商对一条允许独个企业家垄断他们的行业的州法律提出异议。第 14 条修正案本来是被认为赋予美国黑人以公民权的，却被这些持异议者用来支持这样一个论点：在不受州政府干预的情况下经营一个企业的权利，是公民受保护的"特权和豁免权"之一。他得出结论说没有这样的联邦权利，并严格地限制这条修正案所做的关于"正当程序"和"法律给人们以同等保护"以及"公民的特权和豁免权"等保证。由于米勒宣称大多数公民权属于州的而不是联邦的公民权利，他就无意中剥夺了联邦政府对许多有关黑人的政治和社会平等问题的管辖权。然而，在"亚布罗自诉"案(1884)中，他坚持联邦有权反对私人压制黑人在国会选举中的权利。他的另外一项主张个人思想自由的意见是在"基尔本诉汤普森"案(1881)中制止了国会委员会的不负责任的调查。

Miller, William　米勒(1782-02-15，美国马萨诸塞皮茨菲尔德～1849-12-20，纽约洛汉普顿)　美国鼓吹基督即将肉体复临世界的米勒派的首脑。1831 年开始宣传：世界将在 1843 年前后结束。1843 年过去后，这派人中又有人规定 1844 年 10 月 22 日为基督复临之日，届时米勒派的活动达到顶峰，信徒纷纷登山，爬上屋顶、树上。该派于 1845 年 4 月在纽约州奥尔巴尼召开最后一次大会，重申基督即将复临，但未规定日期，也没有成立组织。现在基督复临派主要尚有两个组织，基督复临会成立于 1861 年，人数更多的基督复临安息日会成立于 1863 年。

Miller indices　密勒指数　一组表示晶体中某个原子平面或一群平行平面的取向的三个数。如果晶体中的每个原子都用一个点表示，并把这些点都连成线，则形成的点阵可以分成许多全同的晶胞。一个晶胞的各个截棱组成一组晶轴，密勒指数就由这些轴与晶面的截距确定。算出这些截距的倒数，清除所有分数就给出三个密勒指数(n、k、l)。例如，一个晶面如果与两个轴平行与第三轴相截，且截距等于晶胞边长，则根据晶轴的截法，密勒指数可以为(100)、(010)或(001)；一个晶面以晶胞的边长与三个晶轴相交，则密勒指数为(111)。这种方法是英国矿物学家兼晶体学家 N.H.密勒于 1839 年提出的，其优点是从一个平面的标记中消去了所有的分数。六角晶系中有四个晶轴，需用四个布拉菲-密勒指数。

Millerand, Alexandre　米勒兰(1859-02-10，法国巴黎～1943-04-07，凡尔赛)　法国律师和国务活动家。1920～1924 年任共和国总统。以他希望通过修改宪法加强总统的权力而著称。在接受律师训练后于 1885 年作为社会党人被选入众议院。不久成为社会党左派领袖，1896 年以前主编该派机关报《小共和国报》。1899 年加入瓦尔德克-卢梭的"保卫共和"内阁，任商业部长，致力于改善劳动条件，加强商船队伍，发展贸易、教育和邮政制度。1909 年在白里安的第一届内阁中任公共工程部长，其主要成就是改组国有铁路。他和白里安对 1910 年 10 月使用军队镇压铁路工人罢工一事负有责任。1912 年在普恩加来内阁中任陆军部长，他改组了高级指挥部并第一次给予军事航空术以肯定的地位。在维维亚尼内阁中仍担任此职，直至 1915 年 10 月辞职为止。1918 年当选为伦理学和政治学院院士。1920 年 1 月克列孟梭辞职，他组成内阁，任总理兼外交部长。主要关心《凡尔赛和约》的实现，1920 年 5 月，他挫败了一些组织革命性罢工的努力；他还在波兰-苏联战争期间向波兰提供了大量的军用物资。1920 年 9 月共和国总统德夏内尔由于健康原因辞职，他当选为德夏内尔的继承人。他在做候选人时并不隐讳他有意修改宪法，增强总统的权力。1924 年 5 月，占多数的激进社会党以左翼联盟的名义在选举中获胜。他关于总统职权的主张，与该派发生冲突。该派攻击他公开支持保守派，置总统严守中立的传统于不顾，致使他无法组成一个可接受的内阁，不得不辞职。他已出版的著作有《改良社会主义》(1903)和《为了国防》(1913)。

millerite　针镍矿　一种镍的硫化物矿物(NiS)。出现于碳酸盐脉中，如产于美国艾奥瓦州的基奥卡克者即是；或成为其他镍矿物的蚀变产物，如德国的安德烈亚斯山者即是。其他产于陨石中以及在维苏威火山作为升华作用的产物。针镍矿为浅黄铜色晶体，属于六方晶系。关于详细物理性质，参阅 **sulfide mineral**(表)。

miller's-thumb　鮈杜父鱼　杜父鱼(**sculpin**)的一种。

Milles, Carl　米勒斯（1875-06-23，瑞典乌普萨拉～1955-09-19，利丁厄）　原名威廉·卡尔·埃米尔·安德森。瑞典最伟大的雕刻家之一，其作品从欧洲古代雕刻吸取灵感，富于表现力和谐调感，对20世纪前半期德国表现主义艺术和美国雕刻产生了巨大的影响。1902年在巴黎求学时，因参加乌普萨拉的斯顿·斯图勒纪念碑设计竞赛获胜而为人所知（纪念碑完成于1925年）。其风格最初受罗丹影响，属于印象派，后受德国雕刻理论家希尔德布兰德关于中世纪艺术和古希腊艺术观点的影响，变得比较粗犷和注重形式。他建造的瑞典哈尔姆斯塔德的欧罗巴大喷泉（1926），喷水效果精致微妙，造型奇特新颖（例如把传统的半人半鱼或半人半羊神像同北欧神话中的妖精或巨怪结合在一起）。还设计了斯德哥尔摩的俄耳甫斯喷泉（1936）和美国密苏里州圣路易斯的水汇喷泉（1940）。1931年任美国密歇根州布卢姆菲尔德希尔斯的克兰布鲁克艺术学院雕刻系主任，1945年入美国籍。作品收藏在克兰布鲁克校园住宅里以及斯德哥尔摩附近利丁厄的米勒斯别墅（现为博物馆）。1955年他去世后不久，在纽约市大都会艺术博物馆内设置了由他设计的埃格尼普喷泉。

millet　黍类　禾本科一类种子形小的饲料作物和谷物。亚洲或非洲可能在4 000多年前就已有栽培。株高0.3～1.3米（珍珠黍例外，其主茎高1.5～3米，粗约3厘米）。穗状或总状花序，也有圆锥花序。除珍珠黍外，种子脱粒后谷壳不脱落，去皮后常呈奶油白色。黍类在亚洲很多地区、俄罗斯和西非是重要的粮食作物。在美国和西欧主要作为牧草或用制干草，但在中世纪的欧洲亦为主要谷物。珍珠黍（*Pennisetum americanum*）亦称御谷、猫尾黍，即美洲狼尾草，适于贫瘠干燥土壤，是印度和非洲的普通粮食。稷（黍，粟

珍珠黍（*Pennisetum americanum*）
美国不列颠百科全书公司供图

草样黍、扫帚黍，*Panicum miliaceum*）生长期60～80天，在美国作为牲畜饲料、鸟食或鸡饲料成分，在亚洲和东欧供食用。小米（谷子、粟，*Setaria* [*Chaetochloa*] *italica*）种子小而尖，在北美和欧洲西部作为干草种植，在中国等亚洲国家是重要的粮食。指粟（龙爪稷、鸭脚粟、穇子，*Eleusine coracana*）是亚洲南部和非洲部分地区的重要粮食作物。日本黍（湖南稷，*Echinochloa crus-galli* var. *frumentacea*）主要种植于日本和美国，用制干草。小黍（*Panicum miliare*）在印度主要用作粮食。褐梢黍（*Panicum ramosum*）种植于美国东南部，用作干草、牧草或狩猎鸟类的食料。黍类碳水化合物含量高，蛋白质含量约6%～11%，脂肪约1.5%～5%。黍类味浓，不能制膨松面包，主要用于小面包干及熬粥或焖饭。世界年产量约3 000万吨，主要生产国是印度、中国、尼日利亚和俄罗斯。

Millet, Jean-François　米勒（1642-04-27受洗，安特卫普[比利时]～1679-06-03下葬，法国巴黎）　别名弗朗西斯科。法国画家，以宁静风景画而成为17世纪N.普桑最有影响的追随者之一。因籍贯关系，米勒通常被归入佛兰德斯画家之列。但其父为法国人，在效劳于安特卫普的孔代亲王期间，让米勒师从当地一位画家。米勒随老师迁到巴黎并娶其女为妻，1660年定居巴黎。1673年米勒被选入皇家绘画与雕刻学院。米勒的意大利和阿卡迪亚地区风景画虽缺乏新意，却颇为优雅，引人注目。他的12幅极富代表性的风景画于土伊勒里宫的大火中被焚毁。他的许多作品虽在目录中仍有编列，但大部分不为人知和确认。

Millet, Jean-François　米勒（1814-10-04，法国格雷维尔附近格吕谢～1875-01-20，巴尔比宗）　法国以农民题材著称的画家。年轻时

米勒自画像，1847年
美国不列颠百科全书公司供图

从事过田间劳动，19岁在瑟堡学画，1837年到巴黎，后入保罗·德拉罗虚的画室，一直到

米勒绘《晚钟》
中国大百科全书出版社供图

1839年。1841年大部分时间在瑟堡画肖像。1844年其《挤奶女人》和大幅色粉画《骑术课》获得第一次成功。从19世纪50年代初期起，农民是米勒所主要关心的题材，1848年，其作品《簸谷农夫》第一次得以在沙龙展出。1849年他离开巴黎定居于巴比松，继续展出以农民为题材的作品。1867年博览会上展出其9幅主要作品，1868年官方承认了他的艺术。波士顿美术博物馆和罗浮宫都藏有米勒的重要作品。

Millett, Kate　米勒（1934-09-14，美国明尼苏达圣保罗～　　）　全名Katherine Murray Millett。美国女权主义者、作家和艺术家。妇女解放运动早期有影响的人物，其第一本著作《性政治》开始了她对权力动力涉及性别和性的探索。1956年以优异成绩毕业于明尼苏达大学，获学士学位。两年后又以优异成绩获牛津大学硕士学位。在北卡罗来纳州大学短期教授英语后，即移居纽约追求成为艺术家。为维持生计在哈勒姆幼儿园任教。1961年，去东京教授英语并学习雕塑。1965年与一日本雕塑家结婚（1985年离异），又回到纽约市，在巴纳德学院教授英语和哲学，同时在哥伦比亚大学学习，1970年获博士学位。她的博士论文结合社会学与人类学进行文学分析，同年出书，名为《性政治》，明确了女权运动的目标和策略。此书使她一夜成名，她也为此付出了代价，正如她1974年的自传所说，由于她总的观点，尤其是透露她是女同性恋者，令她蒙受痛苦。她又写了另外两本自传体的书：《东方》（1977）和《反倾销：回忆》（1995）。《地下室》（1979）是一本纪实作品，记录了一个年轻女子遭受蹂躏、杀害的经过。米勒后来的几本书写的是伊朗在霍梅尼崛起后的政治压迫，如《前往伊朗》（1982）；她个人作为一个精神病患者的经历，如《精神病院之旅》（1990）；以及有关残酷的问题，如《残酷的政治》（1994）。

millibar　毫巴　气象学中常用的公制大气压强单位，等于0.001巴或1 000达因/厘米^2，略小于0.001标准大气压。

Millicent　米利森特　澳大利亚南澳大利亚州东南部工商业城镇。有铁路通402千米处的阿德莱德。当地许多沼泽地已排干，用于养牧牛羊和种植谷物。有石灰岩开采业和以当地松林为原料的造纸、木材和纤维素工业。镇内有小龙虾加工厂。是通往芒特甘比尔铁路的终点站。附近发现有世界上最早的带倒刺的鱼叉和最古老的飞镖。人口5 075（1986）。

Milligan, Ex Parte　米利根案（1866）　美国最高法院的判例。它判定除非在实际作战地区民事法院不能行使职权时，联邦政府无权组织军事法庭审判平民。兰丁·米利根于1864年被捕，罪名是协助南部邦联，煽动暴乱，并阴谋放走南部邦联俘虏。他曾在一个对南部邦联友好的秘密社团中积极活动，因而在他的印第安纳住所内被统治该州的联邦政府的一位将军下令逮捕。林肯总统授权在

印第安纳组织军事法庭进行审讯，结果裁决米利根有罪，判处绞刑。但是，米利根的律师对军法审判的合法性提出质疑，请求颁发人身保护令。此案最后呈报最高法院，经法官一致判决：在民事法院正常活动的安全地区，总统无权组织军事法庭。最高法院并以多数裁定，国会也不享有这一权力。米利根在被剥夺了宪法所赋予的受审判团审判的合法权利而被监禁 18 个月后终于获释。激进的共和党人谴责这一决定，并且担心它可能影响他们在整个重建时期在南方实行军事统治的计划。

Millikan, Robert Andrews　密立根（1868-03-22，美国伊利诺伊莫里森～1953-12-19，加利福尼亚圣马力诺）　美国物理学家，因对基本电子电荷和光电效应的研究而获1923年

美国不列颠百科全书公司供图

诺贝尔物理学奖。他在柏林大学和格丁根大学学习后，在芝加哥大学任教。1911年在该校进行了著名的油滴实验来确定电子的电荷值，还验证了爱因斯坦的光电方程式，取得了普朗克常量的精密数值。1921 年任帕萨迪纳加利福尼亚理工学院布里奇物理实验室主任，在该处曾对宇宙线作了一些初步研究。他任该学院执行董事会董事长，直到 1945 年退休。

Millikan oil-drop experiment　密立根油滴实验　最早对于单个电子电荷直接而令人信服的测定。最初由美国物理学家 R.A.密立根于 1911 年完成，他设计了一种直接测量附在油雾中许多油滴上的微量电荷的方法。任一电荷在电场中所受的力等于该电荷与场强的乘积。密立根方法既能测量一个孤立油滴的微小电荷所受电力的数值，又能测量相应的作用电场的强度，根据这些数据就能确定该电荷的量值。油滴实验用一封闭箱，它的顶部和底部用金属制成，顶有一小孔，侧壁是透明的。对准小孔喷入几滴油滴，通过显微镜观察某一特定油滴在重力和空气阻力的影响下缓慢下降的速度，就可以确定油滴的重量(即作用于油滴的重力)。如油滴带有净电荷，则通过适当调节上下金属板间的电位差或电压，就可以把带电油滴所受向上电力的大小调到恰好等于向下的重力，从而使它静止不动。重复运用这种方法测定各个油滴的电荷数值，这些数值并不是连续分布的，而是分成若干组，每组分别是一个最低值(基本电荷)的某一整数倍。从密立根最初的实验以来，这方法提供了令人信服的证据，说明电荷有基本的固有单元。以后测定电荷基本单元的各种方法，都得出与此相同的基本量值。

millimetre　毫米　又作 millimeter。米制长度单位。等于 0.001 米。参阅 **metre**。

Millin, Sarah Gertrude　米林（1889-03-19，南非开普省金伯利～1968-07-06，约翰内斯堡）　母家姓 Liebson。南非女作家。她的小说涉及南非生活的各种问题。父母为犹太人。米林的童年时代在金伯利的钻石矿场和西巴克利的挖河工地附近度过，那里的白人、有色人种和黑人社会为她后来的许多作品提供了素材。她的第一部小说《黑暗的河》(1920)取材于西巴克利。接着又写了一些小说，但是她的成名作是长篇小说《被上帝遗弃的人们》(1924，新版 1951 年)，写南非一个黑人和白人混血(“有色人种”)家庭四代人的问题。《玛丽·格伦》(1925)研究一位母亲对孩子失踪的态度，使她成为南非用英语写作的最优秀的小说家之一。她的写作风格刚劲、尖锐、生动，并常常几乎不连贯。她还写过罗得斯的传记(1933，新版 1952)和斯穆茨将军的传记(1936)。在她众多的长篇小说中，有一些是描写南非真实历史事件的，例如《上帝的来临》(1928)写东好望角的黑人“预言家”，《劣种人的国王》(1949)是描写白人土匪头子库恩拉德·伯伊斯一生的。《航海的人们》(1930)是一本随笔文集。她还写了一系列的战争日记(1944～1948)和两部自传：《长夜漫漫》(1941)和《我的生活韵律》(1955)。《魔鸟》(1962)和《别了，亲爱的英格兰》(1965)是她最后的两部长篇小说。20 世纪后期她不如生前受重视。

milling machine　铣床　使在轴线周围对称地排列着有许多切削刃的圆形刀具绕轴线旋转的一种机床。在铣床上，工件通常夹持在虎钳或类似的夹具内，虎钳则卡紧在可沿三个相互垂直方向移动的工作台上。在机床主轴上装有刀轴，盘形或圆柱形铣刀的中心孔卡紧在此刀轴上。有的刀具仅在它们的圆周上有刀齿，有的在圆周和端面上均有刀齿。在机床主轴上，亦可装带锥柄的、形状像笔的立铣刀。该铣刀端面有刀齿，侧面则装有螺旋形刀片。铣削加工时，工件被夹持于对着转动刀具移动的手动或机动工作台上。铣床一般加工平面，但在铣刀上磨削出的任何形状均可在工件上复现出来。铣削直齿圆柱齿轮的齿时，可使用带有与被加工齿轮齿槽形状相同的切削刃的盘形铣刀，一次只能在齿轮坯上铣出一个齿槽。

millipede　马陆　又称千足虫。节肢动物门倍足纲动物。世界性分布。倍足纲与其他数纲动物常合称多足类。马陆约 10 000 种，生活于腐败植物上并以其为食，有的也为害植物，少数为掠食性或食腐肉。特征为体节两两愈合(双体节)，除头节无足，头节后的 3 个体节每节有足一对外，其他体节每节有足两对，足的总数可多至 200 对。除头 4 节外，每对双体节含两对内部器官、两对神经节及两对心动脉。头节含触角、单眼及大、小颚各一对。体节数各异，从 11 节至 100 多节，体长 2～280 毫米。除一个目外，所有马陆有钙质背板。自卫时马陆并不咬噬，多将身体卷曲，

土马陆（*Julus terrestris*）
美国不列颠百科全书公司供图

头卷在里面，外骨骼在外侧。许多种可具侧腺，用分泌一种刺激性的毒液或毒气以防御敌害。倍足纲包括常见于许多花园的种类，如土马陆(*Julus*［有时拼作 *Iulus*］*terrestris*)，其体长为 25 毫米，原产于欧洲，已引进北美，体光滑的俗称切根虫(wireworm)。有的马陆无眼，颜色鲜明，如 25 毫米长的温室马陆(*Oxidus gracilis*)。最醒目的常见种之一为美国东南森林中的美洲山蛩(*Narceus americanus*)，长 100 毫米，有黑、红两色。

Mills, Bertram (Wagstaff)　米尔斯（1873-08-11，英国伦敦～1938-04-16，白金汉郡查尔芬特-圣贾尔斯）　英国马戏主办人。1920～1937 年的 18 年间每逢圣诞节他的马戏团在伦敦奥林匹亚剧院演出，另在英国各地巡回演出。原随父靠制造马车为业。第一次世界大战期间在皇家军医队服役。战后某友人任奥林匹亚剧院董事，因米尔斯在观看该剧院 1919 年圣诞节所演出的马戏节目后吹嘘能搞出更好的节目，遂委托他经办此事。于是他四处网罗人员，凑齐班底，不意一举成功。1929 年创办米尔斯巡回马戏团，每年 4～10 月在各地巡回演出。演员、动物和设备数量之多，需 4 列火车、75 辆卡车和牵引车运输。1934 年起任马戏同业公会主席终生。死后两子继承其业。

Mills, Caleb　米尔斯（1806-07-29，美国新罕布什尔邓巴顿～1879-10-17，印第安纳克劳福兹维尔）　美国教育家。因创建印第安纳公立学校而闻名。其父为农场主。初在当地学校和彭布罗克学院就读，后入新罕布什尔州汉诺威市达特茅斯学院。1828 年毕业后在马萨诸塞州安多弗市安多弗神学院从事神学研究，1833 年毕业，1835 年被任命为长老会牧师。1833 年他到印第安纳，在克劳福兹维尔定居，在那里创建了一所学校，该校后来成为沃巴什学院。最初，他是校长，也是唯一的教师，但到 1835 年时，沃巴什学院已有一批教员，米尔斯任语言教授。他后来曾任预科部部长、师范学校校长、希腊语言文学教授和学院图书馆馆长等各种职务。他对印第安纳文化水平普遍低下感到吃惊，开始了单独一人的改革运动，以谋求建立一个州立公办学校的制度。1846 年他开始给每个州议员写匿名通讯(签名为“人民的一员”)，一直继续到 1852 年立法机关通过一项建立普通学校制度

的法案为止。由于立法缺陷,这一法案后由州法院宣布无效,但后来1865年的一项法案终于确立了这一制度。其间,他曾任州政府公共教育督学(1854～1857)。任职期间,他帮助创建了印第安纳州教师协会,并唤醒全州人们认识到必须成立师范学校,以便培养受过良好训练的教师。

Mills, Charles Wright 米尔斯(1916-08-28,美国得克萨斯韦科～1962-03-20,纽约奈阿克) 美国社会学家。专门从事马克思、韦伯以及现代生活中知识分子作用问题等方面的研究。在担任哥伦比亚大学社会学教授时,米尔斯即极力主张社会科学工作者不仅要成为公正无私的观察家,从事于其所谓"抽象的经验主义"工作,而且要做实际活动家,履行其社会职责。他的研究重点一方面放在解释并发扬马克思-韦伯的经济决定论的传统学说,另一方面还以增加社会地位这一范畴的办法来改变阶级概念的内涵。其全部著作均涉及社会变革问题,尤其是美国的社会变革问题。他对美国社会中各重要指挥阶层的分析,俱见于《新权贵:美国劳工领袖》(1948)、《白领阶层》(1951)、《当权人物》(1956)等书中。《第三次世界大战的起因》(1958)、《社会学空想》(1959)及《听,美国佬!》(1960)等都是对有关当代体制的社会科学所作的历史性解释;后一作品则是从古巴人的观点来论述卡斯特罗革命事件的。米尔斯的最后一部著作《马克思主义者》(1962)反映出他对学者们在意识形态领域利用韦伯的批判方法深感不安,书中详细阐述了其颇具说教意味的观点,认为卓有成效地使用知识,将使一个良好社会得到发展。

Mills, Florence 米尔斯(1895-01-25,美国华盛顿[哥伦比亚特区]附近～1927-11-01,纽约州纽约) 原名Florence Winfrey(弗洛伦斯·温弗里)。美国歌唱家、舞蹈家。20世纪20年代爵士乐和哈勒姆文艺复兴时期的主要演员,为非洲裔美国人进入美国主流戏剧和切分音歌舞的推广铺平了道路。出身贫寒,但幼年即能歌善舞,5岁时以"宝贝儿弗洛伦斯"之名登台献艺。1903年举家迁到纽约哈勒姆区,1910年与两个姐姐一起组织旅行歌舞团,数年后开始在夜总会表演。1921年领衔主演外百老汇音乐剧《曳步舞》,引起轰动,以其舞台魅力一举成名。虽然身材较小,但挥洒的舞蹈,绕梁的高音和喜剧的天赋使观众如醉如痴。1922年在百老汇主演《种植园歌舞》,第二年到伦敦旅行,演出《从多佛到迪克西》,取得巨大成功,1924年在纽约演出时改名《从迪克西到百老汇》。1926年她在《黑鸟》中,演唱"我是一只小黑鸟,寻找一只蓝鸟",成为她的代表作。后来把《黑鸟》带到伦敦和巴黎演出,1927年因患重病被迫回到美国,同年去世,约有15万人参加她的葬礼。

Mills, Martin 米尔斯 参阅**Boyd, Martin (à Beckett)**博伊德。

Mills, Robert 密尔斯(1781-08-12,美国南卡罗来纳查尔斯顿～1855-03-03,华盛顿[哥伦比亚特区]) 美国出生的第一批职业建筑师之一。曾在19世纪初和T.杰斐逊、J.霍本、B.拉特罗布合作。他按照杰斐逊的意图创造性地在平面布置上和结构上运用古典建筑形式,并赋予新的内容,以适应新的共和国——美国——的需要。他设计的建筑类型很多,有学校、医院、住宅、监狱、运河、桥梁和防波堤等。著名的作品有华盛顿(哥伦比亚特区)的美国国库(1836～1842)和老专利局办公楼(1836～1840),其中尤以建在巴尔的摩和华盛顿(哥伦比亚特区)的两座纪念华盛顿的建筑享有盛誉。

Mills, Susan Lincoln Tolman 米尔斯(1825-11-18,美国佛蒙特伊诺斯堡～1912-12-12,加利福尼亚奥克兰) 婚前名Susan Lincoln Tolman。美国传教士、教育家。与丈夫共同创立美国西海岸第一所女子学院。1845年毕业于

美国不列颠百科全书公司供图

马萨诸塞州南哈德利芒特霍利奥克女子书院(今芒特霍利奥克学院),留校任教,直至1848年与长老会传教士C.T.米尔斯结婚。婚后即一同乘船去斯里兰卡(时称锡兰)。6年时间协助任巴提科塔学院院长的丈夫工作,教当地女童家政技术,并协助主持几所日校。1854年,因体弱多病,两人返回马萨诸塞。1860年完全康复后,去夏威夷群岛,丈夫任供传教士子女就读的瓦胡学院院长,她任该校教员。教女童健身操,并带去在芒特霍利奥克的经验,强调理科学习。后因丈夫身体虚弱,二人不得不于1864年离开夏威夷,回加利福尼亚定居。1865年他们买下贝尼西亚的青年女子书院,改为高水平的女子学校,重新命名为米尔斯书院。1871年迁入奥克兰附近的新校址。1877年正式注册。由她出任院长,1884年丈夫去世后,由她兼任董事会董事和代理董事长。1885年学院改为米尔斯学院,是为太平洋沿岸第一所女子学院,在两任董事长之下均由她担任院长,直至1890年她当选董事长。她任董事长19年间,不断提高学院标准,赢得社会公认。1909年退休。

Mills, William Corless 米尔斯(1860-01-02,美国俄亥俄皮尔蒙特～1928-01-17,俄亥俄哥伦布) 美国博物馆馆长,曾发掘俄亥俄州印第安人遗址,包括1901年发现约建于公元前50年的阿登纳墓地。它成为研究北美洲阿登纳文化和阿登纳时代之典型遗址。1898～1928年任俄亥俄州历史考古学会博物馆馆长兼图书馆馆长,1899～1928年兼任俄亥俄州立大学博物馆馆长。著有《俄亥俄州考古地图集》(1914)和《俄亥俄州古墓葬及村落遗址》(3卷,1907～1922)。

Mills cross 米尔斯十字 根据干涉仪原理制成的射电望远镜。20世纪50年代首先由澳大利亚天文学家B.Y.米尔斯实验成功。它包括两台干涉仪,沿直线垂直交叉排列成两排。每排长达1英里,由数百个天线组成。这两排互相垂直的天线阵所接收信号的差异,通过电子比较,就可精确测定信号源在天空的位置。这种十字形的天线阵实际上与同样直径的巨大天线作用相同,而这样一个大单天线的建造,即使可能,也有极大的困难。

millstone 磨石 一对平圆石板(即石磨),用来磨碎谷粒。一扇磨石固定不动,另一扇在其上作水平转动。谷粒通过上面转动磨石中部的孔注入,流入从下面固定磨石中心辐射出去的浅槽(称为磨道)内。磨道把谷粒引入平坦的磨碎面,最后在其边缘排出谷粉。修理磨石的过程包括:重新刻出磨损的磨道,校正和弄平磨碎面。最好的石磨是用法国巴黎附近的细砂质磨石制的。美国没有细砂质磨石,而用石英砾岩、石英岩、砂岩或花岗岩制作。

Millville 米尔维尔 美国新泽西州西南部坎伯兰县城市。位于莫里斯河航道的起点,北距费城72千米。市西北有尤宁湖。18世纪始有白人伐木工定居,1801年设镇,1866年设市。现主要为工业城市,当地丰富的硅石为制造玻璃的原料。惠顿村有玻璃厂和玻璃器皿博物馆。生产飞机零件和纺织品。人口:市约26 847;瓦恩兰-米尔维尔-布里奇顿主要都会统计区146 438(2000)。

Milne, A(lan) A(lexander) 米尔恩(1882-01-18,伦敦～1956-01-31,英国萨塞克斯哈特菲尔德) 英国幽默作家、次要的剧作家。曾就读于伦敦的威斯敏斯特学校和剑桥大学三

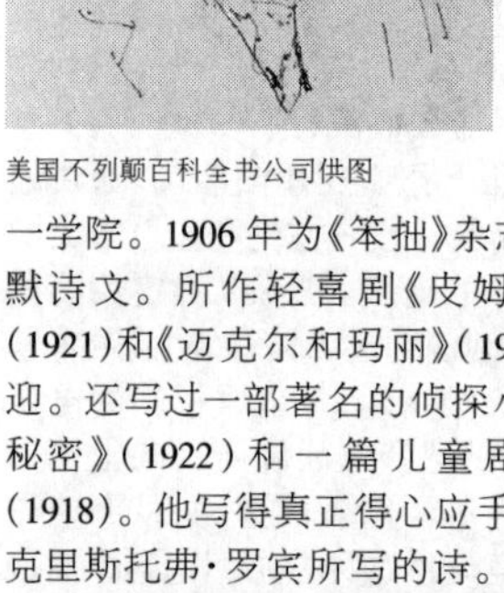

美国不列颠百科全书公司供图

一学院。1906年为《笨拙》杂志社工作,写幽默诗文。所作轻喜剧《皮姆先生过去了》(1921)和《迈克尔和玛丽》(1930)等,颇受欢迎。还写过一部著名的侦探小说《红房子的秘密》(1922)和一篇儿童剧《装假的人》(1918)。他写得真正得心应手的是为其儿子克里斯托弗·罗宾所写的诗。这些诗后来辑录为《当我们年轻时》(1924)和《我们六岁》(1927)。最脍炙人口的作品是写他儿子罗宾的动物玩具的两部故事《小熊温尼普》(1926)

和《小熊"普"家拐角的小屋》(1928)。1929年把格雷厄姆的儿童文学名著《杨柳风》改编成剧本,名为《蟾蜍宫里的蟾蜍》。10年后,写自传《为时已晚》。

Milne, Edward Arthur **米尔恩**(1896-02-14,英国约克郡赫尔～1950-09-21,都柏林) 又译米耳恩。英国数学家、天体物理学家和宇宙学家,因发展新形式的相对论而闻名。他的理论称为运动学相对论——一种不同于爱因斯坦广义相对论的相对论。1920年任剑桥大学太阳物理天文台台长助理,4年后受聘为曼彻斯特大学应用数学教授。他在国际上开始闻名是因为他同R.H.福勒一起研究恒星大气中各层压强的变化这一开创性的工作。他还论证了太阳能以每秒1 600千米的速度抛射原子。1929年,他转而研究恒星内部结构和内部物理条件,从而建立了能说明由高密物质组成的白矮星理论。为建立简化宇宙模型,他发展了运动学相对论。该理论以时间度量为基础而不以空间的几何结构为基础。由于他的理论被普遍认为与科学方法有些矛盾而颇受同代人的反对,卒未形成有影响的学派;在他去世以后,有关他的宇宙模型的研究几乎没有进展。他的主要著作有:《恒星热力学》(1930)、《白矮星》《1932》、《相对论、引力和宇宙结构》(1935)、《运动学相对论》(1948)。

Milne, John **米尔恩**(1850-12-30,英国利物浦～1913-07-30,英国怀特岛希德) 英国地震学家和地质学家,发明地震仪并促进地震站的建立。他早年作为矿业工程师在拉布拉多和纽芬兰工作。1874年作为地质学家参加英国著名探险家、圣经学者C.T.贝克领导的埃及和阿拉伯半岛西北部考察工作。1875年米尔恩接受东京的帝国工业大学地质学和采矿学教授的职务。1880年发明地震仪,并在日本作广泛旅行,协助建立起968个地震站,以便观察遍及日本各地的地震。1894年回到英国,在怀特岛的纽波特附近建立私人地震站。1906年他试图测定冲击波通过地球的速度,但未能成功。他担任英国协会地震委员会的秘书并组织世界范围内的地震观察网。他的许多发现都发表在他所著的《地震》(1883)和《地震学》(1898)两书中。

Milne Bay **米尔恩湾** 太平洋西南部巴布亚新几内亚的海湾。新几内亚岛最东端海湾。长50千米,宽10～13千米,有古米河流入。南岸和西岸土壤肥沃,宜于种植。北岸陡峭崎岖。1606年西班牙探险家托雷斯将此湾画入海图。1873年英国航海家莫尔斯比船长以海军上将亚力山大·米尔恩之名命名此湾。1889～1899年淘金热期间,欧洲人对该地的兴趣大为增加。位于奇纳海峡的萨马赖岛骤然兴旺起来,采矿的人们遍布米尔恩湾各岛并涌向该岛。第二次世界大战初期该湾沦为日军基地。1942年8月的战役中日军在此首遭重创。其后战争期间一直是盟军基地。米尔恩湾以该岛东南角及当特尔卡斯托群岛、路易西亚德群岛、特罗布里恩群岛和伍德拉克岛为界。出产椰干、咖啡、橡胶、可可、养珠和木材。萨马赖是重要商业中心。一些小岛一般为山地。

Milner (of Saint James's and Cape Town), Alfred Milner, Viscount **米尔纳**(1854-03-23,黑森-达姆施塔特吉森[德国]～1925-05-13,英国肯特坎特伯雷附近斯塔里考特) 能干而固执的英国殖民地行政长官。在南非任高级专员和总督时,因其态度顽固引起南非战争(1899～1902)。

米尔纳有德国和英国的血统,在校学习时成绩优良,曾获牛津大学多种奖学金,1872年任新学院研究员。1881年开始当律师,不久又转而从事新闻工作,曾在《帕尔·马尔报》任职。1885年作为自由党候选人竞选议会席位失败后,任财政大臣戈申的私人秘书。1889～1892年任埃及行政长官,工作出色,1892～1897年任内地税收委员会主席,并为此而于1895年受封为爵士。1892年撰写《英国与埃及》一书。

米尔纳是狂热的帝国主义分子,1897年任南非高级专员和开普殖民地总督。当英国与德兰士瓦的冲突一触即发之际,他身居大英帝国最关键的职位。在1895年12月29日詹姆森入侵布尔人领地遭到失败后,德兰士瓦总统克留格尔深感疑虑。因而当1898年2月克留格尔再次当选时,米尔纳断言"除非在德兰士瓦进行改革或进行战争,南非的政治纠纷无法解决"。米尔纳的改革思路是为外方人(英国在德兰士瓦的居民)求得公正待遇,要求居住5年后可获得完全公民权。在布隆方丹会议(1899-05-06)的谈判毫无结果时,克留格尔原准备让步,但米尔纳却全无退让之意。此时米尔纳已决定:英国在南非的无上权威应用武力来维护,因而决不妥协。在递交最后通牒后,两个布尔人共和国——奥兰治自由邦和德兰士瓦于1899年10月11日对英国宣战。在这场战争中,英国于1901年兼并了奥兰治自由邦和德兰士瓦,米尔纳则离开了开普总督的职位,就任这两个布尔领地的行政长官,并保留高级专员职务。他与军事指挥官基钦纳勋爵共同参加议定《弗里尼欣和约》(1902-05-31),结束了这场战争,也结束了这两个布尔人共和国的独立自主。米尔纳因其在南非的业绩受封为男爵(1901)和子爵(1902)。

战后的安置主要由米尔纳负责,他的政府担负了将布尔人重新安排在他们的农场的任务。同时鼓励发展经济,尤其是大力开采金矿,希望能以此吸引英国移民永久定居,以便形成多数。同时,他实行教育改革,一律用英语授课。

米尔纳的计划未获成功。虽然布尔人得到重新安置,但他们强烈反对他的教育改革。在战后的长期萧条时期,英国居民纷纷离去,新来的移民又为数极少。米尔纳曾劝说殖民大臣准许输入中国劳力以补救采金工业工人的不足,英国的舆论大哗,而保守党则在1906年的英国大选中失败。此外,新的自由党政府又否决了米尔纳提出的制定德兰士瓦宪法、以代议制政府取代责任自治的计划。

1905年米尔纳返回英国,意欲引退,并开始撰写《民族与帝国》(1913)一书。但是,他又成了活跃的上院议员,并在1916～1921年参加了劳合·乔治的第一次世界大战战时内阁。1918年3月,在建立由法国元帅福煦指挥的协约国军统一司令部一事上起了决定性的作用。大战结束时,他被任命为殖民大臣,并出席巴黎和会。当他的给予埃及有限独立的建议遭到内阁否决时,米尔纳于1921年辞职。1923年他出版了《当务之急》一书。他死后无嗣,子爵的爵位未得传继。《米尔纳文件集》(1931～1933)由黑德勒姆编辑出版。

Milnes, Richard Monckton **米尔恩斯** 参阅 **Houghton (of Great Houghton), Richard Monckton Milnes, 1st Baron** *霍顿男爵(第一)*。

Milngavie **米尔盖** 苏格兰东邓巴顿政务会辖区城镇。属邓巴顿历史郡。位于格拉斯哥北,现主要为其郊区居民区。建有轻工业和几座水库(向格拉斯哥供水)。人口12 592(1991)。

Milo, Titus Annius **米洛**(?～公元前48,布鲁蒂乌姆图里附近[意大利]) 罗马政治家,贵族党的支持者,克洛狄乌斯的死敌。因支持庞培,反对与凯撒结盟的政治家克洛狄乌斯,于公元前57～前52年招募雇佣军和角斗士组成武装队伍,与克洛狄乌斯的党羽交战。公元前57年任保民官,积极主张召回被流放的西塞罗。公元前55年任军政长官,公元前53年竞选执政官。后因谋杀克洛狄乌斯罪退出政界,流亡马西利亚(今马赛)。公元前48年参加鲁富斯发动的反凯撒起义,在图里附近被杀。

Milon of Croton **米伦(克罗顿的)**(活动时期公元前6世纪末) 希腊运动员,古代最有名的摔跤能手,其名字至今仍是膂力过人的代名词。曾在6届奥林匹克运动会和6届皮托竞技会上获摔跤冠军。加上其他全国比赛,共获摔跤冠军32次。曾在奥林匹亚肩扛公牛走过体育场。公元前510年左右率克罗顿军队战胜锡巴里斯人。据传他想用手将用楔子劈裂的树干掰开,楔子脱落,树干夹住他的一只手,使他无法脱身而被群狼吃掉。

Miloš **米洛什**(1780-03-18,塞尔维亚中多布里尼亚～1860-09-26,贝尔格莱德附近托伯契特) 塞尔维亚农民革命家,后为塞尔维亚大公(1815～1839,1858～1860),并建立奥布连诺维奇王朝。早年为牧人,后参加卡拉乔尔杰反对土耳其统治的起义,1805年任起义军将领。1813年起义失败后,卡拉乔尔杰逃亡国外,他仍留在塞尔维亚。后被土耳其人封为中塞尔维亚三区的大公。他与土耳其人合作平定国内局势。但当土耳其进行大规模杀戮时,他又招集追随者再次起义(1815-04)。土耳其人害怕俄国插手支持塞尔维亚人,遂与之议和,承认他为塞尔维亚大公,准予高度自治,并允许重新武装和建立民族议会。米洛什派人杀死卡拉乔尔杰,经过同土耳其人长期谈判,他取得大公的世袭权和塞尔维亚公国的完全自治权。3年以后,他又收回了塞尔维亚东部地区。在内政方面,他振兴商业,改编军队,修筑道路,实行新的农业政策和土地政策。尽管如此,他的专横独断引起激烈的反抗。1835 年被迫同意制定宪法,但俄国和土耳其均以该宪法过度自由而迫使他撤回。土耳其苏丹在 1838 年 12 月为塞尔维亚另颁一部宪法。1839 年米洛什被迫退位。20 年后,塞尔维亚国民议会又请求他复位。他复位后采取反奥地利的政策,并要求土耳其削减驻塞尔维亚的兵力。但不久病故,未及实现他的目标。

Mílos(Greece) 参阅 **Melos** 米洛斯。

Milošević, Slobodan　米洛舍维奇(1941-08-29,南斯拉夫波扎雷瓦茨～2006-03-11,荷兰海牙)　塞尔维亚民族主义领导人,1989～1997 年出任塞尔维亚总统。1997～2000 年出任南斯拉夫联盟共和国主席。米洛舍维奇 18 岁加入南斯拉夫共产党(1963 年改称南斯拉夫共产主义者联盟[LCY])。他在贝尔格莱德大学学习法律时,结识了日后成为他政治导师的伊·斯坦博利奇。1964 年大学毕业,其后从事过许多工作,如国营天然气公司经理和贝尔格莱德一家大银行总裁。1984 年他投身政界,出任贝尔格莱德市共产党首脑,1986 年接替斯坦博利奇出任塞尔维亚共产主义者联盟首脑。米洛舍维奇立即给塞尔维亚引入一种新的民粹主义的政治风格,他越过南共联盟的领导层直接向塞尔维亚人呼吁,特别是他要求联邦政府恢复塞尔维亚对伏伊伏丁那和科索沃两个自治省的全面控制。1989 年塞尔维亚议会解除斯坦博利奇的共和国总统职务,任命米洛舍维奇为总统。1990 年米洛舍维奇修改塞尔维亚宪法,取消省级自治。此后,塞尔维亚坚持政治经济改革,致使南共联盟分裂成各共和国政党。米洛舍维奇改组塞尔维亚共产主义者联盟为塞尔维亚社会党。1990 年 12 月,社会党在大选中大获全胜,重新成为执政党。1991 年 5 月塞尔维亚抵制克罗地亚人出任南斯拉夫总统委员会主席,导致克罗地亚、斯洛文尼亚和马其顿退出联盟。1992 年 2～3 月,波斯尼亚的穆斯林和克罗地亚族也投票赞成分离。米洛舍维奇对希望和塞尔维亚共和国实行联合的居住在克罗地亚、波斯尼亚和黑塞哥维那的塞尔维亚族给予政治和军事支持。在波斯尼亚经过 3 年的内战后,塞族武装组织并未压制住当地的波斯尼亚和克罗地亚力量。1995 年克罗地亚军队将几乎所有的塞族人赶出克罗地亚的历史领地。而此刻,1992 年联合国对南斯拉夫的贸易制裁严重影响了塞尔维亚还未从 20 世纪 80 年代的政治危机中恢复过来的经济。为了取消制裁,米洛舍维奇于 1995 年 11 月签订了和平协议,从而结束了战争。

1998 年塞尔维亚族和科索沃阿尔巴尼亚族长期的对立迅速演变成联盟安全部队和科索沃解放军之间公开的武装冲突。1999 年早春,塞族人发动了一场挫败反叛者的攻击。北大西洋公约组织报复性地对南斯拉夫展开了大规模的空袭,以期米洛舍维奇能很快作出让步。出乎意料的是,那些先前批评政府的塞族人转而支持他们的国家。利用这一点,米洛舍维奇下令对科索沃的阿尔巴尼亚族人进行种族清洗计划,无数人被驱赶到邻国成为难民。但在 6 月他同北约达成和平协议,并从科索沃撤出塞尔维亚武装。作为塞尔维亚总统,他继续统治新的南斯拉夫联盟共和国(仅由塞尔维亚和黑山组成),于 1992 年就职。他靠压制政敌、控制传媒等来维持权力。在连续两届担任塞尔维亚总统后,根据宪法他不能继任第三届。然而 1997 年他使联邦议会选举他为南斯拉夫的总统从而继续掌权。这使他受到海牙的前南斯拉夫国际刑事法庭的指控。然而以波斯尼亚的战争中南斯拉夫军队的罪行起诉米洛舍维奇十分困难,因为 1997 年以前他为塞尔维亚总统。但是作为南斯拉夫的总统,也是联盟的海陆空三军的总司令,他应对在科索沃战争中违反国际法的任何行为负责,于是在 1999 年 5 月被起诉。由于其统治下国家动荡的局面和蹒跚的经济,在 2000 年 9 月的总统选举中,他被反对派领导者沃伊斯拉夫·科什图尼察击败。2001 年被南斯拉夫政府拘留,并移交给海牙国际法庭受审。2006 年 3 月 11 日因心脏病死于海牙的联合国监狱。

Miloslavskaya, Mariya Ilinichna　米洛斯拉夫斯卡娅(1625～1669)　俄皇阿列克谢的第一位皇后,生有 5 男 8 女。两子成为沙皇,即费多尔三世(1676～1682 在位)和伊凡五世(1682～1696 在位)。以贤慧著称。死后,她的亲属形成一个政治集团,与阿列克谢的第二个皇后的纳雷什金家族争权。她的女儿索菲娅拥立其弟伊凡五世与彼得一世共执朝纲,并自任摄政。1689 年索菲娅与伊凡五世被彼得一世党人推翻。彼得二世(彼得一世之孙)死后,继位的是米洛斯拉夫斯卡娅的孙女安娜(1730～1740 在位)和曾孙伊凡六世(1740～1741 在位)。伊凡六世后被彼得一世的女儿叶利扎维塔的拥护者推翻。叶利扎维塔于 1741 年登基为女皇,永远结束了米洛斯拉夫斯基家族的政治生涯。

Miłosz, Czesław　米沃什(1911-06-30,俄罗斯帝国立陶宛萨泰伊涅[今属立陶宛]～2004-08-14,波兰克拉科夫)　波兰裔美籍作家、翻译家、评论家和 1980 年诺贝尔文学奖获得者。父亲是土木工程师。他在当时属于波兰的维尔诺(今立陶宛维尔纽斯)完成高中和大学课程,并发表了一部诗集《关于凝冻时代的诗篇》。21 岁时成为一名社会主义者和灾祸派诗人团体的首领。当纳粹德国 1939 年入侵波兰,触发第二次世界大战时,他加入了抵抗组织,秘密编辑、写作和翻译了大量作品,如《独立之歌》(1942)。战后他的诗集《解救》(1945)成为在共产党波兰第一批发表的作品之一。新政府还委派他从事外交工作,曾先后在华盛顿、巴黎当过文化参赞和一等秘书。1951 年在法国寻求政治避难。9 年后移居美国,在伯克利加利福尼亚大学任教,后成为美国公民。他虽然主要是诗人,但他最有名的著作是杂文集《受束缚的思想》(1953),该书谴责了许多波兰知识分子对共产主义的调和态度。其他诗作以其古典风格和包含哲理与政治问题而著名,如《诗论》(1957)。其他作品有《个人的职责》(1972)、小说《伊斯瑟谷》(1955)、《波兰文学史》(1969)和诗集《冬天的钟声》(1978)等。

Milovanović, Milovan　米洛瓦诺维奇(1863-03-01,塞尔维亚贝尔格莱德～1912-07-01,贝尔格莱德)　塞尔维亚首相(1911～1912),第一次世界大战前巴尔干联盟的设计者。早年是在巴黎取得法学博士学位的第一个塞尔维亚人,后任贝尔格莱德大学教授。1888 年起草塞尔维亚的自由宪法。1890 年任副外交大臣,1896 年任司法大臣,1897 年解职。1899 年政府镇压激进党人,他被缺席判处两年监禁。1900 年重入政府,1901 年任国民经济大臣并参与起草新宪法。1907 年代表塞尔维亚出席第 2 次海牙会议。1908 年任外交大臣,1911 年任首相兼外交大臣,协商建立塞尔维亚-保加利亚联盟,为在 1912 年成立巴尔干联盟奠定了基础。

Milstein, César　米尔斯坦(1926-10-08,阿根廷布兰卡港～2002-03-24,英国剑桥)　阿根廷免疫学家。因研究成单克隆抗体,和 G. 克勒及 N.K. 耶纳共获 1984 年诺贝尔生理学或医学奖。学童期阅读有关列文虎克和 L. 巴斯德的著作后,对科学发生兴趣。后入布宜诺斯艾利斯大学和剑桥大学,1960 年获剑桥大学哲学博士学位,1957～1963 年在布宜诺斯艾利斯的国立微生物学研究所工作。其后在医学研究理事会分子生物学实验室(与剑桥大学有联系)工作,拥有阿根廷与英国双重国籍。1975 年与当时在剑桥大学从事博士后研究的克勒,发现产生单克隆抗体的技术。即将寿命短但能产生高特异性抗体的淋巴细胞,与能无限制分裂的骨髓瘤细胞融合。所生的杂种细胞带有这两种所需特性:像淋巴细胞一样,产生单一的一种抗体分子;像骨髓瘤细胞一样,能不断增殖并产生数量不受限制的所需抗体。可借该技术大量产生纯粹一致的抗体,以辨认单一的抗原决定簇。

Milstein, Nathan　米尔斯坦(1903-12-31,俄罗斯帝国乌克兰敖德萨～1992-12-21,英国伦敦)　20 世纪最优秀的小提琴家之一,尤以演奏巴赫无伴奏小提琴奏鸣曲和浪漫派作品著称。师承 L. 奥尔(在圣彼得堡)和 E. 伊萨依(在布鲁塞尔)。在苏联各地举行音乐会,并经常与钢琴家 V. 霍罗维茨合作演出。1925 年移居巴黎,自 1927 年起一年一度在欧洲巡回演出,直到第二次世界大战为止。1928 年赴美国,后入美国籍。1929 年以独奏家身份与费城管弦乐团合作在美国首演。其后在美国和加拿大广泛巡回演出,并录制了大量唱片。出版过若干小提琴改编曲。1968 年法国政府授予他荣誉勋位。

Miltiades, SAINT　米尔提亚德斯,圣(?,非洲?～314-01-10,罗马)　又拼 Melchiades。教皇(311～314 在位)。先是罗马帝国皇帝加莱里乌斯发谕旨结束对基督徒的迫害,皇帝马克森提发谕旨发还教会财产,皇帝君士坦丁一世发谕旨支持基督教,米尔提亚德斯是在这几道宽容谕旨后登位的第一代教皇。

当时,北非的多纳图斯派反对凯西利安任迦太基主教,引起教会纷争。313年米尔提亚德斯在拉特兰会议上支持凯西利安,谴责多纳图斯派,但该派不服。米尔提亚德斯早年在皇帝马克西米安统治期间受过迫害,所以也被看做是殉教士。

Miltiades THE ELDER 米太亚得(大)(活动时期公元前6世纪) 雅典政治家。贵族出身。曾在色雷斯的切尔松尼斯(今加利波利半岛)建立一块雅典殖民地。出身于贵族家族,据说反对过僭主庇西特拉图。他应当地的多隆奇人之请建立殖民地,并横跨半岛修筑了一道城墙作为保卫的屏障。他的同父异母兄弟西门的儿子斯特萨哥拉斯继承他作为切尔松尼斯的僭主。其侄是马拉松战役中的胜利者米太亚德。

Miltiades THE YOUNGER 米太亚得(小)(约公元前554,雅典~可能是前489,雅典) 在马拉松战役(公元前490)中打败波斯人的雅典将领。

美国不列颠百科全书公司供图

出身于富家,其父西门曾在奥林匹克车赛会上3次获胜,其叔米太亚德是切尔松尼斯半独立殖民地的创建者。约公元前516年米太亚得去切尔松尼斯,逮捕了潜在的对手,并组建一支500人的甲兵卫队以加强自己的权力。他还娶了一位色雷斯公主。尽管如此,势力已扩张到欧洲的波斯王大流士一世还是把他贬为波斯藩属。公元前499年爱奥尼亚人发动反波斯起义,米太亚得站到起义者的一边并同新建立的雅典民主政府保持友好关系。也许就在起义期间,米太亚得占领了利姆诺斯和因布鲁斯两个小岛,最后他把这两个小岛让给了雅典。公元前494年起义失败,翌年,大流士的舰队出现在切尔松尼斯海上,米太亚得用5艘船装载他的财宝逃往雅典。其长子美提奥科斯的船被俘,送往波斯监禁,但大流士待之以礼,把一位波斯公主嫁给他,并视他们的孩子为波斯贵族成员。在雅典,米太亚得曾因切尔松尼斯的僭主身份而受到追究,但又由于他抵抗波斯侵犯希腊而受到赦免。

公元前493年起米太亚得当选为雅典陆军的10位将领之一。公元前490年夏,波斯人在马拉松登陆。雅典人面临等待进攻或立即出击的抉择。米太亚得十分清楚波斯骑兵的威力,一旦他们来到开阔平原,就会造成极大的破坏,他渴望速战速决,努力说服最高军事统帅卡利马科斯作出立即出击的最后决定。原定陆军作战由10位将领轮流指挥,每人一日。由于其中支持米太亚得的4人把指挥权让给了他。于是米太亚得以环绕海湾的山麓地带为阵地,选择了波斯骑兵不在战斗现场的时机发动进攻。在战斗中他们杀死了敌军约6 400人(且俘获7只战船),自己只损失192人。其余的波斯军队迅速逃回船上出海而去。在马拉松战后,米太亚得带领舰队征讨(前489年春)曾站在波斯一面的那些岛屿,但未获得成功。返回雅典时,因政敌阿尔克迈翁家族巧妙地利用了人们对他的愤怒谴责,他被处以50塔兰特的罚款,这时他正因腿部负伤转成坏疽而生命垂危。虽然有人要求处死他,但他可能很快便病死狱中了。然而他的悲惨结局并没有掩盖对他历史作用的评价。他的同胞决不会忘记,正是由于他的倡议和领导,他们才取得对波斯人的胜利。

Milton 米尔顿 美国马萨诸塞州东部诺福克县城镇。位于波士顿正南。临尼庞西特河。1636年始建,1662年设建制。1774年9月9日在此通过抗议英国《不可容忍法令》的《萨福克决议》,该决议由D.里维尔带往费城的大陆会议。尼庞西特河水力发展了磨坊业。18世纪发展成为小型兴旺的工业中心。19世纪工业减少,仅采石业较重要,曾为邦克山纪念碑提供石料。19世纪后期成为波士顿富裕郊区。1930年后为住宅社区。设有米尔顿学院(1807)、阿基纳斯初级学院(1956)和柯里学院。镇南的布卢希尔斯禁猎区为常年性运动和娱乐区。该地为乔治·布什总统的出生地。面积34平方千米。人口26 062(2000)。

Milton, John 弥尔顿(1608-12-09,伦敦~1674-11-08,英格兰白金汉郡查尔芬特-圣贾尔斯) 约翰·弥尔顿在英国诗人中地位仅次于莎士比亚,他的著作和影响是英国文学史、

美国不列颠百科全书公司供图

文化史、自由思想史中一个重要部分。他的长篇史诗《失乐园》最为著名,他在诗中非常有力地运用了"庄重文体",而他对撒旦形象的塑造是世界文学最高成就之一。弥尔顿的散文作品对清教徒革命做出有价值的诠释,也是重要的,在近代政治与宗教思想史中占有地位。

弥尔顿1608年12月9日生于伦敦,他的祖父是牛津郡小土地私有者、一位虔诚的天主教徒。由于他的儿子即诗人的父亲改信新教,被诗人的祖父剥夺了继承权。弥尔顿的父亲来到伦敦,当了公证员或代写人,同时经营私人抵押贷款业务,取得一定的社会地位,过着小康富裕的生活。弥尔顿对他父亲不惜花钱来关心他的教育,后来曾作过多次颂扬。尤其在音乐方面他受惠于父亲。他父亲是一位有相当声誉的作曲家,而诗人自己也终身热爱音乐,不仅他本人曾热情提到此事,早期传记家亦有叙述证实。关于他的母亲(1637年逝世),弥尔顿只说她受人尊敬,并以其慈善行为著称。他有姊一人,名安妮;有弟一人,名克利斯托弗,后为律师。

教育及早期诗作 弥尔顿曾就学于伦敦圣保罗学校。传统的说法把他入学的时间定为1620年。但可能早在1615年即已入学。除学校规定的功课拉丁文、希腊文及稍后的希伯来文外,他在家还另有私人教师为他授课,其中可能包括现代语言。弥尔顿学习勤奋,读书如饥似渴;他自己把后来失明的起因,追溯到他从12岁起即很少在午夜之前停止阅读。现在除了留传下来的他的两三个拉丁文练习之外,他的最早的诗作是他15岁时用韵文译的《圣经》中《诗篇》卷里的第114和136篇。弥尔顿在学校及以后的最亲密的朋友查理·狄奥达蒂是一位意大利裔的名医的儿子,是从圣保罗学校升入牛津大学的。另外还有一位朋友亚力山大·吉尔,是圣保罗校长的儿子,弥尔顿同他虽不如狄奥达蒂那样亲密,但他们之间的友谊继续到离校以后。

1625年4月9日弥尔顿到剑桥大学基督学院入学;1629年3月获文学士学位,1632年7月获硕士学位。关于他在剑桥的经历,可以部分从他众多的拉丁文诗歌和7篇拉丁文预讲(可以显示讲演人的学识与修辞和辩论能力的公开讲演)中得知。显然他在1626年3月和他的导师发生了某种冲突,因而被罚暂时停学。他把这次在伦敦家中的"流放"与他所喜爱的奥维德的流放相比拟,也乐于利用这个机会去阅读那些"是我的生命"的书籍(这里指古典剧作),同时还可以在散步时看看美丽的姑娘。回校之后,学校另外给他指定了一位导师,他按规定时间毕业。

弥尔顿在大学有个绰号叫"淑女",这显然是因为他长得漂亮,五官清秀,思想行为都纯洁端正,看不起他那些较为粗鄙同学的娱乐消遣。在7年的剑桥生活中,他最初不大受人欢迎,继而受到一般的尊敬,最后在教师与有教养的学生中受到高度的推崇。他不喜欢功课表中占统治地位的经院派逻辑,当时以及后来,他都斥之为沉闷无用。在他最后一次预讲中(1631~1632?),他宣布了一个年轻的文艺复兴时期的人文主义者的热诚信条与梦想,他既是一个基督教徒,又是一个柏拉图主义者,也是一位培根主义者——不管他那时是否已经读过培根的著作。

在此期间,弥尔顿已经在学习他的技艺,并在拉丁文诗歌的写作中逐渐显露他的内在自我。如布坎南及同辈格劳秀斯(后来弥尔

顿在巴黎会见了此人)等新拉丁语诗人当时已蜚声欧洲;大学的学生们通常是用当时认为是大学世界的正规语言来庆祝学术界大事和国家大事的。这位年轻诗人的敏感本能已在这些拉丁文诗作中显示出来,并且随着他对意大利语的日益掌握也进一步在他的6首意大利语诗作(1630?)中展示出来,这些诗又可与他的第一首用英语写的十四行诗《啊,夜莺》联系起来。

1628年初,弥尔顿写了他现存英文诗中最早的一首(那两首《诗篇》除外)《一个美丽婴儿的夭折》,这是一首悼念他的婴儿侄女安妮·菲利普斯的有伊丽莎白时代风格的哀歌。在用英语对句体写的学术预讲中(《假日仪式》1628-07),他声明了热爱排除了怪异风格的本国语言,并强调了有关自然与人的主题。在1629～1630年的圣诞节期间他写给狄奥达蒂的拉丁文《哀歌Ⅵ》中,他赞扬了由醇酒与爱情激发的轻松诗歌,然后转而称赞英雄史诗作者的苦修高洁。哀歌结尾提到他刚刚写就的一首诗作——他第一次用英语写的巨著——《圣诞清晨歌》。此诗作于21岁生日后不久,不论在宗教主题方面,还是在构思、形式、意象和韵律的熟练方面,都可以看做是他诗作的成熟期及将来发展方向的一个宣告。大概是在1631年的漫长假期中,弥尔顿写出了《快乐的人》和《幽思的人》这两首姊妹篇。这两首诗虽然没有像《圣诞》那样在主题上有很高的企求,但有其自身的复杂性,隐藏在一种独特的优美与魅力里面。这两首诗可以说是体现了——并且超过了——琼森抒情的和沉思的诗篇的端庄高雅。这种特性已经在他一首小诗《五月晨歌》(1629～1630?)及《温切斯特侯爵夫人墓志铭》(1631)中显示出来。在此前不久(1630)弥尔顿还写了《莎士比亚碑铭》,刊印在莎士比亚戏剧集第二对开本(1632)中。

弥尔顿的勤奋好学和文学天赋从童年起就使得他的家人和教师心目中认为他从事牧师职务最为适宜。但在他后来的散文作品中,他说他已经拒绝了在一个由主教制度统治的教堂中"画押为奴",但他在何时下此决心,无从得知。在他学习生涯即将结束之时,职业问题自会提上日程,他的诗《致父亲》——虽然某些学者把它和《科玛斯》(1634)相联系——很可能在1631～1632年就已经写成。在此诗中,弥尔顿怀着儿女的感激之情以及对诗歌、对自己的坚定信心这种复杂心情,认为他不应当从事,也请求父亲不要逼他去从事一种卑微地只为挣钱的职业,父亲培养了他对文学的爱好和追求,而且父亲本人也是献身文艺的。

霍顿时期(1632～1638) 弥尔顿1632年7月获得硕士学位之后,就退居到父亲家里——先在哈默史密斯住到1635年,后在温莎附近的霍顿乡间庄园——开始自学剑桥未曾给他提供的文科教育。正是在这些年代,他为他的自由主义思想奠定了基础或确定了方向。他力图消化大量的文学、历史、哲学资料,以求深入了解一切有吸引力的丰富的艺术和事物,这是要当一位领袖和导师的公民诗人所需要的。有时他把学习暂时停下来,到伦敦去寻求书籍或有关数学或音乐方面的新书。

弥尔顿早期发展过程中一个重要的里程碑,是他在24岁生日作的一首冷静的十四行诗《时间已经很快……》。近年来,他已经在小小的大学世界里成了一个人物。现在当他写作这首十四行诗时,他的同代人正在向前奋进,他却在家里度过6个月默默无闻的、外表上看去没有什么收获的学习生活。但是任何关于他的现在与将来的忧虑,都由于他把一生奉献给他伟大的"监工者"的意志而安静下来。有两首宗教小诗《论时间》和《在一个严肃的音乐会上》(1632～1633?)可以称为他决心实现自我奉献的最初诺言。天堂的极乐幻像一直在激发弥尔顿的想象,这两首诗正是这一幻像的早期表现,以不同的顺序,把世俗生活的粗鄙、罪恶的刺耳噪音与天堂的永恒、和谐和美好事物加以对比。

同样的对比在假面诗剧《科玛斯》的开头几行以至贯彻全诗中都可以听得出来。在1630～1634年期间,也许在1632年,弥尔顿很可能是在音乐家亨利·劳斯的邀请下写了《阿卡德》,一个带有琼森典雅气派的小型假面诗剧。大概这又导致劳斯请求他再写一个假面诗剧。1634年9月29日,在什罗普郡的拉德娄城堡,在布里奇沃特伯爵约翰·埃杰顿面前上演了《科玛斯》,以庆祝其新任威尔士总督。《科玛斯》是弥尔顿第一次将其伟大主题善恶冲突写成诗剧的。

如果《科玛斯》从某一方面可说是天真之歌,《利西达斯》(1637-11)则是经验之歌——是弥尔顿首次试图证明上帝对己对人之道都是正当的。他从前在大学的同学爱德华·金于1637年8月在爱尔兰海一次翻船事故中溺毙,弥尔顿在悼念金氏的诗文集中被征撰稿;用"J. M"署名的《利西达斯》于是就出现在一本平庸的用拉丁文、希腊文和英文撰写的集刊里(1638)。田园文学的传统起源于希腊,作为戏剧手段,或假面剧已证明有其价值,可以表达诗人所欲言说的几乎任何事物。弥尔顿照例在这一值得敬重的传统范围内进行写作,也照例对这一传统进行了再创造。他对金并无理由感到深沉的个人悲痛;但是,一个善良的、很有前途的青年,正当准备要到上帝的教堂服务之时,却遭到灭顶之灾,这就使人痛感整个生死之谜,在能够发生此类事情的世界上,究竟有无是非公正。他自己多年苦读以培植才能,如一旦遭到摧折又将如何?此诗之复杂与深邃,引事用典之回荡与坚实,语调疾徐之丰富变化,对激动情绪之艺术控制,最后以赢得胜利后之高度宁静而结束——这一切不能一一概述,总之,《利西达斯》可能是英语文学中最伟大的一首短诗。

意大利之行(1638～1639) 1638年5月,弥尔顿在母亲逝世一年之后,带着一个仆人去意大利旅行。他主要在佛罗伦萨、罗马和那不勒斯等地逗留。弥尔顿和他的一些早期诗作——不是那些用英文写的——在文人学士和关怀照顾他的人及其所属学院中都受到热情赞扬。这些经历,正如他后来在《再为英国人民声辩》(1654)一文中曾详为叙述并在别处也曾提到的那样,温暖了他的心怀,培养了他的自信。(可能还记得,他在国内并无多少文学交往,除了一个小圈子之外,也没有什么诗才声誉。)对于他客居那不勒斯时的主人维拉侯爵曼索——此人曾经资助塔索和马里诺——他写了一封以诗代简的谢函《致曼索》(1638～1639),这是他最佳的拉丁文诗作之一,也是一篇优美的为英国文化的辩解和为他自己的诗歌地位与希望的同样优美的声明。他也给一位罗马诗人萨尔齐利写了一封信和几则警句,赞扬著名的巴罗尼的歌唱。虽然他和天主教人士交往愉快,并作为客人参加了红衣大主教巴尔贝里尼举行的盛大招待会,这位坚定的新教徒对宗教事务从不保持缄默。他去拜会了天文学家伽利略(后来记述在《论出版自由》一文中),其时伽利略因对宇宙的观点与天主教有原则冲突,处于半监禁状态。弥尔顿本来还想去西西里和希腊访问,但因英国国内政治局势日趋紧张的消息传来,只好放弃,虽然,如他自己所说,他在意大利还是多逗留了些时间。1638年8月,弥尔顿的朋友狄奥达蒂逝世,弥尔顿还在意大利时就已知道这消息;他在回家途中,停下来去看了狄奥达蒂的叔父乔凡尼·狄奥达蒂,他是日内瓦的神学教授。

中年时期(1641～1660) 弥尔顿于1639年7月回到英国,在伦敦一所房屋里安居下来,准备招徒授业;头两名学生就是姐姐安妮的儿子爱德华和约翰兄弟二人。他为狄奥达蒂精心撰写的田园哀悼诗《悼达蒙》显然是1640年晚期写成后私人刊印的。此诗一般认为是弥尔顿拉丁文诗作中的压卷之作,但也有人持不同意见,认为既然此诗是写来纪念亲密友人之作,未必因此增添了它的内在价值。

弥尔顿返回英国,原来计划撰写一部亚瑟王史诗(此计划已在《致曼索》及《悼达蒙》二诗中简略提出);正如文艺复兴时期其他胸有抱负的诗人一样,他也希望能写出一部伟大的近代英雄史诗。但他对清教徒的事业也深切关注。他在《利西达斯》中斥责雇佣神职人员,实际上已经宣布他对清教的忠诚,他把1641～1660这些年代几乎全部用来写小册子宣传宗教与公民自由。在第4本小册子《论教会管理必须反对主教制》(1642)中,有一段关于他个人的内容,颇为重要,显示出弥尔顿要把他对诗歌不朽事业之渴求置于不顾,并且中断了他心爱的学习,去"涉足于喧嚣争吵、恶浪滔天的海洋之中",实为一重大牺牲,但他对上帝的召唤,不能听而不闻。随着他工作的开展,他愈加坚信,他所进行的各种捍卫自由的工作,也正是以另一种方式在实现其写史诗的爱国理想。他的前5个小册子(1641～1642)对由一群长老会牧师(根据他们姓名首字母的组合称为"Smectymnuus"小组)向英国圣公会中的主教管辖制进行的攻击作出了贡献。这种攻击主要针对英国国教的等级制度,《英国国教祈祷书》及宗教仪式,作为对罗马的一种妥协。这个小组主张回复到圣徒教会的民主的简朴与纯洁。弥尔顿的第一篇政论短文是《论英国教会的教规改革》(1641),这篇论文一开头就攻击英国国教的礼拜仪式,而最后以新的巨大改革的憧憬结束。弥尔顿在《论教会机构》中谈论个人的那段文里,解释了他对诗的宗教观,也解释了由于他感到自己对公众的责任,因而推迟了伟大史诗的写作。

1643 年，随着弥尔顿的《论离婚之原则与戒律》出版增订版(1644)，他的声誉受到毁损。接着在 1644 与 1645 年，他又撰写了同一主题的 3 篇论文。大概由于他自己婚姻的不幸，使他加快了对此问题的讨论。1642 年 6 月(?)，在内战爆发前数月，弥尔顿和玛丽·鲍威尔结婚，她的父亲是牛津郡一个保王党乡绅，欠了他父亲的债。一个 33 岁的学者和诗人，和一个出生在随遇而安的大家庭中、年龄比他小一半的未受过教育的姑娘结婚，很难期望成功。婚后不久，这位年轻的妻子就回到娘家——无疑得到家人的支持——拒绝再回来。这次打击，对一个对婚姻不仅抱有很高希望，而且怀着一个无可指责的过去和诚挚的祈祷对待婚姻的人——我们从《离婚原则》中多次发出的痛楚呐喊中可以推知——是特别严重的。他对这一悲剧性的错误简直无法解脱。弥尔顿在他的文章中认为，可以离婚的唯一理由是通奸，但这还不如夫妻不合更有理由，而强加于人的没有爱情的婚姻枷锁，则是对人的尊严的犯罪。宗教和哲学的传统以及世道常情(包括通常给予女子的不多的教育)都使得妇女低于男子。弥尔顿并不否认这一观点，不过他坚持他个人的清教徒的婚姻理想，即相互爱恋的主动结合，精神上的伴侣——这种理想把妇女提高到远远超于她们在骑士派诗人作品中所占的地位。可是他却受到保王党和长老派教会两方面的攻击，被斥为自由思想者。1645 年经友人撮合，弥尔顿与妻子重新和好；1646 年岳父鲍威尔一家因受战争影响衰败，弥尔顿将其全家 10 口接来同住，喧嚣扰攘，几达一年。3 个女儿，安妮、玛丽和德博拉分别于 1646、1648、1652 年出生。有子一人，在婴孩期夭折。弥尔顿夫人于德博拉出生后数日逝世。

弥尔顿最为知名的小册子(至少对现代读者而言)出版于 1644 年。《论教育》是一长串在欧洲讲述文艺复兴时期人文主义的最后作品之一。他的目的是要把男孩子塑造成开明的、有教养的、负责任的公民和领袖；其基础是要研究古代经典著作，都应从属于《圣经》及基督教义。但他也相当重视科学。在《论出版自由》一文中，他以学者、诗人及书籍爱好者的身份立言，重申他的信念，真理经过自由争辩与讨论必将胜利。这篇论文似乎在当时并未起多少作用。

1649 年 2 月 13 日，即英王查理一世被处死之后 2 周，弥尔顿的第一篇政论小册子《论国王和官吏的职权》面世。在文中他阐述权力总是属于人民的原则，人民将此权力授予一位君主，但此权力如被滥用，人民可将其收回，而将暴君废黜，甚至处死。一个月以后，他被克伦威尔的国务会议聘请为外语秘书，在此之前，弥尔顿只不过是一位超然的旁观者，现在虽然还有个人的读书学习，他无疑也很想在政府的运作中有所参与。他还不在制定政策的阶层，但他的拉丁文运用自如，这正是与外国通信所需要的。同时，作为一个对革命有明显同情的政论家，他自然会对各种对弑君党人的攻击继续进行辩护。

弥尔顿在这方面的第一篇力作是《偶像破坏者》(1649-10)，这是驳斥王党主教高登根据国王文件编纂的《圣王的肖像》一书的若干文章之一。《圣王的肖像》俨然是圣王殉难者的一幅自我画像，在公众刚经历了国王被处死的震惊之后，颇具感染力，这是英国历史上最有威力的宣传文件之一，甚至弥尔顿也不能与之抗衡。

1651 年弥尔顿当了由尼达姆编辑的共和国主要报纸《政治信使报》的监察员和监督编辑。同年他出版了用拉丁文写的《为英国人民声辩》。在流亡中的查理二世聘请了最有名望的古典学者萨尔马修斯来控告弑君党人(《为查理一世声辩》，1649)。弥尔顿对萨尔马修斯的法律争辩，其效果不如对他的人身攻击；正如许多其他社会改革人士一样，他往往会把对手看做神圣事业的凶恶敌人，必须用一切手段加以消灭。

如说他此时及以后为打败了一个有名望的敌人而感到振奋，那他的失明必然会使他深感沮丧；他的视力多年来逐渐退化，终于在 1651 ～ 1652 的冬天完全失明。那时弥尔顿年仅 43 岁，他的伟大诗篇尚未写出。那些严格的秘书任务由于失明而减少了，尽管他仍继续担任政府函牍的翻译工作，直到1659 年。

《再为英国人民声辩》——因其仍为面向广大欧洲，所以仍用拉丁文书写——是一篇更加无愧于此题目、无愧于作者声誉的文章。他在文中赞扬了共和国领袖们所取得的成就(虽然他也有勇气来警告克伦威尔不要搞独裁统治)。1659 年他又有两篇关于教会与国家的时事论文出版。在《论教会事业中的公民权力》一文中，弥尔顿主张宗教信仰自由(罗马天主教除外，因天主教已表明它对国家安全构成危险)。在《从教会中除掉雇佣人员的最为合适的办法之我见》一文中，他重申了要过具有使徒传统的简朴生活的神职人员的理想。

他的最后一本政治性小册子《建立自由共和国的简易办法》出版于 1660 年 3 月，增订版重印于当年 4 月。这一行动虽然勇敢，但却徒劳无益，因为机关团体已经公开行动起来，要把查理二世迎回来(他在 5 月 29 日胜利进入伦敦)。弥尔顿的这篇文章是为光荣事业奋斗的最后一名战士的怀疑与失望的呐喊。他为之献出了 20 年岁月并为之失明的共和国的光荣，正在被举国的奴隶们一扫而光，这些奴隶们"现在又为埃及挑选了一个领袖回来"。弥尔顿一生遭遇过多次理想的破灭，而王政复辟则是他最后一次也是最沉重的一次。

弥尔顿的大量散文著作(数量为其诗作的 4 倍)，今天只有专门学者才去阅读了，但其中不少篇章，由于多种原因，至今仍为重要。在一个伟大的散文时代，弥尔顿散文之最佳者颇具个性，虽然有时不受规矩绳墨的约束，亦有其伟大之处，至少《论出版自由》已成为英民族之经典文献与财富。此外，作为弥尔顿的成长(在宗教与政治方面向左发展)、梦想和幻灭的记录，他的散文作品都是对他的《失乐园》、《复乐园》及《力士参孙》的必不可少的引言，并为他青年时期热情洋溢的理想主义与晚年屡经考验的信心与刚强毅力之间架起一座桥梁。特别是他的论文《论基督教义》，在他的思想与作品中占有中心位置。此文他似乎在大约 1658 ～ 1660 年间已经完成(于 1825 年首次印行并由萨姆纳翻译)，其重要性在于它在阐释《失乐园》的神学背景上有所不同。今天全面看来，弥尔顿的多数基本信念是传统基督教的信念，但他(常常根据他在《圣经》中找到的权威)在某些观点上与正统派有所不同：上帝不是从虚无中创造出世界，而是从他自己的本体中创造出来；圣父、圣子、圣灵不是同等的三位一体，而是按依次递降的顺序；人的灵魂随着肉体死亡而死亡，直到复活节时才得复苏("灵魂死亡"的异端邪说是借绝望中的亚当之口说出的，当时在英国尚有其他信徒)。弥尔顿的三位一体的概念颇为复杂，不能在此叙述，但很清楚已引起《失乐园》读者的注意，虽然历代正统派未受此诗惊动。此诗更为主要之点是弥尔顿拒绝承认得救预定论(这自然不是一种异端邪说)。弥尔顿与当时多数圣公会教徒一样，是作为加尔文主义者长大成人的，至少在 1644 年之前，他自认为是一个加尔文主义者，但是他最终的信仰却是阿明尼乌主义——不是预先决定的少数人得救，而是所有信教者都会得救，构成真正的上帝的选民。弥尔顿首先坚持人的理性自由与负责的选择权。

十四行诗及其他诗作(1642 ～ 1658) 弥尔顿早期用英文、拉丁文、希腊文、意大利文撰写的诗篇出版于 1646(日期写作 1645)年初。在他 20 年从事公务期间，大部时间与诗隔绝，但仍先后偶尔写了 17 首十四行诗，把《圣经》中的一些《诗篇》改写成诗，同时开始了《失乐园》的撰写。部分十四行诗密切联系个人生活：两首写他失明(1651? ～ 1655)，一首写他第二位妻子凯瑟琳·伍德科克之死(1658)，她与弥尔顿于 1656 年结婚，分娩后数月逝世。

十四行诗中的主要篇章既有诗艺上的价值，也有自传性的价值，而作为一个整体，这些诗(包括《利西达斯》)从结构上和韵律上都可以看出庄重文体的端倪(弥尔顿很可能部分地从 16 世纪意大利诗人乔凡尼·德拉·卡萨和塔索学来)，此文体将在史诗中充分运用。我们不太能意识到十四行诗的结构和韵律，而更觉得是一个单一的巨大的整体，接近于弥尔顿的无韵诗的一个段落。

晚年 复辟政府处决了共和国领袖范内(小)，并在泰伯恩把克伦威尔、艾尔顿和布雷德肖的尸体掘出，处以绞刑。弥尔顿作为弑君党人著名的捍卫者，处境十分危险。1660 年夏天已向他发出拘捕令，他只得在朋友家躲藏。8 月大赦令通过，大多数共和国的拥护者都得到宽恕。按照这些条款，弥尔顿应该是安全无事的，但仍然受到拘留(12 月 15 日才被释放)。根据早期的各种说法，他的性命得以保全下来，或由于诗人马韦尔的说情，马氏曾于 1657 年与弥尔顿同为秘书，现在是英国议会之一员；或由于早年弥尔顿曾经出力挽救过他生命的保王党剧作家戴夫南特的说情。也可能当时认为，这位失明的作家已无能力做什么坏事，对他进行起诉，做做样子，也就够了。

弥尔顿已经放弃了撰写英国史诗的念头。他转而选择了在世界史上其重要性仅次于耶稣的生与死的重大事件——《圣经》中人类始祖亚当和夏娃因受恶魔撒旦引诱失掉神的恩宠——作为他的题材。他究竟是何时开始写《失乐园》现在已无从得知。一般猜测，集中在1655～1658年之间。很显然在第Ⅶ卷的序言中，那些写诗人进入了坎坷岁月的诗行，是在复辟之后写的，整个顺序与现在的差不多。那是在1665年完成的。1667年的第一版共10卷；这在1668和1669年都曾经重印。在部分重印本中，弥尔顿增加了他采用无韵诗体的一个说明和“内容提要”。在第二版（1674）中，除了一些小修改外，第Ⅶ卷与第Ⅹ卷都各分为二；从前各卷的“内容提要”都放在一起，现在则分别置于各卷之首。《失乐园》的中心思想与故事内容，从前在不同程度上都有过先例，但弥尔顿在处理上颇具独创精神；他像一位希腊的戏剧家，是在把一个观众已知其梗概的故事重新加工。他的故事具有独特的真实性、神圣性和普通而永恒的意义，并给予诗人一种优势，即在他的早期读者的心目中早已有了对此故事的信心和联想。对现代的读者来说，这种优势已不能起同样的作用，但这个寓言至少仍具有原型神话的历史久远的普遍意义。

弥尔顿作为一个艺术家，既骄傲又谦卑地和古代人——特别是荷马及希腊神话中的失明的行吟诗人——联系在一起了，但他总是把他自己的基督教主题置于那些非基督教诗人的主题之上。正如他在此之前很久解释他何以必须推迟史诗写作时说的：

> 史诗不是乞灵于记忆女神和她善于歌唱的女儿们就能写出，而必须向那永恒的神灵虔诚祷告，他将用所有言词与知识使你丰富，然后派遣天使，带着他神坛的圣火，来触摸他所喜欢者的嘴唇，使之洁净。

弥尔顿在序言中强调，无韵诗的新颖感和适于用来写英雄史诗。他善于运用韵律和声韵是他的最高成就之一。他的长句与诗段源源不断地涌出，自然不像莎士比亚剧作对白中充满戏剧性的无韵诗，而像奔泻连绵、滚滚向前的浪潮。正如一位现代善于使用韵律的大师T.S.艾略特所说，弥尔顿的无韵诗从不单调。他的声韵的格调与意境的格调水乳交融，相互依存。

在《失乐园》第Ⅸ卷中，弥尔顿曾经谈到“忍耐与英雄般的殉道精神”，都是未曾被歌唱过的主题，虽然这比英武勇猛更为高贵。而这种“更佳的坚忍精神”在《复乐园》与《力士参孙》（1671）中受到了赞扬。《复乐园》是《失乐园》的自然续篇。耶稣作为第二个亚当，赢回来了第一个亚当所失掉的东西，本来以为弥尔顿会叙述耶稣钉在十字架上的故事，但他并没有，却描写了耶稣在荒原中战胜魔鬼的诱惑，从而证明他能经得起最后的考验，以人的形式显示，只要坚强正直，谦恭地听从天命，人一般是可以很有作为的。虽然广大读者和批评家认为此诗比较冷峻，它却具有弥尔顿所有的宗教与道德热情及其对于真正英雄行为之尊敬。

对某些读者而言，剧诗《力士参孙》（与《复乐园》同印一册出版）是弥尔顿主要作品中最为有力、十分满意之作。它是按希腊模式写的最伟大的英国戏剧。直到听说灾难发生之前，剧中的行动全为心理描写。这也是参孙“在加沙双目被挖和奴隶一起推磨”时先只想到个人的痛苦和耻辱，然后转为无私的谦恭、重新获得精神力量的过程，这也使他再一次感到自己是上帝选定的战士。这一剧作之所以有力，在很大程度上还必须归功于弥尔顿对他剧中主人公的亲切感：他自己也曾在伦敦在举国的奴隶中双目失明。不过弥尔顿在艺术方面的谨严是明白清楚的：剧中情节都是参孙故事中有的。

总的说来，《力士参孙》既是他的最后作品，也是他的宏伟遗言。他一如参孙，能够在最后3部伟大诗作中战胜失望，并加以升华。这几部诗作中所表现的不是从前的对人对运动的革命信念，而是对上帝、对个人灵魂复苏力的净化了的信念。

诗人的最后16年生涯，也就是完成或撰写这3部诗作的16年，表面上（部分地内心上）是平静的。虽然在严肃认真考虑过去与将来之余，还有些具体困难，如由于经济来源大为减少而引起的家用开支节约、失明以及有时更为严重苦恼的痛风症，很可能由于双方都有过失所引起的他和几个女儿之间所引起的一定程度的摩擦。

这些年间，除了著作出版之外，弥尔顿的几件大事就是他和第三位妻子伊丽莎白·明歇尔结婚（1663）（她后于弥尔顿逝世）以及在1665年瘟疫流行期间搬迁到白金汉郡的查尔芬特-圣贾尔斯的一所房子（现为弥尔顿博物馆）居住。

早期的传记作者把弥尔顿每天的生活描写为平静而有规律。他每日清晨4时起床，有人给他读希伯来文《圣经》。沉思默想，阅读，听写，这就填满了直到中午进餐的时间。他晚年的长诗自然都是先起腹稿，特别是在夜间，正如《失乐园》中有名的诗行提到的那样，他准备好“要挤奶了”，于是他就把诗句口授出来，常常把一条腿横跨在他椅子的扶手上。把他口述的诗作写下来，把抄下来的稿子改正，然后用各种语文朗读出来——这些都是雇用来的助手、他的两个外甥、他的两个小女儿，以及他的朋友们和弟子们的服务。一位17世纪的英国古文物收藏家约翰·奥布里说：“他在午餐以后，往往要散步三四小时（他居住的地方总有一个花园）。”晚上有读诗的活动，然后在9点左右，他抽一斗烟，喝一杯水，就上床就寝了。音乐是他的一种消遣，弹管风琴或拉六弦提琴，唱歌；“即使痛风症发作他兴致仍然很好，还要唱歌”。来拜访他的人也不少，有时是太多了。也有外国人（他们是来看战胜萨尔马修斯的学者，不是来看诗人），有英国朋友，其中有老有少，有的在上面已经提到，还有弥尔顿从前曾教过他拉丁文的年轻的贵格派教友埃尔伍德。在宗教方面，弥尔顿已经从他父母信仰的低教会派的圣公会转向长老会派以至清教独立派。据他的一位早期传记家托兰德说，在他的晚年，“他已不自称是基督徒中的某一特殊教派的成员，任何教派的集会他都不去参加，在他家里也不采用任何教派的特殊仪式”。但是，正如约翰逊博士（暂时放弃了他对圣公会教派的敌意）所说，“他的学习研究与沉思默想是他习以为常的祷告”。弥尔顿于1674年11月8日即他66岁生日前不久因痛风症不治逝世。他被安葬在圣贾尔斯的克里普盖特。他在伦敦的所有的博学名流的友人都来参加了葬礼，还有一批友好群众也来参加了。

声誉 1667年以后弥尔顿的声誉稳步上升，在J.艾迪生论《失乐园》的文章发表于《旁观者报》（1712）之前已经巩固树立。这有助于使诗人的名誉远播欧洲大陆。他对18世纪诗歌的影响是巨大的。在19世纪，有两股批评意见的主流显而易见。一方面，革命浪漫派诗人布莱克和雪莱对《失乐园》提出“撒里派”的误解，认为此诗作者也跟他们一样是一个叛逆者——他们的态度可以用布莱克的一句话来概括，说弥尔顿是属于恶魔党人而不自知（换言之，他把自己设想为撒旦，而撒旦才是诗中真正的主人公）。在另一方面，其他批评家——也集中注意于史诗——则抛弃了弥尔顿的信仰与观念，认为它们是早已死亡的原教旨主义，只欣赏他管风琴般的诗喉。

诗人的影响在维多利亚时代逐渐减弱，到了20世纪，庞德和艾略特所倡导的新诗歌与批评强烈地贬低弥尔顿而推崇多恩。但到了40和50年代批评界的态度又发生了变化，数以十计的书籍和数百篇文章发表出来，探讨作为思想家、政论家及诗人的弥尔顿的思想和信仰，从而为对其诗歌的美学研究带来全新的理解和细致的分析。

Milton Keynes 米尔顿凯恩斯 英格兰白金汉地理、历史郡新城镇和政务会辖区。1967年被规划为新城镇后，发展迅速。该政务会辖区的南部主要为城区，而北部主要为乡村。与伦敦通铁路，有M1号高速公路贯穿。其有利的地理位置促进了工商业的发展，许多公司从伦敦等地迁入。选米尔顿凯恩斯为总部的最著名的机构就是开放大学，该大学以函授和通过媒介教授为主要手段。政务会辖区面积310平方千米。人口：新城镇156 148（1999）；政务会辖区约203 200（1998）。

Milwaukee 密尔沃基 美国威斯康星州东南部城市，密尔沃基县县城（1835），密歇根湖畔港口，密尔沃基、梅诺莫尼和金尼金尼克等3条河在此注入密尔沃基湾。17世纪有法国传教士和毛皮商人到此。1800年开始有人定居，但直到1833年以后才得到发展 。1846年建市。1848年德国革命后，该市拥入大量富裕且有文化的德国人，对当地文化发展起了重要作用。美国南北战争刺激了工业的发展，在20世纪初，这里就有了工会，出现劳资纠纷和罢工。由于开展改革运动，该市政府博得了廉洁而有效率的好名声。曾有3个社会主义者出任市长。为一良港，大船几乎终年可通航。有国际机场和四通八达的空中陆上运输系统，成为通往美国西北地区的门户。港口大量吞吐煤炭和谷物，海外贸易日益增长。经济发达，主要有机械制造、电子器件、印刷、食品加工等。它是大湖区跨州国家森林总部所在地。有极漂亮的公园网和一条湖滨观光车路。城西的动物园是美国拥有动物最多的动物园之一。设有马克特大学

(1864)、威斯康星音乐学院(1899)、密尔沃基工程学院(1903)、密尔沃基地区理工学院(1912)和密尔沃基威斯康星大学(1885)等。人口:市 596 974;威斯康里-密尔沃基主要都会统计区 1 500 741;密尔沃基-拉辛联合都会统计区 1 689 572(2000)。

Milwaukee County Zoo 密尔沃基县立动物园 位于美国威斯康星州密尔沃基郊区一所景色优美的动物园。建于 1892 年,最初位于市中心,1958 年迁至现址,占地 80 公顷。隶属密尔沃基市,并由该市经管,但接受当地动物学会的经济援助。园内拥有 300 多种、近 2 500 只动物。许多动物放在无栅栏却绕以壕沟的兽圈里,而兽圈的排列方式别出心裁,使猎食者与被猎食者(如狮与斑马、虎与鹿)看上去好像圈在一起。许多展览都是按照动物的地理分布区域排列。该园建有一座鸟槛,还有海豹表演之类的特别节目。

Milwaukee Depth 密尔沃基海渊 大西洋最深处。位于波多黎各岛西北约 160 千米处,深8 380米。在北美海盆南缘的波多黎各海沟内。两侧为波多黎各海岭(北)和北安的列斯拱(南)。海渊比毗连的海盆底部约深2 100米。密尔沃基海渊以首次测得其深度的船名命名。海渊底部覆盖有淤泥、沙、石和贝壳。

Milwaukee Journal, The 《密尔沃基新闻报》 密尔沃基出版的晚报,是威斯康星州的主要报纸,也是美国重要地区性报纸之一。1882 年由卢修斯·W.尼曼创立的面向当地社区的独立报纸。以报道本市和本州事务而闻名,在州内有较大的发行量。多年来该报倾向于支持进步的或自由派候选人竞选官职,但一贯重视国际问题。第一次世界大战后它支持国际联盟,后来支持联合国。该报还以独立的社论立场而出名。20 世纪 30 年代,在德裔美国人占优势的社区中敢于揭露纳粹暗中支持德裔美国人中的亲纳粹派;50 年代,对选自威斯康星州的美国参议员麦卡锡无根据地指控共产党同情者的做法进行攻击。尼曼夫妇死后,他们的部分财产在哈佛大学设立了鼓励在职新闻记者的奖学金。H.J.格兰特于 1919 年成为该报主编。尼曼死后,他提出了一项由职工购买该报股份的计划,该报遂由职工控制。

Milwaukee Road 密尔沃基铁路公司 参阅 **Chicago, Milwaukee, St. Paul and Pacific Railroad Company** *芝加哥-密尔沃基-圣保罗-太平洋铁路公司*。

Milyukov, Pavel Nikolayevich 米留可夫 (1859-01-27,俄罗斯帝国莫斯科～ 1943-03-03,法国埃克斯莱班) Milyukov 又拼 Miliukov。俄国国务活动家和历史学家,自由主义运动的发言人,对 1917 年 2 月革命的发生曾起过推动作用,在临时政府中担任外交部长。1877 年入莫斯科大学,很快成为研究俄国史的卓越专家,所著 3 卷《俄国文化史概论》(1896 ～ 1903)名扬全国。1903 和 1904 ～ 1905 年访美,教授俄国史和政治。作为坚定的"西化"分子,他主张法治、议会政府、普选、个人自由、普及教育和土地改革。1905 年革命时,他组建工会联合会,后创建立宪民主党,任中央委员兼编机关报《言语》,成功地指

美国不列颠百科全书公司供图

导该党在第一次俄国选举中的策略。但新成立的杜马(议会)与政府分歧甚大,1906 年 7 月被解散,他参与起草《维堡宣言》,号召人民对政府进行消极抵抗。随后他的政见向右转,在第 3、第 4 两届议会中(1907 ～ 1917),他攻击政府弊端,倡导进步改革。第一次世界大战爆发后,他主战,企图利用舆论压力,组织一个受国民信任的内阁,但毫无成效,他便急剧向左转,攻击政府卖国。1917 年 3 月 15 日尼古拉二世逊位,他帮助 G.李沃夫公爵组成自由主义的临时政府,但他在政府中的地位受主张立即议和的克伦斯基的排挤。11 月布尔什维克夺取政权,他成为白俄志愿军顾问。后流亡巴黎。

Milyutin, Dmitry Alekseyevich, Count (Graf) 米柳亭(1816-07-10,俄罗斯莫斯科～1912-02-07,俄罗斯帝国克里米亚雅尔塔附近锡梅伊兹) 俄国军官和政治家,在其担任陆军部长期间,对俄军进行了重要的改革。1836 年毕业于尼古拉军事学院。1838 ～ 1845 年在高加索服役,以后成为军事学院教授,1856 年返回现役,在高加索的部队中当参谋长。1861 年任陆军大臣。他改革俄国的军事教育制度,让军医学院招收女生;实行普遍义务兵役制,男性 20 岁除特殊免除军役者外一律服兵役,把现役期从 25 年减为 6 年;还实行后备役制度,改组军事指挥系统,精减陆军部的官僚机构,以提高它的工作效能;改革军法体系,废除对士兵的体罚。他的改革取得很大成功,由俄国在俄土战争中击败奥斯曼帝国这一事实可以证明。然而,他为此也树立了不少劲敌,特别是对他减少贵族在军事机构中的特权不满。1881 年引退。

Milyutin, Nikolay Alekseyevich 米柳亭 (1818-06-18,俄罗斯莫斯科～ 1872-02-07,莫斯科) 俄国政治家,在解放农奴中起过显要的作用。莫斯科大学毕业,17 岁进入内务部,1859 年成为副内务大臣。积极参与制定 1861 年 3 月的《解放农奴宣言》。1861 年 4 月被迫引退。1863 年波兰起义后,任俄罗斯波兰国务秘书,实行解放农民并从学校中驱除天主教神父。

Mimamsa 弥曼差派 梵语作 Mīmāṃsā,意谓"熟思"或"详察"。印度 6 派正统哲学体系之一。可能是 6 派中最早的一派,也是吠檀多派的基础,并对印度教法律的制订产生深刻影响。弥曼差派侧重于对吠陀的解释提出规则,并对吠陀仪典的遵循给予理论上的支持。弥曼差派主要涉及吠陀经文的前一部分,即所谓"净行书"(Karmakāṇda),故曰"前弥曼差派"以研究行为为主;吠檀多派主要涉及吠陀经的后部分,即所谓"奥义书",故曰"后弥曼差派",以研讨知识为主。弥曼差派的最早著作是阇弥尼(约公元前 4 世纪)的《弥曼差经》。夏伯拉斯瓦明(公元前 1 世纪?)撰写了一部重要的注疏,以后有许多注家和教义师宗奉其说,其中最著名的是鸠摩利罗·帕德和波罗婆迦罗(7、8 世纪)。弥曼差派的目的是阐明"正法"。按照这一派的理解,"正法"是一整套仪式的义务和特权;如果正确履行,它们能保持世界的和谐,促成履行者的个人目的。由于"正法"不能借感觉或推理获知,人必须依靠被认为是永恒的、无作者的和绝对可靠的吠陀中的启示。为了找出人在特定情况下的"正法",必须依靠直接的或暗含的指令。如果是暗含的,人们则须根据类似的指示进行判断;如果一篇经文没有详细说明祭司当如何从事某项活动,那就必须依据其他经文确定这些细节。由于要求精确的说明,势必需要对传达指令的句子结构加以过细的考查。虽然弥曼差派的起源纯粹是实用的,但在其历史发展中变成一股强大的知识力量。传统认为印度佛教即败在以鸠摩利罗为代表的弥曼差派手下。弥曼差派对印度学术研究的方向、方法及内容也有所贡献。

Mimana (Korean confederation) **任那** 参阅 **Kaya** 伽倻。

Mimas 土卫一 土星的8个大的、形状规则的卫星中,最小的和最靠近土星的一个。土卫一的直径 392 千米,沿一距土星平均距离约 185 520 千米的、顺行的、近圆轨道上绕土星运行。它的公转周期为 23 小时,正好是土卫三公转周期的一半,所以土卫一和土卫三处于轨道共振态,总是在土星的同一侧位于合的状态。这一共振的起因尚不完全明了。土卫一的自转和公转同步,所以它总是以同一半球朝向土星。土卫一的平均密度仅是水的 1.1 倍,其表面有冻冰的特征。根据这些理由,可以认为,土卫一的主要成分是冰。它的表面明亮,满布碗形的、深的陨石坑。陨石坑的深度大,表明这是表面重力小的缘故。虽然土卫一的体积小,但仍有大概是部分冰层溶化造成的表面再造的某些证据。土卫一上最值得关注的一个表面结构是一个直径 130 千米的名为赫歇尔的环形山,它位于朝向土星一面的半球中央附近。赫歇尔环形山的壁高 5 千米,底深 10 千米,中央峰长 6 千米。它是迄今在太阳系中已发现的、整体上最大的陨击结构。

Mimbres 明布雷斯人 史前北美洲民族,构成古典莫戈隆文化的一个支系。明布雷斯人主要居住在现今美国新墨西哥州西南部明

布雷斯河沿岸，地处希拉山脉的崎岖山区。他们也生活在希拉河及格兰德河沿岸。明布雷斯文化的鼎盛期在公元1000～1150年间，学者称之为古典明布雷斯时期。当时明布雷

饰以黑白有角蟾蜍图案的明布雷斯陶碗，约1050～1150年
美国不列颠百科全书公司供图

斯人聚居于普韦布洛式的村落中，人口密集，各村住有200多人，居所为砖石结构。当地雨量稀少，居民依靠河水灌溉，种植玉米、豆类、南瓜，辅以小型猎物为生。明布雷斯人大概以陶器最为著名，制品饰有白地黑纹图案，图案由各种虫类、兽类及鸟类组成，或以几何线条组成，富有想象力。明布雷斯人在其鼎盛时期约有5 000人，最后为其族源相近的北邻普韦布洛诸部落所同化，另一部分明布雷斯人也许已经迁往墨西哥。

mime and pantomime　哑剧与童话剧　严格说来，是希腊与罗马一种取材于生活的戏剧性娱乐，常以荒谬可笑的方式演出。广义地说，就表演与表演者而言，今日哑剧与童话

戴着面具、穿着束腰衣的古罗马哑剧演员
美国不列颠百科全书公司供图

剧已成为一种仅仅靠形体动作（如写实性或象征性的表情动作）来塑造、扮演角色或叙述剧情的艺术。类似的非西方传统剧，有时也以哑剧或童话剧的形式演出为特色。

早期西方形式　希腊罗马式的哑剧是一种强调滑稽模仿动作并包括歌曲与对白在内的笑剧。文学形式出现前的戏剧表演仅能凭臆测想象它的样子；甚至从公元前5世纪喜剧作家埃庇卡摩斯所留下来的短剧片段，也只能得到一个不完整的信息，即他赋以文学气质的哑剧不是描述日常生活的情境，就是作神话的滑稽模仿。其他希腊哑剧作家有索夫龙（创作时期约公元前430）和赫罗达斯（创作时期公元前3世纪）。

意大利本土的哑剧形式毫无疑问是存在的。首先赋予罗马哑剧以文学形式的是骑士拉贝里乌斯（约公元前105～前43），但他与原为奴隶的P.赛勒斯相比却黯然失色。哑剧演出是每年花节的传统特色，其精神放荡，让裸露的哑剧女演员在一般的舞台上表演。尽管只有零星片断存在，我们仍可明显看出当哑剧毫无顾忌地沉溺于辛辣地影射时事的手法时，其剧情主要环绕着通奸与其他罪行展开。现存的证据显示，罗马帝国时期通奸行为在哑剧舞台上真实地演出，而以罪犯来代替演员演出处死刑的情景亦有记载。早期基督教作家谴责罗马戏剧，主要是对哑剧这种堕落的情形加以攻讦。古典哑剧中的定型角色与场面，见于普劳图斯的喜剧中，并经大加修改后重现于即兴喜剧中，后者为文艺复兴时期源于罗马戏剧传统的一种即兴娱乐形式。

罗马哑剧与一般哑剧不同之处有二：它的主题通常较为高尚；其次，演员与一般哑剧演员不同，戴着各种面具来表明他的角色，但也剥夺其说话和运用面部表情的机会。因此他的表演艺术主要体现于姿态与手势，其中以手的动作特别重要且富有表情。演员像悲剧演员一样披着斗篷，穿着长的束腰衣，通常在一个含有铙钹等节奏乐器、长笛、管乐器和喇叭的管弦乐队伴奏下独自表演。剧中歌词由一个合唱队演唱或朗诵，通常改编自著名的悲剧。哑剧的音乐与歌词被认为艺术价值不高，其演员本身的才能与技巧才是头等重要的。杰出的表演者受到富有的贵族，甚至尼禄、图密善这些皇帝的喜爱。

东方舞剧　哑剧在西方获得明确形式之前，东方早已发展出这种艺术。公元前好几世纪，印度已出现音乐、歌曲、舞蹈与角色扮演的结合。这样的本土剧加上旁白，发展出一种印度古典舞剧婆罗多舞。该剧在论著梵文戏剧各方面问题的《舞论》中有详细的叙述，该书成书于公元3世纪前。婆罗多舞剧是多位乐师和一位歌者配合的独舞，以长达两小时的表演为其特色，舞者不离开舞台也不更换服装，以舞蹈与传统的手势交替演出。源于毗湿奴神话的哑剧情景，有时仍在民族舞剧拉沙及孟加拉的结合语言与传统哑剧而成的露天历史剧查特拉中出现。20世纪真正的印度古典舞蹈由著名演员香卡介绍至西方，以配合用本土乐器演奏的印度音乐。在中国和日本的戏剧中，哑剧起着一种不为西方所知的作用，是构成主要戏剧类型整体的一部分。中国戏剧里传统的手势、身段及象征主义的舞台道具，对不熟悉这个传统形式的人而言算是大开眼界，却又如坠入五里雾中。

英国童话剧　源于18世纪早期戏剧演出中受人欢迎的丑角余兴节目。这些场面与法国的丑角滑稽喜剧舞蹈相似，采用了即兴喜剧中载歌载舞的一些特色，原先无言演出，后来才加了一些台词。维多利亚时代，童话剧的题材转向童话故事，伴有戏法和杂技的幕间演出，提供有益身心的娱乐供儿童观赏。19世纪中叶后，童话剧的演出限于圣诞节期间。在传统的童话剧演出中，由一个年轻的女演员扮演男主角，由男丑角扮演老太婆以引人发笑。20世纪受人欢迎的童话剧包括《灰姑娘》、《森林中的婴儿》、《阿拉丁》、《鲁宾逊漂流记》、《鹅妈妈》、《蓝胡子》及《一双女鞋》。

现代哑剧　现代西方哑剧已发展成为一种纯粹的无言艺术，仅仅依靠手势、动作以及

法国哑剧演员M.马尔索自己塑造的角色——比普拉小提琴
美国不列颠百科全书公司供图

表情来传达意念。芭蕾舞曾经深受哑剧的影响，由古典风格的正统舞姿调整为现代戏剧性舞蹈动作的无言拟态。美国的卓别麟、B.特平等无声电影演员和S.凯撒等电视艺人以及E.凯利等马戏团小丑，均是旧传统的哑剧大师。现代哑剧的高水平艺术在法国登上了艺术殿堂，É.德克劳、J.-L.巴劳尔以及M.马尔索把哑剧表演提升到富于哲理意境的崇高地位。马尔索将哑剧定义为“借态度来表达情感的艺术，而非通过姿势来表示语言的手段”。

mimeograph　油印机　又称蜡纸油印机。用可透油墨有纤维底层的蜡纸进行复印的机器。取下打字机上的色带，使键不致打在上面，将需复印的文字直接打在蜡纸上。键在蜡纸的涂层上刻出痕迹，露出纸质纤维，使油墨得以穿透。在打错的地方涂以改正液，在错处可重新打字进行改正。签字或图形可用铁笔手写在蜡纸上。有两种蜡纸油印机可供复印文件：一种是将蜡纸固定在饱蘸油墨的空心滚筒表面，滚筒旋转时油墨透过蜡纸的刻痕将文字印在滚筒下面的纸上；另一种有两个滚筒，外面围以旋转的丝网带，蜡纸安在丝网上，用两个墨辊使油墨均匀地分布在滚筒上，油墨透过丝网的小孔进入蜡纸上的字痕或图形刻痕，纸张被送入蜡纸与印辊之间即可制出复印件。两种机器均可用一张蜡纸复印多达5 000份材料。蜡纸可保持一段时间以供再次使用。

mimesis 摹仿 艺术创造中的一条基本理论原则。根据柏拉图的说法，所有艺术创造都是一种摹仿的形式：真正存在的（在"理想世界"中）是上帝创造的一种类型；人在他存在的时候看到的具体东西，就是这种理想类型的模糊表现；因此，画家、悲剧作者和音乐家都是一种仿制品的仿造者，离开真实又远一步。亚里士多德在谈到悲剧时强调如下论点，即它是一种"行为的摹仿"——即一个人从较高地位坠到较低地位的"行为"。莎士比亚在哈姆雷特对演员的一席谈话中，论及表演的目的即"……掌握事实，反映逼真"。

mimetite 砷铅石 砷酸盐矿物，为铅、氯的砷酸盐[$Pb_5(AsO_4)_3Cl$]，属磷酸盐类磷灰石族中的磷氯铅矿系列。呈褐色到橄榄绿色、黄色或橙色。与*磷氯铅矿*（**pyromorphite**）非常类似，在磷氯铅矿中磷置换了晶体结构中的砷；砷铅石的物理性质和产出形式（桶状晶体或圆形块体）与磷氯铅矿相似，但不常见。砷铅石也与钒铅矿形成连续的固溶体系列，在钒铅矿中钒置换了砷铅石晶体结构中的砷。氯磷砷铅矿是磷氯铅矿-砷铅石系列中的任一成员，它以具有弯曲晶面的畸变晶体而与其他矿物相区别。

mimicry 拟态 在两种或多种生物之间（往往种系相距较远），因彼此的外形或其他特征相似而使一方或双方受益的现象。拟态包括三方：模仿者、被模仿者和受骗者。这个受骗者可为捕食者或猎物、甚或同种中的异性。在宿主拟态现象中，受骗者和被模仿者为同一物。许多有毒、味道不佳或有刺的动物往往有警戒色，这点常为其他生物模仿。拟态类型很多，但有一个共同点：两个不同生物发生几乎相同的信号（形状、行为、发光、声音、气味乃至生物化学特征），信号为另一生物所接收，接受者对双方采取同一反应，对被模仿者采取此反应，对于接受者有利；对模仿者采取此反应则对于接受者却可能无利。与趋同进化不同，拟态中的选择因子必为另一生物，它被拟态所欺骗。拟态的几方常处于同一地区，但也可能模仿者和被模仿者相距甚远，借迁徙候鸟（受骗者）而联系在一起。拟态有时与伪装现象不易区分，但伪装者常是模仿背景以免为接受者所察觉，而模仿者却意求引起受骗者的特定反应。

拟态的基本类型 拟态的基本类型如①贝茨氏拟态。模仿有毒、有刺或味道不佳的物种的外形。大多见于鳞翅目昆虫。1862年英国博物学家W.贝茨注意到巴西丛林中两种蝴蝶都有类似的鲜明的色彩，其中纯蛱蝶科（Heliconiidae）的种不合鸟类的口味，而粉蝶科（Pieridae）的适口，但因形似前者，得以避免被啄食。②米勒氏拟态。几种均不能吃的蝴蝶，彼此之间外形相拟。1878年德国动物学家弗里兹·米勒解释说，因鸟类必须通过亲身尝试才能得知某种昆虫不适口，几种均不适口的蝴蝶形色相似，这样便可减少因被尝试而牺牲部分个体的机会。米勒氏拟态常见于一组无亲缘关系且均有毒、不能吃并具同样鲜明的警戒色的物种之间。这样的组称为拟态环，常伴有贝茨氏拟态现象。当环中所有成员均采用同一信号时，所获得的保护最多，这便是信号标准化原则。但这非真正拟态，因无受骗者，且更无所谓哪一方是模仿者。③进攻性拟态。模仿其他生物以便于接

Melinaea ethra（新斑蝶科[Ithomiidae]）

Mechanitis lysimnia（新斑蝶科[*Ithomiidae*]）

Lycorea halia（斑蝶科[Danaidae]）

Heliconius narcaea（纯蛱蝶科[Heliconiidae]）
美国不列颠百科全书公司供图

近进攻对象的拟态。例如捕食者模仿猎物，寄生虫模仿宿主，借以更顺利地进攻后者。也有时是为了进攻第三者（被模仿的是模仿者的进攻对象[猎物]），如鮟鱇的背鳍棘形似蠕虫，用以引诱其他鱼类近身取食以便捕杀。食虫植物如瓶子草、猪笼草均模拟花朵以诱捕采蜜昆虫。清洁鱼如裂唇鱼（*Labroides dimidiatus*）为其他鱼类清除体表的寄生虫和腐肉，但形、色和行为与之相似的假清洁鱼（如纵带盾齿鳚[*Aspidontus taeniatus*]）却借机窃食鱼体健康组织；北美的 *Photuans* 属雌萤能发出假的应答信号诱捕 *Photinus* 属的雄虫加以捕食。④自家拟态。指同种生物间的模拟，如很多雄蜂无刺却形似有刺雌蜂而得到保护。⑤默滕斯氏拟态。珊瑚蛇属（*Micrurus*）的种类剧毒，具红、黑、黄色环状纹（警戒色）。同在南美另有花纹相似的弱毒及无毒蛇（假珊瑚蛇）。最初以为后两者模仿前者，但事实上中间的弱毒蛇才是被模仿者，因捕食者被弱毒蛇咬伤后不致死亡，才能获得教训从而避免接触上述三者。模仿者比被模仿者更得到自然的保护。⑥宿主拟态。主要见于鸟类。例如杜鹃产卵于其他种鸟的窝内，其卵色与宿主的卵相近，因而不被发觉，其雏孵出后为宿主扶养成熟。维达鸟（文鸟科维达鸟亚科）也有将卵产于他鸟窝内的品种，且具宿主专一性。幼维达鸟的嘴部外形、求食鸣声、头部动作以及毛色都酷似宿主，因而得到喂饲。因杂交子代将无法适应父母任一方的宿主，故这种专一化的寄生关系要求避免杂交。每种维达鸟的鸣声都学自宿主，鸣声同源者方能相配，因而保证了各种间不发生杂交。⑦有利于传粉及散布的拟态。有的植物甚至模拟动物。如某些兰（蝇兰、蜘蛛兰、蜂兰）的唇瓣形状酷似雌蝇、蛛、蜂，诱使雄体来交配，从而将花粉传走。另一些植物花朵（如豹皮花属[*Stapelia*]）则能发出腐臭气味以吸引某些喜欢腐臭气味的昆虫。斑叶海芋（*Arum maculatum*）还有杯状结构，能暂时囚禁进入的昆虫并将它身上的花粉洒落在杯中雌花上。⑧发生于种内的拟态。如非洲朴丽鱼属（*Haplochromis*）的雌体在产卵后未容受精即将卵吞入口中哺育。雄鱼尾鳍根处有橙黄色斑，酷似鱼卵。雄鱼排精时显示此色斑，雌鱼欲吞此假卵却将精子吸入；受精作用在雌鱼口内进行。在此，模仿者（雄鱼色斑），被模仿者（真卵）和被骗者（雌鱼）全系同种，共同受益。

拟态的进化 拟态是进化的产物。尺蠖形似小枝因而免受鸟类啄食，这种现象可称模拟或保护色。但当昆虫数目过多时，鸟类甚至啄小枝以寻找昆虫。在本例，原系尺蠖伪装，但随后小树枝都转变为"模仿者"引起鸟类的啄食反应。看来，相似的形态原只是物种特征的随机变化，只是在一定的选择压力下才成为拟态。进化的趋势总是：模仿者

（左）有毒的东方珊瑚蛇（*Micrurus fulvius*）；（中）无毒的多带王蛇（*Lampropeltis polyzona*）；（右）弱毒的后毒牙假珊瑚蛇（*Erythrolamprus aesculapii*）
美国不列颠百科全书公司供图

力求形态更为近似被模仿者。但若拟态对被模仿者无利，则被模仿者可能会发展出种种差异以示与假者有别。被杜鹃寄生的其他鸟类的卵、被维达鸟寄生的鸟类的喙裂，以及清洁鱼都发展得形态万千，可能与此有关。若拟态对受骗者无利，受骗者也可能增进鉴别能力。不过，拟态也可能对几方均有利，如上述非洲朴丽鱼，这时雌鱼不能鉴别真假反有助受精作用的进行。在进化过程中常存在一种平衡状态，如杜鹃的拟态不能过于逼真，否则宿主受害者过多反不利寄生者生存。在模仿者与被模仿者的数目间也存在某种平衡关系。例如模仿有刺蜂的昆虫数目可能多于蜂类本身，但若为数过多时则被天敌发现而拟态在一定程度上失效。至若假清洁鱼，虽数目极少但因它造成的损伤较大，仍足以引起被害鱼类警惕以致拟态失效。

Mimidae 嘲鸫科 雀形目燕雀亚目的一个鸣禽科，包括嘲鸫、猫鸟和鸫，由 31 种中等大小的鸟所组成。因某些种鸣声悦耳和善于模仿而著名。分布于西半球。体长 20 ～ 30 厘米。喙细长而坚固，常向下弯。脚强健，翼短圆，尾长。与鹪鹩科（Troglodytidae）近缘，在行为和体色上亦与该科类似。羽色灰至浅褐，活跃而富攻击性。在林地落叶中觅食昆虫和果实。普通嘲鸫（北方嘲鸫、小嘲鸫，*Mimus polyglottos*）和猫鸟（灰猫嘲鸫，*Dumetella carolinensis*）均鸣声悦耳，善于仿效其他鸟的鸣唱。褐矢嘲鸫（*Toxotoma rufum*）鸣声悦耳，但不善模仿。

Mimir 弥米尔 在古斯堪的纳维亚神话中，他是埃西尔神族中最有智慧的神。据传，他是一个水妖，曾被埃西尔神族送到敌对的瓦尼尔神族那里作人质，他被砍掉脑袋，脑袋又被送回埃西尔神族。奥丁神把脑袋保存在药草里，并从中取得知识。据另一个说法，弥米尔居住在世界之树伊格德拉西尔的一条根下的一道水泉旁。这水泉（有时叫弥米斯布伦纳尔）里有奥丁的一只眼睛，他把眼睛抵押在那里，以便喝那里的水，并得到智慧。在一个神话里，弥米尔被描绘成一个铁匠，曾把手艺教给英雄齐格弗里德。

Mimnermus 米姆奈尔摩斯（活动时期约公元前 630） 小亚细亚科洛丰地方的早期希腊哀歌体诗人。现存所著诗歌片段之一提及爱奥尼亚人反抗吕底亚人的斗争。其最重要的诗是献给吹笛少女娜诺的一组哀歌。从以后的作家们所引的段落中可以看出，在这些诗中有大量神话传说；不过色情的要素比神话的要素更为重要 。他对老年的到来持悲观态度，但愿 60 岁即死去，比较乐观的梭伦为此对他严加谴责。

mimosa 含羞草类 含羞草科（Mimosaceae）含羞草属（*Mimosa*）植物，450 多种，原产于热带和亚热带，遍布两半球。多为草本、小灌木或木质攀缘植物，稀为乔木。通常具刺。多为二回羽状复叶。有些种的根有毒或含刺激皮肤的物质。本科植物的特征为花小，整齐，花被镊合状。含羞草类被广泛栽培的原因部分是其二回羽状复叶很美观，部分是其叶对光和机械刺激能作出有趣的应答。少数种的叶对光及触碰敏感，在黑暗中叶下垂，受触碰后叶合拢。原产于中美的含羞草（sensitive

张开叶的（上）和受刺激后合拢叶的（下）含羞草（*Mimosa pudica*）

美国不列颠百科全书公司供图

plant，*M*. *pudica*）和一些相似种，如过敏含羞草（*M*. *sensitiva*）等，是常见的温室栽培植物。与该属近缘的金合欢属（*Acacia*）的有些种通常也误称为含羞草类。

Mimpō 参阅 **Japanese Civil Code**《日本民法典》。

Min 敏 古埃及宗教中司滋育丰稔之神，男性的化身。又是埃及东部旷野之神，其像阴茎勃起，右手高举连枷。对于敏的崇拜以

约公元前 600 年的青铜敏神像

美国不列颠百科全书公司供图

科普图斯和艾赫米姆（帕诺波利斯）两地为最盛，两地都有节日专为庆祝他的“涌现”，届时举行列队行进，并向他献祭。莴苣是敏的神圣植物。

Min-chia 民家 参阅 **Bai** 白族。

Min Chiang（China） 参阅 **Min Jiang** 岷江。

Min dialect 闽方言 汉语方言之一。分布在中国福建省的大部分地区、广东省东部部分地区、浙江省南部、海南省和台湾省。使用人口约占汉族总人口的 4.2%。方言内部可分为闽南、闽东和闽北 3 个次方言。主要语音特点是：①声母简单，一般只有 15 个；②古重唇、轻唇不分，都读重唇音；③仅有舌尖前一组塞擦音，无卷舌和舌面塞擦音；④古浊塞音、塞擦音都变为不送气的清音；⑤部分地区无撮口呼；⑥部分地区有丰富的鼻化韵；⑦有入声，声调一般有 6 ～ 8 个调类。闽语有较多的单音词和古词，如目（眼睛）、箸（筷子）、厝（房子）、册（书）、曝（晒）等。

Min Jiang 岷江 又作 Min River。中国长江上游支流。在四川省中部。发源于岷山南麓，流经松潘、汶川等县到都江堰市出峡，分内外两江到江口复合，经乐山接纳大渡河，到

四川灌县城郊岷江上的安澜桥

中国大百科全书出版社供图

宜宾汇入长江。全长 735 千米，流域面积 13.3万平方千米，大小支流 90 多条。流经的四川盆地西部是中国多雨地区，因此水量丰富，年径流量 900 多亿立方米，为黄河的两倍多。水力资源蕴藏量占长江水系的 1/5。都江堰市都江堰是中国古代著名的水利工程，公元前 250 年秦蜀郡守李冰在此修筑堤堰，引岷江水灌溉，工程一直沿用至今。现在灌溉面积已扩大到 53.3 万公顷。

Min Jiang 闽江 又作 Min River。中国福建省最大河流。发源于福建、江西交界的建溪、富屯溪、沙溪三河在南平市附近汇合后东

福州市附近的闽江河段
美国不列颠百科全书公司供图

南流称为闽江。穿过沿海山脉至福州市附近分南北两支，至马尾罗星塔复合为一，折向东北流注入东海。以富屯溪为正源，全长 541 千米，流域面积近 6.1 万平方千米，约占福建全省面积的一半。流域形状呈扇形，支流与干流多直交成方格状水系。水量丰富，年均径流量 621 亿立方米，水力蕴藏量 632 万千瓦。南平以下是重要的水运通道，马尾是福州的外港。

Min Shan　岷山　又作 Min Mountains。中国西部大山。是长江水系的岷江、涪江、嘉陵江上源白龙江与黄河水系的白河、黑河的分水岭。位于甘肃、四川两省接壤地区。为高原状山地，南北逶迤 500 多千米，呈西北-东南走向。西北接西倾山，南与邛崃山相连，包括甘肃南部的迭山，甘肃、四川边境的摩天岭。主要由石灰岩构成，平均高度 2 500 米，山脊在 4 000 ～ 4 500 米以上。主峰雪宝顶海拔 5 588 米。峰峦重叠，河谷深切。山地长有川西云杉、岷江冷杉、油松、栎类等。3 800 米以上为高山灌丛草甸。5 000 米以上有现代冰川，并多古冰川遗迹。岷山、迭山、摩天岭为大熊猫集中分布区，以摩天岭分布密度最大。熊猫主要活动于 2 600 ～ 3 000 米的亚高山冷杉、云杉林带，林下丛生箭竹，食物和水源补给以及隐蔽条件较好。近年先后在岷山周围建立了唐家河、白河、王朗、九寨沟、白水江和铁布 6 个自然保护区。

岷山远眺
中国大百科全书出版社供图

Mina　米纳人　又称苗人（Meo）或梅瓦蒂人（Mewati），住在印度北部拉贾斯坦邦、旁遮普邦和巴基斯坦旁遮普省的部落和种姓。他们说印地语，自称拉杰普特人的后代。米纳人大概属于亚洲腹地部落。传说他们在 7 世纪时随拉杰普特人迁入印度，但迄今尚未证实两者还有其他任何关联。11 世纪时，米纳部落中的苗人放弃印度教，改宗伊斯兰教，但仍着印度服饰。有些苗人自称其发祥地是斋浦尔。米纳人和苗人原是好战的游牧民族，畜养牲畜，以不守法纪著称，现在他们多半是有社会地位的农民。20 世纪末，印度的米纳人有 110 余万人。苗人聚居在巴基斯坦旁遮普邦东北部，有人口 30 余万。二者都分为 12 个族外婚氏族，由头人和部落议事会领导。他们按父系传代，分地主、农民、守卫人三个阶级。

mina　米纳　已知最早的重量单位，为巴比伦人所制定，后为赫梯人、腓尼基人、亚述人、埃及人、希伯来人和希腊人所采用。在古代，其重量及与其主要细分单位之关系因时因地而异。巴比伦时期留传下来的一种制度中，1 米纳重约 640 克，另一种制度则重 978 克。米纳是古希伯来人所用的一种基本重量标准。在神圣衡制中，1 神圣米纳等于 60 谢克尔，1 神圣塔伦等于 50 神圣米纳。犹太法典衡制中，1 法定米纳等于 25 谢克尔，60 法定米纳等于 1 法定塔伦。希伯来的神圣米纳估计约为 499 克。希腊或阿提卡的米纳等于 100 德拉克马，估计约为 431 克。

Mina, Casa da（Portuguese trading house）　参阅 **India, House of** 印度公司。

Mina Hassan Tani（Morocco）　**哈桑塔尼港**　参阅 **Kenitra** 盖尼特拉。

Minahasa　米纳哈萨　印度尼西亚苏拉威西岛 4 个半岛中最长半岛的东北端部分。向东北突出，在西里伯斯（苏拉威西）和摩鹿加（马鲁古）两海之间。地名源于 19 世纪时皈依基督教的当地马来人部族米纳哈萨人。参阅 **Celebes**。

Minahasan　米纳哈萨人　居住在印度尼西亚西里伯斯岛（苏拉威西岛）及北部万鸦老港市及其周围，属原始马来人种。过去由酋长领导，现在按父系组织，由头人领导。土地归各村公有。米纳哈萨人种植水稻、旱稻、玉米、西谷椰子、咖啡、烟草及椰子。他们几乎全是基督教徒，多半受过良好教育。20 世纪末人口超过 100 万。

minai ware　米纳衣陶瓷　伊斯兰陶瓷，品种有碗、高脚杯、大啤酒杯和瓶类。制品的白色胎底上装饰有珐琅彩绘和饰金，边缘通常装饰有鲜艳的图案。此外还有模拟动物和人物造型的容器。在 13 和 14 世纪，苏丹阿巴德（今在伊朗境内）和瓦拉明出产这种米纳衣陶瓷。

Minamata　水俣　日本九州东南部熊本县城市。临八代湾。为日本氮肥株式会社所在地，生产化肥、碳化钙、氯乙烯。作为传统渔港，与天草群岛主岛有定期定线海上交通往来。附近有温泉。1956 年后，当地渔民中流行可危及生命的"水俣病"，原因是化工厂将含有机汞化合物的废料排入海水，污染了居民食用的鱼和贝类。作为第一种因海水被工业污染形成的疾病——水俣病受到全世界的关注，并促进了环境保护运动的开展。人口32 842（1995）。

Minami-tori Island　南鸟岛　日本岛屿。一称马库斯岛，为太平洋中部一珊瑚环礁。位于日本列岛东南 1 125 千米处。面积 300 公顷。海拔 62 米。1868 年由日本航海家发现。1898 年并入日本。第二次世界大战前属东京府，大战后期被美军占领。1968 年归还日本。现与小笠原群岛和火山群岛属同一行政区管辖。设有研究台风的气象站。海产品有剑鱼、海藻和枪乌贼。

Minamoto Shitagō　源顺（911，日本～983，日本）　日本平安时代（794 ～ 1185）中期诗人。他虽然是嵯峨天皇的后裔，又为权势烜赫的源氏的一员，但因不属于掌握朝政的藤原家族，遂被摈除于高官显宦阶层之外。由于未登仕途，他就专心研究学术和磨炼文笔，成为古代日本杰出诗人之一。他曾参加编纂《后撰集》，并且作为"梨壶五人"之一，也从事《万叶集》的训释工作 。他的一部作品《源顺集》表现出他对于自己仕途不济的不平不满和灰心丧气。他经常参加诗歌竞赛。在承平时期（931 ～ 938），他编纂了《和名类聚抄》，这是一部日本语词和汉语词的分类词典，也是日本的第一部词典。人们认为不少其他著作也出于他的手笔，其中包括在 956 ～ 983 年间写成的《宇津保物语》。

Minamoto Tameyoshi **源为义**（1096，日本～1156-08-17，日本） 日本武将，被其子打败，以致源氏家族一时失势，平氏家族势力上升。著名武士家族出身。19岁就以镇压京城附近的起义立下功名。此后即成为控制日本关东地区的清和源氏首领。1156年支持崇德上皇发动政变，企图推翻后白河天皇。但他的儿子源义朝却加入平氏集团，站在后白河天皇一边。在这次所谓保元之乱中，他被打败，其子义朝收到杀父的命令而不从；源氏中另一人宣称，如果由平氏处死为义，将是源氏之耻辱，于是自己亲手处死为义。

Minamoto Yorinobu **源赖信**（968，日本～1048-06-01，日本） 日本武将，其对藤原家族的效力有助于清河源氏的兴起。1028年藤原氏派源赖信去镇压在日本东部爆发的一次叛乱。3年后，由于叛乱平息，他确立了源氏在关东地区的地位，也巩固了自己在朝廷里的势力。此后源氏被认为是藤原家的"爪牙"，其权势不断增长，到12世纪源氏家族控制了整个日本。

Minamoto Yoritomo **源赖朝**（1147，日本～1199-02-09，镰仓） 日本幕府制度的创始人。他不仅是贵族，而且作为清和天皇的后裔，还是皇室宗亲。源义朝的第三子。1159年义朝

美国不列颠百科全书公司供图

企图消灭平清盛，不幸战败。源赖朝被擒，流放到伊豆，软禁达20年。1180年皇子以仁王起事，号召源氏起兵响应。赖朝以响应皇子的号召为名集结兵力，并得到日本东部一些封建领主的积极支持。许多平氏家族成员也加入了他的队伍。他迅即进兵镰仓，建立大本营。1183年源义仲进犯京都，在后白河天皇的要求下，源赖朝率兵打败义仲，并设立公文所和问注所。此后源赖朝不仅在京都地区建立一支军队，而且建立了独立的政权。1185年源赖朝的雄兵强将在其弟范赖、义经指挥下又将平氏彻底消灭。在取得第二次大捷以后，天皇支持义经遏制他的权力，但他立即驱逐义经并强迫天皇接受他在整个日本设置"守护"和"地头"的既成事实，从而夺取天皇政府管理地方行政的权力。1192年后白河天皇去世后，他马上加封自己为"征夷大将军"，成为日本所有封建领主的最高主宰。从此，镰仓幕府正式诞生。参阅 **Fujiwara family；Hōjō family；Taira family**。

Minamoto Yoriyoshi **源赖义**（988，日本～1075-08-27，日本） 日本武将，曾在本州地方建立源氏集团。他几次镇压虾夷部落，1051年又去平息在日本北方称霸一时的安倍武士集团首领安倍赖时发动的叛乱。这是一次长期战争，时战时停，双方互有胜负，人民备遭涂炭。到1062年，赖义取得最后胜利。这次战争史称前九年战争。在这次战争过程中，赖义得到许多忠诚家臣，在源氏争霸的斗争中发挥了重要作用。

Minamoto Yoshiie **源义家**（1039，日本河内～1106-08，日本） 日本武将，使源氏家族成为全日本敬畏的战斗力量。源氏后代几奉为圣祖。源赖义之子，曾随父参加前九年战争，击败安倍氏，确立源氏在日本北部的优势。因他英勇善战，敌人闻风丧胆，称之为八幡太郎（战神的长子）。20年以后，当曾在前九年战争中帮助源氏的清原氏向源氏统治挑战时，他在1083～1087年一系列战役中依然英勇不减当年，最后消灭敌方，在日本北部巩固了源氏一族的统治地位。这些战争史称后三年战争。

Minamoto Yoshitomo **源义朝**（1123，日本～1160-02-12，日本旧尾张国） 日本武将。1156年保元之乱时支持平清盛，使平家战胜以其父源为义为首的源氏。平清盛得胜后，命令他处决他的父亲，他不肯。另一名源氏将领认为由平家人去处决是一种耻辱，于是就亲手杀死源为义。义朝因不满自己所受待遇和赏赐而于1159年乘平清盛离开京城的机会发动政变。在日本史上最生动的一个片断——平治之乱中，平清盛集结兵力，把他打败。他虽然幸免战死，但在逃往东部途中被杀。其子赖朝后来打败平家，建立源氏对整个日本的统治。

Minamoto Yoshitsune **源义经**（1159，日本～1189-06-15，日本旧陆奥国衣川城堡）日本武将，曾协助其兄赖朝打过许多胜仗，最终获得对整个国家的统治权。他是日本历史上最有名的人物之一。有许多传奇、小说和歌舞伎剧本都描述他和他的忠实信徒弁庆的英雄事迹。许多现代长篇小说和电影也取材于他的生活。他是源义朝之子。义朝在平治之乱中失败以后逃往东国，把当时刚出生不久的义经放在京都附近的一座寺庙里，义经长大后成为佛僧。根据传说，有一次义经在寺庙附近的桥上遇到弁庆，弁庆要他比剑。他毫不费力打败了弁庆，于是弁庆就甘心给他当侍从。义经15岁从寺庙中逃走，参加其兄赖朝的部队。他虽然年纪很小，但在赖朝反平清盛的战役中显示出军事才能。后来，他又率兵进攻源义仲的军队，击败义仲，占领京都。此后，他在濑户内海一带袭击平家的残余部队，1184年春在一次著名的海战中把平家军队全部消灭。他在京都成为天皇的宠臣，但也引起赖朝的妒忌。由于他拟举兵反对赖朝未成，被迫出逃，常常扮成和尚，在日本各地流浪。最后投奔日本北部势力强大的地方豪族藤原秀衡。1187年秀衡死后，其子惧怕赖朝的权势，派兵包围义经，迫使他自杀。并把他的头泡在清酒里送给赖朝。

Mīnanātha（Indian guru） **米纳那陀** 参阅 **Matsyendranātha** 摩阇衍陀罗那陀。

Minangkabau **米南卡保人** 马来语作 Urang Padang（意为巴东人）。印度尼西亚苏门答腊岛上最大的种族集团。他们传统的住处是中央高地的西部。人数约在200万至500万之间。他们虽是穆斯林，却为母系社会。传统上结婚后妻子要与母家住在一起，丈夫没有自己的家，住在母亲家里，只是时时到岳家与妻子相聚。传统的家庭单位是公共住房，女户主、她的姐妹、她们的女儿和女儿的小孩都住在那里。几座这样的房子构成氏族，氏族内部不能通婚。几个氏族构成"乃加里"，即最大的政治单位，其大小与村庄略同。每户都派一男性代表参加氏族议事会。米南卡保人有大面积耕作的梯田及菜园，种植水稻、烟草、樟树以及水果和蔬菜。手工艺有木雕、金工和织工。第二次世界大战后，传统的亲属关系结构的重要性已有所减少，许多男人带着妻子和儿女离开农村，建立自己的家庭。他们的语言与马来语极其相似，属澳斯特罗尼西亚（马来-波利尼西亚）语系。19世纪末叶，一些米南卡保人迁徙到马来亚，结成了小国联盟，称为"九国联盟"。1850年后，马来亚的锡矿发展迅速，越来越多的米南卡保人去做矿工或小商贩。然而，到20世纪初，资本集约的矿业取代了米南卡保矿工的开采方式，他们于是转移到内陆河谷务农。米南卡保移民成为小田产拥有者，20世纪控制了马来亚的大部分零售商业。

minaret **宣礼塔** 伊斯兰教建筑中的塔，宣礼者每天5次从塔上召唤教徒们前来礼拜。与清真寺相连，并有一个或几个阳台或露天走廊。在先知穆罕默德时期，礼拜的召唤是在清真寺的最高处进行的。宣礼塔的基层是

土耳其埃迪尔内附近的小清真寺宣礼塔

美国不列颠百科全书公司供图

正方形，与清真寺相连。在正方形的基础上，建立一系列圆形、六边形或八边形的阶层。每一阶层有排出的阳台。最高层是一个球状的圆顶，一个敞开的亭子或一个用金属覆盖的圆锥体。宣礼塔的上部通常有大量的雕刻。台阶有的在里面，也有的在外面。每个清真寺的宣礼塔的数目也有不同，从1个到6个不等。

Minas　米纳斯　乌拉圭东南部拉瓦耶哈省省会。建于1783年。20世纪后半叶成为旅游胜地，因为地处蒙得维的亚东北120千米，有乌拉圭罕见的丘陵和森林。当地生产的瓶装矿泉水行销全国。主要从事采矿、采石、贸易和工业。设有电视台。经泛美公路、国家铁路及航空线通蒙得维的亚。人口约35 090(1996)。

Minas Basin　米纳斯湾　加拿大芬迪湾东部水湾，伸入新斯科舍省中部。长80多千米，宽40千米。潮头为世界最高潮头之一，潮差超过15米。有埃文、康沃利斯、萨蒙、谢贝纳卡迪等河注入。经米纳斯海峡通芬迪湾。东南海岸的沃尔顿为该省采矿(锌、铜、银、铅)中心。湾名称是1604年法国的S. de尚普兰因为此地为"矿藏地"而命名。

Minas Gerais　米纳斯吉拉斯　巴西的内陆州。矿藏丰富为全国诸州之冠。州名意即"多种矿产"。北和东北接巴伊亚州；东连圣埃斯皮里图州；东南邻里约热内卢州；西南邻圣保罗州；南接南马托格罗索州；西北邻戈亚斯州。面积226 708平方英里(587 172平方千米)。人口仅次于圣保罗州。州首府和最大城市是贝洛奥里藏特。1664～1677年，F. D. P.勒梅第一次勘查这一地区。1692～1695年发现黄金，引起淘金热。米纳斯吉拉斯最初是圣保罗管辖区的一部分，1720年成立单独的管辖区，直属葡萄牙王室。米纳斯吉拉斯因地处全国中央，人口稠密，一直在巴西的政治中起重要作用。1822年成为巴西帝国的一个省，1891年为联邦共和国的一个州。后在贝洛奥里藏特设州首府。米纳斯吉拉斯州地处海拔达2 600英尺(790米)的巴西高原。仅东部和南部小块地区在高原东缘的大陆崖地区内。西南部沿圣保罗州边界为曼蒂凯拉山，最高峰阿古利亚斯-内格拉斯峰海拔9 144英尺。其他主要山岭有从贝洛奥里藏特南面向北延伸至巴伊亚州的埃斯皮尼亚苏山脉，是注入圣弗朗西斯科河的一些河流和向东注入大西洋的河流的分水岭。该州西南部有巴拉那河主要源头河之一格兰德河。西北部有北流的圣弗朗西斯科河。贝洛奥里藏特海拔2 800英尺，最热月(2月)平均气温22 °C，最冷月(7月)平均气温17 °C左右。大部分地区平均降雨量1 000～1 500毫米。东部及南部地区原先布满热带森林。西南部和西部为热带稀树草原。居民主要是葡萄牙人和其他欧洲人后裔，还有许多非洲人和混血种人。在城市以外，南部和东部的农村人口稠密，但整个北部和西部地区人口依然稀少。操葡萄牙语，多数人信天主教。生活条件一般说来城市地区较高，保健服务较多。在教育方面，米纳斯吉拉斯也在全国诸州中居前列。1927年建米纳斯吉拉斯联邦大学，1958年建米纳斯吉拉斯天主教大学，两所大学均在贝洛奥里藏特。米纳斯吉拉斯州最大的财富来源是矿产，但就业的最大来源为农业，较大的地区用于养牛。该州矿产占全国矿产的1/2以上。1698年发现黄金，1729年发现金刚石。这些贵重商品在18世纪成为巨大财源。但到19世纪初最富的金矿已采尽。该州还有许多半宝石，如海蓝宝石、紫晶、电气石和黄玉。也是工业金刚石和大石英晶体的重要来源。但在现代，高品位的铁矿石和锰的丰富矿藏更为重要。在埃斯皮尼亚苏山南部，有很大的铁矿，到20世纪末，有3个大的钢铁厂使用这一铁矿。巴西的铁矿石有2/3左右出口，大部分产自该州。也有铝土、锆、黄铁、金红石、石墨、铬铁、钼、镍、钨、钛等。城市中和城市周围有制造业和加工业，除钢铁外有食品加工、纺织、化工、家具和日用商品等。农业产玉米、稻米、豆类和木薯，与喂牛的饲草轮作。是里约热内卢、圣保罗和其他城市的牛肉主要供应地。奶牛场在南部很重要。是稻米、豆类、玉米和干酪的主要生产州之一。州内有温泉疗养区，所产瓶装矿泉水畅销全国。有铁路、全天候公路、机场和汽船。主要的铁路从里约热内卢通往贝洛奥里藏特。全天候公路通里约热内卢、圣保罗和首都巴西利亚。文化生活集中在城市，特别是州首府贝洛奥里藏特和旧的殖民时期首府欧鲁普雷图。人口约17 835 488(2000)。

Minatitlán　米纳蒂特兰　墨西哥中南部韦拉克鲁斯州东南部城市和河港。地处特万特佩克地峡，濒临夸察夸尔科斯河。海拔64米。1822年建城。居民有北美洲人、法国人和德国人。20世纪40年代后，因附近发现石油而发展。现为繁荣的石油化工业中心，提炼和分配地峡开发的石油。有全国第一家炼油厂。并设有以地峡至萨利纳克鲁斯港的输油管为主体的输气和输油管网。木材和农业为辅助收入来源。通公路、铁路、水路和航空线。人口约150 000(2000)。

minbar　敏拜尔　又译敏白尔。伊斯兰教用语，意为"讲坛"，指清真寺殿内的宣教台。

1223年手抄卷本细密画中的敏拜尔
巴黎国家图书馆供图

其最简单的形式是三级台阶的讲坛，形似顶部有圆顶的楼梯，其下设有可开启的门。穆罕默德最初背靠麦地那清真寺内枣椰木柱子宣教。据圣训载，穆罕默德后来坐在清真寺里有两级台阶的座位即敏拜尔上接见使团并宣教，据说这个敏拜尔是由希腊或埃塞俄比亚木工用柽柳木制成。穆罕默德以后各代哈里发以此敏拜尔为权威的象征。在阿拔斯王朝哈里发统治时期，当呼图白不再具有原有的世俗特征而为纯粹的宗教讲道后，敏拜尔也随之成为清真寺内一普通设施。但敏拜尔更加趋于永久性，台阶增高，多为砖、石砌成。

Minbu　敏巫　缅甸中西部城镇。濒临伊洛瓦底江，与马圭市隔江相望。该河在此宽约5千米，但多小岛与沙洲。旱季时，轮船难于进入远于镇南6.5千米处。处于旱地带，有缅甸历史上重要的三大灌溉系统之一，并有现代灌溉工程。捕鱼为重要的经济活动。低地种植芝麻、小米、绿豆和花生。当地泥火山蕴藏石油，现已建成一些小型油田。有一柴油发电厂。人口135 862(1983)。

Minch, The　明奇　又称北明奇(North Minch)。大西洋的海峡。西侧为外赫布里底群岛，东侧为苏格兰本岛。宽40～70千米，水深流急。南部延伸段为小明奇海峡，在内、外赫布里底两群岛之间。

mincha (Judaism)　参阅 **minhah** 敏哈。

Minchō　明兆　参阅 **Kichizan** 吉山。

Mincio, Giovanni (pope)　**明西奥**　参阅 **Benedict (X)** 本尼狄克十世。

mind　精神　人和自然界其他事物的鲜明区别在于他具有高度发展的思维能力和情感，并能采取有意识的行动。考察和分析精神所包含的概念，并且力求发现每一概念的本性以及概念与概念之间的关系，不采取经验研究方法，而用哲学思考方法。

精神标准的寻求　精神现象变化万端，一些哲学家找出了将精神和非精神区别开来的标准，其主要之点如下：有目的的活动和意向性。意向性比有目的的活动更能表明精神的本质。因为不但大猩猩能做有目的的活动，甚至地对空导弹也能做有目的的活动。意向性是人们以某种方式把某种东西作为对象，如思维、信仰、欲望等等。人们认为意向性具有典型的精神的性质，它的范围比有目的的活动更广泛，更适于作为精神标准。人们甚至可以对不存在的东西和还没有发生的事情具有意向。但意向性和有目的的活动面临同样困难，所以是否精神本质尚待决定。主观经验常被当做精神本质。这是一种有意识的状态。问题在于怎样的适当的主观经验才是精神的标准。尽管主观经验显然是构成精神的充分条件，但不知它是否是使某物具有精神的充分条件。意识是否为产生精神的必要条件尚属疑问。在弗洛伊德之前，普遍认为无意识的精神现象这一概念在逻辑上是不可能的，因为无意识和精神现象，其词意本身就是自相矛盾的。只有17世纪的唯理主义者莱布尼兹认为微知觉是不为主体所意识。弗洛伊德的巨大贡献在于他扩展了精神概念,将无意识现象包括在内。基尔伯特·赖尔在《心的概念》(1949)中详尽指出,人们在很多场合下具有精神活动,但不具有主观经验。因而他很合理地得出结论:主观经验不是精神的必备条件。主观经验的基本特征是什么?哲学家们意见很不一致。某些人认为主观经验的基本特征是私有性,是指某些特殊事件不发生在公有的时空世界之中,不能为一切人所分享,不能被一切人均等地接触;它们只发生在私有世界之中,完全是排他的。人的感觉就是发生在他的私有世界中的私有事件。另一些哲学家则认为主观经验不是私有事件,而是认识某些事件的一种特殊方式,特别是内省的方式。这样就可以用内省给精神下定义:精神事件是可以进行内省的内心的事件。但如何给内省下定义却仍然是一件困难的事。在批评内省时人们指出,精神生活中没有特殊的接触方式,而且有很多现象,例如无意识现象,是不可内省的。所以内省不能成为精神的必要条件。还有一种意见认为,精神事件的特点在于它们的无可置疑性和不可更改性。

精神的实际存在和状况 精神是否实际存在?如果精神存在,它有着一种怎样的存在?它和其余存在着的东西有着什么关系?这些是哲学中所争论的基本的形而上学问题。唯物主义者认为只有物质和能量实际存在。另一方面,有人主张非物质实体的精神实际存在。二元论认为非物质的精神和物体都实际存在。非物质理论认为只有精神存在,而躯体则否。最后还有一种叫做中立一元论的理论,主张基本的存在物本性上既非精神也非物质,而是中性的材料。

唯物主义的基本论点是除了物质及其纯粹的物质性质之外,别的东西均不存在。所以用以描述和解释物质一些必要而充分的概念,在描述和解释一切存在着的东西时也将是必要而充分的。古希腊的哲学家中就有人具有这种观点。现代唯物主义者希望把物理学上的新发现吸收到自己的理论中去。唯物主义者把感觉、想象等现象还原为复杂的物质运动形式,是谓还原的唯物主义。有两种形式的还原唯物主义,即行为主义和中枢状态论。行为主义把心理活动还原为身体活动;中枢状态论则把心理状态等同于中枢神经的状态。

在古代西方,柏拉图是第一个坚持精神、灵魂是非物质实体的重要人物。他认为灵魂是身体活动的主宰。在他的对话《费都拉斯》篇里说,灵魂具有食欲等低级欲望和高级欲望,并有理性能力来管理、指导和调整这两类欲望。在《菲独》篇里他又说,理性能力是人的最宝贵方面,是最值得培养和发展的,很可能是不朽的。柏拉图是二元论者,他认为物质的实体和非物质的实体都存在。但二元论只是在笛卡儿的著作中才得到最明白的阐述。二元论用三种说法来解决精神和物体的相互关系问题:①肯定两者具有相互作用的相互作用论。②认为身体能影响精神,但精神不能影响身体。精神事件只不过是大脑活动的副产品。这种观点称附带现象论。③完全否认两者的直接关系,两者各自进行自己活动的心身平行论。非物质主义只有两个可供选择的论点:或者认为实在由一个巨大的、无所不包的精神所构成,这就是黑格尔的绝对唯心主义;或者认为实在是由多元的精神所构成,这就是伯克利的主观唯心主义。

中立主义的主要代表是17世纪唯理论者斯宾诺莎。他认为包括一切实在的实体(他称之为神或自然)既有思维的(精神的)属性也有广延的(物质的)属性。实用主义、实证主义、存在主义和现象学也都是中立主义。

精神现象的分析 精神现象大致可以分为三个方面:认识的、感受的、意愿的。自柏拉图以来,哲学家们将认识能力看做是人区别于其他动物的特征。认识论是哲学的主要问题。精神哲学则着重研究认识的心理方面。例如,知道某物如此一定伴随着相信它正是如此,所以关于信念本性的研究就属于精神哲学的范围。此外,注意、感性知觉、理解、记忆、推理、怀疑也属于认识范围。人们不但具有认识能力,还具有对所认识的东西作出情绪上的反应的能力。他对他所知道的东西可能是喜欢的,也可能是不喜欢的。在感受的领域里有着意向性,但意向性并不是感受的充足条件。信心也具有意向性,但属于认识的领域。意向性也不是感受的必要条件,例如,各种各样的感觉属于感受的领域,但它们似乎并不具有意向性。理智和情感常见之于意愿和行动。意愿这一主题包括着动机、欲望、目的、衡量、决定、意向、尝试、自愿和不自愿的行动。关于行动问题,首要的是理解自愿的和不自愿的区别。行动的理论可望有助于对意志自由这一重大伦理学理论的理解。

几个形而上学的和认识论的论点 ①人格的同一性。一个人在一生中经历种种变化,但他的人格却是同一的。很难确切说明究竟是什么东西使一个人在时间的不断变化中保持自我的同一。②人格的不朽显然不能为唯物主义者所接受。那些主张有永生的人或者以自我的不可分割性作为永生的依据(柏拉图),或者将永生作为道德原则的前提(康德)。那些反对永生的论据虽然有力,却也不是结论性的。③如何知道其他精神也存在,即一个人自身的意识并非世间存在的唯一意识,是认识论的一个重要课题。虽然很少头脑清醒的人会认真地接受唯我主义,但反驳它的论据却还不十分清楚。唯物主义承认外间世界的存在,而非物质论者和二元论者则认为精神现象与物质现象完全不同。

mind-body dualism 身心二元论 哲学中指思想和躯体属于截然不同的两种本质或实体的学说。根据这一见解,心灵和身体不仅含义不同,而且本质上也有所区别。因此,二元论者反对把心灵等同于物理结构的大脑。现代的心身关系问题起源于笛卡儿的思想,他对二元论作过经典的论述。笛卡儿有一句名言:“我思故我在。”后来他又发展了心灵学说,认为心灵是在推理思考、想象、感觉和愿望等各种活动中起作用的非物质的、无广延的实体。物质,或者广延的实体,服从机械方式的物理学规律,但人的身体则是一个重要的例外。笛卡儿认为人的身体受人的心灵的直接影响,而且也直接诱发某些心理活动。例如,要手臂抬起的愿望就能使手臂抬起,而锤子敲中手指却会使心神感到疼痛。笛卡儿的这种二元论称为相互作用论;这一理论涉及一个重大的问题,即这种因果相互作用是如何可能的。这个问题还产生了别的二元论,如偶因论以及某些不需要直接因果关系的心身并行论。偶因论认为心灵活动和身体活动之间显然存在着联系,而这是上帝始终起作用的结果。身心平行论也否认因果的相互关系,但没有神的不断干预。莱布尼茨认为心灵和躯体是完全相关联的两个系列,它们如同预先由神调整的两个钟,同时走动。另一种二元论为副现象论,它和其他一些理论一样,认为心灵活动和身体活动是有区别的。不过,副现象论者认为,唯一的真正原因是身体活动,心灵只是一种副产物。心灵活动似乎确实起作用,因为某些心灵活动正好发生于某些身体活动之前,而人们却忽略了真正起作用的大脑活动。二元论所面临的哲学问题之一是在设想心灵的实体(一种非物质的思想“要素”)为何物时,其本身就模糊不清。对这方面的批判使某些思想家放弃了二元论,转而相信各种一元论的学说。

mind reading 知心术 魔术之一,表演者通过言语或其他信号获悉某一问题的答案,犹如未卜先知。精通此术的第一个著名魔术家是布列斯拉夫,他于1781年在伦敦秣市剧院演出,博得观众好评。魔术师利用精心安排的字母、数字或其他传送信号方法,可以猜中人名和人数。有的魔术师则利用排列物品、对话和数字信号猜中观众手中所握之物。

Mindanao 棉兰老 菲律宾的仅次于吕宋岛的第二大岛。位于群岛南部,四周有保和海、菲律宾海、苏拉威西(西里伯斯)海和苏禄海。形状不规则,面积94 630平方千米,南北长471千米,东西宽521千米。岛上多半岛,南有达沃湾和莫罗湾,北有伊利甘湾,将海岸噬成锯齿形。长长的半圆形的三宝颜半岛向西南延伸至苏禄群岛。哥打巴托半岛和苏里高半岛分别向南和向北延伸。岛上许多地区为崎岖的断层山脉和火山,海拔2 954米的阿波山是中央高原南部的活火山,也是菲律宾

棉兰老岛南岸的民居
美国不列颠百科全书公司供图

群岛的最高峰。岛上有狭长的沿海平原，棉兰老河系和阿古桑河系形成广阔肥沃的盆地和大面积沼泽地带。由熔岩坝形成的拉瑙湖面积347平方千米。岛上沼泽地区有一个大猎物保护区和鸟类禁猎区。稀有动物食猴鹰为棉兰老独特品种。在罗马天主教占优势的菲律宾群岛中，棉兰老是穆斯林的前哨基地，尽管穆斯林不再占多数，但伊斯兰文化却显而易见，有许多清真寺，并出产颇具特色的黄铜器皿，如短剑或匕首。棉兰老是菲律宾少数民族最集中的地方，有马京达瑙人、马拉瑙人、伊拉努姆人、桑吉尔人等，全都是统称为摩洛人的穆斯林族群。常见于高地地区的族群包括塔加比利（Tagabili）、苏巴农（Subanon）、布基农（Bukidnon）、巴戈博（Bagobo）、曼达亚（Mandaya）和马诺博（Manobo）。另一重要族群是蒂鲁艾（Tiruay），其宗教信仰融基督教、伊斯兰教和有灵论为一体。因为有大片未开发的肥沃土地，棉兰老被视为菲律宾的"拓荒边疆"。直到1939年提倡移民以后，人口才出现大幅度增长。主要农作物有玉米、水稻、马尼拉麻、香蕉、菠萝、芒果和椰子。也栽种棉花、苎麻（一种纤维植物）、咖啡和可可等。伐木业也占重要地位。有金、镍、铁、煤等矿藏。特许成立的自治市有三宝颜市（**Zamboanga City**）、哥打巴托市（**Cotabato City**）、达沃城（**Davao City**）、卡加延-德奥罗（**Cagayan de Oro**）和武端（**Butuan**）。人口约13 230 000（1990）。

Mindanao Deep（Pacific Ocean） **棉兰老海渊** 参阅 **Philippine Trench** 菲律宾海沟。

Mindanao River **棉兰老河** 又称哥打巴托河。菲律宾中部棉兰老岛中部哥打巴托低地的主要河流。源头河普朗依河源出岛的东北部高地，南流与卡巴坎河汇成棉兰老河。蜿蜒流向西北，经利邦岸洼地和利瓜桑沼泽（鳄鱼出没处），在达都皮昂分为两条支流注入莫罗湾的伊利亚纳湾，全长320千米。与众多支流形成宽阔肥沃的盆地。是主要的内陆运输水道，沿岸有许多贸易中心，包括哥打巴托市、达都皮昂和帕加隆岸。

Mindanao Sea **棉兰老海** 参阅 **Bohol Sea** 保和海。

Mindaugas **明道加斯**（?～1263） 波兰语作Mendog或Mindowe。立陶宛的统治者，被认为是立陶宛国家的创始人。他还是第一个成为基督徒的立陶宛统治者。在他领导下，这个国家的领土包括立陶宛本土、萨莫吉提亚以及白俄罗斯的大部。1250或1251年受洗。1253年接受罗马教皇英诺森四世给予的王冠。从13世纪30年代开始，他向东方扩张，兼并了不少俄罗斯的领土，并阻止了蒙古人向波罗的海的前进。50年代后期他的注意力转向西部。1263年和两个儿子同被萨莫吉提亚叛军杀死。

Mindel Glacial Stage **明德冰期** 欧洲阿尔卑斯地区更新世重要的年代和地层单元（更新世始于约160万年前，终止于约1万年前）。明德冰期是早期（约1900年）地质年代表之一部分，此表首次认识到更新世冰川作用多幕发展之重要性。明德冰期代表一个气候比较严寒和冰川前进的时期。位于贡兹-明德间冰期之后，明德-里斯间冰期之前。这二个间冰期都是气候较温暖的时期。明德冰期本身至少可区分出两个冰进时期，间隔有一个温和期。

Mindelo **明德卢** 葡萄牙语作Porto Grande（格兰德港）。佛得角共和国城市和主要港口，在圣维森特岛西北岸，距西非海岸约640千米。其深水港是大西洋远洋货轮的重要加油站，1875年起为海底电缆中继站。20世纪80年代初建成新船坞，由欧洲投资银行贷款融资。人口约47 080（1990）。

Minden **明登** 德国西北部北莱茵-威斯特伐利亚州城市。临威悉河。800年建为军事主教管区。13世纪加入汉萨同盟。后成为贸易中心。18世纪中期建城防工事。市中心古建筑在第二次世界大战中遭严重破坏，现已修复。有11～13世纪哥特式大教堂、中世纪圣马丁教堂等。为重要的公路铁路交通中心和水路枢纽，威悉河上建有米特尔兰运河高架水道。生产化工品、电器、纸张、陶瓷器等，还有金属加工业和木工业。其他经济部门以当地农业和畜牧业为基础。人口约82 947（2003）。

Minden **明登** 美国内布拉斯加州南部城市，卡尼县县城。在小兰河河畔，西北距卡尼市26千米。1876年建市，是周围综合性农业区（谷物、牲畜、乳品、家禽）的服务点。主要以哈罗德沃普开拓者村闻名，该村有历史胜迹3万余处，为全州最吸引旅游者的胜地之一。代表开拓者生活的建筑物按年代排列，其中有草屋、开拓者学校、快马驿站、政府土地局、印第安人的栅栏、火车头、农具等。此外，还收藏有旧式汽车、飞机和货车等。人口2 749（1990）。

Mindon **曼桐**（1814，缅甸阿马拉布拉～1878-10-01，曼德勒） 缅甸国王（1853～1878在位），以其在位期间的改革和繁荣文化而著称。国王蒲甘（1846～1853在位）之弟。即位后立即结束第二次英缅战争，要求英国把战争期间所占领的勃固归还缅甸。1867年与英国签商约。1872年派首席大臣金蕴们纪出使伦敦、巴黎和罗马，争取各国承认缅甸的独立地位，并要求恢复失去的领土。1857年建新都曼德勒。1871年召开第五次佛教会议，力图把新都变成佛学中心。在位期间实行许多重要改革，如确定土地税额，给政府官员发固定薪金，统一国家的度量衡，建立交通和电讯系统，发行铸币等。曼桐由其子锡袍继位（1878～1885在位），为缅甸最后一代国王。

Mindoro **民都洛** 菲律宾中部岛屿。隔佛得岛水道与吕宋岛相望，在民都洛海峡与塔布拉斯海峡之间。同许多岛屿不同，它没有沿海深水港湾和近海小岛。岛呈椭圆形，面积9 735平方千米。主要山脉中心部分绵延160千米，四周为零散的沿海平原。瑙汉湖和全岛最高的阿尔孔山（2 585米）都在岛的东北部。有许多河流切割成的陡峭河谷。"他马劳"小水牛是民都洛的特产。历史上因来自南方诸岛穆斯林海员的袭击和流行疟疾，人口增长受挫。1948年后成为全国定居区之一。内陆山地居民多为半游牧的尼格利陀人和汉努诺奥人。沿海人口尤其西部较稠密，多从事商业，居民主要是基督徒他加禄人。北岸加莱拉港设有菲律宾大学海洋生物研究站。南部有丰富的煤矿矿藏。人口（包括邻近岛屿）约833 000（1990）。

Mindowe（Lithuanian ruler） 参阅 **Mindaugas** 明道加斯。

Mindszenty, József **明曾蒂**（1892-03-29，奥地利松博特海伊附近～1975-05-06，维也纳） 天主教神职人员。在50多年间他一直是匈牙利反对法西斯和共产主义的代表人物。1915年受祝圣为司铎，其后一贯积极从事政治活动。因反对极权主义政府，在1919年两次被捕，在1944年也就是他任维斯普雷姆主教的当年再度被捕。1945年任匈牙利高级主教兼埃斯泰尔戈姆大主教，1946年升任枢机主教。他不许匈牙利天主教会学校实行世俗化，因而在1948年被捕，1949年以叛国罪判处无期徒刑，1956年动乱期间获释。共产党政府重新控制局势以后明曾蒂在美国驻布达佩斯大使馆避难。梵蒂冈教廷再三要求他离开匈牙利，都遭到他拒绝，直到1971年他才在美国总统尼克松的斡旋下离开匈牙利。先在梵蒂冈作客，1971年迁居维也纳，屡次批评教皇同匈牙利政权交往。1974年退休。他的《回忆录》出版于1974年。

mine **炸雷** 陆、海战中用以毁伤与之接触的人员、舰船或车辆的固定爆炸装置。19世纪中叶开始使用水雷，100年后地雷才成为作战中的重要兵器。

水雷 水雷是一种由炸药和起爆装置构成的水下武器，当舰船或潜艇靠近时会引起爆炸。通常由布雷舰或布雷飞机投放。水雷为钢质球形或卵形，盛有足量空气使之能漂浮于水中。靠锚链固定，水下深度随锚链长度而异。船体接触或接近时爆炸。水雷破坏力强，成本较低，为高效海军武器。进攻性使用时置于敌舰船可能通过的航道，尤其是敌港口内外。防御性使用时可精心选择位置而又隐蔽地布设于防御方的港口及设施附近，通常配置于不同深度上，对付潜艇和水面舰船，有时由特工队或突击队预先放于敌船身上，通过定时或遥控装置起爆。典型的水雷约装225千克炸药。水雷最常用的起爆装置是触发装置。触角从雷体表面伸出，当舰船触及时激发发火装置。水雷采用的其他起爆装置有磁性、水压和音响起爆器。磁性雷由驶近船只的磁场引爆。水压雷的原理是：浅水行驶的船只下方有一压力减弱区。水压雷的舱室被一膜片分隔成两部分，一部分敞开在水中。水压骤减时，膜片向敞开一侧偏移，接通舱室另一侧内的起爆电路使水雷起爆。只有大于扫雷舰（**minesweeper**）的船只的压力变化才能使水压雷起爆,因此很难排除此类水雷。音响雷过去靠水听器探测一定距离内的船用螺旋桨发出的声音,因部件性能衰减,使用期有限。但随着声呐和微电子技术的发展,音响雷更加有效且不易发生故障。第一次世界大战中水雷是最有效的反潜武器。第二次世界大战中水雷发挥了更重要的作用。战争期间水雷击沉了轴心国舰船1 316艘,伤540艘。英国、美国及其盟国舰船遭水雷毁损计1 118艘。第二次世界大战中轴心国和同盟国共投放了55万余枚水雷。

地雷 地雷是一种炸药装在壳体内埋在地面下的武器。它可以由车辆或军队的重量引爆,也可以通过定时或遥控起爆。第一次世界大战时,曾装配出一种形同埋置炮弹的简便地雷,德军用来对付法国和英国的坦克。尽管如此,地雷只是在第二次世界大战中才成为重要兵器。因其制造和运输简便,各型地雷曾广泛用于苏联、北非和西欧战场。大多数早期地雷使用圆形或方形金属壳体,后为防止磁力探测而改用塑料壳体。地雷通常用于妨碍或阻止坦克及(或)步兵集群进攻。地雷分为两大类:用于毁伤车辆(特别是坦克)的反坦克雷和轻型防步兵雷。标准的反坦克雷装5千克炸药,总重约9千克。防步兵雷用爆破碎片杀伤战斗人员,内装炸药通常少于0.5千克,脚踏上即可起爆。第二次世界大战以来地雷已广泛使用,设计与探测技术日臻完善。

mine gas 矿井瓦斯 采矿过程中产生的各种有害气体。通常简称瓦斯,包括:①沼气,即甲烷(CH_4),煤层中天然产生的气体,当空气中含沼气5%～14%时,就很容易着火和爆炸。②一氧化碳(CO)或白色瓦斯,毒性极大,空气中含量小到0.1%,就能在几分钟内引起人员死亡。它是碳不完全燃烧的产物,主要由于煤的氧化,尤多发生于出现自燃的矿井。③炮烟,能使灯熄灭的空气,通常由于空气中含有过量二氧化碳(CO_2)所致。④硫化氢(H_2S),矿工称之为臭气,有典型的臭蛋味。⑤矿井内发生爆炸或燃烧后,产生的有毒混合气体。

Minedra (Indo-Greek king) 参阅 **Menander 米南德**。

Minehead 迈恩黑德 英格兰萨默塞特行政、历史郡西萨默塞特区一堂区。因有港口而发展起来。1558年设建制。现在的港口建于1616年。一度与西印度群岛贸易兴盛。经济以旅游业为主,也生产鞋和电器元件等。人口9 158(1991)。

Mineola 米尼奥拉 美国纽约州东南部长岛一村庄,拿骚县县城(1898)。大部在北亨普斯特德乡,一小部分在亨普斯特德镇内。17世纪始有人定居,1858年用现名,1906年设村。现为批发商业中心,也有一些轻工业和出版业。人口19 234(2000)。

Miner, Jack 迈因纳(1865-04-10,美国俄亥俄多佛森特～1944-11-03,加拿大安大略金斯维尔) 又名John Thomas Miner。加拿大博物学家、作家及讲师,有影响的鸟类资源保护论者,对鸟类移徙的类型作过广泛的研究。1878年迁居加拿大安大略省埃塞克斯县。1904年在其金斯维尔农场建立了一个声名远播的鸟类禁猎区。1910～1915年间他首次为5万余只野鸭带上标记,他的禁猎区终于成为5万余只移徙中的黑额黑雁临时的家。1931年他的友人设立了杰克·迈因纳候鸟基金会以保证其工作得以继续进行。1943年由于"在英帝国自然资源保护工作方面成绩卓著"而获英帝国勋章。

Miner, Myrtilla 迈因纳(1815-03-04,美国纽约布鲁克菲尔德附近～1864-12-17,华盛顿哥伦比亚特区) 美国教育家,顶住阻力为非洲裔美国人建立学校,并将之发展成为一所成功的师范学院。毕业于纽约州罗切斯特科洛夫街书院(1840～1844),曾在包括密西西比州怀特斯维尔牛顿女子学校(1846～1847)在内的的几所学校任教时,未获准教非洲裔美国女童班级。因此经人建议,在H.W.毕彻神父鼓励下,由一贵格会慈善家赞助,成立非洲裔美国人学校。1851年在华盛顿哥伦比亚特区开办有色人种女子学校。两个月内,入学人数由6人增至40人,尽管遭到社区一部分人的敌视,但学校仍日渐兴旺。1856年成立校董会。学校虽只提供基础教育和家政技术课,但一开始即注重训练教师。1858年已有6名以前的学生在自己的学校中任教。这时因健康状况不佳,迈因纳对学校已少过问。1857年即由A.郝兰德主持。1860年学校不得不关闭。1863年迈因纳的学校获得特许状,成为有色人种青年教育机构,于南北战争后重开。1871～1876年附属于霍华德大学,1879年成为哥伦比亚特区公共教育系统的迈因纳师范学校。1929年成为迈因纳师范学院。1955年与威尔逊师范学院合并,组成哥伦比亚特区师范学院。

mineral 矿物 任何天然存在的均质固体物质,它具有固定的化学成分和特有的内部晶体构造。矿物通常由无机作用过程形成。这一定义在大多数场合中都适用,但也有某些明显的例外。矿物这个术语也可用于某些有机物,如煤、石墨、石油和天然气,这些物质从地球中采出,可用于工商业。各种不同的矿物,如祖母绿和金刚石的人工合成等价物可以在实验室中产生,以用于实验的或商业的目的。虽然大多数矿物都是化学化合物,但有少数矿物(例如硫、铜、金)是化学元素。矿物的成分可以由它的化学式来确定,它的阴离子团的特性决定了这个矿物归属于哪个大类。例如,矿物石盐(NaCl)由钠(Na)和氯(Cl)两个元素组成,原子比是1:1,它的阴离子团是氯化物(Cl^-,卤化物),这样,石盐就归属于卤化物。这样一来,矿物就可以分成以下大的类别:天然元素、硫化物、含硫盐、氧化物与氢氧化物、卤化物、碳酸盐、硝酸盐、硼酸盐、硫酸盐、磷酸盐以及硅酸盐。硅酸盐是最常见的矿物,因为二氧化硅是地壳里最丰富的组分(约占59%)。矿物结晶形成有序的、三维空间的几何形状,因此被认为是结晶矿物。除化学成分外,矿物结晶构造有助于确定如硬度、颜色、解理这样一些物理性质。矿物彼此结合就形成岩石。例如,花岗岩由长石、石英、云母和闪石这些矿物按不同的化学比例而组成。这样,岩石就以它们不均一的成分而区别于矿物。已知的几千种矿物中。只有100来种构成岩石的主要成分。

mineral oil 矿物油 清亮无色的油样液体,是蒸馏石油而获得的副产品。医学上用作轻泻剂和润肤剂。口服后能覆盖肠壁,软化粪团,从而使之易于排出。矿物油完全不能为肠所消化与吸收。长期应用,会引起维生素的缺乏,因它可将脂溶性维生素带出消化系统,阻碍它们的吸收。矿物油可能意外地被吸入肺,引起化学性肺炎,这进一步限制了矿物油作为轻泻剂的应用。矿物油涂抹皮肤,可保持表皮的湿润,从而使皮肤柔软。矿物油也有各种次要的工业用途,如用于头发喷涂剂以及作为溶剂、润滑剂和绝缘体。

mineral water 矿泉水 含有大量溶解了的矿物质或气体的水。天然矿泉水中碳酸钙、硫酸镁、硫酸钾和硫酸钠的含量一般都很高。也还可能含有二氧化碳和硫化氢等气体。人工制造的矿泉水是在蒸馏水中加进一些盐类物质或充入二氧化碳气体。天然矿泉水和人工矿泉水的矿物质含量都很不相同,在一些情况下,比普通自来水含矿物质可能还低。自古以来人们就相信矿泉浴,特别是温泉浴对治疗风湿症、关节炎、皮肤病以及多种其他病痛具有较好疗效。许多这类矿泉都已成为疗养胜地。其中最著名的有:美国纽约州的萨拉托加温泉、英国萨默塞特郡巴斯温泉和德国的巴登-巴登与维斯巴登温泉等。从20世纪70年代中期开始,矿泉水饮料大为增加。法国、意大利和其他欧洲国家每年都要出口大量瓶装矿泉水。

Mineralnye Vody 矿水城 俄罗斯西南部斯塔夫罗波尔边区城镇。濒临库马河,地处顿河畔罗斯托夫和巴库之间的铁路干线上。为高加索山北麓的矿泉疗养地,设有飞机场。是铁路枢纽,有铁路货场和机车修配厂。食品加工业亦重要。人口约73 700(1993)。

mineralogy 矿物学 从各个方面研究矿物的一门学科。包括矿物的物理性质、化学成分、晶体内部结构以及自然界的产状和分布,并根据形成的物理化学条件研究其成因。矿物学的研究目标可以是非常不同的,从新矿物或稀有矿物的描述和分类,到确定内部原子排列的晶体结构分析,或在实验室或工业中在高温高压下合成矿物以模拟它们的形成。这些研究所采用的方法同样也是不同的,有简单的物理化学鉴定试验、晶体对称的确定、光学研究、X射线衍射、同位素分析和其他先进手段。虽然许多矿物学方面的研究把中心放在矿物的物理和化学性能上,但在研究其成因方面也做了大量工作。研究工作者常常既可以根据实验室实验所得数据,也可以按照从物理化学和热动力学理论推断出矿物品种形成的方式。

miner's cat 矿工猫 食肉目哺乳动物,蓬尾浣熊(cacomistle)的一个种。

Minerva 密涅瓦 又译弥涅耳瓦。罗马宗教所信奉的女神。司掌各行业技艺,后来又司理战争,常被人们认为与希腊女神雅典娜为一体。她的庙在罗马阿文蒂诺山,该地也是工匠行会的聚会场所,戏剧诗人与演员也在该地集会。人们既然认为她也掌管战争,于是崇拜马尔斯的习俗也受到她的影响。罗马大将庞培东征凯旋,以战利所得为她建庙,可见当时她已完全与希腊胜利女神雅典娜融为一体。

早期埃特鲁斯坎的密涅瓦青铜像
美国不列颠百科全书公司供图

minesweeper 扫雷舰 用来清除布雷区水雷(参阅 mine)的军舰。最早的扫雷系统用于扫除锚泊式触发水雷,它使用两艘船,两船间拖一扫雷索,在布雷区航行。水雷的系泊缆被扫雷索上的锯齿或扫雷钳切断,水雷就浮出水面,再用炮火将其击毁。在海战时扫雷舰有两项主要战术任务:在航道上扫雷,保护己方战舰或商船正常航行;在雷区开辟航道,使其他战舰能投入海战或实施两栖登陆。第二次世界大战中在多次登陆突击及海上舰队作战中都有扫雷舰参加。第二次世界大战后,数以百计的扫雷舰被用于清除飘浮在世界各航道上的水雷。标准的海洋扫雷舰长约50米,吃水750吨,乘员约60人。在朝鲜战争中共产党的军队广泛使用磁性水雷(在钢舰磁场内爆炸),故研制出无磁性木制船身扫雷舰。美国还有一种完全无磁性的扫雷艇,它装有扫除触发水雷、磁性水雷或声响水雷设备,由6名士兵操作。还研制了直升机扫雷器,这种直升机牵引着扫雷器在海面上空盘旋,扫雷器能使磁性水雷或声响水雷爆炸。

美国海军的"普赖姆"号扫雷舰
美国不列颠百科全书公司供图

Ming ——: 明朝帝王 按在位时间顺序排列,并各以●为标记。

● **Mingtaizu Zhu Yuanzhang 明太祖朱元璋**(1328~1398) 中国明朝开国皇帝。幼名重八,参加农民起义军后改名元璋,字国瑞。濠州钟离(今安徽凤阳)人。出身农家,幼年为人牧牛。17岁入皇觉寺为僧,流浪淮西各地。1352年参加郭子兴部红巾军。1355年郭子兴卒,其部尽归元璋。同年韩林儿称帝,号小明王,国号宋。韩任朱为左副元帅。1356年攻下集庆(今江苏南京)。废除元苛政,命诸将屯田。1361年受韩林儿封为吴国公。1363年击败陈友谅,次年自立为吴王。1366年杀害韩林儿,后相继消灭张士诚、方国珍、陈友定等割据势力,以主力北伐中原。1368年建都应天(今南京),国号明,年号洪武。同年攻克元大都(今北京),推翻元王朝。后逐步统一全国。在位期间普查户口,清丈土地,均平赋役,兴修水利,推行屯田,奖励垦荒。同时抑制豪强,打击贪污,制定《大明律》整肃吏治。废除宰相职位,以加强皇权,巩固中央集权,为明朝277年的统治奠定了基础。

美国不列颠百科全书公司供图

● **Minghuidi Zhu Yunwen 明惠帝朱允炆**(1377~1402) 中国明朝第2位皇帝。朱元璋太孙,年号建文。1398~1402年在位。继位时诸王各拥重兵,建文帝用兵部尚书齐泰、太常卿黄子澄议实行削藩,以加强中央集权。1399年燕王朱棣于北平(今北京)起兵,发动"靖难之役"。1402年燕王师渡江,攻陷京师(今江苏南京)。时宫中火起,惠帝不知所终。

● **Mingchengzu Zhu Di 明成祖朱棣**(1360~1424) 中国明朝第3位皇帝。朱元璋第四子。1402~1424年在位,年号永乐。初封燕王,镇守北平(今北京)。多次参与出征、备边等军事活动,为朱元璋倚重。1398年朱元璋太孙朱允炆即位。次年朱棣发动"靖难之役",1402年破京师(今江苏南京),夺取帝位。1409年设奴儿干都司,管辖今黑龙江、精奇里江、乌苏里江、松花江流域和库页岛等广大地区,捍卫领土完整。1421年迁都北京,以南京为留都。解除藩王兵权,巩固中央集权。5次亲征漠北,解除残元复辟势力的威胁。派郑和出使南洋,远至东非,促进了中国与亚非30余国经济、文化的交流。成祖曾敕命解缙等编纂《永乐大典》,对保存古代文化典籍有贡献。

美国不列颠百科全书公司供图

● **Mingrenzong Zhu Gaochi 明仁宗朱高炽**(1378~1425) 中国明朝第4位皇帝。成祖朱棣长子。1424~1425年在位,年号洪熙。朱棣发动"靖难之役",奉命守北平。朱棣即位后,1404年立为皇太子。多次奉命监国,裁决政事。四方水旱饥馑,能及时赈济。在位虽只1年,但澄清吏治,罢采办,禁科派,省刑罚,缮边备,赦免惠诸臣家属,史家誉为多行善政。

● **Mingxuanzong Zhu Zhanji 明宣宗朱瞻基**(1399~1435) 中国明朝第5位皇帝。仁宗朱高炽长子。1425~1435年在位,年号宣德。成祖永乐九年(1411)立为皇太孙。仁宗即位后立为皇太子。在位期间讨平叔朱高煦叛乱,召杨溥入阁与杨士奇等共掌财务。擢用况钟、于谦、周忱等良吏能臣,诛袁琦等贪暴中官,遣巡按御使、按察使纠劾贪官酷吏。在位10年,纲纪修明,社会安定,与其父仁宗同被史家比为汉代治世的文、景二帝。

● **Mingyingzong Zhu Qizhen 明英宗朱祁镇**(1427~1464) 中国明朝第6位皇帝。宣宗长子。1435~1449年(正统)、1457~1464年(天顺)在位。9岁即帝位时承永乐、宣德之后,有大臣三杨(杨士奇、杨荣、杨溥)辅政,政局尚安定。至皇太后去世及三杨相继去位后,宦官王振专权,政治开始腐败。土地兼并严重,先后爆发叶宗留、邓茂七等起义。1449年蒙古瓦剌部首领也先大举内侵。英宗被王振挟持亲征,在土木堡被俘。其弟朱祁钰即皇帝位,号代宗。次年被释回京,尊为上皇。1457年大将石亨及宦官曹吉祥等乘代宗患病发动政变,拥英宗复位。杀功臣于谦及大学士王文等。复辟功臣石亨、曹吉祥等都得重用。英宗是明代皇帝中遗嘱禁妃嫔殉葬的第一人。

● **Mingdaizong Zhu Qiyu 明代宗朱祁钰**(1428~1457) 中国明朝第7位皇帝。英宗之弟。1449~1457年在位,年号景泰。1449

年英宗北征瓦剌时奉命留守京师。英宗在土木堡被俘，奉太后命监国。擢兵部侍郎于谦为兵部尚书，经划京师防御。旋即皇帝位，遥尊英宗为上皇。后击退瓦剌，使英宗得释还京师。景泰八年(1457)正月石亨及宦官曹吉祥等乘其病重拥英宗复辟，削代宗帝号，仍为郕王。二月卒于西宫，一说被太监蒋安用帛勒毙。在位期间重边防，举人材，免田赋，招流亡。又造内观象台，修《寰宇通志》。

● **Mingxianzong Zhu Jianshen　明宪宗朱见深**(1447～1487)　中国明朝第8位皇帝。1464～1487年在位，年号成化。18岁即位，朝政为贵妃万氏操纵。率先兼并土地置为皇室庄田，派宦官管理收租，名为"皇庄"。荆襄流民起义，派重兵镇压。中期以后朝政日趋腐败，增设西厂。宠用宦官汪直把持朝政，使当时都中"只知有汪太监，不知有天子"。

● **Mingxiaozong Zhu Youtang　明孝宗朱祐樘**(1470～1505)　中国明朝第9位皇帝。宪宗第三子。成化十一年(1475)立为太子。1487年即帝位，年号弘治。登基时朝野危机四伏，国势日衰。即位后即罢斥奸邪，任用贤能。先后启用丘浚、徐溥、刘健、谢迁、李东阳等入阁预机务。禁止皇亲国戚豪民势家兼并土地。蠲免税粮，赈济灾民，发展生产，使政局相对稳定。史家称为"弘治中兴"。

● **Mingwuzong Zhu Houzhao　明武宗朱厚照**(1491～1521)　中国明朝第10位皇帝。孝宗长子。1505～1521年在位，年号正德。在位期间沉溺酒色，不理朝政。重用宦官刘瑾等"八虎"，分据要职，擅权跋扈。宠信佞臣江彬等。收养义子百余人皆赐国姓。掠夺民田，扩建皇庄300余处。人民被迫弃业罢市，逃匿山谷，揭竿而起。其中刘六、刘七农民起义曾三次逼近北京。宗室安化王据宁夏叛，宁王据江西叛。好微服游乐，到处骚扰，掠民间妇女。1521年南巡归途中覆舟落水，回京后死。

● **Mingshizong Zhu Houcong　明世宗朱厚熜**(1507～1566)　中国明朝第11位皇帝。武宗从弟。1521～1566年在位，年号嘉靖。

中国大百科全书出版社供图

即位初期宰相杨廷和执政，力除武宗弊政，汰除军校匠役，朝政为之一新。不久令追尊其父，兴起"大礼议"，使朝廷舆论沸腾，党争不息。杨廷和等辅臣相继去世后，弊政再兴。崇尚道教，迷信长生。一意斋醮炼丹，政事荒怠，20多年不见朝臣，致严嵩擅权达17年之久。武备废弛，东南倭寇侵扰，北方鞑靼攻袭，三次逼近京师，河南、江西、湖广、两广也爆发农民起义。

● **Mingmuzong Zhu Zaihou　明穆宗朱载垕**(1537～1572)　中国明朝第12位皇帝。世宗第三子。1566～1572年在位，年号隆庆。即位后任用徐阶、高拱、张居正为首辅。嘉靖、隆庆以来蒙古俺答屡犯大同、宣府等地，穆宗派兵抵御。隆庆四年(1570)封俺答为顺义王，许贡马。又调大将王崇古、谭纶、戚继光加强长城沿边防御，使西北边陲得以粗安。对内罢斋醮，减营建，躬行节俭，为史家称道。

● **Mingshenzong Zhu Yijun　明神宗朱翊钧**(1563～1620)　中国明朝第13位皇帝。穆宗第三子。1572～1620年在位，年号万历。10岁即位，朝事主要依靠内阁大学士张

中国大百科全书出版社供图

居正。张居正为政以尊主权、课吏职、信赏罚、一号令为主，清丈全国土地，推行一条鞭法，整饬边备，治理黄河，政事略有起色。1582年神宗亲政后，逐步废止改革措施，不常视朝，大事营建。1596年起派宦官充矿监、税监，到各地征矿税、店税、盐茶税、车船税等，疯狂聚敛，激起民愤。全国各地多次爆发反矿监、税监斗争。著名的有临清王朝佐、苏州葛贤等。万历后期后金东起，辽边明守军兵饷短绌，神宗漠然不问，从而使内忧外患日益深重。史家称"明之亡，实亡于神宗"。

● **Mingguangzong Zhu Changluo　明光宗朱常洛**(1582～1620)　中国明朝第14位皇帝。神宗长子，为王恭妃所生。而神宗宠妃郑贵妃生常洵，故储位久不定。经廷臣力争，拖延十余年，至1600年始立为太子。继位前曾发生有人持棍冲击太子宫的"梃击案"。1620年即位，年号泰昌，仅一个月即生重病，服用鸿胪寺丞李可灼进红丸而暴死，称为"红丸案"，议论都涉及郑贵妃，成为当时党争中的重大事端。

● **Mingxizong Zhu Youxiao　明熹宗朱由校**(1605～1627)　中国明朝第15位皇帝。1620～1627年在位，年号天启。15岁即位，昏愦无能，厌烦政事。由乳母客氏和宦官魏忠贤把持朝政。利用厂卫屡兴大狱，不附阉党者皆斥逐杀害。尤以镇压东林党人为酷烈。政治黑暗，农民起义频繁。荷兰人侵据台湾，后金(清)兵攻占辽阳、沈阳，进迫锦州。明朝濒临灭亡。

● **Mingsizong Zhu Youjian　明思宗朱由检**(1611-02-06～1644-04-25)　中国明朝末代皇帝。光宗第五子。1627～1644年在位，年号崇祯。时宦官集团把持朝政，皇室官僚广占民田，赋役沉重，灾荒频繁，农民起义几遍全国。辽东清军侵扰关内，一度围困京都。思宗力图在内忧外患之中挽救危局。即位后即诛魏忠贤，罢黜阉党，整刷吏治。但刚愎自用，猜忌多疑，上下离心，将骄卒惰。1644年李自成义军直捣北京，明将领纷纷迎降。兵临城下时召群臣商议对策，竟无一人应召。旋自缢于煤山(今北京景山)，明亡。

Ming DYNASTY　**明**(1368～1644)　中国历史上继元之后的统一王朝。1368年朱元璋推翻元朝称帝，建都应天(今南京)，国号明。1421年明成祖朱棣迁都北京。疆域最广时，东北

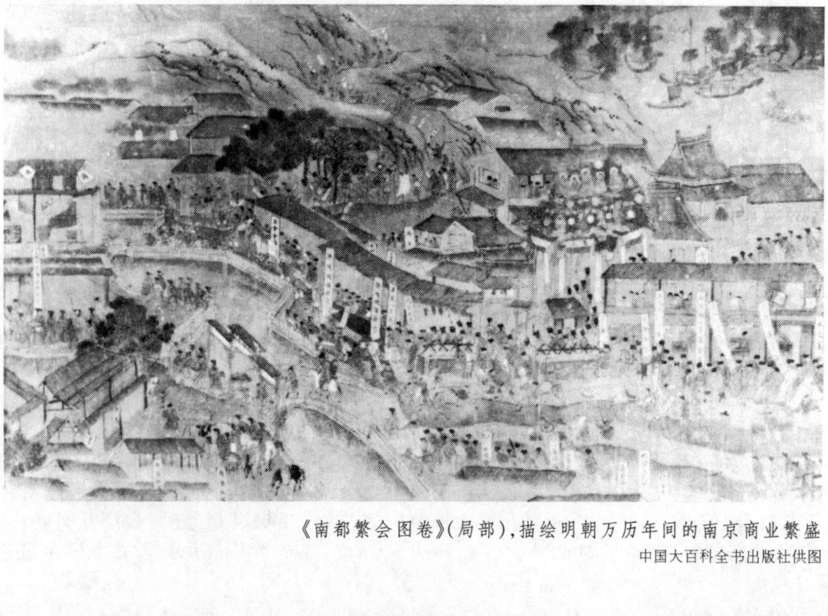

《南都繁会图卷》(局部)，描绘明朝万历年间的南京商业繁盛

中国大百科全书出版社供图

抵日本海、鄂霍次克海、乌地河流域,后退至辽河流域;西界初年在河套西喇木伦河一线,后退至今长城;西北曾到新疆哈密,后退至嘉峪关;西南包有今西藏、云南;东南到海及海外诸岛。明王朝传12代,共历16帝,277年。太祖朱元璋废除中书省,取消丞相制,集权力于皇帝,强化中央集权专制制度。同时置翰林院大学士为顾问,后代形成内阁制度。中央机构分设刑部、大理寺、都察院。这种"三法司"体制影响到清代。对外关系活跃。郑和率船队7次下"西洋",行迹远到非洲东海岸及中亚,与30多个国家有交往。16世纪后期耶稣会士东来,促进东西方思想文化的交流。社会经济发达,手工业生产有很高水平。丝棉纺织、陶瓷、织锦、刻丝、冶炼、建筑等都闻名于世。16世纪中叶以后,在手工业行业中出现资本主义生产关系的萌芽。哲学思想方面,晚明王夫之、黄宗羲为代表的反对空谈和封建专制,成为影响深远的学说。文艺小说产生了《水浒传》、《三国演义》、《西游记》等名著和风靡南北的昆曲。明末,政治腐败,天灾频仍,剥削惨重,爆发了大规模农民起义。1644年李自成起义军攻破北京,明亡。清兵入关后建立清王朝。明朝残余力量在江南建立过短期的政权,史称南明。

Ming-Qing xiaoshuo 明清小说 明清是中国小说史上的繁荣时期。从明代始,小说这种文学形式充分显示出其社会作用和文学价值,打破了正统诗文的垄断,在文学史上,取得与唐诗、宋词、元曲并列的地位。清代则是中国古典小说盛极而衰并向近现代小说转变的时期。

Ming - style furniture of hardwood 明式硬木家具 中国仿明代风格的硬木家具。多用紫檀、花梨、红木等优质木料制作。特点是造型简练大方,善于运用线和面构成和谐的比

仿明式现代家具
中国大百科全书出版社供图

例,使家具切合实用。制品不用雕饰、油漆,保存木材原来纹理,充分体现材料美。制作不用钉、胶,完全用榫卯结构。明式家具做工精巧,严谨牢固,具有质朴典雅的美,是中国古代家具的典范。品种有椅、凳、几、案、桌、柜、床、榻、台、屏等。现在苏(江苏)式家具还保持明式的传统特色。

Ming Tombs 明十三陵 又称十三陵。中国北京市境内明代皇室的陵寝。位于昌平县群山环抱的盆地内,沿天寿山麓分布明代13个皇帝的陵墓。陵区面积40平方千米,每个陵墓都由碑亭、殿堂、明楼及地宫组成,其中以长陵规模最大。1956～1958年发掘明代第十三位皇帝朱翊钧(万历)(1572～1620年在位)的定陵,揭开"地下宫殿"的秘密,出土大量珍贵文物。目前定陵、长陵已对外开放。1958年在十三陵附近建成十三陵水库,为陵区增添优美的湖光山色。

明十三陵总神道石像生
中国大百科全书出版社供图

Mingechaur 明盖恰乌尔 阿塞拜疆共和国中部城市。濒临库拉河。该城市附近的明盖恰乌尔水库有防洪、发电和灌溉库拉低地多种效益。有大型棉纺织厂。人口约90 900(1991)。

Minghetti, Marco 明格蒂(1818-11-08,教皇国博洛尼亚～1886-12-10,罗马) 意大利政治家,两次任统一的意大利首相(1863～1864,1873～1876)。早年去巴黎,受到意大利爱国者的影响。回国后,入博洛尼亚大学学习。1848年参加皮埃蒙特-撒丁王国军队,抗击奥地利人。1859年任加富尔政府的外交部长。后任内政部长。1863年任新统一的意大利王国的首相,把首都从都灵迁到佛罗伦萨。不久辞职。1873年重任首相。3年后因对反对派采取武断专横措施而垮台,但他继续反对历届左翼政府。

Mingjiao 明教 中国文献对摩尼教(Manichaeism)的称谓,又称明尊教、二尊教、末尼教、牟尼教等。摩尼教约于6～7世纪传入中国。唐武宗会昌五年(845)毁法灭佛,摩尼教遭禁断,逐渐成为民间秘密宗教。宋代摩尼教已完全汉化并演变为明教(或明尊教),并将原摩尼教教义要旨简单地归纳为"清净、光明、大力、智慧"。元朝时进一步通俗化,并与弥勒、白莲两教相融合。因其多次被农民起义所利用,明朝朱元璋登基后立即镇压,使明教成为更隐蔽的组织。清代的许多民间教派仍或多或少地受其影响,但史料已无记载。

mingqi 明器 又拼ming-ch'i。又称冥器。中国古代专为随葬而制作的、摹拟逝者生前享用过的器物以及环境的模型,提供墓主逝世后继续享用。多为陶制,也有木以及金属、纸制品,包括日用器皿、工具、兵器、家具、车船、建筑物、家畜、鸟兽、人俑等。从新石器时代开始,历代墓葬中都有发现。例如江苏邳县大墩子遗址出土过新石器时代的方形尖顶陶屋模型;三门峡出土的东汉陶楼模型高达1米;唐代出现了三彩明器,并按逝者官阶高低规定了明器的内容、数量及尺寸;宋代已有专门经营明器的店铺。历代被安置在墓中的一套完整的明器,可能是一组能够反映当时日常生活的模型。

Mingrelian language 明格列尔语 又称梅格列尔语。一种无文字的语言,通行于格鲁吉亚黑海沿岸地区。操该语者称之为马格尔鲁里宁那语(margaluri nina);在格鲁吉亚,这种语言则被称为梅格鲁里恩那语(megruli ena)。有些学者认为,明格列尔语及与之关系很近的拉兹语,是一种语言(名为桑语)的不同方言而非独立的语言,但拉兹语与明格列尔语并不是本来就能互相听懂的。操明格列尔语者把格鲁吉亚语作为文学语言使用。明格列尔语、拉兹语、格鲁吉亚语及斯万语共同组成卡特维尔语系。参阅 **Kartvelian languages**。

Mingshi 《明史》 英语作History of the Ming Dynasty。中国纪传体史书《二十四史》之一。记从洪武元年(1368)明朝建立到崇祯十七年(1644)明朝灭亡的断代史。332卷,包括本纪24卷、志75卷、表13卷、列传220卷,另有目录4卷。清顺治二年(1645)设明史馆开始编修,乾隆四年(1739)成书刊行,经过三次修订。徐元文、徐乾学、王鸿绪、张廷玉等先后任总裁,史学家万斯同参与审核史稿。唐以后官修正史中,《明史》以材料丰富、体例谨严著称。但因清初文网深密,修史大臣对清朝入关前的建州女真事实和南明诸王的抗清史迹有所讳避而缺漏。乾隆四十年(1775)以《明史·本纪》有疏略,曾予增修,刊成《本纪》24卷。

Mingus, Charles 明戈斯(1922-04-22,美国亚利桑那诺加利斯～1979-01-05,墨西哥库埃纳瓦卡) 美国爵士乐作曲家、低音提琴家、管乐队领队和钢琴家。他把粗略谱写成的段

落和即兴独奏相结合，形成并超越了20世纪50～70年代爵士乐发展的趋向。明戈斯自幼在洛杉矶学习音乐，16岁开始拉低音提琴。40年代初明戈斯与L.阿姆斯特朗和K.奥里多次短期合作后，从1947年到1948年在L.汉普顿的大型管乐队作曲和演奏，并与R.诺沃合作录音。50年代初，明戈斯设定自己录音唱盘的标记，并建立“爵士乐作曲家创作室”。他的作品从D.埃林顿、C.帕克、T.蒙克、黑人福音音乐、墨西哥民间音乐、传统爵士乐和20世纪音乐会音乐中汲取灵感。明戈斯的大部分优秀作品都是同即兴演奏的音乐家密切合作而产生的，也写过较大型的器乐曲，并为几部影片配乐。作为一位低音提琴家，明戈斯是技巧运用与创新的源泉。他的独奏总是比伴奏更能给人以深刻印象。他的作品由别人录制最多的是《再见，馅饼式帽》。明戈斯的自传《不值一提的倒霉人》于1971年出版。

Minh Mang 明命(1792-05-24，西贡～1841-01-11或21，越南顺化) 原名阮福皎。越南中部皇帝(1820～1841)。嘉隆皇帝(1802～1820在位)的第四子，为皇妃所生，本无继承王位之望，但由于他公开批评欧洲人，嘉隆选他作为王储。登基后改号明命。严格遵奉儒教，认为基督教教义破坏了越南宗教和政治生活的基本原则，特别是顺天敬君的原则。即位初年，诱使法国传教士离开各自的据点前往首都顺化，为了劝说这些传教士放弃传教活动而授以官职。可是新到越南的传教士拒绝放弃传教。为此，明命于1825年禁止传教士入境，随后又禁止传教活动，并将传教士投入监狱。在教会要求下，他允许传教士登船回国，但是被释放的传教士却偷偷回到各自的传教据点。

由于王位得之匪易，明命总感到有觊觎者在请求法国协助推翻他的统治。明命怀疑子民对他的忠诚。虽然并非不问民间疾苦，但他也未进行多少土地改革和社会改革。1833年西贡爆发起义。当起义领袖要求基督教会的帮助并获得支持时，明命大怒。1833年10月17日下令处决主教弗朗索瓦·加热林，翌年又有7名欧洲传教士和大批越南信徒丧生。明命这一行动成为1858年法国入侵越南的借口。

minhag 敏哈格 犹太教名词，指具有与哈拉卡同等法律约束力的宗教习俗。哈拉卡本身就是以习俗为根据，因此，敏哈格如与过去的律法明显抵触，也可执行。敏哈格一向是犹太教学者们的主要研究课题。

minhah 敏哈 又拼minha，mincha或minchah。犹太教每日三次祈祷中的第二次，于下午举行。敏哈的主要内容是称做《阿米达》的规定祷词。安息日或岁首、赎罪日等斋戒日的敏哈要宣读一段摩西律法。

Minhang 闵行 中国上海市辖区。在市境中部，东与南汇县接壤，南至黄浦江和大治河南与奉贤县相邻，西连青浦、松江两县，北以吴淞江与嘉定区为界，东北为市中心的普陀、长宁、徐汇等区。原为华亭县地。北宋初今黄浦江下游支流上海浦(已废)附近就因船舶辐辏，人口繁庶，成为大市，始设上海务。南宋咸淳三年(1267)设上海镇(今南市区旧城内)。元至元二十九年(1292)析华亭县五乡建上海县，治所在上海镇。明嘉靖二十一年(1542)析置青浦县，清雍正三年(1725)析置南汇县，嘉庆十五年(1810)析置川沙厅。1927年析北部旧城区、吴淞江两岸，与宝山县南部等地置上海特别市，市县分治。1933年起县治先后迁北桥、三林塘、闵行。1958年由江苏省划归上海市。1960年县治迁莘庄，并析部分地始置闵行区，1964年撤销，1981年复置区。1992年上海县与闵行区合置为今闵行区。面积371.7平方千米。处上海碟缘高地中部，地势平坦，较高爽，地面高程4米左右。河网密布，水流平缓。农业盛行水旱轮作，大部分以旱作为主，产稻谷、小麦、棉花等，北部为上海市最大的蔬菜生产基地。工业主要集中在闵行、吴泾两工业区。闵行工业区为上海市郊第一个卫星城，1982年增辟新开发区，大量吸收外资，为重型铸锻、大型成套发电机组、重型机床加工的重要机电工业基地。工业区中江川路东段商业繁盛，有“闵行一条街”之称。吴泾工业区为焦炭、煤气和化学工业基地。此外还有酿造厂、建材厂、化肥厂等。高等学校有上海农学院、上海交通大学闵行校区等。沪杭铁路斜贯区境并设站，莘庄镇为地铁一号线终点站，有沪闵、龙吴、漕宝等公路干线。黄浦江、吴淞江通水运。古迹有马桥文化遗址和黄道婆墓。人口约790 000(2005)。

Minho 米尼奥 又称阿克姆-乌斯-蒙德什(Aquem-os-Montes)。葡萄牙西北端历史上的省份。境内米尼奥河与杜罗河之间地区原称恩特雷杜罗埃米尼奥，为葡萄牙的发祥地。

米尼奥地区的葡萄种植园
美国不列颠百科全书公司供图

米尼奥原为凯尔特人和罗马人所占，至今有凯尔特人留下的许多山堡遗迹。沿海从北到南有一长约50千米的狭长平原，再向内地延伸至圣卢西亚山。当地人口密集，促进了农业精耕细作。主要作物有玉米和扁豆。水利灌溉、山坡梯田和星罗棋布的农舍构成当地的独特景色。米尼奥高原地区经济以畜牧业为主，木材工业也重要。渔业在埃斯波森迪、维亚纳堡以及安科拉-贡蒂尼亚埃斯等地很重要。米尼奥前省会布拉加和吉马朗伊什是纺织业中心。许多建筑物以当地灰色花岗岩建造。

miniature painting 细密画 16～17世纪时称limning。小型、便于携带、精描细绘的肖像画，画在羊皮纸、扑克牌、铜板或象牙板上。

J.斯马特的细密画《自画像》(1797)
美国不列颠百科全书公司供图

名称出自“铅丹”(红铅)一词，为中世纪手抄本装饰画家所习用。后与徽章画合称细密画，盛行于16世纪初期至19世纪中期。

minicam 小型摄像机 便携式电子摄像装置。包括一台轻便的手提式摄像机，一个装有电子线路和电源的背包以及一个盒式磁带录像机。它是20世纪60年代末发展起来的，现已取代较笨重的电影摄影机而成为电视新闻采访的主要工具。小型摄像机可以通过装有微波发射机的电视转播车或通过同轴电缆将电视信号送回电视演播室，因此电视记者能够使用它进行现场报道。记者可把采访的材料录在磁带上，回来后再编辑加工。

Minikh, Burkhard Christoph, Graf von (count of) 米尼赫伯爵 参阅**Münnich, Burkhard Christoph, Graf von 米尼赫**。

Minim 小兄弟会会士 天主教小兄弟会(Order of Minim Brothers)的成员；小兄弟会是圣方济各(保拉的)1435年在意大利卡拉布里亚创立的托钵修会。该会会士以谦卑为最高美德，自认在所有修士中最为卑微。除了传统的神贫、贞洁和听命三愿外，他们还发第四愿，即不食肉、蛋、奶、奶酪、鱼以及这些原料的制成品。现在该会在意大利和西班牙设有女隐修院，在南非为在俗教徒设有第三会。小兄弟会会士专心祈祷、学习和研究学术，他们当中有一些著名的教师、学者和传教人员。该会会士博伊尔在哥伦布第二次到美洲时随行，成为教皇派往美洲的第一位代表。

minimalism 极简抽象派艺术 又称ABC艺术。20世纪60年代后期发端于纽约的视觉艺术与音乐方面的运动，其特点是形式极其简单，纯客观的态度，排除艺术家自身的任何感情表现。极简抽象派艺术是现代派艺术中简化论倾向的顶峰，这种简化论倾向始于

1913年,以俄国画家K.马列维奇的一幅白底黑方块构图为代表。极简抽象派画家认为行动画派过分强调个性,无实体性,因此反其道而行之,主张一件艺术品不应涉及自身以外的任何事物。硬边绘画的特点是整个画面平坦而又巨大,简单,通常呈几何形;精确,轮廓突出;大块亮色,以未经调和的颜色着于不施底色的画布。不同于其他类型的几何形抽象之处是抵制抒情的和数学式的构图。在排斥传统构图程式的同时,并不主张向观者提出美学的问题。极简抽象派的硬边绘画不是艺术家与观者之间的对话,它只是一个简单的客体的匿名结构。极简抽象派艺术的最突出特征是它的基本结构,它以绝对简单、稳定的几何形构成,可采用玻璃钢、塑料、金属片或铝,或保持原来的粗糙状态,或厚厚涂上一层耀眼的工业用色。极简抽象派雕刻家也和画家一样力求使作品完全客观化,不带任何表现因素。这种作品也极其呆滞,形式之间毫无关联,因为它并不是为了让观者具体地或想象地进入空间。在音乐上极简抽象派也同样追求简单。

(上)T.史密斯的6英尺见方钢雕塑《死》(1962);(下)E.凯利的丙烯画《赤、橙、白、绿、蓝》(1968)
美国不列颠百科全书公司供图

minimum 极小值 数学用语,一点的函数值较近旁任何点的函数值为小谓之极小。参阅 **extremum**。

minimum reserve system (banking) **最少准备金制度** 参阅 **fractional reserve system** 部分准备金制度。

minimum wage 最低工资 经集体协商或政府规定,在雇用劳工时所实行的最低工资率。现代的最低工资,随同劳工纠纷的强制性仲裁,于19世纪90年代首先在澳大利亚和新西兰出现。1909年英国建立劳资协商会,以确定某些行业和工业的最低工资率。美国第一次实行的最低工资(仅适用于妇女),系1912年由马萨诸塞州颁布实行。这类最低工资法旨在使有关行业缩短工时和提高工资。现在工业较发达的国家和大多数亚、非、拉国家均颁布最低工资条例或设有确定最低工资率的机构。

Minin, Nikita (Russian patriarch) **米宁** 参阅 **Nikon** 尼康。

mining 采矿 从地壳中挖掘原料,包括有机成因的矿物如煤和石油。

人类自史前时期以来,就在地下寻找有用的矿物。人类最早开采的材料,大概是用于打火的燧石以及用作颜料的赭石和锰矿石一类的物质。现在常用的考古时期的名称,如青铜器时代和铁器时代,便是指主要使用那些金属的时期。青铜(铜和锡的合金)开始使用的时期大致是在公元前3700年,铁器开始使用的时期早到公元前2800年,两者都是在地中海文明中最先开始使用的。从地表挖掘(叫做开山采石的一种工艺)中所取得的石料造成了伟大的埃及金字塔,有些金字塔使用了多达230万块的石灰岩,每块重14 500千克。

古罗马时期最先记录的早期采矿,有在岩石面的底部燃烧原木的方法。强大的热力使岩石膨胀、破裂。德国学者G.阿格里科拉的《金属学》(1556)关于采矿的专著提供了早期采矿技术的最好的资料,书中提到的采矿技术许多今天仍在采用,或一直采用到晚近期。这些技术包括:①镐和锤;②通风和抽水系统;③用于拖运矿石的、像小车样的"载重车"。后来的具有重大意义的进步当中有对黑色炸药的应用,在19世纪中叶被白色炸药所替代,20世纪中叶又补充了燃料引爆剂硝酸铵。钻探技术也增强了采矿能力。第一台旋转钻可能在1813年已经在英格兰采用。30年以后,机械的活塞式钻机开始得到应用,而以压缩空气为动力的风钻则于1853年在德国出现。

现代采矿是一种费用高而且复杂的行业。首先是找出矿脉的位置,这些矿脉生产出的矿物量必须表明开采的高额费用是合算的。需要在地球科学方面具备非常丰富的知识,才能找到恰当的采矿场所。地质资料能显示取样岩石的年代同地壳的长期矿化作用过程之间的联系。进行地球化学评定,此外还同时进行地震法测试、磁法分析和电法研究,以确定一段大地剖面的地球物理特性。通常还采用空心圆筒钻具,这种钻具能把钻取的岩芯材料从地下深处取出。

某个矿脉或矿床的近似位置一旦被确定,采矿工程师就应决定进行采矿的最佳方案。直接向山(不论大小)的底部水平开进去的、常见的矿坑叫做平硐或横巷。可以先在一个大矿床的一侧开挖一口垂直的竖井,然后有规律的按一定深度间隔把水平的石巷开挖到矿床里。洞穴状巷道的挖掘矿石处叫做回采工作面。矿脉从其作为露头出现的地表斜着向地下深处延伸。平行于此矿脉开一斜井,并每隔一段间距用水平的石巷与之连接。在地表面发现的矿石可以从露天矿坑中开采,或者是从长条形的探槽中用露天开采法开采。

开挖一个矿山并回采矿物牵涉到凿岩、爆破、提升以及运输等工序的不同的组合。凿一口竖井可能要使用一种带有一系列切进岩石用的磨轮的大的回旋钻头。为安放炸药通常也使用凿岩机。切削型钻头旋转凿岩机利用金刚石叶片或钢钻粒的磨蚀、刮削的作用,而冲击式凿岩机则用钨切削刃一面旋转一面对岩石连续冲击。经过细心地把炸药装在凿好的钻孔里,采矿工程师此刻可以使用硝酸铵爆炸剂,它的效力只有黄色炸药强度的48%。遇有坚硬岩石,通过火焰喷射的或称火力钻进的凿岩机所施加的热力可使岩石面碎裂或剥落。

对掘开的地段的特性要给予仔细考虑,以确定该矿井需要哪种支护。在某些地段,斜井上的顶板可能不需要支护,因为在这样的矿井里,上面的地层的重量比较小。空场回采工作面,即在矿床中央挖出的大空洞,其顶板可能只需要有矿石柱或废石柱的支护。有断层或裂隙的岩石顶板可用喷浆混凝土——一种可以进入裂缝并使之加固的、喷射的混凝土——覆盖起来。在别的地方,可把钢条埋置在岩石里,用大螺帽在露出的一端上拧紧,以便把顶板的脆弱部分支护起来。在顶板的跨度和上面地层的重量要求支护的地方,应当提供结构支护。结构支护可以采用多种多样的木支架到可以拆卸的拱形钢支架等各种不同的支架。木材的排列法包括:①单支梁(或横撑),连同插入侧壁的斜支柱和木顶篷;②一根斜梁顶着上盘,并用另外一根梁贴着对面的下盘楔牢;③由一整套梁架(顶、底及两侧)构成的四构件棚子;④将梁架连接在一起的方框坑木支架;⑤支撑顶篷的立柱。在场地不牢的情况下,顶篷部分要短,并建造在交叉巷处,而且还应在采掘面上铺设一个叫做护板的顶部木板,以防止泥土向后滑动。这样一种有支架的回采工作面,推进缓慢,所以矿石的产量较低。在无支架的回采工作面上有许多方法可以帮助提高产量。其中包括从掌子面顶板分层开采宽阔的段,并让大段崩落。

从矿井运出矿石通常靠电动机车沿铁轨牵引的钢制列车;也使用履带的或橡皮轮的机动车辆。有些矿山上用缆绳带动大锄样的刮刀把碎石拖出。在无法使用机械手段的地方,仍然实行手工装运即手工装岩。

采矿方面需要考虑的一个极关重要的问题是,如何使地下的巷道和矿硐通风,不仅只是为向矿工提供新鲜空气,而且也是为消散有害气体。有些矿井热得难以忍受,需要降温。按某种组合法装配的通风管有时能造成空气的自然抽吸;但通常大功率的风扇是必不可少的。此外,还必须装设电气照明。这两项保障系统常常构成采矿成本的很大部分。

附36种矿产量表,见252～257页。

铝

国　家	1991 年精炼产量（吨）*	占世界精炼产量（%）
南北美洲		
巴西	1 100 000	5.9
加拿大	1 800 000	9.7
美国	4 100 000	22.2
委内瑞拉	600 000	3.2
亚洲		
中国	900 000	4.9
欧洲		
法国	340 000	1.8
挪威	840 000	4.5
大洋洲		
澳大利亚	1 200 000	6.5
其他	7 620 000	41.2
世界总计	18 500 000	100.0†

* 估计值。† 因取约数，各数相加不等于所给总数。
资料来源：美国商业部，*Mineral Commodity Summaries* 1992。

锑

国　家	1991 年开采量（吨）*	占世界开采量（%）	1991 年探明储量（吨）*	占世界探明储量（%）
非洲				
南非	4 500	7.6	254 000	5.4
南北美洲				
玻利维亚	8 500	14.3	317 000	6.8
墨西哥	2 500	4.2	227 000	4.8
美国	……	……	91 000	1.9
其他	43 900	73.9	3 806 000†	81.1
世界总计	59 400‡	100.0	4 695 000	100.0

* 估计值。† 中国也拥有很大锑储量。‡ 不包括美国锑产量。
资料来源：美国商业部，*Mineral Commodity Summaries* 1992。

砷

国　家	1991 年开采量（吨）*	占世界开采量（%）
非洲		
纳米比亚	3 000	6.4
南北美洲		
加拿大	2 000	4.3
智利	7 000	14.9
墨西哥	4 000	8.5
秘鲁	600	1.3
亚洲		
菲律宾	6 000	12.8
欧洲		
比利时	2 500	5.3
法国	4 500	9.6
瑞典	8 000	17.0
其他	9 400	20.0
世界总计	47 000	100.0†

* 估计值。† 因取约数，各数相加不等于所给总数。
资料来源：美国商业部，*Mineral Commodity Summaries* 1992。

铝 土 矿

国　家	1991 年开采量（吨）*	占世界开采量（%）	1991 年探明储量（吨）*	占世界探明储量（%）
非洲				
几内亚	17 500 000	16.0	5 900 000 000	24.1
南北美洲				
巴西	9 900 000	9.1	2 900 000 000	11.8
圭亚那	1 600 000	1.5	900 000 000	3.7
牙买加	11 100 000	10.2	2 000 000 000	8.2
苏里南	3 300 000	3.0	600 000 000	2.4
美国	……	……	40 000 000	0.2
委内瑞拉	800 000	0.7	350 000 000	1.4
亚洲				
印度	4 400 000	4.0	1 200 000 000	4.9
欧洲				
希腊	2 500 000	2.3	650 000 000	2.7
匈牙利	2 000 000	1.8	300 000 000	1.2
大洋洲				
澳大利亚	41 000 000	37.5	4 600 000 000	18.8
其他	15 200 000	13.9	5 060 000 000	20.7
世界总计	109 300 000†	100.0	24 500 000 000	100.0‡

* 估计值。† 不包括美国铝土矿产量。‡ 因取约数，各数相加不等于所给总数。
资料来源：美国商业部，*Mineral Commodity Summaries* 1992。

铋

国　家	1991 年精炼产量（吨）*	占世界精炼产量（%）	1991 年探明储量（吨）*	占世界探明储量（%）
南北美洲				
玻利维亚	70	2.2	10 000	4.0
加拿大	200	6.3	30 000	12.0
墨西哥	650	20.3	20 000	8.0
秘鲁	600	18.7	42 000	16.8
美国	……	……	14 000	5.6
亚洲				
中国	900	28.1	40 000	16.0
日本	130	4.1	18 000	7.2
大洋洲				
澳大利亚	400	12.5	27 000	10.8
其他	250	7.8	49 000	19.6
世界总计	3 200†	100.0	250 000	100.0

* 估计值。† 不包括美国铋产量。
资料来源：美国商业部，*Mineral Commodity Summaries* 1992。

镉

国　家	1991 年精炼产量（吨）*	占世界精炼产量（%）	1991 年探明储量（吨）*	占世界探明储量（%）
南北美洲				
加拿大	1 500	7.4	170 000	17.5
墨西哥	1 200	5.9	40 000	4.1
美国	1 600	7.9	210 000	21.6
亚洲				
日本	2 500	12.3	15 000	1.5
欧洲				
比利时	2 000	9.9	—	—
大洋洲				
澳大利亚	700	3.4	145 000	14.9
其他	10 800	53.2	390 000	40.2
世界总计	20 300	100.0	970 000	100.0†

* 估计值。† 因取约数，各数相加不等于所给总数。
资料来源：美国商业部，*Mineral Commodity Summaries* 1992。

水泥

国　家	1991 年产量（吨）*	占世界产量（%）
南北美洲		
美国 †	64 400 000	5.6
亚洲		
中国	206 800 000	18.1
印度	46 300 000	4.1
日本	83 500 000	7.3
朝鲜	35 400 000	3.1
欧洲		
法国	24 500 000	2.1
德国	29 000 000	2.5
意大利	37 200 000	3.3
其他	615 000 000	53.8
世界总计	1 142 100 000	100.0‡

* 估计值。† 包括波多黎各。‡ 因取约数，各数相加不等于所给总数。
资料来源：美国商业部，*Mineral Commodity Summaries* 1992。

煤炭★

国　家	1990 年开采量（吨）*	占世界开采量（%）	1988 年探明可采储量（吨）*	占世界探明可采储量（%）
非洲				
南非	175 579 000	3.7	55 333 000 000	3.5
南北美洲				
加拿大	68 331 000	1.4	6 966 000 000	0.4
哥伦比亚	19 000 000	0.4	9 666 000 000	0.6
美国	944 040 000	19.7	215 241 000 000	13.5
亚洲				
中国	1 080 000 000	22.6	730 700 000 000	45.7
印度	211 296 000	4.4	62 548 000 000	3.9
朝鲜	53 700 000	1.1	600 000 000	0.1
土耳其	46 592 000	1.0	6 104 000 000	0.4
欧洲				
德国	463 885 000	9.7	80 069 000 000	5.0
波兰	215 000 000	4.5	40 400 000 000	2.5
罗马尼亚	44 500 000	0.9	3 970 000 000†	0.3
英国	89 303 000	1.9	3 800 000 000	0.2
大洋洲				
澳大利亚	205 666 000	4.3	90 940 000 000	5.7
其他	1 166 221 000	24.4	291 643 000 000	18.2
世界总计	4 783 113 000	100.0	1 597 980 000 000	100.0

★ 包括所有等级的无烟煤、烟煤、亚烟煤和一切褐煤。* 估计值。† 原地储量。
资料来源：联合国，《1990 年能源统计年鉴》；世界能源联合会，《能源调查》(1989)。

铜

国　家	1991 年开采量（吨）*	占世界开采量（%）	1991 年探明储量（吨）*	占世界探明储量（%）
非洲				
刚果(金)	300 000	3.3	30 000 000	5.4
赞比亚	430 000	4.7	30 000 000	5.4
南北美洲				
加拿大	820 000	9.0	23 000 000	4.2
智利	1 790 000	19.7	120 000 000	21.7
美国	1 630 000	17.9	90 000 000	16.3
亚洲				
中国	375 000	4.1	8 000 000	1.4
欧洲				
波兰	380 000	4.2	15 000 000	2.7
其他	3 375 000	37.1	236 000 000	42.8
世界总计	9 100 000	100.0	552 000 000	100.0†

* 估计值。† 因取约数，各数相加不等于所给总数。
资料来源：美国商业部，*Mineral Commodity Summaries* 1992。

铬

国　家	1991 年开采量（吨）*	占世界开采量（%）	1991 年探明储量（吨）*	占世界探明储量（%）
非洲				
南非	4 490 000	35.0	5 536 000 000	81.7
津巴布韦	600 000	4.7	927 000 000	13.7
南北美洲				
巴西	470 000	3.7	16 000 000	0.2
美国	—	—	10 000 000	0.1
亚洲				
印度	990 000	7.7	77 000 000	1.1
菲律宾	190 000	1.5	7 000 000	0.1
土耳其	850 000	6.6	20 000 000	0.3
欧洲				
阿尔巴尼亚	600 000	4.7	6 000 000	0.1
芬兰	500 000	3.9	29 000 000	0.4
其他	4 130 000	32.2	150 000 000	2.2
世界总计	12 820 000	100.0	6 778 000 000	100.0†

* 估计值。† 因取约数，各数相加不等于所给总数。
资料来源：美国商业部，*Mineral Commodity Summaries* 1992。

钴

国　家	1991 年开采量（吨）*	占世界开采量（%）	1991 年探明储量（吨）*	占世界探明储量（%）
非洲				
刚果(金)	17 000	49.9	2 090 000	25.0
赞比亚	7 000	20.5	540 000	6.5
南北美洲				
加拿大	2 300	6.7	260 000	3.1
古巴	1 600	4.7	1 800 000	21.6
美国	—	—	860 000	10.3
亚洲				
菲律宾	—	—	400 000	4.8
欧洲				
阿尔巴尼亚	600	1.8	……	……
芬兰	—	—	34 000	0.4
大洋洲				
澳大利亚	1 000	2.9	90 000	1.1
新喀里多尼亚	800	2.3	860 000	10.3
其他	3 800	11.1	1 410 000	16.9
世界总计	34 100	100.0†	8 344 000‡	100.0

* 估计值。† 因取约数，各数相加不等于所给总数。‡ 不包括阿尔巴尼亚储量。
资料来源：美国商业部，*Mineral Commodity Summaries* 1992。

金刚石(宝石)

国　家	1991 年开采量（克拉）*	占世界开采量（%）
非洲		
安哥拉	1 500 000	3.1
博茨瓦纳	13 000 000	27.0
中非共和国	300 000	0.6
纳米比亚	900 000	1.9
南非	3 800 000	7.9
刚果(金)	2 700 000	5.6
南北美洲		
巴西	350 000	0.7
亚洲		
中国	200 000	0.4
大洋洲		
澳大利亚	17 300 000	35.9
其他	8 129 000	16.9
世界总计	48 179 000	100.0

* 估计值。
资料来源：美国商业部，*Mineral Commodity Summaries* 1992。

金

国家	1991年开采量（吨）*	占世界开采量（%）	1991年探明储量（吨）*	占世界探明储量（%）
非洲				
南非	600	29.1	22 000	44.5
南北美洲				
巴西	70	3.4	1 080	2.2
加拿大	170	8.3	1 960	4.0
美国	300	14.6	5 250	10.6
亚洲				
中国	110	5.3	……	……
大洋洲				
澳大利亚	230	11.2	2 700	5.5
其他	580	28.2	16 490	33.3
世界总计	2 060	100.0†	49 480‡	100.0†

* 估计值。† 因取约数，各数相加不等于所给总数。‡ 不包括中国及其他中央计划经济制各国金储量。
资料来源：美国商业部，*Mineral Commodity Summaries* 1992。

铁矿石

国家	1991年开采量（吨）*	占世界开采量（%）	1991年探明储量（吨）*†	占世界探明储量（%）
非洲				
毛里塔尼亚	11 000 000	1.2	300 000 000	0.3
南非	31 000 000	3.4	5 900 000 000	5.8
南北美洲				
巴西	155 000 000	17.1	10 100 000 000	10.0
加拿大	38 000 000	4.2	10 000 000 000	9.9
美国	53 700 000	5.9	6 000 000 000	5.9
委内瑞拉	21 000 000	2.3	1 700 000 000	1.7
亚洲				
中国	116 000 000	12.8	3 500 000 000	3.5
印度	56 000 000	6.2	6 300 000 000	6.2
欧洲				
法国	8 000 000	0.9	900 000 000	0.9
瑞典	20 000 000	2.2	2 400 000 000	2.4
大洋洲				
澳大利亚	115 000 000	12.7	17 900 000 000	17.7
其他	281 500 000	31.1	36 100 000 000	35.7
世界总计	906 200 000	100.0	101 100 000 000	100.0

* 估计值。† 含铁量。
资料来源：美国商业部，*Mineral Commodity Summaries* 1992。

铅

国家	1991年开采量（吨）*	占世界开采量（%）	1991年探明储量（吨）*	占世界探明储量（%）
非洲				
南非	70 000	2.1	5 000 000	4.2
南北美洲				
加拿大	290 000	8.6	13 000 000	10.8
墨西哥	180 000	5.3	4 000 000	3.3
秘鲁	200 000	5.9	3 000 000	2.5
美国	480 000	14.2	22 000 000	18.3
亚洲				
中国	350 000	10.4	9 000 000	7.5
大洋洲				
澳大利亚	540 000	16.0	26 000 000	21.7
其他	1 260 000	37.4	38 000 000	31.7
世界总计	3 370 000	100.0†	120 000 000	100.0

* 估计值。† 因取约数，各数相加不等于所给总数。
资料来源：美国商业部，*Mineral Commodity Summaries* 1992。

磁性金属

国家	1991年产量（吨）*	占世界产量（%）
南北美洲		
巴西	8 000	2.3
加拿大	35 000	10.2
美国	130 000	37.9
亚洲		
中国	3 000	0.9
日本	13 000	3.8
欧洲		
法国	14 000	4.1
意大利	7 000	2.0
挪威	40 000	11.7
其他	93 000	27.1
世界总计	343 000	100.0

* 估计值。
资料来源：美国商业部，*Mineral Commodity Summaries* 1992。

锰

国家	1991年开采量（吨）*	占世界开采量（%）	1991年探明储量（吨）*	占世界探明储量（%）
非洲				
加蓬	2 268 000	10.2	163 000 000	4.6
南非	2 722 000	12.2	2 631 000 000	74.4
南北美洲				
巴西	1 814 000	8.2	59 000 000	1.7
墨西哥	386 000	1.7	9 000 000	0.3
亚洲				
中国	3 175 000	14.3	29 000 000	0.8
印度	1 271 000	5.7	25 000 000	0.7
大洋洲				
澳大利亚	1 451 000	6.5	154 000 000	4.4
其他	9 139 000	41.1	468 000 000	13.2
世界总计	22 226 000	100.0‡	3 538 000 000	100.0‡

* 估计值。† 含锰量。‡ 因取约数，各数相加不等于所给总数。
资料来源：美国商业部，*Mineral Commodity Summaries* 1992。

汞

国家	1991年开采量（吨）*	占世界开采量（%）	1991年探明储量（吨）*	占世界探明储量（%）
非洲				
阿尔及利亚	600	10.9	3 000	1.2
南北美洲				
墨西哥	300	5.5	9 000	3.8
美国	……	……	4 000	1.7
亚洲				
土耳其	100	1.8	7 000	2.9
欧洲				
意大利	—	—	69 000	28.8
西班牙	1 400	25.5	90 000	37.5
其他	3 100	56.4	58 000	24.2
世界总计	5 500†	100.0‡	240 000	100.0‡

* 估计值。† 不包括美国汞产量。‡ 因取约数，各数相加不等于所给总数。
资料来源：美国商业部，*Mineral Commodity Summaries* 1992。

钼

国　　家	1991年开采量（吨）*	占世界开采量（%）	1991年探明储量（吨）*	占世界探明储量（%）
南北美洲				
加拿大	13 500	12.3	910 000	7.7
智利	13 800	12.5	2 450 000	20.8
墨西哥	4 000	3.6	230 000	1.9
秘鲁	3 000	2.7	230 000	1.9
美国	60 000	54.5	5 350 000	45.3
其他	15 800	14.4	2 640 000	22.4
世界总计	110 100	100.0	11 810 000	100.0

* 估计值。

资料来源：美国商业部，*Mineral Commodity Summaries* 1992。

天然气★

国　　家	1990年产量（立方米）	占世界产量（%）	1991年探明储量（立方米）	占世界探明储量（%）
非洲				
阿尔及利亚	50 640 000 000	2.5	3 300 000 000 000	2.5
南北美洲				
加拿大	106 840 000 000	5.2	2 765 000 000 000	2.1
墨西哥	26 730 000 000	1.3	2 024 000 000 000	1.5
美国	498 630 000 000	24.2	4 775 000 000 000	3.6
委内瑞拉	18 380 000 000	0.9	3 429 000 000 000	2.6
亚洲				
印度尼西亚	43 200 000 000	2.1	2 568 000 000 000	2.0
伊朗	23 710 000 000	1.1	17 010 000 000 000	12.9
伊拉克	4 180 000 000	0.2	3 107 000 000 000	2.4
卡塔尔	6 720 000 000	0.3	4 613 000 000 000	3.5
沙特阿拉伯	30 500 000 000	1.5	5 184 000 000 000	3.9
阿拉伯联合酋长国	22 100 000 000	1.1	5 623 000 000 000	4.3
欧洲				
荷兰	71 800 000 000	3.5	1 970 000 000 000	1.5
挪威	27 000 000 000	1.3	2 300 000 000 000	1.7
罗马尼亚	29 200 000 000	1.4	105 000 000 000	0.1
英国	49 550 000 000	2.4	545 000 000 000	0.4
其他	1 055 220 000 000	51.1	72 504 000 000 000	55.0
世界总计	2 064 400 000 000	100.0‡	131 822 000 000 000	100.0

★ 不包括液态天然气。† 估计值。‡ 因取约数，各数相加不等于所给总数。

资料来源：石油出版局有限公司，《石油经济管理者》(1991-08)。

石油

国　　家	1990年原油产量（桶）*	占世界原油产量（%）	1991年探明储量（桶）*	占世界探明储量（%）
非洲				
利比亚	500 000 000	2.3	22 800 000 000	2.3
尼日利亚	660 000 000	3.0	17 100 000 000	1.7
南北美洲				
加拿大	550 000 000	2.5	5 783 000 000	0.6
墨西哥	961 000 000	4.4	51 983 000 000	5.2
美国	2 635 000 000	12.0	26 177 000 000	2.6
委内瑞拉	773 000 000	3.5	59 040 000 000	5.9
亚洲				
中国	1 006 000 000	4.6	24 000 000 000	2.4
印度尼西亚	465 000 000	2.1	11 050 000 000	1.1
伊朗	1 139 000 000	5.2	92 850 000 000	9.3
伊拉克	760 000 000	3.5	100 000 000 000	10.0
科威特	394 000 000	1.8	94 525 000 000	9.5
沙特阿拉伯	2 268 000 000	10.3	257 504 000 000	25.8
阿拉伯联合酋长国	767 000 000	3.5	98 100 000 000	9.8
欧洲				
英国	679 000 000	3.1	3 825 000 000	0.4
其他	8 459 000 000	38.4	134 376 000 000	13.5
世界总计	22 016 000 000	100.0†	999 113 000 000	100.0†

* 估计值。† 因取约数，各数相加不等于所给总数。

资料来源：PennWell Publishing Co.，*International Petroleum Encyclopedia* 1991。

镍

国　　家	1991年开采量（吨）*	占世界开采量（%）	1991年探明储量（吨）*	占世界探明储量（%）
非洲				
博茨瓦纳	27 000	2.8	900 000	0.8
南非	36 000	3.8	2 600 000	2.3
南北美洲				
巴西	23 000	2.4	4 300 000	3.9
加拿大	204 000	21.4	13 600 000	12.2
哥伦比亚	17 000	1.8	700 000	0.6
古巴	36 000	3.8	22 700 000	20.3
多米尼加共和国	33 000	3.5	700 000	0.6
美国	8 000	0.8	2 500 000	2.2
亚洲				
中国	25 000	2.6	900 000	0.8
印度尼西亚	59 000	6.2	12 700 000	11.4
欧洲				
希腊	18 000	1.9	907 000	0.8
大洋洲				
澳大利亚	73 000	7.6	6 800 000	6.1
新喀里多尼亚	91 000	9.5	15 000 000	13.4
其他	305 000	31.9	27 293 000	24.5
世界总计	955 000	100.0	111 600 000	100.0†

* 估计值。† 因取约数，各数相加不等于所给总数。

资料来源：美国商业部，*Mineral Commodity Summaries* 1992。

氨态氮

国　　家	1991年产量（吨）*	占世界产量（%）
南北美洲		
加拿大	3 000 000	3.1
墨西哥	2 300 000	2.4
美国	12 700 000	13.1
亚洲		
印度	7 000 000	7.2
日本	1 500 000	1.5
欧洲		
法国	1 600 000	1.6
德国	2 400 000	2.5
意大利	1 100 000	1.1
荷兰	3 000 000	3.1
英国	1 000 000	1.0
其他	61 600 000	63.4
世界总计	97 200 000	100.0

* 估计值。

资料来源：美国商业部，*Mineral Commodity Summaries* 1992。

磷酸盐岩

国　　家	1991年开采量（吨）*	占世界开采量（%）	1991年探明储量（吨）*	占世界探明储量（%）
非洲				
摩洛哥和西萨哈拉	22 000 000	13.8	21 440 000 000	63.5
塞内加尔	2 200 000	1.4	160 000 000	0.5
南非	3 200 000	2.0	2 530 000 000	7.5
多哥	2 300 000	1.4	60 000 000	0.2
突尼斯	6 600 000	4.1	270 000 000	0.8
南北美洲				
美国	47 000 000	29.4	4 440 000 000	13.1
亚洲				
中国	18 000 000	11.3	210 000 000	0.6
以色列	3 500 000	2.2	10 000 000	0.1
约旦	6 000 000	3.8	480 000 000	1.4
其他	49 000 000	30.7	4 190 000 000	12.4
世界总计	159 800 000	100.0†	33 790 000 000	100.0†

* 估计值。† 因取约数，各数相加不等于所给总数。

资料来源：美国商业部，*Mineral Commodity Summaries* 1992。

铂族金属★

国 家	1991 年开采量（吨）*	占世界开采量（%）	1991 年探明储量（吨）*	占世界探明储量（%）
非洲				
南非	139	48.4	59 000	89.3
南北美洲				
加拿大	11	3.8	280	0.4
美国	8	2.8	780	1.2
其他	129	44.9	6 031	9.1
世界总计	287	100.0‡	66 091	100.0

★ 包括铂、钯、铱、锇、铑和钌。 * 估计值。† 因取约数，各数相加不等于所给总数。
资料来源：美国商业部，*Mineral Commodity Summaries* 1992。

银

国 家	1991 年开采量（吨）*	占世界开采量（%）	1991 年探明储量（吨）*	占世界探明储量（%）
南北美洲				
加拿大	1 200	8.5	47 000	11.2
墨西哥	2 100	14.8	40 000	9.5
秘鲁	1 800	12.7	37 000	8.8
美国	1 800	12.7	72 000	17.1
其他	7 300	51.4	224 000	53.3
世界总计	14 200	100.0†	420 000	100.0†

* 估计值。† 因取约数，各数相加不等于所给总数。
资料来源：美国商业部，*Mineral Commodity Summaries* 1992。

钾碱

国 家	1991 年开采量（吨）*	占世界开采量（%）	1991 年探明储量（吨）*	占世界探明储量（%）
南北美洲				
巴西	30 000	0.1	600 000 000	3.5
加拿大	7 500 000	27.6	9 700 000 000	56.4
智利	25 000	0.1	50 000 000	0.3
美国	1 770 000	6.5	290 000 000	1.7
亚洲				
中国	60 000	0.2	320 000 000	1.9
以色列	1 350 000	5.0	600 000 000	3.5
约旦	790 000	2.9	600 000 000	3.5
泰国	—	—	100 000 000	0.6
欧洲				
法国	1 250 000	4.6	35 000 000	0.2
德国	4 300 000	15.8	950 000 000	5.5
意大利	100 000	0.4	40 000 000	0.2
西班牙	670 000	2.5	45 000 000	0.3
英国	500 000	1.8	30 000 000	0.2
其他	8 800 000	32.4	3 840 000 000	22.3
世界总计	27 145 000	100.0†	17 200 000 000	100.0†

* 估计值。† 因取约数，各数相加不等于所给总数。
资料来源：美国商业部，*Mineral Commodity Summaries* 1992。

钢（原钢）

国 家	1991 年产量（吨）*	占世界产量（%）
南北美洲		
巴西	20 900 000	2.7
美国	78 000 000	10.2
亚洲		
中国	68 900 000	9.0
日本	112 500 000	14.8
韩国	24 500 000	3.2
欧洲		
法国	19 500 000	2.6
德国	43 500 000	5.7
意大利	25 900 000	3.4
英国	17 200 000	2.3
其他	351 100 000	46.1
世界总计	762 000 000	100.0

* 估计值。
资料来源：美国商业部，*Mineral Commodity Summaries* 1992。

盐

国 家	1991 年开采量（吨）*	占世界开采量（%）
南北美洲		
加拿大	11 100 000	6.0
墨西哥	7 300 000	3.9
美国	36 300 000†	19.5
亚洲		
中国	25 400 000	13.7
印度	9 100 000	5.0
欧洲		
法国	7 700 000	4.1
德国	15 000 000	8.1
意大利	4 300 000	2.3
波兰	5 000 000	2.7
英国	5 700 000	3.1
大洋洲		
澳大利亚	7 400 000	4.0
其他	51 700 400	27.8
世界总计	186 000 000	100.0‡

* 估计值。† 售出或用掉。‡ 因取约数，各数相加不等于所给总数。
资料来源：美国商业部，*Mineral Commodity Summaries* 1992。

硫

国 家	1991 年产量（吨）*	占世界产量（%）	1991 年探明储量（吨）*	占世界探明储量（%）
南北美洲				
加拿大	7 000 000	12.3	330 000 000	9.4
墨西哥	2 300 000	4.1	120 000 000	3.4
美国	10 600 000	18.7	230 000 000	6.6
亚洲				
中国	4 900 000	8.6	250 000 000	7.1
伊拉克	1 050 000	1.9	500 000 000	14.2
日本	2 700 000	4.8	15 000 000	0.4
沙特阿拉伯	1 500 000	2.6	130 000 000	3.7
欧洲				
法国	1 050 000	1.9	20 000 000	0.6
意大利	500 000	0.9	15 000 000	0.4
波兰	5 000 000	8.8	300 000 000	8.5
西班牙	1 100 000	1.9	300 000 000	8.5
其他	19 000 000	33.5	1 300 000 000	37.0
世界总计	56 700 000	100.0	3 510 000 000	100.0†

* 估计值。† 因取约数，各数相加不等于所给总数。
资料来源：美国商业部，*Mineral Commodity Summaries* 1992。

锡

国　家	1991年开采量（吨）*	占世界开采量（%）	1991年探明储量（吨）*	占世界探明储量（%）
南北美洲				
玻利维亚	18 000	8.6	140 000	2.3
巴西	32 000	15.2	1 200 000	19.8
加拿大	3 000	1.4	60 000	1.0
美国	……	……	40 000	0.7
亚洲				
中国	40 000	19.0	1 500 000	24.8
印度尼西亚	27 000	12.9	680 000	11.2
马来西亚	28 000	13.3	1 100 000	18.2
缅甸	1 000	0.5	20 000	0.3
泰国	14 000	6.7	270 000	4.5
欧洲				
葡萄牙	3 000	1.4	70 000	1.2
英国	2 000	1.0	90 000	1.5
大洋洲				
澳大利亚	8 000	3.8	310 000	5.1
其他	34 000	16.2	570 000	9.4
世界总计	210 000†	100.0	6 050 000	100.0

* 估计值。† 不包括美国锡产量。
资料来源：美国商业部，*Mineral Commodity Summaries* 1992。

钛

国　家	1991年海绵钛产量（吨）*	占世界海绵钛产量（%）
南北美洲		
美国	16 000	19.5
亚洲		
中国	2 000	2.4
日本	22 000	26.8
欧洲		
英国	1 500	1.8
其他	40 500	49.4
世界总计	82 000	100.0†

* 估计值。† 因取约数，各数相加不等于所给总数。
资料来源：美国商业部，*Mineral Commodity Summaries* 1992。

钨

国　家	1991年开采量（吨）*	占世界开采量（%）	1991年探明储量（吨）*	占世界探明储量（%）
南北美洲				
玻利维亚	1 200	3.1	110 000	3.2
巴西	400	1.0	20 000	0.6
加拿大	—	—	493 000	14.3
美国	……	……	210 000	6.1
亚洲				
中国	20 000	51.9	1 400 000	40.7
韩国	1 200	3.1	77 000	2.2
缅甸	200	0.5	34 000	1.0
泰国	500	1.3	30 000	0.9
欧洲				
奥地利	1 100	2.9	15 000	0.4
法国	—	—	20 000	0.6
葡萄牙	1 400	3.6	26 000	0.8
大洋洲				
澳大利亚	300	0.8	208 000	6.1
其他	12 200	31.7	795 000	23.1
世界总计	38 500	100.0†	3 438 000	100.0

* 估计值。† 因取约数，各数相加不等于所给总数。
资料来源：美国商业部，*Mineral Commodity Summaries* 1992。

铀★

国　家	1990年开采量（吨）*	占世界开采量（%）
非洲		
加蓬	710	2.5
纳米比亚	3 210	11.2
尼日尔	2 830	9.9
南非	2 529	8.9
南北美洲		
加拿大	8 698	30.4
美国	3 547	12.4
欧洲		
法国	2 806	9.8
大洋洲		
澳大利亚	3 520	12.3
其他	720	2.5
世界总计	28 570	100.0‡

★ U_3O_8。 * 估计值。‡ 因取约数，各数相加不等于所给总数。
资料来源：The Mining Journal Limited, *Metals and Minerals Annual Reveiw* (1991)。

钒

国　家	1991年开采量（吨）*	占世界开采量（%）	1991年探明储量（吨）*	占世界探明储量（%）
南北美洲				
美国	……	……	2 200 000	13.3
非洲				
南非	16 500	49.2	7 800 000	47.0
亚洲				
中国	8 000	23.9	1 600 000	9.6
大洋洲				
澳大利亚	—	—	200 000	1.2
其他	9 000	26.9	4 800 000	28.9
世界总计	33 500†	100.0	16 600 000	100.0

* 估计值。† 不包括美国钒产量。
资料来源：美国商业部，*Mineral Commodity Summaries* 1992。

锌

国　家	1991年开采量（吨）*	占世界开采量（%）	1991年探明储量（吨）*	占世界探明储量（%）
南北美洲				
加拿大	1 165 000	15.7	56 000 000	17.4
墨西哥	300 000	4.1	8 000 000	2.5
秘鲁	610 000	8.2	12 000 000	3.7
美国	550 000	7.4	50 000 000	15.6
大洋洲				
澳大利亚	1 000 000	13.5	62 000 000	19.3
其他	3 775 000	51.0	133 000 000	41.4
世界总计	7 400 000	100.0	321 000 000	100.0†

* 估计值。† 因取约数，各数相加不等于所给总数。
资料来源：美国商业部，*Mineral Commodity Summaries* 1992。

mining bee　地花蜂　又作digger bee或solitary bee。又称挖地蜂、独栖蜂。膜翅目地花蜂科（Andrenidae）昆虫，尤指地花蜂属（*Andrena*）昆虫，约数百种蜂。体中型，被浅红金色毛；腹部长而突出。雌体在土壤中挖隧道，隧道分支成单个巢室，其中贮藏花粉团、花蜜及卵。一年可有1～2代。成体有相当短而宽的"舌"，不适于在一般的花上采蜜。但几个种的"舌"适合在某些类型的花上采蜜。

ministère public　检察院　在法国，指负责刑事案件的起诉以及在民事诉讼中代表社会利益的检察机关。除警察法院以外，法国大多数法院都有检察院的代表（检察官）。检察官的职位可以追溯到13世纪，当时国王感到有必要在全国各地的法院派驻代表以保护他的利益并在有社会影响的诉讼中表达他的观点。到14世纪，这些代表成了政府官员，而且不得处理国王的事务以外的其他事务。检察官这个职位，最初是由王室指派的，后来和大理院（高等法院）中代表国王的总检察官一起，像许多法国司法官员的职位一样，成为可以鬻卖和世袭的。最初，检察官主要关心国王的经济利益和维护王室的产业，以及关注政府官员和司法官员的委派。后来渐渐变为负责维持公共秩序，特别是在犯罪地区负责维护公共秩序，以保卫国家的利益。此时，检察院的职责与现代英国或美国的正、副总检察长相似。早些时候，检察院还负责监督官员们是否竭尽职守，并惩办玩忽职守、贪赃枉法的官员。总而言之，他们要负责保证王国的法令得到遵守。但在现代，检察院代表的职责和过去有些不同了，在法律分析家看来，它具有两重性。在理论上，各级检察官被认为是代表整个社会的利益而不是代表政府的利益。可是在刑事起诉时，他们显然是代表政府的。起诉与否，要由检察官决定，但是他最终又受政府司法部门的控制。不过，尽管存在政治干预的潜在威胁，检察官仍有相当程度的自由。特别是在民事案件中，检察官或者以自己的名义，或者以政府代表的名义作为原告人参加诉讼，或者仅以观察员的身份或有利害关系的一方参加诉讼，他所关心的主要是法律是否得到正确的解释和适用。此外，隶属于最高法院的总检察长还有责任注意下级法官的判决是否有错误解释法律而应予重审的情况。在所有各级法院，检察官就法律所作的解释对法官有相当大的影响。

ministry　基督教教职　受教会任命的一部分基督徒所担任的教会职务或受到一定程度的社会公认的教会专业职务。早期教会的教职制度即主教制至今仍为天主教会、东正教会、老公会、安立甘宗和其他某些派别所沿用。信义宗教职制度不一，有的教会沿用主教制而略有修改，也有的教会采用公理制或长老制。长老宗和归正宗多用长老制，牧师即负有教育信徒任务的长老，牧师与在俗长老以及区会共同管理教会事务。公理制为浸礼会、美国联合基督教会等教会采用，它们在教理上大致与归正宗相同，但强调各个教会的权力，不赞成中央集权或区域集权。循道宗本来反对主教制，但在美国采用主教制而加以修改，使之接近于公理制。五旬节派和福音派认为，特殊的圣灵恩赐较之职务更为重要。公谊会等教会则完全废除教职。

Minitari（people）　米尼塔里人　参阅**Hidatsa 希达察人**。

minivet　山椒鸟　鹃鵙科（**Campephagidae**）山椒鸟属（*Pericrocotus*）10种亚洲鸟的统称。多数种类的雄鸟黑红相间，雌鸟淡黄与灰色相间。栖居于从阿富汗到日本、菲律宾和马来西亚的森林中。成小群，不断发出洪亮圆润的叫声，在树梢觅食昆虫。猩红山椒鸟是常见的广布种，长23厘米。

火焰山椒鸟（*Pericrocotus flammeus*）
美国不列颠百科全书公司供图

mink　水貂　鼬科鼬属（*Mustela*）两种鼬形动物的统称。即分布在北美森林的北美水貂（新大陆水貂，*M. vison*）和分布在欧亚大陆的欧洲水貂（欧亚水貂、旧大陆水貂，*M. lutreola*）。因毛皮珍贵而被诱捕和饲养。北美水貂比欧洲水貂稍大，体长约30～50厘米，尾长13～23厘米，体重约2千克。2个种均腿短，颈长，头宽，耳短圆。毛皮色浓艳，深褐色，有的腹部有白色斑点，浓密柔软的绒毛上覆一层色深而有光泽的几乎是硬挺的保护性硬毛。夜行性，半水栖，捕食鱼和各种动物。妊娠期39～76天，每窝最多10仔。由于杂交产生许多毛色变异。野生者的毛皮较饲养者昂贵。除美国西南部干旱地区外，北美水貂分布于整个北美洲。欧亚水貂则不见于欧洲西部大部分地区。黄鼬（科拉鼬、西伯利亚鼬、黄鼠狼，*M. sibirica*）或称中国水貂、日本水貂或黄水貂。

北美水貂（*M. vison*）
美国不列颠百科全书公司供图

Minkowski, Hermann　闵科夫斯基（1864-06-22，俄罗斯帝国阿列克索塔斯［今在立陶宛考纳斯］～1909-01-12，德国格丁根）　德国数学家。他创立几何数论，并使用几何方法解数论、理论物理学和相对论中的难题。他将三维空间与时间结合成四维空间（后称闵科夫斯基空间）的观念，奠定了爱因斯坦广义相对论的数学基础。他双亲是住在俄国的德国人，兄为奥斯卡·闵科夫斯基。1872年随父母返回德国，青年时期在普鲁士京城柯尼斯堡度过。1885年获该地大学博士学位。先后在波恩（1885～1894）、柯尼斯堡（1894～1896）、苏黎世（1896～1902）等地和格丁根大学（1902～1909）教授数学。主要著作为《空间与时间》（1907）；作品收录在希尔伯特汇编的《论文集》（2册，1911）中。

Minkowski, Oskar　闵科夫斯基（1858-01-13，俄罗斯帝国阿列克索塔斯［今在立陶宛考纳斯］～1931-07-18，德国菲尔斯滕贝格哈弗尔）　又译明科夫斯基。德国生理学家、病理学家。提出糖尿病是一种胰腺物质（后知是胰岛素）受到抑制的结果。1882～1926年在施特拉斯堡、科隆、格赖夫斯瓦尔德、布雷斯劳等地的大学任教，研究糖尿病的生物化学基础，1884年发现血中出现β-羟丁酸伴发重碳酸盐降低是糖尿病酸中毒的原因；还证明糖尿病性昏迷伴有二氧化碳在血中的溶解量减少，可采用碱疗法加以中和。1889年与J.梅灵发现狗的胰腺摘除后会产生糖尿病症状，据此他假定，胰脏是分泌"抗糖尿病"物质（今知为胰岛素）的器官。1885年通过摘除鸟的肝脏证明肝能制造胆色素，并且是尿酸生成的部位。

Minna　明纳　尼日利亚中西部尼日尔州首府。自1911年修通卡诺—巴罗铁路、1915年修通拉各斯—杰巴铁路后，明纳成为出口花生、棉花、薯蓣和牛油果的主要集散地，并为当地主要居民格巴里人的农副产品销售中心。该镇以手工织布、土法染布、织拉菲亚席、编篮、制陶和制作黄铜器著称。有制砖业和大理石开采业。自1976年成为州首府后，明纳也发展成行政中心。镇内有师范学院、医院和电台。为当地公路枢纽。人口约136 900（1996）。

Minnaert, Marcel Gilles Jozef　米奈尔（1893-02-12，法国布鲁日～1970-10-26，荷兰乌得勒支）　佛兰芒天文学家和太阳物理学家，首倡太阳分光光度测量并说明如何用这种技术了解太阳的外层结构。他原先研究植物学，由于想进一步了解光对植物的效应而前往荷兰莱顿大学学习物理。在第一次世界大战前和大战期间，他拥护佛兰芒民族主义运动，因而被逐出比利时，1921年参加荷兰乌德勒支太阳天文台工作。1920年测微光度计发明以后，米奈尔便从事测量太阳光谱暗线强度的工作。在他的两个学生的协助下，编成了具有历史意义的《太阳光谱光度图》(1940)，该书包含波长从3 332埃到8 771埃的吸收线的测量数据，迄今仍是一本标准的参考资料。此后他还发表了几部有关太阳光谱的著作。但他最重要的著作也许是《自然科学》(3卷，1937～1942)，其中第一卷《空中的光和色》，论述与气象有关的光学现象，1954年被译成英文。米奈尔自1937年起任乌德勒支松嫩博格天文台台长，直至1963年退休，但在第二次世界大战期间的大部分时间，他都是在纳粹集中营中度过的。

Minneapolis　明尼阿波利斯　美国明尼苏达州东部城市，亨内平县县城。明尼苏达河口附近。为密西西比航线顶端的入口港，与河对岸圣保罗(**Saint Paul**)市组成两市都会区。

明尼阿波利斯市中心的尼科莱林荫道
美国不列颠百科全书公司供图

为该州最大城市，辖区内有22个湖泊、150多个公园。自明尼通卡湖流出的明尼哈哈溪形成落差15米的明尼哈哈瀑布。1855年原圣保罗设为圣安东尼村。1856年设明尼阿波利斯村(意为“水城”)。两村分别于1860、1867年设市。1872年两市合并。市内的明尼哈哈瀑布对当地早期经济发展有重要作用。1899年伐木业臻于极盛。后面粉业成为主要行业。19世纪晚期通铁路。第一次世界大战后仍为五大面粉公司总部所在地，但此时由于大湖区运费低廉，面粉出口移至布法罗。20世纪后半叶仍为全国主要小麦市场之一。明尼阿波利斯有世界最大的谷物交易所之一。明尼阿波利斯(连同圣保罗)现为一广袤农区的工商业中心。制造业种类繁多，有食品、农业机械、电力机械、运输机械、印刷出版、金属和纸制品、精密仪器、化工及服装。设有明尼苏达大学(1851)、奥格斯堡学院(1869)、邓伍迪工学院(1914)、明尼阿波利斯工艺美术学院(1886)、金谷信义会学院(1967)、中北圣经学院(1957)、格思里剧院、美国瑞典学会、沃克艺术中心、明尼阿波利斯公共图书馆的科学博物馆和天文馆及亨内平县历史社会博物馆等。人口：市382 618；明尼阿波利斯-圣保罗都会统计区2 968 806(2000)。

Minnehaha Falls　明尼哈哈瀑布　在美国明尼苏达州东部，明尼阿波利斯市明尼哈哈公园内。由自明尼通卡湖流入密西西比河的明尼哈哈溪流形成，落差16米多。因朗费罗史诗《海华沙之歌》(1855)中的描写而有“欢笑的溪水”之称。瀑布上部有明尼哈哈和海华沙铜像。

Minnelli, Vincente　明纳利(1910-02-28，芝加哥～1986-07-25，洛杉矶)　美国电影导演。20世纪40～50年代为歌舞片注入了新的创意和活力。喜剧片和歌舞片均获得成功。16岁便随父母在流动剧团担任舞台监督和服装设计。后在百老汇导演舞台剧。1940年应米高梅影片公司之聘前往好莱坞。他善于综合利用鲜明的色彩和富于想象力的摄影技巧，创造优雅而精美的画面，并把音乐和情节出色地综合在一起。他最令人难忘的影片是《在圣路易斯相会》(1944)和《海盗》(1948)，这两部影片均由J.嘉兰主演。明纳利1945年与嘉兰结婚，他们的独生女莉莎·明纳利后来成为受欢迎的演员和歌手。1950年明纳利与G.凯利合作拍摄《一个美国人在巴黎》，获奥斯卡奖。尽管他也导演正剧片，但他最受欢迎的影片是豪华的歌舞片，其顶峰之作是获奥斯卡奖的《琪琪》(1958)。1962年明纳利离开米高梅影片公司创建威尼斯电影制片厂，后来的影片有《再见，查理》(1964)、《在晴朗的一天你永远能看到》(1970)和《时间问题》(1976)。

minnesinger　恋诗歌手　12、13世纪德国诗人-音乐家。最初，诗人把恋歌这个词只用于“典雅爱情”歌曲，后来应用到一切诗和音乐相结合的作品之中，既包括箴言(政治、道德和宗教歌曲)，也包括恋歌。恋诗歌手和操罗曼语的同行游吟诗人和行吟诗人一样，既写词也写曲，而且经常在公开的宫廷活动场合演唱，他们的艺术与听众关系密切。他们的出身贵贱不一，其中有亨利四世皇帝，即红胡子腓特烈一世之子，但大多数为低层贵族；其诗歌的主题多来自这种饱经沧桑的生活。在曲式上恋诗歌手的音乐主要为3段结构：两段相同的段落(单独称为“柱句”，合起来称为“序歌”)和第3段“歌尾”。“序歌”与“歌尾”之间的比例是可变的，基本的aab模式可有许多变化(参阅**Bar form**)。规模较大的是“莱希”，与法国的莱(**lai**)相似。它是一些短诗的集成体，短诗基本上为对句。“莱希”常有数百行长，许多还融入宗教主题。“莱希”或短小形式在音乐上的统一每每通过简短动机或甚至整个乐句的重复和变奏来做到。最早知名的恋诗歌手是屈伦贝格(活动时期1160)。到12世纪末，游吟诗人和行吟诗人的典雅爱情主题已占主导地位。12世纪时阿尔萨斯人赖因马尔在典雅爱情诗歌中表现了社会理想，因此被同时代人看作“纯”恋歌的最富代表性的诗人。中世纪欧洲最伟大的诗人瓦尔特·封·德尔·福格威德吸取他的老师赖因马尔的许多技艺，但打破了束缚恋歌的人为积习，在他的恋诗和箴言诗歌中加进了现实主义的因素。到奈德哈特·封·罗伊恩塔尔(约1250年卒)时代，骑士已将注意力从城堡中的贵妇转向乡村少女，其旋律也相应地与民歌接近。当乌尔里希·封·利希滕施泰因这样的诗人们力图为恢复骑士精神而奋斗时，其他诗人如赖因马尔·封·茨韦特尔和康拉德·封·维尔茨堡(13世纪中叶)发展了说教性的诗歌。13世纪末的弗劳恩洛布(亨利希·封·迈森)以其多才多艺、修辞能力和精练技巧为后来的名歌手们在艺术的风格化上指引了方向。

Minnesota　明尼苏达　美国位于北美大陆中部的州。其河水向南流入密西西比河后注入墨西哥湾；向东汇入五大湖，最后注入大西洋；向北流经雷德河与雷尼河注入哈得孙湾。明尼苏达于1858年5月11日成为美国第32州，以密西西比河在该州的主要支流的达科他族语(苏族语)名称而得名，意为“天蓝色河流”。州首府为圣保罗。

该州面积84 943平方英里(225 182平方千米)，北连加拿大的马尼托巴省和安大略省，东临苏必利尔湖与威斯康星州，南接艾奥瓦州，西邻南、北达科他州。北部边界略向北延伸，因而使明尼苏达成为美国本土48个州中最靠北的一个。这一不规律形状是由于在地区进行详细勘察前与英国达成的一项笼统的边界协定造成的。

明尼苏达拥有广袤的森林地带、肥沃的草原和无数湖泊，其中面积超过4公顷的湖泊有12 000个。内陆淡水约有5 000平方英里，成为明尼苏达生活方式的一个显著特点。该地区为大陆性气候，冬季寒冷，夏季炎热。每4个明尼苏达州居民中约有1个至少具有部分斯堪的纳维亚人血统，但德国人是该州唯一人数最多的种族集团。以前，明尼苏达州的经济以木材、铁矿和农业资源的生产与加工为主。现在农业仍然重要，但从第二次世界大战以来，随着专业化制造业和服务业的迅速发展，该州经济已变得更加多样化了。

自然地理与人文地理

土地　*地形和水系*　明尼苏达全境地势高低不一，苏必利尔湖海拔602英尺(184米)，距离苏必利尔湖北岸约12英里(19千米)的伊格尔山海拔2 301英尺。明尼苏达州大部土地曾几经冰川覆盖，全境地面由于这些冰川的交替冻结、融化和移动而形成。最引人注目的标志是绵延起伏的农田，数以千计的湖泊，陡峭的山坡，平坦的冰蚀湖和冰碛平原。明尼苏达州肥沃的草原土壤是由退去的冰川遗下的磨碎的矿物质形成的。大多数湖泊都位于冰碛地区，冰川在这里留下了砂砾丘。面积超过100平方英里的湖泊是雷德湖、米尔湖、利奇湖、温尼比戈希湖；伍兹湖和雷尼湖与加拿大共有。明尼苏达州与安大略省、密歇根州、威斯康星州共有世界最大的淡水湖——苏必利尔湖，该州拥有的湖岸线约160英里。

最大的冰蚀湖平原(超过10万平方英里)是由阿加西湖形成的。约在8 000年前，当最后一次冰川向北退去时，融化的水被阻在这里。这个旧湖床的南部位于明尼苏达一北达科他州边界的沿线，现称雷德河河谷。雷德湖、伍兹湖以及加拿大温尼伯湖都是这大片冰川融化的冰水的残迹。向南排放的冰水形成了明尼苏达河广阔的河谷，当北面的冰障融化时，河水最终转向北流。在明尼苏达州东北部，有急流河谷和深而清澈的湖泊，这些都是冰川在花岗岩基岩上冲刷成的。明尼苏达州的最东南部是该州唯一避免受冰川作用的部分。在那里，河流穿过石灰石地层，在河面以下留下了大面积的洞穴，而在河谷上面高高耸立着岩石重叠的峭壁。

明尼苏达州圣保罗市的冬季狂欢节冰宫

美国不列颠百科全书公司供图

土壤 明尼苏达州最肥沃的土壤首推其南部和西部的草原，这里的土壤富含有机物，溶性矿物所占比率较高。明尼苏达州东北部的针叶林地带下面的土壤，颜色较淡，酸性，有机物成分较低，而在阔叶林地区的土壤在颜色和自然肥沃度方面属于中等。

气候 温度与生长季节的巨大差异不但随着季节而变化，而且在该州各个地区也有所不同。这表明明尼苏达州从副极带森林边缘一直延伸到玉米带中央。在6、7月，明尼苏达州南部比赤道更接近阳光，而在北部，任何一个月都可能出现霜冻。

7月，平均最高气温在明尼苏达州南部为29 °C，苏必利尔湖沿岸为21 °C。1月平均最高气温，南部为 - 4 °C，北部为 - 9 °C；最低气温从 - 15 ～ - 21 °C，无霜期北部一些地区平均不到90天，南部一些地区达160多天。年平均降水量在东南部超过30英寸(750毫米)，而在西北部不到20英寸。平均季节性降雪量在该州西部不到40英寸，而在东北端则超过70英寸。明尼苏达州许多地区被雪覆盖的时间至少有90天，大约从12月中旬持续到3月中旬。

动植物 明尼苏达州横跨世界主要自然地理分界线之一，在北美洲中央从森林地带显著地转入草原地带。明尼苏达州的自然植物可分为三大类：针叶林，硬木林和草原地带。针叶林原占该州东北部1/3地区，包括松树、云杉、枞树以及沼泽地带的落叶松。一个硬木林带从明尼苏达东南部向东北延伸到加拿大边境，穿过紧接针叶林的南面和西面。硬木林称作大森林，平均宽度约40 ～ 80英里。主要包括栎树、枫树、椴树以及桦木、榆树、三角叶杨和河谷一带的桴叶槭。硬木林的南面和西面是大草原。

该州常见的哺乳动物有鹿、狐狸、浣熊、豪猪、水貂、鼬鼠、臭鼬、麝鼠、美洲旱獭和松鼠。黑熊、麋鹿、狞、狼、郊狼、猞猁、红猫、水獭、河狸几乎全存在于北部。终年常见的鸟包括山雀、啄木鸟、大嘴雀、鸲、北美红雀、麻雀和松鸦。最招人喜爱的鸣叫候鸟包括鸫、黄鹂、鹟鸟、草地鹨以及该州最常见的红翅黑鹂。移栖的水禽包括鸭、雁、鸥、蹼鸡、苍鹭、白鹭。常见的潜鸟是正式的州鸟。除了鸭、雁以外，其他可捕猎的鸟有松鸡、鹌鹑、山鹑、野火鸡以及外地引入的环颈雉。主要的猛禽包括鹰、雕、猫头鹰和鱼鹰。

大眼鱼被指定为州鱼，是垂钓者最喜爱的猎物。其他重要的可捕猎的鱼有北狗鱼、北美大狗鱼、鲈鱼、湖鳟鱼、莓鲈、太阳鱼和绵鲫。棕色和彩虹色鳟鱼在许多河流中数量繁多。苏必利尔湖深而冰冷的湖水中有湖鳟鱼、白鲑、大鳞大马哈鱼、银鳟、硬头鳟、银白鱼、鲱鱼、湖大白口鲑。该州东南部的一些县有响尾蛇。

拓居模式 为了适应明尼苏达州在19世纪不断发展的农业、林业和采矿业活动，全州出现了许多市镇。20世纪后半叶，许多较小的社区衰落了，而较大社区则扩展到比较宽广的地区。一般说来，人口密度在东部和南部最大，在北部和西部则较稀。

在白人居住的一个世纪中，几乎所有草原都被开垦过。针叶林地带到1920年大部被砍伐，现重又被白杨、白桦和短叶松覆盖。大部分大森林已被开辟成农田和牧场。1945年，明尼苏达州耕地面积的发展达到高峰。从那时起，农业开发用地逐渐减少，在明尼苏达州北部中央和东北部比较贫瘠的地区，农场已被废弃。广大森林地区基本上成为乳制品区。在特温城大约100英里的范围内，乳制品业颇为发达，但在此范围以外，乳制品业的重要性逐渐下降。明尼苏达州南部和东南部的草原区有典型的玉米带作物和畜牧农业。

人民 最初移居明尼苏达州的新英格兰人，祖籍是英格兰、苏格兰和爱尔兰。他们都是创业者，参与建立各种制度和许多至今在明尼苏达州仍很重要的传统。19世纪后半叶，第一批重要的移民群体是德国人、瑞典人、挪威人，他们伐木，修筑铁路，成为农民、商人和自由职业人员。

德国移民在向密西西比河上游的推进中占主导地位，继续进入该州中部和中南部地区。挪威移民向西穿过南部各县，在明尼苏达州中西部和雷德河谷形成了主要种族集团。瑞典移民的主要居住区位于紧接特温城(双城)北面的几个县以及明尼苏达州中西部和西北部一些分散的居民点。人数众多的芬兰人居住在明尼苏达州东北部，波兰人在东南部和中部，波希米亚人在特温城地区以南，爱尔兰人住在南部各地，法国人和法裔加拿大人住在紧挨着特温城以北地区和明尼苏达州西北部，荷兰人和佛兰芒人在明尼苏达州西南部一些地区，冰岛人在明尼苏达州西北部，丹麦人、威尔士人、瑞士人住在分散的孤立地区。

每个种族集团都带来了它的宗教传统。明尼苏达州中部和中南部大部分是天主教徒，反映出这里居住的是德国人、波兰人和波希米亚人。其他德国人以及大多数斯堪的纳维亚人信奉路德教。许多种族群在农业地区保持着一定程度的同一性。该地的人口不断向城市地区迁移，但很少吸引人迁入以改变原先的种族成分。

到1890年，大部分良田已有人耕作，因此，在后几十年中到达的大部移民只能在特温城地区或铁矿区谋生，而该地区的就业机会正在增多。特别是特温城市地区迅速发展成该州主要的文化交流与变化的中心。这些后到的移民群体包括芬兰人、意大利人、斯洛伐克人、塞尔维亚人、希腊人、犹太人、乌克兰人、俄罗斯人、美国黑人和拉丁美洲人以及源源不断到来的北欧人。

美国印第安人主要是奥吉布瓦人，其中

约有一半住在特温城，其余大多住在明尼苏达州农村居留地。该州略超过1%的人口是黑人，他们约有90%住在特温城。拉丁美洲人形成一个规模较大的社区。从20世纪70年代以来，来自越南、老挝和柬埔寨的难民增加了特温城地区的人口。人口4 919 479(2000)。

经济 早期明尼苏达州的经济发展与开发其原始自然资源如土壤、铁矿和木材密切相关。这些活动反过来又刺激了如铁路、自然资源、农产品加工及服务业等附属活动的成长。在20世纪60年代后期和70年代早期，以自然资源为基础的活动以及铁路和相关的制造业开始衰退。然而，农业仍是明尼苏达州的最大产业。

农业 明尼苏达州的农业分为与气候和土壤类型密切相关的4类，明尼苏达州最宝贵、最丰饶的农田横贯该州南部地区，该地区大多是黑色肥沃的草原土壤，夏季炎热潮湿。玉米的耕种面积最大，主要用来饲养牛和猪；大豆是主要经济作物。在雷德河河谷，生长季节较短，温度比明尼苏达州南部低，使人们种植谷物和特种作物获得更大效益。主要作物是小麦、大麦、糖甜菜、向日葵、马铃薯和亚麻。

乳制品业在明尼苏达州东南至中西部的丘陵地大森林区占主导地位。牛奶和奶制品是该区农业收入的主要来源，种植的饲料作物也很重要。大豆和马铃薯的种植是作为辅助性经济作物。在有些地方，大规模的火鸡生产占重要地位。在明尼苏达州东北部，土壤贫瘠而且属酸性，农业因此不像该州其他地区那样重要。

采矿 铁矿在明尼苏达州生产的所有矿物的价值中所占比率超过90%。梅萨比岭是该州3个铁矿岭中最大的，1892年开始生产，在其高峰时期生产了世界铁矿石1/4。然而，到20世纪50年代后期，梅萨比岭的大部分高品位自然矿石已经采尽。明尼苏达大学研究出一种加工方法，从丰富的但品位低的铁燧石中提炼铁。为支持所需的数额巨大的投资，明尼苏达州的投票人于1964年通过了一项宪法修正案，保证铁燧石工业享有25年不纳税的权利，这一举措使明尼苏达州的铁矿业获得了一个短暂的繁荣，但在80年代，低成本的外国钢材使美国的钢产量减少，而且低成本的外国铁矿石在美国钢铁厂取代了明尼苏达州出产的铁燧石。

明尼苏达州其他采矿活动包括开采花岗石和石灰石以及砂和砾石。明尼苏达州没有煤、石油和天然气资源，由于地质结构的原因，要想发现这些矿物是极不可能的。

工业 明尼苏达州最早的制造器具、机器、机床和金属器具工业促进了该州对自然资源的开发。辅助性活动有加工业、包装业、运输业、金融业和保险业，以及为这些产业提供必要的基础设施，所有这些发展为一个复杂的相互依赖的经济网络。农业服务行业变得多样化，生产多种消费品，并逐渐发展为拥有世界市场的若干大公司。重要的金融机构、保险公司和商人同样从事多种经营并扩大了市场范围。

明尼苏达州经济结构的主要变化来自高技术和不以资源为基础的工业。其他发展中的经济部门是印刷和出版、保健、科研器具、工业化学品和娱乐设备。

伐木业从20世纪初迅速衰落，因为松树林已被伐尽而白杨和白桦的自然再生林商业价值有限。然而，在20世纪后半叶，明尼苏达州的森林工业随着纸浆和胶纸板工业的发展而获得了复兴。松树、香脂冷杉和云杉采伐用作制造纸浆材料，而白杨以前一度被视为“莠草”树木，现已成为制造胶纸板的受欢迎的品种，占明尼苏达州商品木材的大约70%。从19世纪80年代至1920年前后，明尼阿波利斯被称作“磨坊城”，比世界任何其他城市生产出更多的面粉。1920年后，纽约州的布法罗由于位置临近东部市场而超过了明尼阿波利斯。虽然明尼阿波利斯不再生产面粉，但重要的磨粉公司仍在当地设有总部。

运输 在明尼苏达州和中西部地区的北部，人口的流动与货物的流通都以特温城地区为中心。地方的和横贯大陆的铁路与公路系统从特温城向外辐射，将市镇和村庄结合成一个相互依赖的网络。明尼苏达州东北部的铁路系统将铁矿石和铁燧石产品运到苏必利尔湖的港口德卢斯和苏必利尔后转船运输。来自南北达科他和蒙大拿的小麦也是一项由铁路运到德卢斯转船运输的重要产品。从1959年起，五大湖水道向远洋轮船开放，上中西部的产品直接运往世界各地。

河道运输是该州许多地区人口流动与货物运输的首要方式。密西西比河上的驳船向圣保罗和明尼阿波利斯的重要内陆港口往返运输大宗产品。向上游运输的大宗产品是煤、石油和盐；谷物、砂和砾石则运到下游。

特温城地区也是上中西部的空运中心，它有几条商业航空线。明尼阿波利斯—圣保罗国际机场有一些辅助性机场，分布在整个州，形成一个卫星网络。

行政与社会状况 *政府* 明尼苏达州的第一部州宪法于1858年建州时由美国国会批准。1974年，这部宪法被重新修改以增加其实用性但又不失原意。在涉及宪法的案件中，原宪法有最终的权威性。

明尼苏达州宪法规定设立一个行政部门，由州长、副州长、州务卿、审计长、财政部长、司法部长组成。这6名州官员由政党提名、全州投票选举产生。全州有100多个行政管理部门和独立机构、局、委员会和其他机关。州的两院制立法机构由有67名参议员的参议院和134名众议员的众议院组成，在奇数年举行例会。参议员任期4年，众议员任期2年。司法部门有最高法院、地区法院、遗嘱检验法院、县法院、市法院以及治安法官。最高法院有9名法官，经选举产生，任期6年。

该州87个县大小不一，面积由155～6 092平方英里不等，人口有的不足5 000人，有的大约100万人。县和自治市提供大部分地方政府的服务，但区在规划、分区和维护公共建筑、公园、医院方面拥有一些管辖权。一些学区已经合并，并建立了一些专门地区，以满足垃圾处理、供水、防火、公园、机场、水土保持及其他交互管辖的需要。

特温城都会区委员会的成员由州长任命。该委员会负责地方政府不能提供的某些全区性服务的发展，包括上下水系统、运输和重要的土地使用，它在特温城地区350个地方政府管辖区之间起协调和规范的作用。

政治与社会问题 从一开始，明尼苏达州的政治就具有一再发生抗议与改革浪潮的特色，因而产生了格兰其、绿背党、反垄断派、农民联盟、平民党、禁酒党、无党派联盟等民族主义集团。每次运动都带来一些社会改革，对主要政党产生了一定影响。20世纪后期，明尼苏达州两个主要政党都是来源于这个传统的混合物。1944年，民主农工党成立，它是比较传统的民主党与改良主义的农工党结合而成。独立-共和党的创立，目的在于更多地吸引明尼苏达州数量众多但成分复杂的独立选票。

政治环境脱胎于最初将镇选民大会这一政府形式带到这个新边疆的新英格兰人的传统。这个基础由于斯堪的纳维亚与德国移民的雄心和对教育的重视而得到加强。在明尼苏达州，政府作出公共决议一直被人们认为是合法方式，而商业界作为公共决议的有力参加者一直发挥着重要作用。

公民参与公共决议的传统体现在：该州有许多街道和社区组织；与特定问题有关的团体，以及有较多的有全国政治威望的明尼苏达州人士上面，明尼苏达州在保障妇女、同性恋者和美国印第安人的权益这类全国性运动中一直居领导地位。

教育 明尼苏达州的初级和中级学生约有90%就读于公立学校。学区在面积和资金方面有很大差异，面积较大和资金较多的一般位于主要的城市中心。小的农村学区一般都已合并——或不合并但进行合作——以便提供全课程的机会和必需的服务。一般说来，地方学区的岁入半数以上由州政府提供，同时根据地方需要获得范围广泛的支持。明尼苏达州在高中毕业生比例、中学毕业生标准考试成绩以及升入高等学院校的学生比例等方面均居全国最高之列。

明尼苏达大学创立于1851年，主要校园设在明尼阿波利斯，另一个较小校园设在圣保罗。该大学有几个规模较小的分校；位于德卢斯和莫里斯的分校为4年制，而位于克鲁克斯顿和沃西卡的分校为2年制。

州立大学系统在数处设有校园。特温城的州立大都会大学是其中之一。它是一个“没有校园的学院”，利用该地区多种多样物质便利条件将高等教育办到居民住宅区。此外，州政府还经营大规模的社区学院系统和职业技术学校。几所私立4年制学院是对公立教育系统的补充。

保健与福利 明尼苏达州在保健和福利服务的质量方面在各州中属于较高之列。该州高标准的普通医疗服务、广泛的儿童保健和福利计划，对保健、吸毒和酗酒治疗的创新措施以及对老人的照顾等都受到赞扬。

特温城和罗彻斯特是全国保健中心。罗彻斯特的梅奥诊所从19世纪后期以来一直为来自全世界的病人服务。特温城的明尼苏达大学各附属医院在医学研究方面一直领先，全州各地的众多医院组成一个有效的医疗网。

文化生活 明尼苏达州的文化生活丰富多彩而有季节变化。许多活动都在户外进行,其中包括游泳、划船、驾独木舟、野营、狩猎和垂钓。大众喜爱的冬季运动是滑降比赛与越野滑雪、驾摩托雪橇和冰上钓鱼。冰球比赛惯常在室内举行。圣保罗以每年一度的冬季狂欢节来庆祝冬天,而明尼阿波利斯则以它的阿夸特尼奥尔节来庆祝夏天。该州的博览会是特温城夏季的重要盛会。全州整年都有各种各样的社区节目。

特温城地区是各种文化机构的中心,最著名的音乐组织是1903年作为明尼苏达交响乐团成立的明尼苏达管弦乐队,圣保罗室内管弦乐队和明尼苏达歌剧公司。全州的民间管弦乐队和大专学院为它们各自社区和地区作出了巨大贡献。

特温城地区有几个常驻的专业剧院。最著名的是1963年成立的蒂龙·格斯里戏剧公司。儿童戏剧公司是全国公认的最佳儿童戏剧公司之一。明尼苏达州舞蹈剧院是特温城最出色的常驻舞蹈公司。

明尼阿波利斯美术学院、沃克艺术中心和明尼苏达美术馆都是该州最重要的艺术馆所。其他主要的博物馆有明尼苏达科学博物馆、贝尔自然历史博物馆、明尼苏达历史协会、美国瑞典学会和明尼阿波利斯公共图书馆的天文馆。

S.刘易斯和 F.S.菲茨杰拉德是在明尼苏达州出生的著名作家。明尼苏达州的拓荒岁月在 L.I.怀尔德和 O.罗尔瓦格的著作中都有追忆。

历史

在19世纪中叶以前,两个主要印第安人部落一直占据着今明尼苏达一带:奥吉布瓦人(奇珀瓦人)在北部和东部,苏人(达科他人的通称)在南部和西部。在欧洲人前来探险到正式建州期间,奥吉布瓦人占领了该州的森林地带,将苏人赶到南部和西南部的草原区。从远在阿巴拉契亚山脉和落基山脉的部落来的印第安人曾在明尼苏达州西南部一个神圣的和平地点聚会,开采一块用于刻制和平烟斗的坚硬红岩石;如今,该地区作为烟斗石国家纪念地而予以保护。

欧洲移民 1898年在明尼苏达州中西部发现的"肯辛顿石碑",上有铭文,据称是14世纪深入美国大陆的古代斯堪的纳维亚人所制,但经过调查,证明该石碑是伪造的。该地区可证实的最早欧洲人是17世纪前来寻找西北通道的一批法国探险家。居住在最早的白人拓居地的法国皮毛商(通称皮货公司搬运工)进行搬运,要离开苏必利尔湖,在皮金河的瀑布和湍流周围建9英里长的陆上运输线。在美国独立战争以前,这个称作大运输线的前哨基地是从蒙特利尔到加拿大西北荒原延绵3 000英里的巨大商业帝国的中心。这里是捕捉海狸并销售其毛皮的西北公司的内陆总部,也是每年7、8月间买卖双方的会晤地点。美国独立战争后,大运输线成为美国领地,但直到1803年才转入美国人手中,当时西北公司在苏必利尔湖岸向北迁移30英里,搬到加拿大的威廉堡(今桑德贝)。现在,大运输线是一个历史遗址,称为大波蒂奇国家保护地。国际瀑布城以东的一段毛皮商运货线予以保留,成为沃亚哲斯国家公园。

第一个永久性美国拓居地位于斯尼林堡。这是1819年建立的一个俯览密西西比河和明尼苏达河汇合处的军事前哨;该遗址已被修复,成为州立公园。在19世纪上半叶,进入该地区的移民人数不多,但明尼苏达州北部和中部广大森林的价值一旦被认识后,来自新英格兰的大批伐木者就成了这里的永久移民。

准州与州 明尼苏达在密西西比河以东的地区属原西北地区的一部分,由1787年条令管辖;位于密西西比河以西的地区是1803年路易斯安那购地的一部分。明尼苏达于1849年成为一个准州,当时的疆界西临密苏里河上游,但其大约4 000白人移民中的大部分人都住在准州东部的斯尼林堡—圣保罗区。伐木业发展迅速,主要锯木厂不久便在圣克罗伊河的斯蒂尔沃特和密西西比河的圣安东尼瀑布建立。位于瀑布旁的两个村庄于1872年合并,而东岸的圣安东尼村则被西岸更大的、发展更快的明尼阿波利斯市所并吞。

与加拿大的关系在早期拓居时期是重要的。1811年在雷德河河谷下游,靠近现在的温尼伯地方建立了一个移民居住区。由于在国际边界未作出任何明显标记和设立边界站,人与货物在这两个国家间的交流不受阻拦。通过这条道路进入明尼苏达的移民群体都是具有英格兰、苏格兰、苏格兰–爱尔兰和法国血统的加拿大人。因为从明尼苏达向该地区提供供给要比从加拿大东部更加方便,所以供应品便从圣保罗通过圣安东尼运到加里堡和雷德河河谷的其他拓居地。由于这种贸易利润很大,边界两边的人民便要求美国并吞通称鲁珀特兰德的加拿大西部。这项要求在国会中得不到南方诸州的支持,因为它们关注的是地区间的平衡。英国通过了1867年的《英国北美法案》,有效地削弱了加拿大希望投向美国的企图。上述法案导致加拿大自治领成立,赋予加拿大以自治权。1870年,加拿大建立马尼托巴省并派军队驻守温尼伯,明尼苏达扩张主义者的努力遂告结束。

1858年,明尼苏达建州时,其边界从密苏里河后退到雷德河。1861年,明尼苏达是第一个派遣志愿军参加南北战争的州。与此同时,该州所关注的是苏族暴动,这是美国历史上流血最多的一场印第安人战争。以前未被驱出该州的苏族印第安人都被限制在保留地内。联邦政府强迫他们出卖一些保留地,违反了早期达成的协议。由于农作物歉收和忍受不住饥饿,苏族人袭击了孤立的农庄。仅在几周内,就有500多名平民、军队和印第安人丧生。

19世纪80年代是明尼苏达州拓居最迅速的时期,当时分得土地的定居移民涌入明尼苏达州的西部和西南部。在同一时期内,伐木业的发展也达到顶峰,由于使用圣安东尼瀑布提供的电力,磨粉业发展迅速。明尼阿波利斯作为伐木、磨粉和零售中心,圣保罗作为运输、批发、金融和政府中心,在19世纪80年代,人口都增长了3倍。1880年的人口调查显示明尼阿波利斯的人口超过了圣保罗,于是两市的竞争变得特别激烈。

明尼苏达州商业性铁矿石的生产于1884年在弗米利恩岭苏当开始。1890年,梅萨比岭的巨大铁矿藏量在蒙泰恩艾恩发现后,便开始了大规模生产。梅萨比岭一带和苏必利尔湖港口城市德卢斯和苏必利尔的人口在以后的20年中迅速增长。在明尼苏达州中部和东北部,珍贵的松木、香脂冷杉和云杉在1900年之前大多已被砍伐,在此以后,伐木业迅速衰落。在明尼苏达州北部和东北部,木材产品仍十分重要。

适应与变化 自从永久性拓居地在北美洲中部扎根后,明尼苏达州从一个边远居民点发展为全国与世界经济的一个组成部分。该州以其政治激进主义的传统,寻求改变它所能改变的环境,创造性地适应它所不能改变的环境。

以资源为基础的经济实行了机械化,这意味着用较少的人力能生产出更多的产品。结果,农业人口从大约1920年以后逐渐减少,越来越多的人到城市寻找就业机会,特别是特温城地区,汽车作为铁路的后继者,有力地影响了这种发展模式,因为人们现在能够不费力地旅行至较远的地方。

对待环境的态度从开发转变为对森林、水源、土壤和野生动物进行巧妙的管理。现存的原始荒野地区,如明尼苏达州东北部的界河独木舟区,现在由许多热爱自然的人予以守护。该州辟为公园、森林和野生动物禁猎区的大片地区,充分说明明尼苏达州对于环境管理高度重视。

在20世纪期间,明尼苏达州经济重点的发展从地区和国家水平提高到世界水平,因而使该州人民更关心全球社会。对世界市场的开放使明尼苏达州经济更易受国际经济状况波动的影响,并要求有新的适应方式。甚至过去圣保罗与明尼阿波利斯之间有时十分剧烈的地方观念的竞争也随着认识到它们有共同的利益和共同的竞争对手而缓和了,而且由于中心城市的人口远不如郊区人口多,一种逐渐增强的大都会和全州认同感也发展起来。

Minnesota Mining & Manufacturing Company 明尼苏达矿业与制造公司 简称3M公司。美国多种经营的公司。制造多种产品,有磨料、胶黏带及相关产品、盒式录相带、无碳复写纸和计算机合成制图。总部设于明尼苏达州圣保罗。公司于1902年即以现名成立。开始时生产砂纸。后稳步发展,增添了防水砂纸、赛璐玢胶黏带、防护胶布和台式复印机等产品。公司设四个营运部门:①电子与信息技艺;②图表技艺,包括图表艺术、服务与产品;③工业与消费技艺,包括照相胶卷和胶黏带;④生命科学,有卫生保健产品与服务。在美国多种经营的公司中,该公司以依靠内部手段而不是靠大规模收购其他公司的办法求发展而闻名。

Minnesota River 明尼苏达河 源出美国明尼苏达州比格斯通湖南端、位于南达科他州和明尼苏达两州交界处的奥顿维尔。流向东南,至曼凯托折向东北,在明尼苏达州门多塔流入密西西比河。全长约540千米。对早期探险者及毛皮贸易意义重大。河上有两处防洪水坝。

Minnigerode, Lucy 明尼格罗德(1871-02-08,美国弗吉尼亚利斯堡附近～1935-03-24,弗吉尼亚亚历山德里亚) 美国护士,她在组织护士服务于红十字会和美国公共卫生署方

美国不列颠百科全书公司供图

面所作的贡献永远留在了人们的记忆中。早年接受私人学校教育。1899～1905年间进入纽约贝尔维尤医院护校学习,并于1905年取得注册护士资格。私人执业至1910年任华盛顿哥伦比亚特区全美圣公会耳鼻喉科医院护理部主任。后转赴萨凡纳医院出任同样职务。1914年,在美国红十字会首批赴欧战争救援医疗工作团中,她领导了其中的一支分队,其中包括3名医生、12名护士和数量不等的后勤人员。1914～1915年在俄国基辅理工学院的一家医院里工作。1915～1917年任哥伦比亚妇科医院护理部主任。1917～1919年重返红十字会。1919年,上级要求她到美国公共卫生署所属各医院做巡查旅行。根据其调查报告的要求,这些医院都成立了护理部,而她本人就被任命为美国公共卫生署护理部总监(1919～1935),在任期间病逝。在为看护第一次世界大战的老兵而建立的很多医院里,她招募并培训了大量护士。这些医院后来都被1921年8月成立的荣军总医院接收,她的贡献也全部融入其中。1925年,国际红十字会授予她佛罗伦斯·南丁格尔奖章。到1935年,她为美国公共卫生署所属26家医院共培养了650名护士。

Minning 旻宁 参阅 **Qing**——:清朝帝王序列下 **Qingxuanzong Minning** 清宣宗旻宁。

minnow 米诺鱼 北美多种小型鱼类,特别是鲤科(Cyprinidae)多种小型鱼类的总称。亦指荫鱼科(Umbridae)和鳉科(Cyprinodontidae)鱼类,minnow一词又泛指许多大型鱼类的幼鱼。北美的鲤科米诺鱼包括多种小型淡水鱼,如名为闪光鱼的美鳊属(*Notemigonus*)和闪鲹属(*Notropis*)鱼类以及名为钝吻米诺

红闪光鱼(*Notropis lutrensis*)
美国不列颠百科全书公司供图

鱼及肥头米诺鱼的呆鱼属(胖头鲹属,*Pimephales*)鱼类。许多为盛产种类;一些是有价值的活钓饵;有时对这些种类进行人工养殖以供利用。钝吻米诺鱼(钝吻呆鱼,*P. notatus*)是一种优良的饵鱼,体橄榄色,可长达10厘米。其他还有长6厘米的肥头呆诺鱼(肥头呆鱼,*P. promelas*)和长达20厘米、蓝色和银白色相间的普通闪光鱼(普通闪鲹,*Notropis cornutus*)。金色闪光鱼(美鳊,*Notemigonus cryseleucas*)体型稍大,长可达30厘米,重0.7千克,淡金绿色,既可食用,又是有价值的钓饵。在欧洲和北亚minnow一名指鲹(*Phoxinus phoxinus*),一种纤细、小鳞的典型的清水河溪鱼类,亦属鲤科,一般长约7.5厘米,体色不一,从金黄色到绿色,雄鱼同某些鲤科鱼一样,在春季生殖季节里腹下侧出现鲜红色。鲹同样也是鱼类、鸟类和其他动物的重要食料来源。关于顶游米诺鱼,参阅 **live-bearer**。

Mino da Fiesole 米诺(1429,佛罗伦萨共和国波皮[意大利]～1484,佛罗伦萨) 文艺复兴初期雕刻家,以其半身像作品著称,属于文艺复兴时期最早的肖像雕刻。在佛罗伦萨可

米诺的尼科洛·斯特罗半身像,1454年
美国不列颠百科全书公司供图

能曾在有影响的德西代里奥·达·塞蒂尼亚诺的工作室学习。创作菲耶索莱主教萨卢塔蒂雕像、柏纳多·乔格尼及安得斯堡伯爵胡果的雕像,后者始作于1471年,完成于1482年。米诺到罗马后,于1454、1463年以及1473～1480年期间都很活跃。其罗马时期的作品大部分是与布雷诺协作完成的。米诺以肖像雕刻家享有盛名。其最早的胸像作品是佛罗伦萨富商和政界名人尼科洛·斯特罗半身像,1454年作于罗马。其他主要的胸像作品包括曼弗雷迪、卢纳(1461)和内罗尼(1464)。

Minoan civilization 米诺斯文化 克里特岛的青铜时代文化,兴盛期约为公元前3000年～前约1100年。米诺斯是希腊传说中克里特岛的某一朝代的名称或某一统治者的名字。克里特岛是爱琴海青铜时代文化的发祥地。事实上,它是该地区从公元前第三千年末开始的一种高度发达文化的第一个中心。米诺斯文化的顶峰期约为公元前1600年和随后的公元前15世纪,并以其宏伟的城市和宫殿、远达东地中海及以外地区的商业活动以及运用书写的能力而闻名于世。米诺斯文化的精美艺术品有精心制作的徽记和陶器(特别是在黑色胎底上饰有浅色彩绘的著名卡马雷西陶器),而最重要的是宫墙上充满生

米诺斯文化晚期的彩绘桥形嘴陶罐
美国不列颠百科全书公司供图

机的精致壁画。这些壁画既表现世俗的景象,也表现宗教的场面,如神奇的花园、猴群和野山羊或衣着奇妙的女神,她们证明米诺斯文化中占统治地位的母权制宗教。米诺斯艺术中最熟悉的主题是象征女神的蛇和公牛,例如在祭祀的陶瓶上发现的跳牛仪式似乎有着某种宗教或魔法的成分。大约在公元前1580年,米诺斯文化开始越过爱琴海,扩展到临近诸岛和希腊本土。米诺斯文化的影响也反映在希腊本土的迈锡尼文化中。迈锡尼文化约于公元前1500年开始传遍爱琴海。到公元前15世纪中叶,克里特岛上的宫殿文化被来自希腊本土的征服者破坏。他们在克里特岛建立了新秩序,其中心是克诺索斯和菲斯托斯。随着被征服,该岛经历了克里特技艺和本土技艺的奇妙融合。不过,米诺斯晚期(公元前约1400～前约1100年)在经济力量和艺术成就两方面均呈现明显衰落。

Minobe Tatsukichi 美浓部达吉(1873-05-07,日本兵库县～1948-05-23,东京) 日本法学专家。他把天皇制在日本宪法中的地位重新解释为"国家机关"。在此以前,关于天皇的观点认为天皇是国家的神圣的体现,他的观点大大地改变了日本的政治理论。他曾在德国留学。归国后在东京大学任法学教授。他运用德国的法学理论,提出天皇仅仅是受权执行国家行政职责的最高机关的观点,即"天皇机关说"。这就是说,天皇要服从国家的法律,天皇的权威不能大于民选的政府机关。他认为真正的最高权力只能属于人民。这种说法削弱了对(以天皇的名义实行的)专制统治的承认并为蓬勃发展的民主运动奠定了理论基础。由于他的著

作是高等文官考试的必读参考书，几乎所有的高官都持有他的观点。然而，当日本在20世纪30年代的仇外气氛中准备战争时，他的理论日益受到来自这些高官们的批评。1932年他从大学退休，被选入贵族院。3年后在民族主义分子的压力下辞职。他的著作不准发行，直到第二次世界大战结束才解除禁令。战后他反对美国炮制的日本新宪法，认为天皇的权力减得太多，天皇制仅仅成了国家的象征。

Minomura Rizaemon　三野村利左卫门（1821-11-25，日本江户[今东京]～1877-02-21，东京）　日本实业家，曾使三井家成为19世纪和20世纪早期支配日本经济的最大财阀。在他的领导下，三井成为德川时代（1603～1867）少数金融巨子之一，并能过渡到现代工业状态。原为孤儿，靠自己努力谋生。最初在交易所当经纪人。后来参加三井公司，很快升到领导职位。明治维新后，他推行现代银行经营方法，任日本第一家私人银行三井银行总经理。他还协助三井家经营其他行业，为创建一个巨大工业王国奠定基础。

minor　未成年人　指不满法定成年年龄的人。成年年龄在不同的国家里有不同的规定，甚至在同一个国家里的不同的司法管辖区也各有不同。它也因有关的活动类型而异，例如结婚、购买酒精饮料或驾驶汽车所要求的成年年龄也各不相同。21岁通常是未成年人与成年人之间的界线。未成年这一概念的基础是认为儿童不能自己管理自己。对未成年人还有特殊的保护，使其不受陌生人或不负责任的父母之害。在大多数国家，未成年人可以取得财产，但不能出售财产；他所取得的东西由其父母管理。通常要受法院的监督，以免滥用。同样地未成年人——即使他们虚报了年龄——不受他们所签订的契约的约束；这些契约是可以撤销的，但不是无效的。因此，如果一个未成年人订约购买一辆汽车，他可以在实际交款取车之前撤销这一契约。也就是说该项契约可以由他自行决定撤销。未成年人要对他们给其他人造成的伤害负责——例如，伤害了另一个儿童。以前，犯了罪的未成年人要与成年人负同样的责任。到20世纪，各国改变了这种做法。尽管未成年人犯罪仍然要受制裁，但强调的是改造，而不是惩罚。参阅 **juvenile court**。

Minor, Virginia Louisa　迈诺（1824-03-27，美国弗吉尼亚卡洛林县～1894-08-14，密苏里圣路易斯）　美国坚韧精明的妇女选举权活动家。早期生活不详。1843年与远表亲律师F.迈诺结婚，次年定居于圣路易斯。南北战争爆发时，她成为圣路易斯妇女联盟救助会的活跃人物。救助会的复杂活动由妇女成功管理，这使她愈加相信妇女应当享有政治平等。早在1865年，当赋予以前的农奴公民权利已是公开辩论题目时，她是第一个在密苏里州公开提出应赋予妇女选举权的女性。1867年初，她即已为此向密苏里州立法机构请愿，但未获成功。同年5月在圣路易斯组织密苏里州妇女选举权协会，出任会长直至1871辞职。她于1869年提出论点，认为美国宪法第14修正案已含有保证给与妇女选举

美国不列颠百科全书公司供图

权之意。1872年10月试图在圣路易斯登记参选，遭到拒绝后她起诉登记员。此案一直上诉到美国最高法院。虽然败诉，但为妇女选举权事业起到广泛宣传的作用。1879年美国全国妇女选举权协会成立密苏里州分会，她当选会长。1890年，成为合并后的全美妇女选举权联合会密苏里州分会会长。1892年因健康原因退休。

minor planet　参阅 **asteroid** 小行星。

Minor Prophets, The（biblical literature）　**《小先知书》**　参阅 **Twelve, The**《十二先知书》。

Minor v. Happersett　迈诺诉哈珀塞特　美国最高法院案例，1874年全体一致裁定选举权不受宪法第14修正案之保护。全国妇女选举权协会工作人员V.迈诺，因密苏里州法律规定选举权只给予男人，而在1872年的选举中被禁止选举登记，于是和丈夫F.迈诺控告选举登记员R.哈珀塞特，拒绝给予她宪法第14修正案所保证的"公民特权和豁免权"。最高法院的判决宣称，美国宪法并无公民特权和豁免权之规定；因此，各州只给予男性公民选举权并不违反妇女之公民权利。从而消除了通过法院裁决赢得妇女选举权的可能。随后美国争取妇女投票权运动的重点放在要求修正各州的投票法和美国宪法方面。

Minorca　梅诺卡　西班牙语作Menorca。地中海西部巴利阿里群岛第二大岛。属西班牙巴利阿里省。面积668平方千米。大部为干旱台地。中北部有托罗山，海拔358米。北岸多岬角。有海湾深深凸入陆地。主要城镇和天然良港马翁是群岛最优港口。南岸地势较整齐，有大片峭壁。岛上早期居民或系穴居。史前遗迹可追溯至公元前2000年中期。台地适于放牧。向大陆出口干酪。南岸冲积谷地和部分台地为农业区。以自流井灌溉的土地尤其高产。座座风车构成该岛特有的风光。出产谷物、马铃薯、瓜、石榴、无花果和杏仁。北岸一带鱼虾很多。全岛约有十分之一的居民在各小型鞋厂制作皮鞋。旅游业不断发展。与巴塞罗那和马霍卡有空、海交

梅诺卡岛上的史前建筑遗迹
美国不列颠百科全书公司供图

通，伦敦有航班通此。人口58 727（1981）。

minority　少数群体　生活在一个较大的社会中，文化上、种族上或民族上与众不同的集团。在描述这样的集团时，这个术语有着复杂的政治和社会含义。

对于政治家和社会科学工作者来说，一个少数群体应从属于在社会中占统治地位的群体。这种从属性是少数群体的首要特征，它比群体的数量更为重要。在某些情况下，如南非，由于白人的统治地位，黑人居民被视为少数群体。这个少数群体在数量上要比占统治地位的白人多许多倍。

作为社会学用语，少数群体应是一个与众不同的社会群体。诸如，它有特定的成员准则，它摒弃使自己有别于多数群体的文化行为规范。它应具有特殊的易于识别的特征，作为它与社会其余部分不同的标志。

与社会中主导群体相隔离，少数群体的成员通常完全不参加社会工作，也不同等地分享社会报偿。少数群体与主导群体相比，物质上贫穷，政治上无权。尽管也有某些例外。

某些集团由于缺少明显的与众不同的特征，因此不被视为少数群体。现代美国社会中，宗教很少被认为是界定少数群体的标准。由于作为整体的社会太世俗化，宗教活动的差异并不显得强烈。例如，共济会员，尽管他们自信与大多数西方人不同，但缺乏明显的独特面貌，因而不被认为是一个紧密的少数群体。单纯因经济原因而聚合在一起的人群，也很难被认为是少数群体，除非他们的活动与统一的家族关系、民族或文化原则相联系。

不同社会中，少数群体的作用是不同的。这取决于社会制度的结构和少数群体相应的权力。总之，作为整体的社会对少数群体的存在有着两种选择：排斥他们或容忍他们。

可用几种方法之一来消灭少数群体：驱逐或镇压。17世纪的法国，占统治地位的天主教禁止新教活动。新教徒被迫改变信仰或转入地下或离开法国。因此作为亚文化的新教实际上被根除了。镇压少数群体的一个极端例子，就是纳粹消灭数百万犹太人。

消除少数群体的一种较少暴力的方法是同化。同化过程中，少数群体接受了占统治地位的多数群体的文化属性。在19世纪和20世纪初，美国面临欧洲移民的涌入；操英语的新教徒多数群体向移民传授占优势的文化，而不让其保持原有的文化特性；移民群接受了占统治地位的语言和意识形态。结果，他们没有形成自治的社会群体，而宁愿融入美国社会。

同化很难说是一种单纯的消灭过程。同化中占统治地位的集团常吸收少数群体文化中那些能对自己文化产生影响的成分。实施同化的社会常处于演进的过程，占统治地位的文化日益兼收并蓄。

允许少数群体融入的较大社会体系叫多元化社会。在多元化社会中，统治势力由于两种原因之一，而选择容忍少数群体。他们或者看不到消灭少数群体的理由，或者尽管不喜欢这个少数群体，但有着妨碍消灭后者的政治、意识形态或道义上的原因。在12和13世纪，某些欧洲国家的商业活动被犹太人垄断，这使得反犹太主义的统治者不能驱逐犹太人，否则形同自杀。统治群体勉强容忍的另一个例子，见于1950年以后20年间的英国，当时英国面对来自加勒比海地区、巴基斯坦和印度的移民潮。许多英国人并不喜欢这些新的少数群体，但全国范围内居主导地位的民主思想阻止了任何排斥移民的行动。

整体的社会结构影响着少数群体的社会作用。明确地说，少数群体位于社会等级的下层。少数群体成员的社会地位的变化取决于他们赖以生存的社会是封闭的还是开放的。在封闭的社会里，个人的作用和功能理论上是不能改变的。例如，在印度传统的种姓等级制度的社会。而开放的社会允许个人改变其作用，使之与变化了的地位相适应。与强调社会集团间等级关系的封闭社会不同，开放社会允许不同的社会集团为同样的资源相争，他们间的关系是竞争性的。在开放的社会中，个人在其所属社会集团中的地位，不像封闭社会中那么重要。

美国就是这样：开放的社会允许个人社会地位的变化。社会学家认为，黑人融入美国社会所遇到的困难，部分是由于他们和其他集团不同，他们是唯一被认为是自治的社会集团。这种从封闭社会中遗留下来的成见，使黑人与原本是开放的、且没有这类自治集团的社会相隔离。黑人在美国遇到的困难乃是现代西方社会中少数群体面临许多问题中的一个典型。

minority carrier injection 少数载流子注入 指电子学中在用作晶体管的p型与n型半导体材料的边界上所发生的一种过程。每种半导体材料都含有两种能自由运动的电荷：电子(负电荷)与空穴(正电荷)。在n型材料中，电子是丰度较高的载流子，也叫多数载流子；空穴是丰度较低的载流子，也叫少数载流子。在p型材料中空穴是多数载流子，电子是少数载流子。如果把电池适当地接到半导体材料上，p型材料就会得到一些额外的电子(少数载流子)，它们是由电池来的电子流从n型材料注入到p型材料，这就是少数载流子注入。当新的注入电子在p型材料中穿行时，就会受到带有相反电荷的空穴的吸引。一个电子与一个空穴之间的碰撞会使这两个电荷的自由运动停止。只有一部分注入电子有可能完全穿过p型材料。在晶体管中，这些穿过整个p型材料的注入电子为第二块n型材料所收集。

minority education 少数民族教育 全国性的教育体系。旨在将少数民族纳入国家经济和社会的主流的同时，仍保留他们在语言、宗教、种族等方面的文化特性。比利时、瑞士、印度等使用数种语言的国家都作出了周密细致的折衷方案，承认文化上的差异。比利时允许学校用3种语言授课，并为使用法语的人和使用佛兰芒语的人分别设立平行的教育部。印度鼓励在教育的早期阶段使用邦的官方语言，在高中或大学阶段则可使用印地语或英语。与此相反，马来西亚政府则坚持用巴哈萨马来西亚语作为学校用的语言，其目的在于建立全国的统一。19世纪以前，不论是哪个教会都控制着自己管区的教育。19世纪以来，教育越来越多地受到国家的资助。对宗教问题的一个解决办法，就是坚持国家对教育的垄断，共产主义革命后的苏联和中国就是这样做的。另一个解决办法是像法国和美国那样，坚持世俗化的公共教育制度，在公立学校里不能讲授宗教，但宗教团体可建立它们自己的私立学校。在人们普遍信仰同一种宗教的国家，例如一些阿拉伯国家，则鼓励在学校里讲授宗教，在那里教会的利益和国家的利益被认为是一致的。在许多国家，由种族和民族引起的问题不仅影响了政治安定，也影响了教育政策。联合国人权宣言使各国政府更难公开地在种族类别的基础上制定其教育政策。大多数国家的政府一般在法律上都承认不分种族和民族，教育机会一律平等。由于教育机会平等实际上很难实现，有些国家的政府正在采取有利于少数民族群体的区别对待的教育政策。不同的国家以不同的形式实行这种政策。中国的宪法承认中国是一个多民族国家，所有民族一律平等。自20世纪50年代以来，中国建立了若干民族研究所，并培训了汉族和少数民族教师在自治区县工作。19世纪和20世纪初期，在美国和加拿大，对少数民族，主要是对移民，进行教育的公开目标就是实行同化。近年来，这两个国家已经认识到对少数民族教育和对少数民族政权要求在国家、地区和地方各级范围实行教育平等所进行的社会学研究的意义。加拿大法律上的变革保证了该国若干省有用法语教学的权利，在适当的地区可将英语作为少数民族语言。除了对一些省和地区的印第安人、因努伊特人、混血人的特殊规定外，其教育政策已放宽到允许用“世袭语言”进行初级教学。例如，在埃德蒙顿和温尼伯可用乌克兰语进行教学，在多伦多可用意大利语和华语进行教学。在美国也出现了与此相似的进展。最为明显的是，最高法院在1954年取消了在教育上实行种族歧视的法律根据。1964年的民权法案为改善若干地区的少数民族教育提供了根据。关于双语教学制的条款规定：不讲英语的学生有权得到专门的语言帮助。这些规定主要为墨西哥裔学生所利用。

Minos 弥诺斯 传说中的克里特统治者、众神之王宙斯和欧洲大陆的化身欧罗巴的儿子。他借助希腊的神波塞冬之力取得克里特王位，并且从克诺索斯(或戈提那)那里得到对爱琴海诸岛的统治权，在许多岛上殖民，并清除海盗。娶赫利俄斯的女儿帕西淮为妻，生安德洛革俄斯、阿里阿德涅和菲德拉。帕西淮还是弥诺陶洛斯(半人半牛怪)的母亲。弥诺斯的儿子安德洛革俄斯被雅典人杀死之后，他率军讨伐雅典和梅加拉而成功地报了仇。在雅典的戏剧和传说中，弥诺斯是个暴君，要求送来儿童让半人半牛怪吞食。弥诺斯在西西里被国王科卡罗斯的女儿们趁他洗澡时用开水烫死。死后成为冥土的一个判官。虽然雅典保留了敌视他的传说，但一般的说法表明弥诺斯是一位同宗教与仪节有十分密切联系的强大、公正的统治者。根据在克里特所进行的考古发掘，许多学者认为弥诺斯是克诺索斯青铜器时期或称米诺斯时期祭司领袖的一个皇家的或王朝的头衔。

Minot 迈诺特 美国北达科他州中北部城市，沃德县县城(1888)。临苏里斯河南岸，北距加拿大边境80千米，东南距俾斯麦160千米。1886年为大北铁路的一个“帐篷镇”，1887年设市。20世纪早期城市惊人的发展使之赢得“魔法城”称号。现该城是一个地区贸易、运输、教育、商业和卫生保健中心。迈诺特是该州最大的小麦产地，此外还出产大麦、燕麦、黑麦、菜籽、亚麻籽和向日葵。一年一度的北达科他州商品交易会在此举行。经济主要是农产品的加工与销售。附近有露天褐煤矿和一个较大的油田。市内有州立迈诺特学院(1913)和西北圣经学院(1934)。有一座艺术博物馆和几个音乐和戏剧团体。迈诺特国际机场里有展示军用和民用飞机的博物馆。另有铁路博物馆和动物园。附近还有迈诺特空军基地和国家野生动物保护区。人口36 567(2000)。

Minot, George Richards 迈诺特(1885-12-02，美国马萨诸塞波士顿～1950-02-25，马塞

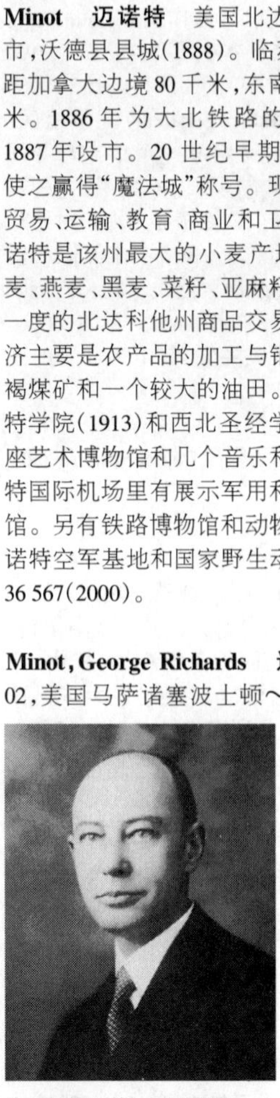

美国不列颠百科全书公司供图

诸塞布鲁克莱恩） 美国医师。与G.惠普尔和W.墨菲因采用生肝饮食治疗既往不治的恶性贫血，从而获得1934年诺贝尔生理学或医学奖。惠普尔曾证明狗的失血性贫血可用喂饲生肝治愈。1926年迈诺特与墨菲发现，每天吃生肝半磅可迅速治愈人类的恶性贫血。迈诺特又与美国化学家E.科恩成功地制备了供口服的肝浸膏。直到1948年其有效成分被分离出并命名为维生素 B_{12}。以前，肝浸膏一直是恶性贫血的主要治疗药物。迈诺特于1912年毕业于哈佛大学，并获医学学位。毕业后先后供职于马萨诸塞州总医院、哈佛大学亨廷顿纪念医院、波士顿彼得·本·布里格姆医院。

Minotaur 弥诺陶洛斯 希腊语作Minotauros（弥诺斯公牛）。希腊神话传说中的人身牛头怪。它是弥诺斯的妻子帕西淮同波塞冬送来作牺牲的一头白毛公牛所生。弥诺斯未杀公牛，把它饲养下来。为了惩罚弥诺斯，波塞冬使帕西淮与它相爱。她同公牛生的孩子被关在代达罗斯为克里特王弥诺斯修建的迷宫里。后来弥诺斯的一个儿子安德洛革俄斯被雅典人杀死，弥诺斯为了报仇，要求雅典每九年（一说每年）送7名童男、7名童女给弥诺陶洛斯吞食。到第三次献牲的时候，雅典英雄忒修斯自愿前往克里特，在弥诺斯和帕西淮的女儿阿里阿德涅的帮助下，把怪物杀死。

Minseitō 民政党 英语作Democratic Party。第二次世界大战前日本主要政党之一。1929年首次执政，其后11年间又多次与比较保守的*立宪政友会*（**Rikken Seiyūkai**）竞争组阁。该党1927年由原宪政会和一个小党合并而成。它力图改善日本同西方的关系，并削弱军方对政府的控制。该党领导人竭力讨好政府官僚以争取得到庇护，联络实业界以获得财政资助。1940年政府强迫民政党和立宪政友会一起并入由政府控制的大政翼赞会。1945年后新成立了民主党，其中有许多前民政党员参加。

Minshatō（Japan） 参阅**Democratic Socialist Party** *民社党*。

Minsk 明斯克 白俄罗斯中部一州。西北部为白俄罗斯山脉的波状冰碛丘陵地。别列津纳平原贯穿全州，并沿东南方向逐渐倾斜。自然植被有湿润地区的茂密森林（松树、云杉、橡树、桦树和赤杨）。高地林区大多已被开垦为农田，并遭受顺向沟蚀。南部和东部有水草沼地和泥炭沼泽。首府明斯克市为经济中心。除鲍里索夫和车辆制造中心若季诺外，其他城镇规模很小，多从事木材和地方农产品加工。高地和南部斯卢茨克城附近地区多种植黑麦、小麦、荞麦、大麦和亚麻；乳制品业很普遍。主要工业为机械和仪器制造业（汽车、拖拉机、车床、摩托车、电视机和收音机）。20世纪60年代在斯塔罗宾发现大型钾盐矿，现为索里戈尔斯克肥料生产基地。该区已成欧洲最重要钾盐生产中心之一。面积40 200平方千米。人口约1 558 600（1999）。

Minsk 明斯克 白俄罗斯语作Mansk。白俄罗斯首都，明斯克州行政中心。濒临斯维斯洛奇河。1067年首见记载。1101年成为公国君主所在地。14世纪属立陶宛，后归波兰，1793年再次瓜分时又被俄国获取。该城经历了许多灾难，屡遭焚毁，1505年遭克里米亚鞑靼人劫掠，1812年被法军占领和破坏。1918年被德军占领，1919～1920年被波兰人占领。第二次世界大战期间，尤其在1944年苏联军队向前推进时几乎夷为平地。其重要性不断提高，1793年后成为省中心，19世纪70年代建成途经明斯克市的莫斯科-华沙和利耶帕亚－罗姆内两条铁路之后又成为工业中心，1919年成为白俄罗斯共和国首都。该城在第二次世界大战中被德军占领（1941～1944）期间，有大量的犹太人惨遭有计划的屠杀。在战争进程中该城几乎全部被毁，后经重建，现在有许多公园、宽阔的林荫大道和高层公寓大厦。1959～1989年期间，人口增长率高于苏联任何同类的城市。在此期间，人口增加2倍以上，即由50万增至约160万。1991年白俄罗斯获得独立后仍为首都。同年成为独联体行政中心。目前该市在连绵起伏的丘陵地上杂乱无章地延伸，大部分为新建筑。市中心主要建筑物多为苏联早期风格滞重的大型建筑。古迹有马林斯基大教堂和别尔纳金修道院礼拜堂。明斯克是白俄罗斯重要工业中心。经济以机器制造业尤其是卡车和拖拉机制造业为基础。产品还有电动机、轴承、机床、广播和电视设备、电冰箱、钟表、纺织品和食品。明斯克也是文教和印刷中心，设有白俄罗斯科学院以及一所创建于1921年的大学和多所高等院校。有音乐学院、冬季运动宫、白俄罗斯国家歌剧芭蕾舞剧院等数家剧院。人口约1 688 000（2000）。

Minsky, Marvin 明斯基（1927-08-09，美国纽约州纽约～ ） 美国数学家和计算机科学家，为最著名的人工智能实践者之一。1944～1945年曾在美国海军服役，后于1946年进入哈佛大学，探索各种科学知识，1950年以优异成绩从数学系毕业。1951年考入普林斯顿大学，同年建成第一台神经网络仿真器。1954年获得普林斯顿大学数学博士学位，回到哈佛大学成为有威望的研究员协会成员。1957年到麻省理工学院任教。其研究在推进人工智能、认知心理学、类神经网络以及图灵机理论等方面作出了贡献。是机器人学的先驱，制作了最早的一些拥有触觉感应器、视觉扫描仪及配套软件与计算机界面的机械臂。影响了许多该校以外的机器人计划，并建造出具有人类赏识判断能力的机器。在所著《心智社会》中，以270个互有联系的理念（每页陈述一个理念）表现其理论结构，并参与许多太空探索高科技的研究。1970年获得图灵奖。

minstrel 游方艺人 12～17世纪的各种专职艺人，包括变戏法、耍杂技和讲故事的人，尤指世俗音乐表演者（通常指乐器演奏者）。在某些情况下，minstrel一词特指管乐器演奏者；15世纪时，甚至指他们所吹奏的乐器肖姆管（一种古双簧管）。14世纪左右，“游方艺人”这个词代替了早期的“杂耍艺人”这个名称。4世纪在盎格鲁人中已听说过“流浪乐师”，6世纪时就有人提到过日耳曼的讽刺诗人（scop）。古英语诗歌《*威德西思*》（**Widsith**）中描述一名虚构的讽刺诗人在日耳曼社会中的作用。到12世纪，游方艺人的表演情况和社会地位才比较清楚。许多人隶属于宫廷，其中有些是音乐家。其他绝大多数人到处游方。他们大多不会记录自己的音乐，只凭记忆即兴表演。因此，他们的音乐很少留存下来。14和15世纪时，游方艺人行会发展遍及全欧各城镇。这些行会要求游方艺人受行会另一名成员的严格训练，并设法给以工作。15世纪末，佛兰德地区一些城镇法令中甚至规定游方艺人要经常在一起练习，并在特定时间内举行音乐会。他们的演出大多在室外，或在大型集会上，因此喜欢选用声音嘹亮的乐器——肖姆管、小号、鼓等。从这几个世纪存留下来的少量器乐显然不是来自城镇行会，而是来自在贵族府邸中立足的乐师们。1419年，勃艮第公爵“善人菲利普”即位时，他的宫廷里有6位小号手、4位游方艺人和1位竖琴手。后来乐师人数还有所增加。这个宫廷里的乐师的工作相对稳定（其中一人呆了34年），说明游方艺人有较高的集体即兴演奏技术。许多欧洲宫廷也聘用类似的乐师小组。15世纪下半叶，世俗人中知书识字和懂得较简易的记谱法的人明显增多。16世纪管乐队音乐手稿里往往也有教堂音乐，说明知书识字的教士音乐家和目不识丁的游方艺人之间的界限正在消失。游方艺人音乐和艺术音乐这两种截然不同的风格的趋于一致，导致游方艺人这个行业的衰落。16世纪以后，虽然行会、城镇乐队和流浪乐师仍继续存在，但游方艺人作为音乐职业的一个部分已逐渐失去其重要意义。游方艺人和*名歌手*（**meistersinger**）、*恋诗歌手*（**minnesinger**）、*游吟诗人*（**troubadour**）和*行吟诗人*（**trouvère**）都有联系。

minstrel show 黑脸歌唱团表演 美国本土的戏剧形式。黑脸歌唱团又称游方艺人歌唱团，由一批化装成黑脸的白人剧团团员演出；是以滑稽地模仿黑人苦工为题材的歌舞。这种表演在英格兰也像在美国一样流行，并在1850～1870年间达到顶峰。这种形式逐渐衰落，最后从专业剧院消失，仅成为业余演员的一种表演形式。它在20世纪歌舞杂耍、广播、电视和电影中的影响仍然明显，主要是通过民间音乐、舞蹈的形式表现的。它对美国文化有着永久的贡献。美国黑脸歌唱团表演的创始人是T.D.赖斯，一般称他为“吉姆·克劳”。他是早期的黑人扮演者，其表演使黑脸歌唱团所唱的歌曲风行一时。黑脸歌唱团的演出通常有两部分：第1部分演员排成半圆，发问者站在中间，演员的两端站着两个巧辩演员，一个是担波先生，他耍铃鼓；另一个是博尼斯先生，他敲响板。白脸发问者一般穿正式服装，其他化装成黑脸的演员穿华丽而俗气的燕尾服和条纹裤。演出常以合唱作为隆重的开场，然后由发问者和巧辩演员表演一系列笑话，中间穿插民歌、滑稽歌曲和乐器演奏，班卓琴和小提琴尤多。第2部分或者说是杂曲部分(混合曲或由几首歌曲的片断凑成的集成曲),是一系列单人表演。这时每个团员都要做一段特色的表演,其他演员则一边唱歌一边轻轻地拍手,最后,以一种乡村舞或慢步舞作结束。偶尔还有第3部分,它包括闹剧、粗俗的歌舞表演或喜歌剧。

mint 薄荷 香气浓郁的唇形科薄荷属(*Mentha*)约25种多年生草本植物和其他近缘属植物,包括胡椒薄荷(**peppermint**)、留兰香(**spearmint**)、牛至(**oregano**)、墨角兰(**marjoram**)、迷迭香(**rosemary**)和百里香(**thyme**)。原产欧洲、亚洲和澳大利亚,现广泛分布于世界温带和亚热带地区,但主要产于旧大陆温带地区。薄荷类多用于食品调料。用于烹调的薄荷类为胡椒薄荷或留兰香。真正的薄荷类属于薄荷属,茎四棱形;叶对生,有香气;轮伞花序腋生,或成密集的顶生穗状花序,花小,淡紫、粉红或白色;茎叶的腺点富含挥发油,香味浓郁。薄荷类的油用于制造香水以及糖果、利口酒、口香糖、牙膏和药剂的调味品。《圣经》中的薄荷大概是指长叶薄荷(*Mentha longifolia*),因为该植物在中东广泛栽培。其叶片被毛,叶背被柔毛,穗状花序中花朵密集,是与逾越节羊羹同食的几种苦草之一。水薄荷(*Mentha aquatica*)生在水沟,穗状花序圆形,叶被毛,具柄。唇萼薄荷(*Mentha pulegium*)具广椭圆形、钝头的小叶片;花腋生,成轮伞花序;匍匐生长,带刺激性气味;民间医药中用以发汗及通经。唇形科其他植物称为薄荷的有:香蜂草属(*Monarda*)的种类称为马薄荷;山薄荷属(*Pycnanthemum*)的种类称为山薄荷;假荆芥(*Nepeta cataria*)称猫薄荷或猫捏草;牛至样岩薄荷(*Cunila origanoidea*)俗称石薄荷或马里兰岩薄荷;*Prostanthera* 属的种类为纤弱的澳大利亚灌木,俗称灌木薄荷。

mint 铸币厂 根据法律规定按照准确的成分、重量、尺寸和公差来制造钱币的部门。第一个国家铸币厂可能是安纳托利亚民族中的吕底亚人于公元前7世纪建立起来的。爱琴海岛屿的希腊人很快步其后尘。这种技术逐渐散布到意大利和其他地中海国家、波斯和印度。罗马人可能在公元前4世纪开始铸造钱币,并奠定了现代铸币的基础。公元前7世纪,中国独自建立了铸币业并传到日本和朝鲜。欧洲在中世纪,随着商业复兴,各个封建统领(国王、伯爵、主教、自由城)都行使铸币特权,铸币厂因此数量激增。13世纪仅在法国就有50余家铸币厂。结果导致产生了各种币制,往往妨碍商业的发展。16世纪西班牙人在南美和墨西哥建立铸币厂,以就地开采的金、银铸造硬币。现代化国家大都只有一家铸币厂。英国绝大部分货币在威尔士的兰特里森特铸币厂生产,而伦敦铸币厂现在主要是一个行政管理中心。美国在过去各个时期有7个铸币厂,但在20世纪80年代初期,只有2个(在费城和丹佛)在开工。在旧金山铸造的是供收藏家选用的成套标定硬币。至于用量不大不值得自设铸币厂的一些国家,可由国外铸币厂铸造硬币。自从16世纪以来英国铸币厂已为许多国家铸币。许多铸币厂除完成铸币任务外,还提炼贵重金属、制造奖章和印玺。

mintadi 明塔迪 安哥拉的皂石雕像。据意大利文献,明塔迪雕像于17世纪由传教士从非洲携回罗马路易吉·皮戈里尼史前人种博物馆。传统的明塔迪与古代雕像相似,许

安哥拉的皂石雕像——刚果人

美国不列颠百科全书公司供图

多世纪以后依然有人雕刻。明塔迪呈跪状或坐状,用于守护祖先墓地。它们也用作已葬国王和酋长的肖像,雕刻在头饰上的标识证明了这一点。

Minto, Gilbert Elliot-Murray-Kynynmound, 1st earl of 明托伯爵(第一)(1751-04-23,英格兰爱丁堡格雷弗赖尔斯~1814-06-21,赫特福德郡斯蒂夫尼奇) 英国驻印度总督(1807~1813),成功地抑制了法国人在东印度群岛的活动。牛津大学毕业后,在伦敦林肯法学协会进修,1774年取得律师资格。1776年进入国会。两次竞选议长未果。1794年任科西嘉长官。1798年封男爵。1807年成为印度总督。1809年用兵阻止阿密尔汗进入比哈尔。1809年同旁遮普的兰季特·辛格签订条约,承认萨特累季河为旁遮普锡克国家与英属印度领地之间的界线。1810年通过谈判解决法俄两国打入印度的问题。同年征服印度洋上法属波旁(今留尼汪)群岛、毛里求斯群岛以及荷属东印度安汶岛和香料(摩鹿加)群岛。1811年征服爪哇岛。1813年受封梅尔冈德子爵和明托伯爵。

Minto, Gilbert John Elliot-Murray-Kynynmound, 4th earl of 明托伯爵(第四)(1845-07-09,伦敦~1914-03-01,苏格兰罗克斯堡明托) 英国驻加拿大总督(1898~1905)和驻印度总督(1905~1910)。伊顿公学和剑桥大学三一学院毕业。1867~1870年在皇家苏格兰禁卫军服役。1874~1877年在西班牙和土耳其当记者。1879年和1882年曾先后参加第二次阿富汗战争和埃及战役。1883年去加拿大任陆军大臣,1886年回国。1898年任加拿大总督,缓解了加拿大总理W.洛里埃和英殖民大臣J.张伯伦间的冲突。1905年任印度总督。他认为有必要实行某些政治改革,以满足印度的知识分子,扶植国大党的稳健派,以控制日益高涨的民族主义运动。同时鼓励成立穆斯林联盟,以与国大党抗衡。这就是造成印度分裂的"分而治之"政策的一部分。他对革命家拉奇普特·雷依和阿吉特·辛格不经审讯即予放逐,对那些号召用武力推翻英国统治的人们采取极严厉的措施。

Mintoff, Dom(inic) 明托夫(1916-08-06,马耳他科斯皮夸~2012-08-20,塔尔欣) 马耳他工党领袖(1949起),曾两任马耳他总理(1955~1958,1971~1984)。受教于马耳他大学和牛津大学赫特福德学院。1936~1937年任马耳他工党总书记。1941~1943年意德两国军队围困马耳他岛时,他在英国当土木工程师。回国后当建筑师。1944年重新加入并协助改组工党,1949年成为该党领袖。1955~1958年任马耳他总理兼财政部长。1958年辞职,领导马耳他人解放运动。该运动旨在争取国家的独立,并于1964年取得了在英联邦范围内的独立。1962~1971年他是国民党政府反对派的领袖。他极力维护马耳他的主权,向英国提出财政以及其他方面的要求,迫使英国和北大西洋公约组织于1979年3月撤出在该岛的一切基地。20世纪70年代末,他驱逐英国记者和许多商人,向利比亚和阿尔及利亚的左翼政府靠拢。1984年辞去总理职务。

Minton, Sherman 明顿(1890-10-20,美国印第安纳乔治敦附近~1965-04-09,印第安纳新奥尔巴尼) 美国最高法院大法官(1949~1956)。在耶鲁大学法学院时,曾协助组织该大学的法律救助社。他原在印第安纳州新奥尔巴尼当律师。第一次世界大战时入伍服役,退伍回家后在该市加入一个法律事务所。他的政治生涯开始于1933年被任命为印第安纳公共事业委员会的顾问,在任该职时负责降低该州的公共事业的费用。他在任美国参议员期间(1935~1939)是新政纲领的拥护者,而且是罗斯福总统的特别助手。1941年被任命为第七巡回区上诉法院法官,一直任职到1949年被任命为最高法院大法官时为止。1948年在一个调查煤矿工人罢工的三人委员会中工作,那次罢工是由矿业工会领导人刘易斯发起的。刘易斯违犯了一项禁令,随后因藐视法庭罪被判处罚金。他在最高法院的表现一贯是保守的。在涉及言论自由权利或涉及颠覆势力的案件中,总是支持联邦政府所采取的行动。在"美国诉拉比诺维茨"案(1950)的一项重要意见中,他推翻了不久以前的一项在"实际可行的情况下"必须持有搜查令才能进行搜查的裁决,宣称宪法第4条修正案只禁止"不合理的搜查"。1956年因健康原因退休。

Minton ware 明顿陶瓷 1793年由T.明顿在英格兰斯塔福德郡特伦特河畔斯托克城兴建的一家工厂生产的产品,包括奶油色胎子和蓝色绘画的马约利卡陶器、骨灰瓷和帕罗斯瓷。明顿曾推广著名的柳树图案。19世纪20年代,他开始生产骨灰瓷。这种早期的明顿瓷器深受法国塞夫尔瓷器的影响,并被认为可以与之媲美。明顿瓷厂是19世纪采用塞夫尔堆花装饰(**pâte-sur-pâte**)工艺过程

的唯一的英国陶瓷厂。明顿也生产帕罗斯瓷像,19世纪时,是为各国大使馆和国家首脑定制餐具的最有名望的厂商。

minuet　小步舞　高雅的男女对舞。约1650～1750年间主宰了欧洲贵族舞厅,在法国、英国尤甚。据传源自法国民间的普瓦图勃朗里舞。宫廷小步舞采用小步,速度放慢,讲究礼仪,极为壮观。舞蹈者按社会地位高低为序,常表演多种经过精心设计的花样或图案,并于起舞前向舞伴和观众行屈膝礼或

A.华托绘《威尼斯人节日》(约1718)中的小步舞
美国不列颠百科全书公司供图

鞠躬。基本的地面图案最初为"8"字形,后为"Z"字形。小步舞曲为三拍子(3/4或3/8),分两段:小步舞曲和三重奏,每段由两重复乐句组成(AA－BB),但重复也可有变化(AA′－BB′)。总的形式为小步舞曲—三重奏—小步舞曲。小步舞曲常出现于18世纪组曲中,最为典型者是作为古典奏鸣曲或交响曲的第三乐章的小步舞曲。

Minūfiyah, Al-　米努夫　又拼Munufia。下埃及省份。位于尼罗河三角洲顶端西部。面积1 532平方千米,包括三角洲最丰饶的地区。农业人口达每平方千米970人。以农业为主。雇用的工人人数占工人总数3/5以上。几乎1/3的土地种植玉米,其他作物有棉花、小麦、车轴草、椰枣和洋葱。还生产牛奶和乳制品。主要灌溉水源为米努夫运河。主要中心是省会希宾库姆以及米努夫和艾什蒙。人口约2 227 087(1986)。

Minuit, Peter　米纽伊特(约1580,克莱沃韦瑟尔[德国]～1638-06,加勒比海)　北美洲荷兰新阿姆斯特丹殖民地总督,以神话般地仅用60荷兰盾从印第安人手中购得曼哈顿岛(纽约市中心)而闻名。1626年5月航行到哈得孙河口的荷属殖民地,9月荷属西印度公司任命他为曼哈顿总督。后以少量商品为代价,自印第安族酋长手中购得整个岛屿。他在岛南端建立新阿姆斯特丹城,使早期荷兰移民得以安家。1631年回荷兰。几年后参加瑞典军队,率两只主要装载瑞典殖民者的舰船,到特拉华河口建立新瑞典移民区。他

美国国会图书馆供图

在那里又收购印第安人的土地,建立克里斯蒂娜堡。后去西印度群岛的克里斯托弗岛活动,因遇风暴在海上丧生。

minuscule　小写字母　书法中的小写字母或小写字盘字母,是与大写字母或大写字盘字母对比而言。小写字母不像大写字母,并不完全局限在两条(实在的或假设的)线之内;上行字母如*b*,*d*,*f*,*h*,*k*,*l*的茎干部分伸向上线以上,下行字母如*p*,*q*的茎干部分伸向下线以下,加洛林小写体是第一种这类字体。它是由约克郡的阿尔昆和在圣马丁隐修院的修士们创造出来的。阿尔昆是查理大帝在781年至790年进行教育改革的组织者,为了执行所承担的大量任务,阿尔昆需要易于阅读的文字,需要创出标准的抄写圣·哲罗姆拉丁文圣经的字体(加洛林字母)。优美而清晰的加洛林小书写体采用了小写字母或小写字盘字母,句子用大写字母开头,用句点结尾,使书写句子和段落成为可能。这种书写体原来笔迹圆润、间隔很大。但经过多年后,这种字体变得横向缩短,笔划偏重,带有哥特体(黑体)字的特征。哥特体小写体起源于北欧,在10～15世纪成了全欧洲流行的字体。这是一种尖角形排列紧密的字母形式。

minute　分　等于60秒的计时单位。现在按铯原子在规定条件下的电磁辐射来定秒的时间长度。过去分的定义为1小时的1/60,或平太阳日(地球相对于太阳自转的平均周期)的1/1 440(60×24＝1 440)。恒星时(不用太阳而用其他恒星来定时)的分要比平太阳时的分短几分之一秒。原子时的分几乎等于平太阳时的分。

minute pirate bug (insect)　参阅 **flower bug 花蝽**。

minuteman　即召民兵　美国历史上的用语,指独立战争前和战争期间闻命即可应召的殖民地民兵。第一支即召民兵于1774年9月建于马萨诸塞伍斯特县。当时革命领袖们正欲通过要求所有军官辞职而组建7团新军,任用新的军官,从旧民军中清除亲英分子。每团的1/3成员应准备好一旦召唤即持武器集合,这些人被称之为即召民兵。自1774年10月马萨诸塞地方议会通过成立民兵团法令后各县纷纷建立。尤以战前波士顿地区的民兵最为著名。这支新军的第一次考验是1775年4月的列克星敦和康科德战役。1775年7月,大陆会议建议其他殖民地也组建即召民兵,马里兰、新罕布什尔和康涅狄格均予以响应。

Minuteman missile　民兵式导弹　从20世纪60年代起成为美国陆基核武器库主体的洲际弹道导弹(ICBM)。民兵式导弹共有3代。民兵Ⅰ于1962年首次部署,这种长17米的三级导弹是第一种采用固体燃料的洲际弹道导弹(它比易挥发的液体燃料安全得多),也是美国第一种部署在地下发射井中的洲际弹道导弹(以前导弹贮存在地面发射坪上)。1966年至1973年间,民兵Ⅱ取代了民兵Ⅰ,这种导弹改进了推进系统,射程提高至约13 000千米,其重返大气层运载工具携载当量为120万吨级的热核弹头,并装备有电子干扰及其他装置,以突破苏联城市和军事设施周围的雷达制导的反弹道导弹防御体系。

1970年至1975年间部署了民兵Ⅲ导弹,该导弹有2个或3个能独立打击目标的重返大气层运载工具,各带一个当量为17万吨的热核弹头。80年代,又在某些民兵Ⅲ导弹上安装了3个当量为33.5万吨的弹头,以及更为精确的制导系统,使之具有摧毁苏联加固的洲际弹道导弹发射井和指挥设施的"硬目标杀伤"能力。从1986年开始,和平卫士导弹开始取代部分民兵Ⅲ导弹。此时已有约1 000枚民兵Ⅱ和民兵Ⅲ型导弹部署在怀俄明、北达科他、南达科他、蒙大拿和密苏里州的空军基地上。

Minyā, Al-　明亚　上埃及省份。位于尼罗河泛滥平原,也包括西部沙漠的一部分,有人居住地区的面积为2 262平方千米。尼罗河谷地西方沙漠区发现铁矿,明亚城北的尼罗河东岸有石灰石采掘场。该地区农业发达。主要作物为玉米、小麦、椰枣、甘蔗、粟和洋葱。工业包括轧棉、面粉加工和制糖。古迹分布在城南的巴尼哈桑舒卜里克、艾什穆奈因和图纳特山。迈莱维设有地区博物馆,陈列全省的文物。人口约2 648 043(1986)。

Minyā, Al-　明亚　又拼Menia。埃及明亚省城市和省会。位于上埃及尼罗河谷地中。有铁路通往开罗。为全省的商业和金融中心,也有轧棉、面粉加工、制糖、地毯编织业等。设有电视台和大学。由于通铁路和公路,是到埃及中部旅游的中途站。在尼罗河对岸东南方有古城美纳特胡夫的废墟。这座古城是第四王朝(约公元前2575～约前2465)法老的故乡。当地已发现格尔津史前遗址,还有第三王朝一座小金字塔。约有半数居民是科普特基督徒。人口约201 360(1996)。

minyan　敏彦　犹太教名词,指可以举行正式礼拜的最少男子人数(10人),以代表整个以色列族。犹太男子满13岁经过成年礼方有资格计在敏彦之内,集会如达不到此法定

人数，参加者只能以个人身份祈祷。在必要情况下，即将经受成年礼的少年也可算数。目前犹太教的改革派和保守派都规定，妇女也可计数在敏彦内。

Minyan ware 明洋陶器 青铜器时代中期希腊生产的最早的用转盘制作的陶器。这种陶器最早是在奥尔霍迈诺斯的一些遗址中发现的，于古希腊早期（公元前2200～前2000）的第三期从小亚细亚引进到希腊本土，生产持续至古希腊中期（约公元前2000～约前1600）。这种陶器一律为灰色，有滑溜手感，造型仿金属制品。

Miocene epoch 中新世 第三纪的世界范围的一个主要分期，自距今2 378万年前延续到530万年前，常被划分成早中新世（2 378万年前至1 660万年前）、中中新世（1 660万年前至1 120万年前）和晚中新世（1 120万年前至530万年前）。中新世也可以划分成6个期以及与之相对应的岩层的阶，这些期或阶自老至新依次是：阿基坦、布尔迪加尔、郎格、塞拉瓦尔、托尔托纳和麦西尼亚。中新世位于上新世之前，在渐新世之后。

重要的中新世地层生成于南美洲、北美洲、欧洲南部、印度、蒙古、东非和巴基斯坦。海洋环境和陆地环境在中新世的地层资料中都有代表。陆生生物的资料是广泛的，多种多样的，对脊椎动物尤其是哺乳类的演变过程提供了颇为完整的景观。

中新世的哺乳类动物群实质上是现代的；许多古老的种属到渐新世末都绝灭了，现代已知的哺乳类的科当中足有半数存在于中新世的记录里。在北半球的新旧大陆之间，发生了动物群的某些交换。非洲和欧亚大陆之间的自由交流那时也有可能，但南美洲和澳洲仍然处于隔离状态。内布拉斯加州化石非常丰富的哈里森组已提供大量哺乳动物化石，其中有大而细长的骆驼、鹿样的奇怪动物、熊狗、狐狸、西貒、一种显然具有地松鼠生活习性的古老的小河狸、中新世马。在中新世期间，马的进化主要发生在北美洲；下列类型如：副马属（*Parahippus*）、中新马属（*Miohippus*，由先前的渐新世传留的一个类型）、安琪马属（*Anchitherium*）、后古马属（*Hypohippus*）、上新马属（*Pliohippus*）以及草原古马属（*Merychippus*）等，都是代表大分化、大演变的属。出现了最早的狗和熊；熊狗（半熊属[*Hemicyon*]）接近于熊的血统。从原始灵猫类演变成的最早的鬣狗，也像早期的剑齿猫类那样，出现在中新世。原始的羚、鹿和最早的长颈鹿类都出现在欧亚大陆的中新世。以往所知只出于非洲渐新世的、和象类似的早期的类型，在中新世时散布到了欧亚大陆，并且变得更加种类繁多。

阿根廷中新世中期的圣克鲁斯组具备有南美洲的异乎寻常的中新世动物群的精彩资料。有代表性的奇特的族类有：有袋的食肉兽类、异常的有齿兽类、滑距骨兽类、剑齿兽类。这些类型之能够演变形成是因为南美洲处于同其他区域隔离的状态。南美洲猴类阔鼻猴的演化，在中新世时正在进行中。

到中新世末，差不多所有现代族类的鲸都已出现，正如早期的海豹和海象那样。鸟类如鹭、秧鸡、鸭、雕、鹰、鸦、雀、雉、鹗和山鹑等在中新世时存在于欧洲，那里的阿尔卑斯山脉在整个中新世时期继续在隆起。

中新世在灵长类的进化中具有重要意义。在北美洲化石资料中出现的最晚的灵长类，一种类似眼镜猴的动物，在美国境内是闻名的。在别处，更高级的灵长类，特别是猿类，经历了极大的演变。化石资料似乎指出：高级灵长类，包括猿类，那时存在于欧洲南部。上新猿属（*Pliopithecus*）——一种早期的长臂猿，以及森林古猿属（*Dryopithecus*）——一种大概代表现代猿类和人类的祖先高级类人猿，见于欧洲的中新世地层中，森林古猿类也存在于非洲的中新世地层，那里大概是像人的族类和人类的直系祖先起源的地区。腊玛古猿属（*Ramapithecus*），一种从最晚的中新世或者也许是最早的上新世地层中发现的族类，代表超越森林古猿类向人类的一种进展。

Miohippus 中新马 起源于北美中渐新世（3 630万年前至2 370万年前）的原始马类的绝灭属。从较早、较原始的渐新马属演化而来，显示出体积增大的趋向和较进步的齿式。

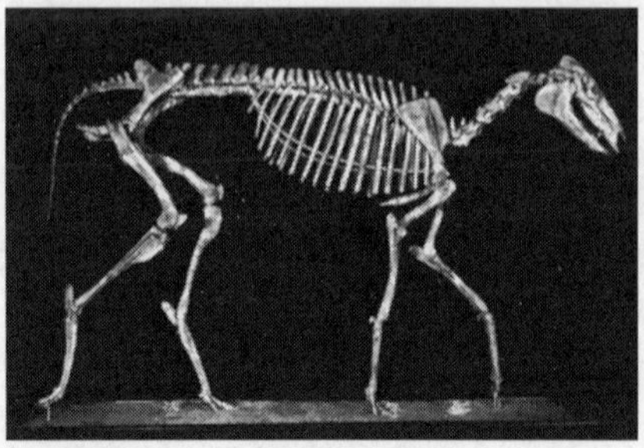

中新马（*Miohippus intermedius*）
美国不列颠百科全书公司供图

虽然4足都还有3个具功能的趾，但肢体较能适应奔跑。该属与其更像真马、更进步的后裔平行延续到中新世。

miqve (Judaism) 参阅 **mikvah** *净身池*。

mir 米尔 俄国历史上的农户自治公社，负责管理森林、渔场、猎场和空地。1720年起掌管耕地，每过一定时期进行重新分配，以使社员纳税额更加均等。1861年以后仍保存下来，作为土地公社所有制和地方行政机构。经济上虽无作用，但便于集中管理，应付纳税。还得到斯拉夫派、政治上保守的人和民粹派的支持，斯托雷平总理试图推行农业改革，鼓励土地私有制，但1917年俄国革命后农民普遍恢复土地公社所有制。

Mir "和平"号航天站 苏联航天站，其核心舱于1986年2月20日发射。在其后几年里，几个附加舱用单独的火箭发射进入太空，与"和平"号的核心舱连接，组成一个使用灵活的大型太空实验室。"和平"号是苏联第三代航天站，其特点是有6个对接舱口供本身附加舱或其他航天器对接之用，扩大了生活空间，有更大的可用电源以及现代化的研究设备。核心舱重量21吨，长13.13米，最大直径处宽4.2米。1987年3月苏联发射了第一批几个大型专业舱，企图增加"和平"号航天站的生活和工作空间。有一个称为"量子"1号的附加舱，原打算用来进行天文物理学研究，重量超过20吨，几乎和基本的"和平"号舱一样大小，使航天站的居住容积几乎增大一倍。1990年2月发射的"量子"2号，其特点是有一个淋浴喷头和一个水池，以及一个气闸舱，以供太空行走之用。这样，航天员可在舱外进行维修工作。1990年3月发射的"量子"3号有一个对接口，用来与"暴风雪"号航天飞机连接，还有把"和平"号改成生产地球上无法制造的材料的工厂所需的设备。1986年3月13日航天员L.基济姆和V.索洛维约夫乘坐"联盟"号航天飞船与"和平"号会合，成为"和平"号的第一批乘员。他们花费53天来调整设备，并使整个航天站综合体达到可工作的状态。以后又有一些航天员进入了航天站。1987年晚期Y.罗曼年科创下了在太空停留326天的新的续航记录（以前的记录是237天，是1984年"礼炮"7号航天站的苏联乘员创造的）。

Mīr Dāmād 米尔·达马德（？～1631或1632，伊拉克纳杰夫附近） 原名Muḥammad Bāqir ibn ad-Dāmād。伊斯兰教哲学家、导师、萨非王朝统治时期伊朗文化复兴运动领袖。出身于什叶派名门，一生大部分时间在伊斯法罕学习并讲学。他率先提出"永恒根源"这一概念用以解释万物的起源。认为除了真主以外，地球、日月星辰等万物都有永恒的和暂时的双重来源。也门哲学就是在他的影响下得以复兴的，这种哲学主张以真主的启示和众圣人的教训为依据，反对以希腊理性主义为依据。他的伊斯兰教哲学著作甚多，其中《凭信仰记述历史》论天地的创造和真主的智慧。他也能写诗。有人称他为继亚里士多德与法拉比之后的第三位导师。

Mīr Jaʿfar 米尔·伽法（1691？～1765-02-05，印度孟加拉） 第一个由英国势力扶植的孟加拉统治者（1757～1760，1763～1765），帮助击败莫卧儿人的统治，确立了英国人的势力。阿拉伯人家庭出身。1740年协助内兄阿里·瓦迪汗将军夺得孟加拉的政权。1756年与他人共谋废黜瓦迪汗的孙子和继承人西拉吉。1757年他向马德拉斯的英国人总督克莱武保证：如果英国人支持他当孟加拉的统治者，他将与英国人合力把法国人从孟加拉赶走，而且向东印度公司付款50万英镑。1757年被立为孟加拉的纳瓦布（穆斯林统治者）。他发现孟加拉国库极其空虚，但仍实践付款许诺并准许英国商人自由通行经商，导致该邦财政崩溃和东印度公司人员的腐化。1760年克莱武走后，他让位于女婿米尔·卡西姆。米尔·卡西姆同英国人交战后，他于1763年复位，向英国人妥协。

Mīr Sayyid ʿAlī 米尔·赛伊德·阿里（活动时期16世纪，印度） 波斯细密画家，与阿卜杜勒·萨马德一同移居印度，协助成立莫卧儿画派（参阅 **Mughal painting**）。估计16世纪26～50年间生于大不里士，父亲是萨非画派著名艺术家米尔·穆萨维尔。他应莫卧儿皇

米尔·赛伊德·阿里为《五卷诗》所绘细密插图画
美国不列颠百科全书公司供图

帝胡马雍之邀赴印度,1545年前后抵喀布尔,由该地去德里。他和阿卜杜勒-萨马德传艺于皇家画院,学生多为印度艺术家。他曾主持制作《阿米尔·哈姆泽故事》巨幅细密画插图约1 400帧。作品留传后世者寥寥无几。

Mīrā Bāī 密罗·跋伊(1450?,印度古德吉～1547?,古吉拉特杜瓦尔卡) 印度教奥秘修行者和诗人。其父罗怛·辛格为梅尔达统治者之弟。她自幼学习音乐、宗教和政治。幼年时蒙一位圣者赠与大神黑天肖像,自此以黑天为神圣情人,毕生敬爱。1516年嫁麦华王储菩阇·罗阇。1521年丧夫。其夫弟罗登·辛格继王位后,对她进行压迫和暗害,其继位者维格罗姆·辛格也奉行其道。她反抗陈规旧习,狂热于宗教,不合贵族闺秀和寡妇身份。她独居供奉黑天的私人寺庙,接待来自印度各地的修行者和朝圣者,创作圣歌。从她的诗作中可以看出,她曾两次遭暗算,幸未被害。密罗·跋伊离麦华返回到梅尔达,但也因作风不合时俗而不见容于当地,乃屡次外出朝圣,最终定居在杜瓦尔卡。1546年,继毗迦罗姆·辛格为王的优陀伊·辛格派遣众婆罗门护送她返回麦华国。她勉强从命,但请求在黑天庙度夜,次日清晨不知去向。她的诗属于中世纪印度守贞专奉派圣诗传统,以母对子,女子对良人的爱,比拟人对神的爱。

Mira Ceti 蒭藁增二 又称鲸鱼座ο。第一颗被确认的变星(不包括新星),位于南天鲸鱼座中。有证据表明,古巴比伦天文学家已注意到它的光变特性。一直到1638年,荷兰天文学家P.霍尔沃达经过系统的研究才发现:这颗星以约330天的变动周期不断地消失和再现,因而给它命名为Mira(拉丁文:神秘)。蒭藁增二是中国传统天文学中的名称。它的光度在每个变光周期中都不一样。20世纪60年代的观测发现,它的视亮度最小是8.71等,最大是3.42等。1779年,亮度曾达到1等。蒭藁增二是一颗双星:主星是红巨星,伴星是一颗暗弱的蓝白星。

Mirabeau, André-Boniface-Louis Riqueti, vicomte de 米拉波子爵(1754-11-30,巴黎～1792-09-15,法国弗里堡-昂布里斯哥) 即A.-B.-L.里克蒂。著名演说家米拉波伯爵之弟,法国大革命初期的反动头目。在美国独立战争中,他曾参加对英格兰人的海上战斗,1781年参加攻占约克敦。1789年被利摩日贵族选入总议会。他是一个极端的保守分子,反对一切危及旧政权的事物。约于1790年逃往国外,曾招募一个"米拉波军团"。由于他妄自尊大,疏远了德意志诸侯,终被剥夺兵权。

Mirabeau, Honoré-Gabriel Riqueti, comte de 米拉波伯爵(1749-03-09,法国讷穆尔附近比尼翁～1791-04-02,巴黎) 即H.-G.里克蒂。法国政治家和演说家,法国大革命初期统治国家的国民议会中最重要的人物之一。著名经济学家米拉波侯爵维克托·里克蒂的长子。3岁生天花,损害了他的面容,不受严父的宠爱。15岁去巴黎上学。18岁当志愿兵,参加桑特的骑兵团。然而由于违犯军纪,被送入雷岛要塞禁闭。获释后,以中尉衔到科西嘉服军役。1769年在那里崭露头角。但由于胡作非为,先后被囚于伊夫城堡和茹乌城堡。后来逃往瑞士,又去荷兰,1777年在荷兰被捕。他在万森城堡写出《致索菲的信札》和论文《关押和国家监狱》。1780年12月获释,1782年8月得到完全自由。随后5年,他一直过冒险家的生活。有时替人写小册子,有时当密探。后来,他同路易十六的大臣C.-A.德·卡洛纳、弗金斯伯爵C.格拉维埃和蒙

美国不列颠百科全书公司供图

莫兰-圣-埃雷姆伯爵阿尔芒-马克发生接触。1786年到柏林执行秘密使命。在友人J.毛维伦的积极帮助下,他写出了《腓特烈大帝时期的普鲁士君主制度》(1788)。他利用出使德意志时所得到的资料写出的《柏林宫廷秘史》,在1789年引起耸人听闻的事件。1789年5月巴黎召开总议会,米拉波希望当选为普罗旺斯的贵族代表。但由于自己没有采邑,并无作为贵族代表的资格。他硬着头皮转向第三等级,当选为马赛和埃克斯的代表。在出席总议会时,他对宪法问题没有任何明确的主张。他过去是专制主义的死敌(25岁前已写出《试论专制主义》一文),而现在又是君主政治的坚决拥护者。他要求成立代议制的政府。1789年5～10月,他在第三等级对特权阶层进行的斗争中起过决定性作用。他的目的是成为代表法国国民向国王发言的喉舌。1789年7月上旬,他在国民议会中多次发表演说,要求国王解散在巴黎四周集结的军队。7月14日巴士底狱陷落后,他促请国民议会提出罢免有关大臣的要求。可是他并不赞成国民议会废除封建制度,也不赞成抽象的《人权宣言》。同年10月巴黎市民进军凡尔赛,将路易十六押回巴黎。米拉波为了讨好王室,建议国王前往鲁昂。他劝说国民议会授权国王从议会成员中挑选大臣,但议会1789年11月7日的法令禁止一切议员参与组阁,使他入阁的希望成为泡影。1790年M.达让托建议他给路易十六和王后当秘密顾问,他接受了这一邀请。1790年5月国民议会讨论国王宣战与缔和的权力时,米拉波极力反对左派演说家A.巴纳夫,获得成功。他阻挠雅各宾派的活动,但也损害了自己的名声,有一本指责他叛国的小册子四处流传。7月3日,国王和王后在圣克卢接见他,但是没有重视他的意见。1790年10月议会在再次辩论后仍然拒绝收回1789年11月关于议员不准入阁的法令,令他大失所望。11月底,他同宫廷的关系已经极度紧张。他向国王顾问蒙莫兰提出"使民意同王权一致的方法"以修复这种关系。这项计划在理论上完美无缺,但实践起来则困难万分。1791年1月28日他作为外交委员会发言人所发表的演说明白显示了他的大政治家风度。翌日,他成为国民议会议长,任职两周。他的病情不断恶化,1791年3月27日卧床不起,一周后去世。

Mirabeau, Victor Riqueti, marquis de 米拉波侯爵(1715-10-05,法国佩尔蒂～1789-07-13,阿让特伊) 即V.里克蒂。法国政治经济学家、重农学派经济思想的先驱,后成为该学派的倡导人。他是革命家米拉波伯爵之父,人称老米拉波。曾在军中服役,任军官,以后离开军队,研究政治经济学。在其受人欢迎的著作《人类之友》(或《人口的论述》)(1756～1758)中,大量借用了18世纪英国作家R.坎特龙的思想,强调作为创造财富的最重要的源泉来说,农业较商业更为重要。他的经济观点为以F.魁奈为代表的重农学派经济学说奠定了基础。他本人不久也参与了重农学派关于改革法国过时的、效率极差的税收政策的努力。在《税收原理》(1760)中,他抨击了包税商(向王国政府承包征收间接税的包税人),并建议用征收地租和个人所得税的直接税制来代替间接税制。包税商向政府施加压力,将他放逐,他在放逐中仍致力于重农主义的发展。

Mirabéllo, Gulf of 米拉贝洛湾 爱琴海深水湾。在希腊拉西锡州所属克里特岛东北部。因圣尼克劳斯港北侧的米拉贝洛村得名。米拉贝洛湾的沿湾地带有古代居民区遗址,1901～1904年出土克里特岛上唯一保存完好的米诺斯城镇。

mirabilite 芒硝 一种分布广泛的硫酸盐矿物,为水合硫酸钠($Na_2SO_4 \cdot 10H_2O$)。特别在干燥地区,常形成盐华及皮壳。它产于由

盐湖、盐泉、干盐湖形成的矿床中。尤其在冬季(低温下,它的溶解度明显降低)。加利福尼亚州、怀俄明州和美国西南部、西部其他地区富产芒硝,也产于奥地利、西班牙,在波希米亚及里海的卡拉博加兹戈尔湾有丰富的矿藏。关于详细的物理性质,参阅 **sulfate mineral**(表)。

miracle 神迹 据说是由于超自然或神灵力量的存在和作用而发生的非常的惊人的事件。关于神迹的信仰存在于一切文化形态,可以说一切宗教都信神迹。

虽然无文字社会的成员并不具有有关自然因果关系的发达的科学观念——因而也不懂什么叫"超自然"的神迹——但是他们相信有非常的事件、力量和作为。这些非常的事件、力量和作为通过仪式、法术或萨满的活动同较为普通的行为模式结合起来。与此类似,古代世界(如巴比伦尼亚和埃及)的宗教不太讲有形的神迹,因为它们认为,某些神灵行动或宇宙运作(如神谕)也属于正常事物。

古代印度神话同一切神话一样,不乏关于神灵作为的神奇情节,但是《奥义书》和《梵书》却不重视记载神迹。这些文献同较高级的奥秘神学一样,认为有关宗教洞察力和变化的灵性经历才是唯一值得一提的"神迹"。虽然如此,在印度民间宗教中却无限地宣传修行大师的神奇力量,从而使印度成为古典的神迹之乡。

儒家学说中绝少神怪内容,而道教则产生了中国各层次民间宗教的许多神迹和法术。在全部《旧约》里,神迹是司空见惯之事:上帝"行奇事",特别是在他的选民以色列人的历史中(如对埃及降十灾)。在希腊-罗马世界,神迹也不少闻:神迹治病(如埃皮扎夫罗斯地方的阿斯克勒庇俄斯圣所的治病神效);神像走动;死人复活;处女生子等等。也有不少哲学家明确地提出责难:西塞罗在《论神性》指出不可能有神迹。

据最初的佛教经籍载,佛陀低调处理他本人实际具有的行神迹能力,说它是"一切瑜伽中至大者",毫无灵性意义。然而,有关佛陀的诞生和生平(以及后世佛教圣人的诞生和生平)的神奇故事,再加上有关佛牙、佛骨和舍利的神迹却随着时间的推移而传开,特别是在大乘佛教。

据基督教的《新约》载,耶稣基督行了许多神迹,或为人治病,或充分满足人生的需求,在《新约》时代之后,神迹依然层出不穷。神迹出现在基督教圣人的生前和去世后的作为中,而且有的神迹目前仍在继续(如法国南部卢尔德地方的圣水);天主教追谥圣人的条件中有一条就是行过经过证实的神迹。

在伟大的创教者中,唯有穆罕默德在原则上否认神迹和神奇力量——《古兰经》是唯一神迹,但是后世作传者详细述说他生平中的神迹。伊斯兰系的民间宗教,特别是受苏非派影响者,宣传许多神迹,朝觐行神迹的圣人陵墓,等等。

miracle play 奇迹剧 又称圣迹剧,欧洲中世纪3种地方性戏剧之一(另两种是神秘剧和道德剧)。奇迹剧描述某个圣徒的真实或虚构的一生,他的种种奇迹或以身殉教的故事。它产生于礼拜仪式。在10～11世纪期间发展起来,用以庆祝历书上规定的节日。13世纪时该类戏剧用方言表演,这时它们已脱离宗教仪式,充满了非宗教的内容,开始在各种公众节庆中演出。现存的奇迹剧几乎全是有关童贞女马利亚或4世纪时小亚细亚的米拉主教圣尼古拉的故事。马利亚和尼古拉都是中世纪极受崇拜的圣徒,人们普遍相信他们遗留下来的圣物有治病的力量。正是在这样的风气下奇迹剧得以盛行。

Miraflores 米拉弗洛雷斯 秘鲁利马-卡亚俄都市区的城市和区,位于利马市中心以南,濒临太平洋。一年中大部分时间盛开叶子花,因而在16世纪中期,已有现名(意为"观赏花卉")。1866年正式宣布为利马的一个区。主要为住宅区。有海滨设施、商业机构和秘鲁科技大学。附近有印第安庙堂。人口:区约101 945(1981)。

mirage 海市蜃楼 又称蜃景。由于光线在不同密度的空气层中发生弯折(折射),使远处景物显示出虚幻景象。在特定条件下,比如在铺筑过的路面或沙漠上,受到强烈日光

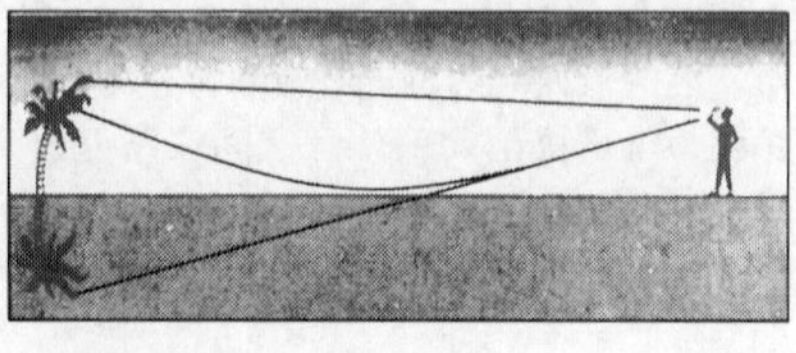

海市蜃楼

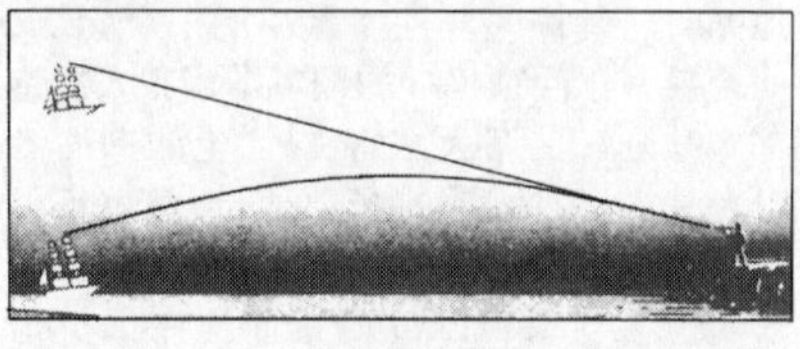

隐现

加热后的空气,在高处急剧变冷,从而密度和折射率都增大。由物体的上部向下反射的日光(如图中上部的树顶),沿正常路径穿过冷空气,因角度关系这道光通常看不见,但这光在进入地面附近变稀薄的热空气后,就向上弯曲,从而折射到观察者的眼中,好像是从受热曲面之下发出的。树的正像也会看到,因为一些反射光线未经折射沿直线进入眼中。这样看到的好像是树和在水中反射出的倒影的双像。当天空是海市蜃楼的客体时,陆地就被错当成湖面或一片水面。有时在水面物体的上方,一股冷而密的空气层处于热层之下,这时就会出现相反的现象(见图的下部)。图中进入人眼的光线好像原来就在视线的上面。因此,一个原来看不见的物体,比如在水平线之下的船只,好像被提升到天空中,这种现象称为上现蜃景。

Mirage 幻影式战斗机 法国达索·布雷盖公司生产的作战飞机系列。由于该机价格低廉、结构简单、经久耐用,因此20世纪60年代以来为世界许多小国空军使用。第一种幻影式战斗机为单发动机三角翼幻影Ⅲ,1956年首次试飞,后经重大改进,共有基本型截击机、战斗轰炸机和侦察机三种型号。60年代该机为以色列空军夺取空中优势的主要的战斗机,在1967年的六日战争中表现出色。巴西、黎巴嫩、南非、阿根廷、巴基斯坦、西班牙、澳大利亚和瑞士等国空军也使用该机。幻影Ⅲ的出口型叫做幻影5,改装成对地攻击机,简化了航空电子设备。1967年首次试飞,已售给比利时(与法国合作生产)、巴基斯坦、秘鲁、哥伦比亚、利比亚、阿布扎比和委内瑞拉等国。幻影F-1为多用途战斗机,1973年开始在法国空军中使用。取代了幻影Ⅲ型。该机不再采用传统的三角翼设计,已向希腊、摩洛哥、南非、西班牙、约旦和伊拉克等国出售。从1984年开始,法国空军的幻影F-1飞机被更先进的幻影2 000多用途战斗机取代,该机再次采用了三角翼设计。

miʿrāj 登霄 亦称升霄。伊斯兰传说中先知穆罕默德升上天园之事。据说某日穆罕默德睡在麦加天房克尔白,大天使吉布里勒和米卡伊来为穆罕默德朝见安拉做好准备。他们打开他的躯体,清除谬误、怀疑和偶像崇拜以及异教习俗的痕迹,灌输智慧和信仰,净化他的心灵。早期传说谓穆罕默德被吉布里勒直接送上最低的一重天。但是登霄的故事不久便同穆罕默德从禁寺(麦加)到远寺(耶路撒冷)的夜行结合起来。据说穆罕默德骑能飞的神兽天马(**Burāq**)一夜之间从麦加来到耶路撒冷,在吉布里勒的陪同下自耶路撒冷缘天梯而上,进入第一重天,然后次第穿越七重天,到达安拉座前。他们沿途遇到阿丹(亚当)、叶海亚(约翰)、尔撒(耶稣)、优素福(约瑟)、易德里斯、哈伦(亚伦)、穆萨(摩西)和易卜拉欣(亚伯拉罕)等先知,并游历火狱和天园。伊斯兰教历莱哲卜月27日为登霄夜,信徒依俗诵读有关的传述。关于穆罕默德登霄一事,穆斯林们有各种说法。有人认为,登霄只是一个梦;有人认为,升上天园的只是穆罕默德的灵魂,其躯体则留在人世。参阅 **isrāʾ**。

Mirambo 米兰博(?～1884,坦噶尼喀[今坦桑尼亚]) 中非尼扬韦齐的军阀,他于19世纪70年代将尼扬韦齐各族联合成一个强大的王国,首都乌兰博(在今坦桑尼亚)成为与阿拉伯人竞争的重要商业中心。米兰博一方面大量购买枪支(多半来自阿拉伯商人),一方面利用"鲁加-鲁加"(南方恩戈尼族雇佣斗士),在1876～1880年间控制向西北去布干达的要道和向西去坦噶尼喀湖畔乌吉吉的要道,切断了阿拉伯商人的商路。19世纪70年代,米兰博得到桑给巴尔的阿拉伯苏丹巴加什的承认和支援,当时巴加什正企图向内地扩张势力。米兰博死后,他的王国迅速解体。

Miramón, Miguel 米拉蒙(1832-09-29,墨西哥城～1867-06-19,墨西哥克雷塔罗附近) 墨西哥军人、政治家、军队统帅,曾短暂地立马克西米连为墨西哥皇帝。就读于军校,1847年在对美战争中参加墨西哥军队,1855年升任上校。翌年参加反对由临时总统科蒙福尔特及其继任者胡亚雷斯先后领导的自由

派军队的斗争。在3年内战(1857～1860)中,他继苏洛亚加之后任墨西哥临时总统。1860年12月自由派军队攻陷墨西哥城,米拉蒙逃往古巴,后去欧洲,与法皇拿破仑三世进

美国国会图书馆供图

行磋商。后者出于帝国利益建议让奥地利大公马克西米连登墨西哥帝位。1863年米拉蒙以帝国大元帅身份回国。1864～1866年出任驻德意志公使。当马克西米连想要放弃皇位时,他赶回墨西哥劝止。他成为帝国军队的统帅之一,后在克雷塔罗被胡亚雷斯的军队打败,与皇帝一起被俘并被处决。

Miranda　米兰达　委内瑞拉北部州。面积7 950平方千米。图伊河贯穿全境,东流注入加勒比海。农牧业在全国名列前茅。可可产量占全国近一半。海拔高的地方种植咖啡,河谷盛产甘蔗和柑橘。也产香蕉、玉米、花生、木薯和椰子。农村人口稠密。公路网分布很广。首府洛斯特克斯(**Los Teques**)有泛美公路穿过,为主要工业中心。人口约1 771 680(1986)。

Miranda　天卫五　天王星的较大卫星中,最靠近天王星也是最小的一颗。它于1948年,为美国天文学家G.P.柯伊伯发现。天卫五的轨道椭圆形,和天王星中心的平均距离约为129 390千米。轨道周期是1.4135天。估计其直径为484千米,质量约为天王星的0.2×10^{-5}。天卫五也和天王星的其他几个较大的卫星一样,大部分由冰组成,其中或许含有冰冻甲烷和石态物质的混合物。美国"旅行者"2号空间探测器于1986年拍摄的照片表明,天卫五表面上为蜿蜒峡谷,并排沟槽、破缺山崖以及环形高地所编织的拼合图像。这种地貌指出,天卫五在过去历史上,曾有过大规模的板块活动。

Miranda, Bartolomé de　米兰达　参阅**Carranza, Bartolomé de**卡兰萨。

Miranda, Francisco de　米兰达(1750-03-28,加拉加斯～1816-07-14,西班牙加的斯)　委内瑞拉革命家,拉丁美洲独立的先驱。早年在加拉加斯受教育,22岁买取西班牙军队的上尉军衔。因违抗军令被监禁,1780年获释,被派往古巴对英国作战。又被控滥用公款,于1783年逃往美国,结识许多革命运动领导人,确定了把南美和中美从西班牙统治下解放出来的计划。由于西班牙特务的追捕,他逃往伦敦。英国首相威廉·皮特料定西班牙终将失去对美洲殖民地的控制,认为米兰达对英国有用,就给予他有限的支持和保护。米兰达设想建立一独立帝国,疆土从密西西比河一直延伸到合恩角;统治者为印加帝国的世袭皇帝,设两院制的立法机关。法国大革命使他把自己的计划搁置数年,成为革命军的将军。后来重返伦敦,成为全体流亡的反西班牙密谋者的领袖。1806年发动对委内瑞拉的进攻,由于未得到农民的支持而失败。1810年在伦敦遇到正在寻求英国支持的西蒙·玻利瓦尔。在玻利瓦尔的劝告下,他回到委内瑞拉,任革命军的将军。1811年7月5日该国独立,他成为独裁者。不久西班牙军队卷土重来,他由于害怕失败,于1812年7月在圣马特奥与西班牙妥协。其他革命领导人(包括玻利瓦尔在内)认为这是投降行为,就阻止他逃跑,使其被引渡到西班牙人手里。他被押往加的斯,最后死在狱中。

Miranda de Ebro　米兰达-德埃布罗　西班牙北部卡斯蒂莱-莱昂自治区布尔戈斯省城市。位于毕尔巴鄂以南。曾被罗马人和摩尔人占据。后由阿方索一世收复。1076年并入卡斯蒂利亚王国。18世纪以前为繁荣的城镇。后因洪水和瘟疫而衰败。1907年设为市。现为马德里至北部地区之间铁路枢纽,出产甜菜糖、巧克力、合成纤维。人口36 812(1981)。

Miranda v. Arizona　米兰达诉亚利桑那州案(1966)　美国最高法院裁决的一个案例,由此给警察讯问被拘押的刑事嫌疑犯人规定了实施准则。首席大法官E.沃伦的书面意见以大法官五对四票的多数通过,裁决不得使用警察拘留人犯的供述提起诉讼,除非同时采取了某些最低限度的诉讼程序保护措施。最高法院规定了一些新的指导原则以保证"个人被告知根据宪法第5条修正案享有的"不被迫自我归罪的权利。这些指导原则被称为米兰达案警告,它们包括:在讯问前应通知被逮捕的人犯,他们有权保持沉默,他们所说的任何事情都可能用作不利于他们的证据,以及他们有权得到辩护律师(雇用或指定)的帮助。米兰达案的判决是沃伦主持下的法院作出的最有争议的判决之一。在首席大法官沃伦主持下的最高法院,对地方警察为获取坦白招认所采取的做法越来越重视。在"埃斯科贝多诉伊利诺伊州"(见《联邦报告》第478卷第378页)这个较早的案例中(1964),最高法院曾经裁定刑事嫌疑人必须被告知他们有请律师辩护的权利。但这个决定没有说明警察必须遵守的具体程序以保证嫌疑人在这方面的权利不被侵犯。在"米兰达诉亚利桑那州"一案中,最高法院撤销了亚利桑那州法院作出的就E.米兰达犯有绑票和强奸罪的判决。经过警察局列队辨认,警察曾经讯问过米兰达;而且他还坦白招认,然后在书面供述上签了字,但在此之前并未通知说,他有权可以有律师在场给他提供帮助,或者他有权保持沉默。米兰达的坦白招认,后来被用作审判他的材料并判决他有罪。最高法院则坚持认为,警察从被拘留的人犯中获取的供述材料不得用来提起诉讼,除非警察已遵守几项诉讼程序的保护措施以确保宪法第5条修正案有关反对自我归罪的权利的规定。米兰达一案的裁决使司法界大为震动,并引起了广泛的争论。对于米兰达判决持批评态度的人说,最高法院企图保护个人权利,作出的判决使执法机关的工作大为削弱。在首席大法官W.伯格主持下比较保守的最高法院,后来发布了几项决定限制米兰达案判决的适用范围。

Mirandola　米兰多拉　意大利中北部艾米利亚-罗马涅区摩德纳省城镇。有汽车装配、罐头食品生产和制鞋等行业。古建筑有罗马-哥特式圣方济各教堂。15世纪学者米兰多拉出生于此。人口:城市区约21 979(1984)。

Mirandola, Giovanni Pico della　米兰多拉　参阅**Pico della Mirandola, Giovanni**皮科·德拉·米兰多拉。

Mirbeau, Octave(-Henri-Marie)　米尔博(1850-02-16,法国特雷维耶尔～1917-02-16,巴黎)　法国小说家、戏剧家。其作品尖刻地讽刺了当代的教士和社会状况。为1903年设立的龚古尔文学院最早的10名成员之一。最初为波拿巴派和保皇党人的报纸撰稿,后以撰写诺曼农民故事闻名,其中有《茅屋书简》(1886)和《髑髅地》(1887),读者对后者描写法国在1870年战争中惨败的那一章啧有烦言。1888年写了一个疯教士的故事《于勒教士》;1890年发表了无情地揭露他曾经就学过的那所耶稣会学校的《塞巴斯蒂安·罗克》。他的所有小说,从《酷刑园》(1899)、《侍女的日记》(1900)到《628-E8》(1907)和《疯子》(1913)全部都是对社会的辛辣讽刺。他的剧作也很优美,《可恶的牧羊人》(1897)堪与H.贝克的作品相媲美。作为一个剧作家,最成功的作品是《公事公办》(1903)。

Mirbel, Charles-François Brisseau de　米尔贝尔(1776-03-27,巴黎～1854-09-12,法国尚佩雷)　法国植物学家,因《植物解剖学和植物生理学论文集》(2卷,1802)一书而被誉为植物细胞学和植物生理学的奠基人。对植物细胞学最大的贡献是于1809年观察到,每一植物细胞都被一层连续的膜包绕。他1798年到巴黎国家自然历史博物馆任职,4年后发表《以科划分的植物志》一书。1803年任拉马勒迈松植物园园长,并研究植物组织的结构和植物器官的进化。研究成果写成《植物生理学和植物学基础》(1815)一书。

Miri　米里　东马来西亚沙捞越州港口。濒临南海。为该州北部(第四省)行政中心。地处橡胶和稻米产地。1911年随附近油田的开发而建成城镇。20世纪30年代石油产量达顶峰,现衰落。近期发现沿海油田又燃起了希望。城北的鲁东有炼油厂,有油管通文莱的诗里亚油田。米里也是沿海重要公路南端终点站。人口87 230(1991)。

Mirim Lagoon 米林湖 地跨巴西(南里奥格兰德州)与乌拉圭边境,濒大西洋的浅水潟湖。长约118英里(190千米),最宽处达30英里,面积1 542平方英里(3 994平方千米)。湖水经圣贡萨洛运河东北流入帕图斯潟湖,可通航吃水浅的船只。

Mīrkhwānd 米赫万德(1433,巴尔赫～1498-06-22,赫拉特) 穆罕默德·伊本·哈旺德沙哈·伊本·马哈茂德的别名。15世纪帖木儿王朝伊朗地区最重要的波斯编年史作家之一。出身于定居布哈拉的古老赛义德家族(自称是先知穆罕默德的后裔)。一生大多在赫拉特的帖木儿王朝末代苏丹侯赛因·巴伊卡拉(1496～1506)的宫廷中度过。他受苏丹手下名臣阿里·希尔·涅甫伊的保护。涅甫伊是个大名鼎鼎的文学赞助者,自己也是一个杰出的作家。应恩主之请,米赫万德1474年动手写《波斯通史》,全书共7大卷和一个地理附录。故该书有时被认为是8卷。这本史著从伊斯兰教以前波斯诸王时期写起,概述伊朗的重要穆斯林统治者,下迄1523年的大事。第7卷可能由米赫万德的孙子、历史学家华恩达米完成。19世纪的里泽·古利·汗·赫达雅特为该书写有续篇。他由于过分雕饰、词语夸张、对史料来源不加选择,往往受人非难,但保存了已散佚的早期典籍中的片断。第5、6两卷利用蒙古和帖木儿时期的丰富史料,提供了有关作者同时代的或接近同时代的事件的客观资料,因而特别翔实可信。

mirliton 薄膜乐器 一种类似乐器的器具,其中由演奏者的嗓音或一件乐器产生的音波使薄膜振动,从而为人声或乐器声加添嗡嗡音响。卡佐管是一种常见的薄膜乐器,其膜附在一支短管的壁上,吹奏者向短管哼唱。用一张绵纸和梳子即可制成家用薄膜乐器。某些笛子(例如中国笛)和木琴共鸣器的壁上亦可附有薄膜,借以增加声音的色彩。薄膜乐器是少数不由敲击发音的膜鸣乐器中的一种。

Miró (Ferrer), Gabriel 米罗(1879-07-28,西班牙阿利坎特～1930-05-27,马德里) 西班牙作家。其随笔和长、短篇小说构思精巧但文体晦涩,有丰富和富有想象力的词汇。曾在格拉纳达大学和巴伦西亚大学攻读法律。他的长篇小说很多,其中《圣达尼埃尔神父》(1921)、《患麻风病的主教》(1926)均抨击宗教的风俗习惯。

Miró, Joan 米罗(1893-04-20,巴塞罗那～1983-12-25,西班牙马霍卡帕尔马) 加泰罗尼亚画家,抽象艺术和超现实主义梦幻的主要代表。作品简洁单纯,幽默自然,富于想象,有如梦境。幼时喜欢绘画。曾在商学院读书,做过职员。后入巴塞罗那艺术学校,在F.盖利的指导下学习绘画,接触各现代流派,参观当地的教堂和带有拜占廷影响的壁画。创作追求诗意,旨在表现自然本身的概念,他用20世纪成人的理智,像原始人或孩子一样描绘自然。这一点与超现实主义和达达主义颇有共同之处。其艺术从早期的创作到晚期富于幽默感的名作,发展变化不很显著。自1915～1919年在故乡巴塞罗那创作风景画、肖像画和人体画,集中研究色块之间节奏的相互关系。自1919年起,经常来往于西班牙与法国巴黎之间,在第二次世界大战前创作了一批静物画、风景画和不受时空影响的幻境内容的作品。1925～1928年,在达达主义、

美国不列颠百科全书公司供图

超现实主义和P.克利的影响下,创作了《梦之画》、《幻想的风景》等油画,线条、形体和色块似乎都是随意乱画上的。30年代,其作品开始定期在法国和美国展出。在1937年巴黎举办的世界博览会上,为西班牙馆绘制壁画《死亡》,带有强烈的社会批判性。第二次世界大战期间回到西班牙,创作《惊恐》一画,用象征性的形象向社会政治生活中的腐败力量以及灾难与战争的因素提出挑战。第二次世界大战后,他成为世界闻名的大艺术家,其雕刻、素描、油画和书籍插画在许多国家展出。1950年为美国哈佛大学绘制一幅壁画,1958年为设在巴黎的联合国教科文组织大厦设计陶瓷镶嵌壁画,获国际大奖。

米罗绘《构图》(1933)
美国不列颠百科全书公司供图

1962年巴黎国家现代艺术博物馆为其举办专展。成名之后,米罗仍不断进行艺术探索和创作。主要作品有:《自画像》(1919)、《狂犬吠月》(1926)、《荷兰内地》(1928)、《夜里的女人》(1940)、《蓝色二号》(1961)、《人与鸟》(1965)、《寂静中的红色音符》(1968)、《迷宫》(壁画,1968)等。

Mīrpur Khās 米尔布尔哈斯 巴基斯坦信德省城镇。有铁路和公路通海德拉巴,公路通欧迈尔德。1900年贾姆劳渠开通后该镇地位日见重要,现为谷物、纺织品和棉制品贸易中心,有化肥厂和国营养驴场。设有信德大学的3所学院。人口124 371(1981)。

mirror 镜 任何经过抛光使光线按反射定律转向的表面。典型的镜子是一块背面涂铝或银的玻璃,能通过反射成像。古希腊、罗马时代和整个欧洲中世纪时期所用的镜子不过是稍微凸出的青铜、锡或银制金属盘,通过其

J.凡·爱克1434年作品中的哥特式镜子
美国不列颠百科全书公司供图

高度抛光的表面反射光线。16世纪时,在一块平板玻璃背面覆上薄薄一层反光金属的制镜方法开始在威尼斯得到广泛应用。所用的金属是锡和汞的合金。在金属表面涂金属银的化学方法是J. von李比希于1835年发明的。这个进展开创了现代镜子制造技术。现在的镜子是在真空条件下在一块平板玻璃背面喷涂熔化的铝或银制成的。用于望远镜和其他光学仪器的镜子,其铝是通过蒸发涂覆于玻璃的正面而不是反面,为的是消除玻璃本身产生的虚影。

当光线落于某一物体时,一部分光线被反射,一部分光线被吸收,还有一部分穿过该物体。要使一个光滑的表面成为镜子,必须使其尽可能多地反射光线,并尽可能少地穿过和吸收光线。为了使镜子在反射光线时不散射或漫射,镜子表面必须绝对平滑,或者其不均匀度必须小于被反射光的波长。(可见光的波长相当于5×10^{-5}厘米。)镜子有平的

表面,也可以有弯曲的表面。按照反射光是朝向曲面中心还是离开曲面中心,曲面镜又分为凹面镜和凸面镜。曲面镜通常使用的表面有球面、柱面、抛物面、椭圆面和双曲面。球面镜产生的像有放大的,也有缩小的,前者的典型例子是修面用的镜子,后者是汽车上用的后视镜。柱面镜把一束平行光聚焦于线焦点。抛物面镜可在望远镜中用于把平行光线聚焦于实焦点,或在探照灯中用于把从焦点光源发出的光变成平行光。椭圆镜可把它的两个焦点中的一个焦点所发出的光反射到另一个焦点上,而置于双曲面镜焦点的物体,将产生虚像。

镜子作为家庭用品和装饰品都有很长的历史。最早的镜子是手镜,可以照见全身的大镜子到 1 世纪才出现。手镜是塞尔特人从罗马人那里学来的,到黑暗时代(Dark Ages)末在欧洲已经很普遍。这种手镜常为银制,有时则为磨光的青铜。

背面涂金属的玻璃镜子是 12 世纪末 13 世纪初出现的。到文艺复兴时期,纽伦堡和威尼斯已成为享有盛誉的制镜中心。威尼斯制作的镜子以质量高而著名。尽管有总督的约束,威尼斯的工匠经不起诱惑,将手艺的秘密带到其他城市。到 17 世纪中期,伦敦和巴黎也大量地制作镜子。镜子一般价格昂贵,特别是较大的镜子。当时凡尔赛宫的豪华奇观,部分是因为用大量镜子来装饰各个大厅的缘故。

从 17 世纪后期起,镜子和镜框在室内装潢方面起着日益重要的作用。早期的镜框通常用象牙、银、乌木或龟甲制成,或以胡桃木、橄榄木和金莲花木薄片镶嵌装饰。也有用刺绣品和小珠子制成的。像 G. 吉本斯(1648 ~ 1721)那样的手艺人常常制做精雕细刻的镜框来配合整体装饰效果。在壁炉台上方装镜子很快成为一种惯例。许多早期的这类镜子一般被称为壁炉额饰(overmantel),镶在玻璃镜框中。以这类镜子为组成部分的建筑结构也越来越精致。像英国 R. 亚当和 J. 亚当兄弟那样的设计家们创造的从壁炉地面直到天花板的整个壁炉部分,主要靠镜子来产生效果。总之,镜框能反映出那个时代的品位,并且经常发生变化以适应品位的变化。镜框的价值通常比镜子本身低,因此比镜子更容易更换。

18 世纪末,镜子大多用绘画代替雕刻作装饰,镜框则饰以花卉图案或古色古香的饰物。同时,法国人开始制造圆镜,它一般装有新古典主义风格的镀金镜框,有时镜框上还装有烛台;这种镜子直到 19 世纪仍然大受欢迎。由于制镜技术的进步,开始有了穿衣镜,这种自立式的可照全身的镜子装在四只脚的架子上。这些镜子主要用于着装,但有时也起装饰作用。

19 世纪采用新技术制造镜子,使价格下降,从而使镜子得到迅速推广。镜子不仅镶嵌在家具上,如衣橱和餐具柜,而且还广泛用于公共场所的装饰设计。

mirror nucleus　镜像核　一种原子核,含有的质子和中子数与另一原子核正好互换。例如,氮 15 含有 7 个质子和 8 个中子,就是含有 8 个质子和 7 个中子的氧 15 的镜像核。镜像核的研究表明,核内结合质子和中子的核力,在一个中子被一个质子所置换时,仍几乎保持不变。

MIRV　多弹头分导重返大气层运载工具　MIRV 是 multiple independent reentry vehicle 的缩写词。多核弹头弹道导弹的末级火箭,各弹头以不同速度发射,各沿其弹道飞向不同目标。首先由美国研制成功。到 20 世纪末期,美国和苏联的许多洲际导弹和潜艇发射的弹道导弹均使用多弹头分导重返大气层运载工具。

Mirzachul(Uzbekistan)　**米尔扎丘尔**　参阅 **Gulistan** 古利斯坦。

Mirzāpur-Vindhyāchal　米尔扎布尔-温迪亚杰尔　印度北部北方邦东南部城市。濒临恒河。米尔扎布尔可能建于 17 世纪,到了 1800 年已经成为印度北方最大的贸易中心。1864 年,至安拉阿巴德的铁路通车后,该城开始衰落,但在地方贸易方面日渐重要。因位于一条主要铁路线上的公路交叉点,故成为工业中心。有棉纺织、砂岩加工、铜器制作和织毯等行业。境内北有恒河冲积平原,南有温迪亚山脉。南部有索恩河灌溉,其支流里汉德河上建有大型水库并发电。田地主要靠灌渠灌溉。农业生产稻米、大麦、小麦。人口:市约169 368(1991)。

Misau　米绍　又拼 Missau 或 Messau。尼日利亚北部包奇州城镇和世袭酋长国名。该镇在米绍河西北 8 千米。原为豪萨人居民点,1827 年为富拉尼人占据,1833 ~ 1850 年筑围城。1860 ~ 1886 年间版图扩大,1904 年被英国占领后使之从属卡塔古姆酋长国。1907 年又恢复其独立地位,为卡诺省内一单独酋长国,1926 年属包奇省。居民以富拉尼和豪萨人为主,种植粟、高粱、花生、棉花、豇豆和靛青,并饲养牛、羊、驴和马。手工织布和土法染布为主要手工业。镇内有阿尔哈普里农业研究所。有中学和医院。为公路枢纽。人口:城镇 105 416(最近统计)。

Miscanthus　芒属　早熟禾科的一属。含约 8 种多年生高大禾草,主要原产于亚洲东南部。芒(*M. sinensis*)和另外两个种有银色或白色的羽状花簇,有时种作草坪草或沿边观赏植物。有几个变种的叶有白色或黄色条纹。常将其花序干燥后用于装饰。芒的英文名为 eulalia,而 *Eulalia* 又为一个多年生禾草属(金茅属)的学名。褐穗金茅(*E. fulva*)是澳大利亚、马来西亚和东南亚的重要饲草。

芒(*M. sinensis*)
美国不列颠百科全书公司供图

miscarriage　自然流产　又作 spontaneous abortion。未经人工处理胎儿在发育到能在母体外独立生存之前即从子宫排出的一种产科疾病。最常见的病因为胎儿、胎盘或羊膜发育异常(占自然流产的 50% ~ 60%)。上述发育异常的原因可能为受精卵内染色体数异常或染色体结构异常。化学物质、放射线、病毒及遗传因素亦可能导致流产。除非上述异常系遗传性,否则流产极少连续发生。急性感染性疾病可能是某些自然流产病例的病因之一,特别是该传染病能降低胎儿氧供应时更为如此。某些子宫肿瘤、其他子宫异常、胎儿因外伤或脐带打结而死于宫内亦可导致流产。而躯体性或精神性损伤却很少并发自然流产。内分泌异常,如卵巢或胎盘分泌的黄体酮不足,可致蜕膜发育不良或子宫易受激惹,偶亦可致流产。阴道出血是自然流产的主要先兆症状。

miscegenation　人种混杂　不同种族的人通婚或同居。认为因人种混杂而造成生理结构不协调的理论,已经被 20 世纪遗传学和人类学所否定。虽然人们承认现代人是从史前时期以来种族间不断杂交的结果,但是对于人种混杂的禁忌——有些是以法律形式禁止——曾经存在过,并且继续存在于许多两个种族杂居的社会里。在南非,官方的种族隔离政策多年来就包括以法律形式禁止人种混杂的内容。在美国,许多州有禁止异族通婚的法律,直到 1967 年最高法院才宣布这些法律违反宪法。

miscellany　杂集　就各种主题所写的作品文集。1557 年 R. 托特尔选编不同作家的诗而成的诗集是用英语书写的最早、最著名的杂集之一。之后杂集成了一种颇受欢迎的出版形式。此后 50 年间出了更多的杂集,有《凤凰巢》(1593)、《英格兰诗歌》(1600)和《英格兰的赫利孔山》(1600)等。

misch metal　混合稀土金属　由 50% 铈、25% 镧、15% 铌和 10% 其他稀土金属及铁组成的合金。20 世纪初,作为稀土金属混合物的主要商品形式进行了较大规模的生产。含铁混合稀土金属的合金用作吸烟用打火机和类似小型装置的火石。混合稀土金属也用作各种合金的脱氧剂并用于脱除真空管中的氧气。作为镁的合金剂,它有助于提高强度和抗蠕变性能。

misdemeanour(law)　**轻罪**　参阅 **felony and misdemeanour** 重罪和轻罪。

mise　帐款　中世纪英格兰用语,指任何的金钱支付,特别是税款的支付。英文 mise 一词亦指通过仲裁解决争端,可译为"协约"。1264 年路易九世裁决亨利三世和英格兰叛逆贵族之间的争端，订立《亚眠协约》；1264 年 5 月亨利在刘易斯战败，胜负双方订立了《刘易斯协约》。

Misenum 米塞努姆 意大利坎帕尼亚古港口。地处波佐利湾西端，巴亚以南 5 千米。直至罗马共和国解体之时，该港一向为别墅胜地。阿格里帕将此天然良港作为地中海舰队的主要海港。890 年为萨拉森人所毁。港口由筑有防波堤的外部低地及现今的莫尔托海（有现代化堤防）组成。镇区位于外港南侧，已发现剧院及浴池遗址，存有别墅遗迹。提比略死于此。

Mises, Ludwig (Edler) von 米泽斯（1881-09-29，奥匈帝国伦贝格［今乌克兰利沃夫］～1973-10-10，纽约市） 奥地利-美国自由意志论经济学家，以其对经济自由主义理论做出的贡献和以其坚信消费者的力量而著称。1913～1938 年和 1945～1969 年分别在维也纳大学和纽约大学任教授。在《反资本主义心态》（1956）一书中他驳斥了各种知识分子反对自由市场的论调。其他著作有《有计划的混乱》（1947）和《人类行为》（1949，1966 年再版）。

Mises, Richard von 米泽斯（1883-04-19，奥匈帝国伦贝格［今乌克兰利沃夫］～1953-07-14，波士顿） 奥地利出生的美国数学家和空气动力学家，对统计学和概率论的发展有重大的推进。他对科学和数学的贡献范围广泛，早期的研究集中在空气动力学，使边界层流动理论和翼面设计取得重大进展。1915 年，为奥地利军队制造了一架 600 马力的飞机，并作为驾驶员在第一次世界大战中服役。1909～1918 年任斯特拉斯堡大学应用数学教授，1920 年任柏林大学应用数学教授和应用数学研究所所长。纳粹党执政后，在 1933 年离开德国接受伊斯坦布尔大学的职位。1939 年到哈佛大学任教，1944 年任该校戈登麦凯空气动力学和应用数学教授。在统计学方面的主要著作是关于测度论和应用数学的。还写有哲学著作《实证主义：人类悟性研究》（1951），总结了他对生活和科学的观点。

Mishawaka 米沙沃卡 美国印第安纳州北部圣约瑟夫县城市。濒临圣约瑟夫河，在南本德之东。1833 年规划，1899 年设市。在发现沼铁矿后当地工业兴起。第一次世界大战后数千名比利时移民涌入，形成了佛兰芒语社区。现为工业中心，生产橡胶、塑料、食品、纺织物、输电设备、重型机械、铸造设备和导弹等。建有贝瑟尔教会学院（1947）。圣约瑟夫河和附近湖泊旁设有娱乐场所。人口：市 42 608；南本德-米沙沃卡都会统计区 247 052（1990）。

Mishima 三岛 日本本州静冈县城市。位于伊豆半岛箱根山西麓。早年为伊豆国首府。德川初期成为驿镇。现为重要的公路、铁路枢纽，经此可达伊豆半岛各矿泉疗养地。风景点包括著名的三岛神社及其园林。市内

三岛市的三岛神社
美国不列颠百科全书公司供图

有乳品厂。由富士山所补给的丰富地下水吸引来许多其他工业，包括造纸、机械、纺织和橡胶工业。人口 105 419（1990）。

mishima 三岛陶瓷 参阅 **punch'ǒng pottery** 粉青陶瓷。

Mishima Yukio 三岛由纪夫（1925-01-14，东京～1970-11-25，东京） 原名平冈公威，日本多产作家，被许多评论家公认为 20 世纪日本最重要的小说家。三岛出身于日本一个高

美国不列颠百科全书公司供图

级官吏家庭，曾在东京贵族学习院就读。第二次世界大战期间由于体检不合格而未能参军，便在东京的一家工厂当工人，战后在东京大学学法律。1948～1949 年间供职于日本大藏省的银行局。他的第一部长篇小说《假面的告白》（1949）部分是自传性质的，它以极为鲜明的风格描述了一个不得不把自己反常的性爱好向他周围的社会隐瞒起来的同性恋者。这部小说使他立即受到盛赞，于是他便倾注全力于创作。随着最初取得的成功，他又发表了几部小说，这些小说里的主人公不是在肉体上就是在精神上备受折磨，或是沉迷于根本无法实现的理想，因而使他们不可能得到日常的幸福。这类作品中有《爱的渴望》（1950）、《禁色》（1954）、和《涛声》（1954）。《金阁寺》（1956）描写一个内心困惑的寺院小和尚因为自己得不到寺院之美，结果放火烧掉这座著名的寺院。《宴会之后》（1960）探讨日本政治中中年人的爱情和贪污腐化两个主题。除了长篇小说、短篇小说和散文之外，三岛还写戏剧，他采用的是日本能剧的形式，对传统的故事进行再创作并加以现代化。他的戏剧有《萨德侯爵夫人》（1965）和《近代能乐书》（1956）。

三岛最后的作品《丰饶之海》（1965～1970）是一部 4 卷史诗，许多人认为它具有永恒的成就。它分为 4 部小说：《春雪》、《奔马》、《晓寺》、和《天人五衰》，背景是从 1912 年左右到 60 年代的日本。每一部所描述的都是同一个人的不同化身：1912 年的年轻贵族、30 年代政治上的狂热分子、第二次世界大战前后的泰国公主和 60 年代的一个邪恶的年轻孤儿。这几部小说有效地表达了三岛对流血、死亡和自杀的迷恋，对自毁的人物的兴趣和对枯燥乏味的现代生活的否定。短篇小说集《仲夏之死和其他短篇小说》（1966）中的《忧国》这一短篇小说反映了三岛本人的政治观点，并预示了他自己的结局。该小说以明显的欣赏口吻描述一个年轻的陆军军官为了表示对天皇的忠诚而切腹自杀。三岛深深地倾心于日本过去的那种严厉的爱国主义和武士道精神，他把它们同战后日本崇尚物质享受的西方化日本人民和繁荣的社会作了对比，对后者持否定态度。虽然他在私生活方面基本上保持西方的生活方式，并对西方文化有丰富的知识，但他却十分反对日本模仿西方。他孜孜不倦地致力于发展日本古老的空手道和剑道，并且组织了由约有 80 名大学生组成的一个有争议的私人队伍"盾会"，旨在保存日本的武士道精神并且在左翼力量暴动或共产党人进攻时协助保卫天皇（日本文化的象征）。1970 年 11 月 25 日，在把《丰饶之海》的最后一部稿件交给出版社之后，三岛和 4 名"盾会"会员占领了东京商业区附近自卫队驻地的总监室。他从阳台上向 1 000 名自卫队队员发表了 10 分钟演说，号召他们起来推翻第二次世界大战后日本的禁止战争和禁止重新武装日本的宪法。但士兵对此并无响应，三岛于是按传统方式剖腹自杀，并由他的一个追随者亲手砍下他的头。这一令人震惊的事件使人们就三岛自杀的动机作出许多猜测，并对他的死亡使世界失去一位如此有才能的作家而感到惋惜。

Mishmi 米什米人 印度阿鲁纳恰尔邦（前印度东北边界行政区）的部落民族。操藏缅语系诸方言，住在迪邦（他们在该处被称为米杜人）和卢希特河河谷一带，20 世纪末人口约 3.5 万。米什米人沿父系追溯家世，实行族外婚。住区很小，经常变动。每一组家庭集团即是一个自治单位，同住在一所建在木桩上的长形房屋中。农业极端原始，在海拔较高处种植大麦、小麦，在山脚种水稻；饲养牛，只用于屠宰，偶尔也作货币使用。另外，还从事渔猎。他们奉祀部落神，受中国西藏地区影响明显。蓄奴和猎头的风俗现已废除。

Mishna **《密西拿》** 犹太教经籍。希伯来人原意为"反复教导"，是继《圣经》之后历史最悠久的权威性口传律法汇编。由许多坦拿(学者)在两个世纪内陆续编纂，最后于3世纪由犹太亲王总其成。其内容是自先知以斯拉时代(约公元前450年)以来的若干口传律法的诠释。《密西拿》分六大回目，共63篇专论，每篇专论分若干章。第一回目称《泽拉因》，希伯来文原意为"种籽"，有专论11篇，论有关耕作的律法。第二回目称《莫埃特》，希伯来文原意为"节日"，有专论12篇，论有关安息日、节期、斋戒日以及其他有宗教活动日期的庆典、仪文、规条和戒律。第三回目称《娜希姆》，希伯来文原意为"妇女"，有专论7篇，论婚姻生活。第四回目称《内齐钦》，希伯来文原意为"赔偿"，有民法与刑法专论10篇，涉及赔偿、偷窃、雇主与雇工关系、放债取利、房地产、合伙经营、租赁关系、继承、法庭组成、审理作证、犹太教公会的误判，以及包括死刑在内的肉刑，兼及应判死刑的拜像罪。第五回目称《奎达欣》，希伯来文原意为"圣物"，有专论11篇，论耶路撒冷圣殿全部建筑以及有关圣殿献祭、捐献等活动的律法。第六回目称《托霍拉》，希伯来文原意为"净化"，有专论12篇，论器皿、住所、食物和人体的净化的律法和礼仪。

Mishne Torah **《密西拿律法书》** 犹太教典籍《塔木德》的详尽注释。由犹太哲学家和学者迈蒙尼德于12世纪编成，共14卷。每卷一个专题，如伦理、民法、民事侵权、结婚、离婚、济贫等。迈蒙尼德希望他的这部著作把宗教律法同哲学结合起来，成为法典，一方面对人进行教诲，另一方面约束人的行为。

Misima Island **米西马岛** 又称圣艾尼昂。巴布亚新几内亚路易西亚德群岛的火山岛。位于西南太平洋新几内亚岛东南200千米处。长40千米，宽10～11千米，陆地面积260平方千米。岛上多山，最高点奥伊亚陶山1 050米。20世纪初曾有金矿开采业。现出产椰干。最大居民点是东南部的布瓦加奥亚。人口约7 230(1980)。

Misiones **米西奥内斯** 阿根廷东北部边远省份。位于巴拉那河、巴拉圭河、乌拉圭河、巴西之间，仅西南部与本国科连特斯省相连。面积29 801平方千米。米西奥内斯大部分覆盖着亚热带雨林。地处巴拉那高原的延伸部分。本省的伊瓜苏国家公园(49 200公顷)内有伊瓜苏瀑布的一部分。伊瓜苏瀑布为世界上最大的和最壮观的瀑布之一，在2.7千米的距离之内落差82米。在17和18世纪，耶稣会会士在当地的瓜拉尼印第安人中建立教会。后成为阿根廷领地。19世纪80年代各个民族(包括波兰人、乌克兰人、日本人、巴西人和日耳曼人)到这一地区殖民，持续到20世纪中期。1953年该领地建省。主要经济作物是巴拉圭茶。还有木材、桐油、茶和木薯等。工业主要是木材加工业。耶稣教传教会遗迹和伊瓜苏瀑布是著名旅游地。人口约972 672(1999)。

Miskito **米斯基托人** 又拼 Mostique 或 Mosquito。尼加拉瓜西北部加勒比低地的中美印第安人。他们是哥伦布在第四次探险航行时见到的印第安人，自17世纪中叶以来即与欧洲人有所接触。到20世纪70年代存在5个亚居民集团，共约有7万人。现代米斯基托人务农，主要作物是木薯。他们也饲养家禽、牛和其他役畜。其文化由于同欧洲人接触以及与被迫到美洲的非洲奴隶通婚已受到很大影响。20世纪80年代，许多米斯基托人因与尼加拉瓜的桑地诺主义者政府不断发生冲突而逃往洪都拉斯，有些人加入造反队伍企图推翻政府。

Miskito Coast(Nicaragua) **米斯基托海岸** 参阅 **Mosquito Coast** 莫斯基托海岸。

Miskolc **米什科尔茨** 匈牙利东北部包尔绍德-奥包乌伊-曾普伦州城镇，地位相当于州。位于辛沃河谷。日耳曼族、萨尔马特人和阿瓦尔人都曾在这里定居。古老建筑物保

米什科尔茨镇的自由广场
美国不列颠百科全书公司供图

存完好，其中有教堂、剧院、寺院、钟塔等。1949年建一所大学，开设工程学、法学、经济学课程。为匈牙利第二大工业城市，有水泥、玻璃、纺织、食品加工和大型冷冻食品厂。以阿瓦斯山石灰岩洞作酒窖的酿酒业亦占重要位置。米什科尔茨镇-州行政区延伸至辛沃河谷，与赫维什州交界。在绍约河平原有新居民区。包尔绍德工业区沿绍约河谷而建，其中有几处大的居住区。现为米什科尔茨一部分的迪欧什哲尔，19世纪后期与20世纪初期发展迅速，第二次世界大战后实现现代化，有大型钢铁厂，生产重型机械和机床，还有大型水泥厂和石灰厂。新镇考津茨包尔齐考有大型化工企业，又生产钢铁。包尔绍德纳道什德有金属薄板厂和电镀厂。与布达佩斯、匈牙利东部、斯洛伐克、罗马尼亚和乌克兰有铁路、公路相通。人口约194 033(1991)。

Misnagid(Judaism) 参阅 **Mitnagged** 米特纳盖德派。

Misool Island **米苏尔岛** 印度尼西亚伊里安查亚省塞兰海中拉贾安帕特群岛中的一个岛。位于伊里安查亚鸟头半岛西南约64千米处。除南部多山和丘陵，沿海均为平坦低地。中部丘陵海拔991米。气候炎热，雨量充沛。季节性河流自中部高地流向大海。高地有浓密的硬木森林。人口稀少，居民为巴布亚人，从事半游牧的狩猎和采集业。有些人种植西米椰子和捕鱼。西米椰子和鱼出口到伊里安查亚的港口伊南瓦坦和塔米纳布安。主要居民区为岛西端的阿杜阿和岛东南部的勒林塔。

Misore Islands(Indonesia) **米索雷群岛** 参阅 **Schouten Islands** 斯考滕群岛。

mispickel(mineral) 参阅 **arsenopyrite** 毒砂。

misprision **知情不举** 法律名词，指多种类型的属于犯罪的错误行为。知道某项严重犯罪行为，但不是犯罪的参与者，而隐瞒该项罪行，就是知情不举。同样地，一个公民如果不力图阻止某项犯罪行为，也可以被认为是知情不举。参阅 **accomplice**; **accessory**; **abettor**。该词也指被控渎职的政府官员的行为。它的第三种含义是指蔑视当局或煽动反对政府或法庭的行为。

Miṣrātah **米苏拉塔** 又拼 Misurata。利比亚西北部城镇。位于地中海沿岸的绿洲上，与地中海隔有一片沙丘。大约在7世纪时是商队的供应中心。到12世纪，从事地区间贸易。在奥斯曼土耳其人统治下，该城镇又恢复为地方市场。到20世纪，水利灌溉大大增加了农业产量，同时由于地处沿海联邦公路上，从而成为重要的商业和行政中心。现今城镇中既有土耳其式建筑也有欧洲式建筑。有公园和林荫大道。除商业外还有轻工业(纺织和金属器具)和手工业(地毯、编筐和陶器)。设有一所工学院、一所初级师范学校和几所医院。公路通的黎波里和开罗。人口约121 669(1988)。

misrepresentation **错误陈述** 法律名词，指用语言或行为向他人所作的与已知事实不符的任何表示。通俗的理解是指使人误解的或欺骗性的陈述。这种陈述如属故意，则构成**诈骗(fraud)**。在保险契约和不动产的契约中，通常会遇到这种情况。一个人由于错误陈述的诱使而订立了契约，一般来说，该契约是无效的。陈述的相对人甚至可以获得赔偿。在有些司法制度下，陈述的相对人可以肯定该契约，但坚持该错误陈述应加以修正。给受损害的一方免除契约义务也是可能的：或是他提起诉讼要求撤销契约，或者是在因自己未履行契约义务被对方起诉时，他可以用对方作了错误陈述来辩护。

Misrule, Lord of **英国宫廷庆典总管** 英国中世纪晚期和都铎王朝初期的一种官员，负责在宫廷、大贵族府第、伦敦律师学院以及剑桥和牛津大学学院内举行的圣诞节庆祝仪式。在这位总管主持期间，庆典通常要延续12天到3个月，由他负责安排和指导所有的圣诞节娱乐活动，包括精心安排的假面舞会和游行行列，上演戏剧节目和举行宴会。通常由总管本人来主持这些庆典，并且在一个滑稽虚拟的宫廷里接受宴会参加者喜剧式的朝拜。苏格兰也曾有类似的官员，称为"糊涂

院长”(Abbot of Unreason)。1553 年爱德华六世逝世后，英国宫廷即停止任命这种官员。参阅 **Revels, Master of the**。

missal 弥撒书 该书载有天主教在全年之内每次献弥撒时使用的祈祷词、重要的赞歌和必要的指导。弥撒书的前身是早期教会所使用的多种书册；到了 5 世纪，已经出现了分别供献弥撒的不同人员使用的各种弥撒书。例如，主祭的司铎所用的是圣礼书，书中载有不同瞻礼日的祝文和启词。常规弥撒祭使用的固定祝词收在圣礼书中。最初曾使用标出特定段落的《圣经》，但是约在 1 000 年之后，出现了专门编订的书，称为圣句集，只载分别在各瞻礼日诵读的使徒书信和福音书的段落。领导会众应唱《诗篇》的独唱者使用领唱书。唱诗班诵唱的词载在应答经集中。还有一本教会历书，说明参加崇拜礼仪的正确方式。上述各书逐渐融合成一本《弥撒全书》，它到了 13 世纪已经取代以往的各种书。现代的弥撒书都属于这一类型。现存《弥撒全书》有几种版本，其中最常用的是罗马教廷的弥撒书，它是在教皇英诺森三世在位期间(1198 ～ 1216)编订的。方济各会托钵修士采用这本弥撒书，把它传遍欧洲。特伦托会议(1545 ～ 1563)建议改革天主教崇拜礼仪，1570 年教皇庇护五世颁发新弥撒书，西派教会都采用了它。它经常修改，但变动不大。20 世纪的崇拜礼仪改革运动影响深远，圣周的崇拜礼仪在教皇庇护七世在位期间于 1955 年修订，最后，第二次梵蒂冈会议(1963)允许在崇拜礼仪中某些部分使用通俗语言，并设立委员会负责全面修订弥撒书。东派教会从未采用供参加崇拜的人使用的书。自 13 世纪起，有些东派教会使用选句集，类似西派教会的弥撒书，迟至 1882 年雅典还印了一版。东派教会参加礼拜的信徒一般使用袖珍弥撒书。

Missau (Nigeria) 参阅 **Misau** 米绍。

missile 导弹 可高速准确投送弹头的火箭动力武器。导弹种类多样，既包括有效距离仅百余英尺的小型战术导弹，也包括射程可达数千英里的大型战略导弹。几乎所有的导弹都装有某种形式的制导与控制装置，因而通常可称为制导飞弹；非制导军用飞弹以及所有用于探测高层大气或将卫星送入空间的运载装置通常称为火箭。螺旋桨驱动的水下射弹称为鱼雷；以空气喷气发动机为动力沿低空水平航线飞行的导弹称为巡航导弹。

推进装置、控制与制导系统 虽然导弹的动力装置既可以是液体燃料火箭发动机，也可以是固体燃料火箭发动机，但军事上使用得更多的是固体燃料发动机，因为固体燃料不易爆炸，可使导弹处于待装填状态，以便迅速发射。这种发动机通常用于战术导弹(即在直接交战地域使用的导弹)，使其能以 2 倍音速的速度飞向目标。战略导弹(即用于打击远离交战地域目标的武器)既可为巡航导弹，也可为弹道导弹。巡航导弹的动力装置为喷气发动机，在其整个飞行过程中以亚音速飞行；而弹道导弹只在飞行的初始段(助推段)以火箭发动机为动力，此后则沿弧形弹道飞向目标。由于重力的作用使弹道导弹的弹头落向地面，故其速度可达音速的数倍。

1981 年服役的美国“俄亥俄”号战略核动力潜艇所载 24 枚三叉戟式弹道导弹
美国海军部供图

几乎所有的导弹都靠稳定翼保持飞行稳定性。此外，导弹装有调整其飞行路线的操纵系统。最简单的操纵系统是气动操纵面，它使用了活动式舵面改变流过稳定翅的空气流向。更为复杂的系统(特别是用于飞出地球大气层的弹道导弹)是推力矢量控制系统。在该系统中，火箭发动机的喷射流受喷口内的叶片的影响或由于转动整个发动机而发生偏转。

制导系统是导弹中最重要也是最先进的部分。在战术导弹中，电子传感器通过探测目标发射或反射的辐射能来确定目标的位置。例如，热寻的导弹装有红外传感头，使导弹能根据喷气发动机排出的热气来“寻的”。反辐射导弹靠雷达辐射电磁波寻的，而另一种光学寻的导弹可以根据电视摄像机捕获的目标景象来自动跟踪(“锁定”)目标。依靠这种传感器获得的目标的信息，制导系统通过弹上自动驾驶仪或发射平台发出的指令向控制机构发出修正航向误差的指令。

苏制装甲车或卡车载三枚地对空中低空防御导弹
美国不列颠百科全书公司供图

弹道导弹装有某种惯性制导系统(**inertial guidance system**),该系统可将导弹的实际速度和位置与为命中目标而估算的位置加以对比。然后制导系统向控制系统发出修正指令。惯性制导的精度已有很大提高,因而射程大于9 650千米的美国MX“和平卫士”弹道导弹便有50%的机会可使其10个弹头落入目标120米范围内。

种类 战术导弹一般按发射平台和目标的位置分类,共有5类战术导弹:空空导弹、空地导弹、地空导弹、反舰导弹和反坦克导弹(或突击导弹)。

弹道导弹通常分为近程、中程、中远程和洲际弹道导弹。近程弹道导弹的有效射程为480千米;中程弹道导弹的射程为480～965千米;中远程弹道导弹的射程为965～5 310千米;洲际弹道导弹的射程大于5 310千米。

洲际弹道导弹通常从加固的地下发射井中发射,以便于防卫。近程弹道导弹和某些洲际弹道导弹从火车或轮式运输拖车上发射,靠机动性提高生存能力。“热发射”弹道导弹可直接从发射装置中发射,而“冷发射”导弹靠压缩空气从发射装置中弹射出,然后火箭发动机点火。潜射弹道导弹(SLBM)就是用这种方式从处于下潜状态的潜艇发射管中弹出海面。参阅 **cruise missile**; **rocket**; **smart bomb**; **torpedo**。

Missile Defense Alarm System (series of reconnaissance satellites) 参阅 **Midas**导弹预警卫星。

missing link 缺环 假设的介于现代人类与其类人猿祖先之间进化过程中已经绝灭的动物。19世纪后半期,人们对达尔文的学说有一种普遍的误解,认为人类是猿类现存种的直系后裔。为接受这种理论,并使之与逐级演变的“伟大的生命之链”相符合,似乎需要某些化石猿人或人猿来补足这链条上的环节。于是直立猿人(现名直立人),曙人陶逊种(辟尔唐人骗局),甚至现代南非霍屯督人(当其刚被发现时)都被看作是缺环。现在人们已经认识到,人类与现存的类人猿类(例如黑猩猩)只有共同远祖而无直接遗传关系。这些共同远祖目前尚未究明,不过猿与人的区别可能在600万年前至1 000万年前已经出现。

Mission 米申 美国得克萨斯州南部伊达尔戈县城市。为麦卡伦-爱丁堡-米申都会区一部分。地处下格兰德河谷地。1907年始有人居住。1910年设市。水运及柑橘加工业中心。每年举办得克萨斯柑橘节。设有全国一品红协会总部。人口:市45 408;麦卡伦-爱丁堡-米申都会统计区569 463(2000)。

mission 国外传教事业 指基督教内有组织地宣传基督教教义的活动。在早期,基督教随着犹太人的散布而传播。不久,基督教的特色彰显,不再受希伯来律法的约束。保罗是最伟大的国外传教士和全体传教士的楷模,他把福音传到小亚细亚和希腊各大城市并积极在罗马活动。由于他和其他传教士所进行的工作,基督教作为一种新兴的宗教迅速地沿着罗马帝国的商道传到各个人口稠密中心。如至君士坦丁大帝在位期间(306～337),基督教已传遍东、西罗马帝国全境。固然异教依然存在,但是到了500年前后罗马帝国人口绝大多数已成为基督徒,在此期间,传教事业扩展到帝国边疆和域外。500年以后,基督教的传播随着罗马帝国的解体而受挫。7～8世纪,阿拉伯人入侵,在原来由基督教占统治地位的区域的一半建立了伊斯兰教统治。此时凯尔特和英格兰传教士将基督教传到西欧和北欧,君士坦丁堡的希腊教会则向东欧和俄罗斯发展。950～1350年整个欧洲都已接受基督教。俄罗斯也成为基督教国家。向伊斯兰教地区传教的事业亦已开始,基督教也传入东方。1350～1500年,基督教势力大衰。奥斯曼土耳其帝国取代了阿拉伯国,灭亡了拜占廷帝国。古老的东派教会衰落,加上大批传教士死于鼠疫而无人接替。天主教会经过1545～1563年的特伦托会议进行整顿重新振奋,向西班牙、葡萄牙和法国这三大天主教帝国新发现并征服的领地派出传教士,在中南美、加勒比地区和菲律宾打下基础。耶稣会在日本、中国和印度建立传教会。1622年天主教设立传信部以集中领导这庞大的事业。1750～1815年间,传教工作进入低潮时期,其后又为天主教徒所复兴,并在亚洲、非洲及世界各地任命当地人士担任教士及主教,以充实各个新设立的教会。新教会各派海外传教活动开始较迟,但由于强调个人领受福音并恢复使用《圣经》,得以迅速传入新教国家在16～19世纪期间所占领的殖民地。19世纪至20世纪初新教传教活动达到高潮,国外传教组织纷纷涌现。新成立了许多传教机构。其中不少是志愿和非官方的,但是多数派别也组成官方的传教机构。早期各派别之间的传教活动竞争激烈,甚至互相干扰,但是终于兴起了合作精神,促进普世教会运动。20世纪中叶,许多前殖民地获得独立。新成立的国家严格限制传教活动,往往禁止发展教徒,只许从事非宗教性的教育和医疗工作,而这二者成为大多数基督教传教事业中的重要项目。19、20世纪东正教会中的传教活动只限于俄罗斯正教会,在俄罗斯建立苏维埃政权后停止。

Mission, Congregation of the 遣使会 天主教修会,由司铎和修士组成,创立人是圣味增爵(保罗的)。参阅 **Vincentian**。

Mission Indians 教团印第安人 加利福尼亚南部及中部沿海的印第安人,1769～1823年,西班牙方济各会在这些印第安人之间建立21个传教站。自南而北,教团印第安人中的主要部落是迪埃格诺人、卢伊塞诺人、朱亚内诺人、加希列林诺人、丘马什人及科斯塔诺人。传教站的任务,除了传教以外,也作为西班牙王室的教化使者;但是,除了教授一些西班牙语、天主教信条和赞美诗之外,印第安人似乎并未获得什么正式教育。阻挡他们离开传教区,鼓励他们务农、放牧和学经商。许多人成为天主教徒,许多人死于欧洲人传来的疫病,更有许多人不得不严重地依赖传教站。到1834年墨西哥政府正式宣布取消传教站的管辖权时,许多印第安人流离失所。根据法律,他们得到公民权和前传教站财产的一半,但是,由于无所保障,许多人受到投机者的巧取豪夺。也有少数人成功地归化了墨西哥制度,如阿瓜·加林特集团,到20世纪已变得比较富裕,在棕榈泉为高级旅游胜地经营地产。

Missionaries of Africa, Society of 非洲传教会 天主教国际传信组织,由在非洲工作的司铎和男修士组成。参阅 **White Father**。

Missionary Ridge, Battle of 米申纳里岭战役 美国南北战争中结束南军围困北军的田纳西州查塔诺加战役。参阅 **Chattanooga, Battle of**。

Mississauga 米西索加 加拿大安大略省东南皮尔自治区城市。濒临安大略湖西端。19世纪初开始有人定居。1968年已成为全国人口最稠密,面积最大的城镇之一。现在是多伦多的郊区住宅区,也是重要的工业中心。生产飞机、发动机、汽车、化工品、药品、石油与橡胶产品、钢铁产品、建筑材料和设备、塑料、水泥、家用器具、印刷材料等。城市在主要的高速公路和铁路干线上,有港口设施和加拿大最繁忙的多伦多国际机场。设有多伦多大学分校埃林代尔学院。1974年设市。人口612 925(2001)。

Mississippi 密西西比 密西西比原系美国旧时大西南的一部分,1817年成为美国第20州。长期以来,人们将密西西比这个名称与属于南方腹地的许多特点联系在一起,尽管这种联系有些是正确的,有些是不正确的。自20世纪60年代以来,密西西比一直致力于改变它过去的经济和社会模式。密西西比州的面积在美国各州中居第32位。首府杰克逊。州名源于印第安语,意为“大水”或“水之父”。

数十年来,居民中受赡养的人口太多,以农业经济占主导地位,人们对变革普遍存在抵制情绪,因此人均收入较低,许多家庭的生活水平达不到标准。至少一半人口住在农村,但不一定住在农场。在各项经济指标中,密西西比州现仍处在落后地位,其人均收入还远低于全国平均水平。1965年,该州有史以来首次出现了工业收益超过农业收益的情况。

拥有123 530平方千米面积的密西西比州从北面的田纳西州到西南面的路易斯安那州和南面的墨西哥湾,从东面的亚拉巴马州到西面的阿肯色州。大部分地区的土壤肥沃深厚、地势低洼、河流纵横。因而密西西比几乎不可避免成为一个农业州。长期以来占优势的农村从容不迫的生活方式是现在密西西比州许多问题产生的根源,正如它过去也曾促使该州发展一样。这种生活方式在某些密西西比人中间也留下了一种历史感。他们的先辈曾创造一种上流社会的文化,在哥伦布、比洛克西、纳奇兹及霍利斯普林斯这些古老城镇中,许多有历史价值的宅第至今保留着这种文化。

自然地理和人文地理

土地 密西西比的地势低洼，其最高点仅达海拔 246 米。除了起伏不平的东北角以外，该州完全位于东墨西哥湾沿岸平原自然地理区之内。境内有广阔的沼泽地。主要土壤区包括丘陵、平原、大草原、河滨低地及松林。

地形 在西北部，称为德尔塔的广大肥沃新月形地带系亚祖河和密西西比河旧时的洪泛区，面积 1 600 000 公顷，为深达数英尺的黑色冲积土壤。过去这片土地易受洪水灾害，现在得到了大堤和水库系统的保护。南北战争以前，德尔塔的居民稀少，现在已成为一个高度机械化的农业区。

德尔塔东面隐约地出现一处黄土形成的高大陡壁，标志着高原或丘陵带的开始。从田纳西州到路易斯安那州是一片宽度不一的黄褐色沃土带。南密西西比的大部分位于地势较高，绵延起伏的松林。这一地区虽很早即有人定居，但直到 20 世纪初才开始兴旺。此时大片原始松林已经开发，而且大量减少。此后，又有了林业、养牛业以及一些专业农场。成为一个繁荣的地区。

沿海地区有时称滨海草地或沿岸阶地，毗邻墨西哥湾。这里的土壤多沙，不适合作物生长，但因地理位置适中、气候宜人、工业化程度高，故占有重要地位。

松林北部边缘为狭长的中央草原，有一段丘陵和林地将其和布莱克草原分开。这两大草原均有肥沃的黑色土壤，是种植多种农作物的优良场所。这里曾是棉花种植园的所在地。布莱克草原以东，在最东北端，是田纳西丘陵。这些丘陵界于田纳西州和亚拉巴马州之间，是密西西比州境内唯一一处居民和地形都与东南山区相似的地方。

布莱克草原以西有另一处高地，即庞托托克山岭，由田纳西州边界向南延伸。该山岭平均海拔 120 ～ 180 米，是密西西比州最具特色的地点之一。其肥沃的沙质土最适宜栽培果树。环绕庞托托克山岭和布莱克草原西部边缘的一处地势低洼地区称弗拉特伍兹。这里遍布透水性很差的重粘土，一直未能成为经济繁荣地区。中北部丘陵贯穿密西西比州的北部和中部，向东延伸到亚拉巴马州，土壤为红色粘土，可进行小规模农业生产。在广泛采用科学耕作法以前，侵蚀使丘陵带数千英亩土地被毁。

水系 密西西比州有许多河流、小溪、长沼及其他水系。该州主要河系包括汤比格比河，现与田纳西河连接形成田纳西-汤比格比水道，位于东北部。东南部则有帕斯卡古拉河；中南部有珀尔河；西部有密西西比河及其支流，主要支流为亚祖河及大布莱克河。所有这些河流，有的直接注入墨西哥湾，有的汇入密西西比河及其他河流注入墨西哥湾。

气候 密西西比州的地理位置使它具有一个良好的气候区。农作物生长季节长（沿海地带实际上可全年生长农作物），雨量充足，冷热悬殊的温度极少出现。夏季较热，气温有时超过 35 °C。秋季雨量甚少，多为晴朗宜人的天气，常为一年中最使人感到舒适的季节。1 月平均气温为 6 ～ 10 °C。虽有时下雪，但次数极少。供水充足，雨量通常足以对供水进行补充。年均降雨量超过 1 270 毫米，地区之间有差异。沿海地区6～10月有飓风。

动植物 温和的气候、较长的作物生长期及充沛的雨量为密西西比提供了种类繁多的植物和动物。活栎和棕树使南部各县的景观多种多样，而果树及硬木林则在北部生长茂盛。木兰及美洲山核桃树遍布密西西比州各地。混杂有栎树的松树林广泛生长在密西西比沙质较多的土壤中。森林占全州一半以上面积，天然及人工培植的花卉形式多样、品种繁多。

由于不断地开发土地用于农耕及长期狩猎，致使过去数量很多的野生动物濒临绝灭。狼和美洲狮已经绝迹，北美野猫很稀少，熊则更为稀见。唯有鹿的数量再度增长，野火鸡数量也有所增加。留鸟及候鸟种类甚多。鲑鳟鱼全年均能捕捞，淡水鱼主要有鲇鱼、鳊鱼、鲈鱼及河鲈。墨西哥湾有大量的虾、牡蛎和鱼，这些都是大规模商业性水产的主要资源。

住区模式 几乎每个密西西比州人都知道并使用一些区域性名称，如：德尔塔和希尔斯（丘陵地带）、南密西西比和沿海地区、普雷里或黑人聚居地以及北密西西比和东北。密西西比的景观主要由森林、田野和小镇构成。城市及工厂居次要地位。不适于种农作物的土壤可以成为私人林场、牧场或果园用地。最大的城市区有杰克逊、比洛克西-格尔夫波特及帕斯卡古拉。

当地理学家讲到亚祖河流域时，一般的密西西比人往往称之为德尔塔。德尔塔的白人一向尊崇贵族式的种植园传统，政治上倾向保守。虽然有许多德尔塔人家族最初也源于希尔斯，但希尔斯人并不听从德尔塔人的意见。

密西西比州纳奇兹市的一座南北战争之前的大厦——朗伍德
美国不列颠百科全书公司供图

历史学家称作松林的地区包括杰克逊以南的大部分，一般人则称为南密西西比。20 世纪这一地区人口增长较快，经济日益繁荣，这些变化与大多数其他地区相比，似乎进展稍为顺利。商业和工业的工人正迅速地取代农民。

就整个密西西比州而言，沿海地区的情况并非典型性的。与该州北部地区相比，沿海地区有较多天主教的和地中海沿岸的习俗，有法国的、西班牙的、拉丁美洲的、达尔马提亚的以及英国的传统，因而是密西西比各地区中居民成分最混杂的地区。

大草原地区具有某些德尔塔和希尔斯的生活方式和习俗。但其土地比希尔斯更肥沃。南北战争以前的某些传统仍保留至今。东北密西西比发展成为小规模家庭农场区，种植园很少。这里的非白种人在整个州中数量最少。

人民 密西西比的白人居民十分明显地属于同一种族。98％以上的白人是本地出生的欧洲人后裔。他们的祖先主要来自英国、爱尔兰及北欧。居民中的黑人、乔克托印第安及华人也几乎都是在本地出生的。

大约在 1940 年以前，黑人在该州人口中占多数，但到 20 世纪后期，主要由于向外移民的数量很大，黑人只占全部人口的 1/3。有几千名印第安人（大多数属乔克托族），住在密西西比的中部偏东部地区。居住在德尔塔的为数很少的华人，是 19 世纪 70 年代迁来的加利福尼亚农场劳工的后裔。这些华人对密西西比的种植园制度不能适应，大多数成为小商人。沿海地区的捕鱼业吸引了来自东南亚的难民。

各种新教教派支配着密西西比的宗教生活，教派中最著名的有浸礼会和联合卫理公会。居民中的天主教徒主要聚集在城市中心及最南部地区，特别是在沿海各县。犹太人社区几乎全部在城市。

密西西比既无人口高度集中的地区,又无广大无人居住地区。自1950年来,农业人口一直缓慢地减少,一些较小城镇则逐渐衰落。但大多数人口超过1万人的中心地区则有较大发展。

像其他地区的美国人一样,密西西比人继承了"不停顿地前进"的边远地区传统,喜欢流动。1920年以前,收益分成制的佃农从一个农庄转移到另一个农庄是常有的事。这时,经济中心(以及移民的集中地)转移到了城市和镇。约有3/4的白人迁往南方其他州,而同样多的黑人则完全离开了南方。由于迁出而减少的人口在很大程度上抵消了密西西比较高的人口自然增长率。密西西比较大的人口增长需要该州保留较多的年轻人。人口约2 844 658(2000)。

经济 在许多经济指标中,密西西比州在当地乃至全国均排名较低。在就业、工资及个人收入等方面已有一些改进;但全国及地区在这些方面增长的比例则大大超过密西西比,相对的经济劣势继续存在。大约95%的个人收入来自8个方面——制造业、联邦政府、房地产、农场、州和地方政府、批发和零售贸易、非农产品商业企业的经营以及劳务和商业服务。

州政府的一些机构在以下几方面有管理职能:公用事业、运输、石油、天然气、保险以及环境污染。经济发展部致力于寻找新的商业机会,并通过发放贷款来训练和招收新工人,以促使现有各项事业得到发展。密西西比研究和发展中心通过在经济发展方面的研究,对经济发展部的工作予以协助。几个经济发展区在其区内各县开展活动。私人经济部门也为本州的各项优势进行宣传。

劳工工会的会员人数较少,不过他们分布广。尽管密西西比有劳工就业权保障法,禁止强行要求工人加入工会,但大多数大工厂均有工会会员。

资源 石油和天然气占所有矿物产值的90%以上。重要的非金属矿物包括沙和砾石、漂白土及其他各种粘土。自1887年以来,曾经断断续续地开采过铁矿。铝矿石的质量不佳,几乎没有开采。

有商业开采价值的森林占全州土地面积的一半。这些森林出产木材、纸浆、松脂及其他林业产品。墨西哥湾水域的海产品在沿海各工厂中加工。

密西西比州的电力由吉布森港附近的一家核电站及几个火力发电厂供给。水电由田纳西河流域管理局水坝输入密西西比,也通过与其他州的电力公司并网而得到。几家私营公司,许多农村合作企业及几家市营的发电系统均在运营。几个大型传输设施将天然气输送到密西西比州,并经该州通往其他地区。

农业 第二次世界大战以后,密西西比州的经济依赖农业的程度减低。农场的数量和农田的面积均有所减少。该州的棉花已不再是最重要的产品。州的主要农业收入来自牲畜、鲇鱼养殖场、家禽以及各类作物,其中以黄豆和棉花最为普遍。全州约70%的农场饲养牲畜,生产乳制品,大约10%的农场生产棉花。

工业 1936年密西西比开始一项旨在促进制造业发展的计划。1965年,全州工业就业人数首次超过农业工人的人数。州的主要的制造业产品为林产品及化学产品。位于帕斯卡古拉港的英戈尔斯造船厂是密西西比州最大的一家工厂。

运输 铁路运输的不景气和州内公路系统存在若干陈旧过时设施,致使运输方面出现一些难题。墨西哥湾沿岸的交通运输量最大,该州北部南来北往公路线全都与之相连。由纳奇兹到田纳西州的纳什维尔,有一条200英里长的纳奇兹公园大路,它作为国家公园设施的一部分受到保护,不许建商店和卡车通行。这条大路十分宁静,路旁为林区,保存了印第安古道的自然环境,沿路还有许多历史名胜。

除了公路卡车货运外,该州还有多种多样的商业性运输。密西西比的铁路有一半仅限于在州内运行。多数大城市有商用机场,均有定期航班。州际公共汽车路线几乎将所有主要城市和镇连接起来。格尔夫波特及帕斯卡古拉可停泊远洋巨轮,吃水较浅的海轮可以沿密西西比河上溯至纳切斯、维克斯堡和格陵维耳。驳船往来于密西西比河、珀尔河及亚祖河之间。格尔夫近岸内航道在离海岸近处跨过密西西比湾。

行政和社会状况 *政府* 密西西比州政府有行政、立法和司法部门,但与某些州的不同处在于该州行政部门的大多数主管是由选举产生而不是指派的。两院制的立法机构包括众议院和参议院,每年召开会议,众议员122名,参议员52名,均由选举产生,任期4年。

州政府的行政部门包括州长、副州长及11名其他官员。所有官员均由选举产生,任期4年。行政官员均可连选连任。

州的司法系统中最下一级的法院是由治安法官主持审理的低级法院。该法院具有对轻罪的初审权,而对轻罪的罚款、课刑及判决均不得超过规定的范围。有些大县也设县法院。平衡法院有权审判有关产权、遗嘱检验、青少年犯罪(在无县法院的地方)、离婚以及精神能力鉴定等案件。巡回法院主要审判大的讼案、刑事案件以及来自低级法院及县法院的上诉案件。最高法院是上诉法院;其9名法官由3个司法区选出,每位法官任期8年。所有其他法院的法官任期均为4年。

密西西比州辖82个县,每县由一个管理人委员会治理。自治单位可以组成村、镇或都市。这些单位的政府有如下几种形式:①由市政委员会委员组成的市长-市议会型;②由3位委员(包括市长)组成的委员会型;③城市-经理型,经理由市议会委任。州和县的官员由11月的普选中产生,党派的初选在8月举行。

从美国南部重建时期结束到20世纪40年代末期,民主党基本上是密西西比州的唯一政党。和其他许多南部各州一样,文化水平测验、人头税及其他种种限制性措施使黑人的政治参与处于较低水平。密西西比州的白人选民对美国的民主党感到不满,导致该党于1948年失去优势。此后,几乎没有例外,美国的右派人物或保守的共和党总统候选人均得到了密西西比州的选票。1964年通过了联邦的《民权法案》,次年又通过了《选举权法案》,这两个法案使黑人参政的机会不断增加,密西西比州的党派政治也因此被重新评估。密西西比州一度存在两个民主党派:一个是黑人占优势的、在南北战争时期忠于北方的一派,他们与更加开明的全国民主党结成联盟;另一个是保守派,主张保持传统的州的权力结构。由于处于反对党地位的共和党得到保守的密西西比人的支持,两派最终成为统一的民主党。自20世纪60年代以来,黑人在整个密西西比州,各地方政府及州政府任职的数量正不断地增加。

金融 州的主要税收为营业税,其次为个人所得税、公司所得税和汽油税。地方政府的最大收入来自财产税。联邦政府的大部分收入是通过许多联邦机构及州的机构提供的。

教育 许多年来,公立学校体系一直处在所有可衡量标准的落后地位。1954年最高法院作出规定,禁止在公立学校实行种族隔离制,引起了若干年的混乱;之后,密西西比州终于决定对州内学校进行彻底的改进。州政府采取了若干措施以提高教育质量,如:1982年通过教育改革法案、对6～14岁的未成年人恢复义务教育、对中学生实行能力考试、建立一个委派的州教育董事会、制定早期儿童教育规划。以上措施的成效明显地体现在学生退学率下降,以及考试成绩稳步上升。

然而,密西西比还是有一段光辉的高等教育发展史。创立于1802年的杰斐逊大学虽曾于1826年及1863年两度关闭,它仍是美国最早的公立高等学府之一。伊丽莎白女子学院于1818年在华盛顿建立,有时被认为是第一所妇女大学。1878年,创建奥尔康农业机械大学(现改为奥尔康州立大学),这是美国第一所为黑人创办并接受政府赠地的大学。1884年,建立了工业研究所及工业大学(现为密西西比女子大学),这是第一所由州政府资助并对妇女颁发毕业文凭的高等院校。在牛津附近,位于大学城的密西西比大学,于1844年领到政府颁发的特许状,于1848年开办。密西西比的两年制专科学校、学院及大学共计40余所,此外,其他教育设施还包括一个医学中心、格尔夫海滨海洋研究实验室及密西西比联邦辅助海洋联合组织。

保建与福利 教育、保健、福利以及密西西比州生活质量的其他衡量标准,都必须透过该州长期的种族隔离和种族歧视的历史这一视角来考虑。高婴儿死亡率、高文盲率、教育发展缓慢以及对福利救济的依赖,都与长达一个世纪的贫困、不公正的行为、种族歧视以及对现代化的抵触心态有关,这种心态妨碍了密西西比州自然资源和人力资源的开发。几乎所有的县都有来自联邦基金某种形式的救济或福利项目。福利事业包括对盲人、残疾人、老年人和受抚养儿童的帮助。保健计划由州政府的几个机构进行实施,其中包括1877年成立的卫生局。

在公共卫生事业方面,密西西比州一直居于前列。通过在州劳役农场进行的实验,1915年发现了产生糙皮病的原因。一个示范性蚊虫控制工程项目使黄热病得到根除。州立结核病疗养院的成就得到全美国的承认。对盲、聋儿童的教育工作也在不断地探索和创新。

文化生活 南北战争以前,"农场主社会"以及属于这个圈子的人都有一种很强的绅士意识。他们所追求的生活方式使他们有义务对艺术予以赞助。他们建造了几座希腊复兴式大厦,并在大厦中陈列了许多艺术品和精致的家具,他们的子女也被培养成为具有社交风度和爱好艺术的人,而好客本身也成了一门艺术。可是,乡村绅士在整个社会中只是很小的一部分。小地主及奴隶都同样制作简单、坚实的家具,制造他们自己用的牛脖套和手纺车,并耐心地精心制作乐器。休息时,他们便听民歌、民谣或非洲摇篮曲。他们的文学有神话、民间传奇以及荒诞不经的故事,舞蹈是传统的,也有即兴表演。

以上便是密西西比人的现代文化和艺术传统的来源。在20世纪,工业技术、流动性以及大众传媒等因素使人们产生了对民族文化的归依。一种鲜明的历史意识显然表现在人们致力于保存有历史意义的建筑物上,还表现为收藏家们积极地收集昔时的人工制品和服饰品——他们收集民歌、服装、器皿、家具以及手稿。

20世纪期间,密西西比州一直是南方文学繁荣的一个重要地区。W.福克纳在其著名的系列小说中创造了一个虚构的约克纳帕陶帕县以及县中的几代人。这位密西西比州人曾获诺贝尔奖,其作品经常被评为美国文学最高成就之一。其他在国际文坛知名的密西西比州人包括小说家E.韦尔蒂、R.赖特、小说评论家S.扬及戏剧家T.威廉斯。密西西比州的"第二代"作家包括E.斯潘塞、W.珀西、W.莫里斯、E.道格拉斯;更近期的有B.汉纳、R.福特以及曾获普利策文学奖的戏剧家B.亨利,他们均闻名全国。

密西西比州产生过几位著名的报社编辑,其中包括《纽约时报》的T.卡特利奇以及格林维尔《德尔塔民主党时报》的普利策奖获得者H.卡特。密西西比州所有较大城镇均有当地的日报,较小的城镇及社区由美国最强大的周报系统之一提供服务。

在音乐方面,该州既有白人的民间传统,也有黑人的民间传统,它们体现在英格兰和苏格兰的民歌、民谣中,还体现在勃鲁斯歌曲、圣歌及宗教性的竖琴弹唱之中。这种丰富的传统产生了一批受欢迎的表演者,如E.普雷斯利、勃鲁斯歌曲艺术家B.B.金以及抒情女高音歌唱家L.普赖斯。首府杰克逊有几家交响乐团和一个歌剧协会。有几所大学经常举办音乐活动。戏剧传统始于1800年,当时纳奇兹的观众所看到的第一部戏剧是在阿勒格尼以西地区演出的。现在,密西西比州约有20个社区戏院及30所大学可提供戏剧演出。此外,在杰克逊还有一个半专业性剧团。

密西西比州的农村传统对于人们的生活方式及娱乐习惯至今仍有很大影响。狩猎、钓鱼、划船、野营以及其他户外活动是州内最普遍的休闲方式。密西西比州保持着一个州立公园系统。美国内政部负责管理维克斯堡国家军事公园及纳奇兹公园大路。"纳奇兹朝圣"是介绍南北战争以前的住宅和花园的几个节日中最著名的一个。

历史

印第安人 密西西比的印第安人在南方林地的环境中和谐地生活着,他们非常注意保持自然界的生态平衡。早期欧洲旅行者经常谈论到印第安人对土地的热爱,以及他们为保卫土地时所表现出的英勇行为。

由乔克托人组成的部族是曾经生活在今天的密西西比的3个主要部族中最大的,他们约有2万人,最初住在州的南部和中部。另外两个部族是纳奇兹人和奇克索人;纳奇兹人集中在密西西比西南部,大约有4 500人;奇克索人约有5 000人,他们居住的主要村落位于该州东北部,并延伸到田纳西州和肯塔基州。1729～1731年间,在与驻罗萨利堡(今为纳奇兹市)的法军交战时,纳奇兹人实际上已被消灭。19世纪30年代,乔克托人和奇克索人最后由密西西比迁到俄克拉何马州。

探险与殖民 1540年冬,西班牙探险家德索托率领一支人数众多的探险队进入密西西比,并在庞托托克河沿岸度过冬季。次年春天,他到达密西西比河,但由于在该地区未发现金矿或银矿,他便带着这支探险队转到其他地方探险。

近130年之后,由为数不多的法籍加拿大人组成的一队人向密西西比河下游航行,他们立即认识到密西西比河在商业和战略上的重要地位。1699年,由莫伊尼·伯维莱率领的一支法国探险队占据了密西西比河流域的下游。法国人不久即在马里波堡、莫比尔、比洛克西、罗萨利堡及新奥尔良建立了居留地。

法国人与印第安人之间的战争于1763年结束之后,法国将其在密西西比河流域的下游所占之地,除新奥尔良外,均让给了英国。此时英国还得到西班牙的佛罗里达,并将佛罗里达分成两个殖民地。其中一个是西佛罗里达,包括阿巴拉契科拉河与密西西比河之间的地区。西佛罗里达原来的北部边界为纬线31°,但在1764年扩张到纬线32°28′。罗萨利堡改称潘穆尔堡,而纳奇兹区则成为隶属于西佛罗里达的一个小区。18世纪70年代初期,纳奇兹颇为繁荣。美国独立战争爆发后,西班牙重新控制佛罗里达并占领纳奇兹。1783年签订的《巴黎条约》将纬线31°定为西属佛罗里达与美国之间的分界线。但西班牙人继续占领着纳奇兹,直到1798年这一纠纷解决时为止。

州的地位和南北战争 美国国会于1798年建立的最初的密西西比准州是一个狭长地带,由北向南延伸约100英里,从密西西比河到乔治亚州边界的查特胡奇。1804年及1812年该地区曾两度扩大范围,到达从田纳西州边直至墨西哥湾。1817年,该地区的西部成为密西西比州(东部于1819年成为亚拉巴马州)。最早的州府是纳奇兹,1802年改为华盛顿,1822年又被杰克逊取代。

19世纪20和30年代标志着杰斐逊共和党人的衰落和杰克逊民主党人的兴起。此时的另一特征则是印第安人纷纷迁移到俄克拉何马州。这一时期有了汽船,出现了土地投机活动,以大农场为基础的棉花经济有了较大发展,也出现了与之俱来的奴隶人口。不过,在小地主阶层中,蓄奴现象并不普遍。小地主在人数上比大农场主多得多,但多年以来,在公众事务方面的影响甚微。

美国北方和南方地区的地方主义曾一度有所发展。而奴隶制则使地方主义形成的敌对意识逐渐在北方和南方占统治地位。1861年1月,密西西比州举行的一次大会通过了一项脱离联邦的法令,1年内该州即陷入战争。人民生活极度贫困,土地严重荒废;到1865年,全州陷入了经济崩溃的境地。

战后时期 在南北战争结束后的25年中,密西西比从前的奴隶及奴隶主都忙于应付奴隶解放后所产生的政治、社会及经济的后果。少数白人不能接受或不愿接受一个以机会平等为基础的黑人和白人共同生活的社会。1890年,密西西比州的统治集团通过了一部宪法,其中规定了实行种族隔离的等级制度以及使黑人处于从属地位的经济秩序。

随着工业的发展和铁路的出现,密西西比州人希望藉此获得经济上的转机,但这种希望仅部分地得以实现。奴隶解放使以前的奴隶可随意前往他们希望去的地方,但他们大多数人却留了下来,最后成为当地的佃农。黑人和白人在经济上继续相互依存,使得南北战争以前形成的许多风俗习惯和社会制度一直保存下来。1890年宪法实际上剥夺了大多数黑人的公民权。

第一次世界大战加快了密西西比州地理和心理孤立状态的结束。南北战争造成的相互仇视情绪大部分在爱国主义的浪潮中消失了。在两次世界大战间隔期,密西西比州经历了20年代的农业衰退、1927年的毁灭性洪水以及30年代世界经济大萧条所带来的许多困难,也受到农业生产管制和新兴工业化的开端所产生的影响。第二次世界大战之后,政府的农业规划和农业大规模机械化引起了又一次农业革命。

民权运动 第二次世界大战以后,陆续发生了一系列重大事件,这也可以说是一场种族关系的革命。美国南部大部分地区许多长期为人们所接受的习俗和惯例,由于美国最高法院宣布实行种族隔离的学校违宪而于1954年首次被动摇。在此项决定公布之后的许多年中,对其他方面的种族隔离的抗议逐渐增长,同时也有了大量的黑人选民登记。60年代初,白人则以越来越多的暴力行为对付黑人反对种族隔离的抗议。1962年,美国最高法院作出裁决,允许一位名叫梅雷迪思的黑人学生进入密西西比大学。而该州官员则拒绝执行此项裁决。经过一夜的骚乱(有两人死于骚乱)之后,梅雷迪思终于被允许入学。密西西比州的种族隔离障碍从此被打破。

1964年夏天发生了最严重的暴力事件:三K党谋杀了3个年轻的从事黑人民权运动的工作人员。这些谋杀事件使密西西比州的大多数白人相信,继续反对变革和使用暴力,只能为他们自身的安全和幸福带来更大的危害,不如以和平方式接受变革。

1969年,按照联邦法院的命令,该州双重的种族隔离学校制度得到了统一。尽管密西西比州的大多数白人反对学校取消种族隔离,他们在适应这一变革的过程中仅有过几次不很严重的孤立的暴力行动。之后的10多年中,密西西比州长期的种族传统和风俗有了极为明显的改变。连续几任开明、进步的州长带领密西西比州摆脱了其混乱的历史,从一个严格实行种族隔离的封闭社会进入到一个种族合作的新时代。这几位州长分别是小保罗·约翰逊、W.L.沃勒、W.F.温特和R.马巴斯。

在适应了这种变革之后,密西西比州人终将注意力和精力转移到该州人力和自然资源的开发上来。60和70年代的经济发展,虽算不上惊人,但是却在持续稳步地前进。白人向外地移居的现象实际上已经停止,黑人在这方面的数量也已显著减少。1960年,该州的人均收入只达到全国平均水平的55%,但是,到1985年这一数字上升到69%。这种变化是城市化、工业化以及农业就业人数减少的结果。

与经济和社会的发展齐头并进,并对这两方面的发展起了促进作用的是该州两党制的发展。第二次世界大战之后,民主党失去了它在密西西比州政治进程中的垄断地位,共和党现在从各方面向这个一度占主导地位的政党挑战。这种发展将密西西比州政治辩论的焦点从捍卫旧传统转移到关于新选择的讨论。尽管该州的有限自然资源和它长期对农业的依赖及种族歧视已留下持久的影响,但密西西比州基本上已摆脱19世纪长期困扰过它的那些观念和特性。

Mississippi Bubble　密西西比骗局　18世纪法国的财务骗局,由苏格兰投机商、经济理论家兼金融家J.劳设计。该骗局引发一场投机狂热,结果造成法国金融崩溃。劳为法国摄政奥尔良公爵的朋友,1716年创设有权发行钞票的中央银行,一年后复创设西方公司,并为该公司争取到北美密西西比河流域广大法属地区的开发特权。该公司又迅速垄断法国烟业和非洲奴隶的买卖,到1719年改名印度群岛公司,完全垄断了法国殖民地的贸易。劳还接管法国赋税征收和钱币铸造事务,实际上控制了法国的外贸和财政。印度群岛公司的利润颇具潜力,大众对该公司股票的需求急增,股票每股由500里弗尔一跃至18 000里弗尔,与所赚利润相比较,简直不成比例。至1719年,劳发行的股票约有625 000股,不久,他复将法国中央银行与印度群岛公司合并,并将其公司的股票出售给大众,换回国家发行的公债(其价值亦因而剧增),以期收回路易十四在位末期所累积的庞大公债。一场惊人的投机狂热因而产生,结果导致整个欧洲股市的暴涨。法国政府乘势增印钞票,用此钞票可以购进印度群岛公司更多的股票,国家债权人因而欣然接受。钞票发行量过度增加,造成急遽的通货膨胀,结果钞票与公债皆相继贬值。同时预期的印度群岛公司殖民地生意的利润实现缓慢,加上该公司的股票与法国的财务间的关系错综复杂,纠缠不清,结果造成1720年法国金融大灾害。当时该公司的股票价值直线下跌,引起法国及其他国家股市崩溃。虽然股市崩溃并非直接因劳而起,但他却是显而易见的替罪羊,因而于1720年12月被迫逃离法国。其公司和银行的庞大债务旋即由法国政府清理与接管。法国政府为清偿债务而增税。

Mississippi River　密西西比河　北美洲最长河流。流域面积约310万平方千米,占北美大陆面积的1/8,完全在美国境内。源出明尼苏达州艾塔斯卡湖,向南流贯大陆内地,接纳其主要支流密苏里河、俄亥俄河,经新奥尔良东南广阔的三角洲注入墨西哥湾,全长3 780千米。密西西比河与其支流一共流经美国31个州和加拿大2个省。密西西比河可分为3段。从源头到明尼苏达州的圣保罗(航运起点),为清澈溪流、蜿蜒曲折,多湖泊沼泽。从圣保罗到密苏里河口,为主要河段,接纳明尼苏达、威斯康星、伊利诺伊和艾奥瓦等河。马克·吐温在其《汤姆索耶历险记》和《哈克贝里·费恩历险记》中均对此段大加描述。密苏里河在圣路易斯的汇入使密西西比河完全改观。汹涌且多泥沙的密苏里河使该河水势更猛、泥沙更多,洪水期情况尤为严重。在伊利诺伊州开罗汇入俄亥俄河后,河流开阔壮观,宽达2.4千米,变成棕色洪流,静静地泻入墨西哥湾,年平均流量为每秒1.7万立方米,不到亚马孙河的1/10,仅为刚果河的一半。作为美国中部的干流,密西西比河是世界上最繁忙的商业河道之一。大宗货运有石油、石油制品、煤、焦炭、钢铁、化工品、沙石和硫磺。20世纪后半叶建立了综合的防洪系统,该河航运地位愈加重要。密西西比河对北美的文学和历史均有独特的贡献。

Mississippi Valley Campaign　密西西比河谷战役　美国南北战争中为控制密西西比河而展开的战役。西部水道是南方的交通和商业大动脉,也是南部邦联路易斯安那州和得克萨斯州的连接要道。北部联邦军事战略家决定在战争中以密西西比及其支流地区,如坎伯兰河和田纳西河,作为进攻要道,故争夺西部河流是南北战争中的重要战役。西部地域辽阔,南部邦联军防守困难,这在1862年2月的亨利堡和多纳尔森堡战斗中已充分显露。联邦军占领两地后,通向亚特兰大的道路畅通无阻,便于日后作战。1862年4月6、7两日打响的夏洛战役是当时美国最大的战役,参战者多达10万余人。北军得胜后,据双方统计,共死亡1 700人,伤8 000人。1863年5、6两月北部联邦的U.S.格兰特将军向密西西比维克斯堡进军,J.彭伯顿将军率领的南军遭到围困。7月4日联邦军占领维克斯堡。北部联邦不仅由此控制住密西西比河下游,而且还将南方一分为二。其后,沿西部支流雷德河的小规模战役使密西西比盆地牢牢处于北部联邦军的控制之下,注定了南部邦联失败的命运。沿西部水道的战役,有名称的至少26场,小规模战斗不计其数。其间产生了一些著名的人物,如格兰特将军和谢尔曼将军。

Mississippian culture　密西西比文化　北美洲史前文化发展的最后一个重要阶段,自公元800年前后延续到第一批欧洲探险者到达北美之时。其范围为该大陆的东南部及中部,遍及今密西西比、亚拉巴马、佐治亚、阿肯色、密苏里、肯塔基、伊利诺伊、印第安纳及俄亥俄各州的江河流域,并散见于北面的威斯康星及明尼苏达两州和西面的大平原。这种文化以种植玉米、豆类、南瓜等作物为基础,精耕细作,从而导致建成人口大量聚集在河边低地的城镇。每个大乡镇在政治上和文化上都支配着一些较小的卫星村;政权掌握在居于统治地位的祭司手里。所以这些综合体可以称为"神权村邦"。由于战争频繁,产生了较大的联盟甚至邦联。密西西比文化的城镇以一中央祭祀广场为核心,环绕广场的每一居住区都有一个或几个角锥形或椭圆形的土墩,上面建有神庙或酋长邸宅。这种聚落形态在中美大部分地区(墨西哥中部和南部,危地马拉)都有典型性,但在密西西比文化出现之前,并未传入北美。密西西比文化公共工程的规模,可由其最大的土工僧侣冢得其概貌,这个古冢位于伊利诺伊州卡霍基亚附近,长约300米,宽约200米,高30米。这种公共工程的巨大规模及神庙的分布情况,都说明当时必有一种支配一切的宗教信仰和一个祭司集团的统治核心,才能指挥这样安定、驯顺而众多的人群,进行劳动建设,并能调动若干行会的能工巧匠,进行修饰装配。手工艺品有红铜、贝壳、石、木及粘土等制品,器形有精致的头饰、礼仪用的武器、圆雕的烟斗、带模拟像的陶器、模拟像,以及木制或木胎包铜的面具。纹饰则有羽蛇、有翼武士、卍字纹、蜘蛛纹、人面纹,以及人物形象和大量几何纹样。工艺有雕刻、浮雕、模制等,均极精美。到欧洲探险者开始渗透到北美东南部,并对土著民族的风俗习惯进行描述时,密西西比文化已开始衰落。最后一支残余力量大概是纳奇兹人。

伊利诺伊州卡霍基亚附近的密西西比文化古冢
美国不列颠百科全书公司供图

Mississippian period　密西西比纪　北美洲的一段地质年代,大致与国际标定的早石炭世(3.6亿年前至3.2亿年前)时期相同。由于与该纪伴生的地层以密西西比河谷地区的地层为代表(该地层主要由化石极丰富的海相石灰岩构成),所以有些美国地质学者宁愿采用密西西比纪这一命名,而不采用欧洲所称的早石炭世。参阅 **Carboniferous Period**。

Missolonghi (Greece)　参阅 **Mesolóngion** 迈索隆吉翁。

Missoula　米苏拉　美国蒙大拿州西部城市,米苏拉县县城(1866)。临克拉克福克河,在比特鲁特河河口处。1841年始有白人定居,19 世纪 60 年代是马兰大道上的商站。1883 年成为北太平洋铁路路段站。1885 年设市。1893 年蒙大拿大学的创建促进了城市发展。现经济主要为伐木造纸、甜菜制糖、乳制品、农产品贸易、旅游业和教育事业。为洛洛、克利尔沃特、比特鲁特、弗拉特黑德等国家森林的入口。市内有美国林业局地区总部、蒙大拿州林业局、林火科学实验室(原北方森林火灾研究站)及森林灭火空降人员训练中心。附近有米苏拉堡和弗拉特黑德印第安人保留地。人口57 053(2000)。

Missouri 密苏里人 已灭绝的北美印第安部落,与奥托人和艾奥瓦人都使用苏语族奇维雷语支语言。密苏里人过去同艾奥瓦人及奥托人一起,自温内巴戈人中分出,向西南迁移。密苏里人定居于格兰德河河口,奥托人则沿密苏里河继续南迁。1673 年 J. 马奎特与 L. 若利埃在密苏里河畔遇到密苏里人。1798 年密苏里人与索克人、福克斯人作战失败后,残余人员四散,逃往奥萨格人、坎萨人及奥托人地区。1805 年前,有些密苏里人重新聚集,但又为奥萨格人所败,最后散处于奥托人及艾奥瓦人中间。

Missouri 密苏里 密苏里靠近美国的中部,是东部森林地带、西部大草原、南部棉田和北部玉米地的汇合处。从 1821 年 8 月 10 日作为第 24 州加入联邦以后,它一直代表着一个边境州的政治与社会观点。关于它作为蓄奴州还是自由州加入联邦的问题促使国会通过了《密苏里妥协案》(1820),对西部领土奴隶制的扩大蔓延加以管理。

在得克萨斯于 1845 年加入联邦之前,密苏里一直是美国最西部的州,几十年来,它是圣菲小道和俄勒冈小道的东部终点。对于西部来说,密苏里州的最大城市圣路易斯长期是同东部更安定的社会和文化保持联系的最密切的接触点,而对于东部来说,该州以作为通往西部的主要入口著称。

密苏里河从西部堪萨斯城横贯该州,经过中部的杰斐逊城(该州首府),流至东部圣路易斯以北不远处与密西西比河汇合。(密苏里原是住在该地区的一群印第安人的名称;法国人最早将该河取名为密苏里,后又作为州名。)除了田纳西州以外,密苏里州的邻州比美国任何其他州都多。在其北部是艾奥瓦州;在密西西比河东岸是伊利诺伊州、肯塔基州和田纳西州;南部是阿肯色州;西部是俄克拉何马州、堪萨斯州和内布拉斯加州。密苏里州的面积是 69 697 平方英里(180 516 平方千米)。州一半以上的人口住在两个主要城市——圣路易斯和堪萨斯城,以及两市周围的各县。

密苏里州的城市化程度很高,工业与经济发展很快,然而它仍保持着一种生气勃勃的多样化农业。嵯峨的欧扎克高原是一个优美的风景区,许多充满生气的民间传统仍在当地社区中流传。密苏里保持着 20 世纪 30 年代以前居支配地位的农村生活的许多保守特征。它的别名"不见不信州"就表明了该州对变革持怀疑态度的传统。在密苏里,民主党不一定比共和党代表更自由的政治哲学,而后者已侵袭传统的民主党方针。由于继续保持低税基,因而无法对社会服务进行精心规划。这一问题在上述两个主要城市中特别尖锐:城市的需要大大增长,而越来越多的财富却丧失给郊区。

自然地理与人文地理

土地 *地形* 密苏里州在密苏里河以北的地带曾被冰河覆盖,以起伏不平的丘陵、辽阔肥沃的平原和水源充足的草原为其景色特征。在密苏里河以南,除了该州最东南角和沿西面边界一带外,地形崎岖,谷深坡陡,清溪湍急。这个地区多洞穴,特大的泉水随处可见。大部地区海拔 1 000～1 400 英尺(300～425 米)。但临近西面边界,海拔很少超过 700～800 英尺,在密苏里州的东南部,即密西西比河的一部分冲积平原,海拔不足 500 英尺。位于欧扎克高原的圣弗朗索瓦山脉显示出火成花岗岩和流纹岩断层,而该州其余地区下面则为沉积岩,主要是石灰石、白云石、沙岩和页岩。密苏里州的地壳构造是稳定的,只有东南部曾发生过微弱的地震。

密苏里州南部欧扎克高原马克·吐温国家森林十一角风景河上的独木舟

美国不列颠百科全书公司供图

1811～1812 年新马德里地区发生了一次毁灭性地震,再发生一次同样强度地震的可能性仍然存在。

水系与土壤 水系和土壤情况使密苏里州各县都可从事农业,但欧扎克高原由于土壤贫瘠只能饲养牲畜。密苏里州北部一般来说排水良好,大部地区为肥沃的冰河期土壤和黄土土壤所覆盖。许多河流和溪流边的洼地中的冲积土(一些土壤专家认为此类土壤在美国分布最广),也增加了耕作的潜力。除了一般向东南流入密西西比河的河流以及许多穿过阿肯色州的河流外,全州大部地区的河水均流入密苏里河。

密苏里州的许多湖泊是拦河筑坝而成的,欧扎克湖是一个巨大的人工湖,面积约 60 000 英亩(24 300 公顷),滨线长 1 375 英里(2 213 千米)。许多湖泊主要为了提供水力发电和防止水灾而建造,但也为密苏里州提供了良好的娱乐资源,此外该州还有许多天然泉,其中有些是世界上最大的。

气候 密苏里州的气候受加拿大寒冷气流、墨西哥湾温暖、潮湿气流和西南方的干燥气团的影响。虽然全年风向多变,夏季一般盛行南风和西南风,冬季盛行北风和西北风。降水量通常可以满足农作物需要,北部和西北部约 34 英寸,最东南部约为 50 多英寸。降水总量的 1/3 集中在 4～6 月。大雪罕见,降雪大部是在 12 月至次年 2 月间。密苏里州位于"龙卷风路线",即发生龙卷风次数最多的地区,平均每年约有 27 次。北部和西北部 1 月最高气温约 2 ℃,东南部为 9 ℃。最西北部的夏季通常比东南部凉爽,但夏季超过 38 ℃的气温在该州任何地区都可能发生。

动植物 最初,密苏里州约有 2/3 的地区长满森林,其余地方被草原草地覆盖。欧扎克高原的河流陡岸和河谷有种类繁多的罕见植物,如圆柱叶土人参、捕蝇草、飞燕草、金光菊、蛇鞭菊、状罂粟葵。在密苏里州的荒野,可以发现飞燕草和金光菊。麋、鹿、美洲野牛和熊一度数量很多,小型动物如河狸、水獭、水貂为数亦多。在开发拓居地和发展农业后,除鹿以外,许多大型动物均不见踪影,大量毛皮珍贵的动物被诱捕,现已接近绝灭。

住区模式 密苏里州的各个地区反映着居民种族、宗教和政治的派别。东南端的"靴跟"由来自南方的种植园主定居,在建州时期由于一个种植园主的巨大影响,它被划归密苏里州;这是密苏里棉花种植中心,但由于棉花病害,现已衰落,正改种大豆、小麦、高粱和稻米。欧扎克山区地形崎岖不平,不适合大面积农业耕作,属于密苏里州比较贫穷的地区,但它却是该州具有巨大旅游吸引力的地区之一。"小迪克西"是一组县的名称,大多位于密苏里河北面,沿河岸向西延伸到该州中部,最初由同情南方的人们定居。在当地可以看到南北战争以前住宅的最精致的典

型。“小迪克西”以南，密苏里河以南和圣路易斯以西的陡岸和高地上，是德国拓居地的集中处，传统上称作“密苏里莱茵兰”。在该州西部，密苏里河北面和东面，是历史上有名的“摩门教故乡”。1831年前后，约瑟夫·史密斯的信徒移居该地，最初在独立城，后来在其他县，直到他们被敌对的邻近居民赶走。在该州中央，布恩维尔、富兰克林和哥伦比亚周围是“布恩的利克土地”。边疆居民丹尼尔·布恩和他的儿子们从肯塔基州迁来制盐。

人群的拓居显著地改变了密苏里州的自然景观，该州只有1/3地区仍有森林，主要是在欧扎克高原的丘陵和山坡。几乎全部草原地带都已被开垦成农田。拦河筑坝已造成许多湖泊和水库，而在东南部，排水系统使得以前的沼泽地成为该州最富饶的农业区之一。该州农业以传统的家庭拥有的农庄为特色，但与美国其他地方的情况一样，农庄数目减少，但每个农庄的规模和生产力却增加了。城市化也减少了农业耕地的数量。虽然城市居民区分散在全州，堪萨斯城和圣路易斯仍是密苏里州重要的商业和制造业中心，同时也是向西延伸到堪萨斯州，向东延伸到伊利诺伊州的大都会区的核心。

人民 在早期的法国拓居者以后，移民大部从东方和东北方各州以及南方迁来，而在“靴跟”和“小迪克西”牢固地树立了他们的经济与社会类型。来自海外的第一批移民（特别是德国人、爱尔兰人和英格兰人）于1820年后大量涌进。到1860年，大批德国人已在密苏里州，主要是在圣路易斯和该地的西部定居，而许多爱尔兰人则定居在城市。在1860～1890年间，来自俄亥俄州，伊利诺伊州和印第安纳州的移民超过了从南方来的移民，人数日益增多的移民从德国到来，主要定居在城市中心。后来，圣路易斯和堪萨斯城吸引了人数可观的意大利人、希腊人、波兰人和犹太人集团。到第二次世界大战前，已有20多个欧洲种族集团在密苏里州的农村定居下来。

在密苏里州人口稳步增长的同时，人们继续离开该州。这是以农业为主，经济比较落后各州的一个比较典型的模式。许多黑人从南方的农业社会向北迁移，因而改变了当地人口的种族成分。从1940～1960年，白人人口增加了11%，而非白人人口却增长了62%。到20世纪后期，黑人已占该州总人口的10%以上，主要集中在圣路易斯和堪萨斯城。

一个处在交叉路口上的州受到各种宗教的影响是不足为奇的。天主教教会在路易斯安那购地之前一直居主导地位，现仍有很大势力，特别是在圣路易斯和堪萨斯城地区。1803年后，主要的新教教会宗派以及许多较小派别成立。浸礼会和卫理公会的教徒居优势地位，而各五旬节派团体在该州各地也都有各自的代表，犹太教集团在较大城市中有活跃的会众团体。人口5 595 211(2000)。

经济 农业作为创造收入活动一直是重要的，但服务业、制造业和批发零售业从第二次世界大战以来也飞跃发展。密苏里州在它的所有邻近各州（伊利诺伊州和田纳西州除外）中已居于商业与工业首位。在某种类型制造业，特别是生产太空器材和运输装备方面——包括汽车装配——密苏里州与全国领先各州并驾齐驱。娱乐业和旅游业在经济中的地位超过了农业。这种增长大部是在较大的城镇和大型的欧扎克湖泊附近。

该州经济发展部门包括一些司局和委员会。它们对该州的经济发展已有重要影响。地方商会和私人金融集团也刺激了经济增长。

密苏里州工人一般享受到扩展的经济带来的好处，但人均收入低于全国平均水平。工会在增加教师、职员以及手工艺人员的工资水平方面已有巨大的影响。尽管在收入和税收方面比其他州处于有利地位，但该州的人均税收则接近末位。结果，密苏里州缺乏足够的资金来满足现代政府机构应当提供的各种需求和服务。

资源 该州的各种资源包括铅和铁矿、重晶石、石灰石、木材和水力发电。密苏里州的矿藏丰富，在铅的生产方面居全国领先地位，而且铅和锌以及铁矿石的埋藏量继续被发现，然而，铁的生产已经停止，铅的产量因需求减少而下降。森林区约有2/3位于欧扎克高原。从20世纪50年代以来，工业对这些资源的利用日益增加。在欧扎克高原的许多边远农庄用作娱乐场所，好处之一是它们又恢复了森林。

农业与工业 耕种的农作物范围广泛，包括该州最重要的作物大豆以及小麦、玉米、棉花、稻米和烟草。该州半数以上的农庄收入全部来自牲畜和牲畜产品的销售，其中主要是牛、猪和乳制品。在密苏里州北部部分地区，牛和猪的总头数相当于居民人数的9倍多。

制造业首先是生产太空器材与运输装备，其次是食品加工和化学制品生产。

金融与商业 密苏里州在商业、储蓄和信贷银行资产方面在各州中居很高地位。圣路易斯和堪萨斯城有联邦储备银行，堪萨斯城的国家税务局的地方办事处为美国中西部大部分地区服务。堪萨斯城和圣路易斯一向是远处及邻近各州广大区域的重要商业与贸易中心，居全国最重要的谷物与牲畜市场之列。与农庄有关的产品和汽车销售是批发零售业收入的最主要来源，商业需求在服务行业中占主导地位。

运输 州内主要的交通流动是沿密苏里河河谷由东向西和沿密西西比河向南。密苏里州有几条州际公路，其铁路与全国许多主要干线相连，圣路易斯、堪萨斯城和杰斐逊城有全国铁路客运公司的客运服务。1910年以来，由于竞争性的平行铁路线及采矿公司和伐木公司修建的铁路短线逐渐弃舍，密苏里州的铁路里程缩短不少。密西西比河和密苏里河为该州提供了1 000多英里的通航水道，与新奥尔良以水路交通相连。圣路易斯和堪萨斯城是地区性航空中心。

行政与社会状况 *政府* 密苏里州根据1945年批准的第4部宪法实行管理，但政府的基本结构从1820年第1部宪法通过以来一直未变。州长由选举产生，任期4年，可以连任。州长享有“条款否决权”，可以从任何拨款预算案中取消个别条款，但有关公立学校的资助或公债的偿付等条款不能勾销。立法权归参议院和众议院组成的州议会。众议院有163名议员，任期2年，参议院有34名议员，任期4年。每名参议员代表等同的人口单位，而每个县不论人口多寡，至少有1名众议员。在20世纪60年代早期，42个农业县的选民与居住在圣路易斯、圣路易斯县、堪萨斯城和附近的杰克逊县的公民相比，他们选出的众议员大约多10倍。1971年重划选区工作完成，从而确立了平等的代表权。

司法系统与大多数州的司法系统相似，最高法院为最高一级法庭。其下属法院有上诉法院和44个巡回法庭。密苏里州司法系统的与众不同的特点是通过考绩选拔法官的方法，通称密苏里法，被其他几州所采用。根据这一方法，州长从一个超党派委员会提出的三人名单中任命一名填补法院缺额。此项任命必须在这位法官就职12个月的第一次普选中由一次单独的超党派投票予以批准。这个方法只适用于最高法院、上诉法院和圣路易斯都会区和堪萨斯城都会区的巡回法庭。这两个大都会区以外的县，巡回法庭法官和助理法官都在党派性选举中由选民选举。政党偏见在州长挑选被任命者以及挑选委员会成员时仍是一个考虑因素。

市和县是地方政府最重要的单位，该州有114个县，此外还有不受周围圣路易斯县管辖的圣路易斯城。县由一个经选举产生的3人委员会管理。8.5万人口以上的县获准采用它们自己的特许状。密苏里州是全国第一个准许市采用自己的管理特许状的州，现在全州已有20多个获得自治特许状的市。密苏里州多数城市采取市长-政务会形式的政府。

密苏里选民倾向于支持民主党候选人，但也多次选出共和党州长并使共和党在州议会中获多数席位。两个党派内部都有自由的与保守的宗派。民主党在两个大城市中心势力稍强，而共和党在密苏里州西南部和北部的农业县势力最强。

教育 从1945年以来，许多小学区合并为少数大学区。从20世纪70年代早期以来，学校入学人数和收入显著下降。在资助公众教育方面，密苏里州已落后于其他州，同时，为了在圣路易斯和堪萨斯城的学校废除种族隔离制所作的努力已成一种额外的财政负担。

高等教育在公立和私立院校中都有发展。密苏里大学除了在哥伦比亚拥有主要的、最老的校园外，在堪萨斯城、圣路易斯和罗拉都有分校。此外，尚有几所州立学院，以及林肯大学。林肯大学最初为黑人设立，现也招收白人学生。私立大学有华盛顿大学和耶稣会管理的圣路易斯大学，两校均在圣路易斯。对高等教育的资助经常不敷支出。

保健与福利 该州于1974年建立的社会服务部和精神保健部为病人和贫民提供服务。在和联邦机构合作下，圣路易斯和堪萨斯城已着手进行大规模的城市改造计划以帮助减轻内城的问题。

虽然生活费用特别是在较大的人口中心已经增长，但人均收入也增多了，在萧条的农业区和城市贫民区存在着小块贫困区，但密苏里州一般没有那些工业化程度更高、生存农业比重较大的州的严重贫困现象。在圣路易斯和堪萨斯城及其附近地区，贫富悬殊最大。由于圣路易斯和堪萨斯城的大都会区处于州交通线交叉点，它们的都市统治和管理问题十分复杂。

文化生活 密苏里州的文化环境以多样化为特点，它包括沿圣路易斯-堪萨斯城轴心的各个美术、音乐、戏剧中心和欧扎克高原的民间文化和本地手工艺。

该州通过1946年成立的密苏里州立图书馆和1965年创办的密苏里州艺术委员会扩大了文化机会。州立图书馆促成了县和地区图书馆的迅速发展。较大城市各有自己的图书馆系统。艺术委员会推动各社区扩充文化资源。

从建州开始，艺术已在密苏里州欣欣向荣。在绘画方面，G.C.宾厄姆和T.H.本顿享有崇高地位。如果移居国外的诗人T.S.艾略特(原籍圣路易斯)不算本州作家，那么，马克·吐温仍是密苏里州最杰出的作家，由于他的作品使19世纪中叶汉尼拔和沿密西西比河一带的生活永为人们怀念而闻名世界。圣路易斯和堪萨斯城有几所工艺美术学校，两市在音乐上也十分繁荣，圣路易斯"通往西部门户拱门"由E.沙里宁设计，是遍布全州多样化建筑风格的一个引人瞩目的实例。

欧扎克高原有丰富的民间传说、民间故事和民谣。这个地区主要是由来自南阿巴拉契亚山脉的拓荒者们定居。他们带来了传统的歌曲和民谣，其中有些是17世纪从英格兰和苏格兰带来美国的。当地手工艺品以前出于谋生需要由拓荒者们制造，现在为了满足旅游者的兴趣同时也因为认识到手工艺品自身的内在价值而再次兴旺发达起来。绗缝制品、木器制造、篮筐编织和陶器制造都属于最重要的手艺。它们的发展受到密苏里州艺术与手工艺联合会的支持。

除了大学与学院以外，密苏里州还有一些著名的文化机构，其中包括圣路易斯交响乐团。它是美国第2个历史最悠久的民间乐团，也是全国主要的音乐演奏团之一。在堪萨斯城，纳尔逊-阿特金斯艺术博物馆拥有西半球最好的亚洲艺术收藏品之一，琳达·霍尔图书馆拥有一批重要的科学藏书。独立城是杜鲁门图书馆与博物馆所在地。富尔顿是英国领袖丘吉尔发表其著名的"铁幕"演说的地方，有奥尔德曼圣马利亚教堂里的关于丘吉尔的收藏品，该教堂在第二次世界大战伦敦遭轰炸时被毁，石块被运到这里重新安装。

中学、学院和各种职业运动都很普及。堪萨斯城是"皇家"职业棒球队和"市长"橄榄球队的所在地。圣路易斯是"红衣主教"棒球队的基地。休闲时间和流动性的增长刺激了人们对娱乐活动的巨大兴趣，密苏里州发展了一个由州立公园、历史圣地和纪念馆组成的极佳的游览体系，吸引了当地居民和外地游客。数量众多的人工湖提供了垂钓和水橇滑行的场所，而欧扎克高原清凉的河流为划独木舟、钓鱼和野营爱好者带来了欢乐，马克·吐温国家森林给大型动物和鸣禽提供了理想的栖息地。欧扎克国家风景航道组织对柯伦特河和杰克斯福克河加以保护和管理，使之成为荒野景色优美的航道。

密苏里州新闻协会成立于1867年，对于美国新闻事业的发展产生了重要影响。它在密苏里大学创办了世界上第一所新闻学院，并成立了在全国拥有最多会员的密苏里州历史学会，地方报纸和杂志数量众多。享有全国盛誉的报纸有因J.普利策而著名的《圣路易斯快报》、《堪萨斯城明星报》和《堪萨斯城时报》。

历史

在欧洲探险者来到以前，后来成为密苏里州的这片土地是不同的印第安人部落群的家乡。他们的坟墩和其他遗迹遍布全州。其中有一个部落被称作密苏里。

探险与拓居 该地区有记载的历史始于大约1735年一些法国铅矿工人和猎人在密西西比河西岸的圣热纳维夫居民点。距离原址不远处是今日的圣热纳维夫，它是密苏里州最古老的持续有人居住的白人拓居地。约30年后，一个从新奥尔良来的法国毛皮商人皮·拉克莱德建立了圣路易斯。1803年"路易斯安那购地"时，该地区的1万居民大多是来自伊利诺伊领地的法国移民，但一些美国人则来自肯塔基州和田纳西州，这两个州和弗吉尼亚州成为后几十年移民的主要直接来源。

州建制争论和战争 根据1820年的《密苏里妥协案》，密苏里于1821年作为一个蓄奴州获得了州的地位后，"西部吸引力"巩固了它作为一个通道的地理位置。迁往得克萨斯州的移民先在密苏里州装备就绪，后来成千上万西迁的人源源不断地通过圣约瑟夫、独立城、韦斯特波特兰丁和堪萨斯城。

虽然奴隶制在密苏里准州南方移民的种植园和法国开采铅矿的冒险企业中已牢固地建立起来，但废奴运动却获得了越来越多的支持，特别是在密苏里建州以后。从北方和欧洲来的新移民一面反对传统的南方制度，同时也反对州的权利原则。这个争端的感情因素有几次引起了反对废奴主义者的群众暴力行动，其中也包括反对在19世纪30年代聚居在密苏里州的摩门教信徒。州通过了各种法律，禁止教黑人读书写字，并防止任何自由黑人进入该州。密苏里州的奴隶德雷德·斯科特为他的自由向法院提出诉讼，理由是他的主人曾经一度将他移入自由的伊利诺伊州和威斯康星州的自由领地。这个案件最终导致最高法院作出一项判决(1857)，规定蓄奴制在所有准州都是合法的。

19世纪50年代是分歧日益扩大的年代，因为1854年的堪萨斯-内布拉斯加法案使情况更加恶化，该法案使主张蓄奴与反对蓄奴的双方鼓吹者为控制邻近的领地而展开殊死斗争。然而，密苏里州已开始向自由州经济发展，并在南北战争期间一直留在联邦内。密苏里州的人民参加了双方的战争，但参加联邦军队的人数超过了参加南部邦联军队的人数，约为4与1之比。该州境内也发生了冲突，但大部是沿堪萨斯边境的游击战。战争结束后，同情南部邦联者受到严厉对待，然而，总的说来，重建时期形势不像与墨西哥接壤的南方各州那么严峻。

20世纪，密苏里州在19世纪末和20世纪初的持续成长，在1904年著名的圣路易斯博览会上得到赞颂。然而，该州始终以农业为主，直到20世纪30年代的大萧条和第二次世界大战导致人们大批迁移到城市。

第二次世界大战后密苏里州的经济有3个重要的发展：从农业、采矿和伐木转向制造业，特别是耐用品的制造和服务业；对公共和社会服务事业、公路、农业电气化的大量投资；人口增长，特别是在大型水库附近和圣路易斯、堪萨斯城和斯普林菲尔德等地的边缘地区。密苏里州的农村地区吸引了许多新工厂，这些工厂雇用的工人数量不多，而制造业的2/3工人仍集中在圣路易斯和堪萨斯城这两个大都会区。一些小镇发展很快，但它们相对的成功在很大程度上依靠地理和运输条件。有些靠近大城市的镇因为公路改造后将它们纳入通勤来往区而得到发展，但大部分村庄经济上处于停滞状态，因为农业人口减少，而剩下的居民则将他们的商业资助转向较大的镇。

Missouri "密苏里"号 第二次世界大战中美国太平洋舰队的旗舰，日本在该舰上签署投降书。它是大战中建成的4艘艾奥瓦级战列舰之一，也是最大型的水面军舰之一。

"密苏里"号战列舰

美国海军部供图

排水量58 000吨，有9门16英寸的主炮，航速35节。在大战的最后几个阶段中，它参加了太平洋战区的作战行动，被盟军总司令D.麦克阿瑟将军选为受降仪式的现场。"密苏里"号船上挂着1941年12月7日飘扬在白宫的国旗进入东京湾，1945年9月2日星期日上午，日本的9人代表团到舰上，日本外相重光葵及梅津美治郎将军在两份宣布全体日军无条件投降的文件上签字。在20世纪下半叶，"密苏里"号有时曾重新服役。

Missouri Botanical Garden 密苏里植物园 又称肖园。位于美国密苏里州圣路易斯市。建于1859年。占地26公顷。由私人经营，是商人H.肖的礼物。园内装备有大型温调室，在由计算机控制、模拟的4种主要气候条件下，栽培不同环境中生长的植物1 500种。专门种植各种兰花和热带植物，另收藏植物标本170万件，出版刊物《密苏里植物园学报》。

Missouri Compromise 《密苏里妥协案》(1820) 美国北方和南方在国会中最终达成

的同意接纳密苏里为第24个州(1821)的议案。该案标志着为扩展奴隶制问题上地区间长期冲突的首次爆发。密苏里准州于1817年首次申请州的地位,1819年初,国会考虑通过立法授权密苏里制定州宪法。但纽约州众议员J.塔尔梅奇试图提出一项反奴隶制的修正案,于是就奴隶制和政府限制奴隶制的权限问题爆发了一场激烈和敌对的论战。修正案禁止再将奴隶运入密苏里,并规定当地奴隶满25岁后即予解放。此案在由北方所控制的众议院获得通过,但在自由州和蓄奴州势均力敌的参议院受阻。国会未解决密苏里问题即行休会。1819年12月国会复会后,缅因准州申请州的地位。参议院通过法案,批准缅因作为自由州加入联邦,并同意密苏里不对奴隶制加以限制即可加入联邦。伊利诺伊参议员J.B托马斯提出修正案,允许密苏里成为蓄奴州,但在纬度36°30′以北的路易斯安那购地的其他地区禁止蓄奴。于是H.克莱巧妙地谋求妥协。1820年3月3日众议院投票表决,同意接纳缅因为自由州,密苏里为蓄奴州,密苏里南部边界以北的所有西部准州为自由地区。但当密苏里制宪会议授权州立法机关排斥自由黑人和混血人种时,又出现了新的危机。国会中占多数的北方议员反对这一种族主义规定,指使克莱拟出"第二项密苏里妥协案"。1821年3月2日国会规定,除非密苏里同意不将种族排斥条款解释为有权剥夺美国公民特权和豁免权,否则它就不能加入联邦。密苏里表示同意后,于1821年8月10日成为第24个州。缅因于1820年3月15日先于密苏里加入联邦。

Missouri fox-trotting horse　密苏里狐步马　在密苏里州及欧扎克山地区育成的马品种。特征为狐步步法——前腿在轻快地慢步行进时,后腿在作小跑动作。祖先为由移民带到欧扎克山地区的轻型马,原可供多种用途,今用于表演及骑乘。多为红褐色。身高14～16手宽(142～163厘米),体重平均450千克。密苏里狐步马品种协会于1948年成立。

Missouri gourd　密苏里葫芦　参阅 **calabazilla** 臭瓜。

Missouri Pacific Railroad Company　密苏里太平洋铁路公司　美国铁路企业,原名太平洋铁路公司(1849～1872),1849年为修建密西西比河以西的第一条铁路而成立。1851年动工,由于南北内战,1865年才修到堪萨斯。1872年线路改动改称密苏里太平洋铁路,1879年被纽约金融家古尔德购买后,公司扩建到科罗拉多、内布拉斯加、阿肯色、得克萨斯和路易斯安那。1917年与圣路易斯-铁山-南方铁路公司合并,取现名。密苏里太平洋铁路公司后来收购了海湾和得克萨斯地区其他线路,经营地区扩大到中西部和西南部的几个州。1971年将客运业务移交给全国客运铁路公司接管。1982年密苏里太平洋铁路公司与联合太平洋及西太平洋铁路公司合并,改为"联合太平洋铁路系统",由联合太平洋公司控股。密苏里太平洋铁路公司仍保持自己法人及商业地位。

Missouri Plan　密苏里法　美国密苏里州首创后来被美国其他各州采用的一种挑选法官的方法。其办法是先设立一个提名委员会,由它来筛选法官的候选人,然后向任命机关(例如州长)提交一定数目被认为是合格的候选人名单。任命机关在这个名单中进行挑选。被选中担任法官职务的人要先经过一个试用期,试用期届满后,要通过民选决定他担任一段更长时期;但是这并不是去同其他候选人竞争,而是凭他的功绩可以连续任职,选举人所能决定的问题仅仅是他是否应当留任。

Missouri River　密苏里河　密西西比河最长的支流。源出美国蒙大拿州西南部的落基山区(海拔1 200米),由杰斐逊、麦迪逊和加勒廷河汇合而成。东流入北达科他州中部,向南穿南达科他州,沿南达科他-内布拉斯加、内布拉斯加-艾奥瓦、内布拉斯加-密苏里和堪萨斯-密苏里州界而过,再东折穿密苏里州中部,在圣路易斯以北16千米处汇入密西西比河。全长3 726千米,流域面积137.1万平方千米(其中约16 840平方千米在加拿大境内)。最小流量为120立方米/秒,最大流量为25 500立方米/秒。岸坡裸露和水流变化剧烈使水土流失和河道淤塞成为主要问题,故有"大泥河"之称。支流有夏延、堪萨斯、奈奥布拉勒、欧塞奇、普拉特、黄石、詹姆斯和米尔克、格兰德、哈特、小密苏里、怀特河等。全流域地势相差悬殊,大分水岭附近海拔达4 300米,河口处仅120米。1673年法国探险家发现密苏里河口。18世纪法国毛皮商开始溯航。早期只通独木舟、牛皮浅水船等小船。1819年始有汽船航行,1858年汽船航行进入鼎盛时期,后衰落。自沿岸有人定居的最初150年间,密苏里河未被开发利用。1944年,美国国会批准密苏里流域治洪和水力开发计划,先后兴建100多个水坝和水库。50年代又继之以密苏里流域计划,1953年商业驳船航道通航。科罗拉多山麓、比格霍恩流域、蒙大拿州各大河沿岸、斯科茨布拉夫附近的北普拉特河沿岸、奥加拉拉与格兰德艾兰之间的南普拉特河沿岸为密苏里流域主要灌溉区。沿河御洪水坝和水库有佩克堡、加里森、加温斯角、兰德尔堡、奥瓦希等。主要城市有大瀑布城、俾斯麦、皮尔、康瑟尔布拉夫斯、奥马哈、内布拉斯加城、艾奇逊、莱文沃斯、堪萨斯城、杰斐逊城等。

missus dominicus　钦差　法兰克国王和皇帝派出监督省政的官员。墨洛温王朝和加洛林王朝初期的统治者有时派遣钦差。在查里曼(768～814在位)统治下,钦差成为行政机关的常设职位。约从802年起,其帝国定期划分为巡视区,由至少两名钦差前往视察,一为教士,另一为世俗人员。钦差有特殊待遇。他们有调查全权,并可纠正一切冤错。在新主即位时,钦差要一切自由民进行效忠宣誓,并主持仪式,把诏书的内容告知地方村镇,并将地方民情和要求向上禀报。加洛林帝国约在830年以后遇到的困难使钦差制到9世纪末陷于瘫痪,最后实际消失。

mist　轻雾　又称霭。悬浮在空中的极微小的水滴或吸湿性潮湿微粒。轻雾能引起水平能见度降低,但按国际天气观测规范规定轻雾的水平能见度在1千米以上;若能见度降到1千米以下,则这种悬浮现象称为雾。轻雾(霭)仿佛是蒙在地表的一层浅灰色薄幔。在美国该术语有时不严谨地用来称呼毛毛雨,后者是一种由落向地面的微小水滴所组成的极小降水。在苏格兰和英格兰部分地区,将较浓的轻雾或雾与大毛毛雨混合体称为苏格兰雾。

Mistassini Lake　米斯塔西尼湖　加拿大魁北克省最大的湖泊,在魁北克省中西部萨格奈-圣让湖行政区,为鲁珀特河的河源。湖中有一系列岛屿,湖长约160千米,宽约19千米,面积2 336平方千米。1672年法国教士兼探险家C.阿尔邦内尔发现。湖名是印第安语,意为"巨石",因湖中有一巨石。

Misti Volcano　米斯蒂火山　又称阿雷基帕火山(Volcán de Arequipa)。在秘鲁南部安第斯山中,两侧有查查尼火山和皮丘皮丘火山。海拔5 822米。俯瞰阿雷基帕城。1600年喷发后一直休眠。

Mistinguett　米丝廷盖特(1875-04-05,法国昂吉安莱班～1956-01-05,布日瓦勒)　原名让娜-玛丽·布尔茹瓦。法国大众欢迎的喜剧女演员。尤以其美丽的大腿和台风著称。在巴黎红磨坊剧院和巴黎游乐场演出场面富丽的时事讽刺剧,使她名噪一时。她经常和谢瓦利埃合演。最使人难忘的歌曲是《我的心上人》和《我受够了》。其演出生涯很长,到过伦敦和美洲。她的舞蹈才能并不出众,歌喉也平常,但她却具有活力和信心,到老年还能扮演青年角色。写有《我的一生》(1954)。

mistletoe　槲寄生　桑寄生科和槲寄生科半寄生绿色植物的俗称,尤指槲寄生科的槲寄生属(*Viscum*)、美洲寄生子属(*Phoradendron*)、油杉寄生属(*Arceuthobium*)植物。传统的文学中和圣诞节装饰用的槲寄生——白槲寄生(*V. album*)分布整个欧亚大陆,从英国到亚洲北部。为常绿灌木,高0.6～0.9米,淡黄常带绿色,生长在寄主枝条上;枝条茂密,分杈,下垂;叶对生,广椭圆形至披针形,革质,长约5厘米;花整齐,排成致密的穗状花序,两性或单性,颜色比叶黄,深冬显花;迅即结白色浆果,果肉黏质,半透明,含一颗种子。热带种类由鸟传粉,温带种多为蝇媒和风媒。植物含叶绿素,能制造部分营养物。浆果为鸟吞食后,种子随粪排出传播,鸟食果肉时,种子粘在喙上,鸟在树皮上擦喙时又将种子传播。槲寄生类的浆果对人兽有毒。种子萌发后长出变态根(吸器)伸入寄主树皮下形成一种连结构造,借以吸收水分和养分。植株虽然生长缓慢,但生活期长,随寄主死亡而自然死亡。该类植物的寄主多种多样,有些甚至寄生在其他槲寄生植物上而这一寄主又寄生在另一寄主之上。在欧亚大陆的槲寄生大量寄生在苹果树、杨树、柳树、菩提树、山楂树上,而很少在栎树上。美洲寄生子属植物在美洲常见，寄生在许多落叶乔木，包括栎树上。油杉寄生属主要寄生在松柏类乔木上。槲寄生植物危害许多观赏植物、材用树、果树，引起枝条生长异常（扫帚病），繁殖能力降低。唯一有效的控制措施是把寄生植物从寄主上彻底铲除。粘鸟胶是用槲寄生植物或其他无亲缘关系科的植物的浆果制成。在欧洲某些地方，人们仍于仲夏季节收集槲寄生类，点燃篝火，这是古代祭师或占卜者进行的献祭典礼的残余。从前以为槲寄生类，尤其是生在栎树上者，有药效和魔力。后来，在英格兰形成在槲寄生植物下接吻的风俗（后又传入美国），认为这样做婚姻一定成功。

mistral　密史脱拉风　又拼 maestrale。法国南部从北沿着下罗讷河谷吹的一种干冷强风。它一次能持续几天，风速经常超过 100 千米/小时，高度可达 2～3 千米。在冬季和春季密史脱拉风最强并最多见，有时能给庄稼造成重大损害。法国中部的高气压系统和地中海西北部的低气压系统形成南向气流，由于风从高原吹向沿海，并经过狭窄的罗讷谷地时产生"急流效应"，使得风速增大。

Mistral, Frédéric　米斯特拉尔（1830-09-08，法国马亚讷～1914-03-25，马亚讷）　法国诗人、19 世纪普罗旺斯语言和文艺复兴的领导者，由于他对文学及语文学作出的贡献，1904

美国不列颠百科全书公司供图

年被授予诺贝尔文学奖。父亲是原法国普罗旺斯省的一个富有农场主，他使儿子在阿维尼翁的皇家中学受到良好教育。在那里，米斯特拉尔师从约瑟夫·鲁马尼耶，后者那时已开始用普罗旺斯方言写诗，并成为他的终身挚友。1851 年在普罗旺斯地区艾克斯大学获法学学位。由于富裕的生活使他无需从事一项职业，很早便决定献身于复兴普罗旺斯生活和语言的事业。1854 年和几位朋友成立费利布里热协会，这是一个维护普罗旺斯语言及风俗的组织，后来扩展到整个法国南方，即"奥克语地区"。普罗旺斯方言作为中世纪行吟诗人的语言，曾一度是法国南方的文学语言，并为意大利和西班牙诗人所运用。他用 20 年时间编纂了一部学术水平甚高的奥克语词典《费利布里热词库》（2 卷本，1878）。他还在阿尔勒建立一所"普罗旺斯人种史博物馆"，并用他所得的诺贝尔文学奖金资助该馆。他试图使奥克语恢复其古老的地位，虽未成功，但他的诗歌才华却给奥克语增添了一些不朽的杰作，被尊为法国最伟大的诗人之一。著有四首叙事长诗《弥洛依》（1859）、《卡朗多》（1867）、《内尔托》（1884）、《罗讷河之诗》（1897），一部历史悲剧《雅诺王后》（1890），两部抒情诗集《黄金岛》（1876）和《橄榄林丛》（1912），另有许多短篇小说收入《阿尔马纳散文》（3 卷，1926～1929）。回忆录《我的出身》（1906）是他最著名的作品，但他的伟大则应归功于他的第一篇和最后一篇长诗《弥洛依》和《罗讷河之诗》，它们均为长达 12 章的史诗。以诗人自己的时代和家乡为背景的《弥洛依》，描述一个富裕农场主女儿的故事，她爱上了一个穷苦的编筐匠的儿子，但她的父母横加阻挠，结果她以身殉情。在这篇诗中，米斯特拉尔倾注了他对故乡的热爱。法国作曲家古诺把它改编成歌剧，取名《米雷叶》（1863）。《罗讷河之诗》讲述一艘平底船"加比尔勒"号沿罗讷河从里昂驶往博凯尔的一次旅行，途中先后上来两个乘客，一位年轻浪漫的荷兰王子和一个摆渡工的女儿。他们之间的罗曼史很快就被一场灾难所打断，第一艘航行在罗讷河上的轮船撞沉了"加比尔勒"号。水手们游上了岸，但两个情人却淹死了。与《弥洛依》相比，这部史诗的风格没有那么和谐悦耳，但却更加浓郁紧凑，同样有声有色，充满活力。它暗示着米斯特拉尔到暮年认识到自己目的未能达到，他所如此钟爱的事业就好像自己所写的主人公注定要失败。

Mistral, Gabriela　米斯特拉尔（1889-04-07，智利比库尼亚～1957-01-10，美国纽约亨普斯特德）　智利女诗人。笔名卢西拉·戈多伊·阿尔卡亚加。拉丁美洲第一个获得诺贝尔文学奖的妇女（1945）。她具有西班牙、巴斯克和印第安血统，在智利北部一个小村庄长大，15 岁时为乡村小学教师，后升任大学教授。纵观其一生，她除写作以外，还是一位教育家、文化官员和外交官。1914 年她的 3 首《死的十四行诗》获得一项智利奖，确立了她的诗人声誉。早期作品《孤寂》（1922）中有一首题为《痛苦》的诗，详细描写了以她的情人自杀为结局的恋爱事件。因为这个悲剧，她一生未嫁，在其作品中也笼罩着一种受挫的母性柔情的愁闷情调。《柔情》（1924）和《有刺的树》（1938），显示出对人类较为广阔的关注，然而对孩子和对被蹂躏者的爱，仍然是她主

美国国会图书馆供图

要的题材。所写另一本诗集是《葡萄压榨机》（1954）。她游历过许多地方，曾在国联的社会学委员会和文化委员会以及联合国任职。作品有多国文字的译本。

mistrial　无效审判　法律名词，指在法官作出判决或陪审团作出裁断之前已被终止并被宣告无效的审判。它具有撤销以前的全部诉讼程序的作用，就像这些程序没有进行过一样。因此，如果以同样的指控对同一些被告人进行另外一次审判时，那次审判就将全部从头开始，以前的证词或其他事实材料在新的法庭程序中不被认为是必然相关的。有若干因素可以导致无效审判，包括代理人或陪审官（如果后者没有由一个候选人填补其空缺的话）死亡；存在对被告人抱很大偏见的评论，而且在法官看来，因为有上述的评论，纵令有法庭的指示，陪审团仍然有可能受这种评论的影响；发现陪审团的成员在违反法庭指示的情况下讨论案件，或者是暂时被隔离的陪审团有可能已读到或听到报纸消息或其他有关审判的新闻报道。更经常的是，如果陪审团本身尽管在法庭多次指示下仍然不能作出一项裁断时，即如果陪审团意见分歧的话，就可以宣告审判无效。

Misurata（Libya）　参阅 **Mişrātah** 米苏拉塔。

MIT　参阅 **Massachusetts Institute of Technology** 麻省理工学院。

mita（Spanish land system）　参阅 **repartimiento** 分派劳役制。

Mitaka　三鹰　日本本州东京都城市。在东京西侧。德川时代（1603～1867）原为武藏野高原的稻田居民点。曾为猎鹰场，市名由此而来。1931 年通铁路后工业得以发展，生产电机和交通设备。现为东京-横滨都市区的住宅郊区。设有东京大学天文台和国际基督教大学（1953）。人口约166 473（1993）。

mitama（Shintō spirit）　**御灵**　参阅 **tama** 灵。

Mitanni　米坦尼　印度-伊朗人帝国，中心在美索不达米亚北部；约公元前 1500～约前 1360 年为兴旺时期。最昌盛时，其版图东起基尔库克（古代阿拉普哈）和扎格罗斯山，越过亚述，西达地中海。心脏地带为哈布尔河流域，都城瓦苏卡尼可能在此。印度-伊朗人可能是雅利安人的一支，他们脱离了定居印度的主体而迁居美索不达米亚。他们定居于胡里人之中，很快就成为统治的贵族阶级。米坦尼早期的对外政策基本上是与埃及竞争对叙利亚的控制权，但它与埃及国王图特摩斯四世（公元前 1425～前 1417 在位）却建立友好关系。最杰出的米坦尼国王可能是索斯塔塔尔（约公元前 1500～前 1450 在位），据说他曾洗劫过亚述王宫。其末代自主的国王图希拉塔（约公元前 1360 卒）在位时，赫梯的苏皮卢利乌马斯劫掠瓦苏卡尼。图希拉塔遇刺后，王朝发生内讧。随后，这一帝国先后被亚述的阿达德尼拉里一世（约公元前 1307～约前 1275 在位）和撒缦以色一世（约公元前 1275～约前 1245 在位）夺取，后者将幼发拉底河以东的领土改为亚述的一个省。参阅 **Hurrian**。

Mitau（Latvia） **米陶** 参阅 **Jelgava 叶尔加瓦**。

Mitchell 米切尔 美国南达科他州东南部城市，戴维森县县城。在法尔斯蒂尔河畔。1879年建为铁路城镇，1883年设市。现经济以农业为主（玉米、牲畜和乳制品），也有轻工业和旅游业。1921年建造的米切尔谷物宫，是一座带有尖塔和塔楼的风格独特的拜占廷式建筑，每年在这里举行丰收庆典。设有达科他卫斯理会大学（1885）。人口14 558（2000）。

米切尔市的谷物宫
美国不列颠百科全书公司供图

Mitchell, Arthur 米切尔（1934-03-27，美国纽约州纽约～ ） 美国黑人舞蹈家、编导、哈勒姆舞剧团团长。1956年为纽约市芭蕾舞团的唯一黑人演员，不久成为该团首席演员。G.巴兰钦为他创作了几个角色，著名的如《仲夏夜之梦》（1962）及《竞技》（1967）中的角色。舞蹈界对黑人有偏见，使他决定成立全由黑人组成的芭蕾舞团。1968年他与K.舒克建立了一所兼收黑人和白人学生的学校，1971年该校附属舞团在纽约市首演，又到意大利参加斯波莱托戏剧和音乐节演出。

Mitchell, Charles E(dwin) 米切尔（1877-10-06，美国马萨诸塞切尔西～1955-12-14，纽约州纽约） 美国银行家、国民城市组织董事长。起先在芝加哥的西方电气公司工作，1903年任该公司总经理助理。三年后脱离该公司，担任纽约市的美国信托公司总经理助理，历时5年。1911年组建自己的投资公司。5年后参与改组国民城市公司，为国民城市银行（又译“花旗银行”）管理投资，不久升任总经理。公司资金5 500万美元，在全世界有50所办事处。他还担任纽约国民城市银行总经理。他一身二职，直至1929年辞去二职，改任国民城市组织董事长。该组织是几家银行与金融机构的母公司。1929年，股市崩溃，米切尔成为政府调查的主要对象。有人发现他进行违法股票生意及以本银行证券投机并逃避所得税。1933年辞去国民城市组织职务后，米切尔创立了自己的金融咨询商行——C.E.米切尔公司。与此同时，他担任投资银行——布莱思公司的董事长。

Mitchell, Edgar D(ean) 米切尔（1930-09-17，美国得克萨斯赫里福德～ ） 美国宇航员，“阿波罗”14号飞行（1971-01-31～02-10）的参加者。他和指令长A.B.谢泼德在这次飞行中考察了月球弗拉-毛罗环形山以北的山区。卡内基理工学院毕业后加入海

美国不列颠百科全书公司供图

军。1961年在海军研究生院获工程学位。1964年获麻省理工学院航空和航天学博士学位。1966年参加载人航天计划。1972年他从海军和航天计划退役，在加利福尼亚州帕洛阿尔托市创办智能科学研究所。

Mitchell, James Leslie（novelist） **米切尔** 参阅 **Gibbon, Lewis Grassic 吉本**。

Mitchell, Joan 米切尔（1926-02-12，美国芝加哥～1992-10-30，法国巴黎） 美国女画家，第二代抽象表现主义著名成员之一。1942～1944年间就读美国马萨诸塞州北安普敦史密斯学院，后进入芝加哥美术馆，于1947年取得美术学士学位。后在法国获奖学金研读美术，于1950年取得美术硕士学位。50年代初居住于纽约市的格林尼治村，一度在哥伦比亚大学及纽约大学研习艺术。当时她参加了第八街俱乐部，即德·库宁、F.克兰及纽约画派的其他抽象表现派画家所组成的俱乐部。50年代，她的巨幅绘画总是用鲜丽的色彩，大胆地挥洒线条（有时以书法方式表现）。她时常出访法国，1959年在巴黎设立一个画室，后来移居法国韦特伊村。60年代，她将各种色块加入她的线条形象。她的画布通常大到8米，甚至更大，有些则采取分格方式，使观赏时有连续效果。

Mitchell, John Newton 米切尔（1913-09-05，美国密歇根底特律～1988-11-09，华盛顿[哥伦比亚特区]） 美国尼克松政府的司法部长，因参与水门丑闻入狱19个月（1977～1979）。青年时期为半职业性的曲棍球运动员，并就读于福德姆大学和福德姆法学院。第二次世界大战期间在海军服役，任鱼雷艇艇长。后因在纽约一著名律师事务所执业而闻名。1967年结识尼克松，很快成为尼克松的亲密政治顾问，1968年主持尼克松的竞选总统活动获得成功。1969年1月被任命为司法部长，直至1972年3月辞职，主持尼克松再次竞选总统委员会，1972年7月在数人因潜入水门大厦民主党总部被捕后不久他辞去该委员会主席的职务。1974年被指控密谋闯入水门大厦以及阻挠司法调查，并在掩饰该事件中作伪证。1975年被判2年半到8年徒刑，1977年入狱，1979年获假释。

Mitchell, John Thomas Whitehead 米切尔（1828-10-18，英国兰开夏罗奇代尔～1895-03-16，罗奇代尔） 19世纪英国消费合作社运动的主要领导人。早年参加罗奇代尔公平先锋社，1857年任干事。合作批发社于1863年建立，由他制订建社的方针，自1874年起任主席直到去世。他强调消费者在经济中具有根本性的重要作用。他的思想为英国合作运动提供了理论和实践的基础。罗奇代尔制的重要特点是，按消费者在消费合作社购货总额的多寡分配盈余。后来这一原则也为其他许多国家采用。

Mitchell, Lucy Myers Wright 米切尔（1845-03-20，波斯乌鲁米叶[今属伊朗]～1888-03-10，瑞士洛桑） 婚前名Lucy Myers Wright。考古学家，自学成材，成为国际公认的研究古希腊和罗马雕塑的权威。波斯景教传教士之女。1860年去美国，入马萨诸塞州南哈德利芒特霍利奥克女子学院（今芒特霍利奥克学院），1864年回波斯与其父共同生活。次年父亲去世，她返回美国。1867年与S.S.米切尔结婚，同去叙利亚传教。但丈夫不久即患病，遂离开叙利亚。她的余生大部分在欧洲度过。除英语、法语和德语外，她还精通叙利亚和阿拉伯方言，有一个时期她潜心研究哲学。她的现代叙利亚语词典从未出版，手稿最后为剑桥大学所得。1873年将注意力转向古代艺术。在罗马期间（1876～1878），常就希腊和罗马雕塑作客厅演讲。一些博物馆和图书馆给予她学者待遇，许多欧洲著名考古学家也帮助她研究。1883年出版《古代雕塑史》和附卷《古代雕塑选》，颇为评论家和学者同行称道。1884年成为仅有的第二位入选德意志帝国考古学会的妇女。1884～1886年为一部有关希腊陶器和花瓶画的主要著作在柏林进行研究，但研究尚未完成即病逝。

Mitchell, Maggie 米切尔（1832-06-14，美国纽约州纽约～1918-03-22，纽约） 全名Margaret Julia Mitchell。美国女演员。扮演的女顽童角色轰动一时，而且贯穿她整个演艺生涯。

美国不列颠百科全书公司供图

12岁开始登台扮演各式各样没有台词的小角色。1851年6月在《士兵的女儿》中首次出演有台词的角色。1852年在林荫剧场出演《雾都孤儿》中的男孩，并担任舞蹈演员。之后随不同的剧团巡回演出。后在《里昂的贵妇》、《理查三世》、《道格拉斯》中分别担任年轻的女主角，因而1853年在克利夫兰年轻的

小伙子们中间掀起了一阵“米切尔热”。1861年1月,在新剧《蟋蟀》中塑造的女英雄鬼魂引起轰动。该剧还在波士顿和纽约上演,同样获得成功。她扮演这个角色长达30年之久,但观众从未厌倦,连A.林肯和R.W.爱默生都被她的表演所倾倒。偶尔还在《简·爱》、《里昂的贵妇》等剧中演出。1892年在芝加哥参加《小玛维里克》演出后结束了舞台生涯。

Mitchell, Margaret 米切尔(1900,美国佐治亚亚特兰大～1949-08-16,亚特兰大) 美国作家。所作长篇小说《飘》在数以百万计的读者中受到异乎寻常的欢迎。米切尔在亚特

佐治亚信托公司供图

兰大的华盛顿女子中学和马萨诸塞州北安普敦的史密斯学院上学。1922～1926年间她为《亚特兰大日报》撰稿,因踝关节受伤而从该报退休。从此她开始写作她的唯一的一部作品《飘》。小说从一个南方人的观点以美国南北战争以及重建时期为背景,塑造了一个倔强任性,喜欢卖弄风情,然又情有独钟的姑娘斯佳丽·奥哈拉。她费了10年工夫写成此书,于1936年6月出版。她以5万美元出售了摄制电影的版权,电影于1939年在亚特兰大首映,由费雯·丽和克拉克·盖博主演,制片人为塞尔兹尼克,在1940年好莱坞学院奖中获9项大奖和两项特别奖。《飘》无疑是在美国出版史上到当时为止最畅销的小说,出版后最初6个月内共售出100万部,最高纪录一天内售出5万部。到1939年为止,美国销售额达200万部,而在作者临终前在40个国家的销售总额为800万部。影片在20多年内保持了票房毛收入的纪录。米切尔死后40年,她的财产管理人准许里普利写小说的续篇:《斯佳丽》(1991),但出版后评论界的一般评价不佳。

Mitchell, Maria 米切尔(1818-08-01,美国马萨诸塞楠塔基特岛～1889-06-28,马萨诸塞林恩) 美国第一位专业女天文学家。她在楠塔基特图书馆任职员时(1836～1856)自学数学和科学而成长为一位天文学家。1847年协助其父W.米切尔为美国海岸观测所观察天空时,她发现一颗彗星,受到全世界的注意。1848年她成为美国艺术与科学学会的第一位妇女院士。1865年任瓦瑟学院天文学教授。美国一些著名女科学家,都是她的学生,例如,C.莱德-富兰克林、E.S.理查兹。1873年因关心职业妇女的地位,促使她协助创建妇女促进协会。她首先从事于太阳黑子的每日摄影工作,并发现太阳黑子并不是云,而是旋转的垂直的气穴。她还研究彗星、星云、双星、日食及土星和木星的卫星。

Mitchell, Mount 米切尔峰 美国密西西比河以东的最高峰(2 037米)。位于北卡罗来纳州阿什维尔东北30千米的布莱克山中,在州立米切尔山公园及皮斯加国家森林内。原名布莱克峰,后以北卡罗来纳大学教授米切尔之名命名。教授曾于1853年考查并确认该峰为美国东部最高峰。1857年逝世于该峰,葬于峰顶。

Mitchell, Peter Dennis 米切尔(1920-09-29,英国萨里米彻姆～1992-04-10,康沃尔博德明) 英国化学家,因列出了解释活细胞粒腺体产生能量的机理的化学渗透理论公式而获1978年诺贝尔化学奖。1950年获英国剑桥大学博士学位。1955～1963年任爱丁堡大学动物系化学和生物学教研室主任。1964年任格林研究实验室研究主任。

Mitchell, R.J. 米切尔(1895-05-20,英国斯塔福德郡特伦特河畔斯托克附近塔尔基～1937-06-11,汉普郡南安普敦) 英国飞机设计师,第二次世界大战中最著名的战斗机之一喷火式飞机的研制者。米切尔中学毕业后在机车厂当学徒并在技术学院的夜校学习。1916年,他22岁前到南安普敦的秀泼玛林航空工厂工作,在那里工作了一生,最后10年担任公司董事。1922年到1931年间,他设计了水上飞机(主要用于竞赛);到1936年,他设计并研制了喷火式飞机,这种飞机在他生前及死后实际上生产了24种以上的改型,并以其气动外形完美和机动性而闻名。

Mitchell, S. Weir 米切尔(1829-02-15,宾夕法尼亚费城～1914-01-04,费城) 美国医生兼作家,擅长心理小说和历史传奇小说。1850年在杰斐逊医学院获医学博士学位,在

美国国会图书馆供图

巴黎留学一年,专攻精神病学。美国内战时期,他当军医,以“休息疗法”闻名。他在战争中的经历,为写作《乔治·戴德洛的病史》(1866)一书提供了依据,故事写一个四肢被截断的残废人,以深刻的心理剖析和现实主义的战争场面描写引人注目。共写过约170篇医学论文,内容包括从蛇毒到神经衰弱的许多课题。他的医学通俗读物《磨损》(1871)和《脂肪与血》(1877)是当时的畅销书。1846年以后,发表了一些短篇小说,诗歌和儿童故事。后期最著名的小说是《罗兰·布莱克》(1886)、《休·温》(1898)、《弗朗索瓦历险记》(1898)、《境遇》(1901)、《红城》(1908)等。

Mitchell, Sir Thomas Livingstone 米切尔(1792-06-15,苏格兰斯特灵郡克雷根德～1855-10-05,新南威尔士悉尼[澳大利亚]) 澳大利亚新南威尔士总监督官,进行过大范围的探险与调查。以一名军人的身份参加西班牙半岛战争(1811～1814)时,从事地形情报工作。1826年升少校,翌年退役赴新南威尔士,任悉尼总监督官J.奥克斯利的副手。1828年米切尔接替其职位,1829年负责道路与桥梁事宜,1830年独掌全部门。至1830年,他已建立由悉尼到帕拉马塔和利物浦,以及穿越蓝山山脉的永久线路。1831～1832年米切尔在卡斯尔雷与圭迪尔两河间探险。1835年沿达令河由C.斯特尔特1828年停止探险处开始,至达令河与墨累河交汇处。1836年在墨累河流域探险,其后该区便迅速拓殖。1837年离开澳大利亚去英国休假,撰写《三度远征东澳大利亚》(1838),并开始争取封爵(1839年受封);1840年出版半岛战争的战斗计划。1841年返澳大利亚,1844年选入上议院。其第4次远征(1845～1846)原欲寻找一条通达埃辛顿港的陆路,结果虽未成功,但却调查了广大地区。1847～1848年再度去英国休假,撰写《远征热带澳大利亚内地日志》(1848)与《澳大利亚地理》(1850),后者被用作澳大利亚学校的教科书。1955年J.H.L.坎普斯顿为他作的传记出版。

Mitchell, W.O. 米切尔(1914-03-13,加拿大萨斯喀彻温韦本～) 以幽默笔调描写加拿大西部大草原艰苦生活的作家。第一部小说《谁见过风?》(1947)发表后获得好评。小说从一个正在成长的小男孩的角度,描写了一个阴森的草原市镇。他的《杰克和小山羊》(1961)后来成为长期播放的广播和电视连续剧,颇受欢迎。小说《风筝》(1962)写一个记者对传说中加拿大西部最老、最聪明的“谢里老爹”的采访。另一小说《正在消失的特征》(1973)描述一个教师在西南艾伯塔与印第安人的交往。

Mitchell, Wesley C. 米切尔(1874-08-05,美国伊利诺伊拉什维尔～1948-10-29,纽约州纽约) 美国经济学家,当时世界上关于经济周期最大的学术权威。就读于芝加哥大学,受到凡勃伦和杜威的影响。在许多大学任教,如芝加哥大学(1900～1902)、加利福尼亚大学(1902～1912)、哥伦比亚大学(1913～1919、1922～1944)、纽约市的社会研究新学院(1912～1921)。担任过一些官职,如1920年他帮助成立了全国经济研究局,并在1945年之前任所长;第一次世界大战期间,担任战争工业局价格处处长、全国计划委员会委员等。著作有《经济周期》(1913)、《经济周期:问题及其背景》(1927)、《落后的花钱术及其他散文》(1937)等。

Mitchell, William 米切尔(1879-12-29,法国尼斯～1936-02-19,美国纽约州纽约) 美国陆军军官。他较早倡导建立独立的美国空军并在军事航空领域加强战备。他因公开宣

扬其观点而受到军法审判，并未能活到目睹他的许多预言在第二次世界大战中成为现实：战略轰炸、大规模空降作战、轰炸机使战列舰相形见绌等。美-西战争（1898）期间当

美国国会图书馆供图

步兵二等兵。后任通信兵少尉。曾在古巴、菲律宾和阿拉斯加服役。1909年在陆军参谋学院毕业。1915年调往通信兵航空科。第一次世界大战期间为美国杰出的航空兵作战部队指挥官。1918年9月，他指挥法、美两国由将近1 500架飞机组成的大机群作战，这是当时最庞大的空中力量。在默兹阿尔贡战役中，他用200架飞机的大编队集中轰炸敌人目标。

战后任航空勤务队副司令，主张建立独立空军和统一指挥空中力量。这遭到陆、海军的反对。他日益直言不讳地批评军队上层领导。1925年4月任期满时被调往得克萨斯州的圣安东尼奥任职。同年9月"谢南多厄"号飞艇在暴风雨中失事，他公开指责陆军部和海军部无能和失职。同年12月，陆军军事法庭以不服从上级和渎职罪，判处他中止晋升军衔和停止军职5年。他在1926年2月1日辞去军职。他生前得过许多勋章和奖章。1946年美国国会批准向他表示敬意的特殊勋章，1948年由新成立的美国空军参谋长授给他的儿子。

Mitchell River　米切尔河　在澳大利亚昆士兰州北部。源出凯恩斯西北48千米，阿瑟顿高原上鲁穆拉附近，向西北流注入卡奔塔利亚湾。全长563千米。接纳帕默、林德、沃尔什河。米切尔河为该州流量最大的河流，但仍是季节河，每年干涸期可达3个月。沿岸多鳄鱼。

Mitchum, Robert　米彻姆（1917-08-06，美国康涅狄格布里奇波特～1997-07-01，加利福尼亚圣巴巴拉县）　全名Robert Charles Duran Mitchum。美国电影明星。青少年时期在乡间游荡、打零工。加入加利福尼亚的演艺公司后，于1943年首次登上银幕，曾在多部H.卡西迪的西部片中演出。1945年在《乔的故事》中所扮演的角色获得赞赏。凭招牌式无精打采的眼神、硬汉的形象常在电影中扮演独来独往以及恶棍的角色，出演《脱离过去》（1947）、《火线交锋》（1947）、《大干一票》（1949）、《欲男》（1952）、《狩猎之夜》（1955）、《雷霆之路》（1958）、《恐怖岬》（1962）、《黄金城传说》（1967）、《柯尔的朋友》（1973）、《再见、吾爱》（1975）以及《大眠》（1978）等电影。其中许多为B级片，但随着时间的推移，人们对这些影片的评价日益升高。

mite　螨　蜱螨亚纲（Acari，有时Acarina或Acarida）无脊椎动物，约2万种。生活场所多样：半咸水、淡水、温泉、土壤中、植物上，或寄生于动物体内外（如呼吸道、肺、胃或其他深部组织）。有的是人或动物疾病的传播媒介。取食植物的螨破坏植物组织或传染病毒性疾病。形小，最小的长约0.1毫米，最大的约6毫米。通常有4对足。多用气管呼吸，有的通过表皮呼吸。寄螨目（Parasitiformes）的中气门亚目（Mesostigmata）包括鸡螨、北方鸟螨和鼠螨（都袭击人）；狗和鸟的鼻螨；猴的肺螨；树叶和其他植物上的捕食螨。捕食螨有时有助于防制植食螨。真螨目（Acariformes）甲螨亚目（Oribatida）分布于土壤和腐殖质中，

红绒螨（*Dinothrombium* 属），约5倍放大
美国不列颠百科全书公司供图

偶见于树干或叶上；一般无害，并能分解有机质；少数种类是反刍动物（如牛）绦虫病的媒介。真螨目无气门亚目（Astigmata）包括谷物螨和干酪螨（粉螨总股[Acaridae]）、人和动物的疥螨（疥螨科[Sarcoptidae]）、痒螨（痒螨科[Psoroptidae]）、鸟羽螨、昆虫体上的螨以及许多自由生活的种类。谷物螨（嗜甜螨科[Glycyphagidae]）不仅损坏贮藏的农产品，而且在人接触这些产品时引起皮肤反应。疥螨在狗、猪、山羊、绵羊以及人的皮肤中钻洞，引起疥疮。痒螨见于牛、绵羊身上，危害严重。有些种见于鸟肺的气囊和蝙蝠的鼻腔和胃中。真螨目前气门亚目（Prostigmata）的数个种幼体寄生于昆虫。

miter（headdress）　参阅 **mitre** *主教冠*。

Mitford, Jessica（Lucy）　米特福德（1917-09-11，英国格洛斯特郡～1996-07-23，美国加利福尼亚奥克兰）　英国出生的美国作家和新闻记者。以揭露美国社会各种阴暗面而知名。她是里兹代尔男爵第二的第五个女儿，和她的一位兄弟以及南茜·米特福德和另四位姊妹同在英格兰长大。1939年移居美国，1944年入籍为美国公民。20世纪50年代后期，她开始写作。她写的第二部作品题为《美国的死亡方式》（1963），辛辣地揭露了美国丧葬业中种种肆无忌惮的恶劣行为，成为畅销书。《斯波克医生的审判》（1969）表现了她对民权的始终如一的关注，该书记录了这位著名儿科医生及其他四位人士由于在越南战争期间的反战活动而被控从事阴谋活动受审的事件。《慈爱为怀的例行惩处：监狱工作》（1973）是作者对美国监狱制度进行批判性考察的结果。她的自传性作品，《女儿们和叛逆者们》（1960）讲的是她的童年以及早期成人生活；《一场有意义的老一套冲突》（1977）则主要讲的是20世纪40和50年代她作为一个美国共产党党员的经历。

Mitford, Mary Russell　米特福德（1787-12-16，英国汉普郡阿尔雷斯福德～1855-01-10，雷丁附近斯沃洛菲尔德）　英国女剧作家、诗人和散文作家。主要以写英国农村生活闻名。1810年出版《杂诗集》。1811年出版的叙事诗《克里斯蒂娜》是经过柯尔律治修改的。另外还刊印过几本情诗。此后改写剧本，也取得一些成就，最著名的是无韵诗悲剧《利恩齐》，1828年在伦敦特鲁里街剧院上演34场。她的随笔最为有名，1819年开始陆续在《妇女杂志》上发表，后来辑为《我们的村庄》5卷。她以亲身体验，反映出英国农村的愉快气氛，刻画了农村人物的独特性格。

Mitford, Nancy　米特福德（1904-11-28，英国伦敦～1973-06-30，法国凡尔赛）　婚后名Honourable Mrs. Peter Rodd（彼得·罗德夫人），英国女作家。以描写上流社会风趣生活的长篇小说著称。米特福德是里兹代尔第二代男爵的女儿，她还有5个姐妹和1个兄弟。家族的姓实为弗里曼-米特福德。兄弟姐妹都是在家里受的教育，全都富有独创性。她的姐妹中，尤尼蒂（1948年去世）因崇拜希特勒而在英国声名狼藉；黛安娜嫁给了英国法西斯主义者同盟主席莫斯利爵士；德博拉当了第十一代德文郡公爵的夫人；而杰西卡则成了描写美国社会的著名作家。她的主要讽刺性长篇小说有自述性的《爱的追求》（1945）、《寒冷季节的爱情》（1949）、《幸事》（1951）和《不要告诉艾尔弗雷德》（1960）等。这几本小说按年代顺序描写了以"马修大叔"为家长的一个古怪的英国贵族的怪僻行为和态度，书中的"马修大叔"就是米特福德自己的父亲里兹代尔爵士的生动的讽刺描述。米特福德的亲法感情反映在她写的传记作品《德·蓬帕杜尔夫人》（1954）、《伏尔泰坠入情网》（1957）和关于路易十四的《太阳王》（1966）中。米特福德流传最广的作品之一是《位高则任重：对英国贵族可识别特征进行的一次调查》（1956）。这是一部论文集，是她和别人合编的。该书使世界注意到上流社会和非上流社会之间在语言惯用法上的区别。

mithan　阿萨姆牛　牛的一种，即*印度牛*（**gayal**）。

Mithra　密特拉神　在印度-伊朗古代神话中，为光明之神。对他的崇拜自东方的印度一直传播到西方的西班牙、英国和德国（参阅**Mithraism**）。吠陀中首次提到密特拉的时间可追溯到公元前1400年。后来对他的崇拜传到波斯，亚历山大大帝击败波斯人后，传遍整个古希腊世界。在3、4世纪时，对密特拉的崇拜得到罗马帝国的军人的传播和支持，成为当时发展中的新宗教基督教的主要对手。罗马帝国皇帝康茂德和尤里安是密特拉教最早的信奉者，307年，戴克里先在多瑙河畔为"帝国的保护者"密特拉建了一座神殿。据神话所说，密特拉生在圣河旁的一棵圣树

下，生时手执火炬，身佩大刀，为大地之子。他很快骑上神牛，后来把牛杀掉，牛血浇灌了草木。密特拉杀牛是古希腊艺术中的流行主题，后来变成密特拉祭礼中宰牛以求五谷丰登的仪式的原型。密特拉作为光明之神，与希腊的太阳神赫利俄斯和罗马的不可战胜的日神联系在一起。他常和沃水女神阿娜希塔共同受祀。

Mithradates　米特拉达梯　又作 Mithridates。统治者之名，按国别分列于后，并各以●为标记。

安　息

● Mithradates I　米特拉达梯一世（活动时期公元前 2 世纪）　又称阿萨息斯六世。安息国王（公元前 171 ～前 138 在位）。公元前 160 年以前，他从塞琉西统治者提马科斯手中夺得米底。然后转向东方，从大夏国王欧克拉提德斯手中夺得塔布里亚和特拉克西亚纳两省。公元前 142 或前 141 年占领伊利麦省和侵入巴比伦尼亚。米特拉达梯被公认为一个温和的统治者。

● Mithradates II　米特拉达梯二世（？～公元前 88）　安息国王（公元前 123 ～前 88）。阿尔达班二世之子。他首先收复父王时代被游牧民族蹂躏的东部各省。在西方，他征服美索不达米亚，打败亚美尼亚国王阿塔瓦斯德斯，扣留其子为人质。据有的史料说，阿尔塔瓦斯德斯以 70 条河谷之地将其子赎回。公元前 92 年缔结第一个安息-罗马条约。

本　都

● Mithradates VI Eupator　米特拉达梯六世（？～公元前63，小亚细亚潘蒂卡派［今在乌克兰］）　安纳托利亚北部本都王国国王（公元前120～前63）。本都王国是新兴的希

美国不列颠百科全书公司供图

腊化小国之一。在米特拉达梯六世坚强有力的领导下，本都王国吞并了若干相邻的小邦，并且一度在小亚细亚地区与罗马的霸权抗衡。公元前 120 年米特拉达梯六世继承父位，最初几年由母后摄政。约公元前 115 年，他将母后废黜，开始独掌大权。他随即派兵攻打克里米亚和科尔基斯，将这两个地区并入本都王国。后又前往安纳托利亚，与比希尼亚的尼肯米达斯三世一起瓜分了帕夫拉戈尼亚和加拉蒂亚。他下决心把罗马人赶出亚洲。首先试图废黜对罗马人俯首贴耳的比希尼亚国王尼肯米达斯三世，但是没有成功。尼肯米达斯三世在罗马的怂恿下，率兵进攻本都王国。米特拉达梯六世向罗马人提出抗议无效，最后被迫宣战（公元前 88）。他打败尼肯米达斯和罗马人的联军，长驱直入占领罗马的亚细亚行省。小亚细亚西部的希腊城邦纷纷站到他的一边。他还派大军进入希腊。公元前 86 ～前 85 年，罗马将军苏拉在希腊、小亚细亚的费姆布里亚几次打败米特拉达梯六世的军队。公元前 88 年，米特拉达梯六世曾经对居住在亚洲的罗马人和意大利人进行一次大屠杀，据说有 8 万人丧生。这一暴行的目的在于使各希腊城邦义无反顾地参加反对罗马的斗争。可是，在他作战节节失利的时候，他一反过去对希腊人的宽厚态度，用流放、杀头、释放奴隶等手段来维系希腊各城邦的忠诚。然而，他的这种恐怖手段未能阻止希腊城邦向胜利的一方倒戈。公元前 85 年，他眼见败局已定，便与苏拉订立《达耳达诺斯和约》，同意放弃他所征服的地区，交出他的舰队，偿付巨额赔款。在第二次米特拉达梯战争中，罗马将军 L.L.穆雷纳于公元前 83 年侵入本都王国，但在翌年被米特拉达梯六世打败。后来双方虽然宣布停战，但是争端却有增无已。公元前 74 年终于爆发了全面的战争。虽然米特拉达梯六世在卡尔西登战胜罗马执政官 M.A.科塔，但在公元前 73 年，他却在库齐库斯城外被卢库卢斯击败。公元前 72 年他逃到亚美尼亚王国他的女婿提格兰处避难。公元前 66 年，庞培彻底打败了米特拉达梯六世和提格兰。公元前 64 年，米特拉达梯六世在潘蒂卡派（刻赤）取得立足之地。正当他准备取道多瑙河入侵意大利时，他的部队在法那西斯二世领导下哗变。米特拉达梯六世服毒未成，于是命令一个高卢雇佣兵将自己杀死，遗体葬于本都王国首都锡诺普的王陵中。米特拉达梯身材魁伟，作战勇敢，但亦有东方暴君常有的缺点：残酷纵欲。无可否认，他有惊人的精力和毅力以及高超的政治机智。他善于有效地指挥军队并深谙战略。

Mithraism　密特拉教　奉祀密特拉神的宗教。密特拉是伊朗在琐罗亚斯德教兴起之前所崇拜的司掌太阳、正义、契约和战争之神，此神于 2、3 世纪在罗马帝国通称密特拉斯。密特拉是伊朗人所信奉的许多神中的主神。该教最重要的礼仪是杀公牛献祭。波斯从阿契美尼德王朝国王大流士（公元前 522 ～前 486）起，历代国王信奉琐罗亚斯德教，但许多贵族仍然热爱固有的宗教，国王担心引起政治动乱，并未予以取缔，于是多神崇拜的内容逐渐为琐罗亚斯德教所吸收。在原波斯帝国西部地区以及界于希腊-罗马世界与伊朗之间的地区，国王和贵族继续崇拜密特拉，但密特拉教从未在希腊流行。在罗马，如同在伊朗一样，密特拉教也是劝人效忠帝王的宗教。康茂德（180 ～ 192 在位）、塞维鲁（193 ～ 211 在位）和卡拉卡拉（211 ～ 217 在位）等罗马皇帝，可能都鼓励该教。在罗马和奥斯蒂亚以及罗马与波斯的军事分界线上，在不列颠和莱茵河、多瑙河和幼发拉底河流域，该教圣所比比皆是。根据密特拉教神话，太阳神差遣使者渡鸦传令密特拉杀公牛献祭，密特拉勉强从命。白公牛一死立即变成月亮，他的外衣变成恒星、行星遍布的苍穹。牛尾和牛血产生初始的谷穗和葡萄，神种从公牛的阴茎

公元 2 世纪表现密特拉杀公牛献祭内容的浮雕
美国不列颠百科全书公司供图

流到碗中配合而生地上万物。属于黑暗之物被光明照醒，纷纷自地跃出。蛇舔干牛血，蝎子吮吸公牛排出的神种。公牛既死，世界既已出现，善恶之争随之开始。人类就是在这种环境中生活。渡鸦、狮子、蛇和神种配合碗分别象征气、火、土、水四种元素，这四种元素产生万物。人类应当将自己的神圣部分灵魂从肉体的枷锁中解脱，穿过七重天升到永恒不变的恒星境界。据说密特拉本人就是乘太阳神的马车离地升天的。密特拉教在地下洞穴中拜神，场地自然有限，一切礼仪必须在人工灯火之下进行。洞穴附属许多隧道，入教者须如礼依次走过这些隧道。该教是武士的宗教，教徒一律为男子。

Mitiaro　米蒂亚罗　西南太平洋新西兰属地，南库克群岛中一岛。环状珊瑚岛，陆地面积 22.3 平方千米，外围为暗礁，内部为肥沃的火山土，由沼泽和石灰石围绕。种植椰子和柑橘。有檀香树丛。人口 256（1981）。

miticide　杀螨剂　又作 acaricide。用于控制对常用杀虫剂不敏感的螨或蜱（尤其是为害观赏和食用植物者）的化学物质。常用的杀螨剂是偶氮苯、螨净、杀螨酯及四氯杀螨砜等。许多杀螨剂既能杀卵和幼虫，也能杀成虫，某些也对蜜蜂和其他有益昆虫有毒性。

Mitilíni（island，Greece）　**米蒂利尼**　参阅 **Lesbos** 莱斯沃斯。

Mitilíni（town，Greece）　参阅 **Mytilene** 米蒂利尼。

Mitla　米特拉　墨西哥南部瓦哈卡州的中美洲考古遗址，墨西哥最著名的废墟之一。位于瓦哈卡市东南 38 千米、南马德雷山中一个寒冷的高原谷地的东缘，海拔 1 480 米。一般认为，米特拉（死者之地）为公元很久以前建造的一个神圣墓地，可能是由直到公元 900 年为止在当地有巨大影响的萨波特克人建造的。从 900 ～ 1500 年之间，米斯特克人从瓦哈卡北部下移，占据了米特拉，在现存的废墟中，最显著的是米斯特克人的影响。米

特拉考古区包括5个主要建筑群：圆柱建筑群、教堂建筑群、沟壑建筑群、砖坯建筑群和南面建筑群。其中只有前两个建筑群在20世纪80年代初已经完全发掘，并加以复原。每个建筑群中都有几个矩形天井（有些以长而弯曲的过道相连接，其余是隔开的），天井四周是狭长的房间。砖坯建筑群和南面建筑群的天井周围除房屋外，还有阶梯式的金字塔。各建筑群的地面建墙方法是相同的，均用泥和石砌成墙体，外覆石膏或精工雕刻的粗面岩。门框饰以小石子镶嵌的梯级状回纹式（几何形）精致图案。在圆柱建筑群和南面建筑群下面，发现有十字形的石墓。

Mitnagged 米特纳盖德派 又拼Misnagid。希伯来语，意为“反对派”。犹太教用语，指坚持传统教义而反对18世纪中叶东欧哈西德运动的犹太人。此派在以利亚·本·所罗门领导下把哈西德派清除出各正统派教团。

Mito 水户 日本本州茨城县首府。位于那珂河左岸。第一座城堡建立于镰仓时代（1192～1333）。德川时代（1603～1867）为重要的商业、文化中心。1663年修建笠原高架水渠，现仍使用。1889年通铁路后成为交通中心。20世纪60年代以前工业发展缓慢。现生产电机、钢铁和化工品。传统制造业生产家具、纸张和手工艺品。市中心有水户公园（内有德川城堡遗址）、建于19世纪的教育机构弘道馆，以及神社、孔庙和偕乐园（日本游人最多的樱花公园之一）。人口约223 740（1983）。

mitosis 有丝分裂 一种细胞复制或增殖过程，在此过程中，一个细胞生成两个遗传特性相同的子细胞。严格地说，有丝分裂是指染色体的复制和分配。可分4期。前期为有丝分裂的开始，在此期，遗传物质增粗、盘曲形成染色体，核仁皱缩、消失。在前期末，纺锤体形成，核膜破碎。在中期，每一染色体进行自我复制，形成两个染色单体并沿赤道板排列。后期，每对染色单体分开并被纺锤丝分别牵向细胞两极。末期，母细胞的胞质分裂，形成两个子细胞。每个子细胞所含染色体的数目、种类均与母细胞相同。有丝分裂完成后的这一阶段称为间期。有丝分裂为生长、更新提供新的细胞，因此对生命有着重要意义。根据生物体细胞种类的不同，一次有丝分裂的时间需要数分钟或数小时，并且受每一天的不同时刻、温度及化学物质的影响。

Mitra 密多罗 吠陀印度教所信奉的阿底提即宇宙起源神之一。此神体现友谊、忠诚、和善以及为维持人间秩序而不可少的其他美德。他与护卫宇宙秩序之神伐楼拿分工合作。他是白昼之灵，有时被赋予太阳的特征。

mitral insufficiency 二尖瓣关闭不全 一种心脏瓣膜病，表现为二尖瓣不能阻止左心室的血液逆流至左心房。最常见的病因是风湿性心脏病所致的瘢痕化，也可能是先天性瓣膜缺损、乳头肌或腱索的缺陷；次常见的病为心内膜炎或心脏肿瘤。诊断的依据为特征性的心杂音及其传导方向。这类患者可能无自觉症状，但也可能易感疲乏，活动后或平卧时感呼吸困难。左心房可显著增大，最后出现左心衰竭。治疗为限制剧烈运动、减少钠的摄入、增加钠的排泄、投用抗凝药以防止静脉内血凝块的形成；某些严重病例可行瓣膜置换手术。

mitral stenosis 二尖瓣狭窄 一种心脏瓣膜病，表现为二尖瓣口狭窄，通常是风湿热的结果，偶为先天性畸形。好发于45岁以下的女性，听到典型的心脏杂音即可诊断。二尖瓣狭窄使左心房、肺静脉、肺毛细血管的压力升高；肺血管压力升高可导致肺充血及肺组织内水分郁积，其后果之一是呼吸困难，尤其是在活动后。如果肺小血管的管壁增厚，血管阻力增高，则肺内郁积的水分减少，但对右心室的反压增高，可导致早期右心衰竭，进而可致肺梗死。二尖瓣狭窄的患者多有心房纤颤。另一种可能的并发症是左心房内血凝块形成，血凝块可脱落，并通过动脉到达肾、脾、下肢或脑而阻塞该处血流，使该处的组织梗死。内科治疗包括调节活动量以避免疲劳并减轻呼吸困难、减少钠的摄入并增加其排出量以减少组织中液体的潴留、投用抗凝药以避免血凝块形成。外科治疗是用涤纶、不锈钢或其他特殊材料制成的人造心脏瓣膜或用生物瓣膜进行瓣膜置换术。

mitre 主教冠 又拼miter。天主教主教和男隐修院院长以及基督教安立甘宗和信义宗的某些主教所戴的礼帽。由面对前后的两个盾形硬片组成，后部有两个垂片。其前身是教皇戴的三重冕，自11世纪开始使用。天主教会所用的有三种主教冠：其一用未加装饰的白亚麻或绸料制成，在丧事礼拜、耶稣受难瞻礼和其他一些礼拜戴用，拉丁语称simplex；其二素金色布料或白绸料绣以金银色绣花条，在认罪节期和其他一些场合戴用，拉丁语称auriphrygiata；其三饰以宝石和黄金，在主日和瞻礼日戴用，拉丁语称pretiosa。希腊正教主教和东派教会的俄罗斯正教某些神职人员所戴的主教冠近似于封闭式皇冠，顶上有十字架。

Mitre, Bartolomé 米特雷（1821-06-26，布宜诺斯艾利斯～1906-01-18，布宜诺斯艾利斯） 阿根廷政治家，军人，作家。任总统期间，使因战争而分裂的国家获得统一，并在19世纪下半叶进入和平与经济发展时期。在罗萨斯独裁统治下的布宜诺斯艾利斯长大，从1837年开始在乌拉圭、玻利维亚和秘鲁流亡达15年之久。曾参加战争，编辑《信使报》，撰文反对罗萨斯，后成为乌拉圭军官，1852年在推翻罗萨斯的蒙特卡塞罗斯战役后重返布宜诺斯艾利斯。1853年成为有脱离联邦倾向的布宜诺斯艾利斯省领导人。他在省政府中历任多种公职，1861年省军击败联邦军以后出任省长。国家首都迁回布宜诺斯艾利斯后，他当选为统一的阿根廷国家总统。任内建立有效的政府，镇压农村地区的首领，扩大邮政和电报网，整顿国家财政，成立新的法庭，发展对外贸易，鼓励移民。1864年巴拉圭对阿根廷宣战，他担任阿根廷军总司令。在总统任期终了时（1868），当选为参议员，成为代表中产阶级利益的首领。1874年再次参加总统竞选失败。他声称这次选举是个骗局，遂领导一次反对当选者的叛乱。1891年再度竞选总统，后为支持保守党候选人而退出。他一直是阿根廷统一的象征和主张发展经济的代表人物。米特雷对阿根廷文化事业也有十分重要的贡献，他是《民族报》（1870）和阿根廷历史研究院的创办人。他曾写过大量的诗歌和散文，翻译过一些作品（包括但丁作品在内），出版许多历史研究专著，如《贝尔格拉诺的历史》（多卷本，1858～1859）和《圣马丁的历史》（1887～1888）。

mitre shell 笔螺 腹足纲前鳃亚纲笔螺科海产螺类。壳厚，典型的呈子弹状，又略似主教冠，故此英文名意为主教冠螺。笔螺在印度洋-太平洋地区很普遍，最大的种主教冠笔螺（*Mitra mitra*）长10厘米，壳面白色，有橙色斑块。

主教冠笔螺（*Mitra mitra*）
美国不列颠百科全书公司供图

Mitropoulos, Dimitri 米特罗普洛斯（1896-03-01，雅典～1960-11-02，米兰） 指挥家，因演出20世纪作品而闻名。曾在雅典学习。所作的歌剧《贝雅特丽丝姐妹》于1919年在雅典上演。其后在柏林师从F.布索尼。作为一位出色钢琴家，他有时就坐在琴旁指挥（例如1930和1932年指挥S.普罗科菲耶夫的《第三钢琴协奏曲》）。他不用指挥棒，甚至在排练时也是凭记忆指挥。他是最早指挥A.勋伯格、A.贝尔格等人的十二音技巧作品的指挥家之一。1921～1924年任柏林国家歌剧院指挥和雅典音乐学院院长（至1930年）。1937～1949年任明尼阿波利斯交响乐团指挥。1951～1958年任纽约爱乐乐团音乐总监，将现代歌剧在音乐会演出。1954年

美国不列颠百科全书公司供图

起任大都会歌剧院指挥，1958 年成为该院首席指挥。在米兰为拉斯卡拉歌剧院管弦乐团排练时猝死。

Mitscher, Marc A(ndrew) **米彻尔**（1887-01-26，美国威斯康星希尔斯伯勒～ 1947-02-03，弗吉尼亚诺福克） 美国海军军官。第二次世界大战中在太平洋战区指挥第 58 特遣舰队的数艘航空母舰。1910 年毕业于美国安纳波利斯海军学院。1916 年成为第 33 名海军飞行员。随后数年他在海军航空兵的发展并将海军航空兵编入舰队等方面起到了重要

美国海军部供图

的作用。他在 1942 年 6 月中途岛战役中指挥"大黄蜂"号航空母舰，取得美国在 1941 年 12 月日本偷袭珍珠港之后的首次重大胜利。1943 年在所罗门群岛激战中，他以海军少将负责指挥岛上的全部飞机。随后指挥第 58 特遣舰队的数艘快速航空母舰，进行对加罗林群岛的特鲁克岛的空袭（1944-02）、对菲律宾海战役中的空袭（6 月）以及莱特湾战役（10 月），又攻占硫黄岛和冲绳岛（1945-02 ～ 06）。1946 年擢升为海军上将，任大西洋舰队总司令，直至逝世。

Mitscherlich, Eilhardt **密切利希**（1794-01-17，奥尔登堡公爵领地诺因代[德国]～ 1863-08-28，普鲁士柏林[德国]） 德国化学家，提出了晶体的类质同晶理论，即晶体结构与化学组成关系的理论。1818 ～ 1820 年在德国植物学家 H.F.林克的柏林实验室工作，最初从事砷酸盐和磷酸盐的研究。1819 年在研究中发现，组成相似的化合物，常常有着相同的晶体结构。1821 年任柏林大学化学教授。继续研究类质同晶现象，还有其他重要发现，包括硒酸（1827）和硫的单斜晶形（1823）。为苯命名，1832 年第一个合成了硝基苯。他也是最先认识触媒作用（现在称为催化作用）的人之一。

Mitsiwa **米齐瓦** 又拼 Massawa（马萨瓦）。埃塞俄比亚北部港口城市。濒临红海的米齐瓦湾。与内地的阿斯马拉通公路、铁路、航空线和高架电车道。范围包括陶拉德岛、米齐瓦岛（现代化港口所在地）、盖拉尔半岛和阿卜杜勒卡德尔半岛。各地之间有堤道相连。米齐瓦为世界最热的地方之一，年平均气温为 30 °C。16 世纪为埃塞俄比亚港口。1557 年由奥斯曼帝国控制。以后 300 年中不断转手。1885 ～ 1900 年为意大利所有。1941 年被英国人占领，一直由英国人管理，直至 1952 年厄立特里亚同埃塞俄比亚结成联邦。港口

米齐瓦市的埃塞俄比亚教堂

美国不列颠百科全书公司供图

输出农产品、食盐、鱼和珍珠，进口工业品。地方工业包括制盐、鱼、肉加工和水泥等。为著名的旅游中心。建筑物具有意大利和阿拉伯的风格。居民多为穆斯林。人口约 19 404（1989）。

Mitsotakis, Konstantinos **米佐塔基斯**（1918-10-18，希腊克里特干尼亚～ ） 1990 ～ 1993 年任希腊总理。米佐塔基斯出身于官宦世家，祖父、父亲均为议会议员，政治家韦尼泽洛斯是他的叔伯辈。米佐塔基斯曾在雅典学习法律与经济。1941 ～ 1944 年纳粹占领克里特期间，他积极进行抵抗活动，曾两度被捕并被判死刑。

1946 年米佐塔基斯初次当选议员时是自由党人。20 世纪 60 年代初期，他加入由帕潘德里欧新组建的、由中间派和左派联合组成的中间派联盟，并出任帕潘德里欧政府的财政部长。1965 年 7 月，帕潘德里欧与希腊国王康斯坦丁二世发生权力斗争，米佐塔基斯和中间派联盟的其他议员退出该联盟，在历届联合政府中参加了拥护君主的派别。他的活动使他与帕潘德里欧之子安德烈亚斯（后任总理）结下不解之仇，随后发生的政府危机使军事独裁得以在 1967 年 4 月建立。此独裁政府逮捕米佐塔基斯，后来米佐塔基斯逃至巴黎，在该地积极从事反对希腊政府的活动。

1973 年米佐塔基斯返回希腊。1974 年军政府倒台后米佐塔基斯虽然思想开明，但竞选失败。1977 年他组建中间派的新自由党，同年当选为议会议员。翌年在卡拉曼利斯政府的内阁中任职，不久加入以卡拉曼利斯为首、由中间派和右派联合组成的新民主党，1984 年米佐塔基斯成为该党领袖，1990 年就任总理。然而以他为首的政府采取的经济改革政策以及外交政策都受到反对。1993 年新民主党在议会中失去多数派地位，米佐塔基斯不再担任总理并辞去民主党领袖之职。

Mitsubishi GROUP **三菱集团** 若干日本独立公司的松散结合体。这些公司是由庞大的三菱家族联合企业，即财阀所组成。财阀组织于第二次世界大战后被解散。

三菱公司中的头一家是一家贸易和船运商号，名叫三菱商会；它是 1873 年岩崎弥太郎改组政府经营的船运商号而成立的（这家船运商号是 1871 年由他收购的）。为了促进日本的商业和工业，日本政府曾给予岩崎数年可观的财务支援，而三菱商会也渐渐成为日本最大的船运公司。

同时，岩崎开始多样化发展公司业务，首先是采矿，接着发展金融、仓储、造船和不动产业务，不久又增加银行业务。1893 年这些企业组织成家族控股公司——三菱合资会社。第一次世界大战期间和战后，三菱合资会社成立了几家子公司，除了原有的企业外，还包括钢铁、保险、炼油、飞机制造及化学药品。到了 20 世纪 30 年代，三菱已是日本第二最大财阀。

20 世纪 30 和 40 年代三菱也是主要军火承包商之一，它建造了许多日本军舰。它最著名的产品可能是零式战斗机。因其生产军事用品，三菱在第二次世界大战结束时成为管辖约 200 家公司的大企业。日本战败后，三菱财阀被占领当局解散，三菱合资会社解体，先前各子公司的股票卖给大众。

1952 年占领结束，许多独立的三菱公司重新组合。这个新兴的集合体与以往由家族控制的中心控股公司所主导的旧财阀显著不同，其特点在于不同公司社长间的非正式政策协调以及各公司在财务上有某种程度的相互依赖关系。

三菱集团有十几家独立的公司，其中主要的公司都是总部设在东京的大型跨国企业。这些企业在海外有办事处和子公司，有些还与外国公司经营合资企业。

三菱重工业公司是日本最大的重型机械制造商之一。它 1934 年取现名并成为三菱集团的主要子公司之一。第二次世界大战期间，它是重要的军火制造商。战后，它被美国占领当局划分为 3 个公司，但 1964 年又重新联合起来。该公司制造的产品有热电厂、核电厂、机床、飞机、建筑和农业设备、车辆等。它还造船、修船、建设工厂。1970 年其汽车分部从公司分离出去，形成了三菱汽车公司。

三菱银行是日本最大的商业银行之一。起初是三菱集团财政机构的一部分；1919 年从母公司中独立出来，采用现名，1948 ～ 1953 年曾改称千代田银行。1996 年该行完成了与东京银行的合并。

三菱化成公司先前称三菱化成工业公司。1934 年创立时是日本焦油工业公司，1950 年采取目前的组织形式。原本制造焦油产品、焦炭、肥料和染料，60 年代增加石油化工产品；此后，多样化经营的产品有医药和医疗设备、杀虫剂、杀真菌剂和除草剂、分析仪器、电子材料等。

三菱公司是日本最大贸易公司之一，原本经营船运和贸易。曾被占领当局分成许多家小公司，50 年代中期这些小公司又重新组合，1971 年取今名。该公司主要是充任其他公司的代理商，为它们处理订单，帮各式各样的货物和商品安排装运。它还有一套遍及世界的电信网络来监督本公司的作业。

三菱电机公司创立于 1921 年，1963 年取现名。起初主要制造发电机、变压器、铁路设备和电梯等重工业设备，第二次世界大战后开始生产消费品（如电冰箱和电视机），也开始制造各种电子装置如半导体、电子计算机

等，迄今还增加生产各式各样产品如盒式磁带录像机、电信设备等。

三菱信托银行是日本主要的信托银行之一。在日本被占领期间，名为朝日信托银行股份公司，1952年后恢复原名。信托银行与三菱集团其他成员重新联合后，该银行就成为一家经营多种业务的主要的金融机构，完全包揽该集团的国内业务。

三菱集团的其他成员有：①三菱石油公司：日本最大的石油进口商和炼油商之一；②三菱材料公司：生产水泥及其他建筑材料，进口石油和煤，从事海外金、银、铜的开采；③三菱人造丝公司：生产塑料、合成树脂、丙烯酸纤维、聚酯细丝和醋酸纤维。

Mitsubishi A6M (aircraft) **三菱 A6M 战斗机** 参阅 **Zero** *零式飞机*。

Mitsubishi Tokyo Financial Group 三菱东京金融集团 日本主要的银行和金融机构，总部设在东京，2001年由三家日本大银行合并而成。其历史可追溯至1880年成立的横滨正金银行，这是一家专营外汇的国际银行。1946年横滨正金银行改为东京银行，业务重点改为普通商业银行业务。1954年该银行重新改组为日本的外汇专营银行，1962年被批准发行公司债券来筹集日元资金。1996年东京银行与三菱银行合并成立了东京-三菱银行。接着于2001年与三菱信托银行、日本信托银行和东京信托银行合并成三菱东京金融集团公司，成为日本最大的银行之一。

Mitsui GROUP **三井集团** 若干日本独立公司的松散结合体。这些公司是由庞大的三井家族联合企业，即*财阀*(**zaibatsu**)所创办。财阀组织在第二次世界大战后被解散。三井财阀是由德川时代(1603～1867)日本最大的商业家族三井家发展出来的。

1673年日本酿酒商之子三井高俊(1622～1694)在京都和江户(今东京)开设织物店，这是事业的开端。此次创业和随后增设店面的成功使他得以将业务拓展至放贷和其他金融业。1691年开始，三井家被幕府指定为御用商人。任命对三井家有益，也使它在政府内有相当大的影响力。这种与日本政府亲密关系的培植对三井家，尤其是在明治时期(1868～1912)政府鼓励经济快速发展时，特别有利。

19世纪末，新兴的三井集团将经营重点放在它开始占支配地位的银行、贸易和采矿等业务活动上。18世纪初设置用来督导公司营运的家族会议很快就变得不能胜任，1909年家族会议由家族控制的控股公司取而代之。20世纪三井集团经过巨大的扩张和多元化投资后，成为日本最大的财阀；到第二次世界大战结束时，它辖管约270家公司。日本战败后，三井财阀被盟军占领当局解散，控股公司解体，先前子公司的股票出售给大众。

20世纪50年代许多独立的三井公司重新聚合，与由家族支配的控股公司完全控制该集团的旧财阀结构相比，新集团的特色在于各公司社长间非正式的政策协调以及各公司在财务上有某种程度的相互依赖关系。

三井集团有数十家公司，包括有水泥、化工、商业、建设、能源、工程、金融和保险、食品、机械、采矿、有色金属、不动产、运输等行业。所有的大公司都是总部设在东京或大阪的大型跨国公司，在海外有办事处和子公司，有些还与外国公司经营合资企业。

三井物产公司是日本最大的综合贸易公司之一，是三井集团的主要机构。1876年创立时是三井集团的贸易子公司。20世纪50年代，被解散的三井财阀子公司所形成的一些小贸易公司又以第一会社贸易公司为中心重新组合起来；该公司1959年取现名。它主要是充当其他公司的代理商，为它们办理订货，并安排成千上万种工、农、消费货品的装运。作为三井集团的领导者，三井物产公司协调国内外各附属公司的业务活动。

三井太阳神户银行是1990年由太阳神户银行和日本第一家私人银行三井银行(1876年成立)合并而成。三井银行在第二次世界大战期间与另一家银行合并，1948年又重新组建成为一家独立的银行。太阳神户银行是1973年通过合并而成的。三井太阳神户银行是三井集团的主要的金融机构，其业务活动重点在于有价证券和外汇。

三井矿山公司在1874年创设时是三井集团的子公司。1950年当金属部门分离出来成立三井金属矿业公司时，该子公司改组成为现公司。它是日本最大的煤业公司，也从外国进口煤并出售焦炭、石油和建材。它是重要的有色金属生产商，专事锌的开采和加工。

Mittag-Leffler, Magnus Gösta 米塔格-列夫勒(1846-03-16，瑞典斯德哥尔摩～1927-07-07，斯德哥尔摩) 瑞典数学家，他对数学研究的贡献促进了斯堪的纳维亚数学学派的发展。1872年任乌普萨拉大学数学讲师，5年后任赫尔辛基大学数学教授，1881年任斯德哥尔摩大学数学教授。他得到国王奥斯卡二世的财政支持，于1882年创办国际性数学杂志《数学学报》，并建立了由4个斯堪的纳维亚国家的人组成的编辑部，自任主编45年。他对数学分析有许多贡献(关于极限并包括微积分、解析几何和概率论)。他研究函数的一般理论，关于自变量和因变量之间的关系；1875年他给出了柯西定理(这个定理很大程度上是现代单复变函数论的基础)的一个证明。他最著名的著作是论单值函数的解析表示，这部著作最后形成米塔格-列夫勒定理。他的地产和他的数学图书馆现在是瑞典米塔格-列夫勒数学研究所的一部分。

Mittelfranken 中弗兰肯 德国南部拜恩州中西部的行政区。面积7246平方千米。与历史上的法兰克尼亚地区相当。中弗兰肯区西部的法兰克尼亚台地主要是南北走向的砂岩陡坡，平均海拔500米。许多河流从这里发源，其中最主要的是流向东南的阿尔特米尔河。砂岩地面多松柏科树林。安斯巴赫是台地的主要中心也是区行政中心和重要的铁路和公路枢纽，生产电子设备、食品和塑料制品。雷德尼茨河发源于区南缘附近的法兰克尼亚侏罗山，流经东部中弗兰肯的中法兰克尼亚盆地，盆地的年降雨量仅700毫米，基本为大陆性气候；盆地中最重要的农业区是兰高，主要种植蛇麻子，也种植小麦、大麦和裸麦，纽伦堡城外有商品菜园。盆地东缘为法兰克尼亚侏罗山，西面对着中弗兰肯盆地。位于佩格尼茨河谷中的黑尔斯布鲁克镇以风景优美闻名。纽伦堡、埃朗根、菲尔特三市构成拜恩州第二都市区，其重要性仅次于慕尼黑。中弗兰肯工业主要集中在这三个城市，然后沿雷德尼茨河和佩格尼茨河向南、向东扩散。纽伦堡是德国主要电器产地，亦产多种机器，从重型设备到精密仪器都生产，其玩具工业世界闻名。菲尔特专门从事电气和化学工业，也有玩具、服装和金属器制造业。埃朗根主要是电机工业。每个城市都有港口设施便于通向莱茵-美茵-多瑙运河。居民操法兰克语。中世纪城镇罗腾堡、丁克尔斯比尔有保存完好的城墙和瞭望塔。纽伦堡的旧城也有别致的中世纪城墙围绕着。市内历史博物馆和中世纪皇家城堡吸引大量游客。高等教育中心是埃朗根-纽伦堡的弗雷德里希-亚历山大大学(1743)。居民多信奉新教。每年12月举行幼年基督集市。人口约1 652 236(1994)。

Mittelland Canal 米特尔兰运河 又称埃姆斯河-威悉河-易北河运河。德国于1905年兴建到1938年建成的一条水道。它从莱茵河东的多特蒙德-埃姆斯运河向东，沿中央高地北部边界，通往马格德堡北面的易北河(长约321千米)，在此与哈弗尔运河连接向东直通柏林。侧支运河使其与奥斯纳布吕克、汉诺威、萨尔茨吉特和希尔德斯海姆等地连接。布伦瑞克与汉诺威之间的派纳及沃尔夫斯堡都在能容纳1 000吨驳船的主干线上。米特尔兰运河与威悉河、易北河均有船闸相通，驳船运输的物资大部分是煤和铁矿石，冬季有2～3周的冰封期。

Mittenwald 米滕瓦尔德 德国南部拜恩州村庄。濒临伊萨尔河，在卡尔文德尔山麓，靠近奥地利边界。1307年建制。17世纪后以其制造小提琴而闻名。现有小提琴制造技术学校和博物馆。也制造齐特琴和吉他。许多旧建筑都饰以18世纪的湿壁画。为疗养度假地和冬季体育运动中心。米滕瓦尔德以西是德国最高的山峰楚格峰(海拔2 962米)人口约8 197(1999)。

Mittermaier, Rosi 米特迈尔(1950-08-05，西德赖特因温克尔～) 婚后名 Rosi Neurather。德国高山滑雪运动员，1976年冬奥会两枚金牌、一枚银牌得主。十几岁就显露出成为世界级滑雪运动员的才能。17岁参加1968年冬奥会，但各项均未进入前20名。1969～1976年间先后赢得世界杯10个单项冠军。1976年世界杯巡回赛中小回转排名第一，大回转排名第二，获全能冠军。1976年冬奥会时她已25岁，但滑降仍获第一，小回转比第一名只差0.33秒，大回转也仅以1/8秒之差屈居第二。同年退役，撰写自传和录制民歌，并成为一家滑雪设备制造商的代言人。

Mitterrand，François　密特朗（1916-10-26，法国雅纳克～1996-01-08，巴黎）　法国政治家，曾任两届法国总统（1981～1995）。他领导法国与西欧实现紧密的政治、经济一体化。

美国不列颠百科全书公司供图

他是第一位社会党总统，他在任职之初就放弃了左派的经济政策，是位务实的中间派。密特朗是铁路站长之子，在巴黎学习法律和政治。第二次世界大战爆发时入伍，1940年6月负伤，为德军所俘。1941年底逃出战俘营后，曾为通敌的维希政府工作（此事直到1994年从未为公众所悉），1943年参加了抵抗运动。

1946年被选入国民议会，1947年在第四共和国拉马迪埃的联合政府中任内阁部长。此后的12年中，密特朗在第四共和国的11个短命的政府中担任过内阁要职。他的政治观点原本倾向中间派，后来逐渐倾向左派，从1958年起，具体地表现为反对戴高乐。1965年代表社会党和共产党左翼，与戴高乐竞选总统，获得32%选票，迫使戴高乐进入第二轮投票。

1971年密特朗当选社会党第一书记后，开始对该党进行重大改组，大大地增加了它在选举中的吸引力。虽然1974年密特朗竞选总统失败，但他培植社会党成为左翼最大政党并联合共产党的政策，使社会党在1981年5月10日击败在职总统G.德斯坦，获得压倒性的胜利。密特朗上台后，实施金融机构和重要工业国有化，提高最低工资，增加社会福利，废除死刑。在外交方面，他主张对苏联采取强硬政策，并培植与美国的良好关系。

密特朗的社会主义经济政策引起通货膨胀的增大和其他一些问题，因此，1983年政府开始削减政府开支。在密特朗第一个任期届满之际，社会党取消了除名称外的所有社会主义政策，实质上改行自由市场的自由主义政策。1986年右翼政党赢得了国民议会中的大多数席位，密特朗不得不请右翼多数派领袖之一的希拉克出任政府总理。在这种没有先例的权力分享的安排下，密特朗保留了对外交政策的决定权。在1988年的总统选举中，他彻底击败希拉克，赢得了又一个7年任期，他的第2个任期以促进欧洲统一和防止德国经济在欧洲联合中取得支配法国的优势地位的不懈努力为标志。他是欧洲联盟条约（1991）的主要支持者。但在国内事务方面特别是面对居高不下的失业率，他没有显著成就。1991年密特朗任命社会党人E.克勒松为总理，她是法国历史上第一位担任此职的女性。1993年社会党在大选中惨败，密特朗不得不在与巴拉迪尔总理领导的中右政府共事中度过他最后两年的任期。

mitzvah　密兹瓦　犹太教名词，广义指《托拉》所载全部诫条、律例、律法和典章，一切犹太教徒必须遵守。《塔木德》共列诫条613条，其中训诫248条，禁诫365条。后来经过重要拉比的建议，诫条大有增加，其中一部分与神赐律法同等重要。违犯诫条谓之罪愆，但诫条并非一律同等重要，例如割礼是上帝所定，而在公开场合戴圆便帽则并非如此。广义的讲，犹太人认为善行都是执行密兹瓦。

Miura　三浦　日本本州中东部神奈川县城市。位于三浦半岛西南部。由此往北，半岛上有横须贺市。三浦最早在8世纪见于记载。其三崎港是商业性深海捕鱼（尤其是金枪鱼）的基地。除金枪鱼外，该市以当地生长的小萝卜远近驰名，又产甘蓝和西瓜。油壶湾的城岛有一大桥在三浦与本州大陆相连。城岛，油壶湾，再加上油壶水族馆和当地的海滨，均有助于使三浦成为一个大家喜爱的旅游和休养中心。该市又为北面正在扩展的东京-横滨大都会区的郊外住宅区之一。人口52 441（1990）。

Miura Baien　三浦梅园（1723-09-01，日本丰后国富永～1789-04-09，富永）　德川时代日本经济学家和儒学哲学家。他支持理性主义的“条理学”学说，该学说是日本现代科学思潮和哲学思潮的先声。在学校学过中国古典文化，但也学习物理学、医学和经济学的科学研究方法。在西方思想影响下，写出《价原》一书讨论贫富问题。其主要哲学著作有《玄语》、《赘语》和《敢语》。他认为知识的源泉是理性和自然，而不是书面教义或传统。他反对佛教的空观，主张永恒运动的宇宙，认为死亡是有机体的变化，不是绝灭。他的《五月雨物语抄》一书反映了他对宗教和权威的传统观点。其日文著作收入两卷本《梅园全集》（1912）。

Mivart，Saint George Jackson　米瓦特（1827-11-30，英格兰伦敦～1900-04-01，伦敦）　英国生物学家，达尔文自然选择理论的主要批评者。因改宗天主教（1844）而不能进牛津大学，便在奥斯科特的圣玛丽大学继续学习（1844～1846）。在圣玛丽医院医科学校任教时研究了食肉目和食虫目的解剖（1862～1884）。1881年发表《猫：脊椎动物研究入门》，该书准确、详细和清晰，或认为可与T.H.赫胥黎的《小龙虾》相提并论。他支持进化论的总的思想，但贬低自然选择在进化中的作用，却认为新种的出现来源于天生的可塑力（他称之为个体化）。他还否认人类的智力是进化的，而坚持是神力授予的。所著《论物种发生》（1871）、《天性与思维》（1882）和《人类理性的起源》（1889），都背离达尔文和赫胥黎的学说。1890～1893年在比利时卢万天主教大学任自然史哲学教授时发表多篇似与宗教信条抵触的文章，开罪于教会。这些文章被梵蒂冈列入禁书目录。他后来又发表几篇引起争论的文章，1900年被枢机主教沃恩处以绝罚。

Miwok　米沃克人　加利福尼亚印第安人，操佩纽蒂语。他们原分7个居民集团，在方言方面及地区方面互无关系：沿海米沃克人，居住在今旧金山市以北；湖滨米沃克人，居住在克利尔湖盆地；海湾米沃克（或萨克兰人），居住在圣华金河及萨克拉门托河的三角洲；平原米沃克人，居住在萨克拉门托及圣·华金河下游；再往东是山地米沃克人，分为北部、中部及南部三个部分，均居住在内华达山西麓。山地各支米沃克人是米沃克人中间的最大多数，与欧洲人接触初期，有100多个村庄。关于沿海一带的米沃克人——沿海米沃克人、湖滨米沃克人及海湾米沃克人——的土著文化，世人所知甚少。他们采集橡实、捕鱼、用弓箭猎鹿及其他猎物；住房是半地下式的木柱覆泥建筑。所编筐篮，不透水，饰以珠子或鸟羽。男人通常无衣着，女人穿短裙。内地米沃克文化包括山地及平原文化，世人知之较详。各居民集团居住在山麓或低地，只在夏季或狩猎时才移往高山地带。他们的主要住房是半地下式的泥土房屋，不过夏季的山地居所仅是树皮搭成的披屋。主食是橡实，储存于筐状粮仓之内。他们编织各种筐篮，但无陶器。社会由不同家系及半偶族组成，各管诸如继承、婚配等事务；大概也分等级，有首领及副首领，妇女可以根据男系获得此等称号。内地米沃克人信奉库克苏教。20世纪晚期，海岸米沃克人和内地米沃克人各剩100多人。

Mix，Tom　米克斯（1880-01-06，美国宾夕法尼亚米克斯伦～1940-10-12，亚利桑那弗洛伦斯附近）　美国电影演员，无声片时代著名的西部牛仔片影星。米克斯曾在得克萨斯、亚利桑那、怀俄明和蒙大拿当过牧牛人。美西战争期间在美军服役，并在墨西哥革命期间参加对潘乔·比利亚的追击。他还在俄克拉何马州当过副执法官，以及在得克萨斯州骑警中任职。1906年，他参加“西大荒演出”，3年后进入塞尔斯-弗洛托马戏团。1910年开始演电影，扮演骑马驰骋维护公理和正义的英雄。多年来，他的坐骑“托尼”几乎同他一样有名。米克斯演了200多部单本和两本短片以及长故事片，其中有许多他兼任制片人或导演。米克斯在无声片时代成为巨富并获得国际声誉，但随着有声电影的出现，他的事业日渐衰落。1929年后他仅拍了少数几部影片。1933年他组织了汤姆·米克斯马戏团和西大荒剧团，但7年后在一次车祸中丧命时，他的财产已大部分耗尽。

Mixe-Zoque languages　米塞-佐克诸语言　通用于墨西哥南部的美洲印第安语系，分为米塞和佐克两个语支，有7种语言。佐克语通行于墨西哥的恰帕斯、塔巴斯科、瓦哈卡等州。塞拉-波波卢卡语、特克西斯特佩克-波波卢卡语通行于维拉克鲁斯州，均属佐克语。米塞语通行于瓦哈卡州东部，而通行于维拉克鲁斯州的萨尤拉语和奥卢塔语（有时两者亦称波波卢卡语)也属米塞语。已消亡的塔帕丘尔特克语,从前曾通用于恰帕斯州东南沿岸,也被划入米塞-佐克语系米塞语支。

Mixe-Zoquean 米塞-佐克人 居住在墨西哥南部地区的中美印第安人居民集团。米塞-佐克诸民族现在包含:米塞人(居住在瓦哈卡州东北部)、佐克人(主要居住在恰帕斯西北部)、波波卢卡人(居住在维拉克鲁斯州东部和瓦哈卡州,恰好处于米塞人和佐克人之间)。他们的语言彼此非常接近,文化有共同的来源。米塞人居住在崎岖的山区,文化和语言上十分守旧。佐克人居住在较炎热的低地,正为现代墨西哥文化所同化。波波卢卡人居住在一些分散的高地村庄和三个低地村镇(奥卢塔、萨尤拉和特克西斯特佩克)。所有米塞-佐克人都务农,种植玉米、豆类和南瓜;掘土尖棍是主要农具,也使用烧荒清理土地。大多数米塞-佐克人居住在中心村内,房舍为草顶或泥砖茅屋,村的周围是耕地。除纺织外,手工业不发达。妇女仍着传统服装,包括长裙及罩袍。米塞-佐克人的宗教传统有很多与马雅宗教一致之处。现代米塞-佐克人名义上信仰天主教,但依然举行很多以前的宗教仪式,其中包括狩猎祭及祈丰收祭等。与教父母结成仪式亲的制度在他们中至关重要。

Mixolydian mode 混合利底亚调式 音乐名词,指中世纪8种教会调式中的第7种。参阅 **church mode**。

Mixtec 米斯特克人 居住在墨西哥南方瓦哈卡州西部、北部及其邻接的格雷罗州和普埃布拉州几个地区的中美印第安人。在历史上,米斯特克人在阿兹特克和前阿兹特克时期曾具有高度的文明。现代米斯特克人居

米斯特克人的房舍
美国不列颠百科全书公司供图

住在高山、河谷和沿海,多数务农,耕作技术基本上是刀耕火种。种地用锄和掘土尖棍,或用牛和犁。主要作物是玉米、豆类和南瓜。其他生产活动是狩猎、捕鱼、放牧和采集野生食物;在维生供养物品贫乏的地方,则制作和出售棕榈编织物。织布、编织棕榈纤维和制陶是很平常的手工业。他们的住区模式不同:有的设中心村,平时各户住在自家的农场,只是在节日或赶集期间,才聚集到中心村活动;有的不设中心村,乡间仅有分散的村庄,村内住有家庭群体。服饰为传统或半传统式,男子着白棉布衣裤,戴草帽,穿草鞋;妇女穿围裙、长衫及披肩。他们虽然名义上信仰天主教,但大多数人是信仰一种包括有天主教之前的神灵在内的混合宗教,某些地区信奉雨神。

宫城县松岛湾中松树覆盖的小屿
美国不列颠百科全书公司供图

Miya-shima (Japan) **宫岛** 参阅 **Itsukushima** 严岛。

Miyagawa Chōshun 宫川长春(1682,日本尾张～1752-12-18,江户[东京]) 原名喜平次,又名长左卫门。日本浮世绘画家。宫川画派创始人。1700年左右前往江户,深受菱

宫川长春绘美女图
美国不列颠百科全书公司供图

川师宣(约1694年卒)作品影响。长春致全力于绘画,而不注重版画制作。其画以线条流动,着色入微而著称,并擅长群像。著名作品有《演剧图画卷》、《风俗图卷》。

Miyagi 宫城 日本本州北部县。其曲折的海岸形成仙台湾。面积7 292平方千米。大部地区多山,南部为仙台平原,为县府仙台市所在地。北部为美丽的松岛湾,以其200余松木遍生的岛屿久负美名。农产有稻米、蔬菜和家畜。渔产为鲱鱼、沙丁鱼。工业产品有木材、食品、纸浆、电机和运输设备。首府仙台为本州东北地方最大城市和工业、行政、交通中心,设有东北大学(1907)。宫城的重要海港有石卷和盐釜。人口约2 263 998(1991)。

Miyako 宫古 日本本州岩手县城市。位于闭伊川河口湾,临宫古湾。德川时代(1603～1867)起即为重要渔港,以产鲑、鳟、鲭闻名。第二次世界大战后开始生产化肥、

宫古市的港口
美国不列颠百科全书公司供图

金属制品和建筑材料。现输入大量木材进行加工。附近净土海滨为陆中海岸国立公园的一部分。人口58 505(1990)。

Miyakonojō 都城 日本九州宫崎县城市。在大淀川上游。系围绕11世纪早期岛津家族所建城堡发展而来。德川时代(1603～1867)养蚕、缫丝业发达。明治维新(1868)后发展起丝、棉织纺工业。第二次世界大战后开始生产合成纺织品。现为九州东南部铁路和贸易中心。生产纺织品、乳品、木材。农产品有甘薯、油菜籽、烟草和茶叶。人口约130 436(1992)。

Miyamoto Musashi 宫本武藏(1584,日本美作或播磨～1645-06-13,希戈) 原名宫本

政名，也称二天。日本德川时代（1603～1867）早期著名的武士美术家。长于水墨画，用笔简练劲健，特擅禽鸟。遗作有《枯木鸣鵙图》与《芦雁》等。

Miyazaki 宫崎 日本九州东南部县。面积7 735平方千米，大部为山地，小部为沿海平原。南部海岸，包括近海岛屿青岛，划为日南海岸国定公园，以热带、亚热带植物、野马及猴子闻名。西南部有雾岛屋久国立公园，火山、火山口、火口湖星罗棋布。宫崎地区为日本新婚夫妇度蜜月的胜地。当地水稻每年两熟。生产化肥、药品、纸浆、竹制品和木炭。首府宫崎市为农贸和交通中心；市内有神社、公园和一所大学。人口：市约291 036（1992）；县约1 166 943（1991）。

宫崎县平和台公园内的泥塑园
美国不列颠百科全书公司供图

Miyazaki Yūzen 宫崎友禅（日本京都～1758） 日本画家。擅长在以米浆涂层的丝绸上绘精美图案与图画，并命名这种加工法为"友禅染"。后来"友禅染"成为以此法所生产布匹的总称，也指采用宫崎友禅图案的各种布匹。京都生产的友禅布在20世纪仍很流行。

Miyazawa Kiichi 宫泽喜一（1919-10-08，日本东京～2007-06-28，东京） 1991～1993年的日本首相。出身于政治家的家庭。1941年东京帝国大学法科毕业，1942～1952年在大藏省任文官。英语流畅，1951年在旧金山签订美日条约时任下级外交官。1953年选入国会，1962年第一次入阁，任经济企画厅长官。多年以来，他实际上担任过每一种重要官职：1970～1971年为通商产业省大臣，1974～1976年为外务大臣，1986～1988年为大藏大臣。20世纪80年代初期还当过内阁官房长官，在竹下登内阁中一度任副首相。1991年10月27日当选自由民主党（自民党）总裁后，于11月5日出任内阁总理大臣。1993年6月，自民党在其内部某些派系与反对党相联合的情况下难以赢得大选，宫泽被迫辞去首相职务，在随后的大选中，自民党在其38年的历史上第一次失去了对国会的控制。正如自民党其他许多老资格政治家一样，宫泽也曾卷入震撼日本政坛的政治-工业贿赂丑闻，1988年12月被迫辞去大藏大臣职务。他于90年代初期东山再起，使人一望而知日本的政治又老调重弹。尽管如此，他被认为是一位思想家而不是政治实践者，是一位眠思梦想日本的经济威力和全球责任的知识分子。

Miyun Reservoir 密云水库 中国潮白河上的大型水库，也是华北地区最大的水库之一。在北京市密云县境内。潮白河是海河水系北运河支流之一，发源于燕山山地，善淤、善徙，下游灾害频繁，有"自在河"之称。1950年开始整治下游。1958年修建密云水库，1960年完成。水库由潮河水力枢纽和白河水力枢纽两部分组成，有两座主坝、五座副坝把两条大河拦截。水库面积180多平方千米，库容43.75亿立方米。水库修建后，不仅解除了沿岸40万公顷农田的水患，而且灌溉沿岸26万多公顷农田，并可向北京市提供工业和生活用水。新建的白河水电站装机容量9万千瓦，多年平均发电量为1.1亿千瓦时，属京、津、唐电网的一部分。

北京密云水库
中国大百科全书出版社供图

Mizar 开阳 又称大熊座ζ（Zeta Ursae Majoris）。被发现的第一颗属目视双星的恒星，即它是由两颗能用光学方法分开并彼此互相绕转的子星组成。发现者为意大利天文学家G.B.里乔利，时间在1650年。随后又发现，每颗可见的子星又都是分光双星。因此，开阳实际上是四合星。两颗可见子星的目视星等分别是2.27等和3.95等。开阳同它旁边比较暗的"辅"（星）位于北斗斗柄的中央，组成一颗肉眼可见的双星。

Mizo 米佐人 又称卢谢人（Lushai或Lushei）。操藏缅语，人口约50万，住在印度米佐拉姆邦靠近印-缅边界的米佐（前卢谢）丘陵地带。米佐人与库基人多有姻亲关系，历来采用不定点的刀耕火种法。村落时常迁移。迁徙的习惯使他们的人口在18、19世纪急速扩张，从而导致了较弱的库基氏族人口的减少。传统上米佐人的村庄建在山顶或横岭，各村即为一独立政治单位，由世袭酋长统治。英国人统治期间，禁止部落之间的争斗和猎头风俗，他们通过本地的酋长进行统治。许多米佐人现已成为基督徒并受过教育。

Mizo Hills 米佐丘陵 旧称卢谢丘陵。印度东北部米佐拉姆邦东南部山地，为若开山脉的北段。海拔约2 125米。山坡覆盖有茂密常绿林，包括贵重木材和竹子。山区谷地农业靠刀耕火种，并有一些梯田。

Mizoguchi Kenji 沟口健二（1898-05-16，日本东京～1956-08-24，京都） 日本电影导演，以反映现实社会的本质、新旧价值观念之间的冲突以及女性爱情的可贵等题材而闻名。其影片画面精美。他早年学画并曾短期在神户为《神户又新日报》设计广告，1919年返回东京，进入日活电影公司充当演员，3年后成为该公司导演。影片《街头速写》（1925）和《纸人春天的私语》（1926）预示30年代日本现实主义的兴起。20和30年代的杰出影片有：反映当代社会问题的《东京进行曲》（1929）和《都市交响曲》（1929）以及反映传统价值观念在现代日本社会中遭到摒弃的《青楼姊妹》（1936）和《浪花悲歌》（1936）。从《残菊物语》（1939）起，他拍摄一系列以明治时代（1868～1912）为背景的古装片，因为在第二次世界大战期间要避免直接涉及敏感的现实问题。但在战后，他的古装片则日益关切当代的社会问题。被推崇为日本最佳影片之一的《雨月物语》（1953）是其古装片的代表作。这部影片对战后日本借古讽今，以其对现实社会本质的深入剖析和依靠严密设计的镜头运动所造成的空间感而备受推崇。战后拍摄的影片中有几部是他描写女性的重要作品。例如《女演员须磨子之恋》（1947），是日本最早争取解放的一位妇女的传记；还有《夜的女人》（1948）和《红色地带》（1956）。

Mizoram 米佐拉姆 位于印度东北部。1987年由米佐拉姆中央直辖区改建为邦。以前为米佐丘陵县。面积21 081平方千米。直辖区的建立是为了满足米佐部族的民族愿望，数十年来他们不时掀起反政府暴动。但1972年米佐拉姆直辖区的设立并未终止分离主义者的暴动，整个70年代暴动连绵不断。1987年改为邦并选举米佐领导的邦政府，似乎标志着冲突的解决。米佐拉姆接邻缅甸（东）、特里普拉邦（西）、曼尼普尔邦（东北）、孟加拉（南）和阿萨姆（北）。大部分地区是山地，以米佐丘陵为主体。许多河流都是南北流向。卡拉丹河系向南流入缅甸，北部诸河向北流入库西亚拉河，终抵孟加拉境内恒河三角洲。居民由许多种族构成，统称为米佐人，（意为[高地人]）。语言属藏缅语族，有些语言无法彼此沟通。也说英语。以前传教士在此地相当活跃，多数人为基督教徒。约60%的人识字。近2/3的土地为森林所覆盖。农业发达，主要作物是水稻，种植少量甘蔗（种在较高的山坡上）和马铃薯。贸易和商业活动很少，部落居民精于手工纺织，制作精美毛毯、草帽和竹篮。首府艾藻尔。人口约686 217（1991）。

Mizraḥi 米兹腊希 希伯来语宗教中心的缩写。世界犹太复国主义者组织内部的宗教运动和以色列犹太复国主义内部的前政党。1902年由俄国利达城的犹太教教士赖奈斯建立，旨在促进犹太复国民族主义组织内犹太人的宗教教育。其传统口号是："根据以色列《摩西五经》，以色列土地属于以色列人民。"它成为正统派犹太复国主义者的主要政党。米兹腊希虽属小党，但是由于它在宗教历史上的重要性和它能掌握东欧广大的正统派犹太群众,其在犹太复国主义内的影响远远超过了它的规模。第一次世界大战后,它在巴勒斯坦犹太人社会中起着积极作用。它建立宗教学校,并坚决支持犹太大法师在犹太人的个人事务上、尤其是结婚和离婚事务上,享有唯一的权威。1922年一些青年正统派教徒成立了米兹腊希工人党。1948年以色列建国后,在与以色列工党的联合政府中,米兹腊希成为以色列工人党的有影响的伙伴。以色列工党当时是该国的最大政党,在议会中如不与米兹腊希联合即不能取得绝对多数。1956年米兹腊希运动与米兹腊希工人党合并组成全国宗教党。这一米兹腊希阵营在议会选举中得票一直在10%左右,并且自1948年以色列建国以来几乎参加了每一届联合政府。它在国防和外交上一般采取弹性政策,以回报联合政府内友党对米兹腊希的正统派宗教-社会议程的支持。米兹腊希尽管以前与工党联盟,却于1973年成为反对党,自1977年起与保守的利库德集团(即联合党)形成联盟。然而全国宗教党在议会中的代表终于衰落,只剩下极小的影响。

Mizuho Financial Group, Inc. 瑞穗金融集团 日本银行控股公司,成立时资产超过10亿美元,从资产来说,是世界最大的银行控股公司之一。2000年9月由第一劝业银行、富士银行和日本兴业银行合并而成。瑞穗集团和其他日本银行因大量贷款、呆账、坏账而亏损,被批评导致21世纪初日本经济的疲软。

Mizuno Tadakuni 水野忠邦(1794-07-19,日本江户[今东京]~1851-03-12,江户) 日本德川幕府第12代将军德川家庆的首席老中,曾推行防止社会、经济日益衰败的天保改革。藩主出身。1828年任德川家庆的教师。1834年升任幕府的首席老中。1837年德川家庆任将军后,开始掌握幕府实权。当时日本由于10年灾荒,社会普遍不安。他通过中国在鸦片战争中惨遭失败的教训,认识到日本如果不能解决国内矛盾,就难免受西方国家的侵略。因此,他采取各种措施,求得大治。他力图恢复德川时代初期的尚武美德而没有效果。他坚持个人和政府都要俭朴,发布难以实行的节约法令。为了制止商业经济发展,他免除了贵族欠中产阶级的债务;废除他的前任发给商人行会的许多执照,还命令移入城市的农民返回农村。但是,当他计划没收江户和大阪附近的大名领地时,却遭到极大反对,终于被将军免职。

Mizusawa 水泽 日本本州岩手县城市。位于北上河谷地。早期为边境要塞。德川时代(1603~1867)成为以城堡为中心的城镇。现为稻米、苹果、乳制品集散中心。生产传统金属铸制品。设有世界闻名的水泽纬度观测站。人口58 189(1990)。

mizzonite 中柱石 *方柱石*(**scapolite**)的富钙变种。

Mjollnir 米约尔尼尔 在古斯堪的纳维亚神话中,它是雷神托尔的锤子,他的权力的象征。锤子是矮子锻造的,托尔用起来得心应手。他用它作武器,砸碎巨人的头,用它作工具,使人和物具有神力。

Mjøsa, Lake 米约萨湖 挪威东南部奥普兰郡和海德马克郡境内湖泊。位于奥斯陆以北56千米著名的居德布兰海谷南端,是挪威最大的湖泊。长100千米,宽1.6~14千米,最深处449米,面积368平方千米。是一个兴旺的旅游区,有游艇和钓鱼活动。利勒哈默尔和哈马尔是最大的湖滨城市。湖中心有海尔圭岛。东岸有12世纪所建大教堂遗址。

Mladá Boleslav 姆拉达-博莱斯拉夫 德语称Jungbunzlau(永本茨劳)。捷克共和国中捷克州城市。在布拉格东北,伊泽拉河和克列尼采河汇合处。995年开始有居民,1334年建市。有15世纪大教堂、城堡和其他建筑物。1964年建成新汽车厂后发展迅速。也生产拖拉机和其他农业机械。东北部的慕尼黑城堡有卡车厂。人口约44 471(1991)。

Mlanje(Malaŵi) 参阅 **Mulanje** *姆兰杰*。

mlechchha 密利车 古印度外籍血统人(即:非雅利安人)的名称。此词为梵语,雅利安人用法与古希腊人使用barbaros一词一样,原用以指外族人的古怪难懂的言语,后来兼指外族人的粗野性格。密利车居住在印度西北部,有理由相信,阿卡德语称之为牟拉卡(Mlakkha)的民族,就是原始的密利车。密利车作为外籍人,完全处于种姓制度及其宗教生活之外。因此历史上认为与密利车接触,会被种姓印度人看作是受玷污。

Mmabatho 姆马巴托 没有得到国际承认的博普塔茨瓦纳共和国城镇和首都。位于马弗京和博茨瓦纳边界之间。1976年选定城址。1977年博普塔茨瓦纳宣布独立不久始建。姆马巴托(意为"人民之母")地处非洲南部草原。主要经济活动是畜牧和自给性农业。家庭工业生产木制品、革制品和纸张。该城主要为一行政中心,与附近马弗京关系密切,主要是在就业方面。

Mnemon 摩涅莫恩 参阅 **Artaxerxes II** *阿尔塔薛西斯二世*。

mnemonic 记忆术 又作memoria technica。帮助记忆的各种方法的通称。人们常把头脑中的各种观念连成一个"人为整体",使其中各部分能相互启发。记忆术的原则就是使人们的思想能通过该人为整体,再现一个较生疏的观念,特别是一系列互不相干的观念。把所有要记的项目组成有韵的诗句,就是一种流行的记忆术。人们发明了许多记忆系统,亦即普通的编码,以改进综合记忆能力。古希腊和古罗马时代的记忆系统是把熟悉的记忆结构(地点)和欲记项目(事件)结合起来,即所谓"地点事件法"。如果想按一定顺序记住一系列项目时,这是一种很有效的方法。通常的办法是把一套大房子中的所有套间、墙壁、窗户、塑像和家具,用象征性的图画与某种名称、句子、事件或观念分别联系起来。要记起这些事物,只要查寻遍各套间,直到该事物在想象中寄存的部分被寻到为止。根据这种办法,如果要记住某历史日期,就可以在自己脑子里建起一座"想象城",此城分成若干区,每区有10所房子,每座房子有10间房间,每一房间有100个方格(即所谓记忆空间)分布于四壁、天棚和地板。如果我们想记住欧洲发明印刷术的历史年代(1440),只须把一本想象的书或其他印刷品放在想象城历史区第一所房屋第四个房间的第40个方格内即可。1968年苏联心理学家A.R.卢里亚发表《记忆能手的头脑》之后,科学界对记忆术的兴趣大大增加。他认为记忆术问题值得进一步研究,很多人能长期记住一长串数字,这现象给他留下了极其深刻的印象。记忆能手利用多种方法促进回忆。所谓"关联法"是把一些有某种关系的事物连在一起记忆,如想象坐在椅上用铅笔写字,这样就把铅笔与椅子联系起来。再把椅子与第三件事物(如猫)联系起来,如此类推。如果仅仅把一些彼此无关的事物堆砌起来是记不住的。在普通中学和成人中间,这种方法已证明是有效的。还有些方法则利用音韵和谐音替代。记忆能手强调指出:如果想记得牢,就必须使记忆形象古怪,因为那些平平淡淡的联想大都极易忘记。实际上,不管哪一种记忆术都有赖于对待记事物进行编码,所以,如果是自编自用,效果就好;但如果编码过分一般化,与个人经验无关,便常失效,因为记码为了泛化,不可避免变得复杂而且编码大都含意两歧,因此也就不受重视。

Mnemosyne 摩涅莫绪涅 希腊神话中的记忆女神。一个女提坦,是乌拉诺斯(天)和该亚(地)的女儿。据赫西奥德说,她同宙斯生了九位缪斯女神。传说奥林波斯诸神打败提坦之后,要求宙斯创造能够庆祝他们胜利的神。于是宙斯来到皮埃里亚,同摩涅莫绪涅一起连续呆了九夜,后来她就生了缪斯女神。

Mnesicles 姆奈西克里(活动时期公元前5世纪) 古希腊建筑师,与伯里克利、菲狄亚斯、伊克蒂诺、卡利克拉特等为同时代人。据古希腊传记作家普鲁塔克的记载,他是雅典卫城城门的设计者。有些学者认为厄瑞克忒翁庙也是他设计的。

Mnevis 尼维斯 又作Menuis。埃及的圣牛之一。与赫利奥波利斯即日城崇拜的太阳神瑞-阿图姆有密切关联。对尼维斯的崇拜可能起自第一王朝(约公元前2925~前2775)。尼维斯通身黑色或黑白相间,在雕塑或油画中,双角之间有太阳张翼的徽号。

Mnong language 穆侬语 在柬埔寨又称波侬语。孟-高棉语系巴纳语支的语言;孟-高棉语系则是澳斯特罗亚细亚语系的一个组成部分。穆侬语及波侬语包括一组很多系属关系密切的方言,通行于越南南方及柬埔寨东南部。越南操此语的人数估计约为7万人,分为三个方言群:中部方言包括布当语、比亚特语、布那尔语、布迪赫语和普瑞语;东部方言包括齐尔语、库安赫语、穆依嘎尔语、穆依拉穆语;南部方言包括普朗语和侬语。

Mnyampala, Mathias E.　姆尼安帕拉 (1917,坦噶尼喀多多马[今坦桑尼亚]～1969-06-08,多多马)　坦桑尼亚诗人、学者、法学家、斯瓦希里语短篇小说作家。早年当过教员、政府职员,终任利瓦利(一种地方行政官员)。一生多半从事司法工作,是继承法专家和斯瓦希里法学术语专家。他最初的文学作品是为殖民地教育系统写的散文著作,其中最著名的有《坦噶尼喀戈戈人的历史、传统及风俗》(1954)和《采蜜者及其两位朋友的故事》(1961)。然而,今天他在东非最受人尊重是由于他晚年对现代斯瓦希里语诗歌的贡献。他运用了传统斯瓦希里语诗歌的正规格式并使它们适于表现现代的、特别是政治性的主题。最重要的诗作有《告诫诗》(1965)、《姆尼安帕拉诗集》(1963)、《智慧诗》(1965)和《乌库塔教育诗》(2卷,1970～1971)。乌库塔是由姆尼安帕拉创立的斯瓦希里语诗人协会各词的首字母缩拼词。此外,他还发表了短篇小说和教育短论。

MO (criminology)　参阅 **modus operandi** 作案方式。

mo-chi (calligraphy)　参阅 **bokuseki** 墨迹。

Mo-chi-lien (Mongol khan)　**默棘连**　参阅 **Bilge** 毗伽。

Mo-tzu (Chinese philosopher)　参阅 **Mozi** 墨子。

moa　恐鸟　新西兰特有的几种类似鸵鸟不能飞行的绝灭鸟类;构成恐鸟目(Dinornithiformes)的两个科,约13～25个种,对种数仍有争论。有的小如吐绶鸡;大的比鸵鸟还大,有些种体高达3米。毛利人传说,恐鸟奔跑迅速,被逼入困境时会以足踢以自卫。早期的波利尼西亚人猎取恐鸟为食,以其骨可制矛头、钩及装饰品,用其卵制运水器皿。大型恐鸟可能在17世纪末已绝灭,而较小的恐鸟则可能一直存活到19世纪。恐鸟主要食叶和草。从其骨骼和遗体推断,恐鸟还吃种子和果实,用砂囊里的石粒(可超过3千克)磨碎。每窝产1枚大型卵,直径可达18厘米,长可达25厘米。卵产于地面凹陷处。恐鸟是否和其他平胸类有共同祖先,或是起自多源(来自不同祖先,因环境相同而彼此相似),它们如何到达新西兰,这些问题都有争论。有趣的是,由它们的平胸类特点诸如羽毛类型、颚骨构造以及颅缝残留至成年等看来,可认为恐鸟是"持久性幼雏",是幼态持续现象的事例。小型恐鸟构成不等翼鸟科(Ano-malopterygidae),约占恐鸟目种数的2/3;大型恐鸟构成恐鸟科(Dinornithidae),包括这个目的巨大种。化石记录贫乏;最早的遗骨被认为来源于中新世(1120万年前～530万年前)末。

Moab　莫阿布　美国犹他州东南部城市,格兰德县县城(1890),位于拉萨尔山西麓科罗拉多河畔。原为摩门教教区,建于1855年。定居点及其周围地区原有许多名称,1880年以圣经中"约旦河外之地"命名为莫阿布。20世纪初成为核果栽培中心。50年代初因大肆开采铀矿,平静的小镇变成喧嚣的工业中心。60年代铀矿开采及石油、碳酸钾生产凋敝后,成为旅游景区。附近有拱门国家公园、峡谷地国家公园、曼泰-拉萨尔国家森林。也是山地自行车选手喜爱的比赛地点。人口4 779(2000)。

Moabite　摩押人　西闪米特人的一支,居住在死海以东的高原(今约旦中西部),兴盛时期为公元前9世纪。他们为人们所知主要通过《旧约》和摩押石碑上的碑文所提供的信息。学者们推断,摩押人文化年代约从公元前14世纪末至公元前582年,据犹太历史学家约瑟夫斯(公元1世纪)称,是年他们被巴比伦人征服。据《旧约》(如《创世记》19:30～38)所载,摩押人与以色列人属于同一种族。他们的始祖摩押为以色列人始祖亚拉伯罕之侄罗得所生。其民族的保护神是基抹,恰如雅赫维是以色列民族的上帝。摩押人与以色列人于公元前13世纪发生冲突,在《旧约》中有几处记载。公元前11世纪时,以色列国王扫罗与摩押人交战(《撒母尔记上》14:47),后来他赐给年青的叛逆和未来的国王大卫的家庭避难之处(《撒母尔记上》22:3～4)。大卫接着与摩押人作战并迫使他们交纳大量的贡品(《撒母尔记下》8:2)。大卫的曾祖母路得是摩押人(《路得记》4:17～22),而他的儿子所罗门,作为其权威的表现,将摩押公主们纳为后妃(《列王记上》11:1～8)并在耶路撒冷附近建起祭祀基抹的神庙。《列王记上》16:23～28提及的以色列国王暗利(约公元前884～872年在位)夺回了公元前922年所罗门死后以色列分裂为两个王国期间失去的摩押领土。暗利的再次征服见之于摩押国王麦撒约40年后在迪邦(现今约旦的济班)城所立的一摩押石碑。这块高1.1米的黑色玄武岩石碑是1868年在济班发现的,现存巴黎罗浮宫。碑上所刻34行碑文用类似当代希伯来文的伽南文写成,是摩押人留存至今的唯一的书面文件和已知的唯一一块由以色列的邻国国王所立的碑。在碑文中,麦撒(约公元前870年在世)讲述了国王暗利对摩押的再次征服并将以色列人重新统治摩押归因于基抹的发怒。麦撒接着描述了他自己对以色列的成功反抗,这可能发生在暗利的继位人亚哈统治期间。至公元前8世纪末,摩押已成为亚述的附庸并在公元前582年被巴比伦人征服,从此摩押人便从历史上消失。他们的领土在公元前4～3世纪时为纳巴泰人定居。摩押人的语言与希伯来语仅存在方言之间的差别,而他们的宗教和文化与以色列人的宗教和文化有着十分密切的联系。然而,摩押人被排除在犹太社会之外(《申命记》23:3～6),在《圣经》中摩押这个名字成了对上帝的敌人的典型称呼(《以赛亚书》25:10)。

Moabite alphabet　摩押字母　迦南字母谱系中的东部分支,与早期希伯来文字关系最密切。摩押字母最著名的例证是1868年在死海东岸的迪朋所发现的麦撒碑或称摩押碑(现存巴黎罗浮宫)。碑石上刻有摩押国王麦撒的34行铭文,时期可溯至公元前9世纪前半叶。1923年在比布鲁斯发现阿希拉姆铭文以前,摩押字母一直被看作是最早的字母形式。

moai figure　莫埃人像　复活节岛刻制的宗教含义不明的小型木雕。被看作活在骨骸中的祖先像,有两种类型:莫埃·卡瓦卡瓦(男)和莫埃·佩佩(女)。它们有时用在祈求多产的仪式,但通常用来庆祝丰收,届时将最先摘收的水果,作为供品堆在它们的周围。莫埃·卡瓦卡瓦为干瘪的人形,透过萎缩的肌肉,露出胸廓和脊椎。莫埃·佩佩似乎制作较晚,浅浅刻出乳房、躯干、肢体和外阴轮廓,具有扁平浮雕性质。女像面庞瘦长,双眸注视前方,神态动人,十分宜于同男像配成一对。

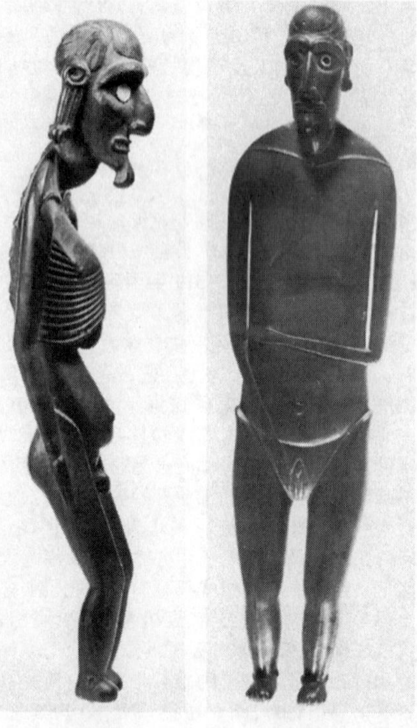

复活节岛的莫埃·卡瓦卡瓦(左)及莫埃·佩佩(右)木雕像

美国不列颠百科全书公司供图

Moanda (Gabon)　参阅 **Mouanda** 穆安达。

Moawiyah I (caliph)　参阅 **Muʿāwiyah I** 穆阿威叶一世。

Moberg,(Carl Artur) Vilheim　莫贝里 (1898-08-20,瑞典阿尔古次波达～1973-08-08,韦德岛)　瑞典小说家、剧作家,以写瑞典人移居美国情景的小说闻名。但他的作品主要写他故乡的农民,以及那个使他们生活如此难过的制度。在自传体小说《我的童年》(1944)中,他为故乡的文盲阶层大声疾呼。作品中最受欢迎的是克努特·托林三部曲(1935～1939)和4卷本史诗小说,《移居美国》(1949)、《瑞典侨民》(1952)、《拓荒者》(1956)和《寄往瑞典的最后一封信》(1959)。这些小说描写19世纪50年代大批瑞典人移居美国的情景。二次世界大战期间,他写了一部猛烈抨击暴政和压迫的小说,名《这晚上搭车走》(1941),把人们为自由和正义而斗争的必要性加以戏剧化。

Mobil Corporation 美孚公司 又译莫比尔公司。原美国石油化工公司,1999 年同埃克森合并组建埃克森-美孚公司。美孚石油公司的起源始于 19 世纪。为使经营多样化,1974 年购入马可公司 54% 有投票权的股份,两年后马可公司与美孚公司合并。1986 年美孚出售所属美国集装箱公司;1988 年又将蒙哥马利·沃德公司售出。为美孚集中力量专营石油勘探、加工及销售扫清道路。合并创建埃克森-美孚公司后,所有带有美学商标的产品仍沿用公司长久以来一直使用的飞马图案标志。

Mobile 莫比尔 美国亚拉巴马州西南部城市和河港、海港,莫比尔县县城(1812)。在莫比尔湾莫比尔河口。1519 年西班牙人到此。1702 年法国人在河口上游建要塞(1711 年迁至现址)。约 1719 年为法属路易斯安那首府。1763 年归英国,美国独立战争期间归属西班牙。1812 年被美国占据。1814 年设镇。南北战争期间是南方邦联的重要港口。1887 年设市。商业随海上和河上运输通道的建立不断发展。1900 年后工业开始扩展。两次世界大战中均为重要港口和修造船业的中心。现仍为船运及修造船业中心。产自海港的天然气是经济的主要组成部分。石油业也十分重要。主要产品有纸制品、化学制品、服饰、飞机零件、计算机软件及硬件。教育、卫生保健和行政管理是主要的服务业。设有斯普林希尔学院(1830)、南亚拉巴马大学(1963)和莫比尔学院(1961)。风景名胜有杜鹃花园、邦联海军上将塞姆斯雕像、亚拉巴马战舰纪念公园及两座要塞。人口:市 198 915;都会统计区 540 258(2000)。

mobile 活动雕刻 一种抽象雕刻,其活动部分用马达或风力推动。始源于 1932 年巴黎博览会,M.杜尚称美国艺术家 A.考尔德的作品为活动雕刻。考尔德早期的一件活动雕刻是上了颜色的圆球,马达使圆球以各种速度曲线上升或下降。后来他制成了用风力推动的活动雕刻,把金属平板用金属线系在可以移动的杆上,使之旋转。其旋转部分形成了不断变换形体与结构的新的视觉形象。正像考尔德所说,他是使"一件或两件物体在一段时间内表现了与空间的真实关系"。参阅 **stabile**。

Mobile Bay 莫比尔湾 墨西哥湾内的小海湾。在美国亚拉巴马州西南部。从湾口至莫比尔河口长 56 千米,宽 13 ~ 29 千米。有经过疏浚的水道(深 14 米,宽 90 ~ 150 米)进入墨西哥湾。墨西哥湾沿岸水道和沃里尔-汤比格比河道系统用于商业性运输。此湾曾是美国南北战争中的海战战场(1864-08-05 ~ 08-23)。

Mobile Bay, Battle of 莫比尔湾战役(1864-08) 美国历史上,海军上将 D.法拉格特封锁莫比尔港,以阻止南方邦联偷越封锁线的一次胜利。1864 年,亚拉巴马莫比尔湾成为南方邦联在墨西哥湾的最后一个可以活动的港口。它由摩根堡、"田纳西"号装甲舰和在通往莫比尔湾的狭窄水路上铺设的一连串水雷保护着。1864 年 8 月 5 日上午法拉格特的舰队驶入莫比尔湾。几个小时战斗后,"田纳西"号投降,莫比尔湾落入联邦手中。8 月 23 日摩根堡投降,因而加强了墨西哥湾海岸防止偷越的封锁线。

Mobile River 莫比尔河 在美国亚拉巴马州西南部。由汤比格比和亚拉巴马河汇合而成,向南经三角洲地区注入莫比尔湾。全长 72 千米,流域(包括支流)面积 11.4 万平方千米。河西岸湾口附近的莫比尔为其主要城市与水上交通中心。

mobility 迁移率 固体物理中,用来量度一定类型的带电粒子在电场作用下通过固态材料时运动的难易程度。这些粒子既受电场的引力,又与固体中原子作周期性的碰撞。电场和碰撞的综合作用,使这些粒子以某种平均速度(称漂移速度)运动。粒子的迁移率定义为每单位电场强度的漂移速度值。迁移率可通过实验来测定。一给定固体中特定类型粒子的迁移率可随温度而改变。同类型的粒子的迁移率稍有不同,这时测定的是粒子迁移率的平均值。大多数金属中,载流子是带负电的电子。金属中只有某些电子能在固体中自由运动。金属载运电流的难易程度或电导率等于自由电子数乘以电子的电荷和电子的迁移率。某些金属是由称为空穴的带正电的粒子运动来载运电流的,每一个空穴相当于缺少一个电子。在半导体材料中,既有电子,也有空穴,这一情况使分别测定它们的迁移率变得复杂起来。

mobilization 动员 在战时或国家发生其他紧急状况时,组织武装部队积极从事军事行动。就其全部范围来说,动员是指组织一国的全部资源支援军事活动。20 世纪的技术进步,尤其是核武器的出现,大大增加了制订和执行动员计划的复杂性。一国能在动员期间提供防御的常备军数量与国家全部战争潜力的比值经常变化,并取决于诸多因素,例如外交政策、世界局势紧张程度、盟国的实力和地位、以及估计进行动员所需的时间等。由于核武器的巨大威力和它射向目标的速度,可以设想,动员开始之前,一国的战争潜力就有被毁灭的可能。这种情况大大增加了对于常备军的需要。这是防御和发动反攻的唯一可用的力量。军事动员的内容有征集和训练军事人员,选择地点和建造设施供训练和其它用途,征集和分发武器弹药、制服、装备、车辆和补给品。征集军事人员是一项复杂的工作,它包括召集预备役军人,招募大量新兵,将人员分配到各军种、兵种及所属机关和部队。动员期间,征集军事人员必须牵涉到训练及作战所需的武器装备的采购,并且要与训练和战略展开的时间表协调一致。动员的成效不仅要善于组织,而且要诸事按部就班地进行。

Möbius, August Ferdinand 麦比乌斯(1790-11-17,萨克森舒尔普福塔[德国]～ 1868-09-26,莱比锡) 德国数学家和理论天文学家。以麦比乌斯带和对解析几何的研究而著名。1815年任莱比锡大学天文学教授,他领导建立了大学天文台,并被选为台长(1818 ～ 1821)。因为发表《关于行星掩星的计算》(1815)而获得天文学家的声誉。他的天文学著作还有《天文学原理》和《天体力学基础》。其数学论文大多发表在《克列尔杂志》上,主要是关于几何学的。在许多论文中发展并应用了他在《重心计算》中奠定的方法。这篇论文把齐次坐标引进解析几何并讨论了几何变换,特别是射影变换。还讨论了麦比乌斯网,它对射影几何的发展起了重要作用。他在《静力学手册》中给出一个静力学的几何处理,导致了对点和平面的零系和空间直线系的研究。他也是拓扑学的开拓者。死后才发现他的一篇论文中讨论了单侧曲面,包括麦比乌斯带。他的《论文集》(4 卷)于 1885 ～ 1887 年出版。

Möbius, Karl August 莫比乌斯(1825-02-07,普鲁士艾伦堡[德国]～ 1908-04-26 德国柏林) 德国动物学家,以对海洋生物学的贡献而闻名。曾在艾伦堡一所私立学院受初等教育,1844 ～ 1849 年在哈茨山的塞森任教。1849 ～ 1853 年在柏林大学师从 J.弥勒学习自然科学,然后又到汉堡的一所文法学校任教。在该处继续研究自然科学并因此获得声名和得以在汉堡自然博物馆任职。他研究了珊瑚和有孔虫,从而发现海洋无脊椎动物的共生现象。还证明长期被认为是一种活的海洋生物(似有孔虫的[*Eozoon canadense*]),实际是矿物的聚集体。对渔业生物学有兴趣,研究过贻贝和牡蛎养殖以及珍珠的人工培养。曾协助收集各种动物。1863 年与人共同创建汉堡动物园,又是德国第一个公立水族馆的主要设计者。在基尔大学任动物学教授时为该校动物研究所创建博物馆(1881),该馆在以后若干年内均为这类机构的楷模。1887 年任柏林新建的自然博物馆馆长,为该馆后来收集大量展品打下基础。所著《基尔湾动物志》(1865)为现代生态学确立了研究方法,这对他后来受聘于基尔大学起了很大作用。

Möbius strip 麦比乌斯带 将一个长方形带子的一端先扭转 180°再和另一端黏合起来所得到的单侧曲面。这种曲面有一些有趣的性质,例如它是单侧的,并且如果沿着中线把它剪开仍然连成一条带子。麦比乌斯带的性质几乎同时在 1858 年由两个德国数学家 A.F.麦比乌斯和 J.B.利斯廷独立地发现。参阅 **Klein bottle**。

Mobridge 莫布里奇 美国南达科他州中北部沃尔沃思县城市。在密苏里河畔。在皮尔以北约 175 千米。阿里卡拉人和稍后的苏族印第安人是这里早期的居民。19 世纪末移民开始进入,并选择此地为芝加哥、密尔沃基和圣保罗铁路局的分段站。莫布里奇发展成为一个农业贸易中心,也是一个大的围场养牛中心和农业地区(出产小麦、燕麦、大麦、向日葵和玉米)。旅游业也十分重要。捕鱼(大眼鲫鲈)和捕猎野鸡是特别流行的户外娱乐活动。1908年设市。附近名胜古迹有印第安人酋长S.布尔的坟墓,刘易斯和克拉克远征队向导萨卡加维亚纪念碑等。市政大厅有苏人美术家豪的壁画,博物馆中陈列有印第安的文物。每年7月举行一次S.布尔竞技。人口3 574(2000)。

Mobutu Nile(Uganda) **蒙博托尼罗河** 参阅 **Albert Nile** 艾伯特尼罗河。

Mobutu Sese Seko **蒙博托**(1930-10-14,比属刚果利萨拉[今刚果民主共和国]~1997-09-07,摩洛哥拉巴特) 原名 Joseph(-Désiré) Mobutu。扎伊尔共和国(原比属刚果)总统

美国不列颠百科全书公司供图

(1965~1997)。1965年以军事政变夺得政权,重建中央政府。1997年5月被以卡比拉领导的反政府武装所推翻。蒙博托受教育于教会学校,1949年开始在比属刚果军队国民军中服务,担任财务部门的办事员。后来,他升任军士长,是当时非洲人所能得到的最高军阶。他在军中服务时,曾向利奥波德维尔(今金沙萨)的报纸投稿。1956年离开军职后,即在《前途报》担任记者,后来转任《非洲现状》周刊编辑。

蒙博托经由他的新闻接触得与刚果民族主义领袖卢蒙巴相识。卢蒙巴的刚果民族运动党于1958年成立不久后,蒙博托即加入该党。1960年在谈判刚果独立问题的布鲁塞尔圆桌会议时,卢蒙巴因在刚果从事民族运动被捕,蒙博托于会议开始时即代表卢蒙巴参加该会,直至卢蒙巴获释为止。在会议中,蒙博托支持卢蒙巴把独立后的刚果建成坚强的中央集权国家的建议(此建议后被采纳)。

1960年6月30日,刚果获得独立,卡萨武布总统与卢蒙巴总理成立联合政府,任命蒙博托为国防部长。8天后,刚果国民军起而反叛它的比利时军官。蒙博托对反叛罪行予以慷慨豁免,并向反叛士兵发了军饷,从而迅速成为能控制住军队的少数军官之一,并在卡萨武布和卢蒙巴之间的权力斗争中,居于举足轻重的地位。

蒙博托暗中支持卡萨武布去除卢蒙巴的企图。1960年9月,当卢蒙巴开始集结他的势力推翻卡萨武布时,蒙博托立即攫取了政府的控制权,并宣称他在各政客间保持中立。1961年2月,蒙博托将政府移交给卡萨武布,而卡萨武布则任命蒙博托为武装部队的总司令。许多人认为蒙博托对卢蒙巴的死亡应负部分责任,因为卢蒙巴是被蒙博托的军队逮捕、并用飞机送到加丹加的。据说,他即在该地被刚果军队或加丹加军队杀害。

蒙博托担任总司令后,对军队进行改组并重新训练。4年之后,在卡萨武布总统和冲伯总理之间发生权力斗争后,蒙博托在一次军事政变中推翻卡萨武布而自任总统。1967年蒙博托接受了一次对他政权挑衅的考验,敉平刚果军队中白人雇佣兵发动的叛乱。他曾致力于复兴刚果的经济,包括将加丹加的铜矿收归国有及鼓励外国人投资。但振兴农业的工作落后,因而引起粮食进口的增加。

蒙博托任命文职人员担任政府的重要职务,以冲淡其政权中的军人色彩。他力图通过他的革命群众运动党以寻求支持,直至1990年该党仍是该国唯一的合法政党。反对他统治的人大都来自大量逃亡在外的扎伊尔人士、曾在历届政府中起决定性作用的部落集团、在经济复兴中从未得到利益的小农以及一些大学生。他还面临以安哥拉为基地的加丹加叛乱分子对萨巴省不断攻击的威胁。

蒙博托任总统后开始将他的国名非洲化。1971年10月,他将国名刚果民主共和国改为扎伊尔共和国。1972年1月,他又将自己的姓名由 Joseph-Désiré Mobutu 改为 Mobutu Sese Seko。

1977年蒙博托曾要求法军的干预以驱除由安哥拉支持的加丹加人对扎伊尔的侵略。1970年及1977年,在只有一人竞选的选举中,他一再被选为总统。多年来,蒙博托面对内部叛乱与政变企图,已能应付自如地保持自己的统治,但在经济增长与发展上,则毫无成就可言。当地政风之腐败、管理不善与玩忽职守,使该国的交通网、农业和基础工业陷于衰落。但据说蒙博托本人却是世界上积聚财富最多者之一。蒙博托于1997年5月当反政府的"解放刚果-扎伊尔民主力量同盟"兵临金沙萨城下时,开始了海外流亡生活,因病卒于摩洛哥首都拉巴特。

Mobutu Sese Seko, Lake (eastern Africa) **蒙博托湖** 参阅 **Albert, Lake** 艾伯特湖。

Moca **莫卡** 多米尼加共和国中北部城市。在圣地亚哥以东。建于1780年。1858年在该市召开一次制宪代表大会,制订了共和国较著名的一部宪法。经济以农业为主,主要出产可可、烟草、咖啡和甘蔗。有柏油公路通圣地亚哥和圣多明各。人口50 449(1993)。

Moçambique **莫桑比克** 又拼 Mozambique。莫桑比克东北部城镇。在莫苏里尔湾口的小珊瑚岛上,是重要商业中心,港口设备优良。原为阿拉伯人居民点,1507年被葡萄牙人侵占,建圣塞巴斯蒂安要塞。1897年以前为葡属东非首府。由于贝拉和洛伦索-马贵斯(前马普托)两个城镇的兴起而地位下降;北方纳卡拉港建成,1951年开始航运,该市港口的重要性降低。人口:城镇42 407(1997)。

Moçambique, Canal de (Mozambique) 参阅 **Mozambique Channel** 莫桑比克海峡。

Moçâmedes (Angolan city) **木萨米迪什** 参阅 **Namibe** 纳米贝。

Moçâmedes Desert **木萨米迪什沙漠** 非洲西南部沙漠。从安哥拉和纳米比亚边界沿大西洋岸向北延伸约450千米,包括纳米布沙漠的最北端。西面濒大西洋,地势向东缓升至一片半干旱的平原,紧接陡峭的谢拉山悬崖。由于受近海本格拉洋流的影响,该地区经常有雾,气候凉爽。沙漠中心的纳米布市年降雨量不足50毫米。除沿海小渔镇和纳米布铁矿砂出口中心有人居住外,沙漠地带几无人烟。当地生长一种名为千岁兰的特有植物,其两片巨大的叶片在地面上蔓延生长。

Mocatta, Frederic David **莫卡塔**(1828-01-15,英格兰伦敦~1905-01-16,伦敦) 英国犹太慈善家、历史学家、图书收藏家和文化赞助人。曾资助许多犹太文学巨著的出版。1857~1874年,他主持(其祖父建立的)莫卡塔-戈尔兹米德公司,该公司为英格兰银行的金银交易经纪人。退休后致力于慈善事业,如出资改善工人住房、向伦敦几乎所有的医院捐款以及促进教育事业,特别关注穷苦犹太人。莫卡塔的主要历史著作是《西班牙和葡萄牙的犹太人与宗教法庭》,后来被译成多种文字。他资助一些巨著的出版,诸如犹太学者聪茨的《论历史与文学》(1845)和格雷茨的名著《犹太人的历史》的英译本。莫卡塔把他珍藏的犹太历史书籍和英国犹太人藏书遗赠给伦敦大学学院。

moccasin **噬鱼蛇** 蝰蛇科响尾蛇亚科(Crotalinae)两种新大陆产水栖毒蛇,水噬鱼蛇及墨西哥噬鱼蛇的统称。特征为两眼与鼻孔之间各有一对红外线敏感的小窝。小噬鱼

水噬鱼蛇(*Agkistrodon piscivorus*)在发威
美国不列颠百科全书公司供图

蛇(*Agkistrodon piscivorus*)栖于美国东南部多沼泽的低洼地带;因发威时张嘴露出口内的白色肌肉,看似棉花,故又称棉花嘴噬鱼蛇;体长约1.5米,褐色而有较深色的横带斑,或全黑色;对人有危害,若被咬伤有致命危险;受惊时在原地立起不动;几乎以所有的小型动物,包括海龟、鱼和鸟为食。墨西哥噬鱼蛇(*A. bilineatus*)见于里奥格兰德至尼加拉瓜的低洼地带;被其咬伤很危险。体褐色或黑色,

背部和身体两侧有窄的、不规律的苍白色线条斑。一般体长约1米。关于高地噬鱼蛇，参阅 **copperhead**。

moccasin 莫卡辛鞋 一种无跟的软皮鞋。鞋底可以是硬的，也可以是软的，或韧性的。软底莫卡辛鞋的鞋底从脚的四周折起，包过脚尖，与脚背上一块U形皮缝合，形成皱褶。

北美洲东伍德兰印第安人制作的莫卡辛鞋
美国不列颠百科全书公司供图

鞋的上部常点缀刺绣、珠子或其他饰物。最初，莫卡辛鞋是北美印第安人的鞋子，猎人、商人和殖民者也穿用。20世纪下半叶，成为一种流行的运动鞋和便鞋。莫卡辛鞋一词也可指一种无扣无带便鞋，鞋面前沿搭接部分模仿真莫卡辛鞋的皱褶缝线。

Mocenigo FAMILY 莫塞尼戈家族 意大利威尼斯共和国的著名贵族世家，其中人才辈出，有军人、学者、教士、外交家、政治家和7位执政官。托马索（1343～1423）指挥过十字军舰队，1414年任执政官。其侄彼得罗（1406～1476）是威尼斯的伟大海军统帅，曾改组威尼斯舰队。1472年攻占士麦那，解除土耳其人对斯库台的包围。1474年任执政官。彼得罗之弟乔瓦尼（1408～1485）于1478年任执政官，占领罗维戈和波莱西内。乔瓦尼的孙子安德烈亚（1473～1542）以写《土耳其战争史》闻名。1570年，安德烈的侄子阿尔维斯一世（1507～1577）任执政官。此后125年，这个家族失势。18世纪初重新抬头，自阿尔维斯二世起代代任执政官。

Mocha 穆哈 阿拉伯语作 Al-Mukhā。又拼 Mokha 或 Mukha。也门西南部城镇。在红海沿岸的海滨平原上，是也门历史上最著名港口。为阿拉伯咖啡的著名出口中心。"mocha"一词为优质阿拉伯咖啡的同义语（即摩卡咖啡）。也门高地至今仍种植此种咖啡。该城建于14世纪。在整个17世纪为重要贸易中心，印度商人经常来此以精致金属产品换取也门的咖啡和没药。埃及商贾也于夏季航海到此交易。穆哈自15世纪起主要向欧洲和中东市场出口咖啡。穆哈长期从属奥斯曼帝国。1636年臣服于也门伊玛目。1849～1918年重为奥斯曼帝国占领。欧洲列强和奥斯曼帝国之间的摩擦，奥斯曼帝国和也门伊玛目之间的不和致使港口衰落。咖啡种植业在爪哇和南美洲的兴起（18世纪初叶）也加快了该城衰退。1839年英国将在该地区的经营基地从穆哈移往亚丁，其他欧洲贸易国家竞相仿效。此后也门贸易转向亚丁或荷台达港。估计穆哈人口从19世纪初的20 000下降到20世纪30年代的约1 000。旧时精美的公共建筑、住宅和清真寺都已成为残垣颓壁。1965年建成通往塔伊兹和首都萨那的公路。港口原只能停靠小轮船，20世纪80年代初进行了改建。人口约1 163（最新统计）。

mocha stone 参阅 **moss agate** *藓纹玛瑙*。

Mochalov, Pavel Stepanovich 莫恰洛夫（1800-11-15［旧历11-03］，莫斯科～1848-03-28［旧历03-16］，莫斯科） 具有拜伦式气质的俄国悲剧演员，主要靠灵感和直觉来使其演出增辉生色。莫斯科杰出演员S.F.莫恰洛夫之子。1817年首次登台便受到赞誉。在席勒的《唐·卡洛斯》、《强盗》、《阴谋与爱情》和《玛丽亚·斯图亚特》中饰主角获得极大成功。在莎士比亚剧作中所扮的理查三世、奥瑟罗、李尔王、科利奥拉努斯和哈姆雷特等角色也颇受欢迎。他是坚持莎士比亚剧作的俄译本应从英文本而不是从法文本译出的第一个俄国人。其戏剧生涯主要与莫斯科小剧院有关，一般认为他与圣彼得堡的对手卡拉特金（1802～1853）在演技上适成对比。莫恰洛夫是直觉性的，卡拉特金则是技巧性的。他们两人的表演各有千秋，谢普金（1788～1863）和萨多夫斯基（1818～1872）得以此为基础，创造了演技上的俄国现实主义。莫恰洛夫的浪漫主义表演，由于靠瞬时的灵感而使表演有点不够均衡。

Moche 莫切 又称莫奇卡（Mochica）、早期奇穆（Early Chimú）、前奇穆和原始奇穆。南美洲早中间期（约公元前400～公元600）最著名的文化，出现于今秘鲁北部海岸。莫切一名来自莫切河谷的同名大型遗址。莫切文化显然由萨利纳尔文化和加利纳索文化发展

莫切河谷瓦卡德拉卢纳出土的铜、金合金面具，约公元前400～公元600年
美国不列颠百科全书公司供图

而来。莫切遗址以大型的土坯建筑太阳神庙和月亮神庙为中心。前者是连接堤道的阶梯形金字塔，底部为340米×136米，高41米；后者离此不远，依山筑成，是阶梯式台形建筑，台上的屋宇、院落均较宽敞，可能原系宫邸。神庙周围有密集的住宅残迹，说明该遗址不仅是一政治及祭祀中心，也是一座城市。莫切文化还以其宏伟的灌溉设施、防御工事和独特的手工业品著称。其模制陶器包括精美的写实性雕塑；容器上饰有人头肖像以及动物、植物、建筑物和神怪形象，有些画面还反映了该文化的礼仪和日常生活情景。

Mochnacki, Maurycy 莫赫纳茨基（1804-09-13，加利西亚博亚尼采［今在波兰］～1834-12-20，法国欧塞尔） 波兰早期浪漫主义文学评论家。他热烈提倡浪漫主义并首先明确提出文学在社会精神生活和政治生活中所起的作用。作为记者，曾参加1830年11月29日的反抗俄国统治的起义，受伤之后流亡法国。他撰写的《1830～1831年波兰民族起义》被公认为这次起义的最好见证。此外，还著有文学评论《论19世纪波兰文学》（1830）。

Mochudi 莫丘迪 博茨瓦纳东南部村落，在首都哈博罗内东北37千米。1871年茨瓦纳人在此定居。莫丘迪是巴加特拉族酋长所在地，也是巴加特拉部落保留地的中心。在塞茨瓦纳语中，莫丘迪一词意为"把食物从锅里盛在盘中的人"，系指茨瓦纳族人殷勤待客的传统。莫丘迪位于邻接卡拉哈里沙漠的地区内，常定期遭受严重的旱灾。自给自足的农耕及家畜饲养为当地经济的基础，用水取自钻井。人口约25 542（1997）。

mock-epic 仿英雄体诗 一种把古典史诗中崇高的英雄文体用于琐屑题材的讽刺作品。这一传统起源于古典时代，当时一位无名作家写了模仿荷马的一篇戏作《蛙鼠之战》。但在17世纪末和18世纪初的新古典主义时期，它已被加工成精美的艺术。仿英雄体诗是一种双刃讽刺武器。这一时期的"今人"有时用它来取笑当时的"古人"（古典主义者）。更常见的是，它被"古人"用来强调那个时代并非什么英雄时代，他们把当时事件略加伪饰处理为英雄事件。这种情况的典型例子是布瓦洛的《读经台》（1674～1683），它一开头记述两位高级神职人员就应把一个读经台放在教堂何处的问题发生争吵，结尾则是书店里的一场打斗，每一方的拥护者都把他们喜爱的"古代的"或"现代的"作家的作品抛向对方。斯威夫特的《书战》（1704）是同一题材用仿英雄体散文写出的另一种做法。英国杰出的仿英雄体诗、蒲柏的力作《夺发记》（1714）谈的是一位贵族美男子盗走一位贵族美女的一缕头发的故事。大部分仿英雄体诗开头都要吁请缪斯，并且把常见的史诗套语和上天干预、下冥界以及对主角的活动所作的详尽描述等手法用到作品中来。因此，这种诗就提供了广阔的地盘，供作者发挥独创和发明才能。J.巴洛的《玉米粉糊》（写于1793）是一首美国仿英雄体诗，作者在三个长达400行的篇章中歌颂了自己最喜欢的这

种新英格兰食品。

mock privet 欧女贞 木犀科欧女贞属(*Phillyrea*)植物。灌木或小乔木。有4个种。原产于地中海地区。有的种树形美观,常绿,可栽培供观赏。观赏欧女贞(*P. decora*)高达3米,叶有光泽;花小,白色,簇生;果小,鲜红色,成熟时变为黑色,含一粒种子。阔叶欧女贞(*P. latifolia*)高达10米,狭叶欧女贞(*P. angustifolia*)约高5米。

mockingbird 嘲鸫 雀形目嘲鸫科几种善模仿的鸣禽的统称。产于新大陆。喙向下弯曲。普通嘲鸫(北方嘲鸫、小嘲鸫,*Mimus polyglottis*)以善于模仿而闻名,能在10分钟内

蓝嘲鸫(*Melanotis caerulescens*)
美国不列颠百科全书公司供图

模仿20种以上鸟的鸣声。体长27厘米,色灰,翼和尾色深并均具白斑。分布于美国北部到墨西哥或到巴西,并已引入夏威夷(如果将热带嘲鸫[微黄嘲鸫,*M. gilvus*]视为本种的一个亚种而非独立的种)。小嘲鸫大量生息于城郊,常栖息于高处鸣啭;能保卫其领域;甚至在夜间也鸣叫。其他小嘲鸫属(*Mimus*)的种,与沼泽生活的黑帽嘲鸫属(*Donacobius*)、中美洲的蓝嘲鸫属(*Melanotis*)均分布于中美洲和南美洲至巴塔哥尼亚一带。三斑嘲鸫属(*Nesomimus*,加拉帕戈斯岛嘲鸫)在不同的岛屿上有不同的亚种,它们作适应性分散,与加拉帕戈斯地雀相似,但不那么典型。

Mocoa 莫科阿 哥伦比亚南部普图马约地区首府。在安第斯山东侧,建于1551年。周围农业区(主要种植甘蔗)、牧区(养牛)和亚马孙河流域热带雨林地区的商业中心。距通往纳里尼奥省省会帕斯托的公路不远。在通往普图马约河港口阿西斯港的公路上。人口约17 000(1999)。

Moctezuma II 参阅**Montezuma II 蒙提祖马二世**。

Moczar, Mieczysław 莫恰尔(1913-12-25,波兰罗兹~1986-11-01,华沙) 别名梅特克。波兰共产党领导人和组织者,第二次世界大战期间担任地下抵抗运动领导人,以善于与德国秘密警察作斗争闻名。1937年参加波兰共产党,在几个省里专门从事党的组织工作。1944～1948年苏联占领波兰时期,多次指挥秘密警察和后备警察打击反共产主义的地下活动。1947年选举前,以对付独立的农民党闻名。在任内政部长时,负责指挥秘密警察和公安部队的活动,因在1970年12月严厉镇压罢工工人而于1971年6月解职。E.盖莱克上台后,1971年12月11日又被逐出政治局。

modacrylic 变性聚丙烯腈纤维 丙烯腈含量在35%～85%的合成纤维,是丙烯腈含量最少为85%的聚丙烯腈的改型品种。变性聚丙烯腈包括商品名为代纳尔(丙烯腈和氯乙烯)和维勒尔(丙烯腈和偏氯乙烯)的纤维。它们的性能相似,其强度与低强度型的聚乙烯相仿,较普通尼龙为低。湿态和干态下延伸均在38%～53%左右。伸长约2%时,拉长的长度能全部回复。代纳尔吸湿性低,维勒尔能吸收约为本身重量3.5%～4%的水分。变性聚丙烯腈虽不能燃烧,但熔点低,除非经过在极高温度下定型,否则当温度超过130℃时织物产生一定程度的松弛回缩。纤维不会老化,但长期暴晒能使颜色变暗、强度稍有下降。耐化学品的性能良好,能在强碱溶液中洗涤,也能用普通干洗剂干洗。纤维不蛀不霉。由于吸湿性低,代纳尔容易产生静电。维勒尔比代纳尔的回弹性能差,但颜色洁白,不需漂白。变性聚丙烯腈织物的服装具有良好的抗皱性,能够用热定型方法烫出永久性褶裥与折痕。用洗衣机洗涤时温度不能过高,并须特别注意不使产生皱纹。熨烫时温度宜低,不宜用蒸气。变性聚丙烯腈可纯纺或混纺,用于制作外衣、衬衫、运动服和人造毛皮外套等,也可制作窗帘、毯子和仿裘毛毯。用变性聚丙烯腈做成的假发深受欢迎。工业上可用作各种滤布、印刷滚筒包布以及耐化学品的衣物。

modal logic 模态逻辑 是处理必然和可能等命题性质模态的逻辑分支。这些模态同真和假相对;例如"某些人可能是不死的"和"人必定是社会动物"就是模态命题。尽管亚里士多德就曾考察过模态三段论,然而至今模态逻辑仍然是个不确定的领域。这个问题的现代处理是在多值逻辑和严格蕴涵系统中尝试的。多值逻辑允许在真和假之间有其他真值;严格蕴涵系统即定理系统,在一定程度上视在系统的公理中表明的不同模态之间的不同关系而有所区别。参阅**truth-value**。

modality 模态 逻辑学用词,按照命题断定的是可能性、不可能性、偶然性还是必然性而对命题进行分类的基态。研究这些概念的逻辑特征的模态逻辑始于亚里士多德。古代和中世纪逻辑学家对之作了广泛的研究,但在文艺复兴后大多已被遗忘,直到现代数理逻辑中,才又使之复苏。这个问题的基本论述,在当代的讨论中,是由克拉伦斯·埃文·刘易斯和库帕·哈罗德·伦福特在《符号逻辑》(1932)中给出的,书中提出了用来解释"如果……那么"的逻辑功能的一个"严格蕴涵"模态系统。

mode 调式 在音乐中,指几种按音阶中各音和主音之间形成的音程而将这些音阶音加以排列的任一方式,它可以为旋律性音乐提供一个理论上的框架。调式是旋律的词汇,它具体指定哪些音能用,哪些音有特殊的重要性。在这些音中,有两个是主要的:结束音(即旋律结束的音)和属音,后者是次要的中心音。在古代和一些异国传统中,调式的概念是十分细致复杂而且有一定之规的:某一调式可能有某些与它密切相关的乐句特征(这在印度的拉加中尤其明显)。不过,在大部分西方艺术音乐中,调式只是一个音阶,其中的结束音和属音是确定的。这就是自公元前6世纪数学家毕达哥拉斯时代起的希腊理论家们所建立的调式概念。调式概念成为西方教会音乐的基本理论。现在,"调式"一词通常指素歌中的8种类型(多里亚、亚多里亚、弗里季亚、亚弗里季亚、利底亚、亚利底亚、混合利底亚和亚混合利底亚)中的一种。这些类型有时称作教会调式。它们从教会和宫廷传播到周围一些乡村,因此西欧民歌大多建立在这些同样的调式上。16世纪理论家又增加4种新调式,其中的爱奥尼亚和爱奥利亚两种可分别视作大、小调的先祖。17世纪时调式的重要性逐渐衰减,音阶的大、小调体系确立。不过,调式仍在背景地位造成和声上的细腻变化。某些作曲家出于对民歌的兴趣而求助于调式的实践,有时赋予大、小调体系的音乐以调式色彩,有时更加系统化地采用调式以演化出大调和小调的代用手法。20世纪的许多作曲家这样做是为了回避老的体系而又不接受无调性,通常他们建造了自己的调式而不是回到中世纪的调式去。

mode(grammar) 参阅**mood 语气**。

Model, Walther 莫德尔(1891-01-24,德国马格德堡附近根廷～1945-04-21,林托夫附近) 第二次世界大战期间的德国陆军元帅。1909年加入德国陆军,在第一次世界大战中任团级职务及参谋。1919年调至国防军。纳粹党忠实党员,1938年升为少将,1939年指挥第4军团入侵波兰。在占领法国的战役中(1940)任第16集团军参谋长;同年升中将,1941年指挥第3装甲师入侵苏联。1942年升上将,任东线第9集团军司令,策划库尔斯克战役(1943),并在战败后帮助收复德军阵地。希特勒对其备加信任,称其为希特勒的"救火队员"。先后任东线北方集团军群司令(1944年1月)、北乌克兰集团军群司令(1944年3月)和中央集团军群司令(1944年6月)。1944年3月晋升陆军元帅,8月17日接替克卢格任西线总司令,但未能抵挡住盟军在法国北部的进攻,9月任B集团军群司令,击败袭击阿纳姆的英军空降部队,使盟军未能在莱因河建立桥头堡。阿登战役(1944-12～1945-01)失败后,B集团军群在德国鲁尔地区被盟军包围,莫德尔下令解散归他指挥的30万人部队,然后开枪自杀。

Model Army, New(English Civil War) 参阅**New Model Army 新模范军**。

Model T　T型汽车　由H.福特设计制造的汽车,1908年首次销售。T型汽车生产1 500万辆之后,于1927年停止生产。由于它轻便坚固,20世纪50年代之后还在世界某些地区继续使用。

modeling　塑造艺术　一种采用塑性材料用手工塑造成型的雕塑。黏土和腊是常用的材料;造型时虽常用金属和木制小工具,但艺术家的手则是主要工具。埃及和近东发现的史

P.毕加索的青铜雕塑《女人头像》(约1909)
美国不列颠百科全书公司供图

前陶制小雕像说明塑造艺术是一种古老的雕刻形式。塑造与雕刻相反,它是一种添加性工艺。它不同于雕刻之处,在于在塑造过程中可以修正形象。但其成品如烧制的陶制品或腊制品却不如木石雕刻品耐久。塑造的艺术品也可以借助机械加工方法再制成石制品或用铸造方法再制成金属制品。

modem　调制解调器　为modulator/demodulator的缩写。把信号从一种形式转换成与另一种设备相容的形式的装置。调制解调器广泛地用于数据通信,当计算机间或远程终端与中央计算机系统间在声频电话线路上进行信息传递时,调制解调器可为之提供方便。调制解调器把计算机或数据终端产生的电信号形式的数字数据转换成声音传送给电话机的内扬声器,然后传到发射机。反过来,从另一台计算机所接收的声音又由调制解调器变为电信号。调制解调器可以对传送的数字数据进行下面三种调制的任何一种:调幅、调频、调相。在某些情况下,这三种技术可结合使用。

Modena　摩德纳　意大利北部城市,艾米利亚-罗马涅区摩德纳省省会。位于博洛尼亚西北,塞基亚河与帕纳罗河之间。原为博伊伊人城镇。约公元前218年被罗马人征服,公元前183年成为艾米利亚大道上的罗马殖民地。后被匈奴人和伦巴第人破坏。9世纪末重建。1288年后属于埃斯特家族,1452年成为公国,1598年又成为埃斯特的首府。1859年并入意大利王国。名胜古迹有大教堂(始建于1099年,以精致的雕塑装饰闻名)、托雷吉兰迪纳钟楼(1319年建成,为本市的象征)、豪华的公爵宫(现为军事学院)和穆塞宫(内有市美术馆和博物馆,内藏有大量文艺复兴时代的绘画)以及埃斯特图书馆等。有一所1175年建立的大学。汽车制造业是该市最重要工业。还有铁和轻合金铸造以及机械等工业。为农业中心,有繁忙的牛市和皮革厂。人口:城市区约176 588(1994)。

Modena, Leone　莫德纳(1571-04-23,威尼斯～1648-03-24,威尼斯)　又名莫德纳的莱昂。希伯来文名为犹大·阿里耶。意大利籍犹太教拉比、诗人、学者。嗜赌而长于论战,1594年在维也纳任拉比和讲道师,住该市终生。迟至1840年出版的重要著作《狮吼》,广征博引,证明喀巴拉派的《光辉之书》并非古籍。

modern art　现代艺术　具有20世纪以及19世纪后期特点的绘画、雕刻、建筑和平面艺术。包括属于现代主义的各式各样的运动、理论和观点,它们最主要的共同倾向是否定西方的各种传统形式和与之相关的思想感情习惯。现代绘画的起源并不确切,但一般认为始于19世纪的法国,库尔贝、马奈及印象主义画家们的作品反对学院派的传统,要求更加自然地描绘视觉世界。其另一种含义则是从后印象主义画家算起,因为他们主张在形式上进行根本革新,对传统持反对态度,力求实现个人理想。即使持最简单、最普遍的观点的人,即认为现代艺术只限于20世纪的人,也承认后印象主义大师对20世纪艺术的发展作出了重要的贡献,并承认现代艺术起源于19世纪。大约自19世纪90年代起,形形色色的运动和风格不断涌现。把现代艺术限定为20世纪的现象一说,是根据以下事实:20世纪初对各门艺术中新的审美经验的热烈、广泛的调查研究,对继起的所有先锋派潮流发生了决定性的作用。一些流派反复实验了能够表现新观点的艺术形式和处理手法。其中有法国的野兽主义和立体主义;德国的表现主义团体"桥社"和"青骑士";意大利的未来主义;俄国的射线主义和至上主义;尼德的"风格派"以及一些美国艺术家(主要是A.达夫、M.哈特利和M.韦伯等人)的个人实验性绘画。这种实验尽管五花八门,但在挖掘绘画手段本身所固有的潜在因素这一点上都具有现代的特点,力求表现对20世纪生活中的深刻变化所作出的精神反应。在建筑方面,两次大战之间这一重要时期的最大特点是趋向有意识的大幅度简化。为了显示功能性的结构,对装饰一概不予重视;这种实用性结构采用新的材料和技巧,能把比例和节奏感处理得恰到好处,不论在功能上还是表现力方面都能做到为现代生活方式服务。与视觉艺术的情况相类似的基本创作意图,也在其他类型的现代艺术中反映出来。无调性音乐的发展,文学中正常句法有线性序列的打乱都和现代艺术有关。

Modern Art, Museum of(MOMA)　现代艺术博物馆　主要综合收藏19世纪末到现在的欧美艺术品。1929年建于纽约市。除绘画、雕刻和版画艺术品外,还专门收藏工业设计、建筑艺术、摄影和动画等作品。

modern dance　现代舞　19世纪末在美国和欧洲开始发展起来的一种舞台表演舞蹈,20世纪获得此专有名称和影响深远的成就。它是作为对抗当时盛行的芭蕾舞蹈传统和解释性舞蹈传统而兴起的。欧洲现代舞的先驱有:É.雅克·达尔克罗兹,他开创了音乐教学的身体律动体系;R.拉班,他分析了人类动作的各种姿势并使之体系化。许多设计现代舞动作的先驱是美国妇女,如美国女演员和舞蹈家L.富勒,她第一个使自由舞在美国确立了艺术地位。她用一段长长的、富有戏剧效果的亮丽透明的中国丝绸进行表演,立刻赢得众多艺术家和普通观众的喝彩。另一位舞蹈演员I.邓肯,她身裹轻薄松垂的舞衣、坦露双臂、赤足光腿的舞姿,使她的舞蹈在表情达意上产生了绝妙的戏剧效果。她展现简单动作的才能对舞蹈产生的影响,在她逝世后仍经久不衰。圣丹尼斯和T.肖恩在现代舞的正规教学方面取得较大的成功。圣丹尼斯主要运用她富有东方舞蹈风格的作品,使她的舞蹈团充满了异国情调的魅力。肖恩是第一个参加该团的男演员,为圣丹尼斯的舞伴,不久成为她的丈夫。1915年,他们创办了丹尼斯肖恩学校,正式奠定了非芭蕾舞的地位。有两位女学生D.汉弗莱和M.格雷厄姆从丹尼斯肖恩学校的学生中脱颖而出,她们带来了一种新的严肃风格,并开创了一种严格意义上的现代舞。汉弗莱强调舞蹈作品中的技巧和结构,她的舞蹈技术以"跌倒和复起"的原理为基础。格雷厄姆则开始在舞蹈中加进表达感情的新要素,她的舞蹈技术以"收紧和放松"的原理为基础。同时,在德国,M.维格曼、H.霍尔姆和其他舞蹈家也创立了类似的规范的和表现主义的舞蹈风格。在邓肯的舞蹈中,躯干和骨盆被用作表现舞蹈动作的中心。贴地的平行动作是现代舞的基本动作,就如挺直的姿势是芭蕾舞的基本动作一样。现代舞表达当时芭蕾舞回避表达的内在感情。此外,现代舞对当前和当代事务的关心与芭蕾舞的拘泥于形式、古雅传统以及往往表现故事内容等等形成对比,探索出一条强烈地、直接地表达感情的新路。

M.坎宁安反对格雷厄姆的表现主义,她不同意在舞蹈中表现心理因素和感情因素。他的舞蹈技术既吸收芭蕾的成分,也吸收现代舞的成分。50年代,A.尼古拉斯开始创作一种把动作与灯光、舞台图案设计和音响等效果融为一体的舞蹈。而P.泰勒则在几个配以古典舞谱的作品中,以极其精确而又富有戏剧效果的表情达意,创造了一种刚健有力而又富有韵律的风格。坎宁安是60年代及以后的后现代舞的先锋。大批新的舞蹈家和舞蹈编导,尤其是在纽约市的,开始摈弃精湛的技巧,在非舞台表演的空间进行表演,并把背诵、即兴朗诵、极简抽象艺术、演说或歌唱,包括电影等各种混合艺术效应吸收进来。T.撒普则与此不同,她逐渐把传统的精湛技巧、节奏、悦耳动听的音乐和戏剧性的故事内容重新引进自己的舞蹈风格,这种舞蹈风格以芭蕾舞为基础。并与各种即兴式的流行社交舞有联系。

现代舞自其创始以来,曾被下过多次定

义。尽管现代舞显然不是任何传统定义的芭蕾舞，但它往往吸收了芭蕾舞的动作；现代舞可能也参考许多别的舞蹈成分（如民间舞、民族舞、宗教舞或社交舞的成分），但它可能只研究一个单一的动作姿态。由于新一代的舞蹈编导对现代舞的观念和实践有所变化，现代舞这一专有名称的含义越来越含糊不清。

modern school　现代中学　参阅 **secondary education** 中等教育。

modern-style poetry　近体诗　与古体诗相对而言的诗体。又称今体诗。中国唐初沈佺期（约 656 ～约 714）、宋之问（约 656 ～约 712）时定型。他们的诗格律谨严精密，对诗的平仄、用韵、对仗都有严格要求。成为唐以后常用的诗体。这种近体诗，包括律诗和绝句。律诗限定 8 句，绝句限定 4 句，都以五言和七言为主。超过 8 句而又合于近体诗格律的五言诗，称为五言长律或排律。五四运动出现以白话作为基本语言手段的新诗体裁后，仍有人写近体诗，直到 20 世纪末，报刊上还不时有近体诗发表。

moderne gennembrud, det　现代的突破　该运动始于约 1870 年，主要受丹麦评论家布兰代斯影响，它把自然主义和现实主义的文学倾向引进斯堪的纳维亚各国。布兰代斯认为作为一个批评家的使命是使丹麦摆脱闭塞和与世隔绝的状态。他的《十九世纪文学主流》（1872 ～ 1890）不仅在丹麦而且在斯堪的纳维亚其他各国引起极大反响。他要求文学关心生活和现实，而不是耽于幻想，并且应为进步而不是为反动服务，这曾引起纷纷的议论。他影响了挪威剧作家易卜生和瑞典剧作家斯特林堡。雅科布森属于挪威第一批受布兰代斯理论影响的作家，他的长篇小说《尼尔斯·伦奈》和他的短篇小说均涉及梦想与现实的问题。那个时代最伟大的抒情诗人德拉克曼是以坚决支持布兰代斯作为事业的开端，但后来却对他起了强烈的反感。彭托皮丹后来成为丹麦伟大小说家之一。他在早期写的故事中揭露了社会上的不公正现象，并在他的几部短篇小说中讨论了他那个时代的政治、道德以及宗教等方面的问题。另一个小说家是 H. 邦，他提倡一种坚定的现实主义。

moderne gymnastics　现代体操　又称现代韵律体操。参阅 **rhythmic sportive gymnastics**。

Modernism　现代主义　19世纪90年代至 20 世纪初天主教会内部出现的一个运动，主张根据 19 世纪的哲学、史学和心理学理论重新解释传统天主教教义，尊重信仰自由。现代派在教外圣经学者的影响下提出，《旧约》和《新约》各卷的作者都受各自时代的限制，《圣经》宗教史经历过演变的过程。现代主义也反对教会权力日益集中于教皇和罗马教廷。在法国，现代主义与圣经学家卢瓦齐的著作有密切关系。他原是巴黎公教学院教师，对《旧约》正典提出自己的看法，因而于 1893 年被解职。在英格兰，爱尔兰出身的耶稣会司铎蒂勒尔就教皇永无谬误问题发表自己的观点，主张贬低上帝启示的理性成分，结果被免去教学职务，开除出耶稣会。意大利学者、司铎博纳尤蒂和塞梅里亚，小说家福加扎罗及其他天主教人士，也受到卢瓦齐和蒂勒尔著作的影响。意大利和德国的现代派较多地注意改革教会机构，并不否认教会的传统教义。罗马教廷对现代主义的反应是将现代主义分子免职或处以绝罚，将他们的著作列入禁书目录，并予以正式谴责。

Modernismo　现代主义　19世纪末、20世纪初西班牙语文学中的一次文学运动。19 世纪 80 年代末由尼加拉瓜诗人 R. 达里奥率先发动，以他的一本诗歌和短篇小说合集《蓝》（1888）的出版为开始。这次运动并没有宣言，也没有系统的原则，它萌发自对左拉的自然主义和西方社会资产阶级的盲从因袭和重物质而轻精神的否定。现代主义诗人采用自由诗体和引起美感的意象，来表达他们个人的价值观。在采用新奇的隐喻和革新韵律方面，他们受到法国象征主义者和帕尔纳斯派的影响。现代主义的第一阶段以在墨西哥创办的《蓝色杂志》（1894 ～ 1896）为标志。旅行甚广的达里奥，1892 和 1898 年在西班牙逗留时，推动了该地的现代主义运动，并且传播到拉丁美洲。第二个重要的现代主义期刊《现代杂志》（1898 ～ 1911），也是在墨西哥创刊的。现代主义作为一次文学运动，于 1920 年结束，但是其影响一直继续存在于 20 世纪的诗歌和散文中。

Modernismo　现代主义　第一次世界大战后巴西的一个美学运动，旨在以创造新的真正的巴西艺术的表现方式，试图使民族生活和民族思想面向现代。现代主义者反抗学院风尚，以及被他们认为是控制了巴西艺术的欧洲影响。他们摒弃传统的对葡萄牙文学准则的依赖，在他们自己的作品中力图表现巴西的俗语（而不是“正确”的葡萄牙语），经常突出描写以土著民间故事和传说为基础的巴西题材。他们在文学形式和文学语言方面进行实验，使用自由诗体和非因袭的句型。然而，他们对文学形式的关心，首先是为了进行社会改革，而不是为了形式本身。该运动不久即分裂成为目标不同的几派——有些现代主义者，其中包括安德拉德（**Andrade, [José] Oswald de [Sousa]**），特别集中注意力于这个运动的民族主义目标，鼓吹激进的社会改革；另一些现代主义者，例如班德拉（**Bandeira, Manuel**），被认为是最伟大的现代主义诗人，则赞同现代主义的美学原则而对其政治作用没有兴趣。到 1930 年，现代主义作为一个运动已经失去凝聚力。其风格上的创新和对民间文学与本土题材的强调，对当代巴西文学的发展有很大影响。

modernization　现代化　社会学中指从一个传统的乡村的农业社会转化成一个非宗教的城市工业社会。人类文明进程自史前时期起可以分为 3 个主要阶段。第一阶段表现为原始社会和公社的出现。第 2 阶段原始社会联结起来，并转化为文明状态。第 3 阶段始于 18 世纪产业革命，持续至今，现代工业文化在世界范围内日益普及。

现代思想的力量在一定程度上一向是一种反作用力，这种力量通过与先行于它的思想作比较或对照，又通过抵制或否定先行于它的思想而衍生出意义和动力。这一观点产生一个将现代化看做一个个体化、专门化和抽象化过程的总观点。第一，现代社会结构将个人作为基本单位，而不是如同农业社会那样将群体或群落作为基本单位。第二，现代机构在一个劳动分工高度发达的社会体系中担负着有限的、专门化的任务。第三，现代机构服从由科学方法和科学发现取得合法性的一般规则，而不是隶属于特定的群体或个人的权力或特权或受制于风俗习惯与传统。

导致现代化的社会变革起源于欧洲的社会经济条件，其中主要是中世纪欧洲商业资本主义的发展。经济的目的第一次由消费变为生产。兴起一种依赖于供求机制的新型交换市场。以未来生产需要为依据的经济开始形成，从而促进了资本的投入。

文艺复兴时期的欧洲是第一个为持续变化创造条件的文明发源地。农村的农业收益首次低于城镇贸易中心的收益。拥有土地不再具有古代那种社会价值，土地所有者的优越地位逐渐被商人和手工业者所替代。前现代社会有土地者和无土地者的区分让位于雇主和工人的区分。军队的重要性也随着社会关注中心转向贸易与工业而减弱。新兴资产阶级是城市社会主要推动者和创造者。商人贸易不再背负巨大的社会耻辱。新的货币经济目睹了古老的社会结构的解体。

从一开始，现代性便具有两副面孔。一副是能动的、有远见的、进步的、预示着空前的丰富、自由与满足。另一副同样清晰可见的面孔是冷酷无情，暴露出疏远、贫困、犯罪和污染等许多新问题。现代性的许多特征增强到超出某种水平便产生一种对抗性反应。例如，人们从拥挤的城市中心“再度移民”到周围的农村，形成与城市有着活跃的联系、但又回归到村庄式的群居形式的近郊和远郊。人们不再迷恋大规模生产的商品的华美，对手工艺和天然材料的兴趣再度兴起，已成为近代工业社会突出特点的青年文化和宗教复苏方兴未艾，标志着对合理性和统一性的反抗。由于种族集团和宗教集团恢复了他们的原有价值，世界范围内出现了文化运动和民族主义运动。一些历史学家认为这些发展预示着后现代时期的出现。

Modersohn-Becker, Paula　莫德尔松-贝克尔（1876-02-08，德国德累斯顿～1907-11-30，沃普斯韦德）　德国女画家，曾把 19 世纪后期法国画家勃纳尔、维亚尔、高庚和塞尚等人的风格介绍到德国艺术中来。早期作品表明她受过学院派的训练。但成熟的绘画如《佩戴一朵山茶花的自画像》（1907），把抒情的自然主义与高庚、塞尚大面积的单纯色彩的施敷法结合起来，更多地表现个人内心的感受，

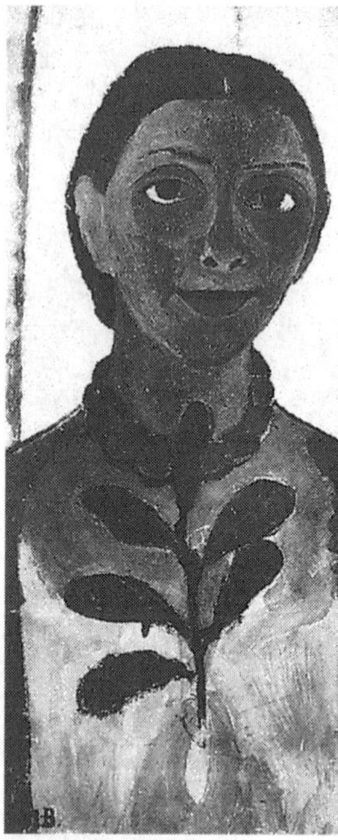

莫德尔松-贝克尔的《佩戴一朵山茶花的自画像》(1907)
美国不列颠百科全书公司供图

而不是复制客观物象。她常被称为表现主义画家。

Modesto　莫德斯托　美国加利福尼亚州中部城市,斯坦尼斯劳斯县县城(1871)。莫德斯托西北距旧金山151千米,临图奥勒米河。1870年创建,1884年设建制。原为农产品转运中心。现在除食品加工业外,也有小型制造业。该市设有一所初级学院(1921)。市东南的特洛克有加利福尼亚州立大学斯坦尼斯洛斯分校。当地名胜有8米高的莫德斯托拱门、麦克亨利博物馆和卢卡斯广场。莫德斯托市东有唐佩德罗大坝、拉格兰奇大坝、特洛克水库、莫德斯托水库和斯坦尼斯劳斯国有森林。人口:市188 856;都会统计区446 997(2000)。

Modica　莫迪卡　意大利西西里岛东南部拉古萨省城镇。位于拉古萨市南面,伊布莱山南缘两道山洪汇流处。在青铜器时代建有要塞(约公元前4000年)。后为西库尔人城镇。12～17世纪为一领地的首府。1692年地震中几乎全部被毁。1902年又遭水灾严重破坏。现存古建筑有圣玛丽亚迪杰苏教堂和巴罗克式圣乔治教堂等。附近有著名的伊斯皮卡岩洞,内有成千的天然洞穴。公元前14世纪前起被用作住屋和墓地。经济以农业为主。生产食品和传统手工制品。人口:56 639(2001)。

Modigliani, Amedeo　莫迪里阿尼(1884-07-12,意大利里窝那～1920-01-24,巴黎)　20世纪上半叶巴黎画派重要画家。其艺术特点是:形象的拉长、色彩的领域广阔、构图的不对称、线的有韵律的变化以及三度空间的简化。作品包括25座石雕像(1909～1913),大约350幅油画和无数幅素描,题材都是肖像和裸体像,其中大幅裸体像约30幅,还有4幅风景画。1902年入威尼斯美术学院。1906年到巴黎,为塞尚的作品所倾倒。这时期交往的艺术家有毕加索、P.亚历山大和罗马尼亚雕刻家C.布朗库西。他研究了黑人雕刻,于1912年秋季沙龙中展出8座石雕头像。雕刻创作经验(如在形体的简化、形象的坚实完整、强有力的轮廓和色彩的运用等方面)大大帮助了他的油画创作。他不是职业肖像画家,只给朋友、巴黎艺术界人士、模特儿、仆人和邻居画像。1917年画的一系列裸女像是其最好的作品中的一部分。并且这一时期的绘画越发显得线条优美、色彩雅致。1922年伯恩海姆-冉内画廊展出他的作品时,才获得声望。

他的主要作品有:《里维拉》(1914)、《新郎和新娘》(1915)、《保罗·基约美》(1916)、《雅克·李普契茨和他的妻子》(1916～1917)、《软垫上的裸体》(1917)、《抱着孩子的吉普赛女人》(1919)、《躺着的裸体》(1919)等。

莫迪里阿尼自画像,1919年
美国不列颠百科全书公司供图

Modigliani, Franco　莫迪利亚尼(1918-06-18,意大利罗马～2003-09-25,美国马萨诸塞剑桥)　意大利出生的美国经济学家及财政学教师。因写有关于家庭储蓄与金融市场的变迁和发展的著作而获1985年诺贝尔经济学奖。他是犹太内科医生之子,最初研究法律,1939年逃离法西斯主义的意大利前往美国,1946年加入美国国籍。曾在社会研究新学院研究经济,1944年获博士学位。他曾在美国许多大学任教,最引人注目的是从1962年起一直在麻省理工学院任经济学教授。获得诺贝尔奖是由于他曾就若干具有实用价值的经济理论作了先驱性研究;其中之一是对个人储蓄的分析,称为生活周期理论。该理论断定个人年轻工作时期所积聚的财富是为自己年老时使用,并非为留给后代。这一理论有助于解释为什么一些社会中储蓄率随着人口的相对年轻化与老龄化而有所变化,并已证明对预估各种养老金计划的得失很有用。莫迪利亚尼对金融市场,尤其是公司财务结构(例如债务的结构及数额大小)及其今后获利潜力分别对股票的市场价值所产生的影响,也作了重要研究。他发现,一个公司股票的市场价值,主要是依投资者预期该公司今后的获利情况而定。到20世纪70年代,这项定则已被认为不证自明,而且他专为预估一个公司今后获利的价值而发明的计算方法,也成为公司在进行决策及作财务计划时的基本工具。

modinha　莫迪尼亚　18、19世纪流行的一种轻快的葡萄牙语感伤歌曲。最早的莫迪尼亚范例见于《葡萄牙歌剧》(1733～1741),由A.J.达·西尔瓦编著。他把歌曲穿插到剧本的散文对话之中。莫迪尼亚原来旋律简单,但是在宫廷或者为贵族演唱时,常用复杂而精致的音乐效果加以装饰。于19世纪晚期引进巴西,成为都市生活的朴素表现。

Modiolopsis　拟瓢蛤　斧足纲(蛤类)的绝灭属。化石见于奥陶纪(5亿年前至4.3亿年前)地层。壳形与构造独特,具有轮廓近似椭圆形、边缘较宽的壳。壳饰由显著的弓形或同心式生长线组成。是奥陶纪有用的标准化石。

Modisane, Bloke　莫迪塞恩(1923-08-28,约翰内斯堡～1986-03-01,西德多特蒙德)　南非出生的英国作家、演员和播音员。自传《请诿我之过于历史吧》,是一部生活在南非种族隔离法统治下的黑人遭受屈辱和压迫的感人纪实。在约翰内斯堡完成学业后,曾在《鼓声》杂志任编辑。后为生活所迫,于1959年流亡英国,在伦敦的许多期刊上发表过短篇小说、诗歌和杂文。曾扮演伦敦剧团演出的热内所著《黑人》一剧的主角。其自传受到广大读者的热烈欢迎。小说《乞讨的尊严》(1951)以其辛辣的讽刺受到赞赏。评论家们认为其短篇小说的手法偏于记录性,使故事情节未能根据人物性格展开,而仅似新闻报道。

Modjeska, Helena　莫德耶斯卡(1840-10-12,波兰克拉科夫～1909-04-09,洛杉矶附近纽波特比奇贝岛)　波兰裔美国女演员。在她的保留剧目中有260个莎士比亚戏剧和现代戏剧角色,有的角色能够既用波兰语又用英语表演。她是音乐家的女儿,曾加入一个流浪艺人的演出班子。1868年开始在华沙演出。主要悲剧角色有莎士比亚的奥菲利娅、朱丽叶、苔丝狄蒙娜和《理查三世》中的安妮王后,席勒的埃博利公主,雨果的蒂斯贝和斯

美国国会图书馆供图

沃瓦茨基的玛泽帕。她最喜欢的喜剧角色是《无事生非》中的贝雅特里齐。她还在现代剧中扮演角色,其中包括勒古韦、大仲马、小仲马、奥日埃、缪塞、弗依耶和萨尔都的剧作。1877年在旧金山主演《阿德里安娜·勒库弗勒》的英文译剧,虽然英文很差,但演出仍然十分成功。以后主要在美国演出,但偶尔也到伦敦演出。1881年实现了在英国和联合王国的其他地方演出莎士比亚戏剧的夙愿。自传《海伦娜·莫德耶斯卡的回忆和印象》一书于1910年出版。

Modjeski, Ralph 莫德耶斯基(1861-01-27,波兰克拉科夫～1940-06-26,洛杉矶) 波兰出生的美国桥梁设计师和工程师,其工程以形式多样、新颖为特色。他是女演员海伦娜·莫德耶斯卡(1846～1909)的儿子。在巴黎学习后移居美国,从1892年起任芝加哥桥梁顾问工程师。他建造的桥梁中最著名的有罗克艾兰的密西西比河7孔铁路公路两用桥、圣路易斯的麦金利大桥、俾斯麦的密苏里河上北太平洋铁路桥、俄勒冈州哥伦比亚河和威拉米特河上的大桥。他在梅特罗波利斯的俄亥俄河上建造的双轨铁路桥,有几项引人注目的创新,其中包括跨度为219米的简易桁架、用特种合金硅钢制造的桥身和用镍钢制造的抗张力构件。他是特拉华河上富兰克林大桥的总工程师,该桥在1926年竣工时是世界上最长的悬索桥。他又是新奥尔良密西西比河上朗大桥的总工程师,最后一个职务是旧金山-奥克兰海湾大桥顾问工程师主席,该桥于1936年完成。他一生共参加了50多座大桥的建设。

Mödling 默德灵 奥地利东北部下奥地利州城市。位于维也纳西南,在风景优美的布吕尔山谷入口处。907年首见记载。1938年起为维也纳的一个区。1954年又划归下奥地利州。1818～1819年贝多芬在此写作《庄严弥撒曲》的部分乐章。著名教堂有圣奥特马教堂(12世纪)和医院教堂(1443～1453)。列支敦士登君主的城堡(1820～1822)现归奥地利童子军所有。生产五金制品和靴鞋。人口20 405(2001)。

Modoc and Klamath 莫多克人和克拉马特人 相邻的北美印第安人的部落,居住在美国俄勒冈州中南部及加利福尼亚州北部,操佩纽蒂语系两种相近的语言(或方言),并具有许多共同的文化特征。他们的土地位于喀斯喀特山脉南段一大槽形地带,约100英里长、25英里宽,沼泽、湖泊、河流、溪流星罗棋布于其间。克拉马特人在北部,主要以捕鱼及猎捕水禽为生;莫多克人在南部,也从事捕鱼,但谋生的手段更依靠采集块根、种籽、浆果及猎取各种猎物。两部落均为高原印第安文化区成员,不过也受其周围印第安人(如来自加利福尼亚、太平洋沿岸及其东部大盆地印第安人)的影响。这两个部落分成相对自治的村落,各有首领及巫医;在战时则结成同盟。不同村落的成员互相通婚。冬季风吹堆雪达6英尺厚以上时,多数村落的家庭住于泥土覆盖的半地下房屋,通常一户一屋。贫苦家庭则住于简陋的草席覆盖的房子里。夏季的住房,通常为圆顶形的木柱草席住房或是柴草搭成的披屋。男、女均使用蒸汽发汗屋,发汗屋大小为普通住房之两倍,是社区祷告或其他宗教活动的中心。宗教信仰大体上以崇拜保护精灵为主,人们的一切均靠其助佑。1872～1873年爆发莫多克战争。1954年联邦政府中止与克拉马特居留地居民的关系。1961及1974年两部落的土地被出售,所得款项分配给原来居民。绝大部分土地并入温尼马国家森林。

Modrzewski, Andrzej 莫杰夫斯基(约1503,波兰沃乌博日～1572,沃乌博日) 全名安杰伊·弗雷克茨-莫杰夫斯基。波兰作家。被公认为16世纪波兰最优秀的拉丁文作家。曾先后在亚盖沃大学、维滕贝格和纽伦堡求学。1543年著有《惩处杀人犯》。在其最重要的著作《共和国的改革》(1551～1554)中,提出乌托邦式理想。

modular arithmetic 模运算 有时指模算法或时钟算法。它的基本方式是当计数达到某个预设的大于1的整数 N(称为"模数"或mod)时,算法使得计数重置为零。例如24小时制的数字钟表,到午夜时刻重置为零($N=24$);量角器被划分为360度($N=360$)。模运算在数论中很重要,是解丢番图方程的基本工具(尤其是求整数解的情况)。该问题的普遍形式导致了对费马大定理的证明的多次尝试以及现代代数的重大进展。在模运算中(mod为 N),数 $1,2,\cdots,N-1$ 被称为以 N 为模的"剩余"。剩余可以用普通的加法相加,然后减去尽可能多的 N,得到一个介于0和 $N-1$ 之间的数 M。M 就是以 N 为模的和。例如,使用德国数学家高斯1801年引入的记号,可以写成 $2+4+3+7\equiv 6(\text{mod } 10)$,其中"$\equiv$"表示"同余"。模运算的事例很早就出现在古代中国、印度以及伊斯兰文化中。它们以天文和历法的问题出现,因为这些涉及(人为或自然的)循环,但是也在纯数学问题里面发现了模运算。大约在1750年,瑞士数学家欧拉开辟了研究同余的现代方法,他清晰地引入了以数 N 为模的同余概念并且指出可以把整数分成 N 的同余类或剩余类。如果两个整数的差可以被 N 除尽,那么它们就是以 N 为模的同余类。比如,如果 N 是5,那么 -6 和4就是同余类 $\{-6,-1,4,9\}$ 的成员。由于每个同余类可以用其中任何一个成员来代表,这个特定的类可以被叫做"以5为模余 -6 的同余类"或"以5为模余4的同余类"。在欧拉的系统里,任何被 N 整除后剩余不同的 N 个数可以代表以 N 为模的同余类。因此,一个以5为模的同余类可以是 $\{-2,-1,0,1,2\}$。以 N 为模的同余类的加法定义为:从每个类中选择任一成员,把这些成员相加,然后把和归到相应的以 N 为模的同余类,就得到结果。欧拉同样定义了同余类的减法和乘法。例如,为了把 -3 和4相乘(mod为5),首先得到 $-3\times 4=-12$;因为 $-12\equiv 3(\text{mod } 5)$,所以答案是 $-3\times 4\equiv 3(\text{mod } 5)$。注意当模数 N 不是素数时,除法不总是可行的。例如,$1\div 2\equiv 3(\text{mod } 5)$,那是因为 $2\times 3\equiv 1(\text{mod } 5)$。然而方程 $1\div 2\equiv X(\text{mod } 4)$ 无解,因为没有 X 使得 $2\times X\equiv 1(\text{mod } 4)$。当模数 N 不是素数时,当且仅当 s 和 N 互质(它们只有公约数1)的情况下,用 s 代表的同余类去除 r 代表的同余类才是可行的。例如,因为 $4\times 4\equiv 7(\text{mod } 9)$,所以 $7\div 4\equiv 4(\text{mod } 9)$——4和9是互质的。

modulation 调制 电子学用词,将欲发射的信号(声音、音乐、图像或数据)加到射频载波上,从而改变载波的一种或数种特性的技术。常用的调制方式有振幅调制、频率调制、相位调制、编码脉冲调制和脉冲宽度调制。每种方式可改变载波的一种特殊性质。

振幅调制(调幅,AM) 改变载波的振幅使之与发射的声频或视频信号的变化相一致,把语言、音乐或图像信号加到载波上。AM是无线电广播台使用的最老的调制方法。商业调幅电台的频率每个以10千赫的间隔分布在535～1 605千赫的波段内。在这些频率范围内的无线电波能够有效地被电离层反射回地面,几百英里以外的无线电接收机也能收到。调幅除了供商业无线电广播使用外,还用于远距离短波无线电广播和电视节目的图像发射中。

频率调制(调频,FM) 在调频中,载波的振幅保持不变,只是根据发射的声频信号的变化,改变载波的频率。这种调制方式是30年代初,美国电气工程师E.H.阿姆斯特朗为了克服干扰和噪声对接受调幅无线电广播的影响而发明的。较之调幅,调频信号受雷电干扰和电器干扰的影响较小。噪声信号只影响无线电波的振幅而不影响其频率,因此,调频信号可以基本上保持不变。调频比调幅更适合于传送立体声、电视节目的伴音信号以及由无线电微波中继站传送的长途电话。商业调频电台使用的频率比调幅电台的频率高,每个以200千赫的间隔分布在88～108兆赫的波段内。

相位调制(调相,PM) 载波相位随声源的振动而变化。这种调制方式常常被看作是调频的一种变形。这两种调制过程是密切相连的。因为要改变相位必须同时也改变频率,反之也是这样;而且载波相位的变化率直接与声频信号的频率成正比。和调频一样,调相把接收30兆赫以下无线电广播时的各种干扰减少到最小程度。调频和调相通常是在一起使用的。在无线电广播中,当增大声音信号,调频不能使用时,就可以用调相来代替。调相也用于某些微波无线电中继通信以及某些电报和数据处理系统。调相的另一重要用途就是用于警察和军队移动式电台间的无线电通信。

编码脉冲调制(PCM) 载波经调制后变为一系列等幅脉冲,脉冲间隔以编码形式代表所传输的信号。连续信号如声音、电视图像和计算机数据等,通常被变成由5或7个"通""断"脉冲组成的博多电码。PCM能最大限度地减少传输损耗,消除噪声和干扰。这是因为使用这种调制方式,接收机只需检测和识别简单的脉冲构型即可。此外,脉冲与连续信号不同,它可以由传输路线上的转发器用电子仪器不失真地再次产生。PCM方式是美国的H.A.里夫斯于1939年发明的。包括通信卫星公司和国际通信卫星组织在内的许多电信公司和组织都使用这种调制方式来传输电报、电话和电视。在计算机终端之间的数字信息交换方面,这种方法已经证明是特别有效的。

脉冲宽度调制(PDM) 按规定出现的不同的脉冲宽度和顺序代表信号。常见的脉冲宽度调制的例子是莫尔斯国际电码。海船与陆地之间无线电通信、业余无线电通信以及某些无线电电报都使用这种电码。PDM是美国物理学家R.A.海辛于1924年发明的。除微波无线电中继系统的电报通信外,PDM主要用于遥测技术。

modulation 转调 在音乐中,常指从一个调(一套互有关联的音及和弦)转入另一个调的过渡。古典和声中有3种主要的转调方法:自然音阶转调,其中两个调共有一个中枢和弦;半音转调,其中的中枢和弦的音作半音变化(如增加升、降或还原号);等音音程转调,其中的中枢和弦保留原来的音,但名称改变(如c#-e#-g#和弦变成d♭-f-a♭)。转调可以是过渡性的,例如在主题的发展中;转调也可以是结构性的,对曲式给予和声上的解释。

modulator, light 参阅 **light modulator** 调光器。

module 模数 在建筑中为调节建筑物各部分间的构造、尺寸和比例关系而拟定的一种尺寸单位。如古典建筑中以柱子直径为基本尺寸单位,用以确定柱式中各部分的比例关系。现代建筑中按模数组织平面的比例和尺寸,以米为单位尤为适用。F.L.赖特使用1.3米的直线或斜线网格;科比西埃发展了一种附加的比例模数制并大力推广。模数可以作为施工中需要组合的各种材料和设备构件尺寸的基数,以保证所有部件在现场都能相互配合而无须切割以免浪费,同时利于大量生产和销售,并可在多种建筑设计中应用,以降低成本。预制或预应力的混凝土构件常按模数生产,以便在包括管道、沟槽、电线安装、暖气设备等的各种设计中应用。在低造价住宅、学校等建筑中已广泛采用按模数生产的构件。

modus operandi 作案方式 拉丁语,缩写为MO。犯罪学术语,指某一罪犯所特有的犯罪方式。据犯罪学家观察,不管罪犯从事何种活动——破门盗窃、偷汽车或贪污——职业罪犯往往会习惯地采用自己的独特方式。例如,一个窃贼最初如果从屋顶进入房屋行窃,以后他很可能在条件许可时尽量采用这一方式。有些窃贼十分习惯于自己的作案方式,他们甚至会不断到同一地点或对同一类人家行窃。

modus ponens and modus tollens 肯定前件假言推理和否定后件假言推理 命题逻辑中用语,是两类可用一假言命题进行的推理或者允许这种论证的推理规则。假言命题是形式为“如果A,那么B”的命题(可以用符号写成$A \supset B$,其中$\supset$意指“如果……那么”),肯定前件式指推理形式 $A \supset B$;A,所以,B。否定后件式是指$A \supset B$式的推理,$\sim B$,所以,$\sim A$($\sim$意指“并非”)。否定后件式的一例如下:如果一个角内接于一个半圆,那么它是一个直角;这个角不是一个直角,所以,这个角不内接于一个半圆。对于析取前题(采用$\vee$,意指“或……或……”),用否定来肯定式和用肯定来否定式,这两个术语用于如下论证:$A \vee B$,$\sim A$,所以B,以及$A \vee B$,A,所以$\sim B$(仅对不相容析取“或A或B,但并非同时两者”有效)。肯定前件式假言推理几乎可纳入每一逻辑形式系统之中。

Moe 莫伊 澳大利亚维多利亚州吉普斯兰地区西部城市。地处拉特罗布河谷,墨尔本东南(铁路)135千米。莫伊之名得自土著语泥沼一词。1856年有人定居,1955年为一自治镇,1963年设市。工业有机械、照相制版、水泥管、锯木、纺织及乳品业。很多居民为以东6千米亚卢恩的州电力委员会(自1921年起即计划开发该地区的一家公司)工作。亚卢恩原为一城镇,70年代建制取消,允许露天开采其下煤矿。有大型褐煤矿供给煤砖厂、煤气厂及为该州提供大部电力的两家发电厂。人口约16 718(1991)。

Moe, Jørgen Engebretsen (Norwegian folklorist) **穆** 参阅 **Asbjørnsen, Peter Christen; and Moe, Jørgen Engebretsen** 阿斯布约恩森和穆。

Mo'ed 莫埃特 希伯来语,意为“节日”。犹太教口传律法汇编《密西拿》的六个回目中的第二回目。共有专论12篇,论纪念大小宗教节日的方法,即《安息日》、《掺合》、《逾越节羔羊》、《舍克勒》、《赎罪日》、《棚》、《卵》、《新年》、《禁食》、《经卷》、《小节日》及《节日献祭》。

Moeller van den Bruck, Arthur 默勒·范·登·布鲁克(1876-04-26,德国索林根~1925-05-30,柏林) 德国文化评论家,所著《第三帝国》(1923)一书给纳粹德国提供了戏剧性的名称。20世纪初,为了避免兵役离开德国,曾经旅居法国、意大利及斯堪的纳维亚各国。在国外时,他写作了8卷本的历史书《德意志人》(1904~1910),根据心理状态把本国同胞分成几个类型。第一次世界大战开始时返回德国,同年(1914)完成陀思妥耶夫斯基作品的第一个德文版的编辑工作。战后,他寻求从政治中解决他认为的德国文化贫乏的办法。他把西欧“文明”看作是破坏“真正文化”的东西。他号召建立一种新的德意志信仰,把祖国从现代工业社会的解体和庸俗中解救出来。他精神错乱,显然由于对德国历史进程感到绝望而自尽。

Moen (Denmark) 参阅 **Møn** 默恩岛。

Moeran, Ernest John 莫伦(1894-12-31,英国米德尔塞克斯赫斯顿和艾尔沃思~1950-12-01,爱尔兰凯里郡肯梅尔附近) 作曲家,所作音乐显示出英国和爱尔兰的渊源。莫伦求学于皇家音乐学院(1913~1914),又曾师从J.艾尔兰(1920~1923),并受到F.戴流士的影响。大量接触民歌,并将在诺福克和萨福克收集的曲调加以改编。所作独唱与合唱曲包括为W.莎士比亚、R.赫里克、A.E.豪斯曼和J.乔伊斯等人的诗歌谱写的配曲。构思比较豪放的作品有:《G小调交响曲》、小提琴与大提琴协奏曲和室内乐多首,其中不少表现出J.西贝柳斯的影响。大型作品虽然在感情幅度和主题创新方面稍嫌不足,但却能保持高超水平,在形式上和丰富多彩的音乐织体上都做到精雕细琢。

Moere, Peeter van der (educator) 参阅 **Gante, Pedro de** 甘特。

Moeris, Lake 摩里斯湖 曾占有埃及法尤姆洼地大片地区的古代湖泊。对洼地沙漠边缘的研究表明,旧石器时代初期,湖水可能注满洼地,水平面海拔约37米,直到公元前1万年,水位逐渐下降,降到海平面以下4.5米,可能因为与尼罗河的连接暂时中断。新石器时代初期(约4 000~11 000年以前),水位重新上升,此后又逐渐下降。直到中王国时代(约公元前2040~前1786),才开始努力防止该湖与尼罗河之间河道的淤积,水道展宽加深,湖水与河水再次达到水文平衡,既可防洪,又可灌溉。在公元前3世纪,托勒密二世统治下,实施大规模土地开发方案,建造一座水坝,部分排干了摩里斯湖的水,露出约1 200平方千米肥沃的冲积土壤由运河灌溉,可以精耕细作。当地人口激增,新城镇纷纷建立,在罗马人统治的前200年,法尤姆地区继续繁荣,但以后渐衰落。摩里斯湖水位持续下降,成为现在又小又浅的加龙湖。

Moeritherium 始祖象 代表象最早期演化阶段的原始哺乳动物的绝灭属。化石见于北非的上始新统和下渐新统(始新世在渐新世之前,终止于约3660万年前)。与现代象不

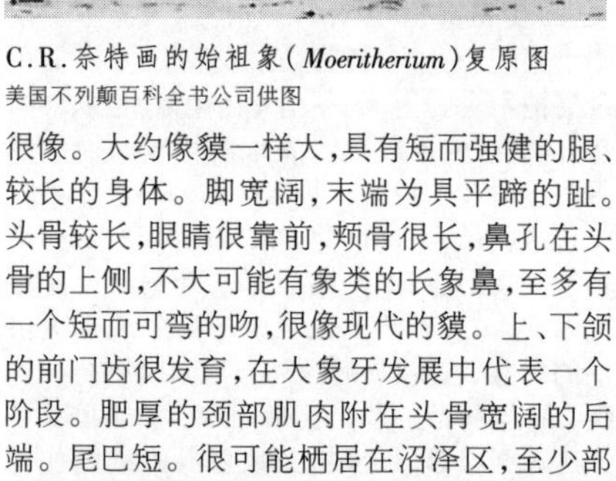

C.R.奈特画的始祖象(*Moeritherium*)复原图
美国不列颠百科全书公司供图

很像。大约像貘一样大,具有短而强健的腿、较长的身体。脚宽阔,末端为具平蹄的趾。头骨较长,眼睛很靠前,颊骨很长,鼻孔在头骨的上侧,不大可能有象类的长象鼻,至多有一个短而可弯的吻,很像现代的貘。上、下颌的前门齿很发育,在大象牙发展中代表一个阶段。肥厚的颈部肌肉附在头骨宽阔的后端。尾巴短。很可能栖居在沼泽区,至少部分是水栖的,以植物为食。

Moers 默尔斯 德国西部北莱茵-威斯特伐利亚州城市。在鲁尔工业区,杜伊斯堡西。9世纪首见记载。在默尔斯公爵城堡(现为博物馆)四周发展起来。约1300年建制。1712年归属普鲁士。现有数所技术学校和阿道夫大学预科学校。1900年后发展成为重要工业城市。为煤和盐的开采中心。还有机械和建筑材料制造业。人口约107 903(2003)。

Moesi Rivier (Indonesia) 参阅 **Musi River** 穆西河。

Moesia 莫西亚 罗马帝国的行省,位于巴尔干半岛东南部。北界多瑙河,西界德里纳河,南界黑马斯(巴尔干)山脉,东为黑海。公元前30～前28年被克拉苏征服,公元15年成为罗马的一个行省。公元85～89年达契亚战争期间,以齐亚布鲁斯河(今齐布里察河)为界分为上莫西亚和下莫西亚两省。图拉真皇帝时期,今罗马尼亚部分地区并入下莫西亚,罗马军队在此驻守。莫西亚是一相当繁荣的省份。省内农业和水果种植业均很兴盛,有矿产资源。3世纪蛮族入侵给它造成很大损失。但直到7世纪,它一直为东罗马帝国一部分。

Moeskroen (Belgium) 参阅 **Mouscron** 穆斯克龙。

mofette 碳酸喷气孔 法语,意思是"毒气"。也拼作moffette。一种喷气孔(**fumarole**)或火山喷气孔。其温度大大低于水的沸点而高于其周围的空气,一般富含二氧化碳,也许含甲烷及其他碳氢化合物。风向适合时,喷出的气体可能飘降在附近的凹地或小谷地中,使漫游其中的鸟兽窒息。美国怀俄明州黄石国家公园附近的阿布萨罗卡岭及冰岛海克拉火山在1947～1948年喷发期间的山脚,都出现过这类具有潜在致命危险的凹地。1986年8月喀麦隆武姆附近的尼斯湖喷出的火山成因的毒气云使1 700多人死亡。

Moffat, David Halliday 莫法特(1839-07-22,美国纽约州华盛顿维尔～1911-03-18,纽约州纽约) 美国资本家和铁路建设倡导者,科罗拉多的莫法特隧道就是以他的姓氏命名的。经过在一所免费公立学校受教育后,莫法特在纽约市艾奥瓦州得梅因和内布拉斯加州奥马哈的一些银行工作。1860年他来到科罗拉多州丹佛,涉足商贸企业、银行、矿山、公用事业、房地产和报业。他认为丹佛是一个很大的运输中心,于是向通往太平洋海岸、墨西哥湾和科罗拉多的莱德维尔与克里普尔克里克矿区的几条铁路进行投资。对于丹佛-西北部-太平洋路线(后来称为丹佛-盐湖路线;并入丹佛-里奥格兰德西方铁路公司),他计划建设一条隧道穿过大陆分水岭,但是他在筹集到必要的资金之前便去世了。后来此隧道在20世纪20年代用公共基金建成。

Moffat, Robert 莫法特(1795-12-21,苏格兰东洛锡安奥米斯顿～1883-08-09,英格兰肯特莱) 在非洲活动的苏格兰基督教传教士、《圣经》翻译家。他是传教士、探险家利文斯敦的岳父。1816年被伦敦传教会派往南非,7年间因祖鲁部落战事几移驻地,最后在卡拉

美国不列颠百科全书公司供图

哈里沙漠东南的库鲁曼定居达49年。自该地四出传教,接触许多部落,掌握茨瓦纳语,1830年把《路加福音》译成茨瓦纳语。1857年左右完成整部茨瓦纳语《圣经》的翻译工作。他不仅努力提高部落人民的德操,而且传授耕作和灌溉新技术以提高他们的生活水平。他于妻子玛丽死后退休,在英格兰度过13载暮年。

Moffatt, James 莫法特(1870-07-04,苏格兰拉纳克郡格拉斯哥～1944-06-27,美国纽约州纽约) 苏格兰圣经学家和翻译家,独自译出著名的现代《圣经》译本。曾在格拉斯哥学院和格拉斯哥大学学习,1896年在苏格兰长老会受按立。1911年发表《〈新约〉文献介绍》。次年开始在牛津大学执教,1913年出版现代英文版《新约》。1915～1927年在格拉斯哥大学任教会史教授,1924年出版《旧约》现代英文译本。1927年任纽约协和神学院教会史教授。曾编订1928～1949年出版的《新约》评注集。

moffette (volcanic vent) 参阅 **mofette** 碳酸喷气孔。

Mofolo, Thomas Mokopu 莫福洛(1876-12-22,巴苏陀兰霍亚内[今莱索托]～1948-09-08,巴苏陀兰泰亚泰亚嫩) 今莱索托地区的第一个重要作家,创作了南索托语中最早的一批西方风格的长篇小说。1898年从巴苏陀兰莫里亚传教士培训学院毕业获得教师证书后,在塞苏陀书局任审稿人、校对和秘书达10余年。莫福洛开始创作时,索托作家正深受欧洲传教士翻译并广泛散发的两部著作《圣经》和J.班扬的《天路历程》的影响。他的第1部小说《东方旅行者》(1907)是一部讽喻小说。第2部小说《皮特森村》(1910)也是一部基督教寓言小说。第3部也是最后一部小说《沙卡》(1925)成为他的成名之作。这是一部关于祖鲁国王恰卡的历史小说,其主人公不再是讽喻人物,而是血肉丰满的悲剧人物,有些评论家将他比为《麦克白》。塞苏陀书局的传教士们对于莫福洛未谴责异教部落风俗感到不快,阻挠《沙卡》的出版达15年之久。莫福洛由于这种误解而消沉,遂放弃写作,为各种商务公司工作。最终由于商务损失陷于经济窘境。1941年中风,从此再也未能完全康复。

Mogadishu 摩加迪沙 索马里语作Muqdisho,意大利语作Mogadiscio,阿拉伯语作Maqdishu。索马里首都、最大城市和重要港口。位于赤道北侧,濒临印度洋。始建于10世纪,是东非海岸最早的阿拉伯人居民点之一。曾与阿拉伯各国有广泛的贸易往来,16世纪衰落。1871年为桑吉巴尔苏丹所控制,在此之前,与葡萄牙人和马斯喀特的祭司有商务联系。1892年,摩加迪沙港被出租给意大利人,1905年在英国的压力下出售给意大利。英国当时在桑吉巴尔苏丹国建立了保护地。此后,摩加迪沙成为意属索马里和索马

摩加迪沙市容
美国不列颠百科全书公司供图

里托管地的首都。1960年索马里独立后,首都亦设于此。市内既有伊斯兰教风格的古老建筑和清真寺,又有索马里大学(1954年建校,1959年成为综合性大学)和医院的现代化建筑,二者交相辉映。该市还建有伊斯兰法律、师资培训、工业技艺、公共卫生和兽医等学校。国家博物馆设在原桑吉巴尔苏丹的王宫内。港口于20世纪60年代末扩建。80年代和90年代初,索马里内战使该市遭到大规模破坏。市西8千米处有国际机场。人口约1 162 000(1999)。

Mogador (Morocco) **摩加多尔** 参阅 **Essaouira** 索维拉。

Mogan Mountain 莫干山 中国浙江省避暑胜地和游览区。位于浙江省境西北德清县境内,天目山余脉。相传春秋时为莫邪、干将铸剑的地方,故名。主峰塔山,海拔719米,顶呈圆形,为观日出胜地。相传937年在山顶上建有宝塔,故名塔山。山多云海,变幻莫测。竹木葱郁,泉清谷秀。山上有别墅楼阁百余幢,环境幽静,清风凉爽,最高温度一般在30℃以下,被誉为"清凉世界",是中国著名的游览避暑胜地。莫干山离杭州80余千米,有公路直达。特产有莫干黄芽茶、竹器、笋干等。

Mogao cave 莫高窟 参阅 **Dunhuang caves** 敦煌石窟。

Mogen David (Judaism)　参阅 **David , Star of** 大卫之盾。

Mogi das Cruzes　莫日达斯克鲁济斯　巴西圣保罗州东南部城市。临铁特河，海拔760米。1611年建镇，1855年为城市区政府所在地。农业和工业现均重要。向圣保罗-里约热内卢一带城市供应豆类和水果。有锯木、制革、钢铁、陶器、造纸、纺织、化工工业。产品经铁路或公路输出。建有一机场。莫日达斯克鲁济斯大学建于1973年。人口约301 551(2000)。

Mogila , Peter　莫吉拉(1596-12-21，摩尔达维亚[在今罗马尼亚]～1646-12-22，波兰基辅[在今乌克兰]　罗马尼亚语拼作 Petru Movilă。俄罗斯正教摩尔达维亚修士、神学家、基辅都主教。他出身摩尔达维亚国王宗室，迁居波兰属乌克兰；曾在波兰天主教耶稣会学校受教育，精通古典语言和拉丁经院神学。他于1633年当选基辅都主教，在任正值天主教和新教都在波兰和乌克兰东正教徒中间积极活动，于是他大力改进对神职人员和在俗信徒的教育。1633年，他把基辅隐修院神学院改组成文学院和神学院，聘请受过西方教育的教学人员。该院后来成为全俄罗斯正教会的神学振兴基地。经过莫吉拉努力，波兰国王承认了波兰境内东正教会的权利。莫吉拉为了在天主教和新教两面夹击下整理正教教义，于1640年编纂《东方使徒公教会信纲》(正教信纲)。该信纲于1672年由耶路撒冷会议通过，今日仍为反驳天主教和新教教义而拟订的东正教教义大纲。

Mogilyov　莫吉廖夫　白俄罗斯中东部的州。面积2.9万平方千米。在第聂伯河中游低地。有黄土状沉积平原，由北部波状起伏的奥尔沙冰碛丘陵和斯摩棱斯克-莫斯科高地向南渐渐倾斜。全州大部分为松树、云杉、橡树、桦树的混交林。有大面积芦苇及草丛和泥煤田。居民区除莫吉廖夫市和博布鲁伊斯克外都很小，从事木材和农产品加工。农业以种植亚麻和畜牧为主。主要粮食作物是裸麦、大麦、荞麦。水果和蔬菜亦为当地重要农产品。人口约1 269 400(1991)。

Mogilyov　莫吉廖夫　白俄罗斯中东部莫吉廖夫州首府。在第聂伯河畔。1267年建为要塞，1526年设镇，归属立陶宛，后归波兰，1772年根据第一次瓜分波兰条约为俄国所有。1812年城外发生与拿破仑军队的大规模交战。早为重要商业中心。1904年通铁路后地位更为提高。第二次世界大战中受严重破坏。但4座16～17世纪教堂得以幸存。现为重要工业城市，生产合成纤维、工业设备、电动机和各种消费品。设有师范和机械学院。人口约363 000(1991)。

Mogollon culture　莫戈永文化　又译"莫戈隆文化"。北美印第安人一居民集团的文化；约公元前200年到公元1200年之间，莫戈永人居住在现今亚利桑那州东南及新墨西哥州西南的多山地区。学者认为莫戈永文化系由科奇斯文化(**Cochise culture**)发展而来，并受到其他文化的影响。对莫戈永文化的分期，曾有不同说法，学者们经常提及5个发展阶段，各以其有代表性的遗址命名：派因朗期，约公元前200～公元500年；乔治城期，公元500～700年；旧金山期，公元700～900年；三环期，公元900～1050年；明布雷斯期，公元1050～1200年。在派因朗期，莫戈永印第安人住在小村庄里，村庄由许多圆形泥木结构的窖屋组成，屋内地面下挖10～40英寸；入口常常有隧道相通。食物主要是野生植物的种籽、根和坚果，但虽存在早期农业，狩猎不占重要位置，因考古发掘既未经常发现箭或梭标头，也未发现过兽骨。制陶、陶器形制与邻部印第安人的产品不同。乔治城期的文化类型基本上与派因朗期相同，只是玉米种植和狩猎已占主导地位，陶器的形制也更多样。这一略有改变的文化模式一直延续到旧金山期，不过窖屋已改为长方形，结构也较坚固，陶器形制有进一步发展。三环期人们的生计无多大变化，但在旧式的泥墙窖屋之外，又出现了石料结构的长方形窖屋。这时也出现了单独修建的地下礼堂。这两方面的改进，说明此时期的文化已受到北面阿纳萨齐文化的影响。陶器形制更为丰富多彩，工艺精湛。明布雷斯期发生深刻变化：窖屋为地面套房所代替，套房高1～3层，以石筑墙。每一普韦布洛即每一村庄拥有40～50个房间，环广场建成。莫戈永文化于13世纪消灭，原因不明。参阅 **Anasazi culture**。

Mogollon Mountains　莫戈永山　在美国新墨西哥州西南部。自圣弗朗西斯科河向东延伸80千米。最高峰怀特沃特鲍尔迪海拔3 320米。莫戈永山曾被认为是南落基山脉一部分。为希拉河源头。属希拉国家森林和自然保护区一部分。当地经济以采矿和旅游为主。

Mogwandi(people)　**莫格万迪人**　参阅 **Ngbandi** 恩格班迪人。

Mohács, Battle of　莫哈奇战役(1526-08-29)　匈牙利被土耳其人彻底击败的一次战役。它标志匈牙利君主国的真正灭亡，并为哈布斯堡和土耳其统治匈牙利铺平道路。1521年土耳其苏丹苏莱曼一世(1520～1566在位)利用匈牙利的Ⅴ.亚盖洛(1490～1516在位)和他的儿子路易二世(1516～1526在位)统治时期在政治、经济和军事上的没落，要求匈牙利纳贡。当路易拒绝时，土耳其人向匈牙利进军，攻占萨巴茨和贝尔格莱德两个要塞，接着继续前进，于1526年7月占领彼得瓦拉德(彼得瓦尔丹)。路易匆促地纠集一支不到2万人的队伍，从布达出发，迎战土耳其人。他不等特兰西瓦尼亚和克罗地亚的援军到来，便向在莫哈奇的苏莱曼10万大军进攻。匈牙利全军覆没，路易在逃亡中被杀。苏莱曼进入布达(9月10日)，但接着撤出匈牙利，带走10万多名俘虏。匈牙利从此一蹶不振。经过持久的内战(1526～1538)后，最终匈牙利中南部2/3领土于1547年并入奥斯曼帝国，另将特兰西瓦尼亚和匈牙利东部各省组成奥斯曼帝国下的自治公国。

mohair　马海毛　从安哥拉山羊取得的动物纤维，特种毛发纤维中最重要的一种。马海毛是最古老的纺织纤维之一，几千年来仅产于土耳其，19世纪在欧洲纺织工业中取得了重要地位。19世纪中期，南部非洲和美国西南部引进安哥拉种羊以改良当地山羊品种。安哥拉山羊的毛被毛丛均一，每年平均生长20～30厘米，通常每年剪毛两次，每头每次产毛量约2.25千克。选育良种使外层保护性粗毛大为减少。美国畜牧场生产的马海毛或者由仓库装运到波士顿和费城代销，或者直接卖给工厂。伊斯坦布尔是土耳其的主要市场。非洲大陆的马海毛大部出口到英国。销售前的加工包括清除天然油脂、尘土和植物性杂质，加工后产品回收率为70%～90%。和羊毛一样，马海毛主要由角蛋白组成。纤维表面的鳞片数只有细羊毛的一半，鳞片几乎是扁平的，重叠部分很少，所以纤维表面相当光滑。皮质部分有纵向沟纹，常含有气泡，有毛髓的纤维不到1%。卷曲很少，平均每英寸内不到一个卷曲。马海毛长而有光泽，结实耐用，回弹性能好。吸湿和含湿量与羊毛相似，对染料有良好的亲和力，对化学药剂较敏感。耐热、耐晒、防虫蛀和防老化的能力与羊毛很相似，但不如羊毛那样易于成毡。马海毛一般用于织造长毛绒织物，供制作各种服装，包括外衣、夏季套服和妇孺服装，也用于制造针织品和毛线。马海毛可与其他纤维混纺，也可单独用作经纱或纬纱。近年来受到合成纤维的竞争，一度广为流行的马海毛长毛绒家具装饰织物，现在只限于某些要求装饰华丽又经久耐用的场合使用。服装和家庭装饰用织物对马海毛的需求量随流行款式而变化。土耳其、美国和南部非洲是马海毛的主要生产国。英国、荷兰和比利时是马海毛的主要消费国。

Mohaka River　莫哈卡河　新西兰北岛中东部河流。源出卡韦卡、阿希马纳瓦两山岭。流向东南转东北折东南，注入太平洋霍克湾。长172千米，流域面积2 357平方千米。沿河多峡谷，其最下游的27千米穿行在75米高的台地之下。河畔莫哈卡镇为牧羊区中心。在劳庞加有内皮尔-吉斯伯恩铁路的高架桥，高90米，长275米。1869年河畔发生"莫哈卡惨案"，60名欧洲人被毛利人杀死。

Mohale's Hoek　莫哈莱斯胡克　莱索托西南部村庄。该区主要从事农业(小麦、玉米、高粱)和畜牧业，出口羊毛和马海毛。居民约1/5(大多为成年男子)在南非的矿区和农场作季节工。该村设有一家医院，与首都马塞卢有公路相通。人口：村3 763(最新统计)。

Moḥammad Khudābanda　穆罕默德·胡达班达　参阅 **Öljeitü** 完者都。

Mohammad Reza Shah Pahlavi　巴列维(1919-10-26，德黑兰～1980-07-27，开罗)　伊朗国王(1941～1979)。他推行亲西方的对外政策，促进伊朗的经济发展。礼萨·巴列维

(**Reza Shah Pahlavi**)国王的长子。初在瑞士就学,1935年回国。1941年苏联和英国担心礼萨·巴列维投靠德国,进兵伊朗,迫使礼萨·巴列维流亡。巴列维于1941年9月16

美国不列颠百科全书公司供图

日继父位。他成功地解决了同苏联的危机(1945～1946)。50年代初,他为控制伊朗政府而同狂热的民族主义者摩萨台展开斗争。1951年3月摩萨台使议会通过英国石油公司产权国有化法;4月底,他被迫任命摩萨台为首相。1953年8月试图解除摩萨台的职务,结果却被摩萨台分子强迫出国。几天后,可能是在美国支持下,他又重登王位。他改变摩萨台的国有化政策,将石油公司归还外商,并推行一项全国发展计划,即所谓的白色革命。在60和70年代,他力图实行独立的外交政策,同苏联和东欧国家建立外交关系。由于他的专制统治,政治腐败、石油收入分配不均,强行西方化、秘密警察对反对派的残酷迫害等等,各大城市发生暴动和混乱,他于1979年1月16日出走。什叶派宗教领袖霍梅尼取得了政权。1979年4月1日伊朗举行公民投票,宣布成立伊斯兰共和国。巴列维出走后曾去埃及、摩洛哥、巴哈马和墨西哥等国,1979年10月22日到美国治病。两周后伊朗民兵在德黑兰占领美国大使馆,把50多名美国人扣作人质,要求引渡国王。巴列维从美国去巴拿马,再往开罗,埃及总统萨达特给予他政治避难权。

Moḥammad Shams od-Dīn Ḥāfeẓ　穆罕默德·沙姆斯·奥丁·哈菲兹　参阅Ḥāfeẓ哈菲兹。

Mohammed, Warith Deen　穆罕默德(1933-10-30,美国密歇根底特律～2008-09-09,伊利诺伊马克姆)　原名Wallace D. Muhammad。美国宗教领袖。伊斯兰民族组织首脑伊莱贾·穆罕默德之子,1975年其父死后成为该组织领袖。他重新阐释该组织的教义,摒弃了认为白人是"蓝眼恶魔"的信条和伊莱贾·穆罕默德是先知的说法,引导民族组织趋向正统的逊尼派伊斯兰教。1976年将该组织更名为西方伊斯兰世界社团,1978年改称美国穆斯林教团,1985年又改名穆斯林美国社团。他还把自己的名字改为沃里思·迪恩·穆罕默德。1978年由L.法拉坎领导的一个少数派脱离穆罕默德,按照伊莱贾·穆罕默德的训导重新成立伊斯兰民族组织。2000年穆罕默德和法拉坎相互承认为穆斯林伙伴。

Mohammed Ali, F.　穆罕默德·阿里　参阅**Fard, Wallace D.**法尔德。

Mohammed Dib　穆罕默德·狄布　参阅**Dib, Mohammed**狄布。

Moḥammed Shāh, Sultan Sir　穆罕默德沙　参阅**Aga Khan III**阿迦汗三世。

Mohammedia　穆罕默迪耶　前称费达拉。摩洛哥西北部港口城市。濒大西洋,在卡萨布兰卡市东北24千米处。14和15世纪来自欧洲的商船常去该市寻找补给。18和19世纪曾间断地作为基督教商人的粮食出口地。1913年后法国商人开始在这里兴建现代化港口设施。现在不仅为重要工业港口且为著名海滨疗养地。进口原油,市西南有全国最大炼油厂。另有鱼罐头食品厂和一家生产氯及碳酸钠的化工厂。人口170 083(1994)。

Mohammerah(Iran)　**穆哈姆默拉**　参阅**Khorramshahr**霍拉姆沙赫尔。

Mohave　参阅**Mojave**莫哈韦人。

Mohawk　莫霍克人　操易洛魁语的北美印第安部落,是易洛魁联盟(**Iroquois League**)最东部的成员,拥有3个村落,位于今纽约州斯克内克塔迪以西地区。莫霍克人同其他易洛魁部落一样,是半定居的。妇女务农,种植玉米,男子则秋冬狩猎,夏季捕鱼。互有亲属关系的几个家庭居住一间长房,这是易洛魁社会的象征。根据传说,莫霍克领袖海华撒是第一个接受和平先知德坎纳维达所传播的和平诸原则的,后者是易洛魁联盟的首倡者。莫霍克人在联盟中拥有9名代表,由龟氏族、狼氏族及熊氏族各出3名。每个莫霍克人的村社还有地方议事会,指导村长的工作。莫霍克人经常与其邻近阿尔冈昆诸部落作战。自从荷兰人开始用火器换取海狸皮进行贸易之后,莫霍克人作战胜利的次数屡有增加。但同欧洲人接触之后,其人口亦呈锐减。20世纪晚期,莫霍克人总数约5 000人。

Mohawk River　莫霍克河　美国纽约州中东部河流,为哈得孙河最大的支流。在奥奈达县由东、西两支流汇合而成,向南转东,在沃特福德汇入哈得孙河。全长225千米,流

纽约州乌蒂卡附近的莫霍克河
美国不列颠百科全书公司供图

域面积8 837平方千米。同该河平行的伊利运河有188千米河道(罗马-河口)已废弃,现由该河替代。该河谷地在历史上是经阿巴拉契亚山脉进入大湖区的通道(莫霍克小道),也是法国-印第安人战争及美国独立战争的主要战场。

Mohe　靺鞨　中国古代民族。先世可追溯到商周时的肃慎和战国时的"挹娄"。北魏称"勿吉",唐时写作靺鞨。初有数十部,后逐渐发展为七大部。主要分布在粟末水(今松花江)和黑水(今黑龙江)一带。东至于海

黑龙江宁安县渤海镇石灯塔,为唐代靺鞨人所建渤海国所遗佛教石雕珍品
中国大百科全书出版社供图

(今日本海),西接突厥,南接高丽,北邻室韦。以粟末靺鞨和黑水靺鞨最强大。靺鞨各部发展水平不一,大多以角弓、楛矢射猎为主,凿土穴而居。南部的粟末部较为先进,种植粟、麦、穄等作物,养猪、马,以米酿酒,以猪皮为衣。最北方的黑水部使用铁器,善用自造毒药敷于箭矢,以射禽兽。7世纪初,粟末诸部役属于高句骊。725年,唐在黑水靺鞨地区置黑水府,以其首领为都督,其余各部隶属于都督府,称为州,各部首领为州刺史,唐派长史监领之。粟末靺鞨于698年曾建立渤海(**Parhae**),其首领大祚荣于唐开元元年(713)受封为左骁卫大将军、渤海郡王。置忽汗州,加授忽汗州都督。此后辖区即以渤海为号。926年为辽太祖耶律亿攻灭,改称东丹。10世纪后改称女真。

Mohe　漠河　中国黑龙江省大兴安岭地区辖县,为省内最北部的县。北隔黑龙江与俄罗斯相望。西与内蒙古自治区接壤。清光绪三十四年(1908)置漠河厅。1914年置漠河设治局,1917年设漠河县,属黑龙江省。1949年并入呼玛县,1981年复设漠河县。县政府驻西林吉镇。面积18 367平方千米。地处大兴安岭最北麓低山丘陵区,森林资源丰富,主要树种有落叶松、樟子松、白桦等。有西林吉、图强、阿木尔3个林业局,工业以木材采伐加工为主。采金历史悠久。县最北部的漠河村,为金沟林场所在地,盛产黄金。有通达嫩江、齐齐哈尔的铁路和通黑河的公路干线。每年5～10月黑龙江可通航。漠河村夏至时白天长达21小时,冬至时白天只有6小时,是中国能看到绚丽多姿的北极光的地方,也是中国纬度最高、最冷的地方,极端最低气温达-52.3°C。人口80 000(2005)。

Mohegan　莫希干人　操阿尔冈昆语的印第安部落,原住于今康涅狄格州泰晤士河上游一带地区,后因征服其他部落,将其土地扩展至马萨诸塞州和罗得岛州。莫希干人的经济活动以种植玉米和从事渔猎为基础。

17世纪早期，欧洲人最初定居于新英格兰时，莫希干人与佩科特人同在佩科特首领萨萨库斯领导之下，后来副首领温卡斯领导一次起义，莫希干人才获独立。1637年，佩科特人在对英战争中惨败，多数幸存者投奔莫希干人，其土地亦为莫希干人所有。温卡斯与英人结盟，其地位乃得巩固。后来白人居民点逐渐取代了莫希干人居住区，使其人口大减。许多莫希干人四散，投奔其他部落；一支混血的后裔留在康涅狄格州诺威奇地区。参阅 **Pequot**。

Mohenjo-daro 摩亨约-达罗 印度河右岸的一群土丘，在今巴基斯坦信德省境内，其名意为"死亡之丘"。1922年首次确认其考古价值，随后的发掘发现这是印度河流域文明(Indus Valley Civilization)最大的城市遗迹。其城市规模(周长约5千米)及丰富的遗址内容使人认为这当是一个大国的都城。摩亨约-达罗城现距印度河3千米，布局极为整齐，城中分十几个街区，每个街区南北长384米，东西宽228米，其间穿有直巷或曲巷。中央区位于西面，高出地面达6～12米，筑有方形砖砌城堡。最高处建筑有回廊水池、大型住宅构架、谷仓和至少两处集会场所。显然，此城堡乃是作为举行宗教活动及仪式之用。城中较低部分为庭院，住宅多有小浴室，并有排水设施。未发现有建筑装饰，石雕亦罕见，只有些碎片如男像的头肩等。最具艺术价值的发现是一著名的青铜制年轻舞娘像。无数陶片，多为牛及女人像。有迹象表明摩亨约-达罗曾不止一次遭洪水破坏。

Mohican 参阅 **Mahican** 马希坎人。

Mohism 墨家 中国战国时期的一个重要学派，创始人为墨子。历史上有前后墨家之分。前期指墨子在世时组成的学派；后期指墨子死后其弟子组成的学派。《汉书·艺文志》列墨家为"九流"之一。墨家主张"兼爱"、"非攻"、"尚贤"、"尚同"、"天志"、"明鬼"、"节葬"、"节用"、"非乐"、"非命"，与儒家相抗衡。反对天命，但又强调服从天志。反对儒家"亲亲"，主张无差别兼爱。在认识论上提出以现实世界为出发点，但又保留"先王"的形式。战国末期墨子的后学克服墨学中宗教迷信部分，对认识论、逻辑学以及自然科学中的几何学、力学、光学等都有新的探索。后墨强调感官和外物接触取得感性认识，感性认识必须通过思维辨察提高到理性认识。把知识分为"闻、说、亲、名实合、为"五等，以"为"为最切实可靠的知识基础。墨家学派组织严密，纪律严格。后来分为相里氏、相夫氏(亦作柏夫氏或祖夫氏)和邓陵氏三派，互称对方为别墨。墨家在先秦百家争鸣中独树一帜，在社会上影响很大，在哲学上有重大贡献。西汉中期罢黜百家独尊儒学后迅速衰微。

Mohl, Hugo von 莫尔(1805-04-08，符腾堡斯图加特[德意志]～1872-04-01，德国蒂宾根) 德国植物学家。以研究植物细胞的解剖学和生理学闻名。1828年于蒂宾根大学获医学学位。在慕尼黑从事研究数年后，1835年任蒂宾根大学植物学教授至去世。研究了植物细胞后，莫尔认为细胞的主要成分是颗粒状胶体物质，而细胞核即存在于其中。1846年将这种物质命名为原生质(原生质一词为捷克生理学家扬·埃万盖利斯塔·普尔基涅所创，用指卵中的胚胎物质)。在对藻类 *Conferva glomerata* 的观察过程中，首次提出新细胞是通过细胞分裂而成。1851年提出，植物细胞的次生壁具有纤维结构。他论述了质体的性质和作用，从而首次明确解释了渗透在植物生理过程中的作用。亦最早研究叶上气孔开阖现象。

Möhler, Johann Adam 莫勒(1796-05-06，维尔茨堡伊盖尔斯海姆[德国]～1838-04-12，慕尼黑) 德国天主教会史学家。1819年受祝圣为司铎，先后在蒂宾根大学(1826～1835)和慕尼黑大学(1835～1838)讲授教会史。1832年出版重要著作《论信经》，继承1825年所著《教会合一》一书的观点，指出人要追求上帝，必须通过基督所建的教会。他同情新教，为了谋求教会合一，访问德国和奥地利各主要大学，同当代新教学者交谈。他希望基督教和天主教相互谅解而达到教会合一，他这种希望对20世纪普世教会运动深有启发。

Moholy-Nagy, László 莫霍伊-纳吉(1895-07-20，匈牙利巴奇巴索德～1946-11-24，美国伊利诺伊芝加哥) 匈牙利画家、摄影家及美术教师，其艺术观点对20世纪中叶美术和应

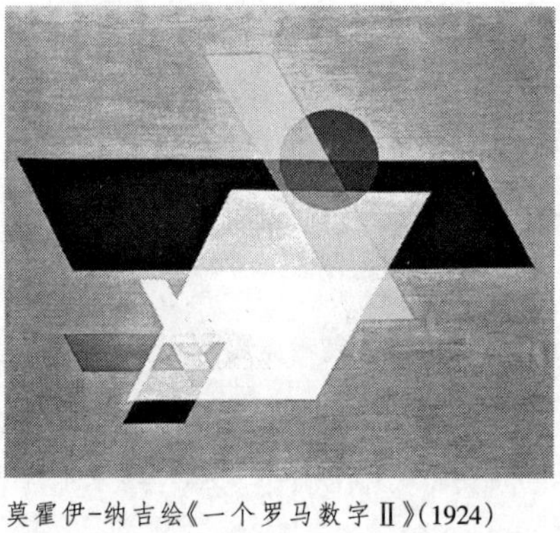

莫霍伊-纳吉绘《一个罗马数字Ⅱ》(1924)
美国不列颠百科全书公司供图

用美术有巨大影响。青年时曾在先锋派刊物《我的》发表过立体派木刻画。1921年去柏林，1923年任包豪斯设计学校金工室主任，兼《包豪斯丛书》编辑。在包豪斯设计学校期间(1923～1929)，对艺术及艺术教育颇多建树。在绘画和摄影艺术上，主要运用光的效应。在艺术教育上，设计过一套被广泛接受的教学内容，旨在发挥学生内在视觉天赋而不着重培养专门技巧。1935年离开纳粹德国到伦敦，1937年在芝加哥组织新包豪斯设计学校(后改名伊利诺伊理工学院设计学院，自任院长)。

Mohorovičić, Andrija 莫霍洛维奇(1857-01-23，奥地利帝国克罗地亚沃洛斯阔[今在克罗地亚]～1936-12-18，南斯拉夫萨格勒布) 克罗地亚气象学家和地球物理学家。他发现了地壳和地幔之间的界面；后来这个界面就被命名为莫霍洛维奇不连续面。他是一名早熟的青年，父亲是造船厂木工，母亲早逝。15岁时，除使用克罗地亚语外，还学会了英语、法语和意大利语，后来又学会拉丁语、希腊语以及捷克语和德语。他就读于布拉格大学，在物理学家和哲学家E.马赫指导下学习，并在数学系和物理系毕业(1875)。在一所中学教了7年书以后，应聘到里耶卡附近的巴卡尔皇家航海学院教授气象学和海洋学，并在1887年建立了气象观测站。1891年任萨格勒布高等工学院教授，并继续进行自己的研究。1892年任萨格勒布气象观测台台长。1897年接受萨格勒布大学哲学博士学位。早在1908年他已为萨格勒布观测台配置了新的改进型的地震记录仪器，使它成为欧洲最先进的观测台之一，次年10月8日这个台记录到库勒巴山谷的一次破坏性地震。根据这个台及其他台站的观测数据，他注意到某些地震波到达观测站的时间比预计的早，因此他推断地震的中心位于地球的外层(地壳)，快波是通过地球的内层(地幔)传播的。后来称为莫霍洛维奇界面的不连续面就位于这二者之间。很久以后用更精密的仪器得出的观测资料完全证实了他的发现。常被简称为莫霍面这个壳-幔界面在大陆上位于约35千米深处，在洋壳下则位于约7千米深处。经现代仪器测定，地震波速在这一界面处迅速增至每秒8千米以上。后来他又发展了一种震中定位技术和计算了地震波的走时。他是抗震结构的早期倡导者。

Mohs hardness 莫氏硬度 又译摩氏硬度。光滑表面抵抗划或摩擦的粗略计量标准，用德国矿物学家F.莫斯1812年设计的尺度来表示。确定一种矿物的莫氏硬度是看其表面是否被一种硬度已知或已规定的物质所刻划。要对这种物理性质给出数值，就把矿物按莫氏硬度表排列起来，此种硬度表由已给定适当硬度值的10种矿物组成。这个表包括以下矿物，按硬度递增顺序为：①滑石；②石膏；③方解石；④萤石；⑤磷灰石；⑥正长石；⑦石英；⑧黄玉；⑨刚玉；⑩金刚石。因此，如果一种矿物被正长石所刻划而不被磷灰石所刻划时，则其莫氏硬度就介于5与6之间。在测定硬度的过程中，必须肯定，的确划出了刻痕，而不是可以擦掉的"粉笔"道。如果待测物质是细粒的、松散的或粉末状的，则此种测试可能只是使颗粒松动了，并没有测到个别矿物的表面。此种矿物硬度表的补充标准还有：指甲(2+)、铜币(约3)、小折刀的刀刃(5+)、窗户玻璃(5½)和钢锉(6½)。

Moi, Daniel arap 莫伊(1924，肯尼亚萨乔～) 全名 Daniel Toroitich arap Moi。肯尼亚政治人物，1978～2002年任肯尼亚总统。曾在教区和政府学校受教育。21岁时成为一名教师。20世纪60年代初肯尼亚开始独立运动，他被任命为过渡政府的教育部长。1964年加入肯尼亚非洲民族联盟(KANU)。同年被任命为内务部长。在J.肯

雅塔总统任内担任副总统(1967 ～ 1978),后继任总统。很快就巩固了权力,禁止反对党存在,把亲信提拔到政府重要职位。他还讨好军队,1982 年军队为向他表忠心镇压了一次政变。他继续执行肯雅塔的亲西方政策,在冷战期间(1947 ～ 1991)得到大量开发援助。在莫伊的管理下,肯尼亚成为非洲最繁荣的国家之一。但在 20 世纪 90 年代初,西方国家开始要求政治和经济改革,1991 年莫伊被迫承认反对党合法化。1992 年赢得该国首次多党选举,尽管有选举舞弊的指控。1997 年的选举出现动荡和示威,数百名肯尼亚人,主要是吉库尤人被杀害。第 5 次当选总统后,莫伊许诺结束政府腐败,促进民主和经济改革。2003 年根据宪法要求退休。

Móin Alúine (Ireland) 参阅**Allen, Bog of** 艾伦沼泽。

Moineau, Georges-Victor-Marcel 穆瓦诺 参阅**Courteline, Georges** 库特林。

Moira, Francis Rawdon-Hastings, 2nd earl of 莫伊拉伯爵(第二) 参阅 **Hastings, Francis Rawdon-Hastings, 1st marquess of** 黑斯廷斯侯爵(第一)。

moiré pattern 云纹图 物理学名词,指一组直线或曲线叠加到另一组之上而产生的几何图样。这一名称来源于法文词"水纹"。把小网眼的尼龙帘子折叠起来或者把两张网格纸互相转动 20 ～ 30°,就能看到这一效应。如果把由平行且等宽度的黑、白线构成的光栅叠置于另一个相同的光栅上,当交角在 0°到 45°间变化时,就会显现出由等间隔的平行条纹组成的云纹图。如果两个间隔略有不同的光栅叠在一起,将显出"拍"条纹,若两光栅之间发生一相对位移,则"拍"条纹将以更快得多的速度移动位置。利用这一原理,可以测量机械装置里的微小位移(例如比长仪)。云纹图对描述液体的流动和势场也有用。图中的云纹条纹与两个反号点电荷之间的力线相似。光学、波动、应力分析、结晶学、数学以及感觉心理学中的问题也都可以用它来求解。当两个不同颜色的曲线族叠在一起时,会形成另一类的云纹条纹,即第三种色的条纹。

云纹图

Moisa (Greek religion) 参阅 **Muse** 缪斯。

Moïse, Isaäc 莫伊兹 参阅 **Crémieux, (Isaac-) Adolphe** 克雷米厄。

Moiseiwitsch, Benno 莫伊塞维奇(1890-02-22,俄罗斯帝国乌克兰敖德萨～ 1963-04-09,伦敦) 俄国出生的英国钢琴家,擅长演奏 S.拉赫玛尼诺夫和 P.I.柴可夫斯基的乐曲。起初在敖德萨师从 D.克利莫夫。9 岁荣获鲁宾斯坦奖。1904 ～ 1908 年在维也纳就学于 T.列希蒂兹基门下。1908 年在雷丁举行他的英格兰首次演出,第二年在伦敦首演。曾到美国、澳大利亚、印度、日本和南美巡回演出。1937 年加入英国籍。其演奏风格师法拉赫玛尼诺夫,感情洋溢、充满动力、触键仍优雅精细。他的曲目广泛,擅长演奏浪漫派乐曲,尤其是俄罗斯浪漫主义的作品。

Moiseyev, Igor Aleksandrovich 莫伊谢耶夫(1906-01-21,基辅～) 苏联舞蹈编导、苏联国家民间舞蹈团的创始人。他为剧场演出重新创作了许多苏联的民族舞蹈作品。1924 年毕业于莫斯科大剧院芭蕾舞学校。他既是性格舞蹈演员,又是大剧院编导。1936 年被任命为新建的莫斯科民间艺术剧院舞蹈设计负责人。在组织了全国民间舞蹈会演之后,他又创建国家民间舞蹈团(1937)。该团拥有舞蹈演员 35 人,主要是业余爱好者。表演当时组成苏联的 11 个加盟共和国的舞蹈。后来他又建立了一个舞蹈团,拥有将近 100 名职业舞蹈演员,都具有古典芭蕾舞的经历。他的编舞具有连续的几何图形的特征,表演时动作需要高度精确。他的作品既保持真正的民间舞蹈特色,又注意渲染演出效果,因而特别受到赞誉。整个剧团虽以壮观的武功式跳跃驰名,而他编舞还是借重于所谓的"根基动作",即别具一格的民间舞蹈的基本舞步。他为整个剧团创作了 170 多个舞蹈,包括描绘一对年轻人订婚礼的《乌克兰组舞》和著名的描述游击战和骑兵的《游击队员》。他根据白俄罗斯的民间传说改编的《马铃薯舞》非常成功,已被白俄罗斯承认为该地区的民族舞蹈。1955 年后该团在法国、英国、埃及、日本及美国巡回演出。

Moism (Chinese philosophy) 参阅 **Mohism** 墨家。

Moissan, (Ferdinand-Frédéric-) Henri 穆瓦桑(1852-09-28,巴黎～1907-02-20,巴黎) 法国化学家,因分离出元素氟和发明穆瓦桑电炉而获1906年诺贝尔化学奖。在巴黎自然历史博物馆和巴黎药学院工作后,穆瓦桑成为巴黎药学院的毒物学教授(1886)和无机化学教授(1889)以及巴黎大学的无机化学教授(1900)。1884 年他开始从事氟化合物的研究。两年后,他通过电解含有氟化钾的氢氟酸溶液,制得极活泼的气体氟。他对这一元素的性质及其与其他元素的反应做了充分的研究。1892年穆瓦桑研制了电弧炉,并用它制备了很多新化合物和使一些以前认为是不熔的物质气化。他设计了经济上有利的生产乙炔的方法。虽然他曾声称在他的电炉中合成了金刚石(1893),但现在对他的成功仍有怀疑。穆瓦桑著有《电炉》(1897),《氟及其化合物》(1900)和 5 卷本《无机化学教程》(1904 ～1906),都是法文版。

美国不列颠百科全书公司供图

Moivre, Abraham de 棣美弗(1667-05-26,法国维特里～ 1754-11-27,伦敦) 法国数学家,发展解析三角和概率论的先驱。他是法国加尔文派新教徒。1685 年,在保护加尔文教徒的南特兹敕令被废除时遭监禁。不久获释,迁居伦敦,成为牛顿和天文学家 E.哈雷的挚友。1697 年被选为伦敦皇家学会会员,后又被选为柏林科学院和法国科学院院士。尽管他是著名的数学家,但无固定工作,靠当家庭教师和关于赌博与保险方面的顾问谋生。1718 年,他把 1711 年在《皇家学会会报》上连载的论文《论赌博法》扩充为《机遇说》一书。虽然现代概率论肇始于 B.帕斯卡与 P. de 费马之间未发表的通信(1654)和 C.惠更斯的论文《关于赌博中的推断》(1657),但棣美弗的著作大大推进了概率论的研究。所谓统计独立的定义,即各独立事件的积的概率等于各独立事件概率的乘积,最先是在棣美弗的《机遇说》中阐述的。该书包括了掷骰和其他赌博的许多问题,这些问题有的已经在雅各布第一·伯努利的《推测术》(1713)中提到过,此文发表在棣美弗的《机遇说》之前,但在《论赌博法》之后。棣美弗是从事件的数学期望推导出概率论的原理的,恰好与现代的做法相反。他的第二篇关于概率论的著作是《综合分析》(1730)。他第一个使用概率积分,这种积分的被积函数是 e^{-x^2},即

$$\int_0^\infty e^{-x^2}\,dx = \sqrt{\pi}/2$$

又首创斯特林公式,即对于大数 n,$n!$近似地等于 $(2\pi n)^{1/2} n^n e^{-n}$;但这公式却被误认为是英国的 J.斯特林(1692 ～ 1770)最先提出的。1733 年他利用斯特林公式导出正态频率曲线作为二项式定理的近似。他是最早在三角学中应用复数的人之一。以他命名的棣美弗公式 $(\cos x + i\sin x)^n = \cos nx + i\sin nx$,对使三角学从几何领域进入分析领域起很大作用。

mojarra 银鲈 鲈形目银鲈科约40种鱼的统称。见于全世界大多暖海区,有些种也偶尔进入半咸水或淡水水域。体银色,扁,特征

为口非常突出。最大长度约35厘米，一般不超过25厘米。斑鳍银鲈(银色大口银鲈，*Eucinostomus argenteus*)是分布最广的种类之一，见于大西洋、墨西哥湾、北美太平洋沿岸，甚至进入河系下游淡水中。

Mojave 莫哈韦人 又拼Mohave，又译莫哈维人。操尤马语的印第安农民，生活于美国科罗拉多河下游莫哈韦河谷地区。河谷为一绿洲，周围是沙漠，每年洪水泛滥之后，大部谷地淤泥沉积，洪水一退，播种开始。他们从事农业但不举行谷物收获的庆典。农作之外，还有渔、猎及采集野生植物。主要社会单位是家庭及父系氏族。没有家庭较集中的村庄，多为分散的农舍。有耕地处就有农舍；土地归垦殖者所有。莫哈韦人主要由一名世袭的部落首领掌管，他是天赐的领导人和顾问。莫哈韦人具有强烈的民族意识，同心协力，在战时尤其明显；声誉建筑在战争中的勇武及战功的基础之上，他们由一名军事首领领导，全体体魄健壮的男子都参加作战。战斗人员分为弓弩手、棍棒手、打击手，战术因循守旧。在宗教信仰方面，莫哈韦人信奉一位最高造物主，并重视梦境，公众庆祝活动即采用歌唱梦境的组歌。20世纪晚期，住在居留地内外的全部莫哈韦人约650名。

Mojave Desert 莫哈韦沙漠 在美国加利福尼亚州东南部及内华达州、亚利桑那州、犹他州部分地区。面积6.5万平方千米，自内华达山脉延伸至科罗拉多台地，北与大盆地

莫哈韦沙漠
美国不列颠百科全书公司供图

沙漠，南与索诺兰沙漠相连。昼夜温差极大。年降水量不及127毫米。莫哈韦沙漠同大盆地沙漠相接处有北美洲最低点：死谷。莫哈韦沙漠为典型山地和盆地地形，植物稀少。沙砾盆地的水流向中部盐滩(产硼砂、钾碱和盐)。有银、钨、金和铁开采业。莫哈韦间歇河大部为地下河，流向苏打湖。东部边缘有科罗拉多河和米德湖。沙漠北部为牧区，邻近洛杉矶的西南部向城市化和娱乐区发展。境内有多处军事设施和约书亚树国家保护区。主要城镇有拉斯韦加斯、兰开斯特、莫哈韦等。

moji (calligraphy) 参阅 **bokuseki** 墨迹。

Mojilian (Mongol khan) **默棘连** 参阅 **Bilge** 毗伽。

Mojing 《墨经》 中国战国末期的墨家著作《墨子》中的4篇，即第四十《经上》、第四十一《经下》、第四十二《经说上》、第四十三《经说下》。晋朝鲁胜作《墨辩注》，把这4篇统称为《辩经》，后人则称为"墨经"。成书于公元前4～前3世纪间。名称首见于《庄子·天下》。今存最早版本载于明正统《道藏》。清中叶以来校释研究渐多，义理价值受到重视。《墨经》论述的问题大致可以分为认知论、逻辑思辩、历史观、自然观4类问题。《墨经》认为，"物"是外延最大的属概念，一切客观事物，都归属于"物"的范畴，并提出了物质不灭的思想。"宇"是空间的定义，是东西南北等不同处所的概括。"久"即"宙"之意，是时间的定义，遍指包括古今旦暮的各种时间。认为物充盈于无穷宇宙，是世界本原，知识、精神是人体生命物质的才能。"动"即徙和行。认为物质、运动与时、空有必然联系，时、空有无穷和有穷两重性。指出认知的目的和实质是"摹略万物之然"与所以然。说明感性认知的特点是用五种感官与事物相接触、相过从，以反映事物的面貌；理性认知的特点是用思虑分析事物，以获得清晰明了的知识。重视自觉实践对知识形成和检验的作用。《墨经》独特的哲学价值和义理，是中国传统哲学的重要组成部分，对先秦、两汉和近现代都有重要影响，在中国自然科学史乃至世界自然科学史上也具有很高的地位。参阅 **Mozi**。

Mokau River 莫考河 新西兰河流。源出北岛朗伊托托岭，向西南流入北塔拉纳基湾。全长158千米。流域面积1 425平方千米。下游为乳品产区。河水定期泛滥。37千米河段可通航。此段沿岸有莫考等城镇。

Moke, Camille 莫克 参阅 **Pleyel, Marie-Félicité-Denise** 普莱埃尔。

Mokha (Yemen) 参阅 **Mocha** 穆哈。

Mokken (Japanese scholar) **嘿轩** 参阅 **Nakae Tōju** 中江藤树。

Mokoš 摩科斯 古代斯拉夫神话中颁赐生命的女神。公元980年古基辅一带所崇奉的众神中的唯一女神，东斯拉夫民间宗教称她为Mokoša(摩科萨)，或Mokuša(摩库萨)。她亭亭玉立，头大臂长，夜间纺麻、毛并剪羊毛。她的名字与纺绩、编织和潮气有关。

Mokp'o 木浦 韩国西南部全罗南道港口城市。在朝鲜半岛西南端务安半岛顶端，为韩国的最大粮仓湖南平原的门户。李朝期间(1392～1910)木浦为海军基地，1879年对外通商。1955年改建港口，扩大泊位。近海有1 430余小岛，为良好渔场。有铁路、公路经大田至汉城。主要工业为海产品加工和食盐化工。市内有木浦初等师范学院。人口243 064(1990)。

Mokrān (Iran) 参阅 **Makran** 莫克兰。

moksha 解脱 又拼moksa，梵语作mokṣa；又称mukti或apavarga。印度教和耆那教用语，指最高的解脱，即使个人的灵魂摆脱轮回的束缚。灵魂一旦进入肉体，便始终陷入轮回的羁绊之中，直到它达到完美或觉悟的境界，才能使自己得到解脱。寻求和达到解脱的方法因学派而异，但几乎所有的学派都认为解脱是人生的最高目标。

Mokuan Reien 默庵灵渊(13世纪末？，日本～1343?，中国) 日本禅僧画家。最早用中国单墨风格作画的日本画家之一。约于1333年赴中国，至各主要寺院巡礼，曾仿照13世纪中国禅宗画家牧溪法常的风格作了不少花鸟和肖像画。在日本，其作品被幕府将军足利义满(1358～1408)与足利义政(1435～1490)所珍藏。最佳真迹《布袋和尚》，藏日本大矶住友家。

mola 翻车鲀 又作ocean sunfish或headfish。翻车鲀科3种大洋鱼类的统称。外表特殊，体短，后部在高的三角形背鳍与臀鳍之后截然而止，身体两侧扁平，皮肤强韧，口小，

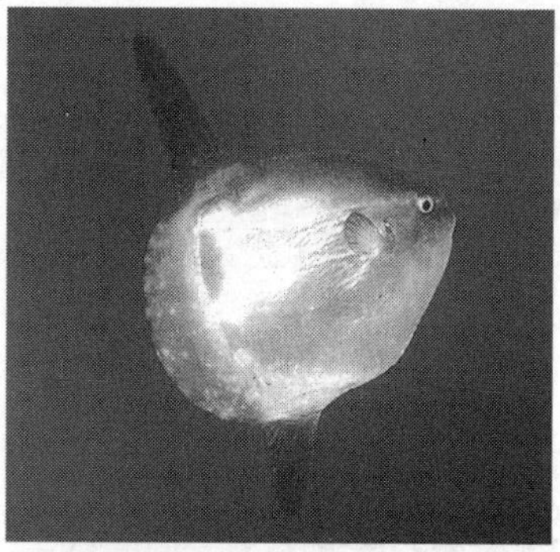

普通翻车鲀(*Mola mola*)
美国不列颠百科全书公司供图

牙愈合呈喙状。普通翻车鲀(*Mola mola*)体大，灰或浅褐色，最长可达3.3米，重1 900千克；呈卵圆形或圆形，林奈将其比喻为磨盘石，英文俗名即由此而得。遍布世界温带和热带海域，常见于外海表层。其他两种体较长，但背鳍和臀鳍之后也短。矛尾翻车鲀(*Mola lanceolata*或*Masturus lanceolatus*)体亦大，长翻车鲀(*Ranzania laevis*)则较小，体细长，长约70厘米。

mola 莫拉女衬衫 巴拿马东海岸圣布拉斯群岛库纳印第安妇女特有的绣花衫。这种女装色彩鲜明，图案是用背面缝饰技巧处理的。过去多为珊瑚形的抽象图案，近来构图简单的象征性设计日渐流行。莫拉起源尚未确定，可能是西班牙殖民前文身的残迹，现在莫拉图案不仅用作服装，也用作墙上和室内装饰。

Mola di Bari 莫拉-迪巴里 意大利南部普利亚(亦名阿普利亚)区巴里省城镇。在欧洲中世纪时，是东征的十字军的出发地。当地有一座13世纪的天主教堂，文艺复兴时期经过重建。近代该城是渔港，有旅游浴场，有制

革、制肥皂和制纽扣的工厂。城市区人口约26 942(1989)。

molar gas constant　摩尔气体常量　基本物理常量,符号为 R,出现于表示一般气体定律的公式中。对于理想气体(实际气体在低压或远离液化点时的近似),其压强 p 乘体积 V 除以热力学温度是一个常量。对于给定质量的气体,当这 3 个量有一个改变时,另两个至少有一个要起相应的变化以使 pV/T 保持恒定。只要所考察气体的质量是 1 摩尔,该常量对所有气体都是相同的,即 $pV/T = R$。普适气体常量 R 的量纲是能量除以摩尔·度。在米-千克-秒制中,R 的值为8.31441(±26)焦耳/(开·摩尔)。其他常用的等效值 R 为 8.314×10^7 尔格/(开·摩尔)或 1.986 卡/(开·摩尔)或0.082 07升·大气压/(开·摩尔)。

molasse　磨拉石　大陆和海洋碎屑沉积岩的厚层组合。碎屑沉积岩主要是由作为滨岸沉积物的砂岩和页岩组成。涉及到的沉积环境包括海滩、潟湖、河道和回水沼泽地。沙子沉积在海滩上和河道中,最终形成主要是钙质的和菱铁矿质(含碳酸亚铁)的亚杂砂岩和原生石英岩的鞋带砂体(厚度与宽度之比为1:5)。在潟湖和沼泽中沉积的是页岩,它富含云母,呈红色到灰色。另外还有薄层淡水石灰岩和煤层(称为煤系)。这些沉积物具重复出现的层理。磨拉石的特征与称为复理石的深水海相沉积物截然不同。

molasses　糖蜜　又称 treacle。甘蔗汁或甜菜汁中的糖结晶后余下的糖浆。糖蜜可用离心机从甘蔗结晶中分离出来。在制做过程中糖蜜反复从甘蔗结晶中分离出来,产生不同成色的糖蜜。第一批提取的比第二第三批提取的糖蜜含糖量高,味道甜,颜色淡。第三批或最后提取的为赤糖糊,是一种能用普通结晶法分离的糖都已提取过后产生的重而黏的深色物质。从甘蔗中制出的淡色糖蜜可供食用,并用于烤制面包、制做糖果和朗姆酒(**rum**)。赤糖糊和其他低级甘蔗糖蜜多用于制牲畜混合饲料和工业制醋、柠檬酸及其他产品。从甜菜中制取的糖蜜含糖量低,一般不宜食用。1948 年以前,还用糖蜜发酵制作工业酒精;现在则主要用乙烯制作,从而减少了对糖蜜的需求。从甘蔗中制取的赤糖糊大约含 55%的蔗糖及其他糖,20%的水分,15%的有机非糖物质和10%的灰分。

Molasses Act　《糖浆条例》(1733)　美洲殖民史用词,向从非英属地区运入大陆殖民地的糖浆、糖和糖酒进行征税的法令。条例旨在使西印度群岛英国蔗农垄断美洲糖业市场,以便有效地与西印度群岛上相邻更肥沃土地上的法国和其他外国蔗糖生产者作竞争。美洲殖民者对条例提出抗议说:英国西印度群岛单独不能生产足够糖浆满足美洲殖民地的需要,担心条例的实施会提高新英格兰制造的糖酒价格,有损于他们的输出量。但因走私盛行,糖浆条例是英国航海条例中收效最少的,终于在 1764 年的食糖条例中对它作了修正。

Molay, Jacques de　莫莱(1243,法国莫莱～1314-03-19,巴黎)　圣殿骑士团最后的总头目。在法兰西国王美男子腓力四世和教皇克雷芒五世禁止该团活动时,他未能进行有效的领导。他于 1265 年参加圣殿骑士团,在叙利亚作战,1291 年以后在塞浦路斯。他于1298 年左右当选为该团总头目。1306 或1307 年,教皇克雷芒五世召他回法国讨论组织一次新十字军,他请求教皇调查最近以来对该骑士团的一些虚构的指控——咒骂上帝和鸡奸。1307 年 10 月 13 日,腓力四世下令逮捕所有在法国的圣殿骑士团团员,包括他在内,并进行审讯。腓力一心想粉碎圣殿骑士团和夺取其财富。1307 年 10 月 24 日,他大概是在酷刑之下承认对圣殿骑士团的某些指控正确无误,但他驳斥了鸡奸一条。他写信给法国各地的圣殿骑士团团员,责令他们坦白交待。但是当教皇亲自派代表进行审讯的时候,他和他的许多部下纷纷翻供,说他们的供词是酷刑逼出来的。1309 年 11 月和1310 年 3 月,他提出申诉,请求由教皇亲自裁判,但克雷芒决定取缔圣殿骑士团(1312-03)。在 1314 年 3 月 18 或 19 日,一个由 3 位枢机组成的委员会宣判对他及圣殿骑士团其他一些头目处以无期徒刑。他听到这一判决后,再次翻供。当天下午,作为最终的惩罚,腓力四世的官员将他以死不悔改的异教徒的罪名活活烧死。

Molcho, Solomon　摩尔科(约1500,葡萄牙～1532,曼图亚[意大利])　因鼓吹弥赛亚降临而被害的犹太教殉教士。原名迪奥戈·皮尔斯。父母是改信基督教的葡萄牙或西班牙犹太人。他本人曾任葡萄牙高级法院书记官。阿拉伯冒险家流便尼到葡萄牙,皮尔斯确信流便尼是弥赛亚的先驱。皮尔斯为自己行割礼,改名摩尔科。他同流便尼接洽,遭到拒绝,遂离开葡萄牙到土耳其境内萨洛尼卡,宣传弥赛亚将于 1540 年出现。1529 年到罗马在犹太教大会堂讲道,准确地预报 1530 年罗马洪水和 1531 年葡萄牙地震。流便尼到罗马与摩尔科合作。1532 年两人到德意志境内雷根斯堡谒见神圣罗马帝国皇帝查理五世,力促他武装改信基督教的犹太人攻击土耳其,查理不允,并将两人关押,引渡给曼图亚异端裁判所。摩尔科拒绝重信基督教,于是被处以火刑。流便尼死于狱中,可能是被毒死。

Mold　莫尔德　威尔士语作 Yr Wyddgrug。威尔士东北部弗林特历史郡城镇。位于迪塞德与雷克瑟姆两工业中心之间的小片农业区。长期为该地区的集市中心。被认为是19 世纪威尔士小说之父的作家 D.欧文在此出生,镇文化中心保存有他的手稿和遗物。莫尔德是弗林特郡的行政中心。人口8 745(1991)。

mold　霉　又拼 mould。真菌菌丝和子实体形成的显眼的团块状构造。曲霉属(*Aspergil-*

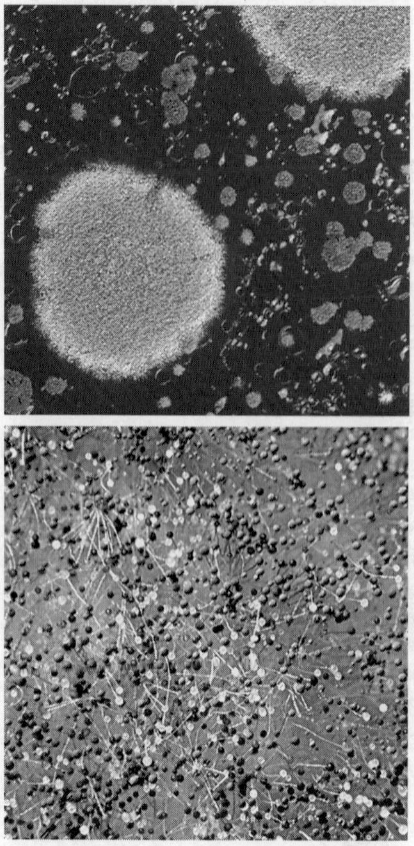

(上)果冻表面的霉和(下)桃表面根霉(*Rhizopus*)的近观察
美国不列颠百科全书公司供图

lus)、青霉属(*Penicillium*)、根霉属(*Rhizopus*)真菌可形成霉,可致食物腐败及植物疾病。

mold　模具　又作 mould。制造业用词,用以把流体或塑性物质成型为所需成品的型腔或模型。把熔化的物质如金属液体注入模具,或把柔韧性物质压入模具,凝固后拆除模具。模具因应用情况的不同可用各种不同材料制作:砂常用于金属铸造,淬硬钢用于制作塑性材料用的模具,石膏用于各种不同场合。参阅 **investment casting; lost-wax process**。

Moldau River(Czech Republic)　**莫尔道河**　参阅 **Vltava River** 伏尔塔瓦河。

Moldavia　摩尔达维亚　罗马尼亚语作 Moldova(摩尔多瓦),土耳其语作 Bogdan。多瑙河下游的公国,1859 年同瓦拉几亚共同组成罗马尼亚国家。名称源于摩尔多瓦河。14 世纪前半期,德拉戈什从匈牙利人控制的喀尔巴阡山中的马拉穆列什率领一支瓦拉几亚人向南迁移,建立摩尔达维亚。1349 年前后,在鲍格丹大公领导下获得独立。版图最大时包括比萨拉比亚,北部和东北部德涅斯特河,南达黑海,同多布罗加、瓦拉几亚相接,西与特兰西瓦尼亚为邻。这个新的公国成功地抵抗了匈牙利和波兰的压迫,还在斯特凡四世(斯特凡大公,1457～1504 在位)领导下努力反抗土耳其的入侵,保卫自己的独立。斯特凡死后,其子和继承人独眼鲍格丹三世(1504～1517 在位)又被迫向苏丹纳贡。到 16 世纪中期,摩尔达维亚成为具有自治权但又向奥斯曼帝国纳贡的附庸国。在以后的300年中，这个公国一直隶属于土耳其人，只在几个短暂的时期内反抗过土耳其统治：可怕的约翰（1572～1574在位）反抗提高纳贡的要求，1600年瓦拉几亚大公勇敢的米哈伊将他的公国和摩尔达维亚、特兰西瓦尼亚结盟，以及摩尔达维亚承认波兰的宗主权（1601～1618）。土耳其人控制着摩尔达维亚的市场，常常根据贿赂选择大公，起初还从本地王朝中选择，但在1711年后开始从法纳尔人中为摩尔达维亚选择大公，这些住在土耳其的希腊人在奥斯曼帝国中拥有很大经济和政治势力。在土耳其人统治下，摩尔达维亚成为一设防坚固的边境地区。18世纪，俄国的影响在摩尔达维亚日渐扩大，于是这一地区成了土耳其人和俄国人冲突的根源。1774年，依旧承认土耳其宗主权的摩尔达维亚开始受俄国保护。与此同时，西北部领土布科维纳被奥地利侵占，比萨拉比亚割给俄国（《布加勒斯特条约》，1812）。1821年爆发起义后，不得人心的法纳尔人政权被废除。在俄国人的主持下，进行了一系列的政治和经济改革，1832年正式通过宪法《组织规程》。1859年，在罗马尼亚民族主义运动日益高涨的影响下，摩尔达维亚议会决定与瓦拉几亚联合，由A.I.库札大公领导组成单一的罗马尼亚国家（正式统一到1861年才实现）。1924年，苏联在德涅斯特河以东地区建立摩尔达维亚苏维埃社会主义自治共和国。1940年，已于1878年独立的罗马尼亚把历史上属于摩尔达维亚的普鲁特河东岸部分土地割给苏联，与原罗马尼亚和乌克兰的一些地区合并组成摩尔达维亚苏维埃社会主义共和国。1991年成为独立的摩尔多瓦共和国。

Molde 莫尔德 挪威西部默勒-鲁姆斯达尔郡首府和城镇。濒临莫尔德峡湾。15世纪起即为港口，部分毁于1916年大火。第二次世界大战时遭破坏，后彻底重建。1940年4月挪威政府临时设在该地。有鱼类出口、纺织和家具制造等行业。市内花园优美，故有"玫瑰城"之称。人口：城市区约22 892（1995）。

molding 线脚 又拼moulding。建筑及装饰艺术中用语，用于两个部件过渡处或部件尽端处的带形边缘（如檐口、额枋或柱头）上的饰带。线脚具有凹进及凸出的外形，可采取统长不变的轮廓或可做成有节奏地重复的图案。线脚设计的最重要问题是考虑它在光线照射下所投的阴影。线脚常体现一种建筑风格的特点。例如古埃及建筑的线脚常为一条下方为近四分之一凹圆的平带，下接一个半圆小凸线脚。古希腊、罗马建筑中发展了各种形式的线脚，在西方建筑中沿用了许多世纪。传统的形式有：1/4圆凹线、半圆小凹槽、半圆大凸线、卷线脚（3/4圆凸线）、凸凹曲面线脚（上凹下凸和上凸下凹），线脚上还有雕刻精致的蛋箭饰、珠轴饰等。古罗马线脚上应用了折线饰、锯齿饰、人字饰、绳纹饰和鳞饰等。拜占廷和东方采用叶形和植物形纹样，尺度很大。奥斯曼帝国时期使用的线脚种类很多。哥特式建筑中改变了古典的传统，形成由尖锐的缺口或突体组成的复杂精细的组合线脚。英国哥特式有其特殊的线脚，如滴水檐线脚、犬齿饰线脚和拱状线脚等。巴罗克线脚蜿蜒生动，和整个建筑风格相协调。以后的新古典主义，只用最简单的古典线脚。西方现代建筑则避免使用线脚。

Moldova 摩尔多瓦 全称摩尔多瓦共和国。巴尔干半岛东北部国家。其北、东、南三面为乌克兰所围绕，西面有普鲁特河与罗马尼亚分界。首都基什尼奥夫（基希讷乌）。面

美国不列颠百科全书公司供图

积33 845平方千米。人口约4 216 000（2004）。

自然地理与人文地理 摩尔多瓦位于喀尔巴阡山脉以南，大部地区在覆盖俄罗斯西南部台地的深厚沉积岩之上。气候偏暖，属温带大陆性，冬季不甚冷。境内河网密布——最长的为德涅斯特河——均向南流入黑海。土壤肥沃，黑土带占国土的3/4。摩尔多瓦北部及中部为森林区，而横亘南部的是一干草原带，大部已开垦。野生动物有野猪、獐、野兔、狼、狐、獾、野猫、貂、麝鼠和鸡貂。

摩尔多瓦的经济以工业为主导，主要有食品加工，机械制造、金属加工、电力工程、消费品和建材工业亦均有发展。食品工业包括酿酒、罐头食品、精制糖和榨油。机械制造始于20世纪50年代中期，占有重要地位。摩尔多瓦制造的拖拉机销往各邻近国家。基希讷乌、别利齐和蒂拉斯波尔分别建有热电厂。德涅斯特河畔的杜博萨雷建有水电站。

农业已高度机械化，几乎全部农活均由机器进行。农业主要侧重葡萄栽培、水果与蔬菜种植及其他特种农业。葵花子是最重要的经济作物。粮食作物有冬小麦和玉米。乳制品生产和养牛约占农业出产的1/3，其次为生猪饲养。基希讷乌是摩尔多瓦最大的工业中心，也是重要的铁路和汽车运输中心。

摩尔多瓦的大部分人口为罗马尼亚人，本国语为罗马尼亚语。但在德涅斯特河东岸所谓的外德涅斯特地区，尚有大批俄罗斯人和乌克兰人（他们于1992年发动叛乱反对摩尔多瓦当局）。1989年通过的国家法律要求使用拉丁字母和罗马尼亚语。

国家最高权力机关是选举产生的一院制议会，任期4年，议会选举部长会议或内阁。

20世纪期间文盲已被扫除，1976年建立了10年普通教育制。大多数完成普通教育者均可继续深造。摩尔多瓦建有若干高等学府、20所科研机构以及许多研究中心。所有医疗服务均实行免费。

历史 摩尔多瓦地区（历史上称其为比萨拉比亚）于1812年被奥斯曼帝国土耳其人割让与俄罗斯。1918年大部分土地被罗马尼亚人占据，但刚刚成立的苏联政府对此不予承认。1924年，苏联在乌克兰境内德涅斯特河左岸的一小片土地上建立了摩尔达维亚苏维埃社会主义自治共和国。《苏德互不侵犯条约》的签订（1939）导致苏联要求归还领土。罗马尼亚答应了苏联的要求，于是包括前罗马尼亚和乌克兰地区的摩尔达维亚苏维埃社会主义共和国于1940年8月成立。1941～1944年间比萨拉比亚重新成为罗马尼亚的一部分，但1944年苏联军队再次夺回这片领土。1991年8月摩尔达维亚宣布脱离苏联独立，国名采用了罗马尼亚语的拼法，称作摩尔多瓦。1992年加入联合国。2000年国家政体由半总统制改为议会制。参阅**Moldavia**。

mole 摩尔 化学物质的数量单位。摩尔的物质量以克为单位，在数值上同该物质的分子量相等。对气体而言，则是在特定条件下单位重量气体所占的体积。例如氧气的分子量为31.998 8，所以1摩尔的氧等于31.998 8克。物质的分子量等于组成该物质分子的各个原子的原子量之和。如果物质的分子量为M，则M克（1摩尔）该物质也称为1克分子量，或称为1克分子。1摩尔中的分子数对一切物质来说均相同，约$6.022\,136\,7 \times 10^{23}$（参阅**Avogadro's law**）。因为现在将碳的主要同位素碳12取为原子量的参照基准，因此在国际单位制中摩尔（mole）的定义是，当所含的化学单元（原子、分子或其他指定的粒子）数正好与12克碳12所含原子数相等时的物质的量。

mole 色素痣 扁平或赘肉样、有色素沉着的皮肤病变，主要由黑素细胞聚集构成。较厚的色素痣中可有神经及结缔组织成分。色素痣的颜色各异，由浅褐色至深褐色以至黑色。当黑色素沉积于真皮时，皮损则带蓝色。色素痣可于初生时即有；但通常多在儿童时期出现及发展。新生的色素痣多为扁平，其痣细胞位于表皮与真皮之间，故称交界痣。组织学上保持交界痣状的损害有恶变的可能。多数的原发色素痣向真皮发展，表面隆起，称皮内痣。检查儿童的正在转化的色素痣组织，可发现类似癌的变化（称为少年性黑色素瘤），但实际上这是良性的。青春期前几乎不会发生恶性黑色素瘤。下列指征表示色素痣可能发生癌变成为黑色素瘤：①在色素痣的基部周围发生色素沉着带；②成年人原有的色素痣不断扩大；③色素痣的色素沉着不断加深变黑，更重要的（可能是最重要的）指征是色素痣的色素沉着深浅不均，从淡黑到深黑色；④毛色素痣的毛脱落时（毛色素痣很少发生癌变）；⑤晚期症状为溃疡或出血。必须注意黑色素瘤不仅发生于色素痣，约25%亦可发生自正常皮肤，妇女较男性更为

多见。妊娠时，原有的色素痣可增大，亦可能出现新痣。有时色素痣可随年龄增长而自行消退。参阅 **nevus**。

mole 鼹鼠 多种体型小而通常视觉极差的穴居兽类的统称，尤指食虫目鼹科（Talpidae）22 种动物（真鼹鼠）。鼹科动物与金毛鼹（**golden mole**）近缘；澳大利亚的袋鼹鼠（**marsupial mole**）外形与之相似。鼹科动物遍布于气候温和的欧亚大陆和北美洲。体小而圆，腿、尾俱短，头扁而尖，眼小或已退化，大多缺外耳。前肢差不多长在肩的两侧，短而可转动；五趾成为宽爪，呈铲形，便于挖土或划水。被毛柔软，如天鹅绒，能向任何方向倒伏。大多数鼹鼠一年生育 1～2 次，常在地下的草窝产仔，每产 1～7 只（通常为 4 只）。幼仔 6～12 个月达到性成熟。寿命很短。鼹鼠日夜活动，活动和休息迅速交替进行。一生中大部分时间用来在土壤中挖掘地道。挖掘接近地面的地道是为了寻食蚯蚓、蛴螬以及其他无脊椎动物。每天消耗的食物可超过其自身重量。深部的地道（约深 3 米）则用于居住。所挖的浅地道使地面隆成脊形，挖深地道后常在地面留下通风孔（鼹鼠丘或鼹鼠窝），园丁常为之所苦。鼹鼠挖地道有时会为害植物的根部。但它们疏松土壤，使其通气，并捕食一些有害生物，并非无益。尽管鼹鼠气味难闻，但仍有一些鸟类和兽类捕食它们。具代表性的旧大陆鼹鼠属（*Talpa*）动物有 4 个种，包括英国和日本的体长约 15 厘米的普通鼹鼠（欧洲鼹鼠，*T. europaea*，尾短粗）。美洲鼩鼹（吉布斯氏北美鼩鼹，*Neurotrichus gibbsii*）分布北美西北部海岸潮湿森林中，吻较长，全部体长 10.5 厘米（包括 3 厘米尾长），是最小的美洲鼹鼠，会游水和爬树。亚洲东部的鼩鼹（鼩鼹属［*Uropsilus*］和 *Nasillus* 属）前脚几乎没有适应挖土的变化，在地面活动。最小的鼹科动物要算是中国西部和缅甸北部的长尾鼩鼹（*Scaptonyx fusicaudus*），体长仅 6 厘米左右，尾 3 厘米。美国落基山脉以东的北美普通鼹（北美东部鼹、水生美洲鼹，*Scalopus aquaticus*）体长 20 厘米；在北部，被毛为灰色；在南部和西部为铜褐色。北美东北部的星鼻鼹（*Condylura cristata*），鼻上有 22 个粉红色的触角样的触觉器官，呈辐射状排列。常离地道外出，善游泳。旧大陆的半水栖鼹类有麝鼹（**desman**）。

星鼻鼹（*Condylura cristata*）
美国不列颠百科全书公司供图

Molé, Louis-Mathieu, Comte 莫莱伯爵（1781-01-24，巴黎～1855-11-23，法国尚普拉特勒） 法国保皇党政治家，曾在拿破仑一世、路易十八和路易-菲力普治下任职。在大革命期间离开法国，1796 年返回。1806 年出版为君主政体辩护的《试论道德与政治》一书，受到拿破仑的赞赏。1806 年拿破仑任命他为最高行政法院办案员。随后多次升迁，1813 年任司法大臣。在第二次复辟期间（1815），他被封为法国贵族，任海军大臣（1817～1818），后加入反政府派。1830 年七月革命后，任路易-菲力普的首相和外交大臣（1836～1839），后因受到攻击辞职。1848～1851 年为立法议会中的右翼议员，1851 年 12 月 2 日政变后退隐。

mole crab（*Emerita*，or *Hippa*，*talpoida*） **鼹蟹** 又作 sand bug。即鼹蝉蟹。新英格兰到墨西哥大西洋海滩的一种蟹。像鼹鼠那样掘沙，故名。壳长约 3.75 厘米，稍呈卵形，黄白色，带淡紫斑纹。生活在潮间带。加利福尼亚沿岸的类似蝉蟹（*E. analoga*）较宽扁。

鼹蟹（*Emerita talpoida*）
美国不列颠百科全书公司供图

mole cricket 蝼蛄 直翅目蝼蛄科（Gryllotalpidae，或归入蟋蟀科［Gryllidae］）昆虫。约 65 种。因外形及习性似鼹鼠，故其英文名意为"鼹蟋蟀"。生活在地下，在湿土中可钻 15～20 厘米深。前足适于铲土，体圆柱形，头尖，体被绒状细毛。有翅，夜间可出洞活动。雌体无产卵管。产卵于土穴内，穴内存放植物作为孵出若虫的食物。与大多数昆虫不同，欧洲蝼蛄（*Gryllotalpa gryllotalpa*）有护卵和若虫的习性，蝼蛄以植物根为食，大量发生时，损害作物和园林。波多黎各蝼蛄（*Scapterisus vicinus*）可严重为害作物。雄性蝼蛄的鸣声低沉，反复不断。

蝼蛄（*Gryllotalpa*）
美国不列颠百科全书公司供图

mole rat 鼹形鼠 旧大陆几种与众不同类型的穴居啮齿动物的统称。有的属于鼹形鼠科（Spalacidae），有的属于滨鼠科（Bathyergidae）。属于鼹形鼠科的有 1 属（鼹形鼠属［*Spalax*］），3 种，分布于欧洲东部和东南部以及小亚细亚。腿短，无尾，形态似鼹鼠，体长 15～30 厘米；无外耳，眼小，完全为皮肤覆盖；毛柔软，呈浅黄灰色；吻宽阔，两侧各有一列硬毛，可能有助于探路。独居，以植物的地下部分为食，所挖地道范围广阔，有分隔的厕所、卧室和储藏室。它们用强有力的切牙挖洞，用吻部把地道壁捣实。鼹形鼠属的种类数量多时，因大量破坏庄稼而被视为害兽。滨鼠科有 5 属，约 20 种，其种类俗名分别为隐鼠、鼹形鼠、沙鼠、沙鼹鼠；栖息于非洲许多地区的平原和荒漠。身体粗壮；眼和耳小或极小；腿和尾都短，毛短而柔软。滨鼠科的无毛裸鼹形鼠（*Heterocephalus glaber*）的皮肤粉红或黄色，多皱褶，仅被疏毛；但其他滨鼠灰白、淡褐、微红褐色、灰色或稍黑。该科动物在地表下用前爪或切牙掘洞。主要以植物的根和球茎为食，有时破坏作物。把食物储存在地洞的储藏室里。袋狸鼠和害鼠（参阅 **bandicoot rat**）有时也称为鼹形鼠；鼹形鼠一名也适用于鼢鼠属（*Myospalax*，5 个种）和东非鼹形鼠属（*Tachyoryctes*，14 个种）的种。鼢鼠属属仓鼠科，分布亚洲。身体粗壮，长 16～27 厘米，尾短，具强有力的四肢和爪，毛皮柔软，灰色或淡褐色；栖息在多树木地区。以植物为食，所挖地道长可达 40 米。东非鼹形鼠属和竹鼠属归入竹鼠科。东非鼹形鼠栖息在开阔地区和多树或竹林覆盖地区；貌似囊地鼠，体长 18～25 厘米，尾长 5～8 厘米，毛柔软，呈褐、灰、微红褐或黑色。在某些地区分布极普遍，所挖洞穴之多使地面布满窟窿。

无毛裸鼹形鼠（*Heterocephalus glaber*）
美国不列颠百科全书公司供图

Môle Saint-Nicolas 莫勒圣尼古拉 海地西北沿海村庄。在圣尼古拉角东北侧，位于向风海峡入口处。1492 年 12 月 6 日哥伦布第一次从这里登上海地岛。该村命名莫勒圣尼古拉，因发现之日为这位圣人的节日。人口约 1 960（1982）。

Mole Valley 莫尔谷 英格兰萨里历史、行政郡一区。面积 259 平方千米。莫尔河从南向北流贯该区，汇入泰晤士河。莫尔河在北唐斯山的河谷地带有公路、铁路线通过。该区北端的建筑集中区实际上和伦敦都市区建筑群连成一片，而北唐斯山和其他地区位于伦敦绿带，或被划为自然风景区。许多居民在伦敦地区工作。多金镇是该区服务中心。人口约 78 700（1998）。

Molech（Judaism） 参阅 **Moloch** *摩洛*。

molecular beam 分子束 分子束通常指在真空中（即在真空室内）沿同一方向运动的分

子流或分子射线。在这里,原子可作为分子的特例看待。分子一般都是在密度低的情况下成束的。低密度时分子彼此分开相当距离,各自独立运动。由于原子或分子在同一方向运动,可以利用分子束或原子束在电场和磁场中的偏转或将它们对准一个靶的实验来研究它们的特性。靶可以是固体、气体或者是原子或分子的二次束。

应用 分子束或原子束在电场和磁场中的偏转,可以给出束中分子或原子的结构和特性(如转动和自旋)等信息。在更复杂的实验中,可使二束交叉,产生一束同另一束成对分子之间的散射相互作用或碰撞。散射可以显示这些分子对的相互作用势能随分子间距离的变化、它们的化学反应性以及碰撞时交换内能的概率等性质。

1911 年,用分子束所作的第一个实验证实了分子运动论的一个假设:在极低压力下气体分子在与器壁碰撞之前做直线运动。在较高压力下,由于分子到达器壁之前的相互碰撞,而使分子有较短的自由程。1920 年和 1933 年之间,在德国用分子束做了最初的一些范围广泛的实验。1955 年后,利用分子束研究化学反应和碰撞分子间的能量转移,迅速增多。

产生、控制和检测 如图所示,左边为一个盒,盒内盛有将要形成束的分子蒸气,盒的右侧有一小孔或狭缝。气体通过小孔或狭缝进入真空室而产生分子束。蒸气通常来自盒(称为炉)内液态样品的蒸发,炉可以加热到适当温度。盒内蒸气在低压下,分子的自由程大于出孔的宽度时,分子会通过孔泄出;在较高压力下,它们像受压流体那样会通过孔形成射流。射流中分子间的距离最初接近得足能使分子间发生相互作用,但射流很快在真空中扩展,直至分子独立地运动。只有那些来自炉内在特定方向运动刚好通过第二孔的分子,才成为束的一部分,可用于实验。其余分子被抽走。

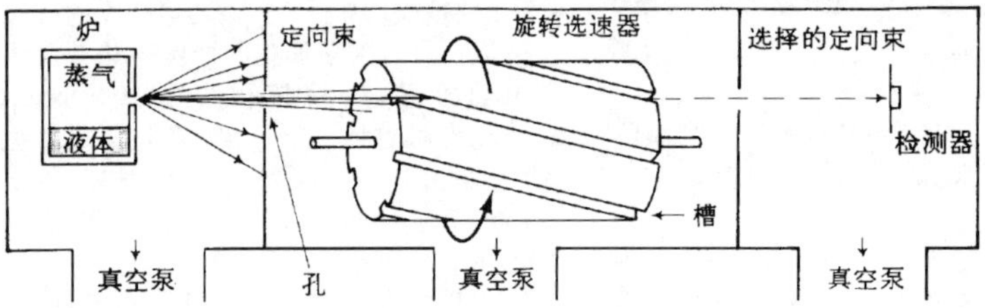

测定分子速度的装置

束中的分子以不同速度运动。若对特定的实验需要几乎匀速的分子,则可使束通过称为选速器的滤机,通过滤机分子的速度只能在一小范围内变化。这些选速器一般由绕平行于束的轴快速旋转的有槽圆盘或圆柱体制成。从选速器出射的分子是沿着圆柱体运动时留在一定槽内具有特定速度的分子。其他速度的分子因在狭缝两侧被吸附或反射而去掉。圆筒转速改变时,发射分子的速度也会改变。

为用于实验,必须检测束的偏转或散射。这一检测由于在典型束中分子相当少和速度(因而动能)低而可能有困难。检测器应具有高灵敏度,而且来自其他源(如真空室内的剩余气体)中分子的干扰必须很小。当用金属原子(如碱金属)组成的束做实验时,因金属原子易于失去一个电子而电离(也就是产生一个净正电荷),所以可将钨丝加热到赤热程度以做成一个有效的检测器。赤热的钨丝表面有相当高的能量用来俘获电子,因此几乎所有撞击钨丝的碱金属原子都放出一个电子给钨丝而成为离子,继续前进的离子在集电极就以电流的形式被记录下来。不同的束分子需要不同的检测器。原子和分子可通过电子流的轰击使其电离,然后将它们导向质谱仪,按质量和电荷予以分类和识别。尽管质谱仪是多用途的,但对碱金属原子来说其灵敏度比钨丝低得多,这是因为质谱仪一般能记录的仅仅是不超过进入其中的所有束分子的千分之一。

molecular biology 分子生物学 生物学的分支,在分子水平上研究作为生命现象基础的化学结构和化学过程。它自 20 世纪 40 年代从生物化学、遗传学和生物物理学等有关学科中发展而来,且变得日益重要。主要研究蛋白质、核酸和酶等生命过程中必不可少的大分子。通过 X 射线衍射和电子显微镜检查等技术研究这些大分子的三维结构。尤着力研究遗传过程的分子基础,测定基因在染色体上的位置,搞清基因决定何种性状,用重组体-DNA 技术来分离和修饰具体基因。在 20 世纪 40 年代本学科发展的早期,分子生物学主要研究蛋白质的三维结构。50 年代初,对蛋白质结构的知识越来越多,1953 年科学家在此基础上描述了 DNA 的结构。科学家经进一步研究不但对 DNA 和 RNA,而且对其中的碱基排列顺序,有了越来越详尽的理解。直到 70 年代之前,分子生物学一直是纯科学,没有实用价值。70 年代发现了某些能将某些细菌染色体内 DNA 的片段切开并重新连接的酶。这导致重组体-DNA 技术的产生,用这种技术可以改变 DNA 中的碱基顺序,从而改变动、植物的性状,因此重组体-DNA 技术成为最有前途的分子生物学分支之一。

molecular sieve 分子筛 多孔固体,通常是合成的或天然的沸石,能分离分子大小的微粒。沸石是具有完整晶形结构的金属铝硅酸盐水合物。硅酸盐和铝酸盐围绕着一个个空腔组成三维晶体点阵,金属离子和水分子被松弛地结合在空腔中。由空腔连成的渠道沟通整个晶体并开孔在表面上。沸石受热失去水分,晶体结构基本不变。脱水的沸石能重新吸收水分或其他可以通过孔道或微孔的小分子。空腔中的金属离子也易被同样大小并带同样电荷的其他离子所取代。分子筛用于气体和液体的干燥;也用于分离形状和大小不同的分子,当两种分子大小相同都能进入微孔时,极性(电荷分离的程度)不同的分子尚可分离,将优先吸附极性大的分子。

molecule 分子 可从纯物质中分割出来并保持其组成和化学特性的可辨认的最小单元。将一种物质的样品连续分割,直至分成由一些单个分子组成的各个部分,其组成和化学特性均不变;将物质进一步细分为一些更小的部分,通常其组成不同于最初物质的组成,并且化学性质也总是不同。后者为碎裂过程,分子中维系原子结合在一起的化学键被破坏。

原子由一单个带正电的原子核和在它周围带负电的电子云组成。当原子互相靠紧时,电子云与电子云、电子云与原子核相互影响。如果这种相互影响使得体系的总能量降低,则原子结合在一起形成分子。从结构的观点,一个分子可以由单一的原子组成,例如稀有气体氦(He),也可以由靠价力结合在一起的原子的聚集体组成。双原子分子含有化学键合的两个原子。如果这两个原子是相同的,例如在氧分子(O_2)中,则它们组成一个同核双原子分子;如果两个原子不同,例如在一氧化碳分子(CO)中,则它们形成异核双原子分子。当分子含有多于两个的原子时,就称为多原子分子,例如二氧化碳(CO_2)和水(H_2O)。聚合物分子可含数千个组分原子。

形成分子的原子的比例数是固定的,例如每个水分子含有两个氢原子和一个氧原子,利用这一特性可以将化合物同溶液和机械混合物区别开。氢和氧能以任意比例存在于机械混合物中,但是当遇到火花时,仅以固定的比例化合形成化合物水(H_2O)。相同的原子也能以不同的定比结合形成不同的分子;例如,两个氢原子和一个氧原子可以化学键合产生一个水分子,而两个氢原子和两个氧原子也能化学键合形成一个过氧化氢(H_2O_2)分子。此外,原子也能以完全相同的比例形成不同的分子,这种分子称为同分异构体,仅是在分子内部原子的排列不同;例如乙醇(CH_3CH_2OH)和甲醚(CH_3OCH_3),两者都含有 1 个氧、2 个碳和 6 个氢,但这些原子各以不同的方式结合。

并非所有物质都是由明显的分子单元构成。例如氯化钠(普通食盐)就是由钠离子和氯离子所组成,这些离子按每个钠离子被 6 个等距离氯离子包围、每个氯离子亦被 6 个等距离钠离子包围的方式在晶格中排列。其中每个钠离子和相邻氯离子间的作用力都相同,所以,除非把每个完整氯化钠晶体看成分子,否则就不存在氯化钠分子的明确聚集体。因此,在氯化钠及所有类似固体(一般指所有的盐)中,化学分子的概念已失去了它的意义。然而,这个化合物的式子 NaCl 毕竟给出了氯化钠这种化合物的最简单的原子比率。

分子是通过共用电子对即共价键结合在一起的。共价键具有方向性,这意味着原子之间保持特定的相对位置,以使键能达到最大值,结果是每个分子都有一个确定的、相当刚性的结构(即原子的空间分布)。结构化学与化合价有关,它确定原子是怎样以一定的比率结合的以及是怎样同键的方向和键长有关的。分子的性质与其结构相互关联;例如,水分子是弯曲的结构,因此有偶极矩,而二氧化碳分子是线型结构,就没有偶极。阐明在化学反应过程中原子改组的方式是重要的。在一些分子中,结构可以不是刚性的,例如在乙烷($H_3C—CH_3$)中,事实上碳碳单键可以自由转动。

分子中核的位置通过微波振动转动波谱或中子衍射确定。分子中环绕在原子核周围的电子云可通过 X 射线衍射实验来研究。更进一步的知识可经电子自旋共振或核磁共振技术获得。电子显微检查法的发展使各个分子及其原子的可见图像的获得成为可能。分子结构可通过求解电子在原子核场中运动的量子力学方程(称为薛定谔方程)从理论上确定。在分子结构中,键长和键角的取值应使分子的能量最低。应用薛定谔方程数值解确定分子结构已经成为高度发展和广为利用的需要使用计算机和大型计算机的方法。

分子的分子量是各组分原子的原子量的总和。如果一种物质的分子量是 M,则 M 克物质称为 1 摩尔。对于所有物质,1 摩尔物质的分子数目是相同的,这个数目通称阿伏伽德罗数($6.022\,136\,7\times10^{23}$)。分子量可以通过质谱分析和以热力学或动力输运现象为基础的技术来测定。

Molenbeek-Saint-Jean　莫伦贝克·圣·让 佛兰芒语作 Sint-Jans-Molenbeek。比利时中部布拉班特省城镇,布鲁塞尔西部住宅区和工业郊区,是组成大布鲁塞尔的社区之一。最早是一村庄。现已成为布鲁塞尔高度城市化地区的近郊区,人口密集,城里住着许多外国人。沙勒罗瓦通航运河经此。生产皮革、衣服、化工品、橡胶制品、烟草和木材与金属制品。人口:城市区约 68 759(1991)。

Moleschott, Jacob　莫勒斯霍特 (1822-08-09,荷兰斯海尔托亨博斯～1893-05-20,意大利罗马)　生理学家和哲学家。生于荷兰,以相信情感与思想有物质基础而著称。其最重要的著作《生命的循环》(1852)一书提出"对科学问题给以科学的回答",因而对 19 世纪的唯物主义有巨大促进。莫勒斯霍特曾在德国海德堡大学研究医学(1842～1845)。他一个时期曾在乌得勒支以普通医生身份开业并继续其研究。1847～1854 年他在海德堡大学当无薪大学教师。当时德国大学的"官方哲学"认为考虑意识及类似论题不是大学应做的事,他反对这种看法,因而辞职。莫勒斯霍特还因公开主张火葬与大学的权威发生冲突。1856 年他被任命为苏黎世大学生理学教授。他在这里创办了杂志《人类和动物自然哲学研究》(1857～1894)。1861 年他在都灵被任命为实验生理学和生理化学教授,1879 年在罗马获得教授职位。他成为意大利公民。莫勒斯霍特的研究,尤其是关于血液和新陈代谢的研究,促进了生理化学领域的发展。他相信甚至情感和思想都有物质基础的理论,并因提出"没有磷就没有思想"而著称于世。

Moley, Raymond (Charles)　莫利 (1886-09-27,美国俄亥俄伯里亚～1975-02-18,亚利桑那菲尼克斯)　美国新闻记者、知名人士、F.D.罗斯福总统智囊团的首脑。毕业于俄亥俄州鲍德温-华莱士学院,后担任该州一些学校的领导人。1918 年获哥伦比亚大学政治学博士学位,1923 年到哥伦比亚任教。此时引起罗斯福的亲密助手 L.豪的注意。1928 年豪说服他帮助罗斯福竞选纽约州长。1932 年罗斯福竞选总统时,莫利邀集哥伦比亚大学另两名教授 R.G.特格韦尔和 A.A.伯利(小)组织智囊团,作为罗斯福的国内问题顾问。他们建议政府和企业界进行合作,以振兴濒于崩溃的美国经济。莫利为罗斯福起草了一些竞选演说,成了当选总统的主要的策略制定者。罗斯福当政初期,他主持行政部门的日常工作,在紧张的"百日"中为白宫和国会之间的主要联络人。但在 1933 年参加伦敦经济会议时失去罗斯福的支持,不久即辞去国务院的职务。他基本上是保守主义者,因而反对罗斯福新政中他认为过激的倾向。到 1936 年,他已与罗斯福和民主党决裂。后来转而支持共和党人 W.威尔基、B.戈德华特和 R.尼克松竞选总统。余生从事著述,发表许多政治理论和评论。

Molfetta　莫尔费塔 意大利东南部普利亚区巴里省城镇和主教区。濒临亚得里亚海,在巴里市的西北面。中世纪时为重要港口并曾一度为自由市。1529 年被法国人抢劫一空。主要是一座现代城镇,但镇内罗马-阿普利亚式杜奥莫大教堂(12～13 世纪)是国家文物。有渔业、造船、食品加工、水泥等行业,出口鱼和蔬菜。人口:城市区约 66 668(1993)。

Molière　莫里哀 (1622-01-15 受洗,巴黎～1673-02-17,巴黎)　以艺名莫里哀闻名的让-巴蒂斯特·波克兰,虽屡遭 17 世纪法国宗教和世俗权力联合反对,但其喜剧天才终于脱颖而出,使他赢得赞许,被誉为法国最伟大的作家。在莫里哀之前,喜剧已有悠久历史,他运用喜剧大部分传统形式,成功地创造了新的喜剧风格,这种风格以彼此对立的正常和反常双重角度为基础——在剧中真实与华而不实对衬,聪慧才智与学究迂腐并列。莫里哀本人是演员,他设想的每一个场面都非常生动,极富戏剧性,甚至往往超出可能的范围。他虽然生活在推崇理性的时代,但是他凭自己的明智判断,并没有改变初衷,反而使荒谬的人与事富有生趣,诸如《塔图浮》、《太太学堂》、《愤世嫉俗》和其他许多杰作便是如此。这表明他具有创见卓识,几百年之后,人们仍把其他领域的杰出喜剧艺术家们如电影界的卓别麟与莫里哀相提并论。

早期戏剧活动　10 岁丧母,父亲是王家室内陈设商,供他在克莱蒙中学受到良好教育(这所中学同路易大帝中学一样,培养出许多法国卓越人才,如伏尔泰)。虽然他父亲明言让他接任王家职务,但这位年轻人却于 1643 年放弃世袭权利,显然决心要与传统决裂,靠演戏为生。同年,他和另外 9 人组成专演喜剧的盛名剧团。他的艺名莫里哀于 1644 年 6 月 28 日在一份文本上首次出现。他在 30 年中不遗余力地投身于戏剧活动,在 51 岁时心力交瘁而死。

美国不列颠百科全书公司供图

一位有才华的女演员马德莱娜·贝雅尔劝服莫里哀建立剧场,但她却无力使年轻的剧团生存下去并偿还债务。1645 年莫里哀因建筑工程和购置道具而负债累累,两次被捕入狱。17 世纪时,巴黎的戏剧观众人数很少,而巴黎城已有两座剧场,因此对一个新建的剧团来说,要想生存下去看来是不大可能的。从 1645 年末开始,在 13 年多时间里,剧团在各省巡回演出谋生。这些年月没有文字记载,可是各地市政府登记簿和教堂记录表明,剧团曾先后在各地出现:1648 年在南特,1649 年在图卢兹,等等。从 1652 年底到 1655 年夏季以及 1657 年,又不时在里昂出现;1654 年和 1655 年在蒙彼利埃、1656 年在贝济耶演出,显然他们几经盛衰浮沉。这些没有记载下来的年月对莫里哀的生涯具有决定性的重要作用,对他日后的演员兼经理职业是严格的训练,并且使他学会如何与作者、同事、观众和官方打交道。如果没有这些年的锻炼,便无法理解在他最后回到巴黎时,何以能迅速成功并且能坚持抵挡敌对势力。这个时期,他最初的两部著名喜剧《冒失鬼》于 1655 年在里昂演出,《爱情的埋怨》于 1656 年在贝济耶演出。

1658 年 10 月 24 日下午,在罗浮宫卫队大厅的临时舞台上,剧团为国王路易十四演出高乃依的《尼科梅德》,接着又演了莫里哀曾在外省观众中赢得相当声誉的一个所谓"余兴",《多情的医生》,从而使他走上成名之路,当时这个剧本是否与现在的形式一样则值得怀疑。这个剧目显然获得成功,并博得国王的兄弟奥尔良公爵菲利普的欢心。公爵究竟给了他多少资助不得而知,这种支持持续了 7 年,直到国王自己接过剧团并将其改名为"王家剧团"时为止。剧团无疑获得一定名望和声誉,受到名门望族的邀请,并且得到演员津贴(通常是拖欠的)。

从 1658 年莫里哀回到巴黎时起,所有关于他个人生活的可靠资料,都与他作为作家、演员和经理的活动有关。有些法国传记作者曾力图从作品里了解他的私人生活,结果产生种种误解,分不清哪些事可能发生过,哪些事的确发生过。其实他的作品里除去传说和讥讽之外,并没有多少资料。譬如,在他的藏书中有诸如蒙田、普卢塔克、凯撒和塞内加等作家的著作(根据 1708 年编制的正式书目),但这并不意味着要按这些作家的理论去理解他的剧作。

毫无疑问,莫里哀是个伟大的作家,但他并不是通常意义上的作者:他几乎没有写过可以称为文学作品的东西,或是准备出版的东西——只写过一些诗,译过一部分卢克莱修的古拉丁语著作。他的剧本是为舞台演出写的,他在早期写的序言中曾抱怨说,他不得不出版剧作,以防止被人非法利用(实际上确有两部剧本被剽窃)。他遗留下7部没有发表的作品,从未出版过全集,也从未(就现在所知)读过校样或留心过文本。在他看来,创作喜剧是为了演出。这一事实在19世纪已被人遗忘。20世纪时,一些演员如路易·儒韦、查理·迪兰、让-路易·巴劳尔以及让·维拉尔,才对他的戏剧天才提出确切的新见解。他也根本不是古典主义作家,可以从容不迫、随心所欲地设计和创作作品。竞争、为生存拼搏,这是莫里哀全部生涯的基调。他要坚持不懈地同其他剧院较量,以留住演员,保持观众。他几乎是单枪匹马地在竞争中获胜。他以自己的精湛技艺和毅力把整个剧团团结在一起。

莫里哀在巴黎上演的第一出戏《可笑的女才子》便预示了要出现的后果。剧中两个外省小姐受到在舞台上装扮成主人的男仆捉弄,一方面,两位小姐附庸风雅,却缺乏常识;另一方面,两个仆人朴素的言谈却搀杂着矫揉造作的陈词滥调,两者形成鲜明的对照。这两位小姐把蠢话当成惊人妙语,这说明她们对文化修养抱有扭曲的看法,以为物质的东西毫无价值。嘲讽这些附庸风雅的人今天仍然能令人开怀大笑,当时的观众大概更要忍俊不禁了。

《可笑的女才子》和1660年10月首次上演的《斯卡纳赖尔》一样,大概都是在小波旁剧场举行首场演出的,这是毗邻罗浮宫的一座大剧院。后来小波旁剧场被拆除,剧团便在1661年初迁往王宫内的一座大厅演出,这是黎塞留时期建造的剧院。莫里哀在巴黎上演的全部戏剧都是在这里演出的,首先是《唐·加谢·德·纳瓦尔》于1661年2月上演,这是一部英雄喜剧,莫里哀曾对它抱有很大希望,但演出失败,不过也促成他写出《愤世嫉俗》。这是莫里哀舞台生涯中少见的失败,他后来在巴黎取得了更辉煌的戏剧成就,成就盖过了失败。

轩然大波与成就 1662年12月26日演出《太太学堂》,这第一天晚上便引起轩然大波,人们似乎感到出现的这位喜剧天才有些玩世不恭。有些著名鉴赏家认为这部喜剧是莫里哀的杰作,是他写的最纯正的喜剧。这部剧取材于斯卡龙根据西班牙故事改编的喜剧《防不胜防》(1655),描写一个学究式的人物阿尔诺耳弗,他非常害怕女性,因此决定娶一个完全不谙世事的姑娘为妻。这个姑娘正因为没有陈规旧习的束缚,所以苏醒的性格表现得更为强烈,这样巧妙的描绘是喜剧中奇瑰之笔。莫里哀别出心裁:学究爱上了姑娘,并且笨拙地探听一对情人之间的谈话,这是对他的惩罚,并使观众感到开心。

从1662年起,莫里哀的剧团便与意大利的剧团共同使用王宫剧场,一周里两个剧团各演出3天。莫里哀还私下接受委托为人写剧本,这些剧首先都是在别处演出的:《讨厌鬼》于1661年8月在沃城演出,《塔图浮》第一个版本于1664年在凡尔赛宫演出,《暴发户》于1670年在尚博尔演出,《普西赫》于1671年在土伊勒里宫演出。

1662年2月20日,莫里哀与阿曼德·贝雅尔结婚。有些材料说她是马德莱娜的妹妹,有些同时代的人又指出她是马德莱娜的女儿,这两种说法都无法肯定。他们婚后生了3个孩子,只有一个女儿活到成年。婚姻并不美满,怀有恶意的小册子散布说,阿曼德举止轻佻,但是并没有什么确切的材料可以证实。

莫里哀巧妙地利用《太太学堂》引起的喧嚣在舞台上对批评者作出回答,提高剧团的声望。1663年6月上演的《太太学堂的批评》和10月上演的《凡尔塞宫即兴》都是论战性的独幕剧。莫里哀在《批评》一剧中,表述了新的喜剧风格的某些原则;在另一出喜剧里,他以令人惊讶的现实手法再现了剧团演员休息室的实际情景,以及在排戏时的挖苦讽刺,成为戏剧史上的趣事。

1664年5月上演《塔图浮》第一版引起的猛烈抨击和诋毁,都超过了关于《太太学堂》的争论。这部伟大喜剧的经历充分显示出莫里哀的工作条件,并提供了十分有力的证据,表明他的坚韧和毫不示弱的能力。他等了5年,拚着演员们生计无着的危险,最后才得到应有的报偿,赢得他的事业中最突出的成就。从首次上演现在所知的这出戏的前3幕时起,许多人就担心罗马天主教会决不会准许公开演出,在这种情况下,很多人肯定会放弃斗争的。莫里哀不但没有被吓倒,反而上演了经过改写的《唐璜》或名《石宴》,剧中一个不敬神的人逗得观众发笑,并引起他们的愤慨,可是后来的结局却令人吃惊——他被罚入地狱。莫里哀认为《唐璜》会成为一出能赚钱的戏,但遭到失败,并付出很高的代价。该剧在演出15场之后,便莫名其妙地销声匿迹,从此再也没有由莫里哀上演或出版过。这部剧是莫里哀喜剧艺术的宝贵例证。剧中中心人物唐璜把贵族的原则推到极端,他一概否认对父母或医生、对商人或上帝的种种义务,却要求别人对他履行义务。他的仆人斯卡纳赖尔在各方面都与他截然不同:粗俗、胆怯、迷信。这两个人物是地地道道法国的堂吉诃德和桑丘。

莫里哀在与有权势者进行斗争的同时,仍然凭借个人的力量把剧团团结在一起。为了弥补编剧的不足,他不得不自己写更多的剧本。他的演员和剧作者从来都是靠不住的。1664年他上演了拉辛的第一个剧本《忒拜依德》,但是第2年拉辛却把第2个剧本《亚历山大大帝》转让给一家更老的剧院,而这时莫里哀的剧团正在上演这个剧。当局经常给他制造麻烦。国王的宠信可能多少弥补一些他遭受的挫折,但是国王的支持也是反复无常的。许诺的补助金往往并没有兑现。宫廷更需要轻松愉快的戏剧,而不需要伟大的作品。剧院的收益时高时低,变化不定。在巴黎的14年里,剧团上演的95部剧中,有31部是莫里哀自己写的。尽管莫里哀疾病缠身,太后逝世使剧院停演7周,《塔图浮》和《唐璜》遭到禁演,但在一个戏剧季节(1666～1667)里,他仍写了5部剧本。在这5部剧本中,只有《屈打成医》获得成功。

可是,在前一戏剧季节里,几乎从《愤世嫉俗》一开始上演,虽然不是全部观众,但眼光敏锐的观众就认为这是一部杰作。《愤世嫉俗》是一部描写上流社会的喜剧,其来源不详,剧本是根据莫里哀剧团内的材料写成的。莫里哀自己在剧中扮演阿尔赛斯特的角色,这是个新型的蠢人,具有高度的原则、刻板的标准,但是生来就是个对别人盲目吹毛求疵的人。阿尔赛斯特迷恋着色里曼纳(由莫里哀的妻子阿曼德扮演),这是个出色的喜剧形象,不论任何场合时机,她都能应付自如,仿佛是社交精神的化身。剧情简单而富有诗意。阿尔赛斯特在整部剧中表现得愤世嫉俗,没有任何一个"有教养"者与他意趣相投,他总是宽于律己,严以待人,就像无视自己真面目的塔图浮一样。

教会反对莫里哀,几乎取得了胜利:5年内禁止公开上演《塔图浮》,莫里哀终生不得公开演出《唐璜》。1667年5幕的《塔图浮》上演,只演出一场就被警察署长和大主教禁止,如若违反即革出教门。莫里哀一再向国王申诉,甚至到军营去向国王疏通,并且发表文章为剧本辩护:《关于喜剧"伪君子"的信》。1668年一年里,他上演了《昂分垂永》(1月13日)、《乔治·当丹》(凡尔赛宫,7月18日)和《守财奴》(9月9日)3部喜剧,使剧团得以维持。像莫里哀这样有独创性的喜剧作家,迟早必定要尝试把古代的守财奴喜剧形象改写成现代的滑稽可笑人物。1668年他写的3部剧本中最后的一部《守财奴》,是以散文体写成的,可是读起来却像诗句一样。老一套的场面都是借取来的,但其精神与莫里哀的其他作品全然不同,并且也不是人人都喜欢的。他笔下的守财奴是个活生生的矛盾人物,他崇拜金钱达到毫无人性的地步,但在需要别人的尊敬与爱慕时也极富人性。在剧中惊人的场面里,他的癖好已成为残酷的行径、病态的孤独甚至是疯狂。对于那些期望从喜剧中看到笑料的观众来说,这个剧过于严峻;歌德曾提出一个含糊的说法,称它是悲剧性的喜剧。然而,如同以前的戏一样,精神和意志的力量是为非人性的目的服务、并且与本能和"人的"本性相冲突的。这部喜剧使人联想到的主要是荒唐和不协调,而不是欢笑愉快。

1668年他写的第2部剧本《乔治·当丹》往往被当作闹剧而被忽略,其实这可能是莫里哀最伟大的作品之一。剧的中心人物是一个受人愚弄的人,他承认自己愚蠢,因为智慧也帮不了他的忙;如果诸事确实不利,那么智慧也是无济于事的。即使他好像有道理,他也不能证明自己是正确的。这个戏的主题平淡无奇,却能引人深思,它开创一种崭新的喜剧类型。不知为何,1669年《塔图浮》又获准上演,并终于开始长期演出,仅当年就演出60多场。这部剧比其他任何剧给莫里哀带来的麻烦都多,其主题可能取材于当地一个伪君子勾引女主人的事件。这部喜剧有3个稿本,只有最后一个稿本留存下来。第一个稿本(1664年曾为国王演出的3幕剧)描述一个表面虔诚的骗子，稳固地寄身在一个有产者家里，这家的主人答应把女儿许配给他，并且剥夺了儿子的继承权。在当时，一般人都把良心导师安置在自己家里居住，以便由他指点和改正一家人的行为。这个“圣洁的”人向主人的妻子求爱时，被当场抓住，他巧妙地表示后悔以挽回局面，主人被说服，不仅宽恕了他，而且允许他随时见自己的妻子。莫里哀一定看出这个主题包含着更多的喜剧内容，因而写出5幕剧来。最后的稿本包含塔图浮引诱女主人的两个场面，并且使重点转到塔图浮本人身上的喜剧性矛盾，让他装成不近人情的禁欲主义者，其实他是个极通人情的好色之徒。很难想象还有比这更能触犯虔诚教徒的主题。塔图浮如同《太太学堂》中的阿尔诺勒弗一样，看来也要遭到失败，因为他相信理智而忘掉了本能。

最后的几部喜剧 关于《塔图浮》的论争可能使莫里哀筋疲力尽，以致疾病缠身，无法再写新戏，事实上他又活了4年。1669年他在尚博尔为国王演出《普索雅克先生》，1670年演出《暴发户》。

《暴发户》触及当时颇有现实意义的主题——资产者或上层中产阶级的社会地位上升问题——这也许是他所有喜剧中最经受住时间考验的一部剧。剧中主角汝尔丹并不是令人憎恶的谄媚者，而是既讨人喜欢又愚蠢、既坦率又幼稚的人。他的慷慨性格掩盖了他的愚笨，而愚蠢当然是他所不齿的。这是莫里哀最具轻快风格的喜剧：男主人的愚蠢由于妻子和仆人有常识而得到弥补。

莫里哀虽然身体多病，但仍继续写作，1671年他又写出《普西赫》和《司卡潘的诡计》，随后，又于1672年写完《女学者》；粗率的人会把这个主题写成（正如有些人想象的那样）对女学者的讽刺，但是莫里哀却设想出一个明智的有产者，他在有学问的专横妻子面前提心吊胆。《没病找病》（1673年首次上演）写一个既怕死又怕医生的疑病症患者，这是莫里哀写的最后一部喜剧。剧中采用了许多医学行话和专业术语；江湖医生有学识而不通人情，举止愚蠢；年轻聪明的恋人的生活准则与其他人物的迷信、贪婪和欺骗形成对比，总之这是一部很有影响的剧。1673年2月17日，莫里哀在演出第4场《没病找病》时在舞台上昏倒，被人送回黎塞留街家中即与世长辞。由于他生前未领圣体，又未正式声明放弃演员的职业，他的遗体在2月21日日落以后被草草埋葬，未举行任何仪式。

作为演员和剧作家的莫里哀 莫里哀的戏剧活动既是他的失意也是他的荣誉。他原来希望成为悲剧演员，但是当时的时尚与他的愿望相悖。公众似乎喜爱夸张的悲剧风格，喜爱慷慨激昂，狂呼怒吼，昂首阔步，赞颂高歌；莫里哀却体型健壮，性情开朗，正如人们所说的，有一副天生喜剧演员的橡皮面孔。在后台，他既不会侃侃而谈，也不特别欢笑愉快，但是他能维妙维肖地模仿别人的语言和动作，并具有演员那种不知疲倦的精力。他随时能把一起偶然事件编成一段情节，并把自己推上舞台。他自己怎样咳嗽，剧中人物便怎样咳嗽，他自己怎样发脾气，另一个人物就怎样发脾气，这样他便把实际的排演变成一出戏。他那些最出色的剧本中的人物就像剧团里的成员一样。他临死前扮演一个病人的角色，真是再合适不过，因为他自己确实病得很厉害。

演员的功力对他的创作起了作用，因为他（很快地）写出的东西正是他能自自然然表演的。他自己扮演性情暴躁的角色，仆人，惧内的丈夫，蠢笨的有产者，咒骂“莫里哀这家伙”的迷信老头（有人常常把他和卓别麟相比较）。他身上有一种超常的活力和模仿的才能在起作用，这种特质只能称为强烈的戏剧想象力。在这一点上，演员们也帮助恢复了他的天才的一个方面，即舞台狂热，而这正是学者们所没有看到的。如果把他的戏剧当作赞扬理性的论据，就会看不到它们的生命力。他的理性概念使得他让荒诞具有生气。他想象出的人物都容易激动并且激动到语无伦次的地步。为了戏剧性效果、生动性、生活感，他宁可牺牲情节。他虽是古典主义作家，却公然无视写作的一切法则。

把莫里哀看成是冷静地鼓吹理性的人，认为他与剧中许多比较有理性的人物抱有同样的看法，是一种荒谬论调却不易去除。但是，如果仔细研究莫里哀所处的创作环境，就会看到这种说法无法令人相信。喜剧不是说教，虽然可能从中得出某种教训，但这只是附带的产物，和循循诱导的方法全然不同。表达思想是为了使观众高兴，而不是要宣传作者的观点。如果要问他对虚伪和无神论有何看法，他可能对这个问题感到惊异，并且回避作答，指出剧院不是表达观点的场所。没有资料表明莫里哀曾经试图传播他个人对婚姻、教会、地狱或者阶级差别的看法。严格说来，他在这些事情上的观点并不为人所知。人们知道的只是他在戏剧领域从事戏剧活动，利用他惊人的戏剧联想力，使一切想象的场面具有生气。如果说他描写了无神论者惹人喜爱的形象，这决不是要向人推荐自由思想，因为他对朴实的男仆的描绘也同样栩栩如生，同样惹人喜爱。有些学者试图说明他的剧本证明了什么东西，或者提出了什么教训，这是没有弄懂他的作品，对作品独出心裁的奇想和想象力很不了解。

既然莫里哀作品的魅力似乎在于创造性的语言活力，所以历来将他的作品分为风俗喜剧、性格喜剧和闹剧是毫无意义的，因为他好像从未表示要写某一类的戏剧。他在《逼婚》中从一个场景着手，从拉伯雷小说中的人物巴汝奇对于婚姻所表示的怀疑着手；在《屈打成医》里，他从一个关于樵夫的古老寓言、或者叫韵文故事开始，樵夫为了不挨打，便假装自己是医生。按照这样的主题轮廓，莫里哀使人物形象生动活泼，或是安排人物之间的争论，在争论中人物相互揭露；或是起初角色已经各具特点，随后又相互倒换了位置。魅力主要来自智力的节奏，而不是情节，来自争论而不是故事，因此详细叙述情节就会忽略实质

他的独特的喜剧感 莫里哀在回答对他的攻击时趁机阐明若干朴素的美学真理。例如，他在《太太学堂的批评》中，说明悲剧可能是崇高壮烈的，但是喜剧必须描写得逼真：“要是认不出是本世纪的人来，你就白干啦……希望正人君子发笑，事情并不简单啊。”至于有些人急于强加给作家的那些法则，他说：“我倒想知道，在所有法则之中，最大的法则难道不是叫人喜欢？一出戏在戏台上演出，既然达到目的，难道不是顺大路走下来的？”

与《塔图浮》和《唐璜》掀起的风暴相比，对《太太学堂》的攻击是微不足道的，对这两出戏的抨击促使诗人阐明一些非常重要的艺术原则。关于《唐璜》，他没有公开答辩，因为该剧从未正式受到谴责。为《塔图浮》辩护的材料包括两份给国王的陈情表，或称申诉书，1669年第一版序言（都是以莫里哀的名义发表的），还有1667年的《关于喜剧〈伪君子〉的信》。从美学观点上看，陈情表和序言是令人失望的，因为莫里哀被迫在对手选定的阵地上应战，并且被迫承认喜剧应有教谕的作用（没有其他证据说明这是莫里哀的想法，因此完全可以设想，莫里哀是出于被迫才提出这种论点的）。《关于喜剧〈伪君子〉的信》尤为重要，它以寥寥几行意义深长的文字不仅表达了《塔图浮》的美学基础，而且阐明了莫里哀关于喜剧的新概念：“喜剧是自然的恩赐赋予一切违悖常情的事物以明显的外表形式，这样便可以使我们能看得见违悖常情的事并避免它。要懂得什么是喜剧，就必须懂得什么是理性——喜剧意味着缺少理性——并且应该看到理性在于何处……喜剧的核心是不协调……因此，谎言、伪装、欺骗、掩饰，一切与事实不同的外表景象，同出一源的各种行动之间一切实际上的矛盾，这一切实质上就是喜剧。”莫里哀在这一点上似乎明确指出他对于喜剧的新的看法：喜剧只是附带地表现滑稽可笑，这是以明智与愚蠢、正确与谬误永远相互对衬、相互依存为基础的。这正是他的创见和光荣。

莫里哀艺术技巧的主要特点是人物的混杂的语言，或者说混杂的上下文。人物本来是为了表演某个角色，后来却忘掉角色，讲话脱离开人物的特征，把角色极度夸张，以致凡是看了这种主题之外的穿插表演的，总是联想到混杂的语言。《屈打成医》的出发点即拷打一个人要让他假装医生，这种构思当然并不巧妙，但是莫里哀拿这个构思大做文章，他使樵夫欢喜自己的新职业，掌握医生的行话，但接着樵夫就不知怎么办了。樵夫讲了一些有关医生的蠢话，并暗自庆幸遇到一位不懂拉丁语的病人，因此他不必担心讲的话到底是什么意思。他寻找病人的心脏，竟不知道心脏在身体的哪一侧边，他并没有因为被人看出破绽而胆怯，反而用他那句名言消除了异议：“可是全让我们改过来了。”吝啬鬼被人抢了钱显得可怜，但是他并没有引起人们的同情，因为他的话语把他引向荒唐的地步：“……我是什么都完啦……我在咽气……我死啦……我叫人埋啦。”他拚命地要求公道，言语超出一切理智，并且威胁要把法官一齐告下来。莫里哀的《愤世嫉俗》甚至更使人联想到公道作为理想和社会机制的混乱状况：“我虽然公道在握，还是输了官司！”他认为属于社会秩序的丑事，在别人看来恰好证明他顽梗不化。这样简洁的语言使莫里哀的戏剧获得成功。

法国的天才 伏尔泰把莫里哀誉为"描绘法兰西的画家"时,他想到的是莫里哀喜剧中反映了法国的人生百态,这也可以说明为什么法国人对莫里哀表现出独占者的兴趣,从某种特殊意义上说,他们仿佛把他看成是属于自己的作家。他们强调莫里哀作品中那些可能被其他人忽略的方面,其中值得注意的有3点。

首先,他的作品中都贯串着一定的格式。他从未单独表现现实性——虽现实性是生活的原貌——而是始终用一种模式和形式,把光线和动作、音乐和舞蹈及对话融合起来。可惜现代的演出略去剧中的幕间插入戏,失去了原来的效果。人物都是组合好的,场面甚至台词都是安排定的,喜剧性的机智对答都非常完美,而不管是否符合现实性。

其次,外国人认为是心理描写的地方,法国人则强调诗意。他们不是把戏剧作为社会时弊研究,而是作为独出心裁的模式,这些模式随手拈来某些思想,在弄清楚以后又抛弃这些思想。《愤世嫉俗》不是被作为实例研究或是法国的《哈姆雷特》,而是巧妙安排的各种声音和姿态的大合唱,它在批评利己主义。这部剧以连续凸现其中主题而引人入胜。内心的表达可以表现为多方面,诸如理想主义的、背后中伤的、粗暴无礼的、心怀恶意的、或者仅仅是荒唐愚蠢的。正是独出心裁地嘲弄社会上以自我为中心的奥秘,使莫里哀在法国人心目中变得至高无上。

法国人所称赞的第3个特点,就是莫里哀在区别人的部分和整体时深入的洞察力。对莫里哀有深刻影响的16世纪随笔作家蒙田,把诸如学识、礼貌或技艺等后天养成的品质,与可以称为没有其他属性的"人的本性",如人性或动物性等天生品质分开。莫里哀也喜欢按这种方法把他的人物加以对照。在他的剧中社会的伪装常常剥落,露出真正的人。他剧中的许多对话开始时都是彬彬有礼的,最后却变成公开的抨击。

莫里哀以多种形式把智慧和本性加以对衬。他的喜剧包含着在心理之内和心理范围之外的行动,理智和实际很少相互吻合。正如《昂分垂永》中挨打的仆人所说的:"它跟常识作对,可是这由不得人。"

Molina, Carlos María Isidro de Borbón, conde de (count of) **莫利纳伯爵** 参阅 **Carlos María Isidro de Borbón** *卡洛斯·马利亚·伊西德罗*。

Molina, Luis de 莫利纳(1535-09,西班牙昆卡～1600-10-12,马德里) 天主教耶稣会会士。他提出被称为莫利纳主义的神学理论,在上帝的恩惠起作用的情况下,人的意志仍是自由的;这样,他就在上帝恩惠与人的意志之间求得调和;这种理论引起300多年间多明我会与耶稣会之间严重的神学论争。1598～1607年多次在罗马举行特别大会以及采取别的行动,但都未能平息争论。莫利纳理论的特点在于以乐观态度看待人性。也考虑到上帝的恩惠的充分作用,即上帝的恩慈可以通过蒙恩者的愿望而使人得到救赎,而且也预定能期待人会行善。

Molina, Mario 莫利纳(1943-03-19,墨西哥墨西哥城～　　) 墨西哥出生的美国化学家。因20世纪70年代期间关于臭氧层分解的研究而和化学家F.S.罗兰以及P.克鲁岑共同获得1995年诺贝尔化学奖。臭氧层保护着地球不受太阳辐射的损害。莫利纳和罗兰发现,一些工业产生的气体会消耗臭氧层。这一发现导致20世纪后期的一项国际运动,限制含氯氟烃气体的广泛使用。莫利纳先在墨西哥城的墨西哥国立自治大学学习化学工程,1965年获学士学位。在西德的弗赖堡大学得到一个高级学位(1967)后,莫利纳回到墨西哥母校当副教授(1967～1968)。此后他又入校学习,1972年在美国伯克利加利福尼亚大学获博士学位。他在伯克利工作了一年,然后到欧文加利福尼亚大学开始与罗兰合作。他们两人进行了大气污染的实验,发现含氯氟烃气体上升至平流层后,紫外线照射将其分解成氯、氟和碳元素。此时,每一个氯原子在变得不活泼前可以摧毁将近10万个臭氧分子。莫利纳是描述这一理论的论文的主要作者。这篇论文发表在1974年的《自然》科学杂志上。他们的发现引起了一场含氯氟烃气体对环境影响的全国性争论。80年代中期,当在南极地区上空发现所谓臭氧空洞——臭氧层被耗尽的区域时,他们的理论得到了证实。

Molina, Rafael Leónidas Trujillo 莫利纳 参阅 **Trujillo (Molina), Rafael (Leónidas)** *特鲁希略(莫利纳)*。

Moline 莫林 美国伊利诺伊州西北部罗克艾兰县城市。在密西西比河急流的上游。与*东莫林*(**East Moline**)、*罗克艾兰*(**Rock Island**)和爱奥瓦州的*达文波特*(**Davenport**)组成四城工业联合体。1843年创建,1848年设镇。1872年设市。1890年成为钢犁生产中心。现农具和农机制造业为主要工业。设有布莱克霍克初级学院(1946)。人口:市约43 768;达文波特-莫林-罗克艾兰都会统计区约359 062(2000)。

Molinet, Jean 莫利内(1435,勃艮第-阿图瓦代夫勒～1507-08-23,勃艮第-埃诺瓦朗谢讷) 诗人和编年史家,勃艮第修辞学家中的佼佼者,以他的《玫瑰传奇》文本为人们所铭记。曾在巴黎求学开始(约1464),为勃艮第伯爵、大胆查理效劳,后任编年史家和宫廷诗人G.夏特兰的秘书。夏特兰死后,莫利内继承了他的职位继续他的编年史。他的著述还包括《修辞技巧》(1492,实际上论及诗的艺术),神秘剧、宗教诗、应景诗,以及讽刺诗文等。

Molinos, Miguel de 莫利诺斯(1628-06-29,西班牙穆涅萨～1696-12-28,罗马) 天主教司铎,因鼓吹极端的寂静主义而被视为异端,受到天主教会的谴责。他于1652年受祝圣,1663年奉派前往罗马。1675年在罗马出版《灵修指南》,指出教徒可以通过默想与神助相结合达到纯全,人必须禁绝自己的意志,天主的意旨才能在人身上顺利发挥作用。《灵修指南》引起强烈反响。但是在1685年也就是莫利诺斯声誉最高而他的友人教皇英诺森十一世已即位之时,他被教廷警察逮捕,受审后以异端罪被判无期徒刑。由于《灵修指南》中并不存在定罪的根据,因此学者认为,教皇之所以突然对他改变态度,是因为发现他的品行不端。在法庭总结辩论中,莫利诺斯为自己与众门人的变态性行为辩解,说那是魔鬼引起的,其本身是无罪的,能起洁净作用。但他承认错误,不再作进一步申辩,后死于狱中。

Molise 莫利塞 意大利中部偏东南的一个区。下设坎波巴索和伊塞尔尼亚两省。1965年由前阿布鲁齐-莫利塞区的南半部组成。面积4 438平方千米。西部有亚平宁山脉之一部。有沃尔图诺河流贯,向西注入第勒尼安海。其他地区大部是低山和丘陵。仅亚得里亚海沿岸有一狭窄低地带。中部和东部有比费尔诺河注入亚得里亚海。为全国最乡村化的地区之一。居民常外迁,故从1861年至1961年人口增长仅1%。主要作物为小麦和马铃薯。畜牧业(养猪、绵羊、山羊、牛)分布广泛。工业薄弱,有小型食品和服装业。唯一较大的城市是区首府*坎波巴索*(**Campobasso**)。人口约331 494(1993)。

Moll Cutpurse 娼妓扒手(1584?,伦敦～1659-07-26,伦敦) 玛丽·弗里思(Mary Frith)的绰号。17世纪英国犯罪社会臭名昭著的女成员,常与盗匪为伍和窝藏赃物。生于伦敦,初为扒手。后在舰队街设店买卖赃物,从窃贼那里收来赃物,再卖给有特权的人们。她常身着男装,有时也拦路抢劫。一生仅在纽盖特短期坐牢一次。死于水肿病。

Molle Islands 莫尔群岛 大堡礁的4个岛屿。距澳大利亚昆士兰州东北岸5千米。岛屿边缘为珊瑚,有多草的陡峭山丘。最大岛南莫尔岛(421公顷)为国家公园和游览地,经多岩石沙洲同中莫尔岛相连。北莫尔岛最高,西莫尔岛又称幻想之岛,均为游览地。

Mollendo 莫延多 秘鲁阿雷基帕省港口城市。濒临太平洋。建于1872年。铁路通阿雷基帕和当地的矿区。通泛美公路,有人工港湾。曾为秘鲁南部和玻利维亚重要的进出口岸。1941年后,港口贸易大部迁往西北面的马塔拉尼。城市东南坦博河谷有灌溉,出产稻米、甘蔗、棉花、粮食和水果。市内有鱼罐头厂、水泥厂、纺织厂和奶酪厂。海滩吸引许多游客。人口约27 900(1990)。

Møller, Poul Martin 默勒(1794-03-21,丹麦纳克斯考附近～1838-03-13,哥本哈根) 丹麦作家。他所描写学生生活的长篇小说是丹麦文学中第一部反映当代生活的作品,标志着丹麦文学史上一个重要阶段。在哥本哈根获得神学学位后,以翻译荷马史诗开始其文学生涯。为摆脱解除婚约带来的痛苦,他在一艘丹麦船上当随船牧师前往中国(1819～1821)。在旅行中,写有一些日记和格言,以及怀念丹麦和哥本哈根的诗,如《罗森堡港的景色》。回国后以讲授古典著作为生，同时从事哲学研究。1824年，他向哥本哈根的学生团体朗诵了他的名著《一个丹麦学生的异常经历》。原打算按照司各特的手法，写成一部历史小说，但最后定稿时却描写了当代学生的生活。曾在克里斯蒂安尼亚（奥斯陆）的大学中任哲学讲师，后成为哥本哈根大学的哲学教授。

Mollet, Guy　摩勒（1905-12-31，法国弗莱尔-德-洛恩～1975-10-03，巴黎）　法国社会党政治家、法国总理（1956-01～1957-05）。早年任中学英语教师。1921年加入社会党。1939年当选为社会党教师工会总书记。第二次世界大战期间在陆军中服役，1940年被德军俘虏，1942年获释后参加抵抗运动。1945年战争结束时任阿拉斯市长，在众议院代表加来海峡省。1946～1969年任社会党总书记，拒绝与法共结成选举联盟。1950～1951年任国务部长，与欧洲委员会打交道。1956年他同孟戴斯-弗朗斯一起领导中左的共和阵线赢得大选的胜利，同年任总理。与阿尔及利亚起义者进行谈判的政策遭到失败后，他的政府认为埃及向起义者提供援助，因而参加了1956年11月英国对塞得港毫无意义的占领和对苏伊士运河的封锁。在其他事务方面，他允许撒哈拉以南的非洲殖民地实行部分自治；决定建立一支法国的核打击力量。他签署了建立共同市场和欧洲原子能委员会的条约。由于右派指责他因入侵苏伊士运河使国家预算严重亏空时仍推行社会改革。结果他的政府倒台。1958年5～6月间他成功地缓和了社会党对戴高乐的反对立场，随后他加入戴高乐政府出任国务部长（1958-06～1959-01）。后由加来海峡省重新选入议会，对戴高乐的国内政策采取建设性的反对立场。

Mollien, Gaspard-Théodore　莫利昂（1796-08-29，巴黎～1872-06-28，法国尼斯）　法国探险家和外交官，最早到西非内地进行探险的欧洲人之一。1817年到法国殖民地塞内加尔的圣路易。1818年1月起对塞内加尔河、冈比亚河和尼日尔河源头进行探险，历时1年，经过了塞内加尔、几内亚和葡属几内亚。尼日尔河源头虽未发现，但他是首次与居住在西非内地各种民族接触的第一名欧洲人，同他们和睦相处。所著《非洲内地旅行》（1820）证明他所遇到的非洲人好客而有礼貌。1823年到新成立的哥伦比亚共和国探险。1828年任法国驻海地领事。1831年任法国驻古巴总领事。

Mollien, Nicolas-François, Comte　莫利昂（1758-02-28，法国鲁昂～1850-04-20，巴黎）法国政治家，拿破仑一世的主要财政顾问。1775年起他在包税人（私人承包者，他们往往以严酷措施向农民征收重税）的办事处中工作，1786年起草为国库增加收入的合同。1799年11月拿破仑委任他为还债基金官员，1801年7月任总监。在帝政时期，从1806年1月至1814年4月，以及1815年的"百日"时期，他任财政大臣，整顿管理制度，采用复式簿记。第二次复辟（1815）后退隐，1819年接受贵族封号，但拒不出任财政大臣。1845年发表所著《一个财政大臣的回忆，1780～1815》。

mollisol　软土　拥有世界上最高产农业土壤的草地与森林地区的暗色土壤类型。见于与荒漠地带交界的潮湿地区，因而与旱成土在地理上形成组合。这些地区的地被产生丰富的有机质，在土壤中分解。雨量不大，不足以造成强烈淋洗，于是肥力所依赖的化学盐基得以保持高含量。这些条件造成松软的、团聚良好的土壤结构，以及特有的"松软"层——暗色表层，厚度大于25厘米，至少含1%的有机质。在有这类土壤的地方如北美大平原、阿根廷潘帕斯草原、欧亚大陆干草原，农业的主要形式是放牧和种植小麦与玉米的旱田。

Mölln　默尔恩　德国北部石勒苏益格-荷尔斯泰因州城市。在吕贝克的南面，濒临易北-吕贝克运河，建在两个小湖四周。1188年，首见记载。1220年左右建制。据传，许多文学和音乐作品的描写对象幽默人师梯尔·欧伊伦施皮格尔于1350年在此去世，16世纪在圣尼古拉斯教堂为其竖立墓碑。哥特式市政厅和许多半露木架结构建筑使城市具有与一年一度的欧伊伦施皮格尔节相适合的中世纪风貌。有冶铁、化工和纺织、家具、烟草、食品等制造业。第二次世界大战后港口运输业不断发展。人口约16 430（1989）。

mollusk　软体动物　又拼mollusc。软体动物门（Mollusca）无脊椎动物，是除昆虫外歧异最大的类群，约75 000种，见于从深海到高山各种生境。据推测由类似扁形动物的祖先演

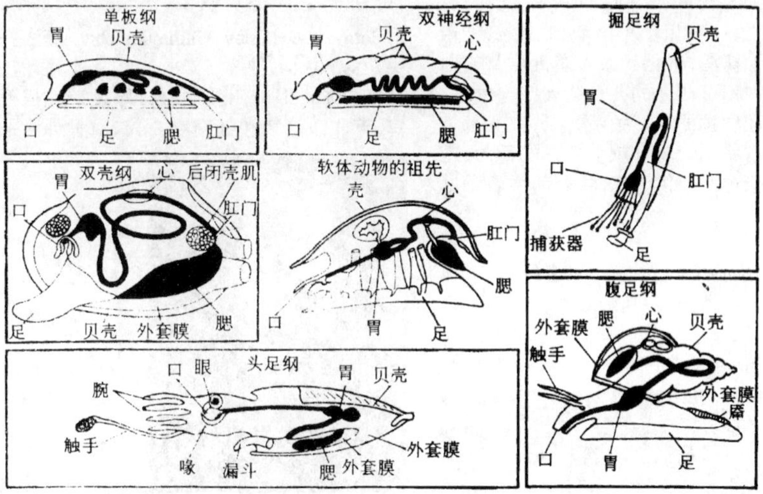

软体动物6纲及其假定的祖先类型的结构模式图：深黑色表示消化系统，浅灰色表示呼吸系统。掘足纲无特化的呼吸系统，直接通过肉质的外套膜进行呼吸

化而来。某些早期海洋种类的化石出现于寒武纪（约5.70亿年前至5.05亿年前）。现存种类一般分成8大类：单板纲（Tryblidia，新蝶贝）、腹足纲（Gastropoda，帽贝、蛞蝓等）、双壳纲（Bivalvia，蛤、贻贝、牡蛎、扇贝）、掘足纲（Scaphopoda，象牙贝）、沟腹纲（Solenogastres，新月贝）、尾凹纲（Caudofoveata，即无板纲；龙女簪）、有板纲（Placophora，石鳖）和头足纲（Cephalopoda，乌贼、章鱼、鹦鹉螺）。它们形态上差异很大，但也有共同的特征。身体一般分为三部分：头部（感觉中心）、用于运动的肌肉足及高度发达的内脏团。只有双壳类无头。除蛞蝓和蠕虫状的无板类外，内脏团外包以由外套膜（特殊的皮肤褶）分泌而成的壳。膜下的腔称外套腔，内有营呼吸的鳃。肛门、排泄器和生殖器的排出物亦进入外套腔。多数种类另一共同特征是口有齿舌，由一条小齿带组成，似锉刀。软体动物有重要的经济价值。许多水生种类，尤其是蛤、牡蛎、扇贝和贻贝都可供食用，可进行捕捞或养殖。陆生的大蜗牛属（*Helix*）在欧洲用作佳肴。许多贝壳或珍珠可用作装饰品。船蛆等则危害码头和木船。

molly　帆鳉　银汉鱼目胎鳉科帆鳉属（*Mollienesia*，又称胎鳉属[*Poecilid*]）几种热带鱼的统称。易饲养，色彩美观，是受欢迎的水族箱观赏鱼。长约5～13厘米。常见的是

宽羽片帆鳉（*M. latipinna*）
美国不列颠百科全书公司供图

淡灰色的楔帆鳉（*M. sphenops*）和闪亮、蓝色雄鱼背鳍高大而美观的帆鳍帆鳉（包括宽羽片帆鳉[*M. latipinna*]及具缘膜帆鳉[*M. velifera*]）。还有几个常见的杂种，包括美丽帆鳉（*M. formosa*），这个所谓种总是雌鱼，是楔帆鳉和宽帆鳉杂交而产生的。还有几个彩色变种，其中有黑色帆鳉，可能属于上述任一个种内。

Molly Maguires　莫利社　美国矿工秘密组织，据说1862～1876年宾夕法尼亚州和西弗吉尼亚州无烟煤矿上的恐怖主义活动应由这个组织负责。莫利原为一寡妇的名字，19世纪40年代她曾领导一些爱尔兰人反对

土地所有主。20年后，宾夕法尼亚州矿上劳动条件恶劣，在就业问题上实行种族歧视，引起破坏和暗杀案件，于是当局归罪于莫利社。据说古老的团体爱尔兰人社是恐怖主义分子藏身之处，矿主雇佣侦探打入其中。1875～1877年几次进行审判，以绞刑处死10人。

Molnár, Ferenc　莫尔纳尔（1878-01-12，布达佩斯～1952-04-01，纽约市）　匈牙利戏剧家、小说家。他刻画布达佩斯当代沙龙生活的剧本和生动感人的短篇小说曾获得国际声誉。19岁发表第一批小说，剧本《恶魔》（1907）首获巨大成功。第一次世界大战期间当过特派战地记者。他的许多剧本，包括《利利奥姆》（1909）、《天鹅》（1920）和《红磨坊》（1923）曾在奥地利、德国和美国上演并获得成功。有些剧本还被拍成电影。他的部分短篇小说，尤其是收在《音乐集》（1908）中的，都可称为杰作。这些小说简洁而生动，揭示了掩盖在光彩夺目的社会表面底下的穷人和失意者的种种问题。但他的许多长篇小说却只有《帕尔街的孩子们》（1907）堪称成功之作。他有意写邪恶、自私自利和道德败坏的得逞，但是所有这些都被他那轻松愉快的笔触所冲淡。

Mölndal　默恩达尔　瑞典西南部西约特兰省城镇，哥德堡东南郊区。1922年设镇，一度兴旺的碾粉业大都已为纺织、纸张、油脂生产取代。但主要工业为金属加工。人口：城市区约54 492（1996）。

Moloch　摩洛　又拼Molech。古代中东各地所崇奉的神灵，信徒以儿童为牺牲向他献祭。摩洛又是民间崇拜的太阳神巴力的别名。据《旧约·利未记》第18章21节载，上帝向摩西晓谕律法，禁止犹太人遵行埃及或迦南的习俗："不可使你的儿女经火归与摩洛，也不可亵渎你神的名。"关于此点，究竟当时犹太人已有将儿女烧死献于摩洛的行为，还是为了防止这一习俗于未然，目前学者意见不一。

moloch（*Moloch horridus*）　摩洛蜥　又称thorny devil（棘蜥）。即具刺魔蜥。蜥蜴亚目鬣蜥科小型（20厘米长）蜥蜴，分布于旧大陆。矮胖，橙色和棕色相间。一如新大陆的

摩洛蜥（*Moloch horridus*）
美国不列颠百科全书公司供图

鬣鳞蜥，全身被覆棘状刺，以吻部和两眼上方者最长。栖居在澳大利亚的沙漠地区，以黑蚂蚁为食。移动缓慢，对人无害。

Molodechno　莫洛杰奇诺　白俄罗斯明斯克州城市，莫洛杰奇诺区首府。位于明斯克市西北面。19世纪末成为铁路枢纽，地位日益重要。1939～1960年为州首府。有食品、轻工、机器制造和建筑材料工业。人口约93 500（1991）。

Molody, Konon Trofimovich　莫洛迪　参阅**Lonsdale, Gordon Arnold 朗斯代尔**。

Molokai　莫洛凯　美国夏威夷州毛伊县火山岛。与西侧瓦胡岛隔凯维水道，与东南侧毛伊岛隔帕派洛洛水道。东西部为台地，冒纳罗亚火山卡马科峰高1 512米。岛长61千米，宽10千米，面积676平方千米。北部为绵延耸立的峭壁，达1 100米，其间哈拉瓦横断谷长2.8千米，宽0.8千米，适合农作。原当地居民以种植芋头并打渔为生，20世纪初迁居它岛。1923年后，随菠萝种植业发展建起一些小村庄。南岸有小港口，输出菠萝和牲畜。该岛卡劳帕帕半岛建有州立汉森麻风病治疗中心。岛上称卡拉瓦奥县的部分未正式设治，在州议会中由毛伊县代表。人口：岛6 587（1990）。

Molopo River　莫洛波河　非洲南部河流，在南非开普省北部。源出马弗京以东，大致向西流约1 000千米，在纳米比亚东南边界附近汇入奥兰治河。为间歇河，经常干涸。是博茨瓦纳和南非及博普塔茨瓦纳的边界的一部分。河下游穿过卡拉哈里沙漠，同经常干涸的诺索布干河汇合。

Molotov（city, Russia）　莫洛托夫　参阅**Perm 彼尔姆**。

Molotov, Vyacheslav Mikhaylovich　莫洛托夫（1890-03-09，俄罗斯库卡尔卡［今苏维埃茨克］～1986-11-08，莫斯科）　原姓斯克里亚宾。苏联政治家和外交家。第二次世界大战

美国不列颠百科全书公司供图

期间和战后初期苏联在国际会议上的主要发言人。从1906年起为布尔什维克党员和组织者，曾因从事革命活动两次被捕（1909，1915）。布尔什维克掌权（1917）后，曾在几个州的党组织中工作。1921年成为中央委员会委员和书记，以及政治局候补委员。列宁逝世（1924）后，他坚决支持斯大林。1926年12月成为政治局委员。此后，他领导莫斯科的党委员会，把莫斯科组织中的反斯大林分子清除出去（1928～1930）。1930～1941年任人民委员会主席（即苏联的总理）。第二次世界大战爆发前不久，他还兼任外交人民委员（1939-05），谈判签订《苏德互不侵犯条约》（1939-08）。1941年5月斯大林接替他任苏联部长会议（前人民委员会）主席，他任第一副主席。在德国侵入苏联（1941-06）以后，他还在国防委员会（特别战时内阁）任职，组织苏联与英美结盟的工作，曾出席同盟国在德黑兰（1943）、雅尔塔（1945）和波茨坦（1945）的会议，以及创立联合国的旧金山会议（1945）。战时及以后他对盟国的态度，使他获得一种对西方不调和的敌视态度的声誉。1949年3月辞去外交部长职务。但在斯大林逝世（1953-03）后，又担当此职，一直到他与赫鲁晓夫因政见不同而被免职（1956-06）为止。同年11月，被任命为国家监察部长，后因参加"反党集团"（1957年6月企图推翻赫鲁晓夫未遂）失掉了所有党政高级职务。后任苏联驻蒙古大使和苏联常驻维也纳国际原子能机构代表（1960～1961）。1962年被开除出共产党。此后在莫斯科过完全退休的生活。

Molotovsk（Russia）　莫洛托夫斯克　参阅**Severodvinsk 北德文斯克**。

molt　蜕皮　又拼moult。生物学术语，蜕去表面皮层代之以新的皮层的过程。蜕皮过程受激素调节，发生于整个动物界。英语中molt一词还包括换角、换毛或换羽。蜕去外骨骼以使身体长大或改形（参阅**metamorphosis**）也称蜕皮，这种现象见于节肢动物、线虫和缓步类。

Moltke, Adam Gottlob, Lensgreve　莫尔特克伯爵（1710-11-10或11，梅克伦堡瓦尔肯多夫［德国］～1792-09-25，丹麦布雷根特韦德）　丹麦显要的廷臣，曾对丹麦和挪威国王腓特烈五世有过重大影响。幼年起即为国王克里斯蒂安六世的侍从。腓特烈五世即位后任枢密官，得布雷根特韦德领地。1750年晋封伯爵。莫尔特克是腓特烈五世的顾问中最有影响者。他强烈反对解放奴隶。腓特烈五世去世（1766）后，他的权势下落，1770年隐退。

Moltke, Adam Wilhelm, Lensgreve　莫尔特克伯爵（1785-08-25，丹麦菲英岛艾恩西德尔堡～1864-02-15，哥本哈根）　丹麦政治家，向议会负责的首届政府的首相。1809年从政，任最高法院法官。1831年任腓特烈六世

美国不列颠百科全书公司供图

的财政大臣,1845年任克里斯蒂安八世的国库总裁。1848年3月国王腓特烈七世放弃君主专制政体,丹麦成立代议制政府,莫尔特克任首相,并先后兼任财政大臣和外务大臣。在他当政期间,丹麦颁布了1849年6月5日的宪法。1852年1月辞去首相职务。1849～1860年任上议院议员。

Moltke, Helmuth von　毛奇(1800-10-26,梅克伦堡帕尔希姆[德国]～1891-04-24,柏林)　普鲁士帝国和德意志帝国参谋总长。早年就读于哥本哈根皇家士官学校,后在丹麦军

美国不列颠百科全书公司供图

队服役。1822年转到普鲁士军队任少尉。1823年到陆军学院攻读3年。1828年5月调到柏林总参测绘局。1832年5月调普鲁士参谋总部任职,翌年晋升为中尉。1835年底被派到土耳其军队当军事顾问。1855年被任命为腓特烈·威廉亲王(即后来的德皇腓特烈三世)的副官,随其游历苏格兰、英格兰、俄国和法国。1858年任普鲁士参谋总长,开始了俾斯麦(首相)、毛奇和罗恩(1859年起为国防大臣)的三巨头时期,13年间改变了欧洲地图的面貌。当时欧洲处于工业革命时期,技术革命改变着整个战争概念。1848年普军装备了后膛枪;1861年装备了后膛炮。更重要的是,铁路能保障军队的快速部署。同时他还认识到要实现其新的作战思想需要有训练有素的参谋人员。他以下达综合指示的方式取代以往僵化的作战命令,鼓励受令者发挥主观能动作用执行任务。他着手组建新型的参谋总部,确立新的参谋体系,为许多国家军队所效法。1864年指挥普军战胜丹麦人。1866年普奥七周战争爆发,普鲁士部署25.6万人分为3个军团在420千米长的正面与奥地利作战,大获全胜。这两次战争是对毛奇的战争理论和作战方法的实际检验。1870年7月爆发普法战争。法王拿破仑三世咄咄逼人,毛奇在俾斯麦领导下动员38.4万人,编为3个军团迎战法军。9月2日色当一战,导致法兰西第二帝国覆灭,新的德意志帝国于1871年1月18日在凡尔赛宣告成立。1870年10月毛奇由于战功被封为伯爵,1871年6月晋升为元帅。普法战争以后,他又当了17年参谋总长。这期间毛奇主要研究德国东西两线同时作战问题(东线对俄国作战,西线对法国作战),这是他从青年时代就关注的问题。1888年8月毛奇退役。他聪明过人,沉默寡言,严肃庄重,精通7国语言,被认为是19世纪德国散文大师之一。著有《波兰:历史的札记》(1885)等,并译出E·吉本的名著《罗马帝国的衰亡》,以及其他文学著作。

Moltke, Helmuth (Johannes Ludwig) von　毛奇(1848-05-25,梅克伦堡盖斯多夫[德国]～1916-06-18,柏林)　第一次世界大战爆发时的德国参谋总长。他修改德军西线进攻

美国不列颠百科全书公司供图

计划而且无力保持对快速前进的部队的控制,在很大程度上阻滞了1914年9月德军在马恩河的攻势并使德军为取得决定性的快速胜利所做的努力化为乌有。他是著名的德国参谋总长毛奇的侄子,在德国部队中官运亨通,1882年已担任叔父的助手。1903年成为陆军军需总监。3年后继阿尔弗雷德·冯·施利芬担任参谋总长。毛奇继承施利芬两线作战的方案:在消灭法军之前,只部署少量部队在东线对付俄国。在施利芬进攻法国的战役计划中,德军左翼(南线)将在阿尔萨斯-洛林一线防御,右翼(北线)则集中绝对优势的兵力通过比利时和法国北部发起快速进攻,包围法军并攻占巴黎。作为参谋总长,毛奇的主要任务是根据情况的变化,修改施利芬计划。但这是一项困难的任务,1914年8月战争爆发时,毛奇还不具备履行其职责所必须的条件。他批准左翼几个原拟执行防御任务的军团攻入法国,并从至关重要的右翼抽调数个师增援左翼,又抽调几个师至东线阻止俄军进攻。德军统帅部与右翼军团失去联系,快速机动又使右翼兵力分散。右翼德军不仅未能包围法军,反而遭到法英军翼侧突击。在马恩河战役(1914-09-06～12)中,法、英军完全遏止了德军的攻势。1914年9月14日皇帝威廉二世撤换了毛奇。两年后毛奇郁郁死去。

Molucca Sea　摩鹿加海　印尼语称马鲁古海。西太平洋的一部分。周围是印度尼西亚诸岛屿:西有西里伯斯苏拉威西岛,东有哈马黑拉岛,南有苏拉群岛。总共面积20万平方千米。东南接塞兰海,南连班达海,东北经240千米宽的马鲁古(摩鹿加)海峡通太平洋。最深处为4 810米深的巴占海盆。太平洋中这一地区常有地震和地壳卷曲之灾。

Moluccas　摩鹿加　印尼语作Maluku(马鲁古)。马来群岛中隶属印度尼西亚的一组群岛。西临西里伯斯,东界新几内亚,南濒阿拉弗拉海及帝汶,北界菲律宾、菲律宾海与太平洋。总面积约74 505平方千米。该群岛构成印度尼西亚的马鲁古(**Maluku**)省,下辖:①北马鲁古县,包括特尔纳特、莫罗泰、巴占、苏拉、奥比诸岛屿及哈马黑拉岛北部和南部;②中哈马黑拉县,包括蒂多雷、盖比诸岛屿及哈马黑拉中、东部;③中马鲁古县,包括塞兰、巴鲁、哈拉古、沙巴鲁、塞兰海、班达海诸岛屿与安汶岛(安汶市除外);④安汶市,为马鲁古省府;⑤东南马鲁古县,包括卡伊、阿鲁、塔宁巴尔诸群岛,韦塔、巴尔巴诸岛及其间较小的岛屿。早在欧洲人听说"香料群岛"之前,摩鹿加北部的丁香及中部岛屿的肉豆蔻已在亚洲交易。1511年葡萄牙人到达此地,由此引发了往后百十年的争端。首先是葡萄牙人与特尔纳特及蒂多雷苏丹的冲突,随后是葡萄牙人同西班牙人、英国人和荷兰人之间的冲突,最后荷兰人获胜。这期间争夺该地区控制权的斗争使很多人丧失了生命。得胜的荷兰人赢得了巨大利润。但到18世纪末叶,香料贸易大幅度衰落,摩鹿加经济变成死水一潭。第二次世界大战后,荷兰人为了在东印度群岛重建殖民统治而设置东印度尼西亚州时,将摩鹿加并入该州。1949年摩鹿加并入印度尼西亚共和国。1950年,信奉基督教的安汶人曾领导南摩鹿加发动一次反抗新共和国的短暂叛变。摩鹿加群岛地震频繁,大部分岛屿多山地。有些岛屿,尤其是特尔纳特和班达岛,有活火山。塔宁巴尔和阿鲁群岛低平,有沼泽。摩鹿加为热带气候,年降雨量因地区不同而从2 000至3 800毫米不等。昔日曾覆盖大部分岛屿的常绿热带雨林,在某些地区已被铲平,辟为耕地。群岛上时有小块开阔的热带草原,沿海常可见到红树林沼泽。摩鹿加是亚洲和澳大利亚动植物群的过渡带,群岛上的动植物中有许多当地特有的品种。这里是东(巴布亚人)、西(马来人)两人种区过渡带,加之同荷兰人、葡萄牙人、爪哇人通婚,人口种族成分复杂。沿海居民主要信仰基督教和伊斯兰教,内地大部分居民信仰有灵论。除了北哈马黑拉、蒂多雷、特尔纳特和莫罗泰外,所用语言均属澳斯特罗尼西亚语系(又称马来-波利尼西亚语系)。食物来源于狩猎、渔业和采集含淀粉的西谷米。普遍栽种椰子。主要出口物品有椰干、林产品、香料和鱼。塞兰岛有一个油田。人口约1 741 800(1988)。

Moluccas (province, Indonesia)　**摩鹿加**　参阅**Maluku马鲁古**。

molybdate and tungstate minerals　钼酸盐和钨酸盐矿物　天然存在的钼酸(H_2MoO_4)盐类和钨酸(H_2WO_4)盐类的无机化合物。这两族中的矿物,往往都是有价值的矿物。这些矿物的结构单元都是由位于四面体角上的4个氧原子包围着一个钼原子或钨原子而形成的一种四面体群。每个MoO_4或WO_4四面体有一个负二价的净电荷,被处于四面体之外的金属阳离子所中和。钼酸盐和钨酸盐矿物不像硅酸盐或硼酸盐矿物那样通过在相邻四面体之间共用氧原子而形成链状、环状、层状或架状结构,因为它们没有共用氧原子;在这一点上它们同磷酸盐、钒酸盐、砷酸盐和铬酸盐矿物相似。由于钼的阳离子和钨的阳离

子具有相似的半径,所以它们在任何天然存在的矿物结构中可以互相取代,而往往形成固溶体系列。在钼酸盐和钨酸盐的矿物当中,只有钼钙矿-白钨矿系列(含钙的钼酸盐/钨酸盐)和钼铅矿(钼酸铅)是值得注意的。白钨矿是一种有价值的钨矿石,钼铅矿是一种次要的铅矿石。钨酸盐的另一个系列也是重要的。黑钨矿(锰/铁钨酸盐的钨锰矿-钨铁矿系列的别名)也许是最重要的钨矿石。这些矿物的结构是以WO_6八面体为基础的,就是说,每个钨原子被分布在八面体各角上的6个氧原子所包围,而不是像其他钨酸盐那样。这些矿物被归入络合氧化物一类,并且同铌酸盐和钽酸盐联系起来。

molybdenite 辉钼矿 最重要的钼矿资源,是钼的二硫化物MoS_2。辉钼矿的晶体与辉钨矿(钨的二硫化物)晶体同为六方对称。两

产自美国宾夕法尼亚州伊斯顿的辉钼矿
美国不列颠百科全书公司供图

者都具有层状结构和相似的物理性质;主要的区别是辉钨矿的比重更大。关于详细的物理性质,参阅 **sulfide mineral**(表)。

molybdenum 钼(Mo) 化学元素,周期表Ⅵb族银灰色难熔金属,用于提高钢和其他合金在高温下的强度。瑞典化学家C.W.舍勒在1778年前后用实验表明,长期被人视作铅矿或石墨的辉钼矿肯定含硫,并可能含有以前没有被发现的金属。在舍勒建议下,另一位瑞典化学家P.J.耶尔姆于1782年成功地分离出这种金属,并命名为molybdenum,源自希腊文molybdos(铅)。钼在自然界不以游离态形式存在。钼为相当稀有的元素,丰度与它的类似元素钨大致相同。工业用钼大多由辉钼矿石制备。一般是在过量空气下锻烧辉钼矿精矿石,得到三氧化钼MoO_3,也称工业级氧化钼。进一步的加工方法,则取决于最终的用途。钼可以工业级氧化钼或钼铁合金的形式加入钢中。钼铁合金(含钼60%以上)由工业级氧化钼和氧化铁的混合物熔炼而成。用氢还原化学纯氧化钼或钼酸铵$(NH_4)_2MoO_4$,可制得钼粉。用粉末冶金法或电弧熔铸法可把钼粉制成钼块。钼基合金和金属钼在其他金属和合金的熔化温度下,仍能保持有效强度。但是,钼的主要用途是作制造铁和非铁合金的合金剂,是唯一能保持合金的高温强度和耐腐蚀性的金属。钼还是提高钢铁淬硬性的最有效元素之一,也有提高淬火钢和退火钢韧性的作用。制药设备用的不锈钢和汽车装饰用的铬钢所要求的良好耐腐蚀性,只能用加入少量钼的方法才能获得。金属钼已用于灯丝托架、阳极和栅极等电气和电子部件。钼棒和钼丝已用作工作温度高达1 700 °C的电炉的加热元件。钼镀层与钢、铁、铝及其他金属结合牢固,因而具有优异的耐磨性能。天然钼是7种稳定同位素的混合物:钼92(15.84%)、钼94(9.04%)、钼95(15.72%)、钼96(16.53%)、钼97(9.46%)、钼98(23.78%)和钼100(9.13%)。钼的化合价2~6,在其羰基化合物$Mo(CO)_6$中钼被看作零价。钼(Ⅵ)存在于三氧化钼中,后者是最重要的化合物,由它可制备钼的其他大多数化合物。钼酸盐(含阴离子MoO_4^{2-})用于制造颜料和染料。二硫化钼类似石墨,可用作固体润滑剂或润滑脂和润滑油的添加剂。钼是植物中不可缺少的痕量元素,在豆科植物中钼是催化剂,可促进细菌固氮。三氧化钼或钼酸钠Na_2MoO_4已被用作微量营养素。钼的原子序数42。原子量95.94。熔点2 610°C。沸点5 560 °C。比重10.2(20 °C)。化合价0、2、3、4、5、6。电子组态2,8,18,13,1或$(Kr)4d^55s^1$。

Molyneux, Samuel 莫利纽克斯(1689-07-18,英格兰柴郡切斯特~1728-04-13,萨里基尤) 英国天文学家和政治家。在都柏林三一学院取得学士学位(1708)和硕士学位(1710),于1712年当选皇家学会会员。他除了作为天文学家从事天文研究外,还积极参与政治活动,历任英格兰议会议员(1715、1726和1727)、爱尔兰议会议员(1727)和海军部要员(1727~1728)。他于1723~1725年间与J.布拉得雷合作,改善了反射望远镜的结构。1725年,进一步同布拉得雷合作,安装了一架天顶仪,试图观测恒星视差(恒星的视位移,据之可推算出恒星的距离)。虽然他们的这番努力未获成功,但布拉得雷却在此后用相同方法发现了恒星的光行差。

MOMA 参阅 **Modern Art, Museum of** 现代艺术博物馆。

Mombasa 蒙巴萨 肯尼亚的主要港口和城镇。在印度洋海湾中的一个珊瑚岛上。岛屿面积14.25平方千米,与其占地面积259平方千米的大陆城市地区有堤道和桥相连,也有渡船相通。11世纪由阿拉伯商人建立。1895年开始处于英国管辖之下,1907年以前为英国东非保护地的首府。1928年成为城市区,1959年设参议会。现有两个港口,岛东侧为旧港,只能停泊小船;岛西侧的基林迪尼港是现代化深水港。该市为本地区农产品市场,其中包括西沙尔麻、棉花、糖、木棉、椰子、水果和蔬菜。出口上述农产品以及经铁路运到此地、产自坦桑尼亚东北部和乌干达的产品。工业有船舶修造、金属加工、水泥、制糖、化肥和炼油。人口约425 600(1984)。

moment(literary criticism) **时代** 参阅 **race, milieu, and moment** 种族、环境、时代。

moment of a force 力矩 参阅 **torque** 转矩。

moment of inertia(physics) 参阅 **inertia, moment of** 转动惯量。

momentum 动量 质点的质量与速度的乘积。牛顿第二定律阐明:动量的时间变化率与作用于质点的力成正比。爱因斯坦证明:当质点的速度趋近于光速时其质量会增大。在经典力学所处理的速度范围,速度对质量的影响可以忽略,动量的变化只是速度变化的结果。由牛顿第二定律得出,如果在给定时间间隔内,作用在质点上的力恒定,则力与时间间隔的乘积(冲量)就等于动量的变化。反之,质点的动量是恒力使它静止下来所需时间的量度。刚体的动量是其每个质点的动量的和。因为动量与速度成正比,所以有方向性。当物体在平面上绕任一点转动时,每个质点的动量都有对该点的矩,称动量矩。这些动量矩的和称物体对该点的角动量,它等于物体对于该点的转动惯量与物体角速度的乘积。物体对一点的角动量的时间变化率等于外力对该点的力矩。基本粒子如电子的角动量就是自旋。

momentum, conservation of 动量守恒 物理学的普遍定律,它指出,在孤立的物体系中系统的总动量保持恒定。动量等于物体的质量乘以它的速度,它与使物体在单位时间内停止所需要的力等值。对于若干物体的任意集合,总动量为各单个物体动量的和。可是,动量有其独特性,它是矢量,既有方向又有大小,所以相对运动的二物体其动量可以抵消,使总动量为零。火箭发射前,它和燃料的总动量为零。发射时,火箭排出的膨胀气体向下的动量,其大小正好等于上升火箭向上的动量,使系统的总动量仍保持为零。当两个粒子碰撞时,碰撞前两者动量的和等于碰撞后两者动量之和。一个粒子所失之动量,由另一个所得。动量守恒定律是由实验充分证实了的,它甚至可以依据空间的均匀性的合理假设从数学上推导出来。就是说,在自然定律中要去寻找一个特殊的空间位置是没有意义的。对于角动量来说,也有类似的守恒定律,用它描述转动与用普通动量描述直线运动在本质上是相同的,但是这一定律的精确数学表述比起线动量来要复杂一些。其实例也不胜枚举。例如所有直升飞机至少要有两个螺旋桨(转子)才能稳定。如果直升飞机的上端只有一个水平螺旋桨,它的机身就会作反向转动以保持其角动量。根据角动量的守恒定律来看,滑冰运动员收拢双臂,就转得快;伸开双臂就转得慢。角动量守恒也是通过实验确立的。它还可以由空间取向上的均匀性这一合理假设出发从数学上予以证明。即在自然定律中去寻找一个特殊的空间方向是没有意义的。

Mommsen, (Christian Matthias) Theodor 蒙森(1817-11-30,石勒苏益格加尔丁~1903-11-01,柏林附近夏洛滕堡) 德国历史学家和作家。他的杰作《罗马史》使他闻名,1902年获诺贝尔文学奖。父亲是新教牧师。1838~1843年在基尔大学攻读法律。当时德国在法学方面主要研究罗马法,这对他未

来的研究方向有重要影响。他认为法律和历史相互间关系密切，这思想得益于萨维尼的著作。他获得硕士和博士学位后，丹麦国王赠予他研究奖学金，使他得以在意大利学习

美国不列颠百科全书公司供图

3年(1844～1847)。他早年即有搜集拉丁铭文的计划，不久就成为碑铭学的专家。从意大利回来后，他发现国内形势日益动荡不安。作为石勒苏益格人，他是丹麦国王的臣民。但他自认是德国人，盼望德国能够统一。作为自由派人士，他认为共和国是理想的国家。1848年革命期间临时政府成立，他担任《石勒苏益格-荷尔斯泰因报》的编辑工作，开始参与政治活动。1848年末应聘到莱比锡大学担任民法教授。他一生始终关心政治：1873～1879年任普鲁士邦议会议员，1881～1884年任德帝国议会议员。由于1849年5月参加萨克森的一次起义，失去了教授职位，几乎被投入监狱。1852年应苏黎士大学邀请，任法学教授。1854年，任布雷斯劳大学教授。在3个学校任教期间，他写了《罗马史》的前3卷。这部著作体现了在罗马史中运用的新史学方法。他否定了把古典时代理想化的启蒙运动的态度。他自认是历史学家B.G.尼布尔的门徒，但在使罗马历史非神话化方面走得比尼布尔更远。蒙森只是在任普鲁士科学院院士后，才能实现发表《拉丁铭文集成》的计划。因此，他在1858年应聘在柏林担任一个职务，1861年成为柏林大学哲学系教授。他在学术上最伟大的成就是《罗马国家法》，该书出版于1871～1888年间，对学术界来说，其意义甚至超过《罗马史》。两者都达到形式和内容的统一，但风格却迥然有异。他最后一部巨著是1899年出版的《罗马刑法》。蒙森不是一个富于创造性的诗人，但他善于使用诗歌手段，运用其诗才并从中得到乐趣。足以证明蒙森在这方面出色才能的是他和兄弟提肖以及作家兼诗人T.W.施托姆合作写成、于1843年发表的《三友歌集》。

Momoyama period (Japanese history) **桃山时代** 参阅 **Azuchi-Momoyama period** 安土桃山时代。

Mompox **蒙波斯人** 又称马利维人(Malibú)，曾居住在今哥伦比亚北部低地的印第安人，在西班牙统治下早已灭绝。蒙波斯人在文化上与其邻近居民如塞努人(**Cenú**)相似；他们均操加勒比语系语言，但蒙波斯语同其他语言关系较远。

Mon **孟人** 又拼Mun，缅甸语作Talaing。缅甸东部三角洲和泰国中西部地区的民族，20世纪后期人数超过90万。孟人在本地区已居住了1 200年。他们曾将其文字(巴利文)、宗教(佛教)带到缅甸。据说孟人是自中国西部越过伊洛瓦底江三角洲沿河低地南达泰国湄南河流域的。许多孟人说两种语言，既操缅甸语，又说本族语，本族语属澳斯特罗-亚细亚语系。孟人直通城1057年被向南迁徙的缅人占领，但孟人所建国家却一直延续到1757年才被缅人消灭(参阅 **Mon kingdom**)。现在孟人的家园位于临马塔班湾的沿海狭长地带，包括比卢岛和格莱高岛在内。他们种植水稻、柚木、芒果、榴莲果、茶、甘蔗、烟草、橡胶、竹等，也生产食盐。典型村庄由草顶长形房屋、谷仓、牛棚组成。多数村庄有佛寺及佛塔。家庭多为核心家庭(小家庭)。孟人的宗教是杂有各种精灵的上座部佛教。

Møn **默恩岛** 英语作Moen。丹麦斯托海峡州的一个岛。位于波罗的海中。面积218平方千米。土壤肥沃，适宜种植甜菜和饲养奶牛。岛上有一些石器时代的墓室以及许多古老教堂。主要城镇斯泰厄有一座12世纪建的皇家堡垒。岛上有若干庄园和公园，其中最著名的利斯伦德是小型封建城堡，现由国家博物馆管理。人口约10 352(1994)。

Mon **蒙城** 印度东部那加兰邦北部城镇。1889年为英军所占。1963年建成那加兰邦前是游击队活动之地。多传统家庭工业，以生产土布著称。20世纪70年代成立家庭工业训练和生产中心。农业为周围地区经济基础，种植水稻、黍类、玉米、豆类、甘蔗、马铃薯、棉花和蔬菜。养禽和养猪业占重要地位。家庭工业有纺纱、织布、纺织物的印染以及肥皂和蜡烛制造等。人口：城镇6 898(1981)。

Môn, Ynys (Wales) **蒙岛** 参阅 **Anglesey, Isle of** 安格尔西岛。

Mon-Khmer languages **孟-高棉诸语言** 澳斯特罗-亚细亚语(南亚语)超系中的一个语系。由东南亚大陆上的诸土著语言组成，其通行范围北起中国南部，南至马来西亚，西起印度阿萨姆邦，东至越南。最重要语言以使用人数超过10万计依次为越南语、高棉语、芒语、孟语、卡西语、克穆语及佤语。孟-高棉语系约有130种语言，多数无文字。有几种语言的使用者只有数百人，已近于消亡；这些语言是帕洛克语、伊杜赫语、泰廷语、穆拉布里语、阿灰语、阿莱姆语、仲语(萨沃奇语)、达叻松语、萨姆莱语、尼亚东尼语、切旺语、肖姆佩语等。孟-高棉语系再分为12个语支：卡西语支、崩龙语支、克穆语支、帕坎语支、越南语支、卡图语支、巴纳语支、高棉语支、比尔语支、孟语支、阿斯里语支、尼科巴语支等。过去学术界对于把包括越南语在内的越南语支划入孟-高棉语系的观点持保留态度，但最近研究已证明此种划分无误。另外，对尼科巴语，过去也认为是澳斯特罗-亚细亚语超系中的一个单独的语系，但目前对这一鲜为人知的语言深入研究的资料证明，它是孟-高棉语系的一个语支。至于越南及柬埔寨的占语诸语言，过去某些学者曾把它划入孟-高棉语系，现在已重新划为澳斯特罗尼西亚语(南岛语)。

Mon kingdom **孟王国** 又称汉塔瓦迪王国，为孟人在9～11世纪、13～16世纪和18世纪中叶短期内建于缅甸的强大王国。约6世纪时，孟人从中国西部向南迁移，定居在(泰国南部的)昭披耶河流域。他们的早期王国他叻瓦滴和诃梨朋阇耶与古代柬埔寨的扶南王国以及中国都有联系，而且受到高棉文化的强烈影响。在此后几个世纪中，当孟人向西迁入缅甸南部的伊洛瓦底江三角洲后，他们从锡兰和南印度接受上座部佛教作为国教，并采用印度巴利语书写字母。到825年，他们已牢固地在缅甸南部建起自己的国家，并且建立了勃固和直通城。大约与此同时，向南迁移的缅人占有中部缅甸的土地，建立蒲甘王国。1057年蒲甘王国打败孟王国，占领其都城直通，并把3万孟人俘虏带往蒲甘。这个事件后来证明对于缅甸文化具有决定性的意义，因为孟人俘虏中包括许多上座部佛教僧侣连同他们的宗教经典和学识。此后以缅甸都城蒲甘为基地，这些僧侣使缅人改宗上座部佛教；巴利语代替梵语成为缅甸宗教文学的语言，缅人还采用了孟人的字母系统。1287年蒲甘王国被入侵的蒙古人灭亡后，孟人在伐丽流领导下重获独立，并攻占马达班和勃固，实际上控制了他们以前拥有的国土。以后的200年间，孟人和缅人频繁交战，但一直保持独立，直到1539年才被东吁缅甸统治。18世纪中叶孟人造反重建勃固王国，但仅存在约10年。1757年缅人终于灭亡勃固王国，其首领雍笈牙将勃固城夷为平地。孟人多被杀，其余逃往暹罗。现今的孟人仍聚居在缅甸东南部，其人口少于其他缅甸少数民族。

Mon language **孟语** 又作Talaing。通行于缅甸东南部(下缅甸)的孟族及泰国几个孟族居民区的孟-高棉语。孟语的最早碑铭属于公元6世纪，曾在泰国中部一些考古遗址发现，是他叻瓦滴(**Dvaravati**)王国时期的文物。另有许多古孟语碑铭则属于后来的直通王国和勃固王国时期。在缅甸中部蒲甘也发现古孟语碑铭，说明孟语在中世纪缅甸社会中受到高度重视。古孟语用一种源于南印度的字母书写。孟语的书写形式逐渐发展到现代形式，并成为缅语书写体系的基础。现代孟语主要通行于缅甸东南部，在毛淡棉与耶城之间。泰国的北部、中部和西部也有许多孟族居民区，是在过去4个世纪内由缅甸迁到这里的。

Mona (Wales) **莫纳** 参阅 **Anglesey, Isle of** 安格尔西岛。

Mona Island **莫纳岛** 波多黎各西部的海岛。在莫纳海峡中部，距马亚圭斯以西约70千米。长约10千米，宽6.5千米，面积52平方千米。为石灰岩高原。植物稀少。尽管有良好的海滩和钓鱼场，但政府发展旅游业的

努力没有成效。岛上无永久性居民。

mona monkey（species *Cercopithecus mona*）**白腹长尾猴**　又称加纳长尾猴。西非常见的一种长尾猴，栖息于雨林。浅红褐色，有斑点，腹部白色，尾两侧有卵形白斑。前额上有一白带，眼耳之间有一细黑纹。性活泼，是最常展出的长尾猴（**guenon**）之一。

Monachi（people）　参阅 **Mono 莫诺人**。

Monaco　摩纳哥　全称摩纳哥公国，法语作 Principauté de Monaco。拥有主权的公国，位于地中海沿岸蓝岸（法国的里维埃拉）旅游胜地中部。西距法国尼斯15千米，东距意大利

美国不列颠百科全书公司供图

边境8千米。摩纳哥领土很小，境内丘陵绵延，有一海岬向南俯瞰地中海。摩纳哥面积仅约1.9平方千米，但因具有许多与众不同的特色，使之成为世界最豪华的旅游胜地之一，其名气远大于它的领土面积。

许多来摩纳哥的游客或流连于海滩或乘船游玩，观看国际轻型汽车赛，或到蒙特卡洛区世界著名的赌城去寻求刺激。该赌城使蒙特卡洛在国际上成为肆意炫耀和挥霍财富的代名词。摩纳哥为温和的地中海气候，年平均温度16 °C，降雨期仅60天左右。1月平均气温10 °C，8月24 °C。

摩纳哥史前人类博物馆存有人类在石器时代定居摩纳哥境内的证据。古代腓尼基人、希腊人、迦太基人和罗马人对当地的岬角均有所知。1191年热那亚人占据此地，1297年起格里马尔迪家族开始其长期统治。除1524～1641年间受西班牙的保护外，格里马尔迪家族一直与法国结盟。1793年遭法国大革命期间的政权逐出，摩纳哥遂并入法国。拿破仑一世垮台后，格里马尔迪家族又重回摩纳哥。1815年维也纳会议将摩纳哥置于撒丁的保护之下。1848年，摩纳哥失去邻近的芒通和罗克布吕讷两个城镇，并根据1861年法摩协定最终将它们割让给法国。但该协定确实恢复了摩纳哥的独立，两国并于1865年缔结关税联盟。1918年摩纳哥和法国签订的另一协定中有一项条款，规定一旦格里马尔迪王朝结束，摩纳哥将成为在法国保护之下的自治国。1993年摩纳哥加入联合国。尽管不是欧盟的成员国，但摩纳哥还是于2002年废止法郎而使用欧元。

由于摩纳哥拒绝向其居民征收所得税，

摩纳哥的旧城区——“大岩块”
美国不列颠百科全书公司供图

和向总部设在该国的国际企业征税，1962年与法国发生了一场严重危机。后来两国达成妥协，规定凡在摩纳哥居住未满5年的法国人都应依法国的税率课税，并对境外营业额超过总营业额25%的摩纳哥公司征收税金。21世纪初，一些欧洲国家批评摩纳哥松散的银行管理制度，认为公国庇护了那些逃税者和洗钱者。

摩纳哥的1911年宪法规定由选举产生国民议会。但是1959年摩纳哥王子雷尼尔三世却中止了宪法部分条文，并解散国民议会，1961年另外指定一个国民大会。1962年摩纳哥与法国之间发生危机，致使雷尼尔重新恢复国民议会，并颁行一部新的、富有自由主义色彩的宪法。摩纳哥国民议会由18名议员组成，议员经全民普选产生，任期5年。政府事务由一名首相（必须是法国公民）和3名国务委员在亲王的授权之下代行掌理；亲王为正式的国家元首。立法权由亲王和国民议会行使。自从1819年起，摩纳哥的司法体系便一直以法国的体系为依据。从1962年起，最高法庭一直是摩纳哥的最高司法机关。

政府的大部分收入来自商业营业税，其余则分别来自广播、电视、赌场的特许权、国营的烟草和邮票专卖权、营业税和1962年以后开始征课的各种税收。

摩纳哥的主要行业为旅游，其完备的设施使该国成为欧洲最豪华的游览胜地之一。该国原是一处冬季的理想去处，现在这里的海滩和扩充后的游艇停泊设施，也吸引了大批夏季游客。蒙特卡洛的社交活动以赌城为中心。该赌场建于1861年，1967年由公国接手经营。银行业、金融业和房地产业是公国多种服务门类中的重要组成部分。

摩纳哥居民约一半为法国人，而社会地位较高的是人数较少的意大利人、瑞士人和比利时人。总人口中，只有约1/6的人自称为摩纳哥后裔。大多数居民信奉天主教。法语为官方语言。

摩纳哥共分为四区：摩纳哥城区（又称“大岩块”），是一个伸向海中的岬角，旧城区即位于该岬角之上；位于海湾西岸的拉孔达米讷有一个天然海港；蒙特卡洛，是世界闻名的赌场，众多的旅馆、饭店均位于该区；丰维耶新区则是许多轻工业的所在地。

摩纳哥城内有天主教的大教堂、热那亚时代文艺复兴式的亲王宫殿以及建于1910年的摩纳哥海洋博物馆。

赌城内有一座由19世纪法国建筑师C.加尼埃设计的剧院，该剧院是蒙特卡洛歌剧院的活动中心。20世纪20年代佳吉列夫的著名俄罗斯芭蕾舞团有许多作品在该剧院首次公演。另外还有一个蒙特卡洛国家管弦乐团。该城最著名的汽车赛活动是蒙特卡洛拉力赛和摩纳哥大奖赛。人口约32 000（2002）。

Monaco, Lorenzo（Florentine painter）　参阅 **Lorenzo Monaco 洛伦佐修士**。

Monaco, Rainier III, prince de　摩纳哥亲王　参阅 **Rainier III, prince de Monaco 兰尼埃三世**。

monad　单子　一种反映世界秩序的独特的元素物质，由此引伸出物质的属性。毕达哥拉斯的追随者们最先把它用作一组数的第一位的名称，全部后续数字由此引出。G. 布鲁诺在《关于单子、数和数字》（1591）中描述了三种基本类型：上帝、灵魂和原子。G. W. 莱布尼兹在《单子论》（1714）中普及了单子的概念。在他的形而上学体系中，单子是构成宇宙的基本物质，但没有空间的延伸，因此是非实体的。每个单子是个独特的、不灭的、运动的、灵魂似的实体，其属性具有感知和欲望的功能。单子和其它单子之间没有真正的因果关系，但是在前定的和谐中由于上帝的作用，所有的单子完全同步。物质世界的客体只是单子集合体的表面迹象。

Monadhliath Mountains　莫纳利亚山　又称格雷山（Grey Hills）。苏格兰高地行政区的山脉，在内斯湖（西北）和斯佩河（东南）之间。有几座高逾900米的山峰。最高点卡恩麦尔格（941米）多猛禽和野猫，西北坡为芬德霍恩河发源地。

monadnock　孤山　又称残丘。显著超出周围地区一般高度，由基岩构成的孤立山丘。由于具有较耐风化的岩石成分而作为侵蚀残余遗留下来，通常由石英岩或节理发育不好

的块状火山岩组成。同类似的热带地貌——岛山——不同,孤山是在潮湿的温带地区中形成的。其英语原名取自美国新罕布什尔州东南部切希尔县基恩东南部州立莫纳德诺克公园的莫纳德诺克山,是一个高 965 米的孤立岩石山体。佐治亚州的斯通山(石头山)也是一个很著名的例子。

Monagas 莫纳加斯 委内瑞拉东北部州。东北临帕里亚湾,东南濒奥里诺科河。面积 28 900 平方千米。为一典型的亚诺斯地区。北部高地产玉米、咖啡、棉、稻、烟草、小麦和木薯,但仍以养牛业为主。1928 年发现石油以后,发生很大变化。州首府马图林(**Maturín**)附近的基里基雷是最早开发的油田,也是奥里诺科盆地产油最多的油田之一。到 20 世纪 70 年代初,采油量约占全国产油量的 5%。亚诺斯平原东部的石油,由数条管道北运卡里皮托和拉克鲁斯港。天然气现大部分运往加拉加斯、拉瓜伊拉和巴伦西亚,供家庭和工业使用。人口 406 467(1983)。

Monaghan 莫纳亨 为构成历史上阿尔斯特省一部分的 3 个爱尔兰郡之一。向北伸入北爱尔兰。面积 1 291 平方千米。全境可分为 3 个主要地区:北部为巴山高原;中部为厄恩谷和内伊湖区之间的莫纳亨低地走廊;南部为高 1 000 英尺以上的锡卢里亚丘陵。有许多小湖和泥炭低地。原为古代奥里尔王国(330 年成立)的一部分。1589 年大部分归属英王室。郡议会设在莫纳亨城。有郡长一名。市区有卡里克麦克罗斯、卡斯尔布莱尼、克朗斯和莫纳亨。该郡农庄较小,平均占地 12 公顷。均深耕作,但 1/8 以上地区未经开垦利用。传统生产的亚麻自第二次世界大战以来已几乎绝迹。有 1/6 土地用于种植庄稼和干草。许多农庄出售马铃薯和燕麦,另一些农庄主要收入来源是养牛和乳品业。1/4 强的人口住在城镇和村庄。卡斯尔布莱尼和卡里克麦克罗斯生产长统靴和鞋,克朗斯有服装厂,莫纳亨有磨粉、熏肉、家具、麻纺等制造业。城镇经济来源为零售业和每月的集市贸易。人口 51 192(1981)。

monal 虹雉 数种亚洲雉的通称。参阅 **pheasant**。

monarch 王鹟 又作 monarch flycatcher。旧大陆的鹟科王鹟亚科(Monarchinae)约 60 种鸟的统称。常专指澳大利亚和亚洲的王鹟属(*Monarcha*)和 *Hypothymis* 属,其他 12 个亚洲和非洲属的种类常称为鹟并冠以其他形容词语。王鹟嘴扁,基部宽,足小。几个种的雄鸟色彩鲜明。分布从非洲、东南亚到中国北部和美拉尼西亚。主要生活在温暖的林中,食昆虫,常在叶丛中啄食而不是在飞行中取食。多数王鹟的尾相对较短,体长 8 ~ 23 厘米。黑颈王鹟(*Hypothymis*[*Monarcha*]*azurea*)的雄鸟呈鲜明的紫蓝色,羽冠细长,分布在印度到菲律宾一带。最引人注目的是寿带鸟(*Terpsiphone* 属或 *Tchitrea* 属),分布于热带非洲和亚洲,向北可达中国东部和日本;已确定的约有 10 种,但由于有地理和个体变异,分类十分混乱;许多种类有羽冠和眼部肉垂;某些种的雄鸟在繁殖期尾羽长,可达 40 厘米;羽衣呈带光泽的黑、白和赤褐色的混合色。

monarch butterfly(*Donaus plexippus*) **王蝶** 即黑脉金斑蝶。鳞翅目斑蝶(**milkweed butterfly**)科一种为人熟知的昆虫。世界性分布,但主要分布在北美至南美。翅展约90 ~

雌性王蝶(*Danaus plexippus*)
美国不列颠百科全书公司供图

100 毫米。翅红褐色;翅脉黑色;翅缘黑色,中缀两列白色斑点;此种独特的色彩向天敌表示其味道不佳。秋季,成千上万的北美王蝶向南迁移越冬(偶在该处繁殖),旅程有时超过 2 900 千米。次春北返时,沿途停下产卵随即死去。卵孵化成熟后,新的一代继续向北旅行。幼虫长 45 毫米。蛹淡绿具金斑。

Monarchianism 神格唯一论 2、3世纪基督教异端。它否认逻各斯(道)是独立的有位格的实体,认为圣父是唯一的神,成为极端的一神论。它虽然承认基督是救赎主,但坚持上帝在数量上是单一的。神格唯一论分为两类:①能动神格唯一论认为,基督无非是人,经过神迹而成胎降世,成为上帝之子无非是由于他无限高度地充满神的智慧与神的能力。现代许多一位论者也是这样认为。②模态神格唯一论。反对一些早期教父所持的"等级从属说",强调圣父与圣子仅为同一个体,即上帝的不同称号。

monarchy 君主制 由一人独自掌握统治权进行治理的制度。此词用来指那些由一个人,即君主,享有最高权力并作为永久国家元首的国家。不过这一名词已失去原始的含义,现在用于概指世袭权力的国家,以区别于选举总统的共和国;或指"君主制度",以区别于共和制度。选举君主制的突出例子是神圣罗马帝国,但在以前的欧洲,所有君主在一定限度内都是选举的。实行基督教教义后,掌握统治权力的基本条件并非出身于统治家族,而是由教会神权授予。纯粹的世袭制度发展得较晚。古老的君主制思想在 17 世纪达于顶峰,其极端的表现形式就是王权神授,如路易十四的一句名言所表达的:"朕即国家!"古希腊君主制主要有两种形式:荷马式和马其顿式。在前一种情况下,国王是一世袭统治者,其权威与其骁勇善战的本领紧密相关;在后一种形式下,帝王具有神的品格,如希腊化时期的亚历山大大帝,以其频繁的征讨获得了超越一切希腊理性主义和民主制约束的无限权力。

中世纪帝国和教皇统治以君主制为基础。教会的一统局面瓦解后,君主成为 16 和 17 世纪新兴民族国家实行中央集权的中心。君主往往是绝对的统治者,一切法律和政令均出自于他。但在英格兰,都铎王朝保留了议会制度,所以当斯图尔特王室试图拥有绝对权力时便受到主张限制君权的势力的抵制(参阅 **Rights Bill of**)。在欧洲大陆,君主专制持续到 18 世纪,甚至以"开明君主"的姿态适应了启蒙运动的最初冲击,如普鲁士的腓特烈大帝和俄国的叶卡捷琳娜女皇。1789 年的法国大革命给君主制以毁灭性的打击。虽然一些国家仍保持了君主制,另一些国家在拿破仑战争过后的反动时期复辟,但形式均已有所不同。在拉丁美洲,随着西班牙人和葡萄牙人建立的帝国的瓦解,出现了许多共和国,巴西是把君主制维持到 1889 年的唯一国家。第一次世界大战摧毁了许多个人专权的君主,他们或因战败或因社会问题而倾覆,如俄国、德国和奥匈帝国的皇帝。西班牙君主制于 1931 年被推翻,虽然 1947 年宪法仍称西班牙为"王国"。胡安·卡洛斯一世 1975 年 11 月继佛朗哥之后成为国家元首,1978 年宪法称西班牙为议会君主制。在中国,清王朝直到 1912 年才被推翻。日本则因战败而取消了天皇的神权,1946 年日本宪法规定天皇只是"国家的象征"。在欧洲,英国、挪威、瑞典、丹麦、比利时、荷兰仍保留着君主制。所有斯堪的纳维亚的君主制都以严密的立宪和民主约束为特点,这一有限制的君主制模式最初是在英国维多利亚女王时代形成的。

Monarda 香蜂草属 又译美国薄荷属。唇形科的一属。原产于北美。含 12 种,称为橘味薄荷、马薄荷、大红香蜂草等。花红色、玫瑰红色、淡紫色、黄色或白色;管状,口部二唇

大红香蜂草(*M. didyma*)
美国不列颠百科全书公司供图

形;簇生,密被叶状苞片。管香蜂草(拟美国薄荷,*M. fistulosa*)高达 1.5 米,具薄荷香味。大红香蜂草(奥斯威戈茶,*M. didyma*)香味浓,花较短,颜色绯红,原产北美东部,现广泛栽培。

Monash, Sir John 莫纳什(1865-06-27,西墨尔本~ 1931-10-08,墨尔本) 澳大利亚土木工程师和军人,以第一次世界大战时在法国指挥澳大利亚军团而闻名。就学于斯科奇学院和墨尔本大学,获艺术、土木工程和法律学位。曾负责设计墨尔本和塔斯马尼亚的一些

桥梁,在澳大利亚最早使用钢筋混凝土。作为步兵旅长曾参加加利波利战役。1916年率部驻守法国,得到晋升,负责组训澳军。1918年任澳大利亚军团司令。他的战争经历被载入《1918年澳军在法国的胜利》(1920)。他曾任维多利亚州电力委员会主任,在开采亚卢恩的煤矿、建设墨尔本的输电线和发展煤砖工业方面均颇有贡献。

Monashee Mountains　莫纳希山脉　加拿大不列颠哥伦比亚东南部哥伦比亚山系最西南的山岭。由美国华盛顿州边境向北延伸320千米,介于内陆高原(西)和塞尔扣克地槽(东)之间,其间有哥伦比亚河流过。山名是盖尔语,意为"和平山",由D.麦金太尔命名。加拿大太平洋铁路从莫纳希山的南部穿过,该山海拔3 246米,是整个山脉的最高峰。南部山麓有金、银、铜、铅、锌等矿藏。

monastery　隐修院　修会的地方组织或住所,尤指男修会。参阅 **abbey; monasticism**。

monasticism　隐修　一种有组织的宗教活动,其参加者除某一宗教的一般信徒和领导人物所必须做到的事项之外还要习演更多、更高的活动。隐修者一般不娶不嫁、实行禁欲,还要与社会隔绝,或单独隐居,或参加由志同道合者组成的团体。

基督教的隐修制度　最初的基督教隐修团体成立于埃及旷野。埃及的圣安东尼(约250～355?)是"旷野教父"传统的最佳典范,他在4世纪初把徒众组成原始的修会。这些埃及男女修士实行极端禁欲,断绝家族关系,戒绝男女之事,弃绝财物而终日念经祈祷。这种生活方式的目的是经常在心灵上克服引诱试探,个人获得解脱,与上帝结合。

圣大巴西勒(约329～379)是另外一个典范,他同姐姐小玛克里娜(327～379)在卡帕多西亚自家庄园建立两所隐修团,一男一女。巴西勒也主张严格禁欲苦修,但戒律较为宽和,修士一律住院,受院长领导。巴西勒戒规的另一特点是,要求修士为社会服务而不是退出社会。

从4世纪到7世纪末,隐修制度迅速传遍拜占廷帝国,基辅1050年建隐修院,莫斯科1354年也已有了隐修院。隐修制度于5世纪传到西方。奥古斯丁(希波的)等人把它加以修改,其对象是主教宅邸内的神职人员和专为童女而设的修会。高卢地区不少个人修行者和隐士较为严格地遵循埃及的隐修戒规,图尔主教圣马丁(约316～397)是其核心领导人物。他在马尔穆捷设立隐修事业中心,修士四出活动弘传福音。高卢隐修制度特别在爱尔兰扎下了根,它创造了高度发达的文化,并在西部各岛屿和不列颠南部凯尔特人地区建立垦殖点。

努尔西亚的圣本尼狄克(约480～约547)是拉丁系隐修制度的最伟大的戒规制定家,他为意大利卡西诺山隐修院的修士们专门制订了戒规。圣本尼狄克戒规中的许多原则和词句都是照搬前人的,但这部戒规仍不失为重要文献,它突出住院隐修形式,规定院长的权力,缓和禁欲修习,着重昼夜按时祈祷唱诗。本笃会男女修士在入院时要发三愿:听命、坚定在院修习、改变生活习惯;所谓改变生活习惯,传统上解释为不置私产和不娶不嫁。这一套戒规逐渐推广,终于取代了其他戒规。

亘中世纪,隐修制度在社会上还发挥了其他重要作用:宣传基督教、强化罗马主教的权威、维持并发展学术研究。隐修事业在其全盛时代还是一支强大的经济和文化势力。

8世纪初本尼狄克(阿尼亚讷的)主持的改革和10世纪克吕尼和其他地方的本笃会隐修院的改革以及12世纪西多会的改革,都是最重要的改革运动。13世纪托钵修会(多明我会,方济各会)成立,各大学兴旺发达,传统的隐修事业开始丧失文化上的重要性。但是,从16世纪起,隐修制度在社会上假如没有恢复过去的重要地位,却也恢复了它本来的宗旨——为热心追求上帝的人士提供成圣之道。在19世纪,人们重新重视隐修事业,于是,天主教会、东正教会、安立甘宗和新教一些派别都开办了修会,此外还有像泰泽会这样的普世教会运动团体。

东方宗教的隐修活动　早在公元前1500年以前,在印度某些原始达罗毗荼聚落亦即先雅利安聚落,就有了"沙门"即隐士,这或许是东方宗教中最初的僧人,相当于西方的修士。在印度教早期(约公元前600～前200),有聚居在"阿沙门"(静修地)的修行者,但是他们并不过戒律严格的集体生活。耆那教或许可以说是最先实行有组织的修行的宗教,这种修行活动大概是从静修地兴起的。该教创立人大雄把徒众分为两类,一类是男女修行团体;另一类是在俗信徒,负责供养修行者,遵守较松宽的戒律。后来耆那教分为两派,天衣派不收女子修行。耆那教的修行采取极端自苦禁欲的形式。修行者不伤害任何动物,有人全身不着一丝一缕,不少人禁食至死。耆那教的严峻戒律直到20世纪仍然原封未动。

佛教重视寺院修行,修行者团体叫做"僧伽"。佛教同基督教的本笃会一样,戒律比较宽和,即防止放纵,又避免自苦。佛教也同耆那教一样,抹杀种姓区别。起初,僧俗关系密切,今天东南亚上座部佛教国家仍保持这一传统。比丘尼从来人数不多,据说佛陀本人很不愿接纳妇女出家为尼,但是居然有不少妇女出家。比丘尼远离比丘居住,一般被认为低于比丘。禅宗主张恢复初期寺院的严格生活,节衣缩食,僧人必须劳动和坐禅。

道教也有不太多的道士在宫观修行,大致与佛教的僧众相近,也可以进行默祷。在公元9世纪,或许是受佛教影响所致,印度教哲学家、神学家商羯罗建立4座寺院,这4座寺院至今仍在活动。根据商羯罗所制订的规章,各寺方丈自行指定继位人。印度教寺院同佛教、耆那教寺院以及中东和欧洲的基督教隐修院一样,也成为学术研究中心。

Monastir (Tunisia)　参阅 **Munastīr, al-** 莫纳斯提尔。

Monastir (Macedonia)　**莫纳斯提尔**　参阅 **Bitola** 比托拉。

monatomic gas　单原子气体　由单个原子构成的粒子(分子)所组成的气体,如氦气和钠蒸气,它们区别于双原子、三原子等多原子气体。因为单原子气体不具有多原子气体所特有的转动能量和振动能量,单原子气体在常温下的热力学性质十分简单,因此其热容与温度、分子量(这里是原子量)无关,其熵值(无序性的量度)仅与温度、分子量有关。

monazite　独居石　含铈和镧的磷酸盐矿物[$(Ce,La)PO_4$],商业铈的主要来源。较小、褐色、具松脂光泽、比重较大的晶体,产于花岗岩、片麻岩和它们的岩屑中(称独居石砂)。独居石常含10%～20%的二氧化钍(ThO_2),所以又是商业钍的主要来源。巴西、挪威、马达加斯加、斯里兰卡、印度和美国北卡罗来纳都有开采。详细物理性质,参阅 **phosphate mineral**(表)。

Monba　门巴族　中国少数民族。主要分布在西藏自治区东南部。人口8 923(2000)。语言属汉藏语系藏缅语族藏语支。分两个支系,一称门巴,一称仓洛,分别使用两种不同

门巴族姑娘
中国大百科全书出版社供图

语言。用藏文。门巴族聚居地区门隅,自7世纪即属中国吐蕃政权。元明时期为喇嘛教帕竹噶举派的领地。17世纪中叶达赖五世统一西藏后,在此扩建噶举教派的达旺寺,作为行政管理的基层机构。19世纪中叶清驻藏大臣和西藏地方政府组成名为"达旺细哲"的行政管理委员会,负责政教事务。主要从事农业生产。男女都穿自纺的红氆氇围裙。住房多为2层竹木结构干栏和石墙木结构房屋。婚姻以一夫一妻制为主。人死多行水葬和土葬,也有火葬和天葬。普遍信仰藏传佛教,有些地区信仰原始宗教。通用藏历。藏历元旦是最重要的节日,每年7月庆祝旺果节。在门巴族地区先后成立了5个民族乡。

Monba language　门巴语　中国门巴族的语言之一。属汉藏语系藏缅语族藏语支。分布在中国西藏自治区错那县(又称错那门巴语)、墨托县部分地区,以及不丹境内。使用人口约7 000左右。分南部和北部2个方言。门巴语(错那)的语音特点是:有37个单辅音声母,包括:双唇、舌尖中、舌面中、舌根塞音,各分清、浊和清送气三套;舌尖前、卷舌、舌面前塞擦音,也分清、浊和清送气;有舌尖前、卷舌、舌面前、喉门擦音6个;有双唇、舌尖中、舌面前、舌根鼻音和边音、颤音、边擦音各1

个;有双唇和舌面半元音;有10个复辅音,均由塞音和边音或颤音组成。有75个韵母,其中包括单元音韵母18个(9个长元音和9个短元音)、4个复元音和53个带辅音韵尾的韵母(由3个鼻音韵尾、4个塞音韵尾和边音、舌尖前擦音韵尾组成)。有4个声调(高平、高降、高升、低降)。词类有名词、代词、数词、量词、动词、形容词、副词、助词、连词、叹词10类,虚词和语序是表达语法意义的主要手段,有一定数量用屈折形态表达的语法形式。数词采用二十进位制,40说成2个20,并以此类推;动词有体(将行体、现行体、已行体)、态(自动态、使动态)、式(命令式、祈求式)等语法范畴。形容词有级语法范畴,分普通级、比较级和最高级3种。句子主语在前,谓语在后,宾语和状语在主语之后、谓语之前;名词、代词作修饰语在中心词之前,形容词、数量词组作修饰语在中心词之后。词汇里有较大比例的藏语借词,约占词汇总数的30%。

Monboddo, James Burnett, Lord　蒙博杜勋爵(1714-10或-11,苏格兰金卡丁蒙博杜～1799-05-26,爱丁堡)　即J.伯内特。苏格兰法理学家和人类学家,对语言与社会的起源做过研究,其理论早于达尔文的进化学说。主要著作《论语言的起源和发展》(共6卷,1773～1792),提供了有关原始民族风俗习惯的大量新奇知识,论及人类和猩猩的关系,并把人类的发展和社会状况联系起来研究。蒙博杜有些看法和习惯被认为是怪诞不经,如他相信婴儿生而有尾;举办宴会时桌上布满玫瑰花,用来仿效罗马诗人贺拉斯。他的言行在当时被传为奇谈。1767年在爱丁堡担任苏格兰最高民事法庭法官时,获得勋爵称号。

Monbuttu (people)　参阅 **Mangbetu** 芒贝图人。

Moncalieri　蒙卡列里　意大利西北部皮埃蒙特区都灵省山顶城镇,都灵市南郊。镇内15世纪的城堡现为军事学院。著名建筑还有14世纪圣玛丽亚德拉斯卡拉教堂和天文气象台等。为铁路枢纽和商业中心。有铸造和食品罐头业。人口:城市区约61 338(1990)。

Moncensio (France)　参阅 **Mont Cenis** 塞尼山。

Monchegorsk　蒙切戈尔斯克　俄罗斯西北部摩尔曼斯克州城镇。濒临伊曼德拉湖。20世纪30年代,随当地铜、镍矿的开采而兴起。1937年设镇。现成为铜、镍矿开采中心,也有渔业和林业。人口约72 900(1991)。

Mönchengladbach　门兴格拉德巴赫　德国西部北莱茵-威斯特法伦州城市,位于杜塞尔多夫西面。在一座本笃会隐修院(972)四周发展起来。1336年建制。1975年将赖特并入。市内名胜古迹有13世纪罗马式大教堂、巴罗克式市政厅(1663,前本笃会隐修院)、罗马式堂区教堂等。教育机构有弗朗西斯科·东斯·斯科特哲学神学院、纺织工业学院和农学院、财经学院等。该市以其合唱团闻名。作为纺织业中心,有德国纺织工业研究所。市立博物馆收藏有科普特人的纺织品。钢铁、机器制造(尤其是纺织机械)和造纸业重要。还生产化工品、皮革和石油制品等。为公路、铁路、航空中心。有许多公园、一座植物园和几个体育场。设有北大西洋公约组织中北欧司令部。人口约262 391(2003)。

Monchique Mountains　蒙希克山脉　葡萄牙南部一条低矮山脉,为贝雅和法鲁两区的天然分界。最高峰拉福亚海拔902米。以有各种野生植物和矿泉疗养地闻名。有少量伐木业(松树、栗树、橡树)。

Monck (of Ballytrammon), Sir Charles Stanley, 4th Viscount　蒙克(巴利特拉蒙的)(1819-10-10,爱尔兰蒂珀雷里郡坦普尔莫尔～1894-11-29,威克洛郡恩尼斯凯里)　加拿大自治领第一任总督(1866～1868)。都柏林三一学院毕业。1841年在爱尔兰取得律师资格。1849年选入英国议会下院,1855～1858年,任财政委员。1861年任英属北美洲总督,在美国南北战争期间一直任此职,精心避免使英国或加拿大卷入这场战争。加拿大自治领成立时,他为第一任总督。1869年受封爵士(圣米歇尔和圣乔治大十字勋章),并进入枢密院。

Monck, George　蒙克(1608-12-06,英格兰德文大波泽里奇～1670-01-03,伦敦)　英国内战时期在爱尔兰和苏格兰作战,他在追随共和派11年以后,成为1660年斯图亚特王朝

美国不列颠百科全书公司供图

复位的主要设计者。富家出身。1629～1638年在尼德兰参加对西班牙人的作战。1642～1643年在爱尔兰镇压叛乱。1643年回英格兰,为查理一世作战。1644年初被俘,关入伦敦塔两年。

1646年保王党失败后,国会派任命蒙克为陆军少将。率兵镇压爱尔兰叛乱分子。1650年,国会派总司令克伦威尔拨给他1个步兵团,要他负责清剿苏格兰的保王分子,同年9月3日他在邓巴取得辉煌胜利。1652年在第一次荷兰战争中蒙克任海军将领。1654年在苏格兰高地进行另一次对保王军的战役。后任地方长官。1659年拒绝承认兰伯特少将的军事政权,1660年从苏格兰率兵反对兰伯特。由于他协助查理二世复位有功,被封为阿尔比马尔公爵,并授予嘉德勋位,发给大笔年金。

Monclova　蒙克洛瓦　墨西哥东北部科阿韦拉州中东部城市。濒临萨拉多德洛斯纳达多雷斯河。海拔586米。气候炎热干燥,温差大。殖民时期为新埃斯特雷马杜拉省省会。现是工业中心,有墨西哥最大的钢铁厂之一。附近产银、铅、锌和铜。也有农业(谷物和纤维)和畜牧业。公路和铁路通彼德拉斯内格拉斯、萨尔蒂约等城。有国内航空线。人口178 023(1990)。

Moncorgé, Jean-Alexis (French actor)　**让-阿列克西斯·蒙柯热**　参阅 **Gabin, Jean** 迦本。

Moncton　蒙克顿　加拿大新不伦瑞克省东南部城市和港口,属威斯特摩兰县。为省内第二大城市。位于珀蒂科迪亚克河口40千米处。1698年后始有法属阿卡迪亚人来定居。1855年以英国军官R.蒙克顿之姓改为此名。建于1864年的圣约瑟夫学院于1963年更名为蒙克顿大学,该大学使此城成为新不伦瑞克省法属阿卡迪亚人的文化中心。19世纪造船业兴盛。交通发达,通铁路、公路、水路和航空。当地名胜有磁山(使人有被向上吸引的错觉)和河水每日两次高1～2米的潮涌。有食品加工、木制品加工、龙虾捕捞等行业,生产纸板、农具和汽车零件。1855年设镇;1890年设市。人口61 046(2001)。

Monczer, Thomas (religious reformer)　参阅 **Müntzer, Thomas** 闵采尔。

Mond, Ludwig　蒙德(1839-03-07,黑森-卡塞尔[德国]～1909-12-11,伦敦)　德国出生的英国化学家兼实业家。改进了索尔维制碱法并发明了一种提炼镍的方法。蒙德是富有犹太家庭之子,曾在马尔堡和海德堡学习化学,后来进入化学工业界,于1862年赴英国。在英国他从吕布兰制碱法的副产品中回收硫的方法获得工业上的成功。1873年,他与J.T.布伦纳建立了布伦纳-蒙德公司的重要化学公司。他们开始采用新开发的索尔维法(经蒙德加以重大改进)来大规模生产纯碱(碳酸钠)。在试图从煤和焦炭制取氨以供索尔维法使用时,蒙德还发明了制造廉价产生煤气的装置,这种煤气后来用于工业加热。他发现了羰基镍,使从镍矿石中提取镍的方法获得成功。蒙德建立了蒙德镍公司,将加拿大的镍矿与威尔士的工厂采用他新发现的精炼方法联合起来。1880年加入英国籍,1891年当选为皇家学会会员。他是一位著名的美术收藏家,把一批重要的意大利绘画遗赠给伦敦国立美术馆。

Mondale, Walter F(rederick)　蒙代尔(1928-01-05,美国明尼苏达锡兰～　　)　美国律师、民主党政治家和副总统(1977～1981)。1984年由民主党提名竞选总统。他是明尼苏达州民主农工党的一位早期活动家,1948年开始为H.H.汉弗莱第一次竞选美国参议员进行活动。1956年毕业于明尼苏达大学法学院。1960年起任明尼苏达州检察长,直到1964年被指定接任汉弗莱未完的参

议员任期为止。蒙代尔是一个“有灵活性的自由派”，1966年正式当选为参议员，1972年再度当选。他在参议院财政预算委员会和劳动与公共福利委员会工作。1976年作为卡特的竞选伙伴当选副总统。卡特-蒙代尔候选人名单于1980年谋求重新当选时遭到失败。蒙代尔于1984年获民主党提名总统候选人，他选择G.A.费拉罗为竞选伙伴，但在选举中被里根总统以压倒优势击败。此后一直操律师业。

Monday 星期一 一星期(week)的第二天。

Monde, Le 《世界报》 巴黎出版的日报，是世界上最重要和享有广泛声誉的报纸之一。1944年德军撤出巴黎，战争仍在进行时，由戴高乐的新政府发令创立。在已停刊的《时代报》印刷所印刷，并任命《时代报》战前主编H.伯夫-梅里为主编兼社长。H.伯夫-梅里坚持将该报办成一家独立的报纸，不接受政府津贴或私人补助，并有权制订自己的编辑方针。创刊第一年之末，该报报道之正确性及独立性即广为人知，销量超过15万份。该报详尽地报道本国和国际消息，并进行深入分析。作者有阐述自己观点的自由，因此该报没有统一的政策和一贯的思想观点。由于采取超然立场，不时受到政界非议。

Mondego River 蒙德古河 葡萄牙境内最大的河流。发源于埃什特雷拉山北坡，西南流入大西洋。全长220千米。流域面积6 772平方千米。部分河段通航。该河及其重要支流阿尔瓦河已被利用于发电，沿河盆地种植水稻。

Mondino DE' LUZZI 蒙迪诺(约1270，意大利博洛尼亚～约1326，博洛尼亚) 意大利医生、解剖学家。所著《解剖学》(手稿1316；第一次印刷1478)是第一本解剖学专著，在维萨里的著作发表前一直是权威课本。他亲自做公开的解剖演示；他的《解剖学》一书先后再版39次。不可否认，他的学术观点中多有对盖仑的盲从，对某些身体内脏的描述也不够准确，但他的工作确实开创了解剖学发展的新纪元。

Mondoñedo 蒙多涅多 西班牙西北部加利西亚自治区卢戈省城市。滨马斯马河，在省会卢戈城以北43千米。居于坎塔布连山北支的荫蔽河谷中。12世纪起即为主教辖区。主要建筑物是一座罗马式和哥特式结构的主教座堂，正面有巴罗克式装饰。另外有几座17世纪的宗教建筑物。主要行业有编织花边、织亚麻布和制革。该城的圣路加马市是该地区的重要交易会。有公路通奥维耶多和卢戈城。人口6 988(1981)。

Mondovì 蒙多维 意大利西北部皮埃蒙特区库内奥省城镇。位于省会库内奥市东，濒埃勒罗河。建于1198年。原为独立社区。13世纪曾隶属安茹王朝。1290年再获自由，但1305年再度隶属安茹王朝。后多次易主。1396年并入萨伏依。曾是1796年拿破仑战胜奥地利-萨丁军队的战场。现分为旧城(上城)和以工业为主的下城两部分。名胜有大教堂(1743～1763)和杰苏教堂(1678)。生产钢铁制品、陶瓷、纸张、塑料和化工品等。郊区开采大理石和石英石。人口：城市区约22 458(1984)。

Mondrian, Piet 蒙德里安(1872-03-07，荷兰阿默斯福特～1944-02-01，纽约市) 荷兰画家，抽象艺术运动“风格派”主要成员。对20世纪的艺术、建筑和平面设计有深远影

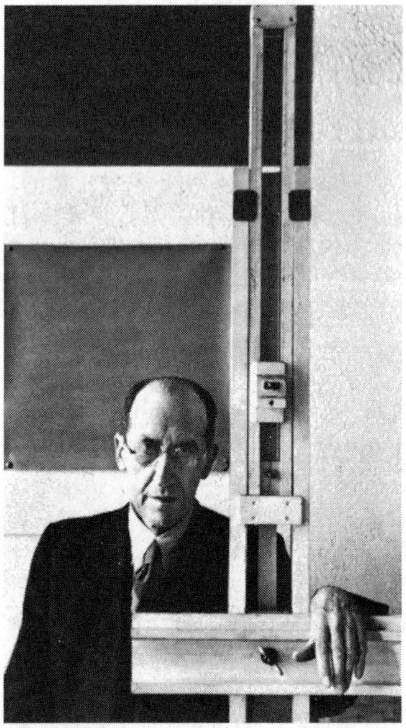

美国不列颠百科全书公司供图

响。父亲是加尔文教会小学校长。他14岁开始学画。1892年取得中学图画教师资格，并从一位画家继续学画。1893年在乌得勒支展出初期的作品。1897年在阿姆斯特丹第二次参加画展。1903年因静物画获得克勒姆奖。1904年在布拉邦小住，乡野风景的静美对他有重要影响。1905年回阿姆斯特丹，艺术风格发生显著变化，所绘盖恩河风景注重结构，有韵律感。这一时期喜欢以风车、农舍、树木等为题材。1907年开始重视色彩，画出《红云》等一系列作品。1908年所作《欧勒附近的树林》采用新的直线技法和新的着色方式，突破了荷兰绘画传统而跻身于欧洲艺术的行列。善于用原色作画，如作品《阳光照耀下的风车》主要是用黄、红、蓝绘成，《红色的树》则用红色画树、蓝色画天，令人产生一种平衡的感觉。1909年，参加通神学会。他的新哲学在绘画上的反映是集中注意于大的形。1911年他在阿姆斯特丹初次见到毕加索和布拉克的初期立体主义作品。由于感受极为深刻，翌年初便移居巴黎。他几乎立即应用立体主义的技法，经常使实际物体从属于画面结构。从1913年起，他的立体主义风格显示出走向抽象艺术的第一步。他避免使用曲线和斜线，只有一些垂直和水平的线条。1914年夏回尼德兰。1915年他在拉伦结识通神论哲学家舍恩迈克斯。舍恩迈克斯论线的象征意义和宇宙的数学结构的著作对他的现实观有决定性影响。后来与杜斯堡结识，共同创办美术杂志《风格》。这时，他的作品发生了新的根本变化，即完全不以眼见的实物为题材，而把绘画语言限制在最基本的因素：直线、直角、三原色(黄、红、蓝)和三非原色(白、灰、黑)。他称这种风格为新造型主义。1917年在《风格》创刊号上发表《绘画中的新造型艺术》，1918年在“风格运动”的第一个宣言上签名。1919年去巴黎。1920年在法国发表重要文章《论新造型主义》，进一步阐明他的抽象艺术理论。1925年与风格派决裂。1933年以后，他的作品更加简洁纯朴。1938年去伦敦，作画两年。由于德国飞机轰炸伦敦，1940年逃往纽约。在美国，他的画风发生了最后一次变化。放弃了简朴的黑色直线的图形，而代之以颜色的条带，然后又用一系列的小长方形代替这些条带，它们联结成有颜色的垂直和水平直线的有节奏的流动。蒙德里安是现代艺术的拓荒者之一，对新造型主义的发展有重要影响。主要作品有：《红云》(1907)、《以姜汁壶为中心的静物》(1911～1912)、《椭圆形构图(树木)》(1913)、《黑白构图》(1917)、《红黄蓝三色构图》(1921)、《狐步舞曲A》(1927)、《黄色直线构图》(1933)、《伦敦构图》(1940)、《纽约市I》(1941～1942)、《百老汇低音连奏爵士乐》(1942～1943)、《胜利低音连奏爵士乐》(1943～1944)。

Mone, Jean 莫内(约1495，洛林梅斯[今法国境内]～约1548，佛兰德梅赫伦[今比利时境内]) 法国雕塑家，作为宫廷雕塑家，因为神圣罗马皇帝查理五世制作的雕塑作品而成名。他的作品有助于把文艺复兴风格引进佛兰德的雕塑作品。1512～1513年在普罗旺斯地区艾克斯为该市的天主教堂制作雕塑像。1517～1519年在巴塞罗那与艺术家B.奥多涅斯合作，为圣欧拉利亚天主教堂制作高坛围屏。约1522年赴安特卫普。在该市结识了A.丢勒等杰出的艺术家。这一时期，佛兰德艺术还受着后哥特式传统的束缚。查理五世去过法国和意大利。那里文艺复兴时期的艺术激起了国王的强烈兴趣。他设法把外国的艺术家吸引到位于梅赫伦(马林)他的宫廷。1522年查理五世任命莫内为宫廷雕塑师。艺术家们开始接受委托制作一系列艺术作品，大多数是陵墓。16世纪20年代后期，莫内在位于海弗莱的莱斯廷教堂(今昂吉安的嘉布遣会教堂内)为红衣主教纪尧姆(克劳伊的)建一大陵墓。这座用条纹大理石建造的纪念碑式陵墓内有独立式雕塑、立柱和浮雕。它完全藐视传统的哥特式拘谨的卧姿的石碑上的肖像，相反却令人想起威尼斯的墙式陵墓。这件作品的附加装饰品形状优雅、线条流畅，反映了文艺复兴时期的趋向，与当时的佛兰德雕塑大相径庭。1533年为布鲁塞尔附近的哈尔的圣母教堂用条纹大理石建造的纪念碑式的陵墓，是他最著名的作品之一。其圣坛背壁装饰画再一次显示了莫内对雕工精细的装饰极为精通。在为布鲁塞尔的圣古杜勒教堂(1538～1541)建造圣坛背壁装饰画时他继续了这些艺术探索。晚年在佛兰德工作，特别著名的作品是他于16世纪40

年代在霍赫斯特拉滕的圣凯瑟琳教堂内为A．德拉兰及其妻子I．德屈伦堡建造的陵墓。他的雕塑将最传统的陵墓提升到文艺复兴创新的新纪元。

Monemvasía 莫奈姆瓦夏 希腊南部拉科尼亚州城镇，古名Minoa，在伯罗奔尼撒东南岸。莫奈姆瓦夏位于近岸海上一巨岩脚下，岩顶有中世纪碉堡的残垣和一座14世纪的拜占廷教堂。该城有一堤道通往本土，因得今名。莫奈姆瓦夏意为"仅有一入口之城"。附近有古城埃皮达鲁斯－利默拉的遗址。上述巨岩长约一英里，其峭壁高达183米。斯拉夫人入侵伯罗奔尼撒之时，拉科尼亚的希腊人来此避难。欧洲中世纪时，是黎凡特(即地中海东部诸国)的要塞与商业中心之一。该城名意大利语作Malvasia，法语作Malvoisie，英语作Malvesie或Malmsey，因普遍经营一种特制酒而闻名全欧洲。这种酒主要是从基克拉泽斯群岛和克里特岛运来的。

moneran 无核原生物 细菌(真细菌及原细菌)——原核生物(无明显细胞核的生物)之类的生物体，一般认为构成无核生物门。无核生物在细胞结构及化学成分方面均与真核生物不同。作为原核生物，它们缺乏清楚的细胞核及以膜为界的细胞器(特化的细胞部分)，这些均见于真核生物。无核生物主要通过横向二分裂方式进行繁殖，但DNA在细菌间转移已被人们所了解，并形成重组体DNA技术的基础。参阅 **archaebacterium**；**bacterium**。

Monet，Claude 莫奈(1840-11-14，巴黎～1926-12-05，吉维尼) 印象主义绘画运动的发起人、领导者和坚定不移的鼓吹者。1874年莫奈展出《印象：日出》之后，批评家以"印象主义者的展览会"为题在报上评论这一运动，因而得名。1888年批评家费·费涅翁写道："印象主义这个词是为他而创造的，这个术语对他来说比对任何人都更合适。"5岁时全家迁居到勒阿弗尔附近的圣阿德雷斯。15岁时从当地一艺术家学画。其艺术生涯是从与E．布丹结识开始的，从那时起开始在室外作画。1859～1860年初次访问巴黎，巴比松画家杜比尼和特瓦容给他很深影响。1872年前后对日本版画产生兴趣，它的装饰性和平面性对现代法国绘画影响极大。1865～1870年是莫奈创作的早期。在这之前他已开始用印象主义特有的碎笔触作画，如《野餐》(1865～1866)和《圣阿德列斯的阳台》。莫奈的创作目的主要是探索表现大自然的方法，记录下瞬间的感觉印象和他所看到的充满生命力和运动的东西。他把对象当作平面的色彩图案来画，而不注意其重量和体积。1868年与雷诺阿、布日瓦尔一起创作了头一批印象主义的作品，这些作品是用强烈的碎笔触描绘的室外光、运动和瞬间感觉。19世纪70年代初去伦敦，并在荷兰画运河、船舶、风车，又在勒阿弗尔画了《印象：日出》。回国后居住在阿让特伊，这段时间也是印象主义运动的顶峰时期。1872～1875年间莫奈、雷诺阿、西斯莱和毕沙罗所创作的作品是印象主

莫奈绘《印象：日出》(1872)

美国不列颠百科全书公司供图

义最吸引人的作品。1883年莫奈定居吉维尼，直到逝世。90年代以后集中精力完成一系列连作绘画，如：《白杨》(1890～1891)、《干草垛》(1889～1893)、《鲁昂大教堂，日落》(1894)、《塞纳河之晨》(1896～1897)等。1890年莫奈把吉维尼改造成睡莲花园，他在这里画了20年《睡莲》连作，后来发展为1925年的圆形大壁画，安置在巴黎士伊勒里奥兰治宫的两个80英尺长的椭圆形大厅中，1971

美国不列颠百科全书公司供图

年向公众展出。晚年不顾眼疾继续探索大自然，直到1926年逝世。主要作品有：《圣阿德列斯的阳台》(1866，纽约大都会艺术博物馆藏)、《花园里的女人们》(1866～1867，罗浮宫博物馆藏)、《河流》(1868，芝加哥艺术学院藏)、《印象：日出》(1872，巴黎马莫坦博物馆藏)、《巴黎圣拉查尔火车站》(1877，哈佛大学佛格艺术博物馆藏)、《干草垛》(1891，芝加哥艺术学院藏)和《睡莲》连作(1906～1926，巴黎网球场)等。

Moneta，Ernesto Teodoro 莫内塔(1833-09-20，米兰～1918-02-10，米兰) 意大利新闻记者、国际和平活动家、1907年诺贝尔和平奖获得者。15岁参加米兰人民反对奥地利统治的起义。1859～1860年参加加里波第领导的解放战争。1861年加入意大利正规军，并于1866年参加库斯托扎战役。退役后，任米兰《世纪报》的编辑(1867～1896)。莫内塔在从军生涯中目睹战争的苦难，促使他寻求消弭战祸的途径，约于1887年创建了"国际和平协会：伦巴第联盟"，宣传裁减军备、建立国际联盟以及用仲裁方式解决国际争端。1898年创办和平主义期刊《国际生活》。1906年主持在米兰召开的国际和平会议，为此他与L．雷诺共同获得诺贝尔和平奖。但1911年支持意大利向土耳其宣战，1915年拥护意大利参加第一次世界大战。

monetarism 货币主义 主张货币供给(指一种经济中的货币总量，包括铸币、纸币及银行存款等形式)是决定经济活动的主要因素的经济学派。美国经济学家M．弗里德曼被公认为是该学派的主要代表。他及其追随者所倡导的一套宏观经济理论和政策，同长期占统治地位的凯恩斯学说(其保守观点在20世纪70年代和80年代早期很有影响)大相径庭。货币主义理论基础是：货币数量×货币流通速度＝价格×商品总产量。这一等式可简释为：货币供给量的变化直接影响和决定生产、就业和价格水平。然而，它只是在漫长而时常变动的时期内，作用才明显。货币主义的基本立场是反对财政政策，赞成"货币规则"。弗里德曼在他和施瓦茨合著的《美国货币史1867～1960》(1963)一书中企图证明，政府运用财政手段(如改变税收政策或增加开支的干预措施)，对通货膨胀、通货紧缩以及其他经济周期的波动没有显著影响。再者，由于政府采取行动所依据的条件在行动生效之前大都发生了变化，实际上政府为改变货币供给所采取的一切审慎行动，不仅不会稳定经济，反而会使之恶化。这一点在货币当局用改变利率的办法来反通货膨胀或经

济衰退时，尤其如此。弗里德曼认为，遵循一个简单的货币规则，政府就能够促进经济稳定。这个规则是：货币供给量应有一固定的年增长率，货币年增长率的大小应与预计的国民生产总值的增长率（例如3%～5%）相一致。

Monetarius, Thomas (religious reformer) 参阅**Müntzer, Thomas**闵采尔。

monetary policy 货币政策 政府为影响经济活动所采取的措施，尤指控制货币和信贷供应量以及利率的各项措施。为达到一定的目标，货币政策常与财政政策（**fiscal policy**）配合使用。

通常货币政策与财政政策两者的目标都是获得或维持充分就业，获得或维持高经济增长率，以及稳定工资和物价。第二次世界大战以前，大多数专家认为货币政策影响经济的作用不大。然而，战后通货膨胀趋势迫使各国政府不得不采取货币措施作为稳定经济的主要手段。

货币政策属于国家中央银行的职权范围。执行货币政策的责任单位，在美国是联邦储备委员会（通常简称为联邦储委会），在英国为英格兰银行 。虽然联邦储委会和英格兰银行的运作方式有些差异，但基本原理却几乎完全相同。联邦储委会有三种手段用以调节货币供应量：公开市场业务、贴现率和准备金要求（准备金百分比）。公开市场业务是最为重要的。联邦储委会（或中央银行）通过买卖政府有价证券可影响货币供应量和利率。例如，联邦储委会购买政府有价证券时，以自己为受票人开出支票；这就使有价证券出售人在商业银行中存款额得以增加，从而具有创造货币的效果；由于增加了商业银行的现金准备金，银行便可增加其贷款业务。政府债券需求的增加可抬高其价格，并由此降低其收益率（利率）。此项运作的基本原理是使信贷状况宽松、利率降低，从而鼓励企业界增加投资，鼓励消费者增加开支。联邦储委会抛售有价证券，则可获得与此相反的紧缩货币供应与提高利率的效果。

第二种手段是贴现率。它是联邦储委会（或中央银行）向商业银行提供贷款的利率。如提高贴现率，则由于提供资金的利率提高，可阻止商业银行放贷。在多数国家，贴现率是一种信号；贴现率一有变化，商业银行向客户收取的利率便随之有类似的变化。

第三种手段是准备金要求。法律规定商业银行必须将其部分存款缴存联邦储委会（或中央银行），存入准备金账户或现金，法定准备金与存款额有一定的比例。这种准备金要求对商业银行的放贷业务起制动器的作用。凭藉提高或降低准备金百分比，联邦储委会可影响用于放贷的总金额，从而影响货币供应量。英格兰银行及其他大多数中央银行还有许多可供运用的工具，如关于分期付款购物和"特别存款"的"财政部指示"条例等。

过去在金本位制度下，货币政策原本是用于保护中央银行黄金储备的。一国国际收支出现赤字时，黄金便外流。为了阻止这种外流，中央银行便提高中央银行贴现率并开展公开市场业务，以便削减本国的货币总量。这样便导致物价、收入和就业的下落和进口需求的降低，从而矫正贸易的不平衡。反向的程序可用以纠正国际收支盈余。国内经济的稳定性主要听命于对外市场状况。20世纪30年代为了应付大规模失业问题，较为着重考虑国内情况，但财政政策当时是用作解决失业的主要手段。

第二次世界大战以后发生的通货膨胀又促使人们重新注意货币政策。许多经济学家对货币政策抑制通货膨胀的能力表示怀疑。他们认为：货币政策要想起作用，必须对私营经济部门的消费与投资开支的比率发挥长期的制约作用，而且治疗可能比病痛本身更具有破坏作用。当20世纪70年代后半期西方世界的通货膨胀水平较1950～1970年通货膨胀平均数增加到3倍时，舆论才从财政政策转向货币政策，对货币政策给予较大的信赖。货币主义学派诸如H.G.约翰逊、M.弗里德曼、F.海克等人的著作，集中研究了货币供应增长与通货加速膨胀之间的关系。他们认为牢固控制货币供应增长是远较需求管理政策更为有效的消除通货膨胀的办法。货币政策作为控制经济周期性波动的方法已日渐受到青睐。

Monett 莫内特 美国密苏里州西南部巴里和劳伦斯县城市，位于欧扎克山脉当中。1837年左右始有人定居，多次易名，1888年为纪念圣路易斯-旧金山铁路公司的一名高级职员而取现名。历史上是周围浆果和西红柿种植区的贸易中心，也是铁路枢纽。目前的经济仍然以农业为主，设有乳制品和禽类加工厂。轻工业包括门窗制造、金属铸造和体育场设备制造。拥有众多的洞穴和清泉，是有名的户外运动胜地。1887年建制。人口约8 349（2005）。

Monette, Paul 莫内特（1945-10-16，美国马萨诸塞劳伦斯～1995-02-10，加利福尼亚洛杉矶） 美国作家和诗人，作品经常探讨同性恋关系和艾滋病蔓延所带来的毁灭性作用。1967年在耶鲁大学获学士学位后，曾在几所大学教英语。1975年出版第一部诗集《精神病院的木匠》。3年后出版第一部小说《照顾卡罗尔夫人》，这是一部描述一对同性恋情人企图继承一个妇女全部遗产的喜剧故事。其他作品有《掘金人》（1979）和神秘谋杀故事《推测》（1981）等。因人物可信，故事性强，这些作品都受到人们的赞扬。1985年他的伴侣R.霍维兹患艾滋病去世。从此他的作品有了更严肃的转变。在小说《死后》（1990）、《回家中途》（1991）和诗集《孤独的爱》（1988）中，他开始集中关注这种致命流行病所产生的作用。莫内特与霍维兹的关系也构成了自传体小说《被借走的时间》的基础。在《成为男子汉》一书中，他描写了早年他与性欲做的斗争以及被诊断为HIV阳性时受到的刺激。其他作品有诗集《没有目击证人》（1981）。《圣坛》是一部政治寓言，于作者去世后的1997年出版。

money 货币 一种人们普遍接受作为经济交换手段的商品。它能表示价格和价值；它在人与人、国与国之间流通从而便利贸易，它也是衡量财富的主要尺度。

货币的概念在经济理论中占有重要地位。虽然货币的便于携带、尺寸大小是重要因素，其形式、外表或材料相对地说意义不大；其更重要的特征是人们普遍用它支付其他商品及服务。历史上，很多商品曾被用作货币（包括贝壳、小珠、石板、牲畜等），但自17世纪起，最普通的形式是硬币、纸币及记账。

标准的经济理论认为，持有货币有四种明显而有内在联系的功能：①用以作为交换媒介，在商品交换、清偿债务、履行合同中普遍为人们所接受；②用作衡量价值、记账单位、实行价格制度、计算利润及亏损的一般标准；③用作延期付款、放款及日后交易的计算单位；④用作财富的储存，是将不即时花费的收入保持下来的方便办法。货币作为资产的作用是给人们提供现成购买力的储备。货币是唯一完全流动的资产，也是一种随时能转换成其他商品的资产。

金属，特别是金和银，用作货币至少已有4 000年历史，作为金属货币流通的标准铸币也许已有2 600年历史。含法定金银成分的铸币，应与等量的金银同值。运送价值大的铸币或非铸币可能是不方便和不安全的办法。大笔交易中，各种形式的纸币可以用来代替支付金或银的承诺。18世纪末和19世纪初，银行开始发行此种纸币（银行券）来代表适当的币值。每张银行券都可换回金或银，此种有信用的货币系承诺用另一种媒介支付的货币，成为增长中工业经济的主要货币。最后，由于各种实践上的原因，流通的铸币开始用一般金属来铸造，以代替储存的金和银并可凭要求即兑取金银。第一次世界大战中和自20世纪30年代大萧条时期起，许多国家废弃了金本位，意味着纸币不再能凭票即付黄金。这种凭一个国家总信用而不是凭货币金属储存发行的货币叫做不兑现纸币。

对多数个人来说，货币包括铸币、银行券和存在银行及其他金融机构随时可动用的存款。就经济而言，总的货币供给比个人拥有货币金额的总和要大几倍。这是因为存在金融机构的存款中很大部分被贷放出去，这就加大货币总供给量好几倍。事实上，现代金融制度包括广泛的存款、信用工具及商业票据。由此，货币最好的定义是用它所做的事来表达。如果一件东西能被接受去支付商品，就可以被认作是货币。货币供给概念在经济政策制定上的作用越来越重要，因为很多经济学家认为经济中最后决定实际价格水平、经济增长和通货膨胀率的是货币的量。准货币指不完全流动但可经提前很短时间的通知变为现金的资产，如证券、保险单和一些建筑协会的贷款等。游资通常指短期由一国转向另一国追求暂时利益的资金。即付贷款是短期贷放给银行随时可以收回的贷款。隔夜资金指每日拆借次日早晨自动归还的贷款。

money, quantity theory of 参阅**quantity theory of money**货币数量说。

money market 金融市场 以便利短期货币借贷为目的一整套机构、规章及做法。因此,金融市场不同于有关中长期信贷的资本市场。金融市场的货币涵义不限于银行券而是包括经过短期通知即可变为现金的一系列资产,如政府短期债券、汇票及银行承兑汇票等。

金融市场的详细情况及其结构很复杂,且因国家不同而有很大差异。但其基本功能都是通过谋利的中间人提供服务,使有短期剩余资金的人能贷出款项,需要短期信贷的人能借入款项。大多数国家中,政府在金融市场起主要作用,既做贷款人又做借款人,经常利用其地位依照其总的经济重点来影响货币供应及利率。除国内金融市场外,还有国际金融市场。它们利用不同机构,提供基本上相同的服务,便利信贷及国际间的汇兑。

两个最早且最发达的是美国和英国的金融市场。在英国,金融市场有时指贴现市场,因为做短期货币交易的主要机构之一是12家银行,这是大家熟知的贴现公司。贴现公司的主要职能是买入短期信用票据再行卖出。这种票据中两种最重要的是:商业汇票(由一方付给另一方的短期债务)、政府发行的短期国库券。贴现公司从商业银行借入通知放款用以买进汇票或国库券,在售出时赚取利润。商业银行用贷给贴现公司通知放款的办法在不需要立即运用的储备资产上赚取利息,并以买入特定日期到期票据(一般达到三个月)的办法获得资金定期供应。政府向贴现公司出售国库券,从银行借款;贴现公司又像出售汇票那样出售国库券。票据贴现金额大小须视其到期日之长短(即赎回日期)及利率水平。

商业汇票的可接受性有赖于签发人之信誉及地位,但亦可由一承兑公司担保(担保人按票值收取一小部分费用)。政府还可以做最后的贷款人。当商业银行缺少现金向贴现公司索取其通知放款时,英国政府通过英格兰银行按官方最低贷款利率(其中含有超额用款之罚金)将款贷给贴现公司。

美国的金融市场经营原则相仿,但组织机构和运行机制不同。其最突出的表现为,它有为数众多、形形色色的参与者。部分是由于对银行支行的限制颇严,因而集中在银行系统的程度很小;部分也由于有大批金融和非金融公司在做短期资金业务。汇票及其他流动金融工具大部由经营者基本上像英国贴现公司那样买卖,他们用各种来源不同的资金融资。市场有品种繁多的金融工具:汇票、政府债券、联邦官方联合代理机构发行的债券、票据交换所的资金(一银行的存款贷给另一银行),还有商业银行开出的定期存单。除此之外,联邦储备系统对银行还直接提供相当多的短期贷款。对较小的银行业务来说,金融市场并不总是能对它们不可避免的业务高峰和低谷做出很快的反应以满足它们对短期资金的需求。在此情况下,只要是联邦储备系统的成员,银行就可以从他们自己的联邦储备银行,按无处罚贴现率获得资助。另外,银行能从联邦储备系统按联邦资金可变利率获得迅速资助。联邦储备系统本身也参与日拆市场,以稳定货币供应及分配和利率上的波动。

money order 汇款单 又称汇票。本单签发者见单立即支付一定金额给本单所指定的某人之凭证。汇款单为小额货币传递提供了一条安全、迅速和方便的途径。汇款单由政府主管机关(通常为邮局)、银行和其他符合条件的机构对其买主签发,买主则付给签发人以汇款单的票面金额和手续费。它已成为一种普遍接受的支付方法。美国运通公司是最大的非银行的发行者,它的汇款单在全世界均可使用。

money supply 货币供应量 指个人及银行持有的流动资产。货币供应量包括通货与活期存款。有些经济学家认为定期及储蓄存款是货币供应量的组成部分,因为这些存款能受政府行动的控制,且包括在总的经济活动之中,这些存款的流动性与通货及活期存款差不多。另有一些经济学家认为互助储蓄银行、储蓄与放款协会和信贷协会的存款应当算作货币供应量的一部分。美国联邦储备委员会及联合王国的英格兰银行控制货币供应量以稳定各自的经济。例如,美国联邦储备委员会可以买卖政府债券,以扩大或缩小货币供应量。参阅 **monetary policy**。

moneywort(plant) **古钱形珍珠菜** 参阅 **creeping Jenny** 草甸排草。

Monfalcone 蒙法尔科内 意大利东北部弗留利-威尼斯朱利亚区戈里齐亚省城镇,靠近的里雅斯特湾。为一繁忙的工业中心。以造船业闻名,还有化工厂、炼油厂和钢铁厂等。第一次世界大战中受到严重破坏,后重建。人口:城市区约 30 277(1981)。

Monforte de Lemos 蒙福特-德莱莫斯 西班牙西北部加利西亚自治区卢戈省城市。10世纪在本笃会隐修院的四周发展起来。12世纪该城成为莱莫斯郡首府。现为铁路枢纽和牲畜贸易中心。附近建有铁矿。人口 19 382(1981)。

Monge, Gaspard 蒙日(1746-05-10,法国博讷～1818-07-28,巴黎) 法国数学家,创立了画法几何,并开辟了解析几何发展的新领域,使二者开始成为射影几何的组成部分。作为法国大革命时期的一位杰出人物,他帮助创建了巴黎的综合工科学校,他在那里的演讲和写的教科书显著地推动了19世纪初期数学的发展。他16岁时曾画了家乡的一个大尺寸的详图,给人留下了深刻的印象,一位军官把他介绍给贵族的梅济耶尔军事学校校长。他奉命根据数据算出一个要塞大炮炮台的恰当位置,这使他作为一个绘图员,获得了施展其技能的机会,当时这种工作只有经过很长的算术处理才能完成,而他却运用一种几何方法很快得到了结果。他的设计图被认为有很高的价值,并作为一项军事机密保存到1795年。他在那里继续进行研究,把应用几何的一般方法发展为作图问题,后来即成为画法几何。1768～1783年间他在梅济耶尔教授物理和数学,1780年被选为科学院的通讯院士。他的论文《关于挖掘和装填的理论》(1781)中,利用微积分确定一个曲面的曲率,阐述了曲率的常微分方程并建立了一般理论。1783年他离开梅济耶尔,日益积极地投身于巴黎的公共事务,1783～1789年任海军军官候补生的主考人和度量衡委员会的委员,1792～1793年任海军和殖民地大臣,1795年参加创建法兰西国家研究院,1794～1795年任教于师范学校。他在数学上的重要贡献是:在1795年创建综合工科学校时发挥了重大作用;在画法几何和解析几何以及微分几何方面是受人尊敬的教师;编辑出版了一批教材,很有影响地推进了数学教育,特别重要的教科书有1799年出版的《画法几何》和《关于把分析用于几何的活页论文》,后者建立了三维几何的代数方法,引起了工程设计的彻底改革。1796年蒙日和拿破仑相识,成了知交,1798～1801年他随拿破仑到了埃及,并模仿法兰西研究院于1798年在开罗帮助建立了埃及研究院。

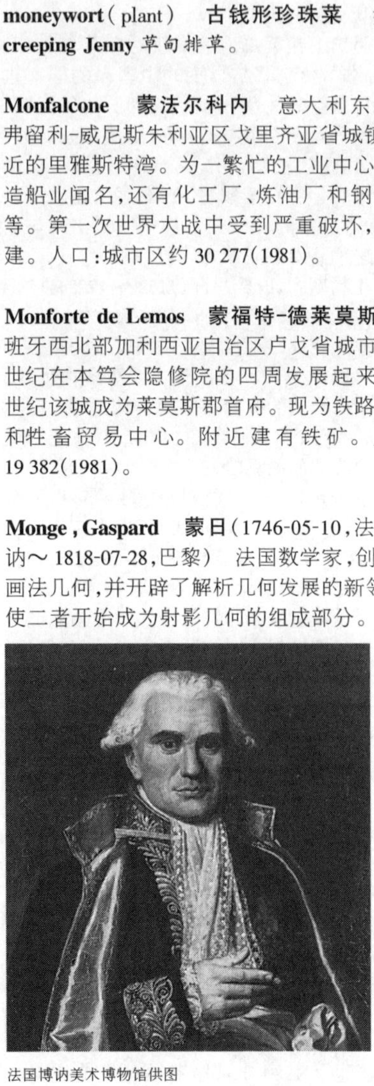

法国博讷美术博物馆供图

Monghyr 蒙吉尔 又拼 Mungir。印度东北部比哈尔邦蒙吉尔县县府、城镇。临恒河。水陆交通便利,为重要谷物市场。生产火枪、刀剑和乌木器。有印度最大卷烟厂之一。东南部是朝圣地并有温泉。该县地处恒河南岸冲积平原,最南部有森林覆盖的克勒格布尔丘陵和焦达纳格布尔高原的一部分。主要农作物有水稻、玉米、小麦、鹰嘴石和油籽。开采云母、石板和石灰石。贾马勒布尔和锡马尔塔拉为重要铁路和商业中心。人口:城镇 150 112;县 3 060 027(1991)。

Mongibello(volcano, Sicily) **蒙吉贝洛** 参阅 **Etna (Mount)** 埃特纳火山。

Monginevro, Colle del (France) 参阅 **Montgenèvre Pass** 蒙热内夫尔山口。

Möngke 蒙哥(1208,蒙古～1259,中国四川) 又拼 Mangu。成吉思汗之孙,大蒙古帝国的继承人。1251年蒙哥当选为大汗,他是定都于喀喇昆仑(蒙古中部)而拥有这一称号的最后一人。在他的统治下,喀喇昆仑城空前繁荣,蒙古帝国也继续迅速扩张。在西方,蒙哥的军队由其弟旭烈兀(约 1217～1265)指挥进攻伊朗,1256年末粉碎其最后抵抗。

然后,蒙古人向伊拉克推进,1258年攻下首都巴格达。次年他们从巴格达向叙利亚进军,占领大马士革和阿勒颇,直达地中海岸。在东方,蒙哥的军队由他的另一个兄弟、著名的忽必烈(1215～1294)指挥在南方包抄中国人,占领了傣人的王国南诏(在今云南省境内)。然后,他们把越南的大部置于自己的宗主权之下。与此同时,蒙古军的主力开始向中国本部进军。1257年蒙哥亲自指挥他的军队在中国作战。但是,军中疫病流行,蒙哥死于战场。忽必烈继位,完成了对中国的征服。蒙哥是一个要求严格的人,一直企图保持古老的蒙古生活方式。他的同时代人认为他是一个仁慈的统治者。

Mongkut 蒙库(1804-10-18,曼谷～1868-10-15,曼谷) 又称拉玛四世。暹罗国王(1851～1868),他使暹罗向西方开放,并开始改革和向现代化发展。拉玛二世正宫所生的长子,得王位继承权。但1824年拉玛二世去世时,由于蒙库年甫20,王位继承委员会挑选他的异母兄帕南告为国王,称拉玛三世。蒙库削发为僧。他所开创的达玛育教派至今仍为泰国佛教的主流。1851年拉玛三世死去,蒙库即位。自1855年开始,与英、美等列强签订条约,使暹罗在商业上完全对西方开放。他与世界各国的统治者通信,以灵活的外交政策保证暹罗的生存。蒙库在位期间对内政没有实现根本性的改革,但他尽力使他的儿子们接受自由教育,期望他们在下一代使暹罗开始走向现代化。

Mongo 芒戈人 生活在非洲赤道森林、其范围在刚果河河套之南和刚果(金)境内开塞河和桑库鲁河之北的民族,包括博科特人、埃孔达人、博利亚人、森格勒人、恩通巴人、恩登格塞人、松戈梅诺人、姆博勒人、邦甘杜人、博耶拉人、恩库图人和特特拉-库苏人。这些人操芒戈语或恩孔多语诸方言,方言属于尼日尔-刚果语系贝努埃-刚果语族。由于出生率下降,许多群体正在逐渐消亡。传统上,多数芒戈人种植木薯和香蕉,但也靠采集野生植物、捕鱼和打猎生活。按父系计算血统,由家系组成的社区起源于同一祖先。家系长老拥有管理及祭祀职能。南方曾有以神权为基础的真正酋长行使职权。芒戈人的宗教十分强调崇奉祖先和主管生育的神灵,相信魔法、妖术和巫术。

Mongol 蒙古人 亚洲主要人种之一,包括居住在蒙古高原关系密切的各部族人民,使用共同的语言和具有共同的游牧传统。蒙古人的家乡现在分属独立的蒙古国(外蒙古)和中华人民共和国的内蒙古自治区(内蒙古)。由于战争和迁徙,现在中亚各地到处都有蒙古人。

蒙古人身躯壮实,四肢较短,皮肤棕黄到深棕色,黑发,面部须毛稀疏。他们头型短圆,脸膛椭圆或圆形,高颧骨和眼鼻造型使人感到面部扁平。眼轴线上倾,形成"蒙古斜目"的特征,睛色有黑有棕。蒙古人身材不高,很少超过1.68米。所有蒙古人血统都很相似,有时发现有蒙古人与邻近的中国人、通古斯人或突厥人通婚后的混合血统。

蒙古人在独立的蒙古国是主要的居民;在中国内蒙古自治区约占人口的1/5。在中国的新疆、青海、西藏和东北各省,在俄罗斯的西伯利亚,都有蒙古人的聚居区。他们都说蒙古语的各种方言。

现今蒙古人有:①喀尔喀人(**Khalkha**),几乎占独立的蒙古国总人口的4/5;②卫拉特人(即西部蒙古人)的后裔,包括德尔伯特人、厄鲁特人、土尔扈特人和布扎瓦人(参阅**Kalmyk**与**Oyrat**),他们住在俄罗斯西南部、中国西部和独立的蒙古国;③中国内蒙古自治区的察哈尔人、乌拉特人、科尔沁人和鄂尔多斯人;④中国东北的巴尔忽惕人(即巴尔浑人)和达斡尔人;⑤中国甘肃省的蒙古尔人(即土族);⑥俄罗斯的布里亚特人,他们在独立的蒙古国以北、贝加尔湖两侧成立了布里亚特人的共和国。

在传统的蒙古人社会中,男子是牧民和士兵,社会的基础是家庭、氏族和部落。氏族的姓氏从共同的男姓祖先继承。若干氏族联合为部落,部落以最强的氏族的姓氏为其名称。在部落中,弱的氏族保留有自己氏族的头人和牲畜,但必须服从最强的氏族。在部落统一的时代,可汗(蒙古君主)向各地区委派指挥官,负责在该地区征兵和收取贡赋。蒙古人的历史是部落间的冲突时期和统一时期相互交替的历史。

历史上在蒙古地区掌权的部落有匈奴。它形成联合帝国,与早期的中国人的国家进行了几百年的战争,最后于公元48年瓦解。继而契丹人统治了中国的东北(满洲)和华北地区,建立辽王朝(907～1125)并与一个鲜为人知的、名为"全蒙古"的部落结盟。辽亡后,联盟以外的一支蒙古族——鞑靼人与契丹的继承者女真人结为同盟。

在此期间,成吉思汗(1162～1227)在"全蒙古"联盟内掌权,并于1206年立为可汗。其后他颇有谋略地控制住联盟以外的蒙古各部落。1207～1227年间他率大军多次征伐,扩大蒙古帝国的统治范围:西至俄罗斯、东至中国的北部,于1215年攻占北京。他死于征伐中国西北部西夏的途中。

蒙古帝国分由成吉思汗的4个儿子继承;窝阔台为全面领导的大汗;术赤接收西部(扩展至俄罗斯);察合台分得伊朗北部和新疆南部;窝阔台继承蒙古西部及新疆北部;拖雷被授予蒙古东部。窝阔台统领诸弟兄继续对外进行军事征伐。在西方,金帐汗国(又称钦察汗国)在术赤继承人拔都统治下,控制住俄罗斯,施暴于东欧;在东方,攻打中国取得了进展。1241年窝阔台死后,诸汗国互施阴谋,相互交战,争夺权位。1248年拖雷之子蒙哥立为大汗,继续扩张政策。蒙哥之子忽必烈汗即位后征服全中国,迁蒙古帝国首都于北京,是为元大都。此时蒙古帝国的国力达到顶峰。

蒙古诸可汗依靠其臣民及外国人治理帝国。随后权力逐渐转移至官僚手中,加以各汗国相互争斗,帝国日益倾颓。1367年蒙古人被中国的明王朝逐出中国本土。同一时期位于波斯的伊儿(伊利)汗国被推翻,西部金帐汗国也于1380年被由莫斯科大公统率的联军击败。蒙古大帝国很快只剩下蒙古人的本土和零星分散的各汗国。随后明朝的军队长驱深入蒙古境内,有效地终止了蒙古人的统一政权。

在15世纪和16世纪,蒙古诸部落群起争雄,此起彼伏。军事上虽有些收获但都不能持久,政治上则仅能建成一种松散的联合。首先是蒙古西部的卫拉特人渗入明朝势力薄弱的西藏和新疆,继而黄河地区的鄂尔多斯人与卫拉特人争雄,并在对明朝的战争中取得胜利,最后权力归于察哈尔人,但由于部落的离散和满族的兴起,以林丹可汗(1603～1634)为首的蒙古联合汗国终于瓦解。在此期间藏传佛教(喇嘛教),作为一种民族统一的工具,广泛传入蒙古各地。

最后满清分两个阶段征服蒙古,这导致蒙古划分为内蒙古和外蒙古。在侵入中国时,满清使用了蒙古东部的喀尔喀部族,到1691年,满清正式占领蒙古的南部和东部,是为内蒙古。虽然蒙古西部的卫拉特人力图在其领导下统一蒙古人反抗满清,但由于喀尔喀人与满清联合进行残酷的进军,导致了1759年外蒙古被征服和卫拉特人的几近全部消亡。满清的胜利结束了蒙古人部落之间的战争。结果也使许多部落分散到各邻近地区,并将蒙古划分成两个政治单位。

在满清统治之下蒙古的发展出现了停滞。中国的移民控制了贸易和易货市场,建立了内蒙古的草场,在内蒙古的人数也超过了本地的蒙古人。外蒙古和内蒙古逐渐发展成两种不同的文化,内蒙古的文化特征和人口组成更接近于中国人。

到20世纪,由于俄国人和日本人施展阴谋诡计,不满情绪广泛传遍内、外蒙古两个地区。1911年中国辛亥革命后蒙古宣称独立,但直至1921年蒙古-俄国纵队攻占乌兰巴托建立蒙古人民共和国时局势才得以稳定。部分由于第二次世界大战前后区域政治状况的混乱,部分由于内、外蒙古互不信任,统一内、外蒙古的努力终归失败。

Mongol 蒙古族 中国少数民族。主要分布于内蒙古自治区,部分散居于东北、华北、西北、西南等地。人口5 813 947(2000)。语言属阿尔泰语系蒙古语族。有在13世纪以回

射箭的蒙古族姑娘
中国大百科全书出版社供图

鹘文字母为基础的文字。蒙古族大都兼通汉语，使用汉文。蒙古之名最早见于唐代。最早的汉文译名为“蒙兀室韦”，可追溯到古代的室韦。7 世纪时在今鄂嫩河、克鲁伦河、土拉河上游及肯特山以东地区散布有塔塔尔、斡亦剌惕、乃蛮、克烈等部落。13 世纪初，成吉思汗统一蒙古各部后统称蒙古。1271 年蒙古改国号为元，1279 年建立统一全国的中央王朝。15 世纪初漠西蒙古（瓦剌）、漠北蒙古（喀尔喀）先后与明朝建立臣属关系。明末清初喇嘛教在蒙古地区广泛传播。1636 年漠南蒙古归属后金。清代建立盟旗制度统治蒙古地区。蒙古族主要从事农、牧或农牧兼营。畜牧业在经济生活中占重要地位。近年畜牧业迅速发展，每年向国家提供大量的肉畜、皮张绒毛和畜产品。区内还建起钢铁冶炼、有色金属、机械制造、煤炭电力、化工工业。蒙古包、马鞍具、蒙古靴等为传统手工业。牧区人民生活多保留民族特点，住圆形蒙古包，牛、羊肉、乳品是主要食品，喜饮加炒米的奶茶。烤全羊是招待上宾的佳品。穿宽大右衽长袍，领、襟、袍、裙镶边，束以彩色腰带，上挂切肉小刀、鼻烟壶等随身物品。“那达慕”是蒙古族传统节日，每年夏秋季节举行盛大集会，会上除赛马、摔跤、射击、演唱外，还举办贸易集市。1947 年建立内蒙古自治区。中华人民共和国建立后先后建立新疆巴音郭楞蒙古自治州、博尔塔拉蒙古自治州、青海海西蒙古族藏族自治州和甘肃肃北、青海河南、新疆和布克赛尔、黑龙江杜尔伯特等 8 个自治县，以及 70 多个自治乡。

Mongol language　蒙古语　为阿尔泰语系蒙古语族的语言之一，通行于蒙古国和中国内蒙古自治区。包括 9 种主要方言，其中只有喀尔喀语是蒙古国官方语言，也是文学语言的基础。其他主要方言有：蒙古国的达里甘加语、中国的察哈尔语、乌拉特语、喀喇沁-土默特语、科尔沁语、乌珠穆沁语、鄂尔多斯语。蒙古语与布里亚特语、达斡尔语、土族语及桑塔语同属蒙古语族东部语支。20 世纪末叶操蒙古语者约 550 万人。蒙古文字从上至下竖写，源于回鹘文字，回鹘字母则源于粟特字母（为阿拉米字母变体）。蒙古文字有 26 个字母——7 个元音字母、2 个复合元音字母、14 个辅音字母，竖行书写。字母在词首、词中、词尾形态不同。14 世纪蒙古文字用于翻译梵语和藏语的佛经。1944 年后蒙古国采用略加修改的西里尔字母代替原来的蒙古文字。

Mongolia　蒙古　又称外蒙古。中亚北部内陆国家，北与俄罗斯接壤，南与中国交界。该国按领土面积计算居亚洲第 7 位，但按人口计算则是亚洲最小的国家之一。位于北纬 42°～52°，东经 87°～120°之间，形状为一拉长了的椭圆，东西长 2 392 千米，南北长 1 259 千米。面积 1 564 116 平方千米。人口约 2 550 000（2005）。

土地　起伏不平的干草原几乎覆盖全境面积的 4/5，是优良的牧场。蒙古人从事游牧的时间已有若干世纪之久。全境平均海拔约 1 580 米，可分为 3 个主要自然地理区：即自西伯利亚伸入北部和西部地区的手指状山脉、山间盆地以及南部和东部广袤的高原和沙漠区。

北部有 3 条主要山带。阿尔泰山脉有全国最长的山脉和最高的山峰，山间有冰川，该山脉还可再分为蒙古阿尔泰山脉和戈壁阿尔泰山脉两部分。阿尔泰山脉从本土西北端向东南延伸约 1 600 千米，高度达 3 350～4 250 米。第 2 个主要山系为杭爱山脉，同样呈西北至东南走向，有多处山峰高达 3 650 米以上；构成了蒙古中部附近的山岳。第 3 个山系为肯特山脉，位于乌兰巴托东北，由西南向东北延伸；肯特山脉较小且较低，高度仅为 1 800～2 400 米。

西北部的大湖区有 300 多处湖泊，是一处地形复杂、风景优美的盆地。杭爱山脉北侧以外的霍尔格地区有许多火山湖，库苏古尔湖地区靠近中部偏北边境，以巨大的地下岩洞驰名。国土约 1/3 为无树的半干旱戈壁——仅一小部分地表有沙子覆盖的岩石荒漠。

色楞格河（其最大的支流是鄂尔浑河）为主要河流，流经该国中北部。起源于蒙古阿尔泰山脉冰川地带的科布多河流经该国的西北部。一般来说，这些河流具有很大的水力发电潜力，但也有时造成水灾。乌布苏湖是一个咸水湖，面积约 3 370 平方千米；库苏古尔湖不但是最大的淡水湖（面积 2 620 平方千米），同时也是最深的湖（深度超过 240 米）。蒙古位于地震活动多发区，有时会发生极具破坏性的地震。

蒙古属明显的大陆性气候，降雨量稀少，气温差别大且变化频繁。冬季寒冷、多日照、干旱，几乎无雪；夏季短而温和。冬季平均气温 -26～-18 ℃；夏季 17～23 ℃。年降水量（7～8 月占全年降水量的 3/4）北部山区为 350 毫米，戈壁地区不足 100 毫米。气候的显著特点是多晴朗和煦的天气，每年平均有 220～260 天。

蒙古北方的植物有西伯利亚落叶松、雪松、松树、杨树和云杉；北方森林中有山猫、亚细亚红鹿、麋、雪豹、野猪和黑貂等野生动物。在山间盆地和河谷干草原上有土拨鼠和蒙古瞪羚。在半沙漠地区有野骆驼、野羊、野马和戈壁熊。

蒙古最重要的自然资源是其适宜作牧场的大片草地。该国还有丰富的矿产资源，包括储量很大的煤、铁、锡、铜、锌、钼、磷、钨、金、萤石和半宝石等。

人民　全国约 4/5 的人口为讲喀尔喀语的蒙古人。其余人口包括其他蒙古人、哈萨克人、俄罗斯人和一些华人。喀尔喀蒙古语为官方语言。当地亦通行土耳其语、俄语和汉语。喇嘛教一直是主要的传统宗教，在共产党统治年代曾遭严禁，1990 年以后重新恢复。

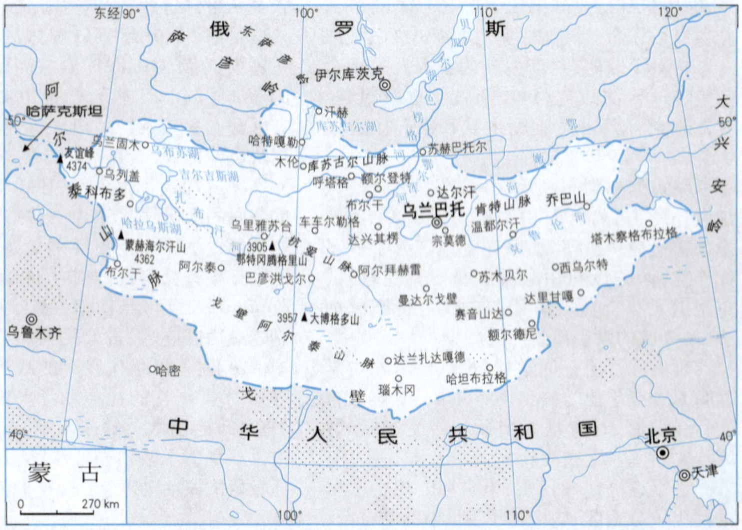

美国不列颠百科全书公司供图

蒙古人口的自然增长率很高，1952～1984 年间，人口增长了一倍多。这个出生率以世界水平来衡量是很高的，但政府的计划者却认为很低。1978 年开始的人口政策计划还要进一步提高已经很高的出生率并降低死亡率。尽管该国人口死亡率很高，但平均预期寿命仍居中等水平，男性为 63 岁，女性65 岁。

经济　1990 年以前该国实行的是苏联模式的社会主义中央计划经济。其后的民主改革（包括 1992 年的新宪法）开始了该国向市场经济转变的艰难过程。这个转变过程造成了通货膨胀、失业增加、基本商品短缺和食物配给。

农业的从业人口一直占全部劳动力的一半，但产出仅占国内生产总值的 1/4 左右。牲畜饲养约占农业总产值的 70%。2/3 左右的牲畜为绵羊，其余为山羊、牛、马和骆驼。

仅有不足 1% 的土地用于农耕，主要种植小麦。森林覆盖面积为国土的 1/10，采伐的原木既用于工业又用作燃料。

全国广泛开采煤矿，两个主要产煤区分别为乌兰巴托东南的纳莱音和达尔汗东南的夏林高勒。达尔汗西南部的额尔登特大型采矿中心开采铜和钼。矿产品占蒙古出口总值的 3/5 以上。

工业和采矿业占国内生产总值的 1/4 以上，从业人数将近劳动力总数的 1/5。由于制造业不甚发达，许多资本货物和消费品必须进口。工业大多集中于乌兰巴托。主要制造品包括加工食品、服装和鞋袜、木材和木制品。电力生产使用国产和进口燃料。

除矿物以外，蒙古的出口商品还包括其他原料、食品和消费品。进口商品包括机械和运输设备、燃料、矿物、金属、消费品和食品。主要贸易伙伴是俄罗斯。

乌兰巴托和达尔汗之间的公路有柏油铺面；乡间多为土路。乌兰巴托与莫斯科和北京之间有铁路相通，并建有一座国际机场。

政体与社会状况 1992年通过的宪法(2001年修订)宣布蒙古是一个独立的主权共和国。一院制的国家大呼拉尔为立法机构，其成员经普选产生，任期4年。总统为国家元首，亦由普选产生，任期4年。总理是政府首脑，由总统经过同国家大呼拉尔中的多数党协商后任命。最高法院为最高一级法院。

1990年以前，共产主义的蒙古人民革命党是唯一合法政党；1992年该党重新组建。其他政党有蒙古民族民主党和蒙古社会民主党。

蒙古的福利制度为疾病、产妇和残疾人提供补助，亦为老人和残疾人提供养老金。全国实行免费医疗，国家在各地修建了许多疗养院；保健设施和医务人员一直在增加。据报道天花、伤寒、霍乱和白喉等疾病已绝迹，传染病的发生率也已经减少。

现有几百所普通学校(提供小学和中学教育)、一些职业学校和几所大学。全国教育实行免费制，儿童从6岁开始接受10年教育。文盲基本上被消除。

由于该国地域辽阔，电台和电视台节目的播出十分重要；均使用了卫星中继站。

文化生活 蒙古的文化生活集若干世纪以来的古老传统与日益增多的现代文明为一体。最著名的传统节庆活动是一年一度的那达慕盛会，设3个男子比赛项目(摔跤、射箭和赛马)，在每年的7月11日(国庆节)开始举行。

蒙古的传统文学包括英雄史诗、传说、故事、尤劳勒(祝愿诗)和马格塔勒(赞美诗)。在表演艺术方面，国家艺术团体既演出蒙古的又演出古典的戏剧、歌剧和芭蕾舞。

历史 在新石器时代，蒙古就已经有三五成群的猎人、驯养驯鹿者和游牧民居住。公元前3世纪期间蒙古成为匈奴帝国的中心。公元4～10世纪，东突厥人在蒙古的势力十分强大；公元745～840年间，东突厥斯坦的维吾尔人在北方形成了一个帝国，后来由于吉尔吉斯人的入侵而不复存在。13世纪，成吉思汗(铁木真)统一蒙古各个部族，打败鞑靼人并成功地征服了中亚、波斯湾地区和南高加索，使得这些地方成为蒙古帝国的一部分。成吉思汗的继承人窝阔台(1229～1241年在位)于1234年进攻并征服了中国的(女真)金朝。

成吉思汗的孙子忽必烈(1259～1294年在位)在中国建立起元朝(1279～1368)。在1368年以后的数世纪中，由于内部争斗蒙古人元气大伤，他们的活动范围仅局限于自己原来的干草原家乡。蒙古人最后一位伟大的领袖是利格丹汗(1604～1634年在位)，他统一了许多蒙古部族来抵抗日益崛起的满族，保卫自己的家乡。利格丹死后，蒙古人被满族征服，成为中国满清王朝的一部分。

19世纪中叶，蒙古人的民族意识开始觉醒，1912年，满清王朝垮台，蒙古王公在沙俄支持下宣布蒙古脱离中国独立。1917年沙皇政权倒台后蒙古复归中国人统治，但在1920年俄国内战期间，蒙古遭到白俄军队5 000人的入侵。在莫斯科布尔什维克政权的支持下，苏赫巴托尔组织了一支军队，在苏联红军部队的帮助下，于1921年打败了白俄并赶走了中国人。1924年11月26日正式宣布成立蒙古人民共和国。此后，蒙古一直与苏联在政治、经济、文化和意识形态等方面保持着紧密的关系。60和70年代，由于中苏两国交恶，蒙中关系也随之恶化；但80年代两国紧张关系得到缓解，蒙中两国遂于1986年恢复外交关系。1991年苏联解体后，与俄罗斯关系紧张，在其对苏联的债务问题和苏联驻军的撤离问题上存在分歧，但1993年两国达成友好合作关系条约。1994年，蒙古同中国也达成类似协议。

蒙古加入了1990～1991年席卷东欧和前苏联的那场民主革命。1990、1991、1992年先后通过法律废止社会主义经济体系，对国家财产实行私有化，对银行和国外投资进行改革。1992年颁布新宪法删除了社会主义体制的最后痕迹，蒙古人民共和国更名为蒙古国。20世纪90年代发动的政治和经济变革导致21世纪初的社会动乱。普遍的贫困和失业、政府腐败及缺少人权，导致2003年蒙古西部发生示威和罢工，以及2005年乌兰巴托发生抗议活动。

Mongolia, Inner 参阅 **Inner Mongolia 内蒙古**。

Mongolia, Outer 外蒙古 参阅 **Mongolia 蒙古**。

Mongolian character 蒙古文 蒙古族通用的拼音文字。早期的蒙古文字母读音、拼写规则、行款都与回鹘文相似，称回鹘式蒙古文。现存文献中，年代最早的是《也松格碑》(1225)。回鹘式蒙古文到17世纪时发展成为两支。一支是通行于蒙古族大部分地区的现行蒙古文，另一支是只在卫拉特方言区使用的托忒文。现行蒙古文与回鹘式蒙古文相比，有下述特点：一些字母的形状有了改进，更便于连写；一些字母的写法发生分化，分别表示不同的语音；补充了拼写借词时使用的字母；一个词分写成两段的现象消失了；增加了新式标点符号。现行蒙古文字母表包括29个字母，其中表示元音的5个，表示辅音的24个。托忒文是1648年卫拉特高僧札亚·班智达(那木海札木苏)在蒙古文基础上改制的，能比较准确地表达卫拉特方言的语音。托忒文字母表包括31个字母，其中表示元音的7个，表示辅音的24个。字母的形状和读音与现行蒙古文有些不同。用4个不同的字母分别表示4个舌位不同的圆唇元音。设置了表示长元音的附加符号，并规定了表示长元音的双写形式。1945年，蒙古国转用了以俄文字母为基础的拼音文字，俗称"新蒙文"或"基里尔字母蒙古文"。它比俄文多两个元音字母，长元音用双写字母表示。

Mongolian eye fold 蒙古眦褶 参阅 **epicanthic fold 内眦褶**。

Mongolian languages 蒙古诸语言 阿尔泰语系语族之一(另两个语族是突厥语族和通古斯-满语族)，可分为两个主要语群：西部语支或卫拉特蒙古语支，包括卡尔梅克语、卫拉特语及蒙兀儿语；东部语支，包括蒙古语、布里亚特语、达斡尔语、土族语和桑塔语。卡尔梅克语、布里亚特语、蒙古语是有文字语言。蒙兀儿语(通行于阿富汗)、土族语(通行于中国甘肃省)和达斡尔语(通行于中国东北部分地区)有许多古语特征。由于特征显著，其中蒙古语、达斡尔语、土族语及桑塔语常被划分为蒙古语族内的独立分支。蒙古语的特征是长、短元音明显区别，如der(枕头)和deer(在上面)。另一基本特征是元音和谐，即单词的音位模式只允许包括或者全是后元音(a、o、u)或者全是前元音(e、ö、ü)。蒙古诸语言是黏着语，用增加后缀以表示语法范畴，每个后缀仅有一种意义。动词有多至30个后缀形式，而蒙古语名词则有7个正规的变格后缀。蒙古诸语言均无前置词，只有后置词如uul(山)，deer(在)，uul deer(在山上)。

Mongolian literature 蒙古文学 用东亚及中亚的任何一种蒙古文字写成的文学的总称。根据传统，口头传播的诗体史诗故事一向构成土著文学作品的主体。它们以高度程式化了的形式叙述传说和历史英雄人物，包括成吉思汗的惊险业绩。故事中的反面人物往往是多头的巨怪，而且照例为英雄击败。这些史诗或两行一节，或四行一节，押头韵。其中许多用语或文字为前后故事或史诗所沿用。蒙古文学的另一重要体裁为编年史，其最早的作品为《蒙古秘史》，这是一部记叙成吉思汗及其继位者的生平与时代的宫廷编年史，大概写成于公元1240年左右。这类编年史许多都从开天辟地开始，也有许多企图把印度和西藏的统治者和成吉思汗家族联系起来，例如写成于17世纪的《黄金史》叙述世界历史直至最后一位蒙古族的大可汗力格旦(1604～1634年在位)。另一部《黄金史》则是在大约100年之后写成的。蒙古文学受16世纪末年传入的佛教的影响极深，常引用佛教经文以及有关典籍的译文。名为《甘珠尔》的一种佛教真经集成(集自《大藏经》)于1635年译成蒙文印行，共108卷。名为《丹珠尔》的包含真经评注和非真经典籍的集成于1741年印行，共225卷。从印度传入的佛教故事和寓言亦被译成蒙文或重加改写。在18和19世纪，中国商人从中国带来许多蒙古文中国神怪和传奇小说，其中有《三国演义》等。19世纪中叶一位蒙古大小说家和诗人为尹湛纳希，他的最著名的作品为《青史演义》，是一部演义化了的蒙古历史。20世纪初，策木楚拉纳，一位留学俄国的布里亚特人作家和知识分子，创办了为时甚短的蒙古文报纸《新镜报》。他还翻译了诸如爱伦·坡、凡尔纳和威尔斯等西方作家的小说。在现代蒙古作家当中，出众的有纳楚克道尔基、仁亲和达木丁苏伦等人。

Mongolian nationality, language of 蒙古族语 中国蒙古族语言。属阿尔泰语系蒙古语族。主要分布在中国内蒙古自治区和吉林、辽宁、黑龙江、新疆、青海、宁夏、甘肃等省(区);使用人口约341万。此外还分布在蒙古人民共和国和俄罗斯境内。分内蒙古、卫拉特和巴尔虎布里亚特3个方言。蒙古语(巴林)语音特点:有19个辅音音位(双唇、舌尖中和舌根塞音分清、清送气二套共6个;舌叶塞擦音也分清和清送气;双唇、舌尖中、舌根鼻音各1个;边音、颤音、舌面半元音各1个;双唇擦音分清、浊;舌尖前、舌叶、舌根擦音只有清的,没有浊的),10个腭化辅音和吸气辅音。23个元音音位(分11个短元音,12个长元音),8个复元音;元音和谐律有性属和谐和唇状和谐两种,以前者为主。有固定重音,落在多音节词的第1音节。词类有名词、形容词、数词、动词、代词、判断词、状词、副词、情态词、后置词、强调词、语气词、叹词13类,有丰富的形态变化。名词有数、人称领属、反身领属和格(共同格、位格、从格、造格、宾格、领格);动词有态(他动态、被动态、中动态、齐动态)、体(完成体、未完成体、多次体)、时(过去时、将来时、过去-将来时)和式(祈使式、希望式、警告式、听任式);句子主语在谓语前;补语在主语后,谓语之前;修饰语在中心词前。

蒙古语3个方言之间在语音、词汇、语法方面都有差别。语音方面:①巴尔虎布里亚特方言(以下简称巴方言)有一系列前响复元音,而在内蒙古方言(以下简称内蒙方言)和卫拉特方言(以下简称卫方言)则为长元音。②内蒙方言的短元音 ə、o、u,在卫方言中读作 e、ø、y。巴方言的 u 同内蒙方言的 o、u 或卫方言的 ø、y 对应。③内蒙方言的舌叶音在巴方言和卫方言中分化为舌叶音和舌尖音两组。④卫方言的舌根送气清塞音 k 同内蒙方言和巴方言的 x 对应。⑤内蒙方言和巴方言的元音和谐都有两类,而卫方言只有性属和谐一类。

语法方面:①卫方言除共同的复数附加成分外还有-mʊːd 和-myːd 两种特殊形式,其他两个方言中没有;而内蒙方言和巴方言的复数附加成分-nar 只用于表示人类的名词后,卫方言却可用在表示一般事物的名词后。②巴方言过去时附加成分同内蒙方言和卫方言不同。③卫方言谓语有人称范畴,内蒙方言没有,巴方言只有布里亚特话有,巴尔虎话没有。

蒙古语有拼音文字,脱胎于古代维吾尔族用过的回鹘文字母。拼写法最初也沿袭回鹘文习惯。现存最早的蒙古文遗物是13世纪的石碑铭文,如移相哥碑铭,又称成吉思汗石。在长期使用过程中蒙古文字母表陆续有修订。根据表达蒙古语和译写其他民族语言借词的需要,增加一些新字母,改变了个别字母的形状。从字母体势和拼写法演进上看,蒙古文历史可分为两个时期,分界线在明末清初。前一时期蒙古文习惯上称"回鹘式蒙古文",字形古拙,保留向下拖的长尾巴;后一时期蒙古文即现行字体,习惯上称为老蒙文。蒙古文是音素文字,有24个辅音字母和5个元音字母(其中两个圆唇元音字母,每个又分别表达两个不同的元音),从左到右,上下连书,以词为基本拼写单位。字母不分大小写,印刷体和手写体也很接近。为适应连写的需要,字母根据出现的不同位置形体而略有变通。17世纪中叶新疆蒙古族根据自己的方言特点,在蒙古文基础上制订"托忒文"字母,并修改了正字法。"托忒文"比起蒙古文,虽然有些字母读音更接近口语,但只适用于卫拉特方言,通行范围有限。元朝初年世祖忽必烈命国师八思巴('Phags-pa)创制"蒙古新字",俗称八思巴字。这也是蒙古族曾经使用过的文字。八思巴字是音素文字,脱胎于藏文字母,有34个辅音字母,5个元音字母,2个半元音字母,与蒙古文一样,自左向右,上下连书。这种文字1269年正式颁行,元朝灭亡后即逐渐废弃。

Mongolian People's Republic　蒙古人民共和国　参阅 **Mongolia** *蒙古*。

Mongolian Plateau　蒙古高原　中亚大高原东北部辽阔的高地地区,在亚洲中东部。面积约2 600 000平方千米。政治上和地理上由戈壁沙漠两部分构成,北部为独立的蒙古国(亦称外蒙古),南部为中国的内蒙古。高原的西北边界有阿尔泰山脉,唐努乌拉山脉和萨彦岭,东北边界为外贝加尔高地,南部为南山山脉,西部为中国新疆维吾尔自治区的塔里木盆地和准噶尔盆地。这高原有时被视为周边山脉间巨大的内陆排水盆地,有札布汗河、色楞格河和克鲁伦河流经。境内有戈壁沙漠,只长矮草的干旷草原和海拔915～1 525米的山地。最高点为阿尔泰山脉的蒙赫海尔汗山,海拔4 362米。属大陆性气候,年平均降水量约200毫米。最热的月份和最冷的月份平均气温相差极大。如乌兰巴托1月份平均气温为-31 °C,而7月份平均气温则达16 °C。独立的(外)蒙古居民主要是蒙古人,还有哈萨克人(约占该国总人口的5%)以及其他民族。内蒙古居民中汉族约占80%,大部分从事农业。蒙古人传统上是游牧民族,主要放养牲畜(以绵羊和山羊为主),但在20世纪已广泛发展牧场。虽然气候恶劣限制了农业发展,但高原上仍可种植小麦、燕麦、其他谷物和蔬菜。内蒙古灌溉区还可种植甜菜和油菜籽。蒙古的纳来哈和乔巴山出产煤,内蒙古包头附近开采煤和铁矿。此外还有铅、锌、萤石、铀、石油、银和钨等重要矿藏。外蒙古铁路(1955年建成)从高原北端的蒙古首都乌兰巴托一端通往俄罗斯的布里亚特自治共和国的乌兰乌德,另一端通往中国的二连浩特(在北京的西北)。当地通公路,建有多个机场,但仍相对闭塞,经济欠发达。

mongolism (chromosomal disorder)　**蒙古型痴呆**　参阅 **Down syndrome** *唐氏综合征*。

Mongoloid geographic race　蒙古地理人种　又称亚洲地理人种,是居住在东亚、东南亚及中亚东部的一组人类居民群(由各个地域人种和少数人种组成)。蒙古人种也居住在亚洲大陆附近的许多岛屿上(例如日本、印度尼西亚、阿留申群岛)以及北美洲的北极地区(爱斯基摩人)。典型的蒙古人种的特征是:皮肤色素沉着轻微乃至中等(象牙色至棕色);上眼睑有内眦褶;发黑色,直而硬;面庞较胖,高颧骨;胡须和体毛稀疏;ABO血型的B型血型出现率高,其他血型(例如 Duffy 血型,Diego 血型)的阳性血型出现率不稳定或偏高。

mongoose　獴　灵猫科多种小型食肉动物的统称,分布于非洲、亚洲和欧洲南部。有37种,隶于约18属。典型的常见种都属于獴属(*Herpestes*),约10种,包括印度獴(灰獴、爱

带纹獴(*Mungos mungo*)
美国不列颠百科全书公司供图

德华兹氏獴,*H. edwardsi*)和非洲、欧洲南部的白尾獴(埃及獴,*H. ichneumon*)。印度獴因R.吉卜林《丛林故事》中的"里基-提基-塔维"而著名。獴形小,腿短,鼻尖,耳小,尾长而毛蓬松。爪不能缩进,多具5趾。毛灰至褐色,通常为灰白色或夹杂淡灰色斑点;若有杂色,则可为条纹状,或腿为黑色,尾为灰白色或尾具环纹。成兽体形大小因种而异:倭獴(稍小矮獴,*Helogale parvula*)体长17～24厘米,尾长15～20厘米;小齿獴(大尖吻灵猫,*Eupleres major*)体长80～90厘米,尾长20～30厘米。獴灵敏而大胆。居于地穴,以小兽、鸟类、爬行类、卵为食,偶食果实。大多数种陆栖,昼行性,只有水獴(沼泽獴,*Atilax paludinosus*)和少数其他种类为半水栖。有些独栖或成对,而带纹獴(非洲獴,*Mungos mungo*)和倭獴成大群生活。一窝2～4仔。有些獴,包括獴属的种能杀死毒蛇,能快速度而灵活地冲向蛇头,用力一口咬碎蛇的颅骨。獴不像传说中那样对蛇毒有免疫力,也不会在被毒蛇咬伤后觅食草药。可能是斑点獴(红颊獴,*Herpestes auropunctatus*)曾被引进夏威夷和西印度群岛,以控制啮齿动物和蛇的数量,结果却产生了灾难性的后果,獴给当地动物群造成严重损害。因它有潜在的危害性,所以美国限制引入。一些獴类各有其俗名,如长毛獴属(*Crossarchus*)种类俗名利比里亚猫;非洲獴属(*Mungos*)和笔尾獴属(*Cynictis*)一些种俗名海猫。

Mongu　芒古　赞比亚西部城镇。位于该省中央,赞比西河泛滥平原的边缘,为全省人口最多的地区。有公路干线东接首都卢萨卡。有一机场。设有热电站,为本地区供电。人口约24 919(1980)。

Monier, Joseph　莫尼埃(1823,法国～1906,巴黎)　法国园艺工,钢筋混凝土的主要发明者之一。他曾试验用铁丝加固水泥和混凝土制成的花盆。1867年获得了专利,并在巴黎博览会上展出。不久他和工程师F.埃纳比克都想到把这种方法扩大应用到其他工程结构,如铁路枕木、管道、楼板、圆拱和桥梁上。他并不是首先想到把铁丝或铁条

裹在混凝土中的人，但尽管他缺乏技术知识，却对这种新材料有非凡的直观理解。在他取得专利的设计中，明确提出了钢筋混凝土构件的基本原理：混凝土板或梁主要用来承受压力，嵌在里面的金属丝则主要用来承受拉力，它们是一个统一体的两个方面。尽管这种新材料的理论基础过了许多年才奠定，但是这种结构的应用却迅速扩大，特别是在欧洲。

moniliasis（disease） 参阅 **candidiasis** 念珠菌病。

Moñino y Redondo, José 莫尼诺-雷东多 参阅 **Floridablanca, José Moñino y Redondo, conde de** 弗洛里达布兰卡伯爵。

monism（philosophy） **一元论** 参阅 **pluralism and monism** 多元论和一元论。

monitor 浅水重炮舰 美国在南北战争时期为封锁南部邦联设计的一种用于浅水作战的装甲舰。第一艘这种军舰"莫尼特"号（Monitor）是由瑞典工程师 J. 埃里克森制造的，后来英语即以 monitor 代表这种类型的军舰。它的设计特点是水线以上的暴露部分非常少，不易遭到敌人攻击，船身有 5 英寸厚的钢板保护，甲板装甲厚 1 英寸，旋转炮塔内装有两门 11 英寸炮，炮塔装甲厚 8 英寸。1862 年 3 月 9 日"莫尼特"号和南部邦联的装甲舰"弗吉尼亚"号（原名"梅里麦克"）作战，引起国际上的注意，导致美国海军造了不少类似的装甲舰。但原始的那艘"莫尼特"号却一直是适航性很差的船，它从纽约到切萨皮克湾去参加那次著名的战斗，途中就两次几乎沉没。1862 年 12 月"莫尼特"号再次出海，在哈特勒斯角沉没，4 名军官和 12 名船员死亡。美国在南北战争期间建造了许多艘经过改进的浅水重炮舰，并在美国海军中服役了许多年。19 世纪 90 年代还制造了 6 艘有双炮塔的这种军舰。有 4 艘浅水重炮舰分别于 1902 和 1903 年服役，每艘有两门 12 英寸的火炮。这是美国海军中最后一批浅水重炮舰。第一次世界大战中在被用作潜艇的供应船之后，它们于 1922 年被拆毁。英国海军也采用浅水重炮舰，1915 及 1916 年分别造出了装 15 和 18 英寸炮的大型浅水重炮舰，沿比利时海岸在达达尼尔海峡、在苏伊士运河及在亚得里亚海使用。苏联和罗马尼亚都用小型的浅水炮艇作为江河炮艇。

美国海军的浅水重炮舰
美国不列颠百科全书公司供图

Monitor and Merrimack, Battle of "莫尼特"号和"梅里麦克"号之战（1862-03-09） 又称汉普顿罗兹战役、汉普顿锚地战役。美国南北战争中的一次海战，发生在位于詹姆斯河口的弗吉尼亚汉普顿罗兹港，以历史上第一次使用装甲舰交战闻名，它标志着海上战争新时代的开始。北方建造的"梅里麦克"号原是一艘蒸汽发动的常规快速军舰，经南部邦联把它从诺福克的海军造船厂收回，改名"弗吉尼亚"号。舰长 83.8 米，原上半部船体被去掉后，用铁板装甲，临时改装颇为成功。由海军准将 F. 布坎南指挥，在南部邦联其他一些舰艇的护卫下，"弗吉尼亚"号于 1862 年 3 月 8 日在弗吉尼亚的纽波特纽斯把联邦舰队的木制战舰"坎伯兰"号、"国会"号和"明尼苏达"号摧毁。当天晚上，J. 沃登上尉指挥的联邦铁甲舰"莫尼特"号到达海战区。"莫尼特"号舰长 52.4 米，甲板与吃水线几乎齐平，并配备着装甲的旋转炮塔。3 月 9 日上午刚过 8 点，"弗吉尼亚"号与"莫尼特"号沿相反的航向来回交火。由于双方水兵都缺乏训练，炮火命中率很低。后来，"莫尼特"号的操舵室被击中，弹片击伤沃登的双眼，该舰只得驶入浅水区域。"弗吉尼亚"号拟再次向敌舰进攻，但本舰军官报告弹药将尽、船首漏水等，遂驶向海军造船厂，战斗至此结束。当日，南部联军撤出诺福克，"弗吉尼亚"号自沉，"莫尼特"号于 1862 年 12 月 31 日在北卡罗来纳哈特勒斯岬外遇大风沉没。

monitor lizard 巨蜥 蜥蜴亚目巨蜥科爬行动物，该科仅存巨蜥属（*Varanus*），约 30 种。头、颈和尾部均较长，身体笨重，四肢发达。产于旧大陆热带和亚热带地区。最小的体长为 20 厘米；有几种则体大而长，如科莫多龙（科莫多巨蜥，*Varanus komodoensis*），体长达 3 米，是最大的蜥蜴；亚洲水巨蜥（圆鼻巨蜥，*V. salvator*）体长达 2.7 米，产于东南亚；澳大利亚巨蜥（*V. giganteus*）体长达 2.4 米，产于澳大利亚中部。所谓无耳巨蜥即婆罗洲拟毒蜥（*Lanthanotus borneensis*）为稀有种类，产于婆罗洲，为拟毒蜥科仅有的一种，体长 40 厘米，对之所知甚少。

尼罗巨蜥（*Varanus niloticus*）
美国不列颠百科全书公司供图

monitorial system 导生制 又称兰开斯特制。一种让年岁较大或学习较好的学生教年幼或学习较差学生的教学方法。第一个提出此制者是英国教育家 J. 兰开斯特。他的方法是让学习成绩优异的学生从主持学校的成年教师那里学习功课，然后将其知识传授给学习较差的学生。19 世纪时的欧洲许多国家，特别是英、法两国，都采用导生制；其所以盛行主要是因为能节省经费，并提高效率。1840 年前后英国开始用"小先生制"代替导生制，即让 13 岁的男孩和女孩当学徒 5 年，在此期间一面在小学主任教员指导下继续受教育，一面学习教学艺术。有些训练小先生的学校发展成为师范学院，小先生在学徒期满后可以继续在这些师范学院接受专业和学术教育。

monk 修士 脱离社会以便全部时间用于进行宗教修养的男人。单独生活（如隐士），或生活在有组织的团体中。参阅 **monasticism**。

Monk, George 参阅 **Monck, George** 蒙克。

Monk, Maria 蒙克（1816-06-01，可能生于下加拿大［今加拿大魁北克］圣约翰斯～1849-09-04，美国纽约州纽约布莱克韦尔岛［今罗斯福岛］） 加拿大裔美国人，她编造了一个色情的、高度渲染的个人隐私故事，为 19 世纪 30 年代至 19 世纪末的反天主教的情绪提供了炮弹。在蒙特利尔长大。据说幼年时头部曾受伤，这导致她患有终生间歇性神经错乱。当过女仆。后因乱交被送往天主教办的妓女收容所。1834 年因怀孕被逐出收容所。之后便与加拿大慈善协会的当地负责人和狂热的反天主教的 W. K. 霍伊特牧师私通。后来霍伊特将她带到纽约市,与当地一伙鼓动者一起,根据蒙克曾在收容所住过的经历,再加以杜撰,添油加醋,最后编成了这样一个耸人听闻的荒唐故事:蒙克皈依了天主教,进了主宫医院的女修道院(离她住过的收容所很近)当修女。她发现修女与牧师竟定期发生性关系,这种邪恶的结合生下的婴孩被掐死后埋在地下室的墓中。这个故事于 1835 年开始在《美国新教保护者》上连载,1836 年初汇编出版,书名《玛利亚·蒙克惊人的揭发:她在蒙特利尔主宫医院女修道院的五年见习修女和两年黑衣修女期间所受的苦难》。由于当时全国正兴起的反天主教的偏激狂潮,以及读者群对禁止阅读的色情描写潜在的偏爱,该书竟成了轰动一时的畅销书。到美国内战结束时该书的销量竟超过 30 万册。而且进入 20 世纪后仍继续重印出版。蒙克后来住在费城。1838 年又生下一个私生儿。1849 年住进纽约市一家妓院。因行窃被送往布莱克韦尔岛(今罗斯福岛)救济院,最后死在救济院。

Monk, Meredith　蒙克(1942-11-20,利马～　)全名 Meredith Jane Monk。秘鲁出生的美国表演艺术家,前卫艺术的开拓者。早年学过钢琴和韵律体操。1964 年在纽约莎拉·劳伦斯学院获学士学位。1964 年首次作为表演艺术家登台演出,1968 年成立其第一乐队“房子”,结合了舞蹈、电影、戏剧等元素,以探索其他歌唱技法(其中有许多是学自其他文化),如《果汁》(1969)。因其表演艺术中的独创性,而难以将其归类。曾 3 次获得奥比奖(1972,1976,1985)。1995 年获得麦克阿瑟基金会奖。

Monk, Thelonious (Sphere)　蒙克(1917-10-10,美国北卡罗来纳落基山城～ 1982-02-17,新泽西恩格尔伍德)　美国钢琴家和作曲家,现代爵士乐的首创者之一。20 世纪 40 年代初在纽约一家夜总会“明顿游艺场”的管乐队中弹奏钢琴,对乐队中其他乐师影响巨大,他们后来发展了**比博普(bebop)**运动。蒙克一生中大多是与一些小型组合一起演出和录音,他的演奏是冲击性而稀疏的,常被人形容为“瘦骨嶙峋”;他采用复杂而不协和的和弦和不常用的音程与节奏。所作音乐以其幽默的、几乎是玩笑性的特点著称。他也是爵士乐史中最多产的作曲家之一。他的作品一般以 12 小节布鲁斯或 32 小节谣曲方式写成,其中很多已成为爵士乐的经典之作。最著名的作品有《好吧,你不必》、《我是说你》、《纵横交错》、《神秘》、《异常形态回复正常》、《清教徒修士》和《正午夜》等。他对许多现代爵士乐的格调颇有影响,特别是 G.拉塞尔、R.韦斯顿和 C.泰勒的创作。

monk seal　僧海豹　海豹科僧海豹属(*Monachus*)3 种热带或亚热带哺乳动物的统称,人们对之所知甚少。其特点是后鳍足呈 V 字型。幼时棕色或黑色,成体背面深灰或棕色,腹面色浅或灰白色。似以鱼、头足类和甲壳动物为食。成体长 2 ～ 3 米,体重 225 ～ 275 千克。僧海豹遭到大量捕猎(取其皮、肉及油),在《红皮书》中已列为濒于绝灭的种。据认为加勒比(或西印度)僧海豹(*M. tropicalis*)已在 20 世纪 70 年代初期绝灭。幸存种为地中海僧海豹(*M. monachus*)和夏威夷僧海豹(莱桑僧海豹、绍因斯兰僧海豹,*M. schauinslandi*)。两者均濒危,并受到疾病、人类破坏其海岸栖息地和捕猎的威胁。到 90 年代,仅存 1 400 只夏威夷僧海豹和 300 ～ 600 只地中海僧海豹。

Monkees, the　修士乐队　美国流行摇滚乐队。20 世纪 60 年代效仿“披头士”乐队专在电视上演出而成立的乐队。其成员为 M.多伦兹、D.琼斯、M.内斯密斯和 P.托克。这个乐队是为电视系列剧《四奇才》遴选乐手时从 400 多名面试者中挑选出来的。当时只有内斯密斯能够创作一些摇滚乐歌曲,托克偶尔唱些民歌。琼斯是个身材矮小的英国人,以前是赛马手,曾出演《奥利弗!》获得 1963 年托尼奖的最佳配角提名。多伦兹曾经是 50 年代后期电视系列剧《马戏团男孩》中的小童星。他们的录音得到电视台演播室的支持,1967 年独立录制了第三张专辑《总部》。尽管他们的条件不够扎实,想法颇多乖戾,但仍然有丰硕的成果,排行榜上名列前 40 名的一些单曲在 60 年代极为流行;尤其多伦兹演唱的《我是一个信徒》,标志着乐队的黄金时代。自 80 年代末起,多伦兹、琼斯和托克定期合作,偶尔也有内斯密斯的参加,利用婴儿潮一代的怀旧情绪,在巡回演出和电视节目中大捞一把,并于 1996 年推出重新聚合的专辑,不过没有什么艺术成就,也得不到公众的关注。

monkey　猴　除树鼩、狐猴之类、类人猿和人以外任何灵长目动物的统称。可分为两大类群:①狭鼻亚目,分布于旧大陆热带,又分两科:猴科(Cercopithecidae,具颊囊的猴类)和疣猴科(Colobidae,叶猴);②阔鼻亚目,分布于新大陆热带,亦分两科:狨科(绢毛猴科,Callithricidae,狨)和卷尾猴科(Cebidae)。猴类栖于热带森林,在此用四肢移动。除体型最大的种类,如狒狒,黑脸山魈等外,绝大多数猴类为树栖,移动时在树枝间跳跃。在地面上跖行(整个足底接触地面);但能腰背挺直地坐着,有时也会直体而立,结果得以将双手腾出以进行许多操作。许多种类的面部短,相对较为扁平,除狒狒和黑脸山魈外吻部不突出。猴类的手和足能抓握,通常具五指或趾,拇指(趾)与其他指(趾)叉开。除狨类外,猴类的手指和足趾具扁平的指甲或趾甲。除热带美洲的夜猴外,猴类均在昼间活动;常成群寻觅植物、鸟卵、小动物或昆虫为食。吼猴和狒狒等的群体有严密的社会等级,由一只年老的雄体带领。

与其他灵长目动物一样,猴类的大脑较大,因此,双手从行走中解放出来并且视力敏锐,故能进行多种多样的活动;其行动常常与人相似,会把人逗笑。新大陆猴类体型较小,其中活泼的狨类、好奇的松鼠猴和绒毛猴类,以及僧帽猴和手摇风琴手的猴均受人喜爱;狨类行动讨人喜欢,逗人发笑,又容易驯养,常被打扮得花花绿绿;猴类均好奇和机灵,而这些种类尤为突出。其他引起人们兴趣的猴类还有能进行复杂动作的蜘蛛猴和吵闹的吼猴。旧大陆猴类包括许多常见于动物园的种类,尤其是色彩鲜艳的非洲的长尾猴类(白腹长尾猴、白鼻猴、绿猴、绿长尾猴、黑长尾猴)、具有长鬃毛的疣猴、白眉猴,以及主要分布于亚洲的猕猴。猕猴包括直布罗陀巨石上的柏柏里猴(叟猴,今天欧洲仅有的猴种)和印度的恒河猴(医学实验中常用)。体形优雅的长尾叶猴产于亚洲,包括印度的哈努曼猴(圣猴)。山魈和黑脸山魈分布于非洲,体大,地栖,色鲜艳;长鼻猴产于婆罗洲;仰鼻猴(金丝猴)产于中国西部;这些种类均是较独特的猴类。新大陆猴(阔鼻猴)的鼻中隔宽阔,两鼻孔距离远,且朝向外侧;两侧上下颌各有三枚前磨牙。阔鼻猴无骨性耳道;某些颅骨的安排亦与旧大陆猴不同。尾通常甚长,少数种类的尾能缠绕,其下表面有特化的裸露皮肤。旧大陆猴(狭鼻猴)的鼻间隔狭窄,鼻孔朝向下方;两侧上下颌各有二枚前磨牙;颅内有骨性耳道。尾均无缠卷能力;或长或短或无。所有旧大陆猴的臀部皮肤均裸露,增厚(胼胝);这点不仅与新大陆猴不同,亦与类人猿不同。猴类与**狐猴(lemur)**不同之处为没有固定的生殖季节。性成熟后雄体一年四季均有性交能力;未妊娠的雌性有以月为单位的周期——月经周期,每个月经周期的各个相,除行为变化外,均可能难以辨认;但某些狭鼻猴和所有的阔鼻猴在月经周期的一个阶段可见阴道出血;在许多种类阴道出血还伴有外生殖器及附近的皮肤明显肿胀。妊娠期长短不一,短至狨类的四个半月至某些旧大陆猴的近七个月,每产一仔(偶见双生),幼仔由母体喂养。

Monkey　《美猴王》　中国古典小说《**西游记**》(**Xiyouji**)的英文译本书名。

monkey flower　沟酸浆　玄参科(*Scrophulariaceae*)沟酸浆属(*Mimulus*)植物,草本,稀

泪斑沟酸浆(*Mimulus guttatus*)
美国不列颠百科全书公司供图

为灌木。约100种,广布世界各地,尤见于北美西部。叶对生、不分裂。花单生,花冠二唇形,花瓣合生。草本种多见于湿地,通常生长于靠近流水处。

monkey pot 猴子罐 玉蕊科玉蕊属(*Lecythis*)植物,灌木或乔木。尤指巴西产的钵状玉蕊(*L. ollaria*)和南美东北部产的 *L. zabucajo*。该属植物的木质罐状果实也叫猴子罐,

猴子罐(*L. zabucajo*)
美国不列颠百科全书公司供图

其大小适于猴子使用。多数种的坚果可食。*L. zabucajo* 的果实与巴西果相似,味道特别可口。钵状玉蕊的种子可提取制皂用油。有些种的木材还用于建筑,制家具和工具柄等。

monkey puzzle tree 猴谜树 又称 Chile pine(智利松)。智利南洋杉(*Araucaria araucana*)的俗称。南洋杉科常绿乔木,可供观赏和材用。原产南美安第斯山脉。株高达45米,

猴谜树(*Araucaria araucana*)
美国不列颠百科全书公司供图

直径1.5米。叶坚硬,重叠,顶端针状,在坚挺的枝上螺旋排列,形成一个缠结多刺的网,可阻止动物攀缘。

monkey terrier (dog) 参阅 **affenpinscher** 猴㹴。

monkeypox 猴痘 病毒性疾病,动物与人类均会受到感染。症状与天花类似,不过没那么严重。由猴痘病毒传染,与引发天花及牛痘的病毒属于同一科。1958年,猴痘最早从实验室的猴子鉴定出来。病毒一般见于中非与西非的灵长类与啮齿类动物,可经由动物啃咬而传染给人类,或因接触到受感染的体液而遭到传染,也会通过人与人的长时间近距离接触而传染,家族成员之间常发生此类情形。天花疫苗显然也可以预防猴痘;20世纪时,由于多数人皆打过天花疫苗,因此十分罕见,或仅于局部地区短暂出现。80年代以来,随着天花在全世界绝迹,多数地区停止打天花疫苗,于是猴痘又在刚果(金)等国死灰复燃,流行情况越来越严重,而且人与人之间直接传染的情形愈发普遍。除此之外,病毒也通过受感染的外来宠物传播到非洲以外地区。人受到感染后,大约两周会产生明显的症状,开始发烧、头痛、身体不适和倦怠、淋巴结肿大等。几天之后,脸部与身体出现大量的皮疹,最后会结痂、脱落,病程2~4周内结束。目前的疗法仅能减轻症状。如欲阻止蔓延则必须隔离病人,并对周围环境进行严格的卫生管制措施。

monkfish 扁鲨 扁鲨目扁鲨科扁鲨属(*Squatina*)10~12种鱼的统称。体长达2.5米,头与体扁平,具宽阔似翼的胸鳍和腹鳍,形似魟。尾部有2个背鳍,尾鳍发达。眼位于头顶部,两眼后面凸出。胸鳍前面有5个鳃裂。遍布全世界热带和暖温带大陆架水域。普通扁鲨(*S. squatina*)常被欧洲和地中海沿岸居民捕作食用。

monk's pepper tree 参阅 **chaste tree** 穗花牡荆。

Monk's Tale stanza 《修士的故事》诗节 每行5个重读音节的八行诗组成的诗节,韵律为 a b a b b c b c。由G.乔叟在《坎特伯雷故事集》中的《修士的故事》中首创。与法国叙事诗歌形式有一些相似之处,被认为是影响斯宾塞诗体的诗节形式之一。

monkshood 乌头 又称 wolfsbane(附子草、狼毒)或 aconite。毛茛科乌头属(*Aconitum*)有毒的多年生草本植物,花朵艳丽。约100种,产于北温带,常见于部分遮荫、土壤肥沃处。根粗厚或块茎状,叶指状分裂。花形似兜帽,穗状簇生,紫或蓝色,有时黄或白色,具5枚萼片及2~5枚花瓣。少数种栽于庭园,如亨利氏乌头(*A. henryi*,即川鄂头)、费歇尔氏乌头(*A. fischeri*,即薄叶乌头)和钩乌头(*A. uncinatum*)。所有种都含有剧毒的乌头碱。普通乌头(*A. napellus*,即庭园狼毒乌头)原产地从欧洲山坡向东至喜马拉雅山脉地区,是重要的乌头碱资源。这种药物在古代用于惩罚罪犯,小剂量一直用以退热、治疗神经痛等。

Monlam Chenmo (in Tibetan Buddhism) 参阅 **Smon-lam chen-mo** 默朗。

Monluc, Blaise de Lasseran-Massencôme, Seigneur de 蒙吕克(约1500,法国阿马尼亚克~1577-08-26,康多姆) 即B.德·拉斯朗-马桑科姆。法国元帅。以其卓越的军事技巧和所著自传体回忆战争经历的《评述集》(1592)为人所知。1521~1522年在意大利北部作战。1525年法国国王弗兰西斯一世在帕维亚战败时,他同国王在一起。1536年,他在解马赛之围时起了重要作用。1544年在意大利切雷索莱获得大捷,主要是他的功劳。1548年,他成为皮埃蒙特的蒙卡利里总督,此后10年一直留在意大利。1562年法国宗教战争爆发,他站在信奉天主教的吉斯家族一方。在西南部的天主教贵族联盟中,他成为一支强大的力量。在军事上他主张使用步兵(特别是火药枪手)机动作战对付骑兵。

Monmouth 蒙茅斯 美国伊利诺伊州西部城市,沃伦县县城(1831)。1831年创建,为纪念独立战争中1778年6月28日新泽西州蒙茅斯战役而命名。1836年设村,1852年设市。现经济以农业为主,主要饲养牲畜、种植玉米,也有制陶等轻工业。设有蒙茅思学院(1853)。人口9 531(2003)。

Monmouth 蒙茅斯 威尔士语作 Trefynwy。威尔士东南部蒙茅斯郡,历史、行政郡的城镇。位于怀河与曼诺河二河汇流处。1256年获皇家特许状,因系富饶农业地区的市场而益趋重要。蒙茅斯城的历史名胜包括一座11世纪本笃会修道院遗址、芒瑙桥上一座13世纪的大门、一所1614年创设的男童学校、17世纪修建的怀桥及希雷厅(1724)。附近的基敏高地有一座海军祠(1800兴建),纪念18世纪多位海军将领。纳尔逊勋爵与蒙茅斯有许多关系,该镇的纳尔逊博物馆收藏有他的大量遗物。人口7 246(1991)。

Monmouth, James Scott, Duke of, DUKE OF BUCCLEUCH, EARL OF DONCASTER, EARL OF DALKEITH, BARON SCOTT OF TINDALE, LORD SCOTT OF WHITCHESTER AND ESKDALE **蒙茅斯公爵**(1649-04-09,荷兰鹿特丹~1685-07-15,英格兰伦敦) 即J.斯科特。又称廷德尔男爵、唐卡斯特伯爵。别名(至1663)詹姆斯·克罗

美国不列颠百科全书公司供图

夫茨(或菲茨罗伊)。英格兰王位要求者,曾领导反对詹姆斯二世的未成功的叛乱(1685)。英王查理二世和露西·沃尔特的私生子。童年随露西居住巴黎。1662年回国,受到国王宠爱。1663年封蒙茅斯公爵。同年4月20日与苏格兰的巴克勒奇女伯爵安妮·斯科特结婚,又获得该伯爵称号,并改姓斯科特。1668年任国王卫队长。1670年进入枢密院。在1672～1674年英荷战争中,他曾指挥英格兰军队在大陆作战。1678年任英格兰武装部队总司令。1679年平定苏格兰长老会信徒的叛乱。此时王位继承问题争论激烈。由于谣传天主教徒要夺权,引起了反天主教的歇斯底里。查理二世制止了议会排除已改奉天主教的公认王位继承人约克公爵詹姆斯的一切企图,并将信奉新教的蒙茅斯逐出英国。但他不久又回国。1682～1683年参与辉格党反对查理和詹姆斯的阴谋,即**麦酒店密谋案**(**Rye House Plot**),因而被逐出宫廷,1684年初到荷兰避难。1685年2月查理二世卒,约克公爵即位,称詹姆斯二世。6月,蒙茅斯率领随从82名在多塞特郡登陆,并且很快纠集了4 000多人,但未能吸引贵族叛乱。7月6日他的农民军在萨默塞特郡被彻底击败。不久他被抓获斩首。

Monmouth Court House, Battle of 蒙茅斯郡府战役(1778-06-28) 美国独立战争中一次不分胜负的战斗,发生在新泽西的蒙茅斯。英军将领H.克林顿自费城撤军途中,在蒙茅斯郡府留下一小股掩护部队。美国的C.李将军奉G.华盛顿命追击退敌,在到达蒙茅斯郡府时,不意英军将领康华里勋爵率后卫部队回师堵击追兵。由于地形不利,李未及通报华盛顿即下令后撤,阵列一时大乱。华盛顿驰至后,见状大怒,立即重整军列,并遏制了英军攻势。康华里于深夜悄悄退去,华盛顿亦未追击。事后双方俱自称为胜方。后华盛顿率军赴哈得孙河与大陆军会合,克林顿兵返纽约,双方回复到两年前的战局。

Monmouthshire 蒙茅斯郡 威尔士语作Sir Fynwy。威尔士东南部的郡。东面与英格兰接界,南面濒临塞文河口,西与纽波特、托法恩及布莱奈格温特诸郡级市毗邻,北邻波伊斯郡。郡中心地区是位于阿斯克河流域的格温特平原。东面是怀河的切割状深谷及其侧面的丘陵地。北部包括多山的布雷肯·比肯斯国家公园的一部分。现蒙茅斯郡完全位于历史郡内,此外,历史郡还包括纽波特和托法恩郡级市、布莱奈格温特郡级市的大部分地区,以及卡菲利郡级市的部分地区。蒙茅斯郡在历史上归属不稳定。这种状况的发生是因为它是个边界地区。该地在远古时代森林密布,直到约公元75年被罗马人征服才有稀疏的居民点。罗马人在卡利恩(原名伊斯卡)筑了一座军团碉堡,又在本塔西卢鲁姆(今凯尔文特)设一市镇。4世纪后期罗马人弃离该地后,该地区便成为撒克逊人与丹麦人之间以及盎格鲁人与威尔士人之间争夺的对象,最后威尔士人在该地区建立起格温特王国。1065年格温特王国被盎格鲁-撒克逊国王哈罗德二世征服,但旋即落入征服者诺曼人之手。诺曼人在多处构筑城堡并设若干边境长官统治该区各处贵族领地。这些在威尔士东部和南部的领地,不受英格兰王室官员和律令的管辖,因此地区上经常有不法之徒犯罪行为发生。1536年,英格兰的亨利八世在这个地区设蒙茅斯郡,将该郡置于英格兰管辖之下,剥夺了日趋没落的边境长官对贵族领地享有的权力。此后,该郡局势保持平稳。该地边境贵族长官留下的中世纪城堡遗址现在还散见于农村,其中最著名的在拉格伦、切普斯托和卡尔迪科特。该地区还在廷特恩有一座西多会大教堂的遗址,在兰索尼有一座奥古斯丁教团的小修道院。现该郡主要为农业区,但在一些城镇有发展中的轻工业和商业,同时也是纽波特和西部其他市区上班族的居住区。制酪业在阿斯克河谷及沿海边缘地带颇为重要,阿伯加文尼附近有商品蔬菜种植业,高地则饲养绵羊。然而平原上较好的农田面临着郊区住宅区和商业发展带来的越来越大的压力。阿伯加文尼是个集镇,有轻工业和印刷业。阿斯克河畔的阿斯克镇以捕鱼业闻名。塞文铁路隧道、拉索桥(1996年建成)和吊桥将蒙茅斯郡与威尔士其他地方连接起来。面积851平方千米。人口86 300(1998)。

Monn, Matthias Georg 莫恩(1717-04-09,奥地利维也纳～1750-10-03,维也纳) 奥地利作曲家、管风琴家,其作品标志着音乐从巴罗克时代到古典主义时代的过渡。1738年在维也纳新圣查理教堂任管风琴师。虽是维也纳杰出人物,但其名声从未在欧洲其他地方广泛传播。其作品(包括21部交响曲和1部《庄严弥撒》)也从未在他生前演出过。1740年完成的一部交响曲是现今所知的最早一部由4个乐章组成的交响曲,用一首小步舞曲作第3乐章。他把以前仅用于奏鸣曲的条理清楚的展开部和完整的再现部应用于交响乐作品中。

Monnet, Jean 莫内(1888-11-09,法国科尼亚克～1979-03-16,乌雅尔雷) 法国政治经济学家和外交家,第二次世界大战后,在西欧实施了全面的经济规划。在法国,他为重建该国遭到破坏的经济并使之现代化成功地制定了计划。

第一次世界大战期间莫内任协约国间海事委员会法国代表,1919～1923年任国际联盟副秘书长。接着,在重整其家庭的白兰地家业之后,于1925年成为纽约一家投资银行的欧洲合伙人。第二次世界大战开始后,他任法英经济协调委员会主席。1940年6月,由他向丘吉尔建议组成法英联盟。法德停战后,他离开法国去华盛顿,1943年被派往阿尔及尔,与在那里的自由法国政府一起工作。

法国解放后,莫内领导一个政府委员会,制定重建法国经济并使之现代化的全面规划。1947年1月11日这一规划为法国政府采纳,莫内本人被任命为国家计划局总专员。1950年5月,他与当时的法国外长舒曼建议由自愿将煤钢工业的权力交托给一个独立权力机构的一些国家,成立一个欧洲煤钢共同市场。6个国家——法国、西德、意大利、比利时、荷兰和卢森堡——于1951年签订了成立欧洲煤钢共同体(ECSC)的条约。1952～1955年,莫内担任该组织高级机构的第一位主席,在欧洲煤钢共同体的鼓舞下,1957年成立了欧洲经济共同体或称共同市场。

1955年莫内筹组欧洲合众国行动委员会,并自1956至1975年担任该委员会主席。1976年共同市场的9国政府授予他欧洲公民的称号。同年,他出版了自己的《回忆录》。

Monnier, Henri (Bonaventure) 莫尼埃(1805-06-08,巴黎～1877-01-03,巴黎) 法国漫画家和作家,他对资产阶级的讽刺国际闻名。1828年已享有插图画家的声誉。19世纪30年代开始写讽刺作品。他热衷于描写中产阶级生活中的偏狭和平庸,并创造出J.普律多姆夫妇这样的人物来作为自鸣得意的法国中产阶级的理想典型。他还在漫画、舞台喜剧和小说中使用普律多姆夫妇来抨击他那个时代的虚荣和愚蠢。

Mono 莫诺人 又称莫纳奇人(Monachi)。美国加利福尼亚州中部两个印第安居民集团,操犹他-阿兹台克语系努米语族一种与北**派尤特人**(**Paiute**)的语言相近的语言。西莫诺人住在内华达山脉的松林地带,在文化上与其相邻的**约库特人**(**Yokuts**)相近。东莫诺人和当地所称的派尤特人,则与居住在大盆地的邻人在文化上更为相近;派尤特人居住在山顶另一侧的欧文斯谷地。这两个居民集团在历史上彼此长期进行贸易,东莫诺人以食盐、矮松果、筐篮及毒药换取橡实粉,用筐篮和竹料换取箭。他们传统的社会组织简单,由小村落构成,每村50或75人,采用父系制,分布于大体上划定的狩猎区。虽然村长的权力并非专制式的,但一切主要宗教活动或战争问题,都要经过他的同意,他的最重要责任是调解纠纷和批准处罚。

Mono River 莫诺河 发源于多哥索科德东北靠近贝宁边界处的河流。河道曲折蜿蜒,经过400千米流程,在贝宁维达附近注入贝宁湾。下游部分河段形成多哥和贝宁之间边界。沿河黏土台地种植玉米、木薯、薯蓣、稻谷和棉花。近河口段可通航。

monochord 独弦琴 又拼manichord。由单根弦张在一个有刻度的音箱上制成的乐器,上有一可移动的琴马。一手移动琴马借以获得所需要的音高,另一手用拨子弹奏。公元前6世纪在希腊被用作测量音程的科学仪器。关于这种乐器的知识是由5世纪的哲学家波伊提乌传给中世纪的理论家的。有关论著首次出现在10世纪。到11世纪时它已是一种纯正的乐器。最后的改装是加了几个键,在单根弦上划分发声的长度。后来又有用几根弦的,至14世纪末而发展成击弦键琴。此后,独弦琴继续充当科学和数学用具,并成为管风琴调音师的辅助工具,一直到18世纪为止。

monoclinic system 单斜晶系 结晶固体的结构类型之一。该系晶体具三个不等长的轴,分别用a,b,c表示,a垂直于b

和 c，而 b 和 c 并不互相垂直。如果用点表示固体中的原子或原子团，并把这些点连成线，就形成一个由晶胞有序堆垛成的点阵。单斜晶胞的特点是具有一个二重对称轴，晶胞绕该轴旋转 180 °时外观没有变化。属于单斜晶系的固体比其他晶系的多。β 硫、石膏、硼砂、正长石、高岭土、白云母、单斜闪石、单斜辉石、硬玉、蓝铜矿、锂辉石等都属单斜晶系。

monoclonal antibody　单克隆抗体　经由遗传工程技术制备的、可临床实用的特异性抗体（**antibody**）。

monocotyledon　单子叶植物　又作 monocot。百合纲（Liliopsida，又称单子叶植物纲［Monocotyledoneae］）的植物，是被子植物两大类群中较小的一群（另一群为木兰纲［Magno-

单子叶植物的代表植物——黄菖蒲（*Iris pseudocorus*）
美国不列颠百科全书公司供图

liopsida，即双子叶植物纲］）。百合、兰花、棕榈、鸢尾与禾草均属本纲，特征是种子胚中仅有一枚子叶。典型单子叶植物的花有萼片、花瓣和雄蕊等，除少数外，基数是 3 或 3 的倍数。叶脉多为平行脉，起自基部或粗壮的中脉。茎的维管束通常散生。单子叶植物中约有 10% 是木本，如棕榈和竹类，其茎秆长粗是由于细胞的增大或新细胞增生的结果，这与双子叶植物靠形成层切向分裂而增粗不同。单子叶植物多为草本。根系主要为须根系。茎少分枝，气孔一般平行排列。花粉粒有 1 槽或 1 孔，单沟。

Monod, Adolphe-Théodore　莫诺（1802-01-02，丹麦哥本哈根～ 1856-04-06，法国巴黎）　基督教归正宗牧师、神学家，公认为 19 世纪法国新教的杰出布道家。1826 年任意大利境内那不勒斯归正会法语教堂牧师，后调里昂，不久因坚持传统归正宗教义而被免职。1833 年在里昂成立自由福音会。3 年后任蒙托邦某归正宗神学院教授。1847 年继其兄弗里德里克任巴黎奥拉托利会教堂牧师。

Monod, Gabriel(-Jean-Jacques)　莫诺（1844-03-07，法国安古维尔～ 1912-04-10，凡尔赛）　法国历史学家，他帮助将德国的历史方法论引入法国。是最有学识，最引人入胜的历史教师之一，并大大改进了学术研讨制。在格丁根大学和柏林大学学习，受到享有盛名的德国史官 L. von 兰克的史学方法的倡导者 G. 魏茨的影响。1868 年回国，在巴黎高级研究院讲授历史。1871 年出版他参加普法战争的经验谈《德国人和法国人》。不久创办《历史评论》杂志。1880 年任巴黎高等师范学院讲师。后来成为伦理和政治科学院院士和法兰西学院教授，因教学的卓著成就获得许多荣誉。著有《法国史料的批判研究》（1898）和《法国历史参考文献》（1888）。

Monod, Jacques (Lucien)　莫诺（1910-02-09，法国巴黎～ 1976-05-31，戛纳）　法国生物化学家、遗传学家。与 F. 雅各布进行了大量研究工作，阐明了基因控制酶的生物合成，从而调节细胞代谢的方式。1961 年他们提出信使核糖核酸（mRNA）的存在，说明其碱基序列与染色体中脱氧核糖核酸的碱基序列互补；并假定，信使核糖核酸将编码在碱基序列上的遗传信息带到蛋白质的合成场所——核糖体，在此翻译成酶的氨基酸序列。1960 年他们发现存在有称为操纵子的基因集团，能影响信使核糖核酸的合成从而调节其他基因的功能。已经证明，这工作对细菌来说一般是正确的。由于这个发现他们二人与 A. 尔沃夫共获 1965 年诺贝尔生理学或医学奖。1971 年莫诺发表长文《偶然性与必然性》，认为生命起源和进化过程是偶然性的结果。

monodrama　单人剧　由一个演员演出，或为一个演员而创作的戏剧。S. 贝克特写的若干话剧，包括《克拉普的最后一盘磁带》（1958 年首次上演）和《快乐的日子》（1961），都是单人剧。该词也可能指一个人脑中思想的戏剧化表达，以及为一个演员编写的音乐剧。

monody　单旋律独唱曲　带伴奏的独唱歌曲风格，其旋律由简朴但却往往是表情生动的和弦伴奏。1600 年左右取得突出地位，特别是在意大利，它是 16 世纪的牧歌和经文歌等声乐体裁所用对位风格（以同时出现的几条旋律线的结合为基础）的一种对应形式。人们显然是为了模仿古希腊音乐而重新将重点安放于正规的吐字发音，并着力将感情充沛的歌词加以富于表情的演释。要做到这一点，必须放弃对位而代之以伴奏简单的宣叙调。这种新的单旋律独唱曲风格是意大利佛罗伦萨的卡梅拉塔会社和其他人文主义小组倡导的，很快便发展为早期歌剧的戏剧性"表演风格"和 1600 年以后不久促使宗教音乐发生剧变的"复协奏风格"。在这两种情况下，16 世纪复调音乐的密集织体都不再时行，取而代之的是高音声部和无所不在的通奏低音（又称数字低音）之间的两极分化；通奏低音由一位或几位器乐演奏家演奏，他（或他们）可按低音声部上方所写数字的和声要求自由地进行伴奏。G. 卡契尼的一本带通奏低音伴奏的独唱歌曲集《新音乐》（1602）是早期单旋律独唱曲的范例；蒙特威尔地的许多实际上属于同一时期的独唱曲亦是如此。

monogamy　一夫一妻制　在同一时间内只允许有一个合法配偶的习俗。一夫一妻制有两种普通形式，一种是两个人之间的终身婚约只有在一方受到刑罚时才能解除，天主教及印度教即如此规定；另一种形式是允许多次变换配偶，但必须是一夫一妻的形式，这有时叫做间断的一夫一妻制。所谓进化论学派的人类学家们认为一夫一妻制是家庭组合的最后和最高形式，此说现已过时。

monogatari　物语　源自日语，意为故事。指日本小说，尤指平安时代到室町时代（794 ～1573）所写的小说。物语源自宫廷中妇女所讲的故事。在平安时代（794 ～ 1185）人们用汉语书写，是妇女发展了这种日本散文形式。不过据说早期的物语是男人们托借女子的名字写成的。物语有许多亚类。有歌式物语，其代表著作是《伊势物语》（约 980），由 143 节组成，每节有一首或多首诗，加上一段散文对这节的事态加以描述。还有恋爱物语，其代表著作是紫式部写的那部举世无双的杰作《源氏物语》（约 1010）。该书可能是日本最优秀的文学作品，也是全世界第一部重要的小说。书中讲述皇子光源氏的故事。源氏引人注意的不是其军事或政治才能，而是其与周围许多女性的爱情纠葛。12 世纪末军国主义武士掌握政权，战记物语遂发展成为一个物语亚类。最著名的作品是《平家物语》，讲述平、源两家之间的战事。其他形式的物语有历史物语（代表作为《大镜物语》）和说话物语等。

monogram　交织字母　原由一个字母构成的花押字，后来则由两个或更多字母交织组成一个图案。交织字母或是一个名字的全部字母，或是姓和名的首字母，用于信笺、印章

1743 年 G. 比克曼写的交织字母
美国不列颠百科全书公司供图

或其他场合。早期希腊、罗马钱币上都铸有统治者或市镇的交织字母名字。最著名的交织字母，名叫神圣交织字，是由希腊文 χριστος（意为耶稣）中的头两个字母组成，通常采取 ☧ 的形式，有时在其两面分别划上《启示录》中的 α 和 ω。以字母 I、H、S 交织而成的图案亦称神圣交织字母，显然其来源不古，据说系 15 世纪中叶锡耶拿教士圣贝纳德所创。中世纪创制的用于教会、艺术和商业方面的交织字母非常丰富。早期印刷商常用交织字母或花押字母作为图案，因此在鉴定早期印刷品时有重要意义。画家、雕刻家和陶瓷技师也使用类似的图案。中世纪的商人常用"商人标记"以代替纹章，"商标"由店主姓名首字母和私人专有图案组成交织字母。这些标记中总有一个十字，或作为防风暴、避灾祸的符号，或作为基督教符号以区别其商品。与此

有关的图案是出版商和印刷商用以标明其印制品的出版商标、金银匠的检验印记和各公司的标志，通常全都用传统的抽象图案或印刷图案。

Monograptus 单笔石 笔石类（与原始脊索动物有关的水生小群体动物）的绝灭属。化石见于志留纪（开始于4.3亿年前，延续0.35亿年）海相地层。是最普遍的志留纪笔石属，其特征是具有独特的构造特征的单枝。是双笔石属（有两个笔石枝的种类）的后裔。有几个已知的类型或种，用于对比分隔很远的志留系及其细分的地层。

monolithic filter 单片滤波器 用一片压电晶体所做成的一个完整的选频滤波器。当外加电压施加于压电晶体的表面时，该晶体就会发生形变或运动。如果在一片石英晶体上按照适当的间距镀上6个电极，这片晶体就可用作一个6节滤波器。因此，在一片晶体上可做成完整的滤波器，而无需使用任何线圈。参阅 **band-pass filter**。

monologue 独白 文学和戏剧作品中，一个人物所说的延伸性台词。这个用语具有几种密切相关的意义。*戏剧独白*（**dramatic monologue**）是指一个人物与第二个人物对话过程中所说的任何一段较长的语言。大段*独白*（**soliloquy**）是独白的另一种类型，人物可以直接向观众说话，也可在独自一人或在其他演员保持沉默的情况下大声说出他的内心思想。*内心独白*（**interior monologue**）则指在虚构的文学作品中人物表达出现在自己头脑中的思想、感情和有关情况的一种独白。

monologue, interior 参阅**interior monologue** *内心独白*。

Monomakh's Cap 莫诺马赫冠 莫斯科克里姆林宫保存的最古老的俄罗斯王冠。这顶黄金便帽由8块扇形料子拼成，装饰精致，表

13～14世纪的莫诺马赫冠
美国不列颠百科全书公司供图

面覆盖一层涡卷金丝编织物，毛皮镶边。传说这顶帽子是12世纪时拜占廷皇帝C.莫诺马库斯送给基辅大公V.莫诺马赫的礼品。

monomer 单体 能与相同或不相同的化合物的分子反应形成大分子或聚合物的一类化合物的分子，大多是有机化合物。单体的主要特征是多官能度，具有至少能与两个其他单体分子形成化学键的能力。双官能单体只能形成线性的链状聚合物，而多官能单体可形成交联的网状聚合物。两原子间含有双键或含有3～7原子的环的单体的特征是加成反应，例如苯乙烯、己内酰胺（生成尼龙6）、丁二烯和丙烯腈（共聚生成丁腈橡胶）。缩聚反应是含有两个或多个活性原子团的单体的典型反应，例如一种既是醇又是酸的化合物可重复酯化，即每个分子的醇基同另一个分子的羧基酯化成长链的聚酯。同样，含有两个胺基的1,6-己二胺与含有两个羧基的己二酸缩合成聚合物尼龙66。

monometer 单音步诗行 一种罕见的诗歌形式。每一诗行只有单一韵律单位（一音步或二音步）。整诗都是单音步诗行的最著名的例子是R.赫里克的诗《写在他去世时》：

Thus I
Passe by,
And die:
As One,
Unknown,
And gon:
I'm made
A shade,
And laid
I'th grave,
There have
My Cave.
Where tell
I dwell,
Farewell.

Monongahela, Battle of the 莫农加希拉河战役（1755-07-09） 在法国-印第安人战争中，法国人和由数个部落组成的印第安人的军队以少胜多、大败E.布雷多克将军所率领的英军的战役。英军在从坎伯兰堡向迪尤肯堡缓慢行军途中于1755年7月9日与法国-印第安人联军遭遇，被联军击溃，在参加作战的1 459名英军中，伤亡几达1 000人。G.华盛顿（当时为布雷多克的副官）是这场战役的幸存者之一。

Monongahela River 莫农加希拉河 源出美国西弗吉尼亚州。由泰格特和韦斯特福克河汇合而成。北流在匹兹堡与阿勒格尼河汇合成为俄亥俄河主要河源。全长206千米。上游水流湍急，有水电站，向几座城市供电。通航河段170千米，为重要的驳船运输线，运输煤、焦炭、钢铁。

mononuclear phagocyte system 单核吞噬细胞系统 参阅 **reticuloendothelial system** *网状内皮系统*。

mononucleosis 单核细胞增多症 正式名称为传染性单核细胞增多症（infectious mononucleosis）或称腺热（glandular fever）。据信是由爱泼斯坦-巴尔二氏病毒引起的人类常见的传染病。任何年龄均可发病，但主要累及10～35岁人群。低龄儿童受感染后症状轻微或没有什么症状，但仍可产生免疫。此病主要通过口的接触，交换唾液的方式来传播，故俗称"接吻病"。一般认为此病的潜伏期为30～40天。最常见的症状是全身不适，咽喉痛，全身淋巴结肿大，尤以颈部淋巴结肿大最为常见，并常有发热。有些病例的唯一症状是发热和全身不适，这种病例的诊断只有通过化验血。咽部常发红，并附有一层和白喉类似的灰白色到暗灰色假膜。偶有咽喉溃疡形成。很多病例的软腭上有出血点。在成人患者中，2/3病例有脾大，偶见有因脾破裂致死的病例。皮疹为多数小出血点，或有时呈类似麻疹和猩红热那样的皮疹。约2%的病人合并肺炎。肝脏受累较为普遍，肝功能化验多不正常，但严重肝脏受损害合并黄疸者罕见。脑炎、脑膜炎、周围神经炎少见，如合并脑炎，常可致死。心脏极少受累。上眼睑肿颇为常见。偶有病例的尿里有血。传染性单核细胞增多症通常可持续7～14天。部分病人病程可达几周，尤其是当肝脏或神经系统受到损伤的时候。复发者少见，第二次感染者更为罕见。此病尚无特殊疗法。抗生素只对某些病例的咽部细菌性继发感染有效。

monophony 单声部音乐 由一条单一的无伴奏旋律线构成的音乐织体。几乎所有的音乐文化都以它为基本要素。拜占廷和格列高利圣咏是单声部曲目中最早的记成谱的例子。在后来的欧洲中世纪中，普罗旺斯和法国的行吟诗人以及德国的恋诗歌手与名歌手，他们的那些主要世俗性的歌曲都保持着这一传统的活力，虽然他们演唱时往往突出即兴的伴奏。切勿将monophony与monody（单旋律独唱曲）二词混淆，后者专指17世纪初的有伴奏的独唱歌曲。具有讽刺意味的是，宗教复调音乐的最优表现形式（例如帕莱斯特里纳所写的作品），在美学上正是以天主教会的单声部音乐为蓝本，而它的连绵不断的旋律流与节奏流并不受到源自世俗音乐的节拍的影响。

monophysite 基督一性论派 基督教内的一派，该派认为虽然耶稣基督具有地上的人身而经历过诞生、生活和死亡的周期，他依然完全是神而不是人。这样，基督一性论派断言，在耶稣基督这一个位格中，只有一种性质即神性，并无神、人二性，后一说法是451年卡尔西顿会议所宣布的。在4、5、6世纪关于基督的位格的教义形成演变过程中，出现了几种不同的学说。卡尔西顿会议通过教令宣布：应当"承认"基督具有"二性，不混、不变、不分、不离"。这种提法一方面是针对聂斯脱利的教义（谓基督的二性一直是分离的，因而成为两个位格），另一方面是驳斥修士优迪克的粗陋的神学观点。优迪克于448年受谴责，因为他宣传：基督成了肉身之后只有一种性质，因此，成为肉身的基督的人性与其他人的人性具有不同的本体。政治和教务斗争、以及神学争论共同作用，遂使卡尔西顿会议决定废黜并绝罚亚历山大牧首狄奥斯科鲁斯（454卒）。支持狄奥斯科鲁斯并认为他的学

说符合圣西里尔(亚历山大的)所提出的正统教义的教会被名为基督一性论派。这个名称也指不同的神学家和派别。其中一些人,如塞维鲁(安条克的)(538卒),驳斥卡尔西顿会议的用词,认为它自相矛盾。现代学者大都认为,塞维鲁和狄奥斯科鲁斯的学说与公认为正统的教义的区别主要在于他们强调上帝与人在基督里面联而为一的亲密性,并不在于他们否认基督的人性与人的人性同体。在现代,通常列为基督一性论派的教会(亚美尼亚使徒教会、科普特正教会、埃塞俄比亚正教会和叙利亚正教会),一般被天主教、东正教和基督教(新教)承认在关于耶稣的位格问题上基本上坚持正统教义。

monoplacophoran　单板类　原始海洋软体动物,属 Tryblidia 纲。其特点为单个帽形贝壳及两侧对称。人们更倾向用 Tryblidia 纲一词而不用单板类及 Galeroconcha 两词,因为后两个词用以包括多种亲缘关系不详的化石种类。1952 年曾在哥斯达黎加岸边 3 570 米深处海底捞获到几只活的单板类动物。在这以前人们曾认为单板类在 4 亿年前就已绝灭。现在单板类有不足 10 个代表种,包括铠甲新碟贝(*Neopilina galatheae*)、尤氏新碟贝(*N. ewingi*)和强壮新碟贝(*N. valeronis*),均在中美和南美近海约 5 800 米深处发现。单板类独特之处在于保持着多种原始的特征,除单个帽状的壳外,具有多种成对器官,这反映出它至少有部分分节。单板类鳃的结构与分节的形式使人想到,软体动物与环节动物的亲缘关系其实比以前想象的更密切,而且这些特征也表明软体动物与节肢动物(如昆虫、甲壳动物)有密切的亲缘关系。

monoplane　单翼机　只有一个机翼的飞机。多翼机由于相邻机翼间的气流干扰,使效率降低,所以单翼机几乎已普遍采用。第一架实用的单翼机是法国 L. 布莱里奥于 1907 年制造的,两年后他驾驶该机飞越英吉利海峡。这次飞行对在欧洲牢固地确立单翼机的设计起了重要作用 。单翼机的设计在第二次世界大战期间最后得到确认,以后除特殊用途外,单翼机已全部代替双翼机。参阅 **biplane**。

Monopleura　单肋蛤　双壳类(蛤类)已绝灭的和异常的属。化石见于白垩系(1.44 亿年前至 6 640 万年前)。代表厚齿类的畸变蛤类。三角形厚壳被一个小得多的圆盖状壳覆盖着。有些厚齿类中,壳上有使液体流过的通道。该属及其他厚齿类习性上营固定附着生活。此类动物明显向上生长,以尖端固定于基底。

monopolistic competition　垄断竞争　指可能有许多独立的买者与卖者,但因产品差异、市场的地理分离或某种类似情况,出现竞争不完全的市场状况。该理论是由美国经济学家 E. H. 张伯林在《垄断竞争理论》(1933)中和英国经济学家 J. 鲁宾逊在《不完全竞争经济学》(1933)中几乎同时提出的。该理论涉及各种市场现象,如产品差异,即从消费者眼中看来,每个卖者所销售的货物都具有一些特点(商标名称、特定成分、附带的顾客服务等),因此可以认为卖者都拥有部分垄断。该理论还分析了①(卖主)寡头垄断:其特点为一个行业仅由少数大公司所构成;②歧视性垄断:同一种产品对于不同的顾客收取不同的货价;③买主(独家)垄断:只有一个(垄断的)买主。由于在发达的资本主义经济社会中,大部分商业是在产品有差异或寡头垄断的情况下进行的,当时人们对于这种分析报以很大热情是可以理解的。很不幸,该理论涉及许多难题,以致无法融入经济分析的主体之中。

monopoly　垄断　由一产品或服务的供应商单独占有一市场,而其产品或服务无可替代。在此情况下,供应商可以决定其产品价格而不必担心其他来源的竞争或替代产品。一般认为他会选择能获最高利润的价格。

上述含义的垄断最好称之为绝对垄断,也就是完全竞争的相对。有很多卖方和买方买卖同类产品的时候才会有完全竞争。每一卖方只占有相对小的市场份额,他不可能改变其产量来影响市价,也不可能将价格涨到市场价格之上,因为买方会转向其他供应商。尽管绝对垄断和完全竞争这两个概念有助于解释经济原则,但在现实中很少出现这种情况,现实情况是在近似垄断和近似完全竞争之间不断变换。一般用法上,垄断这一术语常用来表示竞争的程度受到限制(但还是有),而竞争则表示限制较少(但并不是完全竞争)。垄断和竞争之间精确分界线由于这样的用法就成了定义上的问题。英国反垄断法中说,"如果至少有 1/3 特定产品或服务,为了限制竞争受一企业或几个企业联合控制,垄断才存在"。这是通常人们能接受的垄断定义。垄断寡头常采取联合行动或在法律允许下组成卡特尔,在价格和供应上签订协约。

争论中,赞成垄断的大都关心生产规模效率问题,例如有人争论说:大规模统一经营效率就提高,生产成本就降低;垄断可以避免浪费的竞争,垄断者可以使其活动合理化,消除超额的生产能量;垄断能提供某种程度的未来肯定性,从而有可能作出有意义的长期计划、合理的投资与发展决定。反对者认为,由于垄断的权力高于市场,他们可以用限制生产及其品种并多要价的办法榨取超额利润来剥削消费者;实际上缺少竞争恰恰不利于提高效率、降低成本,结果生产要素不能节约利用。

自由企业经济哲学的原则之一认为垄断通常是不受欢迎的而且应严加控制。这并不是说不承认特定领域内垄断供应有好处,而是将垄断限制在这些领域内,同时采取必要措施防止它剥削消费者。一个有关的例子是天然气行业。很清楚,消费者从竞争的公司通过竞争的分送管道获得天然气这种竞争是一种最浪费的竞争方式。因此,单一供应者的主张,在经济观点上是明智的。为了防止消费者被剥削,垄断者控制价格及供应能力要加以限制。这是关于经营"公用事业"的公司或需要"自然垄断"的技术领域的一贯看法。

据此,许多自由企业经济体系都有一个周密详尽的法律规章框架,目的在于控制垄断。最早的,也许最有力控制垄断的立法是美国的反托拉斯法。主要是《谢尔曼-克莱顿反托拉斯法》和《塞勒-凯弗维尔法》,它们的目的都是阻止供应者之间订立限制竞争的协定,限制商号间的合并和收购以减少竞争或实行垄断。此项立法含有强硬的民事和刑事的处罚,而且许多管理部门都有意向大力执行此项法律。在垄断受到鼓励的领域,如公用事业实行相当大的公开控制,以保证不滥用垄断权。在英国反垄断的立法与美国相同,但更为着重"公众利益"的概念。美国不欢迎任何限制竞争的协议或法律,但英国和其他西欧国家接受这种法律,如能证明它们合乎公众利益。总的说,垄断程度在美国相对较小,而在英国、法国和欧洲其他地方表现得较多,在那里实行垄断的多数是国营企业。

Monopoly　独占产业　一种棋戏,可供2～8人玩,玩时一方努力吞并产业,保持雄厚财力以迫使对手陷于破产。棋盘是四方的,四周各有 10 个小格,分别表示各种产业,如铁路、公用事业、监狱以及其他设施。开局时每人分配一定数额的玩具钞票,然后根据掷骰子的结果在棋盘周围移动。遇到无主产业,即可购入;如果产业已经有主,就需向主人交租金。如果遇到非产业性的格子,那就要抽签来决定得失。如果能一人独占某一组产业,就可出钱改善这些产业以提高它们的租金。谁先破产谁就先被淘汰出局。留下来最后一个人就是胜者。这种棋戏源于美国,后来在世界上很多地方盛行。

monoprint(printmaking)　**独版印刷**　参阅 **monotype** 独幅版画。

monopsony　买主独家垄断　在经济理论中,指只有一家买主的市场状况。纯粹买主独家垄断的事例:在一个孤立城镇里仅有一家公司,它是劳动力的唯一买主。这家公司就可以比在竞争条件下较低的工资支付工人。尽管纯粹买主独家垄断的事例甚少,但在卖主很多、买主很少的地方,买主独家垄断的因素就会出现。

monorail　单轨铁路　单轨上运行的一种铁路。车辆可跨在轨道上面,也可悬挂在轨道下面。采用悬挂式的车辆时,在车辆上空轨道上滑行的带轮车轴系统,由陀螺仪保持车身的平稳。采用跨在轨道上的车辆时,则由导轮或陀螺仪保持车身平稳。单轨铁路作为试验性交通工具,在 20 世纪初首次出现。多数单轨车辆仍使用常规的电力牵引机。日本东京建有一条商业用的单轨铁路,由市中心通往羽田机场。美国西雅图有一条供公共交通用的单轨铁路;加利福尼亚的迪斯尼乐园里面,也有一条单轨铁路。英国大伦敦议会对伦敦地区使用单轨铁路系统的可能性进行研究后,发现它与普通的铁路系统相比,并无优势可言。评论家们认为,单轨铁路存在造

美国西雅图市的单轨铁路
美国不列颠百科全书公司供图

价高昂、不够雅观、乘客上下车不方便、行车速度缓慢、车辆调头效率低等缺点。

monorhyme 单一尾韵诗 全部诗行均为同一尾韵的诗节或诗。英语诗歌中罕见，但是在拉丁语、威尔士语和阿拉伯语诗歌中十分常见。

monosaccharide 单糖 又作 simple sugar。糖类的基本结构单元。单糖为多羟醛或多羟酮，即分子中有一个以上的羟基(—OH)和一个羰基(C═O)。羰基位于末端碳原子上(醛糖)或在第二个碳原子上(酮糖)。在水溶液中羰基与一个羟基结合，形成环状化合物(半缩醛或半缩酮)。单糖按其分子中碳原子的数目分类：丙糖含 3 个碳原子，丁糖 4 个、戊糖 5 个、己糖 6 个、庚糖 7 个。多数单糖含 5 或 6 个碳原子。最重要的戊糖包括木糖(结合成木聚糖，见于木材中)、阿拉伯糖(见于松柏类)、核糖(组成某些核酸和维生素)及脱氧核糖(脱氧核糖核酸组分之一)。最重要的醛己糖为葡萄糖、甘露糖和半乳糖；果糖则为酮己糖。单糖有多种重要的衍生物。抗坏血酸(维生素 C)来自葡萄糖。糖醇由单糖还原(加氢)而成，重要的有作甜味剂用的山梨醇(来自葡萄糖)和甘露醇(来自甘露糖)。糖苷来源于单糖，在自然界广泛分布，植物中尤多。氨基糖(分子内一或两个羟基为氨基取代的糖)是糖脂的一个组分，存在于节肢动物的几丁质中。

monosodium glutamate(MSG) 谷氨酸一钠(味精) 又称谷氨酸钠。用于加强某些食品原有风味的氨基酸谷氨酸的钠盐白色结晶体，其作用在于对味蕾的刺激。中国称为味精，是中国烹饪的重要成分。日本称为“味之素”，原从海藻提取，现在日本是味精的主要生产者，从大豆蛋白质制取。美国以主要得自小麦的谷物蛋白质和甜菜为原料。味精能加强肉类与蔬菜的鲜味，也用于加强烟叶的风味。医药上曾用来治疗肝昏迷，大量摄取会引起明显的生理反应，如头痛、烧灼感、出汗、发冷和暂时性麻痹。这种过敏反应称为郭氏病，因为 R.H.M.郭曾对此病作过研究。有些中国餐馆过多地使用味精，因此又称“中国餐馆综合征”。

monotheism 一神论 相信只有一个神，亦即相信神的独一性的信仰。一神论中的神是唯一的真实的神，这个神是存在的，至少是人们认为他是存在的。一神论又认为：这个神的本质和性格是独特的，根本不同于可以同他在某种程度上相比拟的任何其他事物(例如其他宗教所奉的神灵)。一神论认为，神是世界与人类的创造者；他没有抛弃受造者，他运用他的权力和智慧，继续引导受造者。历史乃是这个神的意旨的表现。神不仅创造自然界和自然界的秩序，并且创造人应当遵守的伦理秩序以及与伦理秩序相应的社会秩序。根据犹太教、基督教和伊斯兰教教义的介绍，一神论的神是有位格的神。在这一点上，一神论的唯一真神不同于泛神论关于神的概念，尽管泛神论也可能断言只有一个神，或者说只有一个神性统一体。以上是一神论的基本观点。但是，从排他性一神论这一个极端到无限多神论另一个极端，中间有许多不同的看法。

排他性一神论认为只存在着一个神灵，其他神灵或者不存在，或者无非是假神、魔鬼。它们固然存在，然而就威力或其他属性来说决不能与唯一真神相比拟。犹太教、基督教、伊斯兰教教义基本上都持有这个观点。容他性一神论认为有许多神，但这些神本质是同一的，因此在求告神时，无论称呼哪一个神(不分性别)，不论履行哪一种礼仪，都无关紧要。古希腊的各种宗教便是这样。著名的例子是希腊和罗马的伊希斯教所奉的女神伊希斯。在阿普雷优所著的《金驴驹》一书中，伊希斯自称：“全世界各地以不同的方式、习俗和称号崇拜我的名字和我的神性。”单一主神论虽然承认其他神存在，但专门崇拜其中一个。单一主神论又称一时一神论。单一主神论一词是 19 世纪著名语言学家、比较神话学家、比较宗教学家穆勒(1823～1900)所使用的。较晚近的学者采用“单拜一神论”一词，意为不论他神是否存在而专拜一个神。一神论与多神论之间的关系错综复杂，研究一神多形论就可以使这种关系趋于明朗。一神多形论认为，各神一方面各自独立，另一方面又表现为同一的神质。有些宗教从根本上说是二元论，它们认为宇宙由两种基本的、经常是对立的本元(如善与恶，精神与物质)组成。这种宗教承认一个神和一个敌对神灵，而不相信有两个神，因此也可以算为一神论的分支。二元宗教最重要的例子是波斯人琐罗亚斯德(公元前 7～前 6 世纪)所创的琐罗亚斯德教。该教相信善端神阿胡拉·玛兹达和恶端神阿里曼互相争斗，誓不两立。

《旧约》中关于神的概念完全可以称为单拜一神论，而不是一神论，因为该书不但很少明确否定而且多次承认其他神存在。从公元前 6 世纪到公元最初几世纪犹太教的一神论与基督教的一神论朝着同一方向发展；后来，伊斯兰教一神论也在古希腊哲学的影响下形成。三者都成为严格的一神论，即：只有一个神，他应受全世界各地之人的崇拜。在标榜一神论的三大宗教中，基督教比较特殊，因为它承认古典的三位一体信条，而犹太教与伊斯兰教坚持上帝一位论。基督教的三大派别——天主教、东正教、新教——都承认一神有圣父、圣子、圣灵三位。三位一体教义显然与一神多形论相似。关于一神论，伊斯兰教的解释是最彻底、最恪守字义的。伊斯兰教认为基督教的三位一体论是一种三神论。《古兰经》说：“你说：他是真主，是独一的主；真主是万物所仰赖的；他没有生产，也没有被生产；没有任何物能与他匹敌”(第 112 章)。

Monothelite 基督一志论者 7世纪鼓吹基督一志论的人士，他们在其他方面坚持正统教义，但力辩基督只有一个意志。罗马皇帝希拉克略希望与埃及、叙利亚等地遭受绝罚处分和迫害的优迪克基督一性论派和解，以重新获得他们的拥护。622 年他在亚美尼亚向基督一性论塞维利亚派首领提出：基督的一人身上神性和人性都很明显，却只有一个意志和一个行动。此说引起了广泛的争论，以致继希拉克略登帝位的君士坦斯二世于 648 年发布敕令，禁止讨论这一问题。668 年君士坦丁四世即位，争论重新启动。君士坦丁四世遂于 680 年在君士坦丁堡召开公会议，即第三次君士坦丁堡会议，谴责基督一志论，并宣称基督两个意志和两个行动共存于一位。

monotreme 单孔类 原兽亚纲仅存的目——单孔目(Monotremata)的哺乳动物。为原始的哺乳动物。包括鸭嘴兽和两种针鼹。与爬行动物一样为卵生，但却是真正的哺乳动物，具有哺乳动物特有的特征：具乳腺，体毛，脑大，膈完全。体长约 30～80 厘米，体重 1～10 千克。现存三种：鸭嘴兽(*Ornithorhynchus anatinus*)，为最引人注目的哺乳动物之一；嘴宽阔扁平，形似鸭的喙；足有蹼；尾扁阔，似河狸。针鼹有两种：短鼻针鼹(*Tachyglossus aculeatus*)和原针鼹(长鼻针鼹，*Zaglossus bruijni*)，均体被尖刺，吻长、管状。鸭嘴兽见于澳大利亚东部，短鼻针鼹遍布澳大利亚和新几内亚；而原针鼹仅见于新几内亚。鸭嘴兽水陆两栖，生活于溪流和湖泊中，在岸边挖弯曲的地道；以昆虫幼虫、小型淡水螯虾、蝌蚪及其他水生动物为食。几乎没有天敌。短鼻针鼹通常独栖。虽然短鼻针鼹是澳大利亚分布最广泛的动物之一，但罕为人类看到，栖息于森林，灌木丛和荒漠。受惊时能以惊人的速度垂直挖出地洞，并用脏物掩盖自己，又将身体蜷缩成球状，将棘刺直立以资保护。原针鼹栖息于新几内亚云雾遮绕的潮湿森林，常在 100～2 000 米高处。对单孔类的社会行为几无所知。单孔类最突出的特征是能产卵，于生殖季节雌体产两枚有革质壳的卵。交配与产卵之间间隔 12～14 天，孵卵期为 12天。母兽无乳头，乳汁从乳腺流出，幼体舔食母体皮肤上的乳汁。针鼹交配后至少 16天产卵，孵化期约10天，在生殖季节雌体

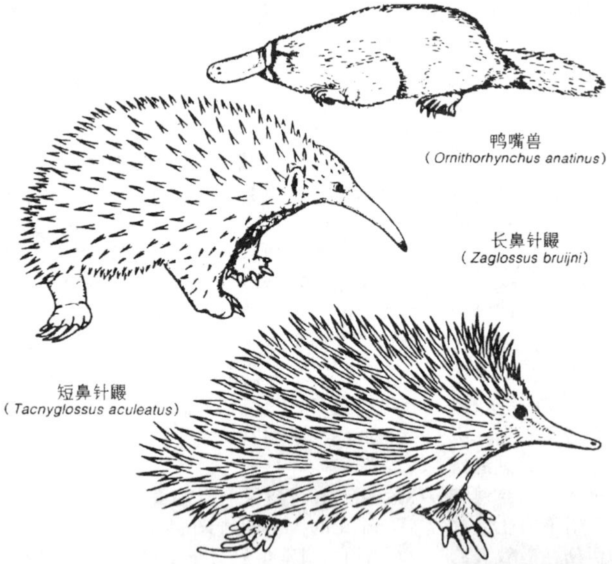

单孔目动物

的腹部临时出现一个皮肤囊,卵置于囊中,每次产卵一枚。幼仔孵出后在囊内生活一个短时期,但即使离开皮肤囊后仍继续吮乳一段时间。针鼹与鸭嘴兽一样,无乳头,幼仔从母体皮肤上舔食乳汁。单孔类无现存近缘动物,对其祖先类型几无所知。澳大利亚发现的最早的单孔类化石仅约为 200 万年前,与当代的种没有区别。许多权威人士认为单孔目起源于哺乳动物样爬行动物的一支,与衍生出其他哺乳动物的爬行动物支系不同,可是单孔类在解剖和发育方面可能充分代表最早的主流哺乳动物的特征。

Monotype 莫诺铸排机 T.兰斯顿于1885年注册专利的排字机,能铸排单个铅字(不像莱诺铸排机那样铸排一整行铅字)。莫诺铸排机由铸字机、字模库和有 120 个字键的键盘组成。字模库分成 4 个字区,每个字区存放一副字模。操作人员揿动变换字型的按钮,就能选用任何一个字区的字符,而且能在不更换字模库的情况下混排 4 个字区字模的字体。操作时先用键盘打出代表字符和间隔的穿孔纸带,输入铸字机,铸字机就能根据纸带上的穿孔自动地连续铸成单个字符。莫诺铸排机与莱诺铸排机相比,更能多方面应用,适合于铸排复杂的原稿,例如数学方程式和化学式。它的字模库便于收进特殊符号的字模。但由于速度慢、成本高,很少用于正文排版。现代,它和莱诺铸排机都已逐渐让位于照相排字(**photocomposition**)。

monotype 独幅版画 又称独版印刷(monoprint)。在艺术中指每版仅能印一次的版画。由于画面纹理质地独特而受到珍视。将油墨或油画颜料均匀涂在玻璃或平滑的金属版或石版上,然后在上面作画,然后将能吸墨的纸敷上,用手压抹,或者施行蚀刻法印刷。印过后,版上残余的颜料通常不敷再印,重新上色和复印不可避免会产生差异。由于每版只印一张,而且是手工操作,所以不是多次印制的版画技法。但因它是用版印在纸上,所以通常仍把它归入版画。G.B.卡斯蒂廖内(约1610~1665)是探索此项技法的最早的美术家之一。他用铜版腐蚀版作独幅版画。19世纪英国诗人兼画家 W.布莱克和法国画家 E.德加对此法也有过研究。

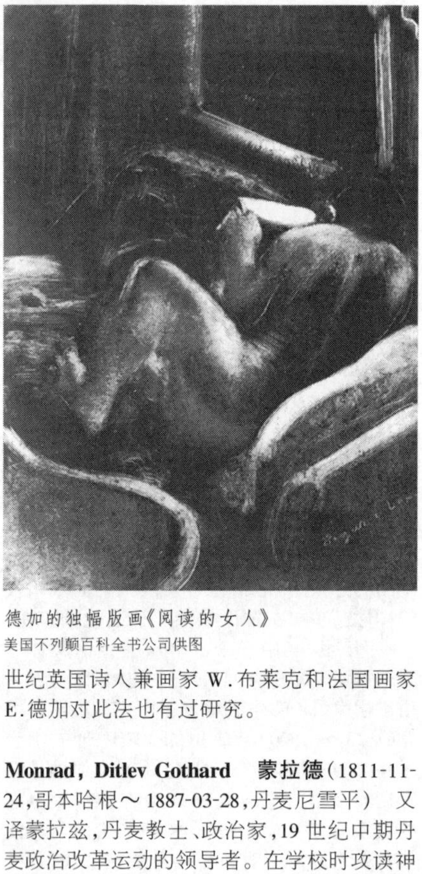

德加的独幅版画《阅读的女人》
美国不列颠百科全书公司供图

Monrad, Ditlev Gothard 蒙拉德(1811-11-24,哥本哈根~1887-03-28,丹麦尼雪平) 又译蒙拉兹,丹麦教士、政治家,19 世纪中期丹麦政治改革运动的领导者。在学校时攻读神学,信仰政治自由主义。他是信义会牧师,参加19 世纪 30 年代和 40 年代的政治改革运动,主张限制君权和建立代议制政府,并领导40年代成立的民族自由党。1848 年 3 月丹麦发生多次人民示威运动,迫使国王制订宪法,并成立新政府。同年 3~11 月任文化大臣,后因反对民族自由党发动的石勒苏益格战争(1848 ~ 1850)辞职。1848 年任主教,1849~1865 年为议会议员。1859 年再次参加民族自由党政府,任文化和内务大臣。1863 年任首相期间,使丹麦打了一场灾难性的丹德战争(1864)。战败后,遭到多方责难,1864年 7 月被解职。1882 ~ 1886 年再次任议员,对埃斯楚普领导的右翼政府持反对态度。

Monrad, Marcus Jakob 蒙拉德(1816-01-19,挪威讷特岛~1897-12-31,克里斯蒂安尼亚) 19 世纪挪威杰出的哲学家,持保守观点。他支持瑞典-挪威联合。蒙拉德主张用唯心主义观点解释黑格尔哲学,极力反对左派黑格尔主义和对黑格尔哲学的唯物的、革命的解释,以及其他自由主义和激进的思潮。1851 年任克里斯蒂安尼亚大学(今名奥斯陆大学)哲学教授,执教多年。蒙拉德著有《新时代的思想倾向》(1874)、《美学》(1889 ~1890)等书,经常撰文抨击挪威议会企图对国王任命的政府加强控制和企图破坏挪威与瑞典的联合体系。1882 年曾匿名发表文章鼓吹发动政变,恢复保守政权,宣扬瑞典和挪威共同国王的王权至高无上。

Monreale 蒙雷阿莱 意大利西西里岛西北部巴勒莫省城镇和大主教区。位于卡普托山坡上,俯瞰着孔卡河谷。在一处本笃会隐修院四周发展起来,该隐修院仅有壮观的回廊存世(连同 216 根大理石圆柱)。镇内大教堂(1174 ~ 1189)是意大利最富丽堂皇的教堂之一,将诺曼、拜占廷、意大利和萨拉森风格融为一体,尤以有现存最大的内部镶嵌装饰闻名,这种装饰是由一群在拜占廷训练有素的手工艺人在将近 10 年内完成的,其内容有旧约圣经故事、基督的奇迹和圣彼得、圣保罗的故事等。附近有著名的本笃会圣马蒂诺隐修院。蒙雷阿莱为柑橘属水果和橄榄的集散地。人口:城市区约 24 054(1981)。

Monro FAMILY 门罗家族 18~19世纪世界著名的苏格兰医生世家。祖孙三代的名字都是亚历山大·门罗,分别以第一、第二、第三冠作本名。他们连续执掌爱丁堡大学解剖学系长达 126 年(1720 ~ 1846)之久,从未有过间断。门罗家族以其丰硕的研究成果和桃李满天下而享誉世界。门罗第一(1697-09-08,伦敦~1767-07-10,爱丁堡)是个军医之子,后随父迁往爱丁堡求学,获医学博士学位。后赴巴黎和莱顿深造,1719 年回国。次年冬,受聘爱丁堡大学解剖学和外科学教授,但直到1725 年他才正式到任。门罗第一有极深的解剖学造诣,并以讲课不用讲稿、语言幽默而著称。一生出版过两本书和 53 篇论文,死后由门罗第二汇编成文集(1781)。他虽然不是外科医生,但对外科却有浓厚的兴趣,并在改进手术器械和敷料方面出过不少好主意。八个孩子中的门罗第二继承了他的职位。门罗第二(1733-05-22,爱丁堡~1817-10-02,爱丁堡)还是医学院二年级学生的时候就开始替他父亲讲课,1755 年 7 月 12 日,受聘为他父亲的助手,同年获医学博士学位。后赴伦敦、巴黎、莱顿和柏林深造,两年后回国。1758 年任爱丁堡大学教授,执教长达 49 年之久。从1800 年起,用了 7 年时间亲手提携他儿子门罗第三。他被认为是门罗家族中最优秀、最有作为的教授和解剖学家。他的学生遍及全世界,研究成果涉及病理、生理和解剖等多个学科。门罗第三(1773-11-05,爱丁堡~1859-03-10,爱丁堡附近克雷洛克赫特)1797 年获爱丁堡大学医学博士学位,后赴伦敦、巴黎深造,1800 年回国。同年任其父助手,后因父亲病重才开始独立讲课(1808),1817年任教授,1846年退休。门罗第三的事业平庸,靠祖辈馀荫而有其名位。

Monroe 门罗 美国路易斯安那州东北部城市,沃希托县县城。位于沃希托河畔。1785年一批法国拓荒者在此建立米罗堡贸易站。1819年为纪念"詹姆士·门罗"号汽船到此而改称门罗。1820年设市。同河对岸的西门罗一起为四周农区的制造和商业中心。附近有门罗天然气田并有化工及炭黑工业。设有州立路易斯安那东北大学(1931)。人口:城市53 107;都会统计区147 250(2000)。

Monroe 门罗 美国密歇根州东南部城市,门罗县县城(1817)。濒伊利湖,临雷辛河口,位于底特律和托莱多之间。18世纪80年代创建,1827年设村,1837年设市。1813年雷辛河大屠杀发生于此地。现经济以运输业和多种制造业(纸制品和汽车零件)为主。设有门罗县社区学院(1964)和门罗县历史陈列馆。人口约735 343(2000)。

Monroe, Bill 门罗(1911-09-13,美国肯塔基罗辛～1996-09-09,田纳西纳什维尔附近斯普林菲尔德) 美国音乐家和器乐演奏家,乡村流行音乐"蓝草音乐风格"的创始人。也以歌手和曼多林琴演奏家著称。1927年比尔·门罗开始在其哥哥伯奇和查理领导的管乐队里做专业演奏员。1930年迁居印第安纳,在炼油厂工作,并在当地电台演出。1932年他们参加一个传统谷仓舞表演团的巡回演出,声望渐增。但因伯奇不爱旅行,乃由比尔和查理两人合作,以二重唱形式从内布拉斯加直到南卡罗来纳巡回演出。1936年为胜利唱片公司录制他们的第一批唱片,获得巨大成功。在其后两年中共为胜利公司录制60首歌曲。1938年他们决定分别组织各自的乐队。比尔的乐队名为"蓝草小伙子",在田纳西州的纳什维尔为WSM电台的"大奥普里"广播节目演奏。蓝草乐队的音乐以有推动力的切分音节奏、密集而复杂的和声、使用比习惯上使用的G、C、D调更高的B♭、B和E调为特点。演奏传统民间歌曲、少量商业性乡村乐曲和大量的比尔自己创作的乐曲。比尔的音乐明显地受布鲁斯的影响,这种影响来自一位名叫A.舒尔茨的黑人吉他演奏家。他受到的另一种影响来自他的叔父,乡村提琴手P.范迪弗尔。蓝草小伙子乐队在南方和中西部广受欢迎。至20世纪80年代蓝草音乐节及其演出的听众日益增长,比尔的乐队始终名列前茅。

Monroe, Harriet 门罗(1860-12-23,芝加哥～1936-09-26,秘鲁阿雷基帕) 美国《诗歌》杂志的创办人,长期任其主编。曾在华盛顿(哥伦比亚特区)的圣母往见会女隐修院受教育,后在芝加哥各报馆工作,任美术和戏剧评论员,同时私下按当时时髦的传统写诗和诗剧。她的诗歌和家庭的社会关系使她在当地获得赏识。她的英雄诗《哥伦布颂》(1892)被选在芝加哥世界哥伦布博览会落成典礼上朗诵,她歌颂芝加哥历史的狂想诗《大合唱》在现代建筑的先驱L.沙利文设计的会堂大厦的落成典礼上(1889)为人们吟诵。她立志办一家专门刊登诗歌的刊物,得到芝加哥一些富豪的资助并征得众多当代诗人的诗稿,如愿以偿。《诗歌》第一期于1912年10月问世。它的创刊与"芝加哥文艺复兴"同时,人们往往以为它是特地为桑德堡、马斯特斯、林赛和安德森等人不加修饰、新奇和富于地方色彩的诗创办的;但是,它也介绍了诗歌写作中的新形式主义运动。它论述过印象主义、意象主义和自由诗问题。当时尚未出名的T.S.艾略特的《普鲁弗洛克的情歌》1915年刊登在《诗歌》,W.斯蒂文斯、M.穆尔、D.H.劳伦斯和W.C.威廉斯的实验诗也发表在该刊。它经历了"芝加哥文艺复兴"的盛衰和两次世界大战,却依然是一家享有崇高声望的刊物。门罗担任它的主编,直到她在南美洲旅行期间猝然去世为止。她采取兼收并蓄的编辑方针,而且意识到该世纪初诗歌革命的重要意义,因此,她对现代诗歌的发展起了重大影响。自传《诗人的一生:在不断变化的世界上度过的70年》1938年出版。

Monroe, James 门罗(1758-04-28,弗吉尼亚威斯特摩兰县～1831-07-04,纽约市) 美国第5任总统(1817～1825),因提出门罗主义而对美国外交政策做出重要贡献。父亲是

美国不列颠百科全书公司供图

苏格兰人,母亲是威尔士人后裔。16岁入威廉-玛丽学院读书,1776年辍学,参加美国独立战争。1780年在当时任弗吉尼亚州长的T.杰斐逊指导下学习法律,两人建立亲密的关系。1782年选入弗吉尼亚州议会。1783～1786年参加邦联议会。议员任期届满后,在弗吉尼亚州弗雷德里克斯堡当律师。1787年再度当选为弗吉尼亚州议会议员,1788年出席通过新联邦宪法的弗吉尼亚州国民大会。1790年当选美国参议院议员。1794年华盛顿提名他担任驻法国公使。1797年春回国。同年12月出版《我对美国外交政策的看法》。1799年当选为弗吉尼亚州州长,并两次连任至1802年。1803年1月杰斐逊总统任命他为特命全权大使,前往法国协助驻法公使罗伯特·利文斯顿解决购买密西西比河河口的问题,同时与驻马德里公使查理·平克尼合作,处理西班牙转让东、西佛罗里达的问题。同年4月又被任命为常驻英国公使。他在巴黎与利文斯顿会合,发现拿破仑有放弃路易斯安那地区的想法,两人越权决定把路易斯安那整个购买下来。1803年7月,门罗离开巴黎前往伦敦赴任。1804年秋抵达马德里,协助平克尼就划定路易斯安那边界问题和西班牙让出佛罗里达问题进行谈判,未获成果。1805年回到伦敦,就英国强征美国海员和扣留美国商船问题举行谈判,没有任何进展。1807年12月门罗返回美国。1810年当选为弗吉尼亚州议会议员,同年冬再度当选为州长。1811年11月麦迪逊总统任命他为国务卿,任该职至1817年3月,因此1812年战争前后这一困难时期的对英外交完全由他承担。1814年9月27日英军占领首都华盛顿(哥伦比亚特区)以后,门罗出任陆军部长。1816年他当选为美国总统,1820年重新当选,任期内政务平静顺利,史称"和睦时期"。1823年12月2日,他在总统国情咨文中阐明所谓门罗主义,对美国的外交政策产生了深远的影响。咨文中公开申明3点:欧洲各国不得在新大陆进一步开拓殖民地;美国不干预欧洲政治事务;欧洲不得干涉美洲半球各国政治。在公布此咨文前后的外交信件中还提到第4点:美国反对现有欧洲殖民地从一欧洲宗主国转给另一国家。在第2次总统任期届满以后,门罗回到弗吉尼亚奥克希尔的故乡。1826年成为弗吉尼亚大学董事。1829年出席为修改州宪法而召开的国民大会。后在去纽约探视女儿时去世。

Monroe, Marilyn 梦露(1926-06-01,洛杉矶～1962-08-05,洛杉矶) 原名诺尔马·让·莫滕森,又名诺尔马·让·贝克。美国喜剧女演员,金发女郎的性感象征。主演过50年代非常成功的商业赢利片。在其艺术生涯中被人们宣传为一个漂亮、但头脑简单的金发女郎。以后,她作为一个在好莱坞种种压力下毁灭的敏感、生活动荡的悲剧形象而留在人们心中。童年在孤儿院和收养人家度过,后为一个摄影家的模特儿。她在日历上的一张裸体照片将她领入影坛,于1948年在《斯库达——呼!斯库达——嘿!》中扮演角色。在

布朗兄弟公司供图

《柏油丛林》(1950)和《夏娃的故事》(1950)中出演的次要角色获得电影界的承认。在喜剧《绅士们更爱金发女郎》(1953)、《如何嫁给百万富翁》(1953)和《7年搔痒症》(1955)中扮演富于性感的主角。因为急于想得到人们对她的表演艺术而不仅是外表媚力的承认,她到纽约的演员排演场拜斯特拉斯伯格为师。回到好莱坞后在较严肃的影片中饰主角,这类

影片有《公共汽车站》(1956)、和奥利弗合作演出的《王子和舞女》(1957)、《有人喜欢烫的》(1959)和最后扮演的《格格不入的人们》(1961)。其私生活受到广泛宣传,其中包括1954年她与棒球明星迪马乔为期9个月的婚姻和与普利策奖获得者、剧作家米勒的婚姻(1956～1961)。由于过量服用安眠药而死,引起世界舆论的震动。

Monroe Doctrine　门罗主义(1823-12-02)　美国总统詹姆斯·门罗在致国会的年度咨文中阐明的基本对外政策。他宣称旧大陆和新大陆社会制度不同,必须各自保持明确的势力范围。他提出4个基本点:①美国不干涉欧洲列强的内部事务或它们之间的战争;②美国承认并且不干涉西半球现存的殖民地和保护国;③不得再在西半球开拓殖民地;④任一欧洲强国试图压迫或控制西半球任何国家的任何企图都将被视为对美国的敌对行为。门罗主义是英美两国担忧欧洲列强试图恢复西班牙殖民地的结果。这些殖民地中,有许多已成为新的独立国家,英国希望同它们进行贸易,一旦西班牙重新使之沦为殖民地,这些市场就会关闭。结果,英国外交大臣乔治·坎宁建议英美两国发表联合宣言,禁止再把拉丁美洲殖民化。门罗早已有此想法,前总统杰斐逊和麦迪逊也有同感,但国务卿亚当斯主张由美国独自发表一项对美洲政策的声明,最后依此行事。门罗主义宣布的由美国单方面保护全部西半球,在1823年还是一项难于军事实力支持的对外政策。门罗和亚当斯深知需要英国舰队来遏制拉丁美洲的潜在侵略者。由于美国当时并非强国,而且欧洲列强显然未认真考虑使拉丁美洲重新殖民化,门罗的政策声明在国外并未引起重视(在将近30年内并无"门罗主义"之名)。1870年后,对门罗主义的解释日益扩大。随着美国成为世界强国,门罗主义被用来规定一个得到承认的势力范围。1904年西奥多·罗斯福总统为门罗主义补充了"罗斯福推论",声称一旦某个拉丁美洲国家公然经常地为非作歹,美国可以干涉其内部事务。从西奥多·罗斯福一直到富兰克林·罗斯福总统的任内,美国经常对拉丁美洲、尤其是加勒比地区进行干涉。20世纪30年代以来,美国曾试图同西半球国家个别磋商和通过美洲国家组织进行磋商来制定其对拉美的政策。但是,在对其国家安全出现明显威胁时,美国继续以领主身份行事。西半球仍是美国支配的势力范围。

Monroeville　门罗维尔　美国宾夕法尼亚州西南部阿勒格尼县自治镇。西距匹兹堡21千米,在宾州公路上。19世纪为匹兹堡和费城之间的公共马车站并以此闻名。1951年设镇。现以企业研究设施著名,有一些工业。为周围地区的零售及商业中心。1966年建立阿勒格尼县社区学院博伊斯分校。人口29 349(2000)。

Monrovia　蒙罗维亚　利比里亚首都、最大城市,该国大西洋岸的主要港口。位于布什罗德岛和梅苏拉多角上。美国总统詹姆斯·门罗执政时期,美国殖民协会将该城辟为获得自由的美国奴隶的居住区,并以门罗的名字命名。最初的城镇(1822年兴建)位于梅苏拉多河口的普罗维登斯岛上。居民为北美移

蒙罗维亚市的法院大楼
美国不列颠百科全书公司供图

民后代,其祖先多于1830～1871年间迁居于此,亦有大量从内地来的移民。布什罗德岛有人工港和西非唯一的自由港蒙罗维亚港。作为全国的商业和运输业中心,有石油、油漆、金枪鱼加工、制药、水泥等工业。重要建筑有国会大厦(建于1958年),总统官邸(建于1964年)、市政厅和法院大楼。然而1990年爆发的激烈的多边内战,使这些建筑以及其他建筑受到严重损伤,甚至毁坏。蒙罗维亚是全国的教育中心,利比里亚大学即位于此。该校1851年创办,1862年开始招生,1951年成为综合性大学,1968年开设医学院。现代蒙罗维亚公立综合学校位于辛科尔区,并有几所教会中学。医疗设施有约翰·肯尼迪纪念医院,一所政府医院、两所教会医院以及若干私人诊所。1961年,蒙罗维亚会议发起成立非洲统一组织。人口479 000(1999)。

Mons　蒙斯　佛兰芒语作Bergen(贝亨)。比利时西南部埃诺省省会。史前时期即有人居住。3世纪时为一罗马军营。804年查里曼承认为埃诺首府后,繁荣起来,14～16世

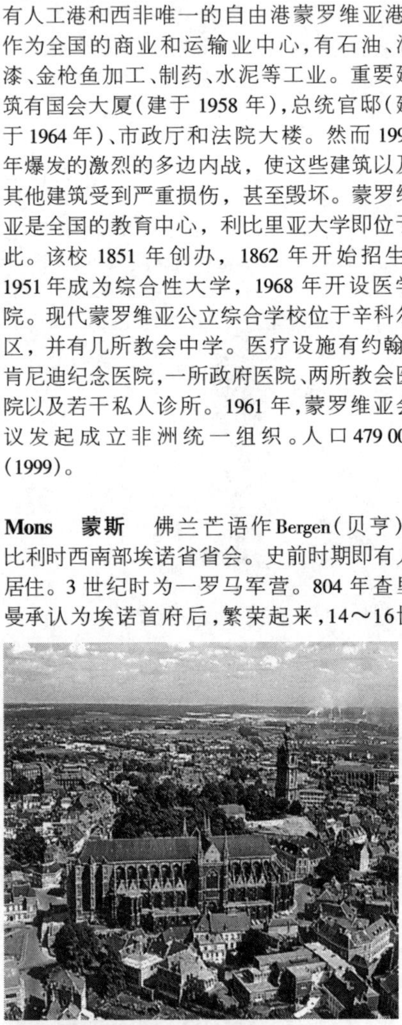

蒙斯市的圣沃德鲁教堂(中)
美国不列颠百科全书公司供图

纪间为织布中心。16～18世纪战争中屡次受到荷兰、西班牙、法国和英国军队的攻击和占领,1830年前先后受法国、西班牙、荷兰和奥地利人统治。1914年英德之间第一次交战在此进行。1940年时遭德国飞机轰炸。蒙斯是一座大学城,设有蒙斯国立大学中心、工业学院、美术学院、高等建筑学院和皇家音乐学院。尽管不是工业城市,但经过两次合并,城市范围扩及数个工业区。西南部的热马普主要是冶金业区,奎姆有铁路工厂。西北部的格兰区有化工、玻璃、轮胎和酿酒厂。东部的奥堡和阿尔米尔生产水泥。1967年以来,北大西洋公约组织欧洲盟军最高统帅部的军队就驻在附近的卡斯托高原。人口:城市区约90 935(2000)。

Mons Lactarius, Battle of　拉克塔留斯山战役(553)　在意大利那不勒斯附近拉克塔留斯山进行的一场决战。在这次战役中,拜占廷帝国将军纳尔塞斯击败了东哥特人,解除了其末代国王泰阿斯所造成的威胁。泰阿斯在换盾时被杀死,余部在保证不再侵犯帝国的条件下和平地撤走。

Monsanto Company　孟山都公司　以前为孟山都化学公司(1933～1964),或孟山都化学工厂(1901～1933)。美国最主要的化学、农业和生化产品的制造商。总部设在美国密苏里州圣路易斯。公司由一家批发药品公司的采购代理商J.奎尼(1859～1933)于1901年创建,生产当时只有德国才能生产的人造甜味剂糖精。奎尼投入自有资金1 500美元,又从当地一家艾普森食盐制造商借入3 500美元,开办这家工厂,以其妻子的闺名孟山都命名。公司于1902年全力投入糖精生产,以后数年又增加生产咖啡因和香草醛。1905年开始赢利。可口可乐公司是该公司主要的消费商之一,1915年销售额达100万美元。公司于1917年开始制造阿司匹林。第一次世界大战期间,孟山都公司和其他美国化学公司一道扩大了业务;20年代在美国的高关税保护下,经营兴旺发达。奎尼于1928年将公司管理权交给他的独生子埃德加·奎尼(1897～1968),埃德加在1960年退休以前,使公司扩大成为工业巨头。1933年孟山都公司改名为孟山都化学公司。第二次世界大战期间,它生产的苯乙烯是制造合成橡胶的必要原料。1964年公司取消名称中的"化学"字样,以表明其多种经营。1985年孟山都购入了生产"营养香精"甜料的制药商塞尔公司。2000年,孟山都公司卖掉甜料生意,包括"营养香精"。20世纪90年代,公司收购了卡尔基因公司,迪卡遗传公司和其他生物科技公司,使之成为基因改良作物种子开发和生产的领导者。1994年公司开始生产牛生长激素。2000年3月与传统制药公司玛法西亚公司合并,但2002年8月,孟山都公司的非制药部门被分割出去,孟山都公司成为上市交易公司,主要业务在农业和生物技术方面。

Monsarrat, Nicholas　蒙萨拉特(1910-03-22,英国利物浦～1979-08-08,伦敦)　全名尼古拉斯·约翰·特尔尼·蒙萨拉特。英国小说家。所写《残酷的海》生动地记述了战时在一艘小舰上的生活。在剑桥大学三一学院获得法学士后,在律师事务所工作两年。1934年出版第一部作品《明日畅想》,但直至第二次世界大战爆发后才完全出名。1940～1946年在皇家海军服役,主要在大西洋上执行危险的护航任务。在《科维特号》(1942)和《残酷的海》(1951)中,对这一段生活有精彩的描写。后者成为极受欢迎的畅销书。后期作品

有《埃丝特·科斯特洛的故事》(1953)、《失去头人的部落》(1956)和《史密斯和琼斯》(1963)。后者根据1951年伯吉斯和麦克莱恩叛逃苏联一案写成。《生活不堪回首》(第二版,1966)是写到1956年的自传。最后一部小说《骄傲的船长》(1979)是写1588～1788年的英国海军历史。

monseigneur 殿下 法国过去的一种称号,在提到或者称呼王太子或王储时使用。最初用于称呼路易十四之子法兰西的路易(1711卒)、孙子勃艮第公爵路易(1712卒),后用来称呼路易十五之子法兰西的路易(1765卒),最后用于称呼路易十六之子路易(1789卒)。一般也可用于公爵等贵族和元帅、部长及其他高官称号的前面。

monsieur 先生 缩写形式为M.,法语。英语中sir(直接称呼他人时)和mister的等义词。词源学的意义是"我的主人"(mon sieur)。作为法国宫廷中的一个敬称,相当于"殿下",是提到或称呼国王的在世的大弟时不加姓名使用。最初的著名用例是指亨利三世的弟弟阿朗松公爵弗朗索瓦(后为安茹公爵),他所缔结的《夏斯特诺瓦和约》(1576)通称"殿下和约"。后来路易十三、路易十四、路易十六、路易十八的大弟皆相继使用这一称号。

monsignor 大人 天主教会中对神职人员的称呼,表示教皇授予他的荣誉称号。"大人"这种称号可以授予担任或不担任教职的人。有此头衔者有资格穿着与其身份有关的长袍,并参加教皇主持的弥撒祭和一切宗教或社会庆典。教廷内有权享受"大人"称号的神职人员有:①宗主教、大主教、主教,称"至尊大人"(most reverend monsignor);②教廷最高书记、国内高级神长,称"尊贵大人"(right reverend monsignor);③教宗侍从,称"贵大人"(very reverend monsignor)。教皇死亡时即失去他们的称号。

Monson, Sir William 蒙森(1568,英格兰林肯郡～1643-02,萨里金纳斯利) 英国海军军官。以所著《海军短文集》驰名于世。1581年攻读于牛津大学巴利奥尔学院,后辍学当水手,1594年获得学位。在大败无敌舰队之役中,在"查尔斯"号供应舰上服役。后三次远航西印度群岛。又先后任埃塞克斯伯爵的旗舰舰长、舰队的副司令、英吉利海峡和爱尔兰海舰队司令。因接受西班牙贿赂及涉嫌刺杀T.奥弗伯里爵士一案,被解除职务。退役后从事著述《海军短文集》。1682年该书印成节略本,1704年全文出版。1902～1914年由M.奥本海编辑成5卷最后定本。该书是亲自参加作战的海军军官的第一手资料,为伊丽莎白女王对西班牙作战的海上情况提供了非常珍贵的评述。

monsoon 季风 风向随季节改变的一种大范围盛行的风系——例如约有6个月吹东北风,6个月吹西南风。最突出的例子是南亚和非洲的季风,美国墨西哥湾沿岸和中欧及其他地区也有出现季风的趋势。季风的产生有各种原因,但主要是因为在大陆和海洋存在着年温度差。在陆地上温度的季节性变化大,在水面上温度的季节性变化小,夏季季风从较冷的海洋吹向较暖的大陆,冬季从大陆吹向海洋。较冷的地区气压高,较暖的地区气压低,使空气按上述规律流动。在季风区的极向边缘上风向突然改变,例如:7～8月印度的季风为西南风,而印度的北部吹东风;1～2月澳大利亚北部的季风为西北风,而在南部边缘区又吹东风。大多数夏天季风以西风为主,具有强大的上升趋势,并伴有大雨(因为在上升气流中水汽凝结),但降雨的强度和持续时间每年不同。相反,冬天的季风以东风为主,具有强大的辐散、下沉趋势,引起干旱。

Monsoon Current 季风洋流 又称Monsoon Drift(季风飘流)。通常指北印度洋的表面洋流。它与大西洋和太平洋的表面洋流不同:这两者在赤道以北都有顺时针方向的强大环流,北印度洋的表面洋流则随季风而变化。东北季风期(11～3月),印度洋北赤道洋流(或称东北季风飘流)向西南和西流动,穿过赤道。在这条西向洋流和赤道以南由东南信风驱动的西向洋流之间,有一条赤道逆流在约南纬10°处向东流。西南季风4～10月发生,它与同期穿过赤道并转向西南的东南信风汇合后,使洋流流向逆转,推动西南季风飘流向东,使部分洋流北入阿拉伯海和孟加拉湾。印度洋南赤道洋流的运动在索马里岸外和阿拉伯半岛东南部沿海特别强,海水涌升降低了近海海水的温度。赤道逆流在一年中上述时期无表现。

monsoon forest 季风林 又称dry forest(干旱林)或tropical deciduous forest(热带落叶林),有长旱季继之以充沛雨季的热带地区的开阔林地。季风林的树木常在旱季脱叶,雨季开始时生叶。林中有多数木质藤本植物和草本附生植物(气生植物,如兰花)。季风林在东南亚特别繁茂,林中多高大的柚木和竹丛。

monster 畸胎 明显畸形的胚胎或新生儿。可能为遗传性,或因妊娠早期孕妇服药、照射X射线或患病所致。畸胎主要分为两类:身体有缺陷或过度生长、在某个轴上身体的一部或全部生长重复。植物的生长不正常能造成瘿、肿瘤、魔扫帚(丛枝病)及带化(几部分联在一起)等畸形。畸胎与遗传和环境的因素都有关系,环境因素包括细菌、真菌、螨、昆虫及寒冷、炎热、污染物和辐射。生物体发育的正常过程常能通过对畸形的研究而得到阐明。参阅**teratology**。

Monstera 龟背竹属 天南星目(**Arales**)的一属,其种类为受人喜爱的观叶植物。

monstrance 圣体发光 天主教会和基督教其他一些教派所使用的器皿。将圣体礼所用的饼与酒置于其中,持之以列队行进或安置在某处展示。16世纪以后的圣体发光主体为一圆形玻璃片,嵌在十字架上或环以光芒形金属,饼与酒置于柄中,柄插入玻璃片后的开口中。

约1600年的金质圣体发光
美国不列颠百科全书公司供图

Monstrelet, Enguerrand de 蒙斯特勒莱(约1390～1453-07) 皮卡迪的一个贵族家庭成员,以写百年战争最后阶段(1400～1444)的编年史出名。这部编年史分上下两卷,材料真实,叙述可靠,有重大参考价值。

Mont 蒙特 又拼Montu, Monthu或Mentu。古埃及宗教崇奉的上埃及第4省之神,该省首府赫尔门斯(即今艾尔曼特)在第十一王朝(公元前2081～前1939)为底比斯所取代。蒙特为战神,其神鸟为隼,神兽为公牛;自第三十王朝(公元前380～前343)起,此公牛(称比奇斯)受到隆重的崇拜。蒙特之像人身而隼头,其冠饰以双羽,翘首双蛇盘在额头。在底比斯附近的凯尔奈克以及赫尔门斯、埃尔-图德和底比斯地区的埃尔-马达穆德都有奉祀此神的重要庙宇,各庙在罗马帝国统治期间都曾大事扩建。

Mont-aux-Sources 苏尔斯山 南非纳塔尔省、奥兰治自由邦省与莱索托交界的德拉肯斯山脉山区高地和高原最高处。是奥兰治河(南)、瓦尔河(北)和图盖拉河(东)的源头。海拔约3 050米,大部位于莱索托境内。向东倾斜至莱索托-纳塔尔边界3 299米的山峰。该山峰位于南非皇家纳塔尔国家公园西缘。

Mont Blanc(France) 参阅**Blanc, Mont 勃朗峰**。

Mont Blanc Tunnel 勃朗峰隧道 连接法、意两国的阿尔卑斯山主要汽车隧道。长11.7千米,位于欧洲最高峰下,以解决了困难的通风问题而著称,且为第一条全断面掘进的岩石隧道。意法两国分别于1958年和1959年开工,从两端分头掘进,1962年8月贯通。施工中克服了许多困难,包括一次大塌方。隧道于1965年开通,是世界上最长的公路隧道。该隧道有重大经济价值,它实现了两国人民150年来的梦想,大大缩短了两国间的汽车交通路线。1999年3月,一场燃烧了2天的火灾造成36人死亡,并对隧道造成重大损害,隧道被迫关闭。2002年3月先对小汽车开通,随后几个月又对卡车和公共汽车开放。一些人基于环境和安全的考虑,反对隧道重新开通,特别是针对那些重型卡车。

Mont Cenis(France) 参阅**Cenis, Mount** 塞尼山。

Mont-de-Marsan 蒙德马桑 法国西南部阿基坦大区朗德省省会、城镇。位于波尔多南面,杜兹河和米杜尔河汇合处。为行政中心和集市城镇。建有斗牛场、赛马场和几座博物馆。1141年由德马桑子爵皮埃尔建立作为其首府。16世纪末卷入宗教战争,遂归属法王。城北郊有空军基地。工业有木材和食品加工。人口29 489(1999)。

Mont-Saint-Michel 圣米歇尔山 法国诺曼底海岸外芒什省的岩石小岛和著名的圣地。在雷恩的北面。岛几乎呈圆形,周长约900米。由耸立的花岗岩构成,海拔88米,经常被大片沙岸包围,仅涨潮时才成为岛。在

圣米歇尔山和山上的隐修院大教堂
美国不列颠百科全书公司供图

建成与陆地连接的3 000英尺堤道之前,由于流沙和特快的涨潮,人们很难进入。该岛最早称为托姆伯山。8世纪开始称圣米歇尔山,成为一个朝圣中心。966年建造本笃会隐修院。1256年该岛设防以抵御百年战争和法国宗教战争中对它的围攻。18世纪隐修院衰落。拿破仑在位期间(1804～1814)成为国家监狱直到1863年。后被划为历史纪念地并得到修复。现为法国一重要旅游地。岛上隐修院教堂有庄严的11世纪罗马式中殿和哥特式唱诗班席(1450～1521)。尖塔上的圣米歇尔雕像是19世纪加上的。哥特式隐修院的围墙兼有军事要塞的雄伟和宗教建筑的朴素。从南侧和东侧中世纪城墙(13～15世纪),可一览海湾全景。通往隐修院的狭窄弯曲的街道两侧有旅馆和旅游商店,一些房屋建于15世纪。人口72(1990)。

Mont Sainte-Anne 圣安娜山 加拿大魁北克省立公园。坐落在魁北克东40千米处,俯瞰圣劳伦斯河北岸。从地质学上说,圣安娜山是劳伦琴山脉的一部分,山脉本身又是加拿大地盾的一部分,是世界最古老的山区之一。山顶被削平,海拔815米,以其滑雪设施而闻名。1971年以来一直是滑雪世界杯赛的场地。

Montacute FAMILY 参阅 **Montagu Family** 蒙塔古家族。

Montacute, Thomas de 蒙塔古 参阅**Salisbury, Thomas de Montagu, 4th Earl of** 索尔兹伯里伯爵(第四)。

Montafon Valley 蒙塔丰河谷 奥地利西部福拉尔贝格州伊尔河上游河谷。从布卢登茨向东南延伸,全长约25千米。公元前4世纪始有人定居。14、15世纪瑞士上罗讷河谷的瓦利斯人来此前,当地居民通常不与外界往来。一向从事养牛业和乳品生产。第二次世界大战后成为福拉尔贝格州的水力发电中心和著名旅游区。

montage 蒙太奇 电影中把内容有关的个别胶片片段组接在一起构成一个段落的剪辑方法。影片导演、剪辑师以及画面和音响技师运用蒙太奇方法把影片的各个部分一段一段地剪辑起来。画面的蒙太奇可以把各个镜头按时间顺序联接起来叙述一个故事,也可以把一些画面交错排列以造成某种印象或说明某种联想。蒙太奇也指把各种音响综合起来以达到艺术表现目的的方法。对话、音乐和各种音响效果可以结合成种种错综复杂的样式,如在希区柯克(又译希契科克)的影片《讹诈》(1929)中,一个自以为杀了人的姑娘惊惶不安,头脑里反复出现刀这个字眼。蒙太奇方法最初是在美国导演E.S.波特(1870～1941)和D.W.格里菲思(1875～1948)的创作中得到发展的。但这一术语通常是指俄国电影的剪辑技巧,特别是指通过S.维尔卡皮奇在20世纪30年代影片中的蒙太奇片段介绍给美国观众的那种蒙太奇技巧。

Montagna, Bartolommeo 蒙塔尼亚(约1450,威尼斯共和国布雷西亚[意大利]～1523-10-11,维琴察) 意大利早期文艺复兴画家,维琴察画派最著名的画师。重要作品有维琴察

蒙塔尼亚绘《圣母子与圣塞巴斯蒂昂和圣罗科》(1487)
美国不列颠百科全书公司供图

圣米凯莱教堂的大祭坛画(1499,米兰布雷拉绘画陈列馆)。稳重的几何形构图表明他非常熟悉A.达·墨西那的作品。晚期的肖像画长于心理刻画,显出L.洛托对他的影响。其子贝内德托·蒙塔尼亚(1481～1558)在自己的画中模仿父亲的风格,也是一位杰出的版画家。

Montagnais and Naskapi 蒙塔格奈人与纳斯卡皮人 北美洲东北部两个游牧的印第安民族,操几乎相同的阿尔冈昆方言,文化上也极相似,主要区别在于其各自对不同环境的适应性。蒙塔格奈人传统上居住在与圣劳伦斯湾北部沿岸平行的大片森林地带,以桦皮棚屋为住所,而以驼鹿、鲑鱼、鳗鱼及海豹为生活资源。纳斯卡皮人居住在更北部的拉布拉多草地及苔原高原,猎捕驯鹿,以鹿肉为食,以鹿皮覆盖棚屋;并以鱼及其他小动物补食品之不足。"蒙塔格奈"一词来自法语,意为山地居民;"纳斯卡皮"一词为印第安名称,意为"未开化人",显系指其遥远的边地生活。蒙塔格奈人穿长袍、围腰布、扎护腿、着鹿皮鞋,很像其南部邻族易洛魁人和米克马克人。纳斯卡皮人穿着裁制的衣服,与其唯一传统的仇敌沿海爱斯基摩人相似。蒙塔格奈人和纳斯卡皮人夏季交通用独木舟,冬季用雪橇或雪鞋;用狗拖曳雪橇的办法是他们在新近时期向爱斯基摩人学得的。宗教信仰以自然神为中心。不存在部落组织;居民均以有关系的几个家庭结成小型宗族,宗族的构成视其领袖人物之兴衰而时有改变。南部诸宗族拥有专为陷阱捕兽或狩猎的地区;北部的纳斯卡皮人占地较广,界限亦不太明显。大多数蒙塔格奈人和纳斯卡皮人继续以宗族形式流动,冬季在内地狩猎,夏季则到沿海进行皮

毛贸易，但三个世纪以来使用火器猎捕，野生动物日益减少，而使生活更加困难。现代西方工业文化的影响，也加速了他们文化模式的改变过程。

Montagnana 蒙塔尼亚纳 意大利北部城镇。在威尼托大区的帕多瓦省，位于博洛尼亚以北约 72 千米和帕多瓦西南约 37 千米处。该城镇以中世纪所建的城墙闻名。城墙有 24 座多边形塔楼和 4 座城门，其中两座城门上筑有碉堡，状如城寨。城内有一座哥特式大教堂（1431 ～ 1502），教堂的一个正门是安德烈亚·桑索维诺设计建造的。市政厅建于 1550 年，是由米歇莱·桑米凯利设计的，17 世纪进行过修复。安德烈亚·帕拉弟奥设计

蒙塔尼亚纳镇的中世纪城墙
美国不列颠百科全书公司供图

了皮萨尼宫（1565）。15 世纪所建的圣弗朗切斯科教堂也很著名。现在这座城镇的主要经济基础是制造业。人口：城镇9 703（1989）。

Montagnana, Antonio 蒙塔尼亚纳（活动时期 1730 ～ 1750） 意大利歌唱家，以其雄浑有力的男低音嗓音及其在 G.F.韩德尔多部歌剧中所扮演的角色而著称。早期生活鲜为人知。18 世纪 30 年代初曾在罗马和都灵演唱。1731 ～ 1733 年为韩德尔主持的伦敦皇家戏剧团成员，韩德尔有几个歌剧角色是专为他的嗓音而作。1733 年夏入盟贵族歌剧团，自始至终参加该团 4 个伦敦演出季，在林肯律师学院广场和皇家剧院共扮演过不下 15 个角色。30 年代末嗓音已部分丧失其非凡力度和音域。1740 年至约 1750 年期间蒙塔尼亚纳立约受雇于马德里皇家教堂，主要在布恩·雷蒂罗皇宫演唱。其后即辍演。

Montagnana, Domenico 蒙塔尼亚纳（约 1687，伦迪纳拉[意大利]～ 1750-03-07，威尼斯） 意大利乐器制作家，所制小提琴尤其是大提琴闻名遐迩。据信蒙塔尼亚纳于 1699 年前后在威尼斯成为戈夫里勒的学生和助手，约 1711 年自己开办乐器制作商店。几年后因所制上乘乐器而声誉鹊起，约 1720 年以后产品硕果累累。可能曾受 4 所音乐学院之托提供弦乐器。他所制作的乐器有许多留存至今，其大提琴得到现代音乐家的高度赞誉。

Montagnard 蒙塔格纳德人 源出法语，意为"山民"。印度支那的山区民族。在越南，蒙塔格纳德人包括操孟-高棉语的人，如巴拿人、洛文人、墨农人和色登人；也包括操澳斯

越南中部高原的蒙塔格纳德人家庭
美国不列颠百科全书公司供图

特罗尼西亚（马来-波利尼西亚）语的人，如嘉莱人、拉戈莱人和拉德人。他们多数烧林开荒，种植稻谷。住房往往建于木桩之上，高出地面。宗教包括许多与自然和祖先相联系的精灵崇拜，仍有"与精灵沟通"的巫师和术士。嘉莱人、孟人、拉戈莱人及拉德人奉行母系传宗制。

Montagnard 山岳派 法国大革命期间国民公会的激进派议员，1793 ～ 1794 年法国大革命达到高峰时期控制着政府。其所以称为山岳派，是因为他们在开会时坐在议会中较高的长凳上。1792 年秋，山岳派是作为国民公会中较温和的吉伦特派的反对者出现的，他们由巴黎和其他城市选出的代表组成，依靠小资产阶级和无套裤汉的支持，并与巴黎的雅各宾俱乐部关系密切。吉伦特派被 1793 年 5 月 31 日至 6 月 2 日的群众起义推翻后，山岳派支配了国民公会，并在 1793 ～ 1794 年实际上统治法国的救国委员会中占据多数。1794 ～ 1795 年发生热月反动，许多山岳派人士不是被处决，就是被清除出国民公会。他们在国民公会中下降为少数派，称为"山巅"，不再有影响。

Montagu FAMILY 蒙塔古家族 又拼 Montague 或 Montacute。中世纪晚期英格兰历代索尔兹伯里伯爵的家族。他们是萨默塞特大地主蒙塔古的德洛戈的后裔。14 世纪时，蒙塔古的威廉帮助国王爱德华三世摆脱其母伊莎贝拉女王及其情人马奇伯爵的控制，这一家族开始闻名。1337 年，威廉被封为索尔兹伯里伯爵。他的后代在百年战争中战功卓著。索尔兹伯里伯爵托马斯（1428 卒）仅留下一女爱丽斯。她与 R.内维尔结婚（内维尔因而成为伯爵）。他们的儿子沃里克伯爵理查德在玫瑰战争中起过重大作用，人称"拥立国王者"。

Montagu, (Montague Francis) Ashley 蒙塔古（1905-06-28，英国伦敦～ 1999-11-26，美国新泽西普林斯顿） 英国出生的美国人类学家，以其普及人类学及自然科学知识的作品著称。蒙塔古先后在伦敦大学及佛罗伦萨大学学习，1937 年获哥伦比亚大学哲学博士学位。1949 ～ 1955 年任新泽西拉特格斯大学人类学系主任。1950 年为联合国教科文组织撰写"种族宣言"，因此举世闻名。此文件即以《种族宣言》为书名于 1951 年初版，1972 年修订再版，并有各种译本。蒙塔古写作主题多样，涉及人类进化、文化、儿童护理等方面。其他著作有《人类最危险的神话：种族谬论》（1942；修订第 5 版 1974）、《女性的天然优势》（1953；1974 修订再版）、《扣人心弦》（1971；第二版 1978）、《人类侵略本性》（1976）、《社会学初探》（1980）、《科学与创造主义》（1983）。

Montagu, Charles 蒙塔古 参阅 Halifax, Charles Montagu, 1st Earl of 哈利法克斯伯爵（第一）。

Montagu, Edwin Samuel 蒙塔古（1879-02-06，英格兰伦敦～ 1924-11-15，伦敦） 英国政治家，协助制订 1919 年的印度政府法案，这一立法标志着印度宪政发展的一个决定性阶段。1906 年进入议会，并任自由党领袖、首相（1908 ～ 1916）阿斯奎斯的秘书。1910 ～ 1914 年任议会印度事务部政务次官。1915 年入阁，任兰开斯特公爵郡大臣。任财政大臣时参与推行第一次世界大战公债并组建战争筹款机构。1917 年任印度事务大臣，制订英国在印度"逐步实现责任制政府"的政策声明。同年冬率代表团与印度总督切姆斯福德勋爵合作，起草关于印度政府和行政管理问题的蒙塔古-切姆斯福德报告，其中主要意见成为 1919 年印度政府法案的内容。由于在对土耳其的政策上与首相劳合·乔治发生意见分歧，1922 年辞职。

Montagu, Elizabeth 蒙塔古夫人（1720-10-02，英国约克～ 1800-08-25，伦敦） 母家姓 Robinson。第一批蓝袜社的成员之一。蓝袜社是由一群英国妇女组成的谈天晚会，想用比打牌更有意义的活动来作为一种娱乐消遣方式。她的位于伦敦五月市场的住宅成为知识界聚会的中心，经常在那里款待当时的知识界名流，有利特尔顿勋爵、沃尔波伯爵、塞穆尔·约翰逊和乔舒亚·雷诺兹爵士等人。1760 年她撰写了利特尔顿的《死人对话》一书中的一部分，1769 年刊出她自己的作品《论莎士比亚的作品与天才》。蒙塔古先生死于 1775 年，留下大批财产和庄园。1781 年蒙塔古夫人建造的蒙塔古大厦，现为伦敦波特曼广场 22 号。

Montagu, John 蒙塔古 参阅 Sandwich, John Montagu, 4th Earl of 桑威奇伯爵（第四）。

Montagu, John Neville, marquess of 蒙塔古侯爵 参阅 Northumberland, John Neville, Earl of 诺森伯兰伯爵。

Montagu, Lady Mary Wortley 蒙塔古（1689-05-26 受洗，英格兰伦敦～ 1762-08-21，伦敦） 英国当时最富于个性的女人、杰出的

多才多艺的女作家。她的文学才华,与她的个性一样,是多方面的。主要以书信作家著称,用几乎各种书信体风格和形式写作;她同时还是一个小诗人,总是写来得心应手,有时

美国不列颠百科全书公司供图

辞藻华丽并真正是滔滔不绝。她还作为一个杂文家、女权论者、旅行家和行为古怪的人而为人们记忆。年轻时患天花,容貌被严重损坏。居留土耳其期间,看到预防天花方法效果显著,回国后,首先提倡接种疫苗来预防这种疾病。她身为金斯敦第五伯爵和玛丽·菲尔丁夫人(小说家亨利·菲尔丁的堂姊妹)之女,与辉格党国会议员 E.W.蒙塔古私奔,而拒不接受父亲为她安排的婚姻。1714 年辉格党人掌权,丈夫出任驻土耳其大使,携妻同往君士坦丁堡,1718 年应召回国后,在伦敦西郊特威克纳姆买屋定居。不知何故,这时她跟丈夫的关系只徒具形式,而无个人感情。在特威克纳姆,她从事紧张的文学活动。以前写过 6 首一组的"小镇牧歌"。在她当时的著作当中,有一本匿名剧本《单纯》(约 1735),根据法国作家马里沃的作品改编,猛烈攻击讽刺作家斯威夫特。此外,还写过许多有生气的小品文,间接地论及政治并直接谈及女权运动和当时在道德上的玩世不恭。1736 年,她迷上到伦敦图发展的意大利艺术和科学作家阿尔加罗蒂,并建议去意大利同居。她在 1739 年出发。但阿尔加罗蒂奉腓特烈大帝之命前往柏林,未与她会合。他们最后在都灵相遇(1741),结果很不愉快。1742 年,她卜居法国阿维尼翁至 1746 年,以后跟青年子爵 U.帕拉齐一起回意大利。在威尼斯式的布雷西亚省同居 10 年。1756 年她迁居威尼斯,1761 年丈夫死后,才打算回英国,是年 9 月动身,与女儿团聚。但她在伦敦住得不称心,本拟返回意大利,因癌症病重,终于在回国后 7 个月去世。她的文学声誉主要来自 52 封写得十分漂亮的发自驻土耳其大使馆的书信。1763 年这些信件的未经授权的抄本出版后,在欧洲各国受到赞誉。《玛丽·沃特利·蒙塔古书信全集》(3 卷,1965 ~ 1967),由 R.哈尔斯班德编辑,是她的第一部书信全集。

Montagu, Ralph Montagu, 1st duke of　蒙塔古公爵(第一)(1638-12-24受洗,伦敦～1709-03-09,伦敦)　英王查理二世的廷臣。著名小说家 J.斯威夫特认为他是"当代天字第一号大坏蛋"。1666 和 1669 年两度任驻法国大使。1673 年与富有的诺森伯兰伯爵的遗孀伊丽莎白·赖奥思利结婚。1672 年任枢密官。1676 年再次出使法国时,与克利夫兰公爵夫人及其已当了修女的女儿萨塞克斯伯爵夫人同时私通。1678 年因克利夫兰公爵夫人告发他诋毁国王的罪行,终被撤职。1684 年继承其父的男爵爵位。1689 年由威廉三世封为伯爵,任枢密大臣。1692 年又与富有但据说已发疯的阿尔伯马尔公爵的遗孀结婚。1705 年安妮女王又封他为公爵。1675 ～ 1680 年在伦敦建造府邸。1753 年政府买下这座府邸收藏古物,后来成为不列颠博物馆和图书馆的核心。

Montagu, Richard　蒙塔古(1577-12?,英格兰白金汉郡多尼～ 1641-04-13,诺福克诺里奇)　Montagu 又拼 Mountague。基督教安立甘宗主教、学者和神学论辩家。他在天主教教义和加尔文主义两个极端之间谋求折衷,结果几乎遭受议会的弹劾。1617 年任赫里福德会吏总,屡次应召到议会和主教会议回答质询,但因在宫廷有声誉,又得坎特伯雷大主教劳德支持,始终未受处分。虽然有人反对,他仍在 1628 年任奇切斯特主教,1638 年又调诺里奇任主教。

Montagu, Thomas de　蒙塔古　参阅 **Salisbury, Thomas de Montagu, 4th earl of** 索尔兹伯里伯爵(第四)。

Montague FAMILY　参阅 **Montagu Family** 蒙塔古家族。

Montaigne, Michel(Eyquem) de　蒙田(1533-02-28,法国波尔多附近的蒙田堡～ 1592-09-13,蒙田堡)　米歇尔·埃凯姆·德·蒙田在他的《随笔集》里勾画了人们所曾勾画过的最动

美国不列颠百科全书公司供图

人和亲切的自我画像之一,它完全可以同奥古斯丁的和卢梭的自我画像相提并论。他生活在 16 世纪后半叶,亲眼看到了作为文艺复兴时期特点的思想上乐观主义的衰落。由于新世界旅行家的发现,由于古典古代的重新发现,以及由于通过人文主义者的著作而打开了学术视界,从而产生巨大人类可能性的意识,当加尔文主义宗教改革到来之后发生宗教迫害和宗教战争(1562 ～ 1598)时,这种意识便在法国动摇了。使国家陷于四分五裂的冲突实际上是政治战争和内战,又是宗教战争,这些战争具有极为狂热和残酷的特点。蒙田立即对他的时代采取深刻批判态度,深为关切它的事务和它的斗争,他选定他自己作为写作的题目——他在写给读者的开场白里说:"我本人就是我的作品的内容"——以便在意识形态斗争和分裂的时期,当真理的一切可能看来是虚幻的和靠不住的时候,达到有关人和人类情况的某种可能的真理。

生平　米歇尔·埃凯姆一生的大部分生活在他的庄园和庄园以西 30 英里的波尔多城。这个家族的产业是蒙田的曾祖父因经商而获得的,是他购置了这份地产并取得了贵族的称号。他的祖父和父亲又把其家族的活动加以扩展,使这个家族进入长袍贵族,即法国行政贵族的行列。蒙田的父亲皮埃尔·埃凯姆曾任过波尔多市长。

蒙田幼时按照其父的教育思想在家里受教育,这种思想在于创造一个循循善诱、备受爱护的环境,并且只使用拉丁语,拉丁语当时仍是有教养人士的国际用语。结果这个男孩直到 6 岁才学习法语。他继续在吉耶讷学校学习,但他对这里的严格纪律深恶痛绝,对这里的教育只感到适度兴趣;最后他进了图卢兹大学学习法律。遵照他祖父开始的从事公职的传统,他进入了地方行政官的行列,成了间接税务局的一名成员,这是佩里格的一个新的税务法庭,当这一机构于 1557 年解散时,他又成了波尔多高等法院的成员,这是构成法国最高法院即法国最高司法机构的 8 个地区法院中的一个。在他 24 岁时,他在这里结识了艾蒂安·德·拉博蒂埃,这次会见是蒙田一生中最有意义的事件之一。拉博蒂埃(1530 ～ 1563)比蒙田大几岁,这时已是一位知名的官吏、人文主义学者兼作家,他和蒙田结成了非凡的友谊,这种友谊是建立在才智和感情的亲密关系和相互帮助之上的。蒙田在《论友谊》一文中,以一种十分感人的方式谈到他和拉博蒂埃的友谊,称这种友谊是完美的和不可分的,大大优于人类所有其他的联合。当拉博蒂埃因患痢疾死去时,他在蒙田的生活中留下了一个任何其他人都无法弥补的空白,看来在拉博蒂埃死后 6 年蒙田开始他的写作生涯,就是为了弥补由于失去一位不可复得的友人而造成的空白。

1565 年蒙田结婚了,这与其说是出于爱情,毋宁说出于要对家庭和社会尽义务的一种意识。他的妻子是他在波尔多高级法院的一位同事的女儿德拉莎赛妮。蒙田共有 6 个女儿,其中 5 个都死在婴儿时期,只有第 6 个女儿列奥诺拉在他死后还活着。

1569 年蒙田出版了他的第一部书,这是 15 世纪西班牙僧侣塞朋德所著《自然神学》的法译本。他是按照他父亲的要求做这件事的,但是在这书出版之前,他父亲便在 1568 年去世了,留给他的长子以蒙田家的称号和领地。

1570 年蒙田卖掉了他在波尔多高等法院中的位置,标志着他退出了社会生活。料理了拉博蒂埃遗作和他自己奉献的书信出版事务后,1571 年便退隐庄园,以便把全部时间用于读书、思考和写作。设置在庄园塔楼里的图书室成了他的藏身之处。就在这一排满千

册图书并有希腊和拉丁题铭作为装饰的圆形房间里，蒙田着手写作他的《随笔集》，也就是他心灵的探索和检验。1571～1580年他写出《随笔集》的前两卷，分别包括长短差别很大的57章和37章。1580年在波尔多出版。

虽然这些年大部分时间都用于写作，蒙田还必须主持他的产业的经营事宜，他不得不时而走出他的隐退生活，不仅要去巴黎的法庭，而且还要以调解人的身份干预他的地区内外的若干宗教纠纷事件。无论罗马天主教的国王亨利三世还是新教的国王纳瓦拉的亨利——作为亨利四世他将会成为法国国王并改宗罗马天主教——都对蒙田表示尊重和崇敬，但双方的极端分子则批判他、找他的麻烦。

1580年他的书出版后，由于渴望取得新的体验并对法国事态深为厌恶，蒙田出发去旅行，在15个月里访问了法国、德国、瑞士、奥地利和意大利各地。蒙田是一位天生的旅行家，他天性好奇，对日常事务的最微小细节、地理和地区的特点都有兴趣。他对他的旅行作了记录，他的《旅行日记》（原不打算发表，直到1774年才出版）充满生动的事件、一些遭遇、回忆和描述。

1581年秋天，还在意大利的时候，蒙田得到消息说他已当选其父曾担任过的职务，即波尔多市长。由于法国令人担忧的政治形势，也由于健康情况不佳（他患有肾结石病，这病在旅途中给他带来了痛苦），他不愿接受这一任命，但由于亨利三世的请求他还是担任了两届，直到1585年7月。他任职初期情况相对平静，但在他的第二任里，敌对派别之间的敌意变得越来越严重，蒙田在保持波尔多天主教多数和新教联盟重要代表人物之间的平衡方面起了关键作用。到他任期结束时波尔多发生了鼠疫，并很快变得无法控制，使1/3的居民丧失了生命。

蒙田重新开始他的写作工作，着手撰写《随笔集》第3卷。这一工作后来因该地再度发生鼠疫，迫使蒙田和他一家逃避到别的地方去，又因他的地产附近的军事行动，及一些外交任务（卡特琳因他的谈判才能请他在她本人和纳瓦拉的亨利之间进行斡旋，但未能成功）而被中断，但蒙田终于在1587年完成了这一作品。

1588年发生了重要的政治和文学事件。在去巴黎的途中蒙田因忠于亨利三世，两次被新教联盟成员逮捕，受到短期监禁。在同一旅行期间他主持了他的《随笔集》第5版的出版，第一次包括了第3卷的13章，第1和第2卷也作了许多补充，他还结识了德古尔奈，对他著作的一位年轻而热诚的仰慕者。德古尔奈本人也是一位作家，在蒙田的《随笔集》里，被说成是蒙田的“圣约女儿”，并将成为他的遗嘱的女执行人。1589年亨利三世被暗杀后，蒙田协助使波尔多忠于亨利四世。他一生的晚年是在他的庄园度过的，他在这里继续读书、思考并修改他的《随笔集》，添加了新的章节，这些章节没有表明他的思想有多少深刻的变化，而表明他的思想和体验还在继续进行探索。在这一时期又有各种疾病困扰着他，在一次扁桃体周脓肿之后他就去世了，扁桃体的发炎使他失去了讲话的能力。他于1592年9月13日在自己的居室里听弥撒时死去。

《随笔集》 蒙田把他的时代看成是一个装腔作势、腐化堕落、暴力和伪善的时代，因此《随笔集》的出发点是否定性就不足为奇了：蒙田的否定性是不承认现象规律和不承认丧失同存在的真实性的联系。蒙田论述得很多的怀疑论便来自起初的否定性，因为他怀疑一切认识的可能性，把人看成是一种软弱和失败、无恒心和摇摆不定、无能和琐屑的生物，或者像他在随笔开始所写的，是一种“惊人空虚、变化多端和起伏不定的东西”。他的怀疑论也反映在他著作的法语书名“Essais”即“尝试”上，它意味着作者并非传达一种已经得到证实的知识或有把握的意见，而只是一种反复试验、试探性的探索方案。在他的著作里没有提及一种确定的文体（蒙田的书开创使用essai［英语essay］这个词，指的是短篇散文作品以一种比较非正式的或个人的方式论述一个特定的题目），也表明著作内必须有一种内部的统一和结构，这个书名所表明的是探询和不断作出估计的一种求知态度。

但是蒙田的怀疑主义并不排除有真理存在的信念，而只是对于使真理陷入谬误的、未经考察的和从外部强加观念的危险构成一种防御。他的怀疑主义加上他对真理的期望，驱使他否定通常被接受的观念，对一般化和抽象化表示深切的不相信。这还显示给他一种方法以探索能达到必然性的唯一领域：这便是探索他自己的身体和精神本身的具体现象，首先是基本现象。这个自我，尽管有其一切不完善之处，却是人们能开始探求真理的唯一可能的场所，蒙田的《随笔集》从开头到末尾一直不停地肯定“我本人就是我的作品的内容”，其理由便在于此。他发现他的本身，他所说的他的“主体形式”不能用简单的词，一个恒常的和稳定的自我加以规定，因为它相反地是一个可变的和残破的东西；还发现这些特性的价值和认可是真实性和完整性的唯一保证，是保持忠实于一个人的存在和一个人的本性的真理的唯一方法，而不是不相干的外表相似。

然而，尽管他坚持自我要保卫它的自由以对付外部的影响和强加的习俗和意见的专横，蒙田却相信走出自我的价值。确实，通过他的作品，正像他在他的公私生活中所做的那样，他表示需要同其他人和发生事件的世界保持联系。为了自我的内在性和世界的外在性之间的这种必要的来往，蒙田使用了后房的比喻：人类有他们的前房，面向街道，在那里他们同别人会见，并相互交流，但是他们总需要能退入最隐蔽的自我的后房，在那里他们可以重新肯定本身的自由和力量，并对奇异的经验进行思考。虽然蒙田认为人们总是需要退人自我，他也鼓励同别人接触，这样人们可以学到许多有用的东西。为了这样做，他提倡旅行，阅读（特别是历史书籍），同朋友谈话。对蒙田来说，这些朋友必须是男人。虽然没有人能取代拉博蒂埃的位置，他还是可以同有见识和机智的男人进行有趣的和有意义的交流。至于他和女人的关系，他在作品中写女人表现了在他的时代不寻常的坦率。在蒙田看来，唯一不复杂的联结是婚姻的联结，这种联结建立在家庭和后代的理由上，对此人们并不需要很多投入。爱情在另一方面以其情感和性欲的需要却会招来受到奴役和失去自由的危险。蒙田往往被说成是一个厌恶女人的人，他实际上确实承认就人们的恐惧、愿望和想要找到并肯定他们自己本身的企图而言，男人和女人根本上是相似的；他还承认，只有习惯和对于一种已经过了时的现状的依恋才造成了两性之间的明显区分，但是他并没有探讨克服那种基本分离和确立一种智力平等的可能性。

蒙田把他对别人的好奇心扩展到新世界的居民身上去，他熟悉这些居民是因为他对口头的和文字的旅行记述抱有浓厚的兴趣，还因为他在1562年会见过3个巴西印第安人，他们是探险家德维莱加格农带回到法国的。蒙田提供了在他当时罕见的文化上的相对主义和宽容的范例，他发现这些人，对他们自己本性的忠诚，对他们文化和个人的自尊心，以及对美的意识，都大大地超过西欧居民，而西欧居民在新世界的征服中和他们自己的内战中却表明他们自己才是真正的野蛮人。新世界的土著被他们的征服者强加的痛苦和屈辱激起了蒙田的义愤和同情。

担任公职也是同世界交流的一部分，这应当被看作是要光荣地和忠诚地履行的一项义务，但决不允许变成一种耗费精力的和自我毁灭的职业。

蒙田在他的全部作品，特别是在他论述儿童教育的随笔里，运用和阐发了他的关于自我独立与自由以及社会与智力交流的重要性的思想。在那里，也和在别处一样，他认为具体经验比抽象学问更有价值，独立判断比一堆从别人那里未经消化、非批判地接受过来的观念更有价值。在他的全部作品中，他还强调身体的作用，比如他坦率地描述了他自己身体的功能，广泛地思索他的疾病，变老和死亡的现实。死亡的存在遍及《随笔集》全书，蒙田要使自己习惯于死亡的不可避免性，从而使自己摆脱恐惧的暴虐，使他能够承认死亡是自然要求的一部分，是生命的期待和局限所固有的。

蒙田看来终其一生都是一位忠诚的，如果说不是狂热的罗马天主教徒，但是他不相信人类的一切脱离具体生动的现实的、属于一种精神体验的所谓知识。他拒绝思考处于人类知识范围之外的超验事物，他相信上帝但是拒绝以必然是自以为是的和贬损的方式向上帝召唤。

虽然蒙田肯定了解古典哲学家，但他的思想较少来自他们的学说，而更多来自对他自己的完全独到的思索，而他又把这一思索扩大为对人的一种描述，扩大为一种真实性、自我承认和宽容的伦理学。《随笔集》是他的思想的记录，这些思想不是按照人为组织的阶段表达出来，而是在他的全部思考与写作活动中以不同形式出现和再出现在他身上的。它们不是一种智力进化，而是一种继续增长的记录，他坚持的是它们证据的直接性和真实性。为了表明它们同他的自然的自我是同体的，他把它们描写成是他的孩子，以一种令人吃惊的、完全没有贬义的朴实比喻说成是他的头脑的排泄物。由于他拒绝把一种虚假的统一强加给他的思想的自发活动,所以他也拒绝把一种虚假的结构强加给他的《随笔集》。他写道:"既然我的思想在漫游,所以我的文体也是如此。"众多的离题枝节,在漫游中展开议论,有味道的具体辞汇都表明了忠实于生动思想的新鲜性和直接性。在全部著作中,他在很多地方引用了古代和当代作家的和来自民间传说的轶事,加强了他对现实的批判性分析。他还用引语来增加他的作品的刺激性,这是同别人,也就是同在他的书斋里环绕着他的过去的作家相互交流的另一种方式。无论轶事还是引语都不会冲击他的思想的自主性,尽管它们会激发或加强一系列思想并成为本书结构的一个不可缺少的部分。

这样,蒙田的《随笔集》便体现了对于人们危险地夸大自己已取得确切的知识这一点的深刻怀疑,并断言,人们的最大成就便在于能够不存轻视或幻想地承认人的存在,又充分认识到这一存在的局限性和丰富性。

读者情况 几百年以来,《随笔集》为各方面的广大读者所阅读,读者的意向是向它讨教,研究它,寻求回答他们自己需要解决的问题。并不是所有他同时代的人都表现出德古尔奈那样热情,德古尔奈在第一次读到此书时激动得昏了过去。她在此书中确实认识到了揭示自身的一种非凡头脑的全部力量,但是这一时期大多数的知识分子却更想在蒙田身上看到斯多葛哲学的一种安全的重新体现,这里开始了持续很久的一种误解,只有个别的读者能摆脱这种误解。认真的读者把《随笔集》看成是哲学格言的选集、神圣智慧的宝库、而不是把它看成是一种高度个人的思想与体验的完整表现。比如,蒙田能写出他内心最深处的反应和感情,他能描述他自己的外表和爱好,这类事情对许多人来说似乎是骇人听闻和毫不相干的,正如他的作品的显而易见的混乱对他们来说似乎是一种可悲的缺点而不是真实性的保证。

在17世纪,有一批有教养的贵族定了调子的时候,他主要受到赞扬是因为他描述了有教养的人、无论在客厅还是在书斋都是同样从容自在,受过良好教育、不卖弄而又彬彬有礼的人,一位具有微笑的智慧、文雅、审慎清醒的绅士。但是在同一时期,那些宗教作家如佛朗西斯(萨莱的)和帕斯卡都为他的怀疑主义表示惋惜,认为它是反基督教的,并指责该书所作的解释是一种不道德的自我专注的行为。在革命前的18世纪,教条主义的非宗教的蒙田的形象继续占主导地位,伏尔泰和狄德罗把他看成是启蒙时代自由思想的先驱。就卢梭来说,他对《随笔集》的评价却另有一种根本的重要性,因为他正确地认为蒙田是自我写照的大师和模范。卢梭首次认为此书是作者在寻求他本身时设计的一个完全是个人的关于人的方案,并且不害怕毫不隐瞒地谈论自己的深层的本性。在19世纪,某些旧日的误解继续存在,但人们却日益理解和欣赏蒙田,把他看成不仅是一位思想大师,而且还把他看成是一位描写特殊的、个人的、知心的事物的作家——一位像是熟识的老朋友的作家。福楼拜就把《随笔集》放在床头的桌子上并把蒙田看成是另一个我,20世纪的作家如纪德、比托尔和巴尔特也是这样。

《随笔集》于1603年第一次被佛洛里奥译成英语,以英语为母语的读者包括培根、韦伯斯特、莎士比亚、拜伦、萨克雷、爱默生、吴尔夫、艾略特和赫胥黎。

今天一大批学者对蒙田的一切方面继续进行研究,世界各地的人民也都在继续阅读他的作品。在一个看来和他的时代可能是同样强暴和荒谬的世界里,他对于偏狭和盲目热狂的否定态度,他对于人类破坏的潜力的清醒的认识加上他对于人类的自我评价的能力、诚实和同情心的信念始终令人信服地打动把他看作是一位向导和朋友的许多的人。

Montale, Eugenio　蒙塔莱(1896-10-12,热那亚～1981-09-12,米兰)　意大利诗人、散文作家、编辑、翻译家。1975年诺贝尔文学奖获得者。他在30～40年代被列为隐逸派诗人,与其并列的有翁加雷蒂和夸齐莫多,他深受法国象征主义者如马拉梅、兰波、瓦莱里等人的影响。但在他后期的诗作中,常常以直接、纯净和简单的语言表达自己的思想。曾多次荣获文学奖,并博得评论界的好评。他的许多诗已译成别的文字。他是第一次世界大战的老兵,在战后时期反对法西斯主义。也是文学杂志《首季》(1992)创办人之一;1927～1928年在贝姆波拉德出版公司工作,1929～1938年在佛罗伦萨一所图书馆任馆长,1938～1948年为《文汇》周刊写诗歌评论,1948年在米兰《晚邮报》任文学编辑,随后任音乐编辑。第一部诗集《乌贼骨》(1925)表达了战后痛苦的悲观主义情绪。继《乌贼骨》之后的作品有《海关官吏之家及其他诗篇》(1932)、《境遇》(1939)、《菲尼斯特雷》(1943)。后期作品《暴风雨和其他》(1956)较之早期作品具有更高的技巧和激情。近期诗集有《和谐与色彩》(1962)、《罪犯》(1966)、《西尼亚》(1966)。《西尼亚》是一组温存而充满招魂感的爱情诗,用以纪念他1963年去世的爱妻。他分别在1948、1949和1957年出版3卷诗集。除本人的诗作外,还翻译了莎士比亚、T.S.艾略特、霍普金斯等人的诗以及梅尔维尔、奥尼尔等人的散文作品。他把发表在《晚邮报》(1956)上的短篇小说和随笔汇编成集,取名《迪纳尔的蝴蝶》(1956)。

Montalembert, Charles (-Forbes-René), comte de　蒙塔朗贝尔伯爵(1810-04-15,伦敦～1870-03-13,巴黎)　法国演说家、政治家和历史学家,19世纪反对法国教会和国家中的专制主义斗争的领袖。以参加拉梅耐司铎创办的《前途报》和从事"保卫宗教自由总会"的活动而开始其政治生涯。1831年参加创办一所天主教学校,后该校被警察关闭,教师被起诉。他继承了父亲的伯爵爵位,因此享有由贵族审议的权利;他的辩护振振有词,因此只判处最低限度的刑罚。此事使他成为七月王朝时期(1830～1848)自由派天主教徒的领袖。1835～1848年成为贵族院议员。然而,天主教徒并不是团结一致的。主教们具有强烈的高卢派教会倾向,于1831年停办了《前途报》。于是,他开始为《宗教世界》写稿,在法国天主教新闻事业中占有支配地位。1848年革命后,他作为众议员,使天主教派大力支持路易-拿破仑,后来他自称此事是他"毕生最大的错误"。1849年6月巴黎暴乱期间,投票支持限制新闻自由,后来同路易-拿破仑的政府疏远,并反对1851年政变后所采取的严厉专制措施。1851年当选为法兰西学院院士。此后,他设法利用该学院和《通讯报》作为阵地,集中反映自由派观点,反对第二帝国。坚持教会应鼓励宗教自由和公民自由,这使他同罗马教廷发生冲突。他看到为之奋斗的教会也像他的国家一样正落入专制主义者手中,因此感到失望。后来写了《西方的僧侣》(1863～1877)、《19世纪天主教的利益》(1852)和《论英国的政治前途》(1856)等书。

Montalembert, Marc-René, marquis de　蒙塔朗贝尔(1714-07-16,法国昂古莱姆～1800-03-29,巴黎)　法国将领和军事工程师。1732年加入法国陆军,曾在波兰王位继承战争(1733～1738)、奥地利帝位继承战争(1740～1748)和七年战争(1756～1763)中服役。鉴于要塞只不过是用以对进攻的敌人倾泻压倒优势火力的巨大依托,他把法国著名军事工程师沃邦设计的防御工事从复杂的几何图形改为简单的多角形结构,周边附设外围前哨碉堡而不是凸出的棱堡。所著《垂直防御工事》第一版于1776～1778年间问世。此后,他设计的防御工事被欧洲各国广为效仿。

Montalvo, Juan　蒙塔尔沃(1832-04-13,厄瓜多尔安巴托～1889-01-17,巴黎)　厄瓜多尔散文家。常被认为是19世纪西班牙语美洲最优秀的散文作家之一。成名作《七论》(1882),为有教养的人提供道德规范。蒙塔尔沃一生大部分时间在流亡中度过,撰写政论抨击厄瓜多尔连续当政的几个独裁者。《被塞万提斯遗忘的章节》(1895)在他死后出版,被认为是塞万提斯著名小说《堂吉诃德》最精美的仿作之一。他还以自由思想家和道德家著称。

Montana　蒙大拿　尽管州名源出西班牙语montaña(意为"山岳"或"山岳地带"),蒙大拿州的平均海拔却只有1 040米,是落基山诸州中海拔最低的州之一。落基山脉自加拿大的不列颠哥伦比亚省迤逦而下,由西北到东南穿过蒙大拿州西部,延伸到蒙大拿西部和西南部州界的爱达荷州,再向南进入怀俄明州。然而,蒙大拿州东部是起伏平缓的平原地区,放牧着数百万只牛羊,人烟稀少。该州是北部大平原的一部分,北与加拿大的艾伯塔省和萨斯喀彻温省接壤,东与南达科他州和北达科他州交界,南与怀俄明州东北部毗连。

蒙大拿面积380 848平方千米,是美国第4大州,居阿拉斯加、得克萨斯和加利福尼亚之后。其人口密度属最低之列,仅高于阿拉斯加和怀俄明。该州居民相对远离销售自己产品的市场,以及全国的制造业中心和货物集散地。蒙大拿州人十分重视户外活动,喜爱夏季和冬季的各项体育活动、打猎和垂钓,也喜爱长途旅行,并以此作为社交和娱乐活

蒙大拿州落基山脉北段的贝尔图斯岭植被
美国不列颠百科全书公司供图

动，或者借此排遣大草原或山岳引起的烦躁心情。

蒙大拿尽管位置偏北，却是西部气息很浓的一州。首府海伦娜的主街“古尔奇之最后机会”（Last Chance Gulch）原系该市市名，经常会令人想起19世纪60年代那些涌进山区淘金的金矿勘探者。到1889年蒙大拿成为美国第41州时，养牛业已经是该州的一项主要产业，该州也已开始成为美国主要的铜矿开采地之一。

自然地理与人文地理

土地 蒙大拿州西部的2/5地区属落基山区，东部的3/5地区是大平原的一部分。落基山蒙大拿山高谷深，森林密布，但山顶地带却无树木，而大平原蒙大拿则是一片空旷辽阔的黄土牧区，小块的金色农田和褐色休耕地间杂其中。山地与平原的这种强列对照是该州最鲜明的地貌特征。

地势 在落基山蒙大拿，山脉大致按西北偏北至东南偏南走向排成一线，山体由古老的坚硬岩石组成，这些岩石在产生落基山的造山运动的巨大力量影响下，多被挤压和折摺，往往形成断层，怪石嶙峋、巉岩狰狞。在最后的一次冰期，冰河不断侵蚀山峰和高谷地，使其地形由圆圆的鼓凸状变得突兀不平，呈犬牙交错的凹陷地貌；冰河溶化后，又把它们从岩石间冲出的松散土壤作为冰河沉积物遗留在谷底。同昔日巨大的冰舌相比，蒙大拿现在的冰河确实很小。两山夹峙的山谷底部主要是淤积成的漫滩和台地、在质地松软的幼年岩石上侵蚀而成的山麓和阶状地面、由冰川沉积物构成的平原、台地和丘陵。

落基山蒙大拿境内的崇山峻岭又分为两类，一类山谷狭窄，一类山谷宽旷，二者形成鲜明对比。狭谷地区峪道崎岖，怪石嵯峨，形成该州奇景，谷底潮湿而林木茂密。该州共有两个狭谷区：一个是在蒙大拿州西北部，境内有冰川国家公园，蒙大拿州的冰川也大多集中在该区，另一个在蒙大拿州中南部，位于黄石国家公园的北端，境内的格拉尼特峰是蒙大拿州的最高点，其海拔为3 901米。这两个谷区在蒙大拿州中西部和西南部被一个宽谷区分隔开。在这一地区，谷底空旷辽阔、气候干燥，到处是青翠的草地，举目远望，群山可尽收眼底。

大平原蒙大拿大部分地貌也相当崎岖不平，黄石河以南的地区主要是星罗棋布的小山丘，它们在佩克堡湖周围构成了密苏里断层地带，在大瀑布以北形成“金三角”地区的真正平原，其余地方则是一些高地。这些小山丘、断层地带和陡峭的山谷崎岖突兀，一片荒凉。发源于落基山脉的几条大河流经蒙大拿州东部时，在其流域内形成了若干切割开的深谷。散布在平原和高地上的是8个小山群，称作“落基山的外露层”，它们像是从落基山脉延伸出来的若干个小岛，点缀在辽阔的大平原上。

除了落基山脉的外露层小山以外，大平原蒙大拿地表下的岩石大多属于幼年期，质地松软，较为平坦。在密苏里河大致以北，平原区的岩石覆盖着由大陆冰盖遗留的冰川沉积物，大陆冰盖同时还覆盖着高山冰川侵蚀着的西部群山地区。被切割的河谷底部主要由冲积土平原、台地和软岩阶状地面组成。

水系 蒙大拿州的河水分别注入哈得孙湾、墨西哥湾和太平洋，这在美国各州中是绝无仅有的。该州西北部位于大陆分水岭以西，库特内河、克拉克河及其主要支流弗拉特黑德河都经由哥伦比亚河最终流入太平洋。弗拉特黑德河流入弗拉特黑德湖之后，又由该州这个最大的天然湖泊流出。库特内河在蒙大拿州最低地区，即海拔555米处流出该州。在大陆分水岭以东，蒙大拿的主要河流是密苏里河及其主要支流黄石河。密苏里河是密西西比河的支流之一，后者最后注入墨西哥湾，因此密苏里河亦成为大西洋水系的一部分。最后，冰川国家公园东坡一小片蒙大拿州的土地有河流最终注入哈得孙湾。

土壤 在落基山脉地区及其外露层，土壤大都是由底部坚硬基岩生成，地势陡峭且石质过多，不宜耕作。在大平原蒙大拿，冰川作用极限以南的土壤多由地表下松软的大平原岩石生成。北部土壤多由冰川沉积物构成，地形起伏平缓，比南部较崎岖的残丘地带更适于耕作。在山麓地带，土壤大都由未凝结的淤积土和冰川沉积物构成，经灌溉后可成为丰产粮仓。

气候 大平原蒙大拿大部分地区都属于半干旱气候，夏季炎热，冬季寒冷。年均降雨量稀少，大约只有330毫米，降雪量也很少。蒙大拿冬季以酷寒著称，1月平均温度为-8℃，但在落基山麓附近的平原上往往会定期刮起奇努克风，使寒冬不时变暖。

在落基山蒙大拿，按纬度高低可依次分成几种不同的气候。纬度最低的地区（干燥的谷底）的气候和蒙大拿州东部的气候相似。其他地区的气候纬度越高越寒冷，越潮湿，降雪量也越大。

动植物 就大部分地区而言，落基山蒙大拿森林密布，而大平原蒙大拿则为大草原。在落基山脉及其外露层，植物如同气候一样，也是按纬度高低划分为不同地带的。低于林木线下限的气候干燥的谷底多为草地、灌木丛和稀树草原。山坡上的林木带则大多覆盖着以道格拉斯冷杉为主的针叶树森林。高于林木线上限的无树峰线地带只有低矮的高山苔原植物、裸露的岩石和冰川。在大平原蒙大拿的大部分地区，土地未经耕作，植被大都是矮草草原。落基山麓周围是丘陵草原。平原地区的许多丘陵地带也都被北美树木稀疏的大草原所覆盖。

蒙大拿州有许多珍奇动物，尤以灰熊、落基山山羊、大角绵羊和驼鹿著称。这些动物主要栖息于山间，与较为常见的动物，如美洲麋、黑尾鹿、黑熊、山狮、短尾野猫以及森林松鸡等，生活在同一地区。在大平原蒙大拿和长满草的西部谷地，草原动物主要有叉角羚、黑尾鹿、郊狼、獾和平原松鸡。全州各地靠近水边的地方几乎都有白尾鹿、河狸、麝鼠、水貂、秃鹰、金环雉、鸭、鹅和天鹅。

住区模式 蒙大拿州的人口稀少且分布不均。在两个狭谷山区中，居民分散居住在谷底各处，城镇也很小。宽谷地带的人口按蒙大拿州的标准则是相当众多的，该州部分主要城市，如米苏拉、比大特、海伦娜、博兹曼、卡利斯佩尔、阿纳康达和利文斯顿，都位于干燥谷地的灌溉区。

在大平原蒙大拿，沿着几个深切谷的灌溉区，有一系列人口相对稠密的居民点。该州所有主要城镇，除了刘易斯敦外，全都蔚集于此。在黄石河沿岸有比灵斯、迈尔斯城、格伦代夫和悉尼；密苏里河及其支流米尔克河沿岸有大瀑布城、哈佛和格拉斯哥。在干燥地带的产粮区，人口分布得比较均匀，也较为稠密，但牧区则人烟稀少，而且分布不均。

人民 蒙大拿现在的大部分居民的祖先来自西欧和北欧，小部分来自东欧——主要有英国、爱尔兰、德国、法国、荷兰、斯堪的纳维亚诸国和波兰。

一个显著的例外是美洲印第安人。蒙大拿州有7个印第安人保留地，印第安人约占全州人口的5%。大约2/3的印第安人生活在保留地内，其余1/3也大多居住在保留地附近的城市，主要是米苏拉、大瀑布城和比灵斯。黑人在蒙大拿州人口中只占很小比例。黑人成为该州永久居民的寥寥无几,像当地人数不多的亚洲人和拉丁美洲人一样,他们也都是为找份工作或上学而临时住在蒙大拿州的。

大约一半的蒙大拿州居民属于有组织的宗教团体。摩门教在蒙大拿州已日益兴盛,很多印第安人在名义上皈依天主教。人口902 195(2000)。

经济 蒙大拿州的经济依靠以下几个主要产业部门——农业、林业、采矿业和能源生产。然而,户外娱乐业如今也已非常重要,某些高技术产业已在该州出现。

农业 在落基山蒙大拿宽广干燥的谷地和大平原蒙大拿的深切谷,有灌溉条件的农场生产肉牛、羊、谷物、甜菜、马铃薯和水果,两个主要产粮区——金三角和蒙大拿州东北部——境内土地干燥的大农场以及其他一些零星地区种植小麦和大麦。该州其余地区大都是牧区,从事生产牛、羊的畜牧业。蒙大拿州也有一些肉类加工厂、磨粉厂和炼糖厂,但农场和牧场的大部分产品都在州外加工。

采矿业和水资源 煤是蒙大拿州的重要资源之一。与石油和天然气一样,煤也是从大平原蒙大拿幼年期的松软岩石中开采出来的,在科尔斯特里普和比灵斯建有数座以煤为燃料的热电厂。金、银、铜、铂、滑石、磷酸盐、蛭石、蓝宝石及其他矿产,都采自落基山蒙大拿和落基山外露层老年期的坚硬岩石。海伦娜有一座炼铅厂,哥伦比亚瀑布城有一座炼铝厂。

1915年,埃尔克盆地发现了具有商业开采价值的石油。此后几年内,埃尔克盆地、凯文-森伯斯特和卡特班克等地的油田在石油和天然气的生产方面处于领先地位。威列斯顿盆地于1951年开发,但保德河县的贝尔克里克油田产量最高。比灵斯和劳雷尔都有大型炼油厂。

蒙大拿州极其丰富的水资源可用于水力发电和其他经济部门。从落基山脉及其外露层覆盖着森林的山坡流下的径流补充了地下水,灌满了湖泊和水库,并使各条大河长年不断流。几座大水坝、发电站和水库主要集中在蒙大拿州西北部的山区。

林业 伐木业和林产品制造业对蒙大拿州西部十分重要。在超过5 700 000公顷的商业用林地中,有2/3以上属联邦和州政府所有。林业包括胶合板、纸浆和纸产品的生产和制造。蒙大拿州的林产品约有1/3外销到中西部诸州。

服务业 蒙大拿州的大多数工作在服务部门,比灵斯、大瀑布城、米苏拉和比尤特是该州主要地区性服务中心。旅游业现在已成为蒙大拿州一个极为重要的经济部门。

运输 蒙大拿的铁路客运量和铁路总长度自20世纪60年代以来已日趋减少。蒙大拿州的公路总长度也比较短,但各人口集中地区之间有公路连接,州际公路设施也十分完善。该州有数家主要航空公司和出租飞机公司。有许多人拥有私人小飞机。

行政与社会情况 *政府* 蒙大拿1889年建州时制定的第一部宪法已于1972年为一部新宪法所取代。这部新宪法为选民设置了立法提案程序,该程序已被有效地用于制定新法律和修正宪法本身的实践中。

共和党与民主党在该州都拥有各自的选民,实力相当,以至于选举结果难以预料。投票支持反对党候选人的现象十分普遍。州长和副州长由一张选票同时选出,任期均为4年。该州有开放预选,选民无需声明党派从属关系,选民登记永久有效,除非选民在4年内不参加选举。

行政机构由19个内阁式的部门组成,职务的任命几乎全部由州长直接控制。两院制立法机构由50名参议员和100名众议员组成,每逢奇数年召开一次为期90天的会议。

法官由选举产生,没有党派之分。州最高司法机关是由7名法官组成的州最高法院。全州分为19个司法区,共有36名地方法官供职。最低一级是治安法官和警务司法官。

地方政府的最高一级是县,其权力与职责都由该州法令予以规定和限定。3名经选举产生的委员是主要行政长官,虽然也可能聘请一位专职经理代为管理。同县政府一样,市政府的全部权力也由州授予,但它们可以制定地方法规,而县却不能这样做。自治市有警察机关,每个县有1名民选的司法长官,他有权任命特派员并拥有市或镇区范围之外的司法管辖权。由于盗牛行为屡禁不绝,某些司法长官及其特派员也担负起牲畜交易火印检查员的职责,以防被盗牲畜在市场上出售。

教育 尽管农村学校一直在合并并引入了汽车接送制度,许多儿童仍然在一些规模较小、师资力量薄弱的乡村学校就读。学区都是法人团体,由一名县督学领导并由经选举产生的校董会管理。

该州的高等教育系统(1893年获得办学特许状)包括米苏拉大学和博兹曼大学;比灵斯、哈佛和狄龙的地方性4年制学院;位于比尤特的一所矿业科学技术学院。该州还有若干所由教会兴办的私立学院、2年制专科学校以及公立高级职业技校。

保健与福利 蒙大拿州人为他们所享有的广大空间付出了各种各样的代价。缺乏牙医、医生或医院的社区不断增多。蒙大拿的福利计划由州统一监控,由县公共福利部门负责管理。由于人口稀少,私人社会服务组织寥寥无几,公共福利费用的支出相当高。公共福利部门受到纳税人和有组织的低收入群体两方面的压力,前者要求削减福利计划,后者要求提供更广泛的服务。印第安人保留地则实行一些特殊的公共福利计划。

文化生活 多数艺术活动集中在几个有大学或学院的城市中,除了院校师生的表演之外,有些城市还邀请演说家与职业艺术家前来访问。有些城市的交响乐团中有一些职业音乐家。

创建于1948年的蒙大拿艺术协会是一个基层组织,它通过出版刊物、举办年度庆典和巡回展览把分散于各地并且常常是孤立的各类艺术创作人员集中到一起。蒙大拿艺术委员会是一个隶属于国家艺术基金会的州一级机构,它为几十个地区性文化组织,主要是音乐、戏剧、舞蹈、文学及视觉艺术方面的组织提供资助。许多社区都设有夏令剧场,而基地设在米苏拉的蒙大拿剧团则在该州内外作巡回演出。

有好几个印第安部落都定期举行传统的舞蹈庆祝活动,欢迎外来客参加。在克劳印第安人保留地,每年都举办一次关于小比格霍恩河战役的表演。牧人竞技表演遍布各地,方形舞队的表演也是如此,蒙大拿还是一个十分热闹的旧式小提琴演奏中心。雷德洛奇一年一度为期9天的"民族节",当初是为了缓和来自欧洲各国的矿工们之间的紧张关系而举办的,现已成为一项传统活动。

蒙大拿历史学会在海伦娜开办了一个博物馆、一个美术馆和一个专业图书馆。大瀑布城的C.M.罗素博物馆专门陈列牛仔艺术家罗素的作品。比灵斯是黄石县艺术中心和黄石县博物馆的所在地。规模虽小但展品内容却十分丰富的大草原印第安人博物馆设在布朗宁。许多社区都建有反映当地历史的小型博物馆和画廊。

蒙大拿壮丽的自然景观是其最吸引游客的景胜之一。该州大部分土地都被划作州立公园和国家公园、森林区、娱乐休养区、野生动物保护区,或保持荒野的原貌,所有这些地方为户外休闲活动提供了广阔的空间。

历史

殖民地开拓 19世纪初,克劳印第安人占据着今蒙大拿州的中南部地区,夏延人生活在东南角,阿西尼本人和阿齐纳人在东北角,黑脚族人在中部和中北部地区,库特内人则占据着西北角。庞多雷人在弗拉特黑德湖周围有一片领土,卡利斯佩尔人生活在该地以西的群山之中,而扁头族人则占据着克拉克河和比特鲁河流域。西南角是一块有争议的地区。后来,扁头族人被强迫迁居到他们今天在弗拉特黑德谷地的保留地。大多数其他部族现今都各自生活在根据他们原有的领地划出的保留地之内。

已知的最早一批踏上蒙大拿土地的白人拓荒者是刘易斯与克拉克探险队的成员(1804～1806)。为获取毛皮而设置陷阱捕兽者和皮货商紧随其后,他们建立起据点同印第安人做买卖。唯一留存至今的一个早期贸易站是本顿堡,它始建于1846年。后来发展成为一个城镇,现在已是密苏里河畔的一个重要港口。天主教传教士在皮货商之后来到蒙大拿,于1841年在今史蒂文斯维尔镇附近建起了圣玛丽教团,据信这是蒙大拿的第一个永久性定居点。拓荒者从东部开辟了到蒙大拿的北部陆上交通线,起自东南部的博兹曼小道以及从本顿堡向西延伸的马兰大道;本顿堡还是汽轮在密苏里河上航行的起点。

19世纪60年代初在蒙大拿发现了富含金砂的矿床之后,淘金者蜂拥而至。蒙大拿于1864年获得准州地位,以格拉斯霍珀河畔的班纳克为其第一个首府;其后,位于奥尔德峡谷内的弗吉尼亚城成为第二个首府。由于白人开拓者的压力日益增大,印第安人开始为保护他们的狩猎场而战。达科他人(苏人)和夏延人于1876年6月在小比格霍恩战役中赢得了他们的最后一次重大胜利。次年,一队内兹佩尔塞人由酋长约瑟夫率领在比格霍尔盆地又打赢了一场战斗后，随即逃往加拿大，却在国境线以南几英里的地方与美国军队遭遇并被击败。

硬岩开采始于19世纪80年代。蒙大拿于1889年11月8日成为美国一州，以海伦娜为首府。比尤特起初是一个淘金者的营地，但后来该地发现了大片铜矿，竖井采掘便开始兴旺。比尤特随即以"地球上最富的山丘"闻名于世，世界最大的一座炼铜厂也在附近的阿纳康达建成。所谓的"铜业巨头之争"最后是M.戴利占了上风，他的阿纳康达公司成为世界最大的矿业联合企业之一。该公司击溃了各个矿业工会，对州立法机构施加影响，掌握了蒙大拿州几乎所有的日报，并在3/4的世纪内几乎完全控制了该州。

大平原蒙大拿地区牛羊成群的景象始自19世纪60年代，那时牧群都从得克萨斯州经陆路被驱赶过来。广阔的草地似乎很适合牛群放牧，但1886～1887年间的寒冬几乎使牲畜全部死光。大约从1900年开始，分得土地的定居移民大量涌入草原地区，他们铲去草皮，在干旱的土地上种植谷物。在获得几年丰收之后，连年干旱使农业蒙受巨大经济损失，导致人口大量外流。

大平原蒙大拿的石油和天然气开采始于1915年，20世纪50年代迅猛扩大，60年代达到高峰。从使用煤火炉和蒸汽机车的年代就已开始的采煤业在20世纪70年代有了飞速的发展。20世纪80年代初，比尤特铜矿、阿纳康达炼铜厂和大瀑布城铜矿精炼厂的关闭标志着铜业世纪的结束和蒙大拿州历史的一个转折点。该州经济从此不再过分依靠初级产业部门，而将重点放到旅游业和一些新兴的产业部门，这些产业既能提供就业机会，又不会使该州壮丽的山峦、清澈的河川和一望无际的大地遭到破坏。

Montana 蒙塔纳 前称米哈伊洛夫格勒。保加利亚西北部城镇。濒奥戈斯塔河。该镇附近土地肥沃，盛产粮食、水果、葡萄、蔬菜，饲养牲畜。当地有狩猎森林区，林内有麋鹿、野鸡、野兔。镇内有新建住宅区和工业区。最早是罗马人在此设有居住点，称为蒙塔嫩夏。1891～1945年该镇曾名为大库特洛维察和费迪南德，第二次世界大战后改名为米哈伊洛夫格勒，1993年重新命名为蒙塔纳。

Montand, Yves 蒙唐(1921-10-13，意大利上蒙苏马诺～1991-11-09，法国桑利) 原名伊沃·利维。又译蒙当。法国舞台和电影演员及流行歌手。虽然许多人认为他是当今具有魅力的高卢人典型，但他实际上生于意大利的一个犹太农民的家庭。他两岁时全家为了躲避墨索里尼的法西斯统治而逃往马赛。他18岁时当码头装卸工，同时在音乐厅唱歌，以弥补收入的不足。1945年在巴黎，作为著名女歌唱家比阿夫的被保护人，他参加了影片《不发光的星》的演出。1951年与女演员西尼奥雷结婚。他在影片《恐惧的代价》(1953)中饰演的角色使他蜚声国际。他的自传《我心中充满阳光》于1955年出版。之后，他在影片《战争结束》(1966)和在科斯塔-加夫拉斯导演的两部影片《Z》(1968)和《招供》(1970)中的表演，获得了极大的赞扬。他在C.贝里根据M.帕尼奥尔的两部小说改编的影片《让·德·弗洛莱特》(1986)及其续集《甘泉马侬》(1986)中的表演也备受赞扬。

montane forest 山地林 针叶林(**coniferous forest**)的一个类型，主要树种有松树、枞树、云杉等。

montane rain forest 山地雨林 参阅**cloud forest** 云林。

Montañés, Juan (de) Martínez 蒙塔涅斯(1568-03-16，西班牙哈恩雷亚尔堡～1649-06-18，塞维利亚) 西班牙雕刻家，曾促进从风格主义向巴罗克风格的过渡。其作品不仅影响了西班牙和拉丁美洲的雕刻家和祭坛制造者，而且影响了17世纪的西班牙画家。曾在格拉纳达受教于P.德罗哈斯(1579～1582)，1587年去塞维利亚建立工作室，直至去世。以"木雕之神"而闻名，50年中创作了大量作品，影响甚大。精于木雕祭坛和饰金上色的祭坛雕像。作品极为高雅，既逼真而又理想化。其风格传遍西班牙及拉丁美洲，这类作品有：十字架上的基督、幼年基督和无原罪始胎等雕像(均在塞维利亚大教堂)。塞维利亚附近的圣蒂蓬斯教堂中有其所制之最佳祭坛(1610～1613)；其最大作品在赫雷斯-德拉弗龙特拉的圣米格尔教堂(1617～1645)。

Montanism 孟他努斯主义 又作Cataphrygian heresy。2世纪出现于小亚细亚境内弗里吉亚地区基督教会中的异端。创立人是先知孟他努斯。有关孟他努斯派的主要史料是优西比乌斯的《教会史》、德尔图良和伊皮凡尼乌斯的著作以及弗里吉亚中部及其他地区发现的铭文。据史料载，孟他努斯信奉基督教以后不久，约在156年出现于弗里吉亚境内阿尔达波村，他突然昏迷，"为圣灵所附，口吐预言"。两名青年妇女普里斯卡(一说普里西拉)和马克西米拉来依附他，也说预言。该运动传遍小亚细亚，追随者主要在农村。孟他努斯派的基本道理是：《约翰福音》载耶稣所许诺的真理之灵保惠师，正在通过孟他努斯和依附他的男女先知向世人显现。孟他努斯派的又一重要特点是期待基督马上复临世界。孟他努斯派强调严格修身、恪守教规，该派延长斋期，主张坚贞守道，勇于殉教，提倡独身，禁止再婚。当孟他努斯派的蔓延显然已不利于基督教时，小亚细亚境内各主教在177年前后开会，判处孟他努斯派分子以绝罚。此后该派成为分立的教派，指挥中心设于佩普扎。孟他努斯派继续在东方活动，皇帝查士丁尼一世(527～565在位)基本上将它消灭，但残余势力延续到9世纪。

Montanus 孟他努斯(活动时期2世纪) 2～9世纪活动于小亚细亚和北非的基督教异端孟他努斯派的创始人。该派起先预言世界即将转变，后来则宣称获得上帝的新启示。孟他努斯在信奉基督教之前是崇拜圣母赛比利的东方狂热宗教的祭司。据4世纪教会史学家优西比乌斯记述，他约在172～173年进入通神状态，在弗里吉亚一带(今土耳其中部)宣讲预言。该派领袖往往在狂喜状态下口吐奇怪的语言，门徒则释为圣灵的启示。

Montauban 蒙托邦 法国西南部米迪比利牛斯大区塔恩-加龙省省会、城镇。在图卢兹北面约50千米处，建在塔恩河与其支流泰斯库河汇流处。塔恩河上有14世纪初建造的桥梁，右岸有一座17世纪建主教宫。19世纪中叶，主教宫成为安格尔博物馆，藏有1780年当地出生的画家J.A.D.安格尔的4 000幅素描和一些油画及其他同时代作品。安格尔所作的《路易十三的宣誓》亦挂在大教堂内。圣雅克教堂是14和15世纪设防的教堂，可俯视全城。城镇于12世纪由图卢兹伯爵建立。16、17世纪是法国西南部新教的主要设防地区。现为一个农业市场和工业城镇，生产电气、航空、照明等设备和家具、加工食品等。人口36 122(1982)。

Montauk 蒙陶克人 操阿尔冈昆语的印第安部落联盟，住在今纽约州长岛东部及中部，包括欣内库克人、曼哈塞特人、马萨佩夸人、正统蒙陶克人、帕乔格人及罗卡韦人。蒙陶克人与本地区的其他阿尔冈昆部落一样，也以玉米为生，辅以渔猎，耕种由妇女承担。他们过半定居生活，根据食物来源，按季节来往于各固定居处之间。1637年佩科特人被英国人消灭殆尽以前，蒙陶克人一直受佩科特人的统治，后来蒙陶克人又受到纳拉州塞特人的攻击，疫病流行，死亡累累，1659年前后，约有500名幸存者逃往东汉普顿白人住区。1788年前，蒙陶克人仅剩162名，大都参加到由阿尔冈昆各部落剩余居民组成的群体中去，住在纽约州马歇尔地区。少数混血后裔留在长岛，正式称欣内库克印第安人。

Montausier, Charles de Saint-Maure, duc de 蒙托西耶公爵(1610-10-06～1690-11-17，巴黎) 即C.de圣-莫尔。法国陆军军官、文人。1635年继承蒙托西耶侯爵爵位。1630～1631年在保卫意大利北部卡萨莱要塞时战绩卓著。1634～1639年在德意志前线服役。1644年晋升中将。1664年受封公爵。1668年任路易十四的太子路易的首席教师，直到1679年。

Montbéliard 蒙贝利亚尔 法国东部弗朗什-孔特大区杜省城镇。在孚日山和侏罗山之间，距瑞士边界17千米。处于阿莱讷和吕济讷河汇流处高度工业化地区，罗讷-莱茵运河和杜河河口湾北面。公元8世纪就已存在。工业主要为汽车制造业。普吉奥汽车公司雇用当地劳动力的2/3以上。蒙贝利亚尔伯爵城堡坐落在俯视城镇的岩石海角上，城堡上有数座15～16世纪的城楼，内有自然历史博物馆和艺术馆。人口31 174(1982)。

Montblanch, Martín, duque de (duke of) **蒙特布兰奇公爵** 参阅 **Martin** (Spain: Aragon)马丁(西班牙：阿拉贡)项下的 **Martin** 马丁。

Montcalm(de Saint-Véran), Louis-Joseph de Montcalm-Grozon, marquis de　蒙卡尔姆（1712-02-28，法国钱迪阿克城堡～1759-09-14，魁北克）　法国将军，在英法两国全面争

美国不列颠百科全书公司供图

夺殖民地的七年战争中任驻加拿大法军总司令（1756～1759）。12岁参军，当掌旗手。1733年在波兰王位继承战争中初上战场，对奥地利军作战。在奥地利帝位继承战争中，他保卫布拉格（1742）时立下功劳。1743年任奥塞尔驻军团长。1746年在皮亚琴察战役中再次立功，曾负刀伤5处，并被俘。后因交换战俘获释。1747年晋升准将，任骑兵团长。1735年继承父亲的爵位和财产。1756年任驻北美洲法军司令，领少将衔，但他的任务不包括指挥大部分加拿大军事力量的权限。他与殖民地总督沃德鲁伊侯爵发生冲突，他们的对立妨碍了有效的军事行动。1756年迫使驻奥斯威戈的英军投降。次年挥师南下，占领威廉亨利堡，俘获守军2 500名。1758年7月在提康德罗加以3 800名法军击退了1.5万名英军的进攻，战绩辉煌，英军伤亡达2 000人，而法军伤亡仅372人。后晋升中将。1759年英国J.沃尔夫将军率8 500人进攻魁北克。蒙卡尔姆率1 500人在蒙莫朗西河两岸设防，两个月拒不应战。后来沃尔夫越过亚伯拉罕平原，终于在魁北克附近登陆成功，蒙卡尔姆才不得不与英军交战（1759-09-13），结果英军获胜。经过英勇奋战，蒙卡尔姆受重伤后死亡。

Montclair　蒙特克莱　美国新泽西州埃塞克斯县城镇。位于沃特丘恩山脉东麓，纽瓦克正东。1666年始有居民。1868年设镇。为住宅区。现以收藏19世纪末风景画家G.英尼斯作品的艺术馆著称。城内有一块0.6平方米的草坪，被称为世界上最小的公园。草坪上有一块巨石，上面镶着纪念独立战争期间G.华盛顿视察该地的饰板。州立蒙特克莱学院建于1908年。城西有伊格尔罗克保留地。人口38 977（2000）。

Montcorbier, François de（French poet）　**蒙科比耶**　参阅 **Villon, François** 维永。

Montdory　蒙特多里（1594-03-13，法国蒂埃尔～1653-11-10，蒂埃尔）　原名纪尧姆·德·吉尔贝特。最早的杰出的法国演员。以扮演高乃依戏剧人物著称。1612年参加瓦莱朗·勒孔特的剧团，开始其演剧生涯。这个剧团主要演出哈尔迪的悲喜剧。1629年和同行勒努瓦在一个室内球场建立了一座剧院，从此在巴黎有了立足之处。高乃依的第一部喜剧《梅丽特》在这里上演一举成功。1634年他把另一个室内网球场改建为马雷剧院。到此时为止，他已上演了全部高乃依的早期戏剧。1636年组织了高乃依杰作《熙德》的演出，并亲自扮演罗德里克一角。和前人不同的是，他从来不演闹剧。创造的主要悲剧角色有迈雷《索福尼斯贝》中的马西尼萨、斯居代里《凯撒之死》中的布鲁特斯、高乃依《梅黛》中的耶逊。作为一个演员，他极善于表达感情，但很少采用风格上的仿效动作。1637年在扮演特里斯坦·赫米特《玛丽亚纳》中的埃罗德时，突然中风，从此离开舞台。

Monte, Giovanni Maria Ciocchi del（pope）　**德尔蒙特**　参阅 **Julius III** 尤里乌斯三世。

Monte, Philippe de　蒙特（1521，荷兰梅赫伦～1603-07-04，布拉格）　文艺复兴时期音乐中占支配地位的尼德兰学派最活跃的作曲家之一，以其宗教音乐和牧歌闻名。早年在那不勒斯度过，1554～1555年，同西班牙腓力二世的合唱队访问英国；返回意大利后，1568年任哈布斯堡皇族的宫廷音乐总监。他是一位多产作曲家，技巧娴熟但不善于探索新路，却擅长在音区上和声部组合上形成微妙的对比。他的38首弥撒曲和319首经文歌堪与帕莱斯特里纳的作品媲美。也是最后的尼德兰学派意大利牧歌大师之一，出版了42本（1 200多首）意大利牧歌集。

Monte Albán　阿尔班山　古萨波特克文化及米斯特克文化中心遗址。位于今墨西哥瓦哈卡州。该遗址的最早建筑约建于公元前8世纪。遗址有大广场、平顶金字塔、球场、地下通道和约170座墓葬，这是迄今在美洲发现的最复杂的遗址。它的地势颇高，大概是出于防御目的而选择的。大广场建于最高的山岗顶上，侧翼还有4个广场。在南广场上，建有两座神庙。阿尔班山文化的前两阶段，神庙及其他建筑都以表面经过修打的石块筑成。萨波特克人约于公元前1世纪占据此地。第3阶段是阿尔班山文化的鼎盛时期，它的开端与中美洲文化的古典期（300～900）相当，特奥蒂瓦坎建筑风格的影响颇为明显，这个阶段于500年达到顶峰。随后的第4阶段所知甚少，这时阿尔班山已失去其政治优势，建筑物开始倾圮。最后一个阶段一直持续到16世纪西班牙人征服时期，米斯特克人生活在这里，他们重新使用了昔日萨波特克人的一些坟墓，两种文化因而混合在一起。

Monte Bello Islands　蒙特贝洛群岛　澳大利亚西澳大利亚州西北沿海印度洋中无人居住的珊瑚群岛，东距丹皮尔群岛100千米。较大岛屿有西北岛、特里穆耶岛、东南岛和赫米特岛。岛上地势平坦，海岸曲折。沿岸生长红树。1952和1956年英国曾在这些岛上进行核爆炸试验。

Monte-Carlo　蒙特卡洛　摩纳哥4个行政区之一。为游览胜地。濒临地中海，位于法国里维埃拉一带的滨海山脉脚下的陡坡上。1856年兴建赌场，1861年开业。5年后周围地区宣布为蒙特卡洛，为世界富豪寻欢作乐之地。赌场1967年由政府接管，每年收入可弥补国家预算的5%。许多美丽的别墅现已改为旅馆和公寓。人口13 154（1982）。

蒙特卡洛风光
美国不列颠百科全书公司供图

Monte Censio（France）　参阅 **Mont Cenis** 塞尼山。

Monte Rosa　罗莎峰　瑞士-意大利边界的彭尼阿尔卑斯山（**Pennine Alps**）的山岳。圆

罗莎峰
美国不列颠百科全书公司供图

顶,终年积雪。有10座山峰,4座位于边界,5座在意大利一侧。第10座杜富尔峰(Dufourspitze)是该群山及瑞士最高峰(4 634米)。意大利一侧有核能研究实验室。北坡有戈尔纳等冰川汇合于采尔马特附近。

Monte San Giuliano (Sicily) **蒙特圣朱利亚诺** 参阅 **Erice** 埃里切。

Monte Sant'Angelo **蒙泰圣安杰洛** 意大利中东部普利亚区福贾省城镇。在意大利的"马靴刺"加尔加诺半岛的南坡,福贾市的东北面。在著名的圣米迦勒教堂周围发展起来。教堂于490年左右建在一处岩洞顶上;据说天使长米迦勒曾在洞内显灵。中世纪该镇为朝圣中心。经济以旅游朝圣服务业及农业(产谷物、橄榄油、葡萄酒)、养牛业、毛纺业为主。人口:城市区约16 500(1981)。

Montebello, Jean Lannes, duc de (duke of) **蒙特贝洛公爵** 参阅 **Lannes, Jean** 拉纳。

montebrasite **羟磷锂铝石** 类似磷铝锂石(**amblygonite**)的磷酸盐矿物。

Montecatini Terme **蒙泰卡蒂尼-泰尔梅** 意大利中北部托斯卡纳区皮斯托亚省城镇和矿泉疗养地。在皮斯托亚市西南面。14世纪就以盐性温泉闻名。在政府资助下,其温

蒙泰卡蒂尼-泰尔梅的矿泉
美国不列颠百科全书公司供图

泉得到统一规划,该镇成为意大利最为优秀的矿泉疗养地。约有250个旅馆。输出矿泉水。通铁路、公路,使用比萨和佛罗伦萨的机场。人口:城市区约21 505(1981)。

Montéclair, Michel (Pinolet) de **蒙泰克莱** (1667-12-04受洗,法国安德洛～1737-09-27,巴黎附近圣但尼) J.-B.吕里与J.-P.拉莫之间一段时期法国歌剧和器乐曲的主要作曲家。1700年在巴黎定居,1707～1737年在巴黎歌剧院演奏低音提琴,是最早使用现代低音提琴的演奏者之一。第一部芭蕾歌剧《夏天的节日》于1716年上演。最出名的歌剧《耶弗他》(1732)由于取材于《圣经》,曾被巴黎大主教禁演,它的壮丽豪华颇有吕里之风,据传它曾对拉莫有所影响。其他作品有《法国和意大利康塔塔》(1709～1717)、一部安魂曲以及室内乐和歌曲。所著3部有关理论和教学的论著中就当时的装饰音和表演实践提供了重要资料。

Montecorvino, Giovanni da **孟德高维诺** (1247,西西里蒙特科尔维诺～1328,北京) 意大利天主教方济各会传教士,他在印度和中国创立传教站,后任第一任北京主教。他于1272年奉拜占廷皇帝迈克尔八世·帕里奥洛加斯委托往见教皇格列高利十世,商谈希腊教会与罗马教会合一问题。1280年前后开始在亚美尼亚和波斯传教。1289年教皇尼古拉四世任命他为使节,派他前往会见波斯伊尔汗。他从当时西亚主要城市大不里士到达印度的马德拉斯地区,1292或1293年自该处发回书信,对被历史上称为科罗曼德尔海岸地区提出最早的资料,1294年到达中国元朝首都汗八里(即大都,今北京)。1305和1306年写信叙述天主教在远东的发展,谈到聂斯脱利派(景教)的阻挠,并言及曾在印度成立天主教会。1307年教皇克雷芒五世任命他为北京大主教兼东方宗主教,并派遣七名主教前往北京,参加他的祝圣礼并协助他工作,其中只有三名到达。根据方济各会传说,1311年他曾为第三代大汗元武宗孛儿只斤海山(1307～1311在位)和皇太后施洗礼。此事虽无确实定论,但可以肯定他在华北和华东的活动是有成效的。

Montecristi **蒙特克里斯蒂** 多米尼加共和国西北部省份。北濒大西洋,西连海地。建于1879年。面积1 989平方千米。在富饶的锡巴奥谷地西部。有北亚克河流经,大量用于灌溉。为该国主要稻米产区。也出产大

蒙特克里斯蒂省的锡巴奥谷地
美国不列颠百科全书公司供图

量烟草和香蕉。有二级公路经过。省会蒙特克里斯蒂(**Montecristi**)是通往圣多明各的公路的终点。人口83 407(1981)。

Montecristi **蒙特克里斯蒂** 全称圣费尔南多-德蒙特克里斯蒂。多米尼加共和国西北部蒙特克里斯蒂省省会。在沿海低地,靠近北亚克河河口。建于1506年。1606年因同海盗非法贸易而被毁。至1756年方重建。现为重要的商业和运输业中心。主要经营稻米、棉花、咖啡、香蕉、山羊等的贸易。附近港口主要出口皮革。是通往圣多明各的一条铺面公路的终点。有飞机场。人口9 265(1981)。

Montecristo Island **蒙泰克里斯托岛** 拉丁文称奥拉萨岛。第勒尼安海中托斯卡诺群岛的一个岛。位于意大利大陆和科西嘉岛之间,厄尔巴岛的南面。属意大利里窝那省。岛上多山,高达645米,面积16平方千米。为国家禁猎地。该岛因大仲马的小说《基度山恩仇记》(1844)而闻名。

Montecuccoli, Raimondo **蒙特库科利** (1609-02-21,摩德纳公国摩德纳附近蒙特科西奥多城堡～1680-10-16,奥地利林茨) 奥地利陆军元帅,军事改革家,以防御工事和机动作战为基础的战争大师。他率领奥军战胜哈布斯堡王朝达半个世纪之久。1625年参加奥地利军队。在布赖滕费尔特(1631)和吕岑(1632)对瑞典国王古斯塔夫二世作战有功。1639年为瑞军俘虏,在拘禁期间研究战争艺术,并开始写关于战略战术的著作。1642年回德意志后,由于在巴伐利亚面临法国和瑞典联合进攻时巧妙退却,晋升将军。1648年缔结《威斯特伐利亚和约》,他又开始从事写作并多次执行外交使命。川任陆军元帅以后,他把瑞典人从德意志、丹麦和波美拉尼亚赶走(1658～1660),粉碎土耳其人对奥地利的进攻(1661～1664),在圣戈达赢得决定性的胜利(1664-08-01),因而被誉为基督教世界的救星。1664年成为整个帝国军队的大元帅,1668年任帝国最高军事委员会主席。他领导奥地利陆军进行一系列军事改革:采用滑膛枪,削减长矛步兵的数量,相应增加使用火器步兵的数量,并在精锐部队中增编掷弹兵。1672年率帝国军队对法国作战,多次击败法军。1675年终因年老多病退休。主要著作为《军事艺术》(1792)。

Montefeltro FAMILY **蒙太费尔特罗家族** 佛罗伦萨东南意大利边境地区乌尔比诺城的贵族世家,后成为一个王朝,并在13～16世纪出过一些杰出的政治和军事首领。1234年,这一家族开始统治乌尔比诺。在13世纪其余年间以及14世纪初期,在皇帝与教皇之间的斗争中,该家族是站在皇帝一边的重要力量。但丁在《炼狱》中所提到的奎多·达·蒙太费尔特罗曾在罗马涅和托斯卡纳对教皇派作战。其子费代里戈统治乌尔比诺至1322年,为起义者所杀。费代里戈之子诺尔福一度收复乌尔比诺,但此城终于落入教皇派之手。诺尔福之孙安东尼奥(1403卒)于1377年恢复了家族的权力,并与教皇达成和解。安东尼奥之孙费代里科(1422～1482)是杰出的军事领袖,教皇西克斯图斯四世封他为乌尔比诺公爵。费代里科之子奎多巴尔多是家族的最后一位统治者,1502年为C.博尔吉亚所废黜。

Montefiore, Claude Joseph Goldsmid **蒙蒂菲奥里** (1858-06-06,伦敦～1938-07-09,伦敦) 犹太人神学家和宗教改革家。撰写"同观福音书"(《马太福音》、《路加福音》和《马可福音》)重要评注的第一位现代犹太人士。他毕生是犹太教改革派(**Reform Judaism**)领袖。1902年协助创办犹太宗教联盟;并从1926年起担任世界进步犹太教联盟主席,直到逝世

为止。他也是有名的慈善家，曾创办和编辑《犹太人评论季刊》。

Montefiore, Sir Moses(Haim)　蒙特斐奥雷（1784-10-24，意大利里窝那～1885-07-28，英国肯特郡拉姆斯盖特附近）　犹太慈善家。出身于意大利犹太商人世家，幼年随家到英国，青年时在伦敦的证券交易所活动致富。1824年退休。1827年首次前往耶路撒冷朝

美国不列颠百科全书公司供图

圣，同埃及苏丹穆罕默德·阿里建立友谊。由于他的斡旋，1840年将大马士革一批被诬告杀害基督徒而用人血献祭的犹太人释放。同年经过他的敦促，土耳其苏丹允许犹太人与其他民族享受同等权利。1863年新苏丹重申这些权利，也是由于他的努力。俄国原有不许犹太人居住西部边境的法令，1844年出于他的建议，沙皇尼古拉一世予以废除。他还以私人身份从事许多慈善事业，捐出财产，在巴勒斯坦开设医院和其他慈善机关。

Montego Bay　蒙特哥贝　牙买加圣詹姆斯区的首府和全国第二大城市。在金斯敦西北137千米处。其地址是哥伦布1494年到过的一个阿拉瓦克人村庄。市区沿海滨延伸20英里，为一拥挤的现代旅游地。也是商业中心和港口，大量出口水果和其他产品。建有国际机场。以其白砂海滩而著名。建筑物有圣詹姆斯教堂（1775）、市政厅（1804～1808）和19世纪初监禁逃跑的奴隶的拘留所，现已改为诊疗所。市区以东7英里处有罗斯霍尔大宅邸，传说那里常有谋害奴隶和情夫的原女主人“白巫婆”的鬼魂出现。人口约59 614（1982）。

Monteiro Lobato, José Bento　蒙特罗·洛巴托（1882-04-18，巴西陶巴特～1948-07-04，圣保罗）　巴西作家、出版家。巴西文学现代主义运动的先驱。作为一个律师和圣保罗州内地的一个咖啡种植园主，他曾给圣保罗一家报纸写信，陈述内地的干旱和林火。应编辑之约，洛巴托又写了一些短文和短篇小说，后收于《蘑菇》（1918）一书中。后来移居圣保罗，创办文学刊物《巴西评论》和一家出版社，在他周围集合了一群新文学才子。他生性好批评，富于反抗精神，数次入狱和流放。他的儿童文学作品也同样受到成人的喜爱。

Montélimar　蒙泰利马尔　法国东南罗纳-阿尔卑斯大区德龙省城镇。位于瓦朗斯西南，靠近鲁比永河和罗纳河汇流处。罗马人称之为阿屈尼姆。中古时称阿代马尔。名胜古迹有14世纪要塞和帕佩城堡（现为一所监狱）。为农业中心，也有轻工纺织业。人口43 584（1999）。

Montelius, Oscar　蒙特利乌斯（1843-09-09，瑞典斯德哥尔摩～1921-11-04，斯德哥尔摩）瑞典考古学家，他力图建立史前年代学、特别是不列颠群岛和北欧及斯堪的纳维亚半岛青铜器时代年代学的基础。1863年在斯德哥尔摩国立古物陈列馆任职，1888年被授予教授衔，1907～1913年任馆长。创立“瑞典类型学”，主张物质文化和生物生活基本上沿同类进化过程发展，但迄今学者对此说仍有分歧。主要论著有《论青铜器时代分期》（1885）、《多神教时期的瑞典文明》（1888）、《东方与欧洲古文化时期》（1903～1923）。

Montemayor, Jorge de　蒙特马约（约1520，葡萄牙科英布拉旧蒙特莫尔～1561-02-26，萨伏依公国都灵[意大利]）　葡萄牙出生的传奇作者和诗人，曾写出了第一部西班牙田园小说。蒙特马约大概是1543年作为乐师同腓力二世的第一个妻子玛丽来到西班牙的。1544年曾陪同腓力二世去英格兰。他被暗杀于皮埃蒙特。他最著名文学著作是田园小说《狄安娜》（1559），这部作品的写成部分地受到J.桑纳扎罗的田园传奇《阿卡迪亚》的影响。《狄安娜》开创了文艺复兴时期的一种文学风尚，影响所及，流传到法国、低地国家、德国和英国。莎士比亚根据小说的英译本写了《维洛那二绅士》一剧。

Montemolín, Carlos Luis de Borbón, Count (count) de　蒙特莫林伯爵　参阅 **Carlos Luis de Borbón** *卡洛斯·路易斯（波旁的）*。

Montenegro　黑山　又译门的内哥罗。塞尔维亚-克罗地亚语作 Crna Gora。欧洲国家，位于巴尔干半岛中西部。西南临亚得里亚海和克罗地亚，西北与波斯尼亚-黑塞哥维那交界，东北接塞尔维亚，东南与阿尔巴尼亚接壤。首都波德戈里察（旧称铁托格勒）。得名于自威尼斯意大利语，指的是洛夫琴山（1 749米），该山是其历史中心，是与土耳其人数世纪斗争中的要塞。在巴尔干国家中，黑山是唯一未被征服过的国家。旧黑山（西南部）主要为喀斯特地貌，荒山秃岭草木不生。也有一些可耕种地区，如前首都采蒂涅周围地区和泽塔谷地。包括迪纳拉阿尔卑斯山一部分（杜米托尔山，2 522米）在内的东部地区较为富饶，有大片森林和草原高地。河流向两个相反的方向流动：皮瓦河、塔拉河和利姆河向北流，莫拉察河和泽塔河向南流。较高地区气候恶劣，谷地气候较为温和。年平均温度约为14 °C。许多高山全年大部分时间积雪。在一些较阴冷的峡谷中积雪从不融化。采蒂涅的年降水量超过3 810毫米。全年均有降水，但以秋季最甚。黑山人口相对较少，没有人口稠密的地区。人口中大部分为黑山人。还有为数不少的穆斯林和阿尔巴尼亚少数民族。黑山人与塞尔维亚人血缘关系很近。他们和塞尔维亚人一样，也操塞尔维亚-克罗地亚语，并以西里尔字母书写这种语言。信奉东正教。传统的社会由父系大家庭构成。这是一种权力分散的社会，在这样的社会中，对大家庭的忠诚非常重要，家族之间普遍存在血仇和战争。这种传统社会的残余一直延续至今。黑山经济不十分发达，

美国不列颠百科全书公司供图

人均收入很低。经济传统上依靠畜牧业，主要为绵羊和山羊，夏季和冬季需转换草场。1945年后，政府投入大量资金发展电力、钢铁和有色金属工业。在罗马帝国统治下，黑山为罗马伊利里亚省的一部分。7世纪斯拉夫人在此定居后，成为独立的泽塔省。12世纪末并入塞尔维亚帝国。1389年土耳其人在科索沃灰岩盆地打败塞尔维亚人后，黑山重获独立。1516年后，由正教主教兼君主统治。经常与土耳其人和阿尔巴尼亚人作战。1711年后开始与俄国结盟。柏林会议（1878）的决定将其范围扩大一倍并承认其独立。因阿尔巴尼亚反对，南部疆界至1880年后才确定。黑山最终获得全部波德戈里察平原和包括巴尔和乌尔齐尼两个小港口在内的40千米海岸。1910年尼古拉一世（1860～1918在位）自立为黑山国王。在1912～1913年巴尔干战争中，由尼古拉挑起战争，塞尔维亚和黑山联合反对土耳其。战争结束后，黑山疆界向北向东延伸，与塞尔维亚交界。第一次世界大战中，黑山支持塞尔维亚。1918年11月初，奥匈帝国军队撤出，由塞尔维亚军队和一些非正规部队取而代之。在这种新统治下，在波德戈里察召开了“国民大会”。11月26日决定废黜尼古拉的王位，黑山并入塞尔维亚。1941年4月，部分地区被意大利军队占领。但当月即爆发起义，此后战事几乎一直不断。至1944年末，使用英国武器和装备的共产党游击队控制了大部分地区。黑山共产党人是铁托游击队的中坚分子，为其输送了大部分很有魄力的军官和领导人。因此，《新南斯拉夫联邦宪法》（1946）规定黑山为6个名义上的联邦自治单位中的一个，是不足为奇的。1991年社会主义南斯拉夫解体时，黑山共和国是唯一选择与塞尔维亚一起留在新的面积缩小了的南斯拉夫内的共和国。2003年，黑山和塞尔维亚同意创建一个新的国家联盟，每个共和国享有重要的自治权，并更名为塞尔维亚和黑山共和国。2006年5月黑山举行独立公决，有55.5%的参投选民支持黑山独立。同年6月3日，黑山议会通过《独立

宣言》,正式宣布成为一个独立的主权国家。面积13 812平方千米。人口约618 000(2005)。

Monteregian Hills 蒙特里根丘陵 加拿大魁北克省东南部圣劳伦斯河谷地的一连串8座孤峰式山岗,属蒙特利尔和东镇两行政区。从蒙特利尔岛向东延伸约80千米直至阿巴拉契亚高地。这些丘陵由火成岩构成,东北面峰峦高耸,西南面山坡平缓。丘陵名源自拉丁语,意为"皇家山",1535年由法国探险家J.卡捷所定。最著名的是蒙特利尔岛上的罗亚尔峰,实际上是三座山峰组成,即罗亚尔峰(高233米)、西峰和内奇斯峰。

Monterey 蒙特雷 美国加利福尼亚州蒙特雷县城市。在蒙特雷湾南端的半岛上。位于旧金山以南135千米处。1770年始建。1775年定为上加利福尼亚首府,筑城堡,并发展为输入港和西班牙文化的中心。1846年并入美国。1849年该州首届立宪会议在此召开。1850～1873年为县城。1889年设市。曾为渔业和捕鲸业港口。现经济依靠旅游业和附近的军事机构。设有蒙特雷半岛学院(1947)、国际问题研究所(1955)和蒙特雷会议中心(1977)。州立蒙特雷历史公园内有旧海关大楼(1827)、该州第一座剧院(1844)。该市也是艺术家和作家的隐居地,每年9月举行传统的蒙特雷爵士音乐节的庆祝活动。人口:29 960(2003)。

Monterey Canyon 蒙特雷海底峡谷 北美洲太平洋海岸不远处最大最深的海底峡谷。加利福尼亚州蒙特雷湾中的上段有三条支谷:北部的索克尔小海底峡谷、东西走向的主要的蒙特雷海底峡谷和南部的卡梅尔海底峡谷。蒙特雷海底峡谷长约80千米,在其与卡梅尔海底峡谷会合点以下,向西南下降到轴线深度为9 600英尺处,切入起伏徐缓的海底扇形谷地中。峡谷两壁高度由上段至下段逐渐增大,轴线深度为6 312英尺处的最大高度约6 670英尺。因此,该海底峡谷规模可与陆地上的大峡谷媲美。

Monterey Jack 蒙特雷杰克干酪 柔嫩可口的牛奶干酪。主要产于加利福尼亚州,原产地为蒙特雷县,但现在产于加州别的地方,即著名的索诺马县(通称索诺马杰克),以及威斯康星州。熟化期为6周,个别需3个月。呈淡黄色,口味柔和,质地细腻稠软,含有不规则小孔。有时用香料、甜红椒或其他调味品提味。干蒙特雷杰克干酪是一种经过熟化的美食,呈深金黄色,质地、香味与成熟的切德干酪相似。

Montería 蒙特里亚 哥伦比亚西北部科尔多瓦省省会、锡努河畔的内陆港口。原为印第安人村庄。1744年为西班牙人占据。1784年建城市区。后成为主教辖区。现在,当地的经济活动包括牧业、伐木业、开采砂金矿、生产奎宁和象牙椰子等。设有科尔多瓦大学(1966)。人口约248 245(1999)。

Monterrey 蒙特雷 墨西哥北部新莱昂州都会区和首府。海拔538米。部分为山脉环绕。在圣卡塔琳娜河泛滥平原。1579年始建。由于1882年通往美国得克萨斯州拉雷多的铁路通车以及鼓励投资的州立法获得通过,该地建立了大型冶炼厂和重工业企业。1930年始建的泛美公路建成以后进一步发展,成为全国第三大城市和西半球最繁荣的现代化工业中心之一。有重工业、半成品制造业、选矿业,还生产啤酒、香烟、陶器、玻璃和纺织品等。城北和城东是灌溉农业区。当地河流可供水力发电,但格兰德河下游福尔肯大坝的灌溉和发电之利在墨西哥的主要受益者是蒙特雷。市内有蒙特雷理工学院等6所高等院校。拉雷多-墨西哥城的主要公路、铁路和航空线通过该城。人口:258(1775);29 000(1880);132 571(1930);都会区3 273 332(2000)。

Montes Claros 蒙蒂斯克拉鲁斯 巴西米纳斯吉拉斯州北部城市。海拔638米。1831年成为城市区所在地,1857年建市。畜牧业是该地区主要收入来源。也种植木薯、玉米、豆类、棉花、甘蔗等作物。为贸易和制造业中心。市内有家具厂和纺织厂。1962年建立一所师范大学。铁路和公路通首府贝洛奥里藏特。有一商业机场。人口约288 534(2000)。

Montespan, Françoise-Athénaïs de Rochechouart, marquise de (marchioness of) **蒙特斯庞侯爵夫人**(1641-10-05,法国托奈夏朗德～1707-05-27或28,波旁拉尔尚博) 法国国王路易十四的情妇,前后达13年。莫特马尔侯爵(1650年后为公爵)之女。1663年与蒙特斯庞侯爵结婚。1664年任王后的女侍,1667年成为国王的情妇。她同路易十四共生子女7人,除一女早殇外,其余后均认为嫡出。蒙特斯庞侯爵于1674年与她正式离异。1679年发生投毒事件,她因与一巫师来往而涉嫌此案。她虽然仍长期留在宫廷,但国王已移情他人。1691年隐退巴黎圣约瑟隐修院,后成为院长。

Montesquieu, Charles-Louis de Secondat, baron de La Brède et de 孟德斯鸠(1689-01-18,法国波尔多附近拉布雷德堡～1755-02-10,巴黎) 18世纪法国政治哲学家。早年就读于瑞伊学院、波尔多大学,毕业后当律师。1716年继承其伯父之财产和爵位,并接任波尔多法院副院长,又入波尔多学院研究

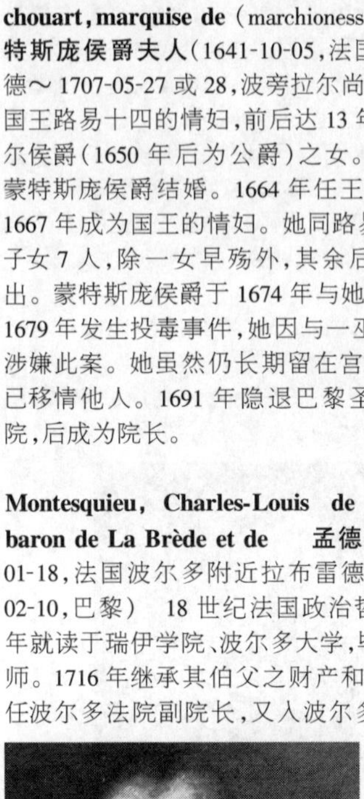

美国不列颠百科全书公司供图

地质、生物和物理学等。1721年发表《波斯人信札》。该书辛辣地讽刺法国文明社会、路易十四的统治和社会各阶级;评论霍布斯的"自然状态"理论;对人口统计学这一新学科作出独特贡献。他将伊斯兰教同基督教加以比较;讽刺天主教教义。全书贯穿批判精神,有力地向传统挑战,他也因此出名。1722年去巴黎,借贝里克公爵之力,进入宫廷。后结识朗贝尔夫人等,出入文艺沙龙。这期间又结识英国政治家博林布鲁克,并将其政治观点反映在他对英国宪法的分析中。在朗贝尔夫人大力支持下,于1728年进入法兰西学院。但他却决定以出国旅行来完成学业。先后到维也纳、意大利、德国、荷兰、英国等地。在英国交游甚广,受威尔士亲王接见,被选为皇家学会会员,参加议会辩论,浏览当时的各种政治杂志。1734年写成《罗马盛衰原因论》。该书写作技巧欠佳,遭学术界冷遇,但有关罗马史的评论深邃有力,研究历史因果关系的方法引人入胜。为了撰写论述法律与政治的巨著,他博览群籍,写了大量笔记。1748年《论法的精神》终于脱稿。该书堪与亚里士多德的《政治学》媲美,成为政治理论史和法学史上一巨著。作者熟悉以往各思想流派,有独到见解,所论述的三个问题尤其值得称道。一为对政体的分类;他根据政府实施政策的方式分类,摒弃君主贵族与民主政体的传统分类,为每一政体规定一生动原则,认为共和政体基于道德,君主政体基于荣誉,专制统治则基于恐怖。其二是三权分立说;他将政权分为立法、行政和司法三权,认为三权必须分授不同的人或团体,独立行使,才能最有效地促进自由,英国即此类国家的模式。人权宣言和美国宪法均受此学说启示。其三是气候对政治有影响的学说;他强调气候影响人体结构,从而影响人对社会的看法,立法者的责任是消除这种影响。但又坚信气候仅为次要原因之一,其他因素(尤其法律、宗教及政府的准则)对政治的影响将随文化发展而逐渐增大。他认为必须把社会视为一个整体,宗教本身是社会现象,任何信仰究竟有利或有害,与其教义是否是真理无关;认为专制制度、奴隶制度和偏狭是天生的祸害;坚信人的尊严。《论法的精神》出版后得到各界赞扬:苏格兰哲学家休姆认为该书定将世代受到颂扬;一位意大利朋友读此书时赞不绝口;瑞士科学家C.博内则认为孟德斯鸠发现了思想领域的规律,正如牛顿发现物质世界的规律一样;启蒙哲学家把他视为他们中的一员。然而指责文章与小册子也接踵而来。1751年此书被列为禁书,但这不过是他的短暂的挫折。1750年他又发表了《捍卫法的革命》,内容深刻,文笔犀利。此时他已享有世界声誉。

Montessori, Maria 蒙台梭利(1870-08-31,意大利安科纳附近基亚拉瓦莱～1952-05-06,荷兰诺德韦克安泽) 意大利教育家和以她的名字命名的教育体系的创始人。蒙台梭利体系的依据是相信儿童有创造潜力,有学习的动力和被作为独立个体对待的权利。

1896年从罗马大学医科毕业后(意大利第一位女医科毕业生),蒙台梭利被聘为罗马大学精神病诊所的助理医生。其间,她对智

力迟钝儿童的教育问题产生了兴趣。1899～1901年任国立罗马心理矫正学院院长，她的方法在那里被证明极其成功。1896～1906年在罗马一女子学院讲授卫生学，1900～1907年在罗马大学讲授教学法，1904～1908年讲授人类学。与此同时，她继续研究哲学、心理学及教育学。

1907年，蒙台梭利开设第一所“儿童之家”——一所为来自罗马贫民区圣洛伦索的

美国不列颠百科全书公司供图

幼儿所设的学校，将她的方法应用于智力正常的儿童。她的成功导致其他蒙台梭利式学校的开办，其后40年，她遍游欧洲、印度和美国，从事讲学、写作及制定师资培训计划。1922年被任命为意大利政府督学，但因法西斯的统治于1934年离开该国。在西班牙和锡兰（今斯里兰卡）住过一段时期后，定居荷兰。

蒙台梭利藐视传统的课堂，认为在那里“儿童像蝴蝶那样被钉死在各自的位子上”。而她寻求通过提供实物和组织使学生易于利用这些实物进行学习的环境来教育儿童。

她发现，某些简单的实物引起幼儿的兴趣和注意，而这在以前被认为不可能。这些实物包括数量逐渐增加的一组组珠子，用于学习数学之前的教育；设计用来训练阅读时眼睛从左至右移动的小木板；以及用来锻炼幼儿肌肉的一套大小不一的圆筒。3～6岁的儿童会自发地利用这些实物学习15分钟至1小时而不会分心。这段时间结束时，他们似乎不会像被迫去做时那样感到疲倦，反而显得精神和镇定。通过这种自发的学习，散漫的儿童变得安定。所用的实物是专门设计的，以鼓励个人而不是共同的努力。集体活动出现在参加与家务劳动有关的活动中。

高度的个人主动精神和自我管理是蒙台梭利哲学的特色，而自我教育是其方法的关键。教师提供并演示特制的“教具”，但仍站在幕后而让孩子自己去动手。在蒙台梭利体系中，生物和智力上的成长是有联系的。当孩子的兴趣和智力能力最适于获得某种专门知识时，存在对应于某些年龄的“敏感期”。

蒙台梭利的教学方法见于下列著作：《蒙台梭利科学教学法》（1909）、《蒙台梭利高级教学法》（1917～1918）、《儿童时期的奥秘》（1936）、《新世界教育》（1946）、《开发人的潜力》（1948）及《有吸引力的心》（1949）。莫蒂默·斯坦丁所写传记《玛丽亚·蒙台梭利——她的生平及著作》（1957）论述了蒙台梭利教学法的原理。

Montet，Pierre　蒙太（1885-06-27，法国索恩河畔自由城～1966-06-19，巴黎）　法国埃及学家。1919～1948年任斯特拉斯堡大学埃及学教授，1948～1956年任巴黎法兰西学院埃及学教授。1921～1924年主持比布鲁斯（又译毕布勒，今黎巴嫩朱拜勒）第一次大规模发掘，发现当时认为是世界最古的字母文字，研究结果著录于《比布鲁斯与埃及》（1928）一书中。1929～1951年间在埃及古都塔尼斯积极工作，1939、1940及1946年发现重要古墓，出土新王国（约公元前1567～约前525）第21王朝及第22王朝大量珍贵随葬品，一些异常豪华的金属制品，如银棺和金面罩，显示了叙利亚的影响。著有《塔尼斯皇陵》（3卷，1947～1960）、《拉美西斯时代之日常生活》（1958）以及《永恒的埃及》（1964）。

Monteux，Pierre　蒙特（1875-04-04，巴黎～1964-07-01，美国缅因汉科克）　20世纪杰出指挥家之一，因指挥从贝多芬以至近代作曲家如斯特拉文斯基、A.奥涅格的作品著称于世。曾在巴黎音乐学院学习，后成为专职中提琴演奏家。1911～1914年在巴黎任佳吉列夫的俄罗斯芭蕾舞团指挥，主持了斯特拉文斯基的《春之祭》（1913）及拉威尔的《达菲尼与克罗埃》的首次演出。1917～1919年任大都会歌剧院指挥。1919～1924年指挥波士顿交响乐团。1929～1938年创建巴黎交响乐团并自任指挥。1936～1952年返回美国，接管新改组的旧金山交响乐团。1941年在汉科克建立了一年一度培养指挥学生的暑期学校。1960年起任伦敦交响乐团的终身指挥。作为一位指挥家，蒙特在芭蕾舞剧、歌剧和交响乐方面受到同样的赞赏，他的表演被认为是雅致而精妙的。

Monteverdi，Claudio　蒙特威尔地（1567-05-15受洗，米兰公国克雷莫纳～1643-11-29，威尼斯）　文艺复兴晚期意大利作曲家，歌剧（当时属新体裁）的最重要的开发者。在将

美国不列颠百科全书公司供图

“现代”世俗精神输入教堂音乐方面有很大贡献。

早期生涯　曾师从克雷莫纳大教堂音乐总监M.英杰涅里；他显然是一个早熟的学生，十几岁就出版了几本宗教与世俗音乐集，而且各有一些相当不错的作品，风格与其师相去不远。这一时期的顶峰是两本牧歌曲集的出版（1587，1590），其中不乏优秀之作，引人注目，手法略比英杰涅里现代化，这可能是研习当时最伟大牧歌作家L.马伦齐奥（1553～1599）等人的牧歌的结果。

贡扎加宫廷　1590年左右蒙特威尔地受曼图亚公爵雇用，担任弦乐演奏员，从而接触一些当时最优秀的音乐家，包括演奏家和作曲家。对他影响最大的可能是佛兰德斯作曲家、现代主义者G.德·沃特。沃特风格的核心是：音乐必须与诗句的意境配合得丝丝入扣，对歌词的抑扬顿挫必须密切关注。因为他选择的是塔索和瓜里尼的高度浓缩而感情激越的抒情诗，因此他的音乐尽管旋律不优美而且难唱，但是感情极其丰富。这对蒙特威尔地有着直接的影响；他在曼图亚的第一年所发表的牧歌曲集就表现出这种新倾向的影响，尽管他的理解并不全面。这一曲集标志着他在方向上的彻底改变，其中的旋律生硬，和声越来越不协和，意境紧张至于神经质的地步。这种新风格似乎破坏了他的创作力。他虽仍继续写作，但接着的11年中他出版的作品很少。1602年他35岁时获得公爵府教堂乐正之职。1603和1605年又发表两卷牧歌曲集，其中各有杰作。此时先锋派的手法已更好地化入他的乐汇。他仍力求在细枝末节上都紧扣诗句的含义，但同时也解决了主题的发展和比例这类纯音乐的问题。虽然和声更不协和，旋律有时变得更生硬，但总体效果却更富感情变化，而且不那么神经质。超前的音乐手法，特别是紧张而拖长的不协和音的运用，激起保守派的抨击。这些抨击使他成为当时最知名的作曲家，也激怒了他，促使他起而反击，发表重要美学论文，阐述他对艺术本质的观点。他断然否认革新者的作用，声称自己只是追随一个50年来不断发展的传统，这个传统力图将各种艺术，特别是将词和曲融为一体。再说，艺术作品应该有足够的力量去“感动全人类”，而这又可能意味着要摒弃某些约定俗成的做法。另一方面，他宣称自己对另一个更老的传统的信仰，在那个传统中音乐本身是至高无上的，它事实上以若斯坎·德普雷和帕莱斯特里纳等作曲家的纯正复调音乐为代表。因此就有了两种“做法”（这是他的说法）。这种观点影响深远，后成为19世纪某些类型的教堂音乐保存旧风格而歌剧和康塔塔采用新风格的二分法现象的理论基础。

如果说这一时期的牧歌使他声名远扬，大大超出意大利北部的界线，那么，奠定了他作为大型乐曲（而不是精致小品）作曲家地位的却是他的第一部歌剧《奥菲欧》（1607年首演）。在这里他显示出他对这一新体裁的理解要比他的前辈们广博得多。他将文艺复兴晚期戏剧性娱乐中的豪华富丽和用宣叙调陈述的简朴的田园故事中的直截了当融于一体。他的宣叙调比前人更为灵活而富于表情；最重要的是，他具有更好地处理戏剧整体布局的天赋，并善于运用不协和音、利用歌手的精湛技巧或乐器的音响来营造强烈感情意识，从而使音乐的高潮和戏剧的高潮吻合。《奥菲欧》公演后不多几个月蒙特威尔地经受丧妻之痛，万念俱灰回到克雷莫纳他父亲家里，但不久即奉召回曼图亚为庆祝公爵继承

人弗朗切斯科·贡扎加的婚礼而创作一部歌剧。他不仅写了歌剧,而且还有一部芭蕾舞剧和一首戏剧间奏曲。歌剧《阿里安娜》于1608年5月上演,成绩斐然。总谱现已佚失,仅其中的一首《悲歌》以不同版本留存至今,是第一首重要的歌剧“戏剧场景”(指一种具有特别戏剧效果的场景,通常有咏叹调)。接着他创作了一些比较强劲的教堂音乐,1610年收入一本曲集出版,其中包括一首古老风格的弥撒曲和为圣母马利亚节日而作的晚课音乐。弥撒曲是一大伟绩,作曲者苦心孤诣,旨在表明复调的乐汇虽然到处濒于消亡,却仍然有着潜在的价值。更令人注目的晚课音乐,实质上是当时各种新潮教堂音乐的集大成之作。但是,尽管这种音乐极尽“标新立异”之能事,蒙特威尔地还是通过采用素歌曲调作为诗篇歌和《尊主颂》的主题素材而使之成为旧传统的延伸。尤其重要的是,这是反宗教改革的音乐;它采用一切手法,传统的和新颖的,世俗的和宗教的,目的是使听众铭记天主教会及其创造者的威力。

威尼斯的三十年 1613年秋,蒙特威尔地应邀担任威尼斯圣马可教堂乐正。他的这一任命主要是因为圣马可教堂主管音乐的权威人士在经历多年的不景气之后感到需要一个有经验的总管。虽然蒙特威尔地原先并非教堂音乐家,但他工作一丝不苟,不足几年便使大教堂的音乐完全恢复了元气。他同时还参与市内其他音乐活动,曾多次指挥S.洛可兄弟会的音乐会。在威尼斯这些年所写的信件说明他的心情与曼图亚时期截然不同。他感到充实,感觉受到礼遇,收入不错,物产丰富。但他仍与曼图亚保持联系,因为在威尼斯演出歌剧的机会不多,而贡扎加宫廷却不断提供这种机会。在他的通信中,一种戏剧音乐理论脱颖而出,不仅支配着他以后的作品,而且对整个歌剧史都有影响。他越来越多地热衷于表现凡夫俗子的感情,热衷于塑造有血有肉的人,表现其心态与情绪的变化。因此他希望能发展更加多种多样的音乐手法,在第7卷牧歌曲集(1619)中试验了许多新的技巧,大多借自他的一些年轻同时代人的常用做法,但又都赋予更大的动力。17世纪20年代他继续探索实用的音乐哲学,导致一些更加风格化的革新。他以柏拉图的思想为指导,将感情分成三大类:爱、战争和宁静,并认为它们可通过改变节奏与和声来加以表现。其理论的另一要素是坦然接受现实主义——以各种方式模仿大自然的音响。为塔索长诗片段谱写的戏剧康塔塔《坦克雷迪和克洛林达之争》充分体现了这些想法。

蒙特威尔地和他的家人逃脱了1630年爆发的那场瘟疫,他本人于同一时期接受圣职。1631年11月官方宣布瘟疫已经过去时,他为圣马可教堂举行的感恩礼拜创作一首大弥撒曲。此曲和另外几首可能也作于这一时期的教堂音乐表现出宁静庄重的仪态,而不是他早期的那种激越感情。翌年发表的一本轻快歌曲和二重唱曲集风格与此基本相似。由他亲自编辑的最后一部牧歌曲集《战争与爱情的牧歌》(1638)选编了1608年以后的音乐,内容像书名一样展示了蒙特威尔地的理论。虽然编辑这一曲集时蒙特威尔地已年逾古稀,它可能标志着他的事业的终结,但是机遇却促使他进入一个夕阳无限好的丰产期:1637年威尼斯建立了第一批公开的歌剧院。作为当地唯一在这一体裁中有过一些实际经验的作曲家,他理所当然地从一开始就和它们有了联系。《阿里安娜》得到重演,而且在约3年时间内他创作了至少4部新歌剧;传世的两部《尤利西斯还乡》和《波皮亚的加冕》均为杰作。虽然它们仍保留着文艺复兴时期幕间剧和田园剧的某些因素,但把它们称之为最早的现代歌剧,是完全恰当的。它们的兴趣在于展示人类在现实环境中的发展,有主要情节和次要情节,因而人物的幅度很广,有贵族及其佣仆,有坏人和好人,有误入歧途的,也有天真无邪的。音乐以令人惊讶的准确性刻画这些人的感情。重点永远放在戏剧效果上,一个个音乐单元很少是独立自主的,通常都交织成连续的模式,因此音乐始终是一种手段而不是目的。这几部作品证明蒙特威尔地是有史以来最伟大的音乐戏剧家之一。得病不久便溘然长逝,安葬在威尼斯弗拉里教堂,纪念碑至今犹存。

Montevideo 蒙得维的亚 乌拉圭南部省份。南临拉普拉塔河。面积530平方千米,为全国最小、人口最稠密和最重要省份。境内有国家首都*蒙得维的亚*(**Montevideo**)。已实现城市化和工业化。菜园、葡萄园、乳牛场、家禽场和商业花园的产品供应首都。大西洋沿岸开辟有几个新旅游地。人口1 383 418(2004)。

Montevideo 蒙得维的亚 乌拉圭主要城市和首都。蒙得维的亚省省会。在拉普拉塔河口湾北岸。1726年由西班牙驻布宜诺斯艾利斯总督建立。早期主要为西班牙军驻防

蒙得维的亚市的独立广场
中国大百科全书出版社供图

镇。殖民时期末贸易扩大。1807～1830年先后被英国、西班牙、阿根廷、葡萄牙和巴西军队占领。乌拉圭独立(1830)后政局不稳,1843～1851年该城被阿根廷-乌拉圭联军围困达9年。蒙得维的亚防军得到英、法军队的支援,他们包围了布宜诺斯艾利斯。结果在围困期间,该市反而蓬勃发展,成为拉普拉塔河主要港口。现蒙得维的亚营运该国外贸货物之大部。主要出口货物为羊毛、肉类和皮革。工厂加工羊毛和冷冻肉,生产纺织品、服装、日用消费品,也生产酒和奶制品。有炼油厂、水泥厂等。为国际运输枢纽。设有机场,通4条铁路。公路四通八达。仅在首都有高等院校。1849年建立共和国大学。乌拉圭特拉巴约大学提供职业培训。文化设施有索里斯剧场(1856)、国家历史博物馆(1900)、国家自然史博物馆(1837)、国家图书馆(1816)。多广场、公园和海滨游览地。人口1 269 552(2004)。

Montevideo Convention 《蒙得维的亚公约》 全称《蒙得维的亚关于国家权利与责任公约》。第七次美洲国家国际会议上通过,1933年12月26日在乌拉圭蒙得维的亚签署的协议(次年生效)。该公约根据国际法确定了国家标准定义:凡有确定的领土、有常住的人口、有一个政府以及有能力与其他主权国家签订协议的国家均为平等的主权单位。其中规定公约签署国不得干涉他国内外事务,不承认武力夺取的领土,所有争议应和平解决。公约签字国有美国、阿根廷、巴西、智利、哥伦比亚、古巴、多米尼加、厄瓜多尔、萨尔瓦多、危地马拉、海地、洪都拉斯、墨西哥、尼加拉瓜、巴拿马、巴拉圭、秘鲁、乌拉圭和委内瑞拉。玻利维亚是唯一出席会议但拒绝签署该公约的国家。

Montez, Lola 蒙蒂兹(1818,爱尔兰利默里克～1861-01-17,纽约市) 爱尔兰女冒险家和“西班牙”舞蹈家。由于她和巴伐利亚国王路易一世有暧昧关系而在国际上声名狼藉。接受了5个月的训练之后,1843年在伦敦首次登台即告失败。她因引人注目的美貌而受到额外聘用。1846年末她在慕尼黑跳舞时,路易一世为之倾倒。作为情妇,她影响了路易一世对自由主义和反耶稣会者所采取的政策。她的权势激怒了激进主义者和教权主义者,并导致1847年的暴乱,迫使她于1848年逃走。而且,她所激起的愤怒还导致国王在该年退位。曾到美国和澳大利亚表演舞蹈,然后返回美国讲授时装和女性美。

Montezuma II 蒙提祖马二世(1466～约1520-06-30,今墨西哥城附近的特诺奇蒂特兰) 又拼Moctezuma Ⅱ。墨西哥阿兹特克人第9代皇帝,因其与西班牙占领者H.科尔特斯之间的戏剧性对抗而闻名。1502年继承叔父阿维措特的帝位。帝国当时已臻鼎盛,疆土达到今洪都拉斯和尼加拉瓜。但是,皇室要求臣属部落交纳的贡物和祭祀用的牺牲越来越多,这引起各部落的不满,从而削弱了帝国。他虽为军队统帅,发动大规模的远征,但他所崇拜的神灵维特西洛波奇特利对他的影响至深。这一神灵通过占星术士在帝国内灌输一种对未卜的前途抱宿命论的观点。阿兹特克人既恐惧又盼望克特萨尔科阿特尔神降临,前来统治整个阿兹特克帝国。但降临的只是西班牙征服者科尔特斯。科尔特斯拒绝蒙提祖马对他的收买,与仇恨阿兹特克人统治的从属部落结成联盟。科尔特斯在蒙提祖

马把他迎进首都特诺奇蒂特兰城时，发觉落入了圈套，于是他将蒙提祖马监禁起来。蒙提祖马向西班牙人的屈服损害了他在人民中间的威信。据西班牙人的记载，蒙提祖马打

16 世纪手抄卷中的蒙提祖马二世画像
美国不列颠百科全书公司供图

算对其臣民讲话，但遭到石块和弓箭的攻击而受伤，3 天后死亡。阿兹特克人认为是西班牙人杀害了他们的皇帝。因此当科尔特斯的军队企图趁夜逃出特诺奇蒂特兰时，几乎全军覆没。

Montezuma Castle National Monument　蒙提祖马堡国家保护区　位于美国亚利桑那州中部弗德河谷弗德营东北。1906 年设立，面积341公顷，内有一孔保存完整的哥伦布

蒙提祖马堡国家保护区
美国不列颠百科全书公司供图

发现美洲以前普韦布洛印第安人窑洞。“城堡”建在离谷底 24 米高的悬崖洞穴中，为砖坯结构，上下共 5 层，有 20 个房间，约建于 1100 年。早期居民认为它系来自墨西哥的阿兹特克难民所建。其东北有蒙提祖马井，是一个巨大的灰岩坑，周围有部落住所。

Montfaucon, Bernard de　蒙福孔（1655，法国布里尤德附近的苏拉吉～ 1741，巴黎）　法国著名的研究基督教教父著作的学者，研究希腊古文字学及考古学的先驱人物。1676 年曾加入圣莫尔本笃会，1687 年去巴黎编校教父著作，辑有阿塔纳修斯遗著（3 卷，1698）及约翰·克里索斯托姆遗著（13 卷，1718 ～ 1738）。在巴黎及意大利研究古代手稿时，以莫尔学派的治学方法，校订原著，有所创新。著有《希腊古文字学》（1708）。他研究古代文物，结论完全根据实物鉴定，可说是现代考古学的奠基人之一。其巨著为 15 卷的《古物图解》（1721 ～ 1725）。

Montferrat　蒙费拉　历史上的意大利西北地区，包括今皮埃蒙特区的亚历山德里亚省的大部分。中世纪时蒙费拉是独立的侯爵领地。1536 年曼图亚的贡加扎家族被承认为其统治者后，其地方自治地位随之结束。1708 年，蒙费拉为皮埃蒙特统治者萨伏依王室所兼并。

Montfort FAMILY　**孟福尔家族**　该家族因法兰西岛上一古老贵族领地孟福尔-阿莫里得名。13 世纪时，由于袭称该封号的家族成员的业绩，该家族开始在法国和英格兰历史上出名。后又成为德勒的卡佩家族（14、15 世纪历代布列塔尼公爵均出自此家族）一个地位较低的支系。孟福尔-阿莫里得名于创建该城堡的阿莫里（或称阿马里克，约 1053 卒）。其父由于格·卡佩册封为贵族。其孙西蒙（卒于 1181 或更晚些）娶阿米西娅为妻。阿米西娅后成为英格兰莱斯特伯爵领地女继承人。他俩的儿子西蒙（参阅 **Montfort, Simon de**）曾参加十字军东征，该家族因他而首次闻名。西蒙有 4 子。长子阿莫里继承孟福尔-阿莫里领地及其父在朗格多克的封地，次子西门继承莱斯特伯爵爵位，曾在英格兰政治中发挥重大作用。阿莫里（1241 卒）因战败而丧失其在朗格多克的全部权益于国王路易八世之手（1229）。作为补偿，他于 1231 年被任命为法国宫廷总管。1239 年在圣地被穆斯林俘虏。1241 年获释，归国途中死于阿普利亚的奥特朗托。西蒙的兄弟居伊（1228 卒）曾随西蒙到过扎拉和叙利亚，亦曾在讨伐阿尔比派的十字军中起重要作用，获得拉巴斯唐和圣安托南两处封地。1226 年，他将在朗格多克的权益让给法国王室。阿莫里的儿子和继承人约翰（1249 卒），仅有一女，名贝阿特里斯（1312 卒），1259 年嫁给德勒伯爵罗贝尔四世。其女约朗德（1322 卒）1285 年嫁给苏格兰的亚历山大三世，1294 年改嫁布列塔尼的阿尔蒂尔二世，并以孟福尔领地为陪嫁。他们的儿子约翰·孟福尔（1345 卒）曾与布卢瓦的查理争夺布列塔尼公国。1365 年《盖朗德条约》承认其子约翰为布列塔尼公爵约翰四世。此后，约翰四世及其后裔作为布列塔尼公爵而形成孟福尔家族。但传至弗兰西斯二世（参阅 **Francis II**，1488 卒）仅有一女名布列塔尼的安娜（参阅 **Anne of Brittany**，1514 卒）。她先后嫁给法国国王查理八世和路易十二。她同路易所生女儿克劳德又嫁给法国国王弗兰西斯一世，通过这样联姻，孟福尔家族的领地转入法国王室。

Montfort, Saint Louis-Marie Grignion de　蒙福尔，圣（1673-01-31，法兰西默河畔蒙福尔～ 1716-04-28，塞夫尔河畔圣洛朗）　天主教司铎。提倡崇敬童贞马利亚，创建慧女会和马利亚伴侣会（蒙福尔会）。1700 年在巴黎受祝圣为司铎，先往南特任农村传信员，继去普瓦捷整顿贫民医院，创立慧女会，救济贫苦儿童和患者。1705 年创立蒙福尔会，进行传教活动并主办退修，同时提倡对马利亚的崇拜。其主要著作为《真正崇敬蒙福童贞》，鼓吹如欲与基督合为一体，最好的办法是崇拜马利亚。

Montfort, Simon de　孟福尔（1165? ～ 1218-06-25，法国图卢兹）　教皇英诺森三世为讨伐法兰西南部非正统的阿尔比派发起的十字军的首领。在第四次十字军行动期间（1202 ～ 1204），孟福尔曾参加围困今土耳其境内扎拉之役，后在叙利亚作战。1209 年他率部讨伐阿尔比派，攻占法兰西南部贝济耶和卡尔卡松以后，他被派前去治理。1213 年，他在重要的米雷战役中获胜。第四次拉特兰会议（1215）因图卢兹伯爵雷蒙六世不能杜绝异端决定将其领地授予孟福尔。但是雷蒙不承认失败，1217 年 9 月占领图卢兹。孟福尔在包围图卢兹城时阵亡。其子阿莫里（1241 卒）继续进行征讨，但不久作罢，将孟福尔在法国南部的领地让与法兰西国王路易八世。

Montfort, Simon de　孟福尔（约1208，法国法兰西岛孟福尔～ 1265-08-04，英格兰伍斯特郡伊夫舍姆）　又译蒙特福特。英格兰反对亨利三世国王的贵族叛乱领袖，曾统治英格兰不到一年。十字军领袖西蒙·德·孟福尔之子。从血统和所受教育来讲，他是十足的法国人。成年后，他表示放弃本家族的土地继承权，只要求取得英格兰的莱斯特伯爵领地。1229 年到达英格兰，向亨利三世宣誓效忠。1239 年正式称为莱斯特伯爵。很快成为亨利的宠臣。1238 年亨利将妹妹埃莉诺嫁给他，惹怒了贵族。亨利之弟康沃尔伯爵领导贵族提出愤怒的抗议。亨利不知所措，将孟福尔和埃莉诺夫妇逐出英格兰。后来，孟福尔返回英格兰，1242 年参加亨利对法国的进攻，以在桑特掩护亨利逃跑驰名。1244 年任十二人委员会委员，解决亨利与贵族之间的尖锐矛盾。1248 年应亨利的要求，前去法国西南部平定加斯科涅公爵领地的叛乱。他无情地镇压加斯科涅贵族，恢复了领地的秩序。法王路易九世参加十字军时，由母后布朗歇摄政。1252 年布朗歇卒，法国贵族请孟福尔继任她的职务，由此可见孟福尔在国际上是极有威望的。1258 年孟福尔与其他贵族领袖一起迫使亨利接受革命性的《牛津条例》。但到 1259

年 10 月，这些参加改革的人分裂成两派，右翼由格洛斯特伯爵领导，主张仅仅限制滥用王权；左翼由孟福尔领导，主张全体贵族都必须服从强加给国王及其官员的改革。亨利采取分化政策，拉拢格洛斯特，使孟福尔孤立起来。但是，亨利取消《牛津条例》却引起普遍的不满。1263 年 7 月孟福尔领导叛乱，恢复了这一条例。孟福尔得到小贵族、各郡骑士、伦敦市民和五港同盟，以及许多教士的热烈支持。1264 年 5 月他在刘易斯击败并俘获亨利和爱德华王子，此后孟福尔实行军事独裁。由于独揽大权，他与主要盟友格洛斯特伯爵吉尔贝·德·克莱尔发生不和。1265 年 5 月克莱尔掩护爱德华王子逃走。爱德华率兵围困孟福尔。8 月 1 日在凯尼尔沃思击溃其援军，4 日在伊夫舍姆将孟福尔及其大部分追随者杀死。

Montgelas de Garnerin, Maximilian Joseph, Graf von　蒙特格拉斯·德·加尔内林（1759-09-10，慕尼黑～ 1838-06-14，慕尼黑）　德意志政治家，近代巴伐利亚的奠基人。萨伏依贵族之子。1799 年任巴伐利亚总理。他决心使巴伐利亚成为奥地利和法国之间的独立国家。在拿破仑战争中，巴伐利亚支持法国（1805）。加入第二次莱茵联盟后，享有独立的内部行政权，但不能奉行独立的外交政策，军队仍受拿破仑的支配。1814 ～ 1816 年间签订的领土条约以及巴伐利亚加入德意志邦联（1815），意味着蒙特格拉斯企图使巴伐利亚为有效缓冲国的计划归于失败。1803 ～1817 年他任财政大臣，1807 年起兼任内政大臣，1808 年为巴伐利亚制订一部成文的宪法。这部宪法规定以国务委员会作为全体公民的最高上诉法院，废除农奴制及贵族免税制，宣布在法律面前人人平等的原则。它还设想要建立代议制的议会。但是，这部宪法在实际上永远未能完全生效。1817 年他被解除职务，以后未再参政。

Montgenèvre Pass　蒙热内夫尔山口　法语作 Col de Montgenèvre，意大利语作 Colle del Monginevro。法国东南部上阿尔卑斯省的科蒂安山的山口，海拔 1 854 米。在布里昂松东北偏东 8 千米处，邻近意大利边界。连接意大利的多拉里帕里亚河谷和法国的迪朗斯。公元前 77 年由罗马将军庞培开辟，成为穿越阿尔卑斯进入高卢罗马省科马塔的主要通道。1802 ～ 1807 年拿破仑修建一条穿过山口的道路。1947 年《巴黎条约》签订之前，山口处在意-法边界上。位于山口西侧的蒙热内夫尔村，已成为冬季运动中心。

Montgolfier, Joseph-Michel and Jacques-Étienne　蒙戈尔费埃（兄弟）（约瑟夫-米歇尔 1740-08-26，法国阿诺奈～ 1810-06-26，巴拉吕克莱班；雅克-艾蒂安1745-01-06，法国阿诺奈～ 1799-08-02，里昂至阿诺奈途中）　法国热气球发明人，实现了人类第一次自由飞行；他们的基本设计经改进后用来制造大型气球，从而开辟了探索高层大气的道路。出身于法国南部小镇维达隆富有的造纸商家庭，这使他们在日后的气球实验中资金来源有了保证。1782 年他们发现，大而轻的纸或织袋中充满热空气后就能升空。1783 年 6 月 4 日他们在阿诺奈的市场上当众做了首次表演。他们在气球底部开口处点燃麦秆和羊毛，使气球充满热空气。气球升至空中3 000 英尺（1 000 米），逗留约 10 分钟，然后在距升空点 1.5 英里（2.4 千米）处降落。后赴巴黎和凡尔赛。1783 年 9 月 19 日在凡尔赛用更大的气球进行了试验，气球上载有羊、公鸡和鸭各一只，在空中飘浮了约 8 分钟，安全降落在距出发地约 2 英里的地方。11 月 21 日皮拉特尔-德罗齐埃和达朗伯爵F.洛朗乘蒙戈尔费埃气球飘过巴黎上空，全程 5.5 英里，时间约 25 分钟，这是人类第一次自由飞行。两兄弟享有法国科学院的荣誉称号。他们出版了有关航空的著作，继续从事科学研究。约瑟夫发明了一种量热器和液压起重机。艾蒂安则摸索出一套制造精制羊皮纸的方法。

约瑟夫-米歇尔·蒙戈尔费埃
美国不列颠百科全书公司供图

雅克-艾蒂安·蒙戈尔费埃
美国不列颠百科全书公司供图

Montgomerie, Alexander　蒙哥马利（1556?～约 1611）　苏格兰诗人。得詹姆斯六世宠信，1583 年被赐予津贴。后因与亲天主教的政治阴谋，即企图在克莱德湾入口处设置西班牙要塞一案有牵连，于 1597 年失宠遭贬。他在当时享誉很高。最脍炙人口的诗篇《樱桃与黑刺李》在 17 和 18 世纪内重印多次。该诗系中世纪式的讽喻寓言，初刊于 1597 年，以后又出续篇，着意描述，行文清新但背景仍为传统的五月晨光。诗人在究竟为攀折巉崖上的高贵樱桃而奋斗，还是满足于脚下丛生的黑刺李而苟安这一矛盾问题上举棋不定。这一两难处境引起了他与“危险”、“可怕”、“理智”、“勇气”和“绝望”这些人物之间错综复杂、冗长乏味的辩论。该诗由 A.拉姆齐收入《常青集》（1724）。其长诗节重现于彭斯的《快活的乞丐》中。其他诗篇包括庸俗下流和谩骂性质的《蒙哥马利和波尔沃特的对骂竞赛》（1621）、若干赞美诗及大量十四行诗、抒情诗和歌曲，其中的佳作显示出他的爱情诗行文流畅和才华横溢。

Montgomery (Pakistan)　**蒙哥马利**　参阅 **Sāhiwāl** *萨希瓦尔*。

Montgomery　蒙哥马利　美国亚拉巴马州首府，蒙哥马利县县城。濒临亚拉巴马河。史前便有印第安人居住。1715 年法国人在现址上游建立要塞。1819 年设市。1847 年为州首府。南北战争中（1861）曾为南部邦联的第一个首府。后发展为重要的棉花、牲畜、黄松和硬木产销中心，生产肥料和家具。工业有家禽和牛肉加工、热水器制造、纺织、塑料和飞机配件制造业。服务业也很重要。毗邻的马克斯韦尔和甘特有空军设施。设有亨廷顿学院（1854）和州立亚拉巴马大学（1887 年迁入）。市内州议会厅为亚拉巴马投票退出美利坚合众国（1861）的地点和南部邦联的策源地。其他重要建筑有南部邦联第一个白宫和州历史档案博物馆。20 世纪 50 年代末和 60 年代，当地发生过由马丁·路德·金领导的反对种族隔离和争取黑人投票权的重大民权活动。人口：城市 190 135；蒙哥马利都会统计区333 055（2000）。

蒙哥马利市的州议会大厦
亚拉巴马州出版与新闻局供图

Montgomery　蒙哥马利　威尔士波伊斯郡城镇。属蒙哥马利历史郡。11 世纪在现在的城镇西北建造城堡，城堡墙外形成一个小村庄。1223 年英王亨利三世在现址建起另一城堡，英国内战期间，被国会军夷平。现在的城镇于 1227 年获特许状。这里保存有 1227 年左右建造的圣尼古拉教堂。该镇至今仍为当地的牛羊集市。人口 1 035（1981）。

Montgomery (of Alamein, of Hindhead), Bernard Law Montgomery, 1st Viscount　蒙哥马利（阿拉曼的）（1887-11-17，英国伦敦～1976-03-24，汉普顿郡奥尔顿附近）　英国陆军元帅。第二次世界大战中盟军的杰出指挥官之一。北爱尔兰人血统。曾在伦敦圣保罗学校和皇家军事学院受教育。在第一次世界大战中崭露头角。战后留任军官，以干练和坚强著称。第二次世界大战初期任师长，在法国战场作战。从敦刻尔克撤退后，他在英格兰东南地区任司令官。1942年8月去北

美国不列颠百科全书公司供图

非，任英国第8集团军司令。他遏止了德军的攻势，并在阿拉曼战役(1942-11)后把隆美尔赶出埃及。1943年5月迫使德军在突尼斯投降。盟军能够顺利地攻入西西里(1943-07)，主要归功于他。1943年参加攻占西西里和登陆意大利。1944年统率盟军进入法国。6月6日指挥盟军进入诺曼底。他晋升陆军元帅后，率领英国和加拿大第21集团军群横扫法国北部、比利时、荷兰和德国，1945年5月4日在吕讷堡荒原接受德国北方集团军群的投降。1946年成为嘉德勋爵士并封子爵。1946～1948年任帝国总参谋长。1948～1951年任西欧联盟常设防务机构主席。1951～1958年任北大西洋公约组织军队副司令。蒙哥马利始终是一位谨慎、彻底的战略家。他坚持在每次出击以前，在人力、物力上做好充分准备，虽然对于战争来讲，延缓了进程，但却稳妥可靠，并保证了他在部下当中的声威。著有《回忆录》(1958)和《通向领导的道路》(1961)。

Montgomery, James　蒙哥马利（1771-11-04，苏格兰艾尔郡欧文～1854-04-30，英格兰约克郡设菲尔德）　苏格兰诗人、新闻记者。以其赞美诗和用诗体所译圣经《诗篇》著称。它们属英语中最优秀的诗歌之列，在质朴的诗句中既有热情又有深刻的见解。父亲是摩拉维亚教派牧师。最初当过售货员，后成为新闻记者。著有约22部诗。1835年，经当时首相R.皮尔爵士的斡旋，被赐予津贴。

Montgomery, Lucy Maud　蒙哥马利（1874-11-30，加拿大爱德华王子岛克利夫顿～1942-04-24，多伦多）　加拿大有地方色彩的浪漫派女小说家。她最著名的小说是《格林·盖布尔斯来的安妮》(1908)，描写一个孤女在一对老年夫妇那里找到了自己的家，故事感伤而又富有魅力。小说取材于作者幼时经历和爱德华王子岛上的农村生活与风俗。早年曾当过记者和教员。《安妮》一书出版后就闻名于各国成人和儿童之中。《安妮》的6部续集，从少女时代写至结婚当母亲，不如前者成功。

Montgomery Ward & Co.　蒙哥马利·沃德公司　美国零售商品公司，由蒙哥马利·沃德于1873年8月创立。总部设在芝加哥。沃德建立该公司的目的为批进大量商品不通过中间零售商直接售给农民。此种经营方法可以向农民低价提供商品但仍可获利。他开始向农民分发世界第一份邮购商品目录并以退货还款作保证。自19世纪70年代起，公司业务及商品项目飞快上升。1873年经济恐慌中，和他从事邮购业务的两位合伙人退出公司，他收购了其股份。1889年该公司由合伙改为股份公司，后来业务被新竞争对手西尔斯-娄巴克公司(1893)超过，从此未能领先。1926年起该公司开设第一家零售店。到1930年，在全国已有556家，零售业务超过了邮购业务。1968年该公司与美国包装公司合并，受新成立的持股公司马可有限公司管辖。1974年莫比尔石油公司收购了马可公司54%有投票权的股份，两年后合并为新莫比尔公司。1958年蒙哥马利·沃德公司为了集中力量经营零售业务，结束了有113年历史的邮购业务，并被莫比尔公司于1988年所出售，该公司又获独立，后又被通用电气公司的一个子公司购入。20世纪90年代，公司面临来自新的折扣零售商塔吉特公司和沃尔玛公司的激烈竞争。1997年申请破产。尽管公司试图使其商店现代化，但还是继续亏损。2000年9月宣布破产并关闭了其在美国的所有商店。

Montgomeryshire　蒙哥马利郡　威尔士中北部历史郡，地处英国边界多为森林覆盖的山丘和高山环绕的谷地。东有长山，南有克利菲蒂山，西有普林利蒙山，北有伯温山。向西最远可到达维湾。该历史郡现在波伊斯行政郡内。蒙哥马利郡原址的东部有史前时期沿塞文河河道自东至西的重要贸易通道，因此该地有许多铁器时代遗留下来的山上堡垒。罗马人的遗址同样集中在东部，所设居民点是军事性的。8世纪麦西亚诸国王为了在西面将国土从威尔士的边界划分开而筑造的奥发大堤沿蒙哥马利郡的东部边界从南通到北。公元8世纪，该地区成为威尔士的波伊斯省。约于1090年，诺曼人入侵波伊斯；1093年波伊斯落入罗杰尔·德·蒙哥马利之手。诺曼人在波伊斯东部筑起一列碉堡，其中有在威尔士浦附近的波伊斯堡和在蒙哥马利的一座碉堡。1536年以前，该地区在边境贵族的统治下。所谓边境贵族，即在威尔士境内不完全属英格兰王室管辖的地方上的统治者。1536年，亨利八世将该地区设为蒙哥马利郡，从而使该地区在行政上完全属王室管辖。自15世纪始，该郡以制造羊毛法兰绒服及铅矿开采闻名。威尔士浦城外的波伊斯堡大宅邸是威尔士著名碉堡中的一座。

month　月　月球绕地球运转一周所需的时间。朔望月(即从地球上看的月相周期)的长度平均为29.530 588平太阳日(即29日12时44分3秒)。由于月球轨道受到摄动，所有天文月的长度都有微小变化。恒星月是月球相对于背景恒星回到同一位置所需的时间，长27.321 661日(即27日7时43分12秒)。朔望月同恒星月的差是由于地月系统绕太阳的运动引起的。回归月长27.321 582日(即27日7时43分5秒，只比恒星月少7秒)，是月球两次通过同一条黄经圈所需的时间。交点月长27.212 220日(即27日5时5分35.8秒)，是月球两次通过它的轨道同黄道(太阳的视路径)的同一交点或交线所需的时间。

Montherlant, Henry(-Marie-Joseph-Millon) de　蒙泰朗（1896-04-21，巴黎～1972-09-21，巴黎）　法国小说家、剧作家。他作品文体之简洁反映了他本人以自我为中心和专制的个性。出身于加泰罗尼亚的一个贵族天主教家庭。他的早期作品源自个人的生活经历，如小说《接早班》(1920)就是触及到他在天主教学校的内部紧张生活，《梦》(1922)是半自传体战争小说，将男性的勇敢和自我牺牲与女性的多愁善感作一比较。《斗牛士》(1926)是一部有关斗牛的小说，记录了他在第一次世界大战中的入伍经历和感受。蒙泰朗主要的作品四部曲多半是以书信体写的：《少女们》(1936)、《可怜的妇女》(1937)、《善良魔鬼》(1937)和《女麻风病人》(1939)。这是一部挖苦和厌恶女人的作品，描绘一个放荡的小说家和身受其害的妇女之间的关系，是蒙泰朗对他那个时代的萎靡柔弱的神秘气氛的抗议。另一部相似的重要小说是《罗斯·德拉撒布勒的恋爱史》(1954)，这部小说严厉批评了法国在北非的殖民统治。1942年以后，他转向戏剧创作，首先发表《死了的王后》。他的戏剧创作的顶峰是以意大利文艺复兴为背景的《马拉泰斯塔》(1946)、以西班牙黄金时代为背景的《圣地亚哥的团长》(1947)、一出故事发生在17世纪末法国一所女隐修院中的冉森教派的戏剧《罗亚尔港》(1954)、以30年代中期法国一所天主教学校为背景的《少年王子的城市》(1951)，以及以凯撒时代的罗马为背景的《内战》(1965)。所有这些性格剧中的主人公都力求忠实于他们自己崇高的、有时未免危险地夸大了的理想。自尊与自制的念头使他们耿耿于怀，他们同时受到肉体享乐和更为质朴的基督教礼仪的双重吸引。蒙泰朗于1960年被选为法兰西学院院士，后因双目行将失明而自杀。

Monthermer, Ralph Montagu, Marquess of　蒙泰梅侯爵　参阅**Montagu, Ralph Montagu, 1st Duke of** *蒙塔古公爵(第一)*。

Monti, Eugenio　蒙蒂（1928-01-23，意大利多比亚科～　）　意大利大雪橇运动员，以其运动员的精神和才能著称。1957～1968年间获8次双人大雪橇(1957～1961，1963，1966和1968)，3次四人大雪橇(1960，1961和1968)世界冠军。1964年冬奥会的双人大雪橇赛，蒙蒂和队友肖尔帕埃斯争取卫冕时，遇到英国队的激烈竞争。赛程中英国队大雪橇的轴发生故障，势必退出，蒙蒂将自己雪橇上的一个部件卸下给英国队用。结果英国队获金牌，意大利队得铜牌。1968年冬奥会双人雪橇赛本来和德国队平手，但因在预赛中最快而获得金牌。在1956、1964和1968年奥运会的四人雪橇赛中，分别获第二、第三和第一。

Monti, Vincenzo 蒙蒂（1754-02-19，拉韦纳附近阿方西内[意大利]～1828-10-13，米兰） 意大利新古典派诗人，主要以翻译《伊利亚特》知名。初在费拉拉大学攻读法律和医学，1775年进入新古典派组织阿卡迪亚学院。3年后(1778)赴罗马，任罗马教皇之侄、枢机主教布拉斯基的秘书(1781～1797)，他还相当于庇护六世的宫廷诗人。他在教廷时期的作品充满对教皇颂扬之词。在《巴塞维尔之死》一诗中，曾告诫人们注意法国革命带来的危险。拿破仑入侵意大利取得胜利后，他的思想急剧转变，转而大肆攻击教廷，为征服者大唱颂歌，否定了自己以前的作品。拿破仑失败后，奥地利人卷土重来，他又起劲地亲奥。他还写过爱情诗、3个悲剧、一些有关语言学的著作，并翻译了一篇伏尔泰的作品。在他的时事作品中，最优秀的是《蒙戈尔费埃先生》，写1783年气球上天的历史性事件。但他的杰作却是《伊利亚特》(1810)，这部译作是以优雅无韵诗的形式写成的，至今仍为新古典时期的重要成就之一。

Montian Stage 蒙德阶 古新世重要的时间地层单元(古新世开始于约0.65亿年前，延续约1 100万年)。位于丹尼阶之上，塔内特阶之下。因比利时蒙斯附近默东被研究的海相沉积而得名。该阶在欧洲是一次海侵(可能是温暖的海洋)中的沉积；当时形成了大海湾，淹没了法国的大部。藻类繁盛，还有其他特征性的无脊椎动物出现。发现的特征性的无脊椎动物种类有：腹足动物的塔螺(*Turritella*)和蟹守螺(*Cerithium*)，蛤类动物群表明是白垩纪类型的亲近类别，鹦鹉螺类头足动物的种有丹尼鹦鹉螺(*Nautilus danicus*)。该阶在英国缺失。

Monticelli, Adolphe(-Joseph-Thomas) 蒙蒂塞利（1824-01-14，马赛～1886-06-29，马赛） 法国画家。其作品描绘华丽的狂欢场面，多受华托的启示。他运用厚重的色彩自

蒙蒂塞利绘《马尔多尔姆湾》(约1874)
美国不列颠百科全书公司供图

由地涂抹，具有强烈的光线和很深的阴影，对20世纪艺术的发展很有影响。曾师从P.德拉罗虚，但主要是学习伦勃朗、威尼斯画派的画家们，特别是华托等大师的作品，1860年左右形成富有特色的风格。曾受拿破仑三世委托为土伊勒里宫作装饰画。《夜曲》(巴黎，罗浮宫)是其最有代表性的作品之一。

monticellite 钙镁橄榄石 橄榄石类中的浅灰色硅酸盐矿物，为钙和镁的硅酸盐($CaMgSiO_4$)，以小晶体或晶粒产出在变质的硅质白云岩中和夕卡岩接触带(富铁的接触变质岩)。较少情况下，也产生在橄榄岩或霞石岩之类的火成岩中。详细物理性质，参阅**olivine**(表)。在其晶体结构中，如锰和铁置换了镁，则分别称为钙锰橄榄石和钙铁橄榄石，这些矿物的物理性质类似钙镁橄榄石，而且与它们的理想成分只有微小的不同。钙锰橄榄石曾在美国新泽西州富兰克林矿床有过报道。钙铁橄榄石产于火山渣中。

Monticello 蒙蒂塞洛 美国犹他州东南部城市，圣胡安县县城(1895)，建于1886年，是进入阿瓦霍峰必经之地。有几家大牧场，是畜牧业中心。第二次世界大战期间建成钒矿加工厂，1949～1960年改为生产铀。90年代联邦政府对先前工厂的危险废料进行彻底清除，现为旅游中心。附近有峡谷地国家公园。人口1 958(2000)。

Monticello 蒙提萨罗 美国总统杰斐逊自己设计的联邦式住宅，位于美国弗吉尼亚州夏洛茨维尔附近。1770年开始兴建，1775年完成第一部分，1796～1809年进行扩建和改建。1987年被联合国教科文组织列为世界遗产。

Montijo 蒙蒂茹 葡萄牙塞图巴尔区城镇和行政区。在里斯本以东。有软木加工、化肥和五金、小船制造、酿酒和水果罐头制造等行业。为农业中心。牡蛎养殖业重要。人口：城镇22 894；行政区37 058(1981)。

Montilla 蒙蒂利亚 西班牙南部安达卢西亚自治区科尔多瓦省城市。罗马时期起即有人居住。1237年由费迪南德三世从摩尔人手中收复。1630年由腓力四世设为市。现经济以葡萄种植和出口各种葡萄酒为主。也种植橄榄和谷类。并有采石业。人口21 373(1981)。

Montini, Giovanni Battista 蒙蒂尼 参阅**Paul VI** 保罗六世。

Montluc, Blaise de Lasseran-Massencôme, seigneur de（lord of） 参阅**Monluc, Blaise de Lasseran-Massencôme, seigneur de** 蒙吕克。

Montluçon 蒙吕松 法国中部奥弗涅大区阿列省城镇。位于克莱蒙费朗西北，临谢尔河。旧城建在顶部有城堡的小山上，四周是在谢尔河两岸建起的新城区。旧城弯曲的街道旁有一些15～16世纪木结构房屋。镇内两座古老的教堂部分是罗马式的。15和16世纪建的波旁公爵城堡中现辟有博物馆。当地原乌尔苏拉女隐修院内有市立图书馆。为工业、商业和行政中心。有冶金、塑料、轮胎、电力和化工等工厂。1830年建成贝里运河和区内煤矿开采后，城镇发展迅速。巴黎—克莱蒙费朗高速公路从附近经过。人口46 660(1990)。

Montmagny 蒙马尼 加拿大魁北克省南部城市，在圣劳伦斯河南岸。亦是魁北克行政区蒙马尼区属县县城。建于1678年，以新法兰西第二任省督姓氏命名。因位于魁北克市东北56千米而成为重要工业中心。工业有丝和人造纤维织品、火炉、水泵、家具、电气器具和乳制品等，还有几所印刷厂。交通设施有加拿大国家铁路干线和横贯加拿大公路、飞机场，以及通往鹤岛的轮渡。1966年设市。人口12 405(1981)。

Montmorency, BARONS AND DUKES OF 蒙莫朗西男爵和公爵 法国一个有贵族称号的伟大家族，即蒙莫朗西家族，其历史可追溯至10世纪。按年代顺序分列于后，并各以●为标记。

● Montmorency, Mathieu II, baron de 蒙莫朗西男爵（约1174～1230-11-24） 法国贵族，先后为3位国王效力。1202～1214年在腓力二世麾下，在诺曼底抗击英军。1215年参加征讨法国南部阿尔比派异教徒。1218年任法国保安长官，他将职权扩大，包括指挥军队。1224年路易八世在法国西南部抗击英军时，他为之效劳，指挥军队征服大片的领土，包括利穆桑、佩里戈尔和拉罗谢尔。1226年路易转而对付阿尔比派时，他继续追随之。路易临终前要求蒙莫朗西保护他的幼子，即后来的路易九世。蒙莫朗西信守诺言，迫使发动严重叛乱的贵族们就范。

● Montmorency, Anne, duc de 蒙莫朗西公爵（1493-03-15，法国尚蒂伊～1567-11-12，巴黎） 法国陆军统帅，弗兰西斯一世、亨利二世和查理九世三朝身经百战的重臣。他与弗兰西斯一世一起长大，后者于1515年即王位后，将他擢升要职。他在意大利作战后，于1522年晋升为法国元帅。1524年保卫普罗旺斯，后又回意大利作战。1525年与弗兰西斯一起在帕维亚被俘，获释后参加《马德里条约》的谈判。1526年任朗格罗克总督和宫廷大臣。他奉命从事外交工作，后成为国王的首席大臣，主管国防、王室、公共工程和外交事务。1527年，他使英格兰加入科尼亚克联盟，反对神圣罗马帝国皇帝卡尔五世，但1529年又参与议定法国与卡尔五世之间的康布雷和约。1536年再次与卡尔五世作战，先是在普罗旺斯，后在意大利北部。1538年议和，他被任命为法国陆军统帅。1541年因政治错误和宫廷阴谋被迫引退。亨利二世即位(1547)后被召回朝，残酷镇压波尔多反抗盐税的叛乱(1548)。1551年封公爵。1557年被西班牙俘虏，法西之间签订《卡托-康布雷西条约》(1559)后获释。1560年查理九世即位后重新掌权。在德勒战役中获胜，但旋又被俘。1563年获释，同年指挥军队从英格兰人手中夺取勒阿弗尔。1567年与胡格诺派的战争重新爆发，他在巴黎近郊圣但尼战役中受伤，两天后死去。

● Montmorency, François, Duke（duc）de 蒙莫朗西公爵（1530～1579-05-05，法国埃库昂） 法兰西宗教战争期间天主教温和派的领袖。他曾参加皮埃蒙特战役(1551)和防守泰鲁阿讷(1553)，1556年任法兰西岛总督。

1567年继其父成为蒙莫朗西公爵。他与表亲新教胡格诺领袖科利尼海军上将友善，遂出任天主教政治派内的温和派首脑，1574年5月被捕入巴士底狱，1576年“大亲王和约”签订前获释。

● **Montmorency, Henri I, Duke (duc) de 蒙莫朗西公爵**（1534，法国尚蒂伊～1614-04-01，阿格德） 又作Sieur de Damville。法兰西宗教战争期间天主教政治派内温和的领袖。他是蒙莫朗西公爵弗朗索瓦之弟。曾在各战场作战。1563年任朗格多克总督，1566年晋升法国元帅。作为天主教政治派领袖，他不服从王国政府和巴黎，自行治理朗格多克。1593年承认亨利四世为国王，12月得到法国统帅的职务。相传他是文盲。

● **Montmorency, Henri II, Duke (duc) de 蒙莫朗西公爵**（1595～1632-10-30，法国图卢兹） 法国反抗枢机主教黎塞留的叛乱者，以叛逆罪处决，从而使蒙莫朗西贵族领地终结。1608年继其父任朗格多克总督，1612年升海军元帅，1614年封蒙莫朗西公爵。1620年与胡格诺派作战，曾参加蒙托邦和蒙彼利埃包围战。1625年指挥舰队夺回雷岛和奥莱龙岛，1628年在朗格多克与H.德罗昂作战。1629～1630年任皮埃蒙特总督，在阿维利亚纳击败西班牙人。1630年12月晋升法国元帅，加入奥尔良公爵加斯东的派别活动，企图在朗格多克举兵反对枢机主教黎塞留。后在卡斯泰尔诺达里战役（1632-09-01）中兵败被俘。在图卢兹高等法院受审，尽管有几位显要人士为他求情，仍被以叛逆罪处决。

Montmorency, Filips van 蒙莫朗西 参阅 **Hoorne, Filips van Montmorency, Graaf van** 霍讷伯爵。

Montmorency-Bouteville, François-Henri de 蒙莫朗西-布特维尔 参阅 **Luxembourg, François-Henri de Montmorency-Bouteville, duc de** 卢森堡公爵。

Montmorency et Angoulême, Diane de France, Duchess de 蒙莫朗西-昂古莱姆女公爵 参阅 **Diane de France** 迪亚娜（法兰西的）。

Montmorency Falls 蒙莫朗西瀑布 加拿大魁北克省南部魁北克行政区蒙莫朗西河口的瀑布，在魁北克市东北约11千米。瀑布从84米高处直泻圣劳伦斯河，蔚为壮观。有一座水电站向魁北克市的周围地区供电。

montmorillonite 蒙脱石 黏土族矿物及其化学变种。在水中膨胀并具有高的离子交换能力。蒙脱石（未发生结构交换）的理论化学式为$(OH)_4Si_8Al_4O_{20} \cdot nH_2O$。蒙脱石由颗粒极细的含水铝硅酸盐构成。它们在各个层体之间吸水，引起膨胀，并随不同矿物种别改变其夹层间距。除无机反应外，它们还与一些有机液体（如胺、乙二醇、丙油基和其他多元醇）进行化学反应并产生吸附作用。其物理

蒙彼利埃城貌
中国大百科全书出版社供图

性能，参阅 **clay mineral**（表）。这些矿物可用作漂白泥土，用于水、果汁和酒类的净化及矿物油和植物油的去色；在石油精炼中，它们还用作催化剂基体和吸附剂。蒙脱石是膨润土和漂白土的主要组分。“蒙脱石-皂石”最初用来表示漂白土，后来用来表示蒙脱石矿物和某些看来像膨润土的黏土矿床及埃洛石的浅绿色变种。蒙脱石常存在于黏土岩、页岩、土壤、中生代和新生代的沉积层以及不含云母的近代海相沉积层中。它们通常出现于排水不良地区。

Montonero 游击队员派 阿根廷左翼庇隆主义组织成员，以政治绑架、暗杀等恐怖活动而闻名。游击队员派是一个武装的战斗组织，由庇隆将军创立。在庇隆流亡国外的18年间，该派一直坚持活动。1973年庇隆回国后，对他们公开谴责，于是他们成立了一个革命左派，更加大规模地进行政治暴力活动。从庇隆回国到1976年他的遗孀被推翻为止，该派同不结盟的人民革命军等恐怖主义组织在阿根廷发起了一连串前所未有的绑架和暗杀活动。70年代后期，军政府和右派恐怖主义者对他们进行了残暴的镇压。游击队员派主要由中产阶级男女青年组成，他们以抢劫银行和收取被绑架者的大量赎金作为资金来源。

Montoya, Carlos 蒙托亚（1903-12-13，西班牙马德里～1993-03-03，美国纽约韦恩斯科特） 西班牙出生的美国弗拉明科风格吉他演奏家，是将该风格作为严肃音乐向音乐会听众介绍的第一人。主要靠自学。年轻时在马德里的音乐咖啡馆学会为歌手和舞蹈者伴奏，特别是为特雷西纳和阿根廷两个团体演奏。后作为阿根廷歌舞团伴奏随同巡回演出。1948年开始举行弗拉明科吉他独奏会，以后经常到世界各地巡回演出。他是第一位作为独奏者和世界主要管弦乐队一起演出的弗拉明科吉他演奏家。还经常出现在电视屏幕上。他的作品有一部为吉他和管弦乐演出用的《弗拉明科组曲》（1966）以及许多吉他独奏小品等。

Montpelier 蒙彼利埃 美国佛蒙特州城市和首府，华盛顿县县城（1811）。濒威努斯基河上游，在巴尔西北，俯瞰格林山脉的主要山口。1781年获准建镇。1805年成为州首府。州议会大厦建于1859年，前厅有独立战争英雄E.艾伦的大理石像。除州政府的机关各种公务支出外，该市的经济依靠建造花岗岩纪念碑、保险业、轻工业和附近的滑雪区。设有诺威奇大学分校佛蒙特学院。人口8 035（2000）。

Montpellier 蒙彼利埃 法国南部朗格多克-鲁西永大区首府，埃罗省省会、城市。距地中海海岸12千米。为古老的大学城和朗格多克-鲁西永大区的主要行政商业中心。以17～18世纪阶梯式帕鲁海滨大道闻名；从大道可一览地中海风景和城市精美的建筑。1593年由亨利四世所建的植物园，是法国历史最悠久的植物园。F.-X.法布尔博物馆收藏有法国现存的最丰富的绘画。1141年获得作为香料进口贸易站的特许状。1160年建立法律学校。1221年建立医学院。蒙彼利埃大学建于1220年。路易十四（1643～1715在位）指定蒙彼利埃为朗格多克大区行政首府。该地以葡萄酒闻名。现为旅游中心和国际性葡萄和葡萄酒交易会举办地。工业有食品加工、冶金、电子、医药和纺织等。人口225 392（1999）。

Montpellier I, II, and III, Universities of 蒙彼利埃第一大学、第二大学、第三大学 位于法国蒙彼利埃，由国家资助、实行自治的大学。根据法国1968年为高等教育改革制定的高等教育方向法案，于1970年建立。它们取代了1220年建立的原蒙彼利埃大学。这所大学虽是作为天主教学术中心成立的，但它很快受到犹太人和阿拉伯人的影响，开始强调法律、医学等世俗学科的研究。据认为，蒙彼利埃大学法学院原是由中世纪一位著名法官普拉森蒂乌斯于1160年建立的一所学校。该大学的医学院在中世纪曾闻名于世，居伊·德·肖利亚克曾在蒙彼利埃大学发展了外科的科学方法。蒙彼利埃大学在1789年大革命中被查禁，1896年复校。现在，组成蒙彼利埃大学的3所大学在经济上受国家资助，在学术上实行自治。

Montpellier faience 蒙彼利埃彩陶 自16世纪末叶到19世纪，在蒙彼利埃城工厂制作的法国锡釉彩陶。其全盛时期在1570～1750年间。多数产品为药罐，但这类制品一开始就显示出某种特色。其被广为模仿的一

约1750年的蒙彼利埃彩陶盖碗
美国不列颠百科全书公司供图

种装饰是在白色或黄色的胎底上，采用自然主义的手法绘画花束，这比采用传统风格的花卉纹样进行装饰效果更佳。

Montpensier, Anne-Marie-Louise d'Orléans, Duchesse de 蒙庞西耶公爵夫人（1627-05-29，巴黎～1693-04-05，巴黎） 即A.-M.-L.de奥尔良。别名La Grande Mademoiselle。法国王族出身，奥尔良公爵之女，从其母波旁-蒙庞西耶的玛丽处继承了大片地产。她渴望满意的婚姻，但政府既未允许她嫁给未来的路易十四，也未在她嫁与神圣罗马皇帝斐迪南三世期间与哈布斯堡王朝保持持久的和平。1651年，在枢机主教马萨林第一次流放期间，促使其父(路易十四的叔父)与孔代亲王波旁的路易二世合作。在第三次投石党战争中，她曾指挥军队占领奥尔良。最后，她下令巴士底城堡开炮轰击王军，使孔代的军队免于在巴黎郊区的圣安托万战役中被歼。1652年10月，路易十四返回巴黎，她被流放，直至1657年。1662年因拒绝嫁给葡萄牙国王阿方索六世，又被流放。1670年12月路易同意她嫁给地位较低的国王卫队队长洛赞伯爵的请求。但后又收回成命，将洛赞投入监狱。1680年她设法使洛赞获释，1681或1682年与之秘密结婚。1684年又离异。她的《回忆录》记叙了截至1688年的生活。

Montreal 蒙特利尔 法语作Montréal。加拿大魁北克省的最大城市，又是加拿大人口稠密度列第二位的都会区。其地理位置独特，现今的市区约占蒙特利尔岛面积的1/3。蒙特利尔岛是霍舍拉加群岛的234个岛屿中最大者。霍舍拉加群岛是渥太华和圣劳伦斯河汇合处附近三群岛之一。城市建于蒙特利尔山上及其周围，山海拔233米，约高出岛岸200米，市区面积177平方千米，都会区面积4 024平方千米；由几个独立市、镇组成的都会区范围遍及蒙特利尔岛和其他岛屿以及圣劳伦斯河两岸地区，共占地2 815平方千米。蒙特利尔是圣劳伦斯河及其水道的主要港口，位于大西洋开阔的可通航水域(东)和五大湖(西)之间。

蒙特利尔与纽约市以及旧金山同列为北美最世界性的都市。人们常称它为仅次于巴黎的第二大的讲法语城市，当然这种夸张说法有时也引起争论。英语和法语均为加拿大的官方语言，但是根据1977年魁北克省的法律，在学校、政府机关和商业活动中使用英语受到限制。不过在蒙特利尔某些地区，为使对方充分理解，仍须使用英语。这种现象是操英语的少数人几十年来在蒙特利尔经济生活中占支配地位的结果。魁北克党鼓吹魁北克省政治独立，但经济与加拿大其余省份合作，随着1976年他们上台执政，在操法语和操英语的社区中的"正常"紧张局势此起彼伏时有发生。

不论政治如何动荡和骚乱，蒙特利尔仍然是一个充满活力、欢乐和有魅力的城市，是北美最引人入胜的一个去处，其外貌和生活方式无疑也是最现代化的。因而1967年被选为举办该年国际博览会的地点。1976年夏季奥林匹克运动会在此举办。

自然地理和人文地理

景观 城市布局 贯穿其整部历史，蒙特利尔的布局一直受河流及河岸地势逐渐升高，包括蒙特利尔山坡度的影响。这些因素产生了西南-东北走向的发展模式，自从其建制以来，该市就被圣劳伦斯大道一劈为东、西两部分。在蒙特利尔，街、道、大道的称谓其实是可以互相转换的，由于对街道、城市其他地区和郊区的地名使用了英法两种语言，随之而来的混乱就加剧了。

市中心 自从约1958年以来，蒙特利尔市中心有了极为显著的改变，这都有赖于第二次世界大战后的繁荣、为1967年国际博览会所作的准备和博览会本身以及实施宏伟计划的行政管理。在美国资本及开发者的援助下，一座十字形高逾40层的玛丽城区商场大楼建造了起来，它通过其众多地下商店、餐厅和剧院以及附近有着同样地下设施的摩天大厦相连接。这个中心商业区具有西半球最先进的地下商业、烹调和艺术等活动场所，使加拿大这个中心城市与纽约市洛克菲勒中心相呼应。市里处处都有类似的变革，常常还为此而拆毁有历史意义的建筑物，但称为旧蒙特利尔的历史中心还是被保存了下来。怀旧者在古建筑物中漫游，可感觉到与都市现代化的势头有着显著的差别。

人民 蒙特利尔市区1871年的人口约133 000，在20世纪增加了10倍，尽管都市规划步伐和都市人口增长速度到20世纪末减慢，但整个地区的人口数量还是持续增长。第一次世界大战期间，国外移民实际上停止进入，但是从加拿大其他地区和从美国仍有人继续不断地涌来。虽然法裔加拿大人的出生率显著下降，但在第二次世界大战后，从欧洲大陆来的移民使英裔蒙特利尔人的比例也减少了。说法语的公民约占人口的2/3，而说英语的人口比例却由于世界各地涌来的移民而日益下降。宗教信仰一般随种族传统而异，总的说来，罗马天主教占主导地位。

从另一方面说，到蒙特利尔的新来者很快发现英语是较实用的语言，因为除了魁北克省中的魁北克市和一些小城镇，在蒙特利尔和加拿大大部分地区，英语是工商行业使用的主要语言。富有的上等阶层多数为说英语的古老的蒙特利尔家族，只有极少数为法国人和其他种族的人。中产阶级较为混杂，经济收入较低的阶层主要由法裔和爱尔兰裔加拿大人以及新移民组成。成千上万的黑人从美国移居来此，多数住在蒙特利尔西面地势较低地区。总的说来，蒙特利尔以及魁北克全省的动荡不安主要是由于两大种族间的社会语言隔阂和经济地位悬殊造成的。多数派的政治权力已由法国人社团掌握，但在其他领域，同等势力的形成就较为缓慢。人口：市1 016 376(1996)；都会区3 511 800(2001)。

经济 贸易和工业 20世纪70年代"到西部去"的潮流，即去有利可图的安大略省及去有丰富的石油和天然气的西部各省，使蒙特利尔遭受巨大损失。但是它仍然是大部分加拿大最大的银行、铁路线和保险公司等总部的所在地，隶属于联合国的国际民用航空组织的总部也设在此地，该组织制订国际空中交通的各项规则和标准。该市又是重要的航运和工业中心。从殖民时期开始经营，长达几世纪的，深入新大陆直至最西部区域的皮毛贸易是该市最早的商业。肥皂制造业、酿酒业(约翰·莫尔森的主要传统行业之一)、木器和皮革制作等也是蒙特利尔长期从事的行业。现代制造业无数经济实惠的其他产品来自全市各工厂，并向高技术产品发展，诸如通讯设备和医药品。服务业是区域经济的重要组成部分，解决了大批人的就业问题。

市内有大量的购物中心，在最偏僻的居民区和超级现代化的地下城都有各式商店和街道，即使每年冬天积雪1.5～3米，这些商店也能有助于该市市民继续过正常的生活。从11月至翌年4月的大雪是影响蒙特利尔生活的大事，每年要耗费数百万元来铲除街上的积雪。

交通 市民对市内交通不断的抱怨与其说是反映真实情况不如说是在行使民主权利。和其他的大城市相比，这里全区的公共汽车和地下铁路还是畅行无阻的，且收费比较低廉。地铁有4条路线，往返于市区和圣劳伦斯河南岸的隆格伊之间。每一站的建筑设计和艺术装饰都不同。1847年开始就有公共交通设施，到1868年，冬季用雪橇客车来代替有轨车。到1894年，全部交通系统实行电气化，最后一批马车退役了。有两个属于同一系统的飞机场：蒙特利尔多瓦勒国际商用机场负责国内和与美国之间的航班；蒙特利尔米拉贝勒国际机场则负责包机和空运货物。

行政与社会状况 政府 蒙特利尔有1位市长和56名议员组成的议会驻在该市有史以来第6次兴建的市政厅里管理市政，市长和议员都是选举产生，任期4年，还有由议会挑选6名成员组成的行政委员会。1969年，蒙特利尔都市社区取代了蒙特利尔大都会自治体，其任务是负责整个蒙特利尔岛及其北部的比扎尔岛的各项事务，包括估定税额和征收税款、交通管理、供水、排污、治安、消防以及反污染等。社区由议会和行政委员会统辖。

大都会区有许多城市(包括蒙特利尔在内)、城镇、乡村和教区。城市的现代化发展促进了区经济结构的变化和商业以及白领阶层就业的增长，从而带来了一些行政方面的主要问题。几十年来说法语的大多数人都属于蓝领职业范围，他们对这种历史模式起而反抗，取得了一些胜利，部分可归因于立法，部分可归因于两个社区中较为温和一派人的善意。

教育 全魁北克省实行双重学校体系，为天主教和新教学生提供教育，经费由公共

蒙特利尔市的圣劳伦斯航道
美国不列颠百科全书公司供图

财库拨款。教学语言严格根据宗教派别分别使用法语或英语。

蒙特利尔可能是加拿大高等院校最集中的城市。提供英语教学的有麦吉尔大学(1821年创建)和康科迪亚大学(1974年由1929年创建的乔治·威廉爵士大学和1899年创建的洛约拉学院合并建立);为法语居民提供法语教学的有蒙特利尔大学(1876)和魁北克大学蒙特利尔分校(1968)。

文化生活 作为主要的文化中心,蒙特利尔市内有艺术宫、博物馆、公共图书馆、画廊、出售欧洲各语种书籍的书店、交响乐团、出版社、剧团和大学举办的各种公共讲座等。

艺术宫设在闹市区的几个大厅里,供举办音乐会和上演戏剧用。附近的花园广场是典型的现代建筑,有多层次的平台、阳台、夹层楼面和低于地面的集市场所,三座办公室塔楼、一个公共广场、一家旅馆、几家餐厅和零售店。美术博物馆和其他几个地方提供艺术指导。除了一所音乐学院外,在大学里也设有音乐专科或音乐系。"人与世界"博览会每年吸引数百万参观者,是当代艺术博物馆所在地。

20世纪30年代全市只有几家书店,但是现在所有地区和购物中心到处可见到书店,被叫作"新加拿大人"的新移民可以买到他们本国语言的书籍、评论性刊物和各种杂志。市图书馆有几个分馆,全市到处有专业图书馆。不论是英语还是法语的出版社都很多。

蒙特利尔人特别喜爱运动,以曲棍球和棒球为最,但其他室内和室外运动也有许多爱好者。冬天,蒙特利尔山坡上到处是滑雪者。有两个非常好的田径场。1976年第21届夏季奥林匹克运动会在此举行,为此特别建造了一个可容纳70 000人的体育场和一座综合馆,内有六个游泳池。

历史

早期居民区 休伦印第安人原称蒙特利尔这个地方为霍舍拉加。1535～1536年间,法国航海家和探险家J.卡蒂埃在其对新大陆作第二次探险时抵达此地,受到山坡上千余印第安人的欢迎,他将该山命名为蒙特利尔,意为"皇家山"。50余年后另一批法国人来到这里,其中有一个魁北克市的奠基者塞缪尔·德·尚普兰。他在圣劳伦斯河两岸建立一个名叫"皇家大院"的居民区以取代霍舍拉加。

1642年5月,保罗·德·索米迪(梅松纳夫阁下)建立了今日的蒙特利尔。他建造了住房、一座小教堂、一家医院和其他的建筑物。为防止印第安人的袭击,他还在居民区四周树起围栏,并把此聚居地起名为"玛丽城"。

该社区的第一份城市特许状是1644年由法王路易十四所授予的,索米迪即成为其第一位市长。称为病院的第一家医院于1644年由J.曼斯建立,第一所女子学校则于1653年由M.布尔吉瓦所创办。几乎紧接着就有一个圣绪尔比牧师团担负起男童的教育。

蒙特利尔的真正发展始于18世纪上半叶。政府拨给了土地,在原要塞外开展了耕种。在法国领主制度下着手殖民地的开拓,土地拥有者将其部分土地出租给为数众多的农业家庭。多年来,蒙特利尔是探险家和经商者的基地,到18世纪末,边远的居民点——西面的圣亨利和拉欣以及东面的隆格角和潘托特朗布勒已建立起来,后成为该市的一部分或蒙特利尔都市社团的一部分。

至1672年,该市人口已达1 500人,但是

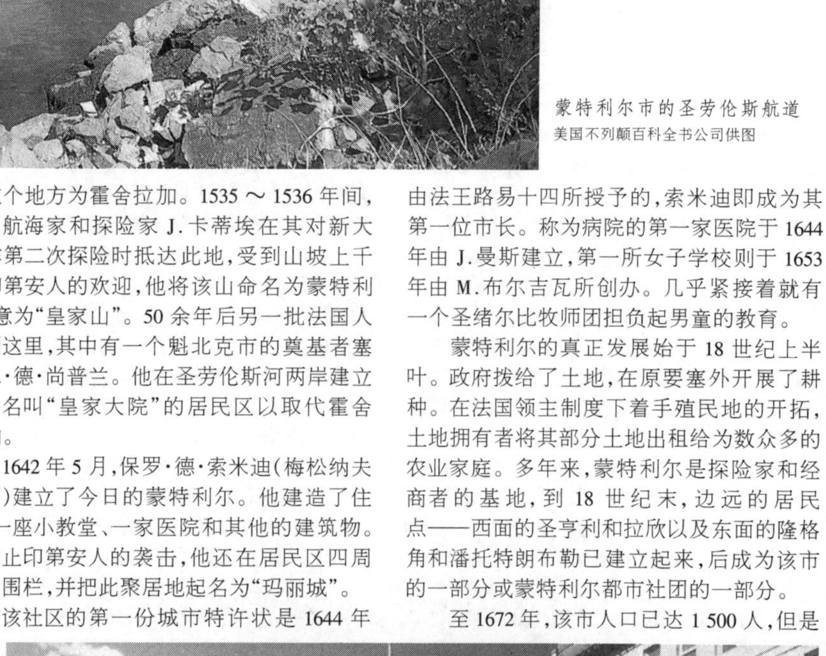

蒙特利尔市老城区的雅克-卡蒂埃广场
美国不列颠百科全书公司供图

又过了120年,它尚未取得城市的地位,一直到1833年才设建制。该市于1760年和平地向英军投降,连同"新法兰西"全部地区,于1763年成为英属北美帝国的一部分。1775年11月,该市又被美国革命部队所占领,但由于B.阿诺德围攻魁北克城失败,旋即于翌年春撤退,从而未能使加拿大成为新建国的美利坚合众国的一部分。1796年加拿大的第一座公共图书馆在蒙特利尔开馆,翌年,该市与美国之间建立每日通邮业务。

现代城市的演变 1809年,企业家、酿酒商、银行家和运输业者J.莫尔森以加拿大第一艘轮船通过水路将蒙特利尔与魁北克联系起来。加拿大的第一家银行蒙特利尔银行于1817年建立。圣劳伦斯航道的前身拉欣运河始挖于1821年。1825年,莫尔森这位杰出的蒙特利尔人为其城市建造了一座辉煌的剧院。1838年该市出现了煤气照明。商品交易所(1842)的前身贸易委员会于1822年成立。1844～1849年蒙特利尔为加拿大的首都。可能由于失业的缘故,1849年4月25日,一群暴徒纵火烧了议会大厦。1847年,与魁北克省各市和纽约建立了电报联系;1853年蒙特利尔、利物浦和欧洲大陆之间开始通航;1856年一条通往多伦多的铁路开通;1858年通至欧洲的跨大西洋电缆敷设了起来;1861年该市的第一批马拉有轨车道开始投入使用。

19世纪50年代初期,大火烧毁了数百座建筑物,1857年经济萧条引起无数的破产事件。1867年宣告成立加拿大自治领,10年后该市发生第一次工人大罢工,并第一次与魁北克通电话。1882年开始有电灯,1892年有电车轨道,1903年第一辆汽车出现在它的街道上,道旁也有了第一批电影院。

1900年该市人口已达270 000,并开始将其边缘的市、镇和村并入该市。它于1908年购得圣埃莱娜岛(英语称为圣海伦斯岛)及邻近的两个人造岛。该市是1967年国际博览会的会址。蒙特利尔的著名冰球队——加拿大人队——于1909年成立(该队比任何其他职业队都赢得更多的世界冠军)。1922年经过几次合并建立了加拿大国家铁路公司(CNR),同1881年所建立的加拿大太平洋公司一样把总部设在蒙特利尔。

两次世界大战刺激了该市的经济发展,如同刺激北美大多数工业中心的发展一样。1947年1月美国国会开始考虑同加拿大联合建造圣劳伦斯航道。1959年魁北克省政府批准建立蒙特利尔大都会自治体(同加拿大其他地方一样,该自治体对大都会有独立的司法权)。1960年环绕蒙特利尔的都市大道通车。1962年,地铁建设开始,由巴黎地铁工程师们监督管理;在1967年国际博览会开幕前6个月,全部工程竣工并举行了落成典礼。随着这个受到全世界赞扬的博览会的举行,蒙特利尔被逐渐公认为世界的一个主要城市,并成为第一个被授予成立棒球联合会特许权的非美国城市。其运动员于1969年率先使用了博览会的场地。1976年夏季奥运会使蒙特利尔陷入财政危机。高成本的建筑及其高昂的维护费用,使之不堪重负。魁北克分离主义运动加剧了该城的经济困难。20世纪70和80年代,一些公司总部纷纷迁往多伦多,部分原因是魁北克倡导使用法语。90年代,城市经济持续低迷。1995年举行的全民公投结果表明民众反对从加拿大分离出去。

Montreal Aquarium 蒙特利尔水族馆 加拿大蒙特利尔圣海伦斯岛市立水族馆,为1967年在该市举行国际博览会而于1966年建立。有两座大建筑,一座展出海洋和淡水鱼类及无脊椎动物,另一座专门展出海洋哺乳动物。收集的鱼类约有350多类,2 500个品种。种类之多可以举行多种专门展出以介绍各种水域生态环境。还有一个珊瑚礁展区,伴有相应的鱼类和无脊椎动物。另有一个独特的企鹅展览:环形池的周围镶有玻璃板,观众可以看到企鹅在水下游泳;池内的布置模拟南极的冰和岩石海岸线。水族馆为学生安排了教育活动,并用于科学研究。

Montreal Botanical Garden 蒙特利尔植物园 1931年由加拿大植物学家马里-维克托兰修士建立的植物园。园内栽培约2万种植物,另外还有一个标本室,收藏约10万号参照标本。园内有许多温室,9个对外展出,23个供服务和研究之用。尚设有特种植物园,包括有重要商业价值的植物、药用植物、高山植物、林地植物、蕨类、仙人掌、其他肉质植物、秋海棠、天南星科植物、凤梨、苦苣苔和兰花。植物园其他显著的特色是:若干个水生植物园,按地理区布置的一个岩石植物园,供家庭栽培用的多年生草本植物园,还有一个供科学实验及教育用的树木园。蒙特利尔大学植物研究所利用该植物园的一些设备,这两个机构联合组成一个重要的植物研究中心。植物园出版刊物《蒙特利尔植物园研究报告》。

Montreal group 蒙特利尔派 加拿大诗人团体。他们主张与19世纪末统治加拿大诗坛的传统的风景诗决裂,从而促使20世纪20和30年代加拿大的诗歌复兴。他们提倡模仿庞德、T.S.艾略特和W.H.奥登等英美诗人的现实主义主题,玄奥的复杂事物和写作技巧,产生了反映城市文明价值观念的表现主义诗歌。这些诗人大都集中在加拿大当时最富于国际性的都市蒙特利尔,其中包括A.M.克莱因、A.J.M.史密斯、L.肯尼迪、F.R.司各特以及两个来自多伦多的同类诗人E.J.普拉特和R.芬奇。这些诗人最先聚集在蒙特利尔的麦吉尔大学,为青年作家创办《加拿大信使》杂志(1928～1929),以后又创办和编辑了其他一些有影响的刊物,并为之撰稿。

Montreal Museum of Fine Arts 蒙特利尔美术馆 位于蒙特利尔。加拿大美术馆,藏有杰出的绘画、版画、家具、纺织品、雕刻、装饰艺术等美术作品。北美最好的爱斯基摩人版画和雕刻品以及西北海岸印第安艺术品也在这里陈列。该馆于1860年建立,从事文物保护的研究工作并主办巡回展览。

Montréal-Nord 北蒙特利尔 加拿大魁北克省南部城市,位于蒙特利尔市北,普雷里河南岸。原为一广大城郊住宅区和工业区。第二次世界大战后发展迅速,1959年并入新成立的蒙特利尔大都会自治体。1915年设镇;1959年设市。人口81 581(1996)。

Montreuil 蒙特勒伊 法国巴黎大区塞纳-圣但尼省城镇。为巴黎东郊工业区,距巴黎市中心1.6千米,有地铁相通。地处海拔120米高原上。为皮革加工中心,也生产饼干、纺织品、瓷器及鞣皮用化学药品。本地曾以桃树闻名,至今仍有生长。高原边缘森林公园中有一座历史博物馆。圣皮埃尔-圣保罗教堂有一12世纪建的唱诗班席。人口90 674(1999)。

Montreux 蒙特勒 瑞士西部沃州城镇,由3个游览社区组成。沿日内瓦湖东岸延伸6千米。因在山下,不受北风和东风吹袭,这一天然环境使该镇成为日内瓦湖畔人们最喜爱的疗养地。附近13世纪的希永城堡因拜伦的诗篇《希永的囚徒》而出名,是瑞士最著名的建筑之一。该城位于日内瓦、法国通往意大利的铁路线上,也是山地铁路的终点站,旅游业十分重要。人口约21 476(1998)。

Montrose 蒙特罗斯 苏格兰安格斯政务会辖区和历史郡的城镇和北海海港。位于南埃斯克河河口。1296年英格兰王爱德华一世在此接受苏格兰投降。该镇成为一市场城镇和渔港,18世纪发展为温泉疗养地。现虽无温泉,但仍为度假地。工业以加工黄麻和生产果酱为主。现针对北海石油工业的产品生产和服务对当地经济更加重要。人口11 440(1991)。

Montrose 蒙特罗斯 美国科罗拉多州西部城市,蒙特罗斯县城(1883)。位于安肯帕格里河谷,海拔1 774米。1881年建为铁路车站,1882年设镇,1906年建市。1900年大型水渠建成,始灌农田,后伐木和采矿成为主要行业。1910年从甘尼森河引水,扩大灌溉面积。为繁荣的贸易中心,有食品和木材加工业。附近有尤特印第安人博物馆。从该城可去甘尼森国家保护区布莱克峡谷、库雷坎蒂国家游乐区、安肯帕格里和甘尼森国家森林。人口12 344(2000)。

Montrose, James Graham, 5th Earl and 1st Marquess of 蒙特罗斯伯爵(第五)和侯爵(第一)(1612～1650-05-21,爱丁堡) 即J.格雷厄姆。苏格兰将领。内战时期为大不列颠查理一世在苏格兰取得一系列重大胜利。1626年继承爵位。就读于圣安德鲁斯大学。1644年当圣约派军队侵入英格兰时,查理一世任命他为苏格兰军事长官。3个月后封侯爵。同年8月他在苏格兰高地召募一支骠悍的军队,取得蒂帕摩、阿伯丁、因弗洛奇、奥尔德恩、奥尔福德和基尔赛斯等战役的胜利。于是,查理任命他为苏格兰总督和军队总司令。1645年6月他的军队土崩瓦解。1646年他逃往欧洲大陆。1650年3月,他率兵约1 200人回苏格兰。失败后在爱丁堡市场先被绞死,后被肢解。

Montrouge 蒙特鲁日 法国中北部巴黎大区上塞纳省城镇。位于巴黎南郊。由于当地土壤呈红色，历史上称蒙吕比屈斯(拉丁语意为“红山”)。1860 年分为两部分。小蒙特鲁日并入巴黎第 14 专区，其余部分组成蒙特鲁日镇。有印刷和装订业，生产手术器械、收音机、电视机和香水。设有一所女子师范学院。人口37 733(1999)。

Montserrat 蒙塞拉特山 西班牙加泰罗尼亚自治区巴塞罗那省西北部山脉，在略夫雷加特河西面和巴塞罗那市西北方。以山的形状怪异和蒙塞拉特圣母本笃会隐修院以及拥有圣母和圣婴的古代木雕像而著名。据说雕像为圣路加制作，由圣彼得带至西班牙。摩尔人统治时期藏于山洞中，880 年重新发现，被尊为圣物。11～15 世纪初，当地小隐修院为朝圣胜地，1410 年成为独立的大隐修院。现存的教堂始建于 1560 年。

Montserrat 蒙塞拉特 英国属地。加勒比海东部岛屿，属于小安的列斯群岛的范围。位于安提瓜西南 43 千米处，长 18 千米，宽 11 千米，面积 102 平方千米。首府普利茅斯在该岛背风的西南岸。人口约 6 000(1997)。

土地 该岛全部由火山作用而形成，分为 3 个森林覆盖的丘陵。最高点为南部苏弗里耶尔活火山上的钱塞斯峰(915 米)。许多溪流和瀑布将地形分割成小块。气候温和，温度和雨量无明显季节变化。年平均温度低温为 21～25 °C，高温为 27～30 °C。年平均降雨量约 1 448 毫米。6～11 月是最热时期，常刮飓风。岛上较高处被繁茂的热带植物覆盖，较低缓的山坡已被开垦，或在撂荒的种植园上重新长出二茬灌丛。该岛的南半部在 20 世纪 90 年代中期被苏弗里耶尔火山的灰烬所覆盖。

人民 岛上大多数人口为黑人，非洲奴隶的后裔。白人大部分祖籍欧洲，数量仅次于黑人，另有少数混血种人。官方语言为英语，主要宗教派别有安立甘宗、循道宗、天主教和五旬节派。在 1997 年火山爆发前，普利茅斯人口占该殖民地全部人口的 1/4，是主要居住区。蒙塞拉特的人口构成相当年轻，几乎有 1/3 的人口年龄不足 15 岁。自然人口增长率较低。

经济 农业不再成为经济的主体，但马铃薯、胡萝卜、蕃茄及辣椒仍为重要农产品。腌辣椒、凤梨罐头等加工过的产品和供出口的盆栽植物种植均已引进该岛。20 世纪 70 年代政府实施了一项重新种植海岛棉的计划，这种作物一度成为蒙塞拉特的主要输出品，还围绕它发展起一个综合的、以出口为主的手工业；1973 年开办了一个手织工作室。火山爆发以前，旅游业是岛上经济的最重要部门，提供了该岛总收入的 1/5 以上。旅游业一直面向退休的加拿大和美国人，其中有些人已在岛上定居。轻工业生产游泳衣、塑料袋、翻新的轮胎和电子零件。一个为吸引录音师而设计的现代化录音室业已建成。人均国民生产总值在加勒比海诸国中属一般水平。蒙塞拉特航空公司在距普利茅斯 14 千米处的布莱克本机场，每日有班机飞往附近各岛。普利茅斯是进入该岛的唯一港口，建有船坞。岛上公路长度约 210 千米，大多铺有路面。受 1995 年开始的苏弗里耶尔火山爆发的影响，该岛的农业和旅游业遭到严重毁坏。

行政与社会状况 蒙塞拉特是英国直辖殖民地；英王为该国的元首。1960 年的宪法规定，行政权授予英王任命的总督。总督领导成员经他任命的行政会议。立法会由 12 人组成，其中 7 人经选举产生。

岛上的医疗服务正在改进；政府管理着一所综合医院、一个疗养所和一个公共卫生服务处。儿童与老年人治疗牙疾免费。14 岁以下儿童须在公立学校接受免费义务教育。政府设有托儿所、小学和中学，并在普利茅斯建有一座公共图书馆。功率强大的私营安的列斯电台向加勒比海地区以英语和法语广播。政府经营的蒙塞拉特电台则向当地广播。岛民可通过人造卫星接收电视节目。

历史 1493 年哥伦布第二次出航前往新大陆时，曾抵达蒙塞拉特。当地的地形使他回想起西班牙的蒙塞拉特修道院，因此为该岛取名为蒙塞拉特。第一批殖民者包括英国和爱尔兰移民，1632 年来自圣克里斯托弗岛，随后有更多的爱尔兰移民来自弗吉尼亚。起初他们只种植烟草和木蓝，后来又种植棉花和甘蔗。1664 年岛上开始有了一些非洲黑奴，1805 年其人数增至 9 000 多人。法国军队及加勒比印第安人不时骚扰该地居民。1664、1667 和 1782 年该岛曾被法国人短期占据，但 1783 年后仍归英国统治。1871～1956 年间为(英国)背风群岛联合殖民地的一部分。1958 年该岛加入西印度联邦，直到 1962 年联邦解散。蒙塞拉特与许多其他英属西印度领地不同，由于岛上经济薄弱，故并不积极寻求独立，而是试图通过发展自由企业及吸引外国投资，达到自给自足。1989 年，该岛的住宅遭受飓风毁坏，随后的重建工作得到了英国的援助。1995 年开始的苏弗里耶火山爆发迫使该岛南部居民撤离。1997 年火山爆发摧毁了普利茅斯。

Montt, Manuel 蒙特(1809-09-08，智利彼托尔卡～1880-09-20，圣地亚哥) 智利总统、开明的专制者，在其两届任期(1851～1861)内他既激怒了自由派，也得罪了保守派，但却实现了许多有益的改革。1840 年当选国会议员。1841～1851 年在布尔内斯总统的政府中任内务部长和司法部长，1851年当选总统。自由党认为他的当选是骗局，发起武装暴乱，但很快被平息。他坚持国家对智利天主教会的圣职有任命权，支持取消对出售或转让地产的限制，因而激怒了保守党人。他的政府在发展技术、商业和银行业以及编纂法典方面成就显著，此外还大力促进了公共教育和移民。第二任期即将终了时，他提名内务部长安东尼奥·巴拉斯继任总统，自由党人为此再次武装起事。蒙特平息了叛乱，但为安抚自由党人转而支持温和的何塞·华金·佩雷斯。1861 年卸任后，任最高法院院长直至去世。

美国国会图书馆供图

Montt, Pedro 蒙特(1846，智利圣地亚哥～1910-08-16，德国不来梅) 智利总统(1906～1910)，其保守政府推动了铁路和工业的发展，却忽视了迫切的社会和劳工问题。前智利总统曼努埃尔·蒙特之子。1876 年当选众议员，1885 年成为议长。曾在巴尔马塞达总统的内阁中两次任职，但在 1891 年积极参与推翻巴尔马塞达的革命。后以革命执政委员会代表身份前往美国。美国承认新政府以后，任智利驻美公使。1901 年第一次参加总统竞选失败。1906 年竞选中作为全国联盟候选人以压倒多数票当选总统。上任后首先出动军队镇压 1907 年的大规模罢工。他的政府赞助修筑贯穿南北的铁路，促进硝石和铜的生产，但很少注意改善人民的生活条件。1910 年赴德国就医，死于该国。

Montúfar y Rivera Maestre, Lorenzo 蒙图法-里维拉·马埃斯特雷(1823-03-11，危地马拉危地马拉城～1898) 中美洲政治家，历史学家。1846 年在危地马拉大学获哲学和法学学位，最初任民法学教授。他积极反对卡雷拉的独裁统治，常由于自己的政治观点遭到放逐。在流亡萨尔瓦多期间，危地马拉国会放逐了卡雷拉，使他当选为议员。但卡雷拉重返危地马拉后，他被迫逃往哥斯达黎加。晚年撰写巨著《中美洲史纲》(17 卷，1878～1888)，其中记载了卡雷拉时代的大部分史实。在哥斯达黎加流亡时，曾当过律师、地方法官和出版商。后任外交部长，参加建立中美洲防务，以对付美国冒险家威廉·沃克。广泛游历拉美、美国和欧洲，他是中美洲统一的主要鼓吹者，一再主张重建共和国联邦。他曾多次担任政府职务并参加解决某些中美国家边界争端的协议谈判。1891 年曾谋求任危地马拉总统，但未成功。

Monumenta Germaniae Historica 《日耳曼史文献资料汇编》 一部约自500～1500年间的日耳曼人史料汇编，卷帙浩繁，征引繁博，考订精审。19 世纪初，激于民族感情，乃有此作，对欧洲各国历史学家的类似努力影响巨大。《汇编》最重要的先例是 M. 戈尔达斯特(?～1635)所辑有关中古日耳曼史资料汇编《罗马帝国时期的日耳曼诸王志》，而《汇编》的倡导人则是 19 世纪早期德国政治改革家施泰因(?～1831)。1816 年施泰因退出政界，以极大爱国热忱鼓吹编纂德国史的重要意义。1819 年在美因河畔法兰克福筹建德国古代史学会，1823年聘请佩尔茨(?～

1876)担任主编,开始《汇编》的辑录工作。佩尔茨任主编达半个世纪之久,与德国著名学者合作,出刊资料 20 卷;其后陆续刊行 100 多卷,末卷于 1925 年问世。《汇编》所辑文献分为:手稿、法规、公文、书信及古代文物等门类。

Monumentum Ancyranum　安卡拉铭文　公元 14 年后不久在安卡拉的奥古斯都神殿墙上所刻的《奥古斯都大帝伟业传》。这一铭文为奥古斯都本人所撰。原文为拉丁文,但有希腊译文。他的遗嘱指示将铭文以青铜刻在他的陵墓前纪念柱上。原铭文已无遗迹,但许多庙宇却有复制品,从铭文中可以看出奥古斯都多么希望后世怀念他。

Monywa　蒙育瓦　缅甸中部城镇。位于曼德勒以西约 97 千米亲敦江左岸。第二次世界大战期间,该城镇为日本交通中心,1945 年被英军所占。1952 年 10 月,关于在缅甸实现民主化的三方盟约在该城附近签署。该城地处干旱地区,四周盛产稻米、芝麻、小米、豆类、小麦、棉花等。工业生产有纺织品、竹木制品等。附近有采铜业;沙林枝铜厂 1976 年投产。1972 年建了一所医院。有公路、铁路经此。人口 106 873(1983)。

Monza　蒙扎　意大利北部伦巴第区米兰省城市。在米兰市东北面,临兰布罗河。6 世纪前为村庄。后伦巴第王后在此建造宅邸和隐修院。多次遭围攻、洗掠。1900 年 7 月 29 日,意大利国王翁贝托在此被刺。以 595 年建大教堂闻名;大教堂内有伦巴第铁皇冠,据云乃基督钉死于十字架时所用的一只铁钉制成,1311 年以后在米兰用它给神圣罗马帝国皇帝加冕,1805 年给拿破仑加冕。教堂内的财宝还有伦巴第和哥特时期的十字架和圣骨盒等。其他著名建筑还有圣马利亚教堂(1357)、现为美术馆的皇宫(1777 ～ 1780)等。蒙扎为繁忙的工业中心,生产毡帽、地毯、纺织品、机械、家具、玻璃、油漆、塑料等。建有据称为世界上车速最快的赛车道。人口:城市区约 123 073(1990)。

Monzaemon, Chikamatsu　参阅 **Chikamatsu Monzaemon** 近松门左卫门。

monzonite　二长岩　含大量且近于等量的斜长石和钾长石的侵入岩,还含有少量黑云母和普通角闪石,有时含有微量斜方辉石。偶尔存在的石英、霞石和橄榄石,分别构成石英二长岩、霞石二长岩和橄榄石二长岩。在典型地区——意大利蒂罗尔的蒙松尼,这些矿物很少呈主要组分出现;并且在蒙松尼斜长石常常是富钙的(拉长石),而且常常显示明显的环带构造。与典型地区类似的岩石,在挪威(英辉正长岩)、美国蒙大拿州(等辉正长岩、等色岩)、俄罗斯太平洋沿岸的萨哈林岛(库页岛)以及世界其他各地都有记述。二长岩并不是罕见的岩石类型,但一般呈小规模、非均质的岩体出现,与闪长岩、辉石岩或辉长岩共生(而且或许向这些岩石逐渐过渡)。

mood　语气　又作 mode。语法范畴,反映说话者对一事件特性所作的本体论的看法。这种特性也许是真实的或不真实的、确切的或可能的、人们所希望的或要求的。语气通常以特别的动词形式或词尾变化表明,有时也以单独一个词或片语表示。在许多语言中,语气在语法上常区分为陈述语气、祈使语气和虚拟语气三种。陈述语气通常用于确实的或中性的场合,如英语的"John did his work"和西班牙语的"*Juan hizo su trabajo*"。祈使语气表达命令或请求,如"Do your work",在一般情况下是不用主语的。西班牙语除不用主语外,还使用祈使动词形式,如"*Haga su trabajo*"。虚拟语气的功能在各语言中差别很大,一些常用虚拟语气表达的概念有怀疑、可能、需要、欲望和未来时间等等。英语虚拟语气的使用场合是不多的,通常只有在正式文体中才会见到,如"*It is necessary that he be ready on time*"。这类句子的虚拟语气更常见的是用情态动词 *can*、*must* 或 *may* 来表示,如"*He must be ready on time*"。在许多语言中有时列入语法范围的语气还有条件式(*conditional*)、劝告式(*hortative*)、怀疑语气(*dubitative*)、希求语气(*optative*)、假设语气(*hypothetical*)、可能式(*potential*)。

mood　式　逻辑中,直言三段论按照子命题的量(全称或特称)和质(肯定或否定)进行的分类。命题有 4 种形式:*A*(全称肯定),*E*(全称否定),*I*(特称肯定),*O*(特称否定)。因为每个三段论都有 3 个命题,每个命题又会有 4 种不同的形式,这就有 64 种不同的三段论的式。这 64 种可能的式中有 24 种是有效的,尽管传统上只承认 19 种有效。各种记忆术语被用来标示这些式,这些术语的元音字母就代表三段论命题的形式。如 Felapton 就是表示一种式的记忆术语,在这种式中三段论的大前提(包含结论的谓项)是 *E* 命题,小前提(包含结论的主项)是 *A* 命题,结论是 *O* 命题。

Moodie, Susanna Strickland　穆迪(1803-12-06,英国萨福克邦吉～ 1885-04-08,加拿大安大略多伦多)　在英国出生的加拿大开拓者。她最重要的著作是《丛林中的辛酸》(亦名《加拿大生涯》,1852),一本根据她自己的经验给未来开拓者以指导的书。1832 年和丈夫(一名英国军官)及姊妹凯瑟琳(也是作家)移民到上加拿大的荒野,最初厌恶那种"辛酸的生活",但后来逐渐真诚地献身于加拿大的未来。她对荒野生活的描写十分逼真,具有洞察力,且有幽默感。

Moody, Anne　穆迪(1940-09-15,美国密西西比森特威尔附近～　　)　美国民权活动家和作家。非洲裔美国贫穷佃农之女,在南方种族隔离的学校接受早期教育,后入图加卢(密西西比)学院。积极投身于民权运动,帮助组织种族平等大会,并于 1963 年在实行种族隔离的伍尔沃斯便餐店参加静坐示威。1964 年从图加卢学院毕业,任康奈尔大学民权项目协调人至 1965 年。后对某些民权运动问题不再抱幻想,移居纽约,开始撰写自传《密西西比时代的到来》,1968 年出版,深受好评。另一部作品为《死亡先生:四个故事》(1975)。

Moody, Dwight L(yman)　穆迪(1837-02-05,美国马萨诸塞东诺斯菲尔德～ 1899-12-22,马萨诸塞诺斯菲尔德)　美国杰出的福音教派传教士,为后人在大城市传播福音树立

美国国会图书馆供图

了典范。1860 年弃商而从事传教。1861 ～ 1873 年为基督教青年会工作,任该会芝加哥分会主席,创建穆迪教堂,在贫民窟布道。1870 年结识赞美诗作家桑基,两人共同提倡福音圣诗。先后自 1873 至 1875 年,又自 1881 至 1884 年二人在英国广泛巡回布道。穆迪避开引起分裂的教派学说,以生动感人的方法宣讲"老式福音",主张按词意解释《圣经》,宣传基督将在千禧年前复临。穆迪的弥撒复兴运动得到著名企业家的资助,他们认为他可以减轻穷人的苦难。穆迪本人热情支持各种慈善事业,但是他认为社会问题只能通过个人信仰上帝而获得新生才能予以解决。他于 1879 年在马萨诸塞州诺斯菲尔德创办了一所女子神学院。1889 年,创办芝加哥圣经学院(即今穆迪圣经学院)。

Moody, Helen Wills　穆迪　参阅 **Wills, Helen** 威尔斯。

Moody, William　穆迪(1853-12-23,美国马萨诸塞纽伯里～ 1917-07-02,马萨诸塞黑弗里尔)　美国司法部长(1904 ～ 1906)和最高法院法官(1906 ～ 1910)。1878 年在马萨诸塞州黑弗里尔市开始操律师业,积极参加当地的共和党活动。后任市法务官(1880 ～ 1890)和县司法部长(1890 ～ 1895)。1893 年因充当轰动一时的 L. 博登凶杀案的起诉人而首次引起全国的注目。1895 年当选为美国众议员。1902 年由 T. 罗斯福总统任命为海军部长。1904 年任美国司法部长。他在任此职的两年中,曾提议大力加强《反托拉斯法》,以粉碎大垄断组织,尤其是屠宰业的垄断组织。1906 年罗斯福总统委任他为最高法院法官,但因病难以胜任工作,4 年后即辞职。

Moody, William Vaughn　穆迪(1869-07-08,美国印第安纳斯潘塞～ 1910-10-17,科罗拉多科罗拉多斯普林斯)　美国诗人、剧作家。他的奥妙而高尚的作品被认为显示了作者的才华,可惜由于早逝,才华未能充分发挥。哈佛大学毕业(1893)后,先后在哈佛和芝加哥大学教授英文。虽然他被认为是一个循循善诱

的教师,但却对这个工作不感兴趣。在大学执教期间,曾有几年在别处工作,编辑弥尔顿作品的剑桥版。1902 年他与人合编的一部教科书出版,使他得以从事他喜爱的写作生涯。他早期的诗,如《耶稣受难节之夜》(1898),被认为是优美高尚的;他的诗剧也是如此,包括《审判的假面剧》(1900)和《取火的人》(1904)。后者是一部未完成的关于神与人的同一性的三部曲。他最受欢迎的作品《大分水岭》(1906)突然改变了他固有的风格,这是一部描写东部的清教主义和西部的个人主义之间的冲突的散文剧。虽然穆迪常喜过分雕琢,但他创作生涯的这一新阶段表明,他是当时最有希望的作家之一。他在进入这一转折点之后不久因脑瘤去世,年仅 41 岁。

Moon (Estonia)　参阅 **Muhu** 穆胡。

moon　卫星　绕行星轨道运行的天然卫星。参阅 **satellite**。

Moon　月球　地球的唯一天然卫星。它在平均距离约为 384 400 千米处,从西向东绕地球公转。

月球表面的神秘现象:有些科学家认为是彗星撞击月球的痕迹
美国不列颠百科全书公司供图

月球的大小不及地球的1/3,其赤道直径仅为 3 476 千米。月球的质量是地球的 1/81.3,其密度为 3.34 克/厘米^3,与之对照的是地球为 5.52 克/厘米^3。月球因反射日光而发亮,但其反照率,即反射光和入射光的比数,仅为 0.073。

月球以约 29½ 日绕自转轴旋转一周,与在其轨道上绕地球公转一周的时间完全相同,其结果是,月球永远以几乎相同的一面朝向地球。月球的自转速率实际上是均匀的,但它在天空所运行的弧长却逐日略有变化。这样,月球朝向地球的一面就出现了相应的变化,从地球上的观测者看来,月球略有摆动,其周期近似地等于公转周期。这种视摆动称为光学天平动,变动的大小通常为 6°～7°。

自从伽利略于 1609 年第一次用望远镜观察月面以来,月球表面就成为用望远镜连续研究的课题。意大利耶稣会的天文学家 G.B.里乔利在他的著作《新天文学大成》(1651)中,将月面上的暗区命名为海,取了一些富幻想力的名字,诸如雨海、酒海。虽然如今早已知道,月球上完全没有表水,但这种命名一直沿用至今。几个世纪中,在上述这类早期著作问世后,制出了更详尽的月面图和最后的月面照片。1959 年,苏联的一个空间探测器,拍摄了背对地球的月球背面照片。60 年代末,美国的月球轨道飞行器完成了月球的可见面和背面的整个月面近景照相。

满月时拍摄的月球正面
美国不列颠百科全书公司供图

影响月球表面的主要过程是碰撞。月球表面覆盖一层表岩屑,它是由受微陨星轰击致使表面物质粉碎而产生的细颗粒状岩石碎物组成。最引人注目的形成物是环形山。这种结构的直径约达到或超过 200 千米。它们密密麻麻甚至相互重叠地布满整个表面。大多数大型环形山是由高速撞击月球表面的陨星造成的。许多直径小于 1 千米的小型环形山则是火山爆发性活动的结果。许多环形山均有一环绕的环状物。这种结构有的相当低矮,尽管其中一个典型的环形山高出周围地形约1 500米。在不少情况下,在环形山的中心区,有中央峰或中央峰群。月面较暗的区域,即所谓的海(参阅 **mare**),只有很少的环形山。它们被认为是在大多数环形山已形成之后,在一片面积上铺开的巨大熔岩流。另一类型醒目的地貌是谷,它们是延伸几百千米的深沟。沟纹趋向于在山脉或海边丘陵或大型环形山内,成群地平行出现。

已有多种不同的月球起源学说。19 世纪末,英国天文学家 G.H.达尔文创立一个受到历经几十年深切关注的假说。达尔文在太阳潮汐力的数学理论基础上,设想月球最初为地球的一部分,受潮汐作用从地球上分裂出去,并远离地球。1930 年,H.杰弗里斯令人信服地指出,这样的过程完全是不可能的。在 50 年代,提出了另一种流行的月球起源学说,认为月球形成于太阳系内另一区域,而后为地球俘获。随后,发现此概念依据的基本设想确实难以置信,因此该学说也为人摒弃。

月球上的阿利斯塔克环形山
美国不列颠百科全书公司供图

共同吸积假说认为,地球和月球在同一时间从原始星云中形成。然而这一学说不能解释地-月系统在绕日公转时所具有的大角动量。

今日,大多数科学家倾向于接受巨大碰撞假说的解释。按照这个学说,在太阳系的早期历史阶段,一个火星大小的天体碰撞了原始地球。结果,一片由碎块组成的云团被抛射到环绕地球的轨道上,随后,云团积合成为月球。在碰撞之前,这两个天体均已分化为一个金属态内核和一个富硅地幔,所以,抛射出的物质(即原始月球)主要含硅,而在地球内,则聚结出金属态内核。

Moon, Sun Myung　文鲜明(1920-01-06,朝鲜平安北道光州上士里[今在北朝鲜]～2012-09-03,韩国京畿道加平郡)　朝鲜福音布道家。1954年创立世界基督教统一圣灵协会,通称统一教团。他于1952年所著《上帝的主义》是该教团的基本经典,该书称,上帝挑选他拯救人类脱离撒旦的统治,说共产党人是撒旦在世的代表。1946年开始在朝鲜宣讲他的教义,两年后被基督教长老会逐出教会,不久被北朝鲜当局监禁,原因不详;1950年越狱,一说获释,逃往南朝鲜。他在韩国和日本创办企业,生产军火、油漆、机器和人参茶等物,成为拥有几百万美元财产的大亨。自20世纪70年代初在美国开展大规模传教活动。统一教团的信徒称文鲜明夫妇为父母,自称文氏子弟,共同结成理想的上帝家庭。1973年文鲜明将教团总部迁至纽约州塔里敦市,指挥该教团在许多国家的企业。1982年因逃税被判处18个月徒刑,罚款2.5万美元,1984年入狱。

moon bear　月熊　参阅 **Asiatic black bear** 黑熊。

moon cactus (plant genus)　**月光掌**　参阅 **nightblooming cereus** 夜花掌。

Moon exploration　月球探测　用载人和不载人的航天器对月球进行科学研究。由于月球是距地球最近的天体,因而是美苏早期航天探测的重点。1959年9月12日苏联发射的第一枚航天探测器"月球"2号抵达月球。同年10月4日发射第二枚不载人的探测器"月球"3号,在离月球6 880千米处拍摄了月球背面的照片。1964～1968年美国发射了3组月球探测器系列,搜集到大批资料,为"阿波罗"号载人登月开辟道路。其中3枚"徘徊者"号航天器于1964～1965年发回1.7万余帧月球照片;1966～1967年5枚月球轨道环行器又发回近2 000帧高分辨力照片,覆盖范围约达整个月面的98%;大约与此同时,5枚"勘测者"号探测器在月面软着陆,发回约8万帧近距离的月面地形照片,以及有关月球表面性质等方面的资料。1969年7月20日,航天员N. A.阿姆斯特朗和E. E.奥尔德林驾驶"阿波罗"11号的登月舱降落在月球表面称为静海的一片荒原上。1969年11月至1972年12月,美国航天员又5次登月,考察了月面,拍摄照片,搜集岩石和土壤标本,进行广泛的科学研究。苏联没有载人航天器在月球着陆,但在1970年及1972年两次发射遥控自动车登月,另外它还成功地取回了土壤样品。美国已于1972年完成"阿波罗"号登月计划开始行星际探测,但苏联直到1974年还在发射不载人的月球探测器。

moon guitar (musical instrument)　参阅 **yueqin** 月琴。

Moon type　穆恩字母　盲文书写体系,由英格兰东苏塞克斯郡布赖顿的W.穆恩于1845年发明,便于盲人阅读。该字母部分地保留了拉丁字母的轮廓,成年以后失明的人易于掌握。在以拉丁字母为基础的各种盲文中,它是唯一仍在英语国家中使用的(虽然它在很大程度上已由布拉耶盲文所取代)。

moon worship　月亮崇拜　对月亮、月中的神、月亮的化身象征的敬慕或崇拜。月亮的神圣性一直与根本的生命节奏及宇宙节律相联系。月亮崇拜是一种普遍现象,出现于不同时代及不同文化中,因而产生了丰富的象征意义及神话传说。人们根据宇宙有节奏的生命来观察月亮,并且认为它支配着所有生命的变化。月亮消失和出现的循环过程是人们普遍地把月亮同亡魂的国度(即人死后灵魂升入的地方)以及复生的力量联系在一起的依据。月亮对这个周期的支配,也使人们把月亮与命运联系在一起。月亮神话中对月缺时期即月亮盈亏周期中的三天黑暗时期以及月蚀等现象,特别予以强调。两者常被解释为两类巨形怪物之间战斗的结果,一方面想吃掉或毁掉月亮,另方面则终于使月亮复明或再生。战斗期间即为不祥之日,必须严格禁忌任何新生或创制的行为,如播种或性交等。某些地区,人们还以祭祀活动驱走恶怪,大声喧嚣就是这种活动的一部分。月神,即象征月亮及其周期的男神及女神,比较少见。在原始的狩猎民族的文化中,月亮经常被看成是男性的,而且,特别对于女人来说,是极为不祥或危险的人物。在农业的传说中,月亮一般被看做是女性,她惠施恩慈,掌握世上各种植物的生长周期。

Mooney, James　穆尼(1861-02-10,美国印第安纳里士满～1921-12-22,华盛顿[哥伦比亚特区])　早期美国印第安人人种志学者,尤长于美国东南部印第安人问题的研究。他调查研究切罗基人及基奥瓦人的历史、纹章和文化,曾解读基奥瓦人历法,并发现了有关北卡罗来纳州切罗基人用本民族文字记载的古代礼仪的文献。其名作是《东部苏人部落》(1894)。穆尼主要是自修成才。后在史密森学会美洲人种志局任职,终其一生。

Mooney, Tom　穆尼(1882-12-08,美国伊利诺伊芝加哥～1942-03-06,旧金山)　美国社会主义工会的组织者及活动家。因1916年旧金山一起爆炸案受审,被判有杀人罪。这次爆炸死10人,伤40人。穆尼和他的妻子及W. K.比林斯等人均被控并判刑。对穆尼的死刑判决引起公众抗议,持续20年之久,后改为终身监禁。1931年全国法律监督实施委员会关于穆尼-比林斯案件的报告认为对穆尼的判刑证据不足,1939年被加利福尼亚州州长赦免,1961年被正式赦免。穆尼为煤矿工人之子,14岁当铸工学徒,不久成为铸工工会会员。几次赴欧旅行之后,投身于社会主义政治活动,并加入世界产业工人联盟,协助联盟出版社会主义报纸《反抗》。

mooneye 月目鱼 又作 toothed herring。月目鱼科的北美淡水鱼类，上钩时奋力挣扎，但无甚食用价值。外观似鲱，牙尖锐，眼大，尾深叉形。*Hiodon tergisus* 体闪银光，长约 42.5

月目鱼（*Hiodon tergisus*）
美国不列颠百科全书公司供图

厘米。金目鱼（似鲱月目鱼，*H*.［或 *Amphiodon*］*alosoides*）背部蓝色，体侧银色，长约 25 厘米。南方月目鱼（*H. selenops*）银白色，长约 30 厘米。

moonfish 月亮鱼 鲈形目数种鱼，包括鲹科的丝鳍犁头鲹（*Vomer setapinnis*）以及眼镜鱼科唯一的种眼镜鱼（*Mene maculata*）的统称。鲹科的月亮鱼体薄而特别高，尾基细长，尾鳍分叉，胸鳍细长呈镰形；体色银白或金黄，长约 30 厘米；栖于西大西洋；幼鱼的特点是背鳍和腹鳍有呈绦状延长的鳍条。与之近缘的体高而扁的种类也称月亮鱼，如太平洋的陡额犁头鲹（*Vomer declivifrons*）和大西洋与太平洋的月鲹（*Selene vomer*）。眼镜鱼科的月亮鱼与鲹科鱼近缘，产于印度洋-太平洋地区，体薄，胸部高且边缘锋锐，臀鳍长，尾鳍叉形，腹鳍具一绦状拖长的鳍条；体银白而具深色斑，长约 20 厘米。其他有时称为"月亮鱼"的鱼类，还有月鱼（**opah**），新月鱼（**platy**）和银鳞鲳（**fingerfish**）。

Moonglows, the 月光乐队 美国多瓦普声乐团，早期摇滚乐的先锋之一。主要成员是 B. 莱斯特、H. 富卡、A. 格雷夫斯和 P. 巴恩斯。1952 年在俄亥俄州演唱时被音乐唱片节目主持人弗雷德发现，当时莱斯特为领唱，富卡为副领唱，格雷夫斯为第一男高音，巴恩斯唱低音。1953～1954 年，他们的演唱在节奏与布鲁斯领域小有成就，1954 年与切斯唱片公司合作后享誉全美。著名专辑有：《真诚地》（1954）、《尤其是》（1955）、《我们一起走》（1956）和《爱的十诫》（1958）。他们的节奏与布鲁斯和声技巧十分完美，被称作"呼气和声"，演唱中呼出的气成为和声的一部分，听起来就像是出自歌手胸腔深处的共鸣。弗雷德让乐队在他的舞台剧和影片《摇、摇、摇》和《摇滚先生》中演出，帮助他们成为早期摇滚戏剧最重要的演员。1958 年声乐团的领导者富卡解散了这支乐队，成立一个新的月光乐队，1960 年又解散，1972 年再次重组。后期的专辑有《回归月光》（1972）和《真诚地》（1991）。2000 年入选摇滚乐名人堂。

Moonie 穆尼 澳大利亚昆士兰州东南部居民点，位于牧羊区。当地是全国最早开发的商业性油田（1964）。原油经输油管运往布里斯班。西南 96 千米处的奥尔顿也有一处小油田。

moonrat 裸尾鼩猬 毛猬（**gymnure**）的一个种，产于亚洲。

moonseed 月籽藤 防己科（Menispermaceae）蝙蝠葛属（*Menispermum*）两种木质藤本植物的通称。产于东亚、北美东部和墨西哥。加拿大月籽藤（加拿大蝙蝠葛，*M.*

加拿大月籽藤（*M. canadense*）
美国不列颠百科全书公司供图

canadense）叶广椭圆形至圆形，稍裂；花绿白色，雌株结黑色葡萄状果实，种子新月形。亚洲月籽藤（达呼里蝙蝠葛，*M. dauricum*）与之相似，产于东亚。

moonstone 月长石 宝石级的长石矿物，为钠和钾的铝硅酸盐的混合物［$(K, Na)AlSi_3O_8$］。呈银色或淡蓝色的晕彩。几乎所有工业用月长石均来自斯里兰卡的达姆巴拉地区，在这里它产于宝石砾石层中以及酸性麻粒岩和伟晶岩中。月长石这一术语也用来表示斜长石中的晕长石和拉长石，它们也显示出晕彩。

Moor 摩尔人 英语文献中指摩洛哥人，过去亦指在 11～17 世纪创造了阿拉伯安达卢西亚文化，随后在北非作为难民定居下来的西班牙穆斯林居民或阿拉伯人、西班牙人及柏柏尔人的混血后代。这一名词偶尔也指一般的穆斯林，例如斯里兰卡（锡兰）或菲律宾的摩尔人。此词由罗马人最先使用，指罗马毛里塔尼亚省（今阿尔及利亚西部和摩洛哥东北部）的居民。现今的毛里塔尼亚人有时也被称作摩尔人。

moor 漠泽 指一片或是干燥而具有石南属及其共生植物或是潮湿具有酸性泥沼植被的开阔地区。如果是潮湿的，则漠泽通常就是酸沼（**bog**）的同义语。

Moore, Alfred 穆尔（1755-05-21，美国北卡罗来纳汉诺威县～1810-10-15，北卡罗来纳布莱登县） 美国最高法院大法官（1800～1804）。1775 年获得律师资格。但在随后的两年中投身美国独立战争任军官。他参加了 1776 年南卡罗来纳州查尔斯敦的保卫战。1777 年回到北卡罗来纳重新经营其家的农场同时领导当地的一支民兵队伍袭扰英国人。1782 年进入政界，因担任北卡罗来纳州检察长而声名卓著，但在 1791 年因议会迫使他与新设立的副检察长一职划分职责而辞职。他担任了一届州议会议员，然后重操私人律师旧业。他的声誉继续增长，并于 1798 年被选为州高等法院法官。次年，亚当斯总统任命他为美国最高法院大法官，取代艾尔德尔。他唯一的判决意见是在"巴斯诉廷吉"一案（1800）中发表的，在该案中，最高法院认定与法国之间存在"有限的、局部的战争"，这个意见受到联邦党人的欢迎，但是遭到共和党人的批评。1804 年因健康不佳退休。

Moore, Archie 穆尔（1913-12-13，美国密西西比伯诺伊特～1999-01-06） 原名赖特（Archibald Lee Wright）。美国拳击运动员。1952 年 12 月 17 日在密苏里州圣路易斯以 15 回合击败马克西姆获轻量级世界冠军，1962 年他未能接受约翰逊的挑战而丧失冠军称号。从 20 世纪 30 年代起从事职业拳击。在争夺最重量级冠军的比赛中，1955 年败于马西亚诺；1956 年又败于帕特森。1936～1963 年共参加比赛 229 场，胜 194 场，其中 141 场直接击倒对手取胜。曾一度为电影演员，在电影《哈克贝里芬历险记》（1959）中扮奴隶吉姆。其自传《阿尔奇·穆尔传》1960 年问世。后做青年工作。

Moore, Brian 穆尔（1921-08-25，北爱尔兰贝尔法斯特～1999-01-10） 爱尔兰小说家。1948 年移居加拿大，1952 年起为《蒙特利尔报》撰稿。以他的第一部小说《朱迪思·赫恩孤寂的情感》（1955）最为著名。这部小说描写一个日渐衰老的处女，她对往昔的高贵出身颇引以为荣，对未来的上流地位又寄予希望，但都因酒精中毒化为泡影。第二部小说《牧神节》（1957）描写一个单身男教员的性失调。《金杰·科菲的运气》（1960）写一个为碰运气而移居加拿大的爱尔兰中年失败者。《冰淇淋皇帝》（1965）写一个富有叛逆精神和自命不凡的少年，由于在第二次世界大战中经历贝尔法斯特遭受轰炸的震惊而变得成熟起来。在他后来的小说中，以《医生的妻子》（1976）最为动人。

Moore, Carl Richard 穆尔（1892-12-05，美国密苏里斯普林菲尔德附近的布赖顿～1955-10-16，芝加哥） 美国动物学家，以研究动物生殖器官和内分泌闻名。在密苏里州南部欧扎克高原一个农业社区长大，入斯普林菲尔德附近的德鲁里学院学习，获理学士及文学硕士学位并任教。后去芝加哥大学学习，夏季便到马萨诸塞州伍兹霍尔海洋生物实验室，1916 年获该校哲学博士学位，留校执教，1928 年任动物学教授，之后又任系主任。系统研究了脊椎动物的性腺及有关结构。在芝加哥大学与 T.F. 加拉格尔和 F.C. 科克合作，约 1929 年首先分离出含有雄性激素雄甾酮和睾酮的睾丸分泌物，从而为研究这类雄性激素的化学组成及其制造铺平了道路。

Moore, Clement Clarke 穆尔（1779-07-15，纽约市～1863-07-10，美国罗得岛纽波特） 美国希伯来文学者和教师。现今主要因他的一首歌谣而被人所铭记。歌谣首句是"这是圣诞节的前夜……"。曾就读于哥伦比亚学院(今哥伦比亚大学),终身对宗教问题感兴趣。他在神学院当过东方与希腊文学教授(1821～1850)。据说,1822年圣诞节,他为了让他的孩子们高兴,创作了《圣尼古拉来访》,但是,一个客人背着他抄下这首歌,把它送到报纸上发表。它最初于1823年12月23日匿名发表在特洛伊(纽约州)的《哨兵》杂志。

Moore, Douglas Stuart 穆尔(1893-08-10,美国纽约卡查格～1969-07-25,纽约格林波特) 美国作曲家。作品以本国题材的民俗歌剧见长,其中《鹿娃谣》(1956)最成功。曾在耶鲁从H.帕克学习作曲,后又在巴黎师从V.丹第和N.布朗热。1926～1962年在哥伦比亚大学执教。所作歌剧一般涉及美国乡间生活或拓荒生活,歌曲与器乐曲则常吸收民间体裁。管弦乐作品以标题性居多,如《巴纳姆的盛会》(1926)。歌剧有《魔鬼与丹尼尔·韦伯斯特》(1939)、《尘世巨人》(1951,获普利策奖)和《卡里·纳辛》(1966)等。

Moore, Ely 穆尔(1798-07-04,美国新泽西贝尔维迪尔附近～1860-01-27,堪萨斯准州勒孔顿) 美国新闻工作者,为美国国会中代表劳工利益的政治家。早年习医。行医数年后即去经营印刷业,并任报纸主编。1833年当选为纽约市手工业工会联合会主席,并主编该会机关报《全国工会》。次年当选为工会全国会议主席。1834年代表民主党选入国会。1836年再次当选,他在使国会支持10小时工作日制度方面出了力。1839年任纽约港督。此后退居新泽西州故里,重操出版事业,编印《沃伦日报》。1850年迁居堪萨斯,任迈阿密及其他部落的美国印第安事务官,1855年任堪萨斯勒孔顿的土地登记员。

Moore, G(eorge) E(dward) 穆尔(1873-11-04,伦敦～1958-10-24,英国剑桥郡剑桥) 有影响的实在论哲学家和教授。对于伦理学问题的系统研究和对于哲学的极为细致的探讨使他成为现代英国杰出的思想家。1898年当选为剑桥大学三一学院研究员,任职直到1904年。在此期间发表了主要的伦理学著作《伦理学原理》(1903),并在报刊上发表了若干论文,包括《判断的本质》(1899)、《反驳唯心主义》(1903)。这些作品的重要性在于它们清除了黑格尔和康德对英国哲学的影响。1925～1939年任剑桥大学哲学教授;1921～1947年,他又是哲学杂志《精神》的编辑。虽然他在福音派的宗教气氛中长大,最后却成为不可知论者。他的朋友B.罗素是第一个引导他研究哲学的人。穆尔又是布鲁姆斯伯里小组的主要成员(这个小组的成员有经济学家J.凯因斯和作家V.吴尔夫、E.M.福斯特)。由于他认为通过直接的理解可以认识"善",所以人们称他为"伦理的直觉主义者"。他宣称,为了确定什么是"善"而作的其他努力,诸如对本身并无伦理性质的同意或愿望等概念加以分析,会造成一种错误,他称之为"自然主义的错误"。他还关心这样一些问题,如感性认识的性质如何;其他心灵与物体是否存在等等。有些哲学家认为我们缺乏充分的材料证明在我们心灵之外有物体存在。穆尔还未怀疑到他们这样的程度。但他确实认为人们还没有想出适当的哲学证据来驳倒这类不同意见。尽管他的理论几乎没有得到普遍承认,但他对某些问题的独特看法和严密的思想方法却促使英国哲学讨论实质之改变。其他主要作品有《哲学研究》(1922)、《若干主要的哲学问题》(1953)。在他死后出版的有《哲学论文》(1959)和《摘录,1919～1953》(1962)。P.A.希尔普编辑出版的《穆尔哲学》(1952)及A.P.怀特所著《穆尔评传》(1958)两书提供了更详细的有关资料。

Moore, George (Augustus) 穆尔(1852-02-24,爱尔兰梅奥郡巴利格拉斯～1933-01-21,伦敦) 爱尔兰小说家、文人。被认为是当时小说的创新者,但似乎现已不及当时重要。出生于一个爱尔兰地主家庭,18岁时离开爱尔兰前往巴黎习画。他的《回忆印象派画家们》(1906)生动地描写了"新雅典咖啡馆"及经常光顾它的印象派画家。另一部描述在巴黎生活的著作是他的第一部自传《一个青年的自白》(1888)。因认定自己没有绘画天才,1882年回伦敦专事写作。他在小说《摩登恋人》(1883)、《哑剧演员的妻子》(1885)中把新颖的法国自然主义笔调运用于英国背景,后来又进一步采用了福楼拜和巴尔扎克的现实主义写作技巧。最成功的小说《埃斯特·沃特斯》(1894)是一部描写艰苦与屈辱的故事,书中闪烁着作者的同情。该书问世后很快获得成功。继而又写了类似风格的《伊芙林·英尼斯》(1898)和《特里萨修女》(1901)。1901年迁居都柏林,为筹建阿比戏院作出可贵贡献。他在爱尔兰期间的真正成果是创作三部曲《致敬与告别》(《别了》,1911;《慰藉》,1912;《山谷》,1914)。这部作品主题庞杂,时而充满感情,时而带有讥讽,读时犹如一篇持续的独白。1911年由爱尔兰返回英格兰,创作了《凯里斯溪》(1916),以精心的结构和独特的风格复述福音故事。此后,又写了《爱洛绮斯和阿贝拉》(1921)一书,继续努力寻找一种适合表现史诗主题的散文风格。其他著作有《一个讲故事人的假日》(1918)、自传《在伊伯里大街上的对话》(1924)、《达夫妮斯和克罗的田园之恋》(1924)和爱尔兰浪漫传奇故事《尤利克与索拉莎》(1926)。

Moore, George Foot 穆尔(1851-10-15,美国宾夕法尼亚西切斯特～1931-05-16,马萨诸塞剑桥) 《旧约》学者、神学家和东方学家。他对于以犹太传统法学著作为素材的作品有深刻了解。他于1878年在长老会被授以牧师职,1883年以前任俄亥俄州赞斯维尔市普特南长老会教堂牧师。1902年任哈佛大学神学教授,1904年任该校宗教史教授。主要著作有《旧约文学》(1913)、《宗教史》(2卷,1913～1919)、《公元一世纪的犹太教》(3卷,1927～1930),后者为他最伟大的作品。他也是《哈佛神学评论》的创办人及主编(1908～1914,1921～1931)。

Moore, Gordon E. 摩尔(1929-01-03,美国加利福尼亚旧金山～) 美国工程师,他和R.诺伊斯共同创办了英特尔公司。1950年在加州大学伯克利分校获化学学士学位,1954年在加州理工学院获化学与物理学博士学位。1956年曾在加利福尼亚州研究硅基晶体管制造方法的肖克莱半导体实验室工作,后来他和7个同事辞职与费尔柴尔德照相器材公司合作成立了费尔柴尔德半导体公司。1957年费尔柴尔德公司朝晶体管行业进军,新公司很快脱颖而出成为主要的晶体管制造商。1968年摩尔和诺伊斯离开费尔柴尔德公司建立了英特尔公司,他们通过促使从事研究的科学家和工程师直接参与芯片的生产工作来融合理论和实践,特别是生产磁性氧化物半导体存储器芯片的工作,这是英特尔的第一次商业成功。1965年,摩尔应《电子学杂志》特刊之邀预言了下一个10年的发展情况。回顾了过去硅片上晶体管数量的增长情况后,摩尔用公式进行表达,即人们所知的摩尔定律:单个硅片上晶体管的数量每年翻一番。1975年,当增长率开始减缓时,摩尔将他预言的周期修改为每两年翻一番。事实上,自1961年后的大约40年里,单个硅片上的晶体管的数量每18个月翻一番。只有时间能证明摩尔定律以后是否会被废除。摩尔先后担任过英特尔公司的副总裁(1968～1975)、总裁(1975～1979)、首席执行官(1975～1987)、董事会主席(1979～1997)。1990年被授予美国国家科技奖章。

Moore, Grace 穆尔(1898-12-05,美国田纳西斯拉布城[今为努城]～1947-01-26,丹麦哥本哈根) 美国歌唱家、女演员。在歌剧和电影上均颇成功,深受欢迎。曾短期就读于沃德贝尔蒙特大学,后进入威尔逊-格林斯音乐学校。1919年在华盛顿国家剧院首次举办独唱会,后到纽约,在夜总会演唱,挣得学费学习声乐。曾参演《第十六组曲》、《稍等一会儿》和《云端之上》等剧,1920年在百老汇演出。后赴巴黎进修歌剧;资金耗尽后,返回百老汇。1923年演出《音乐盒滑稽剧》。1925年再次前往法国,好友歌唱家加登把她推荐给R.巴泰勒米,1927年经面试赢得大都会歌剧院合同。1928年2月在大都会歌剧院首次登台,扮演歌剧《波希米亚人》中的咪咪,受到好评。在演唱歌剧《罗密欧与朱丽叶》之后,开始在欧洲巡回演出,在巴黎获得巨大成功。主演过的歌剧包括《卡门》、《托斯卡》、《曼侬》、《浮士德》、《丑角》和《詹尼斯基基》等。1930年来到好莱坞,在《女士的道德》中扮演角色,1931年出演《新月》。1932年回到百老汇,演出歌剧《迪巴里夫人》,1934年重返好莱坞,在《一夜情》中扮演女主角,片中尝试以全乐队伴奏录制歌剧,极受欢迎,赢得美国艺术与科学学会奖章。其他影片有《永远爱我》、《国王外出》、《你在热恋中》和《我要浪漫》等。1935年6月在伦敦首演《波希米亚人》,受到热烈欢迎。1938年在法国主演影片《路易丝》,1939年在大都会歌剧院上演同名歌剧。1941年开始在电台演唱,名声大震。第二次世界大战期间曾参与出售公债和慈善活动,并前往军营慰问演出,为此,几个国家政府均授予她勋章。1944出版自传《你只有一次生命》。1947年在丹麦哥本哈根死于空难。

Moore, Henry 穆尔（1898-07-30，英国约克郡卡斯尔福德～1986-08-31，赫特福德郡马奇哈德姆） 英国雕刻家，其青铜及石雕人像形式自然，风格抽象，形成了20世纪雕刻中的人道主义传统。生于英格兰北部利兹附近的矿区小镇。1909～1915年在卡斯尔福德镇文法学校求学，第一次世界大战时参军，1917年夏去法国作战，后因中毒气回国治疗。1919年2月退伍，还乡教幼年儿童。同年9月入利兹美术学校。结业时获皇家美术学院奖学金。1921年9月赴伦敦，进修雕刻，两年后得皇家学院学位证书，第3年当研究生。他经常到伦敦各博物馆研究观赏欧洲雕刻传统，从古典到罗丹的雕刻，后来又特别研究了埃及、伊特鲁斯、墨西哥和非洲的古代雕刻，发现它们的魅力和美。1925年初访巴黎，上半年在法国和意大利度过。回国后，1926年开始作第一个斜倚女人像。他作一些石雕，包括半身女人像、母子组像、假面和头像。虽然某几件作品显示出他私淑罗马尼亚雕刻家布朗库西和立体派雕刻家，但在这一时期，墨西哥的古代石雕对他产生了重要影响。1928年他准备在伦敦沃伦陈列馆举行第一次个人

美国不列颠百科全书公司供图

展览，并开始为伦敦交通局新厦作《北风》浮雕。1929年与皇家美术学院学生伊丽娜·拉捷茨基结婚。这时他对抽象艺术发生兴趣，与1933年结成“单位一”的青年艺术家关系密切。从1931年起，他试验抽象雕刻。但1931年举行个人展览时，受到报纸猛烈批评。1932年到切尔西美术学校创办雕刻系，在那里执教至1939年。他对毕加索20年代末期的素描和油画深感兴趣，用自然形体而非几何形体去作抽象雕刻，因而搜集大小石块、甲壳和骨头，进行研究，探索“自然形式和节奏的原则”，并应用于雕刻创作之中。30年代和40年代初期，写过几篇文章阐述自己对于雕刻的看法。第二次世界大战爆发，由于缺乏材料，改作小型雕刻，后来专作绘画。1940年9月，看到伦敦市民夜里到地铁车站躲避轰炸，开始作避难画，表现伦敦市民在轰炸期间所受的苦难和不屈的精神。这一时期他被任命为官方战时画家，曾到约克郡画过采煤矿工。1943年，作《圣母子》雕像，1944年作《一家人》群雕，作风趋于自然，易为大众接受。这些充满人道精神的作品奠定了他的国际声誉。1946年初次访美，在纽约现代美术博物馆作大规模的展出。1948年获威尼斯双年展雕刻奖。此后在世界各国举行100多次作品展览。战后，他的大部分作品是青铜雕刻，但偶尔也作木雕和石雕。60年代中期以后主要为大理石雕刻。其公共场所的雕刻大都规模巨大。晚年获得牛津、哈佛、剑桥等许多大学的名誉学位和英国最高级的功勋勋章。

Moore, Sir John 穆尔（1761-11-13，苏格兰拉纳克郡格拉斯哥～1809-01-16，西班牙拉科鲁尼亚） 英国陆军中将，在拿破仑半岛战争期间，他率所部向拉科鲁尼亚进行著名的撤退（1808年12月～1809年1月）。他这次行动为后人所怀念，有人批评，有人称赞（其中有威灵顿公爵）。穆尔是医生之子，阿盖尔公爵的继子。曾在议会中获得席位（1784～1790），英法战争爆发（1793）时他出任指挥官。他先后在科西嘉、西印度群岛、尼德兰和埃及服役，1804年受封爵士。穆尔在肯特郡肖恩克利夫兵营指挥一个军团时（1803～1806），被誉为军事史上最伟大的步兵训练家。其后在地中海司令部和瑞典服役。穆尔于1808年被派到葡萄牙，9月继任该地英军司令，奉命支援驱逐法军出西班牙的行动。入西班牙境之后不久，他即断定西班牙军已败，向葡萄牙撤退才是老谋深算。但是，迫于命令，他自萨拉曼卡北上，攻击布尔戈斯以西卡里翁河上由苏尔特元帅指挥的法国军团。得悉拿破仑切断他向葡萄牙撤退的后路，穆尔率部穿过冰雪覆盖地带行军400千米到达拉科鲁尼亚港准备登船。在拉科鲁尼亚战役中（1809年1月16日），法军被击退后，穆尔受伤而死。

Moore, John Bassett 穆尔（1860-12-03，美国特拉华士麦那～1947-11-12，纽约州纽约） 美国法学家。由于他对国际法所做的详尽无遗的编纂工作而闻名。他对有关国际裁断事务的建议经常为美国政府所采纳。1883年被批准加入特拉华州律师协会之后，于1885年参加国务院的工作，一直任职到1891年。后来到哥伦比亚大学执教，1924年退休后还担任汉密尔顿·菲什的国际法和外交学教授。1912～1938年是海牙常设仲裁法庭法官。在他的国际法研究著作中，《国际法文摘》8卷本（1906）是一部巨著。1929～1933年间编辑了8卷本的《古今国际裁断汇编》。

Moore, Marianne 穆尔（1887-11-15，美国密苏里圣路易斯～1972-02-05，纽约州纽约） 美国女诗人，她的作品从对客观事物细节严密、准确的观察中提炼出道德和理性的深刻见解。T.S.艾略特称她是她那个时代写下不朽诗篇的诗人之一。1909年毕业于宾夕法尼亚布林莫尔学院，主修生物学。后又攻读商业课程，曾在美国印第安学校教授商业课程。1921～1925年任纽约公共图书馆系统助理馆员。1925年，已是著名的重要新诗人的她成为有影响的美国文学和艺术刊物《日晷》的代理主编，直至1929年停刊。1921年，第一本《诗集》出版于伦敦。在美国发表的第一部诗集《观察》（1924）获日晷奖。这些早期作品中包括她最负盛名的诗，如《献给压路机》、《鱼》、《我买画时》、《彼得》、《赫克里斯的业绩》和《诗》等。最后这首诗中的劝告常为人们所引用。1919年以后住在纽约布鲁克林，潜心写诗歌和评论，常为美国和英国的许多

美国不列颠百科全书公司供图

刊物撰稿，并出版了数部诗集。《诗集》出版于1951年。其他著作有译作《拉封丹寓言》（1954）、评论集《嗜好》（1955）和演讲集《风格与技巧：讲稿两篇》（1958）。

Moore, Mike 穆尔（1949-01-28，新西兰瓦卡塔尼～ ） 原名Michael Kenneth Moore。新西兰工党领袖，1990年9月4日～10月27日任总理。穆尔先后受教育于群岛湾学院和迪尔沃思学校，在1972年进入议会前曾从事各种职业，包括社会工作者和印刷工。1984～1990年间，穆尔在工党政府中历任各部部长，曾掌管国际贸易、旅游和出版，1990年1～10月任外交部长。1990年9月帕尔默总理辞职，穆尔获得这一职位，但他作为政府首脑为时仅8个星期，同年10月27日的大选结果使得工党下台，国民党执政。

Moore, Nicholas 穆尔（1918-11-16，英国剑桥郡剑桥～ ） 英国20世纪40年代新启示派诗人。此派诗人反对20世纪30年代那种把全部注意力贯注于社会和政治事件的倾向而转向浪漫主义。他是古典学者、剑桥思想家G.E.穆尔之子，在剑桥学习时曾发表重要的文学评论《七》（1938～1940）。第二次世界大战期间拒服兵役。其大部分诗歌发表于战争年代：《岛屿与牲畜》及《合时宜的祝愿》（均发表于1941年）、《酒馆、舞女、绅士》（1942）、《玻璃塔》（1944）。后期写有《节日的回忆：诗选，1943～1948》（1950）。《怨愤》（1975）就C.波德莱尔的一首诗提出了30种变体。

Moore, Raymond Cecil 穆尔（1892-02-20，美国华盛顿罗斯林～1974-04-16，堪萨斯劳伦斯） 美国古生物学家。以对古生代海百合、苔藓虫以及珊瑚（生活于5.7亿年前至2.45亿年前的无脊椎动物）的研究而知名。1913～1949年间为美国地质调查局成员。1919年任堪萨斯大学（劳伦斯）教授。他是《古无脊椎动物学论丛》（1953）的组织者和编辑，这部著作的撰稿人包括世界上在这一领域中工作的150名专家。他著有《地史学》（1933）、《地史学导论》（1949）以及与别人合写的《无脊椎动物化石》（1952）。他后期篇幅较短的著作主要论述海百合化石。

Moore, Stanford 穆尔（1913-09-04，美国伊利诺伊芝加哥～1982-08-23，纽约州纽约） 美国生物化学家，因与C.安芬森、W.H.斯坦

合作研究蛋白质的分子结构而共获 1972 年诺贝尔化学奖。1938 年获威斯康星大学哲学博士学位,1939 年成为纽约洛克菲勒医学研究所(今洛克菲勒大学)安芬森小组组员。1952 年升任教授。他最出色的成就是应用色谱法技术分析取自蛋白质和生物体液中的氨基酸和肽,并据此确定核糖核酸酶的结构。

Moore, Thomas 穆尔(1779-05-28,爱尔兰都柏林～1852-02-25,英国威尔特郡) 爱尔兰诗人、讽刺作家、作曲家和音乐家。拜伦和雪莱的亲密朋友。他是酒商的儿子,1799年

美国不列颠百科全书公司供图

毕业于都柏林三一学院,随后在伦敦攻读法律。他的主要诗作《爱尔兰歌曲集》(1807～1834),在长达 1/4 世纪里每年为他获得 500 英镑的收入。其中包括一些至今仍脍炙人口的作品,如《夏天的最后一朵玫瑰》和《常在宁静的夜里》等。《歌曲集》共有 130 首诗,由穆尔和斯蒂文森谱曲。这些歌曲为伦敦上层阶级演出后,赢得了人们对爱尔兰民族主义者的同情和支持,穆尔成为受民族主义者爱戴的英雄。根据拜伦的建议而作的富有东方色彩的叙事诗《拉拉·鲁克》(1817)使他与拜伦和司各特齐名。它也许是当时被翻译得最多的一首诗,并获得至当时为止英国出版商付给一首诗的最高价——3 000 英镑。他的许多讽刺作品,例如《福杰一家在巴黎》(1818),都是讽刺摄政时期的政治和风俗习惯。1830 年他出版了《拜伦书信和日记集》,收有他为诗人写的传记。

Moorea 莫雷阿岛 南太平洋中部法属波利尼西亚的火山岛。位于塔希提西北 20 千米处。是社会群岛中向风群岛的第二大岛,面积 132 平方千米,呈三角形。地势崎岖,多山,多河流,土壤肥沃。出产香草、椰干和咖啡。亦为旅游胜地。主要村庄阿法雷艾图在东岸。人口 8 801(1988)。

莫雷阿岛上的罗蒂山

美国不列颠百科全书公司供图

Moorehead, Agnes 穆尔黑德(1906-12-06,美国马萨诸塞克林顿～1974-04-30,明尼苏达罗切斯特) 全名 Agnes Robetson Moorehead。美国多才多艺的女演员,艺术生涯涉及广播、话剧、电影和电视。幼年便开始表演。后在布拉德雷大学获博士学位。接着去纽约市就读于美国表演艺术学院。1929 年首次登台演出,但在 20 世纪 30 年代返回广播电台。人们能在《影子》等节目中及《对不起,电话号码拨错了》等广播剧中听到她的声音。在电影导演 O. 威尔斯执导的里程碑式的电影《公民凯恩》(1941)中出演凯恩的母亲。第二年她出演威尔斯导演的《安倍逊大族》中的 F. 米娜弗,一个性压抑的老处女。这也许是她的最佳演出。其后几十年间,她在几部电影和电视剧中现身。在电视系列剧《家有仙妻》(1964-09～1972-07)中,出演女巫恩多拉。

Moore's Creek Bridge, Battle of 穆尔河桥战役(1776-02-27) 美国独立战争中北卡罗来纳革命军击溃北卡罗来纳效忠派部队的战斗。D.麦克唐纳将军率约 1 600 人效忠派部队于开赴北卡罗来纳威尔明顿途中,在穆尔河桥(威尔明顿西北 29 千米)与 A.利林顿上校和 R.卡斯韦尔上校所部 1 000 多名民军相遇。效忠派部队的攻势被迅速击溃,民军死伤各 1 人,效忠派军被毙、俘过半,并损失大批军械、物资和 15 000 英镑。

Moorhead 穆尔黑德 美国明尼苏达州西部城市,克莱县县城(1872)。地处一综合农业区,濒临雷德河,隔河与北达科他州的法戈相望。1871 年随铁路通达而建立,为一天然交通中心(公路、铁路、河运)。1875 年设村,1881 年设市。设有州立穆尔黑德大学(1887)和康科迪亚学院(1891)。经济以农业为基础,有甜菜榨糖、乳制品和马铃薯加工业。生产农具和玻璃纤维船。人口:城市约 32 177;法戈-穆尔黑德都会统计区 174 367(2000)。

moorhen 泽鸡 又称 common gallinule(普通水鸡)。一个鸟种。参阅 **gallinule**。

Moorish idol(*Zanclus canescens*) **镰鱼** 鲈形目镰鱼科的热带岩礁鱼类。体形引人注目,体薄,高大于体长,具一伸出的喙状口,背鳍

镰鱼(*Zanclus canescens*)

美国不列颠百科全书公司供图

前部特别延长。产于印度洋-太平洋,一般常见于浅水。体长约 18 厘米,淡黄色,具 3 条垂直黑色条纹,形成醒目的图案。

Moorish Science Temple of America 美洲摩尔人科学神庙 1913年提摩太·德鲁在新泽西州纽瓦克所创立的教派。信徒相信德鲁是安拉任命的"高贵的德鲁·阿里先知"。德鲁研究东方哲学之后撰写了一部《神圣古兰经》。这位先知的主要教义是:所有的黑人都是摩尔人的子孙,因而都是穆斯林。他鼓吹"回归"伊斯兰教是摆脱种族压迫的唯一途径。这一教派严格要求遵守一切戒律,禁食某些食物。该派实际上是黑人穆斯林运动的先驱(参阅 **Islam, Nation of**),许多正式的仪式都是沿用穆斯林的礼仪。德鲁在派内斗争时期神秘死去,该派失去推动的力量。

Moorish style(furniture) **摩尔式** 参阅 **Turkish style** 土耳其式。

moorwort(shrub) 参阅 **bog rosemary** 多叶喉木。

moose(*Alces alces*) **驼鹿** 偶蹄目鹿科最大的种。英语中,moose 一词在北美通用,同一动物在欧洲普遍叫 elk(犴)。反刍,体型粗壮,腿长,颈短。肩高1.5～2米,体重约820

雄性驼鹿(*Alces alces*)

美国不列颠百科全书公司供图

千克。背向下斜到臀部,尾短,吻稍突出并下垂。颈下有垂肉。被毛粗而蓬松,褐色,随年龄增长而变成灰色。雄性的茸角大,呈掌状,具突出的分叉。分布于北美北部和欧亚大陆。栖于近水处,常涉进森林边缘的湖泊和溪流,食沉水的水生植物。还吃草类、树皮等。平常独栖,北美的驼鹿在冬季常集成小群并在一小块空地上将雪踏结实,形成一个"驼鹿圈"。正常步态是绷紧腿曳步走,速度极快。有时小跑,但很少大步跑。胆怯,但往往乖戾而好斗。在秋天繁殖季节,雄体为获得配偶而猛烈互斗。妊娠期 8 个月,每产 1 ～ 3仔。雌体照顾幼仔直到下一次临产。人们捕猎驼鹿以取其头、角为装饰品,其肉可食,味如牛肉但较干,其脂肪味浓。由于滥捕驼鹿数量已大减,在分布区南部,特别在美国实际已绝灭。在北美和欧洲,现已受法律保护,猎捕受严格控制。

Moose Factory 穆斯法克特里 加拿大安大略省东北科克伦区的无建制居民点。位于穆斯法克特里岛,在蒂明斯东北偏北 320 千米处。1673 年是哈得孙湾公司的商站,1686 年被破坏,1730 年重建。居民大部分为克里族印第安人。至今仍靠设陷阱捕兽为生。设有英国圣公会传道会、一所学校和一家大医院。附近有安大略北部区铁路终点。人口 1 452(1981)。

Moose Jaw 穆斯乔 加拿大萨斯喀彻温省中南部城市。在穆斯乔河畔,横贯加拿大公路经此,在里贾纳以西 71 千米处。可能因地形似驼鹿颚骨,故名。建于 1882 年,现为铁路终点站。工业非常发达,有大型炼油厂、谷仓、船坞以及面粉厂、屠宰场。其他工业有肉类加工、乳制品、酿酒、木材、毛纺和服装等。有空军训练基地、社区学院、技术专科学校、野生动物园和博物馆。每年举行规模盛大的国际音乐节。1884 年设镇;1903 年设市。人口:城市 33 593;都会区 36 552(1991)。

Moose River 穆斯河 加拿大安大略省东北部科克伦区河流。由马特加米河(419 千米)和米西奈比河(427 千米)汇成,向东北流 100 千米,注入詹姆斯湾。流域面积占安大略东北地区的大部分。全流域以采矿、纸浆生产和造纸业为主,电力来自阿伯蒂比和马特加米两条河的水电站。河流流域主要城镇有卡普斯卡辛、易洛魁福尔斯和蒂明斯。

Moosehead Lake 穆斯黑德湖 在美国缅因州中西部。为该州最大湖泊,面积 310 平方千米。海拔 312 米,多岛屿。湖岸线曲折,有许多供垂钓和娱乐的小水湾,南端有兴隆的格林维尔游乐场。肯纳贝克河发源于此。如从东岸中部的基内奥山上俯瞰,该湖很像一只驼鹿的头。

Moosonee 穆索尼 加拿大安大略省东北部科克伦区无建制居民点。濒临穆斯河左岸。与穆斯法克特里隔河相望。穆索尼是该省唯一的咸水港。原为重要的毛皮贸易站。1932 年成为安大略北部区铁路北部的终点站。有火车通南面 250 千米的科克伦。城东 50 千米的汉纳湾是著名猎鹅区。穆索尼现为著名旅游地和体育运动场所。人口 1 213 (1991)。

mopoke 冠裸鼻鸱 又作 morepork。又称蟆口鸱。澳大利亚对两种鸟的通称,这两种鸟在别处称为茶色蛙嘴夜鹰(参阅 **frogmouth**)。澳大利亚的布布克鹰鸮在英语中有时亦称为 mopoke。

Mopti 莫普提 马里东部城镇,在尼日尔河和巴尼河汇合处。原是小渔村,现为商业、渔业和畜牧业中心。是全国人口密度最大城镇之一。周围地区的主要作物是水稻、黍类、洋葱、木薯、花生。畜牧业和渔业发达。主要民族是多贡人、富拉尼人、班巴拉人、博佐人、布瓦人、桑海人和图库洛尔人。人口:城镇约 73 979(1987)。

Moquegua 莫克瓜 秘鲁南部省份(1857 年成立)。面积 15 709 平方千米。濒太平洋。经济以农业为主。沿海和低坡地区有大片葡萄园和橄榄园。北部安第斯山区种植苜蓿,当地印第安人经营自给性农业。省会莫克瓜(**Moquegua**)为主要城市。随着鱼肉业和铜业的兴起,伊洛海港发展迅速。泛美公路穿经该省沿海地区。人口约 132 400(1991)。

Moquegua 莫克瓜 秘鲁南部莫克瓜省省会,临莫克瓜河,海拔 1 410 米。建于 1626 年。1823 年设市。为加工和农业中心。当地出产橄榄、葡萄、棉花。市内有轧棉、酿酒和橄榄油加工等行业。通泛美公路,与其南 60 千米处的伊洛海港通铁路。也有航空线。人口:城市约 31 500(1990)。

Mor, Anthonis (Dutch painter) 参阅 **More, Sir Anthony** 莫尔。

Moraceae 桑科 荨麻目的一科,超过54个属,落叶或常绿乔木和灌木。多数分布在热带和亚热带地区。含有白色乳汁。叶互生。花小而无花瓣。多数种的果是复果。一些属的果可食,例如桑树(桑属[*Morus*])、无花果(榕属[*Ficus*])、面包果树和菠萝蜜(木菠萝属[*Artocarpus*])以及非洲面包果树(特雷屈尔氏木属[*Treculia*]);另一些种的木材及乳汁可用,如见血封喉属(*Antiaris*)、榕属卡斯蒂略氏树属(*Castilla*)和 *Musanga* 属。爪哇的毒树(*Antiaris toxicaria*)的乳汁用于制毒箭;热带美洲的母牛树(乳桑,有用饱食木,*Brosimum utile*)的乳汁甜而有营养。最大的属为无花果属(榕属[**Ficus**]),包含榕树及印度橡胶树。构属(楮属,*Broussonetia*)种(纸桑)的树皮用于造纸工业。桑科观赏植物中有纸桑及奥塞奇橙(**Osage orange**)。

Morādābād 莫拉达巴德 印度北部北方邦莫拉达巴德县县府、城镇。位于沿拉姆根加河一条山脊上。地处公路、铁路交会点。为农产品贸易中心。工业有轧棉、机织、金属加工、电镀和印刷等。莫拉达巴德县地处恒河与拉姆根加河平原,面积 5 946 平方千米。生产谷物、棉花和甘蔗。榨糖和棉纺织为主要行业。其他重要城镇有森珀尔、阿姆罗赫和金道西。人口:城镇 330 051;都会区 345 350;县 3 149 406(1981)。

moraine 冰碛 冰川搬运或沉积的岩屑堆积体。冰碛物粒径大至块石、巨砾(常有磨光面与擦痕),小至砂和黏土,当被冰川撂下时是非成层沉积,无分选,无层理。冰碛的类型有:①底碛,由冰川下沉积的不规则冰碛物盖层组成。主要成分为黏土和砂,为大陆冰川分布最广泛的沉积物。厚度可达 20 米,但一般不超过 5 米。②终碛,由冰碛岩屑组成的垄状堆积体组成,岩屑系由前进冰川推来而又倾卸在冰川前沿的。终碛向冰川谷下游弯凸,并可能向两侧伸展而状如侧碛。终碛可能呈现为具有圆丘和锅穴的丘陵带。③侧碛,由堆积冰川边缘的岩屑组成,岩屑来自冰川侵蚀和冰川谷壁的崩塌。当冰川退缩时,最终堆积如长垄。④中碛,当两条冰川汇合时侧碛并合的产物,呈狭长带状,位于联合冰川的中间。中碛形成如垄状,与冰川运动的方向大致平行。⑤后退碛,冰川暂时停顿时堆积的次生终碛。后退碛揭示了冰川向谷地上游后退的历史。在一条冰川谷内有时可能出现十几道后退碛,而树木生长年龄及其他测年资料提供了有关冰川运动的年表。

瑞士采尔马特附近彭尼内山戈尔纳冰川中的冰碛
美国不列颠百科全书公司供图

Morais, Vinícius de 莫赖斯(1913-10-09,里约热内卢～ 1980-07-09,里约热内卢) 巴西抒情诗人。他的世界闻名的歌曲是《伊帕内马的姑娘》。著有抒情诗多卷。以追随 30 年代流行于巴西的现代主义开始他的文学生涯。在牛津学习了一个时期英国文学,并任巴西驻洛杉矶副领事而在美国居住了一段时期(1947 ～ 1950),此后,诗的境界大为扩展,并且由于对戏剧和电影的兴趣而变得更加丰富,结果使他逐渐脱离实验性诗歌创作,更加实事求是地以引起美感的抒情风格描写人间的日常生活。60年代，参加了一个年轻音乐家团体，把巴西的桑巴音乐和国际性的爵士音乐两种成分结合起来，促进了“新倾向”风格的形成。在生命的最后20年中，写出许多受欢迎的抒情歌曲。

moral philosophy 参阅 **ethics** 伦理学。

Moral Re-Armament（MRA） **道德重建运动** 又称布克曼运动（Buchmanism）或牛津团契（Oxford Group），是美国基督教人士布克曼（1878～1961）所发起的现代不分派别的奋兴运动。其宗旨在于谋求个人灵性生活的深化，该组织鼓励其成员仍属于原来教会。道德重建运动基本上是基督教的运动，天主教当局有的加以批判抵制，有的则予赞扬。第二次世界大战后，该运动达到极盛时期，派遣特遣队到自由世界各处执行计划，有时以戏剧形式宣传合作、诚实，对立双方相互尊重。美国纽约州芒特基斯科、密歇根州麦基诺岛、瑞士科村和日本小田原等地，都设有该组织的办事处和培训中心。该组织着重于吸收有影响的人士和富有人士，坚决反共。布克曼和后继人霍华德先后于1961和1965年死去，道德重建运动日趋衰落。

moral theology **道德神学** 又称基督教伦理学（Christian ethics），基督教神学的一支，研究根据基督启示判断和阐明人的行为的原理。它不同于哲理伦理学，哲理伦理学依靠理性的权威，对于不端行为只能仰仗理性的制裁。道德神学则仰赖启示（特别是耶稣基督言行中的启示）的权威。有时道德神学似乎仅限于研究被认为冒犯上帝或有害于人的灵性的思想、行为和行动，换言之，罗列罪恶。因此，它被人认为苦修神学和奥秘神学的消极补充——苦修神学和奥秘神学都讲个人对上帝的更加积极的追求。但是，许多道德神学家认为，不把道德教诲同福音书中间接传达的宗教人类学分开，是更加符合《新约》和早期神学的精神的。传统的东派教会强调人通过与耶稣基督的联合而达到神化；新教强调称义的道德力量，这都反映这种态度。中世纪和宗教改革运动以后的天主教道德神学往往把道德教诲同教义神学分开。因为任何伦理学体系都讲“至善”。道德教诲与神的启示之间关系的重要性在于如何确定“至善”的性质。假如不确切说明善的性质，人们就很容易认为，道德无非是服从应予遵守的一套规矩或律法，这种遵守就是善。从启示的角度看，罪恶是人对待上帝的根本意向的恶化而不是犯规违法。德操乃是人自由而自觉地对客观形势作出回应的惯常性能力，这个方式反映并加强了他与耶稣基督的一致性。若干世纪以来，研究道德神学有许多方法，它们在运用逻辑推理以及在接受普遍道德原则的程度上迥然各异。晚近的趋势叫做“境遇伦理学”，怀疑这种一般原则的效力。当代道德神学必须正视现代技术引起的问题，如：尖端武器的使用所引起的道德问题，大规模社团中的个人责任，要求社会公义以及生物科学上的新发展等。

Morales, Cristóbal de **莫拉莱斯**（1500?，西班牙塞维利亚～1553-09-04至10-07，马尔切纳?） 作曲家。与T. L. de维多利亚、F.格雷罗并列为16世纪西班牙最主要的三大作曲家。第一个职务是阿维拉大教堂乐正（1526～1529）。1535年起在罗马的教皇圣咏团工作达10年之久，此间出版几部作品集。在圣咏团的工作和率团旅行使他声名大振。可能由于健康原因，1545年回到西班牙，同年被任命为托莱多大教堂乐正，两年后离职。1551年被任命为马拉加的乐正。去世以后，声望继续增长。其作品在生前就广泛出版并迅速传到一些大教堂，甚至远到秘鲁的库斯科。最早在新大陆印刷的复调音乐就是他1544年发表的弥撒曲集，现在成为墨西哥普韦布洛大教堂秘藏珍品。其21部弥撒曲中有16部于1544年在罗马由他亲自监印出版。他是西班牙第一个用8个教会调式写圣母尊主颂的作曲家。这些乐曲是16世纪中最受欢迎的作品，并广泛再版。所作大量经文歌中以《雅各哀歌》和《更好地修正》（均为五声部）最为著名。《歌颂全能的上帝》（六声部）是受教皇保罗三世的委托为纪念查理五世和弗兰西斯一世签订和约而作，后被维多利亚在其弥撒曲《欢乐经》中加以讽刺性模仿，而格雷罗则以莫拉莱斯的经文歌为基础写出自己的弥撒曲《圣洁经》。

Morales, Evo **莫拉莱斯**（1959-10-26，玻利维亚奥里诺卡～ ） 全名Juan Evo Morales Ayma（胡安·埃沃·莫拉莱斯·艾玛）。玻利维亚工党领袖，2006年起担任玻利维亚总统。艾玛拉族印第安人，是玻利维亚第一位印第安人总统。出生在玻利维亚西部奥鲁罗省的采矿小镇，幼年时放养过驼羊。从玻利维亚军队退役后与家人移居玻利维亚东部，从事农业生产。80年代起，莫拉莱斯在地方的古柯种植工会中积极活动，1985年当选工会秘书长。三年后当选古柯种植工会联盟执行秘书。90年代中期，莫拉莱斯帮助建立了左翼国家政党——争取社会主义运动党，同时担任古柯种植者联盟的名义领导人。1997年当选玻利维亚众议员，2002年作为争取社会主义运动党的候选人参加总统大选，以微弱劣势失利。2005年再次参选，轻松获胜，赢得54%的选票。2006年1月在总统就职演说中承诺要减缓印第安人的贫困问题，放宽对古柯种植者的限制，将能源工业收归国有，打击腐败，增加对富人的税收。

Morales, Luis de **莫拉莱斯**（约1509，西班牙巴达霍斯～1586-05-09，巴达霍斯） 尊称“神学家”。第一个富有民族特点的西班牙风格主义画家。以动人的宗教画知名，极受西班牙人民喜爱。莫拉莱斯自1546年起即在巴达霍斯工作，后来偶尔因绘画任务而外出，最后以该地为家。莫拉莱斯应西班牙国王腓力二世之召，参加装饰埃尔埃斯科里亚尔图书馆，画了一幅《基督负十字架》。莫拉莱斯常画《戴荆冠的基督》、《圣母怜子》、《圣母子》之类题材。最著名的板上画当属阿罗约·德·普埃科教堂的基督生平20图（1563～1568）。

莫拉莱斯绘《圣母子》
美国不列颠百科全书公司供图

莫拉莱斯的作品皆模仿达·芬奇的构图，描绘细致。

morality play **道德剧** 欧洲中世纪3种地方性戏剧的一种（另外两种是神秘剧和奇迹剧）。它是一种戏剧化的寓言，剧中人物都是一些抽象概念。剧情围绕一个正面人物如“人类”而展开，其先天弱点常被人格化的魔鬼的力量如“七大罪”等袭击，但此人通过选择赎罪的道路，在其为拯救灵魂的战斗中，终于得到上帝的4个女儿（怜悯、正义、节欲和真理）的帮助。这种戏剧是礼拜仪式戏剧迈向职业性世俗戏剧的一步，因而兼有两者的一些因素。它由公众支持的半专业的演出团体演出。剧情往往很短，且其严肃的主题内容常与一些闹剧成分相糅合。在所有的道德剧中，现在还在演出并被认为是最伟大的作品是《普通人》（**Everyman**）。

Moran, George **莫兰**（1893，美国明尼苏达～1957-02-25，堪萨斯莱汶沃思佩尼泰阿里） 绰号疯子莫兰。美国芝加哥匪徒，禁酒时期的私酒贩。他是奥巴尼恩少年时期的朋友，后来成为他的主要帮凶。1924年奥巴尼恩被杀，莫兰和厄尔·“海米”·韦斯接管了他的匪帮。1926年末，韦斯被杀，莫兰成为唯一的领导人。以后3年中，莫兰匪帮和阿尔·卡彭匪帮互相残杀，以1929年圣瓦伦廷节残杀（**Saint Valentine's Day Massacre**）为最高潮。莫兰匪帮中许多人被杀。后来他的势力逐渐下降，遂转向小型犯罪活动。后因抢劫银行罪判刑，先后囚禁于俄亥俄州立监狱（1946～1956）和莱文沃思联邦监狱（1957）。因肺癌死于狱中。

Moranbah **莫兰巴** 澳大利亚昆士兰州中东部的新城镇。位于麦凯西南190千米，州首府布里斯班西北790千米处。莫兰巴镇于1969年建立，作为古涅拉和皮克当斯两煤矿区的住宅和服务中心。另有制造炸药和水泥块料的工厂。由于附近里弗赛德煤矿出口市场的开发，该镇在20世纪80年代初有大幅的扩展。人口6 883(1986)。

Morand, Paul 莫朗（1888-03-13，法国巴黎～1976-07-24，巴黎） 法国外交官、小说家。1912年进入外交界，曾在伦敦、罗马、马德里和暹罗(今泰国)任随员。在早期小说如《整夜开门》(1922)、《整夜关门》(1923)和《勒维与伊雷娜》(1924)中，他借用电影快速转换场景的技巧，把读者从一个首都带到另一个首都，以广告画般的鲜明色彩描绘了20世纪20年代那动荡疯狂的气氛。此后，他写了几个短篇小说集和几部长篇小说，如《被压迫的人》(1941)、《塞维利亚的鞭笞派教徒》(1951)、《埃卡特和狗》(1955)以及《别作声》(1965)。他还写了几部传记，最著名的是《塞尔的索菲·多罗泰长眠于此》(1968)。莫朗是个周游世界的旅行家，以印象派的笔触写了东方、非洲、北美和南非一些城市的游记。第二次世界大战期间，他继续任外交官，但因与维希政府合作，于1945年被免职。1959年，作为法兰西学院院士候选人的资格遭到否决，直至1968年始获接纳。

Morandi, Giorgio 莫兰迪（1890-07-20，意大利博洛尼亚～1964-06-18，博洛尼亚） 意大利油画家和铜版画家。其瓶、罐、盒等单纯的几何形体的静物对20世纪形式主义的发

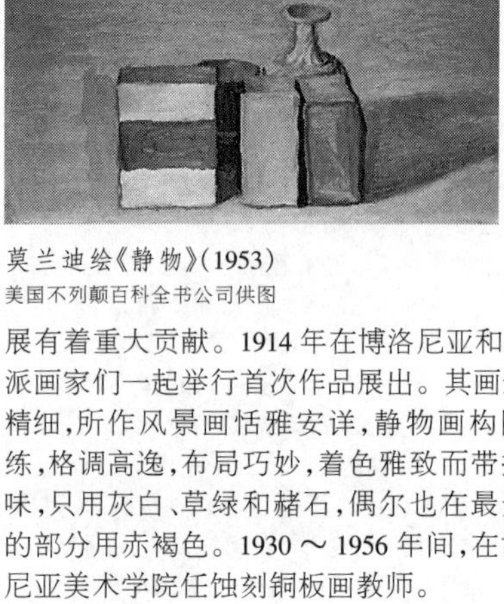

莫兰迪绘《静物》(1953)
美国不列颠百科全书公司供图

展有着重大贡献。1914年在博洛尼亚和未来派画家们一起举行首次作品展出。其画运笔精细，所作风景画恬雅安详，静物画构图简练，格调高逸，布局巧妙，着色雅致而带抒情味，只用灰白、草绿和赭石，偶尔也在最光亮的部分用赤褐色。1930～1956年间，在博洛尼亚美术学院任蚀刻铜板画教师。

Morant, Sir Robert Laurie 莫兰特（1863-04-07，英格兰伦敦～1920-03-13，伦敦） 英国文官，与英国教育和卫生事业的发展有密切关系。牛津大学新学院毕业。1886年前往暹罗(今泰国)任王室导师，为国王朱拉隆功制定一项全国教育计划。1894年8月返回英格兰，在伦敦东区从事社会与教育工作 。1895年进入教育部。作为教育大臣的私人秘书，他是《1902年贝尔福教育法》的主要起草人。1903年4月任教育部常务次官。1907年封巴思二等爵士。后离开教育部，任国民健康保险委员会主席。1919年卫生部成立后任该部大臣。

Morante, Elsa 莫兰泰（1918-08-18，罗马～1985-11-25，罗马） 意大利女诗人、小说家，以其作品的史诗和神秘性闻名，大多集中写年轻一代与成人世界之间的冲突。小说家A.莫拉维亚的前妻。她的第一部小说《谎言与魔术》(1948)通过一个年轻女人的记忆与想象写意大利南方一个家族的错综复杂的历史。第二部小说《阿尔图罗岛》描写一个男孩从童年的梦想直至成年时痛苦的幻灭的成长过程；抒情细腻，细节写得十分真实但又蒙上一层虚幻的气氛。另一部长篇小说《历史》(1974)写一个有犹太血统的小学教师和她的儿子的苦难生活。她还出版过两卷诗集和一卷散文集《秘密的游戏》(1941)及一卷短篇小说集《安达卢西亚人的披巾》(1963)。

Morat, Battle of 莫拉战役（1476-06-22） 瑞士邦联在1474～1476年抗击勃艮第的一次获得重大胜利的战役。战场在伯尔尼以西的莫拉城外，故名。原来瑞士因与神圣罗马帝国皇帝腓特烈三世和国王路易十一结盟，遂参加了共同反对勃艮第公爵勇敢者查理的战争。瑞士邦联的伯尔尼邦企图从查理手中夺得土地。1475年末，腓特烈和路易停止对查理的战斗，查理就腾出手来专门对付伯尔尼邦。1476年夏，他统率2.5万名大军包围莫拉。伯尔尼邦在其他各邦的支援下，终于在6月22日战胜勃艮第军队，歼敌1/3以上。

Morata (Papua New Guinea) **莫拉塔岛**
参阅 **Goodenough Island** 古迪纳夫岛。

Moratín, Leandro Fernández de 莫拉廷
参阅 **Fernández de Moratín, Leandro** 费尔南德斯·德·莫拉廷。

Morava River 摩拉瓦河 德语作March(马尔希河)。多瑙河支流。源于捷克共和国东部。下游河段先后为捷克共和国与斯洛伐克、斯洛伐克与奥地利之界河。古代区域摩拉维亚名称即源于此河，它覆盖摩拉瓦河流域面积38 900平方千米之大部分。摩拉瓦河西部诸支流来自波希米亚-摩拉维亚高地；东部诸支流(其中贝奇瓦河最为重要)来自喀尔巴阡山最西部的小山脉。摩拉瓦河源自下耶塞尼克山和上耶塞尼克山中克拉利采雪山南坡，向南流经365千米，在斯洛伐克的布拉迪斯拉发以上不远处注入多瑙河。摩拉瓦河谷作为欧洲天然走廊之一，有史以来一直甚为重要。在北部贝奇瓦河与奥得河之间一低平的通道——摩拉维亚通道，将多瑙河流域国家与西里西亚平原、波兰的中央平原连接起来。

Morava River 摩拉瓦河 塞尔维亚-克罗地亚语作 Velika Morava(大摩拉瓦河)。塞尔维亚河流。由南摩拉瓦河与西摩拉瓦河汇成，大致向北，在斯梅代雷沃附近注入多瑙河，全长221千米，流域总面积37 500平方千米。西摩拉瓦河在塞尔维亚南部和马其顿境内，全长298千米，有3座水电站。南摩拉瓦河长319千米，由比纳奇摩拉瓦河与摩拉维察河汇成。支流尼沙瓦河源出保加利亚西部，其谷地为贝尔格莱德经索非亚至土耳其的交通要道。摩拉瓦河和南摩拉瓦河是摩拉瓦河—瓦尔达尔河(阿克西奥斯河)走廊极其重要的部分，该走廊为塞尔维亚主要的公路线和铁路线。

Moravia 摩拉维亚 中欧的传统地区。中世纪主要王国大摩拉维亚的中心。11世纪时并入波希米亚王国。20世纪属捷克斯洛伐克，随后属捷克共和国。摩拉维亚西和西北与波希米亚交界，东北与西里西亚相接，东与斯洛伐克为邻，南靠下奥地利。公元前4世纪起先后由凯尔特人和日耳曼人部落居住。6～7世纪为阿瓦尔人占据。8世纪后期斯拉夫人前来定居，因住在摩拉瓦河畔，故称摩拉维亚人。他们后来成立一个王国，以莫伊米尔一世为国王(830～846)，领土包括西斯洛伐克的一部分。莫伊米尔的子孙罗斯蒂斯拉夫(846～870在位)和斯瓦托普卢克(870～894在位)开疆辟土，占据波希米亚全部、今波兰南部和今匈牙利西部，建成大摩拉维亚国。罗斯蒂斯拉夫邀请拜占廷传教士到波希米亚和摩拉维亚传布基督教。斯瓦托普卢克死后，大摩拉维亚分崩离析，906年为马扎尔人所破。当时，波兰、匈牙利和波希米亚都争夺大摩拉维亚的领土。1029～1526年摩拉维亚为波希米亚王国的一省。后来，摩拉维亚为奥地利王室领地。1918年又变成捷克斯洛伐克的一个省。第二次世界大战爆发前被德国兼并，战后又归捷克斯洛伐克。1949年捷克斯洛伐克政府把摩拉维亚分解成许多小行政单位。1960年再次划分行政区，将原摩拉维亚-西里西亚土地分成南北两个摩拉维亚地区（参阅 **Jihomoravský**；**Severomoravský**）。1993年为独立后的捷克共和国的一部分。

Moravia, Alberto 莫拉维亚（1907-11-28，意大利罗马～1990-09-26，罗马） 原名 Alberto Pincherle。意大利新闻记者、短篇小说作家。也写长篇，以描写人世间关系冷漠，缺乏爱情

美国不列颠百科全书公司供图

内容的性生活而闻名于世。他是20世纪意大利文坛的主要人物。莫拉维亚8岁时患骨结核症(是由结核分支杆菌引起的一种骨髓炎)，在病床上度过的几年和在疗养院休养的两年期间，他潜心研习法语、德语、英语，阅读薄伽丘、阿里奥斯托、莎士比亚、莫里哀等作家的作品，并开始写作。莫拉维亚曾当过驻都灵记者和驻伦敦的通讯员。他的第一部小说《冷漠的人们》(1929)是描写一个中产阶级母亲和她两个孩子道德败坏的尖锐的现实主义作品，因而发表后轰动一时。他的其他主要作品有《阿戈斯蒂诺》(1944)、《罗马女人》(1947)、《违抗》(1948)、《国教信徒》(1951)。这几部小说都以写孤寂心情和炎凉世态为主题。《乔恰拉》(1957)写两个妇女如何适应第

二次世界大战后的意大利生活环境。《愁闷》(1960)写一位画家在爱情或工作中都找不到人生的真谛。莫拉维亚的许多作品都被拍成电影。他的短篇小说集有《罗马故事》(1954)和《罗马故事新编》(1959)。他的早期短篇小说集有《莫拉维亚短篇小说集》(1968)。后期短篇小说集有《天堂》(1970)和《嘿》(1976)。莫拉维亚的大部分作品都写感情脆弱、离群索居、生路渺茫、既不能情投意合相爱,又不能乱伦放纵的尴尬处境。评论家都称道莫拉维亚的写作风格朴实无华、不加掩饰,能探索人物心灵深处的奥秘,叙述笔调巧妙,能写出令人信服的人物,对话写来如见其人。莫拉维亚关于文学与现实主义的见解,都收进评论集《人就是目的》(1963)和他的自传《阿尔贝托·莫拉维亚的一生》(1990)。他曾和小说家艾尔莎·莫兰苔结婚,两人生活了一段时间。

Moravian church 摩拉维亚教会 建立于18世纪但溯源于15世纪波希米亚和摩拉维亚的胡斯派运动。在16和17世纪,波希米亚兄弟派借助所谓坚贞信徒的"隐蔽种子"经受住反宗教改革运动的镇压和威斯特伐利亚和约(1648)的压力,保存了下来。同时,总的看来新教也在一定程度上丧失了起初的活力。17世纪,德意志虔敬主义复兴,也增加了邻近的摩拉维亚和波希米亚的地下新教徒的动乱。大批人逃往德意志的新教地区,许多贵族也深受虔敬主义的影响。通过德意志的青年伯爵亲岑道夫,"隐蔽种子"重新萌发。遵奉波希米亚兄弟派传统的一些家族于1722年逃出摩拉维亚,定居在萨克森州亲岑道夫的庄园,建立亨赫特村。很快有越来越多的人从波希米亚和摩拉维亚迁到该村,德意志境内境外的一些虔敬派信徒也纷纷迁来。亲岑道夫本人笃信信义宗,他想让这些难民留在国定教会中。但是事态发展的结果是双重的。亨赫特成了日后的摩拉维亚教会的母会,该村也成了根据虔敬派形式成立的一系列教会的中心,它们的目的是要在国定教会(主要是信义会,也有一些归正会)内部发展灵性生活。在1727年后,亨赫特逐渐成为一个向全世界传道的中心。1732年,第一批海外传教士自亨赫特前往西印度群岛对黑奴传教。其后20年间,传教人员陆续前往格陵兰、苏里南、南非、阿尔及尔;还有人到北美洲印第安人中间工作。亨赫特形成了民政与宗教结合的神权社会,这种模式也推广到欧洲大陆、不列颠群岛和美洲的摩拉维亚派聚落。全世界摩拉维亚教会分为若干自治的教省,各教省有教省大会,有教省长老会议管理。各教省选派代表组成总大会,总大会每10年开会一次,有权管理全教会的教义和组织事务。摩拉维亚教会中只有主教才有权按立神职人员。该教会以《圣经》为信仰和习俗的唯一准则;承认《使徒信经》和《尼西亚信经》,自己不另立信纲。礼拜重礼仪,遵守传统的教历。每年约举行6次圣餐,有些地区的教会每月举行圣餐。赞美诗主要是德国曲调。

Moravian Karst 摩拉维亚岩溶 在捷克共和国东部南摩拉维亚州。为石灰岩地区,有燕子洞迷宫、地下通道、湖泊、洞穴和石灰质形成物。作为几处小岩溶之一的摩拉维亚岩溶,位于布尔诺以北,斯维塔瓦河东岸,顺该河地下支流庞克瓦和里卡东向延伸,南北长32千米,东西长10～15千米。

Moraviantown, Battle of (War of 1812) **莫拉维安镇战役** 参阅 **Thames, Battle of the** 泰晤士河战役。

Moray 马里 前称埃尔金郡。苏格兰东北部政务会辖区和历史郡,内陆沿马里湾延伸。政务会辖区和历史郡所涵括的区域稍有不同,历史郡的大多数地方位于政务会辖区内,但历史郡的南部一部分区域属高地政务会辖区的一部分。然而,马里政务会辖区也包括了班夫历史郡的大部分区域。政务会辖区的马里湾沿岸连接海滩和沙丘。斯佩河和芬德霍恩河发源于南部的山地和泥炭沼,穿过肥沃的沿海平原,流入马里湾。南部边界的凯恩戈姆斯山海拔近1220米。此地原属皮克特人(Picts),公元9世纪肯尼思·麦卡尔平将此地与苏格兰的一些地区合并之后,原名皮克塔维亚的此地区易名为摩拉维亚,即拉丁文的马里。马里是古苏格兰七个旧省之一,当时一个省的面积比现代的郡的面积大得多。该旧省产生过两个苏格兰国王(都是在11世纪)麦克佩斯和卢拉克。到12世纪,马里不复为省,但埃尔金城镇却在1224年成为马里主教教座所在地。苏格兰的罗伯特一世把马里升级为伯爵领地,于1312年赐给其侄T.伦道夫。17世纪中叶英国内战期间,该地区许多村庄遭受蹂躏。19世纪的工业革命对马里影响甚微。但铁路的修建促进了当地旅游业和渔业的发展。马里的主要古迹有埃尔金城内天主教堂的遗址、金洛斯隐修院(1150)和普拉斯卡登小隐修院(1230)的遗址。马里政务会辖区内主要是森林和农耕地。农作物有谷物、马铃薯和干草。洛西茅斯和巴基是活跃的渔港。主要的制造业门类有食品加工(如鱼肉加工)、造船和为北海的石油开采生产设备。马里也出产威士忌,主要产地在斯特拉斯佩。旅游业是当地经济的重要部分,这里有海岸胜地斯佩河沿岸的鲑鱼捕捞,还有风景如画的城镇和乡村。埃尔金是该区最大的城镇,也是商业和行政中心。面积2 218平方千米。人口85 210(1999)。

moray 海鳝 海鳝科80多种鳗类的统称。分布于热带和亚热带海洋,生活于浅水,栖于岩礁间并隐于缝穴内。与其他鳗类不同之处

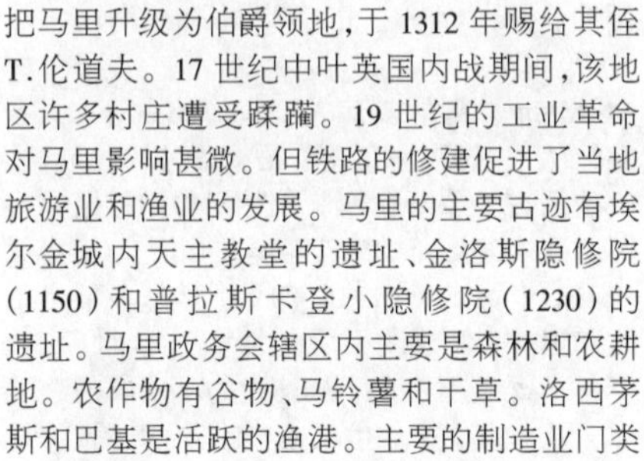

绿海鳝(*Gymnothorax funebris*)
美国不列颠百科全书公司供图

是鳃孔小而圆,一般无胸鳍。皮厚,光滑,无鳞。口大,牙坚利,适于捕捉及咬住猎物(主要是其他鱼类),也能严重损伤其天敌,包括人类。海鳝受侵扰时才会攻击人类,此时可变得十分凶恶。海鳝通常具鲜艳的体色或斑纹。体长一般不超过1.5米,但太平洋的长体海鳝(*Thyrsoidea macrurus*)可长约3.5米。在世界上某些地区人们食海鳝的肉,但其肉有时有毒,可引起疾病和死亡。海伦海鳝(*Muraena helena*)产于地中海,被古罗马人视为美味,并饲养于海滨的鱼塘中。

Moray, EARLS OF 莫里伯爵 又拼 Murray。苏格兰封爵贵族,属几个家族,主要是伦道夫和斯图尔特家族。按年代顺序排列于后,并各以●为标记。

● Moray, Thomas Randolph, 1st Earl of 莫里伯爵(第一)(?～1332-07-20,苏格兰中洛锡安马瑟尔堡) 即T.伦道夫。苏格兰军事指挥官、摄政。苏格兰国王布鲁斯的罗伯特一世的外甥。1306年罗伯特要求获得王位时,他参加反英格兰人的暴动,但不久即在梅思文战役中被俘。他宣誓效忠英格兰国王爱德华一世,并参加英格兰军对罗伯特作战。1308年被苏格兰指挥官詹姆斯·道格拉斯爵士俘获。他向罗伯特投降后,很快成为受信任的指挥官和顾问。1312年罗伯特封他为莫里伯爵。1314年3月他从英格兰人手中夺取了爱丁堡城堡。3个月后又在班诺克本大捷中立下战功。他与道格拉斯从英格兰人手中夺取特威德河畔的贝里克(1318),洗劫英格兰北部(1319),并在约克郡拜兰击败一支英格兰军(1322)。1323年他说服教皇约翰二十二世承认罗伯特有权即苏格兰王位。5年后与英格兰谈判承认罗伯特为苏格兰国王的条约时,他起了主要作用。1329年罗伯特死后,他任戴维二世的摄政,直至逝世。

● Moray, James Stewart, 1st Earl of 莫里伯爵(第一)(约1531～1570-01-21,苏格兰西洛锡安林利斯戈) 即J.斯图尔特(或斯图亚特)。苏格兰女王玛丽·斯图亚特的异母兄弟,苏格兰摄政。他是詹姆斯五世与玛格丽特·道格拉斯的私生子。曾领导新教贵族反对玛丽的母亲、摄政洛林的玛丽。但在1560年玛丽当政后,他支持玛丽。1562年封莫里伯爵和马尔伯爵。后因支持加尔文派宗教改革家J.诺克斯和反对女王同达恩利勋爵结婚失宠。1565年他企图煽动爱丁堡公民反对玛丽的统治,玛丽亲自率兵把他赶出国外,他逃往英格兰。翌年回苏格兰。1567年玛丽退位后,他给詹姆斯六世当摄政。1568年击溃玛丽的军队,迫使玛丽逃往英格兰。1570年他被玛丽的党羽暗杀。

● Moray, James Stewart, 2nd Earl of 莫里伯爵(第二)(?～1592-02-07,苏格兰法夫) 即J.斯图尔特(或斯图亚特)。绰号漂亮的莫里伯爵。苏格兰摄政、第一代莫里伯爵的女婿。虔诚的新教徒。1580年因结婚而成为伯爵。1588年负责迎击西班牙无敌舰队。1589～1590年负责对付耶稣会士。可

能由于与王后关系密切，引起国王怀疑，国王命令他的死敌亨特利伯爵G.戈登逮捕他。他逃往其母在法夫海边多尼布里斯尔的邸宅。亨特利包围并放火焚烧这座邸宅，莫里在黑暗中逃到海边，被追捕者发现后死于乱剑之下。

Moray Firth　马里湾　北海的三角形海湾，在苏格兰东北部。自北岸塔伯特岬至南岸的伯格黑德为最宽处，两岸相距29千米。两个较小的港湾——克罗默蒂湾和比尤利湾，从湾内向内陆延伸。因弗内斯市位于马里湾的顶部，奈恩镇和马里政务会辖区及历史郡位于马里湾南岸。

Morazán, Francisco　莫拉桑（1792-10-03，洪都拉斯特古西加尔巴～1842-09-15，哥斯达黎加圣何塞）　中美洲联合省总统（1830～1840），从1827年起直至死，是中美洲杰出的

美国不列颠百科全书公司供图

军事和政治英雄。自学成才，在家乡洪都拉斯开始投身政治。1827年领导自由党军队起义，反对中美洲联合省首任总统M.J.阿尔塞。1929年在危地马拉城击败保守党军队。1830年当选总统。任职期间采取了多项旨在限制天主教会权力的改革措施。由于保守党对政府不满，不得不将大部分精力用于平定叛乱。到1839年第2届总统任职即将期满时，大部分成员国都已退出联合省。1840年3月，在危地马拉城被R.卡雷拉率领的由保守党支持的叛军击败，流亡国外。1842年回国，企图恢复联合省。他击败了哥斯达黎加独裁者B.卡里略的军队。但在企图扩大战果时，他的军队很快即被击溃。莫拉桑因被出卖而落入敌手，被行刑队处决。

Morbihan　莫尔比昂　法国西北部布列塔尼大区省份。由布列塔尼西部一部分地区组成。省名字源出莫尔比昂（意为"小海"）湾。面积6 823平方千米，范围包括濒大西洋的布雷顿半岛的南岸地区。古城欧赖和省会瓦讷（**Vannes**）位于通向南面海湾的河口湾上。海湾西面的海岸线突出至基伯龙半岛，再转向西北，过三个河口湾口并延伸至莱塔河河口湾。海湾东面的锯齿形海岸线过维莱讷河口止于大西洋岸卢瓦尔省边界，其间有一些河口湾和小湾。该省最高点（296米）在努瓦尔山，该山脉构成西北部省界。气候主要属于海洋性。农业和渔业为主要的经济活动。海湾中养殖牡蛎。瓦讷有轻工业，洛里昂制造潜水艇。港口城镇路易港、埃特尔、基伯龙和格鲁瓦有罐头厂。沿海有活跃的旅游业。与法国其他省份相比，莫尔比昂的史前石碑最多。省西部地区仍流行布列塔尼语，传统民间传说广为传播。中世纪城镇和村庄吸引着众多的游客。省下分瓦讷、洛里昂和蓬蒂维3个专区。该省属雷恩教育区。人口约629 300（1993）。

Mordano, Dino Grandi, Count（conte）**di　莫尔达诺伯爵**　参阅 **Grandi, Dino** 格兰第。

mordant dye　媒染染料　本身对被染物质无亲合力，在媒染剂作用下才能与被染物质结合的色料。媒染剂是一种既与染料又与纤维结合的化学品。由于主要媒染剂是重铬酸盐和铬络合物，媒染染料通常指铬染料。大多数媒染染料，可因媒染剂不同而产生不同颜色。

mordenite　丝光沸石　沸石族中含水的钠、钾和钙的铝硅酸盐矿物（Na_2，K_2，Ca）·$Al_2Si_{10}O_{24}\cdot 7H_2O$。在蚀变的火山沉积物中是含量最多的几种沸石之一。常为白色、具玻璃光泽的针状晶体，充填矿脉及火成岩的空穴中；也见于海洋沉积物中，如在乌拉尔；见于水侵蚀并改变火山玻璃的岩墙中，如在苏格兰的阿伦岛。丝光沸石的分子结构为由硅酸盐和铝酸盐四面体（4个氧原子排列在中心为硅原子或铝原子的三角锥的角点上）连接成的五元环的链状格架。其硅原子对铝原子的比值高，所以比大多数其他沸石更耐酸侵蚀。详细物理性质，参阅 **zeolite**（表）。

Mordvin　莫尔多瓦人　又作Mordvinian。操乌拉尔语系芬兰-乌戈尔语族语言的民族，主要生活在俄罗斯境内伏尔加河中游地区。在苏联政府统治下，1928年莫尔多瓦人获得某些自治权，1934～1991年成立莫尔多瓦自治共和国，其首府设于萨兰斯克。20世纪末，莫尔多瓦人超过75万，其中约1/3居住在莫尔多瓦地区，其余生活在传统的家园之外。莫尔多瓦人有两个方言群体，即莫克沙和埃尔齐亚。莫尔多瓦人传统上以务农为主，但以养蜂闻名。旧时的民族服装仍随处可见。尤其是妇女，身穿浓艳的绣裙，佩大耳环，戴许多项链，俨然与俄罗斯妇女有别。尽管现代莫尔多瓦人不会讲原来的语言，但有相当数量的用西里尔文字书写的莫尔多瓦诗歌和传说保存下来。不少传说是叙述其王图什蒂安的武功的，此人与伊凡雷帝为同时代人。莫尔多瓦人的宗教信仰表面是基督教，实质是一些传统信仰。据报道材料称，莫尔多瓦人仍保留着"抢亲"的习俗。

Mordvin language　莫尔多瓦语　又作Mordov。属乌拉尔语系芬兰-乌戈尔语族，通行于莫尔多瓦及其邻近地区。操这种语言的人数仅次于匈牙利语和芬兰语，是乌拉尔语系的第三大语言。有两种主要方言：埃尔齐亚语通行于莫尔多瓦东部及其周围地区；莫克沙语通用于西部地区。两种方言现在都有文字并有官方语言地位。莫尔多瓦语和马里语最相近，共同组成芬兰-乌戈尔语族芬兰语支的伏尔加-芬兰语分支。

Mordvinia　莫尔多瓦　俄罗斯的一个共和国。位于伏尔加河中游流域。首府萨兰斯克（**Saransk**）。西部是平缓起伏的平原，有莫克沙河多沼泽的宽浅河谷贯穿，东部是伏尔加河直系支流苏拉河。属明显的大陆性气候。1月平均气温－12°C，冷空气自北侵入时可下降到－40°C，7月平均气温20°C。年降水量（夏季最多）西部500毫米，东部400毫米，但变化很大，有时会出现干旱。天然植被为混交林（橡树、欧椴、枫树、桉树和白桦）和森林草原，但大部分已被开垦。土壤一般为淋溶或变质黑钙土（黑土）或灰色森林土，沿河的泛滥平原草甸土呈带状分布。莫尔多瓦人占总人口的1/3以上，属芬兰-乌戈尔语民族血统，与附近的马里人和乌德穆尔特人有血缘关系。他们按语言的不同可分为两类：埃尔齐亚莫尔多瓦人和莫克沙莫尔多瓦人。俄罗斯人现今约占总人口的3/5，他们早在12世纪即已渗入该地区，但直至喀山汗国（即帝国）垮台，即16世纪末和17世纪才控制住该地区。1930年设为自治州，1934～1991年为苏联的自治共和国。主要城市有萨兰斯克、阿尔达托夫、鲁扎伊耶夫卡和科维尔基诺。以农业为主，农作区多种植谷物如冬黑麦、春小麦、燕麦、黍类、荞麦和饲料用玉米。还种植大麻、马合烟和蔬菜。繁殖挽马，流行养蜂，还饲养绵羊、山羊、牛和猪。工业有木材加工，鞣酸提取，金属加工，轻工，食品和纺织品加工，水泥制造，生产纸、木箱和房屋预制构件。机械制造企业生产仪器、重型机械、电器和化工设备。采掘泥炭以供应萨兰斯克市火力发电厂所需的燃料。萨拉托夫至下诺夫哥罗德市的天然气管道穿经萨兰斯克市，为该市化学工业提供燃料。莫斯科—梁赞—萨马拉铁路干线由西向东穿越共和国，而从下诺夫哥罗德和喀山到奔萨的两条铁路支线自北而南贯穿全境。萨兰斯克市有公路与下诺夫哥罗德、西姆比尔斯克和奔萨市相连。面积26 200平方千米。人口约959 000（1995）。

More, Sir Anthony　莫尔（1512或1525，乌得勒支主教管辖区乌得勒支［今在荷兰］～1575，安特卫普［今在比利时］）　荷兰肖像画家。1552年应皇帝查理五世之请到马德里。1554年在伦敦为玛丽女王的新郎、西班牙的腓力二世画玛丽女王肖像。此画现藏马德里普拉多博物馆，为其杰作。

More, Hannah　莫尔（1745-02-02，英国格洛斯特郡斯泰普尔顿～1833-09-07，格洛斯特郡布里斯托尔）　英国宗教女作家，以通俗宗教小册子和穷人的教育者而闻名。作为一个有文学抱负的少妇，1773～1774年初次访问伦敦。被邀参加蓝袜社并得到乔舒亚·雷诺兹爵士、约翰逊博士、伯克，尤其是D.加里克的帮助。加里克上演了她的剧本《不屈的俘虏》（1775）和《珀西》（1777）。加里克死后（1779），她不再为舞台写作，她的虔诚和基督教徒的态度本已很强烈，这时变得更加显著。由于她跟主张废奴的慈善家威尔伯福斯很友好，她被吸引到福音派一边。在她萨默塞特的农舍里，开始写下一系列告诫世人的论文，第一篇为《关于伟人风范对世风的重要性的思考》

美国不列颠百科全书公司供图

(1788)。在法国大革命的惊慌气氛中，她对传统价值准则所作的强劲、有力的辩护得到热烈的赞赏。《乡村政治》(1792，以笔名威尔·奇普发表)，是为了抵消T.佩因的《人权》的影响而写的，写得很成功，从此她写出一系列"廉价店铺小册子"。三年之间，每月发表3篇。每篇只卖1便士，一年之间就售出200万份。这些小册子用简朴的语言劝告穷人要养成淡泊和勤劳的德行，信任上帝和绅士的慈善心肠。莫尔小姐相信社会静止不变，文明要靠为数众多的穷苦人民，而对于他们最好的教育就是使他们安于命运。因此，她为妇女设立俱乐部，为儿童办学，对儿童教以《圣经》、教义问答和据认为符合他们身份的技艺，尽管乡村邻居十分反对她、谩骂她，认为即使对穷人进行最有限的教育也会使他们无心务农；教士们则指摘她墨守成规，但她仍坚持不懈。她最后一项成就是教诲小说《科埃莱布斯寻妻记》(1808)。

More, Henry 莫尔(1614，英格兰林肯郡格兰瑟姆～1687-09-01，剑桥郡剑桥) 英国诗人和宗教哲学家。他可能是剑桥柏拉图主义思想家中最著名的一员。早年受加尔文派教

美国不列颠百科全书公司供图

徒的教育，年轻时成为英国圣公会信徒。在剑桥基督学院时，遇到一些柏拉图主义者如E.福勒和J.沃辛顿。1639年当选为剑桥大学研究员。他逐步放弃对R.笛卡儿(他把精神和物质分开)的钦佩心情，并开始明白笛卡儿哲学的必然结果就是机械自然主义和无神论。在他们的通信(1648～1649；1659年以《灵魂的不朽》的书名出版)中以及在其主要的形而上学著作《形而上学手册》(1671)中，他反驳了笛卡儿的论点并且提出他自己的唯灵论观点。同样地，他又想反驳T.霍布斯的如下观点，即有神论是不可能成立的，因为人的智力不能认识非物质的实体。他早期的诗(风格与E.斯宾塞相近)有过形而上学的主题。其宗教观点最充分地表现在《对于虔诚的伟大奥秘的解释》(1660)和《神圣的对话》(1668)两部作品里。这些观点集中于他的把基督教柏拉图主义与17世纪科学相调和的思想。

More, Paul Elmer 莫尔(1864-12-12，美国密苏里圣路易斯～1937-03-09，新泽西普林斯顿) 美国学者和保守的评论家，文学评论中新人文主义的主要倡导者之一。在哈佛大学求学时，结识了I.巴比特。1894～1895年一直在哈佛大学任梵文助教。1895～1897年去布林莫尔学院教授梵文和古典文学。后在《独立报》(1901～1903)和《纽约晚邮报》(1903～1909)任文学编辑。随后任《民族》杂志的编辑(1909～1914)。莫尔像新人文主义的领导者巴比特一样，坚定地维护传统的评论标准和古典文学的严谨风格。这时以社会问题为题材的自然主义作家，如T.德莱塞和S.刘易斯已经出现。结果，他招致了猛烈的批评，尤其是门肯率先向莫尔、巴比特及他们的门徒N.福斯特进行了抨击。所写名著《谢尔本随笔》(11卷，1904～1921)是一部论文与评论集，其中大部分在《民族》等期刊中发表。他的不朽著作《希腊传统》(5卷，1924～1931)被公认是他的最佳作品。其哲学著作有《柏拉图的宗教》(1921)和《希腊化哲学》(1923)。

More, Sir Thomas 莫尔(1477-02-07，英格兰伦敦～1535-07-06，伦敦) 人文主义者和政治家、英格兰大法官(1529～1532)，因拒绝接受英王亨利八世为英国国教之首而被斩首。罗马天主教承认他为圣徒。

王座法庭法官J.莫尔的长子。曾入牛津大学学习两年，1496年入林肯律师学院，1501年成为一名正式律师。由于他具有极强的求知欲和惊人的工作能力，他竟能在研究法律和担任律师的同时继续其文学研究。他废寝忘食地阅读《圣经》、早期基督教作家的著作和古典著作，并试着用各种文学形式进行创作。为了检验自己是否适合当牧师，他曾在加尔都西会修道院住了约4年，最后还是决定当一名在俗信徒为上帝和同胞服务。但他始终坚持早起、长时间的祈祷、斋戒、穿苦行僧用的粗毛布衬衣等习惯。上帝一直是他生活的中心。

1509年，他代表几家伦敦公司与比利时安特卫普商人的代表举行的重要的谈判证实了他在贸易事务中的能力以及作为翻译和发言人的天赋。1510年9月到1518年7月，他辞职以便全力为国王效劳时，是伦敦两位副司法长官之一，因公正无私深受伦敦人的敬爱。约1513～1518年间莫尔用拉丁文和英文撰写的《理查三世史》是英国史学中的第一部杰作。虽未完成，但对以后的史学家颇有影响。莎士比亚便受惠于莫尔对暴君的描绘。

1515年5月，莫尔受命参与修改英国-佛兰德斯间一项商务条约的工作。会谈在布鲁日举行。会谈旷日持久，莫尔常常乘暇游览比利时其他城市。《乌托邦》(Utopia)一书始写于低地国家，于返回伦敦后完成，并于1516

美国不列颠百科全书公司供图

年12月在卢万出版。该书在莫尔为之撰写的读者群——人文主义者和官员中的优秀分子——中立即获得成功。"乌托邦"是莫尔创造的一个希腊名词，源自ou-topos即"乌(无)有之乡"之意；在一首序言诗中他用了一个双关语eu-topos，于是就成为"好地方"。莫尔的《乌托邦》一书描写一个不信教的共产主义城邦，其组织机构和政策完全由理智来决定。这个城邦的秩序和尊严与基督教欧洲的不合理的政体——由于自私自利和争夺权力和财富而四分五裂——形成鲜明的对比。莫尔在1516年写于英国的该书第一卷中对此作了描述。莫尔借一神秘的旅游者希斯洛第之口描述乌托邦，以支持他的论点：共产主义是除掉私人生活和公众生活中的利己主义的唯一良药。通过对话，莫尔表示应该减少邪恶而不是根除之，因为"人性本恶"。莫尔在《乌托邦》一书中讨论了刑罚学、国家管理教育、宗教多元论、离婚、无痛苦致死术和女权等问题。书中显示出他的学识、创造力和才智，为他赢得了作为最重要的人文主义者之一的名声。不久该书即被译成大部分欧洲语言，成了一种新的文学形式——乌托邦传奇——的鼻祖。

1517年5月1日，一群伦敦暴徒发动动乱袭击外国侨民。在平定这场骚乱中，莫尔所起的作用为一部杂凑起来的伊丽莎白时代的话剧《托马斯·莫尔爵士》中的一幕提供了启示，据说此剧为莎士比亚所作。莫尔于1517年9月至12月间在加来和布洛涅两地就不久前一次战事引起的纠纷与法国进行了一场十分棘手的谈判，并获得成功，这使他更难以回避担任皇家职务。是年，他成为国王顾问委员会的成员。虽然他屈从于压力不得不出任职务，但他抓住机会去推动和平和改革。

1515年至1520年期间，莫尔勇敢地捍卫伊拉斯谟(曾长期寄居在莫尔的伦敦宅邸)的宗教和文化的计划：以研习希腊文为主要手段，去探索因重新强调阅读《圣经》本文和早期基督教作家的著作而兴起的一种神学。他在诗中赞扬伊拉斯谟印行的《新约全书》。莫尔于1518年将自己的拉丁文诗插在《乌托

邦》和伊拉斯谟的《讽刺诗集》之间合成一册出版；诗的韵律和题材各式各样，主要的题目是政府、妇女和死亡。

伊拉斯谟将他的这位伦敦朋友作为欧洲知识分子的典范写信介绍给德国人文主义者胡滕(1519)、巴黎学者布里(1520)及比代。根据伊拉斯谟的描述，莫尔饮食和服装简朴。他并不回避无害的娱乐，即便是体力活动方面的。他嗓音洪亮，记忆力极佳，在即席答辩时起很大作用。"性喜交游"，即便与最乏味的人相处或从事最枯燥的工作，他都能获得乐趣。他的家庭气氛亲切而谦和。他慷慨好施而不求回报。在繁忙紧张的公务活动之余，他还挤出时间作祈祷和管理家庭学校。托他管理的大多数是女孩，莫尔为她们提供最精炼的古典文化教育和基督教的教育。

1520年和1521年，莫尔在加来和布鲁日参加与神圣罗马皇帝查理五世及汉萨同盟商人代表的会谈。1521年，他被任命为副司库，被授予爵士称号。对于亨利八世的《七圣事辩》一文，莫尔曾是主要内容的整理者和安排者。马丁·路德回击时，莫尔写了《对路德的答复》(1523)为国王辩护，该文显示其学识渊博，也有嘲弄诋毁之词。除了在财政部的日常工作外，这些年中莫尔还一直充当"亨利的谋臣和温顺的人文主义者"。他接待外国使节、发表代表官方的演说、起草条约、阅读国王和大法官沃尔西之间的来往函件，并以国王的名义作复。莫尔经常骑马急速地奔走于沃尔西这位枢机主教在威斯敏斯特的官邸和国王亨利各狩猎驻地之间。1523年4月莫尔被选为下议院议长。在忠实地奋力争取达到政府的目标的同时，他恳求在议会内实现更真实的言论自由。两所大学——牛津大学于1524年，剑桥大学于1525年——任命他为大学司法官员。

1524年时莫尔已迁居切尔西。他在此建造的大宅邸有他哲学思想的印记，其走廊、礼拜堂和图书馆的设计都朝向适合于学习和常做祷告的僻静所在。1525年，升任兰开斯特公爵领地大臣，北英格兰的大部置于其司法和行政管辖之下。

1527年夏，担任驻法大使的莫尔卸任回国，亨利八世"在他面前翻开圣经"，要求证明他和未能为他生育男性继承人的阿拉贡的凯瑟琳之间的婚姻无效。莫尔试图为这位国王分忧，但无结果。长时间的考虑证实了他的观点：凯瑟琳是国王真正的妻子。1528年3月，伦敦主教滕斯托尔委任莫尔研究所有用英语写的异端著作，以便为没有文化的人们来驳倒这些著作。1529～1533年间莫尔出版了7本书，对异端邪说进行驳斥，第一本也是写得最好的一本是《关于异端的对话》。

1529年，滕斯托尔和莫尔一道出席了康布雷会议并使法国和神圣罗马帝国间实现了和平。当沃尔西因对外政策失败而下台后，莫尔继任其大法官之职(1529-10-26)。11月3日，他召开议会，而议会恰恰将成为可置他于死地的一伙合法的打手。作为国王的代言人，莫尔在开幕词中指控沃尔西，并于1531年宣布了各大学支持国王离婚的意见；但是他没有在1530年那封信上签名，信中包括沃尔西在内的英国贵族和教士们向教皇施加压力，要求他宣布国王的第一次婚姻为无效。1531年莫尔想辞职，因当时英国宗教界承认国王为他们的最高领袖，虽然还带有"在基督的律法允许的范围内"这一条款。

莫尔在两卷本的《驳斥廷德尔的回答》(1532、1533)中集中论述了"教会的性质"这一问题。作为大臣和作家，在1533年出版的两本书中——《辩解》和《战斗到底》——他继续其捍卫正统的基督教之活动，为英国的反异端法令和他本人对异教徒的处理进行辩护。第一版英文《圣经》的部分章节译者廷德尔指控他贪婪，他一笑置之。莫尔的清贫是众所周知的，教士团曾募集了5 000英镑想对他论战的费用作些补偿，但他拒绝接受，以免被视为贿赂。

国王与凯瑟琳离婚后，于1533年娶安妮为妻，莫尔拒绝参加安妮的加冕典礼，因而被定为报复对象。然而好几项对他受贿的指控回报到原告身上。1534年2月，莫尔因被指控为曾发表预言反对国王离婚的修女巴顿的共谋而列入不经审判即可褫夺公权的法案之中，但莫尔出示一封信，信中他曾警告这位修女不要干预国家大事。4月13日，莫尔被传唤到皇家专门委员会，并被要求宣誓同意继承法，该法宣布国王与凯瑟琳的婚姻无效，而与安妮的婚姻则为有效。莫尔愿意承认安妮是事实上天意选定的王后。但他拒绝当时提出的誓词，因为誓词涉及否定教皇的至上权威。1534年4月17日，他被囚禁在伦敦塔。在狱中，莫尔写了《安逸与苦难的对话》，成为基督教智慧和文学的一部杰作。1535年7月1日开始对他审讯。首席检察官里奇指控莫尔曾在他面前否认国王是英国国教的最高领袖。尽管莫尔断然否认此伪证，但陪审团还是一致同意作出"有罪"的裁决。在宣判前，莫尔作了"问心无愧"的发言。教会的统一问题是他殉道的主要动机。他反对宣誓的第二个原因是"世俗之人不配为精神领袖"。他还提到，国王亨利与安妮的婚姻——这也是他们"企图要谋害他"的原因——已成了向教会发动攻击的良机：审他的法官中就有新王后之父、兄和叔。莫尔按叛逆罪判处斩首。在待处决的5天中，他已准备好死后灵魂去见"杰出的配偶"，还写了一篇优美的祈祷文和几封告别信，临刑前他要旁观者作证，他是"由于信仰天主教和为天主教的信仰而死"。在这令人生畏的断头台上，他扮演了"一个属于他自己的角色"。

莫尔去世的噩耗使欧洲为之震惊。伊拉斯谟痛悼他曾多次赞扬的莫尔，"他的灵魂比白雪更纯洁，他是英国从未有过的天才，英国也不会再有像他这样的天才。"官方塑造的莫尔形象是卖国贼，但即便是在这新教国家也不为人们所相信。

虽然英国国教教义的胜利使莫尔的名声一度有所低落，但是后来国家发表若干文告恢复了更全面、更真实的莫尔形象。1935年5月，教皇庇护十一世追谥他为圣徒。

Møre og Romsdal　默勒-鲁姆斯达尔　挪威西部一郡，濒临挪威海。包括南面的斯塔兰讷(半岛)，向北延伸到特隆赫姆峡湾。首府为莫尔德。居民有一半住在海岛上。面积15 104平方千米，由3个地区组成：南面的孙默勒地区；中部的罗姆河谷地区(有许多景色秀丽的瀑布)；北部努尔莫勒地区。沿海捕鱼、旅游和零星农业为主要经济部门，在较大的城市附近有许多小规模制造业。人口约240 215(1995)。

Morea, Despotate of　摩里亚采邑　拜占廷的采邑。位于希腊伯罗奔尼撒半岛(摩里亚半岛)。14世纪由皇帝约翰六世坎塔库泽努斯(1347～1354在位)建立，作为其子曼努埃尔的封国。曼努埃尔巩固自己疆土，顶住了拉丁国家的要求及土耳其人的侵犯。曼努埃尔死后(1380)，封国被约翰五世之子狄奥多尔一世帕里奥洛加斯(1383～1407在位)夺去。狄奥多尔承认土耳其人的宗主权并大批引入阿尔巴尼亚人到摩里亚做工，后来这里成为摇摇欲坠的拜占廷帝国的一个堡垒。到15世纪中期摩里亚采邑已把伯罗奔尼撒残存的拉丁领地全部兼并。1460年，土耳其人将它并入奥斯曼帝国。

Moréas, Jean　莫雷亚斯(1856-04-15，雅典～1910-03-31，巴黎)　原名扬尼斯·帕帕迪亚曼托波洛斯。出生于希腊的法国诗人。曾在法国象征主义运动中起领导作用。1879年移居巴黎，与常去咖啡馆的文学界人士交往甚密，并在报刊上发表作品。1885年在《19世纪》，1886年在《费加罗报》的文艺版，接连发表两篇宣言，把当时从颓废文学中脱胎而出的新兴文学流派定名为象征主义。1886年创立期刊《象征主义者》。在移居法国之前，曾出版以希腊语和法语写的一卷诗《斑鸠与蝰蛇》(1878)。他首次全部用法语创作的诗集《流沙》(1884)和《歌词集》(1886)牢固地植根于颓废派和象征主义的美学。1891年写了《虔诚的朝圣者》，在该书的序言中，他开始摒弃象征主义，号召恢复古典主义精神。他创立"罗曼文学派"，与其弟子塔耶德、普莱西等人采用古典形式和题材，放弃自由诗体，向古典主义索取灵感。这一时期的代表作有《白脸埃诺内》(1893)和《埃里菲尔》(1894)。他还写过一部诗剧《伊菲格涅亚在奥利德》(1903)，此剧深受欧里庇得斯的影响，在巴黎上演后获得极大成功。他最后的作品《抒情诗章》(1899～1920)是忧郁的古典主义代表作。

Moreau, Gustave　莫罗(1826-04-06，巴黎～1898-04-18，巴黎)　法国象征主义画家，以描写神话和宗教题材的色情画而著名。其师T.夏斯里奥(1819～1856)笔下许多神秘莫测的海洋女神的形象对莫罗启发很深，1853年展出的《雅歌一景》和《大流士之死》，都是他在这种启发下创作出来的。在《俄狄甫斯与斯芬克斯》(1864)、《幽灵(撒罗末之舞)》(约1876)以及《撒罗末之舞》(约1876)等作品中，充满梦幻的色情成分和激情。其布满色彩的画布上，运用了富有特色的光，以提高其明亮的、类似宝石的色彩效果。晚期作品《朱庇特与塞墨勒》(1896)是这种倾向的集中表现。莫罗的艺术经常被认为是颓唐的。他作过许多技术性的试验，包括在画布上用刮擦的方

莫罗绘《撒罗末之舞》(约 1876)
美国不列颠百科全书公司供图

法,还画过一些没有具体物象的作品,风格自由,涂以厚密的色团,因此也被认为是抽象表现主义的先驱。莫罗曾任巴黎美术学院教授,是对马蒂斯、鲁奥等一批野兽派画家颇有影响的老师。

Moreau, Jeanne　莫罗 (1928-01-23, 巴黎～　) 法国女演员。因在 50 和 60 年代新浪潮电影中多才多艺的表演而闻名。曾就学于国立戏剧学院,20 岁时成为法兰西喜剧院最年轻的成员。影片《最后的爱情》(1949)是她的处女作,但是她在《通往绞刑架的电梯》(1957)和《情人们》(1958)中的表演却使她以女性神秘化身闻名国际。她在《如歌的行板》(1960)和《夜》(1961)中扮演异化了的现代女性和在《朱尔与吉姆》(1961)中扮演轻浮神秘的卡特琳,使她成为令人注目的大演员。她后来主演的著名影片还有《审判》(1962)、《女仆日记》(1964)、《午夜钟声》(1966)和《娜塔莉·格朗日》(1972)等。她后来还从事导演工作,最著名的影片是由 S.西尼奥雷主演的《少女》(1979)。

Moreau, (Jean-) Victor(-Marie)　莫罗 (1763-02-14,法国莫尔莱～ 1813-09-02,波希米亚兰) 法国革命战争(1792 ～ 1799)中的主要将领,后为拿破仑政权的坚决反对者。律师之子。莫罗曾在雷恩学习法律,并领导该地的学生运动(1788),反对国王路易十六限制巴黎高等法院权限的企图。大革命爆发后,他立即在雷恩组织一支国民自卫军,1791 年当选为自卫军中校营长。翌年法国与奥地利和普鲁士开战,他加入 C.-F. du P.迪穆里埃将军的北方军。1794 年莫罗任师长,协助 C.皮什格吕将军征服奥属尼德兰。1795 年 3 月接替皮什格吕为北方军司令。翌年 3 月任莱茵方面军和摩泽尔方面军司令,跨过莱茵河进入德意志,并向慕尼黑挺进。由于遇到顽强的抵抗,他穿越黑森林,作战术撤退。1797 年 4 月发现皮什格吕与流亡贵族勾结的文件,但由于未及时交出而被撤职。1799 年 4 月任意大利方面军司令。同年 10 月他回到巴黎,在雾月 18 日(1799-11-09)政变中作用不大。拿破仑任命他为莱茵方面军司令。1800 年 12 月 3 日他在霍恩林登大败奥军,迫使奥地利求和。但这引起了拿破仑的嫉妒。拿破仑王后约瑟芬从不掩饰对莫罗的藐视,结果莫罗又同正准备推翻拿破仑政权的皮什格吕恢复关系。1804 年 2 月 5 日莫罗被捕,放逐,流亡美国。1813 年在法国保王党的邀请下返回欧洲,加入反对法国的联盟军。同年 8 月 26 ～ 27 日,他在德累斯顿战役中受伤,不久去世。

Moreau River　莫罗河　美国南达科他州西北部珀金斯县的北莫罗堡河和南蒙罗堡河汇合而成的河流。东流穿过夏延河印第安保留地,并接纳北岸的几条支流(包括桑德比特河和莫罗河),在莫布里奇以南注入密苏里河。全长 400 千米。下游筑有奥希水坝以控制洪水。河名取自早年一个法国商人之名。

Morecambe Bay　莫克姆湾　爱尔兰海海湾,凹入英格兰西北岸。湾口南侧有巴罗因弗内斯镇,北侧有莫克姆和希舍姆海滨胜地。海湾将弗内斯政务会辖区(属兰开夏历史郡,现属坎布里亚行政郡)同兰开夏郡其他地方分开。

Moree　莫里　澳大利亚新南威尔士州北部城镇。临圭迪尔河。1852 年建村,1862 年建镇。地处圭迪尔与纽厄尔公路交会处。与悉尼通航空线和铁路。为附近农牧业区服务。也为著名的自流矿泉疗养地。当地布罗德沃特河高水位时流入圭迪尔河,低水位时倒流入梅希河。偶有泛滥。附近建有卫星通信站。人口 10 459(1981)。

Morehead City　莫尔黑德城　美国北卡罗来纳州东部卡特雷特县海港游览胜地。临博格湾,地处大西洋沿岸水道上。1853 年由北卡罗来纳州长(1841 ～ 1845)J. M.莫尔黑德购买。1858 年通大西洋—北卡罗来纳铁路。1861 年设镇。现为该州在威尔明顿以北的唯一深水港,也是世界上最大的烟草运输终端港之一,并且有各类船舶的供应设施。该城为驰名的避暑胜地,夏季游人众多。与该市隔湾相望的博格岸洲上有大西洋海滩、梅肯炮台、西奥多·罗斯福自然保护区等州立公园。市西北有克罗亚坦国家森林。市内有卡特雷特社会学院(1963)。人口7 691(2000)。

Morehouse, Comet　莫尔豪斯彗星　以美国天文学家 D.W.莫尔豪斯的姓氏命名的彗星。它是在 1908 年被观测到的,以彗尾形状和结构多变而著称。彗尾有几次好像分裂成碎片并完全脱离彗头。此外,彗尾在两倍日地距离(即 2 天文单位)处就已变成可见的了,而极大多数彗星要到距太阳只有约 1.5 天文单位时才能生出可见的彗尾。

Morel (poet)　莫雷尔　参阅 **Deschamps, Eustache 德尚**。

Morel, Benedict Augustin　莫雷尔 (1809-11-22,维也纳～ 1873-03-30,法国圣永)　奥地利出生的法国心理学家,创早发性痴呆一词,用于指始自发身期的精神和情感衰退。此病后来被瑞士心理学家 E.布洛伊勒于 1908 年更名为精神分裂症。莫雷尔是 C.贝尔纳的朋友、达尔文进化论的推崇者。曾力图以遗传学观点解释精神疾患,但以后他认识到外界因素(如酒精、药物)也能影响精神衰退过程。曾在南锡附近的马雷维尔精神病院研究精神发育迟缓,检查患者的家族史并调查诸如贫困和早期躯体疾病的影响。他将精神发育不全视为精神衰退过程(包括精神病在内)的终末阶段。在《论精神疾患》(1860)一书中,他详细论述了他的精神疾病理论。

Morelia　莫雷利亚　墨西哥中西部米却肯州首府。在奇基托河与格兰德河之间。地处中央高原南端,海拔 1 950 米。1541 年建市。印第安人后裔占居民多数。在殖民时期是著名的文化和艺术中心。1991年市中心200多

莫雷利亚市的大教堂与广场花园
美国不列颠百科全书公司供图

座殖民时期的建筑被联合国教科文组织列为世界遗产。1744 年所建巴罗克式大教堂是西班牙文艺复兴时期教堂建筑艺术的杰作,殖民时期所建的总督府也是一座宏伟建筑物。1785 年为减轻旱情修建一条长达 5 千米的拱桥高架水道。在墨西哥争取独立的战争期间,该城曾短期作为革命领袖伊达尔戈-科斯蒂利亚的活动基地。1582 年取代帕茨夸罗成为米却肯州首府,以后一直是商业和加工业中心。市内有米却肯州伊达尔戈圣尼古拉斯大学(1957)和米却肯大学(1939)。有公路、铁路和航空线通墨西哥其他主要城市。人口 549 404(2000)。

Morelles (board game)　参阅 **Nine Men's Morris 九连棋**。

Morellet, André　莫尔莱 (1727-03-07,法国里昂～ 1819-01-12,巴黎)　法国经济学家和著作家,《百科全书》撰稿人。在里昂耶稣会和索邦神学院受教育后,受神职。在经济学方面,阐述了 A.-R.-J.杜尔哥的观点。1785 年被选入法兰西学院。著作有:《18 世纪文学与哲学杂记》(1818)、《18 世纪与革命时期回忆录》(1821)等。

Morelli, Giovanni　莫雷利 (1816-02-25,伦巴第和威尼斯王国维罗纳～ 1891-02-28,米兰)　意大利爱国者、美术评论家,其直接研究的方法为以后的艺术批评奠定了基础。曾在慕尼黑大学求学。精通德文,作品以德文写作。积极参加 1848 年革命,后从事政治活动,1861年作为贝加莫代表当选为第一届自

由意大利议会议员。1873年任参议员。主要成就是使议会通过《莫雷利法》,规定:公共机关或宗教机关不得出售美术品,成立美术名作保管委员会,把这类珍宝一律收归国有。这项法令使意大利的许多杰作免于湮没。其书《德国美术馆收藏的意大利大师作品》(1880)是19世纪美术评论划时代的著作。此书和以后所著《批评研究》提出"莫雷利鉴别法"。莫雷利的基本论点是:图画本身所提供的证据要胜过任何其他证明。鉴别法的关键在于:任何画家,不论他如何伟大,总喜欢用一种特殊方式来描绘耳朵或指甲之类的细节,这些细节正是画中最富有特征的部分,也是检查某张画是否某人所绘的最可靠的指南。莫雷利和门徒贝伦森纠正了数以百计误定图画作者的情况。

Morelos　莫雷洛斯　墨西哥中部内陆州。面积4 950平方千米,在中央高原南坡。山脉起伏,谷地气候和植物各异。境内有梅斯卡拉河(巴尔萨斯河)北支流阿马库萨克河。为全国农业最发达州之一,盛产甘蔗、稻米、玉米、小麦、水果和蔬菜。矿物资源丰富,有银、水银、铁、铅、金、石油和煤,但尚未开发。连接州首府库埃纳瓦卡与墨西哥城和阿卡普尔科的铁路和公路经过该州。印第安人和印欧混血种人占居民多数。人口947 000(1980)。

Morelos (y Pavón), José María　莫雷洛斯(-帕冯)(1765-09-30,墨西哥巴亚多利德～1815-12-22,圣克里斯托瓦尔)　从事革命活动的天主教司铎,伊达尔戈领导起义事败被处决后,他领导墨西哥独立运动。他出身贫寒,早年作骡夫和牛仔。25岁起在巴亚多利德的圣尼古拉学院受宗教教育。他在教会中担任次要职务,主要在印第安人和梅斯蒂索人中工作。1811年初参加伊达尔戈领导的起义。伊达尔戈被处决(1811-07-31)后,他成为墨西哥南部独立运动的领导人,1812～1815年间他控制了墨西哥城西南大部分地区,并一度占领阿卡普尔科、瓦哈卡、特瓦坎和夸特拉。他由于没有足够的兵力控制占领地区,遂采取游击战术。1813年召开奇尔潘辛戈会议以组织政府和起草宪法。11月会议宣告墨西哥独立。1814年10月制定一部平均主义的宪法。为了安全起见,会议不得不在莫雷洛斯的游击部队保护下迁来迁去。最后,忠于西班牙的军队追上起义军。为了使革命政府的大部分人逃脱,他留下来作掩护。后被缚,被剥夺神职,以叛乱罪遭枪杀。

Morena　莫雷纳　又称贝杰莫雷纳。印度中部中央邦城镇,莫雷纳县县府。为农产品贸易中心,有铁路和国家公路通瓜廖尔和阿格拉。主要工业有榨油和棉纺织。设有季瓦季大学3个学院。莫雷纳县位于昌巴尔河下游盆地。面积11 586平方千米。小麦和油籽为主要农产品,开采建筑石料。**谢奥布尔(Sheopur)**为重要商业中心。人口:城镇147 124;县1 707 619(1991)。

Morena, Sierra　莫雷纳山　西班牙中部山脉。从东面的阿尔卡拉斯山向西延伸至葡萄牙边界,有许多小的山脉横贯其间。全长约320千米,形成中央高地的南缘和瓜迪亚纳、瓜达尔基维尔两河的分水岭。大部分山区为无人居住的荒野,长满常绿灌木丛。有银、铅、铜和汞等矿藏。

Moreno　莫雷诺　阿根廷大布宜诺斯艾利斯的西部边镜行政区。莫雷诺居民点建于1860年,5年后建立行政区。1864年,布宜诺斯艾利斯的西线铁路经过莫雷诺延至卢汉。面积180平方千米。东北界萨米恩托将军行政区,东南接莫龙和梅洛两行政区,西南连罗德里格斯将军行政区,西北邻皮拉尔行政区,东南和西南临雷孔基斯塔河。除马里亚诺莫雷诺建成区外,行政区内的主要地区还有弗朗西斯科阿尔瓦雷斯、帕索德尔雷和拉雷哈。20世纪60和70年代莫雷诺人口迅速增长,但人口密度仍低于布宜诺斯艾利斯周围许多其他行政区。人口:行政区398 023(1999)。

Moreno, José Manue　莫雷诺(1916-08-03,阿根廷布宜诺斯艾利斯～1978-08-26)　阿根廷足球运动员,20世纪40年代河床队的主力,其球技据说能与贝利、马拉多纳相媲美。1935～1948年间是著名五人锋线"机器"的一员,以准确的传球和进球多著称。在河床队参赛321场,进球179个,获5次联合会冠军(1936,1937,1941,1942和1947)。1945年曾短期在墨西哥的西班牙队效力,1949年参加智利卡托利卡大学队,随即转入河床队宿敌博卡青年队。后又参加乌拉圭德芬索队和阿根廷西部列车队,最后到哥伦比亚曼特宁独立队,1957年退役。

Moreno, Mariano　莫雷诺(1778-09-03,拉普拉塔总督区布宜诺斯艾利斯[今在阿根廷]～1811,海上)　阿根廷爱国者,独立运动的精神和政治领袖。曾在布宜诺斯艾利斯任律师,在西班牙殖民政府中任职。1809年9月发表小册子《土地所有者的请愿书》引起公众注目。他反对严峻的《西班牙航海法》,主张阿根廷与其他国家自由贸易。殖民总督两个月后对此作出让步。1810年5月布宜诺斯艾利斯省的西班牙官员被省执政委员会取代,莫雷诺任该会军政事务秘书,不久成为委员会的领导人。他在通过关于赶走殖民总督、采取积极行动把革命从布宜诺斯艾利斯扩展至外省等决议时起过重要作用。他建立国家图书馆,创办并主编《布宜诺斯艾利斯日报》。他是支持完全脱离西班牙的主要人物。1810年底,在保守派强烈反对下被迫辞职。后接受派前往巴西和英国的外交使命,但在去伦敦途中死于海上。

morepork　蟆口鸱　又作mopoke。又称冠裸鼻鸱。澳大利亚对一鸟种的俗称,该种在别处称为茶色**蛙嘴夜鹰(frogmouth)**;澳大利亚的布布克鹰鸮在英语中有时亦称为morepork。

Moresgue dance　参阅**Morris dance 莫里斯舞**。

Moreto (y Cabaña), Agustín　莫雷托(1618-04-09受洗,西班牙马德里～1669-10-26或27,托莱多)　西班牙戏剧家。所著剧本在当时极受欢迎,并被认为可以与几乎和他同时代的伟大剧作家维加相匹敌。但随着岁月流逝,他的名望逐渐下降,现在他被看作一个虽有能力但缺乏独创性的作家。其父母均为意大利人。曾在阿尔卡拉大学攻读法律,后返回马德里。他轻而易举地写出100多部剧本,获得极大成功。其作品可分为描写圣徒生平的宗教剧、历史剧、偏重情节的阴谋喜剧和性格喜剧4部分。杰作《鄙夷的蔑视》,取材于维加的4个剧本,与他的其他最好的剧作一样,以优美和对生活的忠实为特色。

Moreton Bay　莫顿湾　太平洋一小浅海湾。凹入澳大利亚昆士兰州东南岸。北有布赖比岛、东有莫顿岛、南有斯特拉德布鲁克岛为屏障。长105千米,宽32千米。莫顿湾为昆士兰州的第一个居民点所在地。接纳布里斯班河,为布里斯班港的门户。主航道在布赖比和莫顿之间。湾上有渔业和垂钓活动。

Moreton Bay pine (species *Araucaria cunninghamii*)　**莫顿湾松**　又作hoop pine或colonial pine。即坎宁安氏南洋杉。南洋杉科的高大常绿材用针叶乔木。原产于澳大利亚东部新南威尔士北部至昆士兰北部的沿岸雨林和新几内亚西部的阿法克山。高约60米;侧枝水平生长,近顶端密生小枝丛。叶为剑形或三角形。

莫顿湾松(*Araucaria Cunninghamii*)
美国农业部政务与公共事务局供图

Moreton Island　莫顿岛　在澳大利亚昆士兰州东南岸外。隔莫顿湾与布里斯班相望。长约40千米,宽8千米,面积171平方千米。岛上沙丘已被植被固定。坦佩斯特山高达278米,可能为世界最高沙丘。岛上建有该州第一座灯塔(1857)。有轮渡通布里斯班。人口549(1981)。

Morgagni, Giovanni Battista 莫尔加尼 (1682-02-25,意大利弗利～1771-12-05,帕多瓦) 意大利解剖学家。曾著《解剖学杂录》(1706～1719),使病理解剖学成为一门科学。1769年写成《用解剖学的观点研究疾病的部位和原因》一书,奠定了病理解剖学的基础,并为自己赢得声誉。1704年与A.M.瓦尔萨尔瓦合著《论人耳》。他长期在帕多瓦任解剖学教授。他也早就指出,必须运用解剖学知识来诊断疾病、判断预后及进行治疗。

Morgan 摩尔根马 马品种,曾是美国最著名、分布最广的品种。后来不受欢迎,一段时期内其育种置于政府监督之下。此品种以一匹与主人J.摩尔根同名的马为基础而育成。

摩尔根马
美国不列颠百科全书公司供图

该马于1821年死去,但其特征仍保存下来。该马高约14掌(142厘米),体壮,活跃,强健,其谱系可能包含纯血马、阿拉伯马的血统,以及一些其他血统。现代的摩尔根马高约14.1～15.2掌(145～155厘米),重400～500千克。风度翩翩,惹人喜爱,线条流畅,耳小,眼富表情,鬃毛美观。摩尔根马可供多种用途。1894年佛蒙特州米德尔伯里的巴特尔上校,首次发表《美国摩尔根马名册》,他追踪了J.摩尔根马的后裔,并鼓励培育摩尔根马。摩尔根马俱乐部成立于1909年,后改为美国摩尔根马协会。该协会接办了《美国摩尔根马名册》。

Morgan le Fay 仙女摩根 亚瑟王传奇和故事诗中的一个仙女,与凯尔特神话中的各种人物相关联。蒙茅斯的杰弗里在所著《墨林传》(约1150)中,称她为阿瓦隆的统治者。阿瓦隆是一个美丽的岛屿,亚瑟王曾在这里医治他的创伤。书中把她描绘成一个精通医术,并善于改变形体的女巫。在克雷蒂安·德·特罗亚的《艾莱克》(约1165)里,她第一次以亚瑟王妹妹的面貌出现。12、13世纪时,亚瑟王传奇的两个主题——治伤和源于单恋的敌意——的详尽描述又有所发展;例如,在13世纪初的拉丁文《圣经》故事组里,她挑起了亚瑟与王后圭尼维尔之间的龃龉,但她最后仍以一个慈善的形象出现,把亚瑟送到阿瓦隆岛。她的魔力据说从书本和巫士墨林学来。

Morgan, Anne Tracy 摩根 (1873-07-25,美国纽约海兰福尔斯～1952-01-29,纽约芒特基斯克) 美国慈善家,以其在第一次世界大战和第二次世界大战期间和战后对法国的救助为人们所铭记。J.P.摩根之女,成长于其父所积聚的财富和文化设施氛围之中。直至20多岁后都是在她出生地的社交环境中消磨时光。1900年眼界稍开。1903年与人同组纽约第一个妇女社交俱乐部"群体俱乐部",开始活跃于各类旨在帮助青年女工的组织。1915年出版《美国姑娘:她的教育、责任、娱乐和未来》。第一次世界大战初期,摩根在法国建立了救助法国伤员美国基金会,1917年,成立遭难法国美国友人会,至战争结束已募集和分发价值约达500万美元的食品、药品和其他战争救济物资,安置了超过5万因战乱而无家可归的法国村民,建起孤儿院、幼儿园和诊所,并协助重新育养牲畜和添置农具。作为该组织的主席,她努力工作,1918年荣获战争十字勋章。1932年成为被任命为荣誉勋位团领导人的第一位美国妇女。1939年预料将有新的战争,她组织了美国法国之友会。她主持这一团体的救济工作,战争爆发时已组成三个救济中心。1940年被迫离开法国。后又回法国监督战后救济工作。

Morgan, C(onwy) Lloyd 摩根 (1852-02-06,伦敦～1936-03-06,英国萨塞克斯黑斯廷斯) 英国动物学家、心理学家,有时被称为比较心理学或动物心理学的创始人。他原想当采矿工程师而进入矿业学校。偶遇T.赫胥黎后对生物学感兴趣,赫胥黎鼓励他进皇家理科学院做他的学生。作为一名大学讲师,在南北美洲游学以后,摩根便开始跟随赫胥黎作研究工作。在南非一度教授物理学(1878～1884),之后又接受了布里斯托尔的大学学院的地理和动物学教授职位,并继续他的研究事业。1887年任该学院院长,1910年任大学副校长,1911～1919年重新执教,任心理学和伦理学教授。他多年研究动物心理学,力图客观描述动物行为而不用拟人论。他只是为了研究动物行为而研究,并不考虑人的心理演化,而且应用所谓的简约原则:假如一个行动能用低级心理官能来解释,那么就不必要诉诸高级心理官能(《比较心理学导论》,1894)。以后,他更多地研究形而上学或哲学问题,这特别反映在《层创进化》(1923)和《生命、心理和精神》(1926)两书中。

Morgan, Charles Langbridge 摩根 (1894-01-22,英国肯特郡布罗姆利～1958-02-06,伦敦) 英国小说家、剧作家和评论家。是当时主流文学之外的著名的高雅散文作家。1907年加入皇家海军。第一部小说《尉官舱》(1919)描述海军候补少尉们受虐待之事。1926年起在伦敦的《泰晤士报》编辑部工作。第二次世界大战期间在英国海军部机关服役。在小说《我叫外籍志愿兵团》(1925)中,作者揭示了他对灵与肉之间冲突的一种先入之见,以及对一种世俗神秘主义的偏爱。之后出版的小说有《镜中肖像》(1929)、《喷泉》(1932)、《航程》(1940)、《空房间》(1941)和《法官的故事》(1947)。摩根还写了3部很成功的话剧剧本——《闪烁的光束》(1938)、《河界》(1949)和《凸透镜》(1953)。

Morgan, Daniel 摩根 (1736,新泽西亨特登县[美国]～1802-07-06,美国弗吉尼亚温切斯特) 美国独立战争(1775～1783)中的将领,在考彭斯战役(1781-01-17)中击败英军,获

耶鲁大学美术画廊供图

得重大胜利。1753年迁居弗吉尼亚,战争初期担任弗吉尼亚步兵上尉。1775年冬,随同B.阿诺德将军远征加拿大,12月31日攻打魁北克时,他率孤军深入城内,遭到包围,被迫投降。1776年末获释,1777年他参加H.盖茨将军的部队,是年秋经历纽约萨拉托加两次战役。1779年部分由于健康原因辞去军职。1780年南卡罗来纳卡姆登战役美军惨败,他在北卡罗来纳希尔斯伯勒再度投效盖茨麾下,升任准将,指挥一个军。为了阻止康华里勋爵所率英军由南向北推进,摩根所部逐渐北撤,然后突然回师,与英军遭遇于考彭斯,出奇制胜,以少胜多,击败B.塔尔顿上校的大股部队。1794年他指挥弗吉尼亚民兵进入西宾夕法尼亚镇压"威士忌酒反抗",1797～1799年为联邦党国会议员。

Morgan, Frederick Edgeworth 摩根 (1894-02-05,英国肯特郡帕多克伍德～1967-03-19,米德尔塞克斯郡诺斯伍德) 英国军官。1913年加入皇家炮兵,第一次世界大战时一直在法国、比利时作战。1919～1935年在印度任参谋,后进入陆军部。1940年在法国作战,1942年升少将,1943年任军团司令。同年3月任进攻北欧部队盟军最高统帅的参谋长。起草详细的"霸王"作战计划,选定诺曼底为登陆地。其登陆计划因物资不足作了重大修改,登陆海滩由3个增至5个。自1944年初起担任D.D.艾森豪威尔的副参谋长,1945年5月7日在法国兰斯签署欧洲德军投降书。1945～1946年任联合国善后救济总署驻德国负责人,为战后遣散人员提供救济物资。1946年退役。20世纪50年代担任英国原子能计划高级职务。1944年受封爵士。

Morgan, Helen 摩根 (1900-08-02,美国伊利诺伊丹维尔～1941-10-08,芝加哥) 原名Helen Riggins(海伦·里金斯)。美国女演员、歌手。善于在夜总会演唱关于悲伤心事和生活艰辛的歌曲。幼年随母改嫁,改姓摩根。关于她进入演艺界的原因有多种说法,受过声乐训练,最初在地下酒吧演唱。20年代在齐格飞的《萨莉》中合唱。参加选美比赛后得以在J.怀特的《1925年丑闻》中担任小角色。

一次在夜总会演唱时，由于听众过于拥挤，倚靠在了伴奏钢琴的旁边，这一形象后来成为她演艺的特征。在百老汇上演《大美国》、《大木偶剧》和《画舫璇宫》，其中在《画舫璇宫》中演唱的两首插曲《比尔》和《不能不爱那个男人》轰动一时。在《可爱的阿德琳》中也有两首杰出歌曲《永远不要离开我》和《为什么生我?》。后来的几部戏剧，如《回忆》、《1931 年丑闻》和《红磨坊之夜》等，都不很成功。也拍过几部电影，包括《喝彩》、《露宿街头》、《甜蜜的音乐》和《画舫璇宫》。摩根瘦小纤弱，然而有着甜美、朴实、布鲁斯情调的嗓音，使她成为演唱 20 和 30 年代夜总会流行歌曲的理想歌手。

Morgan, Sir Henry　摩根(1635，威尔士格拉摩根兰拉姆内～1688-08-25，可能死于牙买加劳伦斯菲尔德)　威尔士海盗，17 世纪后期侵掠西属加勒比殖民地的最著名冒险家之一。他在英国政府非正式支持下进行活动，瓦解了西印度群岛的西班牙统治势力。出身和早期活动不详，可能是 1655 年派去从西班牙手中夺取牙买加并使之成为英国殖民地的远征队成员。1665～1667 年英荷战争中任骚扰加勒比海荷兰殖民地的海盗的副指挥。1668 年受命为海盗的指挥官，迅速占领了古巴的普林西比港(即今卡马圭)，并以异常果敢的行动，一举攻占和洗劫了巴拿马地峡防卫森严的城市贝卢港。1669 年，他成功地袭击了委内瑞拉海岸马拉开波湖周围富裕的西班牙居民区。1670 年 8 月，率领 36 艘船和近 2 000名海盗去攻占巴拿马。在穿过巴拿马地峡时击溃西班牙军队(1671-01-18)，进入该城后将城市焚烧洗劫一空。他在归途中抛弃下属，携带大量赃物潜逃。1674 年，查理二世敕封他为爵士，又派他为驻牙买加副总督。他在牙买加成为富翁和受尊敬的种植园主。

Morgan, John　摩根(1735-06-10，费城～1789-10-15，费城)　美国医学教育的先驱者，美国独立战争时的大陆军军医总监，美国第一所医学院的创始人。1763 年获爱丁堡大学医学博士学位，1765 年在费城学院(今宾夕法尼亚大学)创立了第一所医学院，并任北美第一位医学教授。1765 年著《论美国医学院的制度》，概述了关于医学生需要受文科教育及将内科、外科、药理分为不同的学科的方针，但这方针遭殖民地医生的普遍反对，未被接受。1775 年被大陆会议(**Continental Congress**)任命为军医总监及美军内科主任。他从事一项重新组织和改革的计划，引起很大的不满和反对。1777 年他被大陆会议免职。两年后得到华盛顿和大陆会议宽恕，但未恢复名誉，10 年后在贫困的隐居生活中死去。他还首先在美国采用 E.詹纳的牛痘接种法。1776 年著《接种介绍》一书。

Morgan, John Hunt　摩根(1825-06-01，美国亚拉巴马亨茨维尔～1864-09-04，田纳西格林维尔)　美国南部邦联"摩根突击队"领导人，以 1863 年 7 月对印第安纳和俄亥俄的进攻——美国南北战争期间南部邦联军向北渗透距离最远的一次——而闻名。1830 年随父母从亚拉巴马移居肯塔基的列克星敦，1846 年入伍当兵，参加过墨西哥战争。后经营大麻制造业。1861 年 9 月参加南部邦联军，充当侦察员，1862 年初升上尉，指挥骑兵队，率部突袭肯塔基和田纳西的联邦军供应线。4 月晋级上校，年底升为骑兵师的准将指挥官。1863 年 6～7 月间受命率领 2 000 士兵攻击肯塔基，但违令渡俄亥俄河进入印第安纳，因而受联邦军和地方部队的追击，收效不大。后部下大部分投降，他本人也于 7 月 26 日在俄亥俄的新里斯本被俘。4 个月后他乘机逃脱，次年春率南部邦联军再次攻击肯塔基。最后在格林维尔联邦军的突袭中被杀死。

Morgan, John Pierpont　摩根(1837-04-17，美国康涅狄格哈特福德～1913-03-31，意大利罗马)　美国金融家和工业组织家，第一次世界大战前20年间世界上金融巨头之一。他

美国国会图书馆供图

改组了几条重要的铁路线，并合并组建了美国钢铁公司、国际收割机公司和通用电气公司。美国成功金融家 J.S.摩根(1813～1890)之子。受教育于波士顿及格丁根大学。1857 年他开始任纽约邓肯·谢尔曼银行公司会计员。1861 年任他父亲的银行公司代理人。1871 年与人合伙在纽约开设德雷克塞尔-摩根公司。该公司很快便成为美国政府的主要财政支柱，1895 年改名为摩根公司，为世界上最有实力的银行之一。1885 年摩根开始改组铁路，实现了纽约中央铁路和几条与之竞争的纽约铁路的合并。1885～1888 年其势力延伸到宾夕法尼亚州和俄亥俄州铁路。1893 年金融恐慌之后，被请去整顿几条主要铁路线，如南方铁路、伊利铁路和北太平洋铁路。他协助稳定了铁路运输的价格并制止了东部铁路之间过度混乱的竞争局面。他掌握了大量的铁路股票，成为世界上最有实力的铁路巨头之一。至 1902 年，他控制了8 000千米的美国铁路。1893 年经济恐慌后摩根组织辛迪加给政府补充业已枯竭的黄金储备约 6 200 万美元，解救了国家财政危机。3 年之后，他筹措资金，合并工业企业，建立了联邦钢铁公司；1901 年建立了当时世界上最大的公司美国钢铁公司。1902 年筹资组织了国际收割机公司和国际商业海运公司(合并多数横渡大西洋的轮船公司而成)。摩根在 1907 年的金融危机中发挥了举足轻重的作用，运用自己的银行及其子行吸收大量的政府存款，以解救金融危机，由此使许多大银行和公司保持偿付能力。摩根还是当时最重要的艺术品和书籍收藏家之一。

Morgan, John Pierpont, Jr.　摩根(小)(1867-09-07，美国纽约欧文顿～1943-03-13，佛罗里达博卡格兰德)　美国银行家和金融家。在其父J.P.摩根(老)逝世后，为摩根投

美国不列颠百科全书公司供图

资银行的首脑。1889 年毕业于哈佛大学；1892 年成为其父银行公司——摩根公司——的成员，在伦敦分公司工作 8 年。1913 年其父去世，他继任为该公司首脑，成为5 000多万美元遗产的继承人。他逗留英国期间，产生了对英国的深厚情感。结果，在第一次世界大战的 3 年期间，他成为英法两国政府在美国的独家采购代理人，为这些国家从美国各公司购买了大约 30 亿美元的军用及其他物资。为了给英法在美国购买所需物资而筹措资金，他组织了2 000余家银行，认购协约国公债，总额达 15 亿多美元。战争结束后，他的公司为欧洲重建工作募集贷款，总计 100 亿美元以上。摩根虽不是其父那样有权势的、果敢有力的人物，而仍为美国当时最重要的金融家。1929 年 10 月股票市场恐慌时，摩根及其他几位重要银行家曾集合资金，力图制止股票价格下跌，未能奏效。1933 年《银行法》强制摩根的银行将其投资银行业务与商业(储蓄)银行业务分开。因此，摩根-斯坦利公司成为一家新的投资银行；而摩根本人仍为摩根公司的首脑，该公司也从此成为单一的商业银行。

Morgan, Julia　摩根(1872-01-26，旧金山～1957-02-02，旧金山)　始终在美国工作的最多产、最重要的女建筑师之一。富裕家庭出身，1894 年毕业于伯克利加利福尼亚大学，获工学士学位，此后向当地建筑师 B.梅贝克学习建筑艺术。她于 1896 年前往巴黎，1898 年成为美术学院建筑科的第一个女学生。1902 年毕业于该院，然后返回加利福尼亚，成为本州内第一位领到建筑师执照的妇女。随后，她开始了长达 40 年之久的建筑业务，总共完成约 800 座建筑物，大部分在加利福尼亚，特别是在旧金山。她于 1904 年开设自己的建筑事务所，1906 年旧金山地震的破坏为她创造一个机会，她为海湾地带设计了几百所住宅，许多教堂、办公楼和教学楼。第一次世界大战结束后，她开始热心地为出版界巨头 R.赫斯特工作，1919 年赫斯特委托她在加利福尼亚圣西米恩他的自家牧场的魔山上修建一座日后以"大宅"闻名的小城堡，还委托她营造另外的几所住宅。摩根在圣西米恩营造 21 年，她修筑的"大宅"是全世界耗资最多、极度豪华的私人府邸之一，而且成功地把赫

斯特所收藏的大量外国古董、艺术珍品以及片断建筑装饰与房屋融为一体。摩根是一位使用各种不同风格的折衷主义派建筑师。她以工艺精细、内部空间优美、利用有限资金完成杰出的建筑物而声名卓著。

Morgan, Lewis Henry　摩根（1818-11-21，美国纽约奥罗拉附近～1881-12-17，纽约罗切斯特）　又译摩尔根。美国人种学家和科学人类学的主要创始人。尤其以建立亲属关系系统的研究和社会进化的综合理论而著称于世。1844～1862年，在罗切斯特从事律师职业；1861～1868年为纽约州众议院议员；1868～1869年为该州参议院议员。19世纪40年代早期，他对美洲印第安人发生了很大的兴趣，此后，毕生支持印第安人为反对白人压迫而进行的斗争。对易洛魁印第安人的历史、社会组织和物质文化曾作全面调查，1846年被塞内卡人吸收为部落成员。调查结果写成《易洛魁联盟》（1851）一书。约在1856年，兴趣转向与英美习惯迥然不同的塞内卡人的亲属称谓方式。在密歇根北部的奥吉布瓦印第安人中间发现几乎完全相同的称呼以后，提出设想：如果在亚洲也能找到同样的亲属关系系统，就可说明美洲印第安人的祖先来自亚洲。他于是开始对许多其他民族的亲属称谓进行了广泛的调查，写成《人类血族和姻族制度》（1871）一书，对亲属关系作了精辟论述。此书成为现代人类学有关亲属体系的开山之作，把这种体系看作城市兴起以前多数社会的基本组织原则。摩根对亲属关系的研究，使他在《古代社会》（1877）一书中，发展了文化进化的理论。这是对文明的起源和进化所作的最早的重大科学论述。他对文化和社会进化过程中技术改革及其他纯物质因素的重视，引起K.马克思和F.恩格斯的注意。多年来摩根一直是美国人类学界的前辈。其他作品还有《印第安文化考察日志，1859～1862》（1959）等。

Morgan, Thomas Hunt　摩尔根（1866-09-25，美国肯塔基列克星敦～1945-12-04，加利福尼亚帕萨迪纳）　美国动物学家，遗传学家，以其用果蝇属（*Drosophila*）昆虫进行的实

加利福尼亚理工学院供图

验著称，他借此建立遗传学的染色体理论。他证明，基因在染色体内按一定顺序排列，并决定各种可鉴定的遗传的性状。他因此获1933年诺贝尔生理学或医学奖。

早期生活　其父查尔顿·亨特曾任美国领事，其伯父约翰·亨特曾为南部邦联军的将军。他早年就对博物学很感兴趣。1886年获肯塔基州立大学（后为肯塔基大学）动物学的理学士学位，然后到约翰斯·霍普金斯大学为生物学研究生，师从形态学家、胚胎学家W.K.布鲁科斯学习。1890年获哲学博士学位后在该处工作一年，然后到布林·莫尔学院任教。

胚胎学实验　1893～1910年他将实验技术应用于胚胎学基本问题的研究。为了搞清发育的原因，他分析了胚胎如何来自分裂球，及具核和不具核的卵段如何受精。为搞清物理因素的影响，他分析了空间定向如何影响其将来的发育，以及盐浓度对受精卵和未受精卵发育的影响。1904年他与布林·莫尔学院的研究生、技术熟练的细胞学家和胚胎学家L.V.桑普森结婚。同年他应邀到哥伦比亚大学任实验动物学教授，以后24年他在那里进行了他最重要的遗传学研究。就如大多数世纪之交的胚胎学家和生物学家一样，他也觉得达尔文的进化论缺乏说服力：很难设想这么多复杂的适应性变化仅仅是轻微的偶然的变异积累的结果；而且除了他早期的假说性的泛生论之外，达尔文未提出可用以解释变异传递的遗传机制。虽然摩尔根相信进化本身是事实，但达尔文提出的自然选择机制似乎是不完全的，因为它不能用实验验证。他对孟德尔学说和染色体理论有异议。这两个理论均假定细胞内存在一些单位或物质实体，能以某种方式控制发育过程，试图借此解释生物学现象。他认为这些理论使人想起18世纪和19世纪早期支配着胚胎学界的预成论（卵或精子内存在充分形成的成体）。虽然他也承认染色体可能与遗传有某种关系，但1909和1910年他认为，没有一根染色体可以携带具体的遗传性状。他也宣称孟德尔学说仅仅是假说，虽然它可以解释甚至可以预见育种的结果，但不能描述遗传的真实过程。对摩尔根来说，每对染色体分开，各个染色体进入不同的精子或卵，皆完全按孟德尔因子的方式进行，但还不足以证明这两个过程相互之间有关系。

用果蝇进行的实验　1908年摩尔根开始用果蝇做实验。1909年他观察到一个培养瓶中的一只雄性果蝇出现一种不相关联的小变异——白眼。出于好奇，他将此果蝇与正常的（红眼）雌体交配。所有后代（F_1）均为红眼。将子1代中的雌雄个体交配，产生的后代（F_2）中出现一些白眼个体，且均为雄性。为解释此奇特的现象，他提出限性性状（今称性连锁性状）假说，假定该白眼基因在X染色体上。他饲养的果蝇中又出现许多其他遗传变异，已发现其中许多是性连锁的。因为通常所有的性连锁性状一同遗传，摩尔根开始确信X染色体携带许多相互分离的遗传单位（或因子）。他采用了丹麦植物学家W.约翰森1909年提出的术语“基因”，并推论基因可能在染色体上呈直线排列。他从育种实验和细胞学研究两个彼此独立的证据中看到：每一种证据都可以从另一方面来解释，于是他放弃了对孟德尔主义和染色体学说的怀疑，这给他带来很大的荣誉。他与哥伦比亚大学的研究生A.H.斯特蒂文特、C.B.布里奇斯、H.J.马勒合作，迅速将果蝇实验发展成内容广泛的遗传理论。在此工作中特别重要的是证明：基因呈直线排列，每个基因在其中有其具体位置，可以绘成一张基因图。进一步的细胞学工作证明基因在染色体上的精确位置可以鉴定，从而最终证明孟德尔因子在染色体结构中有其物质基础。摩尔根、斯特蒂文特、布里奇斯和马勒于1915年出版影响很大的《孟德尔遗传的机制》一书，将他们的早期工作作一总结和介绍。到1916年摩尔根也在不同的程度上接受达尔文学说。1928年他应邀到加利福尼亚理工学院组织生物系。他也帮助在科罗纳-德尔马建立海洋实验站，作为加利福尼亚理工学院的一部分。在以后的年代里，他与合作者，包括许多博士后研究人员及研究生继续详细研究染色体遗传学说的许多方面。他将离开哥伦比亚大学前，尤其是到加利福尼亚之后，他离开果蝇研究，开始回到他早期极感兴趣的实验胚胎学研究。虽然他认识到遗传学与发育之间有理论上的联系，但是他也发现那时很难建立明确的联系并用实验证据来加以支持。1942年他接受达尔文奖章；1933年因发现“果蝇中的遗传传递机制”而获诺贝尔生理学或医学奖；1939年由伦敦皇家学会（他是该学会外籍会员）授予科普利勋章。1927～1931年任全国科学院院长；1930年任美国科学促进协会会长；1932年任第六届国际遗传学大会主席。他在加利福尼亚理工学院工作至去世。其他重要著作还有：《进化与适应性变化》（1903），《评进化论》（第二版，1925），《遗传与性》（1913），《基因论》（1926），《蛙卵的发育：实验胚胎学导言》（1897），《实验胚胎学》（1927）和《胚胎学与遗传学》（1934）等。

Morgan, William　摩根（约1545，威尔士卡那封郡卡那封～1604-09-10，弗林特郡圣阿瑟夫）　安立甘宗主教、宗教改革家，他的《圣经》译本有助于威尔士书面语的标准化。他于1595年任兰达夫主教，1601年任圣阿瑟夫主教。威尔士作家索尔兹伯里的《新约》和《公祷文》的威尔士译本于1567年出版，摩根为了继续完成他的事业，乃译成全部《圣经》和外典。他也曾校订索尔兹伯里所译《新约》部分。摩根在翻译中采用了古代威尔士诗歌作品中的词语和体裁。此后200多年威尔士人所学习的文学语言就是这种语言。经戴维斯修订的《圣经》摩根译本在威尔士沿用至20世纪。

Morgan, William Wilson　摩根（1906-01-03，美国田纳西贝塞斯达～1994-06-21，威斯康星州威廉斯贝）　美国天文学家，因最先发现银河系存在旋臂的证据（1951）而闻名。摩根于1931年获得芝加哥大学硕士学位，随即成为该大学的叶凯士天文台讲师。1947～1974年任芝加哥大学教授，1960～1963年兼任叶凯士天文台和麦克唐纳天文台台长。他是一位研究天体形态的学者。致力于恒星和星系的研究和分类。他的第一本重要著作是发表于1943年的《恒星光谱图》，该书提出一种小尺度恒星光谱分类系统。在发现银河系旋臂结构以后，他集中精力研究恒星亮度，提出一

种区分恒星亮度和颜色的系统，发现耀星（一种光度迅速变化的星），并建立 UBV（即紫外、蓝光和可见光星等）宽带测光系统。1956 年着手研究星系。根据星系中包含的星数、星族和星系外形进行分类。

Morgan City 摩根城 美国路易斯安那州东南部城市，墨西哥湾沿岸航道港口。距霍马 50 千米，临阿查法拉亚河贝里克湾。1850 年建立，1860 年设市称布拉希尔。1876 年为纪念新奥尔良-奥珀卢瑟斯-大西部铁路总经理 C.摩根而改称现名。南北战争中为战略要地。现为近海石油钻井指挥部和捕虾船队基地。有化工、机械、金属和水产加工业。附近水道、森林及稻田是捕猎小动物和野鸭的好去处。人口 12 282（2003）。

morganatic marriage 贵贱婚 指王室、亲王或贵族中的男性成员与一个出身和地位比较低下的女人之间的法律上有效的婚姻，条件是她不能因此而继承他的地位，而且这种婚姻所生的子女也不能继承他们的父亲世袭的荣誉、封地和限嗣继承的财产。这个名词来自中世纪拉丁文 matrimonium ad morganaticum，被解释为“在早晨礼物上的婚姻”（来自德文 morgengabe），其含义是这种早晨礼物，或彩礼，是新娘所能指望的一切；或者解释为“受到限制的婚姻”（哥特文 maurjan，“限制”）；或者干脆解释为“早晨的婚姻”，意指早晨悄悄举行的婚礼。它基本上是一种德国的制度，被德国以外的一些王朝采用，但没有被法兰西或英格兰的王朝采用。这种做法是从德国的概念 Ebenbürtigkeit 或 Gleichbürtigkeit（“出身相当”或“门当户对”）而来的，这种概念在中世纪的德国法律上得到广泛的运用。它要求很多种交易的双方地位或财产相等，但在教会法上不能成为婚姻的障碍。

morganite 铯绿柱石 因含有铯而呈现粉红色或淡玫瑰紫色的宝石级*绿柱石*（**beryl**）。常见与桃红色、橙黄色或浅红黄色的绿柱石（也称铯绿柱石）生在一起。在高温热处理下，这些颜色就转变成粉红色或淡紫色。铯绿柱石的晶体往往呈现出带色的条带：底部附近为蓝色，中部几乎无色，末端是桃红色或粉红色。这种颜色变化很可能是由于形成晶体的溶液成分不同而引起的。铯绿柱石一般呈短而粗的平板状晶体，产于锂伟晶岩中，如在美国加利福尼亚州南部和新英格兰。

Morgannwg 摩根韦格 英语作 Glamorgan（格拉摩根）。威尔士南部原来的郡和历史地区。位于塔夫河与尼思河之间，为一扇形地带。北部为散布着狭窄河谷的贫瘠高沼地，南部为称作格拉摩根谷地的起伏平原，延伸入高尔半岛。高尔半岛南岸发现有旧石器时代人类遗迹。约公元 75 年古罗马人侵入该地区。诺曼人于 11 世纪末征服该地。后格洛斯特伯爵 R.菲茨哈蒙在此修建加的夫城堡，摩根韦格成为英王统治下的边境区的领地。威尔士民族主义分子对这一地区屡屡进攻，是摩根韦格中世纪动乱历史中的主要事件。根据 1536 年合并法，设立了格拉摩根郡。18 世纪中叶开始开发高地的地下煤层（后称为南威尔士煤田）。该地区随采煤业迅速繁荣起来，格拉摩根成为威尔士境内工业化程度最高的郡。威尔士总人口近一半集中于该郡。1974 年格拉摩根郡划分为*中格拉摩根*（**Mid Glamorgan**）、*南格拉摩根*（**South Glamorgan**）和*西格拉摩根*（**West Glamorgan**）三个郡。

Morganton 摩根顿 美国北卡罗来纳州中西部的城市，伯克县县城。位于卡托巴河沿岸阿什韦尔东北偏东 80 千米处。是个制造业城市，主要生产家具、纺织品、鞋类、化学制品、电子产品和服装等。1893 年伯克县招来了一群维尔多派人，是来自法意阿尔卑斯山区的宗教难民，他们的后代于每年 8 月中在靠近瓦尔迪斯的地方举行庆祝会。1784 年建市。人口：市17 310；希科里-摩根敦-勒诺都会统计区 341 851（2000）。

Morgantown 摩根敦 美国西弗吉尼亚州北部城市、莫农加利亚县县城（1782）。临莫农加希拉河。北距匹兹堡 124 千米。1758 年始建，后遭印第安人洗劫。1766年重建。1786

摩根敦市西弗吉尼亚大学的创作艺术中心
美国不列颠百科全书公司供图

年设镇，1905 年设市。1826 年后开始发展水路运输。附近有石灰石矿。生产玻璃、铅管、化工品等多种工业品。设有西弗吉尼亚大学（1867）。市西北有美国矿务局摩根敦研究中心。市西北的奇特河水坝形成奇特湖，湖畔有州立蒙特查特奥公园。郊区有州立库珀斯罗克森林。人口 26 809（2000）。

Morgarten, Battle of 莫尔加滕战役（1315-11-15） 瑞士邦联第一次战胜奥地利哈布斯堡王朝的战役。1314 年初，邦联成员之一的瑞士邦袭击邻近的艾恩西德伦修道院。自称对该地拥有司法权的奥地利哈布斯堡公爵利奥波德一世派一伙骑士从楚格出发，取道莫尔加滕关前来征伐。1315 年 11 月 15 日，瑞士邦人不等敌人出关就加以截击，结果杀死敌军1 500多人，其余骑士仓皇逃窜。这个胜利保证了邦联的继续存在，对此 1315 年 12 月 9 日的布伦嫩条约正式予以肯定。瑞士邦在战役中取得胜利，声望大增，整个邦联遂以该邦的邦名命名。

Morgenstern, Christian 莫根施泰恩（1871-05-06，德国慕尼黑～ 1914-03-31，奥匈帝国南蒂罗尔梅兰［今意大利梅拉诺］） 德国诗人、幽默作家。他的作品包括神秘诗、个人抒情诗、打油诗等多种类型。曾在布雷斯劳和柏林大学攻读法律。后离校出游，有一段时间住在挪威，与易卜生合作翻译他的诗剧，也翻译其他斯堪的纳维亚剧作家如 B.M.比昂松、K.汉姆生和 A.斯特林堡的剧本。他的严肃诗歌首先是在尼采的影响下写出的，包括《在凡塔的城堡里》（1895，在这部作品里，宇宙的、神话的和哲学的概念有趣地结合在一起）、《我和世界》（1898）、《一个夏天》（1899，这部作品写于挪威，颂赞自然美）、《内省》（1910）和《我们找到了一条小径》（1914）。这些诗也受到佛教和灵智学家 R.斯坦纳的影响。莫根施泰恩的国际声誉，来自他荒唐无聊的诗歌。在这些诗歌里，他杜撰出一些字来，把一些普通字放在稀奇古怪的上下文里。从而歪曲其词义，把句子的结构弄乱，但往往带有合乎理性的、讽刺的观点。这种诗歌有很多卷，包括《绞刑架之歌》（1905）和《棕榈之河》（1910）等。在他死后还发表了 3 卷。他的诗作有英文、意大利文和罗马尼亚文译本。

Morgenstern, Oskar 摩根斯顿（1902-01-24，德国格尔利茨～ 1977-07-26，美国新泽西普林斯顿） 又译摩根施特恩。德国出生的美国经济学家。在维也纳大学（1929 ～ 1938）、普林斯顿大学（1938 ～ 1970）和纽约大学（1970 ～ 1977）任教。曾与 J.冯·诺伊曼合著《对策论与经济行为》（1944），将诺伊曼的策略博弈论（1928 发表）用于商业竞争。另著有《论经济观察的准确性》（1950）、《组织原理绪论》（1951）等。

Morgenthau, Hans J. 摩根索（1904-02-17，德国科堡～ 1980-07-19，美国纽约州纽约） 德国出生的美国政治学家和历史学家，对权力在国际政治中的作用有深入的分析。曾在柏林、法兰克福、慕尼黑等大学学习，并在日内瓦国际问题研究所作研究生。1927 年当律师，并曾任法兰克福劳动法法院代理院长。1932 年去日内瓦教授公法，因 1933 年希特勒上台而留在日内瓦。1935 ～ 1936 在马德里任教。1937 年移居美国，1943 年入美国籍，任教于布鲁克林学院、堪萨斯城大学、芝加哥大学、纽约市立大学、纽约社会研究新学院。1948 年发表《国际政治》一书，以当代现实主义方法论述国际政治。其理论的中心是权力观念，他认为，权力是国际政治中的主要目标，民族利益应体现在权力上。要求认识权力的性质和限度，并运用包括妥协在内的传统外交方法。著有《科学的人与权力政治》（1946）、《保卫民族利益》（1951）、《政治学的难题》（1958）、《美国政治的目标》（1960）、《20 世纪的政治》（3卷，1962）和《真理与权力》（1970）。

Morgenthau, Henry, Jr. 摩根索（小）（1891-05-11，纽约市～ 1967-02-06，纽约波基普西） 美国 F.D.罗斯福总统时期的财政部长，任职12年（1934～1945）。他监督使用3 700亿美元的经费（这比他的 50 位前任部长总共经手的钱数还要多 3 倍）而毫无丑行。1922 至 1933 年任农业杂志《美国农业家》编辑，成为罗斯福的密友。罗斯福任纽约州州长期间（1929 ～ 1933），摩根索任州自然保护委员会委员和州长农业咨询委员会主席。他帮助罗斯福在1928和1932年进行竞选。在任财政部长期间,摩根索严格挑选工作人员,要求财政部高效率地工作。他既忠于总统,又深怀

美国国会图书馆供图

保守的信念,即平衡预算乃是国家福利的基础。当两者矛盾时,他左右为难,但最终仍忠于总统,一心一意地为新政的庞大国内计划以及美国参加第二次世界大战筹集资金。他制订了旨在使德国在战后丧失其工业潜力的摩根索计划,但未付诸实施。1945年4月罗斯福逝世后不久,摩根索即辞职返乡务农。

Morghāb, Daryā-ye (Afghanistan and Turkmenistan) 参阅 **Murgab River 穆尔加布河**。

Morhange, Charles-Henri-Valentin 莫朗热 参阅 **Alkan, (Charles-Henri-) Valentin 阿尔康**。

Mōri FAMILY **毛利氏** 从16世纪早期至19世纪中期控制日本战略要地本州西部地区的家族。1603年德川氏重建幕府之后,毛利氏的首领成为长州大名。长州武士在1867年倒幕中曾起主要作用,其后长州人支配朝政直到第二次世界大战结束。在16世纪初,当大内氏的家臣起兵造反时,毛利氏家族初露锋芒。在毛利元就(1497～1571)的领导下,他们混水摸鱼,于1557年从叛乱中受益,成为本州西部新霸主。元就的孙子毛利辉元(1553～1625)是著名武将织田信长(1534～1582)企图统一日本的主要对手。但是,在1582年织田被杀后,他和织田的继承者丰臣秀吉(1537～1598)和解,成为秀吉的亲信大将。1598年秀吉死前任命他为扶助幼子秀赖的五大老(摄政)之一。大老之间斗争激烈,他反对另一大老德川家康(1542～1616)。德川幕府成立后,允许毛利氏保有长州藩的一半土地。在整个德川时期(1603～1867),毛利氏向其武士灌输对德川家族的仇恨和对天皇的尊敬。1867年长州武士就是在"王政复古"的旗帜下,领导了推翻德川幕府的战斗。

Mori Arinori 森有礼(1847-08-23,日本旧萨摩国鹿儿岛～1889-02-12,东京) 19世纪晚期日本最有影响的反对传统观念、崇拜西方思想的人物之一。早年醉心西学,1865年出国留学,入伦敦大学。明治维新后回国,1870年参加新政府工作,奉命去美国调查议会和教育制度,并任日本驻美国代办。1873年同另外15位著名知识分子(其中包括福泽谕吉)创建明六社,传播西方思想。他本人极端洋化,身穿西服,经常到舞厅跳舞,甚至主张把日本文字改为拉丁字母。1875年明六社解散后,他继续任官,而且权势日益增大。1885年任文部大臣。他在任时建立统一的新教育制度,实行小学8年,中学4年制,成立高等学校,并创办日本第一所帝国大学。这些学校不仅向社会精英教授西学科目,而且对平民大众灌输儒家道德和爱国热忱。但是,他的反对偶像崇拜的思想给自己造成杀身之祸,终于被一名宗教狂徒刺死。

Mori Ōgai 森鸥外(1862-02-17,日本津和野～1922-07-09,东京) 日本近代文学创始人之一。森林太郎的笔名。他是贵族武士阶级医生的儿子,他先在东京,1884～1888年又在德国学医。1890年发表《舞姬》,完全以他个人的经历为依据,叙述一个德国姑娘和一个留学柏林的日本学生之间不幸的恋爱。最著名的长篇小说《雁》(1911～1913),描写一个高利贷主的情妇悄悄爱上一个每天从她门前经过的医科学生。翻译过安徒生的自传体长篇小说《即兴诗人》。1912年明治天皇死后乃木希典将军自杀殉葬,鸥外为此事深受感动,于是他放弃小说转向描述武士制度的历史作品。他的一些历史作品里的主人公是武士,他们都和乃木一样,为追随主人于地下而自杀殉葬。虽然他早期写过坦白内心的作品,但后来他却和他的武士主人公一样厌恶纠缠于情感之中。他的超然态度使他晚年的作品显得冷漠,但是作品的力量和完整性却惊人地接近于他十分欣赏的武士理想。

Mori Yoshiro 森喜朗(1937-07-14,日本石川县根上～) 日本政治家,2000～2001年日本经济下滑时期任首相。父亲和祖父都当过根上的市长。1959年在东京早稻田大学获商科学位。1983～1984年任文部大臣,1992～1993年任通商产业大臣,1995年任建设大臣。1993年担任自民党干事长,1998年再次受命任干事长。尽管他与1989年的股票丑闻有牵连(这场丑闻将竹下登首相的政府拉下台),但他本人并未遭到起诉。2000年4月2日长期合作伙伴小渊惠三因中风失去工作能力后,被推选为自民党的总裁,4月5日出任首相。上任后内阁丑闻案频传,又无力扭转国家的经济衰退趋势,加上直率的言论,这些都使他很不得人心。自民党在6月的国会选举中失利,被迫组成联合政府。面对日益高涨的改革呼声,2001年4月6日他宣布将在月底选出自民党新任总裁后离职。

moribana 盛花 日本花道中,在类似碟子的扁浅形花盆里布置出自然风景的式样。由小原流派创始人小原云心所开创。盛花样式打破传统花道的严格结构准则,有时将从西方国家进口的花朵组合其中,用3个层次(前景、中景和远景)的方法表现花道的三角形基本结构。在盛花样式中,制作者将浅花盆想象为4个独立的区域:面向房间的区域代表南方和夏天,最远的区域代表北方和冬天,右侧为东方和春天,左侧为西方和秋天。并根据布置所代表的季节选择其在盆中的摆放位置,例如将枯萎花朵构成的冬景置于代表冬

盛花盆景

美国不列颠百科全书公司供图

天的区域内,其余的部分盛水。盛花最流行的分支派别是创造微型庭园艺术的盆景。参阅 **Ohara**。

Móricz, Zsigmond 莫里兹(1879-06-29,奥匈帝国匈牙利切柴～1942-09-04,布达佩斯) 匈牙利现实主义小说家。专门描写农村和城镇生活。当新闻记者时在《西方》杂志发表第一篇短篇小说(1908)。后成为该杂志编辑。他的若干作品以揭示病态的和注定要灭亡的社会成分为主题。他的佳作包括第一部长篇小说《纯金》(1910)和《幸福的人》(1935)。这些作品描绘与农村集体生活相对照的几个农民个人主义者。《通宵达旦》(1924)和《亲戚》(1930)描绘的则是腐朽堕落的外省贵族生活。在莫里兹笔下的世界里,婚姻和家庭生活充满了痛苦冲突;但他也唤起一种纯洁的、甚至是田园牧歌式的爱情。例如《一生作个好人》(1920)和《蝴蝶》(1925)始终被认为是匈牙利儿童文学中最优秀的作品。他还写过不朽的长篇历史小说《爱尔德伊》(《特兰西瓦尼亚》,1922～1935)和《罗饶·山多尔》(1940～1942)。

Morier, James Justinian 莫里尔(约1780,土耳其士麦那～1849-03-19,英国苏塞克斯布赖顿) 英国外交家、作家。以描写波斯生活的传奇小说《伊斯法罕的哈吉·巴巴的奇遇》(1824)而闻名,该书长期影响了英国人对波斯的概念,它的波斯文译本(1905)促进了现代波斯社会批评小说的发展。《哈吉·巴巴》是莫里尔退休之后所写一系列小说的第一部,系根据他在英国驻德黑兰大使馆任职期间(1809～1815)对波斯及其人民的了解以及两部游记所描述的旅行见闻写成。

Moriguchi 守口 日本本州大阪府城市。位于淀川南岸。德川时代(1603～1867)为驿镇。1910年通铁路后工业发展迅速。现生产电机、电器、纺织品和食品。亦为大阪-神户都市区的居民卫星城。人口约159 186(1989)。

Mörike, Eduard Friedrich 默里克(1804-09-08,符腾堡路德维希堡[德国]～1875-06-04,斯图加特) 德国最伟大的抒情诗人之一。有些评论家认为他仅次于他的老师歌德。在蒂宾根学过神学(1822～1826),1834年任乡村牧师。一生受精神疾病折磨,而人

道主义和宗教教条的无形冲突又加剧了他的痛苦。39岁退休，靠年金生活。1851年与玛加丽特结婚。婚后，在一所女子学校讲授德国文学以补年金之不足。由于玛加丽特妒忌默里克的姐姐克拉拉，家庭关系十分紧张，几乎扼杀了他的创作欲望。他最后两年同克拉拉和小女儿一起度过，死时一贫如洗，情景凄凉。默里克的作品不多，但各种体裁都有，令人惊奇，而且他笔下的任何作品都具有特色。早期作品中，浪漫主义影响占主要地位。他的长篇小说《画家诺尔顿》(1832)，除文笔炉火纯青和对精神失调具有心理洞察力外，还探讨了潜意识的领域。虽然他的最佳民间故事《斯图加特的矮子家神》(1853)纯粹是他自己的创作，有士瓦本的乡土背景和幽默，但他的民歌体的诗和童话故事都有德国浪漫主义的影响。在中篇小说《莫扎特赴布拉格途中》(1856)里，默里克比其他许多长篇研究更深入地探讨了莫扎特的人品。然而，只是作为抒情诗人，默里克才充分发挥了他的才情。他的吟咏蒂宾根时期的初恋的"佩雷格里娜"诗和献给曾一度是他未婚妻的路易丝·劳的十四行诗，都属于最优美的德国爱情诗。

Morin, Jean 莫兰(1591，法兰西布卢瓦～1659-02-28，巴黎) 天主教神学家、圣经学者。父母都是基督教加尔文宗信徒，本人改奉天主教，参加法兰西奥拉托利会，1619年祝圣为司铎。他经过研究早期教父著作而主张天主教会承认东正教会所立司铎。1639年前往罗马，当时教皇乌尔班八世努力联合东西两派教会而未能如愿；莫兰曾为教皇策划。后来奉法兰西枢机主教黎塞留的召唤返回巴黎，进行学术研究终生。莫兰认为《旧约》希腊文译本优于希伯来文马所拉本。他认为6世纪犹太学者在根据希伯来文古本编辑马所拉本时不自觉地作了许多改动。莫兰的学说后来被推翻，但他所搜集的资料对后世圣经学者和翻译家都十分有价值。莫兰的最重要成就是编订撒玛利亚文《五经》，这几卷书见于1645年巴黎版《多文本圣经合参》。他是靠当时刚被带到欧洲的一些撒马利亚手稿自编文法、自学撒马利亚语的。

Morini 莫里尼人 凯撒征服高卢期间住在高卢西北部塞纳河和莱茵河之间的古代凯尔特民族。他们曾同阿比亚尼和阿特雷巴特两部落结成紧密联盟，但罗马在划分行省时，则把他们与阿特雷巴特人分开。直到此时凯尔特民族仍是由部落组成，以亲属关系相维系，在必要时就组成一支军事性集团。莫里尼人是优秀的铁匠和牧马人，住在小村落里。有关莫里尼人最晚的历史记载是公元前33年和公元前30年他们曾反抗罗马这两段史实。

Morioka 盛冈 日本本州东北部岩手县首府和最大城市。位于岩手山火山锥东南，临北上川。至今仍保持封建时代(1185～1867)的城镇风格，现为商业、铁路和文化中心。生产传统铁器，每年举办马市。人口约230 967(1989)。

Moriori 莫里奥里人 新西兰查塔姆群岛已消亡的土著居民，是一个波利尼西亚民族，语言和文化与毛利人相近。他们曾以蕨根、鳗、鱼类、卡拉卡浆果、鸟类为食，也捕食信天翁。衣着用海豹皮与亚麻粗织而成。18世纪末估计有1 000多人，1835年为毛利人征服和奴役，并逐渐被同化。最后一名纯血统的莫里奥里人于1933年死去。

Morisco 摩里斯科人 西班牙语意为"小摩尔人"。在西班牙已经受洗成为基督徒的穆斯林。在基督教徒收复被穆斯林占据的西班牙时，根据条约，允许在阿拉贡、巴伦西亚和格拉纳达投降的穆斯林有宗教信仰自由。但到15世纪末放弃了这一宽容政策。行政当局强迫穆斯林改教，并销毁伊斯兰教的经典。1526年以后，西班牙正式禁止信奉伊斯兰教。然而，摩里斯科人并没有被同化的现象，在说话、写字和服装方面，他们依然和穆斯林一样。1566年腓力二世下令不准格拉纳达的摩里斯科人保持自己的语言、风俗和服装。1569年摩里斯科人起来暴动。经过两年战争以后，他们被强迫离开格拉纳达，分散到西班牙北部各地。1609年西班牙国王下驱逐令，约30万摩里斯科人流落于阿尔及利亚、突尼斯和摩洛哥，在那里他们仍然被视为异族。几代以后，他们被同化，但有些西班牙传统保持至今。

Morison, James 莫里森(1816-02-14，苏格兰林利斯戈郡巴斯盖特［今在洛锡安］～1893-11-13，格拉斯哥) 基督教神学家。所创福音协会通称莫里森派。1839年正式开始布道，鼓吹基督救赎一切人，包括信徒和非信徒。这种普救论与《威斯敏斯特信纲》相抵触，因此被指控为异端。1843年5月福音协会在基尔马诺克成立，莫里森和其父罗伯特以及另外两人都参加这个派别。他并主持为该会培训教牧人员的学院。1897年福音协会与苏格兰公理会(两会共辖90多个教会)合并而成为苏格兰公理联会。

Morison, Robert 莫里森(1620，苏格兰阿伯丁郡阿伯丁［今在格兰扁］～1683-11-10，伦敦) 苏格兰植物学家，与同时代的J.雷阐明并发展了植物的系统分类。1550～1560年任法国布卢瓦皇家花园园长。返英后任查理二世的医生并负责主管皇家花园。1669～1683年任牛津大学首任钦定讲座的植物学教授。1669年根据布卢瓦的植物目录编著《植物学序论》，书中对J.鲍欣和G.鲍欣的分类理论详加评论，认为不应根据习性、花序和用途(食用和药用)进行分类，而应根据形态特征，尤其是果实的外形和构造进行分类。1680～1699年著2卷《牛津郡普通植物志》，试图将其分类学原理应用于整个植物界，但在书中并未能遵循该原理。他自负、傲慢，不能与人合作，但后来的植物学家如C.林奈和J.de图尔纳福尔都承认受到他的影响。

Morison, Samuel Eliot 莫里森(1887-07-09，美国马萨诸塞波士顿～1976-05-15，波士顿) 美国传记作家、历史学家。具有细致入微的叙述才能，引导读者重温F.麦哲伦、C.哥伦布和弗朗西斯·德雷克爵士的探险经历。曾就读于哈佛大学，到国外进修后，回到哈佛大学任教40年。为了描写得更真实，他多次沿着哥伦布的航线旅行。战争期间，曾先后在12艘船舰上服役。1951年退役时为海军准将。作品有《马萨诸塞州航运史》(1921)、哥伦布传记《海洋上的船队长》(1942，获普利策奖)、《约翰·保罗·琼斯》(1959，获普利策奖)、《牛津美国人民史》(1965)、15卷本巨著《美国海军第二次世界大战作战史》(1947～1962)、《海军准将佩里生平》(1967)以及《欧洲人发现美洲：北方航行》(1971)。

Morison, Stanley 莫里森(1889-05-06，英国埃塞克斯旺斯特德～1967-10-11，伦敦) 英国活版印刷家、学者、印刷术史学家，所设计的泰晤士新罗马体活字特别受重视。这种字体以后被称作20世纪前半期最成功的新型活字。1912年他读到《泰晤士报》印刷术副刊以后，对于活版印刷术及活字设计产生了兴趣。副刊中还登载一则广告，介绍新期刊《印刷》杂志，杂志的宗旨是提高印刷术水平。他根据杂志第一期的招聘广告应聘，参加了它的印刷发行工作，获得了重要的活版印刷经验，因此而受雇于印刷商伯恩斯和奥茨，并于1913～1917年为他们设计书刊和广告。在鹈鹕出版社(1919～1921)和隐修出版社(1921～1922)时期，他获得了更多的印刷及活版术方面的经验。1923年任莫诺铸排机公司的活版技术顾问，在改进从前许多重要活字以适应机械排版的工作中，起了很大作用。他还在《印刷业年鉴》编辑部担任写作和编辑工作3年(1923～1925)，并协助该刊改进过去偏重介绍印刷工艺的单调内容。1923～1959年任剑桥大学出版社活版技术顾问。1926～1930年担任《花饰》杂志的主编，这是一份有影响的活版印刷术期刊。1929年他参加《泰晤士报》编辑部工作，为该报设计了泰晤士新罗马体活字，1932年10月3日首次出现在报上。1945～1947年任《泰晤士报文学副刊》编辑，后来还在该报担任各种职务。1960年退休。他的著作很多，具有广泛影响的是《精美印刷术400年》(1924)和《活版印刷基本原理》(1936)；他是《泰晤士报史》(4卷，1935、1939、1947及1952)的主要作者，还是《不列颠百科全书》编辑委员会委员、该书第14版(1929)的撰稿人。

Morisot, Berthe 摩里索(1841-01-14，法国布尔日～1895-03-02，巴黎) 法国女油画家、

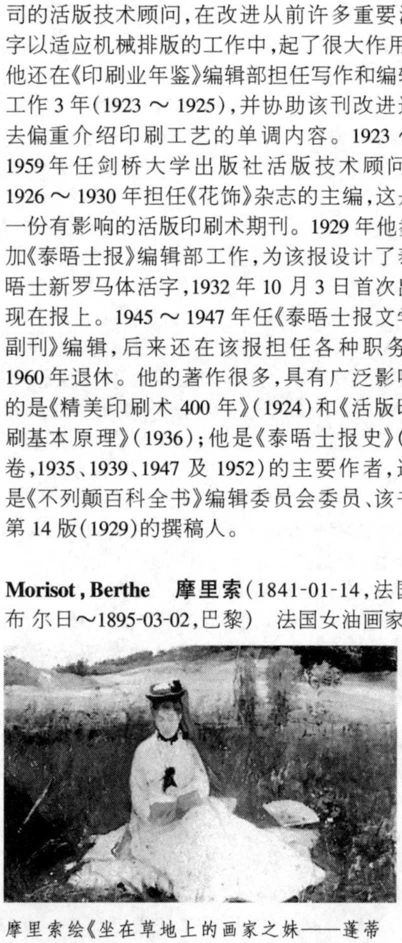

摩里索绘《坐在草地上的画家之妹——蓬蒂永夫人》(1873)

美国不列颠百科全书公司供图

版画家。曾积极参与印象派为争得社会承认而进行的斗争。她是洛可可画家弗拉戈纳尔的孙女。1862～1868年师事C.柯罗。1868年她与爱德华·马奈相识，受其影响很大，促使她的创作手法趋向自由开阔。像马奈一样，她的作品坚持素描造型，不像其他印象派画家那样专注于光色的试验。其典雅、精致的画风和微妙的色彩，闪耀着鲜绿色的光辉，受到印象派同伴的赞赏。她嫁给了爱德华的弟弟欧仁·马奈。

morisque dance 参阅 **Morris dance** 莫里斯舞。

Morita Akio 盛田昭夫（1921-01-26，日本名古屋～1999-10-03，东京） 日本实业家，世界著名的民用电子产品制造商索尼公司的创办者之一、总经理（1971年起）和董事长（1976年起）。其父为日本清酒酿造者，是大批的制酒人之一。曾入大阪帝国大学求学，1944年毕业，获得物理学学士学位。第二次世界大战期间被分配到横须贺空军兵工厂工作，在那里与参加战时研究委员会的工业方面的代表井深大相识。两人一起工作，共同研制热导系统和夜间观察装置。战后，两人在东京筹建通信实验室。盛田还在东京理工大学任教。不久以后，他和其他原军官均被禁止担任教职。1946年，盛田和井深共同创立了东京电信工程公司（日文汉字为“东京通信工业”），1958年改称索尼公司。盛田主要搞财务和业务；负责向全世界推销索尼产品。他用“美国化”的手段使索尼取得巨大成功，这一方法包括利用一家美国的广告公司推销索尼公司的新产品，在美国加利福尼亚州圣迭戈等地方建厂。在盛田的领导下，索尼于1963年成为进入纽约证券交易所的第一家日本公司。盛田采取许多方法推动索尼公司进一步国际化。1981年，他被任命为一个委员会的主席，研究解决日本贸易严重失调的新方法。

Moritz, Karl Philipp 莫里茨（1757-09-15，汉诺威哈默尔恩［德意志］～1793-07-26，普鲁士柏林） 德国小说家。自传体小说《安德烈亚斯·哈特克诺普夫》（1786）和《安东·赖泽尔》（4卷，1785～1790）是他最重要的作品。后者同歌德的《威廉·迈斯特》一样，都是描写当代生活的最成熟的18世纪德国小说。他还是一位在美学方面有影响的作家。他家境贫寒，曾在一个帽商手下当学徒。受他人周济得以攻读神学，后抛弃学业，试图改当演员，未成功。在柏林一度任《福斯报》编辑。1786年前往意大利旅行，在罗马结识歌德。1789年回到柏林，在艺术学院任美学和考古学教授。

Morland, George 莫兰（1763-06-26，英国伦敦～1804-10-29，伦敦） 英国风俗画、风景画和动物画家。其作品在18世纪后期、19世纪初期被广为模仿。曾在皇家学院美术学校中短期学习。第一次画展在私人场所举行。1786年7月同雕版家W.华德的妹妹安妮结婚，定居伦敦。遂即放弃肖像而从事柔情质

莫兰绘《马厩之内》（约1791）
美国不列颠百科全书公司供图

朴的风俗画，以平凡易懂的作品来争取广大群众。

Morley, Christopher 莫利（1890-05-05，美国宾夕法尼亚哈弗福德～1957-03-28，纽约长岛罗斯林海茨） 全名Christopher Darlington Morley。美国作家。他的各种体裁和题材的作品展示了他或庄或谐地运用英语表情达意的能力。莫利的父亲是位数学家，母亲是位音乐家和诗人，本人获得哈弗福德学院文学士学位（1910），接着获罗得斯奖学金，在牛津新学院进修（1910～1913）。在以后的岁月中，他在多个领域中获得成功。1920～1924年他在《纽约晚邮报》上，继而于1924～1941年在《星期六文学评论》上发表文学专栏，又将论文和专栏文章编成专集，如《桑迪加夫酒》（1918），这些为他赢得了名声。他的长篇小说包括颇有新意的《特洛伊木马》（1937）和《基蒂·福伊尔》（1939）。前者将散文、诗歌和戏剧对话糅合在一起，讽刺人们对奢侈生活的一心追求，后者则是畅销的言情小说，写一个坐办公室的姑娘和一个青年社交名流的故事。《老官吏》（1947）是一本俏皮的自由体诗集。莫利还主编了巴特利特的《常用引语》（1937，1948）。

Morley, Edward Williams 莫利（1838-01-29，美国新泽西纽瓦克～1923-02-24，康涅狄格西哈特福德） 美国化学家，因同物理学家A.A.迈克耳孙合作，企图通过假想的以太来测量地球的相对运动而闻名。1860年莫利毕业于威廉斯学院后从事科学和神学的研究。1868年在俄亥俄公理会牧师，次年在西部保留地学院任职。1882年该校迁至克利夫兰并更名为西部保留地大学，他继续留任至1906年退休。1873～1888年期间，还在克利夫兰医学院兼课。他的研究专题是对各种气体（特别是氧）的密度和原子量的精确测定。他作为一名熟练的实验科学家的声誉引起凯斯应用科学学校的迈克耳孙的注意。1887年他们进行了所谓的迈克耳孙-莫利实验，企图在相对于地球运动的不同方向上探测对于光速的“以太阻尼”效应，终于以失败告终。这是导致爱因斯坦发现相对论的一个主要步骤。

Morley, Margaret Warner 莫利（1858-02-17，美国艾奥瓦蒙特罗斯～1923-12-12，华盛顿哥伦比亚特区） 美国生物学家、教育家和作家。在纽约市布鲁克林长大。1878年毕业于纽约市师范学院（现为亨特学院）。之后攻读了生物学研究生。随后从事教学生涯，并先后到过州师范学校（现为威斯康星－密尔沃基大学的一部分）和阿默学院等学校。然而，莫利作为专为孩子们写作的自然科学和生物学科普作家则更为出色。莫利的不少作品被许多学校选作课文，包括：《生命之歌》（1891）、《花儿和她们的朋友》（1897）、《昆虫家族》（1903）、《卡罗来纳山脉》（1913）和《小精灵苹果树》（1915）等。

Morley, Robert 莫利（1908-05-26，英国威尔特郡塞姆利～1992-06-03，伯克郡雷丁） 英国多才多艺的演员、导演兼剧作家，尤以演喜剧和喜剧式正剧为特长。毕业于伦敦皇家戏剧艺术学院。1928年在马盖特城首次登台。他与众不同的外貌，滚圆的身材和胖乎乎的脸限制了他能扮演的角色，因此他的最佳角色大都是亦庄亦谐的喜剧人物。1936年他在伦敦上演的《奥斯卡·王尔德》中扮演的主角王尔德，使他首次取得令人瞩目的舞台成功，1938年又以同一角色在纽约首次亮相。他后来扮演的角色有《皮格马利翁》（1937）中的亨利·希金斯、《来赴晚宴的人》（1941）中的谢里丹·怀特赛德、《第一绅士》（1945）中的雷金特王子、《整体的大部分》（1960）中的阿萨诺先生和《女人是怎样恋爱的》（1970）中的弗朗克·福斯特等。他所创作和改编的剧作大都也属于这一类，唯一例外的是他创作的著名剧作《爱德华，我的儿子》（1947，与人合作）。莫利从1938年后拍过60多部影片，首次登上银幕是1938年在《玛丽·安托万内特》中扮演路易十六。此外较有名的影片有《巴巴拉少校》（1941）、《非洲皇后号》（1951）、《杰出的吉尔伯特和沙利文》（1953）、《环游世界八十天》（1956）、《奥斯卡·王尔德》（1960）、《托普卡皮》（1964）、《克伦威尔》（1970）和《谁在杀害欧洲的大酋长？》（1978）等。1957年被授予英帝国三级勋爵士封号。

Morley, Thomas 莫利（1557或1558～1602-10） 作曲家、管风琴家和理论家，英国伟大的牧歌作曲家的先驱。曾在许多教堂中供职。1592年宣誓成为皇家教堂堂士。师承W.伯德。1591年前后他显然已开始意识到新兴起的以意大利牧歌填英语唱词这一形式的发展前途，开始出版自己创作的牧歌。曾出版25首三声部的《坎佐内特》（1593），及17首五声部和4首六声部的《坎佐内特》（1597）。最早的牧歌集由22首组成（1594）。1595年以G.G.加斯托尔迪的芭蕾舞剧为蓝本创作20首芭蕾音乐，但其音乐发展更为精雕细琢，和声方向的意识也更强。他擅长写作轻松愉快的牧歌或坎佐内特。1598年出版以英语歌词配制的意大利牧歌选集，同年获得在英国出版音乐21年的专利权。在所著教本《实用音乐简明序论》（1597）中阐明了当代和较早时期的作曲理论基础知识。莫利的作品按两种截然不同的风格写成。作为伯德的学生，他受的是牧歌以前的辽阔而强劲的英国复调音乐风格的教育。另一方面，他在16世纪90年代出版的牧歌集则采用了意大利牧歌的风格，特点为能给人留下深刻印象，和声上温和亲切，节奏轻快，织体清晰。另编

辑了《奥利安娜的胜利》一书(1603),其中收集了不同作曲家的25首牧歌。其最后一部作品集为《歌曲首册》(1600)。

mormaer 省督 凯尔特苏格兰(即福斯和克莱德以北的部分)所划分的7个省统治者的称号。12世纪之后,在盎格鲁-诺曼人的影响下,古代斯堪的纳维亚人将此凯尔特称号改为"伯爵"。苏格兰的这7个省或最初的"伯爵领地"是:安格斯、阿索尔和高里、凯斯内斯和萨瑟兰、法夫、马尔和巴肯、马里和罗斯、斯特拉斯·厄恩和门蒂思。

Mormon 摩门教徒 摩门教的各派别(其中最大的派别是耶稣基督末世圣徒教会)的信徒。摩门教起源于约瑟·史密斯于1830年前后在美国创立的宗教。1827年,在纽约州

美国马里兰州肯星顿县郊区的摩门教教堂,建于1830年
美国国际新闻处供图

西部,农人之子小史密斯在热烈的宗教奋兴运动中声称,一位名为摩罗乃的天使给他一批金页片,史密斯把金页片上的铭文译成英文,成为《摩门经》;摩门是古代美洲的一位先知,他对金页片进行了整理删节,经名本此。1830年史密斯出版《摩门经》,成立他的新教会。教徒不久迁到俄亥俄州吉尔特兰。史密斯在吉尔特兰和密苏里州杰克逊县建立公社式的以诺统一会。由于与这些地区的非摩门教徒发生冲突,一些教徒被害,财产被焚。在密苏里州的畜奴者认为摩门教徒是宗教狂热分子,也许还是废奴主义者,因而关系紧张到发生武装袭击,于是15 000摩门教徒被迫于1839年自密苏里州迁到伊利诺伊州。史密斯在该地建诺伍城。摩门教徒经商有术,政治势力增强,引起教外人敌视。1844年史密斯镇压叛教人士,激化了教外人士的愤懑,于是州政府逮捕史密斯,押在诺伍附近迦太基监狱,1844年6月27日在押的史密斯被暴徒谋杀。史密斯死后,摩门教会的管理权由十二使徒理事会掌握,十二使徒理事会的资深首长是扬,扬得大多数教徒的拥护,任会长。暴力事件愈演愈烈,摩门教徒在伊利诺伊州无法容身,遂在扬的指挥下于1846～1847年向犹他地区进行1 800千米大迁徙。先锋约170人于1847年7月到达大盐湖盆地。到了1869年,约有80 000摩门教徒或乘马车,或推车,或步行,先后到达盐湖城,1869年铁路修到该城,迁往该地大为方便。摩门教徒一到大西部,便在除大盐湖以外的各河谷地区定居垦殖。犹他地区的摩门教徒于1849年申请建州,遭到合众国政府拒绝,该地区于1850年被批准为准州,由扬任准州长。建州的主要障碍在于摩门教的一夫多妻习俗。1857年暴发芒廷梅多斯惨案,其后美国总统布坎南派兵到犹他平息莫须有的摩门教徒反对联邦当局的"叛乱"。这次半途而废的军事行动激起对摩门教徒的普遍同情,通称"布坎南失误",但是也结束了摩门教对犹他的政治控制。摩门教徒在扬的领导下扩大在整个西部地区的垦殖活动,建圣殿圣所,办学,兴办多门类商业和工业。扬死于1877年,后继人是十二使徒理事会资深使徒泰勒。1890年摩门教会放弃多妻习俗,1896年犹他州成立,是为联邦的第45个州。人数虽少而势力大的一派人不服扬的领导,留在艾奥瓦州和伊利诺伊州,会同约瑟·史密斯的儿子(也名约瑟·史密斯)的一派人于1852～1860年另立耶稣基督末世圣徒改组教会。其后,又出现了一些小支派。摩门教承认《圣经》中"未经误译"的部分。史密斯曾重译《圣经》,但未完成。《摩门经》在文笔和主题上酷似《旧约》。史密斯还有根据启示写成的其他经籍,后来都收进《无价珍珠》;收进该书的还有他从纸莎草纸上译出的《亚伯拉罕书》和《摩西书》。摩门教的教义偏离正统基督教,其突出特点是:多神论,认为上帝是从人变来的,人可以成神;三位一体中的三位各不同质,人的灵魂在创世以前已经存在。该教承认:基督到地上来是要拯救一切人,使他们从死亡中复活,但是又认为,人的未来由自己的行为决定。摩门教认为:忠诚的教徒将得到永生,成为神,甚至是曾违背上帝律法者也将生活在荣耀中。该教相信:先是基督重返地上,然后是第一次死人复活和千禧年。经过千禧年和第二次死人复活,大地必变成天界,一切人都要安置在各个天国中。史密斯的教义一方面要求人悔改,另一方面反映现世乐观主义,强调人天生善良并具有无限的进步潜力。史密斯对千禧年主义进行了修正,号召信徒团结劳动,建立新社会制度的锡安。摩门教内基本上不分神职人员与平信徒。摩门教会强烈要求18～20岁的青年男子短期到海外作传教工作。摩门教徒重视家谱世系,因为他们关心先人的得救。摩门教有严格的禁戒(禁酒、烟、茶和咖啡),也有严峻的工作伦理,但是不讲禁欲,认为娱乐、体育运动和教育活动都是美德。耶稣基督末世圣徒教会是摩门教最大的教会,在20世纪末期有教徒700万人,其中60%在美国,其余在拉美、加拿大、欧洲及大洋州部分地区,总部设在盐湖城。其次是耶稣基督末世圣徒改组教会,20世纪末期教徒超过20万人。

Mormon, Book of 《摩门经》 美国耶稣基督末世圣徒教会和摩门教其他派别奉为《圣经》之外的另一部经典。1830年出版于纽约州帕尔迈拉市,随后多次再版和转译。摩门教徒认为它是该教创始人史密斯根据启示翻译而成的。据《摩门经》载,公元前600年前后一批希伯来人在先知李海率领下自耶路撒冷移居美洲,繁衍增殖,后来分成两系。拉曼人是美洲印第安人的祖先,他们忘掉了传统信仰,转奉异教。尼腓人发展固有文化,建设大城市,在公元400年前后被拉曼人灭亡。此前耶稣曾自天上返回人间对尼腓人进行教育。先知摩门将这一段历史和耶稣的教导摘要记在金页片上。摩门的儿子摩罗乃对之进行增补,将金页片埋藏起来,经过1 400年后由摩罗乃(可能是死而复活,也可能已成为天使)授与史密斯;史密斯译出经文之后,将金页片交还摩罗乃。摩门教外评论家对于《摩门经》的来源意见不一。有的评论家认为,它只是史密斯一人的创作。另有人说,它是根据牧师斯波尔丁的小说手稿而写,后一说现已被否定。

mormyrid 长颌鱼 又作mormyr。非洲产黏滑的淡水硬骨鱼类,属长颌鱼目长颌鱼科。常见于流动缓慢多泥的混浊水中。鳍软,有腹鳍,尾鳍叉状,口、眼均小,鳃孔窄小,鳞片

锥颌鱼属(*Gnathonemus*)有鳞长颌鱼
美国不列颠百科全书公司供图

亦小。体长9～50厘米。脑相对较大,与体重的比例可同人脑相似,脑的面积较大,表明其感觉发达。头每侧有一附连不紧的骨板,掩盖着一个与内耳相通的小囊。尾部有成对的发电器,能发出弱电流,绕鱼体形成电场,用作感觉屏。多以小型动物、水生植物或有机碎屑为食。共有100多种,分属于约11属。锥颌鱼属(*Gnathonemus*)的种类具象鼻状的长吻,口位于其末端,俗名象吻鱼。其他长颌鱼类的头窄,下唇突出或吻部短圆。长颌鱼属(*Mormyrus*)的尼罗河种,其形象曾出现在古埃及的壁画和象形文字中。

Mornay, Philippe de 莫尔奈(1549-11-05,法国诺曼底布伊～1623-11-11,塞夫尔河畔拉福雷) 又名P.迪普莱西-莫尔奈。法国外交家,宗教战争期间新教事业的著名宣传家。受新教教育。在海德堡大学学习希伯来文、法律和德文。圣巴托罗缪惨案(1572-08-24)时,他在巴黎仅以身免。此后4年中写下许多政论,其中《捍卫自由反对暴君》(1579)是宣扬当时新教政治思想的最著名短论。它认

为君主与人民订有契约。如君主变为暴君，则契约撕毁，人民有权将他废黜。他为胡格诺派作战，1575年被俘，但隐瞒身份，付少量赎金后获释。后成为纳瓦拉的亨利（后为法国国王亨利四世）所器重的顾问，1589年4月，为纳瓦拉的亨利和法国国王亨利三世的和解进行谈判。他为新教事业和亨利四世领导过几个重要的使团。亨利四世登基后被任命为索米尔总督。1593年亨利四世与罗马天主教和解后，疏远了莫尔奈。1600年在枫丹白露与埃弗勒主教发生争执，因而明显失去了亨利四世的宠信。以后再未参与国事，1621年被革去总督职务。莫尔奈还著有《教廷史》（1611），他的《回忆录与通信集》（12卷，1824～1825）包含许多有关法国新教政策的文件。

morning glory　牵牛花　番薯属（**Ipomoea**）数种草本缠绕植物或灌木的俗称。

Morning Star（Cheyenne leader）　**晨星**　参阅 **Dull Knife** 钝刀。

Mornington, Richard Colley Wellesley, 2nd earl of　莫宁顿伯爵（第二）　参阅 **Wellesley（of Norragh），Richard Colley Wellesley, Marquess** 韦尔斯利侯爵。

Morny, Charles-Auguste-Louis-Joseph, duc de　莫尔尼公爵（1811-10-21，巴黎～1865-03-10，巴黎）　法国第二帝国时期的政治和社会领袖，在同母兄弟路易-拿破仑称帝的1851年12月政变中曾起重要作用。他是弗拉奥伯爵奥尔唐斯（博阿尔内的）的私生子，使用虚构的莫尔尼伯爵称号直至晚年被封为公爵时为止。初在法国陆军中任少尉，主要在非洲服役（1832～1836）。后辞去军职，参加巴黎的社交活动，并靠从事投机和甜菜榨糖致富。1842和1846年被选入众议院，在路易-拿破仑成为共和国总统以前，他在政界中并未达到高级的地位。1849年当选为代表多姆山省的众议员。路易-拿破仑发动政变的当天，他成为内务大臣。他组织了一次公民投票，使路易-拿破仑成为独裁者。不久辞去大臣职务，一度出任驻俄国大使（1856），后成为立法议会议长。任此职时，他一改以前的反动做法，曾劝拿破仑三世给这个国家以更多的自由。他看到拿破仑三世的专制权力不会长久，因此劝其自动予以放弃，而不要被迫放弃。尽管彼此存在分歧，他对皇帝仍有很大影响。1862年被封公爵，但健康每况愈下。死前，皇帝和皇后亲往探望。

Moro　摩洛人　菲律宾棉兰老、巴拉望、苏禄群岛及其他南方诸岛的穆斯林各民族之总称，约占菲律宾人口的5%。依照他们所使用的语言可分为10族：北哥打巴托、苏丹库达拉和马京达瑙等省的马京达瑙人；北拉瑙和南拉瑙等省的马拉瑙人；霍洛岛的陶撒格人；苏禄群岛的萨马尔人；苏禄群岛的巴召人；南三宝颜省的雅坎人；棉兰老南部的依拉农人；棉兰老南部的桑吉尔人；巴拉望南部的梅莱布加农人；卡加延群岛的贾马马蓬人。摩洛人在种族上与其他菲律宾人并无不同，但由于特有的伊斯兰教信仰（14世纪由婆罗洲及马来亚传入）和地方文化，无法溶入菲律宾生活的主流，才为群众所歧视，为国家所忽视。摩洛人与统治当局的冲突已有数百年的历史。16～19世纪，他们抵抗企图消灭"异端"的西班牙天主教殖民者。20世纪的前10年中，他们与美国占领军抗争，希望建立独立的主权。最后——尤以60年代后期以来——他们以叛乱方式反对独立后的菲律宾政府。历史上，穆斯林菲律宾人从未组成过一个共同的政权。不同群体或部落各自独立，彼此冲突不断，并各自把伊斯兰教义和习俗移植到自己独特的地方文化中。然而摩洛人面对非穆斯林势力时所经历的苦痛，要远胜于内部的歧见。第二次世界大战后，北部的基督教菲律宾人大量移居南部各省，收购土地，并且试图把学校和各种机构基督教化，从而使摩洛人传统上所受宗教歧视和经济压迫的痛苦大大加剧。据1971年《马尼拉时报》估计，约有80万穆斯林因被基督徒逐出他们的土地而流离失所。目前倡导摩洛分离主义的抵抗组织主要是摩洛民族解放阵线（MNLF）。它成立于1968年，曾采用恐怖主义手段，发动一次叛乱，使5万人丧生，使菲律宾当局投入其半数兵力进行清剿，并驱使约2万名穆斯林难民逃到东马来西亚的沙巴。到1976年底，叛乱分子才同政府军实行停火。1976～1977年间，马科斯政府同意摩洛各族区域自治。但1977年解放阵线主席N.米苏阿里又要求菲律宾南部完全独立，并先后获得利比亚和伊朗在外交上和军事上的支持。战争后来逐渐缩小规模，摩洛人转入突击和伏击活动。据说摩洛民族解放阵线本身也分裂为若干派系，大致依照传统上种族和地域的不同而再度形成各种敌对势力。

Moro, Aldo　莫罗（1916-09-23，意大利马利耶～1978-05-09，罗马或其附近）　意大利法学教授、政治家、天主教民主党领袖，5次任意大利总理（1963～1964，1964～1966，

美国新闻处供图

1966～1968，1974～1976，1976）。在巴里大学任法学教授时，曾出版几部法学著作，又任意大利大学天主教徒联合会主席（1939～1942）和天主教大学毕业生运动主席（1945～1946）。第二次世界大战后选入制宪议会和立法议会，历任外交部副部长（1947～1948）、司法部长（1955～1957）和教育部长（1957～1959）。1959年3月始任天主教民主党书记。1963年12月组织政府，并邀请社会党人入阁。1966年再度组织新政府，1968年辞职。1970～1972年任外交部长。1972年11月任联合政府总理，但这届政府于1976年1月倒台。1976年再次出任总理。同年成为天主教民主党主席。1978年被红色旅恐怖分子绑架并杀害。

Moro, Antonio（Dutch painter）　参阅 **More, Sir Anthony** 莫尔。

Moroccan crises　摩洛哥危机（1905～1906，1911）　法国企图控制摩洛哥和德国企图阻止法国势力的两次国际危机。1904年法国同西班牙缔结瓜分摩洛哥的秘密条约，并同意不反对英国在埃及的行动，以换取它不干预摩洛哥局势。但德国坚持在该地区实行门户开放政策，德皇威廉二世以显示威力的姿态访问丹吉尔，并于1905年3月31日在其游艇上宣告维护摩洛哥的独立和完整。结果引起国际惊慌，爆发了第一次摩洛哥危机。这次危机在1906年1～4月举行的阿尔及西拉斯会议（**Algeciras Conference**）上得到解决。德国和其他国家的经济权利得到确认，法国和西班牙则被委以摩洛哥的警察权。第二次摩洛哥危机是突然发生的。1911年7月1日德国派遣炮艇"豹"号驶进阿格的尔港，表面上是为了在摩洛哥本地人发生叛乱期间保护德国人的利益，实际上是对法国进行威胁。阿格的尔事件使得关于战争即将爆发的议论在当年夏季和秋季甚嚣尘上。同时国际谈判持续进行，1911年11月4日协定的签订，使危机得到平息。法国获得了对摩洛哥的保护权，作为回报，德国获得了法属刚果的一些领土。1911～1912年列强之间的谈判还导致了丹吉尔及其周围地区的国际化。

Morocco　摩洛哥　全称摩洛哥王国。位于非洲西北角，东北至西南最长为1 328千米，东西最宽765千米。东和东南与阿尔及利亚交界，南邻西撒哈拉，西濒大西洋，北临地中海。北隔直布罗陀海峡与西班牙相望。首都拉巴特。面积458 730平方千米。人口约29 632 000（2002）。

土地　摩洛哥境内多山，平均海拔800米。东部地区和西部大西洋沿岸地区为两条东北-西南走向的山脉（北部沿岸的里夫山和中部的阿特拉斯山脉）所隔开。摩洛哥的山脉是北非最高的山脉，占国土总面积的1/3以上。新月形的里夫山耸立在地中海沿岸，其中提迪根山海拔2 456米。中部的阿特拉斯山脉包括3条山脉，平均海拔3 350米，中阿特拉斯山脉的图卜卡勒山（海拔4 165米）为摩洛哥第一峰。

摩洛哥的低地区和石质高原也受阿特拉斯山系的影响，只有约占土地总面积1/5的肥沃冲积低地可以进行集约耕种。低地区包括穆卢耶河低地（东北部）、西干河低地（西北部）、大阿特拉斯山麓冲积平原（中部）和苏斯平原（西南部）。石质高原（平均海拔910米）约占土地总面积的一半，包括摩洛哥东部高原、拉巴特沿岸高原和南部半干旱的撒哈拉高原。

摩洛哥的河流均为急流河，除北部的穆

卢耶河注入地中海外，大多均注入大西洋或消失在撒哈拉沙漠之中。摩洛哥位于强地震活动带，是破坏性地震多发区。

摩洛哥属地中海气候，北部和中部大多冬季湿暖、夏季干热；南部为半干旱荒漠气候。月平均气温的年变化幅度在沿海地区为17～23 °C，内陆为10～27 °C。年降水量北部800毫米，南部200毫米，东南部沿撒哈拉地区为100毫米或更少。

美国不列颠百科全书公司供图

全国总面积约1/5的地区为森林覆盖。山区重要树种有西洋杉、枞树和杜松；海拔较低处有野橄榄、栓皮槠和矮棕榈。野生动物有野绵羊、瞪羚、大耳小狐和猕猴，均生活在阿特拉斯山区。

磷酸盐岩是摩洛哥最重要的矿物资源，产于中西部的胡里卜盖和优素菲耶附近，储量居世界第一。其他矿产有铁矿、锌、铅、岩盐、锰、铜和煤等。

人民 阿拉伯化的柏柏尔人是主要的语言文化群体；其中许多人讲阿拉伯语和柏柏尔语。受同化程度较低的柏柏尔人约占总人口的1/3，居住在山区，在那里柏柏尔语得以保存；他们共有3个族群：里夫山区的里夫人、中阿特拉斯山区的塔马齐特人以及大阿特拉斯山区和苏斯河谷的施卢赫人。自1956年摩洛哥独立以来，法国人和西班牙人等少数民族明显减少；其他少数民族有贝都因阿拉伯人和黑人。境内为数众多的少数民族犹太人到20世纪末期大部已移居以色列。阿拉伯语为官方语言。摩洛哥人大多属于马立克学派的逊尼派穆斯林。

摩洛哥的人口增长率较高，但低于中东和北非地区的平均水平。20世纪60年代，政府试图推行计划生育计划以使很高的出生率有所下降，但遭到穆斯林文化的强烈抵制。全国2/5的人口年龄不足15岁，使就业人口的负担不断增加。

几乎有1/2的人口居住在城市区。全国人口密度相对较低；人口最稠密地区为西部的城市中心。农村人口不断流入城市，使城市的拥挤情况更加严重。卡萨布兰卡为该国最大城市；拉巴特、非斯和马拉喀什亦为大型城市中心。由于20世纪80年代初期西欧开始限制外国移民，致使移居西欧的摩洛哥人减少。

经济 摩洛哥的经济属混合型，主要以服务业、农业和矿业为基础。经济的增长为人口的迅速增长所抵消；非技术工人过剩。人均国民生产总值仍相对较低。

农业约占国内生产总值的1/5，占用2/5的劳动力。1963年实行土地改革，只有少数农民获益；土地被征用的欧洲人得到部分赔偿。摩洛哥的农场面积不大，大多由家庭承包。由政府补助有灌溉设备的农场生产柑橘类水果、葡萄酒和蔬菜，大多供出口。主要作物大麦和小麦的年产量不稳定，不敷国内所需；甜菜亦为主要作物。牛羊的生产能力普遍很低，牛奶依赖进口。20世纪80年代期间，渔业得到发展；渔产以大西洋的沙丁鱼和鲭为主。

摩洛哥为世界磷酸盐岩(即磷灰岩，可制成农用磷肥)最大的出口国。磷灰石的生产由政府通过磷酸盐公司加以控制。铁矿、铅、钴、锌、锰和银亦有开采。石油产量只能满足国内小部分需求。伊斯兰开发银行曾为燃料进口筹资，这批款项使摩洛哥的国际收支极度紧张。索维拉和迈什拉拜勒盖西里附近发现有天然气蕴藏。

制造业约占国内生产总值的1/5，占用1/6的劳动力。工业以生产磷酸盐为主。卡萨布兰卡为全国工商业中心，以轻工业为主。政府鼓励在卡萨布兰卡以外地区发展工业，制定了刺激外国投资的宽松规定。政府在其拥有的经济企业中倾向于与国内外私人资本搞联合经营。小型工业雇用大部分工业劳动力，生产少量的消费品。主要工业制品有石油产品、水泥、纺织品、加工食品和化学制品。电力生产依赖进口燃料；水力发电约占全国电力生产的1/10以上。

交通运输网高度发达，尤其是在北部和西部的各城市之间；境内50%的道路铺有路面。主要港口有阿加迪尔、卡萨布兰卡和丹吉尔，均有国际机场。铁路由政府经营。

进口以资本货物、半成品、燃料和消费品为主，超过农产品、磷酸盐岩、磷酸和服装的出口。政府对进口商品进行限制，以遏制外贸逆差局面。主要贸易伙伴有法国、西班牙、意大利、印度和德国。

政体与社会状况 摩洛哥是一个君主立宪国家。1972年宪法(1980年和1992年修订)规定王位世袭，国王拥有最高行政权；由他任命首相。摩洛哥实行成人普选。一院制众议院行使立法权，其中2/3议员通过直接选举产生，1/3由选举团选出；议员任期均为6年。司法系统独立，以国王任命的最高法院为最高司法机构。1992年大幅修改宪法，扩大了首相和众议院的权限。

社会保障制度仅惠及小部分劳动力。另有多种福利服务，包括为失业者提供临时工作和食物。就中东和北非而言，摩洛哥的医疗卫生条件一般较差。医疗设施和医务人员集中在城市；这是造成地区生活条件悬殊的原因之一。平均预期寿命仅约63岁。部分农村地区和城市贫民区存在营养不良情况。住房不足日益严重，在较大城市中的贫民区可见一斑。政府对私人兴建住房提供补助。

政府对7～13岁未成年人实行义务教育。教育体制包括5年制小学、4～7年制中学和技术学校，也有高等学校。但全国人口识字率仅为50%。

摩洛哥新闻界通常只反映政府和政党的观点，读者有限。由于文盲比率高，国营的广播媒体远比印刷媒体重要。教育节目和宗教节目很受重视。

文化生活 摩洛哥的阿拉伯文学创作不断增加和题材不断翻新。除传统的文学形式，如诗歌、散文和历史著作外，尚有因受中东和西方文学形式影响而产生的形式。从1956年独立以来，绘画、雕刻和业余戏剧一直兴盛不衰。卡萨布兰卡和得土安的两所美术学校为培养绘画艺术的中心。音乐有阿拉伯音乐、柏柏尔音乐、流行音乐和古典音乐等形式。

历史 柏柏尔人大约在公元前2千纪末期迁到摩洛哥。公元前12世纪期间，腓尼基商人在其地中海沿岸建立贸易站。公元前5世纪，迦太基在其大西洋沿岸设有殖民地。迦太基衰亡后，摩洛哥在柏柏尔国王朱巴二世(公元前25年～公元24年)统治下，成为罗马帝国的忠实盟友。公元46年，摩洛哥被罗马吞并，成为毛里塔尼亚省的一部分，一般认为该省在罗马统治的后半段期间几乎完全基督教化。

7世纪后期，穆斯林从东方侵入摩洛哥。740年，柏柏尔人反叛大马士革伍麦叶王朝的统治，进而脱离伍麦叶王朝和阿拔斯王朝的统治。经过300年的地方征战和王朝更替后，一个称之为穆拉比的柏柏尔邦联在11世纪中叶征服了整个摩洛哥，并统治西班牙各穆斯林地区。12世纪初期，另一柏柏尔部族穆瓦希德人反叛穆拉比王朝，并成为摩洛哥和西班牙整个穆斯林区的统治者。13世纪，穆瓦希德人渐渐被逐出西班牙；1269年在摩洛哥被马里尼德人打败。在马里尼德人统治下(至15世纪中叶)，穆斯林神秘主义，即苏菲派，在摩洛哥兴起。马里尼德人衰亡后，摩洛哥分裂成若干独立小邦国，直到约1550年萨迪人在摩洛哥确立统治地位。

1830年，欧洲加强对北非的干预。法国

侵入阿尔及利亚，并强求摩洛哥人协助逮捕阿尔及利亚的民族领袖阿卜杜卡迪尔(1846)。1856年，英国从摩洛哥获得待遇优惠的贸易权。1859年，西班牙侵略摩洛哥以扩大其在北非的领地。1912年，摩洛哥苏丹阿卜杜勒·哈菲德接受摩洛哥作为法国保护国的地位。

第二次世界大战期间及其后，摩洛哥的民族主义开始兴起。1956年该国通过谈判脱离法国独立，苏丹西迪·穆罕默德建立了立宪政体。1961年，M.哈桑继承父位，称哈桑二世。几次未遂军事政变使议会政治的建立延迟到1977年。1977年举行选举，国王的支持者上台执政。

70年代后期，摩洛哥重申对西属撒哈拉的领土主权，遣送约35万人到该区定居。1976年，西班牙军队撤离该地区，留下阿尔及利亚支持的撒哈拉游击队波利萨里奥阵线与摩洛哥的领土要求抗争。80年代，摩洛哥继续其开发西属撒哈拉地区(更名为西撒哈拉)的政策，造成与阿尔及利亚和毛里塔尼亚的关系恶化。该地区的战争一直持续到90年代，但规模变小。1999年7月哈桑二世病逝，王储西迪·穆罕默德继位，称穆罕默德六世。

Moroleón　莫罗莱昂　墨西哥中北部瓜纳华托州南部城市。在巴希奥地区。海拔1 772米。为周围农牧业区的商业和制造业中心。气候凉爽，宜于农作物生长。有玉米、豆类、苜蓿、小麦、鹰嘴豆和洋葱。畜牧业发达。主要制品有鞋和披巾。有公路通米却肯州首府莫雷利亚。人口47 100(2000)。

Morón　莫龙　1930～1943年称九·六区和九·六城。阿根廷大布宜诺斯艾利斯的行政区和区首府(市)。位于布宜诺斯艾利斯省布宜诺斯艾利斯市以西。在17世纪和18世纪初，现在的这一行政区为孔沙斯区的一部分。1730年并入马坦萨区。1870年建立莫龙行政区。面积131平方千米，东北界二·三行政区，东南接马坦萨行政区，西南邻梅洛行政区，西北与莫雷诺行政区、萨米恩托将军行政区和雷孔基斯塔河相连。为1852年2月3日的卡塞罗斯战役的战场。1930～1943年为纪念1930年9月6日的武装起义，莫龙行政区和莫龙市又以九·六区和九·六城而闻名。园艺、农业(谷物和苜蓿)和畜牧业在莫龙前农村地区广为发展。莫龙市为重要工业中心，有肉类加工厂、乳制品厂、食品罐头厂、制革厂等。其他主要地区有乌尔林加姆、卡斯特拉尔、伊图萨因戈和马里亚诺J.阿埃多。首都发展将莫龙划入大布宜诺斯艾利斯郊区，因而其人口密度较其他许多行政区大。有铁路和公路。有机场。人口：行政区340 645(1999)。

Morón　莫龙　古巴中东部谢戈德阿维拉省北部城市。位于莱切潟湖南面的多沼泽沿岸平原上。为重要的地区性运输和制造业中心。加工运自腹地的甘蔗、烟草、可可、咖啡、水果、牛和木材等。附近有沥青和铬铁矿。有铁路和公路通往北方海岸的城市中心，有机场。人口约49 800(1991)。

Morón　莫龙　委内瑞拉中北部卡拉沃沃州中央高原城镇。根据政府利用石油工业收入推动国内生产的政策，于1950年选定该镇为发展重点。莫龙是委内瑞拉主要工业中心之一，是政府石油化工业所在地。该镇接近原材料产地(石油、天然气、盐、黄铁矿、硫酸盐和石灰石)，人口集中，交通便利(附近有重要的铁路和公路)，西面有卡贝略港(全国最重要的港口之一)。有炼油设备，可制造合成橡胶、洗涤剂、塑料及其衍生物、药品、尼龙、氢氧化钠、氯、氨、尿素、除草剂、杀虫剂、炸药和化肥。人口约57 200(1990)。

Morón de la Frontera　莫龙-德拉弗龙特拉　西班牙西南部安达卢西亚自治区塞维利亚省城市。地处瓜达尔基维尔河谷。初由腓尼基人创建。后被罗马人占据；由莱昂和卡斯蒂利亚国王费迪南德三世收复。后又让与塞维利亚。现经济以农业为主，出产橄榄、橄榄油、小麦和烈性酒等。亦生产建筑材料。人口28 207(1999)。

Morone, Giovanni　莫洛内(1509-01-25，米兰[意大利]～1580-12-01，罗马)　意大利天主教枢机主教。他于1529年任摩德纳主教，1536年教皇保罗三世任命他为驻德意志大使，他在该国推动神学讨论，同时筹备会议以期使各基督教国家之间实现和平而使天主教与新教相安无事。1542年返回罗马，任枢机主教。原被任命为教皇保罗三世的代表，准备参加特伦托会议，但特伦托会议延期，保罗三世乃于1544年任命他为博洛尼亚总督。在教皇尤里乌斯三世在位期间，莫洛内1553～1560年任诺瓦拉主教。1557年教皇保罗四世因为怀疑他信仰异端，将他囚禁于罗马，1559年保罗四世死，获释。教皇庇护四世宣布他无罪，并于1563年任命他为特伦托会议主席。当时各国许多主教要求会议声明各主教的权力直接得自天主而不是通过教皇。罗马代表团极力反对，于是会议陷入僵局。莫洛内发挥外交手腕，使双方极端派放弃成见，会议最后宣布，各主教奉圣灵派遣管理教会。1570年任奥斯蒂亚主教，晚年管理罗马英吉利学院。

Moroni　摩罗乃　据耶稣基督末世圣徒教会教义，他是天使或死而复活的人。据说他在1823年9月21日向史密斯显现，通知他已被上帝挑选来在地上重建上帝的教会。据说，4年后，最后一位古代先知摩罗乃把一批金页片交给史密斯，摩罗乃约在14个世纪以前把这些金页片埋在库摩拉丘(在纽约州帕尔迈拉附近)。金页片上记录着关于古代美洲一些先知和民族的历史和教诲。史密斯把这些内容写成《摩门经》，该书被摩门教奉为圣书。

Moroni　莫罗尼　科摩罗首都和海滨城镇。位于大科摩罗岛西南部。由操阿拉伯语的开拓者建立，为科摩罗群岛中最大的居民点。马约特岛上的主要城市藻德齐原为科摩罗行政首都，1958年由莫罗尼取代。该市港口仅有一小码头，承运香草、可可、咖啡和石油产

莫罗尼镇一临海的清真寺

美国不列颠百科全书公司供图

品。工业产品有饮料、香精油、金属制品、木制品和水泥。城市具有阿拉伯城市的风格，城内有许多清真寺和朝圣中心。有公路北通哈海阿，南通米苏杰等沿海城镇。城南有伊科尼国际机场。人口34 168(1995)。

Moroni, Giovanni Battista　莫罗尼(约1525，威尼斯共和国阿尔比诺～1578-02-05，贝加莫)　意大利文艺复兴时期画家，以冷静和庄重的肖像画著名。主要画贝加莫的小贵

莫罗尼绘《裁缝》

美国不列颠百科全书公司供图

族与城市自由民，如他的名作《裁缝》(藏伦敦国家画廊)。

Moropus　石爪兽　爪兽类(与马有关的、很异常的哺乳动物)的绝灭属。化石产于北美和亚洲的中新世(开始于2 600万年前，延续1 900万年)地层。像现代马一样大，但和其

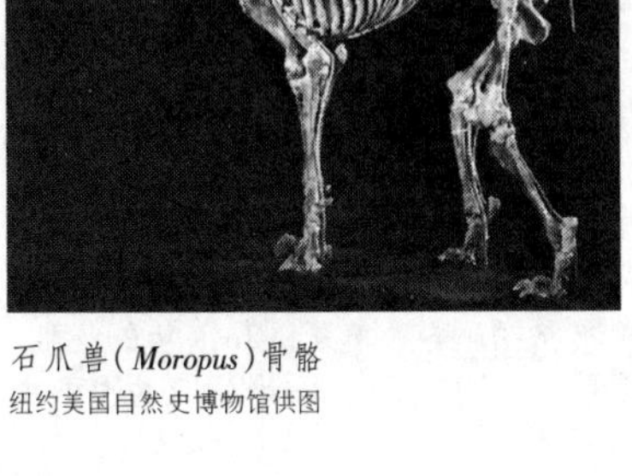

石爪兽(*Moropus*)骨骼

纽约美国自然史博物馆供图

他奇蹄类不一样，有爪而没有蹄。前肢比后肢长，自前背部向臀腰部倾斜向下。齿低冠，臼齿大，前臼齿小。很可能与其他马形动物不同，该属不吃嫩叶或草，而可能用其大爪去掘食根和块茎，因为根和块茎比草更加适应它的齿系类型。

Morosini FAMILY **莫罗西尼家族** 意大利威尼斯贵族世家，出过4位执政官、几位海陆军将领、两位枢机主教。10世纪初露头角。多梅尼科(1156年卒)于1148年当选执政官，把

弗兰切斯科·莫罗西尼
美国不列颠百科全书公司供图

权力扩及伊斯特拉半岛、达尔马提亚及亚得里亚海。马里诺于1249～1253年任执政官。鲁杰罗(罗杰)为海军上将，1298年大败热那亚人。最著名的是弗兰切斯科(1618～1694)，他与土耳其人长期进行战争，不愧为一代名将。1657年任舰队总司令，指挥过几次著名海战，攻克伯罗奔尼撒半岛和雅典。1688年任执政官。

Morotai **莫罗泰** 又称莫尔泰。印度尼西亚马鲁古省北马鲁古县岛屿。位于哈马黑拉岛东北。面积约1 800平方千米。岛上多山和树木，西南部有沼泽。主要物产有树脂和木材。居民以来自哈马黑拉岛的托彼劳人为主，也有一些穆斯林和基督教徒。第二次世界大战时为日本主要军事基地。1944年被盟军占领后发展为一个战略空军基地。岛西南端的比都附近现仍有空军机场。人口27 333(最新统计)。

Moroto **莫罗托** 乌干达东北部城镇。海拔1 370米。与索罗蒂和卡邦两地通公路。周围地区出产牲畜、玉米、木薯和大豆等，镇内有手工业，制做木器、陶瓷、编织物和陶土制品。有机场。人口10 517(1991)。

moroxite **蓝磷灰石** *磷灰石*(apatite)的蓝色变种矿物。

Morozov, Boris Ivanovich **莫罗佐夫** (1590～1661-11-11[旧历11-01]) 俄国大贵族和政治家，曾任沙皇阿列克谢的首席大臣(1645～1648)，并对后来的朝政颇有影响。他采取了许多措施以改善贵族和市民的地位，稳定国家财政。但他的独断专行和不受欢迎的经济措施导致莫斯科1648年的骚乱。他原是阿列克谢的教师，后来又成为阿列克谢的连襟。1645年阿列克谢即皇位后，莫罗佐夫立即担任要职。他为了减少政府开支，曾解雇一批官员，降低许多文武官员的薪金。还对烟和盐实行国家专卖。他把盐税提高3倍。盐的专卖致使民众不满，导致1648年群众暴动，杀死一些民愤极大的官员，他也因罪恶昭著被赶走。但在数月之后，他又回到莫斯科，间接地控制政府。对编纂1649年法典起过重要作用。

Morozov, Pavlik **莫罗佐夫**(1918-11-14，俄罗斯格拉西莫夫卡～1932-09-03，格拉西莫夫卡) 俄罗斯共产主义青年，被苏联当局誉为烈士。贫农之子，在本村学校中担任少先队队长，狂热支持苏联政府在农村开展的集体化运动。1930年，他12岁时，因向苏联当局告发自己的父亲(地方苏维埃领导人)而出名。他向法院指控自己的父亲伪造文件，袒护富农(抗拒集体化运动的富裕农民)。他还控告其他农民向当局隐匿及拒交粮食。结果被几个当地富农残酷杀害。后被苏联当局誉为烈士，几个苏联城市树起他的塑像，他的事迹作为模范共产党人的榜样向几代苏联学校儿童进行教育。但到20世纪后期，随着苏联政治制度的自由化，莫罗佐夫的故事被唾弃，其人被认为是斯大林主义的迫害施加于家庭的悲惨象征。

Morpeth **莫珀斯** 英格兰诺森伯兰行政、历史郡莫珀斯堡自治市的一个城镇。临旺斯贝克河。在诺曼人的莫珀斯城堡周围发展起来。扼向北通苏格兰的东海岸大道的渡口。现仅存14世纪的城堡门楼遗迹。有许多小型工业，但基本上是为四周农区服务的中心和诺森伯兰煤田的居民区。人口14 393(1991)。

morpheme **词素** 语言学术语，又译"语素"，指言语的最小单位。它可以是一个词，如"place"(地方)或"an"(一)；也可以是一个词的成分，如"reappeared"(重现)中的re-和-ed。所谓的孤立语，如越南语词素和词是一一对应的，没有包括1个词素以上的词。词素的变体叫做词素变体，"cats"(猫，复数)，"dogs"(狗，复数)中的词尾-s表示复数，"dishes"(盘子，复数)中的-es和"oxen"(牛，复数)中的-en都是复数词素的词素变体。"talked"(谈话)一词用两个词素表示，即"talk"和过去时态词素-ed。词和词素的研究包括在*形态学*(morphology)里。

Morpheus **莫耳甫斯** 希腊罗马神话中睡神许普诺斯(索姆诺斯)的一个儿子。他把各种各样的人形托给做梦的人，他的兄弟福柏托耳(或伊凯卢斯)和芳塔苏斯则托以动物和无生命之物的形象。

morphine **吗啡** 一种麻醉止痛药。在临床上用其盐酸盐，硫酸盐，醋酸盐或酒石酸盐。1806年，首先由德国化学家F.W.A.泽尔蒂纳从鸦片中分离成功。其镇痛麻醉作用居自然界中天然化合物之首，故用于治疗晚期癌的疼痛以及其他所有止痛药都无效时的顽固性剧烈疼痛。吗啡还有镇静安神作用，可用来防止机体因外伤性休克、内出血、充血性心力衰竭和各种消耗性疾病(如某些类型的伤寒)所引起的衰竭。产品多通过注射给药以求作用迅速，但口服也有效。用药后可有松弛欣快感，同时也有许多副作用，如呼吸抑制和对循环系统、消化系统和肠胃系统的副作用。吗啡还是一种催吐剂和全身抑制剂。最大的缺点是易成瘾。吗啡——鸦片的主要生物碱——可以用来合成海洛因。海洛因能引起高度欣快感并有极强的成瘾性，是一种法律上禁止生产的毒品。吗啡的其他衍生物包括镇痛药甲基吗啡(可待因)，乙基吗啡，二氢可待因酮，二氢吗啡酮和催吐剂阿朴吗啡。20世纪20年代J.M.古兰德和R.罗宾森首次提出吗啡的化学结构，其后，1952年，由M.盖茨和G.丘迪进行人工合成成功，从而证实了古兰德和罗宾森的结构理论。此类制剂的有机化学合成也为临床提供了许多吗啡的代用品，如度冷丁、美沙酮、镇痛新等。吗啡是从罂粟的未成熟豆荚的乳样果浆风干物中提取的，呈无色或白色结晶粉状。

morpho **环蝶** 鳞翅目蛱蝶科环蝶亚科(Morphinae)环蝶属(*Morpho*)昆虫，或另立一个独立的科——环蝶科(Morphidae)。产于新大陆热带。雄体翅上的鳞片有微细的脊，可

环蝶(*Morpho nestira*)
美国不列颠百科全书公司供图

分解并反射光线，使某些环蝶属种类的翅呈具虹彩光泽的蓝色，同理，暗蝶属(*Caligo*)雄体的翅呈暗褐色(翅的下表面有眼斑，与之形成对比而使之显得光亮)。雌体的翅较宽，外形不及雄体的翅优美，一般色彩亦较为暗淡。幼虫身体具毛，以植物为食，织成一个公用的网，并在其中生活并化蛹。某些环蝶属种类具毒毛，可引起人类皮肤发疹，但这些种类在南美洲有商业性培育，用于珠宝业，并用以装饰灯罩、图片及镶嵌托盘。某些种类的成虫生活于森林树木的顶部，极少飞近地面。

morphogenetic region **地貌成因区** 地貌学家用来描述气候、地貌过程和地形相互关系的理论上的区域。地貌成因分类是德国地理学家J.比德尔于1945年首先提出。其概念是指在某一特定气候条件下，将会出现某些占优势的地貌过程，并产生特征地形。作为控制地形的因素，气候的作用超过岩石类型，因为一种岩类的抗蚀性取决于它所遇到的气候条件。然而，现有的认识表明，地形是气候、岩石类型和各种自然过程相互作用的结果。

morphology　形态学　生物学的分支学科，研究动植物的微生物的整体及其组成部分的外形和结构。解剖学一词也常与形态学一词同义。形态学常与研究功能的生理学相对而言，但功能与形态密切相关，两者之分实属人为。随着显微镜和其他技术的进展，形态学研究的领域已由宏观水平一直伸展到大分子水平。形态学的知识对于医学和植物病理学极为重要。人体以及动植物的形态自古便受到人们的重视，以后出于医、农、牧的需要更有专人进行研究。维萨里、马尔皮吉、列文胡克、格贝尔、J.亨特及居维叶均对形态学做出贡献。光学显微镜使人们注意到组织和细胞，而电子显微镜使人们理解了细胞的细微结构。生物分类要求对形态有正确认识。

形态学研究的内容甚多。生物的形态结构有同源、同功之分，同源结构如鱼鳍、鸟翼和人臂，它们来自同一胚性组化，结构和发育模式相同，反映了相同的遗传本质和进化关系。同功结构如虫翅和鸟翼，仅仅功能相同、形态表面相似而已。动物体制各异，又可按对称关系分为：球形对称（如放射虫和太阳虫）、辐射对称（如海星和蘑菇）、两侧对称（如人）及不对称（如阿米巴和某些黏菌）。形态特征是动植物分类的主要依据。如动物可分为单细胞动物和多细胞动物；多细胞动物又可分为双胚层和三胚层的。按体腔分有两种类型。腔肠动物只具一个腔和一个口，但高等动物则为"管套管"的结构，内管为消化道，两端分别开口于口和肛门，内外管之间又具一体腔。环节、甲壳和脊椎动物的身体还分节，不过高等动物的分节不明显且头端发达，集中了特殊感官和高级神经结构。还有些结构为某门类所独有，如刺细胞只见于腔肠动物，水管系统只见于棘皮动物。植物也有单细胞和多细胞之分。植物的配子世代和孢子世代的相对长短及其具体特征是重要分类标志。维管系统成分的排列也有助鉴别。解剖学一词常专指对大体结构的研究。比较解剖学对比各门类动物间的异同，有助追溯动物进化的途径。鱼、爬行动物中的鱼龙和哺乳动物中的海兽均具流线体型和鳍，这是不同动物适应相同环境的结果，称为趋同进化。另外，海狮、海豹和熊、狗等种系相近，却因分居水陆而形态迥异，这称为趋异进化。突变还可导致器官退化，环境的改变也可使某些结构变得不复需要。人体便有许多这样结构，如阑尾和尾椎。种子植物有根、茎、叶、花等基本结构。发达的输导组织使它能以脱离水域进入陆地。低等植物则缺乏真正根、茎、叶。组织学研究各种特化的细胞群的结构和排列。动物组织可分为6种：上皮组织（覆盖其他结构，具保护、吸收、分泌、感觉等功能）、结缔组织（如骨、软骨、韧带、纤维结缔组织、营支持、联接等作用）、肌肉组织（其收缩为生物整体或脏器运动的主要机制）、神经组织（传导神经冲动）、生殖组织（即雌雄配子）及血液（红细胞运输氧及二氧化碳，白细胞吞噬异物或产生抗体以保卫机体）。植物组织一般分4种：分生组织（为持续生长部分）、保护组织（如叶外皮和根、茎的木栓层）、基本组织（如花、叶等处的软组织）及输导组织（包括木质和韧皮组织）。细胞学研究细胞结构。细胞核中的基因控制具体蛋白质的合成从而调节细胞诸般性状的发展。核仁参与合成RNA。核旁的中心粒与细胞分裂有关。细胞质中的线粒体负责食物氧化产能等反应。叶绿体为光合作用进行的部位。核糖体负责合成蛋白。溶酶体内含有各种水解酶，可分解细胞结构。胚胎学研究胚胎发育。动物发育始自受精卵分裂，然后经囊胚、原肠胚等期而发育至成形。目前还不知道基因表达与形态发生的具体细节。植物则存在双受精过程，除受精卵外，还形成一个三倍体的胚乳组织，负责幼胚营养。受精卵发育成胚，陆续出现子叶、上胚轴和胚轴等结构。实验证明胡萝卜成体的一个细胞也可发育成整个植株，这说明每个细胞都包含全部遗传信息。形态学的研究方法有：①化学技术。放射自显影术和组织化学有助了解各种化学成分（如糖原、蛋白质、DNA和酶）在细胞中的具体位置。②显微技术。先后出现的光学、相差、干涉、偏光、荧光和电子显微镜则使我们得以深入探索细胞细微结构的各个方面。

morphology　形态学　语言学术语，指研究词的内部结构的学科。各种语言的词可以分析成词的成分或*词素*（**morpheme**）的程度大不相同。英语中此类例子不胜枚举，例如，replacement（替换）由 *re-*，place 和 *-ment* 组成，walked（行走，过去时）由 walk 和 *-ed* 两个成分组成。许多美洲印第安语言都有非常复杂的形态学。其他语言，像越南语和汉语几乎没有或只有少许形态学变化。形态学包括*屈折变化*（**inflection**）和派生两种语法过程。屈折变化表示人称、时态和格这些范畴，例如，sings（唱）具有词尾 *-s*，它表示第三人称单数，德语 Mannes（属于人的）由词干 Mann 和所有格单数屈折变化 *-es* 组成。派生是用现有的词构成新词，例如，singer（歌唱者）由 sing 派生而来，acceptable（可接受的）由 accept 派生而来。派生词也能有屈折变化：singers（歌唱者，复数）即从 singer 变来。

morphophonemics　形态音位学　语言学中研究*形态学*（**morphology**）和*音系学*（**phonology**）关系的学科。形态音位学研究音位内部通常表示不同语法功能的语音变体：例如，sleep（睡眠）和 slept（睡眠，过去时），bind（捆）和 bound（捆，过去时），vain（自负的）和 vanity（自负）中的元音变化；Knife（刀）和 knives（刀，复数），loaf（一只面包）和 loaves（数只面包）中的辅音交替。

Morphy, Paul Charles　莫尔菲（1837-06-22，新奥尔良～1884-07-10，新奥尔良）　美国国际象棋大师。他首倡目前通用的先出子后进攻的原则。10岁学会下国际象棋，19岁获得路易斯安那州律师资格，但须待成年后才可开业。1857年在纽约市首次获美国国际象棋冠军。后来到欧洲旅行，击败德国非正式冠军A.安德森和敢于应战的所有大师。英格兰选手H.斯汤顿避免与他对弈。在巴黎同时与8名强手下盲棋，赢6局输2局。1859年返美，向世界棋手发出让一卒一步对弈的挑战，无人应战，遂退出棋坛。

Morquio's syndrome　莫尔基奥氏综合征　又称Ⅳ型黏多糖病。一种少见的遗传性软骨内成骨发育异常。骨畸形严重，患者身材矮小。出生后头2年内即可发病，病变通常直到青春期后期骨停止生长后才不再发展。脊椎骨的椎体呈楔形而扁平，常有背部畸形。双侧股骨头很小而变形，有时引起髋关节脱位；常见膝外翻和成对骨发育不对称。同时可见巩膜混浊，心血管畸形，背部畸形严重时往往压迫脊髓。但智力和寿命完全正常。

Morrell, Lady Ottoline (Violet Anne)　莫雷尔（1873-06-16，伦敦～1938-04-21，英国肯特坦布里奇韦尔斯）　英国文艺事业的赞助者和支持者，她使当时最重要的一些作家和艺术家聚集在一起。她是一个极富有个性和眼力的女子，经常是她首先发现和帮助有才华的作者（尽管这种关系不少以争吵而告终）。她是一个将军的女儿，但她与其传统的上层阶级出身决裂而组成一个包括艺术家和知识界人士的小圈子，其中有D.H.劳伦斯、V.吴尔夫、A.赫胥黎、B.罗素以及A.约翰等。她与丈夫、自由党国会议员菲利普·爱德华·莫雷尔1902～1913年住在伦敦，随后迁居牛津郡加辛顿庄园。两人均为和平主义者，他们的家在第一次世界大战期间成为反战拒服兵役者的避难所。

morrice dance　参阅 **Morris dance** *莫里斯舞*。

Morrígan　摩利甘　凯尔特语，意为"魔后"，凯尔特女战神。有时又称*玛查*（**Macha**）。

Morrill, Justin S(mith)　莫里尔（1810-04-14，美国佛蒙特斯特拉福德～1898-12-28，华盛顿[哥伦比亚特区]）　美国共和党议员，创造了在国会参众两院供职长达43年的纪录。

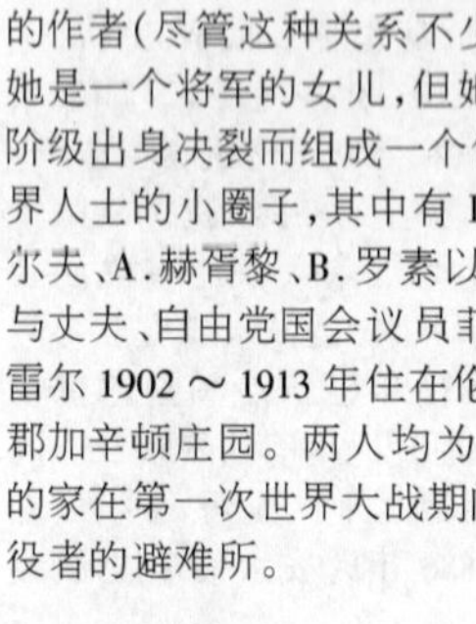

美国国会图书馆供图

他的名字与第一次高额保护关税有关联。19世纪50年代，他积极参与辉格党的政治活动。1855年于佛蒙特参与建立共和党，并全力维护党内的团结。1855～1867年为众议员，1867～1898年为参议员。他是一个保守主义者，曾提出1861年和随后几年的《关税法》（一般统称为《莫里尔关税法》），主张征收高额进口税，以保护美国工业不受海外竞争的影响。他反对在南北战争（1861～1865）期间及战后发行纸币，也反对银本位。许多人认为莫里尔在立法方面的最重要贡献是《1862年莫里尔法》。这项法规规定政府要向州立学院提供土地，州立学院的"主要目标"

是教授"有关农业和机械技术"的科目，也不排除一般科学和古典著作研究。此后，人称莫里尔为"农业学院之父"，有许多农业学院都成为美国主要的教育机构。

Morrilton 莫里尔顿 美国阿肯色州中部城市，康韦县县城(1883)。地处阿肯色河谷。1819年始有人定居，1880年设市。19世纪70年代其北1英里处修通小石城—史密斯堡铁路，居民遂迁至铁路沿线。发展为农副产品贸易和加工中心。有轻工制造业。市西南有州立小吉恩公园和以产圣杰特鲁迪斯牛出名的温罗克农场。人口6 550(2000)。

Morris (board game) 参阅 **Nine Men's Morris 九连棋**。

Morris, Alexander 莫里斯(1826-03-17，上加拿大珀斯～1889-10-28，多伦多) 加拿大政治家，马尼托巴省和西北地区副督(1872～1877)。麦吉尔大学毕业，1851年获得律师资格。1861～1872年为加拿大联合省立法会议保守党议员。他写过一些鼓吹成立联邦的小册子。1869～1872年任自治领国内税收部长。1872年任马尼托巴高等法院院长。同年任马尼托巴省和西北地区副督，5年后回安大略。1878～1886年为安大略省立法会议议员。

Morris, Clara 莫里斯(1848-03-17，多伦多～1925-11-20，美国康涅狄格新迦南) 美国女演员。以在情节剧中逼真地表演不幸的女人著称。早在10多岁时，就在克利夫兰登上舞台。1869年加入辛辛那提一家剧团；次年应舞台演出人A.戴利的聘请，赴纽约扮演科林斯《丈夫和妻子》中的西尔维斯特，一举成名。给人们印象最深的角色之一是《伊斯特·林恩》(1876)中的马尔顿小姐。这是根据法文译本改编的美国式的剧本。在她艺术生涯处于顶峰之时，由于健康不佳而离开舞台。大约在1900年前后，致力于以戏剧界为题材的著述。1904年再一次登台演出。1905年以后偶尔在歌舞杂耍剧中出现。

Morris (of St. John's and of Waterford), Edward Patrick Morris, 1st Baron 莫里斯(1859-05-08，加拿大纽芬兰圣约翰～1935-10-24，伦敦) 加拿大政治家，纽芬兰总理(1909～1918)。1885年获得律师资格。1896年成为皇家律师。1885～1918年为纽芬兰省立法会议议员。原为独立党人。1890～1895年在纽芬兰省自由党政府中任代理检察长。1893～1906年任纽芬兰储蓄银行行长。1898年脱离自由党，1898～1908年为独立自由党领袖，1908～1919年为人民党领袖。1902年再次任检察长，后在自由党政府中任司法部长。1904年受封爵士。1907年因认为政府社会政策过于谨小慎微，遂辞职。1909年任纽芬兰省总理，采取了许多社会改良措施。曾数次出席帝国会议。1911年进入枢密院。1916年参加帝国战时内阁。1918年退休后去英格兰，受封贵族，进入上院。

Morris, Elizabeth 莫里斯(约1753年，可能生于英国～1826-04-17，美国宾夕法尼亚费城) 18世纪末19世纪初美国著名舞台女演员。与美国旅行剧团演员O.莫里斯结婚前的情况不详。最早的记载是1772年秋季在费城的萨瑟克剧院演出。之后随哈勒姆剧团在各城市巡演。独立战争爆发后，剧团被迫退到西印度群岛。1785年回美国继续巡演。1791年和丈夫一起离开哈勒姆剧团，加入T.威格尼尔创办的新剧团。1792年，他们在波士顿上演《丑闻学校》几周后被捕。1794年2月，威格尼尔剧团在费城成立了栗树街剧院，他们在那里一直工作到1810年。莫里斯的优雅形象、庄重风格以及她所营造的神秘氛围使她成为当时美国最主要的女演员。其演艺生涯可能一直持续到1815年，晚年隐居。

Morris, Esther Hobart McQuigg Slack 莫里斯(1814-08-08，美国纽约斯宾塞～1902-04-02，怀俄明夏延) 婚前名Esther Hobart McQuigg。美国妇女参政主义者、公职人员。11岁失去双亲。1841年与A.斯莱克结婚，3年后斯莱克去世。后与J.莫里斯结婚。1869年移居怀俄明，全身心争取妇女选举权，当选所在区立法机构成员，提出赋予妇女选举权议案。同年12月议案获通过。1870年成为南山口城首位女治安法官，任职8年多，共审理案件70余起，无一例驳回。1871年离开丈夫，迁居拉勒米，1873年短期任州议员。以在争取妇女选举权上的成就，颇受尊敬，去世后依然声誉卓著。1960年在美国国会大厦雕像厅和夏延的怀俄明州议会大厦为其竖立雕像。

Morris, Gouverneur 莫里斯(1752-01-31，曼哈顿莫里桑尼亚宅邸[今在纽约市]～1816-11-06，莫里桑尼亚宅邸) 美国政治家、外交家、财政专家，曾参加美国十进位币制的规划

美国不列颠百科全书公司供图

工作。1775～1777年任职于纽约州立法会议，制定第一部州宪法时，提出加进信教自由的条款，经其首倡并联合其他议员力争，得以通过。1778～1779年任大陆会议代表。1779年竞选失败，定居费城，执律师业。写有一系列关于财政问题的文章(发表于1780年的《宾夕法尼亚丛刊》)，因而被任命为财政督办R.莫里斯的助手(两人并非同宗)。在其任期内(1781～1785)曾提出十进位币制的建议，此建议后经T.杰斐逊加以修改，成为现行美国货币制度的基础。1787年制宪会议期间，莫里斯倡议中央政府集权，总统终身任职以及由总统任命参议员等条款。宪法定稿，大部出于其手。1792年任驻法国公使，因仇视法国革命，1794年被召回。1800～1803年任参议员，后即退出政坛。他自称为极端的联邦主义者，1812年战争中他希望建立北方联邦。1810年起任伊利运河建设委员会主席。

Morris, Mark 莫里斯(1956-08-29，美国华盛顿西雅图～) 美国舞蹈家和编导。8岁时参加一次演出后，立志成为一名西班牙舞蹈演员。11岁时开始职业演出。两年后加入科莱达民间歌舞团，14岁开始编舞。1974年赴西班牙进修，1976年移居纽约，在多个歌舞团演出。1980年创办自己的莫里斯歌舞团，演出自己的作品。该歌舞团在布鲁克林音乐学院的"1984年新浪潮艺术节"演出，名声大噪。两年后，获古根海姆奖学金，并为各主要芭蕾舞团编舞，同时巡回演出。然而有些人对他夸张的幽默和创新的作品不太理解，称他是"现代舞的坏孩子"。1988年到布鲁塞尔任莫奈皇家艺术剧院编导，并扩大自己的歌舞团，改名莫奈－莫里斯歌舞团。在比利时的3年中，他的创作事业达到顶峰，杰出的作品有《潘瑟罗索与蒙德勒》、《狄朵与埃涅阿斯》和《坚果》(由《胡桃夹子》改编)。1991年回到美国，每年都有五六部新作，包括《美好的一天》、《办公室》、《今夜有人来访》、《三幕剧中的四圣徒》等。到2001年已有100多部作品问世。此外还为许多歌舞团创作古典芭蕾舞剧。2001年，莫里斯舞蹈中心在纽约布鲁克林落成。

Morris, Richard B(randon) 莫里斯(1904-07-24，纽约市～1989-03-03，纽约市) 美国教育家、历史学家。因有关美国早期历史之著作而闻名。曾以优异成绩毕业于纽约市立学院(文学士，1924)，继入哥伦比亚大学(文学硕士，1925；哲学博士，1930)。先后任教于纽约市立学院(1927～1949)及哥伦比亚大学(1949～1973，教授历史)，1959～1961年任哥伦比亚大学历史系主任。1973年成为荣誉退休教授。著述甚丰。为学术刊物撰文，编辑或合编大量历史文选(例如：与H.S.康马杰合编《76精神》，1958；与J.伍德雷斯合编《杰斐逊支持者，1801～1829》，1961)，并撰写儿童读物。还曾编《美国史百科全书》(1953；1982修订)。实际上，其全部作品均涉及美洲殖民地以及美国独立战争的起因、经过及意义。更为著名之作包括：《美国初期的政府与劳工》(1946)、《和事佬》、《列强和美国独立》(1965，这是一部权威的学术著作，介绍与美国独立有关的种种外交阴谋)、《约翰·杰伊，国家与法院》(1967)、《开国的先辈们：新的评价》(1974)、《美国沧桑史论文》(1981)。《重新认识美国革命》(1967)一书详细地考查了法国革命和美国革命的长期影响。他认为，与法国大革命甚为短暂的影响相比，美国革命才是一场真正的社会革命。

Morris, Robert 莫里斯(1734-01-31，英国默西赛德利物浦～1806-05-08，费城) 美国商人、银行家，以美国独立战争(1775～1783)的

宾夕法尼亚州历史学会供图

财政家知名。1747 年从英格兰去马里兰与父团聚。独立战争期间，他为宾夕法尼亚安全委员会副主席(1775 ～ 1776)，大陆会议代表(1775 ～ 1778)，宾夕法尼亚州议会议员(1778 ～1779，1780 ～ 1781，1785 ～ 1786)。在大陆会议中，他任几个委员会的主席或委员，实际上掌握 1776 ～ 1778 年战争时期的财权。他想方设法筹集军需，或向法国借贷，或向各州征调，或解私囊捐赠。1781 年在费城建立北美银行。战后任财务总监(1781 ～ 1784)、制宪会议代表(1787)、美国参议院参议员(1789 ～1795)。他曾因进行土地投机不利而债台高筑，身陷囹圄 3 年多，1801 年获释。

Morris, Robert　莫里斯(1931-02-09，美国密苏里堪萨斯城～　　)　美国艺术家，其极小主义的雕刻和高度个性化的作品为 60 年代和 70 年代的先锋运动作出了重要贡献。曾在堪萨斯市立艺术学院、加利福尼亚美术学校、里德学院和纽约亨特学院学习。1967 年起在亨特学院教授艺术。1957 年在旧金山举办首次个人画展。1960 年在纽约开始创作大型单色几何形雕刻，其中一组作品展示了特别的空间关系。从 60 年代后期起向更本能的表现方向发展。实验了各种不同的形式，包括“偶发艺术”、将材料抛撒在画廊地板上的“分散作品”以及“环境设计”。其 70 年代的作品显示了一种由身心俱受束缚这一矛盾所造成的偏见(例如《在卡斯瑞的王国》，1979)。

Morris, Thomas and Thomas, Jr.　莫里斯父子(老汤姆1821-06-17或26，苏格兰法夫郡圣安德鲁斯～ 1908-05?，圣安德鲁斯；小汤姆 1850 或 1851，圣安德鲁斯/艾尔普雷斯蒂克[今在斯特拉斯克莱德]～ 1875-12-25，圣安德鲁斯)　英国高尔夫球运动员。老汤姆于 1861、1862、1864 和 1867 年获英国公开赛冠军，1861 ～ 1896 年继续不断参加该项比赛，直至 75 岁。小汤姆连续 4 次(1868、1869、1870、1872，1871 年未举行比赛)获英国公开赛冠军。

Morris, William　莫里斯(1834-03-24，伦敦附近的沃尔瑟姆斯托～ 1896-10-03，伦敦附近的哈默史密斯)　英国美术设计家、手工艺人、诗人和早期社会主义者。他为家具、织物、彩色玻璃、壁纸，以及其他装饰产品所作设计，引发了英国的艺术和手工艺运动，彻底改变了维多利亚时代的风格。他追随艺术评论家 J.罗斯金，认为艺术美是人在劳动中得到乐趣的产物，艺术应包括整个人为的环境。生于一富有大家庭。1853 ～ 1856 年在牛津大学埃克塞特学院学习，与后来成为画家和设计师的伯恩-琼斯结成莫逆之交，并共同受到罗斯金关于建筑学的社会和伦理基础等著作的深刻影响。毕业后进入主张复兴哥特式建筑的建筑师 G.E.斯特里特的牛津事务所。同年，他资助了《牛津和剑桥杂志》前 12 期的出版，为这个月刊写了许多诗；两年后这些诗汇集成《圭尼维尔的辩解及其他诗篇》出版。这是莫里斯卓越的处女作。接着他同斯特里特和伯恩-琼斯一起游历了比利时和法国北部各大教堂，坚定了他对中世纪艺术的热爱。此时，拉斐尔前派画家和诗人 D.G.罗塞蒂对他产生了巨大影响，说服他放弃建筑而从事绘画，并吸收他参与为牛津大学俱乐部厅堂墙壁的装饰作画。《美丽的伊泽乌》(又称《圭尼维尔王后》)是莫里斯尚存的唯一一幅架上

美国不列颠百科全书公司供图

画(伦敦塔特美术馆)。1861 年和友人在伦敦成立室内装潢商行，1862 年在南肯辛顿举行的国际博览会上展出了彩色玻璃、家具、刺绣等。他还自行设计出适用于教堂和家庭的其他玻璃窗。1864 年，他设计了多种花卉图案的墙纸，风行一时。作为诗人，莫里斯的成名之作是他的浪漫主义叙事诗《伊阿宋的生与死》(1867)。诗集《地上乐园》(1868 ～ 1870)在当时很受欢迎，其中最佳者为有关月份的序诗，透露了他个人生活的不幸，主体部分是很多取材于古典和中世纪故事的叙事诗。他的主要诗歌成就是以北欧传说为根据的史诗《沃尔松族的西古尔德的故事和尼贝龙族的衰败》(1876)。他的有精美彩色插图的《诗集》于 1870 年问世。1877 年起莫里斯作了一系列关于美学的演讲，1882 年出版演讲集《对艺术的希望和忧虑》。1877 年创建保护古建筑协会。1883 年加入 H.M.海因德曼的民主(后改称社会民主)联盟，开始不倦地到工业区传播社会主义的福音。1887 年 11 月 13 日伦敦举行“血腥星期日”群众示威时，他和萧伯纳一起参加游行。但他与海因德曼专制的联盟发生争吵，于是成立“社会主义联盟”并出版其自己的刊物《公共福利》。在这个刊物上莫里斯发表了他最优秀的两部小说《约翰·保尔的梦》(1886 ～ 1887)和《乌有乡消息》(1890)，后者描绘了牧歌式的社会主义农村乌托邦景象。1891 年创办凯尔姆斯科特出版社，自己设计和铸造新的铅字，印刷了一些精致的书籍。长期和多方面繁忙的活动终于摧毁了莫里斯的健康，于 1896 年去世。莫里斯现被认为是 19 世纪的伟人之一。

Morris, William　莫里斯(1873，德国施瓦策瑙～ 1932-11-02，纽约市)　美国剧院代理人和经理。受雇于合法剧院托拉斯负责人克劳和厄兰格，为他们属下的联营剧院预约歌舞杂耍剧演出节目，这使他同试图垄断杂耍演出人才的“基思-阿尔比联合演出预约处”发生冲突。后来“预约处”与克劳和厄兰格商定，出钱使他们停演杂耍 10 年，但莫里斯仍约请大众欢迎的明星劳德为自己的剧团进行演出，以广招徕。当剧院把劳德拒之门外时，他上诉至罗斯福总统，总统允许劳德在华盛顿演出，并且亲自出席观看。莫里斯反对剧院垄断集团的行动受到戏剧界报刊《杂耍》的有力支持，终于取得胜利。他创办了美国最初的剧院代理行之一“威廉·莫里斯代理行”。他的儿子小威廉·莫里斯(1899-10-22，纽约市～　　)后为这家代理行总经理(1932 ～ 1952)，并从 1952 年起任董事。

Morris, William Richard　莫里斯　参阅 **Nuffield of Nuffield, William Richard Morris, Viscount** 纳菲尔德子爵。

Morris, Wright (Marion)　莫里斯(1910-01-06，美国内布拉斯加森特勒尔城～　　)　美国小说家，他描写了现代生活令人失望的事物，并力图再现美国的往昔。他在 20 和 30 年代周游全美国，写出第一部小说《我的叔叔达德利》(1942)。他在作品中把过去和现在结合起来，试图消除人们对进步和成功的过分注意，他认为过分注意窒息了美国人的性格。他用自己在中西部生活的经历，以这个平原的普通景物作为重要象征，用持续的精细观察取代了情节。他的小说深刻地涉及美国主题和事件，构成这个国家从 20 年代至 70 年代的一部编年史。他的小说包括《视野》(1956)和《隆特里的典礼》(1960)，均写来自中西部一小镇的一群失败者的生活；姊妹篇《热情的说教》(1971)和《一生》(1973)；以及《尘世的欢乐、非尘世的装饰》(1978)。

Morris chair　莫里斯椅　以英国诗人、画家、雄辩家和家具名匠 W.莫里斯的姓氏命名的一种安乐椅。扶手装有软垫，椅座和椅背上的垫子不用时可以拿开。椅子为木结构，装有许多用车床制作的零件。在美国，椅背的底部用铰链接合，可调整倾斜度。

Morris dance　莫里斯舞　又拼 Moresgue dance，morisque dance，Morrice dance 和 Morrisk dance。英国乡村一种由经过特别挑选和训练的几组男子跳的礼仪性质的民间舞蹈。一般是指各种与此有关的习俗，如戴假面具的哑剧以及源于这些习俗的一些流行的娱乐活动。类似的习俗遍及欧洲，并传至中东、印度和中美、南美的部分地区。奥地利的面具舞蹈佩尔希滕舞，摩里斯科人和圣地亚哥人的宗教礼仪舞蹈，以及地中海和拉丁美洲的马

塔奇纳舞和罗马尼亚的克卢莎里舞都是明显的例子。这类舞蹈的广泛传播表明它起源于古代印欧地区。许多莫里斯舞有其共同特点,就是一群跳舞的男子伴随着他们的非基督教的神,庆祝这神死而复活。舞者常穿着白色的衣服,腿或身体上系着铃跳舞。只要跳起这些传统的舞蹈,就能使人感到舞者充满了魔力并能带来幸福。莫里斯舞这个名称和每年一度在英国斯坦福郡举行的角舞很有关系。这种舞的队列包括6名戴着鹿角扮成动物的人。类似的将人扮成动物的习俗在康沃尔郡,是在五朔节游行中将人扮成马。莫里斯舞这个名称又与戴假面具的人有关系。这些人与其说是在跳舞还不如说是在新年表演死而复生的宗教仪式。历史上,莫里斯舞似乎是很普及的。在亨利八世创造了宫廷假面戏剧后,莫里斯舞即从村民的节庆活动变成了流行娱乐活动。莫里斯这个词显然来自“摩里斯科”(morisco),意为“摩尔人的”。C.夏普所收集的许多莫里斯舞使之幸存下来。他认为莫里斯舞可能起源于舞蹈者将脸涂黑,作为宗教仪式中必须化装的一部分。皮恩·赛挺舞,跳背游戏舞和朗特纳姆·朋丘斯舞都属特殊的莫里斯舞。少数几个莫里斯独

15 世纪彩绘玻璃窗画中的莫里斯舞蹈
美国不列颠百科全书公司供图

舞也称为莫里斯-吉格舞,牧羊人的干草舞即是一例。莫里斯舞这个名称有时泛指剑舞,在跳舞时一群男子挥舞他们的剑组成复杂的图案。

Morris Jesup, Cape 莫里斯·杰塞普角 地球最北的陆地之一。在格陵兰极北部皮里地地区,濒临北冰洋,距北极710千米。1900年美国北极探险家R.E.皮里曾到达这里。

Morris-Jones, Sir John 莫里斯-琼斯(1864-10-17,威尔士安格尔西兰德里加恩~1929-04-16,卡那封郡班戈) 原名John Jones(至1918)。威尔士教师、学者和诗人。他彻底改变了威尔士文学,并通过讲课、写作以及每年在诗歌竞赛年会上的裁决一再阐明,风格的第一要素是内容正确,而真诚则是文学技巧的第一要素,从而帮助威尔士文学恢复了它

加的夫威尔士国家博物馆供图

的古典准则。他是店主的儿子,曾习数学,后来放弃数学以便以全部时间从事威尔士语言和文学的研究。牛津大学毕业后,成为班戈的北威尔士大学学院首任威尔士语教授。1918年被封为爵士后,开始自称为莫里斯-琼斯。著作包括《威尔士语法,它的历史和比较》(1913)、《诗歌艺术》(1925)、《威尔士语正字法》(1928),以及逝世后以《威尔士句法》为题出版的一部未完成的句法论著(1931)。他还翻译过一部诗歌选集(1907),其中最著名的是他直接从波斯文翻译的欧玛尔·海亚姆的《鲁拜集》。

Morrisk dance 参阅 **Morris dance 莫里斯舞**。

Morrison, Arthur 莫里森(1863-11-01,英国肯特~1945-12-04,白金汉查尔芬特-圣彼得) 英国作家,以写维多利亚时代末期伦敦东区贫民窟生活的长篇和短篇小说而闻名,他的生动描写有助于英国实行了住房立法。初为新闻记者,为当时伦敦许多著名刊物撰稿。第一部重要作品为《陋巷故事》(1894)。随后出版的重要著作是小说《杰戈河的孩子》(1896),因促成了当时伦敦环境最恶劣的贫民窟的清除而受到赞誉。他的写实主义长篇和短篇小说格调严肃,但人物描写得像狄更斯那样栩栩如生。他对他所描写的人的态度是家长式的而不是激进的,他反对社会主义和工会运动。他还写有侦探小说,主人公为律师兼侦探马丁·休伊特。莫里森是中国和日本艺术品权威和收藏家,出版有权威的《日本画家》(1911)一书。

Morrison (of Lambeth), Herbert Stanley Morrison, Baron 莫里森(1888-01-03,伦敦~1965-03-06,英国肯特锡德卡普) 英国工党政治家,曾在伦敦地方政府中发挥主要作用达25年,并且是第二次世界大战时期联合政府和战后工党政府的主要成员。1905年左右开始参加政治活动。1914年12月任伦敦工党书记。1919年11月任伦敦郡哈克尼市市长。1922年3月选入伦敦郡议会。1923~1924年为议会议员,1929年再次获得议席。曾在R.麦克唐纳第2届政府中任运输大臣。20世纪30年代中期,在工党由极端主义转向实用主义改革中发挥重要影响。在1940年5月W.丘吉尔组成的联合政府中,他历任供给大臣、内政大臣和国内安全大臣。1942年起为战时内阁成员。在1945年的大选中设法获得了工党的胜利。他在C.艾德礼的几届政府中任枢密院长、副首相和下院领袖。1951年任外交大臣5个月。1959年从下院退休,受封终身贵族。著有《社会化与运输》(1933)、《伦敦是如何治理的》(1949)和《政府与议会》(1954)。

Morrison, Robert 马礼逊(1782-01-05,英国诺森伯兰布勒草地~1834-08-01,中国广州) 基督教长老会牧师、翻译家,到中国传教的第一位伦敦会传教士。马礼逊曾学习神学和汉语,1807年受按立。奉伦敦会派遣到中国广州,1809年兼任东印度公司翻译终生。马礼逊在中国工作27年,只收教徒10名,但各人都笃信教义。他接受梁阿发为布道员,梁阿发是第一位受按立的中国神职人员。马礼逊与米怜共同在马六甲创办英中学院(1843年迁香港)并于1813年将《新约》译成汉文。两人合译的《新旧约全书》于1821年出版。马礼逊还于1815年出版《中国言法》(汉语语法);自1815~1823年出版三卷本《中文字典》。他死后马礼逊教育会于1838年在澳门开办学校,招收中国青年,该校于1842年迁香港。

Morrison, Toni 莫里森(1931-02-18,美国俄亥俄洛雷恩~) 原名C.A.沃福德。美国女作家,以详细描述黑人社区内黑人的经历(特别是黑人女性的经历)而著称。1993年获诺贝尔文学奖。莫里森生长在美国中西部。曾就读于华盛顿(哥伦比亚特区)的霍华德大学(1953年获学士学位)、纽约的康奈尔大学(1955年获硕士学位)。在得克萨斯州南方大学执教2年后,她从1957~1964年一直在霍华德大学教书。1965年成为一名小说编辑。她于1984年起在奥尔巴尼的纽约州立大学教写作,1989年离开该校到普林斯顿大学任教。莫里森的第一部作品《最蓝的眼睛》(1970),是一部描写一个受骗的黑人少女的小说,书中主人公被白人对美的标准所困扰,渴望有一双蓝眼睛。1973年第2部小说《苏拉》出版,该书描写友谊的动力和社区内对遵从的期盼。《所罗门之歌》(1977)由一位寻求个性的男讲述者讲述,该书的出版使莫里森受到国内文坛的注目。《柏油婴儿》(1981)以一个加勒比岛屿为背景,探讨了种族、阶级和性的冲突。受到好评的《心爱的人》(1987)获普利策小说奖,以一个逃亡奴隶的真实故事为蓝本,这个奴隶在面临重新被捕的一刻,杀死了她的幼女,以免其将来成为奴隶。《爵士乐》(1992)以20世纪20年代的哈勒姆为背景,述说一个有关暴力和爱情的故事。《在黑暗中玩耍:白色和文学的想象力》是一部评论著作,也于1992年出版。莫里森的几部小说的中心主题都是美国黑人的经历;在一个不

公平的社会里，她的主人公们努力去寻找他们所能胜任的工作以及他们的文化特性。莫里森对幻想的运用，她的错综复杂的诗体风格，以及她在作品中穿插的许多神话，使她的小说充满活力和神韵。

Morrison, Van 莫里森（1945-08-31，北爱尔兰贝尔法斯特～　　） 全名 George Ivan Morrison。爱尔兰歌唱家和歌曲作家，偶尔也演奏萨克斯管。20 世纪 60 年代中期是著名的"他们" 乐队的成员，以后又开始了漫长成功的独唱生涯。出身于爱尔兰一个信奉新教的工人家庭。受父亲收集的唱片影响，接触到布鲁斯和爵士乐，开始学习萨克斯管、吉他和口琴，十几岁时在一些乐队里演奏。1965 年首次在英国电视上亮相，演唱"他们"乐队改编的一首老布鲁斯歌曲《宝贝儿，不要走》，凸显出他非同一般的才华。与竞争对手不一样的是，他不愿意逢迎观众，甚至不与观众的目光接触。然而在冷漠的表面背后流露着真情。比其他摇滚乐手成熟的地方在于，他不是一个单纯的以娱乐听众为目的的乐手，而是显示出更加神秘、复杂的内涵，不受唱片业商业模式的束缚。1967 年离开"他们"乐队，前往美国，尽管他的《棕睛女郎》，一首短小精悍、脱离闹市的节奏与布鲁斯独唱歌曲，相当成功，但是显然不符合一般的标准，后来也未能风行。一年后推出专辑《迷乱时期》，将摇滚乐推向一个新的境界。这是一套大型的半即兴组歌，以电颤琴、长笛、吉他、低音乐器、鼓和小弦乐器的组合音响伴奏，既非摇滚，也非爵士，又非民乐，然而却是三者的结合。这种新的曲风在遭遇最初的冷遇后逐渐被人们认可，被认为是摇滚史上最具有强劲魅力的真正诗歌，其中一首 9 分钟的杰作《乔治夫人》使摇滚达到一种全新的诗的意境。这种曲风的歌曲如《倾听狮子》和《凡露斯阶梯》等，深受多恩、布莱克和耶茨等诗人作品的影响；而《迷乱时期》的续集《月亮舞》更清楚地表明了他未来的方向，在结构简洁的歌曲背后，配上明快的小节奏与布鲁斯乐队伴奏。在其后的几年间，又有《狂夜》和《威尔逊说》等一些深受人们喜爱的作品问世。莫里森往返于加利福利亚州、爱尔兰和伦敦之间，似乎并不在意公众的品味和反应。他喜好凯尔特音乐和爵士乐，创作风格日益复杂的歌曲，体现了他那深切的精神追求。他是舞台上最优秀的乐人，能够混合、匹配和比对各种音乐风格。

Morristown 莫里斯敦 美国新泽西州城镇，莫里斯县县城（1740）。临惠帕尼河，东距纽瓦克 29 千米。建于 1710 年，1740 年称现名，1865年设镇。设有莫里斯敦国家历史公园（1933，内有 1779 ～ 1780 年大陆军过冬之地、独立战争时期农舍、G.华盛顿指挥部及 1777 年建的要塞）。历史博物馆收藏有与华盛顿和独立战争有关的文物、书籍及手稿。S.F.B.莫尔斯与 A.维尔曾在当地的斯皮德韦尔炼铁厂发明了电报。19 世纪末，著名作家 B.哈特和 F.R.斯托克顿及漫画家 T.纳斯特曾在此居住。莫里斯敦现主要为住宅区，也有化工和制药工业及科研实验室。有一家

莫里斯敦国家历史公园内独立战争时期的农舍
美国不列颠百科全书公司供图

为盲人训练引路狗的导盲犬公司。人口 18 544（2000）。

Morristown 莫里斯敦 美国田纳西州东北部城市，汉布伦县县城（1870）。西南距诺克斯维尔 65 千米，城东南有大雾山国家公园。1787 年创建，1885 年设建制。工业出产尼龙、人造丝、家具及收音机和电视设备。亦为农产品（烟草、玉米、料草、大豆和家禽）市场。边疆开发者 D.克罗克特幼年故居已辟为博物馆。设有莫里斯敦学院（1881）和州立莫里斯敦地区职业技术学校（1966）。附近有田纳西河流域管理局系统的两个水库，切罗基湖和道格拉斯湖。人口 24 965（2000）。

Morrow, Dwight W(hitney) 莫罗（1873-01-11，美国西弗吉尼亚亨廷顿～ 1931-10-05，新泽西恩格尔伍德） 美国律师、金融家和政治家。1899 年毕业于哥伦比亚法学院，后执业律师，以精通公司法闻名。1911 年参与起草《工人补偿法》，1917 年参与起草的报告导致新泽西的监狱改革。1914 年成为摩根公司合伙人。他最突出的成就是组建肯尼科特铜矿公司。美国参加第一次世界大战后，他于 1918 年初赴欧洲任协约国海上运输委员会顾问。战后协助古巴解决财政上的困难。1925 年任航空委员会主席，协助总统制订全国军用和民用航空政策。1927 年由 C.柯立芝总统任命为驻墨西哥大使，成为"睦邻政策"的范例。1930 年作为美国的一名代表，出席伦敦海军会议，发挥了重要的调解作用。同年当选为代表新泽西州的参议员。

Mörs（Germany） 参阅 **Moers** 默尔斯。

morse 参阅 **walrus** 海象。

Morse, Jedidiah 莫尔斯（1761-08-23，美国康涅狄格伍德斯托克～ 1826-06-09，康涅狄格纽黑文） 美国公理会牧师和地理学家。当时公认的美国地理学之父。编写出版美国第一本地理教科书《地理入门》（1784）。年轻时在纽黑文任教，对美国地理深有兴趣。他认为"迄今出版的所有对美国的叙述都很不完整，从中几乎学不到什么东西"。《地理入门》的成功（他在世时出了 25 版）激励他进而撰写《美国地理》（1789，再版时改名《美国普通

美国不列颠百科全书公司供图

地理》），从而他的名望深远。后写有儿童用《基础地理》（1795）、《美国地名词典》（1797）和《东部大陆新地名词典》（1802）等书。发明家 S.F.B.莫尔斯（1791 ～ 1872）为其长子。

Morse, Samuel F(inley) B(reese) 莫尔斯（1791-04-27，美国马萨诸塞查尔斯敦～ 1872-04-02，纽约市） 美国画家、电报发明者。地理学家 J.莫尔斯之子。入耶鲁学院后，听电学课发生兴趣，但也喜作小型肖像画。1811 年去英国学习绘画，接受英国的艺术标准，包括绘画的"历史"风格。1815 年回国，发现美国人并不欣赏他的历史画，于是不得已仍以画肖像谋生。他开始在新英格兰、纽约、南加罗来纳各州当巡游画家。1825年定居纽约，

莫尔斯自画像，约 1814 年
美国不列颠百科全书公司供图

画了几幅列入美国最优美的肖像画之列的作品。他以技法见长，结合从英国学来的浪漫主义，对所画人物的性格加以鲜明的描绘。他的朋友很多，其中有参与美国革命的法国英雄拉斐德、小说家 J.F.库柏等。1827 年参与创办纽约的《商业日报》；他还是全国设计学会的创办人，并于 1826 ～ 1845 年任首届会长。1832 年听到别人谈论新发现的电磁铁时，产生了开创电报的思想。最初的工作模型大概是 1835 年制成的。1838 年他制定点线系统，即后来世界通行的莫尔斯电码。在国会的财政支援下，他终于开设了美国第一条电报线——从巴尔的摩到华盛顿。1854 年美国最高法院确定他的专利权。从此声誉日隆，财富大增。晚年从事慈善事业。

Morse Code 莫尔斯电码 通过点、短划和间隔的不同排列来表示字母、数字和标点符号的两种编码系统中的任何一种。莫尔斯电

码用不同长度的电脉冲或相似的机械的或诸如闪光之类的可见信号发送。最初于19世纪30年代由S.F.B.莫尔斯发明这种制式的电码之一用来拍发电报。莫尔斯的助手A.维耳对这种电码作了改进。这种电码传入欧洲后不久，就发现它在发送非英文电文时，缺少一些带变音标记字母的电码。为了弥补这个缺点，1851年，在欧洲国家召开的一次特别会议上，制定了一种经过修改的莫尔斯电码。这种电码称为国际莫尔斯电码或称大陆莫尔斯电码。这两种电码制式是相似的，但国际莫尔斯电码更简单、更准确。例如，原来的莫尔斯电码用点和间隔来表示少数几个字母，而国际莫尔斯电码则用点和短划的组合来表示所有字母。另外，国际莫尔斯电码使用同一长度的短划，而不是不同长度的短划。除去1938年对其作的一些次要改动外，国际莫尔斯电码至今仍保持不变地用于某些类型（包括业余）的无线电报。美国电报业一直没有放弃使用原先的莫尔斯电码，直到20世纪20年代和30年代普及使用电传打字电报机为止。

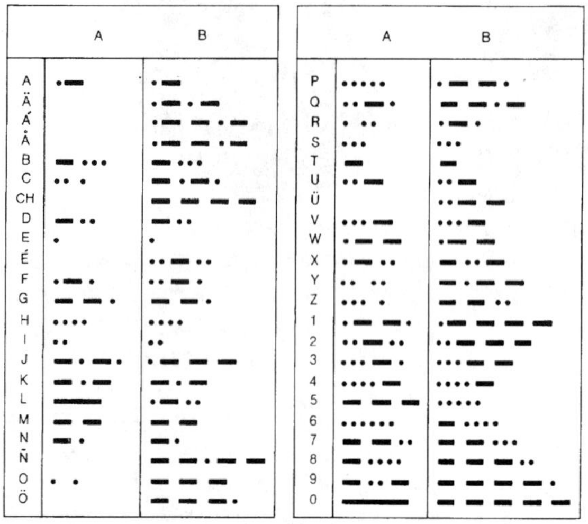

美国莫尔斯电码（A栏）；
国际莫尔斯电码（B栏）
美国不列颠百科全书公司供图

Morsztyn, Jan Andrzej　莫尔什滕（约1613，波兰王国桑多梅日附近～1693-01-08，法国沙托维兰）　波兰巴罗克风格诗人和外交家。波兰瓦萨王朝国王弗瓦迪斯瓦夫四世及J.卡齐米日的廷臣，后成为约翰三世索别斯基统治的反对派领袖，法国国王路易十四在波兰的代理人，最后化名沙托维兰伯爵流亡法国。他酷爱文学，曾把意大利和法国的诗和剧本译成波兰文，包括高乃依的《熙德》。毕生写了不少短诗、致友人的诗信和情趣横溢的警句，均编入两册诗集《盛暑》（1647）和《诗琴》（1661）中，但两书至19世纪始出版，从而为莫尔什滕奠定了在波兰文学上的地位。

Morsztyn, Zbigniew　莫尔什滕（约1628，波兰王国克拉科夫附近的波德古热～1689-12-13，普鲁士柯尼斯堡［今在俄罗斯加里宁格勒］）　诗人，波兰乡绅和波兰王侯家族拉济维乌的亲信廷臣。著有《家中的缪斯》（2卷，1652～1683）。1655年瑞典进攻波兰时在军中服役，在围攻克拉科夫期间他安然无恙。在《缪斯》的第二部里，他辛酸地描写了一个士兵的生活以及战争的后果。

mortality　死亡率　人口统计用语，指一定数量人口中死亡的频率。决定死亡的因素有生物的、社会的和经济的。影响人类死亡率的个人因素有遗传、性别和年龄。通常在任何年龄段中女人死亡的风险都比男人小，但在生育年龄阶段除外（在西方社会，女人即使在生育年龄阶段死亡率也较低）。男女两性婴儿在出生后不久，死亡的风险都很大；但在儿童期间风险逐渐减小，在10～12岁时达到最小；然后，风险又日渐增大，直至晚年风险又超过出生后的第一年。出生时的预期寿命是人口死亡率一般水平的最说明问题的指数。在古希腊和罗马，平均预期寿命约为28岁；在世界发达国家，20世纪90年代初平均预期寿命约为74岁。

mortar　迫击炮　在军事科学中，炮管短、初速低、曲射弹道的短程火炮。从中世纪到第一次世界大战，大型迫击炮主要用于堡垒战和包围战。1915年以来，小型便携式迫击炮成为步兵的标准武器，特别适合于堑壕战或山地战。现在多使用中型迫击炮，口径为70～90毫米，射程4 000米，弹重达5千克。

mortar　砂浆　又称灰浆。施工时把砖、石、瓦、混凝土块黏结成砌体的材料，为一定比例的砂、水泥和水的混合物。砂浆应有足够的塑性，以便瓦工用瓦刀涂抹，并稍有流动性而又承受得起砖石的重量。可添加熟石灰以增加平滑度，有时也加入色料。水泥是其中最贵的成分，在满足强度和防水要求的前提下，应尽量少用。砂浆硬化后成为石头状的固体。砂浆涂抹适当时可使砌体所受的荷载均匀地分布在黏合面上，并使接缝不透风雨。

mortar and pestle　臼和杵　用来捣砸物品使之粉碎的古老器具。与座架式手推磨（一块圆形石头置于一块平滑石头底座上，进行辗压或研磨）同是最早的磨谷工具。将谷粒放到石上的浅凹处（臼），并用一棒状的石头（杵）来捣碎。经改进变得更精细的臼和杵，在厨房仍用以捣碎或捣烂食品；在配药时用来研磨药物；还用于化学实验室中。

Morte Darthur, Le　《亚瑟王之死》　托马斯·马洛礼爵士首次用近代英语散文写的亚瑟王传奇故事，约完成于1470年，1485年由W.卡克斯顿印刷出版。该书按亚瑟王出生后的年代为序，讲述圆桌骑士的历险。马洛礼的故事以法国传奇为依据，与原故事不同之处在于它着重写骑士们的手足之情，而不是最终摧毁他们之间友情的忠诚的矛盾（由朗斯洛和圭尼维尔的通奸造成）。参阅**Arthurian legend**。

Mortensen, Richard　莫坦生（1910-10-23，丹麦哥本哈根～1993-01-12，哥本哈根）　丹麦画家。所画色彩强烈的大幅画是丹麦艺术中第一批重要的抽象画作。曾在哥本哈根皇家艺术学院学习两年，后独立工作。20世纪30年代在哥本哈根创立抽象画家的“线条集团”，并成为一位杰出的艺术理论家。1932年在柏林第一次看到康定斯基的作品，受到很大影响。除做过短期的超现实主义实验外，仍热衷于几何抽象，通过明快的色彩和生动的节奏，在“无名的”硬边结构中表达自发的感受。第二次世界大战后住在巴黎。除绘画外，还设计挂毯和画舞台布景。

mortgage　抵押　在英美法中，是指债务人（抵押人）将一项财产的权益转移给他的债权人（受押人），作为履行一项金钱债务的担保。英美的抵押，大致相当于民法法系中的担保权。现代英美的抵押是英国中世纪后期出现并直接传下来的一种财产转移形式。抵押人（债务人）将土地所有权转移给受押人，其条件是：若抵押人定期归还他所赊欠受押人的债款，受押人即将土地归还给抵押人；若抵押人没有按抵押规定的时间偿还债务，土地即归受押人所有。在整个古代社会和中世纪的欧洲，这种转移财产的形式有不同的名称。从古到今的各种担保手段可区分为：债务人给债权人提供财产占有权，而不是所有权（民法法系中的担保权，早期英国普通法中的土地抵押）或者债务人甚至不是给债权人以财产占有权，只是债务人无法履行留置权或担保权时用该抵押财产偿还债务。因此，到中世纪后期在普通法中抵押成为一种强有力的担保形式，实际上已变成受押人允许抵押人保留占有土地，其做法是：只要不是抵押人不履行债务，他就保持土地的占有权。

起初，普通法法院对抵押条件有严格的解释。但在16～17世纪，英国衡平法法院介入抵押人一方，首先赋予抵押人以给付欠款数目的方式赎回土地的权利，甚至在“合理的时间内”拖欠了债务也是如此。抵押人拖欠了债务，受押人为澄清土地的权属可向衡平法法院起诉，以取消抵押人“衡平法上的回赎权”。作为取消土地回赎权的条件之一，若土地的卖价高于负债数，衡平法法院赋予抵押人有取得该剩余收益之权。在大多数英美管辖区中，19世纪的立法扩展到抵押人当受押人取消回赎权后，他仍有一段时间可赎回抵押物。最后在许多英美的管辖区的立法中，规定在受押人将回赎权取消后需公开出售土地；有的管辖区并规定在出售时需要有公共官员指导。在现代初期，各种类似抵押土地的担保手段适用于个人财产，在商人中间尤为如此。到19世纪，在英美范围内通行使用“动产抵押”。动产抵押法的发展进程不同于土地抵押法，但在多数管辖区中，到目前的最终结果都类似，除非债务人不履行义务，债权人的权力通常不起作用。因动产抵押不是普通公民，而是商人使用的典型手段，以致到最近，这种交易对债务人的保护也较少（典型的例子是没有赎回抵押物的法定权利）。但近来在消费者信贷交易中的动产抵押和类似的担保手段的广泛使用，已导致扩大了保护消费者利益的法律规定。

在英美管辖区的交易中，抵押仍是广为使用的担保手段，包括以土地作抵押。有些管辖区中，譬如信托契据（受托人保持财产所有权，若债务人偿还债务，则把该财产交还给债务人；或者债务人不履行债务，受托人则出售该财产并分割收益）或者长期土地契约（土地买方付清所欠款数前由卖方保持土地所有权）是供选择的办法，但受到不断增加的法律制约，其作用已与抵押趋同。

抵押可作为推动社会有限资源——人和土地的最佳使用的一种手段，可以为那些以现有财力未能购买土地者准备转移土地和改良使用土地提供条件，如一个拟退休的老农民把农庄卖给青年农民，后者将此财产作抵押以付清全部土地价款并得到足够款项以实施他个人的农庄计划。

抵押允许个人可以相对少的贷款购买住房，因为他可用购来的住房作为贷款的抵押品，这对维护居民住房市场起着愈加重要的作用。在美国，联邦政府发展抵押二级市场，支持这类交易。接受住宅作抵押的银行可以在二级市场出售抵押物，以扩大资本，增加信贷。二级市场的运作使美国各州有关的法律及其实施更趋一致，因为涉及标准产品的交易，二级市场运作的效率更高。

Mortier, Édouard-Adolphe-Casimir-Joseph, DUC DE TREVISE 莫蒂埃（1768-02-13，法国康布雷西斯堡～1835-07-28，巴黎） 特雷维塞公爵、法国将军。拿破仑的元帅之一，在国王

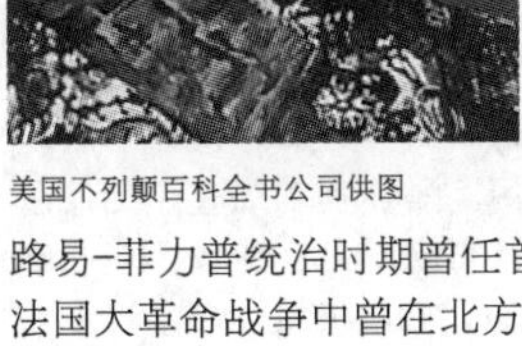

美国不列颠百科全书公司供图

路易-菲力普统治时期曾任首相和陆军大臣。法国大革命战争中曾在北方军、多瑙方面军、海尔维第方面军中服役。1799年晋升将军，1800年5月任驻防巴黎的第10师师长。1803年4月占领汉诺威，1804年被拿破仑封为18元帅之一。翌年11月，俄国将军M.库图佐夫在奥地利的迪恩施泰因将他击败。1806～1807年他参加普鲁士战役，1808年在西班牙作战，参加围攻萨拉戈萨。他在奥卡尼亚战役中击溃西班牙军6万人。在1812年的俄罗斯战役中，他指挥青年近卫军。1814年，他试图抵挡联盟军在巴黎外围的猛攻。波旁王朝第一次复辟（1814）时，被封为贵族。但“百日政权”时期，他重新投靠拿破仑。波旁王朝第二次复辟，他受到贬黜，直到1819年才恢复贵族爵位。1830年七月革命后，出任驻圣彼得堡大使。1834年11月至1835年3月任首相和陆军大臣。他在G.费希企图行刺国王路易-菲力普时被杀。

Mortillet, (Louis-Laurent-Marie) Gabriel de 莫尔蒂耶（1821-08-29，法国梅兰～1898-09-25，圣日耳曼昂莱） 法国考古学家，首创人类史前文化发展阶段分期法，将旧石器时代

美国不列颠百科全书公司供图

分为舍利时期、阿舍利时期、穆斯特时期、梭鲁特时期和马格德林时期等等，至20世纪仍为人类学分类依据。莫尔蒂耶早年研究阿尔卑斯山地质和古生物，其成果概述于《萨瓦地质与矿藏》（1858）一书中。1868年人圣日耳曼昂莱国立古物博物馆工作，任副馆长17年。1876～1898年兼巴黎人类学学院教授。莫尔蒂耶的史前文化分期法曾详述于《史前时期：人类的古代》（1882）中，该书再版数次，每有修订。

Mortimer FAMILY 莫蒂默家族 盎格鲁-诺曼人家族。后来的马奇伯爵和阿尔斯特伯爵均出自该家族。原在威尔士边境地区有很大势力，13～14世纪在政治上取得重要地位，15世纪取得继承英格兰王位的权利。家族中最著名的成员有：马奇伯爵罗杰（1330年卒）；第3代马奇伯爵埃德蒙（1381年卒），他与克拉伦斯公爵安特卫普的莱昂内尔（爱德华三世生存的第2个儿子）的女儿和继承人菲利帕结婚，因而使该家族拥有继承王位的权利；第5代马奇伯爵埃德蒙（1425年卒），他是第3代马奇伯爵与菲利帕的儿子，根据继承次序法，比亨利四世有更大的要求王位的权利。

Mortimer, Edmund 莫蒂默 参阅 **March, Edmund Mortimer, 5th Earl of 马奇伯爵（第五）**。

Mortimer, John (Clifford) 莫蒂默（1923-04-21，英格兰伦敦汉普斯特德～2009-01-16，英格兰牛津郡泰晤士河畔亨利镇附近） 英国法庭律师和作家，不仅写小说和自传作品，也写舞台剧、电视剧、广播剧和电影剧本。在哈罗和牛津布拉塞诺斯学院受教育之后，于1948年取得律师资格，在此之前已开始写作。次年与佩内洛普·鲁思·弗莱彻（即小说家佩内洛普·莫蒂默）结婚，1972年离异。莫蒂默以小说《字谜》（1947）开始其创作生涯。随后的几部小说均取材于其律师经历，但直到1957年由于英国广播公司演出了他的广播剧《免费辩护》后，他的声誉才真正得以确立。莫蒂默还写过其他一些广播剧，并为舞台写过几部多幕剧，其中包括《公园的阴暗面》（1960年上演）、《两颗给人安慰的星星》（1962年上演）和《法官》（1967年上演）。1965年成功地从法文改编G.费多的笑剧《刺她耳朵的话》。自传体剧本《环绕我父亲的航行》（1970）是他的最佳作品之一，内容是写他与盲父之间的关系。在整个写作生涯中，莫蒂默还保持兴盛的法律业务，60年代他作为女王的一位法律顾问，在言论自由和公民权利案件中担任大不列颠的主要辩护人之一。作为一位作家，莫蒂默于70年代晚期和80年代取得他最大的成功，他的《法庭的朗波尔》及其他短篇小说和电视节目均具有顽固的英国老律师H.朗波尔的特征，并具有作为一名辩护律师的喜剧性冒险特色。

Mortimer, Penelope (Ruth) 莫蒂默（1918-09-19，威尔士弗林特郡里尔～1999-10-19） 母家姓Fletcher。英国新闻记者、小说家。她的作品以简洁的文体描写了一个充满了神经病和破裂婚姻的噩梦般的世界。从伦敦大学毕业后即开始写诗歌、书评和短篇小说。1949年与剧作家约翰·莫蒂默结婚（1972年离婚），曾与其夫合写过《爹爹打猎去了》一书（1958）。最著名的作品可能是小说《吃南瓜的人》（1962），生动地描写了一个不由自主地渴望生儿育女的女子如何逐渐与她连续几个丈夫都最终疏远分离。1964年该书成功地搬上银幕。其他小说有《星期六与布朗宁一家共进午餐》（1960）、《我的朋友说那话保证不错》（1967）和《长途》（1974）等。

Mortimer, Robert Harley, Earl 莫蒂默伯爵 参阅 **Oxford, Robert Harley, 1st Earl of 牛津伯爵（第一）**。

Mortimer, Roger 莫蒂默 参阅 **March, Roger Mortimer, 1st Earl of 马奇伯爵（第一）; March, Roger Mortimer, 2nd Earl of 马奇伯爵（第二）**。

mortmain 土地的死手保有 在英国法律中，指土地归法人的“死手”（法语 *mort main*）所保有的状态。在封建时代，把土地转让给寺院或其他法人就剥夺了领主的许多有利可图的封建附随权益，因为法人是无所谓未成年的，也永远不会死亡，永远不会犯重罪或者结婚。于是从13世纪到16世纪，通过若干法律，禁止不经王室许可而将土地转让给死手保有（即转让给法人——译者）。近代的法律有1888和1891年的《死手保有法》和《公益团体用地法》，还有许多准许有限公司和一些其他法人无须得到死手保有的特许而拥有土地的法律。不经批准将土地转让给死手保有（即法人保有——译者），土地将被没收归王

室所有。英国于1960年废除了有关死手保有的法律。但是在英联邦内的一些地区和美国,死手保有的立法仍然存在。

Morton, Archibald Douglas, Earl of 莫顿伯爵 参阅 **Angus, Archibald Douglas, 8th Earl of 安格斯伯爵(第八)**。

Morton, J(ulius) Sterling 莫顿(1832-04-22,美国纽约亚当斯～1902-04-27,伊利诺伊莱克弗里斯特) 美国G.克利夫兰总统时期的农业部长(1893～1897)、植树节的发起人。1854年定居内布拉斯加准州,创办并主编《内布拉斯加城市新闻》,积极参与地方的民主党活动。1858年由J.布坎南总统任命为准州秘书,后任代理州长至1861年。内布拉斯加获准加入联邦后,四度竞选州长失败。1893～1897年任农业部长。早年即热衷于植树造林,曾多年敦促内布拉斯加州规定一天作为植树节,以鼓励植树造林。1872年4月首次举行植树节,收效极大,栽树达百万余株。1885年起内布拉斯加州以莫顿的诞辰4月22日为植树节。

Morton, James Douglas, 4th Earl of 莫顿伯爵(第四)(约1516～1581-06-02,苏格兰爱丁堡) 苏格兰贵族,在推翻苏格兰女王玛丽时起过主要作用。作为詹姆斯六世(后为英王詹姆斯一世)的摄政(1572～1578),他恢复了被多年内讧削弱的中央政府权威。乔治·道格拉斯爵士之子。1553年继承岳父第3代莫顿伯爵的爵位。1557年与一批苏格兰贵族签署《民族圣约》。他虽是新教徒,但被信仰罗马天主教的玛丽任命为大法官。1556年3月他与其他几个新教贵族杀害了女王的心腹秘书D.里奇奥,并且卷入了杀害女王丈夫达恩利勋爵的阴谋活动。1567年5月女王与博思韦尔伯爵结婚后,他又领兵将博思韦尔逐出苏格兰。7月把玛丽女王囚禁于利文湖上的卡斯尔岛,迫使她让位给詹姆斯六世。1572年任摄政,彻底镇压叛乱,恢复法治,改革主教制度。1578年反对者迫使他辞职。3年后,因参与阴谋杀害达恩利而被处死。

Morton, Jelly Roll 莫顿(1890-10-20,美国路易斯安那新奥尔良～1941-07-10,加利福尼亚洛杉矶) 费迪南德·约瑟夫·拉·门瑟的别名。美国爵士乐作曲家、钢琴家,首创在爵士乐队演出中运用事先准备好的、部分配好器的效果。自幼开始学钢琴,1902年起在新奥尔良斯托里维尔区的妓院中担任职业钢琴手。他是雷格泰姆钢琴演奏家先驱之一,但后来自诩"于1902年发明爵士乐",适足以贻笑大方。不过在20世纪初新奥尔良发生的从早期爵士乐到管弦爵士乐的变革中,他却是一位重要的革新者。约1917年西迁加利福尼亚,在夜总会演奏直至1922年。1923年首次录制唱片,1926～1930年与名为"莫顿红辣椒"的小组一起录制系列唱片,从而誉满全国。莫顿的音乐比早期的迪克西兰爵士乐更为正规,虽然他的改编曲只把各声部作一些素描而留有即席演奏的余地。30年代初,因L.阿姆斯特朗和其他革新者的崛起,莫顿的声名相形见绌。作为爵士乐作曲家,莫顿最令人难忘的作品是《黑人博顿顿足爵士舞》、《金·波特顿足爵士舞》、《擦鞋男童慢步舞》和《死人蓝调》。

Morton, John 莫顿(约1420,英格兰多塞特比尔里吉斯或米尔本圣安德鲁～1500-10-12,肯特诺尔) 英格兰坎特伯雷大主教和枢机主教,亨利七世在位时期最有权势的人物。玫瑰战争时期支持兰开斯特家族。1461年约克家族的爱德华四世即位后,他被定为卖国贼。1470年他纠集兰开斯特派和心怀不满的约克派把爱德华四世赶往国外。尽管如此,爱德华1471年复位后仍任他为大使和伊利主教(1479)。理查三世篡位后,他成为国王的死敌,参与策划由白金汉公爵H.斯塔福德领导的起义(1483),失败后逃往佛兰德。1485年亨利七世即位后,他成为最受信任的顾问之一。1486年任坎特伯雷大主教,1487年任大法官,1493年任枢机主教。英王亨利在征税时,税官云富者有钱纳税,穷者未必真穷。此说据说是莫顿所创,称为"莫顿之叉"。

Morton, Levi (Parsons) 莫顿(1824-05-16,美国佛蒙特肖勒姆～1920-05-16,纽约莱茵贝克) 美国银行家,1889～1893年任美国副总统,成为共和党政坛上的杰出人物;从美国

美国国会图书馆供图

南北战争时起至1907年经济恐慌为止,在纽约商界一直享有盛誉。原在新罕布什尔州的汉诺威和波士顿经商,19世纪50年代中期迁往纽约,与人合营纺织品商店。1863年开设银行"莫顿公司"。后投身政治,最初选入美国众议院(1879～1881),1881～1885年任驻法公使。1889年当选为副总统。1895～1896年任纽约州长,支持文官制度的改革。莫顿在其任期届满时,坚持把金本位列入1896年的共和党全国纲领中。后继续活跃在银行界中。

Morton, Oliver H(azard) P(erry) T(hrock) 莫顿(1823-08-04,美国印第安纳索尔兹伯里～1877-11-01,印第安纳印第安纳波利斯) 美国政治领袖、美国南北战争时期的印第安纳州长。1845年投身民主党政治活动,但因1854年的《堪萨斯-内布拉斯加法》而与该党决裂,后参加共和党的建党工作。1860年当选为印第安纳州副州长,次年任州长。由于对顽固的分裂主义政治势力采取果断措施而蜚声政界。1863年与议会对立,此后连续两年,他凭借发布命令进行统治,向私人筹集必需的经费。战后当选为美国参议员(1865),起初支持A.约翰逊总统的温和政策,但不久即转变观点,成为激进共和党人的领袖,投票赞成弹劾约翰逊,要求立即给予黑人选举权。

Morton, Sarah Wentworth Apthorp 莫顿(1759-08,马萨诸塞波士顿[今在美国]～1846-05-14,美国马萨诸塞昆西) 婚前名Sarah Wentworth Apthorp。笔名康斯坦蒂娅或菲利尼亚。美国女诗人,其诗具有明显的美国特色,为当时人们所仰慕。富商之女,受过极为全面的教育。1781年与P.莫顿结婚。从孩提时起就养成写诗的习惯。1789年起开始向马萨诸塞州一家新创办的杂志的《缪斯之位》专栏投稿,先后用康斯坦蒂娅和菲利尼亚这两个笔名发表。以菲利尼亚的笔名发表的作品迅即引起国内甚至英国评论界的关注。她写的第一卷是一首长诗,诗名《瓦比;或自然的美德》(1790),讲述被归入"高贵的野蛮人"模式的美洲印第安人的故事,受到评论界的好评。她成为当时最杰出的美国女诗人。后著有《比肯希尔:一首历史性的和描述性的当地诗篇》(1797)及其续篇《社会的美德:建立在事实基础上的一个故事》(1799)。1837年丈夫去世后返回昆西居住。

Morton, Thomas 莫顿(约1590～约1647,缅因省[美国]) 美洲殖民地最具风采的英国早期移民之一,以嘲笑清教派移民的严格教规著称。1624年以开拓殖民地的沃拉斯顿公司业主之一的身份来到马萨诸塞。1626年当地大多数移民迁往弗吉尼亚,他留下照管殖民地,并命名为梅里芒特。他生活放荡,竖立五月柱,鼓励人们饮酒作乐,写作淫诗,戏弄虔诚的邻居,在宗教仪式中使用安立甘宗《公祷书》,垄断河狸毛皮贸易,向印第安人出售武器。1627年移民们砍断五月柱,将他逮捕并流放到肖尔斯岛。后来,他从该岛逃往英格兰。次年返回后又被监禁,财产被没收。被流放回英格兰后,与马萨诸塞的敌对者合作,力图撤销清教徒的特许状。1637年写成《新英格兰的迦南》一书报道殖民地情况。1643年重返美洲,再度被监禁、罚款并被流放到缅因。他始终反对清教主义。N.霍桑的短篇小说《梅里芒特的五月柱》即取材于他。

Morton, William Thomas Green 莫顿(1819-08-09,美国马萨诸塞查尔顿～1868-07-15,纽约市) 美国牙外科医师。1864年首次在牙科手术中使用乙醚。其功绩在于促使医学界承认并采用外科麻醉术。1844年莫顿在波士顿开始任牙医。1845年1月,在波士顿马萨诸塞综合医院任职,当时H.韦尔斯试图证明一氧化氮在手术中有止痛作用,但未获成功。莫顿决心找到一种更可靠的止痛药,于是求教于波士顿的化学家C.杰克逊,尽管杰克逊对他的想法持怀疑态度,但仍建议他试用乙醚。1846年9月30日,莫顿第一次使用乙醚拔牙。一个月后在同一个医院的手术室里(而且就是在约两年前,韦尔斯试验失败

的同一手术室),又用乙醚麻醉为一名肿瘤患者施行手术获得成功。但遗憾的是,莫顿为得到使用乙醚麻醉的专利权,将他余生的全部时间都花费在跟杰克逊进行代价昂贵的争论中,但最后官方却承认韦尔斯和 C.朗是最早使用该药的人。

Morton National Park　莫顿国家公园　位于澳大利亚新南威尔士州东部沿海山脉,北距悉尼 160 千米。面积 1 046 平方千米。当地菲茨罗伊瀑布是著名风景区。公园内砂岩山岭覆盖着分泌红色树脂的树木,峡谷两壁和谷底覆盖着雨林和硬木林。

mortuary temple　仪葬庙　古埃及奉祀已故国王并贮存供物的场所。在古王国(约公元前 2575 ～约前 2130)和中王国时期(约公元前1938～约前1600?),仪葬庙通常毗连金

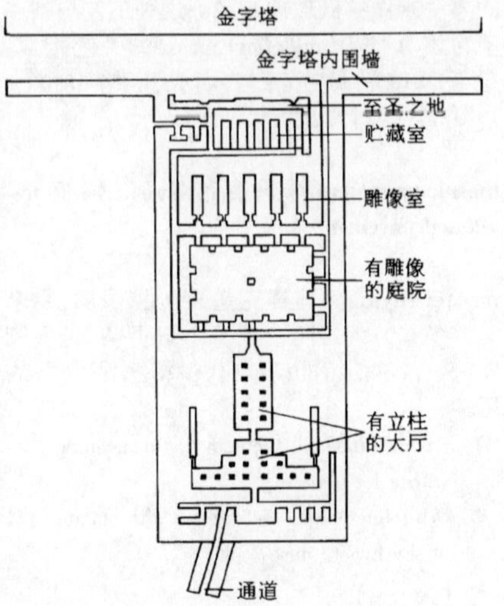

吉萨的海夫拉法老(第 4 王朝)仪葬庙平面示意图

字塔,有一饰有立柱的露天庭院、供物库、五个长方形神座和一个奉祀厅,厅壁饰有假门,厅内设供桌。祭司每日在奉祀厅举行悼念仪式,将祭品献给已故君王的护卫灵。在新王国时期(公元前 1539 ～前 1075),国王葬在石窟里,附近建有仪葬庙。所有庙宇都设有祭司,并保证宗教仪式所需的供应。

Morty (Indonesia)　**莫尔泰**　参阅 **Morotai** 莫罗泰。

morula　桑葚胚　通过几次卵裂,由细胞(分裂球)组成的实心团块,由合子经几次分裂而形成。形似桑葚,故名。多见于卵黄少而卵裂完全的物种。在桑葚胚表面的分裂球发育为胚胎的胚外部分。里面的细胞(内胚团)发育成胚胎本身。

Morungen, Heinrich von　莫龙根　参阅 **Heinrich von Morungen** 亨利希(莫龙根的)。

Morus, Huw　莫厄斯(1622,威尔士登比郡兰戈伦? ～ 1709-08,登比郡兰西林)　又称埃奥斯·凯里奥格。17 世纪威尔士最优秀诗人之一。他是在严谨的吟唱韵律正在衰退,流行的自由韵律正在兴起的时期进行诗歌创作的。他以熟练和精细的技巧把这种诗提升到新的高度。他的诗结构复杂,以句中押韵和字音的和谐著称。其中许多爱情诗受英国骑士诗人的影响,并且极易谱成流行曲调。作为保皇党人和英国圣公会的拥护者,曾任兰西林堂区委员。

Moruya　莫鲁亚　澳大利亚新南威尔士州东南部城镇。濒莫鲁亚河。建于 1851 年,是阿拉卢恩和布雷德伍德采金地的门户。后金矿采尽,开始依靠奶品制造业。地处悉尼以南 245 千米,为附近乳品、牡蛎产区,伐木区以及花岗石、砷和金矿区服务。有锯木、冷冻和乳品加工厂。以当地湖泊和海滩为基地的旅游业为收入来源之一。人口2 003(1981)。

Morvan　莫尔旺　法国中部高原地区。为中央高原东北部向巴黎盆地延伸部分。北部有约纳河和阿尔芒松河(塞纳河支流)的源头河流经。南部有卢瓦尔河支流阿鲁斯河流经。面积约1 350平方英里(3 500平方千米)。南部圆顶山高近3 000英尺。博夫雷山(2 661英尺)有公元前 18 世纪高卢人的带壕堑营寨。现代有些地区的森林被砍伐,有些沼泽地区已经治理;这些土地经开发以种植牧草。当地风景点吸引着巴黎度假者。1970 年开辟莫尔旺地区天然公园,达 42 万英亩。

Morvi　莫尔维　印度中西部古吉拉特邦拉杰果德县城镇。位于卡提阿瓦半岛的低地上,在小卡奇沼泽地南面。为农产品贸易中心,有棉花加工和各种制造业。为公路、铁路交会点。人口 73 327(1981)。

Morwell　莫韦尔　澳大利亚维多利亚州东南部城镇,在西吉普斯兰的拉特罗布河谷。建于 1861 年。在莫韦尔河附近。1916 年后由于开发河谷地区大片露天褐煤矿,由乡村小居民点变为工业城镇。有发电、煤球、造纸、纺织、服装、靴鞋业。内地供应牛肉、牛奶,并养绵羊。有铁路西北通墨尔本。为米德兰公路和王子公路交叉点。人口16 491(1981)。

Mosa (river, ancient Europe)　参阅 **Meuse River** 默兹河。

Mosaddeq, Mohammad　摩萨台(1880,伊朗德黑兰～ 1967-03-05,德黑兰)　Mosaddeq 又拼 Masaddiq 或 Mossadegh。伊朗政治领袖,他领导了使巨大的英国石油公司产权国有化的

美国不列颠百科全书公司供图

斗争,并出任首相(1951～1953)。官僚家庭出身。在瑞士洛桑大学获得法学博士学位。1914 年回国,任法尔斯省省长。1921 年礼萨汗掌握国政后,他先后任财政大臣和外交大臣。1923 年选入众议院。1925 年因反对礼萨汗当选国王被迫退休。1944 年重新选入众议院。他反对把油田租给苏联,号召将英伊石油公司在伊朗的租借地和设施收归国有。1951 年 3 月众议院通过他的《石油国有化法案》,巴列维国王不得不任命他为首相。此后,双方为争夺行政大权继续展开斗争。1953 年 8 月巴列维企图将他免职。但是,拥护摩萨台的群众走上街头,迫使国王出走。几天后,反对他的人们在美国支持下推翻了他的政权。他以叛国罪入狱 3 年。刑满后一直遭受软禁。摩萨台在任首相时趣事很多,如在公共场合身穿睡衣,在议院中坐在床上发表演说,经常当众哭泣等等。

Mosāferīd DYNASTY　**莫萨法尔王朝**(约 916 ～ 1090)　又称萨拉尔王朝或康加尔王朝。伊朗的王朝,统治伊朗西北部。创立者穆罕默德·伊本·莫萨法尔(约 916 ～ 941 在位)原为伊朗西北部达兰山区一要塞司令,后取得对大部分达兰的控制权。941 年他死后,领土由子马尔佐班一世(941 ～ 957 在位)和瓦赫苏丹(941 ～ 957 在位)分治。马尔佐班又向北、西两方扩展,占领阿塞拜疆和外高加索东部。然而到 984 年,这些领土全部丢失。易卜拉欣二世(997 ～约 1030 在位)复兴王朝,重新控制达兰,并向南扩展,远至赞詹。易卜拉欣死后,达兰相继沦为伽色尼王朝和塞尔柱的藩属。11 世纪末,这一王朝被阿拉穆特的伊斯梅尔所灭。

mosaic　马赛克　在美术中,用各种颜色的小块材料如石块、矿石、玻璃、瓷片或贝壳等紧密地拼集在黏附性底材上的表面装饰。小块方形、三角形或其他形状规则的马赛克材料(称为泰塞赖)通常贴在涂有灰浆或黏胶的墙壁或地面上形成图案。马赛克与镶嵌工艺不同,它是将材料粘贴在表面上,而不是插入表面以下的凹陷处。每块马赛克材料很小,只有当它成为整个图案的一部分时才具有装饰作用。作为一种美术形式,马赛克与绘画有着许多共同之处,它在平面上表现图案或图像,也同绘画一样,适于大范围的表面装饰;但马赛克艺人不同于画家,受材料的物理局限性的限制,只能使用有限的颜色,因此不能具有与绘画同样的明暗变化,尽管马赛克的性质使它具有较强的距离效果。例如,在拜占廷的马赛克制品中使用采光性好的玻璃泰塞赖,并去掉中间色调,获得绘画中从未有过的光泽。像每一种装饰方法一样,马赛克有其独特的性质,使它特别适合于某种装饰功能。已知最早的马赛克可上溯到公元前 8 世纪,用卵石制成,5 世纪经希腊工匠改进。收集从白色到黑色各种颜色的形状相同的卵石,不经加工用来形成地面或路面马赛克。即使用这种似乎简单的技术,希腊工匠也能拼出精巧而复杂的图案,所用卵石的直径为 1～2 厘米,黑色小卵石勾勒出拼接范围的轮廓。到 4 世纪,使用涂成红色和绿色的卵石,使马赛克更显得丰富多彩。在古代马赛克主要用于以经久耐磨为优先考虑的地面或路面,石块,尤其是大理石和石灰石特别适于上

公元3世纪意大利奥斯蒂亚古城的罗马马赛克地面
美国不列颠百科全书公司供图

述用途，可劈成小块，其天然颜色可适当地提供基本色调。希腊化时代玻璃开始用于马赛克，而且在整个拜占廷时期仍然是马赛克重要的材料。玻璃可染成任何颜色，因此马赛克使用的颜色可不受限制。玻璃不如石块适用于地面，但光亮的玻璃特别适于在耐久性不十分重要的墙壁马赛克中使用。早期基督教期间已发明用金属箔贴在玻璃上的金、银玻璃泰塞赖，这种"镜面玻璃"能更强烈地反射光线，而金色使拜占廷时期的马赛克产生一种闪烁微光的特殊效果。6世纪拜占廷的马赛克艺人使用金色背景已成为一种规范，他们还采用将泰塞赖按锐角贴入灰浆的技术，以便最大限度地反射光线。罗马人广泛地采用马赛克，特别是在住宅建筑的地面上，在古城庞贝、赫库兰尼姆、奥斯蒂亚尚有精美的马赛克地面遗存。早期基督教教堂流行用马赛克装饰墙壁，而且在整个拜占廷时期一直是装饰艺术的主要形式。拜占廷马赛克工艺的杰作现存拉韦纳市的圣阿波利纳尔教堂和圣维塔尔教堂，其中绚丽多彩的大片马赛克是整个建筑不可分割的部分。后来令人瞩目的作品建于威尼斯附近的托切洛(12世纪)、雅典附近的达夫尼(11世纪)和威尼斯的圣马可大教堂(11～14世纪)。拜占廷马赛克的影响遍布欧洲，当文艺复兴运动探求现实主义，反对拜占廷装饰艺术的程式化，马赛克的名望随之逐渐衰落。19世纪许多公共建筑物用大量生产的瓷砖或玻璃泰塞赖作装饰，马赛克再度流行。

mosaic 花叶病 几百种病毒不同株系引致的植物病害。症状互异，通常是叶片上呈不规则斑驳(浅绿及暗绿或黄色碎斑或条点)。叶生长受阻，卷缩起皱；叶脉较正常时色浅，或有暗绿色或黄色环带。植株常矮缩，果、花较正常时少而变形，生育受阻。花也可以出现斑纹或条纹(杂锦病)，这种情况出现在某些郁金香(伦勃朗氏郁金香)，因条纹鲜艳美观，故很受欢迎。花叶病症状有时隐蔽或潜伏，尤其当气温在27℃以上时，常与营养缺少症或除草剂药害相混。病原病毒由蚜虫及其他昆虫、螨、真菌、线虫传播，以及接触传播；花粉及种子也能传播。采用无病毒种子及植株，种植抗病品种，将新株与老株分开，每年轮作，严格实施田园卫生及害虫防治措施，可避免此病发生。

mosaic, pebble 参阅**pebble mosaic**小圆石马赛克。

mosaic evolution 镶嵌进化 在某一个生物种群内，不同躯体结构与功能发生不同程度的进化的现象。例如在不同种的象的进化模式中可以看到：印度象在进化过程中磨牙很早就发生变化，但前额缩短不多；而非洲象也经历平行的改变，但速率不同：在发展的早期前额已缩短，较晚才发生磨牙的变化。同样，人类在进化过程中很早就形成适于双足行动的结构，而同时期颅骨的形态或脑的大小变化不大，其后，颅骨和脑又迅速进化成现代人种的高级状态。镶嵌进化现象似乎表明：对于进化中的物种的各种结构和功能，自然选择的过程所起作用不同。就人类进化而言，先需有直立的姿势，尔后才需要复杂的大脑，而且，大脑之所以能变为精巧可能与双足行动解放了前肢相关。对镶嵌进化发生范围的研究，极大丰富了进化理论。

mosaic glass 镶嵌玻璃制品 将各种彩色玻璃片熔接在一起而形成的玻璃器皿。公元前15世纪，埃及生产的已知最古老的著名花瓶即属于这种类型。埃及花瓶是把不同颜色的玻璃棒捆在用沙子及动物粪制成的模芯周围加热熔融而成的。公元前1世纪，叙利亚人发明了吹制玻璃后，改为先将彩色玻璃碎片贴在热的吹制品上，然后用重新加热吹制的方法制作镶嵌玻璃制品。这种工艺与制造千花玻璃制品(**millefiori glass**)的工艺相似。镶嵌玻璃制品在新艺术时期(约1890～1910)再次流行。

mosaic pavement 马赛克镶砌 参阅**tessellated pavement**地面镶砌。

mosaic rhyme 马赛克韵 一种多韵，要求一个多音节词与两个或多个词押韵，见下列W. S. 吉尔伯特的诗《现代少将》中两诗行的尾韵：

> About binomial theorem I'm teeming
> with a lot o'news,
> With interesting facts about the square
> of the hypote nuse.

Mosan school 默兹画派 罗马式手抄本装饰画、金工和珐琅制品的地方风格，盛行于11和12世纪，其中心在默兹河谷，特别是在列日和斯塔沃洛的本笃会隐修院。与之相关的两位最重要的艺术家是G.德·克莱尔和凡尔登的尼古拉，前者是来自于伊的金饰艺人，后者也是金饰艺人，并且还是中世纪最著名的彩釉艺人。默兹艺术的代表作有《斯塔沃洛圣经》(1093～1097；不列颠博物馆，伦敦)，斯塔沃洛祭坛(约1150；皇家美术与历史博物馆，布鲁塞尔)等。

墨西哥城大学城内的大型马赛克壁画
美国不列颠百科全书公司供图

Mosander, Carl Gustaf 莫桑德尔(1797-09-10,瑞典卡尔马～1858-10-15,安纳格舒尔门) 瑞典化学家,发现大量化学性质极其相似的稀土元素。1826年负责管理斯德哥尔摩加罗林医学院化学实验室,1832年成为化学和矿物学教授。当他研究铈化合物时,于1839年发现了元素镧。以后继续研究稀土,并于1843年报道他发现了元素铒、铽和"铽"。1885年奥地利的化学家C.A.冯·韦尔斯拔发现,"铽"实际上是钕和镨两种元素的混合物。

mosasaur 沧龙 绝灭的一科水生蜥蜴,与当代东方巨蜥和非洲巨蜥近缘。高度适应海洋环境,白垩纪(6 500万年前～1.36亿年前)遍布全球。与其他海生爬行类(蛇颈龙类和鱼龙类)争夺食物(主要为鱼和乌贼)。许多大的晚白垩世类型超过9米长,但最普通的类型不大于多数现代海豚。头骨大,吻部长,身体蛇形。前、后肢桨状,具有比其祖先短的肢骨和更多的趾骨。尾长,末端微向下弯,一定程度上类似早期鱼龙类。脊柱由100多个脊椎骨组成。头骨构造似现代巨蜥,颌部有许多稍微向后弯的圆锥形齿嵌入单独的齿槽内。值得注意的是下颌骨具有中间关节,与一些进化程度高的巨蜥相似,前后部分仅靠韧带联结,故不仅能靠降低下颌骨张开嘴,而且能拉开中间关节前的下颌骨,以便吞食捕获的大动物。

Mosby, John Singleton 莫斯比(1833-12-06,美国弗吉尼亚埃奇蒙特～1916-05-30华盛顿[哥伦比亚特区]) 美国南部邦联的别动队领导人,南北战争期间曾率领游击队袭击和干扰弗吉尼亚和马里兰的联邦供给线。1852年从弗吉尼亚大学毕业,1855年后在布里斯托尔当律师,南北战争开始时加入南部邦联军骑兵队。1862年在J.E.B.斯图尔特麾下任侦察员,后率9名队员袭击联邦军,从此闻名。他的别动队攻击弗吉尼亚北部和马里兰联邦军的孤立据点,破坏运输线,夺取武器、粮食、马匹和服装。他们行踪飘忽,出没无常。夺取的财物私分,因此被视为罪犯。由于活动灵活,指挥有方,许多人加入他的队伍。最著名的一次为1863年3月9日,他们涌入费尔法克斯县府的联邦军营房,俘虏1名将军和100个士兵。因作战有功,他从上尉、少校最后升为上校,所部也扩充到装备完善、训练良好的8个连。1865年4月南军投降后,他将队伍解散,2个月后本人宣布投降,回到弗吉尼亚重操律师业。不久加入共和党,支持U.S.格兰特总统的竞选。1878～1885年担任美国驻香港领事,1904～1910年任司法部部长助理。著有《莫斯比战争回忆和斯图尔特的骑兵战役》(1887)和《葛底斯堡战役中的斯图尔特骑兵》(1908)。

Mosca, Gaetano 莫斯卡(1858-04-01,两西西里王国西西里巴勒莫[今在意大利]～1941-11-08,意大利罗马) 意大利法学家、政治理论家,将历史方法应用于政治思想和制度,阐述了在所有社会都存在的少数人统治(政治阶级)的概念。在巴勒莫大学受教育后,在该大学(1885～1888)和罗马大学(1888～1896)、都灵大学(1896～1908)教授宪法。自1908年起任意大利众议院议员。1914～1916年任殖民部次官。1919年被任命为上议院终身议员,他在上议院的最后一次演说是对墨索里尼的抨击。莫斯卡先写成《关于政府和议会的理论》(1884),以后又写了《统治阶级》(1896)。他断言,与多数人统治的理论相反,社会必然要由少数人统治,他们或是军人,或是教会,或是世袭寡头,或是有财富有功勋的贵族。在他看来,上帝的意志、人民的意志、国家主权意志和无产阶级专政都是虚构的。他反对纳粹德国宣传的种族优越性;他谴责马克思主义,在他看来,马克思主义表达了马克思自己内心的憎恨;他认为"让人民中最没有文化的阶层得到选举权"是对自由制度最大的威胁。他认为最能持久的社会组织形式是一个混合政府(部分专制、部分自由),由于让社会经济地位较低但是具有统治意志和才能的人参加到统治阶级行列,就可以"使统治阶级逐渐得到更新,贵族化的趋向就会有所缓和"。

Moscheles, Ignaz 莫舍勒斯(1794-05-23,奥地利哈布斯堡领地波希米亚布拉格[今在捷克共和国]～1870-03-10,莱比锡[德国]) 捷克钢琴家,当时杰出的演奏大师之一。曾在布拉格音乐学院学习,后在维也纳师从J.G.阿尔布雷希茨贝格和A.萨利埃里。1814年受聘于阿尔塔里亚出版公司,把贝多芬的歌剧《菲岱里奥》首次改编为钢琴曲谱,并经贝多芬亲自审阅出版。1821年定居伦敦。1829年参加其学生F.门德尔松所写的《二重钢琴协奏曲》在伦敦的首次演出。莫舍勒斯在英国首次指挥贝多芬《庄严弥撒曲》的伦敦首演后,又在爱乐协会指挥贝多芬的《第九交响曲》。1846年起任莱比锡音乐学院首席钢琴教授,他的声望和教学才能是该院盛名持久不衰的重要因素。莫舍勒斯属钢琴演奏中保守的一派,不适合于演奏F.肖邦和F.李斯特的作品。在当时的年青一代作曲家中他更偏爱门德尔松和R.舒曼,但是他对音色层次的探索既对舒曼也对李斯特产生了影响。他创作了8首钢琴协奏曲、一些练习曲和室内乐作品。

Moscherosch, Johann Michael 莫色洛史(1601-03-05,斯特拉斯堡附近维尔施泰特[今在德国]～1669-04-04,沃尔姆斯) 笔名菲兰德尔·封·西特瓦尔德。德国基督教信义宗讽刺作家。他的作品描绘被三十年战争(1618～1648)弄得残破不堪的德国。他的讽刺作品有时显得沉闷乏味,但也显示出一种压倒一切的道义上的热情和使命感。曾在斯特拉斯堡受教育,当过家庭教师。在政府中担任过多种职务。他的最著名作品《菲兰德尔·封·西特瓦尔德的奇异而真实的幻境》(1641～1643)表现了他的才能,从一个信义宗爱国者的立场讽刺了当时的风俗和文化。《挂念双亲不成眠》(1643)是为他的家族写的宗教著作,反映了他的严格的信义宗虔诚作风。他还是丰收学会会员,该组织的宗旨为纯洁德国语言和促进德国文学事业。

美国不列颠百科全书公司供图

Moschopoulos, Manuel 莫乔普洛斯(活动时期约在13世纪末和14世纪初期,拜占廷帝国君士坦丁堡[今土耳其伊斯坦布尔]) 拜占廷帝国安德罗尼卡二世在位时(1282～1328)的语法学家和校勘家。除了在他的信件以及和学生M.普拉努多的一封通信中所提到的情况外,其生平罕为人知。莫乔普洛斯是拜占廷古典学术复兴时期人文主义学者的杰出代表,其名著是《语法问答集》(1493年在米兰初版),这是一本问答体的希腊语法手册,在文艺复兴初期的西方人文主义学者中广为流传。他还编写过《雅典希腊语词汇》并撰写数学和神学论文,研究过某些希腊诗人的诗作并写出注疏。可是,他对古典学术著作的最重要贡献却是对索福克勒斯三大悲剧《埃阿斯》、《埃勒克特拉》、《俄狄浦斯王》的校订,表现出他精于韵律,长于校勘。

Moschops 麝足兽 似哺乳爬行动物的绝灭属。化石见于非洲南部二叠纪(距今2.86亿至2.45亿年前)地层。代表适应特定的植

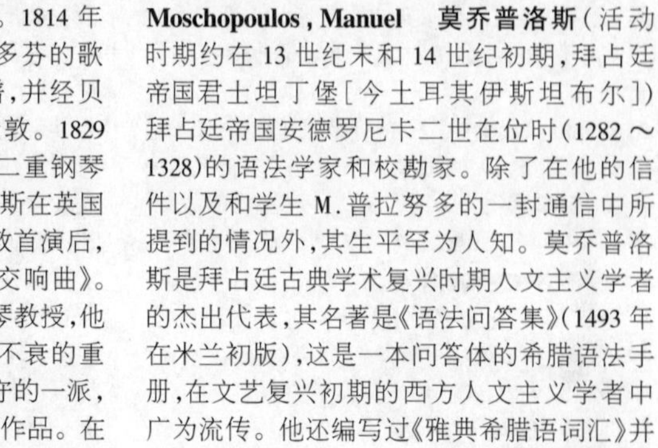

麝足兽(*Moschops*)骨骼

美国不列颠百科全书公司供图

物食料的似哺乳爬行类(参阅 **therapsid**)。长约2.6米,身体粗壮,头骨高而前后方向变短。颌部有许多适应植物食料的凿刀状齿。背部像长颈鹿那样独特地从前到后向下倾斜。肢带粗大,尤其是肩带,为了支撑动物的巨大体积。头顶骨极大地增厚,也许用于顶撞。很可能栖居在干燥的高地地区。

Moschus 摩斯科斯(活动时期约公元前150) 希腊田园诗人、语法学家。生于西西里的叙拉古。仅存的作品有他的《牧歌》的3段篇幅不长的摘录、译为《爱那私奔者》的一首较长的诗和一首关于庄稼汉论爱情的哀歌。短史诗《欧罗巴》可能确系出自他的手笔,《哀悼彼翁》被认为是一首佳作但不一定出自他之手。作为语法学家,他未留下任何活动痕迹,只有希腊语法学家阿特纳奥斯提到一个叫摩斯科斯的人,曾用罗得岛的语言写过一篇作品。

Moschus, John 莫斯克斯(约550,叙利亚大马士革?～619,罗马[意大利]) 拜占廷修士。著有《灵修园地》,叙述中东各地隐修院的宗教生活。此书是中古时期苦修文学的代表作,成为后世同类著作的典范。该书大量登载神迹和神人相通的感受,缺乏核证;但也透露各种崇拜方式,6、7世纪隐修院礼仪,对圣母马利亚的崇敬以及波斯、阿拉伯入侵等一系列政治事件,而且介绍对当代异端的批判。

Mościcki, Ignacy 莫希齐茨基(1867-12-01,俄罗斯帝国波兰梅扎努夫[在今波兰]～1946-10-02,瑞士韦尔苏瓦) 波兰政治家、学者和科学家,在任波兰共和国总统时大力支

美国不列颠百科全书公司供图

持J.毕苏斯基实行独裁。他原习化学。19世纪90年代初加入民族主义的波兰社会党,并与谋杀华沙总督一案发生牵连。当俄国警察为此搜捕他时,他逃往英格兰(1892),在那里与毕苏斯基相识。1897年他回到欧洲大陆,开始在瑞士弗赖堡的天主教大学任教。1912年到伦贝格大学任电化学教授。第一次世界大战后,他为新的波兰国家服务,在上西里西亚被德国人劫掠一空的克鲁莱夫斯卡·胡塔工厂恢复合成氨的生产。1926年5月毕苏斯基发动政变,6月莫希齐茨基出任共和国总统,一直忠实执行毕苏斯基的政策。1939年9月德国和苏联占领波兰,他逃往罗马尼亚,一度被拘留,后又转往瑞士。

Mosconi, Willie 莫斯科尼(1913-06-21,美国宾夕法尼亚费城～1993-09-16,新泽西哈登高地) 美国落袋式台球运动员。1941～1957年12次获世界冠军。他很早即显示出打台球的天才。1932年19岁时开始参加职业比赛,在大萧条年代赚钱补充家用。在一次表演赛中一连击出526个好球,此纪录一直保持到80年代中期才被打破。1957年因患中风退出球坛。康复后重返赛场,不断取胜。曾任制造体育器械的不伦瑞克公司顾问。

Moscoso, Mireya 莫斯科索(1946-07-01,巴拿马佩达西～) 全名Mireya Elisa Moscoso de Gruber。巴拿马政治人物,巴拿马第一位女总统(1999～2004)。生于贫穷乡镇,高中毕业后当秘书。20世纪60年代初结识前总统A.阿里亚斯,参加其政治活动。1968年10月1日阿里亚斯再度当选总统,但9天后被O.托里霍斯将军罢黜。随阿里亚斯流亡美国迈阿密,并学习室内装饰。1969年两人结婚。1988年阿里亚斯死后返回巴拿马。90年代初担任若干低级政府职务。1990年帮助创建阿尔努福党,翌年担任党主席。1994年首次竞选总统,得票率29%,排名第二。1999年再次参加竞选获胜,成为巴拿马首位女总统。2004年卸任。

Moscow 莫斯科 俄罗斯西部一州。位于俄罗斯首都莫斯科四周并包括莫斯科市在内。面积4.7万平方千米。1929年设州。克林-德米特罗夫岭大致由东向西在莫斯科市北面穿过该州,海拔300米。岭北是伏尔加河上游平原,岭南是宽广、平坦的奥卡河及其支流莫斯科河(首都濒临该河)平原;在东南部逐渐向梅晓拉沼泽低地倾斜。奥卡河以南地势向中央俄罗斯高地升起。属于大陆性气候,1月平均气温-10°C,7月平均气温18°C,年降水量450～660毫米。天然植被为混交林,森林覆盖率为40%,现有森林几乎全为保护林。多水草沼地和泥炭沼泽,尤其在梅晓拉低地。河流沿岸为广阔的泛滥平原草甸。该州工业化程度很高。17世纪以来一直是全国主要的纺织工业区。现生产合成纺织品、丝织品、亚麻布、服装和针织品。机械工业居第二位,生产多种重型机械、机床、机车和大汽车。化学工业稳步发展。传统工业产品有玻璃和瓷器,主要产自北部。南部开采褐煤和磷灰石矿,东部沙图拉附近开采泥炭。工业能源依靠北高加索、西乌克兰和萨拉托夫等地经管道输送的天然气以及伏尔加河大型水电站的电力。1979年城市人口占90%,有140多个城镇。莫斯科市及其周围"森林花园"绿化地带的卫星城形成主要都市景观。莫斯科市为该州中心,但属独立建制。农业在经济中占据次要地位。就业人口只有1/5务农,耕地仅占土地面积的25%。蔬菜种植业和乳制品业发达,特别是在莫斯科市周围地区。饲料作物面积占耕地面积一半以上。东部重点养牛,许多地区饲养猪和家禽。西部和北部种植亚麻。交通便利,有多条干线铁路通向全国各地。莫斯科是铁路枢纽,并有郊区电气化铁路网。柏油公路的密度居全国首位。水路运输也很便利。人口约6 438 000(2001)。

Moscow 莫斯科 俄语拉丁字母转写作Moskva。世界最大的城市之一,俄罗斯的首都。从它首次见于公元1147年的编年史以来,莫斯科在俄国历史上起了极其重要的作用。现在莫斯科不仅是俄罗斯的政治中心,而且是这个国家在人口、工业产量和文化、科学、教育等方面的首要城市。600多年来,莫斯科一直是俄罗斯东正教会的精神中心。

莫斯科占地面积约410平方英里(1 062平方千米),其外围界限大致以莫斯科环城公路为界。这条公路以外的大部分地区被称为森林公园区或绿色带。

自然地理和人文地理

景观 *位置和地势* 莫斯科位于欧洲俄罗斯大平原中部的莫斯科河畔,该河是奥卡河的支流,因而也是伏尔加河的支流。该市及其周边地区(行政区)处在俄罗斯最高度发达和人口最稠密地区的东北角。据传莫斯科是建在七座山丘上,这恐怕是言过其实,不过在市中央及其周围确有几座小山丘。只是在城的西南部白垩纪岩上有一块高地区域,上覆有冰川期的冰碛物质。这就是捷普洛斯坦斯卡亚高地。高出莫斯科河400英尺,莫斯科市的海拔为830英尺。

人类足迹 长久的居住会广泛地改变自然环境。几乎所有曾经流经市区注入莫斯科河的小河和溪流现在都被纳入地下沟渠或被填平。仍然能够见到的支流只有左(北)岸的亚乌扎河和右岸的戈罗德尼亚河和科特洛夫卡河。其中最大的亚乌扎河和莫斯科河本身流经市内的弯曲之处大都有石头堤岸加以控制。莫斯科河曾在有些地方被改道,一些弯曲部分被整直,河道也被拓宽和挖深。有些地方宽达800英尺。过去11月至4月,河流被冰围封,但现在有一航道整个冬天都能通行无阻。

莫斯科的水源供应部分来自市内的大约1 000个深钻井,这些井从地下的石炭纪地层抽取深层地下水。由于过度使用,已经大大降低了这些地下水的水位,现在大部分用水由地表水源供应,这些水来自修建在市北的一些与莫斯科运河相连的水库,特别是乌恰水库。另外还从莫斯科河抽水,然后泵入地下水库储存。直到20世纪60年代初,由于未经处理的污水以及工业废水的排放,莫斯科河污染极为严重,地下水污染也日益增加。60年代中期作了处理才有所好转。

气候 莫斯科的气候属大陆性,受来自大西洋的温和西风影响。降水量适中,年平均23英寸(581毫米),夏季降水最多,7月份达到高峰。降水中颇大的一部分是降雪,通常始自10月中,一直延续至翌年4月中。因而冬季漫长阴暗,但是南方的气候有时也会使昼间温度升至冰点以上。反之,来自北极的北风常使气温骤然下降,往往伴随有晴朗、干爽的天气,湿度相对较低。12月、1月和2月是最干旱的月份。因此,尽管1月份的平均气温是-10°C,但可能有很大变化;有记录的最低气温是-42°C。春天相对较短,气温在4月末迅速上升。夏天暖和,最热的7月份平均气温为18°C,然而,8月份最高气温曾经达到破记录的37°C。下雨天并不鲜见,但

夏天的降雨往往是短暂的倾盆大雨和雷雨。秋天和春天一样很短，气温迅速下降。

人类的活动改变了气候状况以及地势和水文。大量的建筑物创造了所谓城市热岛效应，使市中心的年平均温度升高 2 °C，高于郊区的开阔田野。在中央公园和花园的植物要比郊区的植物早开花一个星期，甚至于更早些。市中心的雨量也比郊区多，每年日照要少 100 小时。

布局和建筑 莫斯科地图呈现出一个同心环格式，围绕着大致成三角形的克里姆林宫及其长方形的延伸部分基塔格勒，外由一些放射状的辐射式路连接这些环路，整个图案被弯弯曲曲的从西北流向东南的莫斯科河打乱。这些环路和辐射式路标志着这个城市发展的各个历史阶段：前后相继的各个发展时期可以从街道环路和园林环路（这二者都是按照以前的城堡模式修建的）以及莫斯科小环城铁路和莫斯科环城公路追溯之。

①克里姆林。克里姆林城堡处在全市中心，今天和在它的整个历史上它都是莫斯科的心脏，起初是俄罗斯的、后来是苏联的权力和权威的象征。它的雉堞状红色砖墙和 20 个塔楼（19 个有塔尖）建于 15 世纪末，当时有一群意大利建筑师应伊凡三世大帝的邀请来到莫斯科。在那些最重要的塔楼中，通往红场的救世主塔楼是在 1491 年由大多数主要塔楼的设计者 P. 索拉里奥建造的；它的钟楼则是在 1624 ～ 1625 年添建的。它的钟声用无线电广播作为全国的报时信号。位于红场前面的是圣·尼古拉塔楼，初建于 1491 年，重建于 1806 年。另外两个主要的门楼位于西墙上，它们是“三位一体”塔楼，带有一座桥和外堡（库塔菲亚塔楼）；鲍罗维茨卡亚塔楼。

克里姆林宫墙内有世界上最令人惊叹和美丽的建筑群之一：教堂和宫殿结合在一起，它们向公众开放，是市内最吸引游人的地方；墙内还有最高级的国家机关，有严密的保安措施保护。在中央的大教堂广场周围有三座宏伟的大教堂，它们是 15 世纪末和 16 世纪初俄罗斯教堂建筑达到高峰时期的杰出范例。所有这些教堂在革命后已不作礼拜之用，现在它们都是博物馆。用白色石料建造的圣母升天大教堂是其中最古老的，建于 1475 ～ 1479 年，建筑风格为意大利-拜占廷式。它的纯洁、简单、优美匀称的线条和雅致的拱形结构上面有 5 个金色圆顶。从 14 世纪到 18 世纪的东正教的都主教和牧首们都埋葬在这个教堂中。广场对面是圣母领报大教堂，1484 ～ 1489 年由来自普斯科夫的工匠们建造；虽然在 1547 年被焚毁，但在 1562 ～ 1564 年又重建。其中成群的礼拜堂有金色的屋脊和圆顶。礼拜堂内有一些出自狄奥凡（希腊人）和 A. 鲁勃廖夫之手的圣像，这两人被很多人认为是俄国最伟大的圣像画家。第三个大教堂是天使长大教堂，重建于 1505 ～ 1508 年；其中埋葬着在圣彼得堡建立以前的历代莫斯科大公和俄罗斯沙皇（只有 B. 戈东诺夫除外）。

距离广场很近的地方矗立着壮丽的、高耸的、白色的伊凡大帝钟塔；它建于 16 世纪而毁于 1812 年，几年以后修复。钟塔的底部有一座巨大的沙皇钟，铸造于 1733 ～ 1735 年，但从未敲响过。其附近有一尊铸于 1586 年的沙皇炮。炮的旁边是 17 世纪中叶建筑的十二使徒大教堂和与它毗连的牧首宫。

大教堂广场的西面是建于各个时期的宫殿群：花岗石面宫——因外表有白色方石块贴面，故名——建于 1487 ～ 1491 年。在它后面是 1635 ～ 1636 年建造的捷列姆宫，它把几个更早的教堂合并在一起，包括 1393 年以来的拉撒路复活教堂。二者都成了克里姆林大宫殿的一部分，克里姆林大宫殿是在 1838 ～ 1849 年作为皇家住宅建造的，后曾被用作苏联最高苏维埃开会的场所；它的长长的、淡黄色的正面俯视着河滨。它与建于 1844 ～ 1851 年的兵器宫相连，兵器宫现在是兵器博物馆，收藏有沙皇的大量珍宝。沿克里姆林宫东北墙有军械库（1702 ～ 1736）、前议会大厦（1776 ～ 1788）和红军指挥员学校（1932 ～ 1934）。克里姆林宫内唯一的苏联时期的建筑是代表大会宫（1960 ～ 1961），其中有一个巨大的礼堂用作政治集会会场和剧院。

②基塔城。沿克里姆林宫东墙是红场，它是首都举行典礼的中心和假日游行队伍的场所。朴素的列宁墓嵌进了墙内，宫墙内有许多苏联过去领导人的墓穴。红场的南端是代祷教堂，它更为人们所知的名称是圣瓦西里教堂，是为了纪念伊凡四世（雷帝）击败喀山和阿斯特拉罕的鞑靼人（蒙古人）于1554 ～ 1560 年所建。该教堂是一个独特的、宏伟的建筑上的奇景，它的 10 个圆顶在设计和颜色上各有不同。沿红场面对克里姆林宫的是国营百货公司（通常用它的俄文首字母缩略语 GUM 称呼它），它有长长的通道，楼层之间有铁桥相连，还有巨大的天窗。稍早一些的国家历史博物馆（1875 ～ 1883 年建）靠近红场北端。1990 年克里姆林宫和红场被联合国教科文组织列为世界遗产。

莫斯科河畔的克里姆林宫

美国不列颠百科全书公司供图

基塔城内仍然保存有很多古老的教堂。特别值得提出的有位于尼基特尼基的三位一体教堂（1628 ～ 1834 年建）、15 世纪的圣安娜教堂和主显节大教堂（1693 ～ 1696 年建）。几个世纪以来，基塔城一直是莫斯科的商业中心，它的狭窄、拥挤的街道仍然拥有以前的银行、证券交易所和仓库。然而，沿河的很多旧建筑物在 20 世纪 60 年代已被拆除以便腾出空地建造宏伟的俄罗斯饭店。沿饭店的北面是一排保留建筑物，包括 16 世纪罗曼诺夫大公们的住宅和原英国大使馆以及 17 世纪的神迹隐修院。

③内城。园林环路以内的莫斯科中央部分的其余地方，有一些代表莫斯科从 15 世纪发展到现在的每个时期的建筑物。分布在内

莫斯科市的瓦西里·布拉仁教堂
美国不列颠百科全书公司供图

城各地的有17世纪教堂建筑的几个好典范，著名的有库利什基的万圣教堂，建于17世纪70和80年代以取代14世纪的一幢大建筑物和普特尼基的耶稣诞生教堂（1649～1652年建）。这是莫斯科巴罗克风格的发展时期；这种风格的最好典范之一是位于市中心外费里的代祷教堂（1693年建）。大约从18世纪后半期开始的古典时期（包括1812年大火之后莫斯科的重建）的建筑位于园林环路和街道环路之内，后者在莫斯科河北形成一个大致的马蹄铁形，围绕着克里姆林宫和基塔城，以及莫斯科河南岸一个大居民区扎莫斯克沃列切。到19世纪末和延续到20世纪初，修建了一些复古主义者的古老俄罗斯风格的建筑物，包括国立特列季亚科夫美术馆（1906年建）和位于园林环路外面的雅罗斯拉夫尔火车站（1902～1904年建）。

在苏联时期，内城许多古老的建筑被一些巨大的办公大楼和公寓房子所取代。出现了一些新的建筑与古老的建筑并肩而立，这些新建筑有的是20世纪20年代的现代实用型建筑物，有的是后来的斯大林时期（20世纪30年代至50年代）粗笨的、往往是过分装饰的建筑，而有的是60年代以来的以水泥和玻璃为主的高层建筑。

在苏联时期，开辟了很多开阔的场地，特别是建设了一些大型广场，例如马涅日广场（以前称十月革命50周年广场）。许多街道都拓宽了，特别是特维尔斯卡亚街（以前叫高尔基大街），现在是莫斯科主要的辐射式路之一，沿街排列着大型商店、旅馆和办公室。园林环路本身也加宽了，形成了一条宽阔的公路，上下行各有多条车道，在与主要辐射式路交叉的地方都建有立交桥。20世纪60年代建成了一条新的辐射式路加里宁大街，通过一个老住宅区从克里姆林宫往西到莫斯科河；路旁排列着高层办公室和公寓建筑，在街道和二层楼的高度上由一条商业街相连。在这条繁忙的大街旁边是阿尔巴特街（又叫老阿尔巴特街），它是莫斯科最美丽的街道之一，现在禁止车辆通行。莫斯科中部的大部分历史建筑保存了下来（从20世纪60年代以来进行了大量细致的修复和修理工作）但有些纪念建筑物在苏联早期消失了。离克里姆林宫不远的河旁，十月革命前救世主大教堂所在地，现在是一个巨大的露天游泳池。

莫斯科内城具有典型的中心商业区的功能。在该地区里集中了大多数政府机关和国家机构的行政中心，大多数旅馆和大商店，主要的剧院、博物馆和美术馆。但它作为居民区的功能并未消失：很多现代的大型公寓建筑使众多人口继续住在市中心，而且在园林环路内仍然有很多安静的居民区。

④中间地带。在园林环路以外和将近到达莫斯科小环城铁路之间有一个大部分在18世纪后期和19世纪发展起来的地带。其中有很多工厂和主要的火车站和货场。利哈乔夫汽车工厂和与它有关的住宅区，占据了东南大部地区。环抱在这个地带之内的有更多的传统莫斯科精华的例子，例如位于列宁大街上的18世纪宫殿为俄罗斯科学院主席团所在地。而在东南面的莫斯科河岸，有最重要的城堡式隐修院，16世纪的新圣母女隐修院，连同其美丽的斯摩棱斯克大教堂的高高的钟塔（1690年建）俯瞰着雉堞状围墙内的一些教堂和建筑物以及女隐修院的塔楼。这个大教堂现在是新圣母女隐修院博物馆，整个院落中有一个墓地，葬有一些苏联历史上的著名人物，其中包括赫鲁晓夫。新圣母女隐修院的正南方，在莫斯科河的大拐弯处，面对列宁山，是名叫卢日尼基公园的综合体育建筑群，其中最主要的是列宁中央体育馆（1955～1956年建）。

在苏联时期中间地带经历了最多的城市更新。目前莫斯科的空中轮廓的特点中，有20世纪40年代末和50年代初修建的沿园林环路的华丽的“结婚蛋糕”式的摩天大楼。同一个斯大林时期建筑风格的有河对面的乌克兰饭店和位于列宁山（原名麻雀山）上的国立莫斯科大学建筑群中的巨型建筑物。大多数更新是从1960年以来进行的，包括有广阔的居住区，两旁有成排公寓建筑的宽敞的大街。但有些地区还有狭窄的街道，有19世纪的住宅和小工厂。

⑤莫斯科外城。在园林环路外面，是现代工厂发展和住宅建设地带。离市中心较近的地方有赫鲁晓夫时期建设的一些小区或居民住宅单元，典型的是5～9层的公寓建筑，主要由淡黄色的砖建成。再往外一些，居民区的特点是高层建筑（20层以上），由标准化的、预制混凝土构件建成。这些建筑物的临街楼层通常用作商店。街道宽阔，绿树成行。在人口稠密的各小区之间是一些楔形的露天场地，特别是东边广阔的伊斯梅洛夫公园、东北面的索科尔尼基公园和大片的树林，北面是永久性的全国经济成就展览的场所。在附近奥斯坦基诺的捷尔任斯基公园里，有高达1 758英尺（535.8米）的电视塔。

在浩如烟海的新建筑中，个别旧时代的纪念建筑物，例如位于梅德韦德科沃的17世纪的代祷教堂仍然存在。莫斯科的发展曾经吞没了一些以前的乡村宅第，大部分是古典建筑时期以来的大住宅。市区的东边是库斯科沃，一度是谢列梅捷耶夫家族的财产，其宅邸建于18世纪70年代，还有一座教堂、隐修院和巴罗克式洞室。南面是乌兹科耶宅邸，原先属于特鲁别茨科伊家族，北面是彼得罗夫斯基宫（1775～1882年由卡扎科夫建造），而最著名的是奥斯坦基诺宫（1790～1798年建）。东南郊区是以前的科洛明斯科耶村，一度是莫斯科王公们的夏宫。它的最明显的建筑标志是耶稣升天教堂（1532年建）的尖塔。喀山教堂及其门楼都建于17世纪末。周围的公园里有来自全国各地的早期俄罗斯木制建筑的很多样本。在邻近的季亚科沃村里，有1557年建的华丽的施洗礼者圣约翰教堂。

外围地带是20世纪现代工厂发展和大量的住宅建设的地址。在新郊区以外是开阔地区和林区，以及一些工业卫星城，例如北有巴布什金，城内有纺织工厂；东有佩罗沃，有机械和化学工厂；东南有柳布利诺，西有昆特谢沃和西北面的图希诺。莫斯科的另一部分，建于1963年，在环路北面几英里处有新城镇泽廖诺格勒。

人民 莫斯科的居民绝大多数属于俄罗斯民族，最大的少数民族是犹太人、乌克兰人、白俄罗斯人和鞑靼人。然而，在莫斯科街上可能遇到属于其他民族的人，包括来自高加索山脉的格鲁吉亚人和亚美尼亚人，来自中亚细亚的乌兹别克人和哈萨克人。

1926年时,1/3以上的人口居住在园林环路以内,到了1967年,只有不到9%的人住在那里,但是莫斯科中心的人口密度仍高于郊区。人口:市约8 631 000(2000)。

经济 自从1991年苏联解体和20世纪90年代早期的自由市场经济改革以来,莫斯科的经济经历了一场戏剧性的转型。曾经控制苏联首都经济的制造业和机械工业部门急剧收缩,另一部分原因是它们的产品在国际市场上没有竞争优势,部分原因是快速的私有化使一些工厂掌握在企业主手中,这些人宁愿投资国外以赚取商业利润,而不愿使自己的工厂现代化,同国外的产品竞争。同时,城市的金融和服务部门迅速成长以满足投资者和消费者的需求。虽然改革结束了零售物品短缺和服务缺乏的状况——这曾是该城特征,但城市一些工人的处境十分困难。莫斯科是俄罗斯拥有受过良好教育的高技能的劳动力最多的城市之一。该城的金融、机械工业和制造业部门在全国也是最先进的。有一半以上的劳动力是女性。她们构成纺织工业和食品加工工业的主要劳动大军。她们还在教师和医疗职位上占据支配地位。

工业 尽管在后苏联时期莫斯科的工业衰退,但它仍旧是俄罗斯最大的工业中心。主要工业区向东和东北伸展到雅罗斯拉夫尔河下诺夫哥罗德(前称高尔基城)之间的伏尔加河岸。莫斯科的工业更多的是依靠技术劳动力,而不是原材料。它最重要的是机械工业和金属加工业,雇佣了一半以上的工业劳动力。该市最大的工厂为利哈乔夫汽车厂,其次为列宁共青团汽车厂。机械工业另一主要分支是机床制造业,尤其是为纺织工业生产磨床、车床、精密切割机和其他机器。

精密机械工业非常发达,尤其以测量仪器和钟表而知名。此外莫斯科又是电器、电子和无线电工业中心,生产各种变压器、计算机、无线电和视频设备、电冰箱、真空吸尘器和电动机等。航空工业是莫斯科最重要的工业门类之一。莫斯科是该国纺织业的重要中心,许多纺织业各分支机构是该市第二主要雇主,制造所有种类的天然和合成纤维织物。莫斯科的大型化学工业原先是为纺织业生产染料的,但后来其生产线扩充了,包括生产工业合成橡胶和橡胶胎、油漆、塑料、药品和香水等。许多化工产品是从莫斯科炼油厂衍生的,该厂加工从输油管运来的伏尔加-乌拉尔油田的石油。

莫斯科还有广泛的消费品产业,主要为莫斯科服务,其次才顾及广阔的内地。产品有食品,特别是糖果,并加工奶制品和肉类。鞋和钢琴是莫斯科的特产。家具制造属各种木材加工业,这种行业还生产纸浆和纸张。莫斯科的印刷业,是国家的书籍、杂志和报纸的最大供给商。

莫斯科从广阔的地区得到电力供应。市内的发电站以天然气为燃料,天然气是通过地下管道系统从西伯利亚和其他地方的油田输送来的。在莫斯科附近修建了一些大型的储藏天然气的设施,并有一个管道网环绕全市。电力还来自核电站,其中最近的在市南约59千米处。还有来自伏尔加河上游水电站的电力。其他的来源是一些大型火力发电站,位于西北的科纳科沃和南面的卡希拉。电力工业的一项副产品是热水,用管道从各区中心站输送到公寓建筑内供取暖和家用。

商业 作为俄罗斯的首都和最大的城市,莫斯科是这个国家最主要的商业和金融中心。经济私有化刺激了金融业的发展,包括几个银行和证券交易所。大多数在俄罗斯的国外投资都经由莫斯科的金融机构。是全国的运输网络中心和国际商业中心。莫斯科还是国家首要的教育和研究中心。它的教育机构为重要的机械工业和航空工业部门输送技术工人。也是俄罗斯的出版业中心。全市的零售商店不但供应本市,还供应其卫星城镇以及全国各地居民。商店里的商品种类多样,但是与西欧和北美相比较,还略显逊色。许多商店相当大,有一些食品店中心和百货公司。百货公司中最重要的是儿童世界、中央百货公司和靠近3个主要火车站的莫斯科百货公司。莫斯科零售商业的一个重要部分是在农庄的农民市场上进行的,他们出售水果、蔬菜和肉类。

旅游业 作为一个享有盛誉的首都,莫斯科是外国游客的游览焦点。自由市场经济改革鼓励新的、现代化的宾馆的修建,同时也鼓励城市现有旅馆的现代化改造。政府也开放了办公楼,并修缮文化胜地。

莫斯科有成千个饮食点,许多是为工人服务的廉价的自助餐厅。20世纪90年代,市内新开张了很多高级餐厅,包括中国、印度、美国、意大利等国的美食餐厅。

运输 ①铁路。俄罗斯的货运主要依靠铁路。铁路网的中心是首都。主要干线从首都向四面八方辐射。第一条运营的是圣彼得堡线,1851年开通。其他有萨维奥洛沃线,往北通向伏尔加及更远处,作为通往圣彼得堡的第二条线路;雅罗斯拉夫尔线,它与西伯利亚大铁路相连,通往符拉迪沃斯托克(海参崴);下诺夫哥罗德线,与基洛夫相连;喀山线,是通往乌拉尔和西伯利亚的最直接路线;梁赞线,通往中亚细亚和高加索;帕韦列茨线,通往欧洲南部和高加索的一条次要线;库尔斯克线,往南通往克里米亚的主要线路;基辅线,通往西南;斯摩棱斯克线,通往明斯克、华沙和柏林;里加线,通往波罗的海。这些最繁忙的铁路现在都已经实现电气化了,特别是那些通往圣彼得堡、基辅、顿巴斯的铁路和西伯利亚大铁路,以及所有那些运载郊区居民进城工作的郊区铁路。为了连接那些辐射线路,莫斯科小环城铁路于1908年在市内建成;后来又建了一条补充它的莫斯科大环城铁路,距离市区40～64千米。

②水路。莫斯科是一个重要的河港。运河化的莫斯科河只能航行小船,但在1932～1937年由强迫劳动力建成的莫斯科运河却能航行像海船那样大的船只。运河从莫斯科河流出,向北流入希姆基和乌恰水库,然后继续向北,经过克林-德米特罗夫山脊在伊万科沃注入伏尔加河。伏尔加河的各个运河环节使莫斯科与俄罗斯的欧洲部分所濒临的所有的海相通。首都有3个大型河港,主要用于货运,还有两个客运终点码头,这些是城市交通系统的一部分。

③航空。莫斯科同样是俄罗斯航线网的中心,乘客的数目逐年稳定地增加。在莫斯科地区有4个航空港。北面的谢列梅捷沃2号机场是国际航班的主要航空港,直接联结大多数欧洲各国首都和哈瓦那、纽约市、蒙特利尔、东京及其他外国城市。谢列梅捷沃1号机场和西南面24千米的伏努科夫机场主要负责国内航班,其他的国内机场有位于东南32千米处的贝科沃机场和位于南面45千米的多莫杰多沃机场。

④市内交通运输。与大多数发达国家的其他大城市相比,莫斯科的私人汽车较少(虽然数量在稳步增加),但公家车辆多,因此也增加交通拥挤现象。莫斯科市内交通运输的最重要的组成部分是地下铁道。这个从1935年开始修建的地下铁道系统以其各车站的精美建筑而闻名,尤其是那些较古老的车站,装饰有大量的大理石、彩色玻璃、雕像和树枝形吊灯。地铁列车通常每隔3分钟一趟,高峰时间隔时间还要短一些。地铁网络是仿照地面街道网络建造的,有一些辐射线路由一条环行地铁相连。尽管地铁线路延伸到市内大部分地区,但各个车站相距很远,因而通常必须把地铁同公共汽车、无轨或有轨电车线路结合使用。

当交通量逐渐增大时,固定线路形式的交通运输可能产生一些问题。因此,很多有轨电车路线已经被公共汽车线路所取代。

虽然莫斯科的大部分地区有稠密的地面交通网络,但有时候新的交通路线似乎落后于住宅建设,因而某些新的郊区在建成以后的一段时间内交通相当不便。但是,在莫斯科不论哪一种形式的交通,其收费均极其低廉。

行政与社会状况 政府 在1917年革命以后的时期里,莫斯科划分为11个行政区。随着1960年市区范围的扩大,行政单位的数目增加到17个区。后来的庞大建筑计划和人口从中心地区向郊区的重新分配,使得有必要在1968年和1976年再建立一些新区,数目达到30个。到80年代中期增加到32个区,这个数目还会随着市区的继续扩大而增多。各区的人口多少不一,内城的区通常在面积和人口方面小于和少于外城的区。各区选举代表参加市政委员会,其总部设在高尔基街上,负责市年度预算。市政委员会对俄罗斯政府负责。虽然全国政府的中心在克里姆林宫,但各个部和政府机构的建筑在内城相当分散。外交部在斯大林时期设在园林环路上的一座高层大厦内。有几个部在加里宁大街一些新建的塔楼里。许多外国大使馆虽已迁到西南郊的列宁山上,但有许多仍留在市中心。莫斯科还是大多数全国性团体和组织的总部所在地。

教育 莫斯科集中了大量的教育机构。在大学以前的阶段,有为本市人口开设的各类学校,包括残疾儿童学校、专门的外语学校和寄宿学校。有为学龄前(在俄罗斯是6岁)儿童开设的托儿所和幼儿园。莫斯科的高等学校从全国各地招收学生。

①高等教育。首屈一指的高等学府为国立莫斯科罗蒙诺索夫大学,创建于1755年,有些人文学系仍然开设在面对马涅日广场,

克里姆林宫附近的旧大学建筑物内。理科院系则设在列宁山上的综合建筑内。莫斯科第二所大学为卢蒙巴人民友谊大学，创建于1960年，招收来自全世界发展中国家的学生。

在专业高等教育基金会中有莫斯科季米里亚泽夫农业科学院，位于莫斯科的北面；还有国立莫斯科柴可夫斯基音乐学院，有些世界上最优秀的音乐家曾在这里接受教育。其他重要的有莫斯科门捷列夫化学技术学院、莫斯科鲍曼高等技术学校和国立卢纳察尔斯基戏剧艺术学院。很多学院培养出特种工业的专门人才，其中有莫斯科航空技术学院和一个培养铁路工程师的学院。

②研究。除了在大学内和在其他教学机构内进行的大量研究工作外，还有一大批的科学研究机构。它们之间形成了仅次于工业的莫斯科的第二大雇主。俄罗斯公民中有很多拥有博士学位的人都受雇在莫斯科。研究工作的主要中心是俄罗斯科学院。还有全国性的艺术和医学、教育学和农业的科学院。

很多科学学会，诸如金属切削工作母机试验研究学会，大都进行高度专业化的工业研究。它们与莫斯科本市的工业有关，诸如汽车机械中央研究院。

莫斯科的图书馆中首要的是国立列宁图书馆，它是世界上最大的图书馆之一。还有一些关于艺术、科学和其他领域的专业图书馆。

保健　莫斯科居民的保健是在居民区的范围内由几百个诊所负责的，这些诊所均提供医疗、牙科和产科服务。在全市为数众多的医院中，也许最有名的是1911年建立的鲍特金医院。在一些专业医院中有妇产医院、精神病医院和结核病院，由一些专门的医药研究机构赞助。

文化生活　莫斯科有很多剧院，为首的是著名的国家大剧院，建于1825年，但它现在的面对剧院广场（以前称斯维尔德洛夫广场）的华丽建筑是1856年修建的。位于剧院广场上的还有国家小剧院。市立的主要剧院莫斯科艺术剧院是1898年由演员、导演和监制人K.斯坦尼斯拉夫斯基和剧作家兼监制人V.涅米罗维奇-丹钦科创建的；早期特别以上演契诃夫的剧作闻名于世。享有世界声誉的还有国立中央木偶剧院和国立莫斯科马戏团。这些定期换演剧目的剧团经常在俄罗斯和国外巡回演出。还有几个音乐厅，著名的有柴可夫斯基音乐厅和音乐学院内的两个音乐厅。国家管弦乐团已经赢得了国际声誉，一些以莫斯科为基地的民间舞蹈团和合唱团也享誉国内外。

电影是莫斯科的一种普遍娱乐形式，全市有很多电影院，在一些俱乐部和文化机构里也放映电影。十月电影院和俄罗斯电影院是俄罗斯最大的电影院。市内有几个电影制片厂生产影片，其中著名的有莫斯科电影制片厂。电视和电台广播网也在莫斯科设有总部；它们播出的节目可在全国收看或收听。

首都的博物馆和美术馆中有几个具有世界水平。其中首推国立普希金美术博物馆，内藏有国际优秀作品；还有国立特列季亚科夫画廊，建于1856年，最初是一位鉴赏家叫特列季亚科夫的私人藏品，它以关于圣像的丰富收藏著名，包括鲁勃廖夫绘的几幅。其他著名博物馆有克里姆林宫内的兵器博物馆、红场上的国立历史博物馆和位于附近的革命广场上的列宁中央博物馆。

尽管在十月革命后，很多宗教礼拜场所被封闭、改为博物馆或被拆毁，莫斯科仍然保留了一些还在使用的俄罗斯东正教教堂，以及很少几个基督教教堂和犹太教与穆斯林的礼拜场所。20世纪80年代末期开始的苏联开放政策和90年代初期由俄罗斯继任政府继续奉行的这种政策，改变了对宗教的镇压，准许宗教信仰自由，莫斯科的一些礼拜堂经过修复后重新开放。俄罗斯东正教大牧首在莫斯科有一所宅邸。

卢日尼基公园综合体是莫斯科最好的体育运动设施，也是1980年奥林匹克运动会的主要场馆之一。列宁中央体育馆可容纳103 000人，周围有一个小运动场、游泳馆和室内体育馆。区内有很多体育场和游泳池，包括一个大型的、加热的、可以全年使用的露天游泳池。此外还有很多足球场、健身房、排球场和篮球场；它们大多数附属于各个工作单位或体育俱乐部。

除了园林环路外，莫斯科还有很多公园和露天场地。沿莫斯科河右岸的高尔基中央文化休息公园距离市中心最近，由于它有一个娱乐场，所以很受欢迎。位于东边的伊斯梅洛夫文化休息公园是一大片绿地，面积近1 200公顷。东北面是比较正规的索科尔尼基文化休息公园，通向被称为穆斯岛的一片广阔的森林。市中心的北面是科学院的植物园，市内几个这样的植物园之一，还有农业科学院院士季米里亚捷夫公园。比特谢夫斯基公园的面积也相当大，位于市中心南面的环城公路附近。莫斯科动物园是世界上最重要的动物园之一，位于市中心西面的一个游人如潮的地方。希姆基水库用于划船和水上运动，但更受欢迎的是北面的紧靠大莫斯科外围的其他一些水库。周围的森林公园地带提供了广阔的休闲场所。

历史

早期　*奠基和中世纪的发展*　最早提到莫斯科的文献是在1147年早期的隐修院编年史中发现的，这一年的4月4日，苏兹达尔王公多尔戈鲁基作为东道主“在莫斯科”为他的盟友诺夫哥罗德-谢韦尔斯基王公举行了一次“盛大的宴会”。这是莫斯科奠基的传统日子。1156年，多尔戈鲁基王公建立了第一批城堡工事，如壕沟和土墙，土墙顶部有一道有碉堡的木墙。这就是克里姆林宫。克里姆林宫建立在莫斯科河和一条小支流涅格林纳亚河之间一片较高的土地上。这两条河之间的三角形地带的东边有一条联接两条河的壕沟保护。涅格林纳亚河现在流经一条地下管道，但它的一部分河道可以从与它同名的街道看出。

莫斯科很快发展成弗拉季米尔-苏兹达尔大公国的重要城镇之一。在克里姆林宫的东西、沿莫斯科河叫扎拉季耶的地区发展了一个贸易区。莫斯科在蒙古人1236～1240年的入侵中被攻陷和烧毁，它的王公们被迫承认蒙古人的宗主权。它不久便被收复，但蒙古人于1293年再次洗劫了它。当1326年俄罗斯东正教会的都主教将他的驻地从弗拉季米尔迁到莫斯科时，莫斯科的威信大大提高了。从此之后，这个城镇便成为俄罗斯东正教会的中心，而在君士坦丁堡陷于土耳其人之手（1453）以后，它有了第三个罗马之称。在伊凡一世卡利塔统治时期，弗拉季米尔公国并入莫斯科公国。莫斯科的王公们将他们的统治逐渐扩展到周围其他的俄罗斯公国，而且莫斯科成了反对蒙古霸权的长期斗争中的领袖。

这个斗争最初是起伏不定。1378年，一支莫斯科军队在莫斯科以南的沃扎河上击退了蒙古人的一次进攻，而在1380年，莫斯科王公季米特里在顿河畔的库里科沃给了马买大汗统率下的蒙古军队以一次毁灭性的打击，由于这次胜利，后来他被称为“顿河的季米特里”。1367年，克里姆林宫进行了扩建，修筑了白石灰石的墙和塔楼，但新的城堡未能抵挡住蒙古人于1382年的一次新的进攻，当时尽管进行了英勇的抵抗，脱脱迷失汗仍然攻陷和抢掠了莫斯科。然而，1408年也迪古汗指挥的另一次进攻却被击败了。莫斯科由于不断吸收周围的公国而变得越来越大和重要了。在克里姆林宫内，第一座石头建筑的教堂圣母升天大教堂建于1326年。王公和主要波雅尔们的宫殿、隐修院和教堂都建立起来了。在克里姆林宫墙外，东面的贸易和工匠地区日益扩大而被称之为基塔城，这个名字起源于16世纪，可能是从kita这个词演变来的，kita即在石墙建造以前用于城堡的嵌条，而其含义并非是它有时被翻译成的“中国城”。

莫斯科作为首都崛起　到15世纪后半叶，特别是在1478年合并了诺夫哥罗德之后，莫斯科成了一个统一的俄罗斯国家的无可争辩的中心。在莫斯科大公伊凡三世大帝统治期间，克里姆林宫再次扩建，修建了长超过1.6千米（1英里）和有些地方高达20米的砖墙。从这时期起还重建了圣母升天大教堂和同样美丽的圣母领报大教堂（也是重建）和天使长大教堂、多面宫和伊凡三世钟塔。以前只由土堤和木栅围护的基塔城，在1534～1538年也用一道砖墙围了起来，并有12个塔楼。莫斯科后来继续发展和扩大到墙外，形成人们所知的别雷哥罗德（白城），围绕克里姆林宫和基塔城呈半圆形。

尽管有新的城堡，莫斯科仍然遭受灾害和攻击。1547年两场大火烧毁了这个城镇的大部分。16世纪中叶，伊凡四世雷帝征服了鞑靼人（蒙古人）的喀山汗国（1552）和阿斯特拉罕汗国（1556），但在1571年，克里米亚鞑靼人攻占了莫斯科，烧毁了除克里姆林宫以外的所有东西。历史记录表明，20万居民中仅有3万人幸存。1591年，克里米亚鞑靼人又发动了一次进攻，但他们未能战胜莫斯科的顽强抵抗。这次抵抗得力于新建的墙，这些墙建于1584～1591年之间，是用来保护别雷哥罗德（旧碉堡和居民点）的，它们用石头筑成，长约8千米。这些墙的轮廓今天仍可从狭长的风景带和环路上树木夹道的街道看出。1592年堆起了一条带有50个塔楼的外土墙围绕市区，包括莫斯科河右岸的一片地区。它包括莫斯科进一步扩大到别雷哥罗德以外的地区:最初叫斯科罗多姆,其外围部分被称为"土城"。从园林环路可以看出城堡的痕迹。作为最外面的一道防御线,在南面和东面的墙外建造了一连串坚固设防的隐修院,其中主要的有:新杰维奇女修道院和顿斯科伊、丹尼洛夫斯基、西蒙诺夫、新斯帕斯基和安德罗尼科夫等隐修院,现在大多数都成了博物馆。

由于安全状况有了很大改善,贸易和手工制造业繁荣起来。不同的行业各占着不同的地区,例如布龙纳亚郊区住着盔甲制造者,库兹涅茨卡亚住着铁匠,科捷利尼基住着水壶制造者。莫斯科河对岸是织布工居住的郊区。这些工匠们的地区今天一般用街道或地区的名称来纪念它们。国家的工场铸造大炮和生产武器弹药。沙皇的宫廷和侍从贵族给奢侈品工艺提供保护。不断有波雅尔占据基塔城,工匠们和商人们则迁移到外围部分。克里姆林宫成了世俗的和教会的唯一的权威所在地。商业活动中心位于克里姆林宫和基塔城之间的红场上的市场,在那里摆着成排的摊位,每个摊位出售一些特定的商品;俄语"红"这个词的意义也作"美丽的"解,是这个广场原来的名称。同西欧(特别是英国和荷兰)以及同中亚、外高加索、波斯和黑海沿岸的贸易很活跃,皮货是这种国际贸易中的一种主要商品。外国商人住在斯洛博达("德国人郊区"),繁荣的文化生活的标志是图书交易的发展和1553年第一所印刷厂的创立。

进入17世纪之际,莫斯科和俄罗斯的其他地方一样,经历了严重的"困难时期"。在鲍里斯·戈东诺夫统治下,从1601～1603年发生了几次严重的饥荒。1605年鲍里斯去世后,第一个伪季米特里在波兰人的帮助下占领了莫斯科,虽然他在1606年被杀和波兰人被驱逐,但在1608～1610年,波兰人又带着第二个伪季米特里重新占领了莫斯科。1611年5月,莫斯科人进攻波兰人,侵略者撤退到克里姆林宫内。在一位王公季米特里·米哈伊洛维奇·波扎尔斯基和一位商人库兹马·米林的强有力的领导下,俄罗斯人于1612年10月迫使波兰人投降。

随着1613年米哈伊尔统治下的罗曼诺夫王朝的建立,莫斯科恢复了相对的平静,从而使经济有了进一步发展。尽管如此,这个城镇的穷人状况往往导致暴动和起义;类似的事件也发生在1382、1445和1547年。1648年由于增加盐税和1662年(所谓的"铜匠暴动")两次发生了工匠、苦力和生意人的骚乱。拉辛领导的俄罗斯南部的大暴动(1667～1671)在首都引起了动乱的反响。1671年拉辛在莫斯科被处死,以此作为对首都居民的警告。暴动被传统的民兵弓箭手镇压下去,这些弓箭手本身在1698年彼得大帝一世统治的早期也进行了暴动,遭到大屠杀的镇压。然而,尽管经常有骚乱,文化仍然繁荣。俄罗斯的第一所高等教育机构,附属于基塔城内的扎伊科诺斯帕斯基隐修院的斯拉夫-希腊-拉丁学院建于1687年。1701年彼得大帝创立了一所数学和航海学校。俄罗斯的第一家报纸于1703年在莫斯科开始出版。

现代城市的演变 *18世纪和19世纪* 1703年,彼得一世开始了位于芬兰湾的圣彼得堡的建设,1712年,他把首都迁到他这个新的、"西方化的"和对外开放的城市。贵族成员们被迫迁到圣彼得堡;很多商人和工匠也跟着迁移。莫斯科的人口增长和新的建筑一度停顿,但即使在彼得统治时期,这个城市也开始从失去首都地位的状况中恢复过来。彼得本人用建立新工业的方法来刺激经济的发展,一些私人企业家纷纷仿效。到了1725年,大约有32家新工厂雇用了5 000名工人,其中20多家是纺织厂,包括一家专制帆布的工厂。在同一时期中约有8 500名手艺人。

18世纪时期,莫斯科保留了它在俄罗斯的文化生活中的首要地位。1755年,在伟大的文学家和科学家罗蒙诺索夫的倡议下建立了俄罗斯的第一所大学莫斯科大学(现在的国立莫斯科罗蒙诺索夫大学);1786年开设了一所医疗外科学院。虽然1737、1748和1752年的几次大火造成了很大损失,但仍然出现了很多新的建筑物,这些建筑物是由夸伦吉、巴杰诺夫、卡扎科夫和斯塔索夫这样的建筑家们设计的。莫斯科工业蓬勃发展,到了18世纪末,城内约有300家工厂,其中一半以上是纺织厂。1811年的人口增长至27.5万人。

1812年,拿破仑入侵俄罗斯;9月7日在靠近莫斯科的博罗季诺经过一场15小时的艰苦战斗后,俄军总司令库图佐夫从莫斯科撤走了军队和平民,一个星期以后法国人占领了这座城市。一场大火燃起,火势迅速蔓延,结果烧毁了全城2/3以上的建筑物。普遍发生抢劫。由于缺少供应品和住房,还有俄军搜索部队的不断骚扰,使得拿破仑无法在莫斯科过冬,10月19日,法军开始了他们的灾难性撤退。

1813年,莫斯科市建设委员会成立。它草拟了一个巨大的重建计划,包括对市中心进行部分的重新规划。在这个时期建筑或重建的许多建筑物中,有大克里姆林宫、兵器宫、大学、马术学校和大剧院。工业也迅速恢复并在整个19世纪继续发展。1837年成立了莫斯科证券交易所。1861年的解放农奴和由于1851年开辟通往圣彼得堡的铁路线而开始的铁路时代大大增加了劳动力的流动,大批农民开始从农村流入莫斯科。莫斯科的人口在1835年时已经达到33.6万人,到1871年几乎增加了一倍,达到60.2万人,而到1897年已经增加到97.8万人。莫斯科成为俄罗斯铁路的中心,有干线通往俄罗斯的欧洲部分各个地区。19世纪90年代重机械工业和金属制品业大为发展。1897～1915年,莫斯科的规模又扩大了一倍,人口达到198.37万人。

19世纪后期是公共团体和有钱的私人营造豪华建筑物的时期,有各种仿"古俄罗斯"风格的和所谓的现代风格的建筑物。这时期建筑的有旧市政厅(旧杜马的会场,现为列宁中央博物馆)、国立历史博物馆和高级贸易市场(现为国营百货公司)。

一个工业无产阶级在莫斯科的成长,加上工人普遍的低下生活水平,导致了日益增多的不安和罢工。各种革命团体非常活跃。在1905年的革命中,莫斯科举行了一次小规模起义,并试图占领尼古拉耶夫车站(现在的圣彼得堡车站),这次起义被残酷地镇压下去了。1917年,尽管在莫斯科建立了工人和士兵代表会议,但这个城市仍保持相对的平静,直至10月25日(新历11月7日)布尔什维克在彼得格勒(圣彼得堡)夺取了政权,紧接着便在莫斯科发生了战斗。一些士官生在克里姆林宫坚持了一段时期,但到11月3日(新历16日)他们被打败,布尔什维克的政权稳固地建立起来。

苏联时期的莫斯科 1918年3月,列宁和苏联政府迁到莫斯科,从而恢复了这个城市以前的首都地位。这种地位于1922年12月30日正式得到确认。是日苏维埃全国代表大会在大剧院召开,并通过立法成立苏维埃社会主义共和国联盟。内战时期,莫斯科和其他苏联城市一样遭受到很大困难,食物严重短缺,人口减少(1920年下降到102.73万人),工业萎缩。在苏维埃政权最终建立后的和平年代里,恢复是迅速的,从1928年开始的一系列五年计划使该市工业得到很大发展。莫斯科原有的工厂和劳动力成为苏联其他地方工业化的主要跳板之一。在1926年和1939年的人口普查之间,莫斯科的人口又增加了一倍,从2 029 425人增加到4 182 916人。由于优先发展工业,住房建设受到限制,现有住房紧张的状况更加严重。

第二次世界大战期间,德军于1941年末攻到莫斯科的边缘,距克里姆林宫不足40千米,很多工厂和大部分政府机关都已迁走。从10月20日起,莫斯科被宣布处于围城状态。留下来的居民构筑并据守着反坦克工事,整个城市遭受到来自空中的轰炸。12月6日进行的一次殊死反击把德军从市郊击退,从而拯救了莫斯科。战后的复苏是迅速的,莫斯科的经济得到进一步的发展。两个重大的事件标志着这个城市的进步:1947年,即第二次世界大战结束之后两年,莫斯科庆祝了它建城800周年,而在1980年,它又承办了夏季奥林匹克运动会。

战后期间,大批移民来到莫斯科,造成住房短缺,50年代达到严重的比例失调,1959年在花园环路内人口密度达到每平方千米51 000人之多。于是莫斯科开始推倒旧平房,建造高楼以解决居住问题。

1991年8月,莫斯科发生了一场持强硬路线的共产党人反对有改革思想的戈尔巴乔夫总统的政变。政变虽然失败了,但继之而来的却是几个月之后的苏联解体。

后苏联时期的莫斯科 作为后苏联俄罗斯的首都,莫斯科处于国家的历史性改革的中心。在俄罗斯其他地方,工业产量急剧下滑,失业和不充分就业人数增加,许多人的生活水平下降。莫斯科仍是俄罗斯首要的金融研究中心,它的服务门类迅速扩张,但还不足以抵补工业衰落。其间,犯罪活动(包括有组织犯罪)呈上升趋势。1993年10月在莫斯科发生了暴乱,俄罗斯议会议员发动了一场针对总统叶利钦政府的政变。叛军企图攻占奥斯坦克诺电视塔和演播室,造成多人死亡。俄罗斯军队炮轰议会大楼,最终平定叛乱。1999年在莫斯科和其他城市发生的爆炸事件导致多人死亡,政府将这些爆炸事件的制造者归结为车臣独立分子。1998年的金融危机

引起银行破产和俄罗斯货币的贬值。经济困难一直持续到21世纪，莫斯科继续面临着挑战：提高大多数居民的生活水平和与有组织犯罪作斗争。

Moscow 莫斯科 美国爱达荷州西北部城市，拉塔县县城(1888)。位于帕拉代斯河畔，邻华盛顿州。1871年开始有人定居，作为公共马车站发展起来。1887年设镇。1893年设市。爱达荷大学(1889)是该市发展的主要因素，内设有州矿业地质局和地区农业研究站等。经济以农业、伐木和陶瓷业为主。东北有圣乔国家森林。人口21 291(2000)。

Moscow, Grand Principality of 莫斯科大公国 又拼Muscovy。俄国中世纪的一个公国，在留里克王朝一个分支领导下，从罗斯托夫-苏兹达尔公国的一小块领地扩展为俄罗斯东北部占有统治地位的政治单元。周围全是森林，地处商道要冲。1326年成为东正教俄罗斯教区总主教常驻地。1328年起莫斯科大公从鞑靼宗主处获得弗拉基米尔大公称号。历代大公均致力于扩大疆土。季米特里·顿斯科伊曾打败鞑靼人(1380)。伊凡三世在位时期(1462～1505)并入这个大公国的有梁赞、雅罗斯拉夫尔(1463)、罗斯托夫(1474)、特维尔(1485)和诺夫哥罗德(1478)。在伊凡统治末期，莫斯科大公实际上为整个俄罗斯的统治者。参阅 **Rurik dynasty**。

Moscow, Treaty of 《莫斯科条约》(1921-03-16) 土耳其民族主义政府与苏联政府在莫斯科缔结的协定。该协定确定了土耳其的东北部边界，建立了两国政府的友好关系。十月革命(1917-10)爆发后，俄国退出第一次世界大战，停止了对奥斯曼帝国的敌对行动。新的苏维埃政权与土耳其民族主义者结成反对西方的联盟。双方于1920年8月建立外交关系，次年3月16日签订《莫斯科条约》。条约规定将卡尔斯和阿尔达汉给予土耳其，将巴统给予俄国，从而解决了边界纠纷。苏联承认以穆斯塔法·凯末尔为首的民族主义领导机构为土耳其的唯一政府，并向土耳其民族主义者提供武器和弹药。土耳其人利用这些装备成功地对希腊发动了一场战争(1921～1922)。

Moscow Academic Art Theatre 莫斯科模范艺术剧院 1939年以前称莫斯科艺术剧院(Moscow Art Theatre)。著名的俄国自然主义戏剧剧院，由两位戏剧艺术教师斯坦尼斯拉夫斯基(**Stanislavsky, Konstantin**)和涅米罗维奇-丹钦科(**Nemirovich-Danchenko, Vladimir**)于1898年创办。最初，剧团由业余演员组成，这些演员来自“艺术和文学协会”与“莫斯科交响乐团协会”的戏剧班，斯坦尼斯拉夫斯基和涅米罗维奇-丹钦科都曾在那里任教。在德国迈宁根剧团(**Meiningen Company**)的影响下，斯坦尼斯拉夫斯基开始为演员发展一种训练体系，从而指导演员能真实地扮演任何角色和戏剧场面。剧院于1898年10月开幕，演出A.托尔斯泰《沙皇费多尔·伊凡诺维奇》一剧。剧院演出的第5出戏是契诃夫的《海鸥》。第一次演出失败，重演此剧使剧院获得重要成功，并且使它开始了与这位著名剧作家的长期合作。剧院的保留剧目中包括高尔基、安德列耶夫、L.托尔斯泰、梅特林克和霍普特曼等人的作品，上演了具有政治和社会意义的剧作以及讽刺剧、幻想剧和喜剧。俄国革命后，剧院受到列宁和卢纳察尔斯基的大力支持，后者是苏联的第一任教育人民委员。1922年剧院去欧洲和美国演出，所到之处均受到评论界的赞扬。50年代晚期和60年代早期两次在伦敦成功的演出，又重新确立它在世界剧坛上的卓越地位，并在世界剧坛上发挥了重要的影响。剧院培育了许多实验性剧团(如瓦赫坦戈夫剧团、现实主义剧团、犹太剧团、涅米罗维奇-丹钦科音乐剧团)。今天，所有的专业表演训练实际上均在某些方面沿用了斯坦尼斯拉夫斯基的表演方法。

Moscow Canal 莫斯科运河 连接莫斯科与伏尔加河上的伊万科沃(莫斯科北面)的水道。建于1932～1937年，作为莫斯科的主要水路，用来代替由莫斯科河改建的只能通小船的运河。它使通往重要工业中心下诺夫哥罗德(原高尔基城)的水路减少120千米。运河长128千米，沿河共有11道船闸。河深最浅处为5.5米，船闸长宽为290米×30米。

Moscow River (Russia) 参阅 **Moskva River** 莫斯科河。

Moscow school 莫斯科画派 俄罗斯中世纪后期圣像画和壁画的主要画派，约自1400年起至16世纪末活跃于莫斯科，继诺夫哥罗德画派之后主宰俄罗斯画坛，并在最后为形

A.鲁勃廖夫的圣像画《救世主》(1411)
美国不列颠百科全书公司供图

成民族艺术风格奠定基础。13世纪中期以后蒙古人占领了俄罗斯大部分领土；在驱逐蒙古人的运动中，莫斯科在上升到领导地位的同时，与诺夫哥罗德及其他中心开始平行地发展地方艺术。这个城市的专制传统从一开始就鼓励人们偏爱抽象心灵的表达而轻视人世实际的陈述。莫斯科画派的第一次繁荣是在希腊画家狄奥凡的影响下出现的。他在君士坦丁堡出生并学艺，在诺夫哥罗德接受了俄罗斯的方式和精神，1400年左右迁居莫斯科。其作品构图复杂，色彩精美，表情深沉，用笔流畅，几近印象主义的手法，水平远在同时代的作品之上。莫斯科画界对弯形平面的爱好历久不衰就是受他的影响，其最重要的后继者是俄罗斯中世纪最杰出的画家、修士A.鲁勃廖夫。他的画气势磅礴而妩媚动人，其风格几乎无所师承于狄奥凡，唯在力求达到艺术的完美方面与之一脉相承。鲁勃廖夫于1430年左右去世，从这时到15世纪末莫斯科的声望雀起，名学之风大兴。这种新兴的风气在一个重要的世俗画家狄奥尼西的艺术中得到反映。他的作品更多基于理性而非本能的心灵表现，比狄奥凡和鲁勃廖夫的作品都更具有吸引力。业已确立的总的风格传统，延续了16、17两个世纪，但圣像画画幅改小，构图拥挤，质量日下。到16世纪后期，先前的精神内容已多为繁琐的装饰以及平淡乏味的高雅所取代。17世纪初，一批有造诣的莫斯科画家组成所谓斯特罗加诺夫画派(**Stroganov school**)，取得俄罗斯中世纪艺术最后阶段的领导地位。

Moscow State University 国立莫斯科大学 全名Moscow M.V. Lomonosov State University，俄语拉丁字母转写作Moskovsky Gosudarstvenny Universitet Imeni M.V. Lomonosova。设于莫

国立莫斯科大学
中国大百科全书出版社供图

斯科的国立高等学府，俄罗斯历史最久、规模最大、声誉最高的大学。1755年由语言学家罗蒙诺索夫创立。它模仿德国的大学，原有的教师大多是德国人。在19世纪后半叶，该校已成为俄国科学研究和学术的最重要的中心。在俄国革命后，大学得到了显著的发展。在苏维埃时期，它在数学、物理、化学、力学、天文学和其他学科继续起着杰出的作用。现有350多个实验室、一些研究所、几个天文台以及几个附属博物馆。该大学的高尔基研究图书馆是俄罗斯最大的图书馆之一。这所大学还在继续发展，新校舍在莫斯科的列宁山上。毕业于国立莫斯科大学的知名人士有作家M.莱蒙托夫、A.契诃夫和I.屠格涅夫，激进的知识分子A.赫尔岑和V.G.别林斯基，

以及苏联领导人M.戈尔巴乔夫。

Moscow Zoo 莫斯科动物园 俄罗斯最大的动物园。1864年由一个公共社团建立，后归私人所有。1919年被宣布为苏俄的财产，1923年由莫斯科市苏维埃管辖。展有广泛收集的北方动物以及许多外国动物。该园占地20公顷，设有小型开放式场地和放养大群动物的大型围场。在第二次世界大战期间仍开放，但许多设施受到破坏。现有动物550种，3 000多只。

Moseley, Henry Gwyn Jeffreys 莫塞莱（1887-11-23，英格兰多塞特韦茅斯～1915-08-10，土耳其加利波利） 英国物理学家，用实验证明元素的主要特性由其原子序数决定，而不是由原子量决定的，确立原子序数与原子核电荷之间的关系。曾就读于牛津三一学院，1910年任曼彻斯特大学卢瑟福实验室的物理学讲师，在该处工作到第一次世界大战爆发时参军。最初研究镭的放射性与β辐射。随后转而研究元素的X射线谱。在一系列出色的实验中，发现X射线谱上各对应谱线的频率之间的关系。在1913年发表的一篇论文中，提出频率与原子序数加一个常数所构成的整数的平方成正比。这个关于原子序数的基本发现称为莫塞莱定律，是原子知识进展的一个里程碑。1914年莫塞莱发表一篇论文推断，在铝和金之间有3个未知元素（实际有4个）。他还正确指出，向上数到铀，只有92种元素，包括铀和14种稀土元素。莫塞莱27岁在苏夫拉湾（在土耳其）之战中阵亡，使世界丧失了一位最有前途的实验物理学家。

Moselle 莫塞勒 法国东北洛林大区省份。1790年由洛林地区和梅斯市组成。该省有法国最重要的重工业区之一，位于默尔特-莫塞勒和德国萨尔州西边线之间。面积6 216平方千米。莫塞勒河穿过该省西北部，流经省会梅斯及莫塞勒高原和蒂永维尔铁矿区。洛林煤田是萨尔盆地延伸部分，位于工业联合区东部，邻近德国边界。东南部有萨尔河向北经萨尔堡流过盐矿和化工厂。莫塞勒工业区和德国的萨尔区之间通运河。莫塞勒河的运河化使莱茵河流域和北部之间的直接联系有了保证。梅斯与南锡、萨尔河和卢森堡之间通高速公路。气候夏暖冬冷。农业人口主要从事养牛和乳品业以供应地方市场。当地铁矿1875年后开始开发，现已近枯竭。洛林煤田仍是法国主要产煤地，是欧洲机械化程度最高和人均产量最高的煤矿之一。该省煤铁和钢的产量占法国总产量的多数。副产品煤气通过管道供应巴黎地区。省下设布莱莫塞勒、萨兰堡、福尔巴赫、梅斯维尔、梅斯康帕涅、萨尔堡、萨尔居埃米内、东蒂永维尔和西蒂永维尔9个专区。属斯特拉斯堡教育区。人口1 010 000（1992）。

Moselle River 莫塞勒河 德语作Mosel（摩泽尔）。莱茵河左岸支流。全长545千米。发源于孚日山脉林坡，流经法国东北部和德国西部。在法国境内蜿蜒流过埃皮纳勒、蓬圣樊尚、图勒、弗鲁瓦尔、梅斯和蒂永维尔，然后形成德国和卢森堡之间一段不长的边界。进入德国后流经特里尔，在科布伦茨与莱茵河汇合。德境河谷地区有大片葡萄园，以生产莫塞勒葡萄酒闻名。西面主要支流有马东、奥恩和绍尔河，东面有默尔特、塞耶和萨尔河。自19世纪以来，梅斯上游就可通航300吨的驳船。从梅斯至蒂永维尔则从1932年起可通300吨驳船。早先蒂永维尔以下河段不通航。1964年建成从梅斯到科布伦茨的莫塞勒运河后，可通行1 500吨驳船。运河由代表法国、德国和卢森堡的三方管理机构负责掌管。沿河有一些钢铁厂和发电站。

Möser, Justus 默泽尔（1720-12-14，明斯特奥斯纳布吕克［德国］～1794-01-08，奥斯纳布吕克） 德国政论家和诗人。叛逆的德国青年作家的狂飙突进运动的先驱者。曾在耶拿和格丁根两所大学受过法学训练。1747年任奥斯纳布吕克检察官，从1764年起，实际上是那里的政府首脑。他还当过首席法官和司法顾问。在《爱国梦想》（1774～1776）的文集中，他呼吁全民有组织地发展成为一个国家，而不是发展一套由一个君主强加于人的武断法律体系。默泽尔的《奥斯纳布吕克史》（2卷，1768）是一部开创性的著作，表明民间传统对一个区镇的风俗和政府的影响。《全集》共10卷，内有论文、诗和一部悲剧，于1842～1844年出版。

Moser-Proell, Annemarie 莫泽-普罗尔（1953-03-27，奥地利克莱因纳尔～　　） 母家姓普罗尔。奥地利女子高山速降滑雪运动员。曾获6项女子世界杯冠军，其中5项是连续取得（1971～1975）。在1972年奥运会上获速降和回转银牌；在1980年奥运会上获拿手项目速降金牌。1973年创女子第11次获速降世界杯冠军，创连胜纪录。1976年退出比赛，1978年重返赛场。1980年冬季奥运会后再退出比赛。她在世界杯比赛中获胜次数超过任何其他男女滑雪运动员。

Moses 摩西（活动时期约公元前14～前13世纪） 希伯来语作Moshe。公元前13世纪希伯来天才的领袖，带领希伯来人摆脱了埃及人的奴役。他在西奈山与上帝立约的典礼中传播"十诫"，建立称作以色列的宗教社团。作为对所立之约中的规条的解释者，他是以色列社团宗教及世俗传统的组织者。在犹太教传统中，摩西被尊为最伟大的先知和导师。西方基督教世界有时俗称犹太教为摩西教，或摩西信仰。他在西方文明的宗教生活、道德准则及社会伦理中的影响持续至今，意义深远。

历史问题 *历史上有关摩西的看法* 历史上很少有人像摩西那样争议如此之大。早期犹太教和基督教传说认为他是《托拉》（犹太教《律法书》或《教义》），也称《摩西五经》，即《希伯来圣经》前五卷的作者，某些保守派至今仍持这一见解。

反对此说法的是德国学者M.诺特。虽然他承认摩西为希伯来人征服迦南作了某些准备工作，但对传说中的摩西的作用深表怀疑。诺特虽承认《出埃及记》和西奈的传说有其历史的精髓，但认为这是两个不同群体经历之事，是彼此独立的传说。认为《圣经》中希伯来人出埃及抵迦南渊源于编者把这两个独立的主题及传说围绕着主要人物摩西编串在一起，而摩西的原型是一位名不见经传的人物摩押。

本文提出的见解在这两种极端看法之间，主要根据圣经考古学家和历史学家W.F.奥尔布赖特的说法。在接受圣经故事基本点（从《出埃及记》第1章第8节至《申命记》第34章第12节）的同时，也承认在口传和文字传播的数世纪中，内容必然大有增添。文学批评家们对《摩西五经》文选资料进行的重新整理被公认为是有效的，但是这些文献资料被视为是对一系列事件的不同叙述。另一种方法也同样有效，即从文字形式、口头传说、风格编辑、考古学上研究《圣经》经文。因此，对一个批判性问题最精确的答案很可能是来自各种考证的汇合。尽管借助于学术批判，资料来源仍不完全，以致对摩西本人只能作一大概的勾画。

伦勃朗绘《摩西向人民显示刻有律法的法版》（1659）

美国不列颠百科全书公司供图

摩西的时代 据《圣经》记载，摩西父母属于埃及的希伯来人的利未支派。希伯来一词最初与种族或民族的起源无关，来源于Hapiru（Apiru）的变异拼音Habiru，原指靠受雇于他人以从事各类服务工作为生计的一班人。《圣经》中的希伯来人虽已在埃及生活数代，但后来显然构成对埃及王朝的威胁，故某一法老将他们贬为奴隶。不幸的是《圣经》没写出该法老的姓名，故学者们对该人物和摩西故事发生的时代众说纷纭。一种理论是对《列王记上》第6章第1节作字面解释：希伯来人出埃及发生在所罗门在耶路撒冷开始建圣殿前480年，而圣殿破土动工是在所罗门在位的第4年，即约公元前960年，故希伯来人出埃及时间约在公元前1440年。

但这一结论与《圣经》上大多数记载和考古学的证明不符。希伯来人为法老所建积货城皮索姆和拉美塞位于埃及三角洲的东北部，离希伯来人聚居的戈申地不远。整个故事暗示法老宫殿和首都就在该地区。但公元前1440年在位的法老图特摩斯三世的首都在底比斯，远在南部，他从未在三角洲地区大兴土木。再者，据《圣经》记载摩西曾被迫绕行至约旦河东两个小王国埃多姆和摩押的东面，而两国在当时无人定居，尚未建立。最后，根据已有的发掘表明，希伯来人声称曾攻占这两个城市，遭受破坏是在约公元前1250年，而不是在公元前1400年。

传说摩西至所罗门相距约12代，《列王记上》所指的480年最大可能是编者按40年为一代估算而来，而实际每代间隔期为25年左右，因此希伯来人出埃及年代极可能是约公元前1290年。如确是如此，那么《出埃及记》第1章第2节至第2章第23节中所提及压迫希伯来人的法老应是塞提一世（公元前1318～前1304年在位）。希伯来人出埃及时的法老应是拉美西斯二世（约公元前1304～前1237年在位）。简言之，摩西很可能生于公元前14世纪后期。

年代和行为 *形成性格的年代* 埃及人为限制希伯来人的人口增长，采取的措施之一是命令杀死所有希伯来新生男婴。据传统说法，摩西双亲和约基别另有一子亚伦和一女米里亚姆。他们把摩西藏匿3个月后，将他放在抹上石漆的蒲草箱内，然后置于尼罗河上任其飘流。法老之女在河边洗澡发现摩西，将其收养宫中。许多人怀疑这一传说的可靠性，因为摩西这一名字来源于古埃及语*mose*（意为诞生了），同样在诸如Thutmose（意为透特诞生了）一类名词中也可发现。据推断，摩西原本名字较长，但后来将前面的神性名字省略了。这很可能发生在摩西返回希伯来人中时或甚至更早，因为缩短形式的名字摩西，当时十分流行。

关于摩西在宫中数年的生活并无记载，但从他后来的成就来看，他曾在宫中受过宗教、世俗、军事等方面的教育。由于埃及控制迦南（巴勒斯坦）和部分叙利亚，也与肥沃新月地带的其他各民族有接触，毫无疑问，摩西对古代近东地区的生活有普遍的了解。在他受教育期间，摩西得悉他是希伯来人。他对希伯来人的关怀和新奇感驱使他走访了他们。据《圣经》记载，摩西活了120年，当他面对法老时是80岁，但《圣经》中没记载他去看望希伯来人时是多少岁。后来犹太教和基督教传说把他在埃及宫中、族居米甸和在旷野漫游假定为40年。

很可能摩西25岁那年在希伯来人中巡视过，看到他们在备受压迫的情况下劳动。当他见到埃及督工抽打一名希伯来人并可能将他打死时，义愤填膺，在四顾无人后，将这个凶悍的埃及督工杀死。摩西作为一名宫廷王子，很可能有强壮的体魄，显然他知道格斗的绝招。

这次辉煌的胜利促使摩西翌日又返回原处，他已为民除了一害，决定再次帮助他们。然而这次他见到两名希伯来人在厮打。当他将他们拉开、询问打架原由，企图调解时，其中一人向他提出的两个问题却使他大为吃惊："谁立你作我们的首领和审判官呢？难道你要杀我像杀那埃及人吗？"这使他自命为救助者的自信心随即转而为恐惧，认为他的"秘密"已被一个自己人发现，不久法老也会知道。意识到必须出逃，他去了米甸（主要位于阿拉伯西北部）。

摩西在米甸 《圣经》没有提到摩西外逃到米甸所遭遇的种种困难，一则著名故事描述了公元前1960年左右一位埃及宫廷大臣西努希外逃经过。无疑摩西像他一样，不得不过筛似的越过"统治者之墙"，即埃及设在东方边疆上的道道碉堡（在今苏伊士运河一带），然后取道东南方，穿过荒无人烟的地区。不幸的是《圣经》中没有详细说明摩西居住在米甸的哪一部分。米甸本土位于亚喀巴湾以东、阿拉伯半岛汉志的北部。但有证据表明某些米甸部落曾跨过阿拉伯谷地（死海南部峡谷），在西奈半岛东部和南部地区定居。

据《圣经》记载，摩西正在井边休息时，米甸祭司叶忒罗的7个女儿来此给其父的羊群饮水。另一些牧人也赶着羊群来此，为饮他们的羊而驱赶她们。摩西路见不平，见义勇为，（很可能在女孩的鼎力相助下）与那些牧人较量一番，将他们赶跑。叶忒罗便邀摩西同住，最终摩西娶叶忒罗一女希坡拉为妻。摩西承担了为叶忒罗牧羊的职责，在旷野四处寻找牧草。

一天摩西在山脚下，被一丛燃烧的荆棘所吸引，但奇怪的是这片荆棘烧而不尽。他曾见过像火焰般盛开花朵的荆棘，但这次的现象非同寻常，故转身过去察看究竟。正当他要走近时，却听到不准靠近的警告声，然后令其脱鞋，因为他所站之地是圣地。

不管人们如何去解释这一燃烧的荆棘，重要的是摩西意识到他遇见了上帝。这位自称是亚伯拉罕、以撒、雅各的上帝，召唤摩西把希伯来人从埃及拯救出来。尽管摩西本人先前曾满腔热情帮助其本族人民，但当他蒙召拯救他们时，他表示了对本身资格的质疑。根本原因也许是担心他曾从塞提一世处出逃，并且不愿与拉美西斯二世发生冲突。上帝使摩西恢复了信心，答应摩西及希伯来人将会在山上侍奉他。于是，摩西要求知道授命于他的上帝之名。这位祖宗的上帝以往多被称为最高上帝或山的上帝或全能的上帝，但此时他对摩西自称耶和华，并指令从那时起用其新名称呼。耶和华意为创造者（生成万物者），这一启示使摩西把希伯来人的上帝视为凌驾自然和世界万民的至高无上的主。

摩西即使有了些信心，但仍很不情愿接受耶和华的召唤；他乞求上帝放了他，因为他拙口笨舌，耶和华深知其这一缺陷，但答应帮他表达。摩西仍惧怕所担之责，向上帝最后讨饶："主啊！我祈求你，你愿意打发谁去就谁去罢了"，虽然耶和华对摩西发了怒，但未放过他。摩西仍将是耶和华的代表，但摩西善言的哥哥亚伦将是发言人。显然，假如亚伦作为其先知，摩西准备代替上帝去见法老。他返回叶忒罗处，要求允许其回埃及重访他的人民，但闭口不谈耶和华托付之事。

摩西和法老 拉美西斯二世10多岁时成为埃及国王，在位67年。他渴望打败赫梯人，控制整个叙利亚。但在即位第5年，他在叙利亚的奥龙特斯河畔卡叠什中了赫梯人埋伏。后果断突围，但就其目标而言，这次战役完全失败了。拉美西斯也像所有其他法老那样，自称是神，因此这次失败也必须解释成是巨大的胜利，声称他只身一人制服了赫梯人。他那受伤害的自尊心通过在整个埃及大兴土木表现出来。退位前，吹嘘其功勋之词写满大片墙围。

很可能就在卡叠什之战数年后，摩西和亚伦面对拉美西斯提出要求，"耶和华，以色列的上帝这样说，'容我的百姓去'"。拉美西斯这位以人的形式出现的神不惯于接受较低的神祇之命，更不必说听从像耶和华这样不知名之神的命令。"耶和华是谁？"他问，"要我听他的话容以色列人去呢？我不认识耶和华，也不容以色列人去"。因此摩西和拉美西斯之间一场长期斗争的帷幕拉开，一方是极其自负的对人不信任的国王，另一方是对耶和华及其大能有新的理解的先知。

拉美西斯实施一项狠毒计划以增加对希伯来人的压迫：要求希伯来人自己捡草作捆砖之用，用时丝毫不减少每天制砖的定额。一些希伯来人起而反对摩西。在挫折中摩西向耶和华发问："为什么打发我去呢？"耶和华答应采取行动惩罚法老，解除了摩西的疑虑。学者们最大的分歧在于《圣经》中关于瘟疫的描述。一些人认为这是3种材料来源的组合，但更近期的学者认为仅包括两种传说。较早期的批评家认为，虽然某些瘟疫有其历史内在的真实性，但像目前《圣经》所描述的离奇故事则不能全信，因带有虔诚的宗教色彩。而当代研究者则认为，即使有些添枝加叶，但很可能所有的瘟疫均有历史真实性的内核。

一种解释认为尼罗河曾发生过一次极大的泛滥，这是造成瘟疫的根本原因。白尼罗河起源于非洲中东部湖区，即今天的乌干达。由于经常的赤道雨，故全年水流平缓。而蓝尼罗河则起源于埃塞俄比亚高原的河源，由许多小溪汇成急流。当摩西与拉美西斯较量时，埃塞俄比亚夏天的滂沱大雨倾盆直下，冲刷着山坡上粉状深红色土壤。在塔纳湖区周围血红色的急流夹带着发亮的水藻（称作鞭毛藻）及其细菌顺流而下。由于当时无水坝，整条尼罗河，直到地中海都流着血红的水。很可能这种水在8月抵达三角洲地区。据说正因这一罕见的自然现象造成了持续到来年3月的一系列瘟疫发生的条件。

在这几个月间，摩西利用蛙灾、虱灾、蝇灾、畜疫之灾、疮灾、雹灾、蝗灾、黑暗之灾对拉美西斯不断增加压力。起初国王很刚硬。希伯来人并非唯一对埃及不满的奴隶，如果他让他们走，那其他人也要走，为确保其建筑工程进行，他必须将奴隶叛乱扼杀在摇篮中。但他也不能不顾这些灾疫的后果，开始勉强地承认耶和华的大能。为恢复秩序，他提出权宜之计，让希伯来人在戈申献祭。此计不成，他又提出让希伯来人在埃及边境向耶和华献祭。但摩西坚持希伯来人行程3天进入旷野献祭。法老以答应希伯来男子进旷野相对抗，但也遭摩西拒绝。最终，法老同意让希伯来人走，但他要保留牲畜作为他们返回的保障。摩西断然拒绝这一条件。法老在盛怒下，将摩西赶走。在与法老进行了9个回合斗争后，摩西看到希伯来人要得拯救道路艰难，但与他早期疑虑、挫折相比，他毫不灰心。显然，他内心确信法老不会有定论。

从戈申到西奈 《出埃及记》第11章至第14章内容庞杂，常常自相矛盾。这场戏比通常更显得模糊不清。学者们对该资料的解释极其不同。一说是法老丧子，大为震惊，故命希伯来人离去。另一说是摩西趁法老为头生子之死全国举哀之际秘密逃离埃及。无论哪种情况，显然法老最终派兵追赶希伯来人。尽管希伯来原文《出埃及记》的传统解释认为约有200万希伯来人离开埃及，但据圣经批判学者考证认为仅有1.5万人左右。

埃及军队将他们追逼到芦苇(纸莎草)海边，该海切断了他们东逃的退路。后来按犹太传说把该水域说成是红海。这一错误解释流传至今，即使在某些最新的《圣经》英译本中亦复如此。学者们对芦苇海确切地点意见分歧，但鉴于纸莎草只在淡水中生长，故该海极可能是位于埃及最东北角的一个淡水湖。

被埃及追兵围困的希伯来人又向摩西发怨言。有一种说法认为摩西此时也与他们一样深感不安，向耶和华求助。另一说法声称摩西充满信心，要求他们安静，看耶和华向他们施行救恩。强东风刮了一整夜，湖中露出一条干通道，让希伯来人穿越过湖。湖水复升后，淹没了埃及追兵。这一自然现象的时机掌握最终回答了法老妄自尊大的问题，“耶和华是谁?”摩西和其姐米里亚姆平安到达彼岸，带领人民向耶和华唱起胜利颂歌(《出埃及记》第15章第1节至第21节)。这一诗歌风格与公元前14世纪迦南人文学风格类似。因此有种种理由相信这一诗歌及其迭句确实保留了当时歌曲的原形：“歌颂耶和华，因他光荣胜利，将马和骑手投入大海。”

虽然学者们对希伯来人出埃及的路线有争议，但极大可能是向南行至穆萨山，这是传统的西奈山(霍雷布)所在地，位于西奈半岛最南端的花岗岩地带。这一行程要经过某些荒无人烟的地区，摩西不得不对付因缺水断粮而产生的抱怨。然而最终他将希伯来人带到了“上帝之山”，这是耶和华曾在燃烧的荆棘中向他显现的地方。

西奈山立约 公元前14世纪，小亚细亚赫梯人与受他们控制的邻国统治者缔结了若干条约。这些条约并不平等，是在赫梯王(宗主国)和藩属国统治者(诸侯)之间签订的。赫梯统治者在前言中把自己描述为恩准此条约的“伟大国王”，然后就赫梯人宗主国及其藩属国间的关系作了历史评述。特别注意放在这位君王对其属下所显示的仁慈上，是要诸侯记住根据条约规定对他的义务。最基本的要求是效忠誓约。鉴于埃及在当时国际政治中，与赫梯人时有联系，摩西很可能在埃及宫中生活时已得知赫梯条约形式。

据《出埃及记》第19、20两章记载，耶和华在可怕的暴风雨中在西奈山显现。这一显现对摩西来说，正如他见到燃烧的荆棘一样是神启示的经验。不知怎么地他意识到赫梯条约最精确地类比了耶和华和希伯来人间的关系。耶和华对希伯来人有要求，因为他拯救了他们，希伯来人对耶和华的爱和眷顾的唯一恰当的反应就是宣誓服从耶和华的意愿。有学者认为西奈山神启中所包含的“十诫”是希伯来人征服迦南后拟定的。但就“十诫”内容而言，与其农业背景根源绝无关系，最大可能是希伯来人在西奈山立约典礼上作出这些规定。

因为耶和华被宣布为唯一的真神，“十诫”中第一诫几乎就是反对其他神祇的禁令。权威们始终对是否能把此条理解为一神论有争议。多数人确信这不是后来哲学含义上的一神论，而是实践上的一神论。就此而言，其他民族所信奉的神祇都在耶和华掌管中。他使他们生成、授权他们出席他的会议，因此耶和华是统治众神和各民族之主。

另一早期的禁造偶像的诫命一直被视为指一切其他神祇的偶像，实际上该禁令最初是指禁造耶和华本身之像。在古代世界中，礼拜如无偶像是不可思议的。摩西把耶和华限定为唯一的真神，就更加证明了此点。耶和华是无形象的神，他决不能用物质形式来代表。由于耶和华已将其名之意向摩西晓喻，那“十诫”中也应禁止任何不可思议地或不道德地称他的名。无疑“十诫”中其他各条的思想也渊源于摩西时代的宗教文化，之所以突出这几条是因为耶和华的神圣性和公义性。摩西意识到如立约的人民要想有一稳定的正义的社会，那就必须效法上帝。对上帝造物的关心就意味着尊重他们个人。杀人、奸淫、偷盗、说谎、贪婪从不合法，因为它们导致整个社会混乱和崩溃。再者，鉴于耶和华始终关心保护无权势的在埃及的希伯来人，那希伯来人也应保证公平对待在其辖区内的孤儿寡母、外人及一切贫困的人。

在确认此约后，摩西及希伯来人就有面临按契约规定生活之任务。这也要求对“十诫”作解释，故摩西着手为各种具体情况颁布法令。其中许多法令根据他那时代判例法制订，但对它们的选择和应用的识见则可能来自“会幕”(设置在野外简单的帐篷至圣所)。在会幕中耶和华和摩西进行“面对面，如一个人对朋友”的谈话。违约就必须有补赎办法，而补赎就意味着要对祭司在礼拜和献祭中的职责作规定。简言之，按传统说法，整个希伯来宗教礼仪的雏形均源于西奈山。在叶忒罗建议下，摩西建立了士师和审讯制度以处理民事纠纷。希伯来人可能正是在西奈山组成了12支派。

摩西最大特点在于他不管希伯来人如何顽固不化和反叛，仍关心他们。当希伯来人又去崇拜牛犊时(可能是石膏牛犊而不是《圣经》所说的金牛犊)，耶和华准备离弃他们，与摩西及其后裔重新立约，但遭摩西拒绝，后来他请求耶和华饶恕希伯来人，如耶和华不准，他甚至要求耶和华将他本人从纪念册子上除名。

从西奈到外约旦 据《民数记》记载，离开西奈山后，摩西遭受的反抗和挫折日益增多。显然这些年他精力仍未减退，因为他又再婚，娶了库施特女子为第2个妻子。但米里亚姆在亚伦支持下反对这次婚姻。希伯来人在巴兰旷野的卡叠什听到大多数曾去迦南地侦察的探子们悲观的汇报，都反对摩西北上征服迦南的计划。当摩西敦促他们重新考虑此事，几乎被他们用石打死。然而即使如此，据传统说法，当耶和华威胁要歼灭希伯来人，提拔另一较强大民族时，摩西再次代民求情。但另有一例提到摩西的愤怒压倒了他的同情心。很可能就在巴兰旷野的卡叠什地区，摩西骂那些怨气冲天的希伯来人是背叛的人，并用杖怒击磐石两下，河水随之流出以满足饥渴人们之需。摩西以往生气是为了捍卫耶和华之名，为了他的荣耀和事业。而这次生气则源于他饱受好斗之民的挫折。据传统说法，他的这次失言成为耶和华不准其进迦南的原因，但值得注意的事实是摩西能够承受这类持续的压力。

在外约旦，埃多姆和摩押这两个米甸新属国不准摩西过境。摩西明智地绕过其东面，北上征服阿莫里特王西宏和巴珊王奥格。当摩西允许某些支派扎营定居在外约旦时，遭到摩押人和米甸长老的反对。他们聘请叙利亚术士巴兰去诅咒希伯来人，但巴兰却反为他们祝福。一些学者由此认为巴兰是耶和华的皈依者。如果真如此，那他必定后来又反叛了，因为《圣经》暗示了巴兰鼓励他的前雇主们通过宗教诱惑削弱希伯来人。摩西在临终前不久对米甸人的敌视作了回报，成功地发动一场圣战打败他们。

摩西采取的最后一个正式行动是向希伯来旷野的幸存者复述西奈山之约。在约旦河流域他的营地内，摩西爬上了皮斯加山顶。在该山上他见到了上帝应许之地，此后希伯来人再也没见到他。他的死和埋葬遗骨之地始终蒙上一层神秘色彩。传统说法认为耶和华将他葬于伯昆珥河对面的谷中，即希伯来人背叛耶和华的遗址。

摩西其人 毫无疑问，摩西此人的形象随着时间推移而拔高，但其基本形象仍渊于《圣经》。《圣经》中有5章节声称是由摩西亲笔记载(《出埃及记》第17章第14节；第24章第4节；第34章第27～28节；《民数记》第33章第2节；《申命记》第31章第9节，第24～26节)。即使后人对这些记载范围有极丰富的解释，但总数不超过《摩西五经》的1/5，因此传统上把摩西作为《摩西五经》作者的说法难以成立。摩西阐述了《十诫》，充当上帝与希伯来人立约的中介，着手对约中各条进行补充性解释并汇编成典。无庸置疑，他保留了某些记录，这些记录成为扩大了的律法书和传说的核心。因此大体而言，《希伯来圣经》前5卷可被视为摩西律法。没有他就没有以色列，也就不会有以《托拉》著称的律法书。

摩西是一位极有天赋、训练有素的人，但其真正伟大之处很可能是由于他个人与耶和华的经验和关系。这位拙口笨舌的前杀人犯懂得他得到保护及其命运全靠仁慈上帝的恩典，是上帝给了他另一次机会。摩西善解人意，有宽容心，因为他知道耶和华对他如此宽大为怀。他万分谦卑，因为他认识到其天赋与力量均来自耶和华。

由于他地位的独一无二，摩西不得不承担起多种角色，在希伯来人的拯救中，他作为耶和华的代理人，是他们的先知和领袖。作为上帝与希伯来人立约的中介，他是希伯来社团的奠基者。作为约的解释者，他是一位组织者和立法者。作为其人民的代祷者，他是他们的祭司。摩西是位特殊的集天赋与恩典于一身者，这使任何人都无法取代其地位。尽管他的继承人约书亚和亚伦之子(祭司以利亚撒)试图取代他,但他们合在一起也抵不上他。后来的先知都是伟人,道出了摩西所具备的那种精神,但他们没有蒙召起到像摩西那样大的作用。正如传统所说,他确实是一位最伟大的先知,他的影响,如历史所显示的那样,几乎无人能与之相匹敌。

Moses de León 摩西(莱昂的)(1250,莱昂[西班牙]～1305,阿雷瓦洛) 犹太教喀巴拉派人士。据说《光辉之书》即出自他的手笔。这部书是犹太教神秘主义最重要的著作,对犹太人的影响可与《旧约》和《塔木德》相媲美。此书大部分以奇特、造作而古雅的阿拉米文写成,基本上是对《摩西五经》的评注,在方法上与传统的米德拉西相近。书中假托巴勒斯坦境内所发生的事件,载西缅(本·约哈伊)与门徒对话,其中透露上帝以十种流溢形式彰显自己,此书除受新柏拉图主义影响之外,显然也受到中世纪西班牙喀巴拉派吉卡蒂拉的影响。据说吉卡蒂拉与摩西友善。《光辉之书》中的重要用语一部分来自吉卡蒂拉所著《核果园》。

Moses of Khoren 摩西(霍仑的) 亚美尼亚文拉丁字母转写作 Movses Khorenatzi。亚美尼亚作家。被称亚美尼亚文学之父。据传说,他生活在5世纪,但也被认为是晚至9世纪的人。关于他的生平,除了署有其名的《亚美尼亚史》一书中的自述细节外,几乎一无所知。自称是圣沙哈克(以撒)和圣梅斯罗布的门徒,埃泽萨会议(431)后在埃泽萨和亚历山大学习,奉总督沙哈克·巴格拉图尼之命撰写《亚美尼亚史》。他的这些说法遭到大多数严肃学者的否定,大部分原因是文中所讲的人和事与实际年代不符。但他的著作仍不失为一部关于亚美尼亚皈依基督教前较早期的宗教传说的宝贵记录。

Moses, Assumption of 《摩西升天记》 伪经(犹太教、天主教、基督教皆不列为正典)之一,是关于以色列未来的预言,假托摩西临终对约书亚所说。此书的无名作者以摩西传给约书亚的预言和训诲为纲,梗述自摩西时代至弥赛亚时代的以色列历史,使用末世论的语言。此书断然否定融合政治与宗教的作法,并且谴责在公元前168～前161年马加比起事之后统治犹太的哈斯蒙尼王朝首脑。此书最突出的特点是:作者尖刻地谴责马加比时代以前、其间和其后的祭司,显然是指桑骂槐,抨击与他同时代的撒都该系祭司长。此书叙到希律众子时代内容空泛。作者预言,终必有一位权势隆盛的君王迫害真正的犹太教,利未支派必有一位叫塔索的人出世,他率领7个儿子退隐于洞穴,宁死不违犯上帝的律法。作者说,上帝必为他们报仇,于是上帝之国建立。原本是希伯来文或阿拉米文,现仅存由希腊文本转译的拉丁文本。该书并未直接叙述摩西升天之事,但其中犹大书信叙述魔鬼与天使长米迦勒争夺摩西遗体,提到摩西升天。由此可见,书中原也有关于摩西升天的记述,但已散失。书中叙述希律王之死及公元前4～前3年其他事项,可见其成书时间不早于其时,而成书地点可能是巴勒斯坦。现有材料证明,《摩西升天记》为同情艾塞尼派的人士所作,艾塞尼派反对把民族主义融进犹太教义,恪守摩西律法,注重弥赛亚论。

Moses, Edwin 摩西(1955-08-31,美国俄亥俄代顿～) 美国跨栏赛跑运动员。连续创400米跨栏世界纪录,1976年成绩47.64秒,1977年47.45秒,1980年47.13秒,1983年47.02秒。1976年起参加400米跨栏比赛,同年即在蒙特利尔奥运会上获金牌,并创上述第一项世界纪录。1984年作为美国最佳业余运动员获沙利文奖。20世纪90年代初短期从事过滑雪橇运动。自80年代中期开始,他就在体育管理机构任职,并帮助制订了新的药品检测方案。1997年,被任命为国际业余运动员联合会主席。1994年在佩博丁大学获得硕士学位,同年,入选美国田径名人堂。

Moses, Grandma 摩西(1860-09-07,美国纽约格林尼治～1961-12-13,纽约胡西克福尔斯) 原名安娜·玛丽·罗伯逊·摩西。美国民俗画画家,以在19世纪末20世纪初纯真地

摩西绘《出去砍圣诞树》(1946)
美国不列颠百科全书公司供图

纪录美国乡村生活而在国际上知名。幼时用浆果和葡萄汁作颜色绘画。1938年前后临摹图片和明信片上的画。不久,就以记忆中的纽约州和弗吉尼亚州"早年"的农村生活为题材作画,如《感恩节前捉火鸡》、《出去砍圣诞树》、《过河去看奶奶》和《枫树园里的熬糖会》。摩西擅长在纤维板上作画,先在板上平涂三遍白色底子,以使画的色彩更为鲜艳。1939年其作品在欧、美大陆各地展出,仅在欧洲就举办过15次个人画展。1952年写成自传《我的生活史》。

Moses, Robert 摩西(1888-12-18,美国康涅狄格纽黑文～1981-07-29,纽约西艾斯利普) 美国州和市政府的官员。他在公共工程规划方面的业绩改变了纽约的面貌。主持完成的工程包括:35条公路组成的交通网、12座桥梁、众多公园、林肯表演艺术中心、谢伊体育场、许多住宅区、2座水利发电站堤坝和1964年的世界博览会。他所主持的工程对美国其他城市的庞大规划也产生了巨大的影响。曾在耶鲁、牛津、哥伦比亚等大学攻读政治,1913年进入纽约市市政研究局,开始长期担任纽约州和纽约市的公职。1919年被任命为纽约州建设委员会主任。1924年任纽约和长岛州立公园委员会主任。其后40年内一直主持州立公园系统。1933年被任命为纽约市公园局局长和特里博劳桥梁和隧道局局长,开始了大规模的城市建设计划,包括数以百计的游乐场地、公园、大桥、隧道和公路。1934年竞选州长失败。在20世纪40和50年代曾主持建设高层公寓。1959年被任命为世界博览会主席。摩西是大型公共营造商的典型,他醉心于巨大的缺乏个性的计划。他善于利用公共权威、自治的建筑工程机构,发行债券,独立自主不受政府干涉地使用收入,迅速地为计划筹集资金并实现计划。当20世纪50和60年代,公众注意力从进一步扩展城市基础设施转向通过考虑周全的小规模发展计划以保存现有居民点时,摩西的城市发展方式逐渐不再受欢迎。

Moses ben Maimon (Jewish philosopher) **摩西·本·迈蒙** 参阅 **Maimonides, Moses** 迈蒙尼德。

Moses ben Nahman (Jewish scholar) **摩西·本·拿曼** 参阅 **Naḥmanides** 拿马尼德斯。

Moses ben Samuel ibn Tibbon 摩西·本·萨穆埃尔·伊本·提本 参阅 **ibn Tibbon, Moses ben Samuel** 伊本·提本。

Moses ibn Ezra 摩西·伊本·埃兹拉 参阅 **ibn Ezra, Moses (ben Jacob ha-Sallaḥ)** 伊本·埃兹拉。

Moses Lake 摩西莱克 美国华盛顿州中部格兰特县城市。临摩西湖东北岸。1897年创建,称纳佩尔。1910年规划,1938年设建制改称现名。为附近地区农产品销售中心(甜菜、苜蓿、谷物、马铃薯、牲畜)。市北的大古力水坝提高了地下水位,并形成许多湖泊。现经济以旅游业(摩西湖游乐区)和食品加工业为主。附近的拉森空军基地(1943～1966)现为工业区。还设有大本德社区学院(1962)。人口14 953(2000)。

moshav 莫夏夫 以色列的一种农业合作居民点。一般采取土地私有、本人劳动(避免雇工)和共同销售的原则。介于私有居民点和完全共同生活的集体农场(**kibbutz**)之间。它建在属于犹太国民基金会或国家的土地上。最普通的形式是莫夏夫·奥夫迪姆("工

人居民点”)，由私人耕作的农田组成。在莫夏夫·希土菲(“股份居民点”)中，土地作为整体进行大片耕作，每个家庭由其成员自行管理。在莫夏夫·希土菲里，轻工业也像农业一样普遍；较老式的莫夏夫·奥夫迪姆注重柑橘种植和混合经营。在以色列成立(1948)后的大规模移民时期，莫夏夫对于新移民是一个理想的居民点。20世纪70年代后期，约有13.65万人生活在莫夏夫·奥夫迪姆里，约有7 000人生活在莫夏夫·希土菲里。

Moshe（Hebrew prophet） 参阅 **Moses** 摩西。

Mosheim, Johann Lorenz von 莫斯海姆(1694-10-09，吕贝克～1755-09-09，汉诺威格丁根) 德意志基督教信义宗神学家。创教会史学界的实用派，主张以客观和批判的态度对待史料。1723年任黑尔姆施泰特大学教授，1747年任新成立的格丁根大学校长兼神学院教授。他治史脱离简单叙述已确定事件的传统，而主张研究广泛历史运动和有深入影响的主题。他写有拉丁文和德文教会史著作85种，包括《教会史摘要》(1755)。

Mosher, Eliza Maria 莫舍(1846-10-02，美国纽约卡尤加县～1928-10-16，纽约州纽约) 美国医生、教育家，其医学专业兴趣广泛，包括从教育的角度论述身体健康和保健。1869年，以见习实习医生的身份进入新英格兰妇

美国不列颠百科全书公司供图

幼医院。1年后，被迫休学回家照顾母亲。1871年考入密歇根大学，1875年毕业，获医学博士学位。此后两年，她和同学一起在纽约州波基普西私人执业。后进入新成立的马萨诸塞女子感化监狱医院做住院医生。医院所有设备就位后，莫舍实际上负责内科、外科、牙科的一切治疗；1880年出任总监。但3年后的一次意外受伤让她不得不辞职，回到纽约布鲁克林私人诊所。其合伙人L.M.霍尔是她在密歇根大学时的同学，又是感化院诊所的同事。1883～1887年，她俩还按学期轮流出任波基普西瓦萨尔学院的住院医生和生理卫生学助理教授。1888年，莫舍在布鲁克林联合教会教育学院组织了一个医学训练班。次年出任纽约州肖托夸暑期学校的解剖学和卫生学讲师。与这两家机构的合作持续了数年之久。1896年出任密歇根大学卫生学教授、女生部主任。是密歇根大学教员中的首位女性成员；1902年因健康原因辞职。此后一直在布鲁克林私人执业，并在多家研究机构讲课。她是美国体态联盟的奠基人之一。1905～1928年出任《医学妇女杂志》资深编辑。1912年出版《健康与快乐：青春女孩信息》。

Moshesh(Sotho leader) 参阅 **Mshweshwe** 姆什韦什韦。

Moshoeshoe II 莫舒舒二世(1938-05-02，巴苏陀兰[今莱索托]塔巴纳～1996-01-15，莱索托马洛蒂山) 原名 Constantine Bereng Seeiso。莱索托第一位国王。巴苏陀兰国创始人莫舒舒后裔，国家最高酋长格里菲思之子。曾在当地马塞卢的罗马学院及英国安普尔福斯学校和牛津大学基督圣体学院受教育。1960年继承王位。6年后巴苏陀兰独立，改名莱索托，成为首位国王。尽管君主受到宪法制约，但仍然力图扩大权力，以致1966年12月被巴索托国民党的总理L.乔纳森软禁。1个月后，莫舒舒同意遵守宪法，实权落入总理之手。1970年反对党巴索托大会党在普选中获胜后，乔纳森宣布国家处于紧急状态，再度软禁莫舒舒。后流亡荷兰8个月。1986年莱卡尼耶少将发动军事政变，推翻乔纳森，随后废止莫舒舒的行政权。1990年流亡英国。在流亡期间因试图发动民主选举，王位遭废黜，由长子莱齐耶三世继任。1991年拉马艾马少将夺取政权，1992年莫舒舒返回莱索托。1993年举行自由选举。在莱齐耶三世和南非N.曼德拉协助下，莫舒舒于1995年1月25日恢复王位。翌年，因车祸丧生，由莱齐耶三世继位。

Mosi（people） 参阅 **Mossi** 莫西人。

Mosken Marine Channel（Norway） **莫斯克海峡** 参阅 **Maelstrøm** 迈尔海峡。

Moskva 参阅 **Moscow** 莫斯科。

Moskva River 莫斯科河 英语作 Moscow River。俄罗斯西部河流，横贯莫斯科州和部分斯摩棱斯克州。为奥卡河左岸支流。在伏尔加河流域。源出斯摩棱斯克-莫斯科丘陵，流向东南，全长502千米，流域面积17 600平方千米。是莫斯科市重要的水源。

Moskvin, Ivan Mikhailovich 莫斯克文(1874，莫斯科～1946-02-16，莫斯科) 俄国舞台剧和电影演员。其艺术生涯与莫斯科艺术剧院密切相关，并于1943年成为该剧院导演。1893～1896年在莫斯科交响乐团协会戏剧班学习。然后在莫斯科两家剧团参加演出。1898年，涅米罗维奇-丹钦科邀他参加新成立的莫斯科艺术剧院。在剧院的揭幕演出中，他与克尼佩尔演对手戏，在A.托尔斯泰的《沙皇费多尔·伊凡诺维奇》(1898)中饰主角。尔后又在M.高尔基的《底层》(1902)中创造了卢卡一角，在A.契诃夫的《樱桃园》(1904)中饰埃比科多夫。1919～1924年赴欧洲和美国巡回演出，获得世界声誉，这一声誉又因他后来所拍的苏联电影而进一步加强。在这些影片中，曾饰《包里库什卡》中的农奴、《显贵与平民》中的政府官员及《驿站长》中的主角，他曾参与后一影片的执导。他还是莫斯科艺术剧院的一位颇受尊敬的教师，曾在该院的3代演员中执教。1942年在N.F.包戈廷的《克里姆林宫的钟声》中饰主角。1943年获“斯大林奖”，并任最高苏维埃委员。

Mosley, Sir Oswald (Ernald), 6TH BARONET 莫斯利(1896-11-16，伦敦～1980-12-03，巴黎附近奥尔赛) 英国政治活动者，英国法西斯主义者同盟领导人(1932～1940)及其后继组织同盟运动领导人(1948～1980)。该组织主要从事反犹太人宣传，在东伦敦犹太区举行敌对性示威，其成员身着纳粹制服，佩带纳粹标志。1918～1931年在下院工作，相继为保守党员、无党派人士和工党党员。1929～1930年在工党政府中供职。1932年创立英国法西斯主义者同盟。第二次世界大战爆发后被拘禁，1943年因病获释。1948年2月7日发起同盟运动，自称由51个组织(大部分是右翼读书俱乐部)组成。有自传《我的一生》(1968)。

mosque 清真寺 又称麦斯吉德或加米。伊斯兰教徒礼拜用的房屋或场地。大清真寺是穆斯林社团的首要礼拜场所。最初的清真寺是模仿先知穆罕默德礼拜的处所，即他在

开罗蓝清真寺内的信徒在礼拜

美国不列颠百科全书公司供图

麦地那居住的庭院建造，无非是标出来作为圣地的场所。尔后的清真寺虽然受各地建筑风格的影响在形式上有所变化，但基本上仍然是有篷开阔场地，有时附有宣礼塔。殿中设有朝向麦加的米哈拉布和敏拜尔，米哈拉布旁边有时有隔间或木隔壁即麦格苏赖，原是用来掩蔽参加礼拜的统治者免于被害。清真寺地面上铺有垫子或毯子，礼拜者赤脚列成横排，在伊玛目带领下跪拜。诵经人严格根据专门学校传授的方式诵读《古兰经》，但是不允许伴有音乐和歌唱。寺内不得供雕像、塑像、画像或供品。清真寺外有宣礼塔矗立，起初只是高台，现在多是塔楼；宣礼员在

其上呼唤信徒参加每日五次的礼拜。殿内或殿外设有自来水的大净室。清真寺原来尚有许多社会、教育和政治方面的功用,现在这些功用已由其他机构承担,但清真寺仍然是重要的中心。有时清真寺附设传授《古兰经》的买克台卜(初等学校)以及非正式的教法和教义学习班。

Mosquera, Tomás Cipriano de　莫斯克拉 (1798-09-20,新格拉纳达波帕扬[哥伦比亚]~1878-10-07,科科努科)　新格拉纳达总统(1845～1849)、哥伦比亚总统(1864～1867)。首任时是保守党人,再任时是自由党人,这表明在他执政时期的哥伦比亚政治向左转变。出生于新格拉纳达一个素有影响的家族。15岁在S.玻利瓦尔的军队中服役,30岁升任陆军准将。1834年进入政界,当选国会议员。1845年为执政的保守党的总统候选人。就任总统期间,曾实行多项经济改革。1849年离任。19世纪50年代末,自由党和保守党为争夺统治权发生内战,哥伦比亚陷入分裂状态。莫斯克拉转向自由党。1861年7月他率军攻占波哥大,宣布自任总统,开始独裁统治,直至1863年通过新的自由主义的宪法为止。宪法规定总统任期2年,并改国名为哥伦比亚合众国。由于未得到自由党的充分信任,他的总统任期被限定为1年(1864～1865)。1865年他再度当选,不久便强行独裁统治。1867年被推翻,经过两年的流亡生活后回国,任考卡州州长和参议员。1876年退出政界。

Mosquito (people)　参阅 **Miskito** 米斯基托人。

mosquito　蚊　双翅目蚊科昆虫,约2 500种。因雌体吸血故为重要的医学昆虫。传播黄热病、疟疾、丝虫病和登革热。参阅 **diptera**。蚊体细长,覆盖鳞片;足细长、外观脆弱;

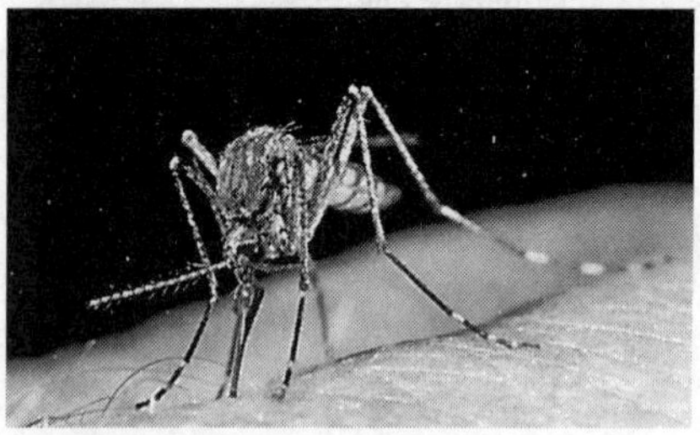

具环洗蚊(*Theobaldia anulata*)
美国不列颠百科全书公司供图

口器在长吻内。雄蚊触角丝状,触角毛一般较雌蚊浓密。雄蚊食花蜜和植物汁液,雌蚊有时亦食,但多数需吸血一次后体内的卵才成熟。不同的蚊种对寄主有不同的偏好,但多种情况下并无严格限制。卵产于水面,孵化为水生的幼虫(孑孓)。幼虫以急促扭动动作游泳,以藻类和有机碎屑为食,少数肉食性,甚至食其他种的蚊。蚊蛹与大多数昆虫不同,能活动,靠胸部的呼吸管呼吸。成蚊从蛹壳钻出后立即交配。寿命依种类而迥异。蚊似乎为寄主的湿气、乳酸、二氧化碳、体热及运动所吸引。蚊的叫声是翅的快速扇动引起;雌蚊扇动频率较低,以此可被雄性识别。控制方法包括消除孳生地,水上喷洒油层以阻塞孑孓的呼吸管,以及药杀孑孓。室内可用合成有机杀虫药消灭成蚊。蚊有3个重要的属。按蚊属(*Anopheles*)的种类俗名(疟蚊),是疟疾的唯一媒介,还传布丝虫病和脑炎。静止时喙、头和身体成一直线,但与着落面成一角度,故易于辨认。翅上有不同颜色的鳞片形成斑点。卵单个地产于多植物的水面。幼虫体轴与水面平行,通过腹部的后气孔呼吸,无其他多数孑孓的呼吸管。生活史从18天至数周不等。库蚊属(*Culex*)是病毒性脑炎的媒介,在热带和亚热带还传布丝虫病。静止时体轴与着落面平行,喙稍弯向下方。翅脉和翅缘有鳞片,但翅的颜色一致。雌蚊腹部末端钝,有缩回的尾须。幼虫细长,有带毛束的呼吸管。头下挂,与水面成45°角。在几乎所有淡水(包括静止的污水)中繁殖。卵在水中集成块状,数目约100多。生活史10～14天,天气冷时可能长些。尖音库蚊(*C. pipiens pipiens*)多见于北方地区的室内,五带淡色库蚊(*C. pipiens quinquefasciatus*)多见于南方。伊蚊属(*Aedes*)传布黄热病、登革热和脑炎。着落时身体与表面平行而喙向下,与库蚊相似。翅单色,与库蚊的区别在于胸部呈银色,有白斑纹,有气孔后刚毛。雌蚊腹端尖,有可突出的尾须。幼虫短粗,呼吸管有一对毛束,头下垂与水面成45°角。通常在洪水、水坑或盐沼中繁殖,卵可耐长期干旱。生活史可短到仅10天,气候凉时可长达数月。埃及伊蚊(*A. aegypti*)为黄热病的重要媒介,足上有白带,胸腹部有斑点。常进入居室。可在花盆、丢弃的汽车外胎等各种容器中繁育。盐沼伊蚊(*A. sollicitans*)、*A. taeniorhynchus*及背点伊蚊(*A. dorsalis*)是盐沼的主要蚊种,繁殖快,善飞,骚扰动物和人。

Mosquito　蚊式飞机　全称德哈维兰DH-98型蚊式飞机。英国的双发动机双座中单翼轰炸机,第二次世界大战期间是盟国的主要夜间战斗机。蚊式飞机机体为木质,蒙皮为胶合板,在英国、加拿大和澳大利亚用胶及螺钉组装。1938年设计,1941年开始服役。蚊式飞机作为夜间战斗机在德国上空击落了600多架德军的飞机,并在英国和英吉利海峡上空击落了许多V-1导弹。作为一种轰炸机,该机载弹量是设计值的2倍。蚊式飞机

英国德哈维兰公司的蚊式飞机
美国不列颠百科全书公司供图

最大速度超过400英里/时(640千米/时),携带4 000磅(1 816千克)的炸弹,航程大于1 500英里(2 415千米)。最初其武器装备为4挺0.303英寸机枪和4门20毫米火炮,均通过机头射击。然而,为了执行多种任务,该机生产了多种改进型,在世界许多国家空军使用的蚊式飞机机载武器的变化很大。该机在三大洲生产,有42种改型,共计生产7 780架蚊式飞机。该机用作轰炸机、战斗机、夜间战斗机、高空战斗机以及照相侦察机,甚至还用作飞越英国和瑞典之间敌占区的战时航班飞机。

Mosquito Coast　莫斯基托海岸　又拼Miskito。尼加拉瓜和洪都拉斯的沿海地区,为宽约65千米的低地带。环绕加勒比海360千米左右。1502年哥伦布曾到此。后欧洲人很少来此。17世纪海盗群起,英国人在此设保护领地统治米斯基托印第安人,这一地区因他们而命名。曾为西班牙、尼加拉瓜和美国的争议地区,后被尼加拉瓜政府占领,1850年美、英两国签署《克莱顿-布尔沃条约》,问题始告解决。主要城市有布卢菲尔兹、卡贝萨斯港和北圣胡安,均在尼加拉瓜。居民多为米斯基托印第安人。

mosquito fish (*Gambusia affinis*)　**食蚊鱼**　胎鳉科一种胎生顶游米诺鱼,胎鳉(**live-bearer**)的一种,原产于美国东南部的淡水水域,但已被广泛引进到世界各地,用以灭蚊。生命

食蚊鱼(*Gambusia affinis*)
美国不列颠百科全书公司供图

力强,嗜食蚊类幼虫,食量极大。体色一般淡灰,可具黑色小点或斑块。雌鱼体长达约6.4厘米,雄鱼4厘米左右。

Moss　莫斯　挪威东福尔郡首府、城镇和港口。位于奥斯陆峡湾东岸。建于16世纪。现有造纸、金属加工、造船、纺织、酿酒等工业,亦生产玻璃制品和沥青。该港有优良的疗养地和许多大种植园,故有"奥斯陆湾明珠"之称。莫斯河经该镇入奥斯陆峡湾。人口:城市区约24 687(1991)。

moss　藓　苔藓植物门藓纲(Bryopsida或Musci)小型陆上孢子植物,至少1万种。分布于全世界各地除海水外的地区。花岗藓构成黑藓亚纲(Andreaeidae);泥炭藓构成泥炭藓亚纲(Sphagnidae);真藓亚纲(Bryidae)为最大的亚纲,包括大部分藓类,但金发藓亚纲(Polytrichidae)亦包含某些重要的种类,其他较小的亚纲仅包含少数种类(参阅 **bryophyte**)。藓类常见于潮湿阴暗的地方,尤以那些覆盖于林地、森林地面的种类著名。藓类大小不一,小者只能用显微镜观察,大者长达1米以上。各种的主要区别表现于孢蒴的结构和特化程度方面。茎状和叶状结构构成配子体(有性)世代,孢子体(无性)世代从配

子体发育而来，通常包含直立的茎状的蒴柄，其终端为孢子囊。孢子囊在不同程度上仍依赖于配子体，以获得水分和养料。藓类借分枝和断裂繁殖，叶或茎的小片可再生，亦可借孢子繁殖。孢子在有利的条件下萌发长成藻样绿色分枝的原丝体，由原丝体顶端的细胞生长成配子体。藓类可分解露天的基物，为更进化更复杂的植物提供养料；覆盖地表和吸收水分，有助于控制水土流失；对某些植被类型的营养和水分的提供十分重要。有重要经济意义的藓类是泥炭藓属（*Sphagnum*）的种，可形成泥炭。英语中，许多小植物也称为moss，但它们事实上不是藓类。在树的阴面发现的moss实为绿藻的一属即*Pleurococcus*属的种类；Irish moss是一种红藻，即角叉菜；须松萝（beard moss）、冰岛衣（Iceland moss）、栎扁枝衣（oak moss）和石蕊（reindeer moss）都是地衣。Spanish moss一词既指一种地衣，又指一种凤梨科气生植物，即铁兰。石松（club moss）是石松科常绿草本植物。藓类早在二叠纪（2.86亿年前～2.45亿年前）就已存在，在第三纪（6640万年前至160万年前）期间有100多种。*Muscites*属、原泥炭藓属（*Protosphagnum*）、古灰藓属（*Palaeohypnum*）和其他化石藓类在结构方面与现代的种类相似。

Moss, Carlton **莫斯**（1909？～1997-08-10，美国加利福尼亚洛杉矶） 美国电影导演。在种族隔离和种族歧视时期所拍摄的工业、训练和教育影片鼓舞了后来的非洲裔美国人导演。在马里兰州巴尔的摩摩根学院（今摩根州立大学）上学时成立了一个黑人学生剧团。回纽约后，热衷于哈勒姆文艺复兴，并成为J.豪斯曼在拉斐特剧院的主要助理。第二次世界大战期间参加F.卡普拉的美军纪录片摄制组，编剧、导演和主演《黑人士兵》（1944）一片。该片旨在增进非洲裔美国士兵的爱国热情和种族和谐，其中对于黑人士兵英雄主义和尊严的描写成为非洲裔美国人影片的样板。他还参与了《荡姬血泪》（1949）的创作，但该片对黑人角色的贬低使他愤然离开剧组。莫斯拍摄的许多工业影片和教育影片被认为是非洲裔美国人的成就。他还在费斯克大学和加利福尼亚大学欧文分校执教。

Moss, Howard **莫斯**（1922-01-22，美国纽约州纽约～1987-09-16，纽约） 美国诗人、编辑，任《纽约人》杂志的诗歌编辑近40年之久。1943年毕业于威斯康星大学；1946年出版了他的12册诗集的第一册《创伤和天气》。1948年入《纽约人》杂志社工作。在任编辑期间，他发表了S.普拉斯、R.威尔伯和E.毕晓普等诗人的作品，从而帮助成就了他们的事业。其本人的诗作表现出圆熟的技巧，行文流畅简洁，内容多涉及“平凡中的怪异”。此外，曾出版批评文集数种；还是有成就的剧作家。剧作有《绿色笼罩》（1958）、《俄狄浦斯麻将丑闻》（1968）、《上午四时的王宫》（1972）。

moss agate **藓纹玛瑙** 又作mocha stone。又称苔藓玛瑙。浅灰色到乳白色玛瑙（**agate**），是硅氧矿物石英的变种，其中含有不透明的、深色的包裹体，其分枝类似羊齿、苔藓或其他植物的树枝形态。包裹体物质主要是无机成因的氧化锰和氧化铁。大部分藓纹玛瑙是在火山岩风化的碎片中发现的。长期被用作装饰品，它们的主要产地为印度、巴西、

经过磨光的藓纹玛瑙结核
美国不列颠百科全书公司供图

乌拉圭、中欧和美国西部。最好的藓纹玛瑙被琢磨成平坦形或圆形，而有些用染色来改善其原来的颜色。其物理性质同石英。参阅**silica mineral**（表）。

moss animal **苔藓动物** 又作bryozoan。又称苔藓虫。苔藓动物门（Bryozoa，又称多个员动物[Polyzoa]或外肛动物[Ectoprocta]）水生无脊椎动物，其个员构成形状和大小各异的

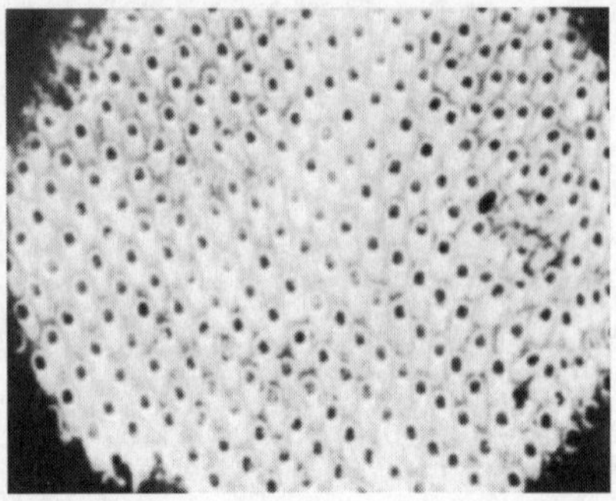

一种膜孔苔虫属（*Membranipora*）动物
美国不列颠百科全书公司供图

群体。苔藓动物各种间差异甚大。*Monobryozoon*属为一小属，生活于海洋的沙粒之间，长度不及1毫米；而*Zoobotryon*属生活于暖水，其群体从码头的桩结构上成丛或成链状挂下，直径可达45.7厘米（1.5英尺）。苔藓动物生长于突出于海岸的岩石上，植物上或船体上。苔藓动物可分为三纲：被唇纲（Phylactolaemata，生活于淡水），窄唇纲（Stenolaemata，海生），以及裸唇纲（Gymnolaemata，多为海生）。裸唇纲包括最繁盛的苔藓虫目——唇口目（Cheilostomata）。苔藓动物的质地各异，可为软质或胶质（如许多海生种类），群体可呈叶片状或树枝状。个员体壁能分泌石灰质或角质的保护壳（虫室），形成群体外的坚硬外骨骼，如网孔苔虫属（*Retepora*）和*Sertella*属苔藓虫的群体由许多个员组成细长枝条状。每个个员都是一个完整的分化完全的动物个体。个员借群体的基质相连，可借体壁上的小孔相通。大多数个员有具纤毛的触手，触手可将食物颗粒驱向口中。消化道分为几个部分，肠折向前，肛门开口于触手冠之外。触手、消化道以及控制全身的神经系统和肌肉，构成虫体。一个个员以出芽的方式进行无性生殖，从而形成具有一定形状和生长方式的群体。该个员来自休眠芽或原个员（由通过有性生殖形成的幼体变态而成）。裸唇目和被唇目的个员一般为雌雄同体，雌雄生殖器官为产生生殖细胞的细胞团，位于虫体内或体壁上。窄唇目较为特化，每个群体内的大部分个员为雄性，仅少数个员为雌性。雌性个员身体远端的体壁向外突出，形成囊状的孵育室，卵在其中孵育；发育中的胚胎又挤出第二代胚胎，此过程反复进行，于是在同一个孵育室中发育出许多胚胎。淡水生活的苔藓虫主要附着于浅水中的叶，茎或树根上。海生苔藓虫的生境多种多样，从沿岸地区到深海，但在潮痕以下更为常见。潮流和流水可将食物带来，故对苔藓动物十分重要，但激浪则不利于苔藓虫的生长。苔藓虫最喜水浅、有遮蔽的水道。海蛞蝓和海蜘蛛似为苔藓虫的主要掠食者。苔藓动物无呼吸、排泄或循环系统。触手的主要功能是捕捉浮游生物，其排列形式亦似漏斗，口在其顶端。正在取食的苔藓虫于受惊时会借其强大的牵缩肌之助将触手缩回体内。随后，个员收缩体壁，将液体及触手逼出，返回水中。因为大部分个员的虫室为钙质，苔藓动物得以留下长期的化石记录。最早的苔藓动物化石是下奥陶纪（4.3亿年前～5亿年前）的窄唇类。大部分石灰石地层，尤其是与页岩交替排列者，保存着苔藓动物化石。苔藓动物似乎进化极为迅速，有一些目繁盛数百万年后又告绝灭。

Mossad **莫萨德** 又拼Mosad。全名Mossad Merkazi le-Modiin u-Letafkidim Meyuhadim（希伯来语，为“中央情报安全研究所”）。以色列5个主要的情报组织之一，负责在国外进行间谍工作、搜集情报和从事秘密政治活动。是以色列最重要的情报机构，其首脑直接向以色列总理报告。在阿拉伯和其他国家有许多特工人员。据认为，这些特务从事秘密活动，反对以色列的敌人和居住在海外的前纳粹战犯。例如，1960年莫萨德特务在阿根廷绑架了前纳粹分子A.艾希曼，并把他押回以色列以战争罪行接受审判。据认为，莫萨德特务追捕并暗杀了对屠杀1972年慕尼黑奥林匹克运动会以色列运动员一事负责的阿拉伯游击队领导人。1976年，莫萨德特务营救了被劫持至乌干达恩德培机场的以色列客机上的人质。数起在欧洲、中东和北非发生的暗杀巴勒斯坦领导人事件都与莫萨德有关。1951年，I.哈雷尔创立莫萨德，并任所长至1963年。他把莫萨德建成了一个时至今日仍富有效率和高度专业化的组织。

Mossadegh, Mohammad（Iranian politician） 参阅**Mosaddeq, Mohammad** 摩萨台。

Mossamedes（city, Angola） **木萨米迪什** 参阅**Namibe** 纳米贝。

Mössbauer, Rudolf Ludwig **穆斯堡尔**（1929-01-31，慕尼黑～ ） 德国物理学家，因发现穆斯堡尔效应（**Mössbauer effect**）与美国的R.霍夫斯塔特共获1961年诺贝尔物理学奖。这个效应用于证实爱因斯坦的相

对论,也用于测量原子核的磁场和研究固体材料的其他特性。他于 1957 年发现这个效应。一年后获得慕尼黑工科大学博士学位。1961 年任加利福尼亚理工学院教授。3 年后回到慕尼黑工科大学任物理学教授。

Mössbauer effect 穆斯堡尔效应 又称无反冲 γ 射线共振吸收。能产生 γ 射线共振吸收的核过程,1957 年由德国出生的物理学家 R.L.穆斯堡尔发现。它是 20 世纪的重要发现之一,目前已成为同核磁共振谱仪或激光器一样有用的技术工具。它涉及三个基本原理:①多普勒频移。声波的频率或者音调,随声源接近听者而增高,随其远离听者而减低。当原子核以 γ 射线光子的形式辐射电磁能时,也有多普勒频移现象。频率的改变(亦即能量的改变)取决于核对观察者运动的速度。②核的反冲。原子核也遵守动量守恒定律。当原子核以 γ 射线的形式发出辐射时,也经受由 γ 射线动量引起的反冲。原子核吸收辐射时也发生类似的反冲。③γ 射线被核吸收。原子核只能处于某些确定的能态。γ 射线的能量必须严格等于两个能态之差才能被吸收。这种吸收称为共振吸收。一个自由原子的核所放出的 γ 射线,不能被另一个相同原子的核共振吸收;因为它的能量小于共振能量,所差的量正好和它给予反冲的源核的动能相等。穆斯堡尔效应可定义为没有反冲的 γ 射线共振吸收。要产生这种效应,需将原子核固定在晶体的点阵中,使晶体的全部质量的反冲既满足动量守恒,而能量损失又小到可以忽略不计。于是所产生的 γ 射线就能够保有核跃迁的全部能量,从而发生共振吸收。应用穆斯堡尔效应时所依据的原理是,如果把相同的原子核嵌入两个固体中,一个固体中的核处于辐射态(受激态),另一固体中的核处于吸收态(基态),就能利用从第一固体放出的 γ 射线,在第二固体中引起共振吸收。这一方法极为灵敏,以致当一个固体相对另一固体以 0.1 厘米/秒的速度运动时,共振也会为 γ 射线能量的多普勒频移所破坏。作为实验物理学的工具,穆斯堡尔效应的有用之处就在于此,它能使任何外来影响对核的辐射或吸收能态的扰动都在共振吸收上反映出来。根据以上原理制成的仪器称作穆斯堡尔效应多普勒速度谱仪,如图 1 所示。放射源装在一个以确定速度运动的电动传感器上。一般要求速度为每秒几厘米。由于多普勒效应,放出的 γ 射线的能量将增高,增量正比于速度。γ 射线穿过含有共振同位素的吸收体而由正比计数管探测。得到的穆斯堡尔吸收谱如图 2 所示。中心处计数率的下降就是由共振吸收,即穆斯堡尔效应所引起。已经在 35 种以上的同位素中观察到穆斯堡尔效应。适当的同位素必定具有稳定的或长寿命的基态和一个低位受激态。受自由原子反冲能量的限制,穆斯堡尔效应中 γ 射线的能量小于 150 千电子伏。穆斯堡尔的发现已产生了深远的影响,它能提供一种电磁辐射(γ 射线),其频率定得十分准确,为迄今已知的任何其他方法所不及。能量分辨率已优于10^{-12}。在相对论研究中,通过对γ射线能量的高精度测量,就可以直接证明引力红移。用于核物理,可以直接测量 γ 射线的线宽,而线宽则相当于衰变核的能级宽度,实际是完全由衰变态的寿命决定的。用电场梯度或磁场把核能级分为超精细分量,可以测量核电四极矩和磁偶极矩。同质异能移动和超精细结构,都可以用穆斯堡尔谱来分辨。在固体物理中,可以用来研究点阵动力学和超精细相互作用。在化学中,可以通过同分异构体和四极矩劈裂来研究化学键的性质等。

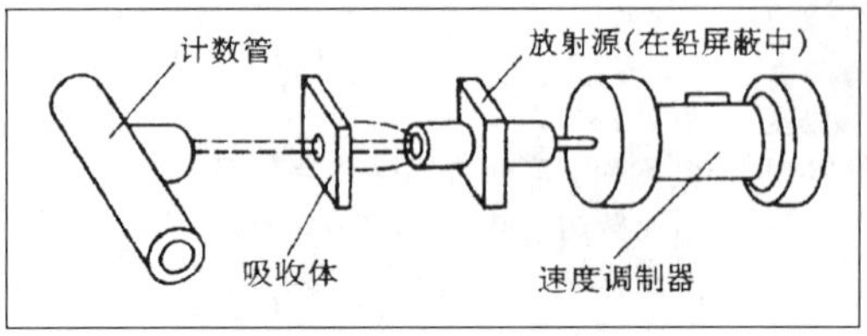

图 1 利用穆斯堡尔效应概念的谱仪。通常是利用测量从放射源放出的 γ 射线穿过含有共振同位素吸收体的穿透率来观察此效应

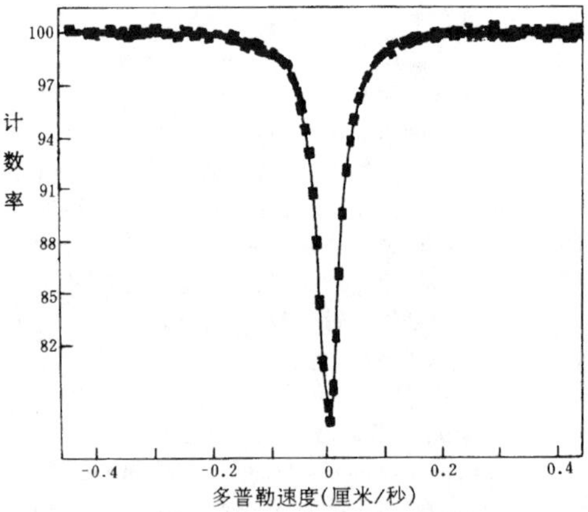

图 2 穿过吸收体的 γ 射线强度作为源的多普勒速度的函数的点图。在中心处的凹坑是由核的共振吸收引起的

mossbunker (fish) 参阅 **menhaden 油鲱**。

Mossi 莫西人 又拼 Mosi。布吉纳法索(上沃尔特)及其他西非地区的民族。使用的莫雷语属古尔语支,与加纳北部曼普鲁西人和达贡巴人的语言相近,莫西人的统治阶级多出自这两个部族。莫西人多数是定居农民,种植玉米和高粱;某些铁匠、皮革匠之类的手艺人属于受鄙视阶层。莫西社会以封建王国为基础,分为皇族、贵族、平民,以前还有奴隶。村有村长,其上有区长,以此类推,最高统治者称为"毛合纳巴"或"大酋长"。在法国统治的后半期进入现代化之前及 1960 年独立之后,莫西王国是一个典型的非洲王国。宫廷人员复杂,除权贵外,还有许多卫兵、侍童和太监。后妃居住在专用村落,该村落的男人都是太监。莫西人大都不信教,重视祭祖和祭土地,少数人信伊斯兰教或基督教。

莫西人的"大酋长"(右)
美国不列颠百科全书公司供图

Mossi states 莫西诸邦 西非历史上的一系列独立王国,时代为约 1500 ～ 1895 年,疆域在沃尔特河源头周围(在今布基纳法索和加纳境内)。居民是莫西人。据传说莫西人祖先来自东方(可能在 13 世纪),但诸邦起源不详。莫西人以轻骑兵骚扰马里帝国和桑海帝国,争夺对尼日尔河中游地区的控制权。从约 1400 年起,为林区国家和尼日尔诸城市之间贸易的中间商。莫西诸邦始终保持独立,直到 19 世纪末为法国侵略者所灭。参阅 **Songhai empire**。

Mossoró 莫索罗 巴西东北部北里奥格兰德州西北部城市。濒临阿波迪河。海拔 20 米。1870 年设市。现为该州第二大城市。最重要的产品是海盐和黏土。也广泛种植棉花。出产纺织品、巴西棕榈蜡和奥蒂树油。有公路通州首府纳塔尔等城市,铁路通格罗苏斯。市内有北里奥格兰德地区大学(1968)。人口:城市区205 300(2003)。

mossy cup oak 参阅 **bur oak 刺果栎**。

Most 莫斯特 德语作 Brüx(布吕克斯)。捷克共和国北捷克州城市。拉贝河畔乌斯季的西南。位于波希米亚北部煤田中心,为国家褐煤开采总部所在地。随着煤田的发展,20 世纪 60 年代城址迁移。主要产品有钢、化工产品和陶器。附近扎卢日的石油化工厂加工原油。人口约 67 905(2003)。

most-favoured-nation treatment 最惠国待遇 对一国提供与已作为最惠国的国家以同等的贸易机会的保证;主要是使原来的双边

协议多边化，使各国之间建立起贸易机会均等的方法。作为国际公法的原则，它在贸易政策方面确认了各国主权的平等；作为经济政策的手段，它为有竞争性国际交易提供了协商签约的基础。早在17世纪初，商业条约和协议的条款中，就含有保证这种贸易机会均等的尝试性措施。1860年由R.科布登和M.谢瓦利埃商订的英法条约成为以后许多协议的典型。这些协议在全世界建立了一套连锁的最惠国待遇所赋予的关税优惠。这种待遇主要是用于征收进口货物的关税上。但特定条款已使最惠国原则扩大到国际经济交往的其他领域中，如一国国民在他国领土上开设企业，在领水中的航行，不动产和动产的权利，专利、工业设计、商标、版权、著作权等无形产权，政府采购，外汇分配，捐税等。最惠国待遇分为有条件和无条件两种形式，前者只向缔约国无偿提供那些原先已无偿给予第三国的优惠，只在同等条件下或为换取同等利益的情况下，向缔约国提供原先协议所获得的优惠。后者向缔约国提供给予第三国的一切关税优惠，这是1948年《关税及贸易总协定》所包含的原则。由于新的贸易管制手段（进口配额、外汇管制和国营贸易）已成为比关税更大的贸易障碍、国际上对最惠国待遇的重视已不如从前。这类管制手段的专横武断性质使贸易机会均等的任何具体保证都成为不可能。随着欧洲经济共同体（只在成员国之间实行减低关税）的出现，最惠国待遇受到群起一致的攻击。

Mostaert, Jan　莫斯塔特（约1475，尼德兰哈勒姆～1555或1556）　荷兰肖像画家与宗教题材画家。最著名的作品是三联画《基督

莫斯塔特绘《男人肖像》
美国不列颠百科全书公司供图

下十字架》（布鲁塞尔皇家美术博物馆）。画风基本上是保守的，仔细描绘细节，画面光整，色彩像老一辈荷兰画家那样晶亮。

Mostaganem　穆斯塔加奈姆　1981年以后作Mestghanem。阿尔及利亚北部地中海港口和城镇。濒临阿尔泽湾。11世纪称穆鲁斯图格。法国1833年在此驻军。城市被艾因塞弗拉河深谷分成两部分，左岸为新建区，右岸为穆斯林城区。西南有港口区和海滨浴场。生产糖和纸浆。出口葡萄酒、水果、蔬菜和硅藻土。周围地区以出产谷物（小麦和大麦）、柑橘类水果、葡萄和棉花闻名。人口124 399（1998）。

Mostar　莫斯塔尔　波斯尼亚和黑塞哥维那城镇。位于内雷特瓦河沿岸山区、萨拉热窝一普洛切铁路线上。1566年土耳其人在内雷特瓦河上建石拱桥，取代原木质吊桥。该

莫斯塔尔镇的内雷特瓦河石拱桥
美国不列颠百科全书公司供图

单孔石拱桥宽27米，为土耳其人的桥梁工程杰作。曾为手工艺行业和商业中心，铜器作坊市场经过重建，现为旅游胜地。当地产的优质葡萄酒、烟草、水果及蔬菜颇负盛名。城南的波奇泰尔以伊斯兰建筑闻名，有清真寺、经学院、土耳其式房屋。莫斯塔尔大学创办于1977年。1976年建成炼铝厂，加工当地开采的铝土矿。人口64 000（2003）。

Mostel, Zero　莫斯提尔（1915-02-28，美国纽约州纽约～1977-09-08，宾夕法尼亚费城）　美国演员、歌唱家兼艺术家。以表演风趣幽默而著称。30年代曾学习和教授艺术，追求一个严肃画家的艺术事业。1942年首次在夜总会演出。第二次世界大战后成为电影戏剧片演员。1955年由于被众议院非美活动调查委员会传讯，戏剧生涯一度中断。1958年开始在纽约市的合法剧院演出。1961年因演出尤内斯库的《犀牛》而获奖。1964年主演音乐剧《屋顶上的提琴手》。这些演出的成功使他再次步入电影界，先是拍摄了与音乐剧同名

美国不列颠百科全书公司供图

的《到古罗马广场途中发生的一件趣事》，然后又拍了布鲁克斯的喜剧《制造商》。还在艾伦的《前线》这部展现好莱坞黑名单时期的严肃影片中饰主角。尔后又继续作画。

Mostique（people）　参阅**Miskito**米斯基托人。

Mosul　摩苏尔　伊拉克尼尼微省省会。濒底格里斯河，在亚述古城尼尼微遗址的对岸。为全国第三大城市和该省商业及水泥、纺织、制糖等工业中心，也是农产品集散地。该市有公路、铁路通巴格达和国内其他城市及叙利亚和土耳其两国。建有机场。公元8世纪成为美索不达米亚北部重要城镇。在以后几世纪中，一些独立王朝统治该城及周围地区，出现相对繁荣与稳定时期。1258年遭蒙古人劫掠，1534～1918年被奥斯曼帝国占领，成为帝国贸易中心。第一次世界大战后伊拉克

摩苏尔的大清真寺
美国不列颠百科全书公司供图

摆脱土耳其而独立，该市与奥斯曼旧帝国其余部分的往来中断，商业地位衰落。1926年后随贸易增长和附近大油田的开发日趋繁荣。建有炼油厂。居民以阿拉伯、库尔德和土库曼人为主。人口1 800 000（2003）。

Mosul school　摩苏尔派　在金属工艺中，指13世纪以伊拉克摩苏尔为中心的一群金属工艺人，在以后若干世纪中，他们影响了从

1223年的摩苏尔铜质花瓶状水壶
美国不列颠百科全书公司供图

北非到伊朗东部的伊斯兰世界的金属工艺。在赞吉王朝的积极赞助下，摩苏尔派发展了一种异常精美的镶嵌技术，特别是在银的镶嵌方面，大大超越了波斯萨曼王朝和伊拉克白益王朝的早期作品。摩苏尔艺人用金银镶嵌于青铜与黄铜上。物体表面经过精工雕刻后，金银条片做工十分细致，在整个精美设计中没有丝毫不规则之处。摩苏尔金属工艺人把这一技术传到阿勒颇、大马士革、巴格达、开罗和波斯；在这些中心制造出来的一批类似的金属工艺品，被称为"摩苏尔青铜器"。

Mosul school　摩苏尔画派　12世纪后期与13世纪早期在赞吉王朝（1127～1222）的赞助下，在伊拉克北部发展起来的一个细密画派。在技术与风格上，摩苏尔画派与当时控

《解毒药书》（1199）中的摩苏尔画派插图画
美国不列颠百科全书公司供图

制伊朗的塞尔柱突厥人的绘画相似，但摩苏尔艺术家有较为敏锐的现实感，这种现实感是基于题材与绘画的精细程度。大多数摩苏尔绘画都是手抄本中的插图，这些手抄本主要是科学著作、动物书籍和抒情诗。加伦的医学论著《解毒药书》的一部12世纪末的手抄本的封面画，就是摩苏尔派早期作品良好的范例。它描绘四个人围绕着一个坐在当中、手持新月形光环的人物。这张画像使用了红、蓝、紫、金等一系列鲜明色彩，库法字体是蓝色的，整个效果十分宏伟。13世纪中叶，随着蒙古人的入侵，摩苏尔画派遂告终结，但其成就不仅对马木路克，而且对蒙古人的细密画派都具有影响。

Moszkowski, Moritz　莫什科夫斯基（1854-08-23，普鲁士布雷斯劳～1925-03-04，巴黎）德国钢琴家和作曲家。以所写西班牙舞曲闻名。在德累斯顿和柏林学习钢琴，1873年在柏林举行首次音乐会。1879年定居巴黎。两本为钢琴二重奏写的《西班牙舞曲集》（作品第12号）于1876年出版，后改编成许多不同形式。它们作为轻音乐型的民族音乐范例而长期流行。其歌剧《摩尔王博阿布迪尔》（1892）主要是以剧中芭蕾舞闻名。另写有协奏曲和室内乐曲。

Mot　莫特　古代西闪米特人所信奉的死神。他掌握不利于生命与繁殖的诸力，是厄勒的爱子和巴力的主要对手。莫特灭绝生机，统治一切荒地。

Motacillidae（bird family）　**鹡鸰科**　参阅**pipit** 鹨。

Motagua River　莫塔瓜河　危地马拉最长河流。源于基切省南部的中央高地，大体流向东和东北，经奇马尔特南戈、埃尔普罗格雷索、萨卡帕和伊萨瓦尔诸省，注入洪都拉斯边界的奥莫阿湾。全长约400千米。河口以上约200千米河段可通航吃水浅的船只。该河为东部河谷所产香蕉、咖啡和水果的主要运输线。沿河有几处金沙矿。巴里奥斯港—危地马拉城铁路和大西洋公路沿河谷上行至埃尔普罗格雷索。

Motala　穆塔拉　瑞典东约特兰省城镇。临韦特恩湖。为重工业中心，有一水力发电厂和一个无线电发射台。也是避暑地，韦特恩湖畔瓦拉蒙有露天浴场。为约塔运河上一站，有公路、铁路通瑞典各地。人口：城市区约41 432（1984）。

motel　汽车旅馆　又作motor lodge，motor court，tourist court或motor inn。最初是招待乘汽车旅行的客人的旅馆，设有停车场。到1950年汽车已成为美国的主要交通工具，到60年代欧洲和日本的汽车数量也大量增加，汽车旅馆因此建在离州际公路尽可能近的地方，像旅馆建在火车站附近一样。与一般旅馆相比，大多数汽车旅馆的气氛比较轻松，许多汽车旅馆设有餐厅和游泳池，大多数房间有电视机。汽车旅馆起源于公路两旁独立经营的小旅馆，在管理专业化以后，这些旅馆的规模逐渐扩大，联营方式也开始流行。政府允许个人以广为宣传的联营汽车旅馆的名义从事独自经营，这样只需较少的投资即可为联营业务取得较多利润，从而大大促进了几家联营企业的发展。

Moten, Bennie　莫顿（1894-11-13，美国密苏里堪萨斯城～1935）　美国钢琴家。爵士乐新兴时期最早驰名的中西部爵士乐队组织者之一。1922年莫顿成为其家乡及邻近地区管乐队领队，直到去世。1923年他首次录制唱片，虽然其许多唱片听来并不出众，但他仍被视为大型爵士乐管弦乐队发展中举足轻重的人物。

motet　经文歌　声乐作品体裁，几个世纪以来经历了很多变化。经文歌的典型形式是用拉丁语唱的宗教合唱曲，但也可是一种世俗乐曲或为独唱者（组）写的有伴奏作品，其歌词可用任何语言，伴唱部分可有可无。经文歌始于13世纪初，原是旧曲配新词。具体地说，就是在迪斯坎特式克劳苏拉的无词高声部中配以新词。这都是一些短小的奥加农段落。在迪斯坎特式克劳苏拉中，与其他奥加农相反的是，所有声部都采用重复的短小节奏型，称为"节奏程式"。虽然最早的经文歌是为教堂谱写的拉丁语声乐曲，但后来出现了使用两种语言的经文歌（法-拉或英-拉），歌词内容或世俗或宗教或兼而有之。特别在13世纪末，经文歌中附加的歌词是世俗性的，往往只用法语。节奏型变得更自由，更变化多端，节奏程式不再有用。乐器演奏较低的声部，为演唱高声部的歌手伴奏，于是经文歌成为有伴奏的独唱曲。14世纪世俗经文歌的内容大多严肃（例如采用历史题材），用于典礼场合。宗教和世俗经文歌常常用同一节奏法技巧，通篇重复同一个往往是很复杂的节奏型；这一节奏型常常互相交叠，但并不总是与旋律的重复一致。15世纪后半叶，经文歌的所有声部通常都是唱的。几乎所有声部采用同一歌词。音乐结构大多用对位法。大约1600年后，经文歌一词指任何严肃而非礼拜仪式的乐曲，但歌词往往是宗教的。16世纪末，威尼斯作曲家，诸如G.加布里埃利，用多个合唱队与对比性乐器创作经文歌。17和18世纪，经文歌风格多样，有用伴奏的独唱曲，也有巴赫的大型合唱曲。德国信义会经文歌使用众赞歌（德国赞美诗）的歌词和旋律。英国圣公会礼拜式中唱的经文歌用英语歌词，并称之为**赞美歌**（**anthem**）。18世纪中叶，在巴罗克时期结束后，经文歌就变成次要的形式。

moth　蛾　鳞翅目昆虫。约47科，数千种，一般为夜行性。体大小悬殊，翅展从4～300毫米。种类极多，除两极外到处皆有分布。与蝶相似之处是翅、体和足均覆以一触即落的粉末状鳞片。但蛾和蝶也有区别，蛾绝大多数在夜间活动。蛾体比蝶粗壮，色彩较为暗淡，翅较小，触角呈羽状，休止时翅覆于体背，或向两侧伸展。生活周期与鳞翅目其他种类相似，分为4期，即卵、幼虫、蛹和成虫。多数种类的幼虫和成虫吃植物。尤其幼虫最会破坏观赏树和灌木，甚至许多重要经济植物。蛾类幼虫中为害最烈的是**螟蛉**（**bollworm**）和**尺蠖**（**measuring worm**）。有些蛾（谷蛾科[Tineidae]的衣蛾）吃毛皮、丝和羽毛。一些熟知的蛾科包括：麦蛾科（Gelechiidae），许多种的幼虫为害棉花、玉米、蕃茄等作物；卷叶蛾科（Tortricidae），本科的卷叶蛾是森林害虫；灯蛾科（Arctiidae）的灯蛾，有许多颜色鲜艳的热带种类；小卷蛾科（Olethreutidae）包括多种破坏性极大的害虫，如苹果食心虫、梨小食心虫（东方果蛾）；夜蛾科（Noctuidae）是鳞翅目中最大的科；尺蛾科（Geometridae）包括尺蠖蛾、地毯蛾、波纹蛾等。

moth fly　毛蠓　双翅目毛蠓科昆虫。常见

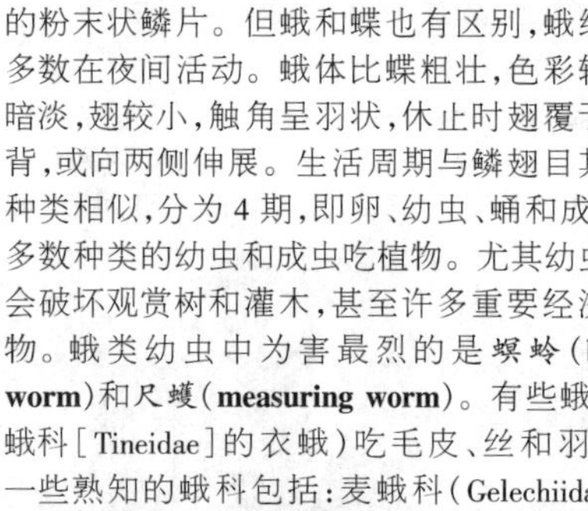

毛蠓
美国不列颠百科全书公司供图

于排水管开口周围。长不超过5毫米,翅宽而多毛,静止时收在体背呈屋脊状,形如小蛾,故英文名意为蛾蠓。幼虫栖于排水管内,不论来水的温度如何。以腐物为食。多数毛蠓无害,但有的种类——白蛉(参阅 **sand fly**)——吸食人血,这些种类有时单列为白蛉科。

moth orchid 蛾兰 兰科蛾兰属(蝶兰属,*Phalaenopsis*)植物,约40种,原产东南亚和澳大利亚部分地区。有一短茎,着生几枚宽阔

蛾兰(*Phalaonopsis violacea*)
美国不列颠百科全书公司供图

的革质叶。花序从植物茎部长出,花一至数朵,久不凋谢。人工杂交品种具美丽的白色、紫色和粉红色花,供市场需要。

moth owl 蛾鸮 即冠裸鼻鸱。澳大利亚鸟类,裸鼻鸱(**owlet frogmouth**)的一种。

Mothe-Fénelon, François de Salignac de La 莫特-费奈隆 参阅 **Fénelon, François de Salignac de La Mothe**-费奈隆。

Mother Church 母会 基督教科学派由M.B.艾娣在波士顿建立的最初的教会。该会又称第一基督教科学会(**First Church of Christ, Scientist**)。

mother goddess 母亲神 泛指女性神,是创造力、生育力、繁殖力、两性结合、养育和生长周期的母性象征。该词又指石器时代的诸维纳斯以及圣母马利亚等截然不同的人物。母性是普遍存在的现实人性,所以各种文化在描绘自己的神祇时无不采用一定的母性象征手法。在大部分关于母亲神的神话中,主要内容是她的隐蔽和再现以及她的神圣婚礼。她的隐蔽会引起宇宙变动以及性机能和生长力的衰微。她再现、选择男性配偶并同他交媾就会使繁殖力获得恢复与保持。男性配偶此后则被抛在一边或打入下界,来年再返回。母亲神的另一重要特点是她的母性。她是某一个神圣婴儿的保育者,推而广之也是整个人类的保护者和养育者。这一点反映在神话中,但更重要的是反映在神像上,这种神像把她画成怀抱婴儿的慈母,乳房丰满或生有许多乳房。

Mother Goose 鹅妈妈 一个虚构的老婆婆,被认为是传统的儿歌和被称为童谣的诗歌之源。常被描绘成鹰鼻子,尖下巴,骑在正在飞行的雄鹅背上。在最早出版儿童读物的出版商之一J.纽伯里的后代刊行的一部早期"最著名的老英国保姆的歌曲和摇篮曲"《鹅妈妈歌》(1781)中,最先把她与儿歌联系到一起。这部歌曲可能是英国作家O.哥尔德斯密斯所编,其中有一些歌也可能出自他的手笔。在美国,据传"鹅妈妈"实有其人,是波士顿人,名叫伊丽莎白·古斯,她在波士顿老谷仓墓地的坟墓,现仍是旅游胜地。这种传说并不确切。据传她曾在1719年编过一本歌谣集,但至今没有发现任何证据。鹅妈妈儿歌在美国的最早版本是I.托马斯1785年出版的纽伯里版本的翻版。

Mother Lode Country 马瑟洛德地区 美国淘金热时期的淘金带。在加利福尼亚州中部内华达山麓。长240千米,宽仅数千米。自马里波萨县四周地区向北和西北延伸,经图奥勒米、卡拉韦拉斯、阿马多尔、埃尔多拉多、普拉塞尔和内华达等6县。1848年J.马歇尔在科洛马附近发现砂金后,淘金热兴起。区内有几十座鬼营及保留原有遗迹的采矿镇,现已辟为州历史名胜。B.哈特和马克·吐温曾以淘金热和该地喧闹杂乱的矿镇为题材,创作了多部历险小说。19世纪末,因主矿脉枯竭、市场发生变化和政府强行规定价格使淘金热冷落,并于20世纪30年代终止。70年代末世界金价上涨后,这一地区又出现过零星的商业性淘金活动。但大多数新定居者来此已不是为了黄金而是为了土地。

Mother's Day 母亲节 为向母亲表示敬意,全世界各国都庆祝的节日。其现代形式源于美国,定为五月第二个星期日。许多其他国家也在这天庆祝,也有些国家则选择一年中的其他日子庆祝。中世纪时这一习俗的出现是准许外出者在大斋期第四个星期日回去拜访家乡的教区和看望自己的母亲。这个习俗在英国成为拜望双亲日,并延续至今,尽管在很大程度上已为母亲节所代替。母亲节的创始人原是费城的A.贾维斯。她的母亲曾组织成立一些妇女团体以促进友谊和健康。1907年5月12日她在西弗吉尼亚格拉夫顿她亡母的教堂举行了一个纪念礼拜。5年之内,几乎每个州都在举行这一纪念活动,于是1914年W.威尔逊总统确定其为全国假日。虽然贾维斯提倡佩戴一朵白色康乃馨对自己的母亲表示敬意,但这一习俗后来发展成为佩戴红色或粉色康乃馨表示母亲健在,而白色康乃馨表示母亲已故。这一节日后来逐渐演变为感谢更多人的日子,诸如其他扮演母亲角色的祖母和婶母、姨母。然而原来主要是为示敬的节日后来却与寄送贺卡和赠送礼物联系起来。为抗议这种商业化的倾向,贾维斯在她的晚年曾试图废除这个她创立的节日。向母亲和女神表示敬意的节日古已有之。弗里吉亚人就有纪念大神母希布莉的节日,希腊人也有纪念宙斯母亲女神利亚的节日。同样,罗马人将这一习俗引入了万神殿。有些国家仍在继续庆祝古老的节日,例如在印度,向难近母示敬的拜难近母女神节仍是重要的节日。

Motherwell, Robert 马瑟韦尔(1915-01-24,美国华盛顿阿伯丁~1991-07-16,马萨诸塞普鲁温斯敦) 美国画家。抽象表现主义创始人和主要倡导人之一,也是首先在作品中表现偶然因素的美国画家。11岁获奖学金学习美术,后在斯坦福大学和哈佛大学获

美国不列颠百科全书公司供图

美学学位。1941年决心从事绘画。其早期作品不拘一格,并已经具备了后来作品的特色。如《西班牙小监狱》(1941~1944,纽约市马瑟韦尔收藏馆)和拼贴画《潘丘谷的死与生》(1943,纽约市现代艺术博物馆藏)等。他采取超现实主义画派的技法,在40年代中期画了很多抽象寓意和非写实作品。1949年完成《西班牙共和国的挽歌》组画的第一幅作品,在随后的30年中,完成了该组画150多幅作品。这些作品综合了典型的抽象表现主义的奔放风格和大色域绘画的技法。60年代末,在《开放》组画(1967~1969)中,已抛弃抽象表现主义并代之以新的画风。1951~1958和1971~1972年在亨特学院任美术教授。

Motherwell and Whishaw 马瑟韦尔-威肖 苏格兰中西部北拉纳克政务会辖区的城市和工业区,包括马瑟韦尔和威肖两个城镇。该区19世纪末至20世纪初以煤炭、钢铁和重工业为基础而迅速发展。第一次世界大战前已有全国最大钢铁厂。该厂曾为肯纳德的横渡大西洋客轮"玛丽女王"号和"伊丽莎白女王"号生产钢板。20世纪采煤业停止,马瑟韦尔-威肖的重工业也纷纷关闭。轻工业吸收了大量因煤炭工业和重工业的崩溃而造成的失业人口。人口:马瑟韦尔30 717;威肖29 791(1991)。

Motīhāri 莫蒂哈里 印度东北部比哈尔邦西北部城镇。位于一个湖的东岸。为重要公路交通中心。经营油籽贸易,有制糖厂和棉纺厂。设有比哈尔大学数所学院。人口约77 400(1991)。

Motilón 莫蒂隆人 西班牙人泛称不同高地和低地美洲印第安人的集合名称。这些民族住在哥伦比亚和委内瑞拉两国的安第斯山区和马拉开波湖地区。其中查克人和马佩人居住在森林里,从事农业,他们到20世纪,对白人入侵仍抱反抗态度。

motion 动议 议会的议事规则中的一个程序,提案应按照该程序提交审议机构考虑。

如果一项动议被列入议程，它就应由会议采取行动。参阅 **parliamentary procedure**。在程序法上，一项动议就是一项请求，即请求法院或法官作出裁定或发布命令。一般地说，动议只是口头请求，不同于正式的书面申请。

motion　运动　物体位置相对另一个物体或相对参考系或坐标系的变化。一切运动都沿一定的路径，而路径的性状决定运动的特性。如果一个物体上所有的点相对另一个物体有相似的，但不一定是笔直的路径，那么第一个物体就是相对于第二个物体作平移。如果路径是直的，就称直线平移。上述两种情况下，物体上所有的点有着相同的速度和加速度。如果物体上所有的点相对另一物体有不同的路径，那么它对第二个物体的运动就是平移与转动的组合。当物体上的任意一条线相对另一物体上的一条线改变取向时，就产生转动。例如一台往复式发动机中，连杆的一端通过铰链接合（活塞销）与活塞相连，靠它相对气缸体作直线运动，连杆的另一端则由铰链接合（曲柄销）与曲轴相连，靠它相对气缸体作圆周运动。由铰链连接的物体相互间只能转动，因此，连杆相对活塞以及曲轴只是纯转动，相对气缸体的运动则是平移和转动的组合。这是平面运动的最一般的形式，即在与气缸体平行的平面上运动。一切运动都是相对的，不过相对运动这一术语通常指相对于运动物体的运动，即在动路径上的运动。严格地说，牛顿运动定律只适用于在固定于太阳系中心的路径上运动。这种路径就是所谓绝对路径。由于地球自转并绕太阳运动，所以相对于地球的运动就不是绝对运动。但在大多数情况下，在涉及牛顿定律的计算中，地球运动的影响很小，可以忽略。因而相对于地球以及固定在地球上的任何物体的运动都可看作是绝对运动。物体除了绕运动轴转动（例如连杆）或绕固定轴转动（例如曲轴）外，还可以绕定点转动，旋转陀螺的运动就是这种形式。参阅 **dynamics**。

Motion, Andrew　莫伸（1952-10-26，英国伦敦～　　）　全名 Andrew Peter Motion。英国诗人、传记作家和小说家，尤以叙事诗歌著称。1999 年出任桂冠诗人。他鼓励学校定期开设诗歌课程。1974 年获学士学位，1977 年获硕士学位。1976 ～ 1980 年间在胡尔大学授课。1995 年起在诺里奇的东英吉利大学授课。期间曾担任《诗歌评论》杂志编辑（1980 ～ 1983）和伦敦两家出版社编辑工作。第一部诗集《快乐汽船》于 1978 年出版。其中一首《在内地》曾于 1975 年获纽迪吉特奖。因曾受到诗人 E. 汤姆斯和 P.拉金的很大影响，他写了关于这两位诗人的评论文章。还写了诗人 J. 济慈的传记《济慈》（1997）。他为天才的兰伯特家族写的传记《兰伯特一家：乔治、康斯坦特和基特》（1986）使他在 1987 年赢得毛姆奖（S.毛姆设此奖项的目的是让 35 岁以下的作家能去各地游历以丰富写作）。后期诗集有《秘密故事》（1983）、《危险的游戏：诗歌，1974 ～ 1984》（1984）、《生活中的爱情》（1991）和《盐水》（1997）等。小说有《苍白的伴侣》（1989）和《投毒者温赖特》（2000）等。

motion, equation of　运动方程　描述物体相对给定参考系的位置、速度或加速度的数学公式。牛顿第二定律阐明，作用于物体上的力 F 等于物体质量 m 乘以它的质心加速度 a，$F = ma$。这是经典力学中运动的基本方程。如果作用在物体上的力已知为时间的函数，那么理论上由牛顿方程通过积分过程可以推导出速度与位置也是时间的函数。例如，作用在落体上的重力加速着物体，同时它又是物体的重量 W，重量对时间而言是恒量。应用牛顿方程 $W = mg$ 或 $m = W/g$。把这些值代入牛顿方程，$W = (W/g)a$，由此 $a = g$，即重力加速度。加速度是速度对时间的变化率，所以通过对时间积分得出 $v = gt$。速度是位置 S 的时间变化率，因此由速度方程的积分得出 $S = 1/2gt^2$。如果作用在物体上的力确定为位置或速度的函数，牛顿方程的积分就会更难。当物体以某种约束方式沿固定路径运动时，就有可能导出位置-时间方程；理论上由这一方程通过微分，可以得出速度-时间和加速度-时间方程。

motion, Newton's laws of　参阅 **Newton's laws of motion** 牛顿运动定律。

motion picture　电影　又作 film 或 movie。利用光将胶片上的一连串静态照片以很快的速度连续放映在银幕上，由于一种所谓视觉暂留的视觉现象而造成真实、流畅和连续运动的幻觉。电影通常用电影摄影机拍摄，对动作中的人和事物进行快速曝光；再由电影放映机放映，通常以同步的方式再现影像与声音。电影既是一种大众娱乐，也是一种最新的艺术。电影的技术和艺术在 20 世纪发展之快，普及范围之广，及其影响和受人喜爱的程度之深，是无与伦比的。

电影的技术与制作　电影摄影机通过快速启闭的快门拍摄一系列静态图像，因大多数电影摄影机的图像之间的间隔仅约 1/50 秒，因此各连续图像之间的差别极其微小。胶片然后被洗印出来，再由负像制成正像的“拷贝”。运动的幻觉产生于放映：胶片在放映机内以与拍摄图像时相同的速度通过光源，空白的白色银幕上映出的一个个图像因视觉暂留而使人感觉是连续的活动场景。电影的声音录在磁带上或磁性胶片上，最后与电影底片一起印在正片上，即所谓合成正片。提供声音的部分叫做声轨；它沿胶片长度方向印在胶片的一边，与图像平行。制作电影所需的基本设备是：摄影机及其镜头、胶片、音响装置，以及放映机和银幕。商业电影通常以每秒 24 个画格的速度拍摄与放映。大多数人使用 35 毫米宽的胶片，专业制片者有时使用 16 毫米的胶片。8 毫米的胶片仅限于业余爱好者使用。胶片的长度以英尺计算；历时 100 分钟的故事片约长 9 000 英尺（3 000 米），为操作方便而分装成若干本。

电影的制作由 4 个基本部分综合而成：编剧、导演、摄影和剪辑。在商业电影制片厂内，每一部分的工作由不同的人和制作小组在制片人的全面监督下完成，这位制片人还要监督该项目的财务工作。为拍摄电影写成的故事或其他构思称作电影剧本，由一位或多位编剧编写。电影剧本通常是制作整部影片的蓝图：其中详细载明所有的对话或解说词、将要在银幕上放映的视觉形象和观众所听到的其他一切声音。在结构上，电影剧本包括按次序编号的场景和段落。一个场景指在同一时间和地点出现的连续不断的一段动作。它通常由一连串的镜头组成，每一个镜头就是摄影机不间断地一次拍下的一段影片。在传统上，导演几乎要对一部影片的制作负全责。他通过物色和监督摄影师、布景与服装设计师、演员和影片剪辑师，将剧本中的内容拍成电影。导演控制每一个镜头和场景中的构图、照明和演员的表演。在拍摄过程中，他与首席摄影师密切合作，这位摄影师熟练掌握*电影摄影*（**cinematography**），并负责摄影机安放的位置。在拍摄工作完毕后，导演与影片剪辑师一道决定哪些镜头和段落用在完成片中。剪辑师将摄影机所拍摄的不同的镜头和场景剪辑成最后的成品。在剪辑过程中，还要将声带和图像合成在一起。

历史　导致电影产生的基本技术创新于 19 世纪 80 和 90 年代在法国和美国获得成功。电影先驱者美国的爱迪生和法国的吕米埃兄弟急于利用他们的电影机器维太放映机和活动电影机获利，唯恐这股新奇劲儿不能持久。事实上，公众对电影的喜爱迅速增长，从最初在歌舞厅和露天娱乐场放映很快发展到在专门建造的电影院放映。在 20 世纪的最初 10 年里，法国的电影制作一直领先全世界。C.帕泰建立了第一个国际电影帝国；他的公司制作影片，然后通过电影院网放映。在美国，五分钱电影院的普及刺激了东部城市的电影制作业，当时主要制作的是单本或两本长的喜剧和情节剧。电影专利公司于 1908 ～ 1912 年企图控制美国电影业，激起各独立制片公司纷纷致力于提高水准和建立明星制，同时电影制作者为挫败专利公司，开始向西海岸，特别是加利福尼亚州的好莱坞迁移。

与此同时，导演 D.W.格里菲思通过制作较长和规模较大的影片，以及通过在剪辑、摄影和照明等方面的创新使电影发生了革命性的变化。他的《一个国家的诞生》（1915）在美国奠定了电影作为一种艺术的地位。第一次世界大战给欧洲的电影业及其国内市场带来极大损害，从而使美国的电影制片厂在商业上和评论方面都超过它们。战争结束时，好莱坞以其大量制作影片和拥有一批具有世界声誉的明星，包括 D.范朋克、M.璧克馥和 C.卓别麟，已在国际市场占居主导地位。

美国无声电影于 1917 ～ 1927 年间达到顶峰。好莱坞影片变得更为豪华，大制片厂越来越依赖最走红的演员，即所谓明星的吸引力。20 年代美国电影最重要的人物是导演格里菲思、M.森纳特和 C.德米尔，演员范朋克、卓别麟、L.基什、B.基顿和 W.哈特等。战后欧洲许多国家的电影业重又获得生机，特别是德国由 F.W.穆尔诺、G.W.帕布斯特、F.朗格和 E.刘别谦摄制的影片，以其实验性的表现主义与强有力的社会现实主义而引人注目。丹麦的C.德来厄尔和苏联的S.爱森斯坦也是重要的默片导演。

1926～1930年间,美国华纳兄弟公司率先推出有声电影,其他大公司随即跟上。在有声电影的最初10年里,电影导演们学会了用摄影和声音一起安排故事情节。声音使得电影导演能够更有说服力地塑造人物性格,一批新导演脱颖而出,充分利用这一媒体的一切可能性。他们当中包括:美国的F.卡普拉、J.福特和H.霍克斯,英国的A.希契科克(后成为美国导演)和法国的J.雷诺阿。30年代,音乐喜剧片、歌舞片以及由善于语言表达的喜剧演员W.菲尔兹和马克斯3兄弟等主演的影片风靡一时。

30和40年代初是好莱坞各制片厂的鼎盛时期,而第二次世界大战则严重削弱了欧洲的电影制片业。战后,好莱坞电影制片厂在几个方面受到挑战。反托拉斯法迫使它们逐渐放弃电影院网和其他对影片发行的控制。1950年以后,电视开始抢走电影观众。战后电影制作最重大的发展不是在美国而是在欧洲。在意大利,新现实主义导演V.德·西卡、F.费里尼和M.安东尼奥尼领导了重新兴起的现实主义潮流,在法国,"新浪潮"导演J.L.戈达尔和F.特吕福也起着类似的作用。英国导演继续发展喜剧类型,但在所谓"愤怒的青年"的影片中则出现现实主义倾向。其他国家导演的作品明显表现出重新强调电影作为表现个人的媒体的意义,例如瑞典的I.伯格曼、西班牙和墨西哥的L.布努埃尔、日本的黑泽明和印度的雷伊等。

与此同时,美国的大电影制片厂都集中制作西部片、歌舞片、犯罪片、历史和圣经故事的史诗片等传统类型的影片。但当大制片人拍摄巨型影片时,一些较年轻的独立导演却日益倾向于拍摄更严肃和更具艺术性的影片。60和70年代,涌现了一批新人,如S.库勃里克、S.卢美特、R.阿特曼、F.科波拉、W.艾伦、M.斯柯席斯和S.斯皮尔伯格等,加入到希契科克和休斯顿等名导演的行列。20世纪下半叶,美国电影继续在国际市场上占据统治地位。好莱坞的优势在于拥有广大的国内观众,对电影技巧和销售业务无比精通,以及有能力继续生产出极具吸引力的影片。美国的科幻片和惊险动作片充分利用了各种电影技术,包括复杂的特技。

Motion Picture Arts and Sciences, Academy of 电影艺术和科学学会 美国电影界人士的荣誉组织。在电影事业中做出杰出贡献的人士得以成为该组织的成员,其中包括演员、管理人员、美工师、摄影师、导演、经理人员、剪辑师、制片人、剧作家、作曲家、公关专家和音响技师。该组织是由米高梅影片公司总经理L.B.梅耶以及一批有影响的电影界人士于1927年创建的,目的是提高电影制作的艺术和科学水平,但很快便因它每年颁发的学院奖(习称奥斯卡奖)而出名。这种金像奖表示对前一年度发行的影片从表演、导演到其他方面的成就的褒奖。除最佳影片奖由全体会员提名外,其他各项均由相应行业的会员提名,然后在全体会员中进行投票。该会还保存影片片头列名人员的正式纪录。在洛杉矶的总部,它拥有一所电影资料馆、一所电影图书馆和一座电影院,每年还出版若干专业杂志。

Motion Picture Association of America (MPAA) 美国电影协会 美国主要电影公司的组织。该组织负责为影片定级,以说明它们适合哪一类观众群,为各公司的国外发行提供帮助,为估价征税提供咨询,并在全国为电影事业开展公关宣传。原名美国电影制片人和发行人协会,是1922年由好莱坞各大公司建立的,旨在对付由于公众反对银幕上的猥亵行为而导致政府加紧对影片施行检查。因其第一任主席海斯(**Hays, Will H.**)的名字而被俗称为海斯办公室。1930年制定《电影制片法典》,详细规定什么是道德容许在银幕上表现的,该法典于1966年废除。1968年该组织制定了将影片分为G、M、R和X四级的分级标准。几经演变后的现行标准是:G级,一般观众;PG级,建议由家长指导观看;PG-13,家长需特别注意,因片中带有13岁以下儿童不宜的内容;R级,严格限于成年人和有家长或监护人陪同的17岁以下儿童;NC-17,17岁以下儿童不得入场。从1966年起,美国总统L.B.约翰逊的前顾问J.瓦伦蒂任该会主席。

motion-picture camera 电影摄影机 又作movie camera。设计成可在一卷胶片上纪录一连串连续图像的摄影机。每次曝光后,胶片随即移动位置。一般以每秒钟在胶片上拍摄24或30个画格的速度曝光,胶片宽度为8、16、35或70毫米。一部电影摄影机主要包括机身、输片装置、镜头、快门和取景聚焦装置。电机驱动的输片装置是电影摄影机不同于普通照相机的主要部分。在摄影机内部,未曝光的胶片放在一个叫做前仓的全黑暗盒内。胶片的一边或两边打有等距离的孔眼或称凿孔,链轮驱动齿轮紧扣这些孔眼,把胶片输送至密封的曝光暗箱内。抓片爪把胶片拉至快门后的位置,一瞬间把胶片锁定。快门开启,让图像在胶片上曝光,随即闭合。接着抓片爪自动把胶片拉向前进,以供下一次曝光。胶片的每一画格曝光时处于完全静止的状态,因此每一次曝光得到的就是一张静止的照片或称画格。随着胶片继续在摄影机里移动,已曝光的部分被输送至叫做后仓的另一个全黑暗盒。现时的摄影机大多使用反光装置进行取景和聚焦,这种装置装有一面反光镜,将通过镜头的一部分光线反射至取景器。许多摄影机除通常的广角镜头和摄远镜头外,还多使用变焦镜头。快门装在镜头后面和片窗前面。它通常是一个回转的半圆,与抓片爪拉动胶片的动作同步绕枢轴转动,这样当胶片移动时,这个半圆就遮住来自镜头的光线,而当胶片静止时,这个半圆闪开,让光线通过。进行同期录音拍摄的电影摄影机在内部加装吸音材料,吸收其转动部分发出的噪音。

Motion Picture Patents Company 电影专利公司 由10家企图全面控制美国电影业的制片人和发行人在1908～1912年间建立的托拉斯。最初的成员包括美国的爱迪生、维塔格拉夫、比沃格拉夫、艾萨内、塞力格、鲁宾、卡累姆公司和法国的帕泰、梅里爱及高蒙公司。这家专利公司握有大部分当时电影摄影机和放映机的专利,特别是爱迪生在这方面发明的专利;并与伊斯曼-柯达公司签订合同,限定这家最大的胶片公司只向持有执照的电影专利公司成员提供胶片。该公司因拒绝向不入盟的电影制片人和影院老板提供器材并对独立制片人进行恐吓而臭名昭著。该公司还限定影片只能有一至二本长,因为据信观众不能看更长时间的影片。还禁止演员署名,因为成名的艺员可能索要高酬。但到1912年,欧洲的和独立的制片人获得很大成功,不属于该公司的电影制作者又强烈反对这个电影托拉斯,它的势力大大削弱,于1917年由法庭下令解散。这个以纽约和东海岸若干城市为基地的电影托拉斯间接地促进了好莱坞发展成为美国电影制作中心,因为许多独立制片人纷纷西迁,以逃避该托拉斯在东部的限制势力。

motion sickness 晕动病 又译运动病。因身体运动,不管是主动还是被动,引起的以恶心为特征的症候群。此名词最早是由J.A.欧文于1881年首先提出,用以泛指因晕船、晕车(汽车、火车)和晕飞机而引起的一组类似的症状。虽然它的科学性不甚严密,但早已约定俗成。晕动病的病因是突然影响到人的、周期性的、非自然的加速运动。主要表现有头晕、苍白、冷汗、流涎、恶心和呕吐(后二者为最常见的症状)。引起晕动病的运动形式有摆动、旋转、摇晃、迅速的垂直升降运动和直线加速运动。在上述运动状态下,大脑接收到的视觉传入信息和经由内耳前庭平衡器官传入的平衡觉传入信息就会不完全一致,或完全不一致,继而诱发出晕动病的各种症状。内耳前庭的平衡器官包括三个半规管和成对的耳石,功能是维持身体平衡、协调"眼—头—体"运动。持续的重力作用或是突然的直线加速运动首先是对内耳平衡器官构成刺激;相反,与此同时发生的大脑的视觉传入信息却是直接来自周围环境,而不是来自像内耳平衡器官那样的"中转站"。如果经由内耳前庭平衡器官传入中枢的体位和运动信息和视觉信息不一致,就会出现晕动病。例如,所谓晕船的"颠簸",即指乘客因受到线性加速和角加速的合力的作用而不停地摇晃,但此时乘客的视觉感受确是相当地稳定。在这种情况下,这二种不同形式、不同来源的感觉传入冲动无法在大脑中取得一致。作为传出效应:①应激性激素的分泌量增加,如肾上腺素、去甲肾上腺素和(垂体后叶)血管紧张素;②这种运动持续几分钟以后,胃壁平滑肌的生物电节律明显加快,从3次/分增加到9次/分。这时,晕动病的所有症状就都会相继出现,极度恶心就会呕吐。不过,机体何以用这种形式的传出效应来应答上述那种不协调的运动知觉,目前尚不清楚。晕动病是一种自限性病,停止运动,症状消失。如当非运动不可时,也还是有些办法避免或缓解晕动病。像海员、宇航员一类的职业者常常是整年整月地处于这种运动中,但好在人可以适应晕动病，适应期一般是 3 ～ 4 天。在短时间内解决晕动病的最有效的方法是根据车船情况固定体位，尤其是固定头部位置。其他应予考虑的方法有：选择适合的交通工具、座位位置、飞机飞行时间、船舱位置、行船季节等。为某种旅行方式选择适合的交通工具是最重要的问题——如飞机飞行高度要超出大气紊动层、在船内使用稳定器等。坐的姿势应向后仰靠、尽量使头部保持不动、闭眼、凝视远方或许有助于减轻晕动病。有时，全神贯注地干另外一件事，也会缓解晕动病的症状。总之，防止晕动病的方法有三：闭眼、远眺和分散注意力。坐车看书和饮食过量都会加重晕动病程度，而且除上述症状外，还多伴有情绪问题，如焦躁、紧张和不安等。某些伴有胃肠道症状的疾病可以增加人对晕动病的敏感性。最后应该指出，防止晕动病完全是个因人而异的事情。可实用的治疗药物并不少，只是有时副作用较大。出发前 40 分钟，同时服用 1-氢溴酸东莨菪碱和硫酸右旋苯异丙胺，效力可持续几个小时。盐酸普鲁米近是 1-氢溴酸东莨菪碱的最佳替代药品，主要优点是副作用小。若干抗组织胺类药物有助于降低人对晕动病的敏感性，如 diphenidol，氯苯碱苯海拉明（晕海宁），赛克利秦和敏可静等。敏可静的效力可持续 24 小时以上。

motion study　动研究　参阅 **time-and-motion study 时-动研究**。

motivation　动机　所有能够唤起和指导动物（包括人类）的目标性行为的体内因素。动机理论主要涉及的问题是：人为什么要做此事？为什么要选择此事的方式？为什么动机的强度会因人而异、因事而异？能否获得成功，能力和天分固然重要，但更重要的是取决于动机是否强烈，两强相争勇者胜。动机的表现都一样，但动机的理论却很多，而且常常互相矛盾。有的理论强调行为者主观意识的作用；有的强调客观环境的影响；有人试图把所有的动机都罗列出、研究透、分门别类，看看到底哪些动机是属生而有之的本能，哪些是为后来学会的本事；还有人想弄清楚动机究竟是一个方向盘，还是一种发动机？达尔文以前的思想家们一直把需求和欲望看成是人格的主要成分。后来，有人把达尔文的适者生存、物竞天择的说法应用到心理学。“物竞天择性心理活动”的说法是动机最原始的雏形。达尔文理论和动机理论之间有两个重要联系：①作为动物王国的一员，人类也有诸如吃、喝、性等各种本能需求，其行为也受本能驱动；②行为方式和生理功能一样，也是生物进化的重要内容之一。当时的心理学界曾一度把本能的概念当成救命的稻草，到处牵强附会。但后来大量的实验结果证明，曾经被当作经典的本能，也可以通过学习和训练被改造得面目全非。20 世纪初，英裔美国心理学家 W.麦独孤认为本能是人类行为的原动力，强调动机对知觉和情绪的控制作用：“梦里寻她千百度”的关键是一个由本能驱动的“寻”字，这是对知觉过程的一个形象的诠释；而她“却在灯火阑珊处”则是描绘由知觉所致情绪的神来之笔。弗洛伊德的理论也是源于本能驱动的人类行为，不过他所感兴趣的本能驱动都是些非理性的、潜意识的动机。弗洛伊德认为人类的基本动机只有两种：性本能和死亡本能。20 世纪初，美国心理学家 R.S.伍德沃思用驱力二字取代本能的概念。驱力是驱使动物去从事某项活动的原动力。内环境稳定是美国生理学家 W.B.坎农提出的生理学概念，也被用来解释动机。他认为动机是一种机体调节功能，每当机体内环境出现失衡，机体就会以某种方式恢复平衡，这就是动机。非生物性驱力，即习得性驱力，必须通过生物性驱力才能发挥其动机作用。后来，有人对此进一步解释说：驱力本身仅是一种不具任何目标取向的能量状态。它之所以趋向于解决某些问题（心理学术语是“紧张还原”），是因为有了经反复强化而形成的习惯。行为动机源于以往的经验，而行为本身又再次强化了这种经验。这种驱力理论在 20 世纪 20 ～ 50 年代曾大行其道。但被神经学实验所证明的唤醒状态和当时的这个流行学说并不一致。动物实验和脑电图研究表明，在唤醒处于中间水平时，人最感舒适。大脑中存在着所谓快乐中枢的结构，人工刺激它可使实验动物不停地工作直到累死。这里根本没有动机。还有些心理学家只关注人类需求的种类，而不问为什么。H.A.默里开列了一张人类需求的清单，把它们分为本能性需求（基本需求）和习得性需求（高级需求）两类。他认为正是各种需求才使人类行为具有目标取向。A.H.马斯洛则提出了人类需求层次的学说，最下层是各种生理需求，如吃、喝等；向上依次是安全需求、归属需求、爱需求、尊严需求，最高一级是自我实现、认识和审美需求。他认为所谓需求层次，就是当下面一层需求获得满足后，才可能有上一层的需求。从行为角度考虑，没有目标的动机是不存在的。尽管人的气质、教养和形象会直接影响到他能否成功，但一般说来，有志者事竟成是不会错的。行为疗法十分注重患者对行为目的的态度，并把以下三点看作是影响动机形成的重要因素：对目标行为所持矛盾心理的矛盾程度、明确地使其行为目标具体化的能力、以及为实现目标而策划具体步骤的能力。认识论心理学家认为，某行为动机会使人对该行为相关事物特别敏感。一场电影演下来，穷人看到的是钱，富人看到的是色，饥饿者除了宴会可能什么都没有记住。心理学家认为动机还能影响择业。一位事业心很强的人如果在一家大的商业公司找到一个职位，他会很高兴，因为这里有成就感、责任感和挑战。参阅 **emotion**。

motive　动机　在音乐中，指乐曲或乐章进行过程中，重复并变化出现的主导乐句或音型。参阅 **melody**。

Motley, Constance Baker　莫特利（1921-09-14，美国康涅狄格纽黑文～ 2005-09-28，纽约州纽约）　婚前名 Constance Baker。美国律师和法官，法律方面的民权运动倡导者，第一个非洲裔美国联邦女法官。她关心民权问题，在被拒进入海滨俱乐部和溜冰场之后，参加了全国有色人种协进会当地的分会。富有的白人承包商和慈善家 C.布莱克斯利资助她上纽约大学，1943 年从纽约大学毕业。3 年后在哥伦比亚大学获法学学位；与 J.W.莫特利结婚。法学院毕业前就参加了有色人种协进会的法律保护与教育基金会，20 年间，在最高法院胜诉 9 桩民权案件。1964 ～ 1965 年任纽约州参议员，1965 年成为一个城市行政区的区长，任内促成内城复兴，改善住房和学校。1966 年 L.B.约翰逊总统任命她为纽约南区地方法院法官，1982 年任首席法官，1986 年起任资深法官。获各种奖励和荣誉，1993 年入选美国全国妇女名人堂。1998 年出版自传《法律下的公正平等》。

Motley, John Lothrop　莫特利　（1814-04-15，美国马萨诸塞波士顿～ 1877-05-29，英格兰多塞特多切斯特）　美国外交家和历史学家 。以所著《荷兰共和国的兴起》(1856) 而知

美国不列颠百科全书公司供图

名。早年留学德国。1841 年任美国驻圣彼得堡公使馆秘书。1861 ～ 1867 年任驻奥地利公使，1869 ～ 1870 年任驻英国公使。其他著作有《1584 ～ 1609 年尼德兰联省共和国历史》(1860 ～ 1867) 和《巴讷费尔德的约翰的生平和死亡》(1874)。

motlosi　参阅 **bat-eared fox 大耳狐**。

motmot　翠鴗　佛法僧目翠鴗科中、南美洲鸟类，8 种。尾长，有 6 种的两根长中尾羽末端呈网球拍状，这是由于这两根尾羽靠近末端前面一小段羽片的羽支质脆，在用嘴整

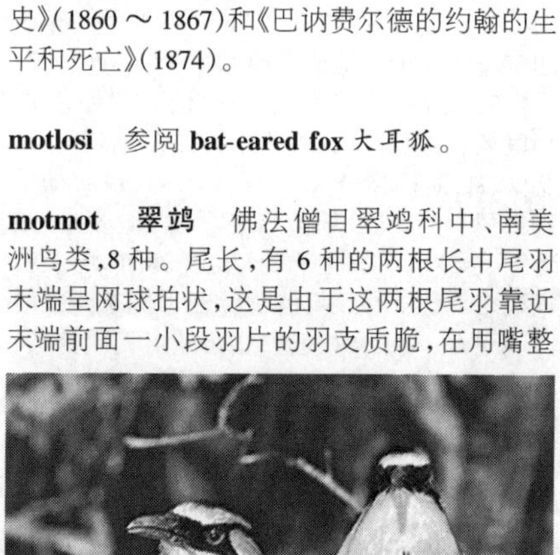

绿眉翠鴗（*Eumomota superciliosa*）
美国不列颠百科全书公司供图

理尾羽时被咬断，成为光秃的羽干，因而末端变成球拍形。体长约17～50厘米。多为棕绿色，头或翅常带鲜蓝色。食飞虫和枝上各种无脊椎动物及小型脊椎动物。栖在木上时尾常左右摆动或斜向一边。多在沙岸上用下弯的嘴挖洞为巢。

motocross　摩托车越野赛　摩托车竞赛形式之一。在野外崎岖不平的地方进行，赛程长度不等。国际比赛规定为1.5～5公里，沿途有陡峭的上下坡、多水或泥泞地段以及难度不同的左右转弯。每次比赛要进行两场，每场比赛只需40分钟或更少一点时间，但在各种摩托车运动中体力要求最高。在比赛过程中运动员不许换车，两场比赛中间休息时可进行检修。国际比赛在国际摩托车联

摩托车越野赛
美国不列颠百科全书公司供图

合会监督下进行。摩托车越野赛所用车辆按发动机排出量分为125、250和500立方厘米3个组。各组每年举行一次世界锦标赛的系列赛。50年代初以来欧洲经常举行摩托车越野赛。

Motoda Nagazane　元田永孚（1818-10-30，日本熊本～1891-01-21，东京）　日本天皇的侍讲。《天皇教育敕语》（1890-10-30，该敕语放在日本每所学校直到1945年，对青年进行政治思想灌输）的主要起草人。儒学者，1870年进入帝宫。历任明治天皇的侍讲、宫中顾问官，1877年任枢密顾问官。他在敕语中强调孝亲、忠君、睦邻等儒家道德观念。

Motoori Norinaga　本居宣长（1730-06-21，日本松坂～1801-11-04，松坂）　日本著名的国学家和神道教义学者。幼年丧父，在寡母督促下去京都学医。后在国学运动的影响下研究《古事记》、《源氏物语》等古典著作，并强调"因物生情"是日本文学的中心观念。他对《古事记》等古典作品的研究为近代的神道复兴提供了理论基础。他排除了佛儒两家对神道的解释，从日本古代神话和传统中寻求神道的真正精神。他还强调日本古代"产灵"即神秘的创造力，使之成为现代神道的主要教义内容。他相信伦理的二元论，认为有善必

本居宣长自画像，1773年
美国不列颠百科全书公司供图

有恶，恶因善而存在。

motor, electric　参阅 **electric motor** 电动机。

motor, linear　参阅 **linear motor** 直线电动机。

motor court　又作 motor hotel，motor inn 或 motor lodge。参阅 **motel** 汽车旅馆。

motor generator　电动机发电机组　又作 motor-generator set。用一台或几台电动机配接并驱动一台或几台发电机，将电力从交流变为直流（或将直流变交流）的设备。电动机用现有的电源工作，而发电机则提供所需特性的电力。例如，可以设计一台电动机发电机组，将商用交流电变成直流电；或者，可以用同一商用电源为感应加热或其他用途提供高频交流电力。这样一种组合常常称为电动发电机。motor generator 也用于发电机和原动机（如汽油机或柴油机）的组合。

motor-paced race　摩托车导引赛　自行车竞赛项目。各自行车分别跟在一辆摩托车后

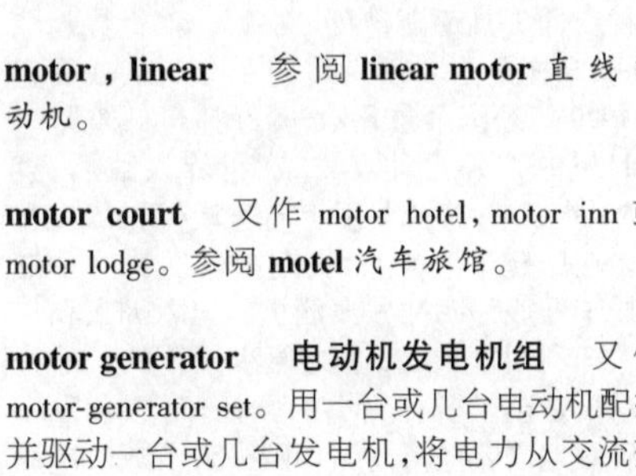

摩托车导引赛
美国不列颠百科全书公司供图

面进行比赛。这种自行车前轮小，可以接近摩托车尾部突杆上的旋辊，充分利用因摩托车前进而产生的气流。摩托车和自行车必须互相配合，防止互相脱离而落后。100公里赛中的平均时速可达60多公里。

motor racing　参阅 **automobile racing** 汽车比赛。

motor-vehicle insurance　机动车保险　保险人承担由于意外事故对机动车所有人或驾驶人造成的财产或人身损失的合同。机动车保险有下列几种：①责任保险，赔偿被保险人在应负法律责任的意外事故中对其他人所造成的财产损失和人身伤害；②撞车保险，赔偿被保险的车辆同其他车辆或物件相撞所造成的损失；③综合保险，赔偿被保险车辆由于失火、盗窃及其他原因所造成的损失；④医疗费用保险，支付被保险人和汽车乘客的医疗费用。有许多国家已经试行过汽车意外事故的其他保险方法，如以无过失为根据的强制责任保险及意外事故损失和财产损失保险；这些保险由驾驶人或车主为潜在的受害人投保，受害人可以获得赔偿而不考虑过失问题。大部现有的无过失保险受到限制，它们通常允许被保险人投诉过失一方要求超保险额赔偿并允许保险公司按照应负责任彼此间补偿损失。此外，全部无过失保险不允许被保险人有侵权行为赔偿责任或保险人从另一保险人处补回损失。

motorboat　摩托艇　又作 powerboat。用内燃机或电动机推进的较小船只。摩托艇的大小相差悬殊，小到仅供1人容身的微型艇，大到长达30米以上的海船，但大多数摩托艇最多能容6人。摩托艇可供娱乐，用以在水上巡游，也可用以享受垂钓、猎鸭、游泳、潜游和滑水等的乐趣。用于体育运动时，则有速度、驾驶和航海竞赛。

类型　最普通的两类摩托艇是按发动机的安装方式划分的。内装机摩托艇的发动机永久性地安装在船体内，驱动轴从船体穿出去。外装机摩托艇则使用可拆卸的便携式发动机，与驱动轴和螺旋桨组装在一起，夹持或用螺栓紧固在船尾外部，或者安装在船体内部的机阱中。摩托艇的发动机通常是转动螺旋桨去推水。用在浅水中时，则可变螺旋桨为明轮、空气螺旋桨或喷水泵。摩托艇的船体主要有两种类型：排水式船体是推开水前进，滑水式船体则是掠过水面滑行。排水式船体底部呈V形或圆形，吃水较深，船身狭长，船首尖而船尾窄。与此相反，滑行式船体为平底，速度较高时船底升至水面并掠水滑行，从而降低水对船体的摩擦和阻力。

摩托艇有多种类型。外装机小型摩托艇是一种颇小的敞篷船，座位沿宽度横向排列，船首偶有甲板。内装机小型摩托艇通常稍大，或为敞篷，或有可拆装的篷顶。游艇则设有客舱，其中装备有住宿和烹调设施，供乘客在船上生活。较小的游艇可使用外装发动机，但较大型的则通常使用内装发动机。长度超过15米的内装机游艇通称摩托游艇，一般是设计用于在警戒较少的水上运行，常航

行于沿岸的海洋航线。

作业用摩托艇包括渡船、渔船、驳船、拖船、沿岸贸易船、客船、警察或港口官员的巡逻艇、燃料船和运水船、消防船等等。各类小型海军船只也可视为摩托艇。水面滑走快艇是一种高速行驶时在水面上飞掠而只有小部分船体沾水的摩托艇。发动机辅助帆船主要是按帆船设计的,但装有发动机以供在恶劣气象条件下使用,或在空间有限时作机动航行。机帆船则与之相反,它主要是按摩托艇设计的,但装有帆具作为辅助动力。

历史 19世纪后半期,在德、法、英三国实验性地使用了电动机和内燃机。最早使用内燃机的摩托艇之一,是19世纪80年代末由G.戴姆勒设计的。进入20世纪之后,摩托艇的应用在欧洲和北美日益流行,其发动机主要是用汽车发动机改装的。1903年,A.哈姆斯沃思向皇家摩托游艇俱乐部捐赠了英国国际摩托艇奖杯,通称**哈姆斯沃思杯**(**Harmsworth Cup**)。1904年,美国摩托艇协会(成立于1903年)设立了**金杯赛**(**Gold Cup**),后来成为一项全美锦标赛的多项赛事之一(水面滑走快艇比赛始于1911年)。截至1910年,以埃文拉德为首的舷外发动机制造商已在生产易于从一只艇上拆卸,经过调整和运输后再安装在另一只艇上的发动机。这就使比赛性的和娱乐性的摩托艇运动变得更经济易行。由早期的排水型船身改变为滑水型船身以及采用新型发动机使速度有极大提高。第二次世界大战后,艇身材料几经演变,由木材而金属而玻璃纤维钢,在需要高速度时更要用后一种。20世纪后半期,摩托艇在娱乐和体育运动方面的应用有很大的发展。

速度 1903年首届哈姆斯沃思杯赛获胜摩托艇的平均速度为19.5英里/时,而首届金杯赛获胜者的平均速度为23.6英里/时。1939年,英国的马尔科姆·坎贝尔爵士驾驶他的"蓝鸟Ⅱ号"水面滑走快艇以141.74英里/时创下了1英里水上航速的纪录。直到1950年,"斯洛摩顺Ⅳ号"在华威顿西雅图取得160.323英里/时的平均速度,坎贝尔的纪录才被刷新。1962年,"美国小姐Ⅰ号"在阿拉斯加甘特斯维尔以200.419英里/时的平均速度打破了200英里/时大关。1955年,马尔科姆之子D.M.坎贝尔驾驶一艘喷射推进快艇航行一条计时路线获得成功,成绩为202.32英里/时;1959年他又把自己的纪录提高到260.35英里/时,但是"精力充沛者"号又于1967年在甘特斯维尔将纪录提高到285.213英里/时。1978年,K.沃比驾驶"澳大利亚精灵"号创下了319.627英里/时的直线航行纪录。

外装机摩托艇在速度上明显落后于内装机摩托艇。直到1954年,意大利的M.L.迪·普里奥罗才在一次1英里赛中达到100.36英里/时的速度。1960年,B.小罗斯在西雅图把纪录提高到115.547英里/时。

竞赛 国际摩托艇联合会成立于1922年,当时是用作欧洲比赛纪录的情报交换所,现已成为世界性的。摩托艇竞赛主要按舷内装机和舷外装机摩托艇的各种不同类型来分类。每一类又主要按活塞排量分为许多级别。每年都有各地方和全国组织主办的数百次赛事,大部分是沿环行路线。诸如密西西比马拉松和巴黎6小时比赛等一些赛事属耐力比赛。国际摩托艇联合会根据英格兰威尔斯国际比赛、从佛罗里达至巴哈马群岛的迈阿密-拿骚比赛及意大利的那不勒斯杯和维亚雷焦比赛等赛事中前6名的得分而颁发一项世界锦标。

许多游艇俱乐部还举办一种预测航行日志的比赛。这种比赛的计分标准不是速度而是航行技巧。摩托艇的艇长预测他在指定路线中驶经各个规定点的确切时间,航行中不用表计时,预测与实际时间最为接近者胜。

motorcar 参阅 **automobile** *汽车*。

motorcycle 摩托车 少数用电、多数用内燃机驱动的两轮或三轮车辆。微型摩托车、小型摩托车、机动自行车上的驱动发动机,一般是用空气冷却的,其活塞排量为25～250立方厘米,多缸摩托车的排量达1 300立方厘米。欧洲用活塞的容积排量(立方厘米)来表示发动机额定功率;而在某些国家(包括美国)则是用马力来标定摩托车的额定功率,其比值大致是每100立方厘米为8～10马力。1884年,英国人E.巴特勒造出了第一辆三轮摩托车。1885年,第一辆公开出现的汽油机摩托车,是由德国巴特坎斯塔特的G.戴姆勒制成的。法国和比利时首先研制成一种实用的发动机和摩托车。英国、德国、意大利和美国制造商也随之仿效。特别是1910年之后,这种交通工具逐渐普及。在第一次世界大战期间,摩托车主要用来传递命令。从战后直到1929年经济萧条开始,骑摩托车一直是一项时髦的户外运动。第二次世界大战后,直到20世纪末,摩托车用于高速旅行和体育竞赛。在摩托车市场上,长期占有优势的单缸摩托车一般为四冲程汽油机。但欧洲人和日本人却利用排量250立方厘米以下的二冲程发动机造出了多种更小的摩托车,这种发动机省油但需要经常清除积碳。大多数二冲程内燃机摩托车的燃料是,汽油和别种燃油的混合物。大型新式摩托车大多采用线圈点火电气系统,但是轻型二冲程内燃机摩托车一般用磁电机点火。通常,在发动机与有2～6种速度的变速器之间用链传动和齿轮传动,然后再用链条连到后轮的链轮上。在一些更先进的摩托车上,末级传动是借助于传动轴和锥形齿轮系统。按钮式电起动器的普及,极大程度替代了反冲式起动器。通常利用操纵手柄就可控制油门和前轮制动系统,后轮制动器一般用脚踏板操纵,但这些系统各不相同。新式制动系统主要采用液压盘式制动。美国公安部门大量使用把无线电设备装在两个后轮间的行李箱内的三轮摩托车。西欧和美国部分地区在自行车上加装发动机,导致了20世纪50年代新型轻便摩托车和机动自行车的发展。第二次世界大战后,意大利出现了一种装有更高级发动机的小型摩托车(125立方厘米型)。这种小型摩托车有轮径为20～36厘米的小车轮,驾驶者坐在车架里面,动力装置位置很低且紧靠后轮,用锥形齿轮或链条驱动,气缸工作容积为50～225立方厘米,一般有四速传动装置。

motorcycle racing 摩托车赛 以摩托车为工具的一种娱乐和竞赛。它是由职业或业余运动员在公路、车道、封闭的环行路线或天然地带上进行的一项运动。摩托车运动大都同汽车运动平行开展,并常常同汽车运动同时发展起来。在城镇之间开展的许多早期汽车公路赛(如巴黎—维也纳赛)中,都有一个级别是属于摩托车的。1897年,第翁式样的三轮摩托车使用得最多。但是像沃纳式样的双轮车不久就为开展一种完全不同的比赛准备了必要的条件。1904年国际摩托车联合会(Fédération Internationale du Motocyclisme,1949年改名为Fédération Internationale Motocycliste [FIM])联合了奥地利、丹麦、法国、德国和英国等5个国家创立了国际杯赛,首届于1905年在法国的杜尔当举行。然而,在全欧洲所有的摩托车赛中,最有名的是游客奖杯赛。1907年在马恩岛的一条车道上举行了首届游客奖杯赛,在此后数十年间那条车道一直是世界上最负盛名的。1903年,随着美国摩托车联合会在纽约市的成立,开始在北美举行摩托车赛。到了1924年,这个联合会演变成为至今还积极活动的美国摩托车协会。自1937年以来,代托纳320公里赛成了美国主要的比赛。这项比赛就是在代托纳24小时汽车赛所使用的同一条环形路上举行的。第一次世界大战结束不久,在美国恢复了汽车赛,之后很快就开始举办摩托车大奖赛。比利时在1921年开始举办摩托车大奖赛,而德国则在1925年才开始举行。同年荷兰大奖赛开始举办。摩托车赛的方式大致上和汽车赛一样多,其中主要有公路赛、选拔赛、赛车道比赛、越野赛、短程高速赛、冰上赛和爬坡赛。公路赛在封闭的车道上进行,车道的部分或全部可能是公路。世界摩托车公路锦标赛首创于1949年;在这些比赛中,根据发动机的排气量把赛车分成50、125、250、350、500以及750立方厘米几个等级。世界各地的俱乐部和团体全年都举办各自的国际性公路比赛。摩托车选拔赛先开展于第一次世界大战前的年代。这种比赛持续时间长,速变比较慢,比赛路线时而在公路上,时而离开公路,速度不是决定因素(参阅 **motorcycle trial**)。赛车道比赛早在20世纪20年代即已在澳大利亚开始出现。这是一种在椭圆形的平坦土路上进行的短距离的比赛。使用的车子十分轻,装有小油箱和小刹车装置。摩托车越野赛是在天然地势崎岖不平的封闭路线上进行的多圈比赛。摩托车越野赛在20世纪40年代末和50年代初引进到英国和欧洲大陆,到60年代,便成为流行的观赏性运动。60年代曾在北美表演过摩托车赛,1970年在那里首次举行定期的摩托车越野系列赛(参阅 **motocross**)。摩托车短程高速赛是1950年左右兴起的一项美式运动。这类比赛包括一系列加速度或高速度的比赛,每次比赛由两名运动员在路面光滑的直道上进行,全程长1/4英里。摩托车冰上赛于20世纪30年代创始于斯堪的纳维亚,后来传播到其他气候比较温和的国家。比赛在冻冰的湖面或体育馆内冰面上的椭圆形跑道上进行。摩托车的车轮外胎是带钉子的。摩托车爬坡赛是在上坡路上比赛。驾驶员各自按时间计算成绩,每次只能行驶一辆车。

motorcycle trial 摩托车选拔赛 摩托车比赛形式。与看谁先到终点线的比赛不同,这种比赛按分数决定胜负。共分两种:第1种为计时赛,是经过崎岖不平地带的越野赛,发给驾驶员标有路线和用以记时的卡片,供沿线各检查站加盖标记;每迟到2分钟扣1分(迟到时间要到赛后根据最快的驾驶员成绩计算)。总分最高者胜。第2种为观察赛,比赛在险情较多地段进行,多为上坡路,分有若干观察路段,身体任何部位触地则扣分,轻触扣1分,触地两次以上扣3分,未能通过观察路段扣5分,扣分最少者胜。主要选拔赛有苏格兰六日赛和国际六日赛。

Motorola, Inc. 摩托罗拉公司 美国无线通讯、电子系统和半导体制造商。总部位于伊利诺伊州绍姆堡。1928年高尔文兄弟在芝加哥创办公司,名为高尔文制造公司。1930年开始销售一种称为"摩托罗拉"的低价位汽车收音机,进而成为最普及的新车配件。1940年为警方和军方开发两种双向无线电通讯产品。其中有一种是对讲机,在第二次世界大战时为士兵使用。1943年上市。1947年改名为摩托罗拉公司,当时是一个著名品牌。翌年,推出售价不到200美元的电视机。和其他电视厂商一样,1953年创造了自己的节目"摩托罗拉电视时间",以激发人们对这种新媒体的兴趣。时任副总裁的罗伯特亲自主持每周的连续剧。50年代中期,公司生产高保真留声机。1965年与福特汽车公司、美国无线电公司合作,开发出汽车用的八轨录音带放音机。1962年开始为政府的太空计划供应无线电通讯设备。1974年,推出第一批微处理器,卖给了计算机制造商。1993年与国际商用机器公司、苹果计算机公司合作推出最早的RISC芯片,想推翻英特尔公司的微处理器龙头厂商地位,但未成功。摩托罗拉在嵌入式微处理器市场上更成功,是主要的制造商。1977年开发出一种手持无绳电话。1989年推出手机,很快就在国际上成为身份的象征和实用的个人通讯装置。

motorway 参阅 **expressway 高速公路**。

Motse (Chinese philosopher) 参阅 **Mozi 墨子**。

Mott, Charles Stewart 莫特(1875-06-02,美国新泽西纽瓦克～1973-02-18,美国密歇根弗林特) 美国汽车实业家与慈善家。1900年开始在纽约州尤蒂卡经营韦斯顿-莫特公司时,他不仅制造自行车车胎,而且制造汽车和自行车车轮,以此扩大业务。1903～1913年任公司总经理,1906年将公司迁至密歇根州的弗林特,以靠近日益发展的汽车工业生产中心。不久,合伙人W.G.杜利特尔去世,莫特成了公司唯一的业主。1908年通用汽车公司组建时,莫特以韦斯顿-莫特公司49%的股票,换得通用汽车公司的大量股票。1913年韦斯顿-莫特公司成为世界上最大的汽车车轴供应商,年销售额300多万美元;同年莫特以剩余的韦斯顿-莫特公司51%的股票同通用汽车公司的股票交换。自1913年至去世任通用汽车公司董事,活跃于该公司领导中;1916～1937年任副总经理;1942年成为该公司最大的股东。1926年莫特捐赠通用汽车公司股票2 000股,成立莫特基金会,以资助弗林特广泛的社会活动;随后又以现金与股票捐赠,使该基金会拥有财产达3亿美元,成为美国最大的基金会之一。

Mott, John R. 穆德(1865-05-25,美国纽约利文斯顿马诺～1955-01-31,佛罗里达奥兰多) 美国基督教卫理公会平信徒布道家。由于对国际教会运动和传教运动有突出贡献

美国不列颠百科全书公司供图

而于1946年与美国社会学家、经济学家巴尔奇共同获得诺贝尔和平奖。1888年任基督教青年会国际委员会学生干事直到1915年。曾参与筹备1910年爱丁堡世界宣教会议,这次会议所发动的现代普世教会运动产生世界基督教协进会。1915～1928年任学生志愿赴国外传教运动主席。1921～1942年任国际基督教宣教协会主席。1926～1937年任世界基督教青年会联盟主席。

Mott, Lucretia 莫特(夫人)(1793-01-03,美国马萨诸塞楠塔基特～1880-11-11,宾夕法尼亚阿宾顿附近) 母家姓Coffin。美国改革家先驱。曾与E.C.施坦顿夫人共同发起有组

美国国会图书馆供图

织的美国女权运动。露克莱霞13岁进入纽约州波基普西附近一所公谊会开办的寄宿学校读书,后来成为一名教师。仅仅由于她是女性,她的薪金只有男性教师的一半,这时她开始感到有争取妇女权利的必要。1811年她与詹姆斯·莫特结婚,莫特也是教师,婚后移居费城。夫妇均是公谊会信徒。1821年她成为公谊会正式牧师。莫特夫妇积极反对奴隶制度。1850年《逃亡奴隶法》通过后,他们的家成为逃亡奴隶的庇护所。1848年,她和斯坦顿夫人以争取妇女权利为己任,在纽约州塞尼卡福尔斯召集了一次大会,"讨论妇女的社会活动权、政治选举权和宗教信仰权"。大会成为女权活动最早的一次集会,并仿效《独立宣言》发表了《舆情宣言》,声明"男女生而平等……"。此后莫特夫人以极大的精力从事女权运动。内战(1861～1865)后,她仍为获释奴隶的选举权与教育机会而奋斗,是美国毕生从事改革运动的不懈斗士之一。

Mott, Sir Nevill F. 莫脱(1905-09-30,英格兰利兹～1996-08-08,白金汉郡米尔顿凯恩斯) 英国物理学家,因对非晶固体的磁、电特性的研究,与美国的P.W.安德森和J.H.范扶累克共获1977年诺贝尔物理学奖,这些非晶态固体材料在磁带记录器、电子计算机、太阳能转换器和其他电子设备中广泛应用。1929年任曼彻斯特大学讲师,1933年任布里斯托尔大学理论物理学教授。早先对核物理感兴趣,后转向研究金属、半导体和照相乳胶,尔后转到非晶态固体的电导。1938年对光在照相乳胶上的效应,作出了原子水平上的理论描述。1948年任布里斯托尔的威尔斯物理实验室主任。1954年继W.L.布拉格任剑桥大学卡文迪什实验物理学教授,1971年退休。他在剑桥任职期间,提出了描述某些物质从导电(金属)状态转变为绝缘(非金属)状态的公式。1962年受封为爵士。

Motta, Giuseppe 莫塔(1871-12-29,瑞士艾罗洛～1940-01-23,伯尔尼) 瑞士政治领袖,长期任联邦政治部首脑,5次出任联邦主席。原为具有保守倾向的律师。1906～1911年任国民院议员。1911年12月成为联邦议会议员。1912～1919年任财政部部长。1920～1940年任政治部部长。1920年起任政治部首脑直至去世。1915年首次担任联邦主席,随后于1920、1927、1932和1937年担任同一职务。他是一位老练的外交家,在两次世界大战之间控制着瑞士的外交政策,往往倾向于法西斯国家。曾任瑞士驻国际联盟代表团团长(1920～1940),支持德国加入国联,反对接纳苏联。1935年国际联盟对意大利实行制裁,他强调瑞士的传统中立地位,企图不参加。1920年任国际联盟第一次大会名誉主席,1924年任国际联盟第五次大会主席,1932年任裁军会议主席。

Mottelson, Ben R. 莫特森(1926-07-09,美国伊利诺伊芝加哥～) 美国出生的丹麦物理学家,由于确定了原子核的非对称形状并作出相应说明而获得诺贝尔物理学奖。1950年在哈佛大学取得理论物理学博士学位即进哥本哈根玻尔理论物理研究所工作,其后又在北欧理论核物理学院任教,并在那里加入丹麦籍。他根据50年代初期同A.玻尔一起进行的那些实验,发现亚原子粒子的运动能使原子核变形,从而对广泛承认的所有原子核都具有完美球形的理论提出了挑战。接着,他又发现这种非对称性对于所有元素的原子核都存在。由于这项工作,莫特森和A.玻尔及J.雷恩沃特一起获1975年诺贝尔物理学奖。

Mottl, Felix　莫特尔（1856-08-24，奥地利下圣法伊特～1911-07-02，德国慕尼黑）　奥地利指挥家，以演出R.瓦格纳歌剧著称。曾在维也纳音乐学院学习。1876年参加拜罗伊特音乐节，1886年在那里指挥《特里斯丹和绮瑟》。1881～1903年在卡尔斯鲁厄任歌剧院院长，使该院发展成为德国最佳歌剧院之一，以演出H.柏辽兹和瓦格纳的全部歌剧享有盛名。曾多次在英国担任指挥。1903～1904年在纽约大都会歌剧院，后又在慕尼黑任指挥。作为一位指挥家，他在歌剧和交响乐领域都十分活跃。曾为瓦格纳的《韦森东克之歌》及E.夏布里埃的作品配器，并审订P.科内利乌斯的歌剧《巴格达的理发师》。

mottramite　羟钒铜铅石　钒酸盐矿物，类似羟钒铅锌石(descloizite)。

motu proprio　教皇自动诏书　天主教会文件。由教皇本人签发，用以表示他对某一问题的特殊关注，不加盖教皇印信。内容或为指示，或为行政事务，也可能仅表示惠眷。

Mou Zongsan　牟宗三（1909-05-14～1995-04-12）　又拼 Mou Tzung-san。中国现代哲学家。山东栖霞人。北京大学哲学系毕业，曾获香港大学名誉文学博士学位。历任南京中央大学、金陵大学、浙江大学、台湾师范大学、东海大学、香港大学、香港中文大学哲学教授。退休后，受聘为香港新亚研究所教授、台湾大学客座教授等。所撰《才性与玄理》、《佛性与般若》、《心体与性体》三书，旨在阐明儒释道三教的义理价值和思想体系。《中国哲学十九讲》则针对中国哲学史提出了一些上下贯通的纲要和脉络。《道德的理想主义》、《历史哲学》、《政道与治道》三书解答了中国文化中关于政道、事功、科学的问题。1968年著《智的直觉与中国哲学》和《现象与物自身》，旨在阐明中国传统哲学的奥义，吸收康德哲学以充实中国文化。他认为康德哲学是沟通中西哲学的最佳桥梁，故致力于把康德的著作译成中文，以期有助于弘扬中国文化。1985年出版《圆善论》，代表了他的学术思想的新成果。1990年出版《中西哲学之会通十四讲》，1993年译有《康德判断力之批判》(上、下册)。

Mouanda　穆安达　又拼 Moanda。加蓬东南部城镇。1938年在其附近发现大锰矿，1951年开始开采，预计储量属世界最大之列。现已建成锰矿石加工厂及学校、机场、医院等附属设施。邻近地区工人的不断流入使穆安达人口猛增。人口约45 500(1985)。

Mouaskar (Algeria)　参阅 **Mascara** 穆阿斯凯尔。

moucharaby　穆沙拉比窗　阿拉伯语拉丁字母转写作 mashrabīyah 或 mushrabīyah。在伊斯兰教或受伊斯兰教影响的建筑中的一种凸肚窗或突出的二层楼的花格窗。在北非和中东城市中，穆沙拉比窗是一种常见的住宅特色。在法国称为穆沙拉比叶，是从殖民地传入的，特征是用格子或花格来代替玻璃和百叶，花格为若干小木质圆筒组成的复杂精美的几何图案。此种窗一方面可遮挡炎热的阳光，另一方面又能使室内得到光线和空气。室内的人又可透过花格观看下面的街道，同时保持隐蔽。

开罗市带穆沙拉比窗的穆斯林民居
美国不列颠百科全书公司供图

mouflon(*Ovis musimon*)　**欧洲盘羊**　原产于科西嘉、撒丁和塞浦路斯的偶蹄目牛科动物，形小，似绵羊，野生。肩高约70厘米。浅红褐色，腹部白色。雄体背部有浅色马鞍形斑块，有尖端向外转的大而弯曲的角。雌体无角。现已引进到欧洲的部分地区，但在原分布区却已成濒危种。有人认为它是家养绵羊(*Ovis aries*)的祖先之一。

欧洲盘羊(*Ovis musimon*)
美国不列颠百科全书公司供图

Mouhot, (Alexandre-) Henri　穆奥（1826-05-15，法国蒙贝利亚尔～1861-11-10，老挝琅勃拉邦附近）　法国博物学者和探险家，向西方介绍了古高棉文化的都城吴哥。19世纪50年代作为青年语言学教授前往俄国，并与弟夏尔漫游欧洲，钻研摄影技术。1856年弟兄二人前往英格兰。穆奥在那里专攻动物学。1858年在伦敦皇家地理学会和伦敦动物学会的资助下前去印度支那进行动物学的考察。当他在湄公河流域进行探险时，偶然发现了吴哥。从此，吴哥作为重要的考古遗址而为西方学者所熟知。穆奥是一个不知疲倦的探险家，所到之处备受王国和部落首脑的热情款待。1861年10月得丛林黄热病，几星期后逝世。葬于琅勃拉邦附近。著有《暹罗、柬埔寨、老挝诸王国以及印度支那中部其他地区旅行记》(1863)。

Mouila　穆伊拉　加蓬西南部的城镇。濒临恩古涅河。为木薯、香蕉、薯蓣、花生和玉米的贸易中心。出口咖啡和棕榈油。市西南56千米的莫阿比镇有合作性的棕榈油厂，附近的马孔戈尼奥有钻石矿，埃凯泰有金矿，但产量很低。有教堂、师范学院、医院和公立中学。人口约37 500(1985)。

mould (fungus)　参阅 **mold** 霉。

moulding (architecture)　参阅 **molding** 线脚。

moulin　冰川锅穴　又称冰川瓯穴。此术语来自法语，意思是"磨臼"。冰川表面由冰融水凿穿的圆筒状竖井。冰川锅穴的冰后期证据，又叫冰川磨臼，是一个巨大的锅穴。由跌水搬运到其中的岩块和巨砾磨蚀到了基岩的很大深度。瑞士卢塞恩的一个冰川锅穴蚀深达8米。冰川锅穴的形成过程虽与河流锅穴大致相同，但可根据分布位置来区分。前者见于山顶和陡坡，也可能散布谷底，但不像河流锅穴那样的呈线状排列类型。锅穴以冰雪融水注入时发出轰鸣声而引人注目。

Moulin, Jean　穆兰（1899-06-20，法国贝济耶～1943-07-08，德国梅斯[今在法国]）　法国文官，第二次世界大战中抵抗运动的英雄。在蒙彼利埃学习法律后成为文官。1930年成为最年轻的区长。1937年成为最年轻的省长(厄尔-卢瓦省)。1940年德国占领该省，他在拒绝签署一份指责法军制造一起暴行的文件后曾试图自杀。撤离该省后，他加入抵抗运动，逃往英国。1942年1月返回法国，任戴高乐派驻未沦陷区的总代表，在组织游击队和发展全国抵抗运动委员会方面发挥了重要作用。全国抵抗运动委员会负责协调各地非共产党抵抗组织的行动，使这些力量汇集到戴高乐的自由法国运动的旗帜下。1943年5月他任该委员会第一任主席，其组织能力和政治才干使他成为一个传奇人物。1943年6月，德国秘密警察在里昂附近的卡吕尔逮捕了他。在狱中受酷刑折磨后死于将他运往德

美国不列颠百科全书公司供图

国的火车上。

Moulins 穆兰 法国中部奥弗涅大区阿列省省会、城镇。位于里昂西北，阿列河右岸。当地16～17世纪哥特式圣母大教堂内有15世纪荷兰画家画的被认为是*穆兰画师*(**Moulins, Master of**)的著名三联画。附近15世纪钟楼上有每隔15分钟敲一下的自鸣钟。市立图书馆藏有12世纪苏维尼《圣经》，是从穆兰东南12千米处的苏维尼修道院得到的有精美插图的手稿。波旁公爵城堡现用作监狱。有轻工业(制鞋和电机器械)和食品工业。为附近农业地区的集市镇。人口25 096(1982)。

穆兰镇15世纪钟楼及其自鸣钟
美国不列颠百科全书公司供图

Moulins, Master of 穆兰画师(活动时期约1480～约1500) 匿名法国油画家和细密画家，国际哥特式绘画法国画派最重要的艺术家。此名出自他的名作，位于穆兰圣母大教堂的三联画(约1498)。有些人认为他就是查理三世与奥地利的玛格丽特的官方画家J.佩雷阿尔；另一些人只凭其画风同布鲁塞尔古代艺术博物馆的《戴荆冠的耶稣像》(1494)一画极其相象，认为他就是画的作者、佛兰德斯出身的画家J.艾。

穆兰画师三联画之一：《天使环绕的圣母子》(约1498)
美国不列颠百科全书公司供图

Moulins faience 穆兰彩陶 在法国穆兰出产的锡釉陶器，初期完全模仿邻近的讷韦尔陶器。唯一的区别是穆兰彩陶使用了铁红色，而在讷韦尔陶器上则未见这种颜色。较后，穆兰彩陶才显示出其本身的特点，尤其是以中国风格作装饰的穆兰彩陶更加独具一格。

Moulmein 毛淡棉 缅甸东南部城镇。扼萨尔温江口，为马达班海湾重要港口。1826年条约缔结后，为英属缅甸的主要城市，直到1852年英国吞并勃固时才为勃固所取代。水陆交通便利。东西两侧为低平丘陵，有许多古塔，风景秀丽。地处孟人聚居区。出口柚木、稻米，有碾米厂和锯木厂。曾经是繁忙的造船中心，现仍为重要港口。建有飞机场、柴油发电厂和一座博物馆并以其烹调法而闻名。毛淡棉学院为仰光文理大学的分校，还有一所国立师范学院、一座大医院及用太阳能自海水提炼食盐的工厂。人口219 991(1983)。

Moulouya River 穆卢耶河 摩洛哥东北部主要河流。源出上阿特拉斯山脉，向东北流，在阿尔及利亚边界以西注入地中海。全长515千米。流域为半干旱地带，不通航，水量不稳定。1967年建有迈什拉克利拉水电站为摩洛哥北部城镇供电。河谷中的铅和锰矿已开采。

moult (biology) 参阅 **molt** *蜕皮*。

Moulton, Ellen Louise Chandler 莫尔顿(1835-04-10，美国康涅狄格庞弗里特～1908-08-10，马萨诸塞波士顿) 婚前名Ellen Louise Chandler。美国女作家、评论家。19世纪晚期为波士顿和伦敦两地文学沙龙的女主人，特别具有的影响力。1854年将早些时候在各期刊上发表的诗歌和短文结集出版，书名为《这个、那个和其他》。1855年与出版商W.U.莫尔顿结婚。很快便在波士顿当地形成了一股文学和社会力量。她的诗歌、短篇小说和短文定期出现在《戈迪妇女杂志》、《大西洋月刊》、《青年伴侣》和《哈珀芭莎》等流行杂志上。莫尔顿的星期五沙龙的常客有R.W.爱默生、J.R.洛威尔、H.W.朗费罗、J.G.惠蒂埃和O.W.霍姆斯等名人。她还是《纽约论坛报》驻波士顿文学记者(1870～1876)和《波士顿星期日先驱报》的图书评论员(1887～1891)。1876年首次赴伦敦旅行，在伦敦结识了许多文学界名人。她在伦敦逗留的时间越来越长，到最后几乎是每年在伦敦和波士顿各住半年。与伦敦许多后浪漫派及前拉斐尔派诗人之间的亲密友谊促使她把这些诗人介绍给美国读者。其作品包括儿童睡前故事集《在西班牙等地懒散的旅行》(1896)。《莫尔顿诗歌及十四行诗集》(1909)一书在她去世后出版。

Moultrie, William 莫尔特里(1730-12-04，南卡罗来纳查尔斯顿[美国]～1805-09-27，查尔斯顿) 美国将军，在美国独立战争(1775～1783)中遏止英军的南侵。1752～1762年任南卡罗来纳地方议会议员。参加过反对切罗基印第安人的战争。革命爆发时任地方议会议员，支持革命，指挥他原先在查尔斯顿外海沙利文岛上建立的土堡。1776年6月28日击退大批英军进攻，受到国会嘉奖，9月升任大陆军准将。后进军佐治亚，于次年2月把英军逐出博福特，但1780年5月因查尔斯顿失陷而投降。1782年2月交换战俘中获释。战后两任南卡罗来纳州州长(1785～1787，1792～1794)。在两届任期内，他为州议会参议员，亦为该州批准联邦宪法的州立宪大会代表。

耶鲁大学美术画廊供图

Mounana 穆纳纳 加蓬东南部城镇。1956年发现铀矿。1961年开始开采。矿石品位高，卖给法国加工，但穆纳纳也有浓缩铀加工厂。附近还开采锰矿。人口4 000(1970)。

mound builder (bird) **营冢雉** 参阅 **megapode** *冢雉*。

Mound City Group National Monument (Ohio, U.S.) **芒德市墩群国家纪念地** 参阅 **Hopewell Culture National Historical Park** *霍普韦尔文化国家历史公园*。

Moundou 蒙杜 乍得西南部城市。濒洛贡河。该城市气候温暖，季节性潮湿，为全国产棉区中心。1939年设棉花研究所。1964年建啤酒厂。有医院和电站。洛贡河从蒙杜至贾梅纳河段可季节性通航。人口约99 530(1993)。

Moundsville 芒兹维尔 美国西弗吉尼亚州西北部城市、马歇尔县县府(1835)。在惠灵之南，临俄亥俄河。1771年名为格雷夫克里克,1831 年附近设芒德市,1865 年两个社区合并为芒兹维尔,1911 年设市。位于高产煤矿区,有多种工业,包括美国最大的手工玻璃器具厂。市内有州立监狱。格雷夫克里克坟丘高 21 米,上宽 15 米,周长 275 米,是美国最大的圆锥形印第安人坟丘。在当地的两个墓室中发掘出公元前 800 年的许多遗物。人口 9 998(2000)。

Moundville Archaeological Park 芒德维尔考古公园 美国亚拉巴马州西部,印第安农民和陶匠居民村(1000 ～ 1450)的遗址。位于布莱克沃里尔河上游平原塔斯卡卢萨南面 23 千米处。19 世纪中期开始考古挖掘,大规模的挖掘活动于 20 世纪 30 年代和 40 年代早期由亚拉巴马自然博物馆进行。现公园占地 130 公顷,由亚拉巴马大学经营。内有 40 个作为房基的正方形或矩形平顶土丘,这些土丘并不是墓葬,而是房基。最大的一处高 58.5 英尺,底座面积 2 英亩,是一所神殿的基地。1939 年在部分发掘的墓地上建起一座博物馆。1989 年墓地关闭。

Mount, William Sidney 蒙特(1807-11-26,美国纽约长岛锡托基特～ 1868-11-19,锡托基特) 美国风俗画家,主要描绘故乡长岛的乡村生活,是19世纪美国最早的优秀铁事画家

蒙特绘《锡托基特的渔民捕捉鳗鱼》(1845)
美国不列颠百科全书公司供图

之一。在 1826 年,当全国设计学会开办素描班时,蒙特入校成为第一批学员。1833 年成为设计学会正式会员。最初画历史题材。第一件风俗画《农村舞蹈》(1830)使其一举成名。他始终作这一类的画。他的作品是宝贵的昔日农村纪录。蒙特在描绘客观物象时,既忠实于自然又追求单纯化。

Mount Ābu (India) **阿布山镇** 参阅 **Ābu 阿布**。

Mount Aspiring National Park 阿斯派灵山国家公园 在新西兰南岛中西部,1964年开辟,面积 3 167 平方千米。该园地跨南阿尔卑斯山广大地区,周边为奥利温岭和哈斯特岭(西),马塔克塔克岭和托马斯岭(北),扬岭(东),理查森山和哈里斯山(东南)。南邻峡湾国家公园,北以哈斯特河为界。境内有冰川、山脉、峡谷、瀑布、山口,是几条主要河流的源头。大部分森林不予开发,以控制水土流失;但引进鹿、羚羊和山羊后,当地植被遭破坏。该园现分为科学研究、荒原、自然保护

阿斯派灵山国家公园哈里斯湖畔的塔索克高沼地
美国不列颠百科全书公司供图

和开发 4 区。其东部发现银矿床。

Mount Barker 芒特巴克 西澳大利亚州西南部城镇,位于海拔 576 米的巴克山山脚下,此山 1829 年被发现,以驻守南面 35 英里沿海的奥尔巴尼的最后一个军事指挥官巴克上尉命名,该城镇建于 1899 年,是金雀花王朝郡的行政首府。地处大南方铁路和奥尔巴尼至珀斯(西北 210 英里)的公路旁,是牛肉、绵羊、葡萄、苹果和蔬菜生产地区的加工中心,并制造混凝土管道。芒特巴克是去波龙戈鲁普山和斯特灵山风景区旅游的基地。人口 1 390(1986)。

Mount Carmel 芒特卡梅尔 美国宾夕法尼亚州中东部诺森伯兰县自治村镇。位于沙莫金湾前端。约 1770 年始有人定居,1848 年进行规划设计,成为无烟煤开采城镇。1862 年设建制。现在当地的经济支柱为轻工制造。人口 6 390(2000)。

Mount Cenis Tunnel 塞尼山隧道 阿尔卑斯山脉开凿的第一条重要的铁路隧道。位于弗雷瑞斯山口之下,从法国的莫达讷通至意大利的巴多内奇亚。隧道全长 13.7 千米,1857 ～ 1871 年从两端开凿,在 G.索梅耶领导下凿成,使用了数种尖端技术,特别是在岩石爆破中使用了达纳炸药,用索梅耶发明的一种改良的凿岩机和日内瓦的 D.科拉顿发明的空气压缩机。塞尼山隧道是从两端开凿,中间不用竖井的第一条长距离的岩石隧道,因而是一项划时代的工程成就,与塞尼山隧道大体平行的弗雷瑞斯隧道长 12.9 千米,于 1980 年建成,通行汽车。

Mount Clemens 芒特克莱门斯 美国密歇根州东南部城市,马科姆县县城(1818)。位于底特律北,临克林顿河。1795 年始有定居者,1818 年规划,1851 年设村,1879 年设市。早期生产桶和玻璃。1873 年开始有温泉疗养业。现以制陶业著称,并且是全国最大的温室玫瑰花产地之一。设有马科姆县社区学院(1954)。人口 17 312(2000)。

Mount Cook National Park 库克山国家公园 在新西兰南岛中西部。西界西部国家公园。自南阿尔卑斯山延伸约 65 千米,面积 700 平方千米。库克山国家公园境内有海拔逾3 000米的山峰 27 座。最高峰库克山(3 745 米)也为该国最高点。1/3 以上地区有积雪和冰川覆盖,融水形成塔斯曼、戈德利和默奇森等河。1953 年开辟,园内动物有大鹦鹉、鸺鹠、鹰、羚羊、鹿和野猫等。游人可在此爬山、滑雪和狩猎。

Mount Darwin 芒特达尔文 津巴布韦北部城镇。为非洲人部落托管地行政中心和马科雷科雷族人住地。可能是欧洲人最早在津巴布韦进行传教活动的地方。农业和矿业(黄金和石棉)中心。东南有以英国博物学家达尔文命名的达尔文山,海拔1 509米。人口 5 335(1982)。

Mount Desert Island 芒特迪瑟特岛 美国在大西洋弗伦奇曼湾的岛屿,属缅因州汉科克县。长 24 千米,宽约 13 千米,面积 280 平方千米。一个10千米长的狭湾把岛分为东

芒特迪瑟特岛上的戈勒姆山和尚普兰山
美国不列颠百科全书公司供图

西两部分。1604 年法国探险家首次到达该岛,1713 年前为法属阿卡迪亚的一部分。有桥梁与大陆相连。岛上城镇有巴尔港、芒特迪瑟特(包括东北港和锡尔港村庄)、西南港和特里芒特。1947 年一场大火烧毁岛上许多建筑及自然景观。岛上 18 座山峰均为大西洋沿岸里约热内卢以北的高峰,其中卡迪拉克山高 466 米。1919 年建立阿卡迪亚国家公园(**Acadia National Park**)。人口 10 424(2000)。

Mount Gambier 芒特甘比尔 澳大利亚南澳大利亚州东南部城市。位于甘比尔山山麓。在阿德莱德东南 380 千米,有公路、铁路和航线相通。甘比尔山为死火山,高 190 米,上有火口湖 4 个。1954 年设市。现为一混合农业区(产谷类、马铃薯、洋葱、牲畜)的中心。

加工乳品、肉食品等。制造羊毛织品、纤维素、胶合板、水泥管等。木材工业以当地松树为原料。附近地区开采珊瑚色石灰岩、白云岩、硅藻土。人口 20 813(1986)。

Mount Hagen 芒特哈根 巴布亚新几内亚独立国新几内亚岛中东部城镇。地近普拉里河支流瓦吉河。1936 年建为巡逻站。因西北 24 千米处的哈根峰(3 777 米)得名。与城东 610 千米的莱城通高地公路。有茶叶、咖啡、除虫菊和木材加工业,制酒业。为发展中的旅游地。建有机场。每两年举办大型农业展览。人口约 16 800(1985)。

Mount Hareh (Egypt) **何烈山** 参阅**Sinai, Mount** 西奈山。

Mount Holly 芒特霍利 美国新泽西州中南部城镇,伯灵顿县县城(1795)。西距费城 31 千米,临兰科克斯河。建于 1677 年,1688 年设镇。美国独立战争期间为新泽西州临时首府,多次遭英军袭击。现保存有许多 18 世纪建筑,其中包括县政府大楼、会友大楼、吉拉德故居、美国最老的自愿者消防公司大楼、伍尔曼纪念馆等。该镇为农贸中心,也有一些轻工业(包括手术医疗器械和包装)。人口 10 728(2000)。

Mount Hood National Forest 胡德山国家森林 美国俄勒冈州西北部的国家森林,从哥伦比亚河向南沿着喀斯喀特山脉延伸。成立于1911年,旧称俄勒冈国家森林。面积

胡德山国家森林中的瀑布
美国不列颠百科全书公司供图

429 003 公顷。可提供木材、水源、牧草、野生动物栖息地与民众娱乐场所。哥伦比亚河、桑迪河、克拉克默斯河、胡德河、怀特河以及这些河的支流流经其间。胡德山(3 424米)位于森林中央附近,是俄勒冈州的最高点。特殊景观包括胡德山野生区、林木界线小屋、茂特诺玛瀑布(184 米)、奥斯汀温泉与巴格比温泉、提摩西湖,以及通过瀑布区的伊格尔溪小道。休憩娱乐包括狩猎、钓鱼、滑雪、爬山及徒步旅行。总部设在桑迪。

Mount Hope Bay 芒特霍普湾 美国罗得岛州纳拉甘西特湾的东北湾岔。位于马萨诸塞州福尔里弗市西南。长约 11 千米,宽 3～5 千米。新英格兰最大的桥梁芒特霍普大桥(1929)在福尔里弗横越这个湾岔。美国军舰“马萨诸塞”号现泊于福尔里弗,是第二次世界大战的纪念物。

Mount Isa 芒特艾萨 澳大利亚昆士兰州采矿城市。位于塞尔温岭北端,是该国主要铜、银、铅、锌矿区。当地有养牛业。附近的蒙达拉湖是莱卡特河筑坝拦成的水库(1958)。人口 23 679(1981)。

Mount Lofty Ranges 高山岭 澳大利亚南澳大利亚州东南部一系列丘陵。在阿德莱德市以东,为弗林德斯岭向南延伸部分。自彼得伯勒向南延伸 200 英里。在巴罗萨山谷山脉分成南北两段,北段较高,最高点为拜伦山(3 058英尺);南段山峰多在2 000英尺以下。许多河流发源于此,顺西坡流入圣文森特湾。高山岭有果园、菜园和乳牛场,为阿德莱德市食品和淡水的重要来源。也是该市重要游乐区,山间有贝莱尔国家公园。

Mount McKinley National Park (Alaska, U.S.) **麦金利山国家公园** 参阅 **Denali National Park and Preserve** 迪纳利国家公园和禁猎区。

Mount Morgan 芒特摩根 澳大利亚昆士兰州东部采矿城镇。位于迪岭。为 1882 年发现的全国最重要金矿之一。当地露天大矿坑直径 1 000 米,深 260 米;已生产黄金 100 多吨,铜 25 万吨,以及大量黄铁矿。至 1982 年,矿藏枯竭。当年开设处理尾矿的工厂以维持城镇存在。有铁路和伯内特公路通罗克汉普顿(北)和布里斯班(东南)。人口 2 974(1981)。

Mount of Olives (Jerusalem) 参阅 **Olives, Mount of** 橄榄山。

Mount Pleasant 芒特普莱森特 美国艾奥瓦州东南部城市,亨利县城(1836)。靠近斯康克河,东南距伯灵顿 40 千米。1834 年始有人定居,1839 年建该州第一所法院大楼,1842 年设镇,1857 年设市。现为配电中心,有多种制造业,生产电讯设备、公共汽车车身、金属壁炉和橡皮管。设有东南社区学院分校(1920)。艾奥瓦卫斯利学院(1842)及哈伦-林肯博物馆。人口8 751(2000)。

Mount Pleasant 芒特普莱森特 美国密歇根州中部城市,伊莎贝拉县县城(1859)。临奇珀瓦河,东距贝城 74 千米。19 世纪 50 年代为印第安人贸易站和伐木营地,后为农业中心。1875 年设村,1889 年设市。通铁路(1879)、建立联邦印第安学校(1891)和师范学校(1892)后得以发展。1927 年附近发现石油后,成为该州“油都”。现经济依赖农业、工业和教育事业。人口 23 285(1990)。

Mount Pleasant 芒特普莱森特 美国南卡罗来纳州东南部查尔斯顿县城镇。临大西洋沿岸水道。俯瞰查尔斯顿港,有库珀河大桥与查尔斯顿相连。拓居于 17 世纪 90 年代,附近有沙利文岛莫尔特里要塞(1809)。1837 年设镇。现经济主要以轻工业、造船业、旅游业和海鲜食品业为基础。爱国主义海军暨海洋博物馆有几艘舰船对游人开放,其中包括美军航空母舰“约克敦”号。人口 47 609(2000)。

Mount Rainier National Park 雷尼尔山国家公园 在美国华盛顿州境内的喀斯喀特山脉。1899 年设立,面积 95 264 公顷,包括雷尼尔休眠火山(4 392 米),峰顶覆盖冰帽,山顶周围有 41 条冰川。每年春夏,满山野花随着气温的升高,自下而上依次开放。低坡处有茂密森林。有鹿、麋、熊、野山羊、浣熊、松鼠等许多野生动物及鸟类。

Mount Revelstoke National Park 雷夫尔斯托克山国家公园 在加拿大不列颠哥伦比亚省东南部塞尔扣克山西坡,雷夫尔斯托克市北面。1914 年建立,占地 260 平方千米。有长 29 千米的公路通抵雷夫尔斯托克山巅(海拔 1 943 米),从那里可一览壮丽山色。

Mount Rushmore National Memorial 拉什莫尔山国家纪念碑 美国南达科他州西南的布莱克山区的国家纪念碑,海拔6 000英尺,位于拉皮德城西南25英里处。在拉什莫尔

拉什莫尔山国家纪念碑
美国不列颠百科全书公司供图

山东北面的花岗岩上雕刻着美国总统华盛顿、杰斐逊、林肯和罗斯福的巨大头像。这 4 座头像,每座约高 60 英尺,分别象征着:创建国家、政治哲学、维护国家制度、扩张和保守。这一纪念地 1927 年开始动工,历时 6 年半,于 1941 年建成,大部分费用由联邦政府承担。每年约有 200 万人前往参观。

Mount Stromlo and Siding Spring Observatories 斯特罗姆洛山和赛丁斯普林天文台 澳大利亚东南部两座天文台,由澳大利亚国立大学管理。为南半球最重要的天文观测设施。斯特罗姆洛山天文台位于堪培拉以西 10 千米,海拔 768 米的斯特罗姆洛山上,1924 年建立,为太阳研究中心,40 年代研究重点改为恒星天文学,主要的望远镜为一架 1.9 米的反射望远镜。50 年代,由于堪培拉市日趋繁荣,明亮的灯光使斯特罗姆洛山天文台的观测大受影响,所以在距新南威尔士的库纳巴拉布兰约 31 千米、海拔 1 165 米的赛丁斯普林山另建一座天文台。该天文台原为斯特罗姆洛山天文台的野外观测站,现已成为世界最重要的光学天文台之一,主要的望远镜为英国与澳大利亚合建的“英澳望远镜”,自 1975 年起由两国共同管理。该仪器为一

座3.9米的反射望远镜，具有无畸变透镜和极精确的计算机控制系统，可确定和追踪天空各种目标。该望远镜对于观测遥远而极为模糊不清的天体最为有用。赛丁斯普林天文台有一座1.2米的施密特望远镜，所有权和使用权均属英国科学研究理事会，用来配合观测帕洛马天文台同类望远镜所观测不到的南部天空。

Mount Vernon　芒特弗农　美国伊利诺伊州南部城市，杰斐逊县县城(1819)。1819年创建，1837年设镇，1872年设市。为农业、制造业和集散业中心。附近有石油开采业。设有伦德湖初级学院和一所州立结核病疗养院。人口16 269(2000)。

Mount Vernon　芒特弗农　美国纽约州韦斯特切斯特县城市。临布朗克斯河和哈钦森河，毗连纽约市的布朗克斯。1664年始有人定居，1853年设村，1892年设市。初为农业村落，美国独立战争中是数次战役的战场。1851年当工业住宅协会在此购置建房后，发展为郊区社区。现有多种工业，包括珠宝加工业，还生产自动喷水灭火装置和包装材料。在哈钦森河畔建有港口。圣保罗大教堂(1763)于1943年被列为国家历史遗迹。人口68 381(2000)。

Mount Vernon　芒特弗农　美国俄亥俄州中部城市，诺克斯县县城(1808)。临科科辛河，西南距科伦布72千米。建于1805年，同年设市。为农业以及石油和天然气产区的中心。在此定期进行家畜拍卖。工业制品有柴油机、压缩机以及玻璃和纸制品。附近甘比尔设有芒特弗农拿撒勒人学院(1968)和凯尼恩学院(1824)。作曲家D.埃米特("迪克西"及其他著名歌曲的作者)和美军战地护士先驱者比克戴克夫人均出生于此。人口14 550(1990)。

Mount Vernon　芒特弗农　乔治·华盛顿的家乡和葬地。在美国弗吉尼亚州费尔法克斯县境内，北距华盛顿(哥伦比亚特区)24千米，可俯瞰波托马克河。故居为一座18世纪乔治式的两层木结构楼。如今所有房间都已恢复了华盛顿当年居住时的原状。一层的多数家具以及华盛顿卧室的全部家具都是原物。其他遗物存放在另一陈列室里。楼房有回廊与外部建筑相连，周围为一片大草坪，有遮荫的车道、人行道、花园、菜园、果园等。距楼西南不远处有一座简朴的砖砌华盛顿坟墓。该地产约2 000公顷左右，从华盛顿家族在美国的第一代人手中继承下来。1751年乔治·华盛顿获继承权。因服兵役，1759年才在此居住，此后的15年间他对房屋进行扩建，并对庄稼实行轮作等农业试验。后再次应召入伍，1783年他辞去大陆军总司令之职回到芒特弗农。1789年当选美国第一任总统，再度离开。1797年至1799年12月14日逝世一直居住其间。1858年美国芒特弗农妇女协会筹集20万美元购得该地产。现为国家历史遗迹，由美国芒特弗农妇女协会负责修缮和保养。

Mount Wilson Observatory　威尔逊山天文台　位于加利福尼亚州帕萨迪纳东北约16千米的威尔逊山顶上的天文台，为该台首任台长海尔于1904年所建。多年以来，威尔逊山天文台和圣地亚哥附近的**帕洛马天文台**(**Palomar Observatory**)合称海尔天文台，归华盛顿卡内基学会和帕萨迪纳的加利福尼亚理工学院共同管理。1980年，两个天文台开始分开，威尔逊山天文台由卡内基学会管理。威尔逊山天文台拥有一系列光学望远镜。其中最著名的是一对反射望远镜，一架直径1.5米，另一架直径2.5米。后者使哈勃和他的同事能在有关宇宙的大小和膨胀方面作出重要的发现。在天文台的主要设备中还有两架用于研究日面磁场这类现象的太阳望远镜。

Mountagu, Edward　蒙泰古　参阅**Sandwich, Edward Montagu, 1st earl of 桑威奇伯爵(第一)**。

Mountague, Richard (Anglican bishop)　参阅 **Montagu, Richard 蒙塔古**。

mountain　山　显著高出周围地面的地形，一般具有陡峻的山坡，顶部面积比较有限，并有相当大的局部地势起伏。普遍认为山比丘陵大，但这个术语并无标准的地质含义。

山很少单独出现，多数情况是呈绵长形的山脉或山链。当这些山脉或山链连接在一起形成长条地带时，它们就构成一个山带(如安第斯山脉和落基山脉)。世界上的主要山带可归结为两大系统，一是环太平洋山系，二是阿尔卑斯-喜马拉雅(或称特提斯)山系。

山是由地球表面的褶皱、断层或地表向上挠曲所产生，或者火山岩在地面积聚而形成。大山系的来源与一般认为构成岩石圈即地球外壳的巨型刚性板块之间的相互作用有密切联系。由地质时间来看，大部分山体隆起于附近地面之上是相当近期的事，假若给以足够时间的话，侵蚀作用将使山体降到相当低的高度。这些作用就是决定一座山的独特形态的基本因素，虽然山的地形还受其构造与组成岩石类型的影响。

岩石圈板块之间的碰撞形成大面积地区强烈挤压、褶皱及隆起，例如构成印度次大陆的板块向北移动与欧亚板块碰撞推起了喜马拉雅山。在西方，非洲板块向北移动的结果，使特提斯洋闭合，剩下的残余部分就是地中海，上推运动则形成了阿尔卑斯、比利牛斯及阿特拉斯诸山脉。环绕太平洋盆地的山脉普遍认为由俯冲作用产生，即由一个板块在敛合型板块边缘沉入另一个板块下面时产生。当下伏于太平洋底的板块前缘向下俯冲时，一部分岩石物质被带到软流圈(岩石圈下面的融岩层)熔融了，从而作为岩浆和火成碎屑岩喷出地表，这就产生了一种以陡峻火山锥为主导的景观，例如北美洲西部的喀斯喀特山脉及日本的火山。沿着太平洋盆地的其他延伸构造，上覆的大陆板块地壳增厚而形成山带，火山在山带中仅占此种地势的一小部分，例如南美州的安第斯山。在某些地区，山脉由地壳收缩而生成于一个大陆板块之内，而非沿着两个碰撞板块的边缘产生，这类情况见于北美的落基山和非洲西北部的阿特拉斯山。

山按其产生的形式及构造可分为许多类型，主要有穹隆山、断块山、褶皱山及火山。

穹隆山是由地面向上穹状隆起，未发生断裂而形成，具有比较平坦、被切割的顶面，向周围低处次第倾斜，以南达科他州的布莱克山为典型。

断块山是地壳沿着线形断裂带以巨大断块形式上升而成，这些上升断块一般被谷地和盆地所分隔。北美洲西部的内华达山脉及蒂顿岭即为著名的断块山。

褶皱山是由水平挤压及伴随的隆起而形成，常常发生在填满沉积岩层的广大盆地里。这个成层的、未变质的沉积岩系的覆盖层，受到挤压时视其下伏基岩是花岗岩还是片麻岩而作不同的反应。当沉积岩盖层在基底上发生水平滑动而褶皱时，便形成简单褶皱山。瑞士的侏罗山即为这种类型的代表，还有北美洲东部的阿巴拉契亚山系的一部分也是。

一般认为，火山与产生于俯冲带附近的岛弧有关，也和伴随着大型造山运动而出现的断层带有联系。火山活动产生的山分成两大类：第一类直接由火山活动产生，这些是火山灰、火山渣及熔岩形成的火山锥，它们都是活火山生成的。若干火山，如日本的富士山，为峻峭的复合火山锥。假若熔岩的流动性相当大，则可形成宽盾状火山，如夏威夷的冒纳罗亚山及西非的喀麦隆山。第二类成因于火山活动的剩余产物，往往是抗蚀力强的熔岩在火山管及火山颈固结起来，而后又被侵蚀作用剥露出来，从而产生特殊的山体形式，如新墨西哥州的希普罗克和怀俄明州的魔塔便是。更大规模范围的岩浆侵入地壳可以被侵蚀作用剥去其覆盖物而耸立为山地，苏格兰的花岗岩凯恩戈姆山脉就是这样的一个菌形穹隆。

附世界最高山表，见443～444页。

Mountain, The　山岳派　法语作Le Montagne。法国大革命时期，人们对国民公会中极端民主的山岳派议员之通称。参阅**Montagnard**。

Mountain Ash　芒廷阿什　威尔士语作Aberpennar。威尔士格拉摩根郡历史郡朗达-卡农-塔夫郡级自治市的工业城镇。1850年因开采煤矿开始发展，约1945年以后建立很多工厂以弥补当地矿区雇工能力的严重下降。到20世纪末，最后的煤矿厂已经关闭，一些镇工厂也停止经营。新兴的轻工业和服务业只能部分减轻由此带来的经济困难。镇内有1906年为威尔士艺术节修建的巨型文化馆。人口21 301(1991)。

mountain ash　花楸　蔷薇科花楸属(*Sorbus*)植物，有数种，灌木或乔木，原产于北半球。广泛栽种以观赏其白花组成的花簇及色彩鲜艳的果实。最值得注意的种类为美洲花楸(*S. americana*)及欧洲花楸(引鸟花楸，*S.*

世 界 最 高 山

名称*及位置	高度(米)	首次攀登年份
非 洲		
乞力马扎罗山(基博峰),坦桑尼亚	5 895	1889
肯尼亚山(巴蒂安峰),肯尼亚	5 199	1899
玛格丽塔峰,刚果(金)-乌干达 鲁文佐里山脉	5 119	1906
达尚峰,埃塞俄比亚 瑟门山脉	4 620	1841
梅鲁火山,坦桑尼亚	4 565	……
拉盖达山,埃塞俄比亚	4 532	……
卡里辛比火山,刚果(金)-卢旺达 维龙加山脉	4 507	1903
阿纳卢山,埃塞俄比亚	4 480	……
韦伊诺伯山,埃塞俄比亚	4 472	……
米凯诺火山,刚果(金)-卢旺达 维龙加山脉	4 437	1927
布瓦希特山,埃塞俄比亚	4 437	……
埃尔贡山,肯尼亚-乌干达	4 321	1890
北 美 洲		
麦金利山,美国阿拉斯加 阿拉斯加山脉	6 194	1913
洛根山,加拿大育空 圣伊莱亚斯山脉	5 951	1925
锡特拉尔特佩特火山(奥里萨巴峰),墨西哥 科迪勒拉新火山	5 610	1848
圣伊莱亚斯山,美国阿拉斯加-加拿大 圣伊莱亚斯山脉	5 489	1897
波波卡特佩特峰,墨西哥 科迪勒拉新火山	5 465	1519
福拉克山,美国阿拉斯加 阿拉斯加山脉	5 304	1934
伊斯塔西瓦特尔峰,墨西哥 科迪勒拉新火山	5 230	1889
卢卡尼亚山,加拿大育空 圣伊莱亚斯山脉	5 226	1937
金山,加拿大育空 圣伊莱亚斯山脉	5 173	1952
斯蒂尔山,加拿大育空 圣伊莱亚斯山脉	5 073	1935
博纳山,美国阿拉斯加 弗兰格尔山脉	5 005	1930
布莱克本山,美国阿拉斯加 弗兰格尔山脉	4 996	1912
圣福峰,美国阿拉斯加 弗兰格尔山脉	4 949	1938
伍德山,加拿大育空 圣伊莱亚斯山脉	4 842	1941
温哥华山,美国阿拉斯加-加拿大育空 圣伊莱亚斯山脉	4 785	1949
邱吉尔山,美国阿拉斯加 弗兰格尔山脉	4 766	……
托卢卡火山,墨西哥 科迪勒拉新火山	4 680	约 1800
费尔韦瑟山,美国阿拉斯加-加拿大不列颠哥伦比亚 圣伊莱亚斯山脉	4 663	1931
哈伯德山,美国阿拉斯加-加拿大育空 圣伊莱亚斯山脉	4 577	1951
贝尔山,美国阿拉斯加 弗兰格尔山脉	4 520	1951
沃尔什山,加拿大育空 圣伊莱亚斯山脉	4 505	1941
拉马林切峰,墨西哥 科迪勒拉新火山	4 461	……
亨特山,美国阿拉斯加 阿拉斯加山脉	4 442	1954
阿尔弗斯通山,美国阿拉斯加-加拿大育空 圣伊莱亚斯山脉	4 439	1951
布朗山,美国阿拉斯加 阿拉斯加山脉	4 429	……
惠特尼山,美国加利福尼亚 内华达山脉	4 418	1875
埃尔伯特山,美国科罗拉多 落基山系萨沃奇山脉	4 399	1874
马西夫峰,美国科罗拉多 落基山系萨沃奇山脉	4 396	1874
哈佛峰,美国科罗拉多 落基山系萨沃奇山脉	4 395	1869
来尼尔峰,美国华盛顿 喀斯喀特山脉	4 392	1870
南 美 洲		
阿空加瓜山,阿根廷-智利 安第斯山脉	6 959	1897
奥霍斯-德尔萨拉多峰,阿根廷-智利 安第斯山脉	6 893	1937
博内特峰,阿根廷 安第斯山脉	6 872	1913
图蓬加托峰,阿根廷-智利 安第斯山脉	6 800	1897
皮西斯峰,阿根廷 安第斯山脉	6 779	1937
梅塞达里奥山,阿根廷 安第斯山脉	6 770	1934
瓦斯卡兰山,秘鲁 安第斯山脉布兰卡山	6 768	1908
特雷斯克鲁塞斯山,阿根廷-智利 安第斯山脉	6 753	1937
尤耶亚科山,阿根廷-智利 安第斯山脉西科迪勒拉山脉	6 723	1952
卡奇峰(埃尔利佩尔塔多尔峰),阿根廷 安第斯山脉大帕斯托斯山脉	6 720	1904
耶鲁帕哈山,秘鲁 安第斯山脉瓦伊瓦什山脉	6 632	1950
印加瓦西峰,阿根廷-智利 安第斯山脉	6 620	1910
萨哈马峰,玻利维亚 安第斯山脉西科迪勒拉山脉	6 542	1939
埃尔穆埃尔托峰,阿根廷-智利 安第斯山脉	6 540	1950
科鲁普纳峰,秘鲁 安第斯山脉安帕托山脉	6 425	1911
伊延普峰,玻利维亚 安第斯山脉雷亚尔山脉	6 421	1928
奥桑加特山,秘鲁 安第斯山脉比尔卡诺塔山脉	6 384	1953
安科乌马山,玻利维亚 安第斯山脉拉雷亚尔山脉	6 380	1915
安帕托峰,秘鲁 安第斯山脉安帕托山脉	6 310	1972
钦博拉索山,厄瓜多尔 安第斯山脉西科迪勒拉山脉	6 310	1880
埃尔孔多峰,阿根廷 安第斯山脉西科迪勒拉山脉	6 300	……
科罗拉多斯峰,阿根廷-智利 安第斯山脉上科罗拉多斯山脉	6 049	……
科托帕希山,厄瓜多尔 安第斯山脉中科迪勒拉山脉	5 897	1872
哥伦布峰,哥伦比亚 圣玛尔塔内华达山脉	5 775	1939
西蒙·玻利瓦尔峰,哥伦比亚 圣玛尔塔内华达山脉	5 775	……
鲁伊斯山,哥伦比亚 安第斯山脉中科迪勒拉山脉	5 400	1936
南 极 洲		
文森山,埃尔斯沃思山脉森蒂纳尔山脉	4 897	1966
泰里峰,埃尔斯沃思山脉森蒂纳尔山脉	4 852	1967
欣恩峰,埃尔斯沃思山脉森蒂纳尔山脉	4 801	1966
柯克帕特里克山,亚历山德拉王后岭	4 528	……
马克姆峰,伊丽莎白女王岭	4 350	……
亚 洲		
珠穆朗玛峰(埃佛勒斯峰),中国西藏-尼泊尔 喜马拉雅山脉	8 848	1953
乔戈里峰(K2 峰,戈德温奥斯丁峰),中国新疆-巴基斯坦 喀喇昆仑山脉	8 611	1954
干城章嘉峰 I,尼泊尔-印度 喜马拉雅山脉	8 586	1955
洛子峰 I,中国西藏-尼泊尔 喜马拉雅山脉	8 516	1956
马卡鲁峰 I,中国西藏-尼泊尔 喜马拉雅山脉	8 463	1955
卓奥友峰,中国西藏-尼泊尔 喜马拉雅山脉	8 201	1954
道拉吉里峰 I,尼泊尔 喜马拉雅山脉	8 167	1960
马纳斯卢峰 I,尼泊尔 喜马拉雅山脉	8 163	1956
南伽山 I,巴基斯坦 喜马拉雅山脉	8 126	1953
安纳布尔纳峰 I,尼泊尔 喜马拉雅山脉	8 091	1950
加舒尔布鲁木峰 I,中国新疆-巴基斯坦 喀喇昆仑山脉	8 068	1958
布洛阿特峰 I,巴基斯坦 喀喇昆仑山脉	8 047	1957
希夏邦马峰(高僧赞峰) I,中国西藏 喜马拉雅山脉	8 012	1964
加亚宗坎峰 I,中国西藏-尼泊尔 喜马拉雅山脉	7 952	1964
格仲康峰,尼泊尔 喜马拉雅山脉	7 903	1974
喜马尔朱利峰 I,尼泊尔 喜马拉雅山脉	7 893	1960
迪斯特吉尔峰 I,巴基斯坦 喀喇昆仑山脉	7 885	1960

续表

名称*及位置	高度(米)	首次攀登年份
第29峰(达库拉峰),尼泊尔　喜马拉雅山脉	7 871	1970
努布策峰Ⅰ,尼泊尔　喜马拉雅山脉	7 855	1961
麻舍布鲁木,东峰,巴基斯坦　喀喇昆仑山脉	7 821	1960
楠达德维,西峰,印度　喜马拉雅山脉	7 816	1936
戈尊巴里,西峰Ⅰ,中国西藏-尼泊尔　喜马拉雅山脉	7 806	1965
拉卡普希峰,巴基斯坦　喀喇昆仑山脉	7 788	1958
坎巨提峰Ⅰ,巴基斯坦　喀喇昆仑山脉	7 760	1959
克麦特峰Ⅰ,中国西藏-印度　喜马拉雅山脉	7 756	1931
南迦巴瓦峰Ⅰ,中国西藏　喜马拉雅山脉	7 756	……
古尔拉曼达塔峰,中国西藏　喜马拉雅山脉	7 728	……
乌鲁格穆斯山(木孜塔格峰),中国新疆　昆仑山脉	7 723	……
公格尔山,中国新疆　慕士塔格山脉	7 719	1981
詹努峰,尼泊尔　喜马拉雅山脉	7 710	1962
蒂里杰米尔山,巴基斯坦　兴都库什山脉	7 690	1962
冈利峰Ⅰ,巴基斯坦　喀喇昆仑山脉	7 672	1973
贡嘎山(明亚贡嘎),中国四川　大雪山山脉	7 556	1932
库拉冈利峰,中国西藏-不丹　喜马拉雅山	7 553	……
慕士塔格峰,中国新疆　帕米尔高原	7 546	1956
共产主义峰,塔吉克斯坦　帕米尔高原	7 495	1933
琼桑峰,尼泊尔　喜马拉雅山脉	7 483	1930
根加布尔纳峰,尼泊尔　喜马拉雅山脉	7 455	1965
胜利峰(托木尔峰),中国新疆-吉尔吉斯斯坦　天山山脉胜利山	7 439	1956
欧　洲		
勃朗峰,法国-意大利　阿尔卑斯山脉	4 807	1786
杜富尔峰(罗萨峰),瑞士-意大利　阿尔卑斯山脉	4 634	1855
多姆山(米沙伯尔山),瑞士　阿尔卑斯山脉	4 545	1858
魏斯峰,瑞士　阿尔卑斯山脉	4 505	1861
马特峰,瑞士-意大利　阿尔卑斯山脉	4 478	1865
莫迪山,法国-意大利　阿尔卑斯山脉	4 471	……
布朗什山,瑞士　阿尔卑斯山脉	4 357	1862
大孔班山,瑞士　阿尔卑斯山脉	4 314	1859
古泰峰,法国　阿尔卑斯山脉	4 304	1784
芬斯特拉峰,瑞士　阿尔卑斯山脉	4 274	1812
济纳勒尔罗特山,瑞士　阿尔卑斯山脉	4 221	1864
大若拉斯山,法国　阿尔卑斯山脉	4 208	1868
林普菲施山,瑞士　阿尔卑斯山脉	4 199	1859
大　洋　洲		
查亚峰(苏卡诺峰、卡斯滕士峰),印度尼西亚　苏迪曼山脉	5 030	1962
皮利姆西特峰(伊登布格峰),印度尼西亚　苏迪曼山脉	4 800	1962
特里科拉峰(威廉明娜峰),印度尼西亚　查亚维查亚山脉	4 750	1912
曼达拉峰(朱丽安娜峰),印度尼西亚　查亚维查亚山脉	4 700	1959
维斯努穆蒂峰(扬·彼得松·科恩峰),印度尼西亚　查亚维查亚山脉	4 595	……
威廉峰,巴布亚新几内亚　俾斯麦岭	4 509	……
吉卢韦山,巴布亚新几内亚　哈根岭	4 368	……
库博尔山,巴布亚新几内亚　库博尔岭	4 359	……
赫伯特山,巴布亚新几内亚　俾斯麦岭	4 267	……
冒纳开亚山,美国夏威夷	4205	……
冒纳罗亚山,美国夏威夷	4169	……
高　加　索		
厄尔布鲁士峰,俄罗斯　高加索山脉	5 642	1874
德赫套山,俄罗斯　高加索山脉	5 204	1888
科什坦套峰,俄罗斯　高加索山脉	5 151	1889
什哈拉山,俄罗斯-格鲁吉亚　高加索山脉	5 068	1888
占吉套山,俄罗斯-格鲁吉亚　高加索山脉	5 058	1903
卡兹别克山,格鲁吉亚　高加索山脉	5 033	1868
绍塔鲁斯塔维里峰,俄罗斯-格鲁吉亚　高加索山脉	4 960	……
吉马拉峰,格鲁吉亚　高加索山脉	4 780	……
乌什巴山,格鲁吉亚　高加索山脉	4 700	1888
乌伊尔帕塔峰,俄罗斯　高加索山脉	4 649	……
季赫坚根峰,俄罗斯-格鲁吉亚　高加索山脉	4 611	1903
贾伊雷克巴希峰,俄罗斯　高加索山脉	4 536	……
捷布洛斯姆塔山,俄罗斯-格鲁吉亚　高加索山脉	4 493	……
苏甘峰,俄罗斯　高加索山脉	4 486	1896
巴扎尔迪聚山,俄罗斯-阿塞拜疆　高加索山脉	4 466	1873
尚峰,格鲁吉亚　高加索山脉	4 451	……
捷普利峰,俄罗斯　高加索山脉	4 431	1896
阿代霍赫峰,俄罗斯　高加索山脉	4 408	……
拉博达峰,俄罗斯-格鲁吉亚　高加索山脉	4 313	……
迪克洛斯山,俄罗斯-格鲁吉亚　高加索山脉	4 285	……
沙赫达格峰,阿塞拜疆　高加索山脉	4 243	……

*一组同名山峰中最高者

aucuparia)。两者树形均美观,欧洲花楸株高达18米,为美洲花楸株高的2倍,并育出数个常用作风景树的品种。

美洲花楸(*S. americana*)
美国不列颠百科全书公司供图

mountain beaver (rodent)　**山河狸**　参阅**sewellel** 鼠獭。

mountain climbing　**爬山运动**　参阅**mountaineering** 登山运动。

mountain fever　**高山热**　参阅**Colorado tick fever** 科罗拉多蜱热。

mountain goat (*Oreamnos americanus*)　**石山羊**　又作rocky mountain goat。又称岩山羊。偶蹄目牛科北美反刍动物。石山羊分布范围从育空地区到美国北部落基山脉地区。虽形似家山羊,但与山羊亲缘关系较远,而与羚羊如岩羚羊较近。体粗壮,鬐甲部微隆起,肩高约1米。毛粗,白色,蓬松,粗毛下有厚而软的绒毛。吻细长,有颌毛。两性均有角,角短,空心,稍向后弯。四蹄和双角浅黑色,与白色的皮毛相衬,十分醒目。步履稳健,生活在崎

石山羊(*Oreamnos americanus*)
美国不列颠百科全书公司供图

岖的山地,一般成小群栖息于树线以上。攀登悬崖的能力胜过大角羊。11月份交配,雄性为占有雌性而相互争斗。春末产1仔,偶产2仔。产仔、育儿的雌体集合成群。幼仔生后数分钟即能活动及进食。石山羊以苔藓、地衣、灌木叶和其他矮小植物为食,食量

似不大，能跳跃3.5米以上。步态缓慢，行走时腿挺直。

mountain lion　山狮　参阅 **puma** 美洲狮。

mountain mahogany　山桃花心木　蔷薇科山桃花心木属（*Cercocarpus*）所有常绿灌木或小乔木的统称，原产北美。其坚硬的心材为雕刻用的上等材料。桦木样山桃花心木（*C. betuloides*）与杜香叶山桃花心木（*C. ledifolius*）为树皮鳞片状的乔木，株高可达9米；缠结山桃花心木（*C. intricatus*）则为具复杂分枝的灌木，高可达3米。据说其英文俗名是摩门教徒所取，他们用此木在犹他州盐湖城建造奥根圣殿。

mountain man　山地人　为获取毛皮而前往北美落基山脉至太平洋岸间的西部地区从事狩猎的先民。他们被出没于原始溪流的河狸所吸引而成为远西地区的探险者。法国人是经验最丰富的猎手，美国和西班牙毛皮商与他们合作。19世纪初，圣路易斯是他们的商旅贸易的一个重要基地。山地人与印第安人经常杂处，接受印第安人的许多生活方式、信仰及对饰物的爱好。夏日市集，尤其是格林里弗（在今怀俄明州）的市集，成为山地人一种惯例，兼具交易与娱乐的功能。永久性移民抵达时，许多山地人就充当侦察和向导，而他们的生活方式也渐渐被进步的文明所淘汰。

Mountain Meadows massacre　芒廷梅多斯惨案（1857-09）　美国历史上一批阿肯色州移民迁往加利福尼亚州途经犹他州时惨遭屠杀的事件。起初美国政府决定派兵进驻犹他准州，激起当地摩门教徒的不满，1857年一批移民在距塞达城64千米处安营，摩门教徒更加忿恨。9月7日或8日，J.D.李率领佩尤特印第安人和摩门教徒袭击这批迁居者。他们宣布移居者放下武器即可安全通过。一部分移民（137人）在向南前往塞达城途中遭到伏击，除幼儿外全部被害。暴行详情终于泄露，1875年李在比弗受审但未能定案，次年复审，被认定犯有一级谋杀罪，1877年3月23日被押赴惨案发生地枪决。

Mountain of Moses（Sinai, Egypt）　**摩西之山**　参阅 **Sinai, Mount** 西奈山。

mountain sheep　山绵羊　参阅 **bighorn** 大角羊。

mountain sickness　高山病　参阅 **altitude sickness** 高原病。

mountain spectre（optical phenomenon）　**山地宝光**　参阅 **Brocken bow** 布罗肯宝光环。

Mountain View　芒廷维尤　美国加利福尼亚州圣克拉拉县城市。位于圣弗朗西斯科湾西南岸。1852年建为公车马车车站，1902年设建制。原为水果和谷物转运站及宗教书籍出版中心。1898年建圣帕特里克学院。1929年建海军航空兵站。1940年设立国家航空顾问委员会所属艾姆斯实验站。现有航天和电子工业。人口约70 708（2002）。

Mountain Zebra National Park　山地斑马国家公园　南非开普省东南部的国家公园。在半干旱的大卡鲁地区，面积65平方千米。建于1937年，主要为保护与一般斑马不同的山地斑马，它体矮胖，条纹特殊，数目正日益减少。也护养黑牛羚、非洲旋角大羚羊和其他几种羚羊。植物主要有灌木林、青草和一些金合欢树。总部在克拉多克。

mountaineering　登山运动　又称爬山运动（mountain climbing）。在山区登高并为此而作出努力的一项运动，主要目的是从中得到乐趣。对于未经过训练的人来说是一项危险的消遣性活动。虽然登山一词常泛指那些徒步登上低矮山头而困难不大的活动，但更准确地说它应只限于攀登那些地势和天气条件呈现险情的地带。为了安全起见，登山者必须具有某些登山经验。登山运动和其他户外运动不同之处在于大自然本身为参加者提供了竞赛场地，而且山本身就是需要战胜的对手。登山运动体现了在充满险情的环境中最大限度地测验人的勇气、智慧、机警、力量、能力和耐力。然而，同其他体育项目相比较，登山运动在更大程度上是一项集体活动。在登山的每一阶段，每一名成员都对集体成就做出贡献，同时也受到集体成就的鼓舞。对大多数登山者来说，登山运动的乐趣不仅在于"征服"一个山峰，而且在于通过个人的艰苦努力，日益提高的攀登熟练程度以及同壮丽的自然界相接触所获得的身心上的满足。

历史　早年的登山活动是出于体育以外的动机，如在山上建造神坛或者去观看神灵是否确实曾经在山顶禁区出没过；到高处去眺望自家或者邻近的农村乡景；或者从事气象或地质观测。在现代以前的历史时期，很少有人为了登山成功而去登山。18世纪中，越来越多的自然哲学家——当时的科学家，开始在欧洲阿尔卑斯山脉进行野外旅行，从事科学考察。法国的沙莫尼地区，由于勃朗峰山顶上有大冰川而对这些考察人员具有特殊的吸引力。1760年，日内瓦的青年科学家H.-B.德索叙尔初访沙莫尼。他眺望了欧洲的最高峰（4 807米），决心亲自或组织别人爬到峰顶。具有现代意义的登山运动从此诞生。德索叙尔悬赏征求能登上此峰的人，但一直到25年后，即1786年，才有当地医生M.-G.帕卡尔和他的脚夫J.巴尔玛出来应征。翌年德索叙尔本人也登上了勃朗峰。这可谓现代登山运动的开始。1850年之后，一批批英国登山者在瑞士、意大利或法国的向导带领下，在瑞士攀登了一个又一个高峰。1865年7月14日，英国艺术家E.怀伯尔率领的一个登山队首次登上了马特峰（4 478米），这一惊人之举是登山运动发展的一个里程碑。19世纪中叶，在瑞士出现了一群向导，他们的领导人帮助人们在整个欧洲中部攀登一个又一个的山峰，使得登山运动成为一项卓越的运动。

到1870年，登山者们已攀登了阿尔卑斯山脉所有的峰顶，开始在这些山峰上寻找更为艰险的新的路线。由于阿尔卑斯山脉剩下几个次要的峰顶都已被征服，19世纪末登山者便把注意力转向南美洲的安第斯山脉、北美洲的落基山脉、高加索和非洲的山峰。一望无际的喜马拉雅山脉成了他们最后的目标。1897年人们首次登上安第斯山脉中最高的阿空加瓜山（6 959米）。1898年有人登上了北美洲落基山脉中的大蒂顿岭（4 190米）。1897年意大利阿布鲁齐公爵首次登上了横跨美国阿拉斯加和加拿大国际边界的圣伊莱亚斯山（5 489米），并于1906年成功地攀登了东非的鲁文佐里山脉中的玛格丽塔山（5 119米）。1913年一名美国人H.斯塔克在阿拉斯加登上了北美最高峰麦金利山（6 194米）。通往更辉煌的登山成就的道路已打开，但是直到20世纪中叶珠穆朗玛峰这一最后的堡垒才被攻下。

进入20世纪之后，登山运动开始真正发展成为国际性的活动。奥地利人、中国人、英国人、法国人、德国人、印度人、意大利人、日本人和俄国人都把注意力转向地球上最大的山脉喜马拉雅山脉所提供的机会。第一次世界大战后，英国人把珠穆朗玛峰作为他们的特殊目标。与此同时，其他国家的登山者纷纷令人瞩目地成功登上了雄伟的喜马拉雅山脉的其他高峰。1933年，一支俄国队登上了现已改名为共产主义峰的斯大林峰（7 495米）；1936年，一支德国队成功地登上了西尼奥尼珠峰（6 888米）；同年，英国人登上了楠达德维山（7 816米）。第二次世界大战后出现的第一个创举是1947年法国的R.迪特尔和他的登山队首次登上了萨多班特山（7 075米）。

20世纪中叶，成功攀登喜马拉雅山脉上的高峰捷报频传：1950年法国人首次登上安纳布尔纳峰Ⅰ（8 091米）；1953年德国人和奥地利人登上南伽山（8 126米）；1954年意大利人登上乔戈里峰（8 611米）；1955年英国人登上干城章嘉峰Ⅰ（8 586米）；1956年瑞士人登上洛子峰Ⅰ（8 516米）。但最受推崇的成功还要算1953年5月29日英国人登山队中的新西兰人E.希拉里和他的夏尔巴人向导登京格·诺尔盖登上珠穆朗玛峰Ⅰ（8 848米）。其他重大登山运动成就有：1954年奥地利登山队登上卓奥友峰；1955年法国登山队登上马卡鲁峰；1956年日本两队登山运动员分别登上马纳斯卢峰；同年两个瑞士登山队分队登上珠穆朗玛峰；1963年美国运动员从不同方向登上珠穆朗玛峰。20世纪60年代中，登山运动经过几度变迁。如在攀登阿尔卑斯山的全盛时期一样，一旦峰顶被攀登完了，重点就移向寻找山坡上更加艰难的路线。此外，通过新开发的人工器具和先进的攀登技术，垂直的或者所谓不可攀登的岩壁也有人去攀登。为了攀登垂直而光滑的花岗岩壁，人们要花上数日甚至数周的时间。例如，1970年美国登山运动员花了27天才征服了在北美内华达山脉中的由花岗岩构成的埃尔卡皮坦巨石（914米）陡峭的东南壁面。

技巧　作为一个完美的登山运动员需要具备徒步旅行、攀岩和冰雪作业等三方面的技术。三者各不相同，而且每项技术的内容

也千变万化。即便是功夫最深的登山运动员,每项技术的熟练程度也不同。一名优秀的登山运动员会适当掌握各项技术,以适应自己的体力、意志和攀登方法。

徒步旅行在所有登山活动中都是最基本的因素,因为山最终要一步一步地攀登。登山过程中最艰苦的时间是在进山处或者在较低的山坡路上缓慢而稳步地行走或攀登。

攀岩和徒步旅行一样,本身就是一项为人们广泛练习的运动项目。攀岩的基本功往往是在当地的峭壁上练习。攀岩者要学会相互配合,学会怎样使用绳索以及控制自己和掌握节奏。绳索、人造保护点(拴扎保护绳用)和铁锁(或安全钩,即能穿过绳索的金属圈或环,可以同保护点锁在一起)主要是为了安全而使用的。第一攀登手的攀登情况有所不同。在这种攀登中,保护着领头队员的是一连串放置得当的保护点和穿有绳索的铁锁。这样,后面的队员就用绳索保护着他,使他不断地慢慢向上攀登,并且把保护点放在上方。

保护点要小心使用而不能滥用。保护点有几种:楔子是带有一定形状的小块金属,同绳索相连,用手塞进石缝中;钢锥是一种金属镐尖,顶端有一个眼儿或环,尖端可打进岩石裂缝中;螺栓是一种金属条,打进由运动员钻出的小洞中,露出的一端可接上挂钩;"朋友"是一种带凸轮装置的楔子,能自动塞进裂缝。保护点极少用作手脚的攀支点。

对大多数攀岩运动员来说,只有手脚是必不可少的,大部分操作由双脚来完成。外行人以为攀岩者双臂和肩膀必须格外强壮,这种想法只是在攀登特别危险的悬崖或类似的情况下才是正确的。总的说,双手是用来取得平衡,两脚加以支撑,手和臂膀并非用来把运动员拽上悬崖峭壁。

平衡很重要,运动员要尽量把身体重量直接放在双脚上,身体在岩壁容许的条件下尽量保持正直。直立的姿势使运动员能够使用眼睛这个攀岩的第五要素。一面向上攀登,一面小心观察,就可省去为了摸索立足点的许多无谓的动作。通常要与岩石保持三个接触点:两手一脚或两脚一手。为取得支撑点而跳跃是极端危险的,因为那样做没有安全系数。要按照两个保护栓之间的攀登路程的艰难程度确定攀登节奏。节奏不易掌握,它的掌握是真正优秀运动员的标志。

攀登越艰苦,越需要多用手来支撑。手的使用在不同情况下也不一样。在攀登狭窄的岩缝、管状或几乎呈圆筒形直立的裂口时,双手要按压在两侧。在攀登石板时,手掌对光滑的石板所施加的压力会产生必要的摩擦,从而取得支撑。

在陡峭的岩石上向下爬通常比向上攀登要困难些,因为从上面不易看到下面的支撑点,而且当人向下移动时总不愿把手向下伸得太远来进行操作。最快的下降办法是一种使用双根绳的技术,即绕绳下降法。绳索一端牢牢地固定住或系住,绳子绕着身体,运动员用手放松绳索,速度可快可慢,使身体在岩石上不断下降。

掌握绳索是一门精巧的艺术,在冰雪和岩石上同样重要。需要有足够长的绳索用来攀登每一段路程或供绕绳下降时用。在登山中,善于掌握绳索者是受尊重的登山人。这种技术不易学到手,它主要通过经验来掌握。保护点和铁锁必须安放得当,绳索也要系好,以保证最大限度的安全,并使运动员在向上攀登和下降时能尽量少花力气。这包括让绳索离开那些它可能塞进去的岩缝,避开那些它可能缠在突出的岩石或灌木枝上的地方。绳子不应放在表面粗糙或者边缘锋利的石头上,以免在绳子拉紧时被磨损或者被下坠的石头砸断。登山时使用头盔虽有争议(它可能使人感觉不适,或影响视觉或活动),但常常被认为是可取的。

经常变化的冰雪情况是登山运动者面对的严重危险。一名优秀的运动员必须熟知雪情;他必须能探出隐蔽的冰裂缝,意识到潜在的雪崩,并且能安全地越过其他难以捉摸或危险的冰雪堆。关于冰雪技术方面,在攀登高山时使用冰斧作为辅助工具是非常重要的,冰斧柄的一端是铲子和扁斧,另一端是镐。用它在冰上凿出台阶,探查冰隙,在陡峭的坡上直接靠它保持身体平衡,固定住绳索等。防滑的冰爪(装在鞋底的一组铁钉)在冰雪陡坡和人工凿成的台阶上行走时很有用处。冰爪能咬进冰、雪表面,使得人能向前走,而单穿靴子则不行。在许多山坡上,有了冰爪就不需要凿台阶。在十分难走的冰、雪面上,要使用冰钢锥和铁锁。

攀登漫长的雪坡是一种单调乏味的活动,按缓慢而有节奏的步伐行进是必要的,这样能够持久。早晨时光,雪还坚硬,这时启程登山是可取的。在冰雪中攀登时,如在登山的任何其他情况一样,判断力是重要的。对于攀登路程的长短、天气的类型、太阳热对冰雪的影响以及潜在的雪崩危险,都必须加以考虑。

这项运动的基本组织是登山或攀岩俱乐部。凡有登山运动员的国家都有各自的俱乐部。其中1857年成立的英国高山俱乐部也许最令人崇敬。高山国家、英伦三岛和北美洲的俱乐部为数最多。主要的登山俱乐部经常资助并主持重大的登山活动。多数俱乐部出版年度报告或定期报告、杂志或公报。

Mountbatten FAMILY 参阅 **Battenberg family 巴滕贝格家族**。

Mountbatten, Louis Alexander 蒙巴顿 参阅 **Milford Haven, Louis Alexander Mountbatten, 1st Marquess of 米尔福德·黑文侯爵(第一)**。

Mountbatten(of Burma), Louis Mountbatten, 1st Earl 蒙巴顿(1900-06-25,英国温莎弗罗格莫尔豪斯～1979-08-27,爱尔兰斯莱戈郡马拉莫尔外多尼戈尔湾) 英国政治家、海军统帅和印度的最后一任总督。他有国际性的王族家庭背景;他的经历涉及多次担任海军指挥官、参与印度和巴基斯坦独立的外交谈判和最高军事防务领导。他是巴滕贝格的路易斯亲王(后为米尔福德·黑文侯爵)和黑森-达姆施塔特的维多利亚公主(英国维多利亚王后的孙女)的第4子。1913年进入皇家海军,1921年成为威尔士亲王的副官。1922年娶埃德温娜·阿什利(1960年在北婆罗洲担任圣约翰救护车队总负责人期间去世)为妻。1932年晋升海军上校,翌年被认定为法语和德语的合格译员。第二次世界

美国不列颠百科全书公司供图

大战爆发时指挥驱逐舰"凯利"号和第5驱逐舰队,1941年任一航空母舰舰长。1942年4月,被任命为联合作战的指挥官、代理海军中将职权和最高参谋部的实际成员。1943～1946年任东南亚盟军最高统帅,引起了对国王(他的表兄弟)任人唯亲的责难。他成功地指挥了把日本赶出缅甸的战役。在担任英国驻印度总督期间(1947-03～08),他实施次大陆分治,将英国的统治权分别授予新独立的印度和巴基斯坦(1947-08-15)。1947年8月～1948年6月任驻印度总督时,他劝说印度各土邦加入印度或巴基斯坦。1946年封子爵,次年封伯爵。1950～1952年任第4海务大臣,1952～1954年任地中海舰队总司令,1955～1959年任第一海务大臣。1956年成为海军元帅。1959～1965年任联合王国国防参谋长和参谋长委员会主席。1965年任怀特岛总督,1974年为地方长官。1979年被爱尔兰共和军在他的游艇上安置的一枚炸弹炸死。

Mountbatten, Philip 蒙巴顿 参阅 **Philip, Duke of Edinburgh 菲利普(亲王)**。

Mountford, Ces 蒙福德(1921,新西兰布莱克博尔～2009-07-19,澳大利亚昆士兰黄金海岸) 新西兰橄榄球运动员(助攻中卫)、教练员。1946年加入英国兰开夏威根队,1947～1948年创一赛季内参加54场比赛的纪录。1952年任柴郡沃灵顿队领队。在他的率领下该队7次获奖杯。后转任布莱克浦市队教练,两个赛季后返回新西兰。

Mounties 骑警 参阅 **Royal Canadian Mounted Police 皇家加拿大骑警队**。

Mountjoy, Charles Blount, 8th Lord 蒙乔伊勋爵(第八)(约1562～1606-04-03,伦敦) 即C.布朗特。英格兰军人,驻爱尔兰国王代表。第6代蒙乔伊勋爵的次子,1594年袭兄爵位。1597年随第2代埃塞克斯伯爵和W.雷利爵士远征亚速尔群岛,袭击西班牙珍宝船队。1600年任驻爱尔兰国王代表。1601年西班牙军队在金塞尔登陆,爱尔兰领导人蒂龙伯爵H.奥尼尔从阿尔斯特向南进军策应。蒙乔伊在金塞尔外围严阵以待,于12月24日击败爱尔兰军。西班牙军队撤出金塞尔,英军遂侵入阿尔斯特。此次胜利使英格兰征

美国不列颠百科全书公司供图

服了爱尔兰。1603年受封为德文希尔伯爵。

Mounty 骑警 参阅 **Royal Canadian Mounted Police** 皇家加拿大骑警队。

Moura 毛拉 澳大利亚昆士兰州东部城镇。濒道森河。与邻近的凯安加镇同为一煤田中心。所产优质焦煤出口日本。当地农田由道森流域灌溉系统供水。有道森公路通布里斯班。人口 2 871(1981)。

Mourne Mountains 莫恩山 在北爱尔兰原唐郡,横跨唐区和纽里-莫恩区,是一系列陡然从爱尔兰海卡灵福德湾升起的花岗岩山峰,绵亘14.5千米于纽卡斯尔和罗斯特雷弗

北爱尔兰横跨唐区和纽里-莫恩区的莫恩山
美国不列颠百科全书公司供图

之间。主峰多纳德峰海拔 852 米。丘陵地区用作贝尔法斯特、波塔当、班布里奇的水库。低坡多营造林。有山区养羊业和托利莫尔森林公园。海滨小镇纽卡斯尔、安纳隆、基尔基尔和罗斯特雷弗曾经从事出口装饰用花岗石业务,现为捕鱼和度假中心。

mourning 哀悼 对死者正式表示哀恸之感。大多数社会都有这种风习。哀悼者通常为亲戚,也有朋友或同一社团的人员。哀悼仪式虽时间的长短和依据各不相同,但一般说来,妇女比男子对此更为重视。哀悼者可能放弃某些娱乐活动、装饰和食物,也可能节制性生活或为死者守灵。装束的改变(如改着黑袍)和发型的差异可让人分辨出哀悼者,但这些做法在许多社会中已不多见。

mourning dove (*Zenaida macroura*) **哀鸽** 鸽形目的一种北美洲产普通野鸽。狩猎鸟类。尾长而尖。颈侧紫罗兰色与粉红色相间。笼养哀鸽寿命可达16年,野生哀鸽寿命只有

哀鸽(*Zenaida macroura*)
美国不列颠百科全书公司供图

4～5年。第一年死亡率约为80%。到南方越冬,生活地区最靠北者迁徙到最南方。

Mouron, Adolphe-Jean-Marie 穆隆 参阅 **Cassandre** 卡桑德尔。

Mousa (Greek religion) 参阅 **Muse** 缪斯。

Mousa (Mali emperor) 参阅 **Mūsā** 穆萨。

Mouscron 穆斯克龙 佛兰芒语作 Moeskroen。比利时西部埃诺省城镇。邻近比法两国边境,东北距科特赖克10千米。纺织业中心,生产服装、地毯和毛纺织品。还制造机器和塑料制品。城郊产小麦和亚麻。有铁路和公路通往科特赖克、图尔奈和法国的里尔。人口:城市区 54 562(1982)。

mouse 小鼠 啮齿目许多体小、到处奔跑的啮齿动物的统称,特别是鼠科的小家鼠(*Mus musculus*)。小鼠一词和大鼠(rat)一词一样并非科学定义,只是用来指为数众多似大鼠的小型啮齿动物。仓鼠科(Cricetidae)这个大科的许多种(食蝗鼠、收割鼠)被称为小鼠。鼠科(Muridae,旧大陆鼠),更格卢鼠科(Heteromyidae,小囊鼠)和林跳鼠科(Zapodidae,林跳鼠和蹶鼠)的成员都称小鼠。英语中 marsupial mouse 不是啮齿动物,而是袋鼠的鼠形亲缘动物。小鼠很常见,几乎产于所有陆地。褐色或灰色,体长可达 20 厘米(包括10厘米的尾长)。吃各种食物,包括谷类、根、果实、青草和昆虫,也吃人类的食品。许多种似乎喜居于人造建筑物里,并由于破坏食品,啃咬各种材料,传播鼠型斑疹伤寒和腺鼠疫等病菌而造成严重危害。栖息野外的小鼠由于数量极大也给农业带来暂时性的但却是严重的危害。小家鼠常在人类的建筑物中寻求食物及居住,已由人类从欧亚大陆带到世界上所有有人居住的地方。能食一切能吃的东西,甚至样品肥皂、浆糊及胶水。性成熟很快,生后 2～3 个月即可交配。每窝多达12仔,妊娠期约3个星期。在温暖的地区或有取暖设备的建筑物中,终年繁殖。实验动物小白鼠是由小家鼠驯养而来,既广泛用于医学实验,又常作为玩赏动物。但除一些反常的情况外,小鼠类对人有益,因为它们构成大部分毛皮兽和掠食动物食物中的很大比

小家鼠(*Mus musculus*)
美国不列颠百科全书公司供图

例;若无小鼠,这些肉食动物会捕食对人更有价值的动物,包括家畜。若居室小鼠泛滥成灾时需要经训练的人去扑灭,但数量不大时仅需捕鼠器即可,且更安全。小家鼠还有这样一些品系:小花斑鼠、小歌鼠(能发出微弱的喊喳声)和华尔兹鼠(因遗传性平衡觉缺陷而步态异常)。参阅 **field mouse; harvest mouse; spiny mouse**。

mouse deer 鼠鹿 参阅 **chevrotain** 鼷鹿。

mousehare 鼠野兔 参阅 **pika** 鼠兔。

mousetail 鼠尾巴草 毛茛科鼠尾巴草属(*Myosurus*)约15种一年生草本植物的通称。

一种鼠尾巴草属(*Myosurus*)植物
美国不列颠百科全书公司供图

产于南、北两半球的温带。花序呈细长的柱状，雌蕊从花中突出，整个外形似鼠尾，故名。

moussaka 莫萨卡 用羊羔肉和茄子烤制的菜，在巴尔干和中东地区很普遍，在希腊和土耳其最受欢迎。在希腊食谱中，是将茄子切成片，在橄榄油中轻炸，而后在烤盘中与羊肉末、洋葱、番茄酱和佐料的混合物分层摊放。在烤前用白色调味酱加磨碎的干酪，浇在肉和蔬菜上。有时先将土豆片放入烤盘内作衬底，并以绿皮西葫芦代替茄子。可用茄子皮在深盘中衬底，烤好倒出时茄子皮形成一层光亮的外壳。阿拉伯食谱中的莫萨卡不放羊肉，是用茄子、番茄、鹰嘴豆和洋葱在橄榄油中炖熟的。

mousse 木斯 一种有大量泡沫的咸味或甜味凉菜。以菜泥、果泥等为主要材料，与急速搅拌的蛋清或搅打起泡的稀奶油(或两种都用)混和制成，作为凉菜冷吃。甜木斯有时做成冰冻的。咸木斯常用家禽、肥鹅肝、鱼或贝类的肉泥制作，作为第一道菜或作两道主菜之间的小菜。也可加入明胶增加稳定性。巧克力和咖啡木斯以蛋奶冻为底料。制作水果木斯时，用果酱或果汁代替蛋奶冻中的牛奶。木斯一词也用于在明胶未完全凝结前进行搅拌，使之起泡的明胶胶冻。

Moussorgsky, Modest (Petrovich) (Russian composer) 参阅 **Mussorgsky, Modest (Petrovich)** 穆索尔斯基。

moustache 参阅 **mustache** 口髭。

Mousterian industry 穆斯特文化期工艺 第四冰期(武木冰期)早期石器文化，与欧洲、西亚、北非尼安德特人相关。穆斯特文化期工具群所显示的石片打制技术，与克拉克顿文化期相同，与勒瓦娄哇文化期石片技术的某些石器群中常见的打制方法也有相似之处。穆斯特石器包括：圆盘状石核打制的小手斧；石片石器有精致的长刮器和三角形尖状器(可能用作石刀)；锯齿状石器(可能用作石锯或箭杆整直器)；还有石灰岩圆石球(据信系掷套器，类似现今南美的同类武器——一根皮条的末端拴三个石球，用时向野兽猛掷，绊其腿而捕之)。用于猎取猛犸象和披毛犀等大型动物的木质梭镖也有发现。各遗址的穆斯特工具群在内涵上颇有差别。有些研究者认为这是由于不同群体的尼安德特人具有不同的工具制作传统；有些则认为这是同一群居民所使用的几套不同功能的工具(如狩猎、屠宰、炊事)。穆斯特石器与尼安德特人一起突然在欧洲消逝。

Moustiers faience 穆斯捷彩陶 约自1679年至19世纪在穆斯捷镇的工厂中生产的法国锡釉陶器。17和18世纪的制品各具特色，质量高超，故法国其他彩陶中心均纷纷加以仿造。一位当地陶工A.克累里西在穆斯捷创建了最主要的工厂。以青花为特征的克累里西彩陶器可分为两个阶段：早期(1680～1710)的装饰受A.坦佩斯泰(1630年卒)版画的影响；晚期(1710～1740)的装饰则受大贝伦(1638～1711)版画的影响。贝伦风格的制品尤为精致和珍奇，穆斯捷彩陶可能就是在这方面最为出名。另一家穆斯捷重要的工厂是J.奥勒里的彩陶厂，建于1738年，其生产持续至1793年。奥勒里引进多色彩饰，生产的贝伦风格彩陶以紫色、淡绿、橙色和蓝色作彩饰。该厂生产的其他多色彩陶器的装饰有中国图案、战争场面、圆雕饰以及所谓马铃薯花等纹样。釉上彩绘装饰是于18世纪后期由另一家穆斯捷工厂开始使用的。19世纪的穆斯捷彩陶则是复制早期的产品。

约1700年的穆斯捷彩陶盘，上饰A.坦佩斯泰所绘图案

美国不列颠百科全书公司供图

mouth 口 又作oral cavity，buccal cavity。又称口腔。人体解剖学名词，食物和空气进入身体的入口。口腔于唇部向外开口，后通喉；由唇、颊、硬腭、软腭、声门等围成。口腔可分两部分，即颊与牙齿之间的前庭和口腔本身。后者基本上被舌所占满，舌是通过舌系带固定于口底的一块大的肌肉。除了具有进食和初步消化的基本功能外，口腔及其结构在人类的语言形成上起着重要作用。口腔的主要结构有：牙齿，它可将摄入的食物撕开和研磨成小块，以易于消化；舌，可运送和搅拌食物，还有味觉感受器；腭，把口腔与鼻腔分开，使食物与空气分别进入通道。所有上述结构与口唇一道通过调节进入口腔的气流，影响着语音的形成。口腔本身和前庭完全为黏膜层覆盖，其中含有很多小腺体，这些小腺体与3对唾液腺分泌唾液，用以保持口腔的湿润，清除食物及其他碎屑。牙龈和舌表面有特化的黏膜。前者包绕并支持着牙齿，后者结构较粗糙，有许多具有味蕾的小乳头。口腔内湿润的环境和其分泌物中的酶有助于软化食物，帮助吞咽，并开始消化的过程。参阅 **digestion**。

mouthbreeder 口育鱼 用口腔繁育幼仔的鱼，包括鲶科鱼、天竺鲷科鱼(红衣主教鱼)。雄性的海鲇科鱼 *Galeichthys felis* 在口内含有50多个受精卵，直到幼鱼孵出并发育到2周或2周以上。无须天竺鲷(欧洲红衣主教鱼，*Apogon imberbis*)在咽部孵卵。盘状盘丽鱼(*Symphysodon discus*)则雌性与雄性轮流用口腔孵卵。

Mouton, Jean 穆通(约1459，法国上维涅斯～1522-10-30，圣康坦) 16世纪初法兰克-佛兰德斯风格的作曲家，以宗教音乐闻名。1477～1483年在内斯勒任唱诗班歌手，1500～1502年在亚眠和格勒诺布尔工作后参加法王路易十二和弗兰西斯一世皇家教堂。曾师从J.德普雷。A.魏拉尔特是他的学生。穆通是一位卡农技巧大师，作品大部为弥撒曲和经文歌。

Mouvement Républicain Populaire (French political party) 参阅 **Popular Republican Movement** 人民共和运动。

movable and immovable 动产和不动产 指后期罗马法和现代民法法系对所有权关系的物的基本划分。一般地说，这种区分的依据是通常所说的其实体能否移动。不动产是指诸如土地或建筑物，被认为在空间上固定的物；动产则指家畜或个人物品等在空间上本身可以移动，或可以被人移动的物。但是，这个定义绝不是严格不变的；法律可以为了方便或有用起见，把某种特定的物列入这一类或那一类，即使这种划分在普通人看来可能不合逻辑。例如，法国在法律上规定，长在地里的庄稼是动产；农具和牲畜却是不动产(主要因为它们被认为是为土地服务的，因而是土地的组成部分)。在德国法律上，这种区分比较明确：不动产指成块的土地及其组成部分；动产指其他一切物品。在英-美普通法制度中存在着类似的不动产(不能移动的)和动产(可以移动的)之间的区分。

movable bridge 活动桥 仰开桥、吊桥、升降桥、运输桥或旋开桥的统称。仰开桥最为有名，起源于中世纪欧洲，用作城堡或城镇的一种防御设施。由平衡锤和绞盘操纵。老伦敦桥有一段是仰开桥。当船桅太高不能从桥下通过时将仰开桥开启。19世纪晚期出现专为通航而建的仰开桥，有单扇和双扇之分。几乎同时建造的伦敦塔桥和芝加哥范布伦街大桥，均为双扇仰开式，使用效果良好，各地纷纷效法。仅芝加哥河上就建了20余座，有几座还是双层桥面的。同时，另一种活动桥——升降桥——也在芝加哥出现，由J.A.L.沃德尔设计。开头几年影响不大，后来因为这种桥强度大，能承受铁路重载，受到重视而广泛建造。跨度也日益增大，许多桥超过

单扇仰开桥

美国不列颠百科全书公司供图

152米。升降桥也靠平衡锤平衡,整个桥身由装在两座塔内的平衡锤和机器提升。运输桥是一个悬挂在高架桥移动轨轮上的车厢,装载乘客和车辆渡河。旋开桥适用于大跨度,桥身可在转盘上平转。美国建的旋开桥有几座跨度在152米以上。但是因为转盘阻碍了河流,限制了这种桥的建造。

Movement for the Fifth Republic 第五共和国运动 1998年为支持总统候选人H.查韦斯而成立的委内瑞拉民族主义政党。起源于20世纪80年代军队中秘密组建的波利瓦尔运动200。因政府腐败及各种经济不平,1992年查韦斯中校领导该运动策划政变。后查韦斯被捕入狱,但赢得委内瑞拉大多民众同情。1994年新当选总统R.卡尔德拉特赦查韦斯。该运动摈弃民主,以查韦斯对波利瓦尔哲学的解释制定政策,有时提倡暴力推翻现有政治体制。由于批评社会不平等赢得加拉加斯贫困者拥护。1998年查韦斯当选总统,2001年被反对派罢黜,但其支持者的抗议和暴力威胁使得查韦斯重掌政权。

movcment perception 运动感知 人类及其他动物体借以使自己适应于自己的或其他物体的物理运动的过程。感知运动的能力事实上对所有动物(包括人类)的生存都必不可少。动物体需要感知其本身及其他个体的运动情况,以捕捉猎物、躲避危险及进行交配。虽然运动主要通过视觉感知,但亦可通过其他感觉来觉察。

视觉信息的加工由眼和脑共同承担,眼和脑在此过程中所起的作用各占多大比例,则各物种之间差异极大。一般说,低等动物的眼适应于察觉那些与其生存直接有关的运动。举例说,当昆虫向蛙类移近,进入蛙类捕捉能力的范围内时,蛙眼便能觉察,蛙眼接受到视觉信息后即能对之作出应答,不须大脑将视觉信息加工。在高等动物,脑起着更为积极的作用,使个体能对更多种多样的刺激作出应答。眼的功能主要是收集视觉信息,这些信息传递到脑,在此进行加工。似乎,在大脑的视区有一些特别的细胞,其功能为察觉运动。大多数高等动物视网膜的周边对运动特别敏感,运动刺激眼球,使之反射性地转动从而使视野感光最敏锐的部位对着运动的物体。视觉系统借以感知运动的机制有多种。显然,若眼球固定不动,则运动的物体也会迅速移出视觉的中心,如果没有完全移出视野的话。但事实上眼球会反射性地随着移动着的物体转动,以将该物体保留在视觉的中心。当眼球移动着观察一个固定不动的景物时,视网膜上的影像也在改变着,就如同该景物在移动着而眼球固定不动一样。但个体还是体验到该景物是固定不动的,因为大脑在解释视网膜影像时将大脑对眼肌发出的信号也考虑在内。如果对眼肌的正常控制受到干扰,就会出现知觉错误,此时眼球作不随意运动,而感觉上被看到的物体却似乎在动。

运动的感知也要依靠运动物体与其周围固定物体之间的关系。这些固定物体用作参考框架,可借以确定哪些物体在移动,哪些物体静止不动。如果没有这样的框架,则固定的物体看起来也会好像在飘移不定。从眼一侧向另一侧的运动容易知觉,而向眼而来或离眼而去的运动较难知觉。深度知觉靠双眼视觉(参阅 **space perception**)、聚焦的改变、视网膜影像的大小变化以及物体亮度的变化来获得。可用一些技术手段使固定的物体看似在运动。有两种现象可引起运动的错觉。第一种是视觉暂留,视觉刺激终止后它在大脑中引起的兴奋还会持续一段短时间。第二是所谓Ø现象(似动现象)。如果两个邻近的光源交替地闪亮和熄灭,我们就好像看见单一发光体来回飘移。这是因为我们往往将两个间隔极短时间连续出现的视觉形象中间的间隙以形象填满。这两种现象为电影所利用,放电影时,许多固定的画面以极短的间隔连续投放在屏幕上,从而造成物体在移动的知觉。多种非视觉的感觉也用来感知运动。虽然陆地动物也能从声音的响度或距离的变化来推断物体的运动,但一般说鱼类及蝙蝠更多地利用声音为运动的指示物。我们体内另一个重要的有关运动信息的来源便是运动觉。运动觉来自关节内的膜上的感受器及有意识控制运动时用力多少的感觉。另一类型有关我们自身运动的知觉与前庭系统有关。前庭系统由内耳内一系列闭合的腔管组成,主要对头部的运动作出应答。大脑利用来自前庭系统的信息去维持身体平衡并控制前面提到的代偿性眼运动。

Movement Toward Socialism 争取社会主义运动 委内瑞拉左翼政党。1970年委内瑞拉共产党领导人T.佩特科夫因批评1968年苏联入侵捷克并否定欧洲共产主义和苏联模式被开除出党,翌年成立争取社会主义运动党,迅速赢得共产党大多数党员及共产党占多数的工会领导人支持。在1973年选举中是最成功的左翼政党,但80年代分裂为两派,一派支持佩特科夫,另一派支持J.V.兰赫尔。1993年同全国汇合党组成选举同盟,并促使其党领袖R.卡尔德拉当选总统。但1996年在议会中与反卡尔德拉势力联合。党内由党主席和总书记领导,共掌执委会和全国理事会。地区和地方党组织享有相当大的自主权,因而内部派别极多。约有党员40万,城市地区多为知识分子和工会会员。

Movilă, Petru (Orthodox prelate) 参阅 **Mogila, Peter 莫吉拉**。

Movimento Sociale Italiano 参阅 **Italian Social Movement 意大利社会运动**。

Movses KHORENATZI 参阅 **Moses of Khoren 摩西(霍仑的)**。

Mowatt, Anna Cora 莫厄特(1819-03-05,法国波尔多～1870-07-21,英国伦敦) 母家姓Ogden。美国剧作家和女演员,因创作讽刺剧本《时髦》而名噪一时。幼年早熟,5岁即登台演戏,10岁前已读完莎士比亚的所有剧本。15岁与纽约律师詹姆斯·莫厄特结婚,使她获得充分的机会继续涉足艺术。1841年她丈夫的财产受到损失,她开始认真演戏、写作、举行诗歌朗诵会并为通俗杂志撰稿。1845年写社会讽刺剧《时髦,又名纽约生活》,轰动一时,表现了美国当时日益增长的反对模仿欧洲人生活习尚的感情。1845年6月,

美国国会图书馆供图

首次登台演出,获得成功。除《时髦》外,还写有《古尔扎拉》(1841)和《阿芒》(1847)两剧。1854年发表《一个女演员的自传》。1851年她的丈夫去世。她于1854年同W.F.里奇结婚,并退出舞台。

Mowbray, Thomas 莫布雷 参阅 **Norfolk, Thomas Mowbray, 1st duke of 诺福克公爵(第一)**。

Mowinckel, Johan Ludwig 莫温克尔(1870-10-22,挪威卑尔根～1943-09-30,纽约市) 20世纪20～30年代间任挪威首相,船业巨子,被认为是当时挪威杰出的政治家。就读于奥斯陆大学。任镇议会议员时投入政治生涯,接着任他的家乡卑尔根市议会议长。1906年当选为自由党议会议员,并任议会议长数年。1911年挪美航运公司创立,他起了很大作用,1925年成为诺贝尔和平奖委员会委员。三度出任挪威首相(1925～1927,1928～1931,1933～1935)兼外交大臣。1930年倡议召开奥斯陆会议,促进比荷卢三国与斯堪的纳维亚国家间的自由贸易,为战后欧洲经济联合作好准备。他谴责纳粹主义的威胁,1940年德国占领挪威时,随流亡政府逃亡,在驻节美国期间去世。

Mowinckel, Sigmund (Olaf Plytt) 莫温克尔(1884-08-04,挪威谢灵圭～1965-06-04,奥斯陆) 挪威圣经学家。《旧约》研究斯堪的纳维亚派的创始人。在奥斯陆大学(当时名为克里斯蒂安大学)受教育,1917年起毕生都在此教书。对《旧约》中的《诗篇》有独到的分析和解释。著有《诗篇研究》(6卷,1921～1924),后来此书改名为《以色列人礼拜仪式中的诗篇》(1962),是20世纪对圣经评注的主要著作。他一方面介绍《诗篇》的具体文化背景,另一方面则强调许多诗篇源起于宗教崇拜仪式,而且在崇拜仪式中获得发展。

moxa treatment 灸疗法 又作moxibustion。起源于中国的一种传统疗法。后传至日本及其他一些亚洲国家。方法是点燃捏成圆锥形的干叶(一般为艾叶)去熏灼体表的穴位(通常与针刺的穴位相同)。针刺和灸法有时合并使用以治疗疾病和施行麻醉。早在石

器时代,中国人就了解,熏灼一定穴位可行气活血、减轻疼痛。有人认为,用石针针刺要早于灸法,通常对靠近大血管、眼、耳等不适于针刺的穴位实行灸法。灸法起源于华北,最早用于减轻风湿痛。在古代人们烧烫皮肤的穴位上至灼伤起疱,现在则是使需治疗的部位感到温热。艾炷亦逐渐为艾条所代替,或把桑、乌头属植物的叶卷成条状以供使用,亦可用艾炷隔姜灸。现代常将草药碾碎,卷在特制的纸内,点燃后置于待灸穴位上方或直接置于皮肤上,以温热不烫为度。日本人发明了一种带把的小管,药末放在管内燃烧,其热度可由术者控制。艾条可燃烧 4 ～ 5 分钟。可用于减轻疼痛和淤血,并有一定麻醉作用。用烧热的艾条轻触皮肤有强壮皮肤之效。隔姜灸用于治疗胃痛、呕吐、腹泻和风寒湿痹,隔蒜灸用于呼吸道疾患,隔盐灸用于腹腔脏器疾患。中医强调,要取得良好的疗效必需体位正确。已作出不少努力将针灸疗法同西医常规疗法结合起来治疗某些疾病。虽然利用艾灸刺激身体的某些穴位据信能对自主神经系统发生影响,但灸疗法的生理学基础至今未明。参阅 **acupuncture treatment**。

Moyano, Sebastián **莫亚诺** 参阅 **Belalcázar, Sebastián de** 贝拉尔卡萨尔。

Moyen Atlas **中阿特拉斯山** 英语作 Middle Atlas。摩洛哥中部山脉。许多山峰超过2 400米,最高峰布纳赛尔山海拔 3 340 米。山区有杉木林,为渔猎和滑雪区。

Moyen-Congo **中刚果** 法属赤道非洲的四个领地之一。其起源是探险家 P.S.德·布拉柴 1880 年在恩塔莫建立了一个工作站。1934 年起由法属赤道非洲总督直接管理。1960 年获得独立地位时成为刚果共和国,后改名为刚果人民共和国,简称刚果(布)。

Moyle **莫伊尔** 北爱尔兰一区。原属安特里姆郡,1973 年设立为区,总面积 494 平方千米,在北爱尔兰北部海岸,范围包括北爱尔兰唯一有人居住的岛屿拉斯林岛。安特里姆山脉贯穿该区东部,有海拔 554 米的特罗斯坦山;西部为起伏的荒野。大陆北 5 千米处的拉斯林岛上有一洞穴,据说是 1306 年苏格兰-爱尔兰领袖罗伯特一世藏身之地。1898 年马可尼曾在拉斯林岛上的一座灯塔和巴利卡斯尔之间试验他的无线电装置。有农牧业,生产马铃薯、燕麦、大麦和牲畜(主要为羊),但旅游业是全区最重要行业。自然风景优美,有北爱尔兰最著名的两处风景区:由约 3.8 万根底部为六角形的石柱构成的"巨人堤"和安特里姆 9 个峡谷中的 5 个。巴利卡斯尔是一个渔港和旅游城镇,又是该区首府和全区的集市贸易中心。位于区西缘的布什米尔斯有生产爱尔兰威士忌的一家老酒厂。人口约 15 933(2001)。

Moynihan (of Leeds), Berkeley George Andrew Moynihan, 1st Baron **莫伊尼汉**(1865-10-02,马耳他～ 1936-09-07,英国约克郡利兹卡尔马诺) 有才华的英国外科医师、医学教育家。初有志于军事,后转而对医学发生兴趣。曾于利兹医学院及伦敦大学学医。1890 年成为英国皇家外科医师学会会员,36 年后任该会会长。曾于利兹医学院讲授解剖学,后任该校外科学教授及利兹综合医院外科医师。他擅长腹部外科,吸引了世界各地的学者来参观他的手术。他最著名的演讲题目为《活体病理学》,其中总结了他坚信的观点:"观察活体所掌握的临床表现,其价值大于在尸体解剖桌上所获得的材料"。他又写过许多著名的专论,论及腹膜后疝(1899)、胆石(1904)、腹部手术(1905)、胃和胰的疾病及其外科治疗(与 A. W. M. 罗布森合著,1901 及 1902)、十二指肠溃疡(1910)等。1913 年发起创办新杂志《英国外科杂志》,以团结英国及外国的外科医师。又积极参与建立许多俱乐部及协会,以促进外科医师及专家之间的信息交流。莫伊尼汉于 1912 年受封为爵士,1929 年升为贵族。

Moynihan, Daniel Patrick **莫伊尼汉**(1927-03-16,美国俄克拉何马塔尔萨～ 2003-03-26,华盛顿[哥伦比亚特区]) 美国学者和民主党政治家。1977 年起任纽约州联邦参议员。在纽约市的一个贫穷家庭长大。第二次世界大战期间在美国海军服役后,依靠《士兵福利法》进入塔夫茨大学,1948 年获文学学士学位,后又进入该校弗莱彻法律和外交学院,1949 年获文学硕士学位,1961 年获该院博士学位。1953 年任民主党纽约市竞选工作人员,开始步入政界。50 年代担任纽约州各种公职和党的职务。60 年代他在华盛顿(哥伦比亚特区),在劳工部任职时与人合著《黑人家庭:全国诉讼案例》,俗称"莫伊尼汉报告"。报告认为美国黑人的许多教育问题源自城市中黑人家庭的不稳定。该报告引起争议,使他一举成名。1966 年任哈佛大学教授,在尼克松总统的政府中担任顾问职务。1973 ～ 1975 年任美国驻印度大使,1975 ～ 1976 年任驻联合国常任代表。作为新保守主义分子,他大力支持参议员 H.杰克逊 1976 年的那一次倒霉的民主党总统候选人提名竞选。杰克逊提名失败后,他自己在纽约州竞选联邦参议员,虽然遭到民主党自由派人士的反对,但仍在选举中获胜。6 年后再度竞选,获得压倒性胜利。连任 4 届后他决定不再竞选。希拉里·克林顿赢得竞选的胜利。生前获得过许多荣誉,其中包括总统自由勋章(2000)。

Moyobamba **莫约班巴** 秘鲁中北部圣马丁省省会,莫约班巴地区首府。濒临马约河。海拔 860 米。殖民时期(1533 ～ 1821)为重要的商业中心。1857 年设市。现为一广袤农业区(出产棉花、甘蔗、烟草、可可、稻谷)的中心。生产酒精、烈性酒、葡萄酒、草帽。莫约班巴附近有温泉、金矿和油田。有公路通塔拉波托、巴瓜和太平洋沿岸。人口约26 000(1990)。

Mozabite (Muslim sect) 参阅 **M'zabite** 姆扎派。

Moẓaffar od-Dīn Shāh **穆宰费尔丁·沙阿**(1852,伊朗德黑兰～ 1907-01-09,德黑兰) 波斯卡札尔王朝的统治者。纳赛尔丁·沙阿之子。立为王储后,于 1861 年任阿塞拜疆总督。他在作王储的 35 年中一向追求声色犬马,不问国事。因此在 1896 年登上王位时,对朝政一窍不通。当时伊朗正面临财政危机,政府岁出远远超过收入。他为了弥补赤字而向俄国贷款,政治上作出让步,极不得人心。而贷款后,他又用这些钱作几次豪华的欧洲旅行,这更引起人民的强烈反对,纷纷要求对他的行动给予宪法的限制。1906 年 10 月他不得不召集众议院,12 月批准一部比利时模式的宪法。政治危机可能促使他猝死于心脏病。

Moẓaffarid DYNASTY **莫扎法尔王朝**(约 1314 ～ 1393) 伊朗的王朝,统治伊朗南部。创立者谢拉夫丁·莫扎法尔原是伊儿汗王的臣属,治理伊斯法罕与亚兹德间的城市梅博德。1314 年伊儿汗王艾布·赛义德任命莫扎法尔之子穆巴雷兹丁·穆罕默德为法尔斯和亚兹德的总督。艾布·赛义德死后,穆罕默德便大肆扩张势力。1358 年,他被儿子古特卜丁·沙阿·马哈茂德(1358 ～ 1375 在位)与杰拉勒丁·沙阿·舒贾(1358 ～ 1384 在位)废黜。这两个儿子瓜分了领土。1384 年沙阿·舒贾在他死前不久将自己的领土又分给 3 个儿子,于是造成莫扎法尔王朝的分崩离析。1393 年帖木儿打败并杀死莫扎法尔王朝的最后一代统治者曼苏尔(1384 ～ 1393 在位),王朝遂亡。

Mozambique **莫桑比克** 全称莫桑比克共和国,旧称葡属东非。位于非洲东南沿海的国家,呈细长形,南北长约 1 770 千米,北部东西宽约 645 千米,南部宽约 320 千米。北与坦桑尼亚接壤,西与马拉维、赞比亚、津巴布韦、南非和斯威士兰交界,东临印度洋的莫桑比克海峡。首都马普托。面积 812 379 平方千米。人口约18 812 000(2004)。

土地 莫桑比克可分为 2 个大区:南部的低地和北部的高地,被东南流向的赞比西河隔开。低地(海拔200米以下),除希莫尤高地外,几乎延伸南部全境。希莫尤高地有莫桑比克最高峰宾加山(海拔2 436米)。北部高地区在狭长的沿海低地以西为内陆高原,海拔 200 ～ 600 米,更西则为山区(海拔1 500～2 450 米),其西北与马拉维相接。赞比西河为境内最重要的河流,其在该国中部的流域面积为 225 000 平方千米以上;河上多功能的卡布拉巴萨水坝和电站设施是非洲最大的水力发电工程之一。

莫桑比克属热带海洋性气候,主要分为湿季(11 ～ 3 月)和干季(4 ～ 10 月)两个季节。低地区 1 月平均气温 26 ～ 30 °C,7 月平均气温 15 ～ 20 °C;高地区 1 月为 22 ～ 25 °C,7 月为 11 ～ 15 °C。年平均降雨量在西北部高地区为 1 420 毫米,东南部低地区则为 500 ～750 毫米;南部干旱情况较常见。西北部高地区较潮湿,适于茂密的热带稀树草原植物和灌丛;在沿岸地区,尤其是赞比西河三角洲,通常有椰树和红树。

境内野生动物丰富,有斑马、水牛、大象、长颈鹿、狮子以及河马和鳄鱼。野生动物在

美国不列颠百科全书公司供图

禁猎区和国家公园中受到保护；戈龙戈萨国家公园（3 770平方千米）是全国最大的公园，也是南部非洲最有趣的公园之一。

煤是莫桑比克最重要的天然矿物资源，20世纪后期储量估计达60亿吨，主要分布在西北部。铁矿（储量估计为3.6亿吨）分布在东北部。钽铁矿的储量居世界首位。其他资源还有天然气、铝矾土、铜、石榴石和石棉。

人民 境内人口几乎全是讲班图语的非洲人，居住在赞比西河以北的最重要语言文化群体是马夸－隆韦人，为一母系社会，实行轮垦制。尧人是穆斯林，也居住在北部；18和19世纪期间在阿拉伯人与内陆部族之间的奴隶贩卖活动中充当中间人。

赞比西河以南的各族群均为父系社会，从事牧牛和农耕。最大的族群为聪加人，多为莫桑比克在南非境内的劳动力。其他部族群有绍纳人和恩古尼人。人口中约半数信奉传统宗教；北部有伊斯兰教，南部有基督教。葡萄牙语为官方语言，但仅在城市地区使用。葡萄牙人约占总人口的2%，和亚洲少数民族一样，通常居住在城市。

莫桑比克的年人口增长率一度居南部非洲之首，但从20世纪70年代中期以后稳步下降。莫桑比克约有110万难民生活在邻近的马拉维和津巴布韦境内。该国人口结构年轻；有2/5人口年龄不足15岁。约4/5的人口居住在农村地区；人口有流入城市的趋势。

经济 莫桑比克属发展中的中央计划经济，主要以农业、国际贸易和轻工业为主。1975年后，若干产业收归国有（但1980年政府重新起用原产业主进行管理）；葡萄牙人和亚洲劳工外流造成该国技术工人短缺。国民生产总值增长率几乎为零；人均国民生产总值属世界最低之列。

农业约为国内生产总值的2/5，占用了4/5的劳动力。国家独立后，许多农场实行集体化。农业经营管理采用古巴和中国模式；20世纪80年代，国际货币基金组织一再要求该国实施体制调整计划，实行分权和支持私有制。玉米是该国主要的农作物，产量不能满足国内需求；木薯为另一主要作物。椰子、花生、棉花、甘蔗和腰果为重要经济作物。舌蝇猖獗，故牲畜数量不多。捕虾业几乎占出口总值的1/3。原木大部输往南非。

采矿业和制造业占国内生产总值的1/5，并以国内原料加工为主。煤、石灰石和盐的产量有限。石油必须依赖进口，由国营公司精炼和销售。

电力由卡布拉巴萨电站供应，但在独立后的军事冲突期间，输电缆线的桥塔被毁坏，输电一度中断，直至20世纪90年代末修理工作才完成。

莫桑比克有铁路与南非、斯威士兰、津巴布韦和马拉维相连，转运这些国家的出口货物。由于技术工人短缺和连年内战，铁路和公路的维护受到影响。莫桑比克的外贸收支存在逆差，该国在南非境内的劳工的汇款只能弥补一部分逆差。南非、美国、西班牙和葡萄牙为莫桑比克主要的贸易伙伴。

政体与社会状况 20世纪90年代初期，莫桑比克处在由一党制共和国向多党制过渡的阶段。根据原宪法（1975），国家一切权力归莫桑比克解放阵线。1990年前，莫桑比克解放阵线与莫桑比克全国抵抗运动发生军事冲突，严重干扰了政府全面制定社会主义经济、社会和管理政策的进程。1990年11月实行新宪法，使反对党派合法化，设立了新的一院制议会，有议员249人，由成人普选产生；经选举产生的总统任期5年，仅可连任3届。

医疗保健设施虽然不足，但正在逐渐改善。全国医疗保健制度实行公费医疗。政府医疗保健计划优先培训医务人员，以接替殖民统治结束时离境的医务人员。政府已经开展防治传染病运动，包括广泛的预防注射和改善环境卫生。疟疾、结核病、痢疾、其他肠胃传染病、肺炎、麻疹和肝炎似乎是最常见的疾病。艾滋病对健康是一个严重的威胁。平均预期寿命约48岁。婴儿死亡率属世界最高之列。

各级教育均实行免费，7～14岁未成年人须接受义务教育。学校系统于1975年实行国有化，包括5年制小学和7年制中学。小学和中学的就学率约占相应学龄儿童的1/3。马普托的蒙德拉内大学建于1962年，为该国的高等学府。

文化生活 莫桑比克拥有丰富多彩的文化。艺术传统以马孔代的木雕和米杜朱（一种乔皮人的管弦乐）最为著名。从20世纪中叶以来，莫桑比克先后有几名作家因其用葡萄牙文撰写的诗歌、小说和短篇小说而闻名世界。

历史 莫桑比克的最早居民可能是约在公元3世纪定居该地的讲班图语的部族。8世纪初，阿拉伯商人在此建立居民点，后发展为独立的城邦。到14世纪，大部分沿岸地区与城邦有了政治和商业关系。

1498年，伽马在莫桑比克地区登陆时，赞比西河流域大部分为姆韦尼·马塔帕的马拉维王国所控制。1507年，葡萄牙人占领该地，1531年建立两个内陆贸易居民点；1544年在克利马内沿岸建立贸易站。1629年，马塔帕承认葡萄牙的统治权；但葡萄牙的势力很短暂，17世纪末期，罗兹维王国的钱加米雷征服了姆韦尼·马塔帕，并且将葡萄牙人逐到赞比西河以南。后葡萄牙人又在赞比西河以北地区重建霸权；1752年任命第一任殖民地总督。17世纪后期和18世纪初期，主要由阿拉伯人和讲斯瓦希里语的人所控制的奴隶贩卖活动，成为莫桑比克经济中极其重要的因素。18世纪中叶，贩奴活动被查禁，但仍非法进行。

葡萄牙人企图用最少的政府经费来控制莫桑比克。他们设立普拉佐（土地授与）制度来管理内陆地区，但这一制度并未成功，因为葡萄牙人控制不了这些普拉佐庄园。19世纪后期，他们的势力崩溃，葡萄牙政府又特许私营公司来管理内陆部分领地。19世纪末，莫桑比克的部分地区开始直接由葡萄牙管理，其余则由私营公司管理。1929年，葡萄牙政府接管卢里奥河以北的公司土地；1940年取得对马尼卡和索法拉两地公司领地的控制。

《殖民地法》（1930）使莫桑比克有限自治的时期告终，葡萄牙建立了一个更为中央集权的政府。1951年，莫桑比克成为葡萄牙的一个海外省。20世纪60年代初期，莫桑比克解放阵线成立,独立运动随即展开。1964 年 9 月 25 日(莫桑比克开始为独立而斗争的纪念日),莫桑比克解放阵线和葡萄牙的战事爆发,葡萄牙派遣 7 万大军来恢复秩序。由于葡萄牙为保有莫桑比克所付出的代价太大,加上 70 年代中期陆军军官叛变,导致葡萄牙政府垮台。1975 年 6 月 25 日,莫桑比克获得独立,莫桑比克解放阵线政府宣布忠于马列主义意识形态。诸反叛集团,特别是莫桑比克全国抵抗运动,使国家经济陷于瘫痪,数万人丧生,并造成大批难民。80 年代后期,莫桑比克解放阵线听从国际货币基金组织的诱导,放弃了其马列主义立场以换取援助。1990 年末实行多党制新宪法;1992 年 10 月 4 日,莫桑比克解放阵线和莫桑比克全国抵抗运动领导人签署和平协议。1994 年,国家举行了第一次多党民主选举。在 21 世纪初,殖民地时期和社会主义时期遗留下来的土地所有权问题仍是一个亟需解决的问题。

Mozambique(town , Mozambique) 参阅 **Moçambique 莫桑比克**。

Mozambique, Island of 莫桑比克岛 葡萄牙语作 Ilha de Moçambique。印度洋莫桑比克海峡莫苏里尔湾出口处的小珊瑚岛。行政上属莫桑比克北部楠普拉省。到 1898 年为止,岛上设防的莫桑比克城一直是葡属东非的首府。从 10 世纪到 15 世纪晚期,此岛与其天然港口被阿拉伯商人用作海上贸易中心。1498 年葡萄牙探险家 V.达伽马登陆此岛,宣布为葡萄牙领土。4 年后与葡萄牙移民回来,建立第一个要塞圣加百列(1507 ~ 1508;今已不存)。19 世纪中期奴隶买卖衰落和苏伊士运河开通(1869)后,该岛的重要性相对降低。1967 年起有桥梁连接大陆。岛上的建筑反映出阿拉伯、印度和葡萄牙等国的影响,但在视觉上却保留有非比寻常的协调感。1991 年被列为世界遗产。1997 年联合国教科文组织推行一个国际活动,保存并修复该岛的建筑遗产。港城一直是商业暨渔业中心,但少有工业活动。人口:城镇11 916;岛屿 43 433(1991)。

Mozambique Channel 莫桑比克海峡 葡萄牙语作 Canal de Moçambique。西印度洋的一条水道,东为马达加斯加岛,西为莫桑比克。长约 1 600 千米,宽 400 ~ 950 千米,最深 3 000米。科摩罗群岛横列海峡北端,印度礁和欧罗巴岛位于海峡南口。为东非重要航道,两岸港口有马任加、图莱亚尔、马普托、莫桑比克和贝拉。莫桑比克洋流经此。

Mozambique Conventions 《莫桑比克协议》 一系列关于南非和莫桑比克的关系的协议。第一个协议是葡萄牙和德兰士瓦共和国在 1875 年缔结的,它规定双方的商务关系和在莫桑比克的洛伦索—马贵斯与德兰士瓦之间修建一条铁路。1877 年英国吞并德兰士瓦,1882 年英国和葡萄牙仍确认这一协议。1909 年葡萄牙和德兰士瓦总督签订一项新协议,规定德兰士瓦矿山在莫桑比克招募劳工的事宜。1928 年葡萄牙和南非联邦签订一项协议,对上述规定进行了修改。1934 年和 1964 年又作了进一步的修改。

Mozambique Current 莫桑比克洋流 西印度洋的较暖表面洋流。东南信风使印度洋南赤道洋流向非洲东岸移动。由于地球自转,洋流沿非洲大陆和大陆架向南流。部分洋流流过马达加斯加岛东部。其余洋流向西部穿过莫桑比克海峡,对该岛和大陆的气候有强烈影响。在该岛以南,两支洋流汇入厄加勒斯洋流。

Mozarab 莫扎拉布 西班牙语作 Mozárabe。指在穆斯林统治时期(8 ~ 11 世纪)的一些西班牙基督教徒,他们虽然没有改信伊斯兰教,但已采用阿拉伯的语言和文化。在穆斯林的大城市(特别是在托莱多、科尔多瓦和塞维利亚)中,有莫扎拉布居住区,其中,有他们自己的官员进行治理,并且按照一部西哥特人的法典办事。他们保持自己的主教区、教堂和寺院,并把《圣经》翻译成阿拉伯文。莫扎拉布最后移居伊比利亚半岛北部,并把科尔多瓦的伊斯兰建筑风格传到新居住地。

Mozarabic art 莫扎拉布艺术 公元711 年阿拉伯人入侵伊比利亚半岛后,居住于半岛的天主教莫扎拉布的建筑和其他视觉艺术。明显受伊斯兰文化和艺术形式的影响,

莫扎拉布绘画——《圣路加》(975)
美国不列颠百科全书公司供图

因而带有两种传统的综合性。主题是天主教义,但风格吸收了伊斯兰装饰艺术的题材与形式。莫扎拉布风格只在宗教艺术中可以辨认。在小件艺术品上,尤其是纺织品、陶器和陶瓷砖瓦上,与同时代的伊斯兰手工艺十分相近,只能从天主教主题上才可看出这些艺术家不是阿拉伯人。在莫扎拉布的建筑上,特别是在采用马蹄形拱门和肋拱圆顶的结构上也显示出伊斯兰风格的影响。莫扎拉布始终在穆斯林统治下生活,对建筑有种种限制,不许恢复神龛,现残存的以莫扎拉布风格建造的教堂主要是 9 世纪末至 11 世纪初的建筑物,这些建筑是长期侨居西班牙北部非伊斯兰领地的修士们筹建的。

Mozarabic chant 莫扎拉布圣咏 11世纪及其以前在西班牙基督教教会中形成圣餐仪式的音乐和经文。早在 5 世纪,西班牙就有自己的宗教和礼拜仪式传统,并在 6 世纪和 7 世纪西哥特人统治时期趋于完善。莫扎拉布一词原指穆斯林统治下的基督徒,于穆斯林阿拉伯人侵占伊比利亚半岛(711)后使用。现存最早的莫扎拉布圣咏手稿(8 ~ 11 世纪)保存了整个教会年的乐谱和唱词。乐谱采用纽姆符,但没有谱表,因此无法表示确切的音高。在莫扎拉布礼拜仪式中含有一个其他古代礼拜仪式所没有的组成部分,即在节日的弥撒中,对黄昏祷歌加添了"喊叫圣咏";它接在圣经朗读之后,旨在激起宗教热情。在音乐方面,莫扎拉布圣咏不仅受到东方教会圣咏——诸如哈利路亚中的花唱(一个音节唱许多音符)——的影响,而且也与高卢人(法兰克人)和安布罗斯人(米兰人)的仪式和圣咏有相似之处。

Mozarabic language 莫扎拉布语 又称阿哈米语。西班牙语古代方言,自 8 世纪初至约 1300 年通行于西班牙阿拉伯人占领区,曾保留多数古拉丁语形式并有许多阿拉伯语借词。在穆斯林统治时期它几乎全面受到阿拉伯语影响,尽管如此,莫扎拉布语仍全面坚持了罗曼语语音系统和典型的罗曼语语法。莫扎拉布语因出现于 11 世纪阿拉伯语和希伯来语诗篇的副歌中,才为人所知。这些副歌是用阿拉伯字母写的,大多没有元音标志,故常难以释读。参阅 **Spanish language**。

Mozart, (Johann Georg) Leopold 莫扎特 (1719-11-14,奥格斯堡[德国]~ 1787-05-28,萨尔茨堡大主教管辖区萨尔茨堡[奥地利])奥地利小提琴家、教师和作曲家。是 W. A. 莫扎特的父亲及其唯一的教师。在萨尔茨堡王子-大主教的宫廷里任小提琴师,后成为宫廷作曲家(1757)和唱诗班副指挥(1762)。其《小提琴演奏的基本原则》(1756)一书早已成为标准教科书,多次再版并译成其他文字。作品有器乐协奏曲、交响曲等。1763 年开始第一次成功地、极为广泛地向外界显示他的两个具有非凡才能的孩子:玛丽亚·安娜(南内尔,1751 ~ 1829;一个有才艺的键盘乐器演奏家)和早熟的天才沃尔夫冈·阿马多伊斯。虽然有人批评他不该利用儿子并将其天才商品化,他却认为发展其子才华并向全世界展示乃是他的天职。父子之间的一些内容广泛的书信,都收入 E.安德松编辑的《莫扎特与他家庭的书信集》(1963)之中。

Mozart, Wolfgang Amadeus 莫扎特(1756-01-27,萨尔茨堡大主教管辖区萨尔茨堡[奥地利]~ 1791-12-05,维也纳) 沃尔夫冈·阿马德乌斯·莫扎特是西方音乐史中公认的最伟大作曲家之一,与海顿和贝多芬一起将维也纳古典主义乐派的成就推向顶峰。他以当时的所有音乐体裁进行创作,而且无一不是出类拔萃,在音乐史中没有一位作曲家可与之伦比。他的趣味、他对形式的驾驭自如以

及他的表情幅度使他有权被称作所有作曲家中最高的全才。

早期生活与作品 其父利奥波德出身名门，家族中有建筑师、书籍装订师，他本人是一本著名小提琴演奏手册的作者；其母安娜·

奥地利萨尔茨堡州国际莫扎特财团供图

玛丽亚·佩特尔出身于一个活跃于地方行政的中产阶级家庭。莫扎特与其姐玛丽亚·安娜（"娜内尔"）是他们的7个孩子中仅存活的两人。莫扎特自幼表现出卓越音乐天才，3岁即能辨认拨弦键琴上奏出的和弦，4岁会弹短小乐曲，5岁会作曲。关于他的精确的音高记忆、关于他5岁即信笔涂鸦写作协奏曲、以至他的温和与敏感（他害怕喇叭），有不少趣闻轶事。他还不到6岁时父亲就将他和也是才华出众的娜内尔一起带往慕尼黑，在巴伐利亚宫廷演奏，数月后又去维也纳，在皇宫与贵族宅邸献演。利奥波德把儿子说成是"上帝赐予在萨尔茨堡出生的奇迹"，他深切地意识到自己对上帝应尽的义务是展示这一奇迹，使之举世瞩目。1763年中，他请假获准，暂时摆脱他在萨尔茨堡亲王兼大主教宫廷任副乐长的职务，全家出发作一次时间较长的旅行。他们遍访西欧所有主要音乐中心——慕尼黑、奥格斯堡、斯图加特、曼海姆、美因茨、法兰克福、布鲁塞尔和巴黎（在那里度过寒冬），又去伦敦（逗留15个月），然后取道海牙、阿姆斯特丹、巴黎、里昂和瑞士而于1766年11月返回萨尔茨堡。在大多数城市中，莫扎特以及常常还有他姐姐都作了演奏并即兴作曲，有时在宫廷，有时在公开场合或在教堂。利奥波德的一些尚未散失的致萨尔茨堡友人函中谈到他儿子的成就所引起的普遍赞赏。在巴黎，他们结识了几位德国作曲家，莫扎特最早的作品（几首题献给某公主的键盘乐器和小提琴奏鸣曲）出版；在伦敦，他们与巴赫的幼子、伦敦音乐生活中的领头人物之一J.C.巴赫和其他一些人相遇；在小巴赫影响下，莫扎特创作了最早几部交响曲——留存至今的3首为K16、K19和K19a，K表示该作品在L.冯·克谢尔所编目录中的位置。归途中在海牙停留时又创作两部（K22和K45a）。在萨尔茨堡逗留不过9个月以后，莫扎特一家又于1767年9月动身去维也纳，在那里度过15个月（其间有10个星期因天花流行而移居别处）。莫扎特写了一部独幕德语歌唱剧《巴斯蒂安与巴斯蒂安娜》，由私人演出。原以为他所作意大利语谐歌剧《装傻》可在宫廷剧院上演，因而寄予厚望，但未能如愿以偿，致使利奥波德怒火中烧。不过，一首颇有分量的喜庆弥撒配乐（大概是K139/47a）得以在孤儿院教堂落成典礼时成功地为王室演出。《装傻》于翌年（1769）在萨尔茨堡大主教宅邸上演。10月，莫扎特被任命为萨尔茨堡宫廷名誉指挥。此时莫扎特年仅13岁，但运用当时的音乐语言却已娴熟自如。从早期的巴黎和伦敦奏鸣曲（手稿中有利奥波德的笔迹）可以看出他摆弄音型和织体自得其乐的稚气情趣，而作于伦敦和海牙的交响曲则表现出他对所闻所见的音乐反应迅速而且富于创造性，作于维也纳的那几部（例如K43以及特别是K48）亦是如此，只是它们的织体更为充实，发展更为完满。他的第一部意大利语歌剧说明他已将喜剧风格掌握自如。

意大利之旅 掌握意大利歌剧风格是成功的国际性作曲生涯的前提，而奥地利对意大利北部的政治统治则保证那里的大门对莫扎特敞开。这一次，莫扎特的母亲和姐姐留守家园，于是两地的家书为事态的进展提供了完备的描述。第一次旅行始于1769年12月13日，持续达15个月之久，他们访问了所有主要音乐中心；像平常一样，凡是可以举行音乐会或是有一位贵族希望听莫扎特弹奏的地方，他们都要停留下来。在维罗纳，莫扎特在爱乐协会经历了几场极其严格的考查；而在米兰，经过对他创作戏剧音乐的才能进行多次测验后，他应邀为狂欢节创作第一部歌剧。继在博洛尼亚暂时逗留并结识受尊敬的理论家G.B.马蒂尼后，他们继续行程，前往佛罗伦萨，并于复活节前一周到达罗马。莫扎特在那里聆听西斯廷教堂唱诗班咏唱G.阿莱格里（1582～1652）著名的《求主怜悯歌》，该曲被认为是这一唱诗班独家拥有的保留曲目，但莫扎特却凭记忆把它默写出来。他们在那不勒斯度过6周；回程经罗马时，他获准觐见教皇，并晋封为金踢马刺勋位的爵士。夏季在博洛尼亚附近度过，在那里莫扎特通过了爱乐协会的入会考试。10月中旬到达米兰，并开始写作新歌剧《本都国王米特拉达梯》。为了满足歌唱家的要求，他不得不把好几个唱段重新改写；但是，在连续多次排练后（利奥波德的信就剧院的办事常规作了有趣的深入分析），12月26日在皇家公爵剧院的首演成绩斐然。按照惯例，莫扎特指挥了22场演出中的前3场，接着父子二人去威尼斯短期旅游，然后返回萨尔茨堡。

这时已经安排了再次访意的计划：他应邀为1771年10月在米兰举行的一次皇室婚礼写作一首戏剧性夜乐（一种短歌剧），还有一部歌剧，也是为米兰写的，将在1772～1773年的狂欢节期间演出。莫扎特还应邀为帕多瓦创作一部清唱剧，于1771年写了《贝图利亚得解放》，但无上演的记载。第二次意大利之行是在1771年8月至12月间，他的《阿斯卡尼奥在阿尔巴》亦在此期间首演；利奥波德兴高采烈地描述道，该剧使为此盛典而写的另一新作"彻底黯然失色"，他指的是当时最受景仰的正歌剧作曲家J.A.哈塞所作歌剧《鲁杰罗》。但是，父亲期待儿子能在米兰弄到一官半职的指望却落空。回到萨尔茨堡以后，莫扎特有一段时间创作硕果累累：他写了8部交响曲、4首嬉游曲、多首内容充实的宗教作品以及一首寓言式夜乐《希皮奥内的梦》。此曲原来也许是为了向萨尔茨堡亲王兼大主教施拉顿巴赫伯爵致敬而作，但很可能直到1772年春才演出，而且那时已是奉献给他的继任者科洛雷多伯爵希罗尼穆斯了。施拉顿巴赫是一位宽宏大量的雇主，批准假期很大方；他于1771年底去世。第3次也是最后一次意大利之行是在1772年10月至1773年3月。这一次的新歌剧《卢乔·西拉》于1772年12月26日上演。首演式的开场延迟3小时，演出时间长达6小时。首演虽然困难重重，后来却甚至比《米特拉达梯》还要成功，连演26场。这是莫扎特日后将要成为戏剧作曲家的最早征兆。《卢乔·西拉》之后是独唱经文歌《赞美吧，欢乐吧》（K165），一首富于感染力的三乐章作品，以光辉的"哈利路亚"结束。此曲乃为《卢乔·西拉》的头牌名角、阉人歌唱家兼作曲家V.劳齐尼所作。几次意大利之行期间所作器乐曲包括几部交响曲；其中有的采用轻快的意大利风格（例如K95和K97），但另外一些，特别是自1772年起的7首，却在形式、配器和音阶方面闯出了新的天地（例如K130，K132，还有室内乐风格的K134）。另外还有6首弦乐四重奏（K155－K160）和3首嬉游曲（K136－K138），风格活泼外向。

成熟初期 更多的交响曲和嬉游曲以及一首弥撒曲于1773年夏接踵而至。然后利奥波德又把儿子带往维也纳，显然是为了物色一个比萨尔茨堡宫廷（现任大主教远不及前任那么体贴入微）所能提供的更好的职位。求职未成，但莫扎特同最新的维也纳音乐的接触似乎对他产生了巨大影响。他在首都写成一套6首弦乐四重奏，从所用的比以前更丰满的织体和对这一体裁的更为理智的处理中可以看出他对海顿的近作作品第20号的了解。回去后不久他就写了一组交响曲，其中两首（《"小"G小调》（K183）和《A大调》（K201））在成就上代表了一个新的水平。也是作于这一时期的，还有他的第一首真正的钢琴协奏曲（D调，K175），他以前的键盘协奏曲都是其他作曲家的乐章的改编。1774年他又创作了几首交响曲以及大管和两把小提琴的协奏曲（风格使人想起J.C.巴赫）、小夜曲和若干宗教乐曲。这时莫扎特已是一位领取薪俸的宫廷指挥，他那些宗教音乐是专供本地用的。科洛雷多大主教是一位思想进步的教徒，反对铺张靡丽的音乐，对弥撒曲的配乐在时间上严加限制；对此莫扎特不以为然，却不得不照办。年底，他应约为慕尼黑狂欢节写作谐歌剧《假扮园丁的姑娘》，演出相当成功。它表明莫扎特在他自童年以来所写的第一部喜歌剧中探索如何把乐队用得更富表情，如何赋予意大利谐歌剧中那些虚妄人物以真正的个性。

从1775年3月开始的两年半时间中，莫扎特在萨尔茨堡的岗位上坚持不懈地工作着。对他来说，这一工作要求不高，而且是大材小用。在此期间，他写的戏剧作品只有一部,即为大公爵的一次来访而作的夜乐式的《牧人王》,但宗教音乐和轻快器乐曲却硕果累累。最令人难忘的教堂音乐是《圣事祷文》的配乐(K243),其中所包含的风格涉及范围很广(赋格、具有强大戏剧力量的合唱、华丽的咏叹调以及素歌配乐)。器乐作品有嬉游曲、协奏曲、小夜曲,以《哈夫纳小夜曲》(K250)尤为引人注目,其乐器运用手法与丰富铺展使小夜曲风格发展成交响曲风格而又无损于其传统的温情脉脉和意气风发。5首小提琴协奏曲均作于这一时期(第一首可能略早),表现出作曲家在短短数月内掌握这一体裁日益挥洒自如,有了长足的进步,乐思越来越富有想象力,为精湛技巧的炫示提供了有趣而顺理成章的背景。在终乐章中采用通俗主题是德国南方的典型做法。他还写了一首3架钢琴的协奏曲和3首钢琴协奏曲,其中最后一首(K271)显示出技巧和表情幅度已臻于新的成熟阶段。

曼海姆和巴黎 这时,无论是他父亲还是莫扎特本人,一定都已十分清楚地看到,像萨尔茨堡这样一个外省的小宫廷决非他那样的天才容身之地。1777年他恳请大主教将他免职,旋即在母亲照管下出发去寻找新的机会。他在离家的16个月中与父亲的信函来往不仅就他在做什么提供了信息,而且使人们清楚地看出父子之间的关系正在发生变化。已经21岁的莫扎特越来越感到自己必须摆脱父亲的控制,而利奥波德对于前景的焦虑则几乎到了病态的程度。母子二人先到慕尼黑,选帝侯婉言拒绝给莫扎特安排职位。接着他们访问奥格斯堡,暂居亲戚家中;莫扎特和表妹玛丽亚·安娜·特克拉成为情投意合的朋友。10月底莫扎特母子到达曼海姆,那里的享有王权的选帝侯宫廷在音乐上是欧洲最著名最进步的宫廷之一。他们在曼海姆逗留了4个多月,虽然他不久便得知求职之事又成泡影。他和曼海姆的音乐家们关系融洽,担任一些教学和演奏工作,接受一位德国外科医生的委托并部分地完成了一首长笛音乐,爱上了女高音歌唱家A.韦伯(她是一位抄谱员的女儿,4姊妹中排行第二)。此外还写了几首钢琴奏鸣曲,有的带小提琴。他向父亲提出随韦伯一家去意大利旅行的打算,这个天真而不负责任的主意使父亲火冒三丈:"滚到巴黎去,马上就去,到大人物中去找你的位置——不成龙,便成虫。"本来计划让他独自成行,现在利奥波德觉得不放心,作了一个注定不会有好结果的决定:让他母亲也去。1778年3月下旬到达巴黎后,莫扎特很快就找到了工作。他最重要的成就是为"圣灵音乐会"创作的那首辉煌的D大调交响曲(K297),它迎合了巴黎听众(以及音乐家们)的趣味,即要求乐队炫示技巧而又不影响完整性;确实,他把他们击节叹赏的一些手法(例如开始的"第一弓"——一个全体一致的有力手势)加以发挥而用于新的曲式。

当这部交响曲于6月18日首场公演时,他母亲已病入膏肓,7月3日便与世长辞。莫扎特处理这一局面,考虑得很周到:先写信向父亲通报母亲病情危殆,然后再请萨尔茨堡的一位神父朋友透露这一噩耗。他迁入德国朋友冯·格林男爵梅尔希奥家中。不久后,格林写信给利奥波德,对他儿子在巴黎的前途表示悲观,于是利奥波德为他在萨尔茨堡谋求到一份更好的工作,担任宫廷管风琴师而不是原先的小提琴演奏员,但名义上仍是乐队首席。莫扎特勉为其难奉父命回国,途中曾在曼海姆和慕尼黑停留——曼海姆的音乐家们此时大多已迁居他处;A.韦伯对他态度十分冷淡。1780年1月中旬,他抵达萨尔茨堡。

萨尔茨堡和慕尼黑 回到萨尔茨堡以后,莫扎特似乎急于展示他掌握国际性风格的功力:在作于1779～1780年的3部交响曲中,G大调K318采用了巴黎人的那个"开章第一弓"和深得曼海姆人喜爱的那种类型的"渐强";而C大调K338则表现出辉煌的巴黎风格的许多特点。但是,这一时期的管弦乐杰作是小提琴与中提琴的协奏交响曲(K364);这一体裁在两个城市都很受欢迎;在其管弦乐风格中有许多曼海姆特征,但作品的性格、乐器之间巧妙的互相映衬和深邃的感情显然都是莫扎特所特有的。同样作于这一时期的还有两架钢琴的欢快的协奏曲和两架钢琴的奏鸣曲以及一些宗教音乐作品,包括他的全套弥撒曲中最著名的《加冕弥撒曲》。

但是,最吸引莫扎特的还是戏剧音乐。不久前他为T.P.冯·格布勒的一部戏谱写了戏剧配乐;1779～1780年间他创作歌唱剧《扎伊德》,并完成过半,虽然他明知不一定能演出。因此,当他于1780年夏接到约稿为慕尼黑创作一部意大利正歌剧时,想必是很高兴的。歌剧取材于克里特王伊多梅尼奥的故事,台本作者为当地教士G.瓦雷斯科,他以1712年的一个法文台本为依据。莫扎特可以在萨尔茨堡先着手创作,因为他对某些歌唱演员的能力已有所了解。他在预定的首演日之前大约10个星期时前往慕尼黑。利奥波德留在家里充当莫扎特和瓦雷斯科之间的联络人,直到接近首演时为止;因此他们的信件为整个创作过程提供了丰富的史料。莫扎特的家书中以四大内容为主:第一,他像平常一样急于向父亲保证歌唱演员对他的音乐的热情欢迎。第二,他很关切删节的问题:台本实在太长,莫扎特的配乐写得很开阔,因此需要做大量删节——宣叙调、合唱场景,甚至是最后两幕的两首咏叹调。第三,他总是热切希望作一些修改,以便使剧情更自然,更可信。第四,他努力使音乐和情节适应歌唱演员的需要和局限性。

在《克里特王伊多梅尼奥》中,莫扎特以他的其他歌剧中从未有过的浓艳色彩描写严肃的、英雄的感情。虽然受到C.格鲁克和N.皮契尼等人的影响,它却不是一部"改革歌剧"。它包含朴素的宣叙调和华美的歌唱,但永远是为了戏剧的目的;而且,虽然织体比莫扎特早期的歌剧中更为连绵不断,它的布局却因其法国根源而基本上是传统的。该剧于1781年1月29日、恰好在莫扎特刚过25岁生日之后上演,取得相当的成功。3月12日,当莫扎特父子还在慕尼黑时他就应召参加大主教在维也纳的侍从组,此时维也纳正在庆祝约瑟夫二世的登基大典。

维也纳最初几年 在慕尼黑的成功记忆犹新,在那里他曾与一些贵族自由交往;可是现在莫扎特发现,当他在大主教的随行人员寓所中用餐时,他的座位比大主教的贴身男仆还低,仅只比厨师略胜一筹。不仅如此,大主教还拒不同意他在音乐会演奏(包括皇帝出席的那次,莫扎特如参加演出,一个晚上就能挣得他半年的薪金)。他忿忿不平,感到屈辱。在一次与科洛雷多大主教会晤时,事态发展到白热化程度;据莫扎特说,大主教采用了世俗的语言;莫扎特要求辞职,终于在1781年6月9日与宫廷管家一场激烈交锋后获准。接着莫扎特便迁入旧友韦伯家中(阿洛伊西亚已与一位宫廷演员兼画师结婚)居住,并开始在维也纳谋生。虽然热中于在宫廷求职,但他暂时只是想招收几名学生,创作一些音乐出版和在音乐会演奏(维也纳的音乐会大多在贵族宅邸举行,公开的较少)。同时他着手写作歌剧《后宫诱逃》(这时约瑟夫二世要求宫廷剧院上演德语歌剧以取代传统的意大利语歌剧)。1781年夏,开始有谣言(一直传到萨尔茨堡)说,莫扎特正考虑与韦伯家的三女儿康斯坦策结婚;但他在给父亲的信中坚决否认此事:"我从未像现在这样不想结婚……再说,我并不爱她。"为了揭穿这些流言蜚语,他搬了家。可是,及至12月,他却又请求父亲为他和康斯坦策的婚事祝福:他这时正热恋着她,而且,可能是由于她的母亲和监护人的阴谋策划,他在某种程度上已是非娶她不可了。因为康斯坦策后来撕毁了利奥波德的回信(原因不难设想),这次通讯只留下了一方的信件;不过,利奥波德的反应很容易臆测,看来这一时期他们父子之间的关系出现低潮。

从音乐上来看,1782年初莫扎特的主要精力放在《后宫诱逃》上,这部歌剧经过多种原因的延误后于7月16日登上市营剧院的舞台。传闻皇帝曾说过"音符实在太多,我亲爱的莫扎特";原话可能不是如此,但这则轶闻却是一个征兆:这部作品中的音符确实要比当时德国保留剧目中的任何其他歌剧多得多,而且织体更丰满,发展更精美,咏叹调更长。通过莫扎特写给父亲的信,人们得以深入了解他进行戏剧作曲的方式,例如,信中就曾解释如何运用伴奏音型和调性关系来体现内容。他还要求将原台本加以重大修改以增强其戏剧效果,并使音乐能更好地发展。值得注意的特征有:因"异国情趣"的乐句、变化音以及土耳其军乐队乐器的运用而造成的土耳其色彩;沿袭谐歌剧风格但却没有意大利式戏剧冲力的那个扩展的第二幕终场;女主角(碰巧亦名康斯坦策)的富于表情的强烈的咏叹调;还有莫扎特所谓的对维也纳人的喜剧音乐趣味所作的让步,例如二重唱《酒神巴克斯万岁》。《后宫诱逃》一鸣惊人,而且久演不衰;很快就被一些旅行剧团和外省剧团纳入演出计划——就像《假扮园丁的姑娘》一样,不过那次是在较小程度上——从而使莫扎特在德语国家中遐迩闻名。在这一年的晚些时候,他创作了一套3首钢琴协奏曲,并开始一套6首弦乐四重奏。同时还着手写一首C小调的弥撒配乐;他曾许愿这首弥撒曲要以他的婚姻为题材,但结果只写成前两段"慈悲经"和"荣耀经"。这首音乐不但受到奥地利教会传统、同时也受到巴罗克音乐(巴赫、韩德尔和其他人)的影响;莫扎特接触巴罗克音乐(也许是第一次)是在他的庇护人、音乐收藏家兼古文物收藏家G.范·斯维顿男爵家中。巴罗克影响在某些独唱曲的简朴织体和朴素线条中特别明显,虽然其他独唱曲干脆采用装饰性的、德国南方晚期洛可可风格(对"老式"对位法的这种兴趣还可见之于莫扎特作于同一时期的某些钢琴音乐,以及他为巴赫《平均律钢琴曲集》的音乐所作弦乐改编曲中)。莫扎特偕妻子于1783年夏、秋两季访问萨尔茨堡,完成的两个乐章即于此时在圣彼得大修道院上演,由康斯坦策唱其中一个独唱女高音声部(每次都是如此)。在返回维也纳途中,莫扎特在林茨逗留了几天,为他在那里举行的音乐会匆匆写成一部交响曲,即以城市的名字命名。

维也纳时期中期 回到维也纳后,莫扎特开始了他一生中最多产最成功的时期,他曾写信给父亲说,维也纳是"钢琴之乡",他在那里最大的胜利是作为钢琴家兼作曲家而取得的。在仅仅5个星期的时间内,他在22场音乐会上演出,主要是在义斯特哈齐和加里津家里,但也有5场他的独奏音乐会。自1784年2月起,他将自己的音乐逐一登记在册,这说明他开始意识到传世的问题以及他在后世的地位(事实上他登记的条目有时记错了日期)。在音乐会上他通常弹钢琴,有现成的乐曲,也有即兴弹奏;他的幻想曲(例如1785年的那首精致的C小调(K475))和大量变奏曲也许能说明他的听众听到的是怎样的音乐。有时他也指挥自己的交响曲演出,包括早期的萨尔茨堡作品和定居维也纳以后写的两部,即1782年为萨尔茨堡的哈夫纳家族而写的《哈夫纳》和《C大调第36首林茨交响曲》,但音乐会活动的主要作品首推钢琴协奏曲。1782～1783年间,莫扎特写了3首钢琴协奏曲(K413－K415),1785年出版时另加弦乐和任选的管乐部分(以便适用于家庭演奏),并描写为"介乎太难与太易之间的快乐的中庸之道"。1784年又有6首问世,1785和1786年各3首,1788和1791年各一首。在1784年的那一组中他确立了钢琴协奏曲写作的新水平;这些协奏曲既有交响性,又有富丽的旋律和精巧的配器,并且把炫技要素有效地融入作品的音乐结构和曲式结构。大量旋律素材指派给管乐器演奏,形成一种独一无二的旋律风格,适合于对话的模式和乐器的交相映衬。1784年的一组(K449、K450、K451、K453、K456、K459)相对地说是同一类型的,都是先由乐队陈述开始的主题,然后由钢琴继续下去;在这一组之后,莫扎特在1785年的协奏曲(K466、K467、K482)中改而让钢琴独奏重新诠释开始主题。这3首协奏曲在性格上越来越个性化——一首是暴风雨般的浪漫派的D小调作品;第二首是思路清晰的C大调协奏曲,它的慢乐章秀美但动荡不安,显得与众不同;而第三首(降E大调)则以其军乐节奏与管乐色彩而引人瞩目。1786年的一组以精妙但却带有传统抒情韵味的K488开始,然后是两首在交响乐的统一和壮丽方面达到新水平的协奏曲,一是C小调(K491),所用乐队是莫扎特到那时为止在音乐厅中所要求的规模最大的;另一首是气吞山河的C大调(K503)。最后两首协奏曲(K537和K595)中未见新的变化。莫扎特在这一时期的其他重要贡献在于室内乐和钢琴音乐领域。1784年的产物包括美妙的钢琴奏鸣曲K457和钢琴与小提琴奏鸣曲K454,后者是为一位来访的小提琴技巧大师而作,写得非常仓促,因此钢琴声部未及写成,而是在首演式上由莫扎特看着白纸演奏的。他还写了一首钢琴与管乐器五重奏(K452),风格接近其协奏曲;他认为这是他迄今为止的最佳作,首演于他的学生B.普洛耶尔府第中举行的音乐会(1784年的K449和K453协奏曲即为普洛耶尔所作)。动笔于1782年的6首弦乐四重奏于1785年初完成,下半年出版,题献给此时已是莫扎特至交的海顿。1785年利奥波德在维也纳看望儿子时,海顿对他说:"您的儿子是我所认识的或听说过的最伟大作曲家;他有鉴赏力,更重要的是,对作曲之事融会贯通,了如指掌。"

从《费加罗》到《唐·乔凡尼》 尽管他作为钢琴家和作曲家功成名就,但在经济上却是十分拮据;当那些见异思迁的维也纳人找到了其他偶像时,情况益发恶化。我们可以估计他在生命最后5年(1786～1791)中的大致收入,比大多数音乐家高得多,但又远远低于他希望与之交往的那个社会阶层。利奥波德早年曾劝他,对同事的音乐家们要保持疏远("像一个英国人那样"),而对贵族阶级则要友善款洽;这个劝告是有其代价的。他向往成为任何特权贵族那样的人上人,这一意念促使他和他妻子去追求一些就他的实际身份和收入而言都是过于奢侈的享受。他知道宫廷的职位可以使他摆脱困境,但他也了解,在宫廷乐长A.萨利埃里领导下,宫中的意大利音乐影响是强烈的,排外的——即使他和萨利埃里个人之间的关系一向还过得去。

在宫廷歌剧院的成功是至关重要的。约瑟夫二世这时又重新垂青意大利歌剧,因此自1783年起莫扎特一直在物色适当的台本(有两部作品他甚至已动笔写作,但后来意识到它们无助于他的目的,便半途而废)。他开始与犹太裔的意大利神父冒险家、天才诗人和宫廷剧院的台本作家L.达·庞特交往。在莫扎特建议下,达·庞特根据博马舍的革命喜剧《费加罗的婚礼》写成同名歌剧台本,但略去大部分政治性螯刺。不过,《费加罗的婚礼》的音乐还是突出了社会差别。像后来的歌剧《唐·乔凡尼》一样,《费加罗》也是描写放荡的贵族类传统人物,但它是把人物放在一个比较直接的喜剧平面上来处理的,虽然其中社会紧张情绪的暗流来势甚猛。《费加罗》的主要成就也许在于它那些音乐与戏剧含义关系密切的重唱。例如,第三幕的写信二重唱逼真地表现先口授内容然后复述一遍的情景,复述作为浓缩的再现。各幕的终场特别显示出宽广的交响乐结构,每一段作为一个单元加以发展;例如,在第二幕终场的降B调一段中,伯爵盘问费加罗时的紧张局面在调性布局中也表现出来,它直到问题最后解决才回到主调:音乐与戏剧密切配合,效果卓著。这些特点,再加上管弦乐写作所体现的对人物和故事情节的解说,给戏剧场面增加了深邃度,使它们的解决具有更大的严肃性,因而使这部歌剧与众多意大利谐歌剧截然不同。《费加罗》于1786年5月1日登上舞台,反应热烈。1786年演出9场,1789～1790年重新上演时又演出26场——虽然很成功,但与马丁-索莱尔和G.帕伊西埃洛的某些歌剧相比,却稍逊一筹(如帕伊西埃洛的《塞维利亚的理发师》的续篇,原设计就是为了与它竞争)。不管怎么说,这部歌剧在布拉格确实备受欢迎,因此,到年底时莫扎特便被邀请前往这个波希米亚首都;他于1787年1月动身,在那里演出一部新交响曲,并且又接受一部歌剧约稿,1787年2月返回维也纳。这时莫扎特在维也纳的音乐会活动大为缩减。1787年根本没有在维也纳公开露面的记录。4月他得知父亲病重,写了一封慰问信,根据共济会的教义提出他对死亡的看法:"人类最好最可靠的朋友"(他是在1784年底信奉共济会的)。利奥波德于1787年5月去世。

莫扎特在这一时期创作的音乐包括两首可能是他最卓越室内乐曲的弦乐五重奏K515－K516。这一体裁为富丽的音响和对称的模式提供了机会,显然对他有着特别的吸引力。C大调五重奏(K515)是他所有室内乐曲中最辽阔、发展最丰富的,而G小调(K516)则一直以其深刻感情著称,在当时的情况下,人们不禁会认为那是一种挽歌式的感情。作于这一时期的还有许多短小动人的艺术歌曲和3首著名器乐曲:《音乐玩笑》,这是一首嘲弄蹩脚音乐的妙趣横生的作品,风格可能是利奥波德所喜欢的(人们一度认为此曲系利奥波德之死引发而作,但后来发现它的动笔要早得多);精美而深受喜爱的《小夜曲》,大概是供独奏弦乐器演奏的,创作目的至今不得而知;还有一首精致的钢琴与小提琴奏鸣曲K526。但是,莫扎特在1787年的主要工作是应布拉格方面的委托而创作《唐·乔凡尼》。该剧于10月29日上演,受到热烈欢迎。这是莫扎特根据达·庞特的台本而作的第二部歌剧。达·庞特以G.加杋尼加于1787年初为之配乐(为威尼斯而作)的G.贝尔塔蒂台本为蓝本,加工改写,在原来的独幕剧中加入一些新的插曲,因而形成某些结构特征。这是一部哥尔多尼传统的欢快戏剧,由于其较为严肃的人物处理,比一般的谐歌剧具有更大的表情潜力。莫扎特处理这部作品的一个特色是:配乐的跨度很大,一些传统格式的唱段常常互相撞击。像在《费加罗》中一样,两幕的终场又是与众不同的:第一幕的终场中舞台上出现3个乐队,为不同社会阶层的人伴舞;在第二幕终场的晚饭场景中,总督的石像把乔凡尼判入地狱,长号声表示超自然的力量;当乔凡尼被制服时,音乐采用持续的附点节奏、激烈的变化音和步履踉跄的和声。但是,它仍还是一部喜歌剧,这一点从莱波雷洛这一人物便可明显看出:他躲在桌子下面发表一个平民百姓的挖苦的或诙谐的评论;全剧结束时,活着的角色在一首欢乐的六重唱中说出故事的真谛。歌剧的"超凡"特性使它对观众产生一种特殊的魅力,并引出许多评论性、诠释性以及纯幻想性的著述。

最后几次旅行 1787年11月中旬从布拉格返回维也纳后，莫扎特终于获得一个宫廷职位，继刚去世的格鲁克担任宫廷乐师。这基本上是个挂名差事，唯一要求于他的是为宫廷舞会提供舞蹈音乐，这一点他在有生之年做到了，作品源源不断而且颇具特色。800金（银）币的薪俸看来并未能缓和莫扎特一家那没完没了的财政困难。不过，他们欠债的数目从来不是很大，总还是有能力雇用仆人并自备马车；令他们忧心忡忡的问题并非将要挨饿，而更多的是能否像他们所希望的那样过日子。1788年他开始接二连三地写信向也是共济会成员的M.普赫贝格借债；普赫贝格通常是有求必应，莫扎特一般好像也是即期归还。这年夏天他感到非常消沉，写到一些"阴郁思想"；有人猜想他可能有躁郁症气质的个性，表现出时而躁狂时而阴郁的倾向，这不仅能为他的消沉，而且也能为他的行为举止的其他方面作出解释，包括他那狂热的创造魔力。在这一情绪消沉时期，莫扎特正在写作一套3首交响曲：降E大调（K543）、G小调（K550）和C大调即《朱庇特》（K551），通常编号为第39、第40和第41；这3首，再加上为布拉格写的K504，代表着他的管弦乐创作的一个总结。它们是为何而作，至今鲜为人知；可能莫扎特打算举办一个夏季音乐会演出季。为布拉格写的那首是他的一长串辉煌的D大调管弦乐曲的顶峰，但那苦心经营的、甚至是动机式的形式赋予它以新的力量和统一性。降E大调的那一首，配器中采用单簧管，气质更为抒情，创新手法较少，只是慢乐章比较强烈紧张（莫扎特在这里用了一组新的比较阴暗的管弦乐色彩），末乐章表现出妙语连珠般的睿智。在G小调的一首中，激越的和也许是凄婉的情调因其不断的下行音型而显得尤为鲜明。《朱庇特》（这一曲名系19世纪初所加）是他的一系列具有军事壮观与典礼气氛的C大调交响曲的总结，但它走得更远，吸收谐歌剧风格、表情深邃（在行板乐章中）、文体富丽——尤其是在末乐章中（它汲取赋格的程序，并结束在一个由五声部对位形成的宏伟顶峰上）。

1789年初，莫扎特应邀与K.利赫诺夫斯基亲王一起访问柏林，途中在布拉格、德累斯顿（他在那里的宫廷中演奏）和莱比锡（他在托马斯教堂的管风琴上即兴弹奏）等地停留。他又在普鲁士宫廷中演奏，很可能还接到约请，要他为公主写几首钢琴奏鸣曲，还要写几首突出大提琴声部（供国王腓特烈·威廉二世演奏）的弦乐四重奏。他确实写了3首四重奏，赋予某些声部中的个别乐器（包括国王的大提琴）以特别的重要性；有一首奏鸣曲（他最后的一首，K576）大概就是为普鲁士公主写的。但是，莫扎特似乎从未把这首音乐寄出去。这年夏天他的单簧管五重奏问世，其中地道的室内乐风格和独奏文体亲切而优雅地调和一致。接着，莫扎特便集中精力完成他的下一部歌剧约稿，即与达·庞特合作的第三部歌剧《女人心》。该剧于1790年1月26日首演；演出5场后即因约瑟夫二世驾崩，剧院全部关闭而辍演，到夏天又续演5场。它是3部歌剧中最微妙、最首尾连贯、最对称的一部；由于它的主题是讲妇女水性杨花而长期（从贝多芬开始）受到谴责，但如仔细加以研读，尤其是从音乐的感情结构的角度（剧情越发展，感情就越复杂），就会发现它并非轻薄之作，而是一篇议论人类感情及其成熟悟性的深刻论文。第一幕的音乐表情基本上是传统风格的，在某几首咏叹调中，传统的感情受到入木三分的讽刺模仿；但第二幕的咏叹调就更为深邃、更加个性化。《女人心》的音乐特点——安详、克制、沉着、讽刺——可说是莫扎特晚期风格的标志，这种风格是自1787年开始形成的，可能和他个人的发展和他生活的环境（包括他与共济会的交往、他的职业与经济情况以及他的婚姻）有关。1790年他处境困难，创作不多：除《女人心》之外，完成两首"普鲁士"四重奏，改编了几首韩德尔作品供范·斯维顿宅邸演出之用（1789年他也为此改编过《弥赛亚》），还写了两首由机械管风琴演奏的幻想曲类型的作品中的第一首，采用"前奏与赋格"曲式。这首气势雄伟的F大调乐曲（K594）现在通常用普通管风琴演奏。秋天，急于在宫廷圈子中一显身手的莫扎特去往法兰克福参加利奥波德二世加冕典礼，但只是以个人身份，而不是作为宫廷乐师。他的音乐会包括两首钢琴协奏曲，可能还有一首新交响曲，但时间安排得不好，卖座不佳，经济上失败。为了钱而愁肠百结，这是他的家书中反复出现的主题。

最后一年 但是1791年的情况有可能好转。音乐又重新涌现：为了3月份的一次音乐会，莫扎特把几年前早已开始的一首钢琴协奏曲续成（K595），为宫廷舞会写了大量舞曲，并创作两首新的弦乐五重奏，其中D大调的那首（K593）写得特别精雅微妙。4月，他申请无偿担任圣斯蒂芬大教堂年事已高的乐长L.霍夫曼的助手获准；此举的目的是希望有朝一日他能被委派为霍夫曼的接班人，但霍夫曼一直活到1793年。

莫扎特的老朋友E.希卡内德于1789年创办一家剧团，在市郊某剧院演出歌唱剧。1791年他邀请莫扎特为他的《魔笛》配写音乐。整个春天以至初夏，莫扎特致力于该剧的写作。接着他受一位不愿披露姓名的人的委托，要他在保密情况下创作一首安魂曲。此外，大概是在7月份，他又应邀为利奥波德二世将于9月份举行的加冕庆祝活动创作歌剧。夏、秋两季的大部分时间康斯坦策都在巴登就医；7月，她生下他们的第6个孩子，也是成活的两个孩子之一。这两个孩子是卡尔·托马斯（1784～1858）和弗朗茨·克萨韦尔·沃尔夫冈（1791～1844，作曲家兼钢琴家）。从莫扎特给妻子的信中可知，起初他是致力于《魔笛》的写作，但是，在他于8月底前夕动身赴布拉格之前，为这个波希米亚首都所作的歌剧《狄托的仁慈》已经动笔。工作压力太大，因此，除康斯坦策外，随同他去布拉格的还有他的学生F.X.苏斯梅厄。几乎可以肯定，新歌剧中一些简单的宣叙调是苏斯梅厄所作。台本是德累斯顿宫廷诗人C.马佐拉根据P.梅塔斯塔齐奥的一个旧本子加以压缩和增补而成；歌剧的音乐长期被斥之为"急就章"和敷衍塞责之作而未获重视；但事实上，如果把那简朴的配器、短小的咏叹调和总的说来比较婉约的风格看成是莫扎特对当时的新古典主义思想和利奥波德二世的众所周知的偏好所作出的反应，就可以更好地理解它们。宫廷对此剧反应冷漠，不过它很快就征服了布拉格的观众，并在其后几十年中成为莫扎特最受欢迎的作品之一。莫扎特于9月中旬返回维也纳；《单簧管协奏曲》于9月29日完成，翌日《魔笛》首演。这次又是开始时反应十分审慎，但不久就成为莫扎特最受喜爱的戏剧之一。希卡内德的故事情节取材于C.M.维兰德的一本童话故事集，同时还借用其他文学资料和当时关于共济会的见解——全部放在维也纳通俗戏剧的环境中加以考虑。在音乐上它有别于同时代的歌唱剧，不仅是由于它的音乐的质量，也由于在那些表面看来只是童话剧或是融多种不同风格因素而成的看似幼稚或低级喜剧的篇章的深处却蕴含着严肃的思想。

在布拉格的几周中莫扎特曾感不适，但从他10月份写给康斯坦策的信函来看，此时他情绪很好，而且不无根据地对未来充满信心。他为他所属的地方分会写了一首共济会康塔塔，并于11月18日指挥演出。他也在孜孜不倦地创作那首约写的安魂曲。11月下旬他患病不起，12月3日明显有所好转，但未能持久，1791年12月5日与世长辞。医生证明的死因是"严重伤寒症"；后来又说是"炎症性风湿热"。还有人从莫扎特的病史出发，提出其他诊断，包括"舍恩莱恩-黑诺克综合征"。没有证据能证明他是被萨利埃里（他的同事和朋友，未必是劲敌）或其他任何人投毒致死。按照当时维也纳对他这种社会地位和经济地位的人的标准，他被安葬在一个公墓中，送葬者仅少数友人。

康斯坦策急于请人完成那首安魂曲，因为酬金指日可得。这是沃尔塞格-斯图帕赫伯爵为纪念亡妻并冒充自己的作品而委托莫扎特写的。康斯坦策先将它交给J.艾布勒，他提供了一些配器，便不愿再继续下去；于是作品又转给苏斯梅厄，他交出一个完整的本子，有几个乐章是他自己创作的，虽然可能是以莫扎特的草稿或指示为依据。这个本子虽然因其技术上的缺点而招致批评（一些编辑者一直在努力弥补这些缺点），但是，由于它的原始资料是唯一贴近莫扎特的，它应该是一个标准本。它那朴实无华的高贵气质，加上素淡的器乐色彩和崇高的合唱写作，预示出如果莫扎特能活到接受圣斯蒂芬教堂乐正之职的话，他的音乐将是什么样子。

莫扎特的地位 在他去世时，莫扎特已被广泛承认为一位不仅是当时最伟大的、而且是一位大胆而"难对付"的作曲家；《唐·乔凡尼》特别被认为是复杂而不协和的，他的室内乐则要求演释者具有杰出的技巧。一些没有散失的手稿（其中包括许多未曾出版的作品）大多被康斯坦策卖给了奥芬巴赫的安德烈商行，该行在19世纪曾出版一些版本。不过，莫扎特是如此赫赫有名，因此甚至还在18世纪末以前就有两家商行着手出版他的内容充实的作品全集。两本重要的传记于1798和1828年问世，后一本的作者是康斯坦策的第二个丈夫。O.杨所作的第一部具有学术水平的传记于1856年莫扎特诞辰一百周年出版。克歇尔目录第一版在6年后问

世;第一套莫扎特作品全集于1877年开始出版。

在19世纪的保留节目中最牢靠的作品是3部最不受观众趣味变化影响的歌剧(《费加罗的婚礼》、《唐·乔凡尼》和《魔笛》)和几首在精神上与浪漫派时期最接近的管弦乐曲,包括那些小调钢琴协奏曲(贝多芬曾为D小调协奏曲写了一套华彩段)和最后3部交响曲。只是到了20世纪,莫扎特的音乐才开始得到更广泛的重新审视。虽说直到20世纪中期人们一直认为莫扎特在很多方面不如贝多芬,但是,随着20世纪下半叶历史观点的增强,他逐渐被看作一位具有巨大的、确实是无与伦比的表情幅度的艺术家。由神童转化的上流社会高雅作曲家(他能在动笔以前奇迹般地在头脑中把整首作品构思成熟)的传统形象变成了具有人类敏锐洞察力的严肃刻苦的创作艺术家的形象,他的错综复杂的心理特点有待于作家、历史学家和学者的探索研究。不过,尽管理解的方向有这样的变化,在公众的尊重和爱慕方面,莫扎特的地位在其他所有作曲家中无出其右。

Mozelekatse (South African king) 参阅 **Mzilikazi 姆济利卡齐**。

Mozi 墨子(约公元前476~约前390) 又拼Mo-tzu。名翟。中国先秦思想家,墨家学派创始人。墨家曾与儒家同时保持"显学"地位达200年之久。墨子原"学儒者之业,受

中国大百科全书出版社供图

孔子之术",后来抛弃儒家以恢复周礼达到太平盛世的主张,另创墨家。他博通历史文化典籍,除短暂出仕外,大半时间到处奔走,希望得遇明主来实现自己的理想,但终不见用。后举荐门徒到各国做官,推行墨家政治主张。墨子宣传兼爱、非攻,"止楚攻宋"一事后世传为美谈。墨子上说下教,言行颇多,但无亲笔著作,弟子和再传弟子将他的思想言论记录编成《墨子》,现存53篇。书中表述了墨子的政治、社会和宗教思想,其精华见于《尚贤》、《尚同》、《兼爱》、《非攻》、《节用》、《节葬》、《天志》、《明鬼》、《非乐》、《非命》等10篇。墨子重视讲求是非标准,以"三表"作为认识真理、衡量学说的方法。三表即①找出历史根据,参证历史经验;②依仗耳闻目见的亲身经验;③参考实际运用效果,"发以为刑政,观其中国家、百姓、人民之利",即能否使黎民温饱、子女繁庶,对国家人民有利。墨子学说的中心是兼爱。认为天下混乱之源在于人人"亏人自利"。墨子的救治之道与基督教义颇为类似,即提倡博爱互助。"天下兼相爱则治"。只要"人人视人之国若视其国;视人之家若视其家;视人之身若视其身",做到天下人皆相爱,"兼以易别",就能进到大同盛世,祸篡怨恨就无从产生。在先秦思想家中,墨家的宗教色彩最浓厚,他要人敬事鬼神,顺天行事,以"天志"来代替传统的天命观,认为天能赏善罚暴,"天欲义而恶不义"。在这种思想影响下,墨家成为人人生活刻苦朴素、组织纪律严密,能"赴火蹈刃、死不还踵"的宗教式政治团体,首领叫"钜子"。墨家学派在墨子死后仍然活跃,到公元前2世纪,墨学与儒学还被列于同等地位。西汉董仲舒的罢黜百家独尊儒学被采纳后,墨学才湮没无闻。一般评论家认为墨子摩顶放踵以利天下的精神值得钦崇,但墨学则陈义过高,不切实际。直到20世纪,不少学者又对墨子和《墨子》一书重新评价研究。

Mozyr 莫济里 白俄罗斯戈梅利州城市,莫济里区首府。濒临普里皮亚季河高岸。建于12世纪。18世纪起为贸易和手工业中心。早期曾为苏联木材加工中心,现以炼油、机器制造和金属加工为主,还有服装和食品等工业。该市为重要河港,有丰富的盐矿。向东欧输油的管道在这里一分为二。设有师范学院和医科学校。人口约103 000(1991)。

mozzarella 莫萨里拉干酪 用水牛的奶制作的干酪,味淡且细腻,具有纯正的意大利风味。各种质量的仿制干酪常用牛奶制作。属塑性或拉伸凝乳干酪,用凝乳与热乳清混和,经过揉捏、拉伸直到混合物变得光滑柔韧,然后用模具做成圆球形或椭圆形储存于水中,保持湿润。其内部呈乳白或淡黄色,有淡淡的鲜乳酸香味,用于烹饪,尤其用作意大利肉饼的主要成分。这种干酪细腻可口,但易腐败,仅能保存数天。如再经过熟化过程,可增加香味,延长保存期。稍加烟熏的莫萨里拉干酪称为斯甘莫兹干酪。

MPAJA 参阅 **Malavan People's Anti-Japanese Army 马来亚人民抗日军**。

Mpezeni 姆佩泽尼(约1830~1900-09-21,北罗得西亚詹姆森堡附近[今赞比亚奇帕塔]) 南非酋长,大恩戈尼国王兹万根达巴之子。兹万根达巴去世,他的儿子们将恩戈尼王国分割成5个大集团。姆佩泽尼的集团迁至今赞比亚南部,但从1889年起,德国、葡萄牙、英国都力图控制他的领地。他对欧洲国家采取"以夷制夷"政策。但是到了1896年,他的坐观成败的策略引起自己臣民的不满。1897年,他不得不同意进攻尼亚萨兰保护地(今马拉维)的英国移民点。英国人进行反击,1898年2月他被迫投降。

Mphahlele, Es'kia 慕帕赫列列(1919-12-17,南非马拉巴斯塔德~2008-10-27,莱博瓦科莫) 南非长、短篇小说家、随笔作家、教师。他的自传《沿着第二条林荫大道走去》(1959)成为南非的一部名著。它描述了一个青年的成长经过,揭示了由于强行实施种族隔离政策,南非黑人所面临的处境,并对此进行了深刻、尖锐的社会批评,两者融于书中。他在比勒陀利亚长大,曾就读于约翰内斯堡圣彼得中学、纳塔尔的亚当斯学院。因他强烈反对有很大约束性的《班图教育法》,政府解除了他的英语和阿非利堪斯语教师的职务。在比勒陀利亚《鼓声》杂志当过一段时间的记者和小说编辑,并在南非大学获得文学硕士学位以后,他决定流亡到尼日利亚(1957),反对国内政府对黑人作家的压制。1978年返回南非,翌年成为约翰内斯堡威特沃特斯兰德大学非洲文学系主任。曾在非洲、欧洲和美国数所大学讲课,并担任若干其他职务。1960~1964年与乌利·贝厄及沃尔·索因卡同任在尼日利亚伊巴丹出版的颇有影响的文学期刊《黑歌手》的编辑。在内罗毕创办过一个文化中心。并曾任《今日非洲》期刊的编辑。他的评论作品有《非洲印象》(1962)和《旋风中的声音》(1972),均为描述黑人性运动、非洲个性、民族主义、非洲黑人作家和非洲文学形象的杂文。此外,他还编辑过《现代非洲短篇小说集》(1964)和《今日非洲文学作品》(1967)。他的后期作品包括小说《漂泊的人们》(1971)、《希伦迪》(1979)以及他的自传续集(1984)。

Mpondo 姆蓬多人 又称蓬多人(Pondo),操恩古尼语的民族集团。迄今他们已在前南非开普省最东部的姆塔塔河和姆塔姆武纳河之间的地区居住了几个世纪。姆蓬多人的聚居区是特兰斯凯最大地区之一;特兰斯凯则是按照南非种族隔离政策建起的一个独立的共和国,尚未得到国际承认。19世纪初,姆蓬多人和其他使用恩古尼语的民族有共同的基本社会组织与物质文化,这使他们有别于南非的其他民族。他们居住分散。妇女干农活,使用木质掘土尖棍,偶尔也用铁锄。男子饲养牛,牛对于维持生活和社会关系作用重大,也是姆蓬多人的财富基础。姆蓬多人的习惯是:父系继承;族外婚;牛群作为娶妻的聘礼(罗博拉)。政治组织是以一个有贵族血统的酋长为中心,辅以若干地位不同的酋长。1828年,祖鲁人打败了姆蓬多人;姆蓬多人在酋长法库领导下重新组织起来。到19世纪40年代初,法库重建了姆蓬多国。据估计,1860年法库统治的国家大约拥有10万人。19世纪60年代,欧洲商人在姆蓬多领土上建立了许多贸易点,姆蓬多人出售牛和牛皮,购买家具、奢侈品和武器。随着役畜的不断增加和农业技术的使用,农业生产力也得到提高。19世纪80年代,国家似乎很稳固。19世纪90年代初,姆蓬多族各集团发生内讧,C.罗得斯领导的开普政府趁机并吞姆蓬多领土(1894)。1897年,席卷整个非洲大陆的流行性牛瘟夺去了他们的大批牛群。为了获得新牛群,许多成年男子到维特沃特斯兰德金矿上当流动工人。1913年南非通过了《土著民族土地条例》,虽将最好的土地给予了白人,但大多数土地仍属姆蓬多人。20世纪20和30年代,预防牛瘟的政策,保证了以牛为本的姆蓬多人的生存。国家承认姆蓬多人酋长制的合法性并同意实施习惯法。因此,南非人可以较容易地利用姆蓬多领地作为特兰斯凯地区的基础部分。

Mpumalanga 姆普马兰加 南非东北部一省。北邻北部省、东界莫桑比克和斯威士兰,南为夸祖卢/纳塔尔和自由邦,西接高滕省。该省在 1994 ～ 1995 年间称作东德兰士瓦省,1994 年前为原德兰士瓦(**Transvaal**)省的一部分。省会内尔斯普雷特。省内有几个显著的自然地理区:西面的大高原,海拔 1 200 ～ 1 800米;东面森林繁茂的德拉肯斯山脉海拔在 2 300 米以上;东北面覆盖着灌木林的平原向莫桑比克边界的莱邦博山脉缓缓倾斜。林波波河向东流的支流穿过该省大部分地区。全省的气温随着海拔高度而变化,从高原的平均 16 °C至副热带平原的 23 °C。降雨量由西至东逐渐增加,自高原和德拉肯斯山脉的年平均 510 ～ 760 毫米至平原的部分地区 1 000毫米。省内自然植被有各种草原型的以及金合欢树。黑人主要是恩古尼人(包括说斯威士语的人和恩德贝勒人)占全省总人口的 90%。他们主要居住在乡村,操班图语。白人占全省总人口的 10%。他们中的 4/5 人口操阿非利堪斯语,其余的说英语。农田生产玉米、小麦、花生、棉花、甜菜、马铃薯和其他各种蔬菜及水果,副热带平原生产柑橘和芒果,海拔较高处则生产桃子。菜牛、乳牛和美利奴羊的饲养对农业经济也很重要。省内矿藏有石棉、铜、铁、铂、铬和煤。威特班克是唯一主要的都市中心。姆普马兰加包围着克鲁格国家公园的南半部,公园坐落在与莫桑比克的交界处。面积 79 490 平方千米。人口 2 800 711(1996)。

Mqhayi ,S.E.K. 姆克哈伊(1875-12-01,开普殖民地格古马哈谢附近[今在南非]～ 1945-07-29,南非恩塔博祖科) 科萨诗人、历史学家和翻译家,被称为"科萨诗歌之父"。他发表的多部著作促进了科萨语言的规范化和纯洁性。直至 1945 年逝世,他一直是科萨文坛的主将,并一直是青年作家的楷模。姆克哈伊初曾任教,但不久从事写作并编辑报纸。1910 年,他在科萨语《圣经》修订委员会工作,后发表了经他改编的《圣经》故事《参孙》,并致力于科萨语标准化及其语法、句法规则的规范化工作。此后是他创作的全盛时期。他根据自己青年时代在恩赞赞酋长法庭中的见闻写作了《孪生子的诉讼》(1914),因而一举成名,该著作被认为是科萨文名著。20 世纪 20 年代他曾写过多部传记和《欢乐之歌与摇篮曲》(1927)、小说《乌-唐·杰杜》(1929)。他的自传《美人山的姆克哈伊》(1939)生动地描绘了 19 世纪末科萨人的生活。诗集《因祖佐》("报偿")于 1942 年问世。一部短篇自传和两部作品(《欣察之死》和《本杰明·杜尔班先生的解雇》)发表于《姆克哈伊译著集》(1976)。

MRA (revivalistic movement) 参阅 **Moral Re-armament** 道德重建运动。

mridanga 姆里丹加鼓 又拼 mridangam 或 mṛdaṅga。南印度古典音乐中使用的两面鼓。为木制的六角桶形鼓。由两端的皮箍、缚紧的皮系带和在它下面的可滑动的小木钉控制鼓皮的紧张度。每端都贴有一片调音粘贴物,使鼓发出固定的音高。通常左面的定音比右面低八度。鼓横放在膝上,用手指和手演奏。

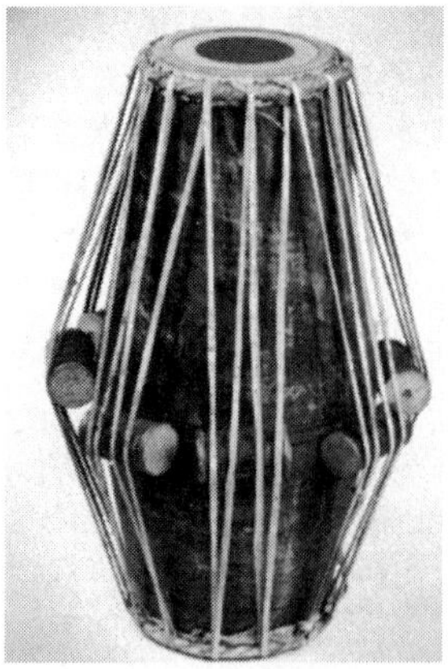

姆里丹加鼓

美国不列颠百科全书公司供图

Mrohaung, Arakanese Kingdom of 末罗汉王国 下缅甸若开人(**Arakanese**)的王国(1433 ～ 1785),位于孟加拉湾沿海的长条地带。1433 年由那罗弥迦罗王创立。1531 年欧洲船只在这个地区出现,并开始有一些葡萄牙人到吉大港定居。在明平王统治时期,末罗汉的海军在葡萄牙人的帮助下十分强大,威震恒河流域。葡萄牙海盗经常到邻近的孟加拉去骚扰,掠来成百上千的奴隶,在末罗汉的奴隶市场卖给荷兰商人。1629 年莫卧儿皇帝贾汉王消灭了在吉大港海岸的一个葡萄牙海盗窝。1684 年僧陀都昙摩王死后,末罗汉内讧不已,相继有 25 个国王即位。1785 年末罗汉为缅甸国王孟云王的军队所灭,废黜了最后的国王他摩陀王。

Mrożek, Sławomir 姆罗热克(1930-06-26,波兰克拉科夫附近博任钦～) 波兰剧作家。以其精妙的讽喻和风格独具的语言著称。邮递员之子,以漫画家和幽默小品文作者跻身报界。20 世纪 50 和 60 年代,因其剧作的荒诞派风格而成为波兰文学中的著名人物。1964 年离开波兰定居巴黎,后入法国籍。他的 6 个剧本《警察》(1958)、《彼得·奥海伊的殉难》(1959)、《出海》(1961)、《查理》(1962)、《党派》(1963)及《销魂之夜》(1963)均已译成英文。《探戈舞》(1964)是他最成功的剧本,已在许多西方国家演出。后期的剧本有《瓦茨瓦夫》(1970)、《爱神》(1979)、《大使》(1984)和《移民》(1974)。

美国不列颠百科全书公司供图

MRP (French Political Party) 参阅 **Popular Republican Movement** 人民共和运动。

MS 参阅 **multiple sclerosis** 多发性硬化。

Ms. 《妇女》杂志 1972 年由美国女权主义者 G.斯坦恩等创办的杂志,是第一份全国发行的妇女杂志,将女权主义和妇女运动的问题引入主流社会。从一开始,杂志编辑即认为她们的读者的兴趣不仅限于新的食谱和持家窍门。杂志的主要目的在于探讨当代妇女关心的问题,还报道有关妇女的国内国际新闻。有的版面也刊载妇女的历史以及妇女所写的故事和诗文。其显著特点是,拒绝刊登刻板妇女形象或有意贬低妇女的广告。《妇女》杂志表现有别于传统妇女杂志的是在其第一期就登出 50 名承认曾经堕胎的知名妇女名单。杂志在 20 世纪 70 年代成功地扩大了妇女运动的基础。80 年代初,因经济状况欠佳和主要人员流失难以维持,80年代末杂志出让。1990 年停刊 7 个月。1991 年重新出版,成为由读者支持的无广告半月刊,继续发表妇女作者的小说和写实文学作品,报道有关妇女问题的社会、政治和立法新闻。

MSG 参阅 **monosodium glutamate** 谷氨酸一钠(味精)。

Mshweshwe 姆什韦什韦(约1786,北巴苏陀兰上卡利登河附近[今在莱索托]～ 1870-03-11,巴苏陀兰塔巴博休) 又拼 Moshesh。南非索托(巴苏陀、巴索托)国的缔造者和第一个最高酋长,以其高超的军事才能和巧妙的外交手腕而闻名。青年时代率族众大胆劫掠牛群,因而获得领袖的威望。1809 年人们以快刀剃头的声音"姆什韦什韦"来称呼他。他将各小集团统一成为索托国,操英语者称之为巴苏陀兰。他以坚不可摧的塔巴博休(**Thaba Bosiu**)为大本营,对全国推行和平与繁荣的政策。1833 年迎来法国传教士,但仍维护原来的习俗和宗教。他以传教士为参谋,对付英国人和布尔人,并在其中挑拨离间。但到了 1843 年,他倒向英国人一边。5 年后,他的领土大部分被英国人吞并,结果发生战争,英军被击败。1854 年奥兰治自由邦建立,姆什韦什韦又卷入一连串的战争。由于形势不利,他于 1868 年促成英国兼并索托国,以后这一地区正式称作巴苏陀兰。虽然姆什韦什韦晚年权势已衰,但他的名字一直为臣民所崇拜,被视为国父。

MSI (Italian Political Party) 参阅 **Italian Social Movement** 意大利社会运动。

M'Sila 姆西拉 阿尔及利亚中北部城镇。地处霍德纳平原,南临霍德纳盐湖,北依东西走向的霍德纳山脉。海拔 470 米。克苏卜水坝截成水库,使附近粮食产地获得灌溉。为谷物贸易中心,也有制革工业。周围地区主要为盐湖。主要经济活动是种植小麦和大麦,饲养山羊和绵羊及生产椰枣。人口63 123(1987)。

Msiri 姆西里(?,坦噶尼喀塔波拉附近～1891-12-20,刚果自由邦加丹加) 又称恩格朗瓦或姆温达。非洲的统治者,19世纪移居中非的最成功的冒险家和王国建立者之一。约1856年,他带领人数不多的尼扬韦齐人定居南加丹加。约1870年,他从隆达族统治者的手中接管大部分有开采价值的铜矿。19世纪80年代中期,他极有权势,不仅直接统治一个大王国,还接受邻近地区的贡品。他的繁荣依靠铜的贸易,但也买卖奴隶和象牙。他的基本政策是保持东西两海岸间的商路畅通。19世纪70年代,开始同阿拉伯商人和王国建立者提普·提卜做生意,大量购买枪支。传教士于1886年开始进入姆西里的王国。更重要的是,另一些欧洲人觊觎加丹加的矿藏。姆西里拒不与英国南非公司谈判。1891年,比利时国王利奥波德二世派来了刚果自由邦考察团。有一个考察团企图煽动反叛姆西里。他在与另一个考察团进行谈判时中弹身亡。姆西里沿用隆达人原有的模式建立王国,但引进了新式政治头衔和礼仪,又将习惯法作了若干改动。具有同样意义的是,尼扬韦齐人将甘薯种植、天花种痘预防法及一套制铜丝技术传入加丹加。

Mswati 姆斯瓦蒂(约1820,斯威士兰曼齐尼附近～1868,斯威士兰) 南非酋长,斯威士兰缔造者索布扎一世之子。他是恩瓜尼族国王中最伟大的一个,斯威士人以他的名字为族名。1840年即王位,统治范围遍及南非东部操班图语的各民族。曾将斯威士人重新组织起来,建成非洲南部最强大的国家之一。1860年将自己的势力扩展到南罗得西亚和莫桑比克。1845年将一些领土让与南非德兰士瓦布尔移民。1864年帮助布尔人征服波科人。他鼓励与布尔人交往,结果使斯威士人于1894年丧失独立地位。

Mtetwa 姆泰特瓦 18世纪末南非祖鲁兰北部出现的一个帝国。在丁吉斯瓦约(1817卒)统治下,军事和行政方面有许多革新,包括采取按年龄组成军团的制度。祖鲁酋长恰卡是在姆泰特瓦的军队中出出的名。丁吉斯瓦约死后,姆泰特瓦被祖鲁帝国吞并。

MTS (Soviet history) 参阅 **machine-tractor station** 机器拖拉机站。

Mtshali, Oswald Mbuyiseni 姆查利(1940,南非纳塔尔弗雷黑德～) 南非诗人。用英语和祖鲁语写作。约翰内斯堡黑人居住区索韦托的亲身经历为他的创作提供了丰富素材。开始当送信人,1971年发表第1部诗集《牛皮鼓声》,获1974年奥利弗·施赖纳奖。在美国艾奥瓦大学和哥伦比亚大学(纽约)学习后,于1979年返回南非,在索韦托的一家私立学校任教。他的第2部诗集《火焰》(1980)题献索韦托学童,显然涉及1976年发生在那里的起义,因而遭到南非政府的查禁。他的诗歌不可避免地反映了他在种族隔离制度下的严酷体验。他辛辣地讽刺了肮脏的啤酒店、拥挤的火车、湫隘的贫民窟,以及恶劣的工作条件。这些构成了南非黑人的命运。他的诗歌发人深省的意象、他自信而出人意外的比喻具有强烈的感染力。

Mtskheta 姆茨赫塔 格鲁吉亚城镇。在库拉河和阿拉格维河汇合处。外高加索最早定居点之一。2～5世纪为格鲁吉亚都城。名胜古迹有斯维杰-茨霍维里大教堂(4世纪修建,15和18世纪重建)、萨姆塔罗女隐修院、季瓦里礼拜堂和全国最古老的阿尔马兹-齐赫城堡遗址。人口约9 900(1991)。

姆茨赫塔镇的斯维杰-茨霍维里大教堂
美国不列颠百科全书公司供图

Mu Gia Pass 穆嘉关 越南北部和老挝之间长山山脉山口。在越南洞海西北90千米处。有公路自越南新邑经山口抵老挝湄公河畔甘蒙。为经胡志明小道进入老挝的战略要道。在越南战争(1955～1975)中遭到猛烈轰炸。

Mu-hsi Fa-ch'ang 参阅 **Muxi Fachang** 牧溪法常。

Mu River 穆河 缅甸中北部河流。向南流至伊洛瓦底江,长约275千米。9世纪以来该河用来灌溉干旱地区。河上有现代化的穆河河谷灌溉工程,为缅甸最大的灌溉工程之一。

Mu-shih-t'a-ko Range (China) 参阅 **Muztagata Shan** 慕士塔格山。

Mu-tan-chiang 参阅 **Mudanjiang** 牡丹江。

Mu Us Desert 毛乌素沙地 又称毛乌素沙漠。中国大沙区之一。包括内蒙古鄂尔多斯市南部(鄂尔多斯沙地)、陕西榆林北部和宁夏盐池东北部,面积约3.98万平方千米。海拔多为1 100～1 300米。年降水量为250～440毫米,有利植物生长,原是畜牧业比较发达地区。毛乌素沙地固定和半固定沙丘的面积较大。5世纪时毛乌素南部(今陕西靖边县白城子),曾是匈奴民族的政治和经济中心。当时草滩广大,河水澄清。后来因不合理开垦,植被破坏,流沙不断扩大,以致到1949年时沿长城的靖边、榆林、神木一带流动沙丘密集成片,但西北部仍以固定和半固定沙丘居多。1959年以来,已大力兴建防风林带,引水拉沙,引洪淤地,开展了改造沙漠的巨大工程。

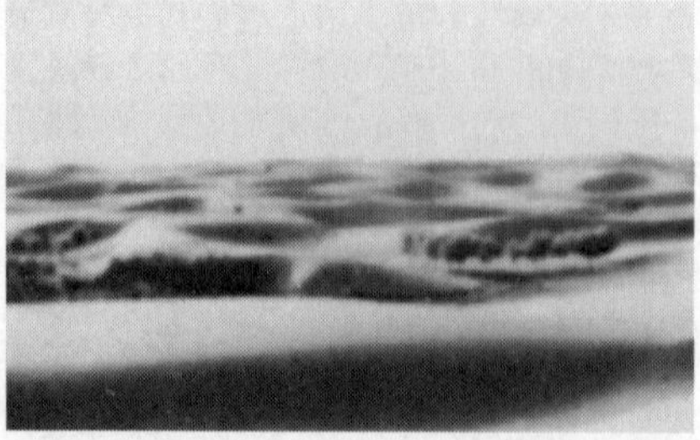

毛乌素沙地
中国大百科全书出版社供图

Muʿallaqāt, al- 悬诗 7篇伊斯兰教创立以前的阿拉伯文颂诗(格西特)的总称。每一篇都被认为是该诗作者的最佳诗篇。由于"悬诗"作者属于公元6世纪10多位最著名诗人之列,所以这一组诗在阿拉伯文学中占有独一无二的地位,它们代表早期阿拉伯诗歌的精品。把这些诗收集成册的主张是哈马德·拉维耶提出的。他是8世纪的一位古诗收集家。源于10世纪时多次提到的一个说法是:这些诗是用金字写在亚麻布上,悬挂在麦加克尔白的墙上的。很可能是,"悬诗"之名乃"宝贵"一词的派生词,表示这些诗宝贵。"悬诗"大约在900年时出现,旨在与众多的诗篇区别。但确定哪些诗是"悬诗"也是一个难题。一般以伊本·阿卜杜·拉比登录的诗篇为准,其署名为乌姆鲁勒·盖斯、塔拉法、祖海尔、莱比德、安塔拉、阿姆尔·伊本·库勒苏姆、哈里斯。但伊本·古泰拜等权威认为阿比德·伊本·艾卜赖斯为7位悬诗作者之一,而艾布·欧贝德把纳比厄·祖卜雅尼和艾厄沙两位诗人列入阿卜杜·拉比的名册。"悬诗"作者中,最早的是乌姆鲁勒·盖斯,生活于6世纪上半叶,其他作者属于6世纪下半叶诗人。据说祖海尔和莱比德活到伊斯兰教创立时期,但他们的诗歌作品仍属于伊斯兰教创立以前时期。"悬诗"采用古典颂诗形式,一些阿拉伯学者相信这种诗体是由乌姆鲁勒·盖斯创造的。诗的开篇通常是诗人回忆昔日的恋人,接着连篇累牍地描写战马或骆驼、沙漠事变及贝都因人的生活和战场情景,颂诗的主题(赞词或颂歌,是诗人献给自己、自己的部落或保护人的)常常隐藏在生动的描述性段落之中,这些段落是"悬诗"的最精彩部分。"悬诗"以它生动的想象、准确的观察以及对大自然的深切情思而被列入世界文学名著之列。最典型的精彩段落就是乌姆鲁勒·盖斯在诗的结尾对沙漠风暴的描写。

虽然从"悬诗"中找不到历史方面的资料,但是,这些诗篇确实提供了一幅贝都因人的生活、思想和风俗的画面。

Muan 梦庵 参阅 **Shōhaku** 肖柏。

Muar 蔴坡 又称马哈拉尼港。西马来西亚(马来亚)西南海岸城镇和港口。临马六甲海峡,在蔴坡河河口。为一古老城镇。公元

14世纪末被马六甲王国创立者拜里迷苏剌占有。1517、1615和1616年,附近诸苏丹国和王国在此进行海战。现城镇于1887年由柔佛苏丹阿布·巴克尔建立。当地工业生产食品、饮料、油脂、化工品、纸张和运输设备。人口63 123(1991)。

Muʿāwiyah I 穆阿威叶一世(约602,阿拉比亚麦加～680-04或05,大马士革) 又拼Moawiyah I。早期伊斯兰教领袖,伟大的伍麦叶王朝的缔造者。他反对穆罕默德的女婿、第4代哈里发阿里,夺取了埃及,在阿里被杀后就任哈里发。他重建了穆斯林帝国的团结并定都大马士革。出生于阿卜杜勒·舍木斯氏族。先知穆罕默德征服麦加并与宿敌和解以后,穆阿威叶才成为穆斯林,到先知身边当书记员。先知死后不久,他与兄弟耶齐德一道去叙利亚与拜占廷军队作战。640年哈里发欧麦尔任命穆阿威叶为大马士革总督,于是他逐步控制了叙利亚的其他地区。到647年,穆阿威叶已经建立一支强大的部族军队。这个军队不但打败拜占廷人的入侵,而且多次向拜占廷发起猛烈的进攻,占领了塞浦路斯(649)和罗得岛(654)。655年,穆阿威叶又在安纳托利亚的吕基亚海面上大败拜占廷的海军。与此同时,穆阿威叶还不断派遣陆上远征军进攻安纳托利亚。当阿里登上哈里发的宝座时,他拒不承认阿里的哈里发地位。因此,阿里向叙利亚边界进攻,657年与穆阿威叶的军队进行有名的绥芬战役。穆阿威叶狡诈多端,尽管败局已定,他却搞个"休战",使敌人坐下来进行谈判。当阿里的支持者离心离德,起来造反时,穆阿威叶利用阿里的困境,派兵夺取埃及。因此,在661年阿里被刺以后,穆阿威叶不但占据叙利亚,而且占有了埃及。他在担任叙利亚总督的20年里,招募和训练一支庞大的、对他极其忠诚的阿拉伯部族军队。他依靠这支军队建立伍麦叶王朝,以大马士革为伊斯兰世界的新首都。登上哈里发的宝座(661～680)之后,他几乎每年都派兵远征拜占廷。尽管他的部队有两次打到君士坦丁堡城下,但是在小亚细亚地区从来没有取得持久的战果。穆阿威叶还派一支军队到遥远的地方去作战,在北非地区,这支军队侵入特莱姆森(今在阿尔及利亚)。在东方,穆阿威叶的边界扩展到奥克苏斯河,呼罗珊沦为这个帝国的一个省。为了有效地控制新占领的土地,穆阿威叶决定改革哈里发政府的组织机构。由于在被征服各省、特别是在叙利亚本身有大量的基督教人口,穆阿威叶不得不采取宽容政策,聘用基督教徒担任官职。穆阿威叶是伊斯兰历史上具有决定性作用的少数哈里发之一。他之所以引人瞩目,因为他是一个有争议的人物。在伊斯兰教占主导地位的逊尼派和居于少数的什叶派都一直对他痛加谴责,但在阿拉伯文学中,他却备受赞扬,被誉为一位理想的统治者。

Mubārak, Hosnī 穆巴拉克(1928-05-04,埃及米努夫省管辖区～) 埃及总统(1981年10月起),曾为空军军官。出生于尼罗河三角洲,毕业于开罗的埃及军事学院(1949)和比勒拜斯的空军学院(1950),在苏联受过高级飞行和轰炸机训练。后在埃及空军担任指挥官,1966～1969年任空军学院院长。1972年萨达特总统任命他为空军司令。1973

美国不列颠百科全书公司供图

年10月同以色列开战时,因埃及空军作战有功,他受到信任。次年升任空军中将。1975年4月,萨达特任命他为副总统。随后几年积极参与有关中东和阿拉伯政策问题的讨论和协商。有关摩洛哥、阿尔及利亚和毛里塔尼亚各国关于西撒哈拉未来问题的争议中,他是主要调停人。1981年10月6月(1973年埃-以战争开战纪念日)萨达特遇刺身亡,穆巴拉克出任总统。他执政后,明显的政绩是改善埃及和其他阿拉伯国家的关系,冷却和以色列的关系,特别是在1982年以色列侵略黎巴嫩之后。1987年当选第2届6年任期的总统。在波斯湾危机期间和伊拉克入侵科威特战争(1990～1991)后,他成为阿拉伯国家、以色列和巴勒斯坦解放组织间的主要调停人。他领导其他阿拉伯国家支持沙特请求国际部队援助的决定。在1993年的选举中,穆巴拉克面临游击队暴力活动的上升和反对党日益增加的不满,他们迫切要求进行民主选举改革(埃及上一次自由选举于1950年举行)。他发动了一场反对伊斯兰原教旨主义的运动,特别是伊斯兰组织,它被认为应为1997年对卢克斯特的袭击(造成60名外国游客死亡)负责。1995年他躲过了发生在埃塞俄比亚的一次刺杀活动,1999年被一名持刀者行刺,受轻伤。自始自终穆巴拉克一直在中东呼吁和平。在1999年的选举中他未遇对手从而继任他的第4任总统。2005年在埃及第1届多党总统选举中轻松获胜。

Mubarrad, al- 穆拜赖德(826-03-25,伊拉克巴士拉～898-10,巴格达) 阿拉伯语法家、文学学者,所辑《文苑》是语言学知识的宝库。在巴士拉研究语法后,于860年应诏赴萨马拉城阿拔斯朝哈里发穆台瓦基勒宫廷。翌年哈里发被害,穆拜赖德去巴格达,后半生以教书为生。《文苑》选录诗篇、格言、历史和圣训之片断并对这些节选作品的语法形式和文学价值详加探讨。

Mubi 穆比 尼日利亚东北部阿达马瓦州东北部城镇。在曼达拉山脉以西,濒临耶德塞拉姆河东岸。18世纪末为富拉尼人所建,初臣服曼达拉苏丹,19世纪20年代并入富拉尼人的丰比纳王国。1903年被德国占领,成为德属喀麦隆边境要塞和行政中心。1914年为英国占领。1922年穆比及其周围地区由国际联盟划归英属喀麦隆。1961年成为尼日利亚的一部分。人口约56 570(1991)。

Much Wenlock 马奇温洛克 英格兰什罗普郡历史、行政郡,布里奇诺斯区一堂区和城镇。位于温洛克断岩东北端。镇内圣米德堡的克卢尼亚克隐修院1050年改建于7世纪的原址上。1539年拆毁,但有部分遗迹保存至今。16世纪成为经营石灰石贸易的商业城镇。人口1 921(1991)。

Mucha, Alphonse 穆哈(1860-07-24,奥地利帝国摩拉维亚伊万契奇[今在捷克共和国]～1939-07-14,捷克斯洛伐克布拉格) 捷克新艺术流派的插图画家,以广告画中理想化的女性人物而知名的画家。19世纪80年代曾在布拉格、慕尼黑和巴黎学习美术。1894年末为著名女演员S.贝因哈特主演的戏剧《吉斯蒙达》画海报,后专为她设计招贴画、服装、

1902年A.穆哈为英国自行车绘制的广告画
美国不列颠百科全书公司供图

舞台布景和首饰。也曾为几个商号作广告画,还给很多杂志作插图。1903～1922年间曾4次赴美,在芝加哥工业家和亲斯拉夫民族者C.R.克莱恩的资助下,画了20幅大型历史组画《斯拉夫人民史诗》(1912～1930)。1922年后在捷克斯洛伐克定居,将其《斯拉夫史诗》捐赠给布拉格市。

Mucianus, Publius Licinius Crassus Dives 穆齐阿努斯 参阅 **Crassus Dives Mucianus, Publius Licinius 克拉苏·狄维斯·穆齐阿努斯**。

Muck, Karl 穆克(1859-10-22,黑森-达姆施塔特公国达姆施塔特[德国]～1940-03-03,德国斯图加特) 德国指挥家,被公认为

R.瓦格纳剧目的最伟大指挥家之一。获古典语文学博士学位。自学指挥。1880年在莱比锡初次登台指挥布业会堂管弦乐队演出。后应邀在苏黎世、萨尔茨堡、布尔诺和格拉茨指挥，几乎完全献身于歌剧事业。1886年任布拉格德意志国家剧院乐长。指挥演出《尼贝龙根的指环》后，被公认为瓦格纳歌剧的主要诠释者。1892年任柏林歌剧院乐长。1908年任该剧院的音乐总监，此间还指导格尔利茨的西里西亚音乐节的演出。在拜罗伊特指挥演出的《帕西发尔》成为30年公认的传统。1912年就任波士顿交响乐团团长。1918～1919年因系敌国侨民在美国被拘禁14个月，愤而返德。1922～1933年指挥汉堡交响乐团。

muckraker 黑幕揭发者 参与第一次世界大战前的改革并创作暴露文学作品的一批美国作家中的任何人。黑幕揭发者们将在迅速工业化的美国由于大企业的权利造成的政治、经济上的腐败和社会苦难，像新闻报道那样详细、准确地告诉人们。

1906年4月14日T.罗斯福总统在演说中用到这个名称时含有贬义，他援引J.班扬的《天路历程》中的一段话，轻蔑地斥责这些作家是："手拿粪耙的人……他们的眼睛只能朝下看。"但"黑幕揭发者"一词也逐渐获得关心社会和敢于揭发腐败现象的积极涵义。

"黑幕揭发者"的作品由19世纪90年代能够引起读者兴趣的黄色新闻和通俗杂志（特别是S.S.麦克卢尔、F.A.芒西和P.F.科利尔所办杂志）文章演变而来。批评政治腐败、工业垄断集团和商业欺诈行为的文章引起公众的强烈关注，从而激励新闻记者、小说家和各式各样的改革者们更加强烈地批判美国社会。C.E.拉塞尔以《世界最大的托拉斯》（1905）和《多数人的起义》（1907）等暴露文学作品成为改革派作家的先锋。L.斯蒂芬斯在《城市的耻辱》（1904）中批评了腐败的城市和州政治。曾写过一本关于反对死刑的小说《天平的变化》（1907）的B.惠特洛克还是俄亥俄州托利多市的改革派市长。波士顿的一位金融家T.劳森在《疯狂的金融》一文中揭露了股票市场的弊病和保险业的欺诈行为。I.塔贝尔在所著《美孚石油公司外史》（1904）中对该公司为了成为一个强大的工业垄断集团而采取的种种腐蚀手段进行了揭露。E.马卡姆在他著的《受奴役的儿童》中对雇佣童工进行了猛烈的抨击。U.辛克莱的《屠场》（1906）和S.H.亚当斯的《美国大骗案》（1906）的发表，加上H.威利和参议员A.贝弗里奇所做的工作，使美国的牛肉检查法案以及纯净食物和医药法案得以通过。D.G.菲利普斯写的《参议院叛国案》系列文章的发表对宪法第17条修正案的通过具有影响。揭发黑幕作为一个运动在1910年到1912年间大体消失。

mucopolysaccharidosis 黏多糖病 一组遗传性疾病中的任何一种，特征为一种或多种黏多糖的生成、贮积及分泌异常。黏多糖是复杂的糖类，是结缔组织的基质的主要成分。黏多糖病可分为Ⅰ～Ⅵ型。参阅**Hurler's syndrome；Hunter's syndrome；Sanfilippo's syndrome；Morquio's syndrome；Maroteaux-Lamy syndrome；Polysaccharide**。

mucous membrane 黏膜 机体许多管道和其他器官（包括消化管、鼻、眼睑、气管和支气管、输尿管、尿道及膀胱等）的内衬膜。含有分泌黏蛋白（一种黏多糖，为黏液的主要成分）的细胞，故称黏液。

mucoviscidosis（metabolic disorder） **黏滞病** 参阅**cystic fibrosis 囊状纤维变性**。

mucus 黏液 湿润、润滑和保护消化道与呼吸道的黏性液体，为由水分、脱落的上皮细胞、死亡的白细胞、黏蛋白和无机盐类组成的悬浮液。黏液由小型的黏液细胞产生，该细胞常聚生成小腺体，这些腺体分布在表面组织上，称为**黏膜（mucous membrane）**，实际上衬满了整个消化道。口内有大量黏液细胞，分泌黏液以润湿食物和防止口腔黏膜因直接接触空气而干燥。鼻中的黏液则可协助捕捉呼吸时随空气进入的灰尘、细菌和其他微粒。胃内亦含大量黏液细胞，胃黏液形成大约1毫米厚的液层衬于胃壁，以抵抗胃酸和防止胃壁被胃液所消化。

mud hen 泥鸡 北美洲鸟类**骨顶鸡（coot）**的一种。

mud plantain 异蕊花 雨久花科（Pontederiaceae）异蕊花属（*Heteranthera*）植物，约10种，主要分布于热带美洲。一年或多年生水生草本，具长茎；叶阔或带状，有抱茎的鞘状叶柄。水星草（可疑异蕊花，*H. dubia*）广布北美，花黄色，星状。该属一些种生于水下，另一些种浮生或根生于溪边湖岸淤泥中。

mud puppy 泥小狗 即泥螈。有尾目泥螈科泥螈属（*Necturus*）动物。5种。因误以为它能像狗一样吠叫而得名。产于北美东部的湖泊、江河和沼泽地。美国南部的种类俗称水狗。成体长18～43厘米。灰色或棕色，常间有稀疏的模糊的深色斑点。尾鳍带赤黄色调。终生保留鲜红色外鳃。附肢短小，具4趾。日间常隐伏于石下或埋藏泥内。以小动物或其他水生动物的卵为食。体内受精，卵生。

mud turtle 泥龟 美洲动胸龟科动胸龟属（香龟属，*Kinosternon*）十几种淡水龟的统称。主要营水栖生活，见于南、北美洲。外形似近缘的麝龟（非洲侧颈龟属[*Sternotherus*]种类），体型均小（一般甲长仅15厘米），颏上均有肉质触须，均能散发一种浓烈的麝香般的气味。与麝龟不同处是腹甲宽大，且前、后端各有一铰合处，铰合部分的甲可放松以包裹并保护其头、四肢和尾。对于大多数种的生活习性尚不甚了解。美国东部的普通泥龟（东部泥龟，近红色动胸龟，*Kinosternon subrubrum*）生活在浅水中，常栖于微咸水中，在饲养条件下不择饲料。

mud volcano 泥火山 穿过上覆沉积物而隆起的泥丘。泥火山口通常很浅，可能间歇地喷泥。泥火山易受侵蚀，而喷出物不断重建其锥体。有些泥火山由温泉活动所造成，

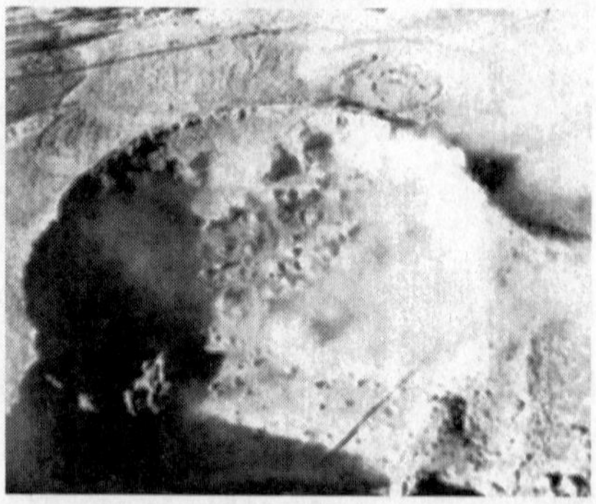

美国黄石国家公园内的泥火山口
美国不列颠百科全书公司供图

温泉的大量气体和少量的水与周围岩石发生化学反应形成沸腾的泥浆。它有两个变种：粥锅和颜料锅，前者是侵蚀周围岩块的沸腾的泥浆盆地，后者是由围岩的矿物染成黄色、绿色或蓝色的沸腾的泥浆盆地。另一些完全非岩浆成因的泥火山，只出现于年代较新而又具有未固结的松软岩层的油田地区。在压应力作用下，甲烷和其他碳氢化合物气体与泥浆混合，向上冲出地表，把泥浆喷成锥形外貌。由于压应力和混合物来自地下深处，泥浆通常很热，并可能伴有蒸汽云。

Müdafaa-ı Hukuk Cemiyetleri（Turkey） 参阅**Defense of Rights，Associations for the 权利保卫协会**。

Mudan Ting 《牡丹亭》 参阅**Tang Xianzu 汤显祖**。

mudang 巫堂 朝鲜宗教中的女巫。她们以巫术治病、占卜、慰抚亡魂并除邪驱鬼。男巫则称为觋。世袭巫堂，特别是在过去，社会地位低下，难以同社会地位高的家族通婚。巫堂之女或为巫堂，或经过培训而为酒店侍者。巫堂之子一般为独角戏演员或跳神活动中的吹鼓手。

Mudanjiang 牡丹江 又拼Mu-tan-chiang。中国黑龙江省辖地级市。位于省境东南部。地处长白山地北部，西部为张广才岭，东部为老爷岭。牡丹江自南向北纵贯全境。年平均气温3.5°C，年降水量550毫米，素有"塞北小江南"之称。辖东安、阳明、爱民、西安4区，东宁和林口二县，并代管绥芬河、宁安、海林、穆棱4县级市。面积40 435平方千米，其中市区面积1 608平方千米。

牡丹江地区古代是肃慎、挹娄、勿吉、靺鞨等部族居住地。唐代地方政权渤海国国都在今宁安市境，清初镇守东北边疆的宁古塔将军驻地曾设于此。市区原为吉林省宁安县地，1903年中东铁路通车后逐渐兴起。1932年牡图铁路修建，牡丹江为终点站，后又修建牡丹江至佳木斯和密山的铁路，地位日益重要。1937年设牡丹江市，为伪满牡丹江省省会。1948年属松花江省，1954年属黑龙江省。

牡丹江吊水楼瀑布
中国大百科全书出版社供图

1958年由省辖改隶牡丹江专区，1966年复为省辖市。1968年改隶牡丹江专区，1983年牡丹江专区撤销，其所辖各县归属牡丹江市。市区已形成以轻纺、石油化工、机械、冶金、机电、木材加工、建材等门类比较齐全的工业体系。全市山地、丘陵占总面积78%，森林资源丰富，有10个林业局、14个营林局。中部为牡丹江河谷盆地，东部有穆兴平原，土地肥沃，盛产稻米、小麦、大豆、烤烟和西瓜。所产响水大米、宁安大蒜久负盛名。辖区内有牡丹江、乌苏里江、穆棱河、绥芬河、海浪河等300多条河流，水利资源丰富，有著名的镜泊湖地下发电厂。地下煤、铁、黄金等资源储量丰富。以产人参、木耳和蜂蜜等著称。境内旅游胜地有著名的高山偃塞湖——镜泊湖、吊水楼瀑布、地下森林等，还有中国重点文物保护单位——渤海国上京龙泉府遗址等。滨绥、牡佳、牡图、林密、密东、城鸡、火龙沟铁路线经过市境。201、301国道交错过境，哈绥高速公路已建成通车。有通达北京等大城市的航班。人口：全市2 710 000（2005）；市区780 000（2004）。

Muddiman, Henry　马迪曼（1629-02-05受洗，英格兰伦敦菲尔兹圣马丁～1692-03-07，伦敦伯爵府附近科尔德赫恩）　英国新闻记者。他在内战时期支持王室，1660年王朝复辟后成了享有特权的时事通讯的发行人。发行《议会通讯员报》和《公众信使报》，主张议会自由，并得到王室复辟关键人物乔奇·蒙克将军的支持。他起草过不少官方文告。他和《伦敦公报》发行人约瑟夫·威廉森爵士一起，在国王查理二世统治时期，有些年实质上垄断了新闻的发行。1663年罗吉·莱斯特兰奇爵士被任命为国王的检查官时，他的新闻垄断受到威胁。莱斯特兰奇有权发布官方消息和一切法令。但他和威廉森依旧是时事通讯的主要发行人。最后他为莱斯特兰奇工作，但仍隶属于国务大臣办公室。继续发行手抄的新闻通讯。

Mudejar　穆迪扎尔人　指在基督教徒收复伊比利亚半岛（11～15世纪）之后仍然留在西班牙的穆斯林。他们由于缴纳人头税而受法律保护，得以维持自己的宗教、语言和风俗习惯。他们在大城镇中有特别居住区，并且使用自己的穆斯林法律。到13世纪，他们开始放弃阿拉伯语而改用西班牙语，但书写则使用阿拉伯字母，由此产生了他们独特的“混合”文献。他们还善于把西班牙与阿拉伯艺术成分融为一体，形成穆迪扎尔风格。1492年穆斯林在西班牙的最后阵地格拉纳达陷落

15世纪初的穆迪扎尔闪光陶瓷盘
美国不列颠百科全书公司供图

以后，穆迪扎尔人处境十分困难：不是离开这个国家，就是要改信基督教。迄1614年为止，西班牙穆斯林被驱逐出境的共达300万人。

mudfish　参阅 **bowfin** 弓鳍鱼。

mudflow　泥流　含有大量悬浮颗粒和粉砂的水流。它比一般的河水流具有较高的密度和黏滞性，仅能把所携带的负荷中最粗大的部分沉积下来，这就造成了不可逆转的沉积物的输送。泥流的黏滞性之高，使它不可能像水流流动那样远。泥流发生在植被不足以阻止快速侵蚀的陡坡上，但只要其他条件具备，也可以出现在缓坡上。其他因素是：短时期内的暴雨和易受侵蚀的土质。泥流可以在任何气候条件下形成，但在干旱和半干旱地区最常见。泥流可以高达100千米/小时的速度迅猛冲下山坡，对生命财产造成巨大损失。泥流搬动过像房子一般大的巨石。泥流沉积物是由粉砂、巨砾、有机物质以及其他岩屑构成的分选很差的混合体。泥流沉积物的边缘很陡，边界明确，表面不规则，并且有叶状的外形，高度可达3～6米。这种堆积物广泛分布在冲积扇上和许多火山根的周围。

Mudge, Thomas　马奇（1717-09，英国德文郡埃克塞特～1794-11-14，萨里郡纽因顿普莱斯）　英国制表师，1765年发明了非常可靠并广泛应用的调节机械表走动的自由锚式擒纵机构。他是制表师G.格雷厄姆的艺徒。1750年与W.达顿合伙开设表店。他的产品质量精良，西班牙王费迪南德六世、工程师J.斯米顿以及欧洲各国其他显要人物都委托他定制。他在1770年为英格兰夏洛特王后制造的表内，采用了这种擒纵机构。1771年停止营业，把注意力转向航海时计的改进，他在改进零件方面取得了一些成就，但是没有根本性的进展。1776年，他把他制造的第一个精确时计送交给格林尼治天文台。

muditā　喜无量心　佛教所列的四种圆满功德“四无量心”之一，即为他人得解脱而抱有无限的喜乐。参阅 **brahmavihāra**。

mudlark　泥百灵　又称鹊鹨、泥巢鹨。鹊鹨科（**Grallinidae**）鸟类的一种。

mudminnow　荫鱼　荫鱼科几种生命力较强的淡水鱼类的统称。产于欧洲及北美冷水池塘、湖泊、溪流的多泥底部。外形略似狗鱼，吻和尾鳍圆形。长约7.5～15厘米。经常将身体埋于泥中，尾先进入；且能在其他鱼类所不能适应的低氧水中生活。几个种分属于荫鱼属（*Umbra*）和新荫鱼属（*Novumbra*）。

荫鱼（*Umbra*）
美国不列颠百科全书公司供图

在北美，有倭荫鱼（东部荫鱼、岩鱼，*U. pygmaea*）和泥荫鱼（中部荫鱼，狗鱼，泥鱼，*U. limi*）。荫鱼常用作钓饵鱼，有时也蓄养于家庭水族箱。

mudnest builder　泥巢鸟　鹊鹨科（**Grallinidae**）鸟类的俗称。

mudra　手印　佛教和印度教名词，指以手和手指做出的有象征意义的姿式，或用之于典礼和舞蹈，或用之于雕塑和绘画。典礼和舞蹈中的手印往往繁多而复杂，带有玄秘特征。（印度古典舞蹈中的“手法”可以表达约500种不同的意义，涉及的部位不仅有手和手指而且还有腕、肘和肩，各部位皆有动作）。雕塑和其他视觉艺术中的手印必然是静止的，因而形式较少。在典礼中特别是佛教典礼中，手印的作用是当作视觉的“印记”，表达某种奥秘或法术性的誓词或话语，例如祈求祛灾。手印往往伴有曼怛罗（**mantra**）即咒语。雕塑和其他视觉艺术中的佛陀有“四威仪”，即卧、住（站立）、行、坐。传统上常见的坐姿（结跏趺坐）有两种，即“半跏坐”（屈右股押在左股上）和“全跏坐”（两足交叉置于左右股上，足心外露）。坐时可有不同手印。（几种主要手印如附图所示）。

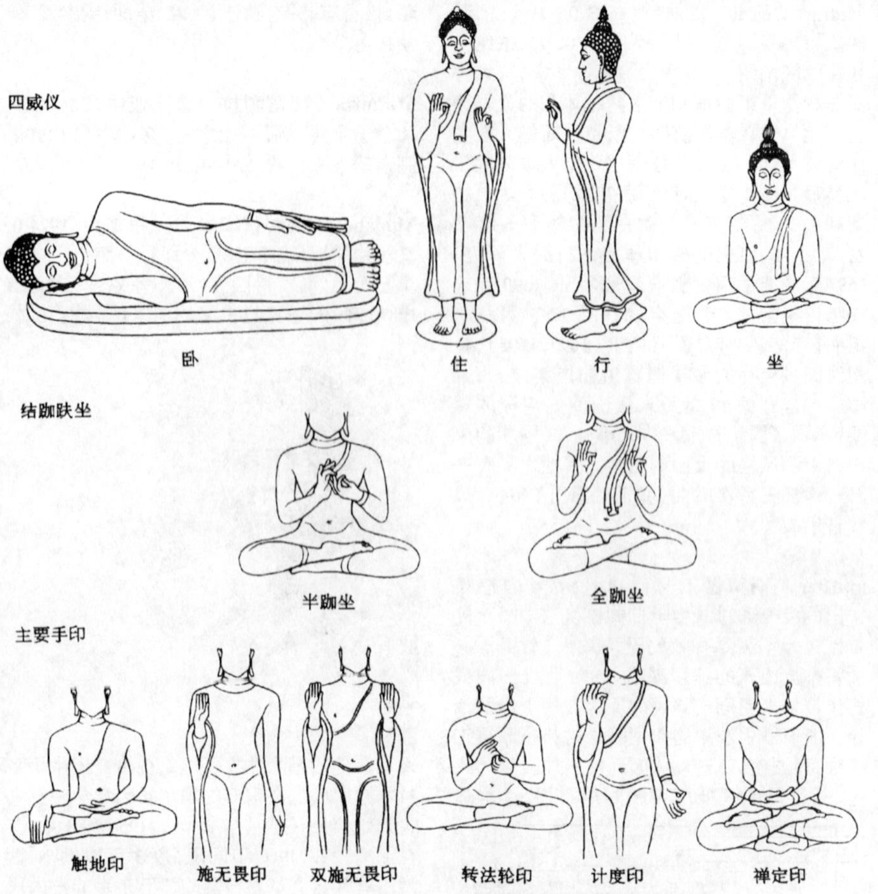

手印图示

手印固然常见于佛像，但次要人物的像有时也显示手印。例如“合十”即人在祈祷或敬拜时两掌相合，稍成杯状，表示尊敬，与西方的祈祷手势相类，它只见于除佛陀以外的神祇或人物之像，从不见于佛像。印度和其他有关的亚洲舞蹈中有几百种手印，载在技术手册中，但在实践中，表演者仅使用常见的而为众所理解的手法或手印组合。选用范围因地区而异。

Mudros, Armistice of　《穆德洛斯停战协定》(1918-10-30)　奥斯曼帝国和英国(代表协约国)在爱琴海利姆诺斯岛的穆德洛斯港签订的协定。根据协定，奥斯曼放弃汉志、也门、叙利亚、美索不达米亚、的黎波里塔尼亚和昔兰尼加；协约国占领达达尼尔海峡、博斯普鲁斯海峡、巴统和托罗斯隧道网；协约国有权“在发生骚乱的场合”占领安纳托利亚的6个亚美尼亚人省份和在协约国的安全受到威胁时夺取“任何战略地点”。奥斯曼军队遣散，土耳其的港口、铁路及其他战略据点均提供给协约国使用。

mudskipper　弹涂鱼　鲈形目鰕虎鱼亚目弹涂鱼科约6种热带小型鱼类的统称。产于印度洋-太平洋(从非洲到波利尼西亚和澳大利亚)。生活在沼泽和河口内以及泥滩上，以能在水外攀行和弹跳而闻名。体长形，可达30厘米左右，具2个背鳍，腹鳍位于体前部，腹鳍部分或全部愈合。头钝，头顶有2个紧挨在一起、可转动的突出的大眼。胸鳍强大，有助于在陆上行动。在水外能呼吸空气和鳃腔

弹涂鱼(*Periophthalmus*)
美国不列颠百科全书公司供图

中的水气。捕食甲壳动物及其他小动物。

mudstone　泥岩　主要由黏土级或粉砂级颗粒(直径小于1/16毫米)组成的沉积岩。泥岩不具纹层，也不易裂成薄层。有些地质学家把任何类似的块状或致密状的岩石均叫做泥岩；而另外一些地质学家下的定义更宽广，认为泥岩包括页岩族类的全部成员。参阅**lutite**；**siltstone**。

Mudumalai Wild Life Sanctuary　穆杜马拉野生动物保护区　印度南部泰米尔纳德邦的野生动物保护区。1940年建立。面积322平方千米。位于通迈索尔市的公路干线上，在乌塔卡蒙德以北约56千米处。保护区内有小山、山谷和几处终年不断的溪流和沼泽。丛林茂密，有柚木、黄檀木、月桂和竹子，可供保护区内的象、印度野牛、虎、黑豹、懒熊、鬣狗、胡狼、野猪、巨蛇、丛林灰鸡、距鸡和金鹰栖息。此外，尚有适于晴天使用的山道网路和观察塔。这些塔俯视着野兽舐食天然岩盐的地方和水洼。大象为交通工具。

Mueller, Sir Ferdinand von　米勒(1825-06-30，梅克伦堡-什未林罗斯托克[今在德国]～1896-10-10，澳大利亚维多利亚墨尔本)　全名Sir Ferdinand Jacob Heinrich, Freiherr(Baron) von Mueller(Mueller又拼Müller)。德国出生的澳大利亚植物学家、探险家，以研究澳大利亚植物著称。曾为药剂师学徒，后在基尔大学学习植物学。获博士学位后不久即离开德国到南澳大利亚州阿德莱德(1847)，担任过一段时间的药剂师。同年开始撰写一系列论述澳大利亚南部植物区系的论文。1853年被任命为维多利亚州靠基金维持的政府植物学家，移居墨尔本，并在周围地区旅行，进行广泛的植物学研究。1857年任墨尔本植物园园长，并在此建立今国家植物标本馆的前身组织。多次在澳大利亚各地从事考察旅行。1858年所著《澳大利亚描述植物学辑录》(12卷，1858～1882)第1卷问世。他又与G.边沁合著《澳大利亚植物志》(1863～1878)。他的发行最广的著作是《适合在维多利亚栽培或驯化的植物精选》(1876)。他36岁时被选为伦敦皇家学会会员。1871年由符腾堡国王封为世袭男爵，1879年受封为爵士。

Muenster cheese　参阅**Münster cheese**蒙斯特干酪。

muezzin　宣礼员　又称穆安津。伊斯兰教清真寺中宣布礼拜时刻的专职人员。他召唤

宣礼员正在召唤信徒作礼拜
美国不列颠百科全书公司供图

信徒每星期五举行聚礼，并在每天清晨、正午、下午、黄昏和晚上作5次礼拜。犹太教徒用喇叭召唤信徒，基督徒用钟声，而穆斯林则用人的声音。宣礼员为清真寺的工作人员，选品德高尚之人担任。届时由他站在清真寺门口或一侧，如果是大清真寺，则站在宣礼塔上，面对东、西、南、北四个方向分别呼喊：“安拉至大，我证明安拉以外再无神灵。我证明穆罕默德是安拉的使者。快来礼拜。快来走获救之路。安拉至大。安拉以外再无神灵。”如今许多清真寺已安装电子录音来宣布礼拜时刻，扩音器已经取代了宣礼员。

Mufaḍḍalīyāt, al-　《穆法德勒诗选》 阿拉伯古诗集。由穆法德勒·伊本·穆罕默德·伊本·雅拉于762～784年间集成。这部诗集的最重要之点，在于它是伊斯兰教兴起以前两百年间阿拉比亚的思想与诗歌艺术的记录。在126首诗歌中，诞生在伊斯兰教创立时期的诗人所作的诗最多不超过5、6首，而且有些人虽然改奉伊斯兰教，他们的作品还是很少流露这一点。只有古代的美德，如对客人和贫苦人殷勤招待、挥金如土、勇敢战斗、对部族事业忠诚才是值得赞扬的。126首诗分属68位诗人。这部诗集选自那些所谓“作品几乎所剩无几的作者”的作品，并非选自留有诗集的著名诗人的作品。诗集中的诗并非所有都是完整的，其中许多是片断，即使是最长的诗也有残缺。穆法德勒力求其完整，并且明显地舍弃职业说书人记忆中收集来的诗歌。尽管选集中诗人的作品现存作品甚少，但有些诗人很有名并受人尊敬，如艾勒夸玛·伊本·阿巴达、穆塔米姆·伊本·努维拉、萨拉马·伊本·羌达、尚法拉、阿卜德·亚格胡斯、艾布·杜厄卜等。哈里斯已早有名气，因为他的诗已入选“悬诗”。

muff　手笼 用毛皮、织物、羽毛或其他柔软材料制成的筒形手套。两端开口以便两手插入保温。起初兼具钱包与暖手之用。1570

R.戴顿所绘《十一月》(约1785～1790)中的妇女使用毛皮手笼

美国不列颠百科全书公司供图

年时髦妇女开始使用。17世纪时男女皆用。19世纪便成为妇女服装的重要配件，用料款样须与衣服相衬。

Muffat, Georg　穆法特(1653-06-01受洗，萨伏依梅热韦[今在法国]～1704-02-23，帕绍主教管辖区帕绍[今在德国]) 作曲家，其大协奏曲和器乐组曲被列为这两种体裁的最早德国范例。曾在莫尔塞姆和斯特拉斯堡大教堂任管风琴师。1678年任萨尔茨堡大主教的管风琴师。1681年去意大利，在罗马师从A.科莱利和B.帕斯奎尼。后在巴黎居留6年左右，对J.-B.吕里的音乐作品进行深入研究。1687年成为帕绍主教府管风琴师，1690年起任唱诗班指挥。最著名的作品12首管弦乐组曲《弗洛雷利吉亚》(两套，1695，1698)，是用法国风格写的最早德国组曲选集之一，其中还包含有关17世纪末法国演出情况的重要资料。《器乐音乐》(1701)是一部早期的采用科莱利风格的大协奏曲集。其他作品有一套五声部三重奏鸣曲《和谐的祭礼》和《管风琴音乐教程》。

muffler　消声器 又作silencer。当内燃机排出的废气通过其中时抑制该机空中噪声的装置。为了达到有效的吸声效果，消声器必须将排放废气的速度减低，同时吸收声波或将声波与来自同一声源的反射波用干涉法消除。消声器中使用的典型吸声材料是厚层细纤维，声波使纤维振动，因而使声能转变为热能。通过干涉来抵消声波的消声器，其构造

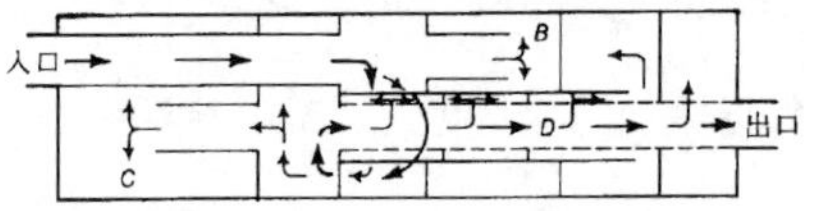

穿过消声器的噪声流

通常是将声波分为沿不同路径前进的两部分，然后再将两部分异相的声波汇合在一起。在示意图中，粗箭头表示气流，细箭头表示声流。*B*室和*C*室是谐振腔，其尺寸恰能将一些特定频率的声波抵消。排放管*D*被若干小型环室所围绕；声穿过排放管的小孔进入环室并被吸收。直通式消声器有个带若干小孔的单管，小孔与诸环室联通，环室内充填有吸声材料。

mufti　穆夫提 伊斯兰教教法权威。负责就个人或法官所提出的询问提出意见，这种意见有时在疑难案件中起决定作用。要提出这种意见，通常必须精通《古兰经》、圣训、经注以及判例。在奥斯曼帝国时期，伊斯坦布尔的穆夫提是地位最高的伊斯兰教法学权威。在理论上，他总管律法和教义方面的所有事务。根据大多数伊斯兰教国家现今的民法，穆夫提的职权仅限于遗产继承、婚姻、离异等个人案件，而且其权力受现代立法的约束。

Mufu Shan　幕阜山 又作Mu-fu Mountains。中国江西、湖南、湖北3省交界处山脉。为褶皱断块山，呈东北-西南走向，长约160千米。山峰海拔多在千米以上，有幕阜山峰(1 596米)、九宫山峰(1 543米)、黄龙山峰(1 511米)等。山地森林茂密，以松、杉为主，经济林有毛竹、油茶、茶树、油桐、漆树。尤以武宁、修水的“宁红茶”、湖南的“平江红茶”驰名中外。林副产品有武宁的“板笋”、香菇、松香等，并有黄连、天麻、柴胡、党参、半夏及抚芎等药材。

Mufulira　穆富利拉 赞比亚中北部城镇。为全国主要采铜中心之一，有炼铜厂和炸药制造厂。人口约152 944(1990)。

Mugabe, Robert (Gabriel)　穆加贝(1924-02-21，南罗得西亚库塔马[今津巴布韦]～　) 津巴布韦(前罗得西亚)第一任总理(1980～1987)，倾向马克思主义的黑人民族主义者，

中国大百科全书出版社供图

终于在他的国家建立了一党统治。出生于乡村木匠家庭。在南非的黑尔堡大学学院念书时开始接触民族主义政治。1956～1960年在加纳教书，1960年回国，1963年协助N.西索尔牧师建立从恩科莫的津巴布韦非洲人民联盟中分裂出来的津巴布韦非洲民族联盟。1964年以发表“颠覆性演讲”罪名被捕监禁10年，在狱中通过函授攻读法律并获得3个学位。1975年获释，在发动游击战反对史密斯白人政府的内战(1975～1979)期间，与恩科莫共同领导了津巴布韦爱国阵线。1979年新的伦敦谈判结束了战争，并导致1980年2月在英国监督下选举。他获得压倒多数票成为总理。他起初实行现实主义路线，组成由他的津巴布韦非洲民族联盟(获得多数民族绍纳人的支持)和恩科莫的津巴布韦非洲人民联盟(获得少数民族恩德贝勒人的支持)的联合政府，安抚留下来的白人，同时采取措施改善黑人的生活条件。1982年他把恩科莫排除出联合内阁，绍纳人和恩德贝勒人不断发生民族冲突，津巴布韦经济逐渐下滑。1984年他在党的代表大会上被推为绝对领袖，并建立了有中央委员会和政治局的新的党组织结构。1987年他的党和恩科莫的党合并，他成为由一党统治的津巴布韦的第一任总统。1990年举行多党选举，他再次当选。但党内压力促使该党转而支持多党制。1993年和2002年，他又两次当选。20世纪90年代，穆加贝面对日益增加的抗议，开始改变他早期对白人农场主的宽容立场，转而支持将他们从土地驱逐的措施。21世纪初，他的立场使他受到国际指责和孤立。

Muggleton, Lodowick　马格尔顿(1609-07，英格兰伦敦～1698-03-14，伦敦) 英格兰基督教清教派领袖、反对三位一体论的异端人士。他的信徒(称马格尔顿派)认为他是先知。他自称自1651年起不断得到圣灵启示，

并与表兄弟里夫自居为《启示录》第 11 章 3 节所说的两位先知"见证人"。他说传统教义中所说圣父、圣子、圣灵的三位，只是一位上帝的三种称号。他说，上帝确乎是人身，在他降世死在十字架上时，委托以利亚代行威权（以利亚是《旧约》中所载希伯来先知，早已升天）。1653 年马格尔顿以渎神罪被囚，追随他的人曾先后于 1660 和 1670 年谴责他；1677 年受审，被定罪，罚款 500 英镑。

Mughal DYNASTY **莫卧儿王朝** 16 世纪早期至 18 世纪中期统治印度北部大部分地区的穆斯林王朝。创始人为巴伯尔（1526 ～ 1530 在位），他是突厥征服者帖木儿和蒙古统治者成吉思汗的次子察合台的后裔。巴伯尔征战一生，1530 年去世时，已统治了西起印度河，东抵比哈尔，北自喜马拉雅山，南至瓜廖尔的整个印度北方。巴伯尔之子胡马雍在位时（1530 ～ 1540；1555 ～ 1556）因阿富汗人造反，失去对帝国的控制。但巴伯尔之孙阿克巴（1556 ～ 1605 在位）巩固和改造了莫卧儿国家，将疆域从阿富汗推进到孟加拉湾，向南则推进到古吉拉特和德干北部。阿克巴之子贾汗季（1605 ～ 1627 在位）继承父业，守业有成。其子沙·贾汗（1628 ～ 1658 在位）大兴土木，留有泰吉·马哈尔陵与德里大清真寺等建筑。他在位时是莫卧儿王朝的文化全盛期，但他的征战几陷帝国于破产边缘。奥朗则布（1658 ～ 1707 在位）继位后，力挽残局，进而兼并了德干的穆斯林王国比贾布尔和戈尔孔达，帝国疆土扩张到最大范围。然而他在政治和宗教上的偏执也为帝国的衰落埋下了种子。穆罕默德沙在位时期（1719 ～ 1748），帝国开始崩溃；到 18 世纪下半叶，莫卧儿人只统治德里周围的小块地区，并先后受马拉塔人（1785）和英国人（1803）控制。末代皇帝巴哈都尔沙二世（1837 ～ 1857 在位）因卷入 1857 年兵变而被英国人流放到仰光。

Mughal architecture 莫卧儿建筑艺术 16 世纪中叶至 17 世纪末在莫卧儿历代皇帝资助下盛行于印度北部和中部的营造风格。莫卧儿时期的特征是在印度北部显著复兴伊斯兰教的建筑艺术。在莫卧儿皇帝们的资助下，把波斯、印度和各地方的风格熔于一炉，产生非常高贵和精美的作品。德里的胡马雍皇帝陵（1564 年始建）是新风格的先河，虽然它显示出强烈的波斯影响。营造活动的第一个伟大时期是皇帝阿克巴（1556 ～ 1605 在位）治下在阿格拉和 1569 年建立的新都城法塔赫布尔西格里出现的。新都城的大清真寺（1571）带有雄伟的胜利门，是莫卧儿时代最美好的清真寺之一。阿格拉的巨大城堡（1565 ～ 1574 年建）和阿格拉附近锡根德拉的阿克巴陵是他在位时期的另外两座值得注目的建筑物。这些莫卧儿初期建筑物大多很少用拱，而代之以立柱和过梁。它们是用红砂岩或白色大理石构筑的。皇帝沙·贾汗在位时期（1628 ～ 1658），莫卧儿建筑艺术达到登峰造极的地步，最高的成就是富丽堂皇的泰吉·马哈尔陵（参阅 **Tāj Mahal**）。这一时期的标志是：过去在胡马雍陵所见到的那些波斯特征又出现于印度。使用双穹隆，矩形山墙有凹入的拱道，以及庭园式的周围环境，均为沙·贾汗时期建筑物的典型模式。始终注重一个建筑物的各部分之间的对称与均衡，而沙·贾汗时期装饰工程细部的精美更史无伦比。喜用白色大理石为建筑材料。营造泰吉·马哈尔陵以后，沙·贾汗在位时期的第二项巨大工程是德里的宫殿要塞，始建于 1638 年。其中值得注意的建筑物有采用红砂岩柱子的公觐见厅和设有著名的孔雀宝座的私觐见厅。城堡外面是大清真寺（1650 ～ 1656 年建）。雄伟的清真寺耸立在加高的地基上，人要拾陡峻的长阶而上，寺前有一巨大的庭园。沙·贾汗的继承者奥朗则布（1658 ～ 1707 在位）虽然在 18 世纪开始之前建造了几座值得注目的清真寺，他的建筑纪念物有明显衰落的倾向。此后的工程失去了成熟的莫卧儿建筑艺术所特有的均衡与协调。

Mughal carpet 莫卧儿地毯 16～17 世纪在印度为莫卧儿皇帝及其宫廷制作的手工铺地用品。除采用波斯图案外，又发展了一系列具有印度特色的图案，如风景和山水地毯、在田野上奔驰狩猎的动物地毯、精致的意大利建筑花饰格子地毯，以及好几种中心为花卉盛开图案的大型祈祷毯。彩花图案的特点是普遍采用长串花序，如紫藤或长串葡萄等。优质莫卧儿地毯经线的颜色对比鲜明，毯面羊毛非常细，有时使人以为是纯丝毯，拴紧密

17 世纪的莫卧儿地毯
美国不列颠百科全书公司供图

细腻的古代东方扣。中心花饰为盛开花卉的祈祷毯每平方英寸约有 2 000 个扣，华盛顿纺织品博物馆保存的一块残缺不全的格子图案毯每平方英寸有 2 500 多个扣。大多数为棉底。

Mughal glass 莫卧儿玻璃器皿 印度莫卧儿时代（1556 ～ 1707）产品。由于移入的波斯艺匠受到朝廷的奖掖，17 和 18 世纪的莫卧儿玻璃器皿明显地受到波斯影响。阿拉伯花饰和小枝花饰是玻璃工人普遍采用的图案，其

18 世纪的莫卧儿玻璃器皿，金彩蓝玻璃水烟筒（筒身）
美国不列颠百科全书公司供图

次是几何图案。制成的瓶、碟、痰盂、水烟筒，造型新奇雅致，并且越来越多地采用绘有图画的彩色玻璃。主要产地除德里及各省城外，还有古吉拉特邦的格伯德文杰。

Mughal painting 莫卧儿绘画 流行于印度莫卧儿王朝（16 ～ 18 世纪）专作书籍插图和单幅细密画的一种绘画风格。最早作品也许是民间故事《鹦鹉的故事》的插图（现存美

约 1610 年的莫卧儿绘画
美国不列颠百科全书公司供图

国克利夫兰艺术博物馆）。莫卧儿绘画主要是一种宫廷艺术，一般是非宗教性的，其中有历史文献和波斯、印度文学著作的插图，有皇帝和后妃的肖像画，也有对大自然的写生以及风俗画。这个画派源于皇帝胡马雍在位时期（1530 ～ 1540；1555 ～ 1556）邀请的两位波斯艺术家。其最重要的成就是作于阿克巴帝统治时代（1556 ～ 1605），描绘达斯坦-衣·阿目尔-哈姆才的一系列细密画，共有 1 400 幅，幅面很大（56 厘米 × 71 厘米），其中约有 200 幅尚存。对周围事物观察周详，表现出一种发展的写实主义。这个时期的杰出画家有达斯万德和巴萨万。贾汗季（1605 ～ 1627）时代，对于书籍插图不大重视，喜画宫廷景象、人物肖像画和动物写生。该时期的画家表现出对人的个性的深入了解，注意到人物的心理状态。著名画家有阿布·阿尔·哈桑，被称为时代的奇才，比尚达斯善作肖像画，还有乌斯达德·曼苏尔长于动物写生。沙·贾汗时代（1628 ～ 1658）莫卧儿绘画逐渐流于呆滞而缺

手抄本《鹦鹉的故事》中的莫卧儿绘画插图，约 1560 年
美国不列颠百科全书公司供图

乏生气。这一趋势一直持续到奥朗则布时代(1658～1707)和穆罕默德沙(1719～1748)时代。而到沙·阿拉姆二世时代(1759～1806)，则任何创造性的活动都停止了。莫卧儿绘画往往是集体创作完成的，一人构图，一人上色，也许还有一位肖像专家专门进行人物面部的细节刻画。

Muğla　穆拉　土耳其西南部城市。位于格科瓦湾以北约 20 千米的小平原边缘。1425 年被并入奥斯曼帝国。为该地区农产品市场，有公路通往伊兹密尔和代尼兹利。濒

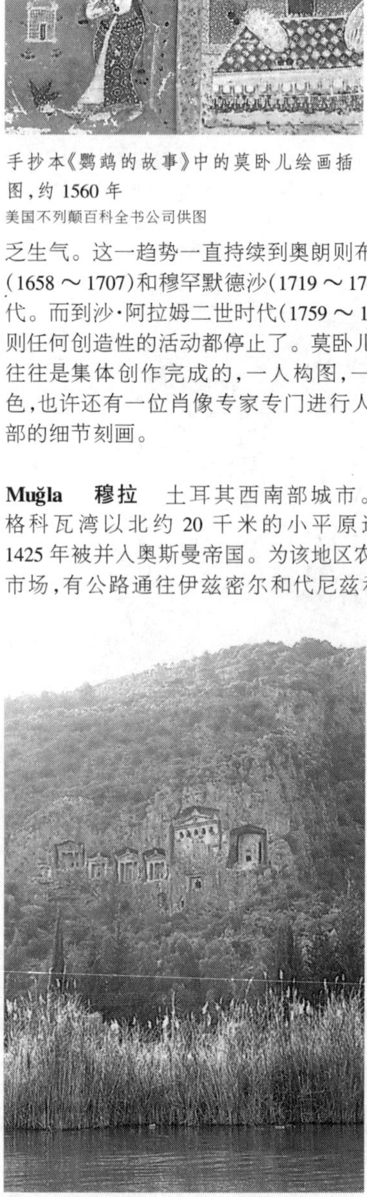

穆拉省卡夫诺的吕西亚人摩崖墓葬
美国不列颠百科全书公司供图

爱琴海和地中海。海岸线曲折。群山和丘陵之间有小块农业发达的盆地。气候属地中海型，冬季多雨。沿海狭长地带种植柑橘，内地种谷物、棉花和烟草。穆拉城附近的肥沃盆地产葡萄。地处古时卡里亚地区，多历史遗址。港市博德鲁姆、马尔马里斯港和费特西耶为日益发展的旅游贸易中心。人口约 40 586(1997)。

Mugwump　共和党独立派　美国历史上共和党内奉行改革方针的政治派别，1884 年拒绝支持J.G.布莱恩竞选总统，却支持民主党候选人G.克利夫兰。该派领导人有T.罗斯

G.汉密尔顿的漫画《老式的圈环裙又要时兴了》(1884)，图中老妇为 G.克利夫兰，其裙带上写有"共和党独立派政府"字样
美国不列颠百科全书公司供图

福、G.柯蒂斯和 H.C.洛奇。布莱恩落选后，独立派又回到共和党内。"Mugwump"一词源出印第安语"mogkiomp"(意"大人物"或"巨头")，首见于纽约《太阳报》。后演化为政治俚语，意为独立的选举人，英格兰也采用了这一名词。

Muhallab ibn Abī Ṣufrā, al-　穆海莱卜(约 630，阿拉比亚～702-02)　伍麦叶王朝的将军，为其时代政治发展的重要参与者。哈里发穆阿威叶在位时期，他在印度作战。后驻守东方各省，为呼罗珊总督指挥对撒马尔罕的远征。穆阿威叶死(680)后，他背叛伍麦叶王朝，投靠反哈里发的祖拜尔，任呼罗珊总督。就任前，先同狂热的穆斯林宗派"艾兹赖格"交战，终于把他们赶到波斯，并在他们内部发生宗教分裂以后粉碎了他们的权力。就任后，开始发动深入中亚的战役，在这一过程中死去。

Muḥammad　穆罕默德　又拼 Moḥammed 或 Mahomet。土耳其语作 Mehmed。统治者名，按国别分列于后，并各以●为标记。

阿拉伯帝国

● **Muhammad　穆罕默德**(约570，麦加[沙特阿拉伯]～632-06-08，麦地那[沙特阿拉伯])　伊斯兰教和阿拉伯帝国的创立者。全名阿布·卡西姆·穆罕默德·伊本·阿布杜拉·伊本·阿布杜·穆塔里布·伊本·哈希姆。他是遗腹子，6 岁失去母亲阿米娜，8 岁失去祖父阿布杜·穆塔里布。他的祖父虽然是声威卓著的哈希姆氏族的首领，并在麦加政治活动中颇有名气，但据一些资料显示，可能并非为麦加的首要人物。此后，穆罕默德遂由新任的氏族首领、其叔父阿布·塔里布照料，相传曾随叔父前往叙利亚经商。595 年左右，他在一次经商旅途中，为一有钱的妇人阿萨德族的赫蒂彻经管商品，甚得她的欢心，赫蒂彻遂以身相许。据说，赫蒂彻年已 40，她为穆罕默德至少生有 2 子(俱夭折)4 女，其中最著名的当属法蒂玛。在赫蒂彻去世之前，穆罕默德没有再娶其他妻子。这次婚姻是穆罕默德一生中的一个转折点。按照阿拉伯习俗，年幼者无继承权，因此，穆罕默德没有得到父亲或祖父的任何财产，但通过这次婚姻，他得到了足够的钱财，使之能以与其能力相称的规模从事经商活动。

先知的感召和早期宗教活动　穆罕默德似乎性喜沉思冥想。幼年的贫困和不幸无疑使他意识到麦加社会中的种种矛盾。当时，在麦加居住的是古来氏部落，哈希姆族即从属于这一部落。麦加围绕克尔白神庙形成了一处商业中心，克尔白则为前来进行集市贸易的人提供了安全保障。6 世纪末期，也门与地中海地区(加沙和大马士革)之间贸易兴盛，骆驼商队从印度和埃塞俄比亚将商品输往地中海地区。麦加的富商巨贾垄断了这一贸易，麦加也因此繁荣起来，但财富大部分为少数人攫取。部族的团结破裂了，商人追逐个人利益，无视他们对不幸者的传统责任。约 610 年，穆罕默德在思索这些问题时，看到一庄严幻象，后来认定是天使加百列，并听到有声音说："你是安拉的使者。"这是他成为安拉的使者或先知的开端。此后他不时接到"启示"，他相信这是安拉直接传来的信息。有时，穆罕默德和他的信徒将这些启示铭记在心，有时将之写下来。约 650 年，这些启示被汇集起来，缀辑成《古兰经》，流传至今。穆斯林认为《古兰经》是上天的启示，用安拉自己的言语写成。据说，穆罕默德初次看到幻象、听到启示后，一度心神烦乱，是他的妻子赫蒂彻帮他打消了疑虑。在赫蒂彻信仰基督教的堂弟瓦拉卡的帮助下，他开始认为这些信息与安拉通过其他先知或使者传递给犹太人、基督徒和其他人的信息总的来说是同一的，并相信由于目睹幻象，接受启示，他受托将之宣示给他的同胞和其他阿拉伯人。在宣示这些信息的同时，他显然用自己的语言作了一些解释和说明，从伊斯兰教保留至今的繁富的先知口传教义中，可以清楚地看到这一点。很快，他集合起一些友人，他们对他宣称自己是先知表示承认，并与他一同礼拜和祈祷。613 年左右，穆罕默德开始公开传教。当时麦加的民众名义上崇拜多神，但很少有人相信人必须依赖超自然力。商人认为，事情大多可以靠财富和算计来完成。一些人视安拉为"主神"，驾临其他较次要的神之上(安拉 Allāh，阿拉伯语对神的称谓，阿拉伯基督徒和穆斯林均使用此称)。启示给穆罕默德的《古兰经》的最早章节强调了安拉借助自然和麦加人的繁荣显示的善与强力，要求麦加人感恩并礼拜"克尔白的主"，因此确认了他与安拉是同一的。感恩应表现为慷慨供献财物，不可吝啬。作为制约，世人被警告说，他们将于末日在安拉面前接受审判，按其行为而得入乐园或罚下地狱。通过公开宣讲这一信息，穆罕默德争取到一些追随者，据说有 39 人。新的宗教遭到反对之前，有名有姓的

追随者达 70 人，大多数是不满 30 岁的青年人，其中包括麦加一些大富人家的子弟，虽然或许可以说他们是生意场上的失意者。穆罕默德早期的少数追随者被人说成"软弱"，但这仅仅意味着他们不属于古来氏部落，因而不受任何氏族的有效保护。新的宗教最后称为伊斯兰教（Islām，即"顺从[安拉的旨意]"），其信教徒称为穆斯林（Muslīms，即"已顺从者"），而《古兰经》主要称他们为"信道者"。

麦加的反对力量 虽然穆罕默德的布道基本上是宗教性的，但也隐约批评了麦加富商的行为和态度。615 年左右，他受到激烈的反对。人们对《古兰经》中的一些预言提出质疑，一些家族对追随他的青年人进行了管教。有人认为，反对的主要原因在于商人担心新宗教会破坏对克尔白作为圣所的承认，但这不太可能。当然，《古兰经》中攻击了偶像，而伊斯兰教也开始被描绘为主张"除安拉外，别无神灵"，但克尔白并未受到攻击，所提到的偶像主要供奉在别处。反对派的一位领袖是阿布·扎赫勒，他或许感到，穆罕默德尽管自称仅仅是（审判即将来临的）"警示者"，却正在树立起权威地位，有朝一日会在政治上君临麦加，因为阿拉伯人深深崇敬穆罕默德显然具有的那类智慧和知识。616 年左右，阿布·扎赫勒发动麦加的各大部族抵制哈希姆族，据称是因为哈希姆族继续保护穆罕默德，没有阻止他传教。穆罕默德的妻子赫蒂彻和叔父阿布·塔里布相继死于 619 年前后，他的另一位叔父阿布·拉哈布继任哈希姆族首领。他与富商关系密切，在他们的煽动下，撤消了哈希姆族对穆罕默德的保护。这意味着穆罕默德从此极易受到侵犯，无法继续在麦加传教。对麦加的穆斯林遭受的迫害的性质和程序，很难做出评价。暴力行为很少，而且，几乎都是发生在家族内部。但不管迫害的性质如何，穆斯林始终对此切齿痛恨。

从麦加移居麦地那 621 年夏，在从麦地那来麦加朝觐克尔白神庙（仍为异教徒的圣所）的人中，有 12 人对穆罕默德秘密立誓皈依伊斯兰教，他们返回麦地那为他进行宣传。622 年 6 月朝圣期间，一个 75 人、包括两名妇女组成的代表团来自麦地那，他们不仅皈依伊斯兰教，还宣誓保护穆罕默德，如同保护自己的亲人。这两件事被称为"亚喀巴的两次誓约"。穆罕默德于是鼓励他在麦加的忠实追随者三五成群地前往麦地那，大约有 70 人就这样移居到了那里。据说麦加人曾密谋在穆罕默德离开之前杀害他。但他和他的助手都瞒过众人，取道荒郊野路，于 622 年 9 月 24 日平安抵达麦地那。这就是著名的"希吉拉"（hijrah）。麦地那是一块绿洲，与最早来此的阿拉伯人定居在一起的一些犹太氏族开发了农业，他们仍然拥有最肥沃的土地。后来的阿拉伯移民属于奥斯和哈兹拉杰部族，但势力更强大。阿拉伯人实际形成了 8 个或更多的部族，但几乎所有这些部族都卷入了长期争斗。邀请穆罕默德来麦地那，许多阿拉伯人或许是希望他可以成为敌对各方之间的仲裁人。一份文献保存至今，称为《麦地那宪章》。按其目前形式，它是由两份较早的文献，可能在 627 年之后汇编而成，但其主要条款几乎可以肯定是穆罕默德与麦地那的穆斯林最初商定的。这份文献按照传统的阿拉伯方式，建立了 9 个群体（8 个阿拉伯部族，1 个麦加移民群团）之间的同盟。穆罕默德并不享有特殊的权威，仅在序言中提到协议是在"先知穆罕默德"和目前居住在麦地那的穆斯林之间达成的，并规定重大争端应提交他来解决。犹太人群体不承认穆罕默德为先知，在文献中成为附属于各阿拉伯部族的次要角色。至少在 5 年之中，穆罕默德对其他部族成员没有直接权力，但他在晚年，由于战功显赫，几乎拥有独裁权力。他在麦地那接受的启示往往成为穆斯林社区的法规，但它们很少涉及政治问题。

在麦地那的最初 5 年 穆罕默德到麦地那后，最初 18 个月忙于安顿。迁士（即来自麦加的人）最初是麦地那穆斯林兄弟的客人，但穆罕默德不想让这种情况永远持续下去。一些移民在一犹太氏族经营的当地市场上做买卖。其他人经穆罕默德同意，按照阿拉伯风俗出外劫掠，拦截前往叙利亚途中经过麦地那附近的麦加商队。623 年穆罕默德自己领导了 3 次这类劫掠行动，均遭败绩。最终，624 年 1 月，一小队人马在麦加附近的奈赫勒赫袭击来自也门的商队。这一次他们大获全胜，因此也违反了异教徒关于圣所不可侵犯的观念，促使麦加人意识到穆罕默德构成了严重威胁。大约与此同时，穆罕默德的基本方针发生了一些重要变化。一个变化是"与犹太人决裂"。他不再向犹太人妥协以换取对他先知地位的承认，转而坚持伊斯兰教特殊的阿拉伯性质。在此之前，穆斯林在礼拜时面向耶路撒冷，而一次启示现在要求他们面向麦加。或许是因为这一变化，麦地那的一些穆斯林才更乐于支持穆罕默德。624 年 3 月，他率领大约 315 人袭击从叙利亚满载而归的麦加商队。商队由伍麦叶族首领阿布·苏富扬率领，他们变化路线，强行疾走，避开了穆斯林。但马赫祖姆族的首领阿布·扎赫勒率领一支大约 800 人的接应部队不肯撤退，他们要让穆罕默德吃些苦头。624 年 3 月 15 日，在拜德尔附近，两军对阵。在随后发生的战斗中，麦加方面有 45 人战死，包括阿布·扎赫勒和其他头领将近 70 人被俘，而穆斯林只死了 14 人。对穆罕默德来说，这是上天赐予其先知地位的明证，他和所有穆斯林都欢喜异常。在胜利带来的兴奋中，或许得到穆罕默德的默许，曾经写诗讥讽他的一些麦地那人遇刺身亡。他还以一次小骚乱为借口，驱逐了经营市场的犹太氏族。阿拉伯人中的摇摆不定者很可能是在此时成为穆斯林的。因此，拜德尔之战大大加强了穆罕默德的势力。与此同时，他还利用联姻关系，增加迁士的凝聚力。他的女儿，法蒂玛嫁给阿里（后来的第四代哈里发，即伊斯兰教社团领袖），乌姆·库勒苏姆嫁给奥斯曼（第三代哈里发）。他自己已经娶了艾布·伯克尔（第一代哈里发）的女儿阿以莎，如今又娶了欧麦尔（第二代哈里发）的女儿哈夫萨赫。同年，穆罕默德率领穆斯林大队人马，袭扰敌对的游牧部落，取得一些战果。625 年 3 月 21 日，阿布·苏富扬带领 3 000 人突入麦地那绿洲。穆罕默德统率 1 000 人进至麦加人营地后方的伍侯德山。这场战斗最终打成平手。伍侯德战役之后两年内，双方都在准备决战。627 年 4 月，阿布·苏富扬统帅万人联军进攻麦地那。此次，穆罕默德在绿洲的要津挖掘堑壕，阻击麦加人的骑兵。联军围困麦地那半月之久，未能跨越穆斯林军的堑壕，秣草消耗殆尽。穆罕默德在联军中的内应鼓动士兵叛逃。一夜风雨交加，联军土崩瓦解。麦加人竭尽全力，没能动摇穆罕默德，他的地位如今大大加强了。麦地那解围后，穆罕默德率部攻击犹太人古来札部族。他们可能曾阴谋反对他。该部族投降后，男丁尽遭杀害，妇女儿童变卖为奴。

战胜麦加人 穆罕默德的政治家的远见卓识，表现在他随后采取的政策上。他本可以乘胜粉碎麦加人，但他实际上只对他们施加了经济压力。他的主要目的是争取他们自愿信奉伊斯兰教。他已经意识到，一旦阿拉伯人成为穆斯林，就有必要停止相互间的劫掠，一致对外。值得注意的是，除了远征麦加人以外，他最大的几次劫掠是沿通往叙利亚一线展开的，他死后，阿拉伯军队继续遵行这一目标。他无疑很清楚，扩张他的新兴国家，需要借助麦加商人的行政管理才能。穆罕默德梦见自己赴麦加朝圣，于是他就在 628 年 3 月驱赶祭牲前往麦加。麦加人决意阻止穆斯林入城，因此穆罕默德停留在麦加圣地边缘的侯达比亚。经过几天僵持，麦加人同他签订了一项条约。根据这项条约，双方停止敌对行为，穆斯林可以在 629 年到麦加朝觐。穆斯林有条不紊地撤离，显示穆罕默德牢牢控制着他的追随者。部分是为了酬报他们的恭顺，两个月后，穆罕默德带领同一批人攻占麦地那北部的犹太人绿洲海拜尔。穆罕默德允许犹太人继续住在绿洲上，但他们必须将每年所收椰枣的一半向麦地那献纳。628 和 629 两年，他的势力不断增长，因为胜利诱导更多的人成为穆斯林，而物质动机显然也增强了伊斯兰教的宗教吸引力。与此同时，麦加日渐衰落。一些领袖人物移居麦地那，成为穆斯林。新的领导人接替了阿布·阿富扬，但很少建树，尽管与穆罕默德的条约消除了其商队所受的压力。条约签订后不久，穆罕默德娶阿布·苏富扬之女。这导致他与阿布·苏富扬和解，阿布·苏富扬着手争取麦加和平投降。629 年 11 月左右，麦加盟军进攻穆罕默德盟军，穆罕默德宣布废除《侯达比亚条约》。经秘密准备，他于 630 年 1 月率领 1 万人进军麦加。阿布·苏富扬和麦加其他领导人出城迎接，正式投降，穆罕默德宣布大赦。他实际上未遇抵抗便进入麦加。穆斯林死 2 人，敌方死 28 人。一些人被指名不在赦免之列，但后来有的人得到了宽恕。穆罕默德受到麦加大多数人的拥戴。虽然他并不强求他们成为穆斯林，但很多人迅速这样做了。穆罕默德在麦加逗留 15 到 20 天，处理各种行政问题。克尔白和邻近一些小的神庙中的偶像被捣毁。为救济信徒中的贫困者，他命令麦加的一些富人放款给他们。当他挥师东进抵抗新的威胁时，有 2 000 麦加人随他前往。

晚年：统一阿拉伯半岛 自从希吉拉以来，穆罕默德不断与游牧部落结盟。起初，可能是一些不侵犯盟约，但他强大得足以提供保护后，便规定结盟条件是部落皈依伊斯兰

教。穆罕默德如今已是阿拉伯半岛的军事强人。大多数部落都向麦地那派出使团寻求结盟。很难说阿拉伯半岛有多大一部分加入了他的联盟，因为每一部落的内部政治错综复杂，有时，使团可能只代表一个小派别。627～628年，波斯帝国败于拜占廷（基督教）帝国，穆罕默德从中受益匪浅，因为在也门和波斯湾各处，依赖波斯人对抗拜占廷的少数民族纷纷转而求助于他。

进逼叙利亚边境 穆罕默德最大的一次军事行动发生在630年末。他亲率3万人大军跋涉一个月，到达叙利亚边境。这次行动开进占叙利亚之先河，所达成的协定成为与战败民族达成协定安排的范本。邻近叙利亚的一些部落信奉基督教，效忠于拜占廷。主要因为这一点，他本来同基督徒特别是埃塞俄比亚基督徒一向友好，现在却变为敌对。在穆罕默德死前，阿拉伯半岛个别地区出现武装反抗，但伊斯兰教国家已有足够的力量从容应付。因此，他身后留下基本统一和安定的阿拉伯半岛，为向叙利亚和伊拉克扩张奠定了基础。632年3月，穆罕默德亲率众人，按照伊斯兰教仪式前往麦加朝觐。虽然他已有一段时间身体欠佳，但并未作出继承人安排。因此，他于632年6月在麦地那去世后，信徒之间发生了重大危机。在决定穆斯林社团领袖问题上的争端最终导致了伊斯兰教历史上最严重的分裂。

性格与成就 中世纪欧洲学者极力诋毁穆罕默德，其观点至今仍有一些影响，尽管如此，穆罕默德在19世纪得到了较为客观的对待。一些证据于他不利，例如他默许行刺反对者，批准处决一犹太氏族的成员，这些都是不容否认的历史事实。然而，穆罕默德却因其勇敢、果断、公正乃至不乏宽厚的刚直受到同时代人的仰慕。他以其个人魅力赢得人心。他待人温和，尤其是对儿童。虽然他有时会沉思默想，但他多数时间总是在从事目的明确的行动。他走路迅捷，讲话很快。后世的穆斯林将他奉为有德之人的典范，种种奇闻轶事描述他实现了伊斯兰教人生的理想。穆罕默德的主要功绩在于他是一个国家、一种宗教的缔造者。他奋斗一生，建立了阿拉伯各部落的联盟，在他死后不到20年，这一联盟击败了拜占廷和波斯帝国，占领了从利比亚到波斯的广大地区，进而发展为阿拉伯或伊斯兰帝国。他使伊斯兰教成为维系阿拉伯统一的基础。伊斯兰教教义认为，是安拉而非穆罕默德缔造了伊斯兰教，但后者对扶助新兴宗教明显起到重大作用。他对终极问题的关注、他的神秘外表以及他的庄重品格无疑大大推动了《古兰经》信息的传播。

格拉纳达

● **Muhammad XI 穆罕默德十一世**（？～1527） 西班牙名作巴布迪尔（Boabdil）。西班牙格拉纳达的奈斯尔王朝的末代苏丹。在位期间（1482～1492）不断发生内乱，格拉纳达也落入阿拉贡和卡斯蒂利亚的天主教徒统治者费迪南德和伊莎贝拉之手。巴布迪尔受其母怂恿，反对其父艾布·哈桑·阿里苏丹，夺取阿兰布拉地区，1482年自立为苏丹。艾布·哈桑夺回该地首府后，为其弟扎加尔所废。1483年，巴布迪尔第一次进攻卡斯蒂利亚，战败被俘，为获释而签订《科尔多瓦条约》，答应把当时扎加尔控制的部分地区让给卡斯蒂利亚，而由卡斯蒂利亚出兵帮助他夺回艾布·哈桑所占地区。1485年，艾布·哈桑死，巴布迪尔重占阿兰布拉地区。1491年扎加尔被迫把他占领的东格拉纳达及阿尔梅利亚地区让给卡斯蒂利亚，自行流亡他处。巴布迪尔于是只有格拉纳达一座城池，孤立无援。1492年初城陷，穆斯林在西班牙的统治结束，基督教收复失地运动完成。巴布迪尔于1493年流亡摩洛哥，供职于非斯的马里尼德王朝。巴布迪尔悲剧性的一生及有关传说，被W.欧文汇辑成集，题名为《阿兰布拉》，于1832年出版。

摩洛哥

● **Muhammad V 穆罕默德五世**（1909-08-10，摩洛哥非斯～1961-02-26，拉巴特） 本名西迪·穆罕默德·本·优素福。摩洛哥苏丹（1927～1957）。民族主义希望的核心，使摩洛哥摆脱法国殖民统治而独立，1957～1961年任国王。穆莱·优素福苏丹的第3子。1927年父亲去世，被法国当局选为继位人。1934年敦促法国放弃1930年的柏柏尔·达赫立法，第一次表露他的民族主义情感。摩洛哥民族主义者把穆罕默德登基的日子定为一年一度的“登基日”进行庆祝，以使他成为民族主义象征。法国人勉强同意此日为正式节日。第二次世界大战期间，他支持同盟国，1943年曾会见美国总统F.D.罗斯福，后者鼓励他争取独立。1947年访问丹吉尔，发表演讲，强调摩洛哥与阿拉伯世界的联系，只字不提法国。他采取有效的抗拒办法，不在法国常驻代表的法令上签字。1951年，法国挑起部落叛乱来反对他，后借口给予保护，派军队包围他的王宫。因而，他被迫谴责民族主义运动。1953年8月被法国人放逐到科西嘉，后往马达加斯加。他流亡在外，国内恐怖活动层出不穷。1955年11月，法国政府同意他回国。1956年3月经谈判达成一项完全独立的条约。1957年成为国王。1960年5月任命其子（后为哈桑二世）为副首相，本人则退居二线。

奥斯曼帝国

● **Muhammad I－VI** 参阅 Mehmed I－VI 穆罕默德一世至六世。

塞维利亚

● **Muḥammad II al-Muʿtamid 穆罕默德二世穆耳台米德** 参阅 Muʿtamid，al- 穆耳台米德。

桑海帝国

● **Muḥammad I Askia 穆罕默德一世阿斯基亚**（？～1538-03-02，桑海帝国加奥） 又名阿斯基亚·穆罕默德。西非政治家和军队领袖。1493年篡夺了桑海帝国王位，多次出征，扩大了帝国的疆界。1528年被其子阿斯基亚·穆萨推翻。

生年和出生地点不详。长期来他被认为是西拉族人或是萨拉科尔血统的图雷人。1493年2月桑海帝国的君主索尼·阿里·博去世，由子索尼·巴鲁即位。不久，穆罕默德就决心从巴鲁手中夺取政权。1493年4月12日在昂佛会战，穆罕默德以劣势兵力取胜。征服敌人后即自封为阿斯基亚（他建立的王朝及其领袖均以此命名）。穆罕默德是一个政治家，他将桑海帝国划分为一些省，每省设总督一名；他建立常备军和战船队，分别由一个将军和一位水军都督指挥；他设置财政、司法、内政、礼仪、农业、水利、森林等各部门的“总监”，另有“白种部族总监”，专门管辖当时藩属于桑海帝国的摩尔人和图阿雷格人。这些职务的大部分都由穆罕默德的兄弟、子侄或亲戚担任。穆罕默德聘请宗教改革家麦赫里利为顾问。1495年穆罕默德前往麦加朝觐。1497年返回桑海后，他进一步巩固和扩大自己的王国。1498～1502年他打败了亚滕加的莫西人和阿伊尔（尼日尔）的居民，但是几年以后他对博尔古（今尼日尔和尼日利亚边界地区）发动的战役却以失败而告终。1507～1514年他平定了塞内加尔的富拉尼人和阿加德兹附近的博尔努人的起义，但是他的一员副将卡比的卡尔塔又发动叛乱，宣布独立。穆罕默德在组织有效率的行政机构方面取得了更大的成就。他建立了什一税和赋税制度、农业和渔业的管理制度以及对行政人员和总督的培训制度。据廷布克图史官萨迪记述，穆罕默德用“火与剑”征服的领土，西面到大西洋，西北到特加札（今马里北部边界）盐矿，西南到本杜古（塞古），东南到布萨，东北到阿加德兹。毫无疑问，在穆罕默德时期，桑海帝国有举足轻重的力量。所有的邻邦，无论敌友，都深受桑海文明的影响。

然而，穆罕默德的晚年却很悲惨。甚至在他在世的时候，他的儿子们就已经开始争夺王位了。穆罕默德在加奥连自身的安全都不再有保障。他的长子1528年废黜了他。自称阿斯基亚·穆萨。老穆罕默德于1528～1537年被流放到河中小岛上，双目失明，生活凄惨。1537年另一个儿子阿斯基亚·伊斯梅尔 把他接回加奥。老穆罕默德于1538年去世，死后葬于加奥。

Muhammad，Elijah 伊莱贾·穆罕默德（1897-10-07，美国佐治亚桑德斯维尔～1975-02-25，芝加哥） 原名伊莱贾·普尔。美国黑人分离主义宗教团体伊斯兰民族组织（或称黑人穆斯林运动）领袖。其父母是佃农，曾为奴隶。伊莱贾·穆罕默德于1923年迁居底特律，1930年前后在该市第一清真寺襄助教派创始人法尔德办理教务。1934年法尔德失踪，伊莱贾·穆罕默德继任该派领袖。底特律清真寺内部发生分裂，伊莱贾·穆罕默德乃迁居芝加哥，创立第二清真寺。第二次世界大战期间，他劝阻信徒应征，为此被控违犯《义务兵役法》，自1942～1946年受监禁。伊莱贾·穆罕默德提倡美国黑人建立一个独立的民族，认为黑人是安拉的选民，号召黑人接受崇拜安拉的宗教。伊莱贾·穆罕默德称白人为“蓝眼鬼”，但晚年，他对白人措词较为和缓。他更强调的是黑人的自助而不是种族间的对抗。由于伊莱贾·穆罕默德的分离主义观点，他的最著名的门徒马尔科姆·艾克斯与该组织决裂。

Muhammad, Wallace Fard 瓦莱士·法尔德·穆罕默德 参阅 **Fard, Wallace D** 法尔德。

Muḥammad ʿAbduh（Egyptian reformer） 参阅**ʿAbduh, Muḥammad** 穆罕默德·阿布杜。

Muḥammad al-Mahdī al-Ḥujjah 穆罕默德(时代的马赫迪)（878失踪） 伊斯兰教什叶派中的主流派十二伊玛目派所崇奉的第十二代亦即末代伊玛目。根据该派信仰，这位伊玛目现为真主所隐蔽，日后将重新出现而为马赫迪（救世主）。参阅 **Ithnā ʿAsharīyah**。

Muḥammad ʿAlī 穆罕默德·阿里(1769，奥斯曼帝国马其顿卡瓦拉[今在希腊]～1849-08-02，亚历山大） 埃及总督和帕夏(1805～1849)，王朝的创建者，19世纪初至20世纪中

美国不列颠百科全书公司供图

叶统治埃及，促进了现代埃及国家的兴起。可能为阿尔巴尼亚人。卡瓦拉省自卫队长易卜拉欣·阿加之子。早年丧父，由卡瓦拉省总督养育成人。后经营烟草生意。当时埃及为奥斯曼帝国的半自治行省，1798 年被拿破仑的军队占领。阿里参加奥斯曼帝国远征军，前往埃及抗击法军。他大耍政治手腕，到1805 年当上奥斯曼帝国驻埃及总督，成为帕夏。他清除原统治集团马木路克，没收旧地主财产，限制埃及商人和工匠的活动，镇压所有的农民反抗运动。为了巩固政权和增加岁收，他在埃及实行彻底改革。迄 1815 年，埃及大部分农田转归国有。他改进埃及的灌溉系统，引进棉花之类的新农作物，调整政府的行政机构，确保对经济的严格控制。他还试图建立加工埃及原料的现代工业系统。他从埃及农民中招兵，但用土耳其人和其他非埃及人当指挥官。为了给他的武装部队提供后勤服务，他开办西方式的学校培养医生、工兵专家、兽医和其他专业人员。他向欧洲国家派遣留学生学习现代技术。由于埃及缺乏能源、本地管理干部和熟练工人，他所兴办的工业失败了。又由于官吏无能，捐税太重，招募农民当兵和实行垄断贸易，农业也发生衰退现象。到 19 世纪 30 年代，穆罕默德·阿里把埃及变成大种植园的政策已经到了山穷水尽的地步。由于作战，财政负担增加。但在这时，他却认为自己的力量足以背叛奥斯曼苏丹。1831～1833 年对苏丹进行第 1 次战争，占据远至阿达纳的叙利亚地区。在第 2 次战争(1838～1841)中，奥斯曼帝国的军队在尼济普战役(1839)中彻底败北，奥斯曼帝国的海军向穆罕默德·阿里投诚，结果引起欧洲列强的干涉。1840 年 7 月，英、俄、奥、普 4 国协议结束埃及对叙利亚的统治，摧毁了穆罕默德·阿里脱离奥斯曼帝国而独立的幻想。1841 年他及家人得到统治埃及和苏丹的世袭权利，但权利受限制，奥斯曼苏丹对埃及仍保有宗主权。穆罕默德·阿里 1848 年退休，翌年去世。虽然在他去世后，许多改革措施被放弃了，但他为建立一个独立的埃及国家铺平了道路。

Muḥammad Askia 穆罕默德·阿斯基亚 参阅**Muḥammad**（Songhai Empire）穆罕默德（桑海帝国）项下的 **Muḥammad I Askia** 穆罕默德一世阿斯基亚。

Muhammad Ghūrī 穆罕默德·古里 参阅 **Muʿizz-ud-Dīn Muḥammad ibn Sām** 穆伊兹-乌德-丁·穆罕默德·伊本·萨曼。

Muhammad Hasan bin Munas 穆罕默德·哈桑·本·穆纳斯 参阅 **Toʾ Janggut** 托章古特。

Muḥammad ibn ʿAbd al-Karīm al-Khaṭṭabī 穆罕默德·伊本·阿卜杜勒·克里姆·哈塔比 参阅**Abd el-Krim** 阿卜杜勒·克里姆。

Muḥammad ibn ʿAbd al-Malik ibn Muḥammad ibn Muḥammad ibn Ṭufayl al-Qaysī（Moorish philosopher and physician） **穆罕默德·伊本·阿卜杜勒·马利克·伊本·穆罕默德·伊本·穆罕默德·伊本·图菲勒·卡伊西** 参阅 **Ibn Ṭufayl** 伊本·图菲勒。

Muḥammad ibn ʿAbd al-Wahhāb 参阅 **Wahhāb, Muḥammad ibn ʿAbd al-** 瓦哈布。

Muḥammad ibn Abū ʿĀmir al-Manṣūr(Muslim ruler of Córdoba) **穆罕默德·伊本·艾布·阿米尔·曼苏尔** 参阅 **Manṣūr, Abū ʿĀmir al-** 曼苏尔。

Muḥammad ibn Aḥmad al-Maqdisī（Arab geographer） **穆罕默德·伊本·艾哈迈德·迈格迪西** 参阅 **Maqdisī, al-** 迈格迪西。

Muḥammad ibn al-Ḥanafīyah 穆罕默德·伊本·哈乃斐叶赫(637～710，阿拉比亚麦地那[今在沙特阿拉伯]） 伊斯兰宗教人物。许多人认为他是合法的哈里发。他是第四代哈里发阿里之子，但非阿里之妻先知穆罕默德之女法蒂玛所生。他天性不喜交际，有意避开派系争斗。虽然各派系的支持足以拥立他为哈里发，他仍然谨慎行事。最后他宣誓效忠伍麦叶王朝的哈里发阿卜杜勒·马利克，马利克给他大量的年金。

Muḥammad ibn Falāḥ 穆罕默德·伊本·法拉赫(约1400，伊拉克瓦西特～1461，伊朗霍韦伊泽） 穆斯林教义学家、什叶派极端主义穆莎莎支派的创立人。他被认为是什叶派第七代伊玛目穆萨·卡兹姆的后裔。在学生时期，他就以其近似于异端邪说的极端宗教观点而出名。自 1436 年起，他积极向阿拉伯部族人民宣传自己的主张，企图把今伊拉克与伊朗边境一带不满现状的部族联合起来。他自称马赫迪(救世主)，是什叶派公认的穆罕默德合法继承人阿里的代表，以此作为联盟的宗教基础。1440 年该派与政府发生冲突，结果失败；但次年 2 月他们终于攻陷霍韦伊泽城，以此为穆莎莎派的中心。此后十年，战争频仍，他逐步在霍韦伊泽附近底格里斯河一带巩固统治。著有《马赫迪的话》，其体裁仿《古兰经》，此书为信徒规定的苛严法规，也是穆莎莎运动的理论根据。

Muḥammad ibn Khāvandshāh ibn Maḥmūd 穆罕默德·伊本·哈旺德沙哈·伊本·马哈茂德 参阅 **Mīrkhwānd** 米赫万德。

Muḥammad ibn Muḥammad ibn Ṭarkhān ibn Uzalagh al-Fārābī（Muslim philosopher）

穆罕默德·伊本·穆罕默德·伊本·塔尔汉·伊本·乌扎拉格赫·法拉比 参阅**Fārābī, al-** 法拉比。

Muḥammad ibn Mūsā al-Khwārizmī（Muslim mathematician and astronomer） **穆罕默德·伊本·穆萨·花拉子密** 参阅 **Khwārizmī, al-** 花拉子密。

Muḥammad ibn Mūsā Kamāl ad-Dīn ad-Damīrī（Muslim theologian） 参阅 **Damīrī, ad-** 达米里。

Muḥammad ibn Tughluq 穆罕默德·伊本·图格鲁克(约 1290，印度德里～1351-03-20，松达） 印度北部德里苏丹国图格鲁克王朝第 2 代苏丹(1325～1351)，一度征服印度次大陆的大部分地区。由于错误的行政措施和对反对者极端严厉的态度，使他终于失去了在南方的威权。在位末期其苏丹地位已趋于衰落。吉亚斯-乌德-丁·图格鲁克之子。幼年情况不详，但显然受过良好教育，对《古兰经》、穆斯林法学、天文、逻辑、哲学、医学和修辞学具有极为广博的知识。1321～1322 年攻打德干高原上的瓦朗加尔城，征服当地的印度王公。他 1325 年即苏丹位。在位时期先后镇压过 22 次叛乱。为了控制所征服的南部地区，1327 年将都城从德里迁至德瓦吉里(今道拉塔巴德)。由于强制向德瓦吉里移民，使乌尔都语在德干地区流行起来。1329～1330 年穆罕默德苏丹对臣服中国的北部山地国家发动战争，结果惨败。后来，中国与德里互派使节。他的朝廷设有管理农业的机构，提倡轮作，建立国有农庄，扩大耕地面积，改进灌溉设施。1351 年最后一次出征，

死于信德松达。穆罕默德苏丹属于14世纪最富争议及最令人迷惑的人物。他是个无畏的军人，在宗教上态度宽容，一般表现仁慈，但有时又几乎不近人性的残忍，经常处于信仰和行为的矛盾之中。

Muḥammad Shāh 穆罕默德沙（1702-08-07，阿富汗伽色尼～1748-04-06，德里［今在印度］） 全名纳西尔-乌德-丁·穆罕默德沙。印度莫卧儿帝国皇帝（1719～1748）。平庸无能，耽于酒色。沙·贾汗之子。1719年由杀死法鲁克·西耶尔皇帝的赛义德人弟兄阿卜杜拉·阿里和胡塞因·阿里拥上皇位。次年胡塞因·阿里被刺，阿卜杜拉·阿里在哈桑布尔战败，从而使穆罕默德沙得以摆脱赛义德人的实际控制。1721年与法鲁克·西耶尔的女儿结婚。1724年以后，各省纷纷独立。1739年波斯的纳迪尔·沙阿趁机占领德里。1748年3月穆罕默德沙在锡尔欣击败阿富汗统治者阿哈马德沙，是其晚年的一大成就。

Muḥammad Taqī Bahār 穆罕默德·塔基·拜哈尔 参阅 Bahār, Muḥammad Taqī 拜哈尔。

Muhammad Yunus 穆罕默德·尤努斯（1940-06-28，东孟加拉吉大港［今在孟加拉国］～ ） 孟加拉国经济学家和格莱珉银行的创办者。1961～1965年在吉大港大学教授经济学，后争取到富布赖特奖学金。1965～1972年在美国范德比尔特大学学习和执教，1969年获得经济学博士学位。1972年回到吉大港大学任经济学系主任，1974年孟加拉国饥馑成灾，他开始研究贫困经济学。尤努斯甚至要求学生帮助在地里干活的农民，但他断定光靠农业培训并不会使广大没有资产的无地穷人受益。他认为，穷人需要的是能获得帮他们做小生意的本钱。1976年尤努斯开始实施小额贷款计划，即为了满足孟加拉穷人的需要而设计的信用体系。贷款人加入贷款组织，并贷款额可稍高于25美元。组织成员的支持（再加上同为贷款人的压力）会使贷款人偿还贷款。孟加拉国政府1983年使农村银行项目成为一个独立银行。该机构向客户提供小额贷款，帮助他们建立贷款信誉和资金上的自给自足。这种农村银行模式促使世界各地出现多种其他形式的小额贷款。尤努斯获得的荣誉包括孟加拉国著名的独立日奖（1987）、世界食品奖（美国，1994）。他是侯赛因国王博爱奖（约旦，2000）的第一位接受者。2006年获诺贝尔和平奖。

Muhammad Yusof bin Ahmad 穆罕默德·尤素福·本·阿赫麦德 参阅 To' Kenali 托克纳里。

Muḥammadī 穆罕默迪（活动时期16世纪，伊朗萨非） 伊朗萨非王朝都城为加兹温时期（1548～1597）的宫廷画家。曾从其父苏丹·穆罕默德学画，是善于运用线条的艺术大师。保留下来的作品，包括从16世纪30～80年代的创作。虽受贝赫扎德流派的赫拉特画家们的影响，但尤以遒劲的线条以及独特的、近乎表现派的个人风格著称。这种表现画家个性的风格为此后萨非时期绘画的特征。和同时代人一样，他很少在作品上署名。

穆罕默迪为《五卷诗》画的插图，1539～1543年

美国不列颠百科全书公司供图

Muhammadiyah 穆罕默德会 印度尼西亚的社会宗教团体，1912年在日惹建立，其宗旨是使伊斯兰教适应印度尼西亚的现代生活。穆罕默德会主张破除一切迷信遗俗，摆脱窒息现代文化生活的僵硬束缚，因而采用基督教传教士的许多方法。该会建立现代化的学校，不仅教授宗教课程，而且教授西洋的各种学科（包括荷兰语在内）。它还开办孤儿院、医院以及其他社会服务机构。到20世纪20年代，穆罕默德会已经是印度尼西亚伊斯兰教的主要力量。但它愿与殖民政府合作，因而受到激进的印度尼西亚民族主义者的抨击。它的会员不断增加，到1937年已有913个分会。第二次世界大战时期停止活动，此后从未真正恢复。

Muhammed bin Hamid 穆罕默德·宾·哈米德 参阅 Tippu Tib 提普·提卜。

Muhando, Penina O. 穆罕多（1948，坦噶尼喀［今坦桑尼亚］～ ） 坦桑尼亚剧作家和学者，20世纪晚期用斯瓦希里语写作并出版作品的为数不多的女作家之一。曾在达累斯萨拉姆大学学习坦桑尼亚教育和戏剧，后参加该校戏剧艺术系教学工作。她的剧本有《犯罪》（1972）、《显示我们的权利》（1973）、《我的荣誉》（1974）和《帕姆博》（1975）。这些剧本探索各种不同的主题和情境，但总的来说均与坦桑尼亚社会的发展和西方化过程中涉及的当代问题有关。穆罕多的作品以其卓越的人物性格刻画、自然而真实地使用现代标准斯瓦希里语见长。除剧本外，她还写了一些有关斯瓦希里文学方面的学术著作。

Muḥarraq, Al- 穆哈拉格 巴林酋长国城市。位于波斯湾巴林群岛北端的穆哈拉格岛上。岛西南角有2.5千米的堤道与巴林岛上的首都麦纳麦相接。该城曾被葡萄牙人（1521）、波斯人（1602）占据。1783年连同巴林其余地区转由哈利发王朝统治。为贸易中心。该市港口原为重要的采珠工业中心，停泊采珠船近300艘，20世纪初人口约2万，但到20世纪30年代采珠业已绝迹。城市仍保持着中东城镇的特色，有狭窄曲回的街道和传统的阿拉伯市场。穆哈拉格岛面积17平方千米，为巴林群岛的第三大岛，形如马蹄，南部为穆哈拉格湾。市北的巴林国际机场在巴林独立（1971）前不久，为英国皇家空军基地，当时巴林是英国的保护国。岛上另一较大城镇为哈德，位于东南角的海岬上。哈德以南11千米的堤道终端有一人工岛，设有阿拉伯石油输出国组织资助兴建的轮船修造厂及干船坞。该船坞于1977年开工，能承修45万吨级油轮。海湾对面的半岛上有阿曼人占领期间（1799～1809）修建的堡垒。人口约78 000（1988）。

Muḥāsibī, al- 穆哈西比（约781，伊拉克巴士拉～857，巴格达） 伊斯兰教苏非派著名教义学家。因其虔诚信仰的心理修养以及作为后来伊斯兰教正统教义的思想先驱所起的作用而闻名。生于巴士拉。其父颇有资财，相传因与父亲信仰不同而放弃继承权。此时穆斯林禁欲主义已形成具体形式，如夜诵《古兰经》，禁绝某些食物、限制食物数量、穿着特殊服装等。这些习惯来自于基督教修士的生活方式，但基督教修士一般过退隐修行生活，而穆斯林禁欲者却必须积极参与社会活动。这样，他认为，修行者不免在城市中抛头露面，外表的禁欲行为固然可以抑制情欲，但也用以掩饰内心的罪恶如伪善和自大。禁欲可以作为辅助手段，作为余功，但必须同时注意个人在内心和行为上对安拉应尽的职责，这就必须运用理性。他十分重视此点，提出的具体方法是心念末日审判，反省自身。穆哈西比以对话形式传授思想，随即予以记录，所以他的著作仍保持对话形式。他通过门生朱奈德对后世影响很大。但在世时受人怀疑，晚年屡遭迫害。他同阿布杜拉·伊本·库拉卜(855年卒)等教义学家一道批评当时风行一时的穆尔太齐赖派唯理神学。穆尔太齐赖派认为，安拉的语言(表现在对人世的启示就是《古兰经》)既是安拉的属性之一，因而也是受造的。穆哈西比认为，如果把《古兰经》看作是安拉的永恒之道，那么也可以说它不是被造的。他没有进而明确支持当时流行的关于《古兰经》不是被造之物的看法。833年支持穆尔太齐赖派的哈里发马蒙执行宗教法时就以称《古兰经》为非受造物为罪名。继位的哈里发于850～851年不再支持穆尔太齐赖派，穆哈拉比这种圆滑模棱态度使他处境尴尬。此时受到平反的人们认为他已叛教变节，迫使他停止当众讲道。他可能就此移居库费。后来可能在放弃固有信仰的条件下获准返回巴格达。

Muhavura　穆哈武拉　非洲中东部维龙加山脉最东端的死火山。位于乌干达和卢旺达之间边界上，基伍湖东北面。海拔4 115米。其火山口内有一湖泊。该火山为维龙加国家公园的一部分。该国家公园为山地大猩猩栖息地。

Muḥī-ud-Dīn Muḥammad (Mughal emperor) **穆希-乌德-丁·穆罕默德**　参阅 **Aurangzeb** 奥朗则布。

Muhlenberg FAMILY **穆伦贝尔格家族**　在美国宾夕法尼亚州和基督教信义宗的历史上享有声誉的家族。亨利·M.穆伦贝尔格(1711-09-06～1787-10-07)1748年组织美洲第一个信义会大会。其长子约翰·P.穆伦贝尔格(1746～1807)是大陆(美国独立战争)军将领。次子弗雷德里克·A.穆伦贝尔格(1750～1801)是信义会牧师、大陆议会议员、美国众议院首席议长。其弟戈希尔夫·H.E.穆伦贝尔格是信义会牧师、植物学家。弗雷德里克之孙，威廉·A.穆伦贝尔格(1796～1877)是圣公会牧师、热心于普世教会运动的神学家、赞美诗作家。戈希尔夫之孙弗雷德里克·S.穆伦贝尔格(1818～1901)是信义会牧师、教育家。1867年任宾夕法尼亚州阿伦敦市穆伦贝尔格学院首任院长。

Mühlhausen　米尔豪森　德国中部图林根州的城市。位于图林根盆地，濒临温斯特鲁特河。初为一日耳曼村落，后为法兰克人居民点，775年首见记载。1256年后为帝国自由市，约在1420年参加汉萨同盟。宗教改革后，成为平民改革运动的中心。1802～1945年属普鲁士的萨克森省，但其间1807～1815年属威斯特法伦。著名的中世纪建筑物有圣玛丽教堂、圣布拉西乌斯教堂(内有一架管风琴是根据巴赫的设计建造的)和13世纪的市政厅，另外有中世纪堡垒的废墟。有师范学院、农业专科学校和民俗博物馆。工业有汽车配件、电子和无线电设备和食品加工。人口约37 895(2003)。

muhly　乱子草　早熟禾科乱子草属(*Muhlenbergia*)约125种牧草，多为多年生。原产于南、北美洲。有些种低于10厘米，密生；有些种高度分枝，垫丛状；也有的高达1米，丛生。圆锥花序，每小枝上仅一朵小花。有些种可作为饲料。波特氏乱子草(*M. porteri*)为牧畜喜食，以至放牧过的地方难以见到该植物。

托里氏乱子草(*M. torreyi*)
美国不列颠百科全书公司供图

Muḥsin, Zuhayr　穆赫辛(1936，巴勒斯坦[西岸]图勒凯尔姆～1979-07-26，法国尼斯)又拼Zuheir Mohsen。巴勒斯坦民族主义者。亲叙利亚游击队组织领导人和巴勒斯坦解放组织军部首领。复兴党资深党员，叙利亚领导人阿萨德的朋友。加入巴勒斯坦运动前在约旦和波斯湾各国任教。后负责组织亲叙利亚的游击队组织，1971年交由阿萨德控制。主要部署在黎巴嫩。1976年迎接叙利亚人侵黎巴嫩，并站在叙利亚一边，反对巴勒斯坦游击队。曾被短暂开除出巴解组织。在法国南部度假时被杀，可能是以色列特工所为。

Muhu　穆胡　爱沙尼亚的群岛名和岛名。位于里加湾和波罗的海之间。穆胡群岛的3个主岛是南面最大的萨雷马(**Saaremaa**)岛，北面的希乌马岛(**Hiiumaa**)，和东面离大陆最近、面积最小的穆胡岛。群岛间和岛与大陆间的海峡均可通航。群岛间有轮渡，萨雷马岛和穆胡岛之间有长堤。穆胡岛面积204平方千米，大部分由石灰岩和白云岩构成。主要村庄库依瓦斯图是东岸渡口。人口：岛约2 586(最新统计)。

Muḥyī' ad-Dīn (Iraqi ruler) **穆赫伊丁**　参阅 **Abū Kālījār al-Marzubān ibn Sulṭān ad-Dawlah** 艾布·卡利贾尔。

Muir, Edwin　缪尔(1887-05-15，苏格兰奥克尼迪尔内斯～1959-01-03，英格兰剑桥郡剑桥)　苏格兰文学评论家、翻译家和当时用英语写作的主要苏格兰诗人之一。小农场主的儿子，在柯克沃尔受教育。1919年与威拉·安德森结婚后，前往伦敦撰写文学评论；后在欧洲大陆教授英文。其诗人地位一直到发表《航程》(1946)和《迷宫》(1949)后才被广为确认。《诗选》于1960年问世，显露了作者的冥想和神话般的想象力。他的文学评论著作《纬度》(1924)和《转变》(1927)因其对D.H.劳伦斯的评价而著名。但影响超过其文学评论的是他与妻子合作翻译的卡夫卡作品，这些译著在20世纪30年代发表后确立了卡夫卡在英国的地位。此外，他还翻译了S.阿施、H.布罗赫和L.福伊希特万格的作品。他的《自传》于1954年发表。

Muir, John　缪尔(1838-04-21，苏格兰东洛锡安郡邓巴～1914-12-24，洛杉矶)　博物学家，美国森林保护倡议者，筹建加利福尼亚州的红杉国家公园和约塞米蒂国家公园的主要负责人。1849年，全家由苏格兰迁往威斯康星州波蒂奇附近的农场。在麦迪逊威斯康星大学学习后从事机械研制，1867年在工伤中几失一目，便改行研究自然。他从美国中西部步行至墨西哥湾，写了旅行日记(1916出版)。1868年去加利福尼亚州约塞米蒂山谷，因对冰川与森林发生兴趣，而从那里多次旅行到内华达、犹他、俄勒冈、华盛顿各州和阿拉斯加。他第一个认为约塞米蒂山谷形成的原因是冰川侵蚀，这种说法现在已被普遍接受。早在1876年，他就强烈要求联邦政府采取森林保护政策。1890年，红杉国家公园和约塞米蒂国家公园建成。早在1897年，克利夫兰总统即指定13处国家森林不能进行商业性开放，但国会从商业利益出发推迟该措施的执行。1897年6月及8月，缪尔在杂志上发表两篇有说服力的文章，促使公众及国会的舆论赞同这项措施。他还影响T.罗斯福总统的大规模自然保护计划，罗斯福于1903年曾陪他到约塞米蒂地区野营旅行。1908年，政府在加利福尼亚州马林县的红杉处女林中建立了缪尔树林国家保护区。

美国国会图书馆供图

Muir, Woods National Monument　缪尔树林国家保护区　美国国家公园管理局所属两处沿海原始红杉林之一。邻近加利福尼亚州太平洋沿岸，位于旧金山西北24千米塔马尔佩斯山麓。有些树木高达90米以上，直径4.6米，树龄2 000多年。这片森林面积204公顷，建于1908年，是国会议员W.肯特夫妇所赠，为纪念美国森林保护区倡议者J.缪尔(1838～1914)而以其姓氏命名。

Muisca (people) **穆伊斯卡人**　参阅 **Chibcha** 奇布查人。

Muʿizz, al-　穆伊兹(约930～975)　法蒂玛王朝最强大的哈里发。他的军队征服埃及后，他于972～973年在新建的开罗定都。953年，他在约22岁时继承其父曼苏尔的哈里发位，称穆伊兹。他的权威在今摩洛哥、阿尔及利亚和突尼斯地区的大部分得到承认。不久他又夺得西西里岛。958～959年，他派大将昭海尔西征，降服一直拒绝向法蒂玛王朝哈里发俯首称臣的非斯等地，并进抵大西洋沿岸。早在966年他就准备对埃及进行再次侵袭，但是，据说应哈里发母后的要求而推迟了。直到968年才发动侵略。昭海尔所向披靡，于969年征服了埃及。几年后，穆伊兹决定把法蒂玛王朝的权力中心移到埃及，进驻昭海尔于972或973年所建的新都开罗。在穆伊兹和他的儿子阿齐兹(976～996在位)的统率下，趁征服埃及的势头，又把法蒂玛王朝的军队开入叙利亚，到11世纪后半叶，叙利亚的大部分地区都控制在他们的手中。

Muʿizz-ud-Dīn Muḥammad ibn Sām 穆伊兹-乌德-丁·穆罕默德·伊本·萨曼(？～1206-03-15，印度达姆亚克) 又名什哈巴丁·穆罕默德·古里或穆罕默德·古里。征服北印平原的古尔人，印度穆斯林统治的创建者之一。1173年把乌古思土库曼人逐出伽色尼(加兹尼)，然后同花剌子模争夺在呼罗珊的霸权。1204年进攻花剌子模首都古尔甘伊。在印度斯坦，他于1175年占领木尔坦和乌杰，1186年吞并拉合尔的伽色尼王朝后裔的领地。1191年在塔劳里败于拉杰普特各王公的联军(参阅 **Tarāorī, Battles of**)。翌年率骑马弓箭手卷土重来，在同一战场上大胜拉杰普特各王公，为其部下后来占领印度北方大部分地区扫清了道路。后遭暗杀。参阅 **Delhi sultanate**。

mujāhadah 奋斗 伊斯兰教神秘主义苏非派的宗教用语，指与肉欲的自我进行斗争。此派认为奋斗属于大圣战，区别于对不信真主者进行的小圣战。苏非派信徒在追求与真主融合为一的旅程中必须进行奋斗，其内容包括长期斋戒、弃绝舒适生活等。

Mujib, Sheikh (president of Bangladesh) **穆吉布** 参阅 **Rahman, Mujibur 拉赫曼**。

Mujica Láinez, Manuel 穆希卡·莱内斯(1910-09-11，布宜诺斯艾利斯～1984-04-21，阿根廷科尔多瓦省) 阿根廷广受欢迎的作家。他的小说以巧妙动人地把神话与幻想和历史人物与历史事件糅成一体而著称于世。早年曾留学法国和英国，22岁返回布宜诺斯艾利斯，任《民族报》记者。第一部小说《布宜诺斯艾利斯的堂伽拉斯》(1938)，再现了17世纪布宜诺斯艾利斯的城市生活。第一部成功的文学作品为《布宜诺斯艾利斯之歌》(1943)。这是关于阿根廷首都的建立和发展的诗体编年史。在《他们在此生活过》(1949)和《神秘的布宜诺斯艾利斯》(1950)等短篇小说集里，他发展了自己旧作的主题。他发表“布宜诺斯艾利斯系列小说”，巩固了他的声名。这套作品有《偶像》(1953)、《家》(1954)、《旅行家》(1955)和《天堂里的客人》(1957)，后者描述布宜诺斯艾利斯富裕阶级的衰落和崩溃。代表作《博马尔索》(1962)着力塑造了意大利文艺复兴时期最强有力的人物之一奥尔希尼的一生，以及他所处的时代。他植根于拉丁美洲文学传统，所作小说的特色为讽刺社会现象和以嘲弄态度回顾历史。除小说外，他还写了许多有关拉丁美洲艺术家和诗人的传记和评论。后期的作品有《塞西尔》(1972)、《七个魔鬼的旅行》(1974)、《迷宫》(1974)、《塞尔吉奥》(1976)、《大剧院》(1979)等。

Mujur rug 穆朱尔地毯 土耳其中部克尔谢希尔附近村庄穆朱尔的手织祈祷毯。穆朱尔祈祷毯的图案和马克里地毯的图案都与中世纪欧洲教堂彩色玻璃窗相似。19世纪的早期图案是一个神龛，前面是带台阶的拱门，拱门上面的小角楼和它上面横向窄格子中的锯齿状图案相呼应。神龛是柔和的红色，中间可能有棵枯树干，也可能无任何花饰，而只

19世纪的穆朱尔祈祷地毯
美国不列颠百科全书公司供图

是边上饰以锯齿小三角。绿色拱肩(拱门外曲线和环绕拱门的直角之间的空白处)中是传统的水罐。大边很宽，由五颜六色的墙砖一样的精细小方块构成。内扎边是柔和的蓝色，中间是菱形花饰。

Mukacheve 穆卡切沃 匈牙利语作 Munkács(蒙卡奇)。乌克兰西部外喀尔巴阡州城市。濒临拉托里察河，地扼喀尔巴阡山韦列茨基山口的南端。今通公路和铁路。10世纪建成要塞。该市及周围地区于1945年由捷克斯洛伐克割让给苏联。现拥有小型机械制造、食品加工及木材等工业。为重要旅游区。人口约88 000(1991)。

Mukai Kyorai 向井去来(1651，日本长崎～1704-10-08，京都) 日本德川时代(1603～1867)初期俳句诗人。原名向井兼时。别号落柿舍。俳句大师松尾芭蕉最早的弟子之一。去来早年受武士训练，但在23岁时弃武习文，开始写诗。1684年与芭蕉门生宝井其角相识，此后不久，去来也拜芭蕉为师。他在京都郊外兴建一座小隐庐，芭蕉常常借住。芭蕉在那里写下了《嵯峨日记》(1691)。去来参加编纂芭蕉及其门生所作俳句的两部主要诗集——《荒野》(1689)和《猿蓑》(1691)。1694年芭蕉逝世后，去来致力于教授俳句和注释芭蕉的作品。他曾刊印几部自己诗文的合集，其中包括《去来集》(1775)和《旅寝论》(1778)，以实例阐明他写俳句的原则。

Mukallā, Al- 穆卡拉 也门东南部港口。濒亚丁湾哈德拉毛海岸。是该国东部最大居民点和唯一重要港口。为渔业中心，有鱼类加工厂。亦为内地商品集散地。输出鱼产

濒哈德拉毛海岸的穆卡拉港口
美国不列颠百科全书公司供图

品、烟草和其他商品。造船业较发达。1977年建成穆卡拉至亚丁公路，东北偏东有机场。人口约59 100(1984)。

Mukammas, David al- 穆坎马斯(活动时期900，叙利亚拉卡) 又名戴维·巴夫利。叙利亚哲学家、论辩家，号称中世纪犹太教哲学之父。青年时改奉基督教，在叙利亚境内尼西比斯学院学习，后来对基督教教义感到失望，著文抨击基督教。他一方面指责基督教的一神论不纯，同时攻击伊斯兰教，指出从《古兰经》的文体来看无法证明它来自神的启示。他率先把伊斯兰教经院哲学的方法引进犹太教，也是在作品中提到亚里士多德的第一位犹太著作家。他引用希腊和阿拉伯权威著作，但从不引用《圣经》，因而犹太教特点不强。在所著《二十篇论文》中力图证明上帝创造世界和上帝的存在，并讨论科学的现实性、世界的主要成分和次要成分、预言和先知的效用以及识别真预言和真先知的方法。

Mukden (China) 参阅 **Shenyang 沈阳**。

Mukden Incident 沈阳事变 参阅 **September Eighteenth Incident “九一八”事变**。

Mukha (Yemen) 参阅 **Mocha 穆哈**。

Mukhtār ibn Abū ʿUbayd at-Thaqafī, al- 穆赫塔尔·伊本·阿布·乌巴德·塞盖菲(约622，塔伊夫～687-03，伊拉克库费) 伊斯兰教什叶派领导人，686年支持第四代哈里发阿里之子穆罕默德·伊本·哈乃斐叶赫为伊斯兰教社团领袖，反对伍麦叶王朝。他宣传马赫迪即将到来，号召库费穆斯林中的非阿拉伯人(主要是波斯人)参加他的事业。686年8月，他率军在卡扎尔河畔击败伍麦叶王朝军队，但在次年3月却被反哈里发的阿卜杜

拉军队击败，他本人阵亡。穆赫塔尔倡导的马赫迪思想及阿拉伯与非阿拉伯穆斯林平等的思想，对什叶派以后的发展进程影响甚大。

Muktafī, al-　穆克台菲（?～908）　阿拔斯王朝哈里发（902～908）。伊斯兰帝国瓦解时期，曾精力充沛地在几条战线上作战。穆阿台迪德之子，902年即哈里发位。他实行开明的统治，曾在巴格达废除地牢，故得到比前任哈里发更为广泛的支持。即位后同卡尔马特派（一个宗教分立派和政治运动）交战，903年小胜，907年获得决定性的胜利。905年在埃及结束图伦王朝的独立统治。对拜占廷帝国进行战争时，他在塔尔苏斯和其他城市的战役中击败安德罗尼卡将军。但他未能阻止在突尼斯建立独立的法蒂玛王朝，这是帝国分裂的又一个例证。

mukti（Hinduism）　参阅 **moksha** 解脱。

Mula Sankara（Hindu reformer）　**穆拉·桑卡拉**　参阅 **Dayananda Sarasvati** 达耶难陀·娑罗室伐底。

Mūlamadhyamakakārikā　《根本中观颂》　佛教著作。为大乘中观派代表人物龙树（约3世纪）所著，通过论理结合教义阐述究竟空义。龙树显然是印度南部婆罗门出身。《根本中观颂》共有450条颂，说明万物，包括佛陀或涅槃，本身均不真实。该书最后指出，人灵魂觉悟，就能求得暂时的现象世界和涅槃的浑然为一。

Mulanci　《木兰辞》　中国北朝民间叙事诗。写少女木兰在老父应征从军时，毅然化装男子，代父出征。入伍后身经百战，辗转万里，历时十年。功成凯旋，不愿接受官爵，回

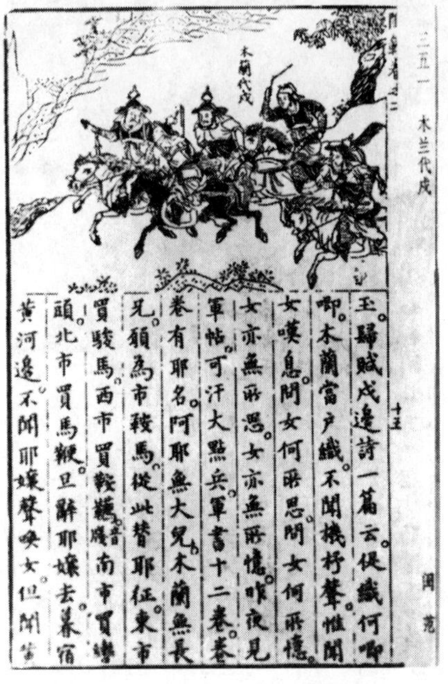

"木兰代戍"，选自明代万历刻本《闺范》

中国大百科全书出版社供图

乡重着女装。全诗表现出北方劳动妇女的豪迈气概和质朴品质，情节富于喜剧性，充满传奇色彩。故事在后世颇为流行。

Mulanje　姆兰杰　旧作Mlanje。马拉维南部区姆兰杰县行政中心。位于通往布兰太尔的铁路上，为该地区商业中心。县面积3 442平方千米。南和东接莫桑比克，北连奇尔瓦湖。农业精耕细作。出产茶叶、菠萝、桐油和烟草。也有林业。工业有罐头制作和茶叶包装。有旅游业。人口：城镇12 596；县428 079（1998）。

Mulanje Mountains　姆兰杰山脉　在马拉维东南部姆兰杰县。从周围高地中突然升起，长约19千米。姆兰杰峰海拔3 002米，为全国最高点，因受侵蚀形成各种有特色的地貌。有高地、狭而深的裂缝，及火山口似的洞穴。众多山溪汇入鲁奥河和奇尔瓦湖。土壤为红土，生长茂密矮小阔叶树林。也有姆兰杰雪松林。当地发现有铝土矿床。山南坡种植茶叶。

Mulao　仫佬族　中国少数民族。居住在广西壮族自治区罗城、宜山等地，人口207 352（2000）。语言属汉藏语系壮侗语族侗水语支。大多数人兼通汉语，部分人会说壮语。无

仫佬族姑娘

中国大百科全书出版社供图

文字，通用汉文。自称"伶"、"谨"，是古代"僚"、"伶"的一支。农业生产具有较高的水平，在明代就修有小型拦河坝、引水渠等水利工程。经济、文化的发展与周围汉族基本相同。生产以户为单位，水田约占耕地面积60%。有纺织、制陶、打铁、饲养家畜等副业，已形成固定的集市。过去，未婚青年男女有所谓"走坡"，即邀请对唱山歌的社交形式，但缔结婚姻多由父母包办。女子婚后"不落夫家"，生育后始去夫家与父母分家建立小家庭。罗、吴等姓有忌食狗肉和动物内脏的习俗。实行土葬，葬仪隆重。以信奉道教为主，也有信奉佛教、祖先崇拜和鬼神崇拜的。节日有婆王节、牛节、后生节，以及三年一大庆、一年一小庆的依饭节。中华人民共和国建立后，当地蕴藏的煤、铁、硫磺得到开采，在聚居区于1984年1月成立了罗城仫佬族自治县。

Mulao language　仫佬语　中国仫佬族语言。属汉藏语系壮侗语族侗水语支。分布在中国广西壮族自治区罗城、柳城、忻城、宜山等县。使用人口约7万。内部没有方言差别。仫佬语与同语支的侗语特别接近。仫佬语（罗城）语音特点是有67个声母：31个单纯声母（包括双唇、舌尖中、舌面中、舌根塞音共8个；有喉门塞音；舌尖前塞擦音分清、清送气；唇齿、舌尖前、舌面中、舌根、喉门擦音各1个；双唇、舌尖中、舌面前、舌根鼻音和边音共10个；有双唇和舌面半元音各1个；3个前置喉塞音的半元音或擦音），8个后腭化声母，11个前腭化声母，17个圆唇化声母。有82个韵母，包括11个单元音韵母，10个复元音韵母和60个带辅音韵尾的韵母（由3个鼻音韵尾和3个塞音韵尾组成），另有1个自成音节的舌根鼻音韵母。有8个声调，包括6个舒声调，2个促声调。词类有名词、动词、形容词、数词、量词、代词、副词、介词、连词、助词、象声词11类，以虚词和词序表示句子成分的语法关系。动词能以肯定否定相叠表示疑问；部分表示行为动作的单音动词能重叠，表示动作的短暂；两个反义或近义单音动词重叠相加构成AABB式的四音结构，表示动作频繁；形容词重叠有加重语气意味；形容词后加一两个后附音节表示不同程度的性质状态。句子主语在前，谓语在后；宾语和补语在动词后；名词、形容词修饰语在名词后，但数量词组修饰语则在名词之前，人称代词作修饰语有时也在名词之前。

Mulaydah, Battle of al-　穆莱达战役（1891）　阿拉伯半岛北部内志省拉希德王国的统治者伊本·拉希德击败内志省瓦哈比国首脑阿卜杜勒·拉赫曼的一次战役。这次战役标志着瓦哈比第二帝国的沦亡。战后，拉赫曼携眷去科威特避难，拉希德兼并了他的领土。

mulberry　桑树　几种不同的小型到中型乔木的通称，有观赏价值。桑科桑属（*Morus*）的普通桑树有10种，果有汁，原产于亚洲温带及北美。同科的构树（*Broussonetia papyrifera*）亦称纸桑，具红色球形果，其内层树皮的纤维在东方用于造纸，在波利尼西亚则用于制粗布，称为塔帕布。艳果桑（美洲紫珠，*Callicarpa americana*）亦称法国桑树，具艳丽的紫色果，是高2米的灌木，属马鞭草科。真正的桑树株高可达24米；叶具齿；葇荑花序；果似黑莓，大而甜，长2.5～5厘米，白色、粉红色或黑紫色，是由整个花序发育而成的由许多小浆果组成的复果。北美东部的红果桑（*Morus rubra*）叶2裂、3裂或不裂，果黑紫色，可食。白桑（桑，*M. alba*）原产亚洲已归化北美东部，果白色，故名；叶可饲蚕。桑树中几个有用的变种是具抗寒性的俄罗斯桑（鞑靼白桑，*M. alba tatarica*），已引入北美西部，用于防护林带或在当地供材用。不结实的种类有槭叶桑（或称斯特里布林桑）。黑桑（*M. nigra*）原产亚洲西部，早已向西扩展并有栽培；早在

(上)纸桑(*Broussonetia papyrifera*);(下)得克萨斯桑(*Morus microphylla*)
美国不列颠百科全书公司供图

15世纪在意大利即广泛种植以饲蚕,但以后为白桑所超过;已引入北美,主要栽培以取其果,果大而多汁,紫黑色,味较红桑为佳。垂枝桑(*M. alba* "pendula"),常用作草坪树。纸桑是速生乔木,耐寒,能忍受城市条件;有多个变种(缺刻叶、白色果、及斑叶),用作生命力强的观赏树及风景树。又可盆栽或栽于温室,在肥沃、湿度较大、土层较厚的壤土中生长最好。

Mulberry 摩尔布里港 第二次世界大战期间,英国为在欧洲登陆后便于补给船在法国诺曼底海岸外卸货而设计、建造的两个人工港。一个称作摩尔布里 A,位于美军登陆区圣洛朗的奥马哈海滩;另一个称作摩尔布里 B,位于英军登陆区阿罗芒什的金滩。每个港口满负荷能日卸货 7 000 吨。人工港约有 10 千米浮动的钢板车道,架设在混凝土或钢制浮筒上,车道通到由可升降的海底钢桩支撑的巨大突码头前端。这些构造由一列列沉箱、沉船和浮动防波堤围护。1942 年 8 月在法国迪拜港两栖登陆失败后开始考虑建造人工港。德军在各港口周围筑有坚固的防御工事,盟军必须采用其他手段将大量军需物资在登陆之初运过海滩。"自携港口"方案得到 W. 丘吉尔首相的支持。各种部件在英国秘密制造,于登陆后立即漂运到

行驶在摩尔布里人工港上的救护车
美国不列颠百科全书公司供图

位,登陆后不到 12 天两个港口均投入使用。在占领瑟堡港之前作为最初的输送物资手段。但 6 月 19 日风暴大作,致使美军港口 22 日被毁。美军不得不改用原始方法,将登陆舰驶抵海滨卸货,由潮水漂送上岸。英军的摩尔布里人工港支援盟军部队达 10 个月。经由阿罗芒什人工港运送人员 250 万、战车 50 万辆,补给物资 400 万吨。

Mulcaster, Richard 马尔卡斯特(1530?,英格兰坎伯兰?~ 1611-04-15,埃塞克斯斯坦福里弗斯) 英国校长。他的很多教育理论在他逝世至少 250 年之后才被普遍接受。先后在伊顿、剑桥、牛津就学。1561 年任麦钱特·泰勒斯学校首任校长,后任圣保罗学校高级教师。主要由于所著《位置》及《初等教育前一段》两书而赢得声誉。他建议:教师应受专门的大学训练,一如医生或律师;教师要慎重挑选,要付以足够的工资;最低的年级要配备最好的教师;教师和家长应密切联系。他强调:儿童间的个人差异十分重要,应调整课程以适应这些差异,并要根据接受程度而不是根据年龄来确定进度。

Mulde River 穆尔德河 德国中东部河流。为易北河支流。由弗赖贝格穆尔德河与茨维考穆尔德河汇合而成,大体向北流,经过格里马、武尔岑、艾伦堡和比特费尔德,在德绍附近注入易北河。全长 124 千米。

Muldoon, Robert 马尔登(1921-09-25,新西兰奥克兰~ 1992-08-05,奥克兰) 新西兰会计师、政治家和总理(1975 ~ 1984)。中学毕业后,马尔登于第二次世界大战中参军(1940)并学习会计,在南太平洋及意大利服役。嗣后以一名成功的会计师和新西兰成本会计师学会会长(1956)的身份当选为国会议员(1960)。曾出任旅游部长(1967)、财政部长(1967 ~ 1972)、副总理(1972)和反对党领袖(1974 ~ 1975)。不久就领导国民党在 1975 年 11 月的大选中由缺 25 席转为多 19 席而获得胜利。他在总理任内饱受经济的低增长、高通货膨胀、高失业率及高额外债之苦,更由于依赖进口原油而使情势愈趋恶化。马尔登对此一般采取属于保守的财政政策,包括灵活运用减税、鼓励工业、补贴、进口关税等措施及其他手段以适当地调整经济,达到均衡增长又不致引起过度的通货膨胀。在外交政策方面,马尔登持坚决反苏的观点,并重申新西兰在《澳新美安全条约》(ANZUS)中对美国与澳大利亚的防务承诺。1984 年工党获胜,朗伊继马尔登任总理。

Muldoon, William 马尔登(1852-05-25,美国纽约卡纳迪亚~ 1933-06-03,纽约珀蔡斯) 美国摔跤运动员、拳击教练。1876 ~ 1882 年充当警察。1921 ~ 1924 年任纽约州拳击运动委员会主席。曾到全国各地倡导拳击运动。当过沙利文的教练。马尔登在纽约市开办健身房;后又在纽约州怀特普莱恩斯开办锻炼营和休养所。他还是实心球的发明人。1928 年与拳击手滕尼共同设立重量级铜奖。

mule 骡 公驴与母马杂交的后代。公马与母驴杂交的情况不多,生出的是駃騠(驴骡),体型比一般的骡小。至少 3 000 年之前,在小亚细亚已用骡作驮畜,现在世界上许多地区仍然使用骡来干重活,因为它能吃苦耐劳,可以在对其他挽畜和驮畜来说过分艰苦的条件下工作。骡通常无生殖能力。骡的高度、皮毛的均匀度、颈部和臀部的形状与马相似。此外头部短而粗,耳长,肢瘦,蹄小和鬃毛短,这些方面像驴。骡的毛色通常为棕色或栗色。体高约 12 ~ 17.5 掌(120 ~ 180 厘米),体重 275 ~ 700 千克。

mule deer(species *Odocoileus hemionus*) **骡鹿** 偶蹄目鹿科动物,耳大,故名。分布于北美西部阿拉斯加到墨西哥湾一带。有迁徙习性,冬季迁到高度较低处,次年于积雪融化后

雄性骡鹿(*Odocoileus hemionus*)
美国不列颠百科全书公司供图

很久才回到夏季牧场。人们常猎杀骡鹿以取其肉、皮及角。单独或小群栖息,冬季在多山或荒漠地区常集成较大的群。比其亲缘动物白尾鹿(弗吉尼亚空齿鹿,*O. virginianus*)粗壮。肩高 90 ~ 105 厘米。夏季浅黄至浅红褐色,冬天浅灰褐色。尾白色具黑尖。但太平洋岸西北部的一个亚种黑尾鹿(*O. h. columbianus*)尾的上面全为黑色。雄体有角,成年后每角有 5 叉。

Mulgrave, John Sheffield, 3rd Earl of 马尔格雷夫伯爵(第三) 参阅 **Buckingham and**

Normanby, John Sheffield, 1st Duke of 白金汉和诺曼比公爵(第一)。

Mülhausen(France) **米尔豪森** 参阅**Mulhouse** 米卢斯。

Mülheim an der Ruhr **鲁尔河畔米尔海姆** 德国西部北莱茵-威斯特法伦州城市。在鲁尔工业区。1093 年首见记载。1808 年设建制。该市的历史建筑有圣彼得教堂(11 世纪,现全部重建)、施蒂鲁姆城堡、敬神饰带制作者和赞美诗作者 G. 特尔斯特根(卒于 1769)故居等。鲁尔河畔米尔海姆市为铁路、公路交通枢纽和莱茵-鲁尔地区的河港。现代化的城区规划有序。市内多露天娱乐设施。有拉斐尔贝格跑马场和温泉。该市重工业有翻砂厂、高炉、轧钢厂和机器厂。还有化工和电力工业。设有马克斯普朗克煤炭研究所,费歇尔-托罗普希的液化煤的方法和生产聚乙烯塑料的方法便是在当地发明的。人口 170 745(2003)。

Mulhouse **米卢斯** 德语作Mülhausen(米尔豪森)。法国东北部阿尔萨斯大区上莱茵省工业城镇。位于孚日和侏罗山之间的阿尔萨斯平原上,濒临伊尔河和罗讷-莱茵运河,在莱茵西南 19 千米和瑞士的巴塞尔西北 34 千米处。公元 9 世纪首见记载。1308 年成为自由帝国城市。16 世纪与瑞士结成防守同盟。1798 年加入法兰西共和国。普法战争(1871)后归属德国。1918 年重新并入法国。名胜古迹有 16 世纪市政厅(内有壁画),13 世纪圣约翰教堂,内有著名壁画。18 世纪中叶发展起纺织业,1912 年后又有了化学工业,并加入了出口市场。现这两种工业已呈衰退之势。1960 年后发展起冶金机械工业,生产机床、纺织机械、电器等。与此同步发展的有化学工业,尤其是医药业和有机化学工业。人口 108 357(1990)。

Mull **马尔** 苏格兰内赫布里底群岛第二大岛屿。属阿盖尔历史郡阿盖尔-比特政务会辖区。在苏格兰西海岸外,与苏格兰本岛隔有马尔海峡和洛恩湾。岛上多山,海岸线曲折。有花岗石开采业。农田稀少,主要饲养牛羊。有几座古城堡。最大居民点托伯莫里建于 1788 年,时为一渔村。现为避暑地和通往苏格兰本岛的主要海运中转站。人口 2 708(1991)。

Mullā Ṣadrā **穆拉·萨德拉**(约1571,伊朗设拉子～1640,伊拉克巴士拉) 又名萨德鲁丁·艾什·设拉子。哲学家、17 世纪伊朗文化复兴运动的领导者、神秘哲学光照派的重要代表人物,伊朗人称他为伊朗历史上最伟大的哲学家。出身设拉子名门。受业于伊斯法罕,并在该地写成几部著作,其中最著名的是《旅程》。在讲述他的自然理论时,指出除真主和他的真知以外,宇宙既有暂时的根源也有永恒的根源。他认为,自然是一切事物的质,也是一切运动的因,因此,自然是永恒的,成为永恒存在体与受造物之间的永久链环。他的学说被什叶派正统教义学家视为异端。

mullah **毛拉** 阿拉伯语作 mawlā。原意为"保护者"。伊斯兰教称谓,通常指"主人"。流行于伊斯兰世界不同地区,加在国王、苏丹(在摩洛哥以及北非其他地区也包括其他贵族)、学者(在中东、印度次大陆等地还包括宗教领袖)的姓名之前。称毛拉者,一般以宗教领袖、宗教学校的教师、精通教法的人、伊玛目或诵经员为多。对获得这一称号者并无正式的要求,但有此称号者通常应在宗教学校受过一些训练。

mullein **毛蕊花** 玄参科(**Scrophulariaceae**)毛蕊花属(*Verbascum*)植物。250 ～ 300 种二年或多年生高大草本植物,原产于北温带,尤其是欧亚大陆东部。毒鱼草(普通毛蕊花,

毒鱼草(普通毛蕊花,*V. thapsus*)
美国不列颠百科全书公司供图

V. thapsus)高 0.6 ～ 2 米,茎不分枝;叶大而厚,密被茸毛;花淡黄色,稍不整齐,花径约 2.5厘米,穗状花序顶生。毛蕊花常成为难除的牧场杂草,地震多发区及路边常见,也有的种于花园。其花色变化大,有白、蓝、紫、红诸色。

muller **研杵** 绘画用具,与研板并用,供手工研磨绘画颜料。19 世纪中期采用机械的颜料研磨机之后,除因研磨少量颜料而迫不得已,研杵和研板已废弃不用。

Müller, Erwin Wilhelm **弥勒**(1911-06-13,柏林～1977-05-17,华盛顿[哥伦比亚特区]) 又译米勒。德国出生的美籍物理学家,发明了场致发射显微镜。他除研究固体表面现象和气体放电外,还研究了场电子发射和场离子发射,1937 年发明了场致发射显微镜,1956 年发明场离子显微镜,这两种仪器第一次使拍摄单个原子的图片成为可能。1935 ～ 1945 年间他是某些德国公司的研究物理学家,以后他曾在格丁根的凯泽·威廉物理化学研究所和柏林自由大学工作。1951 年到美国定居,成为宾夕法尼亚州立大学的物理学教授,一直任教到 1976 年退休。他于 1962 年入美国籍。

Müller, Friedrich **米勒**(1749-01-13,巴拉丁领地克罗伊茨纳赫～1825-04-23,罗马) 别名画家米勒。德国诗人、剧作家和画家。以描写乡村生活的略带伤感的田园散文诗闻名。曾在茨韦布吕肯学习绘画,后在曼海姆任宫廷画师(1777),次年前往意大利。不久即放弃绘画,转而研究艺术史,在意大利一直住到去世。1774 ～ 1778 年间主要从事文学,其作品显示了青年文学叛逆者的狂飙突进运动产生的影响。主要有抒情诗剧《尼奥贝》(1778)、《浮士德生活的戏剧》(1778)、模仿歌德的《葛兹·冯·伯利欣根》写成的《戈洛和格诺维瓦》(1811)以及牧歌《剪羊毛》(1755)和《核桃仁》(1811),后二者重现了德国农民生活中的某些场景,其中有些是讽刺性的。

Müller, Georg Elias **米勒**(1850-07-20,萨克森格里马～1934-12-23,德国格丁根) 德国心理学家,促进了感觉、记忆、学习和色觉的研究。1873 年因对感觉注意的基本分析而获格丁根大学哲学博士学位。1876 年任该校无薪讲师。1878 年著《心理物理学基础》,主要探讨了韦伯氏定律。他首先着重研究了知觉阈限,得出一个重要发现:个体感受性的变化引起个体阈限的逐日波动。1899 年著文讨论重量感觉辨别,指出预期对辨别的影响,这也是对态度的早期实验研究之一。19 世纪 90 年代中期,他开始推广 H. 艾宾豪斯关于记忆、学习的开创性研究成果,探索了视觉中的刺激-反应关系。他透彻地分析了艾宾豪斯的方法,辨认出学习中的主动过程,如有意识的组织过程。他坚持认为学习不是机械的过程,不能用接近联想来解释。还认为学习中存在着在事物中发掘关系的主动努力。判断除了包括怀疑、踌躇、敏捷诸因素外,还涉及所预期的感觉和情感。他在论色觉的著作中,认为大脑在视网膜诱发的色觉中添加一层灰色的色调。这些原理后来虽为格式塔心理学部分采用,但在 1923 年声明,他反对格式塔的论点。他最后的一部著作是《心理学概要》(1924)。

Müller, Hermann **米勒**(1876-05-18,德国曼海姆～1931-03-20,柏林) 德国政治家、德国社会民主党领袖,两度出任魏玛共和国总理。出身中产阶级。1889 年任社会民主党《格尔利茨报》编辑,1906 年选入该党执行委员会。1914 年 7 月奉派赴法国协调社会主义政党反对第一次世界大战的行动未果。1916 年进入国民议会,1918 年 11 月革命后参加新的临时政府,以外交部长身份代表德国签署凡尔赛和约。卡普暴动(1920-03)失败后任总理。1920 年起领导社会民主党,该党在 1928 年选举中获胜,由他组织联合政府。当政期间,德国开始实施海军建设计划,商谈减少凡尔赛和约规定的赔偿付款的扬计划。他要求给工人增加失业福利。由于世界经济大萧条的来临,联合政府垮台,他被迫于 1930 年 3 月 27 日辞职。

Muller, Hermann Joseph **马勒**(1890-12-21,纽约市～1967-04-05,美国印第安纳州印

第安纳波利斯） 美国遗传学家，遗传学奠基人之一。他认为基因是生命的基础，证明X射线可诱发突变，并主张从精子库中自由选材以进行人工授精，认为这样做可有意识地

印第安纳大学供图

引导人类进化的方向。马勒的主要理论贡献在于他指出，遗传物质的两个特性：一是自我复制，二是偶发突变可以遗传给复制品，这两点便意味着进化思想。1946年因其用X射线照射活细胞染色体而致人工诱导基因突变的工作而获诺贝尔生理学或医学奖。马勒靠奖学金及做工于1916年从哥伦比亚大学毕业，获哲学博士学位。在E.威尔逊及T.摩尔根的影响下对遗传学发生兴趣，曾从摩尔根研究果蝇，并发表多篇今已成经典的论文，讨论交换的机制。1920～1932年在奥斯汀的得克萨斯大学动物学系任副教授。研究成果甚多，对突变的研究使他对基因的排列和重组形成了完整的理论概念，并导致后期诱发突变的工作。这一段工作奠定了他一生极富创造性的事业和国际声望的基础。这一阶段他还证明了基因突变可源于染色体的断裂和易位。1931年他入选美国全国科学院院士。在大萧条时期，因对社会状况感到失望，加之工作压力，家庭不和，卒致精神崩溃，于是去柏林从事研究。在柏林时，他与一些同事共同发起由生物物理角度对基因的本质进行研究。1933年应W.I.瓦维洛夫之邀赴苏研究，他本有社会主义观点，对此机会极感高兴，但不久李森科的假科学理论在苏联得势，在生物学界独断专行，他被迫离苏。在爱丁堡研究3年，促进英国的遗传学发展。1940年回美。原子时代开始时，他即警告人们要注意辐射对人类后代的危险，并积极参与讨论由于在现代社会中选择压力减轻，对人类的未来可能产生的影响。他是优生学的首倡者，主张把天才人物的精子冷冻起来用于优生计划。

Müller, Johann (German mathematician and astronomer) **约翰·米勒** 参阅 **Regiomontanus** *雷乔蒙塔努斯*。

Müller, Johannes Peter **弥勒**（1801-07-14，法国［执政府时代的］科布伦茨～1858-04-28，柏林） 又译米勒。19世纪伟大的自然哲学家。在德国医学和生物学方面他的理论标志着从自然主义到精密观察和生理学实验的过渡。在生理学、解剖学和动物学方面建立了新的概念并培养了一批优秀学生，他们通过引进自然科学的新技术而扩展了医学的范围。1819年入波恩大学，1822年以自然主义的方法写成毕业论文《动物活动的规律》。后在柏林大学继续学习。1824年任波恩大学生理学和比较解剖学讲师，1826年任副教授，1830年任教授。1826年发表《视觉感官的比较生理学》。他最重要的成就是发现每一种感觉器官都以自己的特殊方式对不同的刺激作出反应。因此，只是由于感觉系统产生的变化，我们感知了外部世界的现象。他的这一发现也冲击了认识理论。弥勒的专著《论虚构的幻象》于1826年出版，书中认为眼睛作为感觉系统不仅对外部的光学刺激起反应，它也能因想象所引起的内部刺激而兴奋。因此，声称看到圣体显灵、鬼魂和幻影的人，实际上只是一种视觉体验，却误以为是外部刺激产生的。弥勒是波恩大学医学系最知名的人物，在生理学、进化论和比较解剖学领域都有研究。1833年应邀至柏林研究生理学和病理学，探讨了关于动物的结构和功能方面的许多问题。1834～1840年发表两卷本的《生理学原理》，此书成为19世纪后半叶广泛流行的生命过程的机械论的基点。1838年发表《关于癌的本质和结构特性以及可能和它混淆的致病生长物》一书，创建了病理组织学。弥勒也是一位出色的教师，他的学生中有著名的生理学家和物理学家亥姆霍兹和细胞病理学家维尔绍。从1840年开始弥勒集中研究比较解剖学和动物学，此后从事生物分类学和形态学的研究。晚年因狂郁症而去世，但有些学者推测他系自杀。

Müller, Johannes von **米勒**（1752-01-03，瑞士沙夫豪森～1809-05-29，威斯特伐利亚卡塞尔［德国］） 瑞士18世纪最重要的历史学家。他的一生一面从事学术著作，一面又忙于外交家与政治记者的活动。晚年为拿破仑服务，出任威斯特伐利亚王国教育总监。由于其行为被人不公正地解释为背叛自由的理想，身后名声长期受到影响。主要著作为《瑞士邦联史》（1786～1808）。因材料丰富和文笔精练而有瑞士塔西佗之称。席勒的名作《威廉·退尔》就是根据他的著作写成的。他还撰写《世界通史》24卷（1810起出版），并为阐发欧洲力量均势理论的重要理论家。

Müller, Karl Alex(ander) **缪勒**（1927-04-20，瑞士巴塞尔～ ） 又译米勒。瑞士物理学家。因和J.G.柏诺兹一起发现某些物质在高于先前认为能够达到的温度时即具有超导电性，而共获1987年诺贝尔物理学奖。缪勒1958年获瑞士联邦理工学院哲学博士学位，1963年开始在国际商用机器公司（IBM）苏黎世研究实验室从事固体物理学研究，在该室领导物理学分部若干年并于1982年成为IBM公司的研究员。作为研究陶瓷化合物（通常称为氧化物）的专家，缪勒在80年代初就开始探索哪些物质能在比当时所能获得超导电性的温度更高时即具有超导电性（即无电阻的导电性）。当时能够达到的最高转变温度（低于此温度时物质的电阻为零）约为23K（即－250 °C或－418°F）。1983年缪勒吸收柏诺兹来协助他系统地试验各种氧化物，当时几项新近的研究表明，它们有可能获得超导电性。1986年他们两人使新研制的钡-镧-铜氧化物在35K（－238 °C或－396°F）时成功地获得超导电性。这一温度比先前所达到的高12K。他们的发现迅即使全世界范围内许多科学家掀起一个复兴超导电性实验的浪潮，这一次使用的是氧化物。在一年之内使转变温度达到将近100K（－173°C或－280°F）。由缪勒和柏诺兹的发现所掀起的研究热潮预示出一幅前景：在高得可以产生和传输电能的温度下能获得超导电性这一功绩，将具有重要的经济意义。

Müller, Karl Otfried **米勒**（1797-08-28，西里西亚布里格［今在波兰］～1840-08-01，雅典） 德国研究希腊古典著作的学者。结合历史文化研究古希腊，为古希腊学开启了一个重要的时代。著名语言学家奥古斯特·伯克的弟子。1817年出版《在埃伊纳岛上》，一鸣惊人，1819年即被任命为格丁根大学副教授，讲授考古学和古代艺术史。他的最重要的著作是《希腊人民和城市史》（1820）。其他著作有《科学的神话学引论》（1825）和大量的考古论文。因政治问题难以继续在格丁根执教，去希腊考察。后死于热病。

Müller, Lucas (painter) **米勒** 参阅 **Cranach, Lucas** *克拉纳赫（老）*。

Müller, (Friedrich) Max **米勒**（1823-12-06，安哈尔特公国德绍［德国］～1900-10-28，英格兰牛津） 又译缪勒。东方学家和语言学家。初攻读梵文，后研究比较语言学。

美国不列颠百科全书公司供图

1845年开始研究波斯古经《阿维斯陀》。他所编校的印度最早的赞歌集《梨俱吠陀》在他定居牛津（1849～1875）后出版。米勒在牛津大学任现代语言学副教授（1850）、比较语言学教授（1868）。1875年开始编辑出版《东方圣书集》，共51卷。米勒到晚年继续撰写有关印度哲学的著作，并积极赞助东方文献手稿及铭文的研究。

Müller, Otto **米勒**（1874，德国利伯～1930-09-24，德国布雷斯劳） 又译弥勒。德国油画家和版画家，尤擅长画人物和吉卜赛女人。1910年参加由表现派画家组成的桥社。早期受德国新艺术运动青年风格曲线艺术的影

米勒自画像,1922 年
美国不列颠百科全书公司供图

响。从 1919 年到逝世,一直在布雷斯劳学院教书。1933 年纳粹党在德国掌权后宣布其作品为“颓废”。

Müller, Paul Hermann **米勒**(1899-01-12,瑞士奥尔滕～1965-10-12,巴塞尔) 瑞士化学家。因发现 DDT 及其化学衍生物对昆虫有剧烈毒性而获1948年诺贝尔生理学或医

美国不列颠百科全书公司供图

学奖。DDT 是最广泛使用了 20 多年的杀虫剂,是提高世界食物生产和抑制昆虫传播的疾病的主要因素。米勒 1925～1965 年在 J.R.盖吉公司从事化学研究,最初研究染料及鞣剂。1935 年开始寻找一种“理想的”杀虫剂:对尽可能多种的昆虫毒效大而迅速,但对植物及热血动物无害或毒性极小;化学稳定性高、效力持久,而且成本低廉。4 年后他合成二氯二苯三氯乙烷(DDT),经试验证明能满足上述要求。德国化学家 O.蔡德勒于 1874 年已首先合成 DDT,但不知其杀虫效力。1939 年瑞士政府、1943 年美国农业部分别用 DDT 杀灭马铃薯叶甲,试验均告成功。1944 年 1 月 DDT 用于压制那不勒斯的虱传斑疹伤寒爆发,这是斑疹伤寒的冬季流行得到控制的首例。虽然米勒要求其理想的杀虫剂对热血动物相对无毒,但 DDT 问世以来被广泛使用,并大量残留于环境之中(据估计 1968 年即有 45.3 万吨残留),对动物构成危害,并显示出有破坏生态的食物链的征象。到 1970 年 DDT 迅速为分解较快、毒性较低的农药所取代,在许多国家已禁止使用。

Müller, Sophus Otto **米勒**(1846-05-24,丹麦哥本哈根～1934-02-23,哥本哈根) 丹麦古生物学家,于 19 世纪末在丹麦发现第一个新石器时代战斧文化。1878 年任哥本哈根国立古物博物馆助理员,1885 年作检查员。1892 年哥本哈根国立博物馆成立时,任该馆丹麦史前及人种史文物收藏部主任。曾发现日德兰半岛中部古墓群中的个体墓葬(战斧文化),是为斯堪的纳维亚中新石器时代晚期遗址的首例。按年代顺序的古墓中有比例适

美国不列颠百科全书公司供图

度的战斧,燧石斧,琥珀珠,宽口陶器,水杯。他设计了发掘和遗址保存的新技术,并支持地中海文明对北欧有影响的原理。著作有《古代丹麦》(1897)、《丹麦出土古文物体系》(3 卷,1888～1895)和《丹麦古代艺术》(3 卷,1918～1933)。

Müller, Wilhelm **米勒**(1794-10-07,安哈尔特公国德绍[德国]～1827-09-30,德绍) 德国诗人。曾在柏林大学研究语言学和历史,后志愿参加普鲁士人民反对拿破仑的起义(1813～1814)。他从意大利旅行(1817)归来,任古典文学教师(1818),并任德绍公爵图书馆管理员。米勒成名是由于著有《一个林中漫游号手的遗诗》(2 卷,1821～1824),试图以极其淳朴的诗句来表现感情的民间抒情诗,以及《希腊人之歌》(1821～1824),该诗成功地唤起德国人民对希腊人的事业的同情。其他作品包括《新希腊民歌》(2 卷,1825)和《抒情诗般的旅行与警句式的漫游》(1827)。

Muller v. State of Oregon **马勒诉俄勒冈州** 美国最高法院 1908 年裁决的案件,看上去似乎是在促进女工的健康和福利,然而事实上导致其后产生一些不利于工作场所平等的保护性立法。该案情是,1903 年俄勒冈州通过法令禁止妇女一天工作 10 小时以上,1905 年,洗衣店老板 C.马勒因许可一名监工对 E.戈彻太太提出工作 10 小时以上的要求,而受到指控,并被罚款 10 美元。马勒的律师辩称,该法令侵犯了戈彻太太根据美国宪法第 14 修正案所具有的权利,阻碍她与雇主自由签订契约。而州的律师则认为,由于妇女在体质上与男人不同,需要“特殊保护”。根据《布兰代斯辩护要点》所概述的准科学数据,长时间工作对工人,尤其对有生育任务的妇女不利。虽然当前的进步主义改革家赞扬此项裁决在改善妇女工作条件上是一个胜利,但有些男女平等主义者则认为裁决提供保护是强调性别角色的陈词滥调,此种论点最终会限制妇女可能得到的经济机会。

Müllerian mimicry **米勒氏拟态** 一种生物的拟态现象:两种或几种有毒或有危险、但无亲缘关系的生物表现有很相像的警戒系统,例如同样鲜明的色彩图形。根据 1878 年德国博物学家 F.米勒提出、并被大家接受的学说,这种拟态虽然与更为人熟知的贝茨氏拟态不同(其中一种生物是无毒的),但也应该被看作为一种拟态:因为捕食动物学会避开具某种警戒系统的生物,也必然要避开所有与之相像的生物,因而使这种相像成为一种保护具此拟态的生物的机制。

mullet **鲻鱼** 鲈形目鲻科多种有经济价值的群栖性鱼类的统称。近 100 种,遍及所有温、热带区水域,一般生活于咸水或半咸水中,常见于沿岸浅水带,以挖取泥沙中的微小动植物和其他食物为生。体色银白,长 30～90 厘米,鳞大,体粗壮,呈雪茄烟状;尾鳍分叉;背鳍 2 个,第一背鳍有 4 根硬棘。多数鲻鱼具强大砂囊状的胃,其肠长,能消化大量植物性食物。普通鲻(条纹鲻,*Mugil cephalus*)是见于世界各地的著名鱼类,生长迅速,在很多地区都有养殖。红鲻鱼,或称山羊鱼,为羊鱼科动物,与鲻鱼无亲缘关系。

Mullett, Alfred B(ult) **马莱特**(1834-04-07,英国萨默塞特陶顿～1890-10-20,美国华盛顿[哥伦比亚特区]) 英国出生的美国建筑师。1845 年自英国移居美国,曾在美国和欧洲学习,1866～1874 年任美国财政部建筑监督,负责联邦政府工程的设计和建造。最重要的作品为华盛顿市的行政与陆海军大厦(1871～1889,现行政大厦)。这座建筑整体结构属第二帝国风格,也是当时世界上最大的办公楼。其陡峭的芒萨尔式屋顶上有凸出的屋顶窗,华丽的立面布满了古典细部装饰,还有 900 多根多立斯式柱子。内部各个角上有悬挑的楼梯,有两所带有复杂铸铁装饰的藏书室。马莱特的设计具有多种风格,包括第二帝国式、希腊复古式和意大利文艺复兴式。

Mulligan, Gerry **马利根**(1927-04-06,美国纽约长岛昆斯维里奇～1996-01-20,康涅狄格达里恩) 原名杰拉尔德·约瑟夫·马利根。美国上低音萨克斯管演奏家、乐曲改编家和作曲家。因参与普及“冷静爵士乐”而闻名,这是一种清淡而不加渲染的低调爵士乐风格。马利根早在少年时期即表现出强烈音乐天赋。求学期间先后在一些音乐团体中演奏钢琴和管乐器。1944 年离校后在多家乐队担任乐曲改编工作,其中尤以 1946 年与克鲁帕大乐队的合作最值得一提。其后不久投入旨在发展一种另辟蹊径的爵士乐风格,即所谓

冷静爵士乐风格的运动。此时他已开始学习上低音萨克斯管，与 M. 戴维斯、K. 温丁、E. 劳伦斯和 C. 桑希尔等音乐家领导的演奏小组一起参加现场演出和录音。1952 年自行组建四重奏团，小号由 C. 贝克吹奏。这个因不用钢琴而引人注目的组合为马利根和贝克都带来国际声誉。此后数十年中马利根继续当自由改编者，组建大小不等的团体，小的仅 4 人，大的可达 20 人，包括 60 年代的 13 件乐器的音乐会爵士乐队，在欧美各地和日本演出。他被认为是一位多才多艺的音乐家，许多爵士乐风格他都应付自如；又是爵士乐风格中一位重要的上低音萨克斯管演奏家。

Mulligan River　马利根河　澳大利亚中东部的间歇河。源于昆士兰州的托科山脉，向东南流过西面的巴灵顿峰，后河道展宽，形成干盐碱河床，至曼库尼湖附近与埃尔河汇合，穿过南澳大利亚州边界注入戈伊德潟湖。全长 1 100 千米。1876 年以探险家马利根的名字命名。该河流过畜牧区钱纳尔地区。

Mulliken, Robert Sanderson　马利肯（1896-06-07，美国马萨诸塞纽伯里波特～1986-10-31，弗吉尼亚阿灵顿）　美国化学家和物理学家。因在化学键和分子的电子结构方面的基础工作而获 1966 年诺贝尔化学奖。毕业于麻省理工学院，第一次世界大战期间和战后几年在政府中从事化学研究，后来，他在芝加哥大学物理学家 R. A. 密立根手下从事研究工作，1921年获博士学位。1926～1928年在纽约大学任教，后来在芝加哥大学任职（1928～1985）。他从 20 年代开始分子结构理论工作，按照分子轨道将分子的电子状态

斯德哥尔摩诺贝尔基金会供图

从理论上加以系统化。他抛弃了原子的电子轨道是静止的以及原子像砌砖一样结合成分子的想法，指出在分子形成时，原子本来的电子组态转变为总的分子构型。1952 年，进一步扩充这一理论，发展为不同原子结合成分子时电子轨道行为的量子力学理论。第二次世界大战期间，他在芝加哥大学参加了研制原子弹工作一部分的钚工程。1955 年在美国驻伦敦大使馆任科学参赞。

mullite　莫来石　由铝硅酸盐（$3Al_2O_3 \cdot 2SiO_2$）组成的一类稀有矿物中之任一成员。又称莫来石。它是在焙烧铝硅酸盐原料时形成的，所以是卫生陶瓷、瓷器、高温绝缘材料和耐火材料的最重要的组分。含氧化铝与氧化硅之比至少为 3∶2 的莫来石，在温度不到 1 810°C 时不会熔化；而低于这个比值的莫来石，则在温度 1 545 °C 时就部分熔化了。天然莫来石呈白色细长晶体，发现于苏格兰内赫布里底群岛中的马尔岛上。仅在侵入的火成岩里熔化的泥质（黏土质）包体中认出了莫来石，这种环境意味着，莫来石形成时温度非常高。

Mulready, William　马尔雷迪（1786-04-01，爱尔兰克莱尔郡恩尼斯～1863-07-07，英格兰伦敦）　英国风俗画家，擅长乡村生活题材。《英格兰村舍内景》（1828）是其名作之一。1800 年入伦敦皇家学院美术学校学习，1804 年开始展出作品，1816 年成为皇家学院院士。作画原喜直接用暗色，主要用土色，1830 年以后转而用鲜艳的亮色。马尔雷迪还以对学院派的研究、儿童书籍插图和信封设计而著称。

Mulroney, Brian　马尔罗尼（1939-03-20，加拿大魁北克拜科莫～　　）　加拿大政治家，加拿大进步保守党领袖（1983～1993），1984～1993 年任加拿大总理。电工之子，在

美国不列颠百科全书公司供图

英、法双语系的环境中成长，1959 年获新斯科舍省圣方济各·沙勿略大学文学士学位，1962 年获魁北克市拉伐尔大学法学学位。1965 年开始执律师业，成为劳工问题专家。1974 年担任调查魁北克建筑业罪行的皇家克利谢委员会委员，因此成为地方名人。他一直活跃于政界，1976 年竞选进步保守党领袖，但败给 J. 克拉克。1977 年当选为加拿大铁矿公司董事长。1983 年 6 月在进步保守党代表大会上当选为领袖。此前他从未竞选或当选担任公职。但是，他的出现使群众见到一位来自法语系魁北克省的新人，而保守党在那里一向处于劣势。1984 年进步保守党在大选中以压倒多数选票击败自由党，马尔罗尼遂成为总理。1988 年再度连任。马尔罗尼在任内加强与美国在贸易政策和对付酸雨等双边问题上的合作。他执政初期，加拿大经济发展势头强劲，就业率很高，通货膨胀得到控制。他的政府奉行减少对主要工业的控制和改革税制的政策，但 1991 年实行的过高的联邦税大失民心。马尔罗尼政治上的成功部分是由于他建立了魁北克民族主义者与西部保守派的联合，他执政后继续致力于在承认魁北克省"特殊社会"的地位的前提下保持国家的统一。1987 年他通过谈判达成有关修改宪法的《密奇湖协定》，但未获所有 10 个省的批准。第 2 次达成 1992 年《夏洛特敦协定》又被当年晚些时候的全民公决所否定。1993 年初马尔罗尼宣布退出政界。

Multān　木尔坦　巴基斯坦中东部旁遮普省中南部城市，建于杰纳布河东的一座小山上。1867 年设市，为商业和工业中心，与拉合尔、卡拉奇通公路和铁路，与卡拉奇、奎达、费

木尔坦市的伊德加赫清真寺
美国不列颠百科全书公司供图

萨拉巴德通航空线。建有化肥厂、肥皂厂、玻璃厂、铸造厂、棉毛丝纺织厂、面粉厂、糖厂、榨油厂和大型热电站。以手工业和家庭工业著称。建有医院、公园和旁遮普大学几所分校。木尔坦大学建于 1975 年。旧城外已建起一些卫星城镇。旧城内有许多神殿，是工艺和建筑的范例。当地沙姆斯大不里寺几乎完全用天蓝色带雕刻釉砖建成，沙鲁肯阿拉姆寺有亚洲最大圆顶之一。木尔坦式的寺庙以及其他寺庙、清真寺都极著名。人口：城市 732 070；都会区 1 467 000（1981）。

Multatuli　穆尔塔图里（1820-03-02，荷兰阿姆斯特丹～1887-02-19，德国下英格尔海姆）　爱德华·道弗斯·德克的笔名。荷兰最伟大的作家之一。他的激进思想和新颖笔调使 19 世纪中期平庸自满的荷兰文学黯然失色。1838 年赴荷属东印度群岛任官职直至 1856 年。任爪哇岛勒巴克的副专员时，他由于反对酋长欺压人民，得不到殖民政府的支持，遂挂冠离去，返回欧洲。最重要著作是举世皆知的长篇小说《马克斯·哈弗拉尔》（1860）。这是一部半自传体的小说，描写一个在印度尼西亚的开明官吏徒费气力去揭露荷兰人剥削土著的故事。小说结构十分巧妙，使作者既能呼吁在爪哇伸张正义，又能无情地讽刺荷兰中产阶级的心理。书中的对话和幽默所表达的思想超越了穆尔塔图里所处的时代，致使这本书长时期以来成了荷兰独一无二的杰作。除了《情书》（1861）以外，他的主要作品还有《观念集》（7 卷，1862～1877），对妇女的社会地位、教育、政治等问题颇有远见卓识。《观念集》中包括他的一部早期的现实主义风格的自传式小说《沃特彻·皮特瑟》。

multicellular organism　多细胞生物体　由许多独立的、以不同程度结合在一起的细胞组成的生物体。它的发育伴随着细胞的特化和分工，各种细胞既分工又相互依赖，以适应生命的需要。单细胞生物的特化表现在亚细胞水平，亦即在一个细胞内，亚细胞结构执行着多细胞生物体中细胞、组织、器官的各种基

本功能。有时将各种单细胞生物统归入*原生生物*(protist)界。

multilith 小胶印 又称平版印刷术。用胶印复制印件的方法。印版是经过化学处理的金属版,或者是经过打字、印刷或绘制的纸质印版(参阅 **lithography**; **offset printing**)。

multinational corporation (MNC) 多国公司 又称跨国公司。凡是同时在一个以上的国家注册与经营业务的公司都是多国公司。一般多国公司是在一国设立总部而在其他一个或更多的国家经营其独资或合资的附属公司。附属公司对总部负责。从经济方面来说,建立多国公司的好处有两个方面,即纵向和横向的规模经济(即扩大生产规模而导致成本的降低)与由此而产生的垄断能力。技术知识、经验丰富的职工和通过验证的战略常常很方便地从一国转移到另一国。多国公司的批评家通常是将其看作是外国统治的经济工具,而且往往看作是政治工具。发展中国家因以范围狭窄的出口(常常是初级产品)为其经济基础,特别容易受到伤害。垄断经营和更为传统的经济增长方式要受到破坏,这些就是东道国面临的危险的一部分。

multiple birth 多胎产 哺乳动物学名词,指一胎产一仔以上的分娩。大多数哺乳动物每胎产仔的数目相当恒定,且与体型大小、妊娠期、寿命、子宫形式及乳头数等等特征大略相关。例如正常妊娠期超过 150 天,寿命超过 20 年,具单一(或单角)子宫、两个乳房的大型哺乳动物,一胎甚少产一仔以上。包括人类在内的绝大多数灵长类即属此类;其中多胎产为罕见情况,发生频率且随每胎产仔数目的增加而递减。

双胎及孪生 孪生指一胎产一仔以上的过程。人类最常见的孪生类型为一次产下两婴(双胎),虽然孪生反复出现亦可导致三胎、四胎或其他多胎。双胎主要分为同卵双胎与异卵双胎两型。前者为由一卵子与一精子结合受精形成合子后发育所得的两个个体;该受精卵于生长早期分裂为两个独立的细胞团,各自形成胚胎,两个胚胎遗传上相似、性别相同。这种成对的胚胎有 3/4 共用同一胎盘。由于两个个体自单一受精卵发育而来,故称作单卵双胎。在以后胚胎发育的几个时期,合子都可发生不正常的分裂,分为两个独立的胚胎构造。若合子发生不完全分裂,或分裂太晚,则将形成暹罗孪生子。异卵双胎由两个卵子分别与两个精子结合受精后发育所得。这样的一对卵子源自相同月经周期的多次排卵,各卵单独发育,单独受精并形成自己的胎盘。由于异卵双胎的两个个体自不同受精卵发育而来,故称为双卵双胎。性别可相同、可不同,唯遗传上并非完全相同。双卵孪生的发生率随种族而异,多胎产在黑人最常见,白人次之,东方人最少见。双卵孪生最常发生于较年长的母亲(达 40 岁左右者),往往反复出现于有多胎生育史的家族,这表明此现象可能与遗传因素有关。反之,单卵孪生则随机发生在所有种族,且无可辨认的遗传方式可循,但亦较常见于年长的母亲。

如何决定双胎为同卵或异卵?首先,同卵双胎必具相同性别、相同血型与相同触珠蛋白(一种血清蛋白质)型;异卵双胎虽可能也具备这些相同点,但通常有若干不同。若 3 个特点中有任何一个不同,该双胎必属异卵者。同卵双胎一般在外形上极相似,异卵双胎只有普通兄弟姐妹间的相似。必须注意的是,同卵双胎即使眼的颜色与发的颜色、质地等遗传特性相同,但在胚胎发育中,这些性状及多数身体特征均可能有一些差异。因此,同卵双胎可能并非真正的"完全相同",同卵双胎间的一致程度更接近同一个体左、右侧的相似程度(两侧略有不同)。在美国、加拿大及英国,大约 83.4 次分娩中有一次是双胎分娩;全世界所报告的频率则由 70 次分娩内约有一次到 145 次内有一次不等;但来自许多地区的资料并不可靠。在北美,异卵双胎较同卵双胎多见,两者相对比率为 71.8 比 28.2;欧裔族群亦具相同比率。在不用助孕药的情况下,多胎分娩频率的估计数字为:80 次分娩中有一次产双胎,6 400 次分娩中有一次产三胎,512 000 次分娩中有一次产四胎,40 960 000 次分娩中有一次产五胎等。

其他多胎分娩 其他类型的多胎如同双胎一样,可源于单卵或非源于单卵,并可发生任何组合,如三胎可由单合子衍生而来(单卵三胎),由两个合子衍生而来(二卵三胞胎,其中一个受精卵分裂形成单卵双胎,一个受精卵发育为单独个体),或由 3 个独立的受精卵衍生而来(三卵三胎)。同理,四胎可能源自 1～4 个受精卵,五胎可能源自 1～5 个受精卵。经仔细研究,生于 1934 年的加拿大迪奥纳五胞胎乃单卵五胞胎。自 20 世纪 60 年代以来,五胞胎、六胞胎的数目渐增,甚至有产下七胞胎者。这个空前现象是因为妇女使用助孕药,导致同时排放多个卵。首次被确认的八胞胎分娩为 1967 年 3 月来自墨西哥城的报告,早产的 4 男 4 女均未活过 14 小时。第一组九胞胎则为一位澳大利亚妇女于 1971 年 6 月 13 日所产下的 5 男 4 女(两男为死胎),活产的 7 个婴儿于一周内死亡。

双胎的研究 因单卵双胎带有许多相同的基因,故广泛用于医学及心理学研究。将单卵双生儿作比较组("孪生子法"),将仔细配合的二卵双生儿作对照组,研究者借此法试图阐明遗传与环境两者在某些疾病的发展、人格的形成及智力上的相对重要性。这些研究已证明遗传在精神分裂症、抑郁症、肥胖症的发展上,及在结核病等传染病的易感性上,皆起重要的作用。双胎研究,尤其是有关同卵双胎(分开养育者)的研究,为判断遗传在人格建立上、在智力决定上的重要性提供了饶有兴趣的证据(但非决定性证据)。由于双胎研究具有独特价值,因此许多国家均保持双胎记录。

Multiple Mirror Telescope (MMT) 多镜面望远镜 世界上最大的天文望远镜中的一个,安装在亚利桑那州图森南面 60 千米、高 2 600米的霍普金斯山顶上。它是 15～26 米级大型光学望远镜的雏型。MMT 把来自 6 个 180 厘米直径的望远镜的光聚集成像,因而集光能力相当于一个 450 厘米直径的望远镜。多镜面望远镜在结构上有许多技术上的改进,其费用大大地少于通用的同等大小望远镜的费用。多镜面望远镜为史密森学会于 1979 年建成。和亚利桑那大学共同所有并联合管理。

multiple myeloma 多发性骨髓瘤 又称浆细胞性骨髓瘤或骨髓瘤病。一种常见的骨髓恶性肿瘤,多发生于中年以后。男性发病率稍高,最常累及扁骨(如肋骨、胸骨、盆骨、肩胛骨)和脊椎骨。该病的基本病变是 B 淋巴细胞及其母细胞的肿瘤性增殖,表现为浆细胞的恶性细胞克隆,并有大量的抗体蛋白产物。但这种抗体蛋白并没有抗感染功能,反而取代了大部分正常抗体的功能。人们称之为骨髓瘤蛋白。当在多个位置上发生肿瘤时就称为多发性骨髓瘤。骨髓瘤蛋白可大量沉积在肾曲小管,从而损害肾脏功能。骨质破坏,钙自骨游离,进入循环血,又异常沉积到肾脏等部位。症状和体征为疼痛、贫血、软弱、易受感染、易出血、呼吸短促和肾功能不全。可发生病理骨折,若椎骨塌陷则可引起神经症状。病程呈进行性,预后情况相当差。最常用的治疗方法为化学疗法和放射疗法。若病变为多发,只能进行对症治疗;单发者经手术或照射治疗可使病变静止或治愈。

multiple personality 多重人格 一种罕见的精神障碍。表现为在一个人身上同时具有两种或两种以上的人格特点。它们可以相互交替地、排他性地占据这个人的整个思维意识。在某些病例中各不同人格之间对其他人格的存在一无所知。更为常见的是某一种人格为主导占据着个体的意识,但这种人格对自己的非优势人格控制其意识时的表现完全没有记忆。而非优势人格却可能会意识到主导人格的存在及其行为,并对其评头品足,甚至横加指责,好像这种人格表现和他一点关系都没有似的。多重人格彼此之间的形式反差常常极大,举手投足和言谈气质之间,简直就是判若两人;而且,不同人格会采用不同的名字。在不同的人格之间也可能会表现出不同的笔体、不同的脑电图波形和不同的投射测验结果。多重人格极为罕见,见诸历史文献的报告,至今总共也就只有几百例。多重人格系被认为是源于心理过程的分裂,即当个体面对使其感到痛苦、困扰和无法接受的情境时,脱离了意识对其思想、情感、记忆和其他心理活动的控制所产生的反应。这样看来,多重人格的形成可以被看成是一种应付或者是逃避内心冲突的方式。这种内心冲突常常也会被某些早年的生活创伤所触发,儿童时期受到的虐待就是其中之一。治疗的目的旨在把分裂的人格重新整合为一个整体。为此,必须使起主导作用的人格逐渐意识到非优势人格的存在。而要做到这点,常常首先要使患者能意识到那个导致他人格分裂的原始创伤,并使它不再会对患者造成伤害。

multiple proportions, law of 倍比定律 当两种元素互相化合生成一种以上化合物时,其中一种元素与另一固定重量的元素化合时的重量彼此之间成简单的整数比。例如,氮有五种不同的氧化物，其中氧与 14 克氮相化合的重量按递增顺序为 8、16、24、32 和 40 克，或者说成 1、2、3、4、5 的比例关系。该定律是英国化学家 J.道耳顿于 1804 年发表的，已由大量化合物所证实，它对于道耳顿关于物质是由不可分割的原子所组成的理论，是最有力的支持。

multiple sclerosis（MS） **多发性硬化** 一种脑和脊髓的疾病，发病机制为一种至今未明的致病因子侵袭神经纤维髓鞘，导致神经冲动（尤其是与视觉等感觉和四肢运动有关的径路的神经冲动）暂时中断。病理变化为硬化斑，最终导致永久性麻痹。本病呈世界性分布，主要见于北半球。20～40 岁者发病率最高。由于早期症状复杂多变，延续时间或长或短，因而诊断困难。下列症状可单独或合并出现：暂时性视力模糊或丧失、感觉障碍、一侧下肢力弱、步态不稳、眩晕、复视、尿潴留或失禁等。早期症状可自行缓解，但经数月或数年后又反复发作，永久性麻痹的危险亦逐渐增加。本病呈慢性过程，平均存活时间为 25 年、残后存活 5 年。也有部分病例呈急性过程。本病病因未明，因此，药物疗法效果并不满意。每次复发后均应卧床休息，避免过劳及精神紧张。分离本病病原微生物的尝试未能成功。变态反应亦可能是一个重要的致病因素。

multiple setting **多重布景** 又作 simultaneous setting，法语作 décor simultané。中世纪戏剧中使用的一种舞台技术。这种舞台布置让所有布景都同时呈现，其中各种事件发生的场所都由通称所谓"殿堂"或"屋子"的小棚舍来表示，它们环绕安排于不固定的表演区或正厅周围。换景时，演员只是从一个"屋子"转到另一个"屋子"表演。观众往往习惯于把正厅看成正在使用的殿堂的一部分，而不理会其他屋子。多重布景大都在文艺复兴时期逐渐被弃，因为此时戏剧已开始在室内剧场较为狭窄的空间演出，且活动布景也已逐步完善。多重布景技术在 20 世纪许多戏剧中再次得到运用。在同时表现室内室外、楼上楼下、不同地点或梦幻场境显得特别有用。在上演奥尼尔、米勒和威廉斯的一些重要剧目中，多重布景发挥出很大的作用。

J.梅尔齐纳为 A.米勒的《推销员之死》(1949)设计的多重布景
美国不列颠百科全书公司供图

multiple souls **多灵魂说** 一种特别是在亚洲中部和北部以及印度尼西亚广泛流行的观念，即认为个体的生命或个性是由一组复杂的精神相关因素组成。在某些传说中，各种灵魂等同于人体的独立的器官；在另外的传说中，它们同人的性格特点有关。构成单一个体的每个不同的灵魂，在人死后都有一种不同的命运。例如在亚洲北部的许多民族中，一个灵魂留在尸体里，一个灵魂下地狱，一个灵魂升天堂。多灵魂说最知名的例子是巴西阿帕波库瓦瓜拉尼人的信仰。他们认为，在婴儿出生之时，会有一个温和的完全成形的植物灵魂从诸神居所前来附体。在婴儿出生后不久，还会有一个强健的动物灵魂附体。动物的类型对于灵魂受体的个性具有决定性影响：温和的人接受的是蝴蝶的灵魂；残暴的人接受的是美洲虎的灵魂。人死后，植物灵魂升天堂，而动物灵魂则化为厉鬼，为害生前所在部落。

multiplexing **多路传输** 在一条传输通路上，两个或多个信息沿一个方向或两个方向同时传输，所传输的各个信号在时间上或频率上分开。在时分制多路传输中，不同的信号使用不同的时间间隔。两个或多个不同信号按规定的时间顺序进行传输：每个信号的瞬时幅度依次进行取样和传输。当所有信息都经过取样之后，该过程又从头开始，并进行得很快，足以保证信号中的基本信息不会丢失。在频分制多路传输中，不同的信息用不同的副载波频率来区分。然后各个副载波都一起对载波频率进行调制。如果是有线传输，各个已调制的副载波可以直接进行传输，不必借助于载波频率。在接收端，用频率选择电路把所需的副载波分离出来，接着便可以从副载波还原出原来的信息信号。

multiplier **倍数** 又译乘数。经济学中，表明国家总投资变化对国民总收入影响的数字系数。它等于国民总收入变量与国家总投资变量之比。例如：一国的投资总额增加了 100 万美元，就会引起消费支出的连锁反应。首先与投资项目直接有关的原材料生产商以及为投资项目所雇用的工人的收入就会获得这笔 100 万美元的增加额。如果他们平均花费收入（即 100 万美元增加额）的 3/5，则此 60 万美元就将成为其他人们收入的增加额。至此，国民总收入就将上升到：

$$(1\times\$\ 1\,000\,000)+\left(\frac{3}{5}\times\$\ 1\,000\,000\right)$$

上述 60 万美元的消费品的生产者（企业主和工人）实现他们收入的增加时，将其中 3/5 用于消费，则国民总收入将增加为：

$$(1\times\$\ 1\,000\,000)+\left(\frac{3}{5}\times\$\ 1\,000\,000\right)+\left(\frac{3}{5}\times\frac{3}{5}\times\$\ 1\,000\,000\right)$$

过程如此，永无止境。本例中倍数公式为：

$$1\Big/\left(1-\frac{3}{5}\right)$$

或 2.5，亦即增加 100 万美元的投资将导致 250 万美元总收入的增加。20 世纪 30 年代英国经济学家凯恩斯提出将倍数用作衡量政府开支数额的手段。这数额是在私人投资缺乏的情况下，要使收入达到充分就业水平的补偿。这一基本概念从此应用于总收入中其他可变数变化的影响，如进口的变化。

multiprocessing **多重处理** 计算机的一种工作方式。按此方式，一台计算机中的两个或多个处理器同时处理同一程序中的两个或多个不同的部分。多重处理一般是由两个或多个微处理器完成的，其中每一个实际上都是制作在单片微小芯片上的中央处理器。大型计算机结合了数以百计，甚至数以千计的微处理器来解释和执行指令（与此相反，单处理器计算机是用单个中央处理器来处理全部或大部分任务）。多处理器计算机与单处理器计算机相比，主要优点是速度快，因而它能够管理更多的信息。因为这种系统中的每个处理器都被指定执行一项具体的功能，所以它可以只执行它自己的任务，把与己无关的指令传给下一个处理器，然后又开始对一组新的指令进行工作。例如，可以用不同的处理器来分别管理主存、数据通信或算术功能。还有一种情况是较大的处理器让"从"处理器去做内务工作（如存储器管理）。多处理器系统最常用于主计算机和小型计算机。个人计算机常采用单处理器体系结构。

multiringed basin **多环盆地** 在太阳系的行星和卫星上所观测到的一种地质特征。其形如靶心，面积可以千平方千米计。盆地各外环的内壁是悬崖似的陡坡。一般较小的环形山与此不同，山的边缘呈缓坡下降，而且周围有带辐射状条纹的喷出物垫层，因此天文学家认为多环盆地是由巨大冲击力造成的。各环可能在冲击时同时形成，也有人认为是在冲击后的塌陷中形成的。在碗状环形山与盆地之间，有一些过渡结构，其中包括具有中央峰的环形山和具有中央峰环的大环形山。多环盆地之所以经过很长时间才逐渐被人们发现为独特的地质特征，部分原因是它们在可见月面上的分布不利于观测。在这方面通过文章作出贡献的美国地质学家和天文学家计有：G. K. 吉尔伯特（1893）、R. B. 鲍德温（1949 和 1963）、W. K. 哈特曼和 G. P. 柯伊伯（1962）。20 世纪 60 年代美国地质勘探局工作人员在测绘月面图时，把多环盆地作为确定地层单位的标志。

multituberculate　多瘤齿兽　一类绝灭的、外表像啮齿类的小哺乳动物之任一成员。生存于中生代的晚侏罗世（大约 1.63 亿年前至 1.44 亿年前）和新生代早期（新生代是地球历史的最近 6 640 万年）。大部分期间，显然是最丰富的哺乳类动物，但贯穿其漫长的历史时期，进化的演变相对较小。这类食草动物的特征是，嘴的大小接近河狸，多瘤齿类的可辨认的化石的特征是，臼齿具 2 ～ 3 纵列齿尖，原始类型每列齿尖 5 ～ 6 个，进步的属可达 30 个。具 1 对大的下门齿、1 至 3 对上门齿。大多数属的下前臼齿是大的剪齿。多瘤齿兽类与任何其他哺乳类无密切关系。显然，来源于似哺乳动物的爬行类，而未从该类产生任何其他类型。

Multnomah Falls　梅尔特诺默瀑布　在美国哥伦比亚河一条很短的支流上，位于邦纳维尔西南 14 千米处。上、下瀑布景色优美，注入哥伦比亚河峡谷，总落差 260 米；其间一段落差 190 米，为美国最大落差之一。

Mum（people）　**穆姆人**　参阅 **Bamum** 巴穆姆人。

Mumford, Lewis　芒福德（1895-10-19，美国纽约弗拉兴～1990-01-26，纽约阿米尼亚）　美国建筑评论家、城市规划设计师和历史学家。在他大量有关建筑和城市规划方面的著作中，分析了技术和城市化对人类社会在整个历史中的影响。芒福德曾就读于纽约市立学院和社会研究新学院。上学期间受到现代城市规划的先驱之一格迪斯著作的影响。后任《日晷》杂志的副编辑（1919），1931 ～ 1963 年为《纽约人》杂志撰写建筑评论及城市规划评述的文章。其早期作品，不论是论文还是专著，从其更大的社会范畴去诠释，都使芒福德成为美国建筑、艺术和城市生活方面的权威。他写的《枝条与石头》（1924）是对美国建筑历史的具有洞察力的叙述。《黄金时刻》（1926；1934 及 1957 年重印）和《褐色的几十年：美国艺术研究，1865 ～ 1895》（1931）两书是对美国文化的起源和发展进行的更全面的研究。芒福德的系列丛书《生活的更新》包括以下四本书：《技艺与文明》（1934）、《城市文化》（1938）、《人类的状况》（1944）和《生活的管理》（1951）。在这些书中芒福德批评了现代技术社会使人失去个性的倾向，并且极力主张现代技术社会应与人本主义的目标和企望相协调。他的主要著作之一是《历史名城》（1961），该书对人类文明中的城市作用进行了全面的历史的研究。芒福德曾从事教学，并任多项研究职务，其中有斯坦福大学人文科学教授（1942 ～ 1944）、宾夕法尼亚大学城市及地区规划教授（1951 ～ 1959）。他的《历史名城》一书获国家出版奖。1964 年获美国自由勋章，1986 年获国家艺术勋章。1943 年受封为大英帝国爵士。芒福德的后期著作有两卷本《机器的神话》（1967 ～ 1970），该书对技术在人类发展过程中的作用从历史的角度进行辛辣的评论性的重新评价。他写过几本自传体著作，其中包括《我的工作和时代：一部个人编年史》（1979）和《生活中的随笔：刘易斯·芒福德的自传，早年》（1982）。

mumming play　假面哑剧　一种至今在英格兰和北爱尔兰少数村庄中流行的传统戏剧式娱乐。其中一位得胜者在战斗中被杀死，而接着被一位医生救活。假面哑剧被认为与为庆祝农业年重要阶段而举行的原始仪式有关连。假面哑剧演员本来是一帮带假面具的人，他们在欧洲的冬季节日里上街游行，并进入住宅中跳舞或默默地玩掷骰子游戏。"假面闹剧"则是 13 ～ 16 世纪一种流行的娱乐活动，16 世纪被意大利的狂欢节化装舞会吸收（并成为以假面舞会知名的宫廷娱乐活动的前身）。很可能存在过一种共同的（已经失传）原始剧本，在英格兰、爱尔兰和苏格兰的民众社团里广泛流传，并按照他们的需要进行改编。但剧本的情节基本上保持原来的故事：圣乔治是一个潇洒、勇敢的基督徒英雄，同异教徒进行战斗，其中一个被杀死，这时医生出现，将死去的勇士救活。其他的人物还包括一个叙述人，一个戴帽子、带铃铛的傻子和一个穿女人服装的男子。圣诞老人也同时出现。很可能这个死亡与复活的基本故事情节被移植于一个出自原始仪式的古老游戏之中。

Mummius, Lucius　穆米乌斯（活动时期公元前 2 世纪中叶）　罗马政治家、将军。公元前 153 年在西班牙任行政长官时粉碎卢西塔尼亚人的叛乱，次年在罗马举行凯旋仪式。公元前 146 年任执政官时，成为镇压亚该亚同盟的统帅。他击败希腊军队，破科林斯城。

mummy　干尸　又译木乃伊。依照古埃及人的方法用防腐剂涂抹或处理以后而埋葬的尸体。在埃及，其方法随时代而变，但总不外乎切除脏腑（后来改为把脏腑处理后放回原处）、用松脂处理并用细麻布包裹尸体（参阅 **embalming**）。使用木乃伊方法处置尸体的其他民族还有居住在新几内亚和澳大利亚之间的托里斯海峡的民族和南美洲的印加人。过去人们普遍认为埃及干尸是用沥青处理的，并且认为沥青有疗效。在整个中世纪干尸是捣碎而当作药物出售的。后来人们忘记干尸的药物作用在于沥青，出现用死刑犯和自杀者的尸体制造假干尸的事例。在欧洲，干尸贸易持续到 18 世纪。

mumps　流行性腮腺炎　又作 epidemic parotitis。急性病毒性传染病，特征为唾液腺炎症性肿胀。常在儿童中流行。潜伏期 17 ～21 天，发病前一周即有传染性，并可持续 2 周。最早的症状为低热、畏寒，随即耳前腮腺部位肿胀、发硬，肿胀迅速增剧，并蔓延至颈部及颌下，波及颌下腺、舌下腺。肿胀常为两侧性，疼痛轻，不发红，不化脓，但咀嚼及吞咽时疼痛加剧。4 ～ 5 天后消肿。青春期后的患者于恢复期偶见睾丸、卵巢或乳腺炎，胰腺炎极少见，这些炎症病程均短，预后佳。睾丸或可萎缩，但不影响生育。常伴发脑膜脑炎，但多痊愈。流行性腮腺炎本身无需特殊治疗。预防：减活腮腺炎病毒疫苗可使人获终生免疫。临床三合一疫苗除腮腺炎疫苗外，还包括麻疹疫苗和风疹疫苗。

Mun（people）　参阅 **Mon** 孟人。

Mun,（Adrien-）Albert（-Marie），comte de　曼恩伯爵（1841-02-28，法国卢米尼～1914-10-06，波尔多）　法国基督教社会党领袖和演说家。他主张大主教应成为社会改革的工具。他离开圣西尔军校后，在阿尔及利亚（1862）和普法战争中服役，后曾与巴黎公社作战。但从 1871 年底起致力于在全国组织天主教工人俱乐部。他被选入众议院后，多年来站在君主派一边。但遵从教皇利奥十三世 1892 年的通谕，宣布如果共和政权尊重宗教，他愿归顺这一政权。

美国不列颠百科全书公司供图

Mun, Thomas　曼（约 1571-06-17 受洗，伦敦～约 1641-07-21）　英国经济学作家。第一个明确、有力地提出贸易差额论。1620 年发生经济萧条，他的声名大噪。东印度公司在贸易中融通资金，每次航行要出口价值 3 万英镑的金条，这招致许多人的责难。皇家特许状规定公司须在 6 个月内进口同等价值的黄金，而人们仍然指责公司从印度进口的货物超过了英国对印度的出口。曼在 1621 年发表的《论英国与东印度的贸易》中辩解说，只要英国的出口总值超过进口总值，则黄金的出口是无害的。他指出，从转口东印度货物所获得的售价超过了为支付这些货物而出口的黄金价值。他是东印度公司的董事，1622 年被任命为政府贸易委员会的常务委员。死后出版了他最重要的著作《英国得自对外贸易的财富》（1644）。

Mun River　蒙河　泰国东部呵叻高原主要河系。源出曼谷东北山甘烹山脉，向东流，接纳主要支流栖河后，在老挝边境注入湄公河。全长 673 千米。在乌汶下游可季节性通航。呵叻和乌汶是两岸的主要城镇。

Muna Island　穆纳岛　印度尼西亚东南苏拉威西省岛屿和县。在苏拉威西岛东南部半岛南面的弗洛勒斯海。面积 1 704 平方千米。地势起伏，多丘陵，海拔高达 445 米。北部和东北部有柚木林，只有少量采伐。穆纳人为穆斯林民族，讲一种澳斯特罗尼西亚语言。从事简单农业，主要农产品是稻米和块茎作物，其他食物有西谷和海参；后者也出口。岛上有马来野猪和袋貂之类的动物。主要城镇和港口拉哈位于东北海岸，隔着狭长的布通海峡与东面的布通岛相望。人口 174 057 (1980)。

Munakata Shikō　栋方志功(1903-09-05，日本青森～1975-09-13，东京)　日本木版画家。作品以刀法豪放、刚健洒脱、画面生动闻名。1924 年从平冢运一学习木版画，后形成自己风格。1938 年，获文部省艺术展览最高奖，成为第一个获得这一特殊荣誉的木版画家。此后，笃信佛教，作品逐渐具有宗教涵义。1951 年荣获瑞士卢加诺国际版画展最高奖；1956 年获威尼斯比奈尔最高奖，成为日本第一个获该奖者。1970 年，获日本政府的文化勋章。

Munastīr, al-　莫纳斯提尔　又拼 Monastir，拉丁语作 Ruspinum。突尼斯东部城市，在哈马马特湾与莫纳斯提尔湾之间一小半岛的顶端。城西 5 千米处有腓尼基和罗马居民点的遗址。为港口，并与邻近的斯卡纳斯构成著名的海滨胜地。设有国际机场。工业包括纺织、捕捞金枪鱼、制盐、生产橄榄油等。城内有寺院古堡(公元 180)、古清真寺和 1968 年新建的清真寺。人口约47 807(1989)。

Munch, Charles　蒙希(1891-09-26，德国斯特拉斯堡～1968-11-06，美国弗吉尼亚里士满)　指挥家，以表演勃拉姆斯、德彪西和拉威尔的作品闻名。曾在巴黎和柏林学习小提

波士顿交响乐团供图

琴。1919～1925 年任斯特拉斯堡音乐学院小提琴教授及斯特拉斯堡管弦乐队领队。后任莱比锡布业会堂管弦乐队领队。1932 年在巴黎任斯特拉拉姆管弦乐队指挥。1935 年协助建立巴黎爱乐管弦乐团。1935～1938 年任指挥期间对演出现代法国作品给予极大支持。1949～1962 年任波士顿交响乐团指挥，此间指挥 39 部世界上首次公演以及 17 部在美国首次公演的现代作品。1951～1962 年主持坦格尔伍德的伯克希尔音乐中心。撰有自传《我是一位指挥》(1955 年由 L.伯卡特将德语译成英语)。

Munch, Edvard　蒙克(1863-12-12，挪威洛顿～1944-01-23，奥斯陆附近爱克勒)　挪威著名油画家和版画家。他以高度个性化的艺术与 19 世纪矫揉造作的学院派对抗，是 20 世纪表现主义艺术的先驱。童年父母双亡，给他心灵打上深刻的印记。他曾画过《病娃》

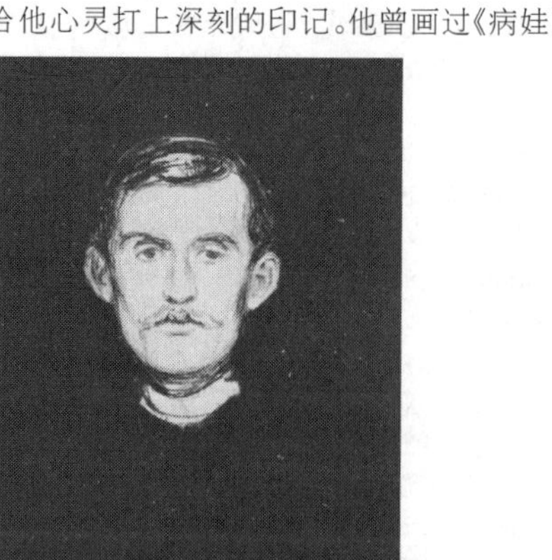

蒙克自画像，1895 年
美国不列颠百科全书公司供图

(1886)、《死亡之屋》(1892)和《母亲之死》(1899)等许多以疾病与死亡为主题的作品。一度进过克里斯蒂安尼亚(今奥斯陆)工艺美术学校，受业于挪威主要自然主义画家 C.克罗格。1885 年第一次旅法，学习印象派，后又受高庚、土鲁斯-劳特累克及"新艺术运动"的影响，导致他画风重大变革。1892 年参加了柏林的一次展览，由于形象怪异，在德国引起强烈反响，画展只开了一周即关闭了，但他的表现主义作风得到承认。以后主要在柏林和巴黎活动。1894 年以后受当时复兴的德国版画艺术影响，制作了大量铜版、石版和木刻，具有直率、单纯和强烈的主观性特色。从首次柏林画展到 1908 年患精神分裂症这 16 年，是蒙克艺术发展的重要阶段。他在忧郁、惊恐的精神控制下，以扭曲的线形风格表现他眼中悲惨的人生。著名的《呼喊》(1893)是现代人类精神极度苦闷的象征。蒙克与著名剧作家易卜生、斯特林堡，挪威小说家汉姆生和法国诗人马拉梅等为友，并倾心于易卜生的社会问题剧，曾为其剧作设计过舞台布景。1910 年后，蒙克定居挪威。这段时期其风景画色彩丰富明亮，画风自由奔放，最典型的是

蒙克绘《呼喊》(1893)
美国不列颠百科全书公司供图

奥斯陆大学讲演厅壁画(1910～1916)。他在挪威人民心目中享有崇高的威望，1963 年奥斯陆市建立了蒙克博物馆，陈列他遗赠的全部作品。

Munch, Peter Andreas　蒙克(1810-12-15，挪威克里斯蒂安尼亚～1863-05-25，罗马)　挪威历史学家、大学教授、挪威民族主义历史编纂学派的创立者之一。在浪漫的民族主义时期写作，与凯泽共同提出这样的想法：挪威人是从北方来到斯堪的纳维亚的，因而代表纯北欧种族；古斯堪的纳维亚语是挪威文化而不是一般斯堪的纳维亚文化的产物。他尽毕生学术研究，未能证明前一想法，但后一想法则毫无疑问地为人们认可。所著多卷本《挪威人民史》(1852～1863)曾经鼓舞挪威许多艺术家和文学家的创作，易卜生的《彼尔·英特》就是从该书得到启示的。

Munch, Peter Rochegune　蒙克(1870-07-25，丹麦雷德斯泰德～1948-01-12，哥本哈根)　丹麦历史学家、政治家。在 20 世纪 30 年代，作为丹麦外交大臣，试图在希特勒独裁时期保持丹麦的中立与独立。原从事近代欧洲史研究，1909 年以激进党员身份进入丹麦议会。历任内务大臣(1909～1910)、国防大臣(1913～1920)和外交大臣(1929～1942)。在任外交大臣期间，曾企图使希特勒承认丹麦与德国 1920 年所划的边界而未能成功，但避免了与德国发生公开冲突。1940 年德国占领丹麦，蒙克成为替罪羊，因而辞职。

München (Germany)　参阅 **Munich 慕尼黑**。

München-Gladbach (Germany)　参阅 **Mönchengladbach 门兴格拉德巴赫**。

Münchhausen, Baron　闵希豪生(1720-05-11，汉诺威博登韦德[德国]～1797-02-22，博登韦德)　德国乡绅，以擅讲故事闻名。他讲的故事成为《闵希豪生男爵的奇遇》一书的基础。他曾在俄罗斯军队服役，与土耳其人打过仗，1760 年退伍回乡，成为乡绅。他在汉诺威一带讲述他当兵、狩猎、运动时的趣事逸闻，颇有名气。这种故事的一个集子发表时称为《快活人手册》(1781～1783)。拉斯佩最初把闵希豪生当作夸张故事讲述者的"典型"予以介绍，他利用以前的故事作为基本材料，1785 年在伦敦出版了一本小书。书名为《闵希豪生在俄罗斯的旅行和从军奇遇自述》。后来又出了许多版，内容也有所增加，这些版本传诵很广，深受欢迎，并被译为许多文字，但是同历史上的闵希豪生无任何联系。

Muncie　曼西　美国印第安纳州东部城市，特拉华县县城。临怀特河，西南距印第安纳波利斯 96 千米。曼西是社会学家林德夫妇在《米德尔敦》一书中描写的美国普通城镇。1827 年始建，1847 年设镇，1865 年设市。1852 年通铁路和 1886 年发现天然气促进了当地工业的发展。现为贸易和工业中心。设有州立鲍尔大学(1918)。人口：市约66 916；都会统计区约115 472(1999)。

Muṇḍā　蒙达诸民族　居住在印度中部和东部广阔地带的约10个不同的部落群，操澳斯特罗-亚细亚语系的各种蒙达语。20世纪末人口约900万。在比哈尔邦南部焦达讷格布尔高原，在邻近的西孟加拉邦和中央邦的部分地区，在奥里萨邦的丘陵地带，蒙达人是人口最多的居民。蒙达诸民族与其他印度民族在体形上没有明显差别。蒙达人的历史和族源尚不清楚。直到最近，他们的住地仍远离印度文明中心。该地区山脉连绵，丛林密集，土地贫瘠，不利于农业。据说蒙达人曾广泛地分布各地，由于其他文化上较先进的诸民族不断扩展、进逼，蒙达人后来又退回现在地区。虽然如此，他们并未完全生活在孤立状态中，而是分享了印度其他民族许多文化特点，只是带有某些蒙达部落的变异成分而已。多数蒙达民族务农，其中只有住在焦达讷格布尔高原的比罗尔人从事狩猎和采集，他们人数很少，以卖林间产物补助生活。奥里萨邦的少数蒙达部落或部分残余仍从事刀耕火种的农业。蒙达诸民族保持其语言以及本来的信仰、道德标准和一种单独的认同意识。印度政府现在正鼓励蒙达人融入更大的印度社会。

Muṇḍā languages　蒙达诸语言　属澳斯特罗-亚细亚诸语言，使用者为印度北部和中部的约900万蒙达人。有些学者将这个语族分为：北部语支，包括桑塔利语、蒙达里语、布米吉语、荷语、比罗尔语、科达语、图里语、阿苏里语、科尔瓦语、卡里亚语，通行于比哈尔邦的乔塔纳格普尔高原、奥里萨邦和孟加拉地区；南部语支，包括朱昂语、索拉语、加达巴语，通行于奥里萨邦中部及安得拉邦与奥里萨邦交界地区；西部语支，只有科尔库语，通行于中央邦的马哈德奥山区。另一些学者则把卡里亚语列入南部语支，科尔库语列入北部语支。蒙达语北支（桑塔利语为其主要语言）在两语支中较重要，使用北支语言者约为操蒙达语全部人数的90%。蒙达里语和荷语在使用人数上仅次于桑塔利语，再次为科尔库语和索拉语。操其他蒙达语者是少数孤立的罕为人知的群体。有些学者把蒙达语北支诸语言（卡里亚语和科尔库语除外）有时归为凯尔瓦里诸语言，另些学者又把科尔库语地区以北通行的纳哈里语也包括在内。凯尔瓦里诸语言，在分类上是唯一独立的语支。蒙达语的特点是：名词有三种数（单数、双数和复数），两种性（有生的和无生的）；动词时态用后缀或助词表示。蒙达语在语音方面，除在词中间外，罕用辅音序列；除科尔库语的音节区分声调高低外，均使用重音。

Munda, Battle of　蒙达战役　公元前45年庞培与尤里乌斯·凯撒的一次交战。庞培的军队在蒙达高地列阵，与凯撒的军队激战数小时。为了鼓舞士气，凯撒亲自出马，终于取得胜利。该战役结束了古罗马内战。

Munday, Anthony　芒戴（1560?，英格兰伦敦～1633-08-09入葬，伦敦）　英国诗人、剧作家、小册子作者、翻译家。16岁前曾当过演员，后成为一著名印刷商的学徒。1578年出国，显然是作为密探被派去刺探逃亡在法国和意大利的英国天主教难民的计划，并化名被录取入罗马的英吉利学院达数月之久。回国后和戏剧恢复关系。1579年以后作品陆续出版，其中有流行民谣、几首富于魄力和创新的抒情诗、大量道德说教诗、多卷法国和西班牙的传奇、散文小册子和一些训诲著作的译作，但所写许多剧本仅出版两本。1581～1582年，在捉拿和审讯随殉教者E.坎皮恩到英格兰的耶稣会密使的行动中很突出，其中许多人他已在罗马认识。评论家们发现，他的《英国人的罗马生活》（1582）详细描写了在英吉利学院里的学习和生活情况，尽管怀有敌意，却永远使人发生兴趣。至1586年，他已被任命为女王宫中的信使，在伊丽萨白一世在位的其余时间里他似乎一直拥有这个职位。关于他的演员和戏剧家生涯，所知甚少。他的《忠诚和幸运》（不晚于1584年）是根据L.帕斯夸利戈的《忠诚》改编的，曾在宫中演出，1585年出版。现存最早创作的剧本是《肯特的约翰和坎伯的约翰》，可能写于1589年年中之前。他显然是莎士比亚在16世纪90年代中期崛起后唯一仍享有声望的伊丽莎白时代早期作家。

Mundelein　曼德莱恩　美国伊利诺伊州东北部莱克县村庄，芝加哥北郊。1835年创建，1909年设村。几易其名，1926年为纪念芝加哥大主教而取现名。现主要为住宅区，村北有湖上圣母神学院（1921）。人口约30 935（2000）。

Mundelein, George William　曼德莱恩（1872-07-02，美国纽约州纽约～1939-10-02，伊利诺伊曼德莱恩）　天主教芝加哥枢机主教和大主教，是将在美国的天主教会美国化的领导人物。曾在罗马学习神学。1909年任纽约布鲁克林助理主教。1915年任芝加哥大主教。为了促进美国各民族文化的融合，他不批准天主教移民建立本民族教区，并宣布教区学校一律采用英语。1924年教皇庇护十一世提升他为枢机主教。1926年各地天主教会在芝加哥举行国际圣体大会。曼德莱恩在大会上发挥重要作用。

Mundell, Robert A(lexander)　蒙代尔（1932-10-24，加拿大安大略省金斯顿～　　）　加拿大出生的经济学家，以其在货币动态与最佳货币区域方面的研究获1999年诺贝尔经济学奖。先后就读于不列颠哥伦比亚大学（学士，1953）、华盛顿大学（硕士，1954）、伦敦经济学院和麻省理工学院（博士，1956）。曾是芝加哥大学政治经济学博士后研究人员（1956～1957），后在该校任经济学教授（1966～1971），并担任政治经济学学报编辑。1974年去纽约市哥伦比亚大学执教。20世纪60年代在国际货币基金研究部工作时，开始对汇率及其对货币政策的影响进行宏观经济分析。1961年提出他的理论，认为在一个劳动力和贸易自由流动的经济区或最佳货币区域内，单一货币是可行的。作为第一位研究浮动汇率（即允许汇率由市场决定而不是由政府来规定与另一种货币或商品的比价）影响的经济学家，将对外贸易和资本流动引入以前的封闭式经济模型，用以表明是国际资本的流动程度影响了汇率平抑政策。他的结论是，一个国家的汇率是由资本市场中人们拥有该国货币的意愿和愿望所决定的。而这种意愿和愿望又是由人们对国民经济前景、通货膨胀和货币政策的看法决定的。其开拓性理论对欧元的创立，起了关键性的作用。他的另一个摈弃传统的思路是，早在20世纪70年代，他就主张利用收缩银根（即对货币供应设限）来降低通货膨胀以及通过削减税率刺激实际经济增长。蒙代尔曾担任包括里根总统任内的美国等几个国家政府的顾问，并曾为世界银行等一些国际组织工作。著有《人类与经济学》（1968）和《货币理论：世界经济中的利息、通货膨胀与增长》（1971）。

Mundurukú　蒙杜鲁库人　亚马孙热带森林中的南美印第安民族，使用一种图皮语组的语言，居住在巴西帕拉州的西南部和亚马孙州的东南角。蒙杜鲁库人原来是一个侵略好战的部落，沿塔帕岩斯河扩张，为广大邻部所畏惧。19世纪初，巴西殖民者征服了他们，吞并了他们的土地。蒙杜鲁库人的经济活动为热带森林类型：农、渔、猎与采集相结合。男子作战、狩猎、捕鱼，妇女耕作。男子单独居住，只在短暂时间内与其妻室儿女团聚。现代蒙杜鲁库人以采取野橡胶树的胶乳为生，并以此换取工业制品。由于对巴西经济的依赖，使蒙杜鲁库的人生活发生了变化。只有隔绝在亚马孙森林中的蒙杜鲁库人才未受巴西生活的同化。

Müneccimbaşı, Ahmed Dede　星官艾哈迈德（1631，马其顿萨洛尼卡［今在希腊塞萨洛尼基］～1702-02-27，麦加）　又译米内金巴舍。奥斯曼历史学家、天文学家、作家。他研究天文学和占星学。因1665年在穆罕默德四世的宫廷中占星，故名"星官"。1687年失宠，流放埃及。后从埃及去麦加和麦地那度过余生。他最有名的著作是用阿拉伯文写的《各国概况》。此书是叙述从亚当到1672年穆斯林各王朝和非穆斯林各朝代的通史，其中包括对巴比伦尼亚、塞琉西、亚述、印度和中国的记载。

Mungir (India)　参阅 **Monghyr** 蒙吉尔。

Mungo, Saint　芒戈，圣　参阅 **Kentigern, Saint** 肯蒂格尔恩，圣。

Muni, Paul　茂尼（1895-09-22，奥地利伦贝格～1967-08-25，美国加利福尼亚圣巴巴拉）　美国戏剧和电影演员。出身于波兰犹太人演员家庭。1902年移居美国。12岁起登台演出。尽管他在欧美意第绪语戏剧表演中已有地位，但到1926年才首次在百老汇演出英语戏剧《我们美国人》，后来的几个舞台角色奠定了他的明星地位。1929年进入影坛，首次拍《勇敢的人》和《七面人》。他一生从事戏剧和电影表演，交替在百老汇和好莱坞扮演角色，其严谨态度使他在这两种艺术形式中都取得伟大成就。最令人难忘的影片是获奖的

《巴斯德传》(1936)和《疤脸大盗》(1932),以及《我是一个越狱犯》(1932)、《左拉传》(1937)等。他出演的影片得过奥斯卡奖。他最后一部成功的百老汇戏剧《承受大风》(1955)获安托瓦内特·佩里奖,他最后一部影片是《最后生气的人》(1959)。

munia　文鸟类　雀形目梅花雀科若干体小、形似雀类的亚洲鸟类,包括侏形雀(**mannikin**)类和蜡嘴鸟(**waxbill**)类。栗腹侏形雀(黑头文鸟,*Lonchura malacca*,包括 *L. atricapilla* 与 *L. ferruginosa*)为由印度分布至爪哇、菲律宾的稻田害鸟;饲为笼鸟则称作三色修女鸟。其他饲作宠物者尚包括产在泰国至爪哇的白头文鸟(*L. maja*)和产在印度的绿文鸟(绿虎雀,*Amandava formosa*)。白喉文鸟又与其他有银色喙的鸟类一样,称为银嘴鸟。关于红文鸟,参阅 **avadavat**。

栗腹侏形雀(黑头文鸟,*Lonchura malacca*)
美国不列颠百科全书公司供图

Munich　慕尼黑　德语作München。德国巴伐利亚州最大城市和首府,又是德国第三大城市,仅次于柏林和汉堡。濒伊萨尔河,离阿尔卑斯山北缘约50千米。慕尼黑德语意为"僧侣之乡"。可追溯至8世纪本笃会在泰根湖边建立的隐修院。1157年巴伐利亚公爵狮子亨利授权僧侣建立市场。1255年慕尼黑成为维特尔斯巴赫家族之家乡,该家族与这个城镇共命运长达700余年。14世纪初期,路易四世(称作"巴伐利亚人")将城镇扩大,这个规模一直维持到18世纪末。马克西米连一世(1597～1651在位)统治时期,城市繁荣,维持至三十年战争。1825～1848年巴伐利亚国王路易一世规划并创建了现代的慕尼黑。19世纪为大发展时期,新教徒第一次在这个此前曾是纯天主教的城镇中被承认为市民。慕尼黑在欧洲文化方面的重要性由于路易二世奖励作曲家瓦格纳而大大提高,使该城镇恢复了它音乐和戏剧之乡的声誉。第一次世界大战后,慕尼黑成为政治活动的场所。正是在这里,希特勒加入了国家社会主义党(纳粹党)并成为党魁。1923年11月8日他在当地啤酒馆聚众闹事反对巴伐利亚当局,闹事的地下室现在仍可见。第二次世界大战期间,慕尼黑遭到猛烈轰炸。历史建筑物有弗劳恩教堂(1468～1488)、旧市政厅(1470～1480)、彼得斯教堂(1169,慕尼黑最古老的教堂)、文艺复兴时期风格的米契尔教堂(1583～1597)。原军械库现为市博物馆。旧城主要是巴罗克式和洛可可风格。1743～1753年间完成了一座戏院。城墙外有两座城堡。新市政厅(1867～1874建)在世纪交迭时进行了扩建。工业有精密仪器、光学仪器和电器等制造业,也生产啤酒、食品、化妆品和服装。书籍印刷出版和电影制片也很重要。该市还是会议和金融中心,还有欧洲最大的水果、蔬菜和牲畜产品批发市场之一。有铁路通往德国和奥地利所有主要城镇,并有高速公路通斯图加特、纽伦堡和萨尔茨堡。里姆机场经管国内外航线。市内有一条现代化的地下铁道。路德维希-马克西米连大学于1826年从兰茨胡特迁到慕尼黑。其他主要教育机构有慕尼黑工学院(1868年创建),还有艺术、音乐、哲学、军事、电影电视等学院。慕尼黑久为艺术中心。音乐,尤其是歌剧,极为兴盛。除巴伐利亚州立歌剧团和慕尼黑爱乐交响乐团和其他交响乐团外,还有巴伐利亚州立剧团和许多私营剧场。重要的图书馆有巴伐利亚州立图书馆、大学图书馆和德意志博物馆图书馆(是一座科学图书馆)。还有许多杰出的博物馆和美术馆,如巴伐利亚国家博物馆内藏有中世纪以来的德国艺术和实用艺术品。首都博物馆内有绘画、雕刻品、家具和陶瓷品;伊萨尔河博物馆岛上的德意志博物馆是一座极大的综合性博物馆,有科学、工程和技术等方面的收藏品。还有一座现代艺术博物馆和许许多多小型艺术画廊。1972年夏季奥运会在该市举行。人口:市1 247 873(2003),大都会区2 291 000(2000)。

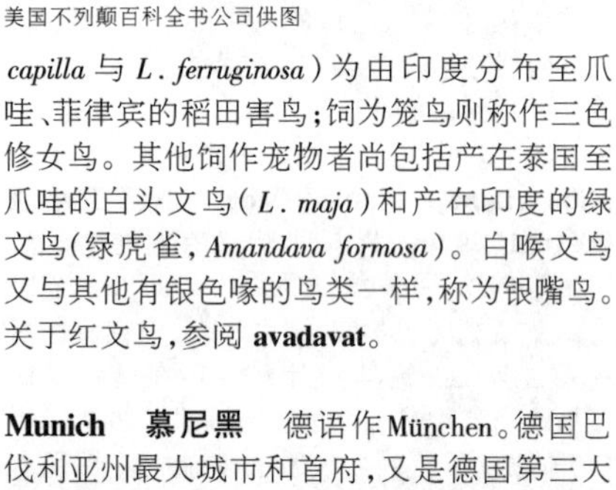

慕尼黑市的弗劳恩教堂(左)和新市政厅(右)
美国不列颠百科全书公司供图

Munich, University of　慕尼黑大学　全称慕尼黑路德维希-马克西米连大学(Ludwig Maximilian University of Munich)。由德国巴伐利亚州资助、实行自治的男女合校高等学府。该校由巴伐利亚公爵于1472年在因戈尔施塔特依照维也纳大学创办。在新教改革运动时期,约翰·埃克把它变为天主教反对马丁·路德的中心。1799年该校成立经济学院和政治学院。翌年国王马克西米连·约瑟夫将该校迁往兰茨胡特,并将其命名为路德维希-马克西米连大学,皇室继续给该校以大力支持。1826年国王路德维希一世将该校迁至慕尼黑。1868年慕尼黑大学成立了设有农林课程的技术学院。尽管该校增添了新教神学院,但是天主教神学院依然有影响。附属于该校的研究所、研究班和诊所已达200余家。

Munich agreement　《慕尼黑协定》(1938-09-30)　德国、英国、法国和意大利达成的允许德国吞并捷克斯洛伐克西部苏台德区的解决办法。1938年3月,希特勒轻易地把奥地利并入德国以后,立即觊觎捷克斯洛伐克,当时苏台德区有300万德裔居民。1938年5月得知希特勒正在拟定占领捷克斯洛伐克的计划。捷克斯洛伐克与法国建有同盟关系,依赖法国的军事支持。苏联也同捷克斯洛伐克签有条约并暗示愿意与法、英合作保护捷克斯洛伐克,但在整个危机过程中,苏联可能提供的支持根本未予考虑。希特勒不断发表气势汹汹的演说,要求在捷克斯洛伐克的德裔居民与祖国重新统一,战争迫在眉睫。法国和英国都感到猝不及防,但是两国都迫切希望不惜一切代价避免与德国对抗。9月中旬,英国首相张伯伦亲自同德国元首讨论形势。希特勒同意在进一步讨论以前不采取军事行动,而张伯伦也同意设法说服他的内阁和法国接受在苏台德区举行公民投票的结果。接着法国总理达拉第和外长博内抵达伦敦,他们拟了一份联合建议,不征求捷克斯洛伐克的意见,规定苏台德区德裔人口占50%以上的所有地区都归还德国。9月22日,张伯伦再次飞往德国,在戈德斯堡同希特勒会晤,在那里他惊讶地得知希特勒已经提高了要求:希特勒现在要求占领全苏台德区,捷克斯洛伐克人须在9月28日以前从那里撤出。张伯伦同意把这个新要求转达给捷克斯洛伐克,后者拒绝了这个要求,英国内阁和法国人也同样拒绝。24日,法国下令部分动员;23日,捷克斯洛伐克已下令总动员;27日,英国舰队动员,并宣布了紧急状态。张伯伦为避免战争作了最后一分钟的努力,建议立即召开四强会议,以解决争端。希特勒同意了。9月29日,希特勒、张伯伦、达拉第以及意大利独裁者墨索里尼在慕尼黑开会,墨索里尼在会上提出了一个书面计划,这个计划被全体与会者接受,是为慕尼黑协定(多年以后发现,这份所谓意大利的计划,是德国外交部拟定的)。它与戈德斯堡的建议几乎完全相同:德军将在10月10日占领苏台德区;其余有争议地区的前途由一国际委员会来决定。英、法通知捷克斯洛伐克:要么他们自己单独去抵抗德国,要么就服从吞并的决定。捷政府选择了后者。达拉第和张伯伦回国受到热烈的欢迎,以为战争的威胁已经消除。然而次年3月希特勒吞并了整个捷克斯洛伐克,9月入侵波兰,挑起了第二次世界大战,使张伯伦的政策名声扫地。《慕尼黑协定》成为对扩张主义极权国家实行绥靖政策的代名词。

Munich Putsch　慕尼黑暴动(1923)　参阅 **Beer Hall Putsch** 啤酒店暴动。

municipality　市　美国城市的地方政府单位,是州的下属政区,设立市政机构作为人口稠密的特定地区的全面的地方政府。市可以是一个城市、村镇、村或城镇,但在新英格兰各州、纽约州和威斯康星州与此不同:县或州以下的地区称城镇。市是地方政府的主要类型之一,其他类型还有县、城镇、校区和特区等。市政机构依州的宪法和法律组成,具有宪法和法律规定的政府权力,通常由民选的管理机构行使。市主要是州政府为适应某些公众事务的需要而设立的,如垃圾处理、警察和消防、供水、保健等。在许多欧洲国家,法律规定的一些地方政府类型也称为市,如在法国、意大利、低地国家和大多数斯堪的纳维亚国家。有些欧洲国家,如英国和德国另有不同的地方政府系统。在英国,市一词通常只用于大城镇。

municipio　村政府　伊比利亚半岛和拉丁美洲由全国政府承认的地方民政机构。村政府可以是一个村或社区,如在危地马拉;也可以包含若干个独立的社区,如在墨西哥。几个村组成的村政府通常有一个中心村,称cabecera,全国政府的地方办事处和天主教的地方机构就设在那里。村政府通常也是省、区和地方的社会中心。

municipium　自治市　古拉丁同盟解散后并入罗马国家的社区。最初其居民被认为是没有投票权的罗马公民。随着意大利各行省并入罗马国家,自治市居民按部落登记,获得了全部政治权。这些城市保有一定程度的自治,仍可保留自己的政权机构和行政长官,后者具有一定限度的司法和财政实权。但在外交政策上受制于罗马,不得铸币,应向罗马提供军队。最终整个拉丁和意大利社区都成为罗马公民自治市。此制大都盛行于讲拉丁语的行省,在北方或讲希腊语的东方行省极少出现。其主要收入为富裕市民的捐赠、进出口税和城市土地的税租。

Munk, Kaj　蒙克(1898-01-13,丹麦马里博～1944-01-04,锡尔克堡附近)　丹麦剧作家、教士、爱国者。在哥本哈根大学时开始写他第一部上演剧本《一个理想主义者》(1928)。

美国不列颠百科全书公司供图

这部剧本最初被评论界误解,10年后才得到赞扬。1931年写《康特》(取材于安妮·博林王后的盛衰浮沉),初获成功。以日德兰农民生活为背景的奇迹剧《圣言》于1932年问世,使他成为丹麦主要剧作家。《一个理想主义者》、《圣言》和描写希特勒统治下的德国的《他坐在熔锅旁》(1938)是他的3部最佳剧本。但《康特》、《爱情》(1926)和《在燃烧中》(1929)也颇受欢迎。带有序言和译文的《五部剧本》于1953年出版。他是虔诚和深受爱戴的教区牧师,第二次世界大战期间,他的直言无忌的布道,使许多人参加了抗德行列,因此惨遭纳粹杀害。

Munkács (Ukraine)　蒙卡奇　参阅 **Mukachovo** *穆卡切沃*。

Munkar and Nakīr　孟卡尔和纳吉尔　伊斯兰末世论中的两个天使。他们专门负责考验墓中死者的信德。他们让死人在墓中直立,向他询问穆罕默德是谁,义人知道穆罕默德是安拉,于是可以平静地安息,以待最后审判日。不信安拉的人和罪人都回答不出,于是每星期除星期五以外每天都要受孟卡尔和纳吉尔这两个天使的责打,期限由安拉视需要而定。

Munn v. Illinois　孟恩诉伊利诺伊州案(1877)　美国最高法院确认政府有权制定法规以管理私人企业的案例。本案起因于1871年伊利诺伊州立法机构在全国格兰其(农民协会)的压力之下规定了私人公司贮存和运输农产品的最高收费率。1872年芝加哥孟恩-斯科特谷物仓储公司因违反上述法规被判有罪。但该公司不服,提出上诉,理由是:伊利诺伊州的法规是不经正当法律程序而违宪剥夺私人财产。最高法院于1877年受理申诉。首席法官莫里森·雷米克·韦特代表法庭多数宣布:州政府制定法规的权力适用于影响公众利益和私人企业。由于仓储设备是供公众使用的,它们的收费就要受公共管理法规的约束。韦特还宣布,尽管只有国会有权控制州际商务,但各州仍可在不妨碍联邦控制权的条件下采取符合公众利益的行动。孟恩诉伊利诺伊州案是一系列格兰其案件(参阅 **Granger movement**)之一,它是为争取对私人企业实行公共管理的斗争的分界线。但法院后来的一些判决却大大削弱了政府管理私人企业的权力。

Münnich, Burkhard Christoph, Count (Graf) von　米尼赫(1683-05-19,丹麦奥尔登堡诺因洪多夫～1767-10-27,俄罗斯塔尔图)　俄语拉丁字母转写作 Burkhard Kristof Minikh。俄国军人,安娜女皇时代的重要政治人物。原在法国军队和波兰-萨克森军队中服役。1721年到俄国供职,曾参加修建拉多加运河。1728年获得伯爵头衔并任俄军总司令,后晋升陆军元帅,1732年任军事委员会主席。在波兰王位继承战争期间,他曾攻克格但斯克。后来,他又率领俄军到克里米亚和摩尔多瓦与土耳其人作战,攻占彼列科普、奥恰科夫和亚速。1739年在比萨拉比亚北部的斯塔武恰内获得重大胜利。战争结束后回圣彼得堡,在政府中任要职。1741年因宫廷斗争失败被流放到西伯利亚。1762年获释,任波罗的海港口总监。

Munonye, John　穆诺涅(1929-04-28,尼日利亚东中央州阿科克瓦～　)　非洲教育家、小说家,善于表现当代尼日利亚的朝气蓬勃的景象。1943～1947年就学于奥尼查的基督圣王学院,1952年毕业于伊巴丹大学。任尼日利亚教育部教育视察员,不久任奥韦里高级师资训练学院院长,后继任东尼日利亚首席教育视察员。1977年离开教育部任教,并将更多的时间用于写作。第1部小说《独子》(1966)写由于宗教分歧而造成母子分离的故事。《奥比》(1969)是《独子》的续篇,拓宽了主题,写一个大家庭的故事以及非洲传统与欧洲信仰间的冲突。在《奥班奇的油商》(1971)里,主人公为了给自己的子女寻求西方教育放弃了传统生活和教会的宗教生活,结果不断受到不幸的困扰并终至死亡。他还写有《给少女们的花环》(1973)、《幸运的舞蹈家》(1974)和《通向婚礼的桥梁》(1978)等作品。

Muñoz Marín, Luis　穆尼奥斯·马林(1898-02-18,波多黎各圣胡安～1980-04-30,圣胡安)　波多黎各政治家,曾4次当选总督。早期主张岛屿独立,后期为该岛在美国指导下取得社会和经济进步而努力。其父为爱国出版家穆尼奥斯·里维拉,曾任常驻美国的专员。穆尼奥斯·马林早年在美国受教育。1916～1918年任常驻专员的秘书,攻读法律,并写了两部书。1926年回国,任其父创办的《民主报》的编辑。1932年当选参议员,加入激进派,鼓吹完全摆脱美国而独立,因此在1937年被自由党除名。1938年穆尼奥斯·马林创立人民民主党,1940年该党在大选中获胜。他当选参议院议长,任职到1948年。后改变立场,与美国总督雷克斯福德·特格韦尔密切合作,致力于改善住房、农业和工业状况,提出"自力更生行动计划",加速了经济的发展。1948年美国承认波多黎各有权选举总督。他在1948、1952、1956和1960年均以压倒多数票当选。任职期间使波多黎各具有美国一个州的地位,实现了自己的夙愿。1963年12月穆尼奥斯·马林获美国总统授予的自由勋章。1964年拒绝第5次任总督,再度到参议院任职。

Muñoz Rivera, Luis　穆尼奥斯·里维拉(1859-07-17,波多黎各巴兰基塔斯～1916-11-15,桑图尔塞)　波多黎各政治家、出版家和爱国者。终生致力于使国家摆脱西班牙和美国的统治而自治。1889年创办《民主报》,鼓吹摆脱西班牙的统治。后为争取自治的各政

美国不列颠百科全书公司供图

党的领袖。1897 年波多黎各实现自治，他曾发挥一定作用。不久成为国务秘书，继而出任首届自治内阁首脑。在美国终止波多黎各的短时期的自治后于 1899 年辞职。余年主要在美国度过。其间仍致力于波多黎各的独立事业。他在纽约出版刊物，向北美公众介绍自己祖国的困境。1910 年任波多黎各驻华盛顿常驻专员。他去世后不久即通过他为之奋斗的《琼斯法案》，使波多黎各获得很大程度的自治权。

Munro, H. H.　芒罗（1870-12-18，缅甸阿恰布～1916-11-14，法国博蒙-阿梅尔附近）　苏格兰作家、新闻记者。笔名萨基。他的作品描述爱德华时代的社会景象，信手拈来，遐想泉涌，既讽刺了社会上的虚饰、冷酷和愚蠢现象，又创造出一种恐怖气氛。父亲是驻缅甸的警官，2 岁时被送去与几个姑妈同住。他后来在他写的许多儿童故事中，描写了专横的姑妈，对她们的严格和不通情达理进行了报复。芒罗曾就读于埃克斯茅斯和贝德福德文法学校。1893 年加入缅甸警察机关，但因伤病而退伍。后从事新闻工作，为《威斯敏斯特报》撰写政治讽刺文章。1900 年出版的《俄罗斯帝国之兴起》，为一严肃的历史性著作。后任《晨邮报》驻巴尔干各国、俄国和巴黎的记者。1908 年芒罗定居伦敦，撰写短篇小说及小品文《雷金纳德》（1904）、《雷金纳德在俄国》（1910）、《克洛维斯记事》（1912）以及《野兽和超级野兽》（1914）。这些作品中警句甚多，结构严密，结局常为政治笑话或出人不意。芒罗的小说显露出作者的残酷性格并自认为自己就是那"可怕的孩子"。他经常被选用的作品有《托伯莫里》、《开着的窗》、《斯列德尼·瓦什塔尔》、《劳拉》和《夏尔茨-梅特克吕米的方法》。小说《不可容忍的巴辛顿》（1912）描述一位爱挑剔的、可爱的但却不适应环境的英雄的种种遭遇，在某种意义上是预示了 E. 沃的早期创作。芒罗在第一次世界大战中阵亡。

Munsch, Robert (Norman)　茨（1945-06-11，美国宾夕法尼亚匹兹堡～　　）　美国出生的加拿大儿童读物作家。以幽默、富于想像力的故事著称，最著名的作品是《永远爱你》（1986）。1969 年获福德姆大学文学士学位，1971 年获波士顿大学人类学硕士学位。20 世纪 70 年代初开始在日托中心工作，发现自己有讲故事的天赋。1973 年在塔夫茨大学获儿童文学研究硕士学位。两年后迁居加拿大，1983 年成为加拿大公民。定居在安大略省圭尔夫，并在圭尔夫大学任教。人们鼓励他把讲过的故事写下来。1979 年第一本书《泥潭》出版，接着又出版了一系列故事书，包括《纸袋公主》（1980）、《抽屉里的男孩》（1982）和《安吉拉的飞机》（1983）。随着声望的攀升，他开始周游加拿大各地，在图书馆、学校和日托中心讲故事。旅途中他投宿当地居民家中，又为其写作搜集到新的素材。1986 年出版《永远爱你》，在国际上获得成功，该书约有 9 种语言的译本，到 20 世纪 90 年代末销量达1 800万册。后期作品有《鳄鱼的婴孩》（1997）、《安德鲁的松动的牙齿》（1998）和《丝带营救》（1999）。1999 年被授予加拿大勋章。

Munsell colour system　孟塞尔色系　根据美国美术教师和画家 A. H. 孟塞尔提出的颜色排列方案作出标色的方法。孟塞尔色系用色彩、色值和色品的测量标度来标色，这三个

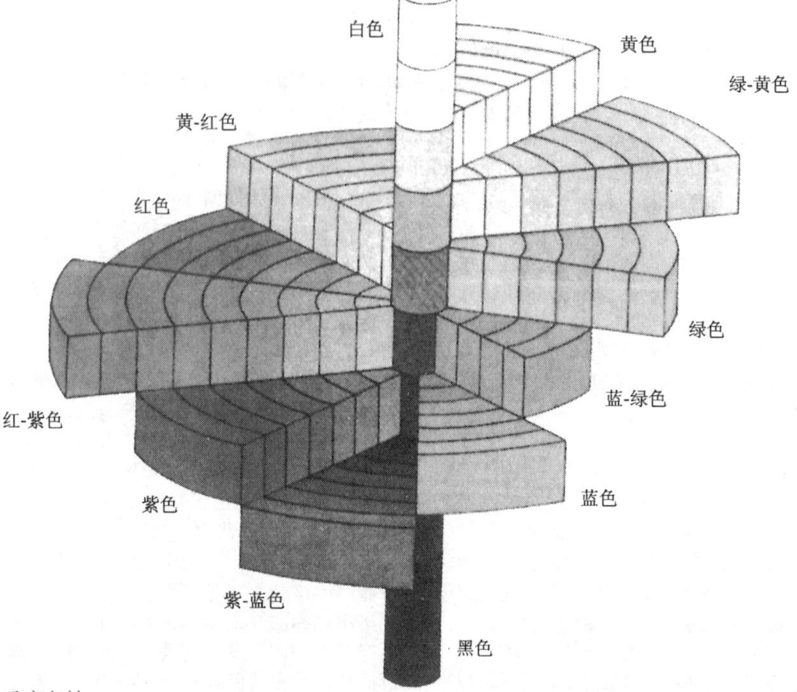

孟塞尔树

量分别对应于主波长、亮度和强度（或纯度）。国际染色或涂色表面的不透明色就是用孟塞尔色系来标定的。这一系统是孟塞尔于 1913 年在发表《孟塞尔色系图册》一书时创立的，主要有按上述三种特性排列的有几百张色卡组成的色图。孟塞尔 1918 年逝世后，孟塞尔彩色公司继承了他的工作，于 1929 年以《孟塞尔彩色图册》为名出版了新版本的图册。以三维表示的孟塞尔色系有时称为孟塞尔树。

Munsey, Frank Andrew　芒西（1854-08-21，美国缅因默瑟～1925-12-22，纽约市）　美国报刊发行人，美国报业合并趋势中的主要人物。他将其所出版的报刊看成纯营利事业，其编辑方针是保持八面玲珑的中间立场。他购入多家报纸，目的是为了对这些报纸的经营加以抑制，以加强原属于他的那些报纸的

美国国会图书馆供图

竞争力。早年在缅因州经营一家电报局，1882 年去纽约，旋即创办儿童杂志《金色的大商船》。1889 年创办《芒西杂志》，这是美国最早的带插图的廉价杂志。他所买进的报纸有《巴尔的摩新闻报》（1908）、纽约《明星报》（1891）、《新闻报》（1912）、《太阳报》和《太阳晚报》（1916）、《先驱报》和《电讯晚报》（1920）以及《环球报》（1924）。其中有些在 1916～1924 年间通过一系列合并而消失。芒西去世后，将其大部分财产（约 2 000 万美元）捐赠纽约市大都会艺术博物馆。

Munshi Abdullah bin Abdul Kadir　孟希·阿卜杜拉·宾·阿卜杜尔·卡迪尔　参阅**Abdullah bin Abdul Kadir** 阿卜杜拉·宾·阿卜杜尔·卡迪尔。

Münster　明斯特　德国西北部北莱茵-威斯特法伦州西北部行政区。西与荷兰交界。面积6 897平方千米。原为历史上威斯特伐利亚（**Westphalia**）的西北部分。由该区第二大城市和行政中心明斯特得名。南部是高度工业化的鲁尔都市联合体和广大的鲁尔煤田。鲁尔都市联合体有三个城市：本区最大的城市盖尔森基兴、雷克灵豪森和博特罗普，总人口逾 10 万。该城市地区人口密度为每平方千米2 000人以上。

明斯特的工业多样化，以采煤、钢铁、玻璃、化工、电力为主。占全区面积 3/4 以上的明斯特兰低地位于鲁尔区和条顿堡林山之间。低地的贝库姆山附近有石灰石、黏土和煤矿，为德国水泥工业主要中心。低地中部土壤肥沃，雨量大，为优良牧场，是鲁尔地区乳品和肉食品最大供应地。北部和西部为较贫瘠的沙地，并有一片片沼泽和荒原，几个较小城市如博霍尔特、赖讷等有纺织和服装业。明斯特市位于低地中央，为服务中心和重要交通枢纽。多特蒙德-埃姆斯运河流经明斯

特，从北向南贯穿该区，为鲁尔区和北海之间提供了一可通航的水道。该区的威斯特伐利亚人为西撒克逊人后裔，操低地德语。2/3以上人信奉天主教，约1/3为新教徒。区内有许多带护城河的古城堡和贵族庄园。威斯特伐利亚-威廉斯大学为本区高等教育中心。人口约2 408 271(1989)。

Münster 明斯特 德国西部北莱茵-威斯特法伦州城市。濒临明斯特阿河和多特蒙德-埃姆斯运河。804年设主教管区。以米米格纳福德为名首见记载。1068年改称现名。

明斯特市的威斯特伐利亚-威廉斯大学
美国不列颠百科全书公司供图

1137年设建制。因地扼商路交叉点并与英格兰进行羊毛贸易，早年经济地位重要。1645～1648年签订威斯特伐利亚和约的和平会议在此举行。1815年成为普鲁士威斯特伐利亚首府。第二次世界大战中受到严重破坏，但古建筑大部分已修复或重建。市内威斯特伐利亚-威廉斯大学和市高级法庭等建筑是巴罗克时期建筑大师J.C.施劳恩的杰作。重要现代建筑有州商会大厦等。作为威斯特伐利亚文化中心，建有数座文化和科学博物馆、技术学院和艺术学校。保存有诗人A.冯·德罗斯特-许尔斯霍夫的出生地和故居(1748)。生产机器、纺织品等。是威斯特伐利亚养牛业市场中心。人口约269 579(2003)。

Munster 芒斯特 爱尔兰共和国西南部的一个省，包括克莱尔、科克、凯里、利默里克、蒂珀雷里和沃特福德等郡。从历史上说是爱尔兰5个古王国之一。从地理上说，该地区由斯利亚布卢克拉山分为两部分：南为德斯蒙德，北为索门德。

Münster, Sebastian 明斯特(1489，莱茵河中游两岸巴拉丁领地英格尔海姆[德国]～

美国不列颠百科全书公司供图

1552-05-23，瑞士巴塞尔) 希伯来学者、数学家、地图绘制者、宇宙志专家。他的《宇宙志》(1544)为用德文描述世界的最早作品，也是16世纪欧洲地理思想复兴的重要著作。明斯特于1527年任巴塞尔大学的希伯来语教授，他编印希伯来文《圣经》两卷(1534～1535)，附有拉丁文的直译及许多注释。1540年他刊印托勒密《地理志》的拉丁文版，附有木刻地图，其中27帧系根据托勒密的原稿绘制，21帧为明斯特本人的设计。《宇宙志》在德国印了约40版，以包括肖像、城市景观及服饰绘图的1550年版最有价值。他的著作还有拉丁、希腊、希伯来文的《三语词典》(1530)与《欧洲地图》(1536)。

Münster cheese 明斯特干酪 Münster又拼Muenster。创始于阿尔萨斯隐修院的半软质牛奶干酪。气味浓郁，以成熟时具有的刺激性土香气著称。未成熟的明斯特干酪味道很淡，习惯用野枯茗提味。为20厘米直径的圆盘形，厚5厘米。外表染成橘红色，成熟时内部呈深奶黄色。该干酪慢慢渗出水分，但不流动。目前，德国、斯堪的纳维亚国家和美国均生产这种干酪。仿制品多味淡色浅，以德国的明斯特干酪与真正的明斯特干酪最为近似。

Münsterberg, Hugo 明斯特尔贝格(1863-06-01，普鲁士但泽[今在波兰格但斯克]～1916-12-16，美国马萨诸塞剑桥) 又译闵斯特伯格。德国出生的美国心理学家、哲学家。

美国不列颠百科全书公司供图

主要兴趣在将心理学应用于法律、商业、工业、医学、教学和社会学。他于1885年获海德堡大学哲学博士学位，1887年获该校医学博士学位。后任弗赖堡大学讲师，并在该校建立了心理学研究室。1889～1892年出版《实验心理学文集》，受到德国心理学界的抨击，却赢得W.詹姆斯的称许。1892～1895年应詹姆斯之邀任哈佛大学访问教授。1897年回哈佛长期领导心理学研究室，越来越专注于心理学在许多部门包括心灵研究中的应用。他有时被誉为应用心理学的创始人。著有《心理学与教师》(1909)、《心理学与工业效率》(1913)、《普通心理学与应用心理学》(1914)等。

Münsterland 明斯特兰 德国西北部北莱茵-威斯特法伦州一低地区。北为埃姆斯兰，东为条顿堡林山，南为利珀河，西为下莱茵河及荷德边界。大部为农业区。除中部(明斯特市)和外围地区，无大城市。中西部梅费尔德沼泽有野马出没。

Münter, Gabriele 明特(1877-02-19，德国柏林～1962-05-19，西德穆尔瑙(今属德国)德国女画家。虽然其作品深受后期印象派和野兽派的影响，但与抽象派团体“青骑士”有

明特绘《青年妇女肖像》(1909)
美国不列颠百科全书公司供图

极密切的联系。青年时代一直学习钢琴，但于1902年进入慕尼黑的方阵艺术学校学习，不久成为康定斯基的学生和伴侣。1908年两人定居穆尔瑙。在1911年第一届青骑士画展中展出6件作品，次年展出14件。其作品具有青骑士派特征，即强烈的色彩和受民间艺术影响的富有表现力的线条。她的静物、人物和风景画具有独特的代表性。名作有《青年妇女肖像》(1909)和《红云》(1911)。

Munthe, Axel Martin Fredrik 蒙特(1857-10-31，瑞典奥斯卡港～1949-02-11，斯德哥尔摩) 瑞典医生、精神病学家和作家。他的《圣米凯莱的故事》(1929)叙述他在巴黎、罗马等地行医和在卡普里岛圣米凯莱的别墅过着半退休生活的种种经历。这本作品用英文撰写并译成多种文字，赢得广大读者欢迎。蒙特曾在乌普萨拉、蒙彼利埃和巴黎求学，师从神经学先驱J.-M.夏尔科。后执业于巴黎和意大利。1908年任瑞典皇家常任御医。他还写过另外几本追忆往事的书，如《回忆与奇想》(1898)和《发自举哀之城的信》(1887)，但都逊于《圣米凯莱的故事》。

muntjac 麂 又作barking deer。偶蹄目鹿科麂属(*Muntiacus*)大约4种小型亚洲鹿类的统称。叫声似犬吠，故又称吠鹿。独栖，夜行性，栖息在茂密的植物丛中。原产于印度、东南亚和中国南部。有些种已引进英格兰和法国。缅甸和泰国的菲氏麂是一种濒危动物。麂肩高45～60厘米。浅灰褐、浅红至深褐色，因种而异。雄麂有獠牙般的上犬牙从口中突出，可致天敌重伤。角短，有一个分叉，

中国麂（*Muntiacus reevesi*）
美国不列颠百科全书公司供图

角基长，从角基有骨脊伸至面部故又俗名棱面鹿。雌性无角，但在生角的相应位置有球形突起。从前麂曾划归 *Cervulus* 属。

Müntzer, Thomas 闵采尔（不晚于1490，图林根施托尔贝格[德国]～1552-05-27，米尔豪森帝国自由市[德国]） Müntzer 又拼 Münzer 或 Monczer。拉丁语作 Thomas Monetarius。16世纪欧洲宗教改革运动中的德意志激进派领袖。鼓吹圣灵对内心的光照比《圣经》更具有权威。他生前和死后都引起争论，但公认为近代欧洲宗教及社会史上的一股重要力量。20世纪的马克思主义者认为他是争取建立无阶级社会的先驱。莱比锡大学1506年学生名册上有闵采尔之名；1512年入奥得河畔法兰克福大学，后在该校获文学硕士和神学学士学位。精通拉丁文、希腊文和希伯来文，在古代典籍和人本主义著作方面也造诣甚深，尤其熟读《旧约》和《新约》。1516～1517年在阿舍斯莱本任弗罗瑟隐修院院长。

自1518年起闵采尔在不伦瑞克中等学校任教。1518年受路德宗教改革思想影响，放弃教职。在莱比锡偶或参加路德与神学家埃克之间的辩论。1519～1520年在魏森费尔斯的博迪兹隐修院博览群书。1520～1521年在茨维考任牧师，该地上层阶级和早期矿业工会之间关系紧张。他与平民站在一起。经过一段时间，他既反对天主教礼仪，又反对路德的观点。1521年被迫离开茨维考，先到扎泰茨，再到达布拉格，赢得塔波尔派支持。闵采尔神学中革命的一面在于，他认为地上反基督的政府终究要被战胜，而这种转变要由平民按照上帝的旨意去完成。1523年闵采尔在曼斯费尔德矿区附近阿尔施泰特任牧师。他的重要教义、礼仪和政治著作都成于此地。他草拟题为《防卫的方法》的演说词，并发表讲道《告诸侯》，号召倾向于宗教改革运动的萨克森诸侯成立联盟，对抗他所说的反基督豪强，保卫他自己的教义，但未能成功。1524年，阿尔施泰特联盟正式成立，成为闵采尔教义的中心。当年秋天闵采尔离开该地，阿尔施泰特联盟结束。闵采尔在米尔豪森组织劳动者，成立"上帝永约会"。被迫离开该地后前往纽伦堡，他的主要政治著作就发表于此。自此转赴黑高和克莱特高，当地农民起义方兴未艾；然后前往格里森，度过一冬。他根据自己对起义运动的经验，不得已而返回米尔豪森，当时该地区成为德意志中部起义运动的中心。当地平民遵循闵采尔的纲领，于1525年击败教会和政府当局，取得胜利。许多城市，包括低级贵族，参加起义同盟。闵采尔及其门徒坚定而长期地支持起义。但是他们无法克服人民中间的狭隘地域观念。1525年5月15日一役，起义军败于占优势的诸侯军，闵采尔被捕，受尽酷刑，在米尔豪森被杀害。

Munufia（Egypt） 参阅 **Minūfīyah, Al- 米努夫**。

Münzer, Thomas（religious reformer） 参阅 **Müntzer, Thomas 闵采尔**。

Munzinger, Werner 蒙青格尔（1832-04-21，瑞士奥尔滕～1875-10-27，阿比西尼亚奥萨湖附近[今埃塞俄比亚]） 瑞士语言学家和探险家，尤以在埃塞俄比亚的探险而闻名。在伯尔尼、慕尼黑和巴黎学习过自然科学、东方语言和历史，后赴埃及学习阿拉伯语。再后，作为一支贸易探险队的领导，去过红海沿岸许多地区，在埃塞俄比亚北部米齐瓦（马萨瓦）建立探险队的基地。1855年移往阿比西尼亚北部的克伦，以后6年他对这个地区进行了考察。1861年参加中非探险，但11月在阿比西尼北亚北部离开了探险队，沿着加什河与阿特巴拉河前往喀土穆（今在苏丹）。1862年去科尔多凡（苏丹）旅行，企图到达尔富尔和瓦代两地皆未果。1863年在欧洲稍事逗留后，蒙青格尔回到阿比西尼亚北部和东北部边境地区。1865年米齐瓦被埃及吞并，他被任命为驻该城的英国领事。对1867～1868年的阿比西尼亚探险给予重要的协助，其中包括对几乎无人知晓的阿费尔地区（今吉布提）的考察。1868年受任为法国驻米齐瓦的领事，1871年由米齐瓦的哈蒂夫伊斯梅尔总督授予贝伊称号。1870年访问了阿拉伯半岛南部。蒙青格尔任米齐瓦长官时，将阿比西尼亚北部两省并入埃及，1872年他又成为苏丹东部地区的帕夏和总督。1875年阿比西尼亚北部地区埃及军队司令官由蒙青格尔替代，他准备率领一支小探险队去取得同绍阿国王曼涅里克二世的联系，绍阿有可能成为埃及的同盟。蒙青格尔带领350名兵士和一位曼涅里克派来的使节离开塔朱拉湾去安科伯尔。到达奥萨湖时，探险队遭受袭击，蒙青格尔和妻子以及几乎全部探险队员被杀。

muon μ子 和电子相似但比电子重207倍的亚原子粒子。μ子有两种形式，负μ子和它的反粒子——正μ子。1936年发现μ子后，最初根据其质量认为它是日本物理学家汤川秀树预言的介子（1935），用以说明把原子核内的质子和中子结合在一起的强相互作用。随后发现，在强相互作用下μ子根本不与原子核或其他粒子发生反应；相反，它在弱相互作用下衰变为一个电子和两种中微子。因为μ子荷电，衰变前因迫使电子脱离原子（电离）而损失能量。由于μ子速度很高，接近光速，因电离而损失的能量相对较小，故宇宙射线中的μ子穿透力极强，能深入地面下几千米。

Muong 芒人 越南少数民族，住在河内西南的山区。芒人被认为是早期越南人仅存的后裔。他们和北方洼地的越南人不同，几乎没有受中国人的影响。1822、1833年和19世纪80年代他们因反对法国统治下的越南人，曾发动数次叛乱，均未成功。芒人所操芒语，属澳斯特罗-亚细亚语系孟-高棉语支。20世纪晚期人口约77万。社会结构是父系制，大家庭，只有男子拥有产权。经济以农业为基础，种植水稻、旱稻；饲养猪、牛、水牛、鸡，也狩猎以提供节日肉食。芒人采集木材和樟属植物进行贸易。住所有房舍10～25间，其中部分用作畜圈和谷仓。他们相信万物有灵，崇拜祖先和超自然的精灵。

muonium μ子偶素 短寿命的准原子，由一个作为核的正μ子（一种反粒子）与一个电子组成。当一个正μ子在物质中被降低了速度，俘获原子中的一个电子就成为μ子偶素。μ子偶素可与某些气体（例如二氧化氮和乙烯）组成少数几种化合物。μ子偶素的研究有助于澄清μ子的令人困惑的性质以及它们与普通电子的关系。

Muqaddas, Bayt al-（Israel） 参阅 **Jerusalem 耶路撒冷**。

Muqanna', al- 穆宽纳（蒙面人）（?～779） 哈希姆·伊本·哈基姆的别名。宗教领袖。出生于呼罗珊省的梅尔夫，原为漂布工人。曾在该省领导一次反对阿拔斯王朝哈里发马赫迪的起义。他鼓吹一种把伊斯兰教的主旨与琐罗亚斯德教相结合的教义。曾进行3年左右的游击战，又在塞纳姆堡垒中固守2年有余，终于兵败自杀。他是托马斯·穆尔的叙事诗《拉拉·鲁克》（1817）中的主人公。

Muqayyar, Tall al-（Mesopotamian site） **穆盖耶尔丘** 参阅 **Ur 吾珥**。

Muqdisho（city, Somalia） 参阅 **Mogadishu 摩加迪沙**。

Muqtafī, al- 穆格台菲（1096-04，伊拉克～1160，伊拉克） 阿拔斯王朝的哈里发。1136年即位，不久便奉行对塞尔柱人加强权威的政策，当时后者内部正发生诸侯割据。他在伊拉克吞并了一个又一个地区。1156年承认塞尔柱首领苏莱曼沙为苏丹，条件是后者应尊重他在伊拉克的自主权。曾被穆罕默德军队困于巴格达数月，后控制了伊拉克和周围地区的军政事务。

Mura 穆拉人 巴西西部亚马孙热带森林中的南美印第安人，最初居住在雅马里河口附近的马德拉河下游的右岸。他们最初采用游击战术与白人对抗；沿普鲁斯河向下游地区扩展，掠夺沿途农家，到1786年与白人言和。穆拉人主要为河上渔民，长于捕鱼。所居村落甚小，15～120人不等，渔家多在独木舟中生活。今天，穆拉人作为一个种族，人口正迅速趋于消亡。他们现在使用葡萄牙语，极少人还记得穆拉语。他们是名义上的基督教徒，其宗教仪式还保存使用麻醉剂、鞭挞仪式和萨满教的一些内容。

murabit(Islām) 参阅 **marabout** 穆拉比特。

Murābiṭūn, al-(Berber confederation) 参阅 **Almoravids** 穆拉比特人。

Murad 穆拉德 又作 Amurath。奥斯曼苏丹名。按年代顺序分列于后，并各以●为标记。

● Murad I 穆拉德一世(1326？～1389-06-20 或 28 或-08-28，科索沃［现属塞尔维亚］ 奥斯曼苏丹(1360～1389 在位)。曾在安纳托利亚和巴尔干大肆进行领土扩张，并在上

美国不列颠百科全书公司供图

述地区推行新的政府形式和管理形式，以加强奥斯曼统治。即位不久，他的军队就侵入色雷斯西部，夺得阿德里安堡和菲利普波利斯，并迫使拜占廷皇帝约翰五世帕里奥洛加斯称臣纳贡。阿德里安堡更名埃迪尔内，成为穆拉德的首都。1366 年萨伏依的阿马戴乌斯六世率领十字军东征援救拜占廷，并占领达达尼尔海峡边的加利波利。但次年土耳其人夺回这座城镇。1371 年在马里卡河畔的契诺门粉碎南塞尔维亚君主的联盟，夺得马其顿城镇兹拉马、卡瓦拉和塞雷，并在萨马科(今萨莫科沃)大败保加利亚-塞尔维亚联盟。这些胜利使大片领土直接并入奥斯曼帝国版图，使北塞尔维亚和保加利亚的君主以及拜占廷的皇帝都向穆拉德一世称臣纳贡。14 世纪 80 年代，他继续向西扩张。1385 年攻占索非亚，1386 年取得尼什。此时，他在安纳托利亚的势力已扩展到托卡特，并在安卡拉巩固了他的统治。他还通过联姻、购买和征服等手段从杰尔米扬、特克和哈米德等公国获得领土。土库曼各公国联盟在喀拉曼率领下曾企图阻止奥斯曼的领土扩张，但于 1386 年在科尼亚被击败。1387 或 1388 年，北塞尔维亚君主和波斯尼亚人的联盟在普洛茨尼克阻住了奥斯曼人的进攻。1389 年又被穆拉德一世和他的儿子巴耶塞特(后为巴耶塞特一世)在科索沃战役中击败。穆拉德一世被一个佯装向奥斯曼阵营投诚的塞尔维亚贵族杀死。穆拉德一世在位期间，奥斯曼帝国一些基本制度已初见端倪。军法官、总司令和大维齐(首席大臣)等官职和军职已具体化，并授予王朝建造者奥斯曼一世家族以外的人。禁卫军团(精锐部队)和少年征兵制(征募禁卫军兵员的制度)也源于穆拉德一世时期。

● Murad II 穆拉德二世(1404-06，奥斯曼帝国阿马西亚［今在土耳其］～1451-02-03，埃迪尔内) 奥斯曼苏丹(1421～1444，1446～1451 在位)。他扩张并巩固了奥斯曼

美国不列颠百科全书公司供图

在巴尔干的统治，在安纳托利亚实行遏制政策。他即位不久，便有几个人在拜占廷皇帝曼努埃尔二世帕里奥洛加斯和安纳托利亚的几个土库曼公国的支持下争夺皇位。1425 年左右，他消灭掉这些对手，重新确立了奥斯曼帝国对安纳托利亚西部土库曼各公国的统治，再次迫使拜占廷纳贡。此后他把注意力转向巴尔干半岛。经过 5 年征战，1430 年夺取希腊北部威尼斯人控制的萨罗尼加(今塞萨罗尼基)。奥斯曼军队曾成功地抵抗了匈牙利-塞尔维亚-喀拉曼联军。1441 年德意志、波兰、阿尔巴尼亚军队参加联军后，1443 年奥斯曼人丧失尼什和索非亚，1444 年在亚洛瓦兹又遭惨败。在埃迪尔内签署和约(1444-06-12)后，穆拉德让位给 12 岁的儿子穆罕默德二世。欧洲几个强国在教皇犹金四世保护下很快违反休战协定。穆拉德率领奥斯曼军于 1444 年 11 月在瓦尔纳大败基督教徒的军队。1446 年，在朝廷显贵的压力和面临外部的威胁下，穆拉德重新当政。1448 年 10 月 17 日在第 2 次科索沃战役中打败匈牙利人。由于帖木儿·沙河·鲁赫以土库曼各公国保护者的姿态向西推进，穆拉德在安纳托利亚实行谨慎政策。奥斯曼人取得对乔鲁姆-阿马西亚地区和安纳托利亚西部各土库曼统治者的宗主权，但是喀拉曼公国仍然自治，与巴尔干各基督教统治者结盟，对奥斯曼人构成主要威胁。穆拉德二世在位期间，大维齐(首席大臣)官职被桑达尔家族控制，禁卫军团(精锐部队)取得显要地位，巴尔干半岛上世袭的土耳其边境统治者常常违抗苏丹命令自行其事。

● Murad III 穆拉德三世(1546-07-04，奥斯曼帝国马尼萨［今在土耳其］～1595-01-15 或 16 君士坦丁堡［今在伊斯坦布尔］) 奥斯曼苏丹(1574～1595 在位)，在位期间长期对伊朗和奥地利作战，奥斯曼国内社会经济状况恶化。一如前代苏丹，他继续对外用兵。1578 年从葡萄牙手中取得非斯(今摩洛哥的非斯)。1578～1590 年同伊朗交战，将统治权扩大到阿塞拜疆、梯弗里斯(今格鲁吉亚的第比利斯)、纳哈万德和哈马丹(今在伊朗)。1593～1606 年对奥地利进行长期战争，结果原向奥斯曼称臣的摩尔多瓦、特兰西瓦尼亚和瓦拉几亚对抗奥斯曼的权力，于 1594 年与奥地利结盟。穆拉德三世深受后宫妻妾和廷臣的影响，忽视卓越的大维齐(首席大臣)穆罕默德·索科卢的劝告。1579 年索科卢被暗杀。他在位时，任人唯亲，连年征战导致赋税奇重，由于廉价的南非白银从西班牙源源流入，更加重了通货膨胀，这一切使奥斯曼帝国主要行政机构日趋衰败。农民因赋税过高被迫离开家园，提马尔(封地)制度遭到破坏。原来战斗力很强的禁卫军团(精锐部队)因不加选择地征募，蜕化为一个鱼肉城乡百姓的暴力集团。

● Murad IV 穆拉德四世(1612-07-27，奥斯曼帝国君士坦丁堡［今土耳其伊斯坦布尔］～1640-02-08，君士坦丁堡) 奥斯曼苏丹(1623～1640 在位)，他的高压统治结束了混乱的局面，并以巴格达征服者著称。穆拉德 11 岁即位，由母后克塞姆和几个大维齐(首席大臣)摄政。但实权仍在横暴的西帕希人(半封建骑兵)和禁卫军人手中，他们不止一次迫使处死高级官员。贪官当道，亚洲各省叛乱，再加上国库空虚，引起人民对朝廷持续不满。穆拉德对军队的横暴十分愤怒，决心恢复君士坦丁堡和各省的秩序。1632 年西帕希人闯入皇宫，要大维齐和另外 16 名高级官员的头(而且得逞了)。此后不久，穆拉德全面控制局势，他行动迅猛，残酷无情，血腥镇压叛乱者。他禁用烟草，关闭咖啡馆和酒馆

美国不列颠百科全书公司供图

(无疑是认为那里是煽动叛乱的巢穴)；如有违抗或仅被怀疑，一律处死。对外，他亲自指挥与伊朗的战争，收复在位初期被伊朗人侵占的领土。1638 年重新征服巴格达，对守城军民进行大屠杀。次年谛结和约。穆拉德为人刚毅果断，但残暴成性，不严格遵守伊斯兰教的法典，是奥斯曼苏丹中处决伊斯兰舍赫(帝国中穆斯林最高教长)的第一人。但他恢复了秩序，理顺了财政。穆拉德四世最后因嗜酒过度而死。

● Murad V 穆拉德五世(1840-09-21，奥斯曼帝国君士坦丁堡［今土耳其伊斯坦布尔］～1904-08-29，君士坦丁堡) 奥斯曼苏丹(1876-05～08 在位)。富有才华，又受过良

好教育，广泛涉猎土耳其和欧洲文学。1867年随阿卜杜勒·阿齐兹出访欧洲时，他秘密接触在流亡中的青年土耳其党人。立宪派大臣废黜他叔父阿卜杜勒·阿齐兹以后，就拥戴他即苏丹位。他决心实行宪政。但是由于见到阿卜杜勒·阿齐兹自杀，他的几个主要大臣被刺，他忽然精神失常。当国内外名医宣布他的病无法治愈时，那些捧他上台的大臣又把他废黜。囚在彻拉安宫中度过余生。

Murad PASHA（Polish military officer） **穆拉德帕夏** 参阅 **Bem, Józef Zachariasz** 贝姆。

Murad, Ferid **穆拉德**（1936-09-14，美国印第安纳怀廷～ ） 美国药理学家。与R.F.弗奇格特、L.J.伊格那罗共获1998年诺贝尔生理学或医学奖，因为他们发现氧化氮在心血管系统充当信号分子。他们的合作揭示了体内血管松弛和扩张的全新机制。1965年获得俄亥俄州克利夫兰西部保留地大学（后改名凯斯西部保留地大学）的博士学位。除了行医以外，他还在弗吉尼亚大学医学院（1975～1981）、斯坦福大学（1981～1989）教授药理学，后任教于西北大学（1988）。在斯坦福大学期间，他大胆进入私人企业，担任艾博特实验室副主任（1988～1992），后来成为分子老年医学公司总经理（1993～1995）。1997年开始在得克萨斯大学休斯敦分校医学院任教。1977年证明：硝化甘油和几种相关的心脏药物导致氧化氮的形成，而这种无色无味的气体有增大体内血管直径的作用。他们三人研制了治阳痿药物——伟哥，也揭示了理解及治疗其他疾病的新途径。

mural **壁画** 描绘在建筑物墙壁或天花板上并与其成为一体的绘画。此词可包括彩砖画，但通常不指镶嵌装饰画，除非镶嵌画构成整个画面的一部分。壁画与其他绘画艺术形式截然不同的是，它与建筑艺术有机地联系在一起。其色彩的运用、画面设计与主题的处理可根本改变建筑物的空间比例感；就这点而言，壁画是唯一真正的三度空间绘画形式。拜占廷的镶嵌装饰画体现了有机建筑形式中最伟大的一面，文艺复兴时期的伟大艺术家则试图制造一种空间的幻觉感；后来巴罗克时期诸大师的壁画更是达到如此极端的效果，以致整片墙壁或天花板看起来几乎完全融入壁画之中。除了与建筑艺术的有机联系外，壁画的另一个特点是它具有广泛的公共意义。壁画家必须既根据墙壁的结构要求，又考虑所要表达的思想，以适当的比例，形象地构思社会的、宗教的或爱国的主题。

壁画史上曾使用过许多技法：蜡画、蛋彩画、湿壁画、陶瓷和帆布油画等，近期还使用液态矽酸盐和瓷釉作画。古典希腊罗马时期，蜡画法的应用最为普遍。画家把热溶的蜂蜡调和剂（或树蜡调和剂）调制颜料，然后趁它还热的时候涂到壁画的表面。蛋彩画法同样也在已知的最早时代为人所使用；蛋彩画的调和剂是用水稀释诸如蛋黄或蛋白的蛋白质溶解液。在16世纪的欧洲，油画技法被普遍应用于壁画。这种方法比较方便，画家可以先在自己的画室把画完成，然后再把它移送到预定的地点，裱到墙壁上。然而对壁画的绘制来说，油画法是效果最差的一种，它的色彩既不鲜明，画面亦缺乏质感，而且许多颜料会受空气影响或因调和剂的性质而泛黄。同时，油画所使用的帆布本身也容易迅速毁坏。

罗马人应用壁画的范围异常广泛。在庞贝城和奥斯蒂亚，不管是公共或私人建筑物的墙壁或天花板上，几乎都会有装饰画，其题裁广泛，包括风景、静物和人物场景。欧洲文艺复兴时期对壁画创造的专注程度是空前绝后的，不断创新的精神、孜孜以求的探索、赞助人的慷慨解囊以及对新的创造可能性之警

佛罗伦萨市的布兰卡奇小礼拜堂壁画；1425年马索利和马萨乔开始绘画，1484年F.利比完成
美国不列颠百科全书公司供图

觉，是这一非凡时代的特点。大体而言，我们可以把文艺复兴时代的壁画风格区分为三个阶段：文艺复兴早期（15世纪）、文艺复兴盛期（1500～1530）、文艺复兴晚期或称风格主义时期（16世纪下半叶）。艺术活动以各城市为中心，其中心人物是在这些城市的政治及文化上居领导地位的个人和家族。佛罗伦萨的壁画发展显示，壁画家对形式的各种特殊问题之关心几乎已到了着迷的地步。这个传统始自马萨乔注重不朽的壁画人物，他以三度空间塑造的坚实造型与姿势、光线和阴影三者紧密地结合，构成一个戏剧性的整体。这种技巧似乎被诸如乌切洛、彼埃罗·德拉·弗朗西斯卡和梅洛佐等后起的艺术家所认同并加以发展。西纽雷利的宏伟壁画（在奥尔维耶托的圣布里齐奥的礼拜堂中）显露出他专注于裸体人物身体结构和造形构图，以求达到对肌肉更强有力的表现。而此技巧成为下一世纪米开朗琪罗伟大艺术的出发点。佛罗伦萨壁画的第二个传统较为保守和较受哥特式的影响，安吉利科在佛罗伦萨圣马可修道院中纯粹和充满神秘色彩的作品最具代表性。第三个传统属于一种浪漫写实主义，利比的湿壁画（在普拉托的大教堂）和戈佐利的湿壁画（在佛罗伦萨的美第奇宫的礼拜堂）都是这方面的作品。这两个传统都意识到马萨乔的艺术难题，但也流露出对自然及自然的可识性及写实性的新兴趣。这些不同的因素最后在15世纪的后25年汇合成为一种高度敏锐的与装饰性的风格，在吉兰达约和波提切利两人的湿壁画中尤为明显。文艺复兴盛期，巨匠们壮观的壁画大都未完成或是由学生代为完成。达·芬奇在最重要的两个壁画设计：绘制在佛罗伦萨韦基奥宫的《安加利之战》（已毁，但透过摹本仍可知道部分的面目）和著名的《最后的晚餐》（在米兰的格拉齐亚圣母堂）中，对人物动作的戏剧性描绘及对画作内容极具张力的心理诠释，最能展示其才华的丰富性与全面性。与达·芬奇的科学心灵比较起来，米开朗琪罗的宗教倾向较为强烈和深刻。米开朗琪罗打算只透过人物形象来传达他的思想感情，因此，在他为佛罗伦萨韦基奥宫绘制的壁画中（《卡希纳之战》为他的第一幅壁画，已毁，今仅凭一些版画及素描得知其本来的面目），人物的戏剧性动作是整个设计的重点所在。后来为教皇尤里乌斯二世装饰西斯廷礼拜堂天顶时，米开朗琪罗采用了同样的方法，而且更加专注于人物的刻画。稍后，他在同一个房间最里面的墙壁上绘制《最后的审判》，此画显示画家对以相当戏剧性的自由和深度来刻画一大群人物的动作有更浓厚的兴趣。前一个世纪已实验过的形式、空间及装饰统一性等问题，在拉斐尔的作品中表现的最完美。他为梵蒂冈宫室绘制的两幅毗邻的壁画（《雅典学派》及《圣礼的辩论》），在形式上已臻于完美。拉斐尔稍后在这些宫室里绘制的历史壁画表现出他对动作愈来愈浓厚的兴趣。柯勒乔是文艺复兴盛期最后一个壁画家，他为帕尔马圣乔凡尼福音教会和其主教堂所作的湿壁画，反映了壁画艺术迈向风格主义新观念的过渡阶段。

17世纪巴罗克风格有两个因素制约了装饰壁画的发展：一个是由反宗教改革所引起的对巨型建筑物的热情；另一个则是统治贵族阶层的住宅和宫殿愈具重要性，它们普遍成为欧洲社会的文化生活中心。巴罗克风格的根源可以再次于文艺复兴诸大师的作品中发现，不过，此时它们是由学院的新机构传授和加以诠释（例如意大利博洛尼亚的卡拉齐学院和1648年设立的法兰西学院）。溯此风格的发展，首先是卡拉齐为法尔内塞府邸所画的寓意装饰画，继之而来的是多梅尼基诺、彼得罗·达·科尔·托纳和波佐等在墙壁和天花板上愈来愈精致的湿壁画。在这些湿壁画中，用透视法显示的人物及配合远近的戏剧性动作均与建筑式样融合，以产生空间上整体无穷的幻觉。从装饰画的观点来看，最多产也确实最重要的一位巴罗克艺术家是鲁本斯。鲁本斯所设计的挂毯、历史画（卢森堡宫的玛丽·德·美第奇系列作品，现藏罗浮宫），和他为安特卫普耶稣教会、伦敦怀特豪尔宫宴会厅及其位于安特卫普的居所所作的装饰画，均表现出画家本人创作天分的全面性与国际对其的认同。18世纪晚期和19世纪，欧洲壁画的风格或技巧几乎无进一步的发展。但到了20世纪，装饰壁画再度振兴，其间可以分为三个主要阶段。第一个阶段较为抽象和较有表现派作风的形式，源于巴黎立体派和野兽派实验性的架上绘画，至毕加索、马蒂斯、莱热、米罗和夏加尔发展为大型

作品。第二个阶段的壁画艺术从墨西哥的革新运动发展而来,这个运动产生了奥罗兹科、里韦拉、西凯罗斯和塔马约等画家一系列杰出的湿壁画。随着艺术家对20世纪建筑设计与结构等概念的接纳,镶嵌画的大量使用遂成为此时期的特色。第三个阶段为20世纪30年代由美国联邦政府所赞助的美国短暂壁画运动。美国公共建筑物地理分布甚广,加上画家有采取个人和实验性表达方式的自由,也有对政治与社会问题诠释的自由,三者均是促进装饰壁画艺术的动力。

Murano 穆拉诺 意大利东北部威尼托区威尼斯市北一岛。在威尼斯潟湖上,面积459公顷。5世纪至7世纪间设立。1291年后迅速发展。穆拉诺曾为玻璃器皿制造中心,

穆拉诺岛上的圣马利亚和圣多纳托长方形教堂
美国不列颠百科全书公司供图

产品大量出口到欧洲各国,16世纪达到高峰,该岛现仍有此行业,但规模远不如前。当地朱斯蒂宫内有玻璃艺术博物馆。穆拉诺最重要的建筑物是圣马利亚和圣多纳托长方形教堂,自从7世纪建成后已数次重建,现者为13世纪所建。还有14世纪殉教者圣彼得教堂(1509重建),内有贝利尼、韦罗内塞和丁托列托等画家的绘画。人口6 966(最近统计)。

Murasaki Shikibu 紫式部(约978,京都～约1014,京都) 日本宫廷女官,《源氏物语》的作者。《源氏物语》被公认为是日本文学最伟大的作品,并被认为是世界上最古老而完整的长篇小说。她的真名不详,人们猜测,她笔名中的紫(Murasaki)这一字来自她书中女主人公的名字。有关她生平的主要资料就是她在1007～1010年间的日记。这一作品之所以引起人们很大的兴趣,是因为它使人们能赏心悦目地看到紫式部当时为之服务的皇后上东门院宫中的生活。某些评论家认为她是在1001年(她的丈夫藤原宣孝死在这一年)到1005年(她开始入宫任女官的一年)间写完全书。但很可能这部情节复杂的长篇巨著花费了比这多得多的时间,直到1010年左右才完成。《源氏物语》所展现的是一个独特的社会,生活在这个社会中的贵族们典雅而文质彬彬,他们对诗歌、音乐、书法和谈情说爱必须样样精通。绝大部分篇幅描写源氏公子和他平生遇到的形形色色的女性,人物形象刻画极其细腻。虽然小说里没有宏伟的活动场景,但是全书却渗透着对人的各种情感和自然美的(别处很难见到)的敏感。小说的情调随着情节的发展逐渐暗淡下来,也许这表明了紫式部对世事无常的一种深刻的佛家信念。不过有些人认为此书的最后14章是另一个作家写的。A.韦利的英译本(1935)是英国文学的经典作品。紫式部的日记则被收入A.S.大森和土居光知英译的《古代日本宫廷女官的日记》(1935)。

Murat, Joachim 缪拉(1767-03-25,法国福尔蒂涅尔堡～1815-10-13,卡拉布里亚皮佐) 杰出的骑兵统帅,拿破仑麾下的著名元帅之一,那不勒斯国王(1808～1815)。旅店主之子。1787年加入骑兵联队。1792年战争爆发,他升迁很快。在意大利战役和埃及战役中统帅骑兵,曾闻名一时。因在雾月18日政变中有功,拿破仑任第一执政官以后,将小妹卡罗利娜下嫁给他。在1800年的意大利战役中,他曾帮助取得马伦戈战役的决定性胜利。1804年任巴黎总督,晋升元帅。翌年在奥斯特利茨战役中,他把奥军牵制在乌尔姆,迫使奥军投降。同时,在奥斯特利茨战场上,他击败了奥地利和俄国的骑兵。1806年在耶拿击溃普鲁士军,1807年在埃劳冒险力挽危局。缪拉荣获大公爵称号后开始做起帝王的美梦。他曾作为拿破仑的副将,奉派前往西班牙。这时,他就想染指空缺的西班牙王位。后来,拿破仑立其兄约瑟夫为西班牙国王,而把约瑟夫的遗缺、那不勒斯国王转给缪拉。缪拉在那不勒斯穷奢极欲,满足了自己的虚荣心。他进行了一些重要改革,还想统一意大利。1812年他参加俄罗斯战役。在博罗季诺再立殊功。在撤出莫斯科时,他负责指挥溃败涣散的大军。后来,为了保住自己的那不勒斯王国,他竟弃军而去。翌年,奥地利人同他缔结一项条约,但前波旁王朝的那不勒斯统治者表示反对。1815年拿破仑从厄尔巴返回,他的地位便悬而未决。那不勒斯军在托伦蒂诺被奥军击败,他被迫逃往科西嘉。同年10月他最后一次试图收复那不勒斯,被俘后枪毙。遗有二子二女。幼子拿破仑-吕西安-查理(1803～1878)于1825年赴美,1848年返法,后被拿破仑三世认可为第二帝国治下的缪拉亲王。

Murat River 穆拉特河 土耳其河流,为幼发拉底河主要河源。源于东部亚拉腊山附近凡湖以北,向西流经山区722千米后,至马拉蒂亚附近与卡拉苏河汇合成幼发拉底河上游。1974年在埃拉泽以西建成全国最大的凯班水坝,提供电力,也有防洪和灌溉之利。河谷中农业以种植谷类、水果、蔬菜和棉花为主。

Muravyov, Mikhail Nikolayevich, Graf (Count) 穆拉维约夫(1845-04-19[旧历04-07],俄罗斯赫罗德诺～1900-06-21[旧历06-08],圣彼得堡) 俄国外交家和政治家,伯爵。19世纪末他领导俄罗斯在远东的活动并在导致日俄战争(1904～1905)爆发的事态发展中起过重要作用。祖父曾镇压1863年发生在立陶宛的波兰人起义,绰号绞刑架的刽子手。父为赫罗德诺总督。1864年进入外交部,曾在几个驻欧公使馆工作。1893年任俄国驻丹麦公使。1896年任外交大臣。他极力鼓吹俄国向中国的东北地区扩张,建议俄国海军占领旅顺、大连。1898年3月与中国政府缔约,规定俄国占据辽东半岛25年和修筑从旅顺口到哈尔滨的中东铁路支线。俄国得到的特殊权益引起英日两国的反对。1899年4月穆拉维约夫同英国达成协议,确认各自在中国的势力范围。但他未能控制住俄日之间日益增长的敌对冲突,终于在他死后爆发了日俄战争。

Muravyov, Nikolay Nikolayevich, Count (Graf) Amursky 穆拉维约夫(1809-08-23[旧历08-11],俄罗斯圣彼得堡～1881-11-30[旧历11-18],巴黎) 俄国政治家和探险家,他致力于把俄罗斯帝国的版图扩展到太平洋沿岸。1860年他在今符拉迪沃斯托克港所在的地方插上俄国国旗。1847年任东西伯利亚总督,俄军中将。他不顾沙皇政府中许多惧怕中国会作出反应的官员的反对,坚持对阿穆尔河(黑龙江)以北地区进行探险和殖民。1854～1858年率人沿阿穆尔河进行几次考察,最后一次由沙皇授予全权,与中国订立《瑷珲条约》(1858)。这一条约确认以阿穆尔河为俄中两国国界,从而大大扩充了俄国在西伯利亚的领土。由于这一功劳,穆拉维约夫获得阿穆尔斯基伯爵的封号。符拉迪沃斯托克(海参崴)所在的半岛至今仍称穆拉维约夫-阿穆尔斯基半岛。穆拉维约夫富有远见,在横贯西伯利亚的铁路建成前几十年,就提出修筑这条铁路的建议。他还建议把阿拉斯加让给美国。

Muravyov-Apostol, Sergey Ivanovich 穆拉维约夫-阿波斯托尔(1796-10-09[旧历09-28],俄罗斯圣彼得堡～1826-07-25[旧历07-13],圣彼得堡) 俄国军官、共和主义者,因在十二月党人起义(1825～1826)中的领导作用而被处决。外交家和作家的儿子。圣彼得堡铁路工程学院毕业,曾参加1812年反法入侵的战争和随后的一些国外远征。他是"救国联盟"的创始人之一。1820年谢苗诺夫近卫团起义时,他任连长。后被调往切尔尼戈夫团。1822年加入十二月党人激进的、反君主政体的"南方协会",积极进行活动,不久成为"南方协会"瓦西里科夫分会的领导人,曾参加策划1823～1825年间的士兵起义,并提出刺死沙皇的主张。1825年11月成为"南方协会"的领导人,12月29日组织切尔尼戈夫团哗变,在战斗中受伤,后作为十二月党人5名领袖之一被处绞刑。

Muravyova, Vera Fyodorovna Komissarzhevskaya, Grafinya (Countess) (Russian actress) 穆拉维约娃 参阅 **Komissarzhevskaya, Vera Fyodorovna** 科米萨尔热夫斯卡娅。

Murayama Tomiichi 村山富市(1924-03-23,日本大分～) 政治家,1994～1996

年担任日本自1948年以来第一位社会党人首相。他是一个渔夫所生的11个子女之一，1946年在东京明治大学毕业后回到大分，成为当地渔夫联合会的积极分子。他以后的大部分政治活动鲜为人知。1955年当选为大分市议会议员，1963年进一步在大分县议会获得席位。1972年作为日本社会党党员被选入日本国会众议院，以后连续当选。他最初赢得全国瞩目是在1993年，当时他作为一个折中的候选人成为日本社会民主党（社会党从1991年起所使用的新的正式名称）的领袖。日本社会民主党是1993年上台的7党联合政府的成员，这个政府结束了自由民主党将近30年的不间断的执政。然而，1994年4月，村山富市突然撤销了他的党对联合政府选出的第2位首相羽田孜的支持。当羽田孜于两个月后辞职时，村山富市依靠日本社会民主党与自由民主党之间前所未有的联盟的力量于6月29日继任首相。村山富市努力维持了这个脆弱的新的联合政府，但他从未牢固地执掌权力。他于1996年1月5日辞职，6天以后由自由民主党的桥本龙太郎继任。

Murchison, Sir Roderick Impey　麦奇生 （1792-02-19，苏格兰罗斯郡塔拉达尔～1871-10-22，伦敦）　又译莫企逊、默奇森。英国地质学家。最先确定早古生代（5.7亿年前～3.95亿年前）地层的地质顺序。1825年参加伦敦地质学会，此后5年里，考察了苏格兰、法国和阿尔卑斯山脉，并轮流与英国地质学家A.塞奇威克和C.赖尔爵士合作。担任地质学会秘书5年后，1831年被选为学会主席。同年开始研究南威尔士的早古生代岩层。其发现汇集在巨著《志留系》（1839）一书中。在建立了志留系之后，他和塞奇威克根据对英

美国不列颠百科全书公司供图

格兰西南部以及莱茵地区地质的研究，又建立了泥盆系。后来他到俄国考察，并与别人合写了《俄罗斯欧洲部分和乌拉尔山脉地质》（1845）。他根据在俄国的考察成果，于1841年提出建立了二叠系（年代为2.8亿年前～2.25亿年前）。麦奇生于1846年被封为爵士，并于1855年被任命为大不列颠地质调查局局长、皇家矿业学院院长和伦敦应用地质博物馆馆长。他对《志留系》（1854；第5版，1872）一书每次新版进行修订，既保留了以前版本的主要特点，又补进了新发现的资料。此外，他坚决反对将他原来的志留系分为志留系（距今4.3亿年前～3.95亿年前）、奥陶系（距今5亿年前～4.3亿年前）和寒武系（距今5.7亿年前～5亿年前）3部分的做法，但未成功。1871年在爱丁堡大学创办地质学和矿物学讲座。在遗嘱中提供资金，建立麦奇生奖章和地质基金，由地质学会每年颁发。

Murchison Falls （Uganda）　**默奇森瀑布** 参阅 **Kabarega Falls** 卡巴雷加瀑布。

Murchison River　默奇森河　在澳大利亚西部，源头在米卡萨拉以北鲁宾逊山脉的皮克山，由支流桑德福德河和罗德里克河供水；水流时断时续，方向为西转南又转西，在杰拉

默奇森河畔的"鹰头石"
美国不列颠百科全书公司供图

尔顿以北的卡尔巴里注入印度洋，全长710千米。探险家乔治·格雷爵士从沙克湾行军到斯旺河途中曾到达此河（1839），并以英国科学家罗德里克·默奇森爵士的名字为其命名。入海口多暗礁，有碍航行，但为良好渔场。默奇森河主要在冬季有水。沿河有金矿，现仍采金并饲养绵羊。下游有卡尔巴里国家公园，河流穿过沿海山脉，风景秀丽，吸引游人。

Murcia　穆尔西亚　以西班牙穆尔西亚城为中心的独立的穆斯林（摩尔人）王国。它曾经两次出现：第一次在11世纪即西班牙伍麦叶王朝解体之后；第二次在12世纪，是西班牙穆斯林对北非穆拉比人统治作出的反应。1063年王国统治者阿卜杜勒·拉赫曼·本·塔希尔宣布独立，但未称王。穆尔西亚一度在穆拉比人和卡斯蒂利亚人之间充当调解人。1092年穆尔西亚终被穆拉比人的哈里发优素福·伊本·塔什芬占有，并入他的帝国。1144年阿布·沙法尔·本·胡德起义，穆尔西亚重新独立。1168年后，穆尔西亚归北非穆瓦希德人统治，但仍保存自治体制。

Murcia　穆尔西亚　正式名称为穆尔西亚区。西班牙东南部的自治区和历史地区，其地域与穆尔西亚省相同。自治区是根据1982年自治法规成立的，面积11 314平方千米。1243年卡斯蒂利亚兼并穆尔西亚王国，获得通往地中海的通道，抑制了阿拉贡王室的向南扩张。1304年卡斯蒂利亚将穆尔西亚的一部分割让给巴伦西亚王国，1833年其余领土划分为穆尔西亚省和阿尔瓦塞特省。穆尔西亚南部巴埃蒂卡山脉濒临地中海；东面地势缓缓下降而成为卡塔赫纳平原；北部为胡米利亚台地和耶克拉台地；西有苏贝蒂克岭。塞古拉河自西北而东南流经穆尔西亚中部，灌溉巴埃蒂卡山谷中的肥沃农田即"果园区"。全地区年降水量非常少，蒂尼奥索角一带有170毫米，卡塔赫纳也只有280毫米。降雨属地中海型，秋冬有暴雨。山区降水量较高，山洪暴发时往往冲掉许多丘陵地带的草类植被。气温高，季节性变化较少。穆尔西亚市周围果园区实行集约灌溉耕作，以满足稠密的人口的需要，该市人口中有很大部分散居在附近的卫星农业社区。果园地区以小农庄为主；各城镇小规模工业发展，使许多不能充分就业的农业工人可以在工厂兼职工作。由于沿海平原航运业和矿业发展，卡塔赫纳、马萨龙和阿吉拉斯等港市人口增长。卡塔赫纳平原人口稀少，分散的农家及村落就水居住。自1900年以来该省大批人口外迁。该省耕地约一半是旱田，主要种植大麦，但大麦在该省农产品产量中仅占很小的百分比，并逐渐为灌溉耕作所取代。得以灌溉的果园区的主要作物有谷物、橄榄、葡萄、柑橘、柠檬、杏和瓜类。果园区的小农庄大都属于劳动密集型，因而农业工资一般低于全国平均水平。食品加工业集中在塞古拉河沿岸，吸收了周围果园区的一部分过剩劳动力。卡塔赫纳利用沿海地区的铅、锌、盐等资源，已发展成为第一流的工业中心。由于在埃斯孔布雷拉斯开办石油化工综合企业，卡塔赫纳已成为欧洲主要石油化工中心之一。沿海旅游业的发展已使服务行业受益。农村使用潘诺乔方言，它曾受到阿拉伯语、加泰罗尼亚语和阿拉贡语的影响。潘诺乔方言的流行范围除穆尔西亚全境外还及于邻近的阿利坎特、阿尔瓦塞特、哈恩、格拉纳达、阿尔梅里亚等省。虽然一些大众文学使用潘诺乔方言，但是卡斯蒂利亚语才是主要文学语言。穆尔西亚省果园区的传统农舍称"巴拉卡"，用粗制砖和芦苇搭成，并以茉莉花和天竺葵花为装饰。人口约1 115 068（1998）。

Murcia　穆尔西亚　西班牙东南部穆尔西亚省城市、省会和自治区首府。在塞古拉河

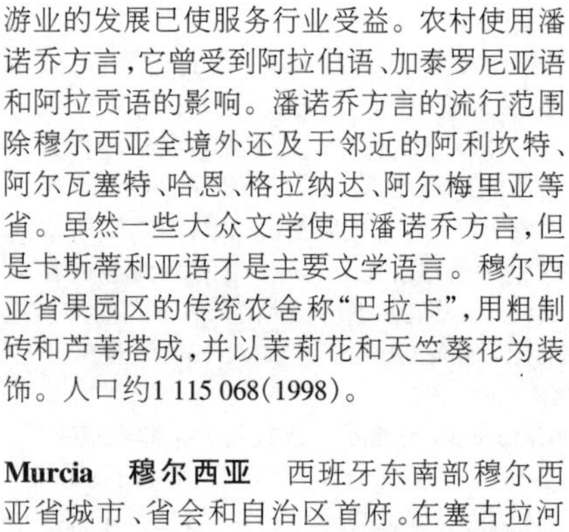

穆尔西亚市的圣马利亚大教堂
西班牙国家旅游局纽约办事处供图

和瓜达伦廷河汇流处。公元前3世纪罗马人占领西班牙南部以前已有人居住。据阿拉伯地理学家耶古特称，该市是科尔多瓦的伍麦叶埃米尔阿卜杜勒·拉赫曼二世在825年建立的，并定为省府。1031年后先后并入阿尔梅里亚和巴伦西亚两王国。1063年成为独立的王国。塞古拉河将该市分为新（南）、老（北）两区。穆尔西亚大学建于1915年。现为塞古拉河一带交通和农贸中心。也加工面粉。生产丝、棉、毛、麻织品以及硝石、皮革、铝制品、家具和帽子。丝织业为传统工业。人口约349 040(1998)。

murder　谋杀　在刑法上，指没有正当理由而杀死他人。通常以事前怀有恶意而区别于非预谋杀人罪。参阅 **homicide**。

Murdoch, Dame Iris　默多克（1919-07-15，爱尔兰都柏林～1999-02-08，英国牛津）　英国女小说家和哲学家，以具隐含哲学和喜剧成分的心理小说著称。童年初期在伦敦度

美国不列颠百科全书公司供图

过，后入布里斯托尔的巴德明顿学校学习。1938～1942年在牛津萨默维尔学院求学。1942～1944年，在英国财政部工作，此后两年在联合国善后救济总署任行政官员。1948年被选为牛津大学圣安妮学院评议员。默多克最初发表的作品是一部评论研究《萨特，浪漫的唯理论者》(1953)。随后，又写了两部小说《在网下》(1954)、《逃避巫士》(1956)。这些作品以作者的聪慧、机智和高度的严肃性而受到赞扬。这些特点以及丰富的喜剧感和她分析深奥微妙的两性关系的紧张性和复杂性的天赋，始终是她作品的显著特色。《钟》也许是她最优秀的作品，1958年发表后，默多克开始作为一个小说家而得到人们的广泛承认。她是一位多产的作家，写有多部小说，如《一个砍掉的头》(1961)、《红与绿》(1965)、《好人与善人》(1968)、《黑王子》(1973)、《亨利与卡托》(1976)以及《海，海》(1978)、《哲学家的小学生》(1983)、《好徒弟》(1985)、《书和兄弟情谊》(1987)和《致行星的信》(1989)。除小说外，还写有剧本、诗歌，以及哲学著作和文学评论。

Murdoch, James Edward　默多克（1811-01-25，美国费城～1893-05-19，美国俄亥俄辛辛那提）　美国19世纪最重要的演员之一。起初在费城的一些业余剧团中演出。他在费城的切斯纳特街剧院扮演德国剧作家冯·科策布《情人的誓言》中的角色，首次登台演出就获得成功。1832年作为一个重要演员初露头角时，却误服砒霜，从此处于半瘫痪状态。此后的60年中，断断续续地在舞台上出现。尽管如此，仍建立了自己的声望。在19世纪，他作为悲剧和喜剧演员，名望都很高。1833年回到切斯纳特街剧院演出，和正在美国巡回演出的英国著名女演员F.肯布尔同台演出。20年后，和J.杰斐逊一起演出R.谢里丹的杰作《造谣学校》。他在旧金山新造的大都会剧院中的表演，对开创西部海岸地区文明戏剧起了推动作用。1856年出现在英国舞台上。杰斐逊的《自传》中曾提到默多克在伦敦草市剧院成功的演出，并给予他极高的评价。他的艺术风格以绝妙的台词朗诵、高度的技巧和表演的自然为特色。他还曾为美国内战中的伤员进行义演。人们最后在舞台上看到他是在1883年辛辛那提的一个戏剧节中。他扮演的为人们最熟悉的角色有W.康格里夫《如此世道》中的米拉贝尔、莎士比亚《罗密欧与朱丽叶》中的茂丘西奥和《皆大欢喜》中的奥兰多。默多克的著作《舞台；或表演及演员的回忆》于1880年出版。

Murdoch, Rupert　默多克（1931-03-11，澳大利亚维多利亚墨尔本～　　）　澳大利亚出生的报业出版人和传媒企业家，环球传媒控股公司——新闻股份有限公司的创办人和总裁。该公司管理着新闻有限公司（澳大利亚）、国际新闻（英国）及美国新闻控股公司（美国）。他的公司的兴趣集中在报纸、杂志、图书、电子产品、广播电视、电影和音像制品，尤以在美国、英国和澳大利亚为主。其父基思·默多克爵士（1886～1952）是澳大利亚著名的战地记者和出版商。默多克本人曾在牛津大学伍斯特学院求学，1953年获硕士学位。后在比弗布鲁克勋爵主办的伦敦《每日快报》任编辑。他在该报工作时间不长，但在此首次获得轰动性新闻报道方面的实际经验，这

美国不列颠百科全书公司供图

种经验在他早期出版商生涯中有很大影响。父亲去世后，他于1954年返回澳洲继承父业，接掌阿得雷德的《星期日邮报》及《新闻报》，很快便将《新闻报》改为一份以色情和丑闻为主线的报纸，并时常亲自撰写大字通栏标题。《新闻报》的发行量猛增。他又买下悉尼、伯斯、墨尔本和布里斯班的报纸，并对这些报纸也作了类似的改变。1969年默多克买下第一份英国报纸——伦敦的《世界新闻报》。此时他业已建立了一套被证明有效的增加销量的公式，即用通栏标题突出强调犯罪、色情、丑闻和人情味新闻，大量报道体新闻，撰写直言不讳的保守观点的社论等。这套公式用在《世界新闻报》和次年买下的伦敦的日报《太阳报》上都取得成功。

1973年默多克进军美国新闻企业界，他买下得克萨斯州圣安东尼奥的两份日报。他将其中的《圣安东尼奥新闻报》（后改名为《新闻快报》）变成报道色情与丑闻的报纸，很快便把持了该市的晚报市场。1974年他推出小型的全国性专登轰动性新闻的周报《星报》，1976年又买下小型晚报《纽约邮报》，但到20世纪80年代后期他又将这两家报纸全部卖掉，赚了一笔钱。1982年自赫斯特报系买下波士顿的《先驱美国人报》并改名为波士顿的《先驱报》。1988年他买下《电视导报》。总的来说，在80年代和90年代他先买下过后又卖掉若干美国出版物，如《芝加哥太阳时报》、纽约市的《乡村之声》及《纽约》杂志等。1974年他定居美国，1985年成为美国公民，以纽约市为基地进行经营。

在他的各种出版物中也有一些传统而受敬重的报纸，如伦敦的《泰晤士报》、《星期日泰晤士报》（两者均于1981年购入），以及《澳大利亚人报》（1964年创办的全国性日报）。

20世纪80年代和90年代默多克在其他传播企业中积聚了大量股份，包括无线电台、电视台、录像、电影和唱片公司，以及图书出版业。1985年他买下了20世纪福克斯影片公司并买下了大都会传播公司的几家独立电视台，把这些企业合并成为一家新公司——福克斯公司。1987年买下澳大利亚的新闻集团——先驱和时代周刊有限公司。随后他又买下了若干图书出版公司，包括美国有声望的哈珀和罗出版公司(1987)、宗教书籍出版方面的宗德范公司(1988)和教科书及贸易出版业巨头斯科特和福尔斯曼公司(1989)，以及英国可敬的威廉·科林斯（有限）公司(1989)；这些公司以及在澳大利亚和新西兰的几家企业于1990年合并成哈珀-柯林斯出版公司。1989年默多克在伦敦创办天空电视台（一个4频道卫星电视节目），1990年又将它与竞争对手英国卫星广播公司合并成英国天空广播公司。这样鲁莽的扩张使他的国际传播帝国债台高筑，他不得不出售《纽约》、《十七》、《赛马小报》和另一些美国杂志。1993年他收购了以香港为基地的泛亚洲电视网——星星电视台，作为他计划中的环球电视网的一部分。1995年新闻股份有限公司与美国一家主要的远距离电讯公司MCI传播有限公司结成合伙关系。

Murdock, George P(eter)　默多克（1897-05-11，美国康涅狄格梅里登～1985-03-29，宾夕法尼亚德文）　美国人类学家，专攻比较人种学、非洲及大洋洲诸民族人种志和社会理论。他作为1937年耶鲁大学人类关系研究所的多种文化调查项目的发起人，声名卓著。这项调查工作搜集到大量人类学资料并加以分类汇编，因此一个社会文化的任何已知侧面都能迅速地由资料库中调出。默多克曾在耶鲁大学攻读历史，1919年获文学学士学位，1925年获哲学博士学位。1928～1960年任教于母校。1960～1973年担任匹兹堡大学

人类学梅隆讲座教授，此后为荣誉教授。默多克的人类学著作参考多种其他社会科学，特别是语言学、社会学、行为心理学及心理分析等领域的成果写成，如《当代原始人》(1934)、《北美人种志文献录》(1941；1975 修订版)、《社会结构》(1949)、《世界文化纲要》(1954)等。他的著作《人种志地图集》是一部重要参考书。默多克曾任人种学会及美国人类学协会主席并曾主编国际性期刊《人种学》。

Murdock, William　默多克(1754-08-21，苏格兰艾尔旧卡姆诺克～1839-11-15，英格兰沃里克郡伯明翰)　苏格兰发明家。最先把煤气广泛应用于照明，又是发展蒸汽动力的先

伦敦科学博物馆供图

驱。1777 年他参加 M.博尔顿和 J.瓦特工程公司，在伯明翰的索霍工厂工作。约 2 年后被派到康沃尔监督瓦特蒸汽机的安装工作。在康沃尔郡雷德鲁斯市的家里，试验煤的蒸馏。1792 年用煤气作为他的住所和办公室的照明。约在 1799 年他回到伯明翰进一步完善生产、储存和提纯煤气的实用方法。默多克对蒸汽机也作了重要改进。他首先发明缸摆式发动机，在 1784 年他制作了一台样机。1786 年他试制蒸汽客车或道路机车，但没有成功。1799 年他发明长口滑动阀。一般认为所谓太阳和行星式运动，是他发明的，这是一种用蒸汽机推动有飞轮的轴使它持续转动的方法。但是瓦特在 1781 年却获得了这种机械装置的专利。默多克还进行压缩空气实验，于 1803 年制成蒸气枪。他在 1830 年退休。

Mureş　穆列什　罗马尼亚中北部的县。面积 6 696 平方千米。境内东喀尔巴阡山区有克利曼和古尔吉乌尔山。居住区分布在山谷。穆列什河及其支流向西南流经该县。县城特尔古穆列什是文化和工业中心，有机械制造、化工和塑料工业。有若干城镇生产木材、建筑材料、纺织品和皮革制品。特尔纳韦尼有化工厂。城镇雷京有机械制造业，附近发现有天然气，镇内有县博物馆和动物博物馆，展出馆藏乌拉尔山猫头鹰和北美鸟类。该镇原为达基亚人居住地，以制作木制乐器和小船闻名，保存有 14～15 世纪建教堂。布林科瓦内什蒂乡原为古罗马兵营，有建于 14 世纪、重修于 16 世纪的城堡。苏塞尼乡为考古地。县农业以葡萄种植和果树栽培为主。特尔古穆列什为航空和公路、铁路交通枢纽。人口约 607 300(1992)。

Mureş River　穆列什河　匈牙利语作 Maros River(毛罗什河)。源出罗马尼亚中东部东喀尔巴阡山脉的久尔久山，流穿克利曼和吉尔吉乌二山之间的峡谷，西南向通过特兰西瓦尼亚盆地，又穿越西喀尔巴阡山的波亚纳鲁斯克和比霍尔二山之间，流经蒂萨平原，在匈牙利的塞格德注入蒂萨河。长约 725 千米。为蒂萨河流量最大的支流。德瓦以下有小船通航，有公路、铁路要道相连。沿河有几座重要城镇。

Muret, Marc-Antoine de　米雷(1526-04-12，法国利摩日附近的米雷～1585-06-04，罗马[意大利])　又称 Marcus Antonius Muretus。法国人文主义者及精通经典作品的学者。以其拉丁语散文典雅的风格著称。从 18 岁始，即在多所学校教授经典作品。16 世纪 50 年代早期在巴黎教授哲学与民法。他与七星社的诗人过从甚密，1553 年出版了对七星社诗人龙萨所作《情歌》的评论集。他自己的诗作有《青年时期诗集》，其中许多是情诗，约于同时期出版。1554 年，被判有鸡奸与传播异端邪说罪，逃亡至意大利，1563 年定居罗马。他在罗马大学的授课，使他享誉欧洲。1576 年，他任牧师职位。米雷是一位优秀的古籍校勘家，他所著《杂文注释》为多家古代作者的篇章注释与释文。他还对西塞罗、卡图卢斯、塔西佗、柏拉图和亚里士多德等人的著作写过评论。

murex　骨螺　腹足纲前鳃亚纲骨螺科海产螺类。壳长而厚，壳面具复杂精美的结节或棘状突起。世界性分布，多产于热带，许多种类生活在多岩石的浅水中，称为岩螺式岩蛾螺。在其他贝类的壳上钻一孔，伸入长吻取食。许多种类能放出黄色液体，暴露在阳光下变成紫色染料。印度洋-太平洋地区的维纳斯之梳(梳骨螺，*Murex pecten*)长 15 厘米，白色，有长刺。地中海产的染料骨螺(*M. brandaris*)曾作为推罗紫的原料。其他骨螺科种类包括多种名称各异的小型、壳上纹饰较

钻蠔螺(*Urosalpinx cinerea*)

美国不列颠百科全书公司供图

少的种类。钻蠔螺(灰色尾号螺，*Urosalpinx cinerea*)及倭特里同螺(刍秣螺属[*Ocenebra*])则有害于牡蛎养殖场。核果螺(核果螺属[*Drupa*]及 *Acanthina* 属)为色彩鲜艳的印度洋-太平洋地区种类。篚蛾螺(*Nucella* 属)形似滨螺。

Murfree, Mary Noailles (writer)　**默弗里**　参阅 **Craddock, Charles Egbert 克拉多克**。

Murfreesboro　默弗里斯伯勒　美国田纳西州中部城市，拉瑟福德县县城(1811)。位于斯通斯河的韦斯特福克，西北距纳什维尔 50 千米。1811 年创建，1817 年设建制。1819～1825 年为州首府。经济多样化，有乳牛和菜牛饲养业及乳品加工业，也以培育田纳西走马而闻名，有保险业，食品加工业，制衣业，造船业和零部件制造业。设有中田纳西州立大学(1911)。市西北有斯通斯河国家战场纪念地，纪念南北战争中的一次激战(1862-12-31～1863-01-02)。每年 8 月在这里举办走马秀国际锦标赛。人口约 68 816(2000)。

Murfreesboro, Battle of (American Civil War)　**默弗里斯伯勒战役**　参阅 **Stones River, Battle of 斯通斯河战役**。

Murgab River　穆尔加布河　阿富汗语拉丁字母转写作 Daryā-ye Morghāb。发源于阿富汗北部盆地，西流后北折，穿过穆尔加布城后成为阿富汗和土库曼斯坦界河(10 英里[16 千米])，于塔什凯普里接纳唯一重要支流库什克河。在塔什凯普里和约洛坦有水坝控制灌溉水。从塔什凯普里至马雷有一条铁路随着河流延伸，至马雷与横贯里海铁路接轨。河在马雷以北流入卡拉-库姆沙漠后消失，全长 600 英里。

Murger, (Louis-) Henri　米尔热(1822-03-27，巴黎～1861-01-28，巴黎)　第一个描绘放荡不羁生活的法国小说家。是一个看门人和裁缝的儿子，13 岁失学，后来当上阿列克塞·托尔斯泰伯爵的秘书，在教育上得以深造。他最初写诗，在巴黎过着放荡不羁的生活，但常常穷愁潦倒，健康状况恶化。其境况的悲欢都反映在他最著名的作品《放浪形骸》中，主人公罗多尔夫是作者本人的化身。该书于 1847～1849 年间分卷发表，获得成功，从而使米尔热取得较优越的生活及写作条件。意大利作曲家普契尼的歌剧《波希米亚人》即取材于这部小说。

Muri　穆里　尼日利亚东部贡戈拉州西北部城镇和世袭酋长国名。17 世纪该地区属朱昆人的科罗罗法王国，1804 年被富拉尼人征服。1833 年建穆里酋长国，臣服索科托苏丹。1885 年与英国皇家尼日尔公司签约，允许其在穆里西南 104 英里的伊比建商埠。1892～1893 年成为法国保护地。1900 年受英国控制，1900～1926 年设为穆里省拉乌区。1976 年划入贡戈拉州。现居民以穆穆耶、富拉尼、伍尔孔和朱昆人为主，亦有许多经商的豪萨人。出产高粱、黍类、棉花、花生、大豆和薯蓣，有牛、羊饲养业。在贝努埃河有渔业。采盐为妇女的传统职业，但进口的欧洲盐使其重要性下降。镇西 21 英里有铅矿，东东南 11 英里有贝努埃河港口努祖。人口：城镇约56 570(1991)。

Muridae　鼠科　啮齿目的一个大科，包括约 100 个属和 400 个以上现存种。大鼠(家鼠属[*Rattus*])和小鼠(小家鼠属[*Mus*])也属于本科。本科动物统称为旧大陆大鼠和小

鼠，基本上是亚洲种，但大家鼠和小家鼠已由人类带到全世界。其种类有：袋狸鼠（bandicoot rat）、云鼠（cloud rat）、田鼠（field mouse）、收割鼠（harvest mouse）、小鼠（mouse）、囊鼠（pouched rat）、大鼠（rat）、棘鼠（syiny rat）、水鼠（water rat）。

Murieta, Joaquín　穆里泰（1830受洗，墨西哥索诺拉阿拉默斯？～1853，美国加利福尼亚？）　传奇式的强盗。加利福尼亚州美籍墨西哥人心目中的英雄人物。有关他身世的事实很少，且不可靠，一些历史学家认为他是个杜撰出来的人物。据记载，1830年有一个叫穆里泰的人在墨西哥的索诺拉受洗。十几岁结婚，1848年与妻子一同移居加利福尼亚，企图淘金。1850年美国矿工强迫立法机构通过《外国佬法》（正式名称）和《外籍矿工法》，目的在于把墨西哥人赶走。据传说，穆里泰领着一些亡命徒在圣华金和萨克拉门托河谷一带抢劫金矿工人和拦截驿站马车。州长悬赏，不论死活，要把他缉拿归案。1853年，得克萨斯州农场主H.洛夫带来一个墨西哥人的头颅，据称是穆里泰的脑袋。虽然抢劫确实停止，但是谣传穆里泰仍在人间。据说他回到索诺拉，大约在19世纪70年代末死去，葬在库库尔佩村的耶稣会公墓。

Murillo, Bartolomé Esteban　牟利罗（1618-01-01受洗，塞维利亚～1682-04-03，塞维利亚）　17世纪西班牙最受欢迎的巴罗克宗教画家，以其理想化的有时是过分讲究的风格

牟利罗绘《两个三位一体》（约1681）
美国不列颠百科全书公司供图

驰名。早期作品《受祷圣母》（1642）将16世纪意大利的风格主义和佛兰德斯的现实主义结合在一起。而在塞维利亚圣弗朗西斯科的小隐修院内的11幅组画则采取塞维利亚派的自然主义风格，以现实主义和明暗对照为特征。17世纪50年代他的风格发生转变，如《圣母无原罪始胎》（1652）造型温柔、色彩艳丽，笔触明朗，受有16世纪威尼斯及佛兰德斯巴罗克画家们的影响。《圣莱安德罗》和《圣伊西多罗》（1655）则跟他早期朴素的自然主义相距更远，都取自巴罗克式肖像画的浮华风格。其题材所常有的神秘感因对象是以人间的真实原型加以理想化（姿势自然，表情温柔、虔诚）而被抵消。他是在欧洲获得广泛声誉的第一位西班牙画家。

Murillo, Gerardo（painter）　**莫利罗**　参阅 **Atl, Doctor** 阿特尔。

Muris, Jean de　缪里斯（约1290，诺曼底？～约1351，巴黎）　法国哲学家、数学家、14世纪新音乐风格的主要支持者。他在《新音乐艺术》（1319）论文中，热情地支持14世纪音乐风格和记谱方法中出现的重大改革。他与作曲家兼理论家P.德维特里有交往，德维特里的书《新艺术》（1320）成为14世纪音乐风格的名称。缪里斯过去一直被认为是重要论文《音乐形象》的作者，文中抨击了这些改革，此文目前已查明系列日的雅克所作。缪里斯曾在法国巴黎大学执教。他结识不少当时知名作曲家，并与德维特里通信。他显然没有写过乐曲。W.O.斯特伦克在所编《音乐历史资料》（1950）中节译了他的论文片断，这篇文章竭力主张采用对节拍的分割和再分割方法。早期音乐理论界没有认识这些观点，但是它们在音乐实践中和音乐记谱法中已被普遍应用。

Murji'ah　穆尔吉亚派　阿拉伯语，意为“推缓者”。伊斯兰教早期派别之一，主张延缓审判犯重罪者，认为唯有真主才能判定某个穆斯林是否已丧失信仰。此派盛行于自656年第三代哈里发奥斯曼被刺至661年第四代哈里发阿里被刺、伊斯兰历史上的动乱时期以及其后的伍麦叶王朝（750灭）。该派认为，凡曾宣称信仰伊斯兰教者，没有人可以宣布他们是异教徒或说他们应下火狱。在穆斯林世界的纷争中此派保持中立，主张用消极方法反抗无道的统治者，反对武装暴乱。此派主张温和开明，强调真主的爱与善，自称是信守诺言者，认为人表面的言行不一定反映内心信仰。此派中伊本·沙夫万（卒于746）等人认为，信仰纯是内心信念，穆斯林可以表面上声称信仰其他宗教而依然是穆斯林，因为只有真主才能判断人的信仰之真伪。

Murmansk　摩尔曼斯克　俄罗斯西北部的州。位于巴伦支海和白海之间的科拉半岛。面积14.49万平方千米，希比内山区的高地和山地海拔1 191米，北部为苔原，南部为沼泽森林或泰加森林。经济以矿业为主，开采磷灰石、霞石、铁和镍。沿海渔业重要。首府为摩尔曼斯克市。人口约1 159 000（1991）。

Murmansk　摩尔曼斯克　1917年前称罗曼诺夫-摩尔曼涅。俄罗斯西北部海港和摩尔曼斯克州首府。位于北极圈以北200千米，科拉湾的东岸。距无冰的巴伦支海30英里，是世界上位于北极圈内的最大城市。1915年该镇被建成第一次世界大战中的补给港。1918年为反对布尔什维克的英、法、美远征军的基地。第二次世界大战中是英国和美国经北冰洋向苏联提供援助的主要港口。现为重要渔港，有欧洲最大的鱼类加工厂。该港也是俄罗斯唯一可直通世界大洋的不冻港。12月至5月取代处于冰封期的圣彼得堡港而成

摩尔曼斯克港口
美国不列颠百科全书公司供图

为西北部主要港口。有铁路通圣彼得堡、莫斯科等地。设有师范学院、海洋渔业及海洋学研究所。人口约472 900（1991）。

Murmi（people）　参阅 **Tamang** 塔芒人。

murmur（phonetics）　**私语音**　参阅 **vocal fry** 低语音。

Murnau, F.W.　穆尔诺（1889-12-28，德国比勒费尔德～1931-03-11，好莱坞）　又译茂瑙。弗里德里希·威廉·普伦佩的笔名。德国电影导演，依靠对摄影机的主观随意运用来表达人物的情绪，从而革新电影的表现艺术。曾在海德堡大学和柏林大学攻读，德国著名舞台导演M.赖因哈特的戏剧革新对他产生巨大影响。在第一次世界大战服役期间曾协助拍摄宣传影片。战后拍摄的一系列影片包括《化身博士》（1920）和《燃烧的大地》（1922），他在这些影片中用特写镜头加强动作性。这些影片都包含最初的印象派风格和对摄影机使用的种种实验。第一部重要影片是《吸血鬼》（1922）。《最后的笑》（1924）是与富于创作天才的剧作家卡尔·迈尔合作的产物，这部影片为他树立了德国第一流导演的声誉。他那种流动摄影和记录看门老人情绪时使用的富于表现力的摄影手法，对国际电影艺术产生强烈影响。摄影机摇过城市街道、拥挤的住房和旅馆走廊，通过有限的拍摄角度记录人和事，使摄影机成为影片制作中一个有机的组成部分。在拍摄了《答尔丢夫》（1925）和《浮士德》（1926）之后，在好莱坞拍摄了《日出》（1927）、《四个魔鬼》（1928）和《城市姑娘》（1930）。他的最后一部影片是与纪录电影先驱者R.弗莱厄蒂合作拍摄的《禁忌》（1931），是对南太平洋田园风光的考察。

Murom　穆罗姆　俄罗斯西部弗拉基米尔州城市。濒临奥卡河。862年首见记载，是俄罗斯最古老的城镇之一。名胜古迹有17世纪的圣三位一体寺院、圣母领报寺院、复活教堂和主显圣容教堂。现有机械、纺织和锯

木工业。人口约 126 000(1997)。

Muromachi period 室町时代 又称足利时代。日本历史上足利幕府统治的时代(1338～1573)。以第1代将军足利尊氏设立幕府的地点命名。第3代将军足利义满励精图治,开创了几十年的稳定局面。后来足利家族内部的继位争吵酿成应仁之乱(1467～1477),此后日本进入了长达百年的战国时代。在这个时代尽管政治混乱,文化却有很大发展,特别是在佛教禅宗影响下。日本的独特艺术茶道、花道和能乐发展起来,中国宋代风格的水墨画达到最高水平。建筑风格朴素庄重。京都的金阁寺和银阁寺被建成将军避嚣求静的场所。

Muroran 室兰 日本北海道南部城市。位于内浦湾口的地球岬。1906年后它从一个小村庄发展成公司城。现为北海道主要重工业中心(按产值计)。港口装卸煤炭、机械、木

室兰市的炼铁厂
美国不列颠百科全书公司供图

材、纸浆和海产品。市内有一所大学。人口 109 766(1995)。

Murphy, Eddie 墨菲(1961-04-03,美国纽约布鲁克林～) Edward Regan Murphy 的别名。美国著名喜剧演员。善于观察和模仿,其喜剧独具风格,但有时流于低俗和残忍。少年时在纽约表演单人喜剧。1980年参加《周末夜生活》节目,很快成为该节目的领衔演员,塑造了许多令人印象深刻的角色。拍摄的第一部影片《48小时》(1982)取得了巨大成功。其后的《交易场》(1983)、《妙探出差》(1984)和《金童》(1986)都取得较好票房。1984年离开《周末夜生活》,以拍摄电影和做替身演员为主。除了《48小时》和《妙探出差》的续集外,在《野马秀》(1987)中展示出他的多才多艺,并在喜剧片《来到美国》(1988)中一人分饰四角。20世纪80年代录制了几部喜剧专辑,而1985年发行的单曲《尽情狂欢》也风靡一时。90年代初,在经历了一连串失败后,以《肥佬教授》(1996)和《怪医杜立德》(1998)重获成功。此外还为《花木兰》(1998)等多部动画片配音,深受好评。

Murphy, Frank 墨菲(1890-04-13,美国密歇根哈伯比奇～1949-07-19,密歇根底特律) 从1940年起终身担任美国最高法院大法官。以坚决捍卫个人自由和公民权以及坚持实际上的公正而不顾法律上的细节而闻名。墨菲曾就读于密歇根大学(1914年获法学士学位)。

美国国会图书馆供图

在战争中服役以后于20世纪20年代担任由选举产生的几项官职。在任底特律市长(1930～1933)期间,以他力求帮助失业者而闻名全国。罗斯福总统任命他为菲律宾总督(1933～1935)和美国驻菲律宾高级专员(1935～1936),他在那儿支持独立运动。在他担任密歇根州州长时(1937～1938),由于拒绝使用军队镇压汽车工人举行的静坐罢工,赢得了有组织的劳工的好感但招致某些工业家的忌恨(他们使他未能再度当选)。在担任美国司法部长期间(1939～1940),他建立了司法部的民权小组(现为民权处)。他的最著名的司法意见也许是他在"是松诉美国"案(美国《联邦报告》第323卷第214页[1944])中所持的异议,他在该案中把政府在战时拘留西海岸的日裔美国居民说成是"使种族主义合法化"。在"沃尔夫诉科罗拉多州"案(美国《联邦报告》第338卷第25页[1949])中,最高法院认为用非法手段获得的刑事证据在州的法院中是可以采纳的(尽管在联邦的法院中是不可采纳的),墨菲对此持不同意见。后来最高法院推翻了沃尔夫案的决定("马普诉俄亥俄州"案,1961),证明墨菲的异议是正确的。

Murphy, Gerald; and Murphy, Sara 墨菲夫妇(杰拉尔德1888-03-25,美国马诺塞波士顿～1964-10-17,纽约东汉普顿;萨拉1883-11-07,俄亥俄辛辛那提～1975-10-10,弗吉尼亚阿灵顿) 全名:杰拉尔德·克莱里·墨菲和萨拉·谢尔曼·墨菲。20世纪20年代和30年代初期移居法国巴黎和昂蒂布的富有的美国人。他们与许多艺术家和作家交往并请他们来家中做客。F.S.菲茨杰拉德的小说《夜色温柔》(1934)就是献给这对夫妇的。杰拉尔德的父亲是纽约一家皮革制品和特制品商店马克·克罗斯公司的创建人。杰拉尔德1912年毕业于耶鲁大学,1918～1920年就读于哈佛园林风景设计学院。萨拉出身于辛辛那提的一个小康家庭,在欧洲和美国上了几所私立学校,1915年12月30日与杰拉尔德结婚。1921年他们迁往欧洲,3年后移居昂蒂布。他们在家里接待宾客、举行聚会。杰拉尔德成为受人赞扬的画家和舞台设计人,为S.佳吉列夫的芭蕾舞剧和C.波特的芭蕾舞剧《配额之内》(1923)绘制了布景。杰拉尔德和萨拉二人都热情关注当时的艺术、文学和音乐思潮,他们的家在某种意义上已成为文艺沙龙。1933年他们回到美国。杰拉尔德接管了家庭产业马克·克罗斯公司。他于1956年退休。

Murphy, Isaac Burns 墨菲(1861,美国肯塔基费耶特县～1896-02-12,肯塔基列克星敦) 美国职业赛马骑师,是第一位进入纽约州萨拉托加斯普林斯市职业赛马名人堂国家博物馆的骑师;是享有此项荣誉的两名非洲裔美国职业赛马骑师之一(另一位是W.西姆斯)。1875年开始赛马生涯,并且是让坐骑全力冲向终点线的先驱之一,这种技术很快被形容为"炫耀式的结束"。1879年在萨拉托加斯普林斯市特拉弗斯有奖赛的获胜,为他赢得全国声誉。他11次参加肯塔基马赛,并成为第一位三连冠的职业赛马骑师(1884、1890、1891)。1884年赢得首届在芝加哥举办的美国马赛,这是那个年代最具声望的比赛。1885、1886和1888年墨菲又赢得此项比赛的胜利。他的生涯34.5%的胜率无人匹敌。即使当时骑师还没有胜利分红的制度,墨菲依然是美国最赚钱的运动员。在19世纪80年代末他的巅峰时期,墨菲每年收入接近2万美元。然而到90年代中期,体重增加和酗酒问题严重影响了他的赛马事业。

Murphy, William P(arry) 墨菲(1892-02-06,美国威斯康星斯托顿～1987-10-09,马萨诸塞布鲁克赖恩) 美国医师。与G.R.迈诺特于1926年报告,用肝作食物治疗恶性贫血获得成功。他们的研究是受到G.惠普尔的启发而进行的,因此三人共获1934年诺贝尔生理学或医学奖。墨菲于1939年出版教本《贫血的医疗实践》。墨菲毕业于哈佛大学,并获医学博士学位。后主要在波士顿地区行医、执教。

Murray, Earls of 参阅**Moray, Earls of 莫里伯爵**。

Murray, Lord George 默里(1694-10-04,苏格兰珀斯亨廷陶尔～1760-10-11,尼德兰梅登布利克) 苏格兰詹姆斯党人。在1745～1746年的詹姆斯党人的叛乱中,他是为小王位觊觎者C.爱德华争夺王位而作战的最有才干的将领之一。1711年参加英格兰军队。1715年支持詹姆斯党人的叛乱。爱德华于1745年入侵苏格兰时,他在詹姆斯党人的军队中任中将。9月21日詹姆斯党人在东洛锡安普雷斯顿潘取得辉煌的胜利,主要是他的功劳。12月,他巧妙地指挥詹姆斯党人从德比撤至苏格兰。1746年1月17日,他在斯特灵福尔柯克打败一支英格兰军队。4月16日詹姆斯党人的军队在卡洛顿战败,他撤退到鲁斯文。后被解职,逃往欧洲大陆。

Murray, George Redmayne 默里(1865-06-20,英国诺森伯兰泰恩河畔纽卡斯尔～1939-09-21,英国柴郡莫伯利) 英国医师,内分泌疾病治疗的先驱。最先用动物甲状腺制剂治疗人类黏液水肿的人之一。1896年获剑桥大学医学博士学位。他决心从事实验医学,1891年以后,他先后就职于几所欧洲主要的

医院和著名大学任教及研究。1891 年将其最重要的研究结果写成报告，发表于《英国医学杂志》上，论述绵羊甲状腺浸膏对人类黏液水肿的疗效。以前已有人认为，动物行甲状腺切除术后，只要将切下的部分甲状腺移植于身体其他部位，动物仍能生存。后默里的同事 V. 霍斯利认为，可将部分绵羊甲状腺组织移植于人体，以治疗黏液水肿，并进行实验性手术，获良好疗效。默里由此得出结论：注射甲状腺浸膏亦有疗效；首次临床应用十分成功。以后的试验亦证明这种假说为正确。

Murray, (George) Gilbert (Aimé) **默里**（1866-01-02，澳大利亚新南威尔士悉尼～1957-05-20，英格兰牛津郡牛津） 英国古典文学学者。古代希腊戏剧大师埃斯库罗斯、索福克勒斯、欧里庇得斯和阿里斯托芬的剧作经他翻译后，在现代舞台上重新受到欢迎。23 岁时成为格拉斯哥大学希腊文教授，1908 年成为牛津大学希腊文钦定讲座教授并任职至 1936 年退休。1904 ～ 1912 年间，他亲自指导了希腊戏剧的多次演出，从而使其再度成为一门活的艺术。他用押韵的诗句而不用无韵诗进行翻译，试图恢复希腊诗歌的韵律特征。默里还把当时新兴的人类学观点应用于其他学术研究，由此加深了对荷马和希腊宗教各种更古老形式的理解。这一特色的其他著作有《希腊史诗的起源》(1907）和《希腊宗教的五个阶段》（第 2 版；增补修订版，1925）。

Murray, James **默里**（1721-01-21，苏格兰东洛锡安巴伦克里夫［今属洛锡安行政区］～1794-06-18，英格兰萨塞克斯郡巴特尔附近） 英国军人，魁北克军政长官（1760～1768）。

美国不列颠百科全书公司供图

1740 年参军，曾在西印度群岛和欧洲服役。1757 年被派往北美洲，在七年战争期间任中校。1758 年任旅长，参加英军对路易斯堡的围攻。1759 年英国远征魁北克时，他是 J. 沃尔夫将军麾下的 3 个旅长之一。攻陷魁北克后，他任魁北克市军事长官。1760 年法军投降后，他任魁北克地区军事长官。1763 年魁北克正式归属英国后，他任总督。因反对压制法裔加拿大人以及实行和解政策而受到指责，1768 年离职。1774 年任梅诺卡岛总督。1782 年向法国和西班牙军队投降。后在英格兰受军事审判，但宣告无罪，并得将军衔。

Murray, Sir James (Augustus Henry) **默里**（1837-02-07，苏格兰罗克斯堡郡德诺姆［今在博德斯区］～1915-07-26，英格兰牛津郡牛津）苏格兰词典编纂者、《牛津英文大字典》（现通译为《牛津英语词典》）第一任编辑（自 1879）。1908 年受封为爵士。1855 ～ 1885 年曾任语法学校教师。1878 年曾为《不列颠百科全书》写有关英语的条目。两度任语言学会主席（1878 ～ 1880，1882 ～ 1884）。他从 1885 年直到去世，一直住在牛津，为《牛津英文大字典》做了大量工作，完成了这部词典的一半。由于他的组织工作，编辑这部词典的巨大任务才得以完成。

Murray, Sir John **默里**（1841-03-03，加拿大安大略省科堡～1914-03-16，苏格兰西洛锡安柯克利斯顿附近［今在洛锡安区］） 苏格兰博物学家，海洋学奠基人之一。特别注意研究海洋盆地、深海沉积和珊瑚礁的形成。1868 年起，开始采集海洋生物标本，并在去北极圈内的扬马延岛和斯匹次卑尔根群岛考察期间，进行了多种海洋学观测。他为组织"挑战者"号海洋考察团（1872 ～ 1876）并装备进行海洋学研究的仪器，做了大量工作；这次考察在海图的测定和编绘以及生物调查方面作出了极有价值的贡献。他是考察团中的博物学家，主管收集到的生物标本。这些标本保存在爱丁堡，20 年间引起世界各地海洋生物学家的注意。在考察团团长咸维尔·汤姆森爵士 1882 年去世后，他完成了 50 卷《英国船"挑战者"号航行的科学成果报告》（1880 ～1895）的出版工作。他还主持过苏格兰水域生物调查（1882 ～ 1894），测量过苏格兰湖水的深度（1906），并参加过北大西洋海洋考察（1910）。1898 年晋封爵士。著有论文《论珊瑚礁和珊瑚岛的结构和起源》（1880）、《海洋深处》（1912 年，与 J. 约尔特合著）。

Murray (of Broughton), Sir John, Baronet **默里**（1718 ～1777-12-06，英格兰赫特福德郡切森特） 苏格兰詹姆斯党人。1745 ～ 1746 年叛乱期间小王位觊觎者 C. 爱德华王子的秘书。曾在爱丁堡大学、莱顿大学学习。1738 年开始参与詹姆士党人的活动。1741 年作为詹姆斯党人正式代表返回苏格兰。1744 年由于他过分乐观的报告而导致法国对苏格兰的入侵失败。在詹姆斯人叛乱期间，他有效地为爱德华服务，直到 1746 年 3 月因病倒而使叛军给养供应不上。他受到审判，虽被赦免，但晚年精神错乱，生活很悲惨。1770 年承袭其叔的准男爵爵位。

Murray, Joseph E(dward) **默里**（1919-04-01 ～2012-11-26，马萨诸塞波士顿） 美国外科医生。因其对器官和组织移植技术的贡献于 1990 年同 E. D. 托马斯共获诺贝尔生理学或医学奖。1940 年获马萨诸塞州伍斯特圣十字学院的文学士学位，1943 年获马萨诸塞州剑桥哈佛医学院的医学学位。在波士顿彼得·本特·布里格姆医院（后成为布里格姆及妇女医院）做外科住院医师期间开始了他后来获奖的研究。1964 ～1984 年间任布里格姆医院的整形外科主任医生，1972 ～ 1985 年间他还是波士顿儿童医院医学中心的整形外科主任医生。1970 年起任哈佛医学院外科教授。第二次世界大战中为伤员植皮时，他注意到只有在同合子双生者中移植才能成功。他想到这种情况可能也适用于内脏器官的移植，他开始用狗来试验肾移植。1954 年他为一个患者做肾移植，肾是由患者的同合子双生兄弟提供的，结果患者存活数年。默里继续寻找抑制免疫系统的防止异体组织被排斥的途径。1962 年他使用免疫抑制剂，首次成功地利用与患者无关者的肾完成了肾移植术。最后他还成功地用尸体肾完成此手术。

Murray, Judith Sargent Stevens **默里**（1751-05-01，马萨诸塞格洛斯特［今在美国］～1820-07-06，美国密西西比纳奇兹） 婚前名 Judith Sargent。美国建国初期作家。以针对当时公众的争论点，尤其是妇女权利问题所写的文章及记者评论著称。作为富商兼船主之女，默里受到较好的教育。1769 年与海军舰长 J. 斯蒂文斯结婚。18 世纪 70 年代开始写作。起初写诗，后转为写散文。1784 年用笔名康斯坦蒂亚在波士顿《绅士和太太们的城乡杂志》发表多篇散文。1786 年丈夫去世。两年后与 J. 默里牧师结婚。1790 年她的诗开始出现在《马萨诸塞杂志》上。1792 年 2 月～1794 年 8 月撰写专栏《拾穗人》，对当时的社会事件及公众关注的问题，尤其是她特别关注的妇女接受同等教育的问题进行评论。1795 年其话剧《文化中介》（或《一次快乐的茶话会》）在波士顿的联邦街剧院上演，这可能是该剧院首次上演一位美国作家写的剧本。1798 年默里将《拾穗人》专栏上写的文章汇编成三卷，以同名出版。1815 年丈夫去世。1816 年离开波士顿，迁往纳奇兹与女儿同住，在那里度过余生。

Murray, Philip **默里**（1886-05-25，苏格兰拉纳克布兰太尔～1952-11-09，美国圣弗朗西斯科） 美国劳工领袖。原为苏格兰人。1902年移居美国，在宾夕法尼亚州当煤矿工

美国钢铁工人联合会供图

人，加入美国联合矿工工会，1920 ～ 1942 年任副主席。1936 年任钢铁工人组织委员会主席，着手组织美国联合钢铁工人工会；1942 年该工会成立，默里改任该工会主席。在产业工会联合会初期起过突出作用 。1940 ～1952 年任产联主席。第二次世界大战期间，积极支持美国参战，但反对 F. D. 罗斯福提出而未实行的强征民工参加军火工业的计划。1949 ～ 1950 年间他从产联中强行开除了几个共产党控制的工会。

Murray, William (British chief justice) **默里** 参阅 **Mansfield (of Caen Wood), William Murray, 1st earl of** 曼斯菲尔德伯爵。

Murray Bridge 默里布里奇 澳大利亚南澳大利亚州东南部城镇。临墨累河。原为贩牛者驻地;1860年建镇,发展为一河港。20世纪初排除沼泽积水辟为农田。现当地出产小麦、水果、蔬菜、乳品、羊、猪和家禽。该镇现为食品加工中心,有一工厂为本国最大乳品厂之一,有轻型制造业和旅游设施。人口约11 893(1986)。

Murray Grey 墨累灰牛 澳大利亚肉牛品种,1905年在新南威尔士州与维多利亚州边界的墨累河谷育成。特征为灰色,生育力强,产奶量多,性情温顺,自然生长率高。无角,适应多种气候条件(部分原因是皮肤具深色色素)。墨累灰牛与赫里福德牛、印度牛、短角牛、安格斯牛、荷尔斯泰因-弗里西亚牛及其他品种牛杂交已取得成功。墨累灰牛已出口至新西兰、加拿大、美国、英国、中国及日本。墨累灰色肉牛协会1962年成立。

Murray River 墨累河 又译默里河。澳大利亚主要河流,自雪山穿过澳大利亚东南部至印度洋大澳大利亚湾,全长2 589千米。墨累河流域总面积1 072 905平方千米,但年平

新南威尔士州廷塔尔巴附近的墨累河风光
美国不列颠百科全书公司供图

均流量仅为0.89立方米/秒,在若干河段迄今至少有3次断流。河名墨累是为了纪念英国殖民大臣乔治·默里爵士。该河发源于新南威尔士州东南部科西阿斯科山附近的派勒特山,流向西又转向西北;穿过奥尔伯里上游的休姆水库,形成新南威尔士州与维多利亚州之间的大部分边界;至南澳大利亚州摩根急转而南,穿过亚历山德里娜湖而入大澳大利亚湾内的因康特湾。该河在南澳大利亚州境内的大部分河段(400千米)紧靠狭长的泛滥平原,两岸悬崖高30米。上游320千米劈山裂岭而过。但是中段流经宽广而成熟的泛滥平原,北有新南威尔士州的里弗赖纳平原,南有维多利亚州北部的平原。墨累河的主要支流有达令河、马兰比吉河、米塔米塔河、奥文斯河、古尔本河、坎帕斯皮河和洛登河。墨累谷具有重大经济意义,横跨气候最为稳定的广袤的小麦-绵羊地带。在19世纪后半叶,河上航运是十分重要的行业,后来由于铁路日益成为竞争对手,加之灌溉用水(灌溉于1886年始于米尔迪拉),航运已基本结束。墨累河谷中的灌溉面积在整个澳大利亚大陆的总灌溉面积中占绝对多数(超过400 000公顷)。河谷中主要出产牛、绵羊、谷物、水果和葡萄酒。1915年墨累河委员会成立,其成员为3个州政府和联邦的代表,负责管理河水的利用。米塔米塔河上的达特茅斯水库和墨累河上的休姆水库都是最大的水库。达特茅斯水坝高180米,是南半球最高的水坝。多功能的雪山计划工程(1974年竣工),增加了灌溉用水,又在用电负荷高峰时提供了大量电力。但是,灌溉却导致严重的河水咸度问题。阿德莱德(该市用水几乎完全靠墨累河供应)所获得的水,根据世界卫生组织所颁布的标准,有时不宜饮用。墨累河水咸度问题现已公认为澳大利亚重大问题。墨累河谷中的主要城镇有奥尔伯里、伊丘卡、斯旺希尔、米尔迪拉、伦马克和墨里布里奇。

murre 海鸦 海雀科海鸦属(*Uria*)黑白两色的海鸟。英国将海鸦属两个种与海鸽属(*Cepphus*)种类称为海鸽。海鸦体长约40厘米。成大群营巢于悬崖。每对海鸦产卵一枚。

普通海鸦(*U. aalge*),左为有眼环的普通海鸦
美国不列颠百科全书公司供图

幼雏成熟很快;半成鸟由双亲带领进入海上,躲避掠夺性鸥类和贼鸥。秋季游泳向南迁徙。普通海鸦(*U. aalge*)繁殖自北极圈至新斯科舍、加利福尼亚、葡萄牙和朝鲜。大西洋种群内有笼头海鸦或环眼海鸦,这个变种在繁殖期出现眼环,眼后有一条白色细条纹。葡萄牙的海鸦几乎无此特征,但往西北这一特征逐渐明显,冰岛的种群70%有此特征。过了冰岛此特征又不常见。太平洋种群则无此特征。厚嘴海鸦(*U. lomvia*)嘴稍厚。营巢于更北直到埃尔斯米尔岛和北极圈其他岛屿,那里没有普通海鸦。然而这两个种常在同一处繁殖,一同营巢于某些岛屿。

murrelet 小海鸦 有时又称小海雀(Gauklet)、海麻雀(sea sparrow)。鸻形目海雀科6种小型潜鸟的统称。体长约20厘米,嘴薄。冬季羽毛单色。有些种类,仅2日龄的幼雏即下海,出壳时蹼足即几乎达到成年大小。云纹小海鸦(*Brachyramphus marmoratus*)向南

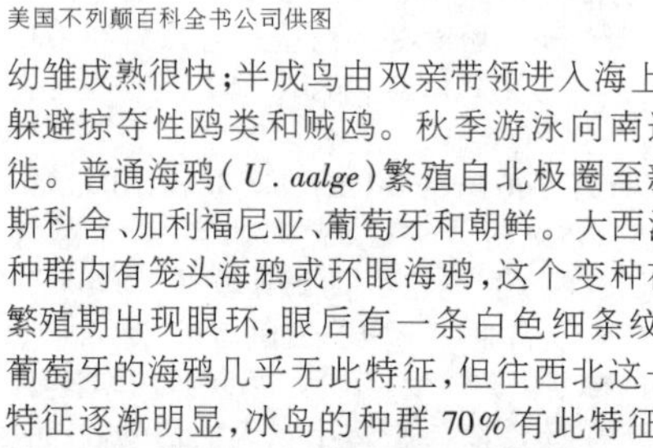

云纹小海鸦(*Brachyramphus marmoratus*)
美国不列颠百科全书公司供图

分布到加利福尼亚,基特利茨氏小海鸦(*B. brevi-rostris*)分布可达日本,以上两种均在阿拉斯加繁殖。更南的种类是克桑图什氏小海鸦(白腰小海鸦,*Endomychura hypoleucus*),营巢于下加利福尼亚的炎热海滨,像该地区的一些海鸥一样冬季迁往北方。

Mürren 米伦 瑞士中南部伯尔尼州阿尔卑斯山村庄。位于伯尔尼山地劳特布伦嫩山谷上方,与少女峰相对。为全州中海拔最高、一年四季有人居住的村庄(海拔5 450英尺),

米伦村,远处为艾格尔山北坡
美国不列颠百科全书公司供图

著名的疗养地和国际冬季运动胜地。亦是驾驶气球的中心,每年在此举办国际气球驾驶周。坎大哈滑雪俱乐部1924年在此成立。1891年通高山铁路。1967年希尔特峰缆车通车。

Murrow, Edward (Egbert) R(oscoe) 默罗 (1908-04-25,美国北卡罗来纳格林斯伯勒~1965-04-27,纽约波灵) 美国广播与电视播音员,美国广播新闻业初创时期最有影响的人物。华盛顿州立学院毕业。曾任全国学生联合会主席(1929～1931)。1935年进入哥伦比亚广播公司,1937年去伦敦,主持该公司欧洲部工作。他对德国占领奥地利、1938年慕尼黑会议、1939年德国入侵捷克斯洛伐克以及第二次世界大战中英伦战役的翔实报道赢得了全国的声誉并标志着广播新闻业的成熟。战后,任哥伦比亚广播公司副经理。1947年重新做广播工作,与F.W.弗兰德利开办《现在请听》节目。这是长达一小时的权威性一周新闻综述节目;后改在电视中播出,改名为《现在请看》。他于50年代初期美国反共歇斯底里期间播出未经审查的新闻,揭露参议员麦卡锡的丑闻。1961年肯尼迪总统任命他为美国新闻署署长。

Murrumbidgee River 马兰比吉河 澳大利亚墨累河右岸主要支流。位于新南威尔士州东南部。源出东部高地西坡,流向东南转北,穿过首都直辖区,至亚斯折向西,接纳拉克伦河后注入墨累河。全长1 579英里。流域面积32 440平方英里。灌溉区主要在中游流域,有畜牧业,生产葡萄、柑橘、小麦、棉花。是世界稻米产量最高地区之一。沿河主要城市有堪培拉(联邦首都)、亚斯、沃加沃加、纳

兰德拉、海伊和巴尔拉纳德等。

Murry, John Middleton　默里(1889-08-06,伦敦～1957-03-13,英格兰萨福克贝里圣埃德蒙兹)　英国新闻记者、评论家。他对文学的浪漫主义的和评传式的评论方法与当时的文学评论主流大相径庭。他至少写了40部书和大批新闻作品。这些作品贯穿了他对社会、政治和宗教等一系列问题的明确观点。他是短篇小说家K.曼斯菲尔德的丈夫,同时与D.H.劳伦斯关系甚密,因此,他们对他以后发展成为一名作家有很大影响。在牛津大学布拉塞诺斯学院时,默里作为《韵律》杂志编辑开始了他的写作生涯。以后,又任《雅典娜神庙》编辑(1919～1921)和《埃德尔菲》的创刊编辑(1923～1948)。所写评论著作有关于曼斯菲尔德的《凯瑟琳·曼斯菲尔德和其他一些文学人物》(1949);关于D.H.劳伦斯的《女人之子,D.H.劳伦斯的故事》(1931),以及若干评论济慈的著作。自传《处在两个世界间》(1935)深刻地揭示了他自己的一生。

Mursa, Battle of　穆尔萨战役(351-09-28)　罗马皇帝君士坦提乌斯二世对僭帝马格嫩提乌斯进行的一次苦战。350年,马格嫩提乌斯在罗马西部诸省贬黜君士坦斯皇帝,君士坦提乌斯组织日耳曼人进行回击,却遭到失败,马格嫩提乌斯一直追到穆尔萨。君士坦提乌斯奋起抵抗,终于351年9月28日战胜马格嫩提乌斯。双方损失惨重。

Murshidābād　穆尔希达巴德　印度东北部西孟加拉邦城市和县。位于帕吉勒提河东岸。为农产品贸易和丝织业中心。有加尔各答大学的8所学院。县面积5 341平方千米。县境分为两部分:帕吉勒提河以西称为拉尔,地势较高,起伏不平,为焦达纳格布尔高原的延伸部分;河东称为伯格利,为恒河三角洲冲积低平原,土地肥沃。稻谷、黄麻、豆类、油菜籽、小麦、大麦和芒果为该县东部主要作物;西部普遍种植桑树。县城为巴哈兰布尔(Baharampur)。人口:城市约30 339;县约4 734 278(1991)。

Mursilis I　穆尔西利斯一世　赫梯人旧王国的国王(约公元前1620～约前1590在位),继承祖父哈图西利斯一世的王位。即位以后,首先继续先王在叙利亚北部的战斗,他摧毁阿勒颇,并给马里以最后的一击,然后挥戈东指,推翻了巴比伦的阿莫里特王朝。他还在幼发拉底河上游同胡里人作战,并带着大量战利品和俘虏回到首都哈图萨斯(今土耳其博阿兹柯伊)。但班师不久即在宫廷政变中被杀。

Mursilis II　穆尔西利斯二世　赫梯人新王国的国王(约公元前1346～约前1320在位)。赫梯人伟大的征服者苏皮卢利乌马斯之子。他曾向北叙利亚用兵,使卡尔基米什和阿穆路王国重新归顺。他对西方的阿尔萨瓦王国的进攻也以胜利而告终。但是北方的卡斯卡人拒不降服,他几乎年年征讨,前后用兵达10次之多。阿济-哈亚萨地区也是同样棘手,经过几次战役才得以征服。他是著作丰富的编年史家,曾编纂一部叙述父王丰功伟绩的著作。他所写的编年史是关于赫梯人军事战略的宝贵资料。

Murtına (Turkey)　**穆尔蒂纳**　参阅 **Perga** 佩尔吉。

Murugan　穆卢干　古代印度南部泰米尔人所崇奉的主神,后来在某些方面与印度教所奉之神塞犍陀融为一体。穆卢干起初可能是丰产神,人们礼拜此神时要狂舞。据说此神与他生性凶残的母亲怀罗毗一起在战场上饱餐人肉。穆卢干出战常用三叉戟,旗上绘有野禽。参阅 **Skanda**。

Mururoa　穆鲁罗瓦　南太平洋中部法属波利尼西亚的环礁。在土阿莫土群岛的东南端,塔希提岛东南1 125千米。环礁上本无居民,仅被用作种植椰树,1964年割让给法国。1966年始,法国的太平洋核试验中心在此进行过多次核武器试验。第一次爆炸试验是在1966年7月3日。1975年后,核试验在地下进行。由于国际舆论对穆鲁罗瓦爆炸后岩石碎片的核污染表示关注,法国宣布以后爆炸力大的试验将在穆鲁罗瓦以南的方阿陶法岛的环礁湖下进行。穆鲁罗瓦的给养由离此275千米豪环礁上的喷气式飞机简易机场和在帕皮提群岛的一个后勤基地供应。1985年有3 000军人在岛上居住,为居民的一半。

Murut　穆鲁特人　婆罗洲人数最少的土著种族集团,大部分住在马来西亚东北部的多丘陵西南高地,讲一种特殊的南岛系语言,称为穆鲁特语。他们属于原始马来人种,其始祖由亚洲迁来。过去有猎头习俗。原为自卫而居住于山顶长形房屋,后逐渐散居内地。1915年的穆鲁特人起义,是对英国人一种反抗。1980年人口约34 300,农业方式为刀耕火种,植旱稻、玉米、甘薯。核心家庭为主要亲属集体。传统宗教杂有图腾崇拜成分。

Murwāra　穆尔瓦拉　印度中部中央邦城镇。位于格德尼河南岸。该城有时亦称格德尼。为铁路交轨站和主要贸易中心。主要工业有碾米、磨粉、漂白土加工以及各种制造业等。附近有重要的铝土和石灰石矿场。1874年设市。有一所工业学校。人口:城镇77 862;大都市区123 017(1981)。

Murwillumbah　默威伦巴　澳大利亚新南威尔士州东北沿岸城镇。在特威德河口上游32千米处,近昆士兰州边界。1872年勘测。但直至1894年通铁路后始得发展。历史上多灾,1907年毁于大火,1947、1954和1956年三次毁于洪水。现为香蕉、甘蔗和乳品产区的加工服务中心。每年8～9月有香蕉节。人口:包括哈登2 045(1986)。

Murzuk (Libya)　参阅 **Marzūq** 迈尔祖格。

Mürzzuschlag　米尔茨楚施拉格　奥地利中东部施泰尔马克州城镇。位于弗勒尼茨河与米尔茨河汇合处。在穆尔河畔布鲁克的东北面。1227年首见记载,1318年设镇。中世纪隐修院内有1496年建的教堂和美丽的回廊。现为塞默灵地区的阿尔卑斯山避暑和冬游胜地、著名的滑雪中心。人口10 774(1981)。

Muş　穆什　土耳其东部城市。位于穆拉特河谷宽阔平原南侧,库尔蒂克山峡谷的谷口。周围丘陵上葡萄园与橡树丛密布。该城据说建于6世纪,1515年由奥斯曼帝国统治。1966年大部毁于地震。通公路和铁路。地势崎岖,盆地内可耕地稀少。居民以库尔德人居多。人口42 159(1985)。

Mus, Paul　米斯(1902?,法国布尔日～1969-08-09,阿维尼翁)　法国学者,研究东南亚国家的文明,尤其是越南的社会和文化情况。幼时随家人到越南,在河内上中学,对越南人的生活情况有深刻认识。后入巴黎大学,成为研究东南亚的学者。1927年再到河内,任法国远东学院研究所秘书和图书馆长,迄于1940年。米斯曾参加考古队发掘古占婆王国的遗迹,将所得资料写成《巴拉迪尔》(1935)一书,论述佛教来源及东南亚印度诸文化的概况。第二次世界大战后期参加英国在印度的情报机关,任务是返回越南开展抗日斗争。1945年初空降到河内地区。后逃往奠边府,转赴中国。同年9月回到越南,给勒克莱尔将军当政治顾问,奉命与胡志明进行谈判。但他向胡志明提出的强硬条件是不可能被接受的。他返回巴黎,任海外行政学院院长和法兰西学院教授。1950年任耶鲁大学客座讲师,两年后任教授。米斯著有《越南:一场战争的社会学》(1952)和《越南人及其革命》(1970)。

Musa　穆萨　安息国王弗拉特斯五世(Phraates V)的母亲,后母子结婚。

Musa(goddess)　参阅 **Muse** 缪斯。

Mūsā　穆萨(?～1332或1337?)　又拼Mousa。又称康康·穆萨。西非马里帝国的曼萨(皇帝)。1307年继承帝位。1324年去麦加朝圣时宏伟华丽的规格使他在中东和欧洲享有盛名。他从首都尼亚尼出发,扈从队多达6万人。他骑着高头大马,有500名手持镀金权杖的奴隶鸣锣开道;另外还有80匹骆驼,每匹骆驼驮载黄金300磅。穆萨慷慨大方,随行人员雍容华贵,给所经过的地区留下极为深刻的印象。历史学家欧麦里在此行后12年到开罗观光时,发觉这个大城市的居民还对穆萨赞不绝口。穆萨在开罗市场花费了许多黄金,致使黄金贬值,12年后尚未完全恢复。穆萨的豪华旅行使马里声名远扬。甚至许多欧洲国家都想对它的巨大财富染指。他的帝国是当时世界上最大的帝国之一,据说从帝国的一端走到另一端要用1年的时间;虽然14世纪的旅行家伊本·拔图塔说,他从马里帝国的北部边界到达南方的尼亚尼历时约4个月。在穆萨朝圣时期,马里大将萨格曼迪亚攻占了桑海王国的都城加奥。这一新的扩张使穆萨欣喜若狂,他在回国途中径直前往加奥接受桑海国王的臣服礼，并将桑海国王的两个儿子带走，作为人质。穆萨指派建筑师艾布·伊沙克·萨赫利在加奥和桑海王国的另一个大城市廷布克图建造清真寺。在穆萨治下，廷布克图发展成为一个重要的商业城市，并且创立了桑科雷大学。穆萨的所作所为证明他具有高超的行政管理才能。

Mūsā, Jabal(Sinai, Egypt) **摩萨山** 参阅 **Sinai, Mount** 西奈山。

Musaceae 芭蕉科 姜目的一科。仅二属：芭蕉属(*Musa*)和象腿蕉属(*Ensete*)，共约50种，原产非洲、亚洲和澳大利亚。最常见的香蕉(**banana**, *M. sapientum*)是大蕉(**plantain**, *M. paradisiaca*)的一个亚种，两者均为重要的食用植物。该科植物的假茎由螺旋排列的叶鞘重叠而成，呈圆锥形或长柱形，可高达15米，顶部呈冠状。叶长可达3米，宽0.5米，中脉凸出，与平行脉垂直或稍呈斜角。生长在旷地时，叶片易为风雨于脉间撕裂，使叶片呈破布样或边缘呈流苏状。苞片大，革质，红到紫色。花黄色，具丰富的蜜腺，雄蕊5枚，能育。有些种野生，如红蕉(*M. coccinea*)，花鲜红色，可供观赏，果实不可食用。蕉麻(**abaca**, *M. textilis*)产菲律宾，其叶柄纤维可制取马尼拉麻。象腿蕉属产于非洲，果实不可食，与芭蕉属的区别在于种子较大。但偏肿象腿蕉(*E. ventricosa*)的花梗可烹食。

musaf 穆撒夫 又拼musaph。犹太教名词，指在安息日或节日举行的附加礼拜，纪念过去耶路撒冷圣殿中所举行的附加祭礼。穆撒夫内容是重复诵读"阿米达"(一种祝词)，先由各礼拜人个别诵读，然后由正式诵经员代众朗诵。

Musandam Peninsula 穆桑代姆半岛 阿拉伯语称拉斯穆桑代姆(Ra's Musandam)。阿拉伯半岛东北延伸部分，在东面的阿曼湾和西面的波斯湾之间，北部为霍尔木兹海峡。行政上为阿曼的一部分，阿拉伯联合酋长国将它与阿曼的其他地方分开。半岛一般宽度为22英里(35千米)。有舍姆海峡和盖济拉湾深嵌入海岸。舍姆海峡长约10英里，海岸为海拔3 000～4 000英尺(900～1 200)米高的悬崖。多山半岛高处的海尔提姆山海拔约6 847英尺。山坡陡峭，形成崎岖的岩石海岸，不利于航行。较低山坡上覆盖着野橄榄树，山顶生长桧树。椰枣和蔬菜为半岛主要农作物。半岛主要居民希胡人以渔、牧业为生。捕鱼为半岛主要行业，在海塞卜和拜亚设有加工厂。半岛西岸有石油。交通主要靠海运。阿曼苏丹国已成立穆桑代姆开发委员会以建筑渔业码头、海塞卜水坝和食品仓库。在第二阶段开发计划(1981～1985)中实施拜亚水力发展工程。主要人口中心为半岛东南岸的绿洲城镇迪巴。

musaph(Judaism) 参阅 **musaf** 穆撒夫。

Musar 穆撒尔运动 19世纪立陶宛犹太教正统派内部兴起的运动。主张人除了凭理智研究托拉和《塔木德》以外，还必须进行个人虔修。"穆撒尔"的希伯来语意为伦理，但是该运动的宗旨主要并非阐发伦理原则或个人德操，而是使研究律法的人士过灵修生活。该运动的创始人为拉比撒兰特(后改名利普金)。该派成立穆撒尔堂，使虔诚信徒可以与专业学者每日共同默念并进行虔修，此举促进了穆撒尔运动的发展，使其影响经久不泯。撒兰特等人搜集和重印了许多书籍，宣传穆撒尔运动。

Musashino 武藏野 日本本州东京都城市。在东京市西侧。1923年关东大地震之前为农业社区，现已发展成为东京的居民卫星城。第二次世界大战中建立起来的军工厂已为电机厂取代。市中心有建于1659年的吉祥寺。人口约138 606(1983)。

Muṣaṣir 穆萨西尔 古代遗址，在今土耳其境内，大概靠近大扎卜河上游，在乌尔米亚湖与凡湖之间。穆萨西尔在公元前1千纪上半期特别重要。有亚述王萨尔贡二世的浮雕和铭文。萨尔贡二世于公元前714年占领穆萨西尔，首先劫掠国王乌尔扎纳的王宫大库，然后夺取哈尔迪神庙更为丰富的财宝。萨尔贡所开列的没收财物清单，对于研究该地区的艺术和文化发展情况有特别宝贵的价值。

Musäus, Johann Karl August 穆索斯(1735-03-29，萨克森耶拿～1787-10-28，魏玛) 德国讽刺作家、童话故事作家。曾在耶拿学神学，后从事文学。他的第一本书《格兰迪森第二》(3卷，1760～1762)，修订本为《德国的格兰迪森》(1781～1782)，讽刺18世纪英国小说家S.理查森笔下的主人公C.格兰迪森爵士。1763年任魏玛宫廷侍从长，1770年任魏玛高级文科中学教员。第二本书《相面之行》(4卷，1778～1779)，在欧洲有许多热心的读者。该书讽刺了瑞士作家J.拉瓦特尔把相貌和性格相联系的作品。他的《德国人的民间童话集》(5卷，1782～1786)，由于带有讽刺情绪，不能算作真正的民俗文学。

Musayʿīd 穆赛义德 又称乌姆赛义德(Umm Saʿīd)。卡塔尔的城镇和港口。位于波斯湾卡塔尔半岛东岸。原为荒无人烟的盐碱滩。1949年建为卡塔尔石油公司油轮码头。半岛西岸有卡塔尔陆上油田杜汉油田。因为西岸湾口珊瑚礁妨碍远洋油轮通行，20世纪40年代该公司铺设长79千米的输油管横贯半岛，直通该港，并在此建贮油区和人工深水港。该公司主要行政和工程总部也设在此地。除出口石油外，也进口基本建设物资、工业设备、各种消费品。现代化工业有生产氨肥氮肥的工厂和全自动化的面粉厂等。人口约7 424(1997)。

Muscat 马斯喀特 阿曼城镇和首都。濒临阿曼湾。位于火山环绕的山凹。有公路通西部和南部。1508年葡萄牙人占据该城及邻近海岸，并在此设有贸易站和海军基地，1650年始被逐出。古老的旧城墙和一些城门依然

马斯喀特港湾处的葡萄牙人旧要塞
美国不列颠百科全书公司供图

屹立。该城建筑奇特，表现出受阿拉伯、葡萄牙、波斯、印度、非洲和现代西方影响。苏丹的印度式王宫建于海滨。商业活动都集中在该市西面的马特拉镇。该城为国家博物馆所在地。人口40 856(1993)。

Muscatine 马斯卡廷 美国艾奥瓦州东部城市，马斯卡廷县城(1837)。东北距达文波特51千米，濒临密西西比河畔。1833年建为贸易站，1839年设镇，1851年设市。附近有著名的艾奥瓦州立大学实验农场，以产瓜和蔬菜著名。工业多样化，生产塑料、金属制品，加工食品。该市一度著名的珍珠钮扣业由于塑料的出现而衰落。设有马斯卡廷社区学院(1929)。市东有费尔波特国家鱼苗场。人口22 697(2000)。

Musci(plant class) **藓纲** 参阅 **moss** 藓。

Muscicapidae 鹟科 鸣禽科之一，过去仅包括旧大陆的鹟和王鹟(有时也包括哨鹟和扇尾鹟)，但现将鸫、旧大陆的莺、画眉和一些较小的类群均包括在内。共有1 400种左右，约占雀形目的1/4。本科种类共具某些解剖学上的特征，如具有发达的第10根初级飞羽和适应取食昆虫的结构。鹟科的分类尚有争议，主要是由于科以下的类群互相渗透，以及没有能用于整个科范围的分类学特征。有许多亚类群也常被列为科，尤其是鸫(**thrush**，鸫

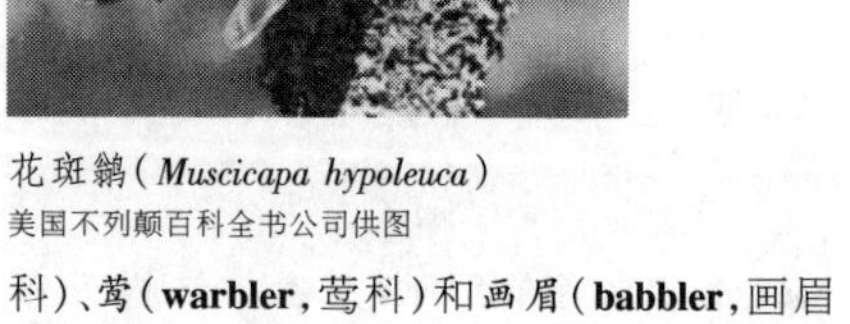

花斑鹟(*Muscicapa hypoleuca*)
美国不列颠百科全书公司供图

科)、莺(**warbler**，莺科)和画眉(**babbler**，画眉科)。即使是狭义的鹟科也存在许多问题，因权威们对于哪些能在飞行中捕食的种类应包括在内，意见并不相同。权威性的《世界鸟类一览表》的原作者J.L.彼得斯逝世后，继续这一工作的编者所采用的鹟科含义较广，确认的亚科有鸫亚科(Turdinae)、木鸫亚科(Orthonychinae)、画眉亚科(Timaliinae)、文须雀亚

科(鸦雀亚科,Panurinae)、岩鹛亚科(Picathartinae)、蚋莺亚科(Polioptilinae)、莺亚科(Sylviinae)、鹪莺亚科(细尾鹪莺亚科,Malurinae)、鹟亚科(Muscicapinae)、眼瘤鹟亚科(Platysteirinae)、王霸鹟亚科(Monarchinae)和厚头啸鹟亚科(巨头鸫亚科,Pachycephalinae)。

muscle 肌肉 动物体内有收缩力的组织,其功能主要是产生运动。正是因为有了肌肉的活动,各种动物才得以能站、能走、才能消化食物、看清东西、有血液循环、保持体温——绝大部分生理活动的正常运行都离不开肌肉的功能。在高等动物,肌肉可分为三类:横纹肌、心肌和平滑肌。而按照更广义的、能适用于所有肌肉功能性动物的分类法,肌肉可分成二大类:应激型和营养型,前者对刺激产生快速反应,后者产生持续性反应。

横纹肌:因在显微镜下可以看到其长长的细胞上有大量横向条纹而得名。其功能主要有:为机体运动提供动力、保持高等动物的各种姿势,横纹肌还在整个体重中占有相当大的比例。因绝大多数横纹肌都是通过肌腱附着在长骨二端,以行使其运动骨骼关节的基本功能,故横纹肌又称骨骼肌。各种动物都能通过中枢神经系统对横纹肌运动进行自主控制,故横纹肌又名随意肌。横纹肌细胞是一种长形的多核细胞。其最基本的功能结构单元是有不同长度和直径的二种肌丝,它们按一种特殊的方式集合成束形成所谓肌原纤维,并沿横纹肌细胞的长轴平行排列,构成横纹肌细胞的收缩单位,也是横纹肌细胞的主要胞浆成分。横纹肌收缩并非源于每根肌丝的收缩,而是源于一种肌微丝的滑行机制:即粗、细二种肌丝各自的长度不变,而是细丝在粗丝之间滑行移位。因此,横纹肌细胞的收缩过程,实际上是粗细二种平行排列的肌丝由舒张时的彼此错开排列,滑向收缩状态时的互相重叠排列的一种位置转换过程。"等张收缩"是指当肌力大于阻力时,肌肉张力增加,同时收缩变短;而当肌力和阻力相等时,肌肉张力虽有增加,但肌肉并不缩短,此即"等长收缩"。阻力过大可致肌肉拉长变形。横纹肌收缩时能产生多大力量取决于肌肉长度和刺激量的大小。生理情况下的横纹肌细胞的收缩刺激来自分布于其中的运动神经元的生物电脉冲,传递位置在横纹肌细胞表面的神经突触。横纹肌细胞的收缩过程是由生物电激发的、有多种肌蛋白成分和钙离子参与的生化反应过程。这种生化反应的结果不仅产生肌肉张力,而且释放用以维持体温的热量。因此,天冷时,人会冻得发抖;运动后就会暖和起来。横纹肌细胞每次收缩以后都有一个不应期,横纹肌细胞对不应期内的生物电刺激不发生反应;但是,一个有固定频律的脉冲电刺激可使横纹肌细胞处于持续的收缩状态(强直反应)。横纹肌细胞的感觉器官是司本体感觉的张力感受器,它是机体自主控制横纹肌活动的神经反射弧传入路径的起点。

心肌细胞是心脏实质部分的唯一组织成分。心肌细胞具有横纹肌细胞的一般性结构,但心肌细胞有分枝,并相互连接成网。心肌收缩的起搏点在窦房结,窦房结的组织成分也是心肌细胞,但它有产生脉冲生物电的功能。在哺乳动物,由窦房结发出的电兴奋首先传导至左、右心房(接收从上、下腔静脉和肺静脉回心血液的心腔),然后传导至左右心室(将血液泵向全身的心腔)。因为心肌细胞的细胞膜对生物电流的阻力极小,所以,尽管有上述传导顺序,但整个心脏的每一次搏动基本上都是同时完成。心脏的神经支配包括交感和副交感(迷走)神经二种。一般说来,前者兴奋时,心率加快;而后者兴奋时,心率减慢;但它们代替不了只有窦房结才有的起搏功能。

见于脊椎动物的消化道和泌尿生殖道等内脏、软体动物的足突、蚯蚓等环节动物的体壁的肌肉组织是平滑肌。和横纹肌功能的随意性和应激性不同,不随意的平滑肌基本上是一种营养型肌肉。平滑肌的细胞形态呈多形性,以梭形、带状或杆状最为常见。其细胞生物活性的分类也较横纹肌复杂得多:脊椎动物的平滑肌或属内脏运动性,能自动起搏和协同收缩;或呈多功能性,同一平滑肌细胞同时接受多重神经支配。蛤、牡蛎和扇贝的闭壳肌是平滑肌,但它一次的持续收缩时间最长可达数周之久。昆虫的飞行主要借助翅膀肌的运动,这种平滑肌的学名称作异步平滑肌,其收缩-舒张的频率极高(蚊子:高达1 000次/秒),远远超过神经兴奋所能达到的频率极限。

原始生命形式,如水母的上皮层细胞是可行使收缩功能的组织;而哺乳动物的肌肉组织则是来源于胚胎中胚层、已经高度分化了的组织类型。生物进化过程中肌肉进化以水母为界线,此前,是由上皮组织代行收缩功能;此后,才有独立分化的肌肉组织出现。在高等动物,这种进化主要表现中枢神经系统对肌肉功能的控制不断地得到完善。

人类的随意肌极易受到各种病痛的侵袭,如无力、萎缩、疼痛和痉挛等。很多全身性疾病,如皮肌炎、多发性肌炎都可引起肌肉的炎症。肌营养不良是一种先天遗传、后天进行性疾病。重症肌无力主要是由于病变肌肉的支配神经的兴奋传导障碍;本病女性多见。

Muscle Shoals 马斯尔肖尔斯 美国亚拉巴马州西北部科尔伯特县和劳德代尔县境内田纳西河的一段。原为危险的航段,后因筑起水坝而改观。原河面多突出的岩石,多急流,在60千米的河段内落差40米。设菲尔德市和弗洛伦斯市以东尤为艰险。19世纪初汽船问世,田纳西河成为重要运输线。但100年间治理浅滩以保证航行安全的尝试屡遭失败。1916年后,河上修建了数座水坝,使航行障碍完全排除。集中在威尔逊水坝地区的田纳西流域管理局综合体已发展成为马斯尔肖尔斯市。

muscle tumour 肌肉肿瘤 位于肌肉组织内或由其发生的异常组织生长。可为原发于肌肉组织或由他处转移而来。主要类型有3种。①平滑肌瘤。最常发生于子宫,亦见于卵巢、输卵管、消化道、膀胱和输尿管。质坚硬,有包膜并易于摘除。虽然一部分平滑肌瘤能恶变,但一般都不播散,切除后亦不再发。②横纹肌瘤。最常发生于心脏。有些横纹肌瘤能播散到子宫、膀胱、前列腺、食管、消化道、性腺和肾脏,质软、可呈结节状、扁块状、葡萄串状或息肉状。有时肿瘤密聚于组织之内,但有时却弥散而难以切除。心脏的横纹肌瘤在心壁内生长,可突入心腔。身体其他部位的横纹肌瘤既累及平滑肌,也累及横纹肌,这类混合瘤多为恶性,体积可能很大;子宫、阴道或前列腺的混合瘤体积大并呈息肉状,突出于器官的外方。前列腺的肌瘤能阻塞膀胱,并往往侵入邻近的盆腔组织。③横纹肌肉瘤。恶性程度高,多发生于四肢的肌肉;甚至在截除患肢后,肿瘤亦常复发。肿块一般是肿瘤的唯一症状,此病最常发生于40～60岁的人当中,且往往在发觉之前已生长了10年或10年以上。发现肿瘤应立即切除,放射治疗效果不大。

muscovite 白云母 也叫普通云母(common mica)、钾云母(potash mica)或云母(isinglass)。它是一种大量出产的含钾和铝的硅酸盐矿物,是普通云母类矿物中的一员。因含铁量低,是良好的电绝缘体和热绝缘体,因而在经济上具重要性。典型情况下,它产于变质岩中,呈晶体和片状;也产于花岗岩、细粒沉积物和某些高硅质岩石中。细粒的白云母被称为绢云母或白色云母。化学式和详细物理性质,参阅 **mica**(表)。

Muscovy 参阅 **Moscow, Grand Principality of 莫斯科大公国**。

Muscovy Company 莫斯科公司 又称俄罗斯公司。与俄罗斯人进行贸易的英国商人组织。1555年由航海家和探险家S.卡伯特和一些伦敦商人组成,并被授予垄断英俄贸易的特权。早在1553年H.威洛比和R.钱塞勒就出海航行,寻求通往中国和东印度的东北航线。威洛比的船失踪,而钱塞勒到达了白海的阿尔汉格尔斯克(阿尔汉格尔)并与莫斯科建立了贸易联系。1630年左右,它不再按合股公司的原则营业,而改组成为管制性公司,公司成员(商人)按照不同的章程各自独立进行贸易。

muscular dystrophy 肌营养不良 表现为肌肉组织日益无力的一种遗传病。累及骨胳肌,但心肌有时亦可受累。本病有多种类型,较多见者有迪歇纳氏、面肩胛肱骨型、贝克尔氏、肢带型和肌强直性营养不良(参阅 **myotonia**)。在这些类型中,病变肌肉组织的病理变化表现不一,一般先有变性,然后出现再生;再生的纤维比正常者粗大,但最后肌肉却完全被纤维瘢痕组织和脂肪所替代。①迪歇纳氏营养不良。本病伴性遗传,仅发生于男童,发病率约为1:3 300。生后第一年并无明显症状,患儿开始行走时步态稍有异常:步履蹒跚,以足趾着地而行,摔倒后起立困难。伸膝困难,妨碍奔跑。随着年龄的增长症状愈加明显;到5岁时腓肠肌肥大,起立困难,不能奔跑,正常的膝反射或踝反射消失。最初感到登楼困难,最后不能攀登。继之,上肢亦被侵犯;青春期开始后乃至不能行走。最后,呼吸变得浅表,常发生肺部感染。一般在30岁以前死于感染。现代分子生物学技术可通过原位杂交法确定病变基因携带者和患病男胎。②贝克尔氏营养不良。症状与迪歇纳氏营养不良十分相似,但发病较晚,发生于学龄期或青春期,而且一般病情并不十分严重。有些患者能活到成年,仅有一些活动受限。③肢带型营养不良。男女两性均可患病,在近青春期时始出现症状,最初的症状发生在骨盆部。症状是经常摔倒,攀登困难和步态蹒跚。④面肩胛肱骨型营养不良。在青春期发病,症状可以很轻或完全残废,最先出现的症状可能是举臂困难;下肢和骨盆带亦可受累而软弱无力;面肌受累主要引起闭眼困难。肌营养不良无特效疗法。物理疗法、医疗体操、夹板、支架和矫正手术有一定疗效。

Muse 缪斯 希腊语作 Mousa或 Moisa,拉丁文作 Musa。希腊-罗马宗教和神话中指一组女神姐妹中的某一女神。她们历史悠久,但起源难考,主要崇拜中心在希腊境内比奥蒂亚的埃利孔山。传说她们来自马其顿境内的皮埃里亚;此说恐有讹误,因为皮埃里亚实际上在希腊某地。关于对她们的崇拜所知甚少,仅知在埃利孔附近的塞斯比阿每4年举行一次缪斯节;而且,至少在最初,曾有为她们举行的歌唱游艺比赛。原先她们或许是诗人的保护神(诗人起初也是乐师,自弹自唱),后来她们所掌管的范围扩大,兼及一切文科学术乃至科学。因此,人们把她们与一些机构设施——例如埃及境内亚历山大的博物馆(希腊语作 Mouseion,意为缪斯之宫)——联系起来,偶尔还及于体育馆,因为体育也属于文科教育。早在荷马的《奥德赛》时代,就已有9位缪斯,荷马不时祈求一位或全体缪斯保佑。最初,缪斯可能是泛泛的一组神祇,个性不太明确,这是希腊宗教的某些或早期层次中特有的现象。区分各位缪斯,主要是神话系统化上的问题而不是崇拜上的问题。早在公元前8世纪,诗人赫西奥德就提到了克利俄、欧忒耳珀、塔利亚、墨尔波墨涅、忒耳西科瑞、埃拉托、波林尼亚、乌拉尼亚和卡利俄珀;而卡利俄珀是众缪斯之首领。众缪斯的父亲是宙斯,母亲是摩涅莫绪涅(司掌"记忆")。赫西奥德的缪斯名单虽被后世奉为正典,但并非独一无二。在德尔斐和西锡安两地,缪斯却只有3位,而西锡安3位缪斯中有一位名为波利玛提亚("博学")。据说诸位缪斯都是处女,至少是未婚;但有时她们又被称为知名度不等的一些人物(如奥尔甫斯、瑞索斯、尤摩尔浦斯等)的母亲,其中还有几位被称为与诗歌或色雷斯及其附近地区有联系。缪斯塑像过去常被用于在长廊和类似地点作为装饰品;雕塑家自然不把她们塑成一模一样,而是赋予她们以不同的标志,如一把里拉琴或一卷书画。可能由于这种原因,特别是在罗马时代,每一位缪斯都根据想象被分管某一类艺术和学科。众缪斯掌管科目的表都是晚近产生的,而且相互矛盾。下表系根据通常的说法暂拟出来但并非确定无疑:

卡利俄珀: 司掌英雄诗,即史诗(通常持书写板)。

克利俄: 司掌历史(通常持书卷)。

埃拉托: 司掌抒情诗和情诗(通常在抚里拉琴)。

欧忒耳珀: 司掌音乐或长笛(通常在吹长笛)。

墨尔波墨涅: 司掌悲剧(通常持悲剧面具)。

波林尼亚: 司掌圣诗或摹拟艺术(通常作沉思状)。

忒耳西科瑞: 司掌舞蹈和合唱(通常作持琴舞蹈状)。

塔利亚: 司掌喜剧(通常执喜剧面具)。

乌拉尼亚: 司掌天文(通常持地球仪)。

Muse'on Yisra'el 参阅 **Israel Museum** *以色列博物馆*。

Muset, Colin (*poet*) **缪塞** 参阅 **Colin Muset** *科兰·缪塞*。

musette 缪赛特风笛 17和18世纪时法国宫廷内流行的一种小型精致的风笛。由风箱送气,装有一个圆筒形双簧旋律管。乐器制造家J.奥特泰尔于1650年左右在该旋律管旁装上一个短的塞管,上有6个键,可发出主旋律管音域以上的音。这种风笛利用一个"梭"式低音管:一个短圆筒有12个窄槽,用不同方式连成组,供4个低音管用,每个低音管由双簧片发音,它的发音或休止用在狭缝内移动的滑键来操纵,管体是通过狭缝与外面通气的。气袋一般都用绸或天鹅绒包裹,管体用象牙制成。

museum 博物馆 以文化教育为目的,收藏、研究、展示和保存实物的机构。博物馆一词源于希腊语 mouseion,法国学者G.比代在其著作《希腊语-拉丁语词典》中对此解释为"供奉缪斯、从事研究之处所"。公元前3世纪亚历山大城之"博物馆"与现代概念不同。实际是一所研究机构、图书馆及学院的联合体。现代的博物馆是征集、保藏、陈列和研究代表自然和人类的实物,并为公众提供知识、教育和欣赏的文化教育机构。

博物馆通常分为艺术博物馆、历史博物馆和科学博物馆。艺术博物馆除了有收藏绘画、雕塑和装饰艺术品的博物馆外,还有收藏电影、戏剧、音乐和服装的博物馆。露天雕塑博物馆如日本箱根露天博物馆,利用光线不断改变的自然景观来展示当代艺术。

世界著名的艺术博物馆大多是自1800年以来建立的。其中许多博物馆的建筑本身就是历史纪念物,例如:巴黎的罗浮宫、马德里的普拉多宫、圣彼得堡的爱尔米塔什宫和佛罗伦萨的乌菲齐宫。建于19世纪和20世纪初期的艺术博物馆多数为新古典主义的、不朽风格的建筑,例如:伦敦的不列颠博物馆、国立美术馆和塔特美术馆,纽约市的大都会艺术博物馆,波士顿美术博物馆,华盛顿[哥伦比亚特区]的国立艺术馆,以及芝加哥、底特律和费城等地类似的建筑物。第二次世界大战以来,博物馆建筑出现多种多样的形式,这些建筑如:位于纽约市的古根海姆博物馆(F.L.赖特设计),位于巴黎的蓬皮杜中心(皮亚诺和罗杰斯设计),位于耶路撒冷的以色列博物馆,位于加利福尼亚的奥克兰博物馆,以及位于墨尔本的国立维多利亚美术馆等。

历史博物馆用文件等实物证实某一历史阶段和事件、某一特殊地点和人物,或某一考古遗址。例如:纽约的市立博物馆,布达佩斯的国立博物馆,列宁博物馆,以及凡尔赛的法国历史博物馆等。有数百个小型历史博物馆分布于全世界。

科学和技术博物馆有自然科学博物馆,例如不列颠博物馆(自然历史),纽约市的美国自然历史博物馆,以及华盛顿[哥伦比亚特区]、巴黎、墨西哥城和其他地方的博物馆。最著名的应用科学和技术博物馆有芝加哥的科学工业博物馆和慕尼黑的德国博物馆等。这类博物馆有先进的展览方式,参观者可以参予展品的示范表演和实验,富有想象力地使用模型和机器,从而吸引了广大观众,并特别受到儿童的欢迎。

博物馆是人类及其活动的反映,是人类的自然、文化和社会环境的反映。它以一种特殊具体的语言——"实物"来向观众讲话,既反映社会又服务于社会。它首先要通过其藏品在自然史、艺术、考古学、人类学或人种学等方面表现过去,表现那些已经消失的或正在消失的社会价值,或把重点放在因现代进步而面临危险的永久的自然价值上面。由于这些价值对文化的连续性具有重要意义,必须把它们作为"遗产"向观众标明。博物馆通过直观的价值向观众传播一种对于立体世界的客观看法,使他们能在自己的和其他民族的遗产方面有所批判以提高其欣赏能力,激发其探求精神,从而促进科学和文化的发展。博物馆还可激励艺术才能和充实知识,并唤起个人的潜在的创造精神。因此,作为文化连续性保证者的博物馆,在持续创造新的文化习惯方面起着重要作用。

其主要活动是使用其本身所特有的"语言"——藏品陈列或举办临时性的展览。陈列和展出的目的是使观众同展品直接接触,不管观众是学校的儿童还是成年人,也不管展品是艺术品还是自然科学标本或工艺模型。博物馆学家的科研成果和博物馆陈列品目录编辑者的艺术设计,将同时对各界人士传达信息。藏品要按照科学、美学和心理学的标准,连同说明和有关文献进行陈列,使观众对自然和文化遗产能有比较系统的概念。博物馆还应同其他机构如学校等密切合作,举办讲座等活动。视听手段出现后,许多博物馆增设了特别放映室,以电影来弥补陈列品的不足。20世纪下半叶,由于博物馆教育活动的扩大及其对公众利益所起的社会作用日益增长,有必要使其活动范围扩及馆外。50年代兴起的博物馆学校服务项目、巡回展览,目前已为活动博物馆所取代。

收集藏品应以科学知识状况和社会需要为标准。一种艺术品的收藏与否,不应看它是否珍奇,而应以填补藏品代表性的真空为前提。收集藏品有三个方面:计划、征集和管理。其中尤以计划为最重要,它根据博物馆的目的和社会的需要来科学地制定。征集可分直接和间接两种。前者主要从遗址发掘和人种学或自然科学考察中获得，后者是在收藏家和古玩商的协助下获得。管理分两个步骤：首先登记展品目录卡，进行编号并记载收藏部门、日期及当年编号；其次是编目，通常用两种卡片，一种是编目卡，要详细记载来源、结构、作者、用途、名称、部门、类别、价格、保护的状况等，另一种为科学卡，要载明对观众及研究人员所有有用的资料。博物馆必须对全部藏品承担保管责任，亦即防止三种变化：环境变化（温度、湿度、大气污染），内部变化（藏品本身所产生的生物的、物理的、化学的或力学的作用），人为的变化（处理、运输等）。此外，还必须具有修复能力，这就需要能工巧匠和科学知识。保管修复工作可分为三个范畴：配备专家和设备精良的科学实验室；在专家指导下，由具有一般水平的人员使用简单设备操作的工艺实验室；还要有配以专门技工从事修复工作的车间。

陈列可分三种类型：第一种是美学展出，适用于艺术藏品，要使展品单独陈列，以便观众可以看到它的全貌，其重点应放在背景、光线、空间和立体感上面，其他有关文献和教育设备，可视具体情况而定。第二种是综合的历史文物展出，适用于历史、考古、人类学和人种学博物馆，要以视听手段同文献结合在一起，使综合展出的文化再现于观众眼前，往往同地理学、经济学、社会学、艺术、宗教及城市发展等内容综合陈列；第三种是生态展出，适用于自然科学，对每一物种（植物、动物和人类）的环境进行再创造。

研究工作特别重要，因为博物馆必须将其活动建立在对其藏品研究的基础上。无论是博物馆本身的研究人员或以外的研究人员，都要利用它的文献资料，因此，这些资料必须系统整理，以满足各方面的需要。此外，还应为研究人员提供各种方便条件，如研究室以及研究人员可以接触的藏品、图书资料、档案等。博物馆的出版物并不完全列入研究项目，因为许多出版物都属于文化教育或通俗性质。但它的科学资料，不仅对亲自参观藏品的科学工作者有用，而且对全世界的专家都应该是有用的，这就是科学出版物、期刊和其他杂志之所以重要的原因。

博物馆的人员大致可分为科研、技术和服务三种。科研人员——馆长、管理人员（保管员、助手）及教育、保护和修复方面的专家——要接受适应博物馆需要的大学教育，如有可能，还需接受博物馆学、教学、保护和修复的专业训练。技术人员——制图员、陈列品编目人员、文献资料编目人员、图书管理员、安全人员、中级修复人员——应具有各自技艺的专业资格；陈列品编目人员原则上还应接受陈列技巧等方面的专门训练。服务人员包括讲解员、维修工人和秘书等，也应各有一定的科学文化水平。

博物馆的历史与社会发展及知识进化密切相关。博物馆的建筑也可大体分为由寺庙、宫廷、古堡、隐修院、历史遗址改建及新建等类型。联合国国际博物馆理事会曾于1961年及1968年分别在米兰及墨西哥城召集会议，研讨有关博物馆建筑问题，它对博物馆学及博物馆编目学制订国际性总则的工作大有助益。

Museum 博物馆 又称亚历山大博物馆，希腊语作Mouseion。埃及亚历山大城的古代经典学术中心。该馆是一所以其理科和文科学术而特别著称的研究机构。它建于皇宫附近，可能是由托勒密二世于公元前280年建成，也可能是由其父托勒密一世（公元前323～前285/283在位）所建造。对这所博物馆现存的最好描述出自希腊地理学家兼历史学家斯特拉博，他认为这是一整套建筑物和花园的组合，带有装饰富丽的讲演厅和宴会厅，各厅之间由柱廊相连。博物馆由学部组织而成，以主席司铎为馆长；在职学者们的薪水由埃及国王支付，后来则由罗马皇帝支付。博物馆的建筑物在公元270年大概是被巴尔米拉女王芝诺比阿摧毁了，不过该机构的教育兼研究职能似乎一直持续到了5世纪。

Museum and Picture Gallery 博物馆与美术馆 印度同类博物馆中最重要的博物馆。位于瓦多达拉（巴罗达）最大的公园之内。1894年由马哈拉贾·盖克沃尔创建，是一座具有代表性的杰作收藏馆。馆地建于1908～1914年，美术馆于1921年正式开馆。博物馆陈列有欧洲绘画，特别是画家罗姆尼以及雷诺兹和莱利画派的英国肖像画；有印度的袖珍画像、雕刻、民间艺术、科学陈列品和人种志；还有意大利、西班牙、荷兰和佛兰德斯等国画家的作品。

Museum of London 伦敦博物馆 用以纪录和展现自史前时期至现代伦敦地区历史的博物馆。位于伦敦墙与伦敦城望楼区奥尔德斯门街交界处，现馆建筑为P.鲍威尔与H.莫亚设计，于1976年开放，为世界上最大的城市历史博物馆。伦敦博物馆系于1965年由议会立法建立，将原来已有的行会会馆博物馆及伦敦博物馆的馆藏合并。前者系1826年由伦敦市政当局建立，藏有许多前两个世纪罗马和中古伦敦的考古发现、H.博福伊收藏的商人筹码和与城市行会及同业公会有关的资料。1912年开馆的伦敦博物馆曾被认为是纪念爱德华七世，吸引了众多皇家藏品。其他搜集到的展品包括切尔西与鲍的瓷器和装饰艺术品、英国内战藏品和400余件英国玻璃器皿。博物馆的展出被认为是伦敦的"传记"，具有很强的社会历史成分。按年代陈列，可以看到伦敦的历史，包括重新构建的罗马时代的房间，精细的中世纪陶器和金属制品，都铎和斯图亚特王朝的武器、盔甲和服装，剧院纪念品，纽盖特监狱牢房，伦敦各行业的店铺内景，以及一辆双轮双座马车。著名的展品中有1666年伦敦大火的微型场景和1757年市长的马车。

Museum of Stele Inscriptions, Suzhou 苏州碑刻博物馆 中国专业性博物馆。位于苏州文庙内。1985年7月开馆。馆内拥有1 000多块碑石，其中有著名的宋代天文图碑、地理图碑、帝王绍运图碑等。天文图碑系1190年前后按北宋元丰年间（1078～1085）实测恒星位置资料绘制，1247年建碑。碑高1.9米、宽1.08米。图上半为圆形全天星图，下半有简介天文知识的文字，图中刻有恒星1 440颗，提供古代恒星位置的珍贵史料。地理图碑和帝王绍运图碑均刻于1247年。地理图碑上山脉作立体状，并在长城以北标有森林符号，是当时的一幅总兴图。帝王绍运图碑刊刻了中国自黄帝至宋理宗历代王朝更替的图表。上述三座碑俗称"天地人"三图碑。

Museveni, Yoweri Kaguta 穆塞韦尼（1994，姆巴拉区～　） 乌干达政治人物，1986年成为乌干达总统。出身于一个牛养殖场主家庭，上过教会学校。曾在坦桑尼亚的达勒斯萨拉姆大学学习政治学和经济学，在校期间是非洲解放运动附属组织的领导人。1971年I.阿明掌权后，他流亡坦桑尼亚。他在该地创建了民族解放阵线，该组织1979年帮助将阿明赶下台。1986年取代M.奥博特出任总统，并在1996年大选中获胜连任。他虽然拒绝实行多党政体，但同意新闻自由和企业私有化。尽管他支持其他非洲国家叛军的做法引起争议，但他为乌干达带来的政治稳定和经济增长颇受肯定。

Musgrave, Samuel 马斯格雷夫（1732-09-29，苏格兰德文沃什菲尔德～1780-07-04，伦敦布卢姆斯伯里） 英国古典学者和医师。曾在牛津大学求学，1754年获文学士学位，1756年获文科硕士学位。他被选定获一笔拉德克利夫出国奖学金，旅居国外多年，主要在荷兰和法国。1760年成为皇家学会会员。1763年在莱顿大学获医学博士学位（1775年又在牛津大学获医学博士学位）。1776年定居埃克塞特，后移往德文郡的普利茅斯，最后于1775年落户伦敦。他行医所得不足糊口，遂执笔写作以补助生计。在从事这类副业中，他出版了一部注释本欧里庇得斯戏剧集（4卷，1778）。他对索福克勒斯作品的注释是在死后问世的。他还写过几篇医学论文。马斯格雷夫还作为一件小丑闻的焦点而为人们所关注。1769年他出版一个小册子，具体指明在缔结《1763年和约》时，英国政府的某某官员曾受法国政府的贿赂。他说他是在旅居巴黎时获得这一情报的，法国驻英全权公使德博蒙掌握的文件可以证明他的论断确切不移。可是德博蒙声明对任何这类交易毫不知情。坊间出现许多小册子，有的拥护马斯格雷夫，有的表示反对；但是下院于1770年作出决定，说马斯格雷夫这一指控无事实根据，这一事件遂烟消云散。

Musgrave, Story 马斯格雷夫（1935-08-19，美国马萨诸塞波士顿～　） 全名Franklin Story Musgrave。美国航天员、医生，曾在太空飞行6次。在海军陆战队服役后，他获得一张令人钦佩的学位单：数学、系统分析、化学、文学和生理学学士或硕士，以及哥伦比亚大学医学学位（1964）。1967年作为心血管和运动生理学专家被国家航空和航天局（NASA）选为执行太空使命的科学家-航天员小组的成员。当他作为喷气式飞机驾驶员受训时，就开始设计航天服、生命保障系统和其他为实现航天任务而进行舱外活动（即太空行走）的装备。他终于成为航天领域的卓越人物。他第一次的太空使命为乘坐STS-6，由"挑战者"号航天飞机于1983年4月进行首次发射。在1985年7月的"太空实验室－2"的成员中，他充当飞行工程师，执行一项天文研究任务。在STS-33(1989-11)、STS-44(1991-11)和STS-80(1996-11～12)的飞行任务中担任专家。他最重要的任务是1993年12月在STS-61上指挥科学实验，他领导太空舱乘员成功地修复了有结构缺损的哈勃太空望远镜。他还多次为太空实验室和航天飞机充当通讯联络员(即地面站和太空乘务组间的通讯联络员)。他发表了许多有关航空和航天医学、运动生理学和其他学科的科学论文。

Musgrave, Thea　马斯格雷夫(1928-05-27，苏格兰爱丁堡巴恩斯顿～　　)　英国女作曲家，以所作协奏曲、歌剧、合唱曲与其他声乐作品最为知名。马斯格雷夫曾在爱丁堡大学求学3年，攻读医学预科课程，准备以行医为业。同时在该校选读音乐基础课，最后获音乐学士学位(1950)。1950～1954年在巴黎学习，主要师从N.布朗热。1953年，她首次应约而作的《班桑斯组曲》(为人声与钢琴而作)首演于苏格兰布拉玛；翌年由苏格兰英国广播公司演出《夏日康塔塔》。这两首以及其他早期作品均以自然音体系为主，并带有苏格兰或中世纪主题韵味。不久即转而采用变化音体系，再后则转向序列技术，发表《钢琴奏鸣曲》(1956)与《弦乐四重奏》(1958)各一首，以及其他室内乐曲。60年代她继续创作室内乐与声乐，同时也涉笔大型作品，以3幕歌剧《决断》(1967年首演)为其登峰造极之作。它以抽象的器乐语汇叙述一名陷人困境的矿工的苦难经历。其后她主要是应约而作，创作的歌剧和芭蕾舞剧多彩多姿。歌剧有《阿里阿德内的声音》(1974)、《苏格兰女王玛丽》(1977)和《圣诞颂歌》(1979)；芭蕾舞剧有《美女与野兽》(1969)和《奥菲欧》(1975)。70年代所写音乐每每在歌词上配以电声音响，特别是采用事先录音的电声音带。在70年代期间她开始在苏格兰和美国指挥乐队演奏自己的众多作品。1971年指挥《圆号协奏曲》和1973年指挥《中提琴协奏曲》的演出，以及《苏格兰女王玛丽》首演的指挥都是脍炙人口的。

Musgrave Ranges　马斯格雷夫岭　澳大利亚南澳大利亚州西北部一系列花岗岩丘陵。与北部地方边界平行，绵亘210千米。表面是光秃秃的岩石。许多山峰海拔逾1 100米。其中伍德罗夫山1 440米，为该州最高峰。

mushāhadah　瞻仰　又称苏胡德(认证)。伊斯兰教神秘主义苏非派的用语，指追求真理者得到光照而瞻见真主。苏非派信徒认为他们可通过瞻仰真主获知真理，而在这一方面理智无能为力，也不能靠他人传授。苏非派信徒必须经过各个阶段才能完全蒙真主施恩而达到瞻仰真主的状态，善行或奋斗都无济于事。

Mushanokōji Saneatsu　武者小路实笃(1885-05-12，日本东京～1976-04-09，东京)　作家兼画家，以毕生信仰人道主义乐观主义而知名。武者小路是贵族家庭的第8个孩子，曾在学习院学习，1906年人东京帝国大学，但未毕业便和他的作家友人志贺直哉、有岛武郎和里见弴一道创办了有影响的文学刊物《白桦》。他阅读托尔斯泰的作品和《圣经》，这对他的人道主义思想的发展产生了影响。他的早期作品《天真的人》(1911)便是一个例子，其特点是强烈的自信心。他之所以受到小说家芥川龙之介的称许，便是因为他"打开了一扇窗子"使阳光照进了沉闷的自然主义作品所统治的世界。他的作品还有《爱与死》(1939)和《爱欲》(1926)；剧本则有《一个家庭》(1910)、《我也不知道》(1956)和《达摩》(1962)；此外他还写诗。他在日本南方买了一块土地，于1918年建立了自己的新村，尝试一种公社生活，从而把他的人道主义扩展到社会领域里去，但最后失败了。晚年他转向绘画，但继续肯定他的乐观主义和他对人类的信念。

Musharraf, Pervez　穆沙拉夫(1943-08-11，印度新德里～　　)　巴基斯坦军官、总统。职业外交官之子。1947年随家人从新德里移居卡拉奇，1949～1956年在土耳其居住。毕业于奎达陆军指挥与参谋学院，并曾在伦敦皇家国防研究学院学习。在炮兵、步兵和突击队中历任各种职务，并在奎达参谋学院和国防学院任教。曾参加1965年及1971年印巴战争。1998年10月被总理纳瓦兹·谢里夫任命为武装部队司令。1999年10月12日在出国期间遭总理谢里夫解职，但武装部队随后废黜谢里夫。穆沙拉夫出任军政府首脑，中止宪法，解散国会，并成立国家安全委员会临时管理国家。2001年初担任总统。9·11事件及美国人侵阿富汗之后，为铲除巴阿边界的伊斯兰极端主义分子，美巴关系得到加强。其后几年中穆沙拉夫成功躲过数次暗杀。2002年再度担任总统，任期5年。

Musharrif od-Dīn Muṣliḥ od-Dīn(poet)　**穆沙里弗·奥丁·穆斯利赫·奥丁**　参阅 **Sa'dī 萨阿迪**。

Mushin　穆欣　尼日利亚西南部拉各斯州城镇，拉各斯市的郊区。与拉各斯通铁路，位于公路交叉点上。居民以约鲁巴人为主。1950年后城区不断扩展，造成人口过多、住房不足和卫生差等问题。该镇为大工业区所在地，有棉纺、鞋靴、自行车、摩托车装配和奶粉工业。有中学和医院。人口约324 900(1995)。

mushrabīyah(Islāmic architecture)　参阅 **moucharaby 穆沙拉比窗**。

mushroom　蘑菇　某些会产生伞状子实体的真菌，尤其是担子菌纲伞菌目真菌，或其伞状子实体。一般指可食者，尤指田野及草甸中的可食种类，如田野伞菌(*Agaricus*[或*Psalliota*]*campestris*)；近缘的双孢伞菌(*A. bisporus*)则栽培供市售。不可食的伞菌常称蟾蜍凳，但蘑菇与蟾蜍凳二词并无科学上的差异，常常混用。伞状的子实体主要见于伞菌科真菌，如蜜环菌(*Armillaria mellea*)由帽状的菌盖和柄状的菌柄构成，菌盖腹面有薄片状的菌褶，孢子即由菌褶中散出。子实体从广泛分布于地下形成网状的菌丝体上生出。蘑

蜜环菌(*Armillaria mellea*)
美国不列颠百科全书公司供图

菇的菌丝体可活数百年，或在数月内即死亡，全赖其营养供应而异。在营养充足、温度及湿度适宜时，每年在结实季节，菌丝体均产生大量新的子实体。有些蘑菇的子实体会排列成弧形或环状，这种环称为仙人环(菌环)。其成因是：孢子落到条件适宜的地方后，萌发生成许多菌丝，菌丝由中心点向四面八方匍匐蔓延，在地下形成一个坚实的菌丝体环，在菌丝体蔓延方向的前缘，有子实体钻出地面，这种环可在数百年内逐渐扩大。

少数蘑菇属于**牛肝菌科**(**Boletaceae**)，子实层在菌盖腹面呈管状，易与菌盖分离。还有一些其他真菌被认为是蘑菇(至少外行人这样认为)，如齿菌(或刺猬蘑菇)，其菌盖的腹面或分枝的末端有齿或刺或疣状结构。前者的实例如浅波状有柄肉齿菌(*Dentinum repandum*)及覆瓦状齿菌(*Hydnum imbricatum*)，后者的实例如类珊瑚齿菌(*Hydnum coralloides*)及熊头猴头菌(*Hericium caput-ursi*)。**多孔菌目**(**Polyporales**)真菌的菌盖下面有管状结构，似牛肝菌，但不易分离；多孔菌通常生活于活的或死的树木上，有时造成危害；每年新生一层，可借此估计其年龄；实例如树精菌(鳞多孔菌，*Polyporus squamosus*)、肝色牛排菌(*Fistulina hepatica*)、硫色多孔菌(*Polyporus sulphureus*)、艺术家菌(基腐灵芝，*Ganoderma applanatum*)及层孔菌属(*Fomes*)、栓菌属(*Trametes*)。棒状菌(如珊瑚菌属[*Clavaria*]和枝瑚菌属[*Ramaria*])在其生境呈棒状、灌木状或珊瑚状。菜花菌(皱波状绣球菌，*Sparassis crispa*)的分枝扁平，棒状，密聚呈菜花状。鸡油菌(鸡油菌属[*Cantharellus*])呈棒状、球果状或喇叭状，顶部宽，有低而宽的梗向下延伸，例如著名的食用菌可食鸡油菌(*C. cibarius*)，以及充裕山羊角菌(角状喇叭菌，*Craterellus cornucopioides*)。马勃(**灰孢目**[**Lycoperdales**])、**鬼笔菌**(**stinkhorn**)、地星(一种马勃类真菌)及雀巢菌通常都视为蘑菇。子囊菌纲的羊肚菌(羊肚菌属[*Morchella*]、钟菌属[*Verpa*])及假羊肚菌(鹿花菌属[*Gyromitra*]、马鞍菌属[*Helvella*])由于其形状和肉质构造

均似伞菌,而归为蘑菇类。其中包括美味的可食羊肚菌(*Morchella esculenta*)。杯菌(**cup fungus**)亦属子囊菌纲,具杯状或碟状子实体,有时色鲜艳。银耳(银耳属[*Tremella*])、木耳(*Auricularia auriculara-judae*)及块菌(fruffle)形状与伞菌不同,亦常归为蘑菇类,但与典型的蘑菇并非近缘。

蘑菇的营养价值并不高,但质地鲜嫩,味美适口。人工栽培以供市售的鲜蘑菇含水分90%,蛋白质不足3%,碳水化合物不足5%,脂肪不足1%,矿物质及维生素共约1%。采食野生蘑菇引起中毒的事例十分常见。蘑菇中毒可以致死,亦可能仅引起轻微的胃肠道症状或变态反应。

mushroom fly 参阅 **fungus gnat** 蕈蚊。

mushroom poisoning 蘑菇中毒 又称伞菌中毒。因食用有毒蘑菇(伞菌类毒蕈)所致中毒反应,或可致命。可使人类中毒的蘑菇约有70～80种,致毒成分多为生物碱(毒蕈碱、落叶松蕈素、毒菌溶血甙)。最常引起中毒的蘑菇品种是鹅膏属中的扑蝇蕈(*Amanita muscaria*)和条蕈(鬼笔鹅膏,*Amanita phalloides*)等。扑蝇蕈含有毒蕈碱等多种有毒生物碱,食后约6小时患者出现中毒症状,如恶心、呕吐、腹泻、流涎、多汗、流泪、呼吸频率低而且呼吸困难、瞳孔散大、精神错乱、躁动不安等,24小时后可恢复。条蕈的毒性要比扑蝇蕈大得多,故有"死杯"之称,其有效成分是几种耐热毒肽——鬼笔鹅膏素和另外二种蝇蕈素,它们对全身各种类型的细胞都有损伤作用。食后6～12小时即出现剧烈腹痛、呕吐、血性腹泻、组织脱水、烦渴;并很快地严重伤及肝、肾和中枢神经系统,主要症状有尿少和血糖降低;进而发生昏迷。条蕈中毒者的死亡率超过50%。马鞍菌(*Gyromitra* [*Helvella*] *esculenta*)蘑菇所含的毒素可被加热灭活,但有些人却对这些毒素高度敏感。虽然这种毒素的化学性质还不清楚,但它是一甲基肼的前身物质,一甲基肼是一种神经毒素,并可致溶血性黄疸。治疗用硫辛酸、葡萄糖和青霉素配合使用有特效;或用活性炭作血液透析。预防应避免食用一切野生蘑菇。

mushroom rock 蘑菇石 参阅 **perched rock** 高座石。

Musi River 穆西河 荷兰语作Moesi Rivier。印度尼西亚苏门答腊岛南部主要河流。长约525千米,流域面积63 500平方千米。源于巴里桑山脉的卡巴山(1 937米)附近,流向东南偏南,后折东北,穿过上巨港特区山地后进入直民丁宜的第三纪丘陵带,在巨港附近与奥甘和科梅灵两河汇合,下流80千米,过一大片三角洲注入邦加海峡。雨季可通航至河口上游320千米处。巨港下游水深,可通航远洋轮船。

Musial, Stan 穆西埃尔(1920-11-21,美国宾夕法尼亚多诺拉～2013-01-19,密苏里拉迪) 美国职业棒球运动员。在圣路易斯枢机队打球22年,7次获美国全国棒球联盟击

印度《电影行列》杂志社供图

球冠军。到1963年退休时为止,平均击球率为0.331,上场击球次数10 972,击中数达3 630,得分1 949,击球的跑垒得分1 951,后4项成绩都是当时联盟纪录。另创1 377次多垒安打的大联赛记录。1952～1957年连续参加895场比赛,也是当时联盟最高记录。1969年入选美国棒球名人堂。

music 音乐 通过一定形式表达人们的思想感情和生活情志的艺术。音乐是表演艺术,必须通过演唱、演奏,才能为听众所感受而产生艺术效果。音乐很容易和语言结合在一起,也易于与形体活动如舞蹈相结合。在整个历史时期,音乐是仪式和戏剧的重要附属物,并具有反映和影响人类情感的功能。音乐作品出版和录制,使它成为国际化的艺术。除此以外,在中、小学校教授音乐,已在全世界实行。虽然音乐有着如此的艺术普遍性,可是直到晚近才有人阐明它的重要性。古希腊哲学家德谟克利特明确地否定了人们对音乐的任何需要。音乐和其他姐妹艺术只不过是一种装饰品的看法,依然普遍存在,虽然对戏剧和其他形式的心理活动认识的加深,已开始使这种顽固的信念有所减弱。

对音乐性质的探索 那么,既然各处都能听到音乐,可是音乐是什么呢?评论家们谈到"音乐和人类感性和理性的关系",从而肯定了人类语言是它的基础的论述。

20世纪初,普遍的说法是乐音的振动是有规律的。这种不变性给予乐音固定的音高,并与"噪音"有所区别。可是在今天则不能将它视为衡量的标准。如今"噪音"可以看作是作曲的成分,更不用说现代作曲家如美国的J.凯奇等人的带有偶然或即兴因素的作品中那样采用随机音响的手法了。此外,乐音只是音乐中的一个组成部分,其他还有节奏、音色和织体。有些作曲家利用电子器械创作,其中演奏者的传统作用被取消,而直接用录音带把原来人类所不能产生的音响录制下来。

从历史上看,音乐具有感人的力量一直是很清楚的。在印度文化里,很早以前音乐就是为宗教服务的;"吠陀"(vedic)的赞颂歌就是这方面最早的记录。几个世纪以后,它发展成为旋律意味深长和节奏错综复杂的音乐,宗教经文的清规戒律或故事情节的脉络梗概决定着它的结构。它与西方声乐和器乐惯用的音乐语言很少相同之处。和弦的纵向结构在南亚的音乐中一直没有得到发展,在一个八度内所划分的音程较西方为多,而旋律的复杂程度,则远远超过西方。中国音乐也是从属于仪式或叙述的。孔子认为音乐对人的良好道德具有重要影响。他看到音乐和政治的相互关系,并相信只有能理解音乐的人才能治理国家。他认为音乐通过它所能描绘的忧愁、满足、快乐、愤怒、怜悯、爱恋6种情感,而表现出它的性格。照孔子的说法,伟大的音乐和宇宙相协调。在古希腊的生活中,音乐是重要的。虽然当时音乐的实际音响是怎么样,现在无从得知,只有少量的记录幸存。希腊人曾经从理论方面对音乐进行探索,有一套记谱体系并实际"操弄音乐"。但希腊语"音乐"这名称是从一个一般的字引伸出来的,实际是指在缪斯女神庇护下的任何艺术和科学,它包罗一切。对哲学家毕达哥拉斯(公元前550)来说,它实质上是属于数学的知识范畴,他是第一位音乐数字命理学家,并奠定了音响学的基础。在音响学中,希腊人发现了音的高低和弦的长短之间的相互关系。

柏拉图和孔子一样,也把音乐看成为伦理学的一个分支;也和孔子一样,重视各种调式的运用。柏拉图认为人们的性格和表现他们的音乐之间是相适应的。在《法律篇》中,柏拉图宣称应该避免繁复的节奏和旋律,因为这会导致沮丧和混乱。音乐要反应神圣的和谐;节奏和旋律模仿天体的运动。柏拉图不相信音乐的感情力量,某些调式所引起的观感的刺激是危险的,而必须加以严厉的节制。亚里士多德把艺术的观念发展为模仿,但音乐同样也能够表现整个世界。他认为艺术作品本身包含着一定的真理——这种思想在公元3世纪由柏罗丁更明确地表达了出来,从而加强了象征性的观点。亚里士多德跟随着柏拉图,认为音乐有陶冶人类性格的力量,不过他容许各种调式的存在。亚里士多德的学生亚里士多塞诺斯贬低了数学和音响学在音乐中的支配地位。他认为音乐是情感的,并且有其功能。为此,欣赏者的听力和才智是不可少的。伊壁鸠鲁派和斯多葛派对于音乐和它的功能采取了更自然主义的看法,认为音乐是美好生活的附属品。他们比柏拉图更强调感觉,不过仍然把音乐看作是为中庸和美德服务的。3世纪的恩皮里科斯反对这种说法,认为音乐是乐音和节奏的艺术,除此之外并无任何其他意义。由罗马哲学家波伊提乌(约480～524)所叙述的柏拉图-亚里士多德的学说,大部分是适合于教会需要的。把音乐作为语言的从属这一点,没有比在基督教历史上阐述得更加明确的了。它总是强调唱词要占首要地位。在素歌中,旋律是用来表明唱词的;音调的结构取决于歌词。圣奥古斯丁(354～430)认为音乐对宗教是有益的。可是他惧怕音乐引起美感的作用,因而认为旋律不应比语言占优势。托马斯·阿奎那(1225～1274)重申这种信念,主张音乐的基础是数学;音乐反映着天体运动和秩序。路德(1483～1546)是音乐的自由派和革新者。不过他对音乐作用的认识,仍然是处于传统的主流之中;音乐必须纯朴、率直,并能引起虔诚的情感。他对于特定调式的看法,令人想起柏拉图和孔子。加尔文(1509～1564)对音乐采取比路德更为谨慎和胆怯的态度,他主张防止音乐走向色情、纤巧

或混乱，并坚持礼文重于乐谱。

回顾音乐历史中对音乐的论点，我们明确地看到毕达哥拉斯的观点一代又一代地一再出现。德国天文学家开普勒(1571～1630)又提到天体协调的思想，试图把音乐和星辰的运行联系起来。笛卡儿(1596～1650)也认为音乐的基础是数学。他是一位忠实的柏拉图信徒，他要求节奏适度和旋律单纯，从而音乐便不会产生想象、刺激和不道德的效果。德国的另一位哲学家兼数学家莱布尼兹(1646～1716)认为音乐反映一种宇宙韵律，是现实的镜子，其基础是数学。康德(1724～1804)把音乐列入艺术中的最低一等。不过音乐与诗歌相结合，是可能取得意识上的价值的。黑格尔(1770～1831)承认音乐有表现种种细致入微的情感的特殊力量。他和康德一样，更喜爱声乐，反对无歌词音乐的主观性和不确定性。他认为音乐的本质是节奏，它可以从一个人内心深处找到相适应的东西。黑格尔的本意是音乐不像其他艺术，它不能独立地存在，它不是"客观"的感觉；音乐的节奏本质存在于听者的经验之中。

关于音乐之意义的问题 18世纪以后，对于音乐内在性质的探索日渐广泛深入。音乐通过它的非本质的东西：它和舞蹈、宗教仪式或节日典礼的联系，和语言的结合，或其他特殊音乐的处理引起人们的兴趣。除了承认各种类型的音乐之外，人们找到了音乐普遍的共同特性便是它和感情生活的联系，而这也确实是艺术难解的感人力量。音乐的历史本身大部分涉及到它从属于种种仪式和典礼的功能——宗教的、军事的、宫廷的以及音乐剧院的。音乐变化多端的性质能使它易于与文学和戏剧相结合(如在民歌、艺术歌曲、歌剧、"背景"音乐中)，和舞蹈相结合(部落、民族、社交、芭蕾)，这确切地表现出在很大程度上，音乐的意义仍是由希腊时代所予阐明的。

music box 八音盒 机动乐器，用排有针头状突起的铜转筒拨动插入金属梳子(或平板)的一条比一条长的钢簧发声。泛音是从梳子的钢背上产生的。转筒由弹簧和时钟机械装置发动，另有一个飞轮调节器调节速度。八音盒约1770年在瑞士发明，在留声机与自动钢琴发明之前，它一直是最受欢迎的家庭乐器。八音盒是少数几种靠拨动而不是靠敲击来产生振动的体鸣乐器之一。

music drama 乐剧 一种严肃的音乐戏剧，最早在R.瓦格纳的著作《歌剧与戏剧》(1850～1851)中提及，原来仅"戏剧"之义(瓦格纳本人从未用过"乐剧"这一术语，是他的后继者、评论家和学者们使用的)。这种新的艺术形式是由一位艺术家独自创造的。简单地说，他要写一部诗剧，当配上连贯的声乐-交响乐织体后，作为音乐戏剧来发挥作用。这种音乐结构是由基本的主题思想(或称为主导动机)交织组成。这些主导动机在剧情的紧要关头会很自然地引起角色们作为富有意味的声乐乐句歌唱；同时管弦乐也按剧情在戏剧上和心理上发展的表现需要作相应的"回忆"发展。

music festival 音乐节 通常是在特定的地方用统一的内容，例如民族音乐、现代音乐或发扬某一杰出作曲家的作品，举行连续性的演出。音乐节也可采取由表演家或作曲家比赛的方式进行。教堂音乐节的概念是很早就因某一特定节期的一套宗教礼拜仪式而建立起来的。然而，"节"这个词的今义，是在英国最早应用的。著名的"三唱诗班音乐节"于1724年设立，现仍每年一次轮流在格洛斯特、伍斯特、赫里福德等城市的大教堂举行。在英国，世俗音乐的音乐节始于18世纪，第一届是1784年专为G.F.韩德尔在威斯敏斯特教堂举行的音乐节。此后韩德尔音乐节几乎不间断地举行，直到20世纪。美国在19世纪按英国的模式举行了几次大规模的合唱音乐节。1869和1872年著名乐队领队P.吉尔摩组织两次欢庆和平音乐节，采用2万人的合唱队和1 000人的乐队。E.S.库利奇建立了每年一度的室内乐音乐节(马萨诸塞州皮茨菲尔德；1918)，演出专为此音乐节而委托创作的作品。1937年，指挥家S.库塞维茨基在马萨诸塞州莱诺克斯附近的坦格尔伍德开创了"伯克希尔音乐节"。一年一度的纽波特(罗得岛州)爵士乐音乐节(1954)也已十分有名。20世纪60和70年代还举行过大量的摇滚乐音乐节。1957年西班牙大提琴家P.卡萨尔斯在波多黎各创立了著名的音乐节。19世纪德国每年要在各城市举行为数众多的音乐节。拜罗伊特音乐节于1876年由德国作曲家R.瓦格纳创建，旨在演出他的歌剧和乐剧。在莫扎特的诞生地奥地利萨尔茨堡，于1877年举行了第一次莫扎特音乐节，后来，其中也演出很多其他作曲家的作品。自1920年起，莫扎特音乐节成为每年夏季的音乐界大事。在欧洲歌剧音乐节中，特别重要的是在慕尼黑(创于1901年)主要为莫扎特、R.施特劳斯和瓦格纳的歌剧作品举行的音乐节。欧洲其他著名音乐节包括自1933年开始每年举行的"佛罗伦萨五月音乐节"、由作曲家G.C.门诺蒂开创的意大利斯波莱托音乐节(1958)、法国从1948年起在贝桑松和普罗旺斯地区艾克斯两地开始举行的音乐节。富于探索精神的现代音乐，包括电子音乐，每年夏季都可在德国达姆施塔特音乐节(1946)中听到。为鼓励现代新颖的作品，1922年成立了国际当代音乐协会，并在欧美各城市举行夏季音乐节。日本大阪的首届音乐和戏剧节于1958年举行。艺术家的技艺比赛，包括音乐家在内，自古就有。歌唱比赛和铜管乐队比赛，在19世纪的业余音乐家之间流行，并由著名人士给予评判。至20世纪，在中学与大学之间组织了大规模的管乐队、合唱队和管弦乐队的比赛。为促进专业演员的成长，一种新的国际比赛形式产生。这些为比赛而举办的音乐节包括肖邦国际钢琴比赛(1927年开始，华沙)；比利时伊丽莎白王后小提琴、钢琴和作曲家奖(1937年开始，布鲁塞尔)和柴可夫斯基小提琴、钢琴和大提琴比赛(1958年开始，莫斯科)。

music hall and variety 杂耍剧场和杂耍表演 流行的娱乐节目。其特点是由歌唱演员、喜剧演员、舞蹈家和一般演员、耍把戏者、杂技演员和魔术师相继表演节目。它于18～19世纪中起源于英格兰城市小旅馆的酒吧间音乐会。杂耍剧场的娱乐节目最后被搬到一个舞台上演出，观众坐在桌子旁，从饮料销售中支付费用。根据1843年颁布的剧场管理条令，吸烟和饮酒虽然在正规的剧场被禁止，但在杂耍剧场却仍被允许。因此，小旅店店主常在他们的店房附近开设杂耍剧场。其粗俗的喜剧节目滑稽地模仿顾客们熟悉的事情，如婚礼、葬礼、海滨休假、多子女的家庭和洗衣日。这些节目对工人阶级和中产阶级的男子具有吸引力。通常的演出由6～8个节目组成，可能包括一个小喜剧、一个把戏节目、一段魔术、一段哑剧、若干杂技表演、一个舞蹈和歌唱节目，也许还有一个独幕剧。20世纪初，演出杂耍的大型娱乐场使杂耍剧场相形见绌。例如，伦敦剧场可表演水上戏剧；而科洛西姆圆形竞技场则能上演重现英国德比马赛和古罗马战车竞赛的节目。20年代后期，出现了有声电影，遍布英国的杂耍剧场转成了电影院。为了保持喜剧演员的职业，采用了电影和歌曲的联合演出方式；另外人们还试图使剧场从中午直至午夜不间断地进行杂耍表演。第二次世界大战后，在数百个杂耍剧场中，伦敦皮卡迪利广场附近的风车剧场是得以幸存的少数几个剧场中较著名的剧场。美国与英国杂耍相等的是**歌舞杂耍表演(vaudeville)**。

music synthesizer 音乐合成器 又称电声合成器。指用电子装置发声或改变声音的机器，通常借助于数字计算机。它可用于电子音乐的创作和现场演出。复杂的音乐合成器可产生各种波形，然后按作曲家或音乐家的意愿将这些波形在强度、时值、频率和音色等方面加以变化。第一台电子音响合成器是美国声学工程师H.奥尔森和H.贝勒于1955年在美国新泽西州普林斯顿大学的美国无线电公司实验室中创造出来的。信息在穿孔带上编码而输入合成器。它原为研究音响的性能而设计，后作曲家用以扩大可能得到的音响的范围并全面控制他们的音乐作品中的一切因素。最早的合成器是个令人望而生畏的庞然大物。到20世纪60年代产生了小型合成器，最初是穆格，后来又有其他牌号，如布克拉和森-凯特，后者接近立式钢琴的大小。大多数合成器都有键盘，虽然亦用过其他类型的表演机械装置。美国物理学家R.穆格改进的穆格Ⅲ号有两套5个八度的键盘来操纵电压的变化(从而也就操纵了音高、音色、起音、音的衰减和音响的其他方面)，使作曲家在音的运用方面能有几乎无限的多样性。这种类型的模拟技术是60和70年代大量生产的模块式和便携式合成器的构成基础。在A.尼古拉斯的电视芭蕾舞剧《中继转播》内有一个引人注目的运用穆格氏音乐合成器的例子。布克拉氏合成器是美国科学家D.布克拉研制的。它装有一个有触感的金属板的"键盘"，没有可动的键，有点像小提琴的指板。这种合成器曾用在M.苏博特尼克的《月亮里的银苹果》(1967)和《野牛》(1968)中。以上小型的合成器都是用减法合成法——从包含基音和所有有关的泛音的信号中除掉不需要的成分(锯齿波信号)。伊利诺伊大学的J.博尚研制的泛音发生器,相反地,是用加法合成法——从纯音的信号构成无泛音的音(正弦波信号),并且为产生音色的细微差异提供某些有利条件。70年代末和80年代更多袖珍合成器研制出来,它们采用微机和多种多样的数字合成技术,例如整体声采样(声音的数字记录)、傅里叶合成(一个个泛音的规范化)和正弦波调频合成。

music video 音乐录像 流行音乐(特别是摇滚乐)的推广影片。20世纪80年代初开始在电视上大量播放。音乐录像本质上是广告,是典型的后现代艺术形式。披头士乐队第一个在60年代晚期开始以短录像片取代实况电视演出,朋克乐队是10年后首批认识到此种形式在销售和宣传方面的作用的乐队之一。但是,直到1981年音乐电视(MTV)的出现使之成为推销歌曲不可或缺的一环时,音乐录像才普遍存在。它们在风格上也以披头士的为基础。1975年女王乐队的《波希米亚狂想曲》显示录像带影响力的强大。70年代晚期,新浪潮艺人的重要录像带使这种媒体的本质具体化。具有重大意义的是,运用这种形式的两位杰出艺人都在80年代登峰造极:M.杰克逊的《逃吧!》(1983)、《比莉·琼》(1983)和《恐怖夜》以及麦当娜的《宛如祈祷者》(1989)和《辩护我的爱》(1990)。当然,音乐录像对优秀歌曲的销售是有帮助的,但经MTV的曝光也有助于促销许多平庸的歌曲,不过从长远来看,畅销与否还是要靠音乐本身。

musica ficta 伪乐 又作musica falsa。在中世纪和文艺复兴时期,出于理论上或美学上的原因,演奏时把乐谱上未记明的半音(即不属于此曲调式的音)加入音乐中,即由演奏者加上没有写明的升降号的做法。这种做法导致后来在记谱中写上临时升、降和还原记号,也促进此后作为大部分西方音乐依据的大、小调的演进,因为它把中世纪教堂调式修改得近似于大、小调音阶。伪乐既见于素歌的单旋律音乐,也见于复调音乐,或多声部音乐。它的用法规则现已为人们所知,但在一些细节问题上,中世纪和文艺复兴时期音乐理论家们却是各执一词。他们的见解赶不上演出实践中的变化;至于这一做法的范围究竟有多大,现代学者们也是众说纷纭。从音乐手稿中可以找到一些线索,但临时记号常常省略,因为它们常被认为是对演奏者的不敬。因此,在同一首文艺复兴时期作品的两个现代版本中,为现代演奏者所作的伪乐记谱可能略有不同。现代版编者所加伪乐以有关音符上方的小的临时记号表示。人们相信当时有一些普遍采用的伪乐规则。一般说来,无论是在旋律中,还是在复调音乐的各声部之间,都应避免三全音,例如f-b,最好是代之以F#或B♭,比较恰当。"导音"常被采用:调式的7级音在导引至(亦即上行至)调式最后一音(例如G)时被升高半音(F变成F#)。由于纯美学原因,上方邻音可以有半音变化,例如a-b-a可变成a-b♭-a。在其他情况下可应用其他规则。

musical 音乐剧 又称音乐喜剧。一种戏剧表演形式。它具有激发情感、给人乐趣的特点,情节简单但不落窠臼,伴有音乐、舞蹈和对白。它起源于19世纪的许多娱乐形式,如杂耍表演、喜歌剧、滑稽讽刺剧、歌舞杂耍表演、童话剧和黑脸歌唱团表演。这些早期娱乐将法国芭蕾、杂技、戏剧间奏的传统融于一炉。1866年9月第一部音乐喜剧《黑色弯柄杖》在纽约公演,后来人们说它是法国浪漫主义芭蕾舞剧和德国情节剧的结合体。它不仅引起滑稽讽刺剧的主办者,也引起一些歌剧和严肃戏剧的赞助人的注意。19世纪90年代末英国的演出经纪人兼主办人G.爱德华兹把他的"伦敦快乐姑娘"班子带到纽约,为了有别于他以前演出的滑稽讽刺剧,他将这次的演出称为"音乐喜剧"。20世纪最初年代的美国流行音乐大多出自欧洲移民的手笔,如V.赫伯特、R.弗里莫尔和S.龙伯格。他们带到美国的一种轻歌剧形式可说是音乐剧的起源。它善于表达绵绵情意,音调优美,开创了以音乐唱段和歌曲为基础的戏剧传统。龙伯格的作品如《学生王子》(1924)和《沙漠情歌》(1926)均改编成电影而红极一时。G.M.科汉的作品开始了音乐喜剧的兴盛时期,它们引进了诸如《你是一面庄严的古老旗帜》、《替我问候百老汇》和《在那边》等令人难忘的歌曲。20世纪20和30年代,音乐喜剧进入最鼎盛时代。J.克恩、G.博尔顿和P.G.沃德豪斯一起合写了好几部杰出的喜剧。格什温兄弟也有作品《哦,凯!》(1926)、《滑稽的脸》(1927)、《奏起来,乐队》(1930)等。C.波特为《什么都行》(1934)和《杜巴里是位淑女》(1939)等音乐剧谱写了复杂精致而永不过时的音乐。这一时期突出的作曲家和抒情诗人还有R.罗杰斯和O.哈默斯坦第二,H.阿伦、J.斯泰恩和V.尤曼斯。随着1927年公演的《演艺船》(克恩作曲,哈默斯坦作台本和唱词),音乐剧这一体裁有了新的发展。这是第一部具有连贯情节,并首创使音乐与故事有机结合的音乐剧,但这一做法直到40年代才得以充分肯定。此剧取材于E.费伯的小说,描述的是一个基于美国主题思想的严肃戏剧故事,其中采用了衍生于美国民间旋律和灵歌的音乐。在后来的音乐剧中,类似《演艺船》这样结构紧密的作品还有罗杰斯与哈默斯坦的《俄克拉何马!》(1943)、《旋转木马》(1945)和《南太平洋》(1949)。A.J.勒纳和F.洛伊也有几部非常成功的音乐剧,著名的有《布里加东》(1947)和《我的漂亮小姐》(1956)。他们还合作写了电影音乐剧《吉吉》(1958),并有4部剧作后来改编为电影。L.伯恩斯坦作曲的《西区故事》(1957,与S.桑德海姆合作)将莎士比亚《罗密欧与朱丽叶》的背景和情节搬到20世纪中期的纽约。30~50年代人们所熟悉的音乐剧形式在60年代末开始衰退。这时,音乐剧已开始向许多不同方向分化:摇滚乐、歌剧风格、奢华的灯光和布景、社会评论、恋旧怀乡情绪、单纯的壮观奇景。第一部重要的摇滚音乐剧是《毛发》(1967),它将响亮的音乐、闪烁的光影、青年的唐突无礼和裸体表演结合在一起,以体现其不同的社会见解。还有几个将摇滚乐与圣经故事结合的例子,如S.斯沃茨的《神的魔力》(1971)和A.L.韦伯与T.赖斯的《耶稣基督超级明星》(1971)。后来又有几部著名的音乐剧,如桑德海姆的《同伴》(1970)和《斯威内·托德》(1979);M.哈姆利什和E.克莱本的《合唱行列》(1975);以及韦伯的《埃维塔》(1978)、《猫》(1981)和《歌剧的幽灵》(1986)。

musical bow 弓琴 一种弦乐器。在许多古代和现代文化中都可看到。它是一根可弯曲的长约0.5~3米的棍,两端之间张以绷紧的弦,演奏者拨动或拍击该弦,可使它发出微弱的基音。用手指和拇指按弦亦可产生其他音;轻轻击弦可产生微弱的泛音;也可把弦缚在棍上,使成为两段紧绷的弦;口弓琴用口腔当共鸣器,改变口腔状态可把泛音分离出来。葫芦弓琴则是把截去顶端的葫芦接在棍上作为共鸣箱。其他弓琴可有单独的共鸣器,如一个葫芦或一个罐。

musical composition 音乐创作 这一术语可指构思音乐作品的过程、创作音乐的艺术或所完成的作品。这几层意义是相互依存的,而且代表一种传统,其中的音乐作品作为可以重复的实体而存在。因此作曲必然不同于即兴演奏,虽然在20世纪下半叶听众有时会遇到一些或多或少带有即兴演奏成分的"音乐创作"。

虽然创作音乐时可能不记谱(例如印尼巴厘的许多音乐),在西方文化中,"音乐创作"主要指完成的作品,是用复杂的图形记谱体系或者用录音方式确定下来的。贯串整个中世纪,欧洲音乐完全靠口授言传,甚至在**音乐记谱法(musical notation)**开始形成后,各种口授传统仍然对音乐起着推动作用。16世纪时音乐作品开始印刷出版,促进了固定的记谱法,但即使是J.S.巴赫也觉得作品每次演出各有变动是十分自然的事。直到18世纪末,出版才开始给予大多数创作的音乐以确定的形式。耐人寻味的是,一些固定的体裁也正是在这时开始形成:交响曲、弦乐四重奏、独奏协奏曲和艺术歌曲。虽然作曲的概念随着出版和录音的发展而变得越来越明确,作曲所包含的心理过程却仍是模糊的。曾经有无数趣闻轶事,叙述作曲家在记下音符前幻想构思作品(W.A.莫扎特和爱德华·埃尔加爵士)、在梦中听到作品(I.斯特拉文斯基和K.施托克豪森)或是应答天使的口述(帕莱斯特里纳和G.F.韩德尔)。不管怎么说,在大多数情况下,一首乐曲的创作是通过虚幻的遐想和具体的记谱或实际的演奏(或记谱与演奏二者并举)之间的对话而实现的。许多作曲家(例如斯特拉文斯基)认为,作曲时手边没有钢琴来检验每一阶段的效果是不行的。而且,虽然有人认为这不一定必要,但事实证明作曲几乎总是需要先打草稿。

音乐创作的最基本的活动就是将一些定了音高的音在时间和空间上加以组织排列——将旋律、和声与节奏结合为一个目标明确的整体。音高的关系称为音程。西方音乐中所说的旋律由一系列单个的音组成,这些音选自一个早已存在的相沿成习的系列,并且被慎重地按一个模式排列。旋律不必采用规则的节奏,但它却不能完全没有节奏，因为乐音有时值，有的较长，有的较短。在比较发达的文化中，音乐一般都有一个早已存在的系列，称作"音阶"。从整体来看，和声对一首作品的影响甚至可能比旋律更为深远。出于实际的考虑，旋律的长度是有限制的；如果它超出了合理的限度，听觉便领会不了。当它把话都讲完以后，它必须让位给别的什么，或是受到变奏或发展。和声作为两个或更多音的同时作响以及到其他和弦的进行，无需以这样的方式剪裁，但它的长时间的进行必须符合逻辑，耳朵情愿把它分成一段段地听，然后将这些段联系起来。节奏是音乐中的时间因素，它和节拍不同；像在诗歌中一样，节拍是一种规律性的脉动。正如诗歌中的重音不一定和节拍中的拍相吻合一样，在音乐中——虽然听众会意识到规律性的脉动，哪怕只是下意识地——也没有理由要求把节奏和节拍拴在一起。事实上音乐中的自由度比诗歌中大得多，因为它可以运用比格律诗的框架中所可能有的更短的音符时值。

作曲家可以利用乐器或人声的音质来产生色彩效果；而和声的处理必定会在一定程度上受到演奏乐器的影响，例如，在钢琴上听来比较温和的不协和音到了管风琴上可能变得不堪入耳。管弦乐色彩可以是作品结构中的至关重要的因素。作曲家可以把旋律中的个别的音从一个乐器转到另一个乐器，也可以写一段简略晦涩的和声，让听众自己想象所缺损的环节。但是，无论作曲家采用什么手法或语汇，他必须以旋律、和声和节奏这三个基本要素来写作。

musical expression　音乐表情　音乐表演中除音符以外的要素。西方音乐用指定音符的相对长度和音高位置的体系记谱。诸如速度或力度之类的因素，只能用文字或缩写来表示。同样，向演奏者所作的有关技术的指示，常具有特殊的音乐效果，大部分也用文字表达，但是对较精微的音乐寓意就很难标示，最后必须由表演者本人来决定或从他熟悉的传统中获得启示。19世纪以前，在欧洲音乐中，像在爵士乐和许多非西方音乐中一样，演奏(唱)者不仅要负责处理这些微妙变化，还常常需要管音符本身。例如在很多17和18世纪的音乐中作曲家只写出独奏(唱)部分的主要音符，其余则让表演者即兴表演装饰音型，还要求表演者采用指定的装饰音，如颤音和滑奏，并且在很多情况下对谱记的节奏作出重大的改变。对伴奏者也是如此，作曲家只写出通奏低音，即只写出低音曲调线条和用数字来表示和弦性质的一种伴奏，要求伴奏者用相适应的风格来即兴补足伴奏。相适应的风格可以从乐曲的标题、速度的标示以至所用音符的时值类别诸方面获得启示。关于如何标示音乐表演的速度的问题，经历了最最悠久的历史沿革。早在9世纪，素歌手稿中就有"*c*"(*celeriter*，意为"快")和"*t*"(*trahere*，意为"慢")等标记，但那只是一些例外情况。从16世纪起才常有速度方面的说明，而且大多在包含各式各样广泛的风格和曲式的作品的曲集中，例如西班牙人L.米兰的各版"比乌埃拉琴"(吉他状诗琴)曲集或德国人H.诺伊西德勒的诗琴曲集。这些早期版本常有冗长的说明，从而引导至以后的更有条理的速度标示，这首先要通过确定乐曲的类型来做到。例如"帕凡"一词表示这是一种舞曲类型，但也表明要求庄严地和克制感情地演奏。18世纪的其他各种舞曲的标题，如阿勒曼德、加沃特和库朗特，对表演的速度和风格都提供了明确的指示。17世纪出现了意大利语速度术语，并沿用至今，虽然含义往往不够精确，但是从慢到快顺次粗分等级：极慢板、慢板、柔板、行板、小行板、小快板、快板、急板和最急板。表达强弱的方法(力度)较为简单和直接。威尼斯作曲家G.加布里埃利(约1556～1612)在他的总谱里采用了文字标示的弱(*piano*)和强(*forte*)它们形成自最弱直到最强的力度体系的标示的基础。*sfz*及其变体*sf*意为"突然的剧烈重音"。渐强(<)和渐弱(>)用图形表示，但也可用文字*cresc*.和*dim*.来表示。用文字作更技术性的说明时，虽然常用意大利术语，但用其他语言的也屡见不鲜。这些术语包括：使用弱音器或拿开弱音器(*con sordino*；*senza sordino*)；变格定弦(*scordatura*)；指令管乐器把喇叭口向空中举起(*Schalltrichter auf!*)以及其他要求。对力度、速度、音色，以及感情的细微变化是很难直接表明的。在19世纪后期的总谱上大量出现*Mit Empfindung*(敏感地)、*espressivo*和*expressif*(富于表情地)诸术语，通常都是不言而喻的。

musical film　歌舞片　由许多歌舞节目连缀成故事情节的影片。一般认为这是一种美国的影片类型，但日本、意大利、法国、英国和德国的歌舞片也对此做出了贡献。第一部歌舞片是由A.乔尔森主演的《爵士歌王》(1927)，这部影片标志着有声电影时代的开始。继之而起的是一系列利用声音的新奇仓促制成的歌舞片。早期为数不多的出色歌舞片之一是赢得1928～1929年度奥斯卡最佳影片奖的《百老汇的旋律》(1929，又译《红伶秘史》)。20世纪30年代初期，德国导演G.W.帕布斯特根据B.布莱希特和K.韦尔的叙事歌剧拍摄了一部严肃的歌舞片《三分钱歌剧》(1931)。但这一时期最为风靡的歌舞片是B.贝克莱(1895～1976)的场面豪华的美国歌舞片，贝克莱原是百老汇舞蹈编导，他借一些俗不可耐的故事设计一系列舞蹈节目，在舞台上演出。贝克莱的以"淘金者"为内容的一组影片(1933～1937)、他的《舞台奇观》(1933)和《第42街》(1933)等场面壮丽的歌舞片，多由J.布隆代尔、R.基勒和D.鲍威尔主演，他们全都成了著名的歌舞片演员。30年代中期继之而起的是由一些歌舞搭档演出的影片，包括F.阿斯泰尔和G.罗杰斯一对搭档(影片有《快乐的离婚者》1934、《大礼帽》1935等)；N.埃迪和J.麦克唐纳一对搭档(影片有《淘气的玛丽埃塔》1935、《罗丝·玛丽》1936等)。30年代末和40年代初的歌舞片，包括J.嘉兰主演的《绿野仙踪》(1939)、《百老汇的宝贝儿》(1941)、《在圣路易斯相会》(1944)；G.凯利和R.海蒂丝主演的《封面女郎》(1944)；以及颇受大众欢迎的歌手B.克罗斯比主演的歌舞片《与我同行》(1944)，显示出其情节与音乐进一步统一的明显倾向。第二次世界大战后给人们留下深刻印象的歌舞片有：《复活节游行》(1948)，凯利主演的《一个美国人在巴黎》(1951)和《雨中曲》(1952)；以及《吻我，凯特》(1953)。到50年代中期，对创作的歌舞片的需求下降，但根据百老汇热门歌舞剧改编的影片如《俄克拉何马!》(1955)、《小伙子与布娃娃》(1955)、《南太平洋》(1958)、《国王与我》(1956)、《西区故事》(1961)、《窈窕淑女》(1964)、《音乐之声》(1965)、《卡米洛特》(1967)和《你好，多莉》(1969)等，却在票房上获得了巨大成功。

也有的歌舞片日益追求精巧纤美，如法国歌舞片《瑟堡的伞》(1964)；有的则倾向于在歌舞片中利用某一著名歌星的魅力，如由E.普雷斯利主演的许多影片；还有的试验把新颖的流行音乐与电影技巧结合起来，如英国的"甲壳虫"乐队的一些影片。60年代末和70年代初，虽偶尔有例如B.福斯的《小酒吧》(1971)等影片获得成功，但整个歌舞片却不景气。近来有一些影片如《周末狂热》(1978)、《油脂》(1978)、《霹雳舞》(1983)和《莫扎特》(1984)等完全是为了音乐本身——摇滚乐、迪斯科或古典音乐——而拍摄的。参阅**musical**。

musical instrument, transposing　参阅**transposing musical instrument 移调乐器**。

musical notation　音乐记谱法　以手写、印刷或其他视觉形式来表现音乐的方法。可以帮助记忆，使音乐作品发展为仅靠口授传统无法达到的复杂层次；亦具有传播功能，可保存音乐以便后人演出及分析。有迹象表明，埃及人在公元前3000年、中东地区的民族在古代均已应用音乐记谱。但已证实的最早音乐记谱在欧洲始于9世纪，中国和日本则至10世纪才出现，这些记谱系统彼此有显著的差异。远东和稍后的印度及亚洲其他地区使用代表声音的文字来记谱，节奏特色也可以类似的方式来表达。另一方面，欧洲的音乐以纯粹用符号的记谱法为基础，此法在世界其他地区似未出现过，也不为这些地区所需要。当欧洲以外的音乐教学基本上仍为口授方式时，欧洲音乐家们即已希望有永久性的记录方式来处理他们的日趋复杂的音乐作品。因此，符号记谱法的起源与复调音乐的起源相近，都在加洛林王朝(8和9世纪)统治欧洲时期，也是理所当然的。以弯弯曲曲的纽姆符记写的最早的记谱法，似乎是由使用强音符号表达旋律抑扬顿挫的手法发展而来，或是从唱诗班领队提示曲调进行的手势演变而来。这种记谱法逐渐标准化，一些纽姆符被用以代表单音音符或乐句的转折，同时由于谱表(一组平行线，音乐符号写于其上或其间)的发明(这一发明与11世纪中叶阿雷佐的圭多有关)，得以将纽姆符写在4条或5条平行线上来代表音符，就像现代谱表记谱法中那样。大约同时代，有人开始用不同形状的纽姆符来代表不同的时值，从而使所记的谱不只显示出旋律的音高轮廓，也表现出它的节奏。

对节奏记谱法愈趋精确的要求，终于导致纽姆符系统的变形。因为，当不同的符号被用来代表越来越小的节奏值时，就有必要消除纽姆符的复杂性，以辨识同时出现的两个或三个音符的组合。这个变化是同音乐由调式观念转变为音阶观念这一总的变化同时发生的，至14和15世纪时记谱法上的这一变化大功告成。纽姆符仅在素歌的记谱中继续得到运用而得以留存下来。至16世纪早期，记谱法已颇具其现代形式，包含谱表、谱号（写在谱表开端处以决定音符音高的符号）、拍号及时值等基本组成部分，但小节线要至16和17世纪间才作为协同表演中的一个辅助手段而逐渐普遍。

自20世纪中叶以来，传统的记谱系统受到大幅度的修改，甚至被废弃。有人采用新的符号来记写灵活的节奏值、正常半音音阶以外的音高、相邻诸音的音簇及其他非传统的音乐要素。有时候作曲家把符号系统换为图形记号，尤其是在电子音乐的记谱法中；电子音乐常与音高、节奏等正规的范畴毫无关系，因而会产生一些特殊的难题。不希望把自己的音乐规定得很死板的作曲家，也使用更松弛、更具暗示性的记谱方式。

musical societies and institutions　音乐社团与机构　为促进或表演音乐作品而形成的组织，通常有某些共同的因素。14～16世纪是德国名歌手行会盛行时期；法国早期北方游吟诗人行会同世俗音乐相关联，而旗帜乐社（1264，罗马）和耶稣受难兄弟会（1402，巴黎）均为演出宗教音乐而设立。在文艺复兴时期，法国和意大利的各社团是为鼓励诗人和提倡音乐而创立。佛罗伦萨的卡梅拉塔会社促进了最早的歌剧的诞生。17和18世纪的音乐研究会源自早期的音乐同乐会，与德国和瑞士的大学有关，其目的是组织公开音乐会。伦敦的一些早期音乐会演出团体中有古代音乐协会（1710）、阿那克里翁协会（1776）和追唱俱乐部（1761）。18世纪，巴黎最重要的演奏社团是1725年由作曲家A.菲利多尔创办的“灵歌音乐会”。它的劲敌“业余音乐家音乐会”则创办于1770年。维也纳“音乐家协会”创办于1771年。19世纪，音乐社团有很大发展，包括“音乐之友社”（1812，维也纳）、“巴黎爱乐协会”（1850，由H.柏辽兹创办）和“音乐学院音乐会协会”（1828）。英国也兴起一些业余合唱社团，最重要的是皇家合唱协会（1871）和巴赫合唱团（1875）。19世纪中叶，学者开始出版早期作曲家的作品；一些音乐社团成立的宗旨是对个别作曲家（例如巴赫学会，1850；普赛尔学会，1876）进行研究和演出其作品。随着民族乐派的兴起，音乐社团为发扬民族音乐及其演出与出版而纷纷成立。民间音乐的研究工作也相应而起，如国际民间音乐理事会之类的机构。为鼓励和发扬新音乐，国际当代音乐协会在1922年诞生。有关音乐学的研究成果由皇家音乐协会（1874，英国）和美国音乐学研究学会（1934）之类组织予以出版。诸如美国作曲家、作家和出版家协会（简写ASCAP）之类的团体，是为保护作家和作曲家的版权而设立的。

musical variation　变奏　一种基本的音乐技巧，使一段音乐在旋律、和声或对位上有所变化。最简单的变奏类型是变奏套曲；在这一作曲形式中，两个或两个以上的段落以同一音乐素材为基础，各段以不同的变奏技巧加以处理。文艺复兴时期的声乐有两种主要的变奏技巧：紧随分节歌各节之后的对位变奏和在弥撒曲、经文歌中一个往往是比较长的基础声部上方的变奏套曲。在器乐中则出现了与声乐大不相同的变奏方式，对其后一些时期具有重大意义。某些保存完好的最早器乐由一些舞曲组成，往往是两首为一组，第二首所依据的旋律与第一首相同，但速度与节拍有所不同。17世纪初（即巴罗克时代初期），作曲家们越来越倾心于在最低声部的简短而不断重复的旋律音型上方营造乐曲。他们越来越喜欢在这样的低声部上方展示富丽浓艳而富有表情的旋律线。在低声部上方进行变奏，是巴罗克时代最流行、最重要的变奏方式，不过作曲家也继续写作其他变奏类型。在巴赫的不朽巨作《戈德堡变奏曲》中，冗长的主题（16+16小节）之后紧跟着30段变奏，然后才是原始主题的简单再现。30段变奏采用各种不同的节拍和速度，变化范围很广。此曲被普遍看作音型-对位变奏的真正丰碑之一。

所有变奏类型都有一个共同的特点：即和声上和调性上的静止结构因素。一条旋律、一个低音音型或是一条和声模进被陈述之后，再加以重复，总是用同一个调或调式，通常以同样的长度、同一个乐句和相同的一些和声轮廓。多样化和高潮是通过声部数量和织体的对比，通过旋律音型的丰富和错综复杂；有时是通过节拍和速度的变化来实现的。18世纪中叶，音乐结构的概念发生了重大变化。作曲家们越来越关注和声与调性的回归。一首乐曲应开始和结束于同一个调性。更为重要的是，其他调性应按其相互关系的强弱进行排列。一首乐曲应该从原调（即主调）出发，穿过其他一系列调。调性移动所产生的感觉赋予作品以方向，并将它向前推动，直到它最后到达属调（主调上方五度，与主调关系最强、最具强制性的调），稍作停留，然后回归主调。继续有人创作独奏乐器的变奏曲，门德尔松的《庄严变奏曲》和贝多芬的《迪亚贝利变奏曲》都是家喻户晓的范例。但是，在古典-浪漫主义时期，变奏曲的两个最重要的新趋向是：①组合变奏，即将变奏曲用作多乐章室内乐或管弦乐中的一个乐章；②自由变奏，其中的主题处理比以前自由得多。海顿是第一位创作了大量成功的组合变奏曲的大师，如《C大调小提琴与钢琴奏鸣曲》和《D大调号角交响曲》的末乐章。莫扎特的组合变奏曲则趋于旋律变奏，如《F大调小提琴与钢琴奏鸣曲》和《单簧管五重奏》。舒伯特在《A大调钢琴五重奏》（《鳟鱼五重奏》）中将他的歌曲《鳟鱼》用作旋律变奏的基础。但是，这一时期中贝多芬和勃拉姆斯运用变奏技巧最为频繁，并能最成功地使之适应于当时音乐风格有时互相矛盾的要求。从《第九交响曲》的末乐章中可以看出贝多芬运用变奏形式的独创性和挥洒自如。他最优秀的变奏曲见之于《第三交响曲》（《英雄》）、《C小调钢琴奏鸣曲》（作品第111号）和《A小调弦乐四重奏》（作品第132号）。勃拉姆斯处理变奏曲式的手法更具“回顾性”，即使主题有了很大变化，他通常总是保持其基本结构。

19世纪末和20世纪上半叶出现了一些变奏曲新作，但除自由变奏技巧有所创新外，并未产生任何引人注目的新技巧。自由变奏从主题中发展一些小的动机，或是通过节奏上的或其他方面的变化来将主题本身加以改变，从而保持主题与变奏之间的旋律关系。这一时期在变奏技巧上的唯一重要革新发生在勋伯格及其弟子或与他有联系的作曲家的作品中。他们最重要的贡献在于确立了12音技巧（即序列技巧），其基本概念为：作品的结构以一个12音音列（即半音音阶中12个音的一种特定排列）为基础。这一原始音列可出现于原始音高，亦可移至任何其他音高；可以转位（即按颠倒的位置演奏，把上行音程变为下行音程或反之），可以逆行；可用以创造旋律或和声或二者的结合，可加以分割。以这一技巧写作的任何乐曲都可视为基于12音音列的变奏套曲。像作曲者一样，演奏（唱）者亦提供变奏。巴罗克时代的一个基本的演唱技巧就是善于将旋律加以装饰和渲染，在作曲者勾画出的曲调上增添绚丽而富于表情的音型、跑句和颤音。在评定一个歌手时，既要考虑其嗓音的优美，也要考虑他的装饰音技能，而每一个歌手都力求使自己的装饰音具有个人风格。巴罗克晚期最风行的声乐形式返始咏叹调是由第一段、在旋律上（有时也在调性和速度上）与之对比的第二段以及第一段的精确重复组成的，这就给歌唱者提供了展示其发挥性才能的天地。爵士乐是又一种强调由表演者进行变奏的体裁。一些最杰出的爵士音乐家善于凭借自己的技术技巧和想象力来将所演奏的乐曲加以风格独特的变奏，这便是他们的天才之所在。

某些非西方文化中的音乐所采用的变奏技巧往往不同于西方音乐，而是更为有机化。例如，印度南部的艺术音乐以组曲为基础，每支曲子都是一个特定“主题”的变奏，放在一起便形成一个完整的音乐结构。这一情况下的“主题”就是一个“拉加”。从概念上来看，“拉加”比西方音乐中的“主题”复杂，它包括一个特殊的音阶型、若干不同的旋律公式，以及这一“拉加”所特有的旋律关系和片段。在印尼的佳美兰（乐队）音乐中，对多层次变奏的理解略有不同。各段变奏不是相继而是同时出现；乐队的某些成员同时按同一曲调即兴变奏。这一技巧称为“支声音乐”，它的结果是形成了一种极其复杂的静止的变奏概念，即把变奏垂直地组织成几层声音。

musicology　音乐学　对音乐进行学术和科学研究的学科。其研究领域不但包括欧洲及世界各地艺术音乐，也涉及所有民间音乐，其范围可概括为研究音乐的历史和现象，包括：①曲式与记谱；②作曲家和演奏（唱）家的生平；③乐器的发展；④音乐理论（和声、旋律、节奏、调式、音阶等）；⑤美学、声学以及歌喉、耳和手的生理学。欧洲音乐学的起源可追溯至古希腊理论家的著作，这些著作主要研讨思辨哲学和音乐的伦理与美学观念。后来阿拉伯与基督教理论家们继承了希腊关于音高的数值理论,希腊对各调式的分类法也以搀杂的方式在中世纪欧洲保存下来。阿雷佐的圭多(约 990 ～ 1050)的创新(包括运用六音音阶及发展音乐记谱法)引起了音乐教学法的根本变化;其后的理论家则越来越注重传播记谱原理和音乐理论中更实用的部分。文艺复兴时期出版了相当数量有关音乐的美学、理论及实践的论著。关于乐器的细图和结构说明始于 A.德·兹沃勒(约 1440)的论文手稿。J.廷克托里斯在其著作《论音乐的发现与实践》(约 1487)中则介绍了各种乐器及其功能。第一本刊印的关于乐器的书是 S.维尔东的《音乐精义》(1511),其中除有乐器形状的木刻画外,还有一些关于乐器的使用与技巧的说明。关于欧洲音乐的历史学著作最早出现于 18 世纪,其中有 G.B.马蒂尼的 3 卷本《音乐史》(1757 ～ 1781)和 M.格伯特的 2 卷本《论歌曲与圣乐》(1774)。前者是一本关于古代音乐的有独到之见的评论性研究;后者则探讨中世纪欧洲宗教音乐,为后世学者广泛引用。从实践和历史的观点研究过去音乐的现代音乐学可以说起始于 19 世纪中叶。S.韦斯利和 F.门德尔松倡导了对表演早期作曲家的音乐的广泛兴趣。19 世纪中,以音乐学研究为依据的韩德尔与 J.S.巴赫作品的考证版获得出版。20 世纪初,因 J.沃尔夫等学者对中世纪记谱法的研究而破译出版了许多中世纪和文艺复兴时期大师的作品。心理学和民族学等新科学,像对作曲家的生平与创作的关系所作的研究一样,都对音乐学产生影响。不断出现的传记常使人对音乐作品本身有更深的理解。到 20 世纪中叶,音乐学已成为许多大学课程的一部分。这一领域内部越来越多的专业化划分导致出版了许多杂志和组织了许多专业协会。

Musil, Robert　穆西尔(1880-11-06,奥地利克拉根福～1942-04-15,瑞士日内瓦)　又名 Robert, edler von Musil。奥地利-德意志小说家。以他的未完成的巨著《没有品格的人》(1930 ～ 1943)著称。1908 年,穆西尔获柏林大学博士学位。曾任图书馆员、编辑,第一次世界大战(1914 ～ 1918)中,参加奥地利军队(他于 1917 年继承了其父的贵族头衔,但在作品署名时并未使用它)。从 1918 ～ 1922 年,穆西尔在维也纳任公务员,以后时而从事写作,时而出任新闻记者。他曾在柏林居住(1932 ～ 1933),后回维也纳。1938 年奥地利为纳粹德国吞并时,他逃到瑞士,先在苏黎世,后在日内瓦居住。穆西尔在求学时已开始写作,在 20 世纪 20 年代已写了一些小说和两个剧本:《热心人》和《文森特和要人们的一位女友》(1924),引起一些人的注意。两个剧本曾在柏林和维也纳上演。1924 年,他开始写他的主要作品《没有品格的人》,从乌尔特利希(穆西尔在小说中的化身)的眼光看奥匈帝国时期五光十色的世界中的生活,写得既有风趣,又有风度。小说第一部于 1930 年出版,第二部的一部分出版于 1933 年,其余部分于 1943 年作者死后出版。

musique concrète　具体音乐　用录制的音响做原始材料的作曲实验技术,由法国作曲家 P.沙费和他在法国广播系统实验所的同事于 1948 年左右推出。其基本原则是:把录音带录制的各种天然音响集合一起加以剪辑处理,以产生音响蒙太奇。在制作这样的作品时,所选用和录制的声音可按任何方式随意加以改变。如倒放、缩短、扩展,加上回响室的效果,改变音高和强度等等。因此,完成的作品就是将不同的听觉体验结合而成的一个艺术整体。作为电子合成音响的先驱,具体音乐是最早采用电子手段来扩大作曲家音源的。在具体音乐中,机械设备的试验性应用、组成因素的随机结合、作曲家和演奏家不再执行其传统职责等特点,使这一技术成为一种开拓性的尝试,导致电子化和计算机化的音乐的进一步发展。具体音乐的作品有沙费和 P.亨利的《单人交响曲》(1950)、法裔美国作曲家 E.瓦雷兹的为录音带和乐器混合演出的《沙漠》(1954)和为 1958 年布鲁塞尔世界博览会用的由 400 个扬声器演出的《电子之诗》等。

musique mesurée　有量音乐　16世纪末法国声乐风格,其音符持续的时间反映出诗歌的节拍。16 世纪末曾有人从多方面努力模仿古典风格中诗与音乐的统一,有量音乐便是这种努力之一。它与"古风韵律诗"有联系,这是一种按古典定量韵律(建立在长、短音节的基础上)写成的诗。有量音乐大多是1570 年由 J.-A.德·巴伊夫创建的"诗歌与音乐学会"中的一群诗人与音乐家的产品。巴伊夫是"七星诗社"的成员,该诗社的最有影响的成员、诗人 P.德·龙萨等也与学会有关。有量音乐中的歌曲通常配置 5 个声部。最初,歌唱时不用伴奏,后来允许用乐器伴奏。长音节配上比短音节长二倍的音符;所有声乐声部唱同样歌词,音乐在和弦中进行,节奏有伸缩性,按歌词的重音决定。这种节奏上的自由影响了另一种重要体裁,即宫廷恋歌。有量音乐对作曲家的限制甚多,但这一技巧被 C.勒·热纳运用得无比灵活而生动。

musk　麝香　从雄麝身上获得的、具有持久而沁人心脾的香气的物质。由于其香气的特点,而且留香很长,能作为定香剂,所以可用在高档香水中。它的质量因取香的季节和麝的年龄不同而异。在印度和远东的一些地区认为麝香有催欲、兴奋和镇痉作用。麝香是从雄麝腹下的一个小袋或腺囊中得到。新鲜麝香是半液态,但干后即变成粉粒状。在香水中用时,通常在纯酒精中加入麝香颗粒制成麝香酊剂。经数月后,这种溶液便可赋予香水以特色、香力和持久力。麝香的发香成分是麝香酮或 3-甲基环十五酮。现已人工合成麝香酮及其他具麝香气味的化合物,并将其用于各种香水。

musk deer (species *Moschus moschiferus*)　**麝**　偶蹄目鹿科身体结实的小型鹿类。胆小,独栖,分布于西伯利亚到喜马拉雅一带的山区。耳大,尾极短,无角,和其他鹿不同之处为具

麝(*Moschus moschiferus*)
美国不列颠百科全书公司供图

胆囊。毛长,粗而易断、浅灰褐色;肩高 50 ～ 60 厘米,臀部稍高。雄麝的上犬牙长,向下突出嘴唇,如獠牙。腹部有一个产生麝香的器官——麝囊,其分泌物可用于制香料及肥皂。

musk mallow (species *Hibiscus moschatus* , or *H. abelmoschus*)　**黄葵**　又作 abelmosk。又称麝香锦葵、麝香木槿。锦葵科一年生或二年生植物。原产于印度。高 0.6 ～ 1.8 米;花大,黄色,花芯红色。栽培收获其种子用以制香水,纤维在产地可用以澄清糖浆。英语 musk mallow 一词也指锦葵属的 *Malva moschata*,一种多年生欧洲植物,花粉红或白色;上部叶深裂,基生叶肾形;果黑色,被毛。

musk-ox (species *Ovibos moschatus*)　**麝牛**　偶蹄目牛科体毛粗浓蓬松的北极反刍动物。身躯粗壮,头大,颈短,耳小,腿短而有力。有麝香的气味。雄体肩高约1.5米,重约400

麝牛(*Ovibos moschatus*)
美国不列颠百科全书公司供图

千克;雌体较小。雄雌都有角,老年雄体的角长约 60 厘米。雄体的角基宽,从颅骨的中线向旁伸展,在头的两侧向下弯,末端向上弯曲。雌体和幼体的角较小。皮毛深褐色,毛几乎长达脚部,遮住短尾并几乎盖住双耳。脸部毛较短。粗毛下有一厚层绒毛,夏季脱落。爱斯基摩人用其绒毛制类似羊驼绒或开士米的细布。麝牛成群活动,一群时常 20 ～ 30 只。无进攻性。受攻击站成一圈,幼体围在里面,较大的个体用角构成一道难以逾越的防线,有效地防止北极狼类和犬类的攻击。麝牛以草和低矮的植物,如地衣和柳树为食。麝牛在更新世(160 万年前至 1 万年前)分布于极地附近。现分布于加拿大北部到格陵兰一带。1929 年,一群麝牛被从格陵兰运往阿拉斯加附近的努尼瓦克岛。有人视麝牛为北极牛,力主在合适的地区将其驯化。

musk turtle 麝龟 动胸龟科非洲侧颈龟属(*Sternotherus*)的小型淡水龟,因受惊时能散发出强烈的麝香似的气味而得名。产于北美东部地区,通常生活于静水中。主要过水栖

普通麝龟(*S. odoratus*)
美国不列颠百科全书公司供图

生活,很少上陆。常因贪食诱饵而为渔民捕获。外部特征和好斗的性格似小型啮龟。特征为腹甲小,颏上有肉质小触须。背甲卵圆形,色暗淡,长约 8 ~ 13 厘米。一般认为麝龟有 2 ~ 3 种。臭龟(普通麝龟、香非洲侧颈龟,*S. odoratus*)数量较多,头部两侧各有黄色条纹,为美国东北部和南部地区唯一的非洲侧颈龟属动物。

Muskegon 马斯基根 美国密歇根州西部城市,马斯基根县县城(1859)。濒密歇根湖。临马斯基根河口。为该湖东岸最大港口,经营大宗国际贸易。1849 年规划,1861 年设村,1869 年设市。1890 年被焚毁,后重建。原为锯木业中心和木材转运点。森林资源枯竭后,发展工具、模具、机械和化工品等制造业及食品加工和家具制造。市中心有印第安人墓地。设有马斯基根社区学院(1926)和马斯基根商学院(1885)。每年 6 ~ 7 月份举办航路节。人口:市 40 283;马斯基根都会统计区 158 983(1990)。

muskellunge (species *Esox masquinongy*) **北美狗鱼** 狗鱼科的一种独居性鱼类,不很常见。该种是名贵的好斗性游钓鱼,较少作为食用。栖于北美五大湖区杂草丛生的江

北美狗鱼(*Esox masquinongy*)
美国不列颠百科全书公司供图

河、湖泊中。该种是狗鱼科最大的种,体重平均在 9 千克左右,但可长达 1.8 米、重达 36 千克以上。体长形,颊下部及鳃盖无鳞。参阅 **pike**。

musket 滑膛枪 前装弹的肩射火器,16 世纪始于西班牙,为火绳枪(**harquebus**)的加大型。19 世纪中期被后膛枪所取代。17 世纪研制出燧发枪以前,滑膛枪一直是火绳枪;19 世纪初期,燧发枪又被击发枪所取代。大多数滑膛枪都是前装枪。早期的滑膛枪通常由 2 个人操作,放在轻便支架上射击。这种武器一般长 1.7 米、重约 9 千克,发射一个 57 克重的球形弹丸,射程 160 米,准确度非常差。后来的滑膛枪更小,更轻,能准确地命中 75 ~ 90 米处一个人大小的目标。这些武器的口径从 1.75 厘米到大于 1.90 厘米不等。

Muskingum River 马斯金格姆河 美国俄亥俄州中东部河流。由塔斯卡罗瓦斯河和沃尔洪丁河在科肖克顿汇流而成,南流,在马丽埃塔注入俄亥俄河。全长约 185 千米。利金河为其主要支流。马斯金格姆河有一批船闸、大坝和短渠,灌溉、航行便利。

muskmelon 香瓜 又作 nutmeg melon。葫芦科植物甜瓜(**melon**, *Cucumis melo*)品种网纹甜瓜类的统称,瓜皮有明显网纹。其橙红色瓜瓤香甜多汁,故成为甜瓜中可能最具商业价值的瓜。在北美,香瓜有时不准确地称为坎塔卢波瓜(该词应属硬皮甜瓜类)。

Muskogee 马斯科吉 美国俄克拉何马州中东部城市,马斯科吉县县城(1907),邻近弗迪格里斯河、格兰德河和阿肯色河汇合处,四周多湖泊。1872年建于密苏里—堪萨斯—

马斯科吉市培根学院内的小礼拜堂
美国不列颠百科全书公司供图

得克萨斯铁路沿线。1898 年设市。为印第安"5 个文明部落"的事务中心。1904 年开发油气田,经济不断发展。工业有玻璃和光学机械制造、钢构件、食品加工等。1970 年阿肯色河通航后为俄克拉何马州通往墨西哥湾的第一河港。设有培根学院(1880)和帕克维尤盲人学校。霍诺海茨公园内有印第安部落博物馆(1876)。古迹有吉布森堡(1824,已重建)。人口 38 310(2000)。

Muskoka Lakes 马斯科卡湖群 加拿大安大略省东南马斯科卡区的一系列湖泊。马斯科卡河流经该湖群注入乔治亚湾。最大的有马斯科卡湖(长 24 千米,宽 8 千米)、罗索湖和约瑟夫湖等。这一带曾是重要的伐木区,现为全省主要度假区之一。

muskrat (species *Ondatra zibethica*) **麝鼠** 又作 musquash。啮齿目仓鼠科半水栖鼠形啮齿动物。分布于北美洲除无树苔原外的大部分地区,并已传入欧洲一些国家。体结实,肥

麝鼠(*Ondatra zibethica*)
美国不列颠百科全书公司供图

胖,不计尾长约 30 厘米。尾有鳞,侧扁。眼和耳小,后脚用以游泳,部分有蹼,边缘有短而硬的毛。肛门附近有麝囊,分泌物有麝香味。

麝鼠毛色灰褐色,色深或中等深度,下层是浓密而柔软的绒毛,上面覆以一层长、硬而光滑的卫毛。麝鼠皮是毛皮业的主要商品。麝鼠栖息于沼泽、浅湖和溪流中;居于岸边挖成的洞穴或堆砌在水里的芦苇和灯心草垛中。以莎草、芦苇和植物的根(主要是水生植物的根)为食;偶吃淡水蚌、螯虾、蝾螈和鱼。往往有专门的取食地点,如平坦的岩石或切断的芦苇堆成的小岛。妊娠期 3 ~ 4 周,每年产一窝或多窝,每窝 1 ~ 11 仔。麝鼠有时毁坏谷物或在泥土建筑物上打洞。其肉可食,市售的麝鼠肉称为"沼兔"。纽芬兰所产的麝鼠有时划为独立的种(*O. obscura*)。圆尾麝鼠(佛罗里达水鼠,*Neofiber alleni*)是仓鼠科另一半水栖种,形似小麝鼠,全长约 36 厘米,但尾圆而不扁,在水里的时间少于麝鼠,常栖于植被浓密的潮湿地区,尤其是酸沼中。

Muslim Brotherhood 穆斯林兄弟会 阿拉伯语拉丁字母转写作 al-Ikhwān al-Muslimūn。1928 年哈桑在埃及伊斯梅利亚创立的宗教政治组织。它鼓吹以《古兰经》和圣训作为健康的现代伊斯兰社会的准则。穆斯林兄弟会迅速扩展到埃及、苏丹、叙利亚、巴勒斯坦、黎巴嫩和北非各地。1938 年后,穆斯林兄弟会开始使其观点具有政治性。它要求保持伊斯兰世界的纯洁,抵制西方化、世俗化和现代化。兄弟会组织起一支恐怖武装。20 世纪 40 年代中期当埃及政府日趋虚弱时,兄弟会构成了对君主政体和执政的华夫脱党的威胁。1952 年埃及建立了革命政权后,兄弟会被迫转入地下。1954 年 10 月 26 日在亚历山大企图暗杀埃及总统纳赛尔,导致对穆斯林兄弟会的暴力镇压。其领导成员中 6 人以叛国罪受审并被处死,有许多人被投入监狱。20 世纪 60 年代和 70 年代,兄弟会的活动大部分仍处于秘密状态。20 世纪 80 年代,作为伊斯兰国家中宗教活动总高潮的一个部分,穆斯林兄弟会经历了一次复兴。兄弟会的新追随者们的目的在于根据伊斯兰教义改组社会和政府。他们激烈地反对西方世界。1982 年 2 月,在叙利亚的哈马市,由穆斯林兄弟会领导的起义遭到阿萨德政府的镇压,其代价是数

千人丧生。与此同时，兄弟会在埃及和约旦重新兴起，从 80 年代末起，兄弟会开始在这些国家的立法机构选举中进行竞选。

Muslim calendar 穆斯林历 又称伊斯兰历。一种基于一年有 12 个月，每月约从新月开始的记日系统。各月的长度交替为 30 日或 29 日，只有第 12 月例外；它的长度在 30 年周期中是变化的，以便使历法同实际的月相保持一致。在这个周期中，有 11 个年头的 12 月有 30 日，其余 19 年则为 29 日。这样，一年有 354 日或 355 日。因为不设置闰月，所以指定的月份并不总在同一季节，而是每过 32½ 太阳年，就倒退整整一个太阳年（约 365¼ 日）。

Muslim ibn al-Ḥajjāj 穆斯林·伊本·哈加吉（约817，伊朗内沙布尔～875，纳斯拉巴德） 阿拉伯学者、先知穆罕默德言行圣训的主要权威之一。所到之处极广。据说，他的伟大作品《圣训实录》是从他周游阿拉伯半岛、埃及、叙利亚和伊拉克期间收集的 30 万条转述言行中选编而成。《圣训实录》已被一致公认为权威之作，是六大圣训集之一。他对每一传述都详述其世系，并记下异文。该实录还包括早期伊斯兰的神学概况和关于《古兰经》的争论。

Muslim League 穆斯林联盟 原名全印度穆斯林联盟。政治团体，它领导了 1947 年英属印度分治时要求建立单独的穆斯林国家的运动。穆斯林联盟成立于 1906 年，以保卫印度穆斯林的权利为宗旨。起初，联盟受到英国当局的鼓励，一般说来欢迎英国的统治，但这一组织于 1913 年确立以争取印度自治为其目标。几十年来，联盟及其众领导人、主要是著名的真纳（**Jinnah, Mohammed Ali**），主张印度教徒与穆斯林在一个统一独立的印度中团结起来。直到 1940 年联盟才号召在计划成立的独立的印度国家之外，建立一个单独的穆斯林国家。联盟要求为印度的穆斯林建立单独国家，是因为它担心独立的印度将受到印度教徒的控制。真纳和穆斯林联盟领导了将英属印度分割为不同的印度教徒国家与穆斯林国家的斗争。1947 年巴基斯坦成立后，这个联盟即成为巴基斯坦占支配地位的政党。这一年，该联盟改名为全巴基斯坦穆斯林联盟。但在巴基斯坦，该联盟作为一个现代政党却未能像在英属印度时作为一个有群众基础的压力集团那样发挥有效的作用，因而这个联盟的声望和凝聚力渐渐下降。在 1954 年的选举中，穆斯林联盟在东巴基斯坦（今孟加拉）失势，其后不久又在西巴基斯坦（今巴基斯坦）失势。到 20 世纪 60 年代末期，该党分裂为各种派别，至 70 年代已完全消失。

Muslim Uprising in Shaanxi and Gansu 陕甘回民起义（1862～1877） 中国陕西、甘肃（包括宁夏和青海东部）回民反对清王朝的武装起义。1862 年陕西渭南、同州（今大荔）、临潼一带回民因不堪清军及团练武装的歧视、侮辱和焚掠，在伊斯兰教阿訇任武、洪兴、赫明堂等领导下起义，组成十八大营，控制渭河两岸。1863 年由陕西退至甘肃。在这期间，甘肃、宁夏、青海地区回民也纷纷起义，逐渐形成四支力量：金积堡马化龙军、河州马占鳌军、肃州马文禄军、西宁马文义军。1866 年西捻军进入陕西，更壮大了陕甘回民起义声势。1868 年清廷派左宗棠率军入陕甘镇压，至 1873 年先后击败各支回民起义军，1877 年起义失败。

muslin 细平布 各种厚度的平纹棉织物。质量较好的细平布结构细薄光洁，用粗细均匀的经纱和纬纱织成，经过柔软整理、漂白或染色，有时在织物上还织出或印上图案和花纹。次等细平布的细纱和布的结构通常不均匀，有漂白的、本色的或经成匹染色的，一般经上浆整理。细平布的种类有囊面布、漂白细布、薄纱和被单布等。早期的印度细平布是用极细的手纺纱手工织成的，在 17 世纪输往欧洲，后来也在苏格兰和英国生产。

Musorgsky, Modest (Petrovich) (Russian composer) 参阅 **Mussorgsky, Modest (Petrovich)** 穆索尔斯基。

Muspelheim 穆斯佩尔海姆 在古斯堪的纳维亚神话中，它是南方的一块炎热、明亮和发光的土地，由司火巨人苏尔特守卫着。据一种传说，起初来自这里的暖空气融化了尼弗尔海姆地区的冰，使奥尔盖尔米尔（伊米尔），即众邪恶巨人之父，得以成形。从穆斯佩尔海姆那里发出的火花变成了日月星辰。诸神灭亡时（世界末日），在苏尔特率领下，穆斯佩尔海姆的子孙将会起来用火毁灭世界。

Mussato, Albertino 墨萨多（1261，帕多瓦［意大利］～1329-05-31，威尼斯共和国基奥贾） 意大利政治人物，14 世纪杰出的诗人和历史学家。1296 年封爵士。曾任帕多瓦议会议员。1302 年任驻教皇卜尼法斯八世宫廷大使。1311 年作为亲教皇的帕多瓦派驻皇帝亨利七世处的使团成员。1325 年因与帕多瓦君主争吵被逐。所著《奥古斯都史》和《罗马皇帝亨利七世以后意大利人的事迹》是 14 世纪意大利历史的重要资料。其拉丁文诗和悲剧《爱瑟里尼斯》是意大利人文主义的前驱。

mussel 蚌 海生的贻贝科和淡水产的珠蚌超科双壳类软体动物的统称。世界性分布。海生者最常见于凉爽海域。淡水贻贝类已知约1 000种，栖于世界大部分地区的溪流、池塘、湖泊中。海生的蚌类一般为楔形或梨形，长 5～15 厘米左右；壳平滑或肋状，多有毛状的角质层，许多种的壳外表呈深蓝或深绿褐色，内面有珍珠光泽。海生蚌类常以足丝固着于硬物表面或相互依附成团。有时钻入软泥或木中。主要天敌为鸟类（如银鸥、蛎鹬、鸭类）及海星。有些种（如蓝贻贝［*Mytilus edulis*］）在欧洲及世界其他地区供食用，有商业性养殖。蓝贻贝可长达 11 厘米，通常为蓝或紫色，在欧洲自 13 世纪即开始养殖。贻贝系用拖网及耙从深海捕捞。饰贝属（*Dreissena*）的种类俗称斑马贝，2 种，细小，是著名的淡水有害贝类。繁殖速度快，能大量附于各种物体（实际上能附于任何物体的表面）。贪食，往往将浮游植物一扫而光，从而破坏食物链。又能大量聚集于吸水阀及水管、桥台及

大西洋有肋贻贝（*Modiolus demissus*）
美国不列颠百科全书公司供图

其他结构上，造成严重经济损失。在欧洲饰贝类在 18 世纪早期已给人类造成损害，20 世纪大量繁殖。约于 1986 年被带到北美（可能通过船只压舱的水），现已侵入整个五大湖。卡帕克斯马贻贝（*Modiolus capax*）壳鲜橙褐色，外有厚壳外层，分布于从加利福尼亚至秘鲁的太平洋海域。大西洋有肋贻贝（纤弱偏顶贝，*Modiolus demissus*）分布自新斯科舍至墨西哥湾，其壳薄而坚固，黄褐色。郁金香贻贝（美洲偏顶贝，*Modiolus americanus*）分布自北卡罗来纳至加勒比海，附着于破碎的贝壳及岩石上；其壳薄而光滑，通常浅褐色，有时带玫瑰色或紫色色调。黄贻贝（柠檬黄贻贝，*Mytilus citrinus*）分布自佛罗里达南部至加勒比地区，浅褐黄色，钩贻贝（下弯贻贝，*M. recurvus*）分布自新英格兰至加勒比地区，长约 4 厘米，绿褐色至紫黑色。焦贻贝（*M. exustus*）分布自北卡罗来纳至加勒比地区，蓝灰色，长约 2.5 厘米。Unionidae 科是最大的淡水贻贝科，约 750 种；其中大部分产于美国，许多种亦见于东南亚水域。

mussel shrimp 介形虫 又作 seed shrimp。介形亚纲甲壳动物，分布广。有似软体动物的两瓣壳。躯干极短，外表不分节，这与多数甲壳动物不同。几乎整个身体包在一个硬甲内。现存 2 000 种，包括海生、淡水生和陆生种类。已知有 10 000 个绝灭的种化石见于从晚寒武世（约 5.23 亿年前至 5.05 亿年前）到全新世。由于其数量多，地理分布广以及有限的垂直分布，在非海洋的泥灰岩、石灰石和页岩中可作为地层的指示化石。有的属通常用来指示地下石油的勘探，这与海洋地层中有孔虫的情形类似。介形虫约 1 毫米长。分布太平洋的最大的大介虫（阿加西氏线形介虫，*Gigantocypris agassizi*）长 23 毫米。多数种生活在近海底处。有的吃微生物和有机碎屑；有的吃小型无脊椎动物；少数寄生。多数喜欢在浅水中，但有的采自 2 000 米深处。

Musselshell River 马瑟尔谢尔河 源出美国蒙大拿州米格县加拉廷-刘易斯-克拉克国家森林中的克雷齐山脉，向东再向北流经哈洛顿和朗达普，注入加菲尔德县西北密苏里河上的佩克堡湖（水库）。长 470 千米。上游的马丁斯代尔附近筑有水坝，形成一用于灌溉的水库。

Musset, Alfred de 缪塞（1810-12-11，巴黎～1857-05-02，巴黎） 法国杰出的浪漫主义诗人和剧作家。他的自传体小说《世纪儿忏悔录》（1836）虽不完全可信，但生动地刻画了这个受过良好教育、在那个一切传统价值

美国不列颠百科全书公司供图

都遭到抨击的年代任其感情放纵的贵族子弟的青年时代。缪塞少时便受到浪漫主义运动的领袖诺迪埃、维尼和雨果的影响，1830年出版处女作《西班牙与意大利的故事》。剧作《威尼斯之夜》（1830）演出失败后，他拒绝将其他剧本搬上舞台，仍继续发表历史题材的悲剧，如《罗朗扎齐奥》（1834），以及情调轻松的喜剧，如《万事都不能说得太绝》（或译《无须作任何保证》）（1836）。现在他的戏剧经常上演，而他同时代人的剧本反而从保留剧目中被除去。1852年当选法兰西学院院士。他多才多艺，既写技巧精湛、风格轻快的讽刺剧和诗歌，又擅长抒情诗。例如《十月之夜》（1837），这些激情饱满、优美动人的抒情诗表达了他炽热和复杂的情感。尽管缪塞始终与浪漫主义运动联结在一起，但他经常嘲弄浪漫派的过火极端之弊，如他的《杜布伊与科托内书简》（1836～1837），就包含着对当时文学风气的淋漓尽致的讥贬。缪塞在1833～1839年间同小说家乔治·桑藕断丝连的爱情纠葛，激发他吟出了几首最精美的抒情诗，这段往事也写进他的《世纪儿忏悔录》。

Mussey, Ellen Spencer 墨塞（1850-05-13，美国俄亥俄杰尼瓦～1936-04-21，华盛顿[哥伦比亚特区]） 美国律师、教育家和改革家。靠自学法律，帮助妇女在这一领域取得受教育机会，并争取增进妇女的合法权利。手写草书体书法创始人P.R.斯潘塞之女。曾在纽约州、宾夕法尼亚州、伊利诺伊州的女子书院就读。1869年移居华盛顿哥伦比亚特区，负责其兄弟亨利经营的斯潘塞商学院女子部。1871年与前联邦将军、一位成功的律师R.D.墨塞结婚。1876年丈夫病重后，开始在他的律师事务所工作，直至他于1892年去世。1893年得到特许经口试取得律师资格。1896年获准在最高法院出庭。当年她开始为年轻妇女开设非正式法律课程，两年后因其学生身为女性未得进入哥伦比亚学院，她即于1898年协助成立华盛顿法律学院。1898～1913年任院长期间，她为律师界培训出众多女性和男性律师。除学院外，墨塞还热衷于各项改革。1894年加入争取促进已婚妇女财产权利的立法运动，并于次年成功促使哥伦比亚特区妇女俱乐部联合会成立立法委员会。作为该委员会主席，她促成1896年6月国会通过已婚妇女法案，使已婚妇女在财产和儿童监护权方面享有平等地位。1898年在她的努力下，争取到国会拨款在特区建立公共幼儿园，对青少年法院的建立也起到主要作用。曾任哥伦比亚特区教育委员会委员（1906～1912），美国革命女儿全国组织的副主席（1907～1909）和美国革命女儿组织的《美国月刊》编辑（1911～1912）。她的法律事务包括担任美国红十字会法律顾问，还任瑞典及挪威使馆法律顾问25年。1913年3月患中风，当年晚些时候自华盛顿法学院院长岗位退休。后又恢复少量活动，1917年出任全国妇女委员会妇女法律地位委员会主席。与M.W.派克共同起草凯布尔法案，1922年获得通过，取消了嫁给外国人的妇女自动丧失美国公民身份的规定。

Mussolini, Benito (Amilcare Andrea) 墨索里尼（1883-07-29，意大利布瑞达皮耶～1945-04-28，栋戈附近） 意大利首相（1922～1943），欧洲第一个法西斯独裁者。铁匠之子，自幼桀骜不驯，屡因打架斗殴被学校开除。19岁时去瑞士，当过种种杂工。读书很多，康德、斯宾诺莎、克鲁泡特金、尼采、黑格尔、考茨基等人的作品都曾涉猎。不久成为记者，做工会宣传工作，言词激烈，主张用暴力达到工人的要求，因而多次入狱。1904年回国仍做工会工作和记者，逐渐以流利的口才和偏激的态度闻名于社会。他自己创办社会主义报纸——《阶级斗争》，全部文章出自他一人之手。1912年被聘请为社会主义报纸《前进》的编辑。作为一个激进的社会主义者，他竭力主张意大利不参加第一次世界大战。但曾几何时，他突然变为战争狂热者，不但在口头笔端叫嚷参战，而且投笔从戎走上战场，被社会党开除党籍。负伤退役后，成为一个坚决的反社会主义者，公开宣扬独裁。1919年在米兰组成党的核心，约有200个各式各样的共和主义者、无政府主义者、工团主义者和不得意的社会主义者，以"战斗的法西斯"自称。这个组织的成员身穿黑衫，多次举行游行，声势日益浩大。1922年夏，意大利爆发全国大罢工，他宣称：如果政府不能阻止罢工，法西斯党要用行动遏制罢工。在那不勒斯集合4万名法西斯党徒，向罗马进军。

美国不列颠百科全书公司供图

1922年10月意大利国王任命他为首相，从此主宰国家命运。意大利人民欢迎这个结束罢工、终止暴乱的政权，社会秩序得到恢复，工人生活得到改善，开始兴建大规模的公共设施，不但国内群众向他欢呼，欧美也有许多人钦佩这位时代的"枭雄"。没过多久，便在国内扼杀自由，对外进行扩张，侵略矛头首先指向阿比西尼亚。国际上反对他的侵略，而希特勒则给予鼓励，于是形成罗马-柏林轴心。第二次世界大战爆发后，一方面他知道经过对阿比西尼亚的征战，国力孱弱；另一方面又为希特勒的胜利眼红，急欲分得一杯羹，野心与贪欲终于促使他于1940年6月对盟国宣战。但与德国在战争初期的辉煌胜利相比，意大利相形见绌，在希特勒眼中墨索里尼只是一个小小伙伴。他争取主动，向希腊发动攻势，结果惨败，大煞威风，甚至在党内已有人准备赶他下台。1943年7月召开的战时第一次法西斯大会通过决议，实际上罢免了他的职权。第2天被王室卫队逮捕，几经辗转最后被囚禁在阿布鲁齐山区一家旅馆里。德国派空降部队空降在山坡上，把他空运到慕尼黑，然后在意大利北部萨洛竖起意大利社会共和国的牌子，成为德国傀儡。随着德军在意大利防线崩溃，盟军占领西西里后挥师北上，意共游击队领导人决定除此一害。这时跟随他的人已寥寥无几，他化装成德国士兵混进退往因斯布鲁克的车队里，终被认出，被游击队枪毙。他的死讯使意大利人民万众欢腾，无人同情这个把国家拖入战争深渊的独裁者。

Mussoorie 马苏里 印度北部北方邦北部城市。位于喜马拉雅山山麓一条山脊上。在台拉登以北约32千米，海拔2 112米。四周皆山，风景如画，气候宜人，为避暑胜地。有植

马苏里市的避暑胜地

美国不列颠百科全书公司供图

物园和寄宿学校数所。印度各政府官署夏季多在此办公。印度第一家啤酒厂于1850年建于此地。人口约26 424（1991）。

Mussorgsky, Modest (Petrovich) 穆索尔斯基（1839-03-21，俄国卡雷沃～1881-03-28，圣彼得堡） Mussorgsky又拼Musorgsky或Moussorgsky。俄国作曲家，所作歌剧《鲍里斯·戈东诺夫》（最后一稿于1874年首演）、钢琴组曲《展览会上的图画》（1874）及若干歌曲特别著名。

生平与事业 穆索尔斯基出身地主家庭，但亦有农民血统，因其曾祖母为农奴。根据他写于1881年的自传，他从小就听保姆讲神话故事。"早年对人民内心世界及其生活

方式的这一了解是我即兴音乐创作最早也是最巨大的动力”。母为优秀钢琴家，颇具才华。穆索尔斯基自幼从母学钢琴，7岁即能演奏F.李斯特的简易钢琴曲。1849年其父

美国不列颠百科全书公司供图

携穆索尔斯基与另一子菲拉雷特（亦有音乐天分）赴圣彼得堡，穆索尔斯基为日后任职军界做准备而上了彼得-保罗学校。同时，其父注意到他的音乐天赋，将儿子托付给圣彼得堡音乐学院未来的音乐教授A.格尔克。1852年穆索尔斯基入帝国禁卫军士官学校。初试作曲，一年级时创作《旗手波尔卡舞曲》由其父付费出版。他表现出极大求知欲和广泛兴趣。1856年，官居中尉的穆索尔斯基加入俄国最贵族化的兵团之一普列奥勃拉仁斯基禁卫团，与几位爱好音乐并经常光临意大利剧院的军官相识。同一时期又结识日后成为重要的俄罗斯作曲家的A.鲍罗丁。1856年冬在一次社交音乐会上，穆索尔斯基听到了在俄国音乐界有重大影响的作曲家M.格林卡的音乐，从而激发起他的俄罗斯化倾向。1859年6月，他初识莫斯科克里姆林宫，这一重要经历代表着他与俄罗斯历史的第一次“亲身”交流。作曲家T.达尔戈梅日斯基将他引见给另一位作曲家M.巴拉基列夫，后者收他为徒。自从父亲于1853年去世后，不善理财的穆索尔斯基不得不举债度日。决心献身音乐的穆索尔斯基已于3年前退出军界，自1863年开始，一直在交通部担任文职雇员。1866年穆索尔斯基以一组出色描写平民百姓的歌曲而在艺术上趋于成熟，例如《亲爱的萨维什娜》、《霍巴克》和《神学院学生》。翌年一组更大规模的歌曲问世，作于同一年的还有交响诗《荒山之夜》(1867)。1868年，他的无与伦比的套曲《育儿室》中的第一首歌和为果戈理《婚事》第一幕所作配乐表明他的作曲构想力已达顶峰。1869年他动笔创作其伟大名作《鲍里斯·戈东诺夫》，脚本由他根据普希金的戏剧自行撰写。同年初冬完稿，但帝国剧院顾问委员会拒绝上演，理由是剧情中没有爱情内容。作曲家照此要求将歌剧加以全面修改，增加玛丽娜和兰果尼二角以及几个新的插段，1872年作了最后的润饰。第二稿于1874年2月8日在圣彼得堡首演，一举成功。尽管作品获得成功，穆索尔斯基并不快乐，而是开始了孤独和苦难的生活。他所热爱的表妹过早去世，对这段恋情忠贞不二的他因此终身未娶，孑然一身，借酒浇愁。他曾和远方亲戚戈列尼谢夫-库图佐夫结伴，这个25岁的清贫诗人激励他写了两部忧郁的声乐套曲《没有太阳》和《死之歌舞》。在这段时间内，死亡的恐惧经常萦绕他的心头。另一位朋友、画家V.哈特曼的去世，激发他创作钢琴组曲《展览会上的图画》(1922年由法国作曲家M.拉威尔配器)。也许歌剧《霍万斯基党人之乱》的创作曾使他在心理上有所放松，但该剧未完成他便溘然去世，由里姆斯基-科萨科夫续完。穆索尔斯基生命中最后几年是在酗酒和孤独中度过。朋友们对他完全漠不关心，使他更加痛苦。不过他还是受到果戈理小说的启示而开始写作歌剧《索洛钦集市》(未完成)。他还曾应歌唱家D.列昂诺娃之邀为她担任伴奏，去俄国南方和克里米亚巡回演出。回彼得堡后他曾尝试在一所小型音乐学校任教。1881年2月24日连续3次发作酒精中毒性癫痫，使他卧床不起。朋友们将他送进医院后病情一度略有好转，当时俄国最著名画家I.列宾还为他绘制了一幅著名肖像画。但他的健康终于一蹶不振，不到一个月便与世长辞。

音乐　穆索尔斯基的重要性和对后起作曲家的影响是无法用他所创作的作品数量与之相比的。很少作曲家能像他那样逐步形成一种如此大胆而新颖的风格。他的65首歌曲（很多是他自己作词）极其生动而深刻地描绘出俄国的生活景象，并逼真地再现了俄罗斯语言的抑扬顿挫。《鲍里斯·戈东诺夫》和《霍万斯基党人之乱》展现出他写作戏剧的技巧，即把具有鲜明特性的个人放在国家和人民的大背景上加以刻画。他的音乐描绘力、他的有力的人物塑造以及他给予合唱团的重要作用——全都是他的反浪漫主义信念的表现——使《鲍里斯·戈东诺夫》成为一部公认的杰作。从技巧的角度来看，穆索尔斯基以其非正统的调式与和声运用，以及他将咏叙调与宣叙调合二为一的手法赋予《鲍里斯·戈东诺夫》极大的戏剧紧张度，在他后来的歌剧中均未能达到这一境界。穆索尔斯基去世后不久，他的别具一格的和声与器乐风格便受到不应有的批评。后来里姆斯基-科萨科夫出于好意，为了把穆索尔斯基作品中他认为是和声怪诞和器乐薄弱之处加以清除，几乎是将亡友的全部作品进行了编辑和“修改”。经他修订的《鲍里斯·戈东诺夫》得到广泛演出，在这些修订的作品中最为著名。但是，约自1908年起，里姆斯基-科萨科夫的《鲍里斯·戈东诺夫》修订本在巴黎歌剧院公演后，要求上演穆索尔斯基原版的呼声越来越高。1928年P.拉姆编辑的全集开始出版，这一要求逐步得到满足。拉姆版展示了穆索尔斯基为《鲍里斯·戈东诺夫》所作的原始配器，像他的非正统的和声一样，他的配器也是朴实而简练的。

mussurana（*Clelia clelia*）　**拟蚺蛇**　又拼musurana。游蛇科的热带美洲毒蛇，具后沟牙。食啮齿动物（用毒液将其杀死）或其他蛇类（将其缠绕绞杀）。主要猎物为洞蛇属（*Bothrops*）的矛头蛇之类，拟蚺蛇对这些猎物的毒液有免疫力。拟蚺蛇可长达2.1米。成体蓝黑色或褐色，腹部有一白色条纹。幼体粉红色，头及颈部色较深。

mustache　**口髭**　又拼moustache。上唇的须。留口髭和留胡子一样是自古以来风俗习惯、宗教信仰、个人爱好或气候等因素的反映。古人对髭、须、髯并无明确区分，而常常是“兼而有之”的。早在约公元前2650年的埃及文物中就发现了呈一束线状的口髭而无须。在历史上，当以剃净面部为时尚时，口髭和大胡子便为异端，并常被法律禁止。罗马人认为高卢人留髭而无须是一种野蛮风习的体现。1447年英国一条法令强迫男子剃去上唇的须。约400年之后，又禁止士兵把上唇的须剃去。法国军队、普鲁士禁卫军和匈牙利骑兵队，在19世纪初都以留有口髭相炫耀，但在1838年巴伐利亚国王就下诏禁止军人蓄留口髭。每当上流社会允许蓄须时，便会出现各种式样的口髭。一些国家对蓄须，特别是士兵蓄须一般仍有所规定，但口髭则可根据个人爱好而保留。

mustache shrimp　**须虾**　须虾亚纲甲壳动物，一类原始的、自由生活海产种类。已知数种，第一种于1943年在美国马萨诸塞州伍兹霍尔附近发现。体管状，腹部长，粗而多刺毛的小触角伸展约为体长的2/3。最大的种类*Derocheilocaris galvarina*长0.5毫米，分布在南美洲太平洋沿岸的潮间带和浅水的沙底。*D. typicus*分布在美国东北大西洋沿岸。*D. remani*发现在欧洲和非洲的沿岸。

Mustafa　**穆斯塔法**　又作Mustapha。奥斯曼苏丹的名字。按年代顺序分列于后，并各以●为标记。

● **Mustafa I**　**穆斯塔法一世**（1591，奥斯曼帝国马尼萨［今在土耳其］～1639-01-20，君士坦丁堡［今伊斯坦布尔］）　奥斯曼苏丹(1617～1618，1622～1623在位)。智能很差。1618年被废黜，1622年禁卫军把奥斯曼二世赶下台，又拥立他为苏丹。他在位期间处于母后的影响之下，禁卫军不断干预行政，阿巴扎·穆罕默德帕夏为了替奥斯曼二世之死复仇而在安纳托利亚发动叛乱。

● **Mustafa II**　**穆斯塔法二世**（1664-06-05，奥斯曼帝国埃迪尔内［今在土耳其］～1703-

伊斯坦布尔市托普卡珀萨拉伊博物馆供图

12-31,君士坦丁堡[今伊斯坦布尔]) 奥斯曼苏丹(1695～1703)。他决心收复1683年在夺取维也纳失败之后丧失的领土,因而对神圣联盟(奥地利、波兰、威尼斯)展开旷日持久的战争。起初战争节节胜利,先从威尼斯手中收复希俄斯岛,又在1695～1696年屡次打败奥地利。但是,1696年俄军占领了亚速,1697年穆斯塔法二世又在森塔败于奥地利人。根据卡尔洛夫奇条约(1699),土耳其在巴尔干的领地大大缩小。依照君士坦丁堡条约(1700),俄国确定了它的既得利益。在国内,由于长年战争,社会和经济都混乱不堪。1703年8月22日发生兵变,穆斯塔法二世被废黜。

● **Mustafa III　穆斯塔法三世**(1717-01-28,奥斯曼帝国君士坦丁堡[今土耳其伊斯坦布尔]～1774-01-21,君士坦丁堡) 奥斯曼苏丹(1757～1774)。是一位诗人和学者,即位前

伊斯坦布尔大学图书馆供图

研究占星术、文学和医学。即位后积极进行行政和军事改革。在法国炮兵军官F.德托特的帮助下,改组炮兵队,重新开办工程学校,并为海军建立一所数学学校。在对外政策方面,他决心维持贝尔格莱德条约(1739)确立的和平。尽管法国和普鲁士一再怂恿,奥斯曼不愿参加欧洲的联盟与反联盟计划。但是,由于俄国对波兰和克里米亚怀有野心,他被迫向俄国宣战(1768)。奥斯曼军最初有几次小胜,后来在多瑙河畔和克里米亚连连败北,最终连舰队也在爱琴海上被消灭(1770)。

● **Mustafa IV　穆斯塔法四世**(1779-09-08,君士坦丁堡～1808-11-17,君士坦丁堡) 奥斯曼苏丹(1807～1808)。他曾参加反对侄儿谢里姆三世实行维新的反动保守联盟。此人低能、狂热而又野心勃勃。他在伊斯兰教长和禁卫军的影响下扼杀了谢里姆的改革,将大多数改革者处死。这时,支持维新的拜拉克达尔·穆斯塔法帕夏从鲁斯楚克(今保加利亚的鲁塞)向君士坦丁堡进军,企图恢复谢里姆的王位。穆斯塔法四世得悉拜拉克达尔的意图,就把谢里姆杀死。为时不久,他本人被废黜(1808-07-28),成为囚徒,后由继承其王位的兄弟穆罕默德二世下令绞死。

Mustafa, Kara　穆斯塔法　参阅 **Kara Mustafa Paşa** 卡拉·穆斯塔法帕夏。

Mustafa Kemal　穆斯塔法·凯末尔　参阅 **Atatürk, Kemal** 阿塔图尔克,凯末尔。

Mustafa Reşid Paşa　穆斯塔法·赖希德帕夏　参阅 **Reşid Paşa, Mustafa** 赖希德帕夏。

mustang (horse)　**北美野马**　参阅 **cayuse** 卡尤塞马。

Mustang (British and U.S. aircraft)　**野马式战斗机**　参阅 **P-51** P-51 战斗机。

Mustanşir, al-　穆斯坦绥尔(1029-07-02,埃及～1094-01-10,开罗) 埃及法蒂玛王朝第8代哈里发。他继承了当代势力最强大的穆斯林国家的统治权。他在位时期比任何其他穆斯林统治者都长;但在这一时期中,法蒂玛王朝却遭到决定性的挫败。穆斯坦绥尔即位时(1036)年仅7岁,实权先后由父王的首相和母后行使。在这期间,埃及常发生各部队之间,一般是苏丹人和突厥人等民族集团之间的恶战,他们分别支持不同的政治家。他虽几次御驾亲征,但无力改变这种状况。1073年把埃及的军权私授亚美尼亚将军拜德尔·贾马利。拜德尔打败各个军事派别,处死许多埃及政治家,恢复了相对的和平与繁荣。然而,实权落入拜德尔和他以后的其他军事将领之手。法蒂玛王朝在埃及以外的影响日见衰微,北非地区摆脱了他的控制,叙利亚大乱,他无法抵抗东方来的塞尔柱突厥人。

mustard　芥　十字花科几种草本植物的俗称,其种子味辛辣,可用作调味品。其叶及膨大的叶柄亦可用作蔬菜生食或熟食。主要类型有白芥(黄芥、欧白芥,*Sinapis alba*,原产于地中海地区)及褐芥(东方芥、芥菜,*Brassica juncea*,原产于喜马拉雅山地区)。褐芥已几乎完全取代了以前常用的黑芥(*Brassica nigra*)。黑芥不适合于机械化操作,今在引进地区成为讨厌的杂草。白芥和褐芥均为一年生植物,于春季播种,早秋收获其干燥的种子。植株生长迅速,很快进入盛花期,其花黄色。花朵凋谢,枝上出现无数绿色角果时株高可达1.5～2米。褐芥的角果可含多至20粒的种子;而白芥角果内的种子数最多8粒。芥容易栽种,所费成本不高;能在多种不同类型的土壤上生长繁盛,病虫害极少,能耐受极端的天气条件而不受严重损害。有史以来人类就将芥的种子用作调味品,公元前3000年印度和苏美尔的文献中已有描述。古希腊和罗马的著作以及《圣经》中经常提及。在《新药》中芥籽是忠诚的象征。希波克拉底等古代医家将芥籽入药。在20世纪,芥大量用作香料及调味品,成为世界上贸易额最大的香料。

芥与其他香料不同之处为主要生长于温带地区,主要产地为加拿大和美国的大平原,以及匈牙利和英国,其他国家的产量较小。在主要的生产国,芥的种植和收割已充分机械化。

白芥和褐芥的种子均接近球形,上有纤细的窝点,完整的无气味,味道辛辣。白芥的种子浅黄色,直径约2.5毫米;褐芥的种子大小与之相近,但呈较深的黄色。白芥和褐芥的种子所含成分相似:30%～40%的植物油、百分比稍低的蛋白质和一种效力强大的

美国加利福尼亚州萨利纳斯丰收在望的芥田

美国不列颠百科全书公司供图

酶——黑芥子酶。种子干燥或磨成粉时均无气味,但将种子咀嚼时,或将种子磨成粉与水混合时,水使得其中的两种成分——一种酶和一种糖苷——产生化学反应,生成一种原来不存在于植物中的油。褐芥经化学反应产生挥发性的芥油,气味刺鼻,味辛辣。白芥经化学反应产生白芥子硫苷芥子油,无挥发性,气味极淡,但能在舌上产生热感。作为调料,芥以3种形式出售:①种子;②干粉,食用时才加水调和,这样芳香最浓烈,味道最辛辣;③芥末糊,与其他香料、醋或酒、还有淀粉或面粉相混合,以缓和其刺激性。白芥和褐芥的味道有所不同,用于不同的调料中:褐芥较为辛辣,用于法国式的芥末糊;白芥用于不那么辛辣的美国式或德国式芥末糊,这两种芥末糊均用于英格兰式芥末制品中。芥末广泛用作多种食品的调料,特别用于冷餐肉、香肠和色拉调味料等。又用作蛋黄酱、沙司和泡菜的成分。芥子膏药可用作抗刺激剂,以前医药上用以治疗胸部受寒。褐芥与油菜近缘,可栽以榨取植物油,在印度北部、巴基斯坦、中国、俄罗斯南部和哈萨克斯坦是重要的油料作物。所提取的油可以食用,也用于工业,油饼可作饲料。

Musta'şim, al-　穆斯台绥木(1212～1258) 巴格达的阿拔斯王朝末代哈里发(1242～1258)。由于本身无能,周围谋臣所持意见相左,因而无力抵御成吉思汗之孙——蒙古征服者旭烈兀。他不理会旭烈兀的一些要求,并对其他要求报之以狂暴和空洞的威胁。旭烈兀最后于1258年围攻巴格达,并于当年2月进入该城。哈里发和300名官员降敌,10天后均遭处死。这使伊斯兰教历史上第一次出现没有哈里发的现象。旭烈兀烧杀掳掠后又入侵叙利亚,然后返回波斯。

mustelid　鼬类　鼬科食肉动物的统称,包括鼬、臭鼬、獾等(约25个现存属,约70个种和47～73个绝灭属),其特点是有发达的肛门臭腺。鼬类在渐新世早期由北美和欧亚种类进化而来,除澳大利亚和大多数海洋岛屿外世界所有陆地和水域都有鼬类。一般体长,腿短,雌小于雄。许多种的皮毛有商业价值。可猎捕或人工饲养以取其皮毛。其种类有獾(**badger**)、鼬獾(**ermine**)、雪貂(**ferret**)、

渔貂(fisher)、白额鼬(grison)、貂(marten)、水獭(otter)、艾鼬(polecat)、蜜獾(ratel)、紫貂(sable)、北美臭鼬(skunk)、扫雪(stoat)、白头鼬(tayra)、鼬(weasel)、狼獾(wolverine)、非洲艾虎(zorille)。

musubi　产灵神　日本神道教所敬奉的造化之神。据《古事记》载,天地之始,有高皇产灵神、神皇产灵神和天御中主神。有些神道学者认为诸神都是天御中主神的化身。有些神道教派则认为这造化三神与天照大神是诸神之首。

Muswellbrook　马瑟尔布鲁克　澳大利亚新南威尔士州东部城镇。位于亨特河上游流域。建于 1827 年。1833 年建镇。地处新英格兰公路与铁路交会处,在纽卡斯尔西北 113 千米。现为附近煤矿区和农业区(包括葡萄园)服务。生产服装、轮胎、水泥等。人口9 988(1986)。

Mut　穆特　埃及宗教所信奉的天神和大圣母。此神的发祥地也许是尼罗河三角洲,也许是中埃及。在第十八王朝(公元前 1539 ～ 前1292),她在底比斯同阿蒙和洪(相传是她的儿子)结成三联神。"穆特"意为母亲,她是众神之中的女性长者。她与圣蛇像、雄狮和王冠有关。她也与其他女神(主要是巴斯泰特和塞赫迈特)互相融合。在底比斯,穆特的主要节日里的重要活动是她在围绕她的庙的马蹄形圣湖上"航行"。穆特之像常为戴双重冠的妇人(双重冠代表上埃及和下埃及),此冠一般是国王和阿图姆神所戴。她有时又被画作人身长有一雌狮头。

头戴双重王冠的穆特铜像
美国不列颠百科全书公司供图

Muʻtaḍid, al-　穆阿台迪德　(? ～902)阿拔斯王朝最伟大的哈里发之一(892 ～ 902)。以其残酷地对待地方王朝、宗派、派别的行为而出名。穆沃费格之子,曾在其父晚年与穆阿台米德共同执政,迫使穆阿台米德剥夺自己儿子的继承权。穆阿台米德死(892)后成为哈里发,并改组行政机构和改革财政。他与图伦王朝哈里发之女结婚,从而与该王朝缔结和约,并以残酷手段对付杜拉菲、萨法尔和阿里等许多宗派的王朝。他靠挑拨离间来扩展哈姆丹王朝和萨曼王朝的势力。后为卡尔马特派所败,不久后去世。据传他在宫廷阴谋斗争中被毒死。

mutagen　诱变因子　借改变脱氧核糖核酸结构来改变细胞遗传结构的因子。包括多种电磁辐射(如宇宙线、X 射线、紫外线)、许多化合物等。某些非诱变物质可加强或抑制一些诱变因子对生物体的影响,如氧可使细胞对 X 射线的诱变更加敏感。

mutʻah　穆塔尔　阿拉伯语原意为"享乐",指伊斯兰法所规定的一种临时婚姻制度,其依据在《古兰经》(伊斯兰教圣典)第 4 章第 24 节:"你们可以借自己的财产而谋与妇女结合,但你们应当是贞节的,不可是淫荡的。既与你们成婚的妇女,你们应当把已决定的聘仪交给她们。"临时婚姻必须是双方自愿结合,而且必须预先讲妥聘礼和契约期限。因此,除非事先议定,否则妇女不得要求赡养,而且任何一方不得继承另一方的财产。由穆塔尔这种婚姻形式而出的子女一律随父。穆塔尔的期限不得延长,但若在再给予该妇女一定的聘礼问题上达成新协议,还可继续同居。所有的伊斯兰法学派都认为,穆塔尔这种形式在先知时期是被认可的和得以实行的。然而,逊尼派领导人大多认为,第二任哈里发欧麦尔一世(ʻUmar Ⅰ)禁止了这种做法,因而这种制度已被废除。于是,逊尼派领导人谴责穆塔尔是道地的卖淫。与此相反,什叶派中的十二伊玛目派(Ithnā ʻAsharīyah)则认为这种制度仍然是有效的,并辩解说这是防止卖淫的一种保障,或是在不可能结成正式婚姻的情况下的一种变通办法。

Muʻtamid, al-　穆耳台米德　(1027, 西班牙～ 1095,摩洛哥马拉喀什附近艾格马特)全名为穆罕默德二世穆耳台米德。塞维利亚的阿巴德王朝第三代国王。他是中世纪有教养的穆斯林西班牙人的典型代表,开明、宽容,提倡文学艺术。13 岁就指挥对锡尔维斯城的军事远征。这次远征获得胜利后,他被任命为这个地区的长官。1069 年承袭其父的塞维利亚王位。1071 年征服和兼并了科尔多瓦王国。后来又把穆尔西亚王国置于自己的统治之下。但是,1085 年莱昂和卡斯蒂尔国王阿方索六世占领了托莱多城,这是对西班牙穆斯林的沉重打击。穆耳台米德一直向阿方索纳贡。当他拒绝纳贡时,阿方索就侵入他的王国,洗劫了许多城镇。不久,阿方索又提出领土要求。穆耳台米德知道靠他自己的人力物力无法阻止基督教徒的进逼,于是就去寻求穆拉比王朝苏丹优素福·伊本·塔舒芬的援助。塔舒芬刚刚征服摩洛哥全境,手下拥有强大的军队,1086 年横渡直布罗陀海峡,在宰拉盖给基督教军队以毁灭性的打击。但他未及取得最后胜利,便不得不返回摩洛哥。穆尔台米德无力保卫自己的边境,又去请求塔舒芬的援助。1090 年,另一支穆拉比王朝的军队攻入西班牙。然而,塔舒芬罢免了请求他援助的人们,愿以自己的名义进行"圣战"。在占领塞维利亚以后,他把穆耳台米德解往摩洛哥囚禁至死。

Mutanabbī, al-　穆太奈比(915,伊拉克库费～ 965-09-23,代尔阿久勒附近)　全名艾布·塔伊布·艾哈迈德·伊本·侯赛因·穆太奈比。被许多人认为是最伟大的阿拉伯语诗人。他主要用华丽辞藻、夸张的风格写颂诗。他对阿拉伯诗歌的影响一直延续到 19 世纪。其作品至今仍被广泛引用。父亲是个运水夫,自称出身于阿拉伯半岛南部古老的贵族之家。穆太奈比本人受过良好教育,有做诗的天才。924 年卡尔马特派洗劫库费后,他入伙相随,生活在贝都因人中间,学习他们的信条和语言。他自称为先知——因此有"穆太奈比"(意为"假先知")之名,932 年领导了叙利亚卡尔马特派叛乱。叛乱失败后,被监禁 2 年。935 年他宣布认错,成为云游诗人。他早先按照诗人艾布·泰马姆(? ～845)和布赫图里(? ～ 897)的传统写颂诗,948 年依附叙利亚北部哈姆丹王朝的诗人王子赛义夫·道拉,写了大量颂诗,赞扬他的保护人。这些颂诗成为阿拉伯语诗歌中的杰作。后因阴谋和嫉妒,终于离开叙利亚前往埃及,后投靠掌实权的黑太监卡富尔。960 年由于写讽刺诗,冒犯了卡富尔,被迫逃离埃及,居住在伊朗设拉子,受白益王朝艾米尔阿杜德·道拉保护,直到 965 年。后返回伊拉克,在巴格达附近遇盗被杀。豪迈和自负是穆太奈比的许多诗歌的基调。他的诗写得华丽、夸张,有完美的技巧和艺术天才。他使颂歌得到比较自由的发展,更多地带有个人色彩,具有新古典派风格。

Mutapa　莫塔帕　南部非洲的一个帝国,由姆韦尼·马塔帕(Mwene Matapa,或称莫塔帕)世系的国王统治。

Mutare　穆塔雷　前称乌姆塔利(Umtali)。津巴布韦东部城镇。原为勘探队在 1890 年建设的乌姆塔利堡。该居民点曾两度向索尔兹伯里(今哈拉雷)—贝拉铁路迁移,1898 年通铁路。1914年建城市区。该城景色秀丽,

穆塔雷附近的乌姆巴国家公园
美国不列颠百科全书公司供图

街道宽阔,两侧种有开花的树木。有三个公园、一座博物馆(1954)和特纳纪念图书馆(1902)。20世纪70年代中期,几乎成为罗得西亚军队和以莫桑比克为基地的民族主义游击队之间的战场。在津巴布韦独立后,穆塔雷成为富饶的东部地区(茶叶、烟草、牲畜、木材)的主要铁路枢纽和商业中心。有汽车装配、纺织、服装、皮革、纸浆等工业。附近有一些国家公园,旅游业是重要的行业。人口约69 600(1982)。

Muʿtaṣim, al-　穆阿台绥姆(794～842-01-05)　阿拔斯王朝第8代哈里发,哈伦·赖世德之子,833年继兄马蒙位。第一个使用突厥雇佣军的哈里发。837年粉碎巴比克领导的伊朗分裂教派的叛乱。拜占廷皇帝狄奥斐卢斯毁坏穆斯林城镇济巴特拉后,他侵入小亚细亚,打败狄奥斐卢斯,毁掉安基拉(安卡拉)和阿莫里乌姆两要塞(838年8月)。

mutation　突变　细胞内传递到细胞后代的遗传物质的改变。突变可以是自发的(遗传物质复制过程发生的事故)或由外在因素(如电磁辐射及某些化学物质)诱发。

突变发生于基因,基因的分子基础是长链状的分子——脱氧核糖核酸(DNA)。DNA分子由两条长链构成,两条长链的成分是糖和磷酸交替排列而成,从每个糖基团突出一个含氮的碱基,其中的碱基共有4种:腺嘌呤(A)、鸟嘌呤(G)、胸腺嘧啶(T)和胞嘧啶(C)。结构上,每个DNA分子包括两条互相盘旋的长链,一条链的碱基与另一条链的碱基以氢键联结。腺嘌呤总与胸腺嘧啶互相联结,而每个鸟嘌呤又与胞嘧啶相联结;结果,两条链中的碱基顺序是互补的。

碱基的排列顺序决定了生物体的遗传密码。密码决定了细胞内合成何种蛋白质。遗传密码的单位为密码子,每个密码子决定一个具体的氨基酸(蛋白质由氨基酸组合而成)。一个密码子包含3个按一定顺序排列的碱基——例如,GAG或TCA。共有四种碱基,结果可能有的密码子一共64种。因为蛋白质仅由20种氨基酸组成,多数氨基酸可由不止一个密码子来决定。

当一个碱基为别的碱基所取代,或一个或多个碱基插入或缺失时,便发生了突变。替代突变仅影响一个密码子,在多数情况下影响极为轻微,其理由之一就是:决定一个氨基酸的密码子不止一个。因为许多密码子决定了同一个氨基酸,改变了的密码子可能仍然决定该同一个氨基酸。进一步说,即使突变导致蛋白质中插入一个错误的氨基酸,这种改变也可能是无害的。大多数蛋白质分子以数以十计的氨基酸组成,其中一个氨基酸发生变化,对蛋白质的生物学特性影响极小或无影响。大多数高等生物具有两套基因,分别来自父母双方。在这些生物体中突变的基因可能是隐性的,其影响被其显性等位基因所抵消。

但不能说替代突变都不会带来严重的后果。例如,血红蛋白是红细胞的重要成分,由数以百计的氨基酸所组成。一个替代突变可使一条血红蛋白多肽链中出现一个错误的氨基酸,结果红细胞由正常的圆形变成镰刀形。如果一个人从父母双方都继承了这样的突变基因,就会患镰状细胞性贫血。

替代突变仅影响一个密码子,而碱基插入或缺失会使整个基因的阅读框架改变,于是从突变处开始到基因结束处每个密码子都发生改变。例如,假定基因的末端可读为TAG GGC ATA ACG ATT。如果在第一个密码子中插入一个A,则整个顺序便改变为:TAA GGG CAT AAC GAT T。因为插入或缺失一个碱基会影响许多密码子,所以更会导致显著的后果。但即使这样的突变也会因存在着正常的显性基因而被掩盖起来。

对人类和其他具有性生殖的动物来说,发生于他们身上的突变可分为两大类:体细胞突变和生殖细胞突变。体细胞突变发生于体细胞,而非性细胞。这种突变可产生局部的改变,如有时可见于在其他方面完全正常的个体毛发上的白化体。所有突变体细胞的后代都会带有这种突变,但这种突变不能传递到个体产生的后代。可是生殖细胞突变可影响性细胞(卵或精子),可传递给个体的后代。生殖细胞突变改变了生物体时,这种影响通常是有害的。许多遗传病是这些突变的结果。如果有害基因影响了携带者的生育能力,使之不能以与其他同类一样的速率产生后代的话,这些基因最终会从种群内消失。突变很少产生有利的改变。但如果突变基因带来有利的改变,则携带这基因的个体在群体中的百分率会增高,直至突变的基因成为种群中常见的正常基因,于是有利的突变成为进化的原材料。

Mutawakkil, al-　穆塔瓦基勒(822-03,伊拉克～861-12,伊拉克萨马拉)　阿拔斯王朝哈里发。青年时代未任军政要职,但他对具有深远政治意义的宗教辩论极感兴趣。847年继瓦提克为哈里发时,他坚持伊斯兰正统的立场,开始迫害所有非正统的或非穆斯林的派别;拆除巴格达的犹太教会堂与基督教堂,夷平卡尔巴拉的侯赛因·伊本·阿里(什叶派殉教者)祠,并且禁止到该城朝圣。不但恢复关于基督教徒和犹太教徒必须穿特殊服装的旧法令,而且更加严格执行。他在对付外部敌人方面却没有那么成功。虽然他并未大片丧失领土,但他经常必须派兵讨伐行省中的叛乱。对拜占廷人的战争依然断断续续地进行,但亦无胜负之分。他继续执行依赖土耳其军人的危险政策。结果,已经与他疏远的长子穆恩塔西尔害怕失去继承权,遂教唆土耳其军人将他暗杀。

Muʿtazilah　穆尔太齐赖派　原指伊斯兰教内部在政治或宗教问题上守中立的派别,自10世纪起特指8至10世纪活跃于巴士拉和巴格达的思辩教义学派别。此派曾被斥为自由思想派和异端,但他们在8世纪率先运用希腊哲学方法提出三条主要教义原则:首先,他们强调安拉的绝对独一。根据这一原则,必然得出的结论是,正统派所云《古兰经》是安拉的话的提法,不能成立。因为,安拉是不可分割的,所以《古兰经》只能是受造之物,不能与安拉一样永存。第二条原则是安拉的公义。正统派认为安拉的旨意森严可畏,人必须无条件顺服。而穆尔太齐赖派则认为,安拉希望人尽量为善。但是,人有自由意志,可以选择善或恶,因而要为自己的行为负责。第三条原则是恐吓和应许,即天堂与地狱的原则。其内容是,安拉既然是公义的,因此必然赏善罚恶。穆尔太齐赖派的重要教义学家为巴士拉的阿布·胡栽里(约841年卒)、奈萨姆(846年卒)以及巴格达的穆尔台米尔(825年卒)。

Mutesa I　穆特萨一世(约1838～1884-10,布干达纳布拉加拉[在今乌干达])　非洲布干达王国国王。他在位期间为布干达历史上的关键时刻,刚刚开始同阿拉伯人和欧洲人进行广泛的接触。人们认为穆特萨既是残酷的暴君,也是精明的政治家。他即位之初的6年,地位极不稳固,流血事件屡屡发生;但是他很快就把王国的秩序巩固下来,使之成为一个由官僚治理的专制国家。他一方面限制僧侣和部落头人的权势,一方面选贤任能,并改组军队系统,扩充维多利亚湖上独木战船的船队。在他统治时期,布干达的财富主要来自对邻国的劫掠。他把历次出征掠夺来的或者由邻国纳贡送来的奴隶和象牙卖给阿拉伯人,以换取枪炮和棉布。他显然受过伊斯兰教的影响,所以在1867～1877年过斋月(穆斯林斋戒之月)。他极力利用欧洲势力消除来自北方的埃及的威胁,因而于1877年欢迎基督教传教士前来进行传教活动。

Mutesa II　穆特萨二世(1924-11-19～1969-11-21,伦敦)　东非布干达(今乌干达的一部分)国王(1939～1953,1955～1966在位),1953年被英国人废黜,1966年又被乌干达总统M.奥博特废黜。20世纪40年代,穆特萨受英国驻节官员和本国首相的控制,本人威信不高。在1953年"卡巴卡危机"中,布干达王国在乌干达保护地所占的特殊地位危在旦夕。他在与乌干达总督进行交涉时,一点也不让步,坚决要求允许布干达与乌干达的其余部分脱离而独立。他拒绝将英国的正式劝告意见向国会传达,因而遭到逮捕而放逐。在布干达一些领袖的要求下,1955年返国,在法律上成为立宪君主。乌干达独立后,穆特萨与总理奥博特就布干达王国在乌干达境内的职能及其主权完整问题发生争执。由于奥博特宣布推迟实行宪法,双方冲突迅速升级。1966年穆特萨逃往英国,后死于该国。

Muti, Riccardo　穆蒂(1941-07-28,意大利那不勒斯～　　)　意大利歌剧和交响乐指挥家。童年在那不勒斯音乐学院学习钢琴。后入米兰威尔地音乐学院学习作曲和指挥,历时5年。1968年指挥意大利广播交响乐团首演成功后,在欧洲和美国的主要交响乐团任指挥。1969～1980年任佛罗伦萨五月音乐节首席指挥。1973年继O.克莱姆珀雷任伦敦新爱乐乐团(1977年后改名为爱乐交响乐团)首席指挥,直至1979年。1979～1982年任该团音乐总监。1977年任费城交响乐团首席客座指挥,1980～1992年任该团音乐总监。1970年起积极从事歌剧指挥工作,1972

美国不列颠百科全书公司供图

年在佛罗伦萨领导了G.罗西尼的《威廉·退尔》未删节歌剧的现代首次演出，推崇威尔地不大著名的作品及G.梅耶贝尔和G.斯蓬蒂尼的歌剧等。1986年任米兰拉斯卡拉歌剧院音乐总监。穆蒂所指挥的管弦乐曲中有许多20世纪的作品。

mutilation, ritual　礼俗性残毁　出于宗教信仰、审美或社交等原因，对活人躯体施行有意识的改变或修饰的风俗习惯。参阅**body modifications and mutilations**。

mutiny　哗变　两个以上下级军事人员反抗或攻击其上级的公开行动。这个词有时也指非军事性质的反抗或攻击——例如商船上的哗变或在一个奴隶制受到保护的国家里奴隶造反。哗变与起义或叛乱的明显区别在于，起义或叛乱范围更广并具有政治目的。历史上，哗变往往被当作最严重的犯法行为，尤其是发生在海上航行的船只上；因而船长传统上拥有广泛的权力，包括当场判处死刑的权力。根据当前的军事法规，只有军事法庭才能对哗变者判刑。

Mutis, José (Celestino Bruno)　穆蒂斯（1732-04-06，西班牙加的斯～1808-09-11，波哥大［今哥伦比亚］）　西班牙植物学家。1753年获塞维利亚大学学士学位后到马德里

美国不列颠百科全书公司供图

学医，1757年任费迪南德六世的家庭医生。他是瑞典植物学家C.林奈在西班牙的首批信奉者之一。一直利用业余时间研究植物学，直到1760年任南美新格拉纳达总督的医生。抵达波哥大三年后，他于1764年要求建立植物园，但由于资金缺乏而遭拒绝。1766年迁居安第斯山区的潘普洛纳，在该处重新组织医学教学，提出现代的采矿方法并研究奎宁的疗效，还讲授植物学和植物绘图，栽培药用植物和农作物。1782年新总督到任后任命他为南美北部植物考察队的首任植物学家和天文学家。他在马里基塔建立植物园，并组建新大陆最好的植物图书馆之一。他与队里的画家、动物学家、植物学家合作，收集了几千张图片、大量的鸟皮和兽皮，建立了拥有2.4万多种植物的标本馆。他的植物学论著数以百计，其中篇幅最大的是《波哥大或新格拉纳达植物志》，包括6 000多张插图；此书篇幅大到西班牙政府无力将其付印。1791年植物考察队移至波哥大，数年后在该处建立南美第一座植物温室。

Mutrah (Oman)　参阅**Maṭraḥ**马特拉。

Mutsuhito　睦仁　参阅**Meiji**明治天皇。

Mutswairo, Solomon M.　穆茨瓦伊罗（1924-04-26，罗得西亚马佐埃区扎武［今津巴布韦］～　）　最早的泽祖鲁语小说家和最重要的泽祖鲁语诗人。在赞比亚长大，在南非黑尔堡大学学院受高等教育，当过中学教师及教会学校校长。他组织了非洲教师协会的一些分会，创办了非洲语言发展协会及罗得西亚政府出版局。1960年获富布赖特奖学金赴美国留学，获得几个硕士学位，1979年在华盛顿（哥伦比亚特区）获霍华德大学博士学位。1981年7月返回津巴布韦。第1部小说《费索》（1957）后来遭到罗得西亚书籍审查官查禁。但由于小说情节似乎是对英国殖民者与津巴布韦人冲突的影射，它很快成为民族主义者们的必读物。穆茨瓦伊罗于1974年出版了小说的英文译本。用英文写成的《马邦德拉：津巴布韦的战士》（1978）歌颂了马邦德拉大力反对C.罗得斯和葡萄牙人分别从南部和东部进入津巴布韦的事迹。小说《津巴布韦预言家查米努卡》（1982）也是用英文写的。其他作品有小说《穆拉姆比瓦·高雷德马》（1959）及儿歌等。

mutton　羊肉　一岁以上的公羊或母羊出的肉。参阅**lamb**。

Muttra (India)　**穆德拉**　参阅**Mathura**马图拉。

Muttrah (Oman)　参阅**Maṭraḥ**马特拉。

Mutual Economic Assistance, Council for (CMEA)　经济互助委员会　又称经互会（COMECON），1991年起又名国际经济合作组织（Organization for International Economic Cooperation）。该组织1949年1月成立，目的是促进和协调苏联集团内东欧各国的经济发展。最初的成员国有苏联、保加利亚、捷克斯洛伐克、匈牙利、波兰和罗马尼亚。阿尔巴尼亚于1949年2月参加，但于1961年底停止参加积极活动。德意志民主共和国于1950年9月参加。蒙古人民共和国于1962年6月参加。1964年达成一项协议：南斯拉夫在贸易、金融、货币和工业方面以经互会成员同等条件，参加经互会活动。1972年古巴成为经互会第9个正式成员国。1978年越南成为第10个正式成员国。经互会总部设在莫斯科。1989年东欧民主革命后，该组织的宗旨和权力已大多丧失，1990～1991年它改变政策和名称就是组织瓦解的反映。

1948年西欧成立欧洲经济合作委员会，1949年在苏联的倡导下组成经互会就是对此做出的反应。然而在1949～1953年之间，经互会的主要活动仅限于登录各成员国之间的双边贸易和信贷协议。1953年之后，苏联和经互会开始促进成员国间的工业专业化，由此而减少东欧各国之间的“平行现象”（重复的工业生产）。在西欧组织欧洲经济共同体之后的20世纪50年代末，经互会在这些方面——尽管成效有限——进行了更加系统而紧张的努力。

20世纪60年代初经互会所设想的经济一体化遭到反对并产生问题。主要的困难在于各个成员国所采用的价格体系互不协调。多数货物的价格都是各个政府确定的，与货物的实际市场价值没有多大关系，因而很难使各成员国之间以相对价格为基础来进行贸易。相反的，贸易主要地是通过政府间的双边协定以易货为基础而进行的。

经互会的成就包括：组织东欧的铁路网和电力网；创建国际经济合作银行，为两个或两个以上成员国联合投资项目融通资金；建设“友谊”输油管道，将石油从苏联的伏尔加地区输往东欧各国。

1989～1990年共产党政府垮台后，东欧各国断然开始将价格转移到私营企业和市场型价格体系上来。到1991年1月1日，各成员国已开始用可兑换的硬通货进行贸易支付。根据1991年初达成的协议，经互会改名为国际经济合作组织；每个国家可以自寻贸易途径；各成员国的义务削减到仅在配额、关税、国际支付及与其他国际团体关系等方面进行政策“协调”。

mutual fund　共同基金　又称单位信托公司或股份不定信托公司。指将认购者基金投资于多样化的证券方面，并相应发行可代表其拥有这些证券份额的单位股票的公司。它与投资信托公司（股份固定信托公司）不同，后者以公司本身资本发行股票。股份固定信托公司的资本总额是固定的，其股票可在市场上买卖。共同基金总是持续不断地按净资产价值（再加上经销费）出售新股票，并按其所拥有的证券市价确定每日净资产价值，随时购回已售出的股票。

mutualism　互惠共生　两个不同种生物之间使双方获益的一种联合。生活需求很不同的两种生物之间很可能发展互惠共生关系。固氮菌和豆科植物之间的合伙关系就是一例。牛和瘤胃菌之间也是这种关系。树根和某些真菌之间的联合也常是互惠共生（参阅**mycorrhiza**）。白蚁与其肠道内鞭毛类原生动物之间为专性互惠共生关系，依存关系紧密；鞭毛虫消化白蚁摄入的木质。在自然条件下，任何一方没有对方就不能存活。丝兰蛾与兰属植物相互依赖。蛾卵产于丝兰属植物种荚中，即起传粉作用。幼虫孵化取食一些种子，但不是全部种子。植物得到传粉，蛾的幼虫有了食源，两者互利。金合欢蚁（锈色拟

切叶蚁，*Pseudomyrmex ferruginea*）于牛角金合欢（*Acacia cornigera*）上取食及栖身；金合欢靠蚁保护免受食草动物之扰（蚁会驱赶食草动物）。任何一方没有对方便不能生活得很成功，这也是专性互惠共生的一个例子。

muwashshaḥ　彩诗　发展于11、12世纪的穆斯林西班牙的、采用诗节形式的一种阿拉伯诗歌体裁。12世纪以后流传到北非和穆斯林中东。彩诗是用古阿拉伯语写成，其主题也属于古阿拉伯诗歌主题——爱情、美酒、宫廷人物。但它在形式上却与古典诗歌有显著差别。后者每一诗句分成两行，而且每一诗句句尾都押同一韵脚。彩诗一般分为5个诗节，每一诗节包括4、5或6行。主韵脚出现在每一诗节的首句和最末诗节的尾句，类似叠句一样，中间隔以数个副韵脚。一般格式是：ABcdcdABefefABghghABijijABklklAB。最后的AB，称为中心点，通常用本地的阿拉伯语或西班牙莫扎拉布方言写成，由女声诵出，表达她对不在场的情人的思念。这类诗说明彩诗很可能受了某种欧洲罗曼语口头诗歌或歌曲的影响。西班牙的犹太诗人也用希伯来语写彩诗，以阿拉伯语或西班牙语为中心点。

Muwatallis　穆瓦塔利斯　赫梯人新王国的国王（约公元前1320～约前1294在位）。穆尔西利斯二世之子和继承人。在位时期因争夺叙利亚的领土与埃及进行斗争。约公元前1300年在奥龙特斯河畔的卡叠什展开古代的最大一次战役。埃及国王声称获得大胜，但胜负实际未定。在战争中，他把首都从哈图萨斯迁往最南边的达塔萨城。

Muxi Fachang　牧溪法常　中国南宋（1127～1279）画家。僧人，号牧溪，蜀（四川）人，本姓李，南宋理宗、度宗时在临安长庆寺为僧，为高僧无准禅师弟子。为人富有正义感，曾因抨击宰相贾似道而遭追捕，一度避难于绍兴。逝世于元初至元年间。擅画龙、虎、猿、鹤、禽鸟、山水、花竹、人物，多以水墨随笔点染而成，偶用蔗渣、草结涂绘，不拘成法。意思简当，率有真趣。不少作品传入日本。由日本圣一法师于淳祐元年（1241）带到日本的《观音》、《松猿》、《竹鹤》三图（今藏东京大德寺），被定为国宝，其他如《老松鹳鸽》、《潇湘八景》等亦为传世名迹。在南宋后期院体画居画坛统治地位之际，法常继梁楷之后，另辟蹊径，特别在花鸟画方面，发展了豪放纵逸的水墨写意一派。不仅在当时开拓了花鸟画的新天地，而且对元明时期崛起的写意花鸟画也有一定影响。

牧溪法常绘《松猿》
美国不列颠百科全书公司供图

Muya language　木雅语　中国藏族使用的语言之一。属汉藏语系藏缅语族羌语支。分布在中国四川省甘孜藏族自治州康定、九龙，雅安地区的石棉等县。使用人口约1.5万。分西部和东部两个方言，西部方言受藏语影响较大，东部方言受汉语影响较大，方言间有较大差别。学术界有人认为它与已经死亡的西夏语有密切关系，是研究西夏语文的一把钥匙，因而受到人们的重视。木雅语（康定沙德）的语音特点是：有42个单辅音声母，包括双唇、舌尖中、舌根、小舌塞音（各分清、浊和清送气）3套；舌尖前、卷舌、舌面前塞擦音（分清、浊和清送气）3套；唇齿、舌尖前、卷舌、舌面前、舌根、小舌、喉门擦音也都分清、浊；有双唇、舌尖中、舌面前、舌根鼻音和边音各1个；有双唇和舌面半元音各1个。有7个复辅音声母，由浊塞音和浊塞擦音带同部位的鼻冠构成。有21个单元音韵母，其中普通元音12个，紧元音3个，鼻化元音6个；有20个复元音韵母，全都是后响的。有4个声调（高平、中平、高升、高降）。词类有名词、代词、数词、量词、动词、形容词、副词、助词、连词、情感词10类，有较丰富的屈折形态变化。人称代词有格（主格、领格、宾格）；动词有人称（第一、第二、第三）、数（单数和多数）、时间（现在、过去和将来）、式（命令式、祈求式、疑问式）、态（自动态、使动态、互动态）、趋向（有6个趋向前缀）等语法范畴。存在动词有类别范畴。结构助词有施动、受动、限制、工具、处所、从由、比较等多类，有较强的句法功能。句子主语在前，谓语在后，宾语和状语在主语后、谓语前；名词、代词作修饰语在中心词前，形容词、数量词组作修饰语在中心词后。词汇里有丰富的四音联绵词，借词主要来自汉语和藏语。

Muybridge, Eadweard　迈布里奇（1830-04-09，英国萨里泰晤士河畔金斯顿～1904-05-08，泰晤士河畔金斯顿）　英国摄影家，以最先从事动体摄影和电影放映的研究工作而著名。年轻时移居美国。初时默默无闻，至1868年始因拍摄加利福尼亚的约塞米蒂峡谷的巨幅照片而斐声世界。迈布里奇拍摄动体的实验，始于1872年，那时铁路界巨擘L. 斯坦福请他证实：当一匹马奔跑时，马的四蹄在某一时刻是同时离地的。他的首次努力没有成功，因为他的照相机上没有高速快门。此实验后因故中辍。1877年，他重新开始他的动体摄影试验。使用一套12～24架照相机和他发明的能用千分之二秒的速度曝光的特制快门，得到了满意的结果，证实了斯坦福的论点。但是，有些人认为，马的四腿不会出现这样的姿势，因而批评这些照片。为了反击这种批评，迈布里奇在美国和欧洲作了动物运动的报告，并用一个"动物实验镜"作为图解。这是他发明的一种幻灯，能把印在一个旋转着的玻璃圆盘上的照片连续快速地投射到屏幕上。这种"动物实验镜"，就是现代电影的重要原始形式；它在1893年芝加哥举行的"世界哥伦布博览会"上，曾轰动一时。迈布里奇最重要的动体摄影研究，是于1884～1887年间在宾夕法尼亚大学的资助下完成的。所拍照片中包括各种各样的人体活动，有穿衣的，也有裸体的。这些照片，为艺术家和科学家提供了人类活动的简要的可视形象。1887年，这些照片有许多都刊载在《动物的运动，动物活动连续分解动作的电动摄影研究》这本代表作选集上。

Muyu Khan　牟羽可汗（？～780）　中国唐代中期回纥族的第三代可汗。即回纥登里可汗。名移地健，英武可汗之子。762年唐代宗借回纥兵平定安史之乱，册封为英义建功可汗。牟羽可汗统治回纥曾参用唐制度，吸收汉族文化。建中元年（780）德宗遣使修好，牟羽可汗骄不为礼，拟倾全力侵掠唐朝，为宰相顿莫贺达干（达干为官名）所杀。

Muyua　穆乌阿岛　又称伍德拉克岛（Woodlark Island），是巴布亚新几内亚的珊瑚岛。位于新几内亚岛最东南端的东北约240千米处，在西南太平洋的所罗门海中。岛长约70千米，宽8～29千米。表面地势崎岖，珊瑚形成的小山峰（南部海拔达365米）覆盖着茂密的丛林。南部海岸的主要停泊船只处为瓜索帕港和苏洛加港。主要的居民区为库卢马道。1934～1938年曾出产黄金，但自从第二次世界大战结束以后，黄金的开采一直未恢复。在第二次世界大战期间，此岛成为盟国空军基地。含磁铁矿苗的铁矿层露出地面。1836年澳大利亚船只"伍德拉克"号曾在此停泊，后来穆乌阿岛即因该船名而有时被称为伍德拉克岛。

Muẓaffar ʿAlī　穆宰费尔·阿里（活动时期约1540～约1576）　波斯细密画家兼书法家，尤以描绘华贵抒情背景上的优雅人物著称。是萨非王朝画家海达尔·阿里之子。曾从大画家贝赫扎德学画，受国王塔赫马斯普一世喜爱。后成为加兹温流派大师，和其他王室细密画家共同创作波斯王朝统治者纳梅的画像，还为哈姆塞创作过一组插图，共14幅，1539～1543年在波斯国王监督下完成；可能还为王子易卜拉欣·米尔扎画过吉米的哈夫特奥兰。这三种画的原稿均被公认为波斯绘画的杰作。他为下一代培养了两个出色的画家：西耶武什和塞迪吉。据说他曾在加

穆辛费尔·阿里为《五卷诗》所绘的插图画(1539 ～1543)
美国不列颠百科全书公司供图

兹温为宫廷和“四十柱大厅”设计过壁画并完成了其中的一部分。

Muzaffarnagar 穆扎法尔讷格尔 印度北部北方邦西北部城市。在德里东北偏北，有公路和铁路相通。建立于1633年前后。为农产品市场，有一些轻工业。市内有几所学院。人口约316 452(2001)。

Muzaffarpur 穆扎法尔布尔 印度东北部比哈尔邦中北部城市。位于布里根德格河南岸。为公路、铁路交通枢纽和巴特那至尼泊尔路线上的贸易中心。主要工业有碾米、榨糖和制造刀具。设有比哈尔大学(1952)。人口约305 465(2001)。

Muztagata Shan 慕士塔格山 又作Mu-shih-t'a-ko Range或Kashgar Range。中国新疆维吾尔自治区西南部山脉，耸峙于帕米尔高原东侧、昆仑山西端。海拔7 546米，为昆仑

慕士塔格山
中国大百科全书出版社供图

山高峰之一，主要由片麻岩、石英岩组成，呈穹窿构造。山顶平缓，上覆冰盖，面积约200平方千米。有十多条冰川，多分布于西侧。维吾尔语“慕士塔格”意为“冰山”。其北的公格尔山(大公格尔山)海拔7 719米，山体巨大，山顶平坦，冰盖面积超过300平方千米。1959年公格尔山发生6.4级地震。公格尔九别峰(小公格尔山)海拔7 595米，维吾尔语意为“白色帽子”。1959年6月17日中国女子登山队曾攀登峰顶。

MVD 内务部 苏联内务部，克格勃(KGB)的前身之一。

M.V.O. 维多利亚下级爵士 维多利亚皇家勋位的第四或第五级成员，只有尊衔而无爵位。参阅Royal Victorian Order。

Mwangi, Meja 姆万基(1948-12，肯尼亚涅里～　　) 非洲小说家，写过许多关于肯尼亚社会状况和历史的小说。最初集中描述茅茅人的武装反抗之事，讲述森林游击队与强大的对手进行战斗的故事。《死亡的滋味》(他最早写的故事，但直到1975年才出版)和《供猎狗食用的畜体》(1974)两部小说描述了殖民地肯尼亚吉库尤高地抵抗运动的精神。其写作的目的是要在这几部准历史的小说中保留一份刚刚过去的历史记录。他还对肯尼亚当前的社会问题颇感兴趣。著有《快杀死我吧》(1973)、《沿河边道路走下去》(1976)和《蟑螂舞》(1979)。后期作品有惊险小说《饥饿的武器》(1989)、《沙卡归来》(1989)和《求风》(1990)等。这些自然主义的小说中总带着他的幽默感，给予读者的是抗议和欢笑。他也为儿童创作短篇小说，如《猎人之梦》(1993)。

Mwenda (African ruler) **姆温达** 参阅Msiri姆西里。

Mwene Matapa (“Ravager of the Lands”) **姆韦尼·马塔帕** 14～17世纪统治非洲东南部赞比西河与林波波河之间地区(在今津巴布韦和莫桑比克)的一系列国王的称号。他们统治的地区往往称为姆韦尼·马塔帕帝国，或简称为马塔帕，它同被称为津巴布韦的历史地点有关，位于今津巴布韦东南部。王朝建立者传说为姆比雷，他是14世纪一半神话式的统治者。其玄孙尼亚钦巴在15世纪末进行统治，是王国的真正缔造者，最先取得姆韦尼·马塔帕的称号。在他统治期间，国家的中心从津巴布韦向北迁移到赞比西河畔的富拉山。16世纪葡萄牙人入侵。1629年，在位的姆韦尼·马塔帕企图把葡萄牙人赶走，结果却被葡萄牙人废黜。他的继位者被迫给予葡萄牙人大量贸易和采矿特权。17世纪末，姆韦尼·马塔帕的国力被罗得西亚西南部的罗齐王国超过。

Mweru, Lake 姆韦鲁湖 非洲中部湖泊。东与赞比亚、西与刚果(金)交界。为刚果河水系的一部分。位于姆韦鲁-卢阿普拉-班韦乌卢平原西北部。水面海拔约917米。最大长度(西南偏南～东北偏北)122千米，平均宽度约50千米，水域面积4 920平方千米。边缘除西岸多岩石外，一般平坦。有卢阿普拉河从南岸流入，卢武阿河则从北岸导出。南部有基卢瓦岛和索克维岛。湖东岸和南岸与广阔的班韦乌卢沼泽地连接。

MX 参阅Peacekeeper missile和平保卫者导弹。

My Lai Massacre 美莱大屠杀 越南战争期间，美军士兵于1968年3月16日对美莱小村500名手无寸铁的村民进行的大屠杀。美莱位于广义省，被认为是越共据点，美军因此对其密切关注，获悉越共正在此村，以一连士兵前往清剿。虽未发现越共武装，却将所有找到的老人、妇女、儿童杀掉，幸存者无几。美军高官起初掩盖这一事件，但后被揭露。军法审判认定排长L.W.卡利中尉指挥此次屠杀，1971年以预谋屠杀罪判处卡利终生监禁，其他5名士兵无罪释放。1974年卡利获假释。在审讯中揭露的屠杀及其他暴行使美国公众意见分歧，进而加剧了公众对此次战争的失望。

My Tho 美萩 越南南部平坦的湄公河三角洲地区城市。为美萩江北岸的内港。原属柬埔寨，17世纪末被越南吞并。1862年割让给法国。1881～1885年建成通西贡(胡志明市)铁路(现已拆除)。附近地区以生产椰子、水果和蔬菜闻名。港口主要为水路转运处和制造肥皂、提取椰子油的轻工业生产中心。人口101 496(1979)。

Myanmar 缅甸 又作Burma。全称缅甸联邦。位于亚洲东南部孟加拉湾及安达曼海东岸。南北长约2 050千米(包括马来半岛640千米的狭长地带)，东西最宽处为935千米。东南毗邻泰国和老挝，东北与中国交界，西北与孟加拉国和印度的阿鲁纳恰尔、那加兰、曼尼普尔和米佐拉姆诸邦接壤。南部和西南部海岸濒临孟加拉湾、马达班湾和安达曼海。首都仰光。面积676 577平方千米。人口约42 511 000(2003)。

土地 缅甸依地形可分为北部山区、西部山区、中部低地和东部掸邦高原4个主要区域。缅甸北部主要为金蒙山脉，从最北部与中国交界的缅甸最高峰开卡博峰(海拔5 881米)开始向南倾斜。西部山区高度较低，但为缅甸的主要高地区，从喜马拉雅山脉最东部向南延伸，构成了钦丘陵，其最高峰高达3 000米，再向南是人口稀少森林茂密的阿拉干山脉。中部低地位于阿拉干山脉与掸邦高原之间，境内有人口稠密的伊洛瓦底江及锡当河三角洲，另有濒孟加拉湾的狭窄的阿拉干沿海平原和濒安达曼海的德林达依沿海平原。缅甸第4个主要地区在境内最东部，从中部低地拔地而起，是有很深裂谷的掸邦高原，常常一下子升高600米；高原的平均高度为900米，有些山峰高度超过2 600米。掸邦高原向南融入丹那沙林山脉。

由于缅甸的山脉为南北走向，限定了其主要河流伊洛瓦底江和萨尔温江的流向。伊洛瓦底江长2 100千米，有1 450多千米可以通航；流域约占该国面积的3/5。萨尔温江位于伊洛瓦底江之东，流经掸邦高原，注入马达班湾。

缅甸属热带气候，深受东南亚季风影响。1年分3季，10月末至翌年2月中旬为凉爽干燥季，2月中旬至5月中旬为酷热干燥季，5

月下旬至 10 月末为季风季。年降雨量沿海平原和山地为5 100毫米，三角洲地区为2 500毫米，曼德勒周围的中部盆地为 900 毫米。雨水多集中于季风季节。最凉和最热月份的日平均最高温度在高地和掸邦高原为 23 ～ 32 °C，在南部的仰光为 29 ～ 36 °C。

缅甸境内极为多山的土地中仅有约 1/6 为可耕地，在可耕地中约有 1/10 可灌溉，多种植水稻。几乎没有可作牧场的土地，国土的一半为森林所覆盖。在缅甸的低地区，植物随雨量分布而有所不同。在雨量超过2 000毫米的地区，主要为热带常绿林（三角洲地区为茂盛的红树林）；雨量 1 000 ～ 2 000 毫米的地区有大量的硬木季风林（包括柚木）；雨量低于 1 000 毫米的地区森林多为灌木所代替。高地霜线（1 000 米）以上地区可见橡树和松树林。有大量野生动物，雨林内有各种鸟类、哺乳动物和蛇。象和虎亦为重要物种，但已濒临绝灭。

掸邦高原有银、铜、铅和锌矿蕴藏，德林达依沿海地区有钨和锡的冲积矿床；缅甸亦有石油和天然气储藏。北部山区还出产优质玉石。

人民 整个伊洛瓦底江流域和沿海地带的人口占总人口的 3/4。人口中约 70% 为缅甸人。在亲敦江西部的丘陵地区有钦人的部落，在伊洛瓦底江上游流域和北部丘陵地区是克钦人的部族。掸人占据掸邦高原；佤人和崩龙人一般划归掸人。克伦人见于三角洲地区、勃固山区和沿萨尔温江地势较低地区。克耶人居住在掸邦高原的南部边缘。约9/10的人口为佛教徒，其余大部分为基督徒、穆斯林或泛灵论信徒，亦有少数印度教徒。

土著语言有 100 多种（相互差别大于方言），但通用的和官方语言为缅甸语，平原和丘陵地区各民族均使用缅甸语。英国殖民时代（1885 ～ 1948），国家的正式名称为 Burma（缅甸），英语为官方语言。缅甸脱离英国独立后，英语便不再是官方语言，但各级学校仍要求学习基础英语。1981 年，在学校课程中恢复了英语教学。

缅甸为亚洲各国人口密度最低的国家之一。境内崎岖的森林地区，居民仍然稀少。缅甸是一个农村国家，只有不足 1/4 的人口生活在城市地区。与世界平均水平相比，人口的年增长率偏高，但接近东南亚的平均水平。20 世纪 50 年代以来，较高的婴儿死亡率已大幅度下降。最大城市是伊洛瓦底江三角洲上的仰光和内地的曼德勒。

经济 缅甸属于发展中的中央计划经济，大部分归国家所有，主要以农业和贸易为基础。人均国民生产总值属世界最低国家之列。

国内生产总值的大约 3/5 来自农业、狩猎、林业和渔业、服务业和制造业。农业从业人口占劳动力总数的 2/3。

水稻是该国最重要的作物，能左右缅甸的经济，因为它提供了主要的就业机会，并且是该国的主要出口商品。其他重要作物有甘蔗、玉米、花生、豆类和棉花，亦种植蔬菜、甜瓜和水果。

虽然缅甸没有牧场，但饲养了很多牲畜，例如牛（约 1/10 用于产奶）。牛多在地势较高的干燥地区饲养，其他牲畜有猪、水牛和山羊。森林出产柚木，是重要的出口商品。

鱼在缅甸人的食物中是仅次于稻米的食品。捕获量的大部分为海鱼。缅甸还从泰国成功地引进了欧洲鲤鱼和罗非鱼进行人工养殖。

缅甸的铁路由国有的缅甸铁路公司经营。公路网十分繁忙，但仅约 2/5 的道路有沥青铺面。亦有四通八达的内陆水运网，其中约 1/4 的水路可以通行大船。仰光是该国主要港口，此外，还有其他几个大港口。仰光附近建有敏加拉洞机场，提供国际航空服务。

美国不列颠百科全书公司供图

制造业发展缓慢，仅占国内生产总值的 1/10。主要产品有精炼石油产品、水泥、红糖和原糖、花生油、罐头鱼、氮肥、粗钢、棉花纤维和纸烟。全国电力产量的一半由水力发电厂提供，其余由热电厂提供。60 年代初期，所有的大型工业企业、银行业、保险业、外贸、内贸批发和大部分零售业均实行了国有化。1973 年允许恢复部分外国投资；80 年代末该项政策又进一步放宽。

政府预算收入中约有半数来自一般销售和增值税，其余部分来自国有企业的收入。20 世纪末，外国援助也成为岁入的主要来源。

缅甸的出口以稻米和柚木为主，其次为金属矿产和宝石。70 年代中期以来，缅甸常常出现贸易逆差。进口商品主要为资本货物，多为机械和运输设备、原材料和备件以及消费品。主要贸易伙伴有日本、欧洲经济共同体、东南亚国家和印度。

政体与社会状况 1974 年的宪法宣布缅甸是由缅甸社会主义纲领党一党统治的社会主义共和国。国家最高权力机构为一院制的人民议会，成员由社会主义纲领党提名选举，任期 4 年。人民议会选举总理、内阁和由 29 名成员组成的国务委员会。国务委员会选举一名主席出任国家元首——总统。1988 年执政的军人政府撤销了以前的所有机构,但解除了党禁。国家恢复法律和秩序委员会的主席亦为国家元首和最高行政长官。

缅甸人的健康状况一般较差,疟疾、霍乱、肺结核、肝炎、天花、登革热、脑炎等疾病流行。由于缺少经过培训的医务人员,健康问题更为严重。医疗服务设施仅在城市里较为齐全。平均预期寿命男性为 60 岁,女性 64 岁。

在能够实施教育的地方,教育是免费的;重点放在初级教育。国家对 5 ～ 9 岁的儿童实行义务教育。全国的识字率约为 80%。仰光和曼德勒各有一所文理科大学。从 60 年代开始,军人政府严格限制与其他国家之间的知识与文化交流。

新闻媒体由国家所有和经营。宪法禁止新闻检查,但实际上媒体如果不赞扬国家领导人和社会主义是不允许讨论国事的。

历史 缅甸的伊洛瓦底江中游地区在约 11 000 年以前即有人居住。在公元前 1 世纪至公元 800 年间,被称为骠的民族开始在缅甸北部建立城市王国,他们讲一种藏缅语。骠族的南方是孟族,讲一种澳斯特罗-亚细亚语,他们在直通建立了一座港口都城。孟国和骠国都兴盛起来。9 世纪时,骠的都城哈灵伊落入中国南方的南诏王国之手。缅甸人成为藏缅语系部落的领导者,并将都城建在蒲甘。

1044 年阿罗隆多在蒲甘加冕成为国王,几年以后将缅甸统一成一个王国,并建立起第一个缅甸帝国。1287 年蒙古人入侵,导致帝国瓦解。

16 世纪缅甸在东吁王朝统治下重新统一,至 1752 年孟族人重又控制缅甸。深孚重望的领导人雍笈牙组织缅人进行抵抗,于 1759 年夺得缅甸全境,并建立起缅甸的最后一个王朝。

雍笈牙王国的扩张政策引起了邻国的警惕,尤其是英国人对于缅甸对阿萨姆的企图极不放心。缅甸占领阿萨姆后出现了两次英缅战争(1824 ～ 1826 年和 1852 年),缅甸不仅失去了阿萨姆,而且还失去了曼尼普尔、若开和德林达依,最终又失去了勃固。在第 3 次英缅战争后,缅甸其余部分也于 1885 年落入英国之手。

在英国统治下,该国被称为 Burma,并成为印度的一个省。缅甸人对英国拒绝继续由国家赞助佛教表示不满。此外,英国自由竞争的经济政策使缅甸大多数人口陷入贫困,因而导致 1931 年缅甸农民起义。1937 年英国将缅甸从印度分出。第二次世界大战中,日本占领了缅甸,战后英国人又恢复对缅甸的统治直到 1948 年初该国独立(1989 年采用 Myanmar 作为国名)。

1962 年的一次军事政变成立了革命委员会,试图建立一个社会主义的缅甸。军事领导人将该国的主要经济企业收归国有,并着手实施迅速实现工业化的政策,同时断绝缅甸与外部世界的接触,但该项政策并未成功。80 年代末期,由于政府腐败和管理不善,资源丰富的缅甸变成世界上最贫穷的国家之一。人民长期受压抑的不满终于在 1987 ～ 1988 年间爆发,发展成为广泛的反政府暴动,但最终遭到军队的武力镇压。1990 年,反对党全国民主同盟在全国第一次多党选举中获胜,但政府仍由军队继续控制。自昂山素季 1991 年获诺贝尔和平奖后,缅甸成为全世界关注的焦点。1992 年丹瑞大将出任"国家恢复法律和秩序委员会"(1997 年更名为"国家和平与发展委员会")主席和缅甸总理。1993 年 1 月"恢委会"允许召开首次国民大会。

myasthenia gravis 重症肌无力 一种慢性病,表现为肌肉运动后出现程度不等的无力。最先受累的是与眼运动、面部表情、咀嚼、吞咽及呼吸运动有关的肌肉,心脏一般不受侵害;病变可扩展至颈、躯干和四肢的肌肉,病情严重者可出现呼吸困难或呼吸停止。最先出现的症状是肌肉过劳后不能收缩,反复作轻微活动亦可使肌肉显示无力,但休息后肌力即可恢复,最后出现不能恢复的肌麻痹,肌纤维变性并有淋巴细胞浸润。任何年龄均可发病,但 10 岁以前或 70 岁以后发病者少见。本病可有家族史。有些症状呈急性发作,而另一些症状(多为有关视力的症状,如复视、睑下垂和眼球游动)却于出现后 10 ～ 20 年不再加剧。患者在攀登楼梯、由椅子上起立、抬举物体或举臂过头时,可能感到困难。所有下面部的肌肉均可受累,以致说话带鼻音,甚至需要用手支托下巴方能说话。颈部无力可很轻微,也可严重到不能抬起头部。每个患者似有自己的难处:可以完全行动自如,却有呼吸困难;可能卧床不起,但呼吸没有任何问题。重症肌无力是一种自体免疫性疾病,自家抗体阻断肌细胞上的乙酰胆碱受体,而使神经对肌肉的刺激和肌肉的反应之间的联结发生障碍。治疗用抗胆碱脂酶类药物(可促进神经传导)或甾醇类药物(如强的松)等。重症病例可切除胸腺。症状亦可自行减缓数年。有些患者死于突然呼吸停止,但本病多不致命。

Myazedi inscription 摩耶佛塔铭文 1113 年用巴利、骠、孟、缅 4 种文字书写的碑文,为研究骠文提供一个线索。铭文刻在蒲甘附近摩耶佛塔的一块石头上,记述江喜佗王临终时与儿子和解的故事。摩耶佛塔铭文所描述的时期经历了巴利文、孟文的衰落和缅文的兴起。蒲甘时期的后几十年标志着缅甸文化的优势。摩耶佛塔铭文是记录独特缅甸文化的发展的基点。

Mycenae 迈锡尼 伯罗奔尼撒的史前希腊城市。曾被荷马赞为"街道宽阔的"和"黄金般的"城市。传说,它是曾洗劫了特洛伊城的亚该亚国王阿迦门农的首都。据荷马说,它位于"阿尔戈斯的幽深之处",有由圣埃利亚山(今圣伊利亚山)和扎拉山间峡谷形成的天然堡垒和一处终年不枯竭的美泉。泉名佩尔赛亚,因传说的迈锡尼创建者佩尔修斯而得名。它是希腊本土上青铜器时代晚期的主要遗址(1840 年开始对遗址进行了系统的发掘)。"迈锡尼的"一词常用来指希腊本土和克里特以外诸岛的青铜器时代晚期。

在青铜器时代早期,迈锡尼有一处居民点;但是当时的或后来的青铜器时代中期的一切建造物,除少数例外,都被后来的建筑清除掉了。现存的宫殿肯定是公元前 14 世纪重建的。整个地区到处都是坟墓,从坟墓发掘出许多艺术品和手工制品。

从迈锡尼城堡入口处的狮子门起,有一条宽 12 英尺的坡道经由一个由 5 阶墙支撑的斜坡,直达宫殿的西南入口。宫殿由两个主要建筑群组成:一个原居小山之顶,但它的大部分因希腊化时期修过神殿而被毁;另一个位于南面较低的阶地,两端有人工堤围拦。东西向的两条平行走廊把两个建筑层分开,廊外设有贮藏室。在阶地发掘出的包括两座女神像和一个婴儿神像的一组十分出色的象牙雕刻品以及上了颜色的三脚祭坛的碎片等,似乎证明这里曾是一座宫廷神殿。

在后来的宫殿的西南角,西面的走廊经过一个有 22 级的大台阶、一个平台又是另一个有 17 或 18 级的台阶,抵达最上边的一座小前庭,前庭里面则是一个大庭院和紧挨在它北面的一间方形的房屋。这里有一处长方形的地方,四周有隆起的灰泥边缘。有些学者认为这是安放国王宝座接待来访者的地方;另一些学者认为这是一间客房里安置炉灶的地方。宝座可能在中央大厅的右侧,但这部分现已不存在了。无论柱廊还是中央大厅的主要部分都有彩绘的地面并有石膏板镶边,墙壁上有壁画,其中一幅显然画的是一座城堡前的战斗。中央是一个圆形的灰泥炉灶,周边有四根木柱,这可能意味着有一个纵向天窗。炉灶有 10 层灰泥,地面有 4 层灰泥,这表明这个地方用了很久。屋顶可能是平的。走廊东面有许多房间,其中以有壁画装饰的那间房屋最为引人注目。

在城堡里有各种各样的家臣的房屋。最壮观的"柱房"有 3 层楼高。坟圈南是"坡房"的废墟,还有"南房"和"丛塔斯房"。另一个位于城堡石墙和坟场之间的被认为是粮仓的建筑物(地窖里找到了炭化的大麦、小麦和野豌豆)建于公元前 13 世纪,一直使用到该城被焚毁之时(约公元前 1100)。

迈锡尼时代的晚期(公元前 1400 ～前 1100)是伯罗奔尼撒一个高度繁荣的时代。米诺斯的克里特岛上的克诺索斯被毁之后,迈锡尼就成了爱琴海上的主要强国,它的舰队控制了附近的海域,并且向基克拉泽斯群岛、克里特、塞浦路斯、佐泽卡尼索斯群岛、希腊北部和马其顿、小亚细亚西部、西西里和意大利的某些地点移民。人们在埃及、叙利亚和巴勒斯坦市场上看到的是迈锡尼的、而不是米诺斯的货物。迈锡尼的强盗蹂躏了埃及人和赫梯人的海岸。传说公元前 1180 年(现在有些学者认定在公元前 1250 年左右),阿伽门农及其追随者洗劫了伟大的特洛伊城。

在公元前 16 世纪,迈锡尼的艺术一度为米诺斯艺术的影响所左右。克里特的艺术家移居希腊本土,于是迈锡尼出现了米诺斯艺术的各种不同的变种。米诺斯的自然主义和勃勃生机与希腊的拘谨和均衡感所融合,希腊的这些风格在中期希腊彩绘器皿上已表现出来,而后在雅典的狄皮隆墓葬的出色的几何图形陶器上达到了登峰造极地步。

1950 年以前,迈锡尼文字仅被视为酒瓮上画的一些符号;1952年城外"油坊"和"酒

迈锡尼城堡的狮子门
美国不列颠百科全书公司供图

坊"的发掘发现了一些用线形文字乙写成的文字板，它们先在克诺索斯鉴定，后来由英国建筑师和密码专家 M.文特里斯诠释，认为这是希腊语的一种早期形式。

迈锡尼大概在公元前1100年左右为入侵的多里安人焚毁，但外城并未荒废；原几何风格和几何风格时期的坟墓已被发掘。迈锡尼显然作为一个小城邦继续存在，城墙也没有被推倒。公元前6世纪初期修建了一座神殿，它的一个精美的浮雕存留下来。公元前480年迈锡尼派了400人去温泉关抗击波斯人。公元前479年在普拉蒂亚也有迈锡尼的人。但是公元前470年它的侵略成性的邻国阿尔戈斯(阿尔戈斯在波斯战争中保持中立)通过围攻迈锡尼从而进行了卑鄙的报复，并且在公元前468年摧毁了它。在希腊化时期迈锡尼复兴了，在卫城最高处修建了一座新的神殿；公元前235年阿尔戈斯的僭主亚里斯提卜在那里被杀，城墙得到了修复。约公元前195年斯巴达的纳比斯带走了一些年轻人，公元前194年的一个铭文谈到了他们被拘留的情况。一些罗马的物品在迈锡尼被发现，但是当希腊的旅行家和地理学家保萨尼阿斯在公元160年访问这里时，这座史前希腊城市已成为一片废墟。

Mycenaean language　迈锡尼希腊语　现已发现的希腊语最古老形式，为文牍用语，主要用于记载宫廷财物及商栈商品，用音节文字线形文字乙刻写于泥板上，在克里特岛克诺索斯和麦西尼亚湾派罗斯发现此种泥板很多；在底比斯、迈锡尼、梯林斯、埃莱夫西斯、彼奥提亚地区奥霍梅努斯所发现的瓶、罐上也有这种文字的铭文。

mycetoma (disease)　**足分支菌病**　参阅 **Madura foot** 马杜拉足。

Mycobacterium　分枝杆菌属　放线菌目(Actinomycetales)分枝杆菌科(Mycobacteriaceae)的一属，其中最重要的种是结核分枝杆菌(*M. tuberculosis*)及麻风分枝杆菌(*M. leprae*)。牛分枝杆菌(*M. bovis*)引起牛及人类的结核病。某些分枝杆菌为腐生性，另一些为专性寄生性。多数自由生活于土壤及水中或生活于动物的患病组织中。链霉素、利福平及各种特异性的抗微生物药在治疗分枝杆菌感染中有相当疗效。

mycology　真菌学　研究真菌的科学。真菌研究促成青霉素、链霉素及四环素族等抗生素的研制成功。真菌学对酿酒业、乳制品业、面包业、染料及墨水制造、医学都很重要。

mycoplasma　枝原体　又译菌质体。枝原体属(*Mycoplasma*)的细菌。此名也曾指软体纲中的一切菌种，或枝原体目(Mycoplasmatales)中的一切属。枝原体是最小的细菌。细胞可为圆形或梨形(0.3～0.8微米)或具分枝的细丝(可长达150微米)。革兰氏染色阴性，大多数为兼性厌氧，集落生长，无细胞壁。寄生于关节及呼吸道、生殖道及消化道黏膜上，见于反刍动物、食肉动物、啮齿动物及人类。细菌产生的毒性副产物在寄主组织中积累，可造成损伤。肺炎枝原体(*M. pneumoniae*)可在人肺造成广布的炎症，但病死率甚低。枝原体感染还可对寄主引发严重免疫反应。

mycorrhiza　菌根　又作mycorhiza。某些真菌的菌丝与高等植物根系因共生关系而结合形成的结构。真菌与高等植物间保持着营养互惠的平衡关系。很多植物(柑橘、兰、松等)的成活及生长依赖菌根。另有一些植物则无菌根时虽亦能存活，但生长不良。为促进造林、园艺的发展，应利用菌根。菌根有内生型(真菌侵入寄主根的内部，如兰)及外生型(菌丝形成套膜包于寄主根的外围，如松)。

mycosis　真菌病　人类或家畜受真菌感染造成的疾病。真菌可侵犯组织，造成表面、皮下或全身疾病。浅表真菌感染亦称皮真菌病，感染限于皮肤，常因小孢霉(*Microsporum*)、癣菌(*Trichophyton*)或表皮癣菌(*Epidermophyton*)所致。例如足癣即为癣菌或表皮癣菌造成。皮下感染深入组织，有时甚至侵及邻近组织如骨或内脏，但少见，常呈慢性。念珠菌病(假丝酵母，*Candida*)可为表面感染(鹅口疮，阴道炎)，也可为播散感染，而侵及某些靶器官如眼或肾脏。孢子丝菌病(孢子丝菌，*Sporothrix*)则产生痛性溃疡，皮下还出现结节。在全身性真菌感染中，则真菌侵犯正常寄主或免疫力受损的寄主(机会感染)。隐球菌病(隐球菌，*Cryptococcus*)和组织胞浆菌病(组织胞浆菌，*Histoplasma*)则表现为呼吸窘迫。能治疗真菌病的有效疗法很有限，因为抵御真菌的抗生素也攻击寄主细胞。灰黄霉素在治疗表面真菌病方面取得一些成功。两性霉素B和氟胞嘧啶也用于治疗皮下及全身性真菌病。

mycotoxin　真菌毒素　真菌(即真菌界[Fungi]的成员)所制造的毒性物质。真菌毒素的种类及特征繁多；其作用包括家畜和人类的幻觉、皮肤炎症、严重肝损害、出血、流产、惊厥、神经症状和死亡。黄曲霉毒素是土壤腐生真菌曲霉(*Aspergillus*)产生的真菌毒素复合物。黄曲霉毒素可造成严重肝病，还可能有致癌作用。食品在储藏和生产的一切阶段都易于遭受真菌的污染。有些毒蘑菇可产生恶心、呕吐、腹泻等症状，有些属还可导致欣快感和幻觉，但大部分不致死。不过有一种野生蘑菇——毒鹅膏(*Amanita phalloides*)，又名鬼笔鹅膏，若食入可以致死。

Myddelton, Sir Hugh, 1ST BARONET　**米德尔顿**(1559或1560，威尔士登比郡高尔奇希尔～1643-07-19，英格兰伦敦布什希尔)　Myddelton又拼Middleton。英国议会议员(1603～1628)，解决伦敦供水问题的纽河计划的承包人。威尔士登比城堡行政长官理查德·米德尔顿爵士之子。他在伦敦贝辛霍尔街拥有一家金匠铺，是伦敦有成就的金匠。他同沃尔特·雷利爵士合作，在西班牙属南美洲从事商业冒险而发财，还对织布感兴趣。他先后担任登比市政官和首席法官，任代表登比的议会议员25年。1609年他承包伦敦市政机关制订的将哈特福德郡韦尔附近的水源引入伦敦的规划。为此，他修建一条约长61千米、宽3米、深1.2米的水渠，将水引入位于伊斯灵顿的"纽河源"水库。完成这项庞大工程使米德尔顿的财源极度紧张，1612年他得到詹姆斯一世的财政支持。1613年工程竣工后米德尔顿担任公司的首任总裁。1622年封从男爵。米德尔顿还曾参与在卡迪根郡开采铅矿和银矿。

myelin　髓磷脂　包绕在许多神经纤维轴突上、有绝缘作用的白色鞘，由脂质、蛋白质和水组成。髓鞘是由施万氏细胞的质膜卷绕而成，包裹着中枢神经系统和外周神经系统的神经纤维。具有髓鞘的神经纤维呈白色。无髓鞘的神经纤维呈灰色，广泛分布于无脊椎动物以及脊椎动物交感神经系统。

myeloblast　成髓细胞　骨髓内一种不成熟细胞，可经过中间阶段髓细胞而发育成粒细胞系的白细胞。成髓细胞核大，圆形或椭圆形，核膜薄，染色质呈分散的细束状或小颗粒状，核仁数个，胞浆相对量少。细胞大小不一，能作阿米巴样运动。实验室内难以将该细胞与淋巴母细胞区分。

myelography　脊髓造影术　用X射线检查脊髓的一种医学诊断方法。对脊髓脓肿、肿瘤以及椎间盘脱出的诊断尤为有用。其方法为将水溶性阳性造影剂或碘油注入椎管。检查时将患者绑在检查床上，倾斜检查床，使造影剂沿椎管移动至脑底。当造影剂通过椎管各部时，在荧光屏上观察椎管各部的情况。造影后一般应将造影剂抽出，但某些水溶性阳性造影剂很容易自然地从体内排出，不必抽出。碘油有刺激性，可造成一过性不适。

myeloid tissue　参阅 **bone marrow** 骨髓。

myeloma protein　骨髓瘤蛋白　一种异常的免疫球蛋白，可见于患多发性骨髓瘤的人（有时亦见于其他动物）体内。该病以在大多数情况下能产生大量免疫球蛋白分子的B淋巴细胞增生为特征。不同患者体内的骨髓瘤蛋白并不相同，且几乎均不能与抗原特异结合，但在其他方面却表现有典型的免疫球蛋白的特性。骨髓瘤蛋白可作为免疫化学和遗传学研究中免疫球蛋白的来源。参阅 **antibody**。

myelomatosis　骨髓瘤病　参阅 **multiple myeloma** 多发性骨髓瘤。

Myers, F(rederic) W(illiam) H(enry)　迈尔斯（1843-02-06，英国坎伯兰凯西克～1901-01-17，意大利罗马）　英国诗人、评论家、散文家，晚年献身于他在1882年帮助建立的心

美国不列颠百科全书公司供图

灵研究学会的工作。他是剑桥大学三一学院评议员，1865年起任该院古典文学讲师，1872年放弃教职任督学。虽然其较成熟的作品见于《青春的复活》（1882）一书，但他最著名的诗作是《圣保罗》（1867）。他是研究W.华兹华斯诗歌的权威，其《古典和近代文选》（2卷，1883）包括一篇对拉丁文诗人维吉尔的出色的评论性研究。其心灵研究著作包括《人的个性及其在肉体死后的生存》（1903）、《生者的幽灵》（1886）和《科学与未来生活》（1893）。

Myers v. United States　迈尔斯诉美国案（1926）　指美国最高法院审理的　案件，在该案中宣布一项关于限制总统在未经参议院的同意下撤换某些部局局长的权力的立法条文无效。在首席大法官威廉·塔夫脱发表的经多数大法官同意的意见书中，最高法院认为该项条文对总统根据宪法第2条行使管理行政人员的权力所施加的限制是违反宪法的。塔夫脱大法官写道，总统"应当选择按他的指示进行工作和执行法律的人"。塔夫脱还说，"正如他为了执行法律有必要对行政官员进行选择一样，他也必须有权撤换那些他不能为之继续负责的人"。但是，9年以后，最高法院在"汉弗莱的执行人诉美国"一案（1935）中认为，总统不能无视法律规定的限制而撤换独立的管理机构的成员。最高法院在该案中认为，迈尔斯案的原则只适用于"纯粹的行政官员"。汉弗莱一案的判决在"威纳诉美国"一案（1958）中重新得到肯定，该案涉及试图撤换"战争赔偿委员会"的成员。

Myerson, Goldie　梅厄森　参阅 **Meir, Golda** 梅厄。

myiasis　蝇蛆病　某几种蝇的幼虫感染人体所致的疾病。肠蝇蛆病病因为食入污染蝇卵或蛆的食物；症状为腹痛、恶心、呕吐及腹泻；但蝇卵及蛆迅速为胃肠液所破坏，自粪便排出。表皮蝇蛆病病因为蝇于开放性或感染性创伤及有恶臭分泌物的眼、耳、鼻、口、阴道等处产卵；蛆孵出后即生活于该处，有时可致广泛乃至致命的损害。有几种蝇蛆可钻入完整的皮肤，形成疖肿样病损或匍行疹，这种情况尤见于婴儿。治疗为冲洗或用机械方法清除蝇蛆。因蝇蛆能生活于开放性创伤的坏死组织及异物上，有时故意使创伤感染蝇蛆以帮助除去坏死或病损组织及预防感染。

Myingyan　敏建　缅甸中部城镇。是伊洛瓦底江畔港口和重要的棉花贸易中心。地处至达西的铁路支线和仰光—曼德勒干线之首。有轧棉和纺纱厂。附近有水电站，东北面的标贝有一模范村，人口77 060（1983）。

Myitkyinā　密支那　缅甸东北部城镇。濒临伊洛瓦底江。城市名字意为"靠近大江"。是把缅甸公路同中国连接起来的史迪威公路上的贸易中心，也是从南端仰光来的铁路的终点。另有一条公路通北面240千米处的葡萄和与中国西藏地区的边界。密支那还是伊洛瓦底江上的渡口。因为交通四通八达，它是缅甸北部最重要的河港之一。第二次世界大战时为战略要地。1944年8月同盟军收复此地。有飞机场和柴油发电厂。曼德勒的美术科技大学在此设有密支那分校。这里还设有师范学院。附近地区多为丛林覆盖的丘陵。产柚木和其他木材。农作物主要产自旱田，也有一些水稻和甘蔗。克钦族人每年的1月在此举行传统宗教庆典。人口56 427（1983）。

Mykolayiv　尼古拉耶夫　俄语作 Nikolayev，又拼 Nikolaev 或 Nikolajev。乌克兰南部的州。面积24 600平方千米。位于黑海平原。地势从北面的第聂伯高地向黑海沿岸逐渐下降。北部地区为冲沟切割，土壤侵蚀严重。除南布格河外，地表水很少；即使较大的河流，夏季也几乎干涸。沿岸有许多潟湖和长的河口，常被沙洲阻塞。全州为草原，土壤肥沃，大部种植冬小麦、玉米、向日葵和甜菜。到处有葡萄园和果园。饲养大量牛羊。除首府尼古拉耶夫外，其他城市都较小，主要经营农产品加工业。北部地区开采大量花岗岩。人口约1 342 400（1991）。

Mykolayiv　尼古拉耶夫　又拼 Nikolaev 或 Nikolajev。乌克兰南部尼古拉耶夫州城市和州首府。位于南布格河口，距黑海约65千米。1788年俄国兼并黑海沿岸后始建作为海军基地，1862年辟为商港，1873年修通铁路，现为乌克兰在黑海最重要的港口之一，为克里沃罗格地区和辽阔的产粮平原的运输港。也是乌克兰最大的造船中心之一。还有其他多种机械和消费品工业。20世纪70年代，在若夫特涅沃耶北边建成一座以进口铝矾土为原料的铝加工厂。市内有造船学院和师范学院。人口约519 000（1993）。

Mylae, Battle of　迈利战役（公元前260）在第一次布匿战争中，罗马与迦太基的一场战斗。罗马人在迈利击毁迦太基50艘兵船，迦太基残余的舰艇逃走。

Mylar　密拉　一种多用性塑料薄膜的商品名，由一种称为聚对苯二甲酸乙酯的聚酯（**polyester**）制成。

Mylius-Erichsen, Ludwig　米留斯·埃里克森（1872-01-15，丹麦维堡～1907-11-25，格陵兰）　丹麦新闻记者和探险家。曾率领两支卓有成效的探险队去格陵兰。第一支探险队（1902～1904）取得了极地爱斯基摩人语言和风俗习惯的许多资料。第二支探险队（1906～1908）的目的是测绘格陵兰北岸地图。他和两个同伴死于这次探险，但他的论文后来被另一个丹麦探险家埃纳尔·迈克尔森所发现，对绘制格陵兰北部地图极有价值。

Mymensingh　迈门辛　旧称纳西拉巴德。孟加拉国中北部城市。在布拉马普特拉河旧河床北岸。曾以制造玻璃镯著称，现有棉纺织厂和制糖厂。设有一农业大学以及达卡大学的几所学院。人口约198 662（1991）。

mynah　鹩哥　又拼 myna。雀形目椋鸟科许多亚洲种的统称，外形略似鸦。南亚的丘陵鹩哥（鹩哥，*Gracula religiosa*）是有名的能学说话的鸟，在印度称为"拟八哥"。体长约25厘米，黑色，有光泽，翅有白色斑块，肉垂黄色，嘴和脚淡橙色。野生者咯咯地或尖声鸣叫，笼养的能模仿人说话，比它的主要对手灰鹦鹉学得还像。普通鹩哥（印度鹩哥、家八哥，*Acridotheres tristis*）约20厘米长，黑、棕两色，翅和尾有白色，眼周围有橙色皮肤；已引入澳大利亚、新西兰和夏威夷。八哥（*A. cristatellus*）黑色，翅有白色块斑，脚和嘴黄色，原产于中国和印度支那，在1900年引入不列

丘陵鹩哥(*Gracula religiosa*)

美国不列颠百科全书公司供图

颠哥伦比亚的温哥华岛,但并未扩散。关于杂色鹩哥,参阅 **starling**。

Myō-ō 明王 日本佛教(主要是真言宗)所崇敬的众保护神,相当于梵语中的 Vidyārāja。为了镇慑恶鬼,祛除愚昧及邪情,他们怒色可怖,额中只生一眼,周身有火焰包围。五大明王俗称"五大尊",分别是五位自生佛的化身(参阅 **Dhyāni-Buddha**)。其中,不动明王是毗卢遮那(大日如来)的凶恶化身,是最重要者,居中。降三世是阿闳佛的凶恶化身,统治东方;大威德是无量寿佛(阿弥陀佛)的化身,居西方;军荼利夜叉是宝生佛的化身,居南方;金刚夜叉是不空成就佛的化身,居北方。其他重要的明王还有司掌慈爱的爱染明王和骑孔雀的孔雀明王。

Myobatrachidae 龟蟾科 又称耳蛙科。无尾目蛙类一科,25 属,约 100 种,产于非洲、澳大利亚和新几内亚。天主教蛙(贝内特氏十字架纹蟾,*Notaden bennetti*)黄色或淡绿色,产于澳大利亚。体长约 4 厘米,因背部有十字形深色图案而得名。常见于干旱地区,在地洞内生活,大雨后出洞活动。扁头蛙(平头翼蟾,*Chiroleptes platycephalus*)生活于澳大利亚荒漠地区,体内可贮存大量水分,使身体变得似球一般。胃育溪蟾(*Rheobatrachus silus*)的孵卵方式奇特,将卵吞下,在胃内孵化。有人认为本科为细趾蟾科(Leptodactylidae)的一部分。沼蟾亚科(Heleophryninae)产于非洲,为细趾蟾科的一个亚科,有时划为单独的一科——沼蟾科(Heleophrynidae)。

myocardial infarction 心肌梗死 心脏某区域血流阻断所致的该区域心肌死亡的疾病,常由冠状动脉狭窄或梗阻引起。最常见的原因是粥样硬化的冠状动脉内出现血块(血栓闭塞)。粥样硬化指动脉壁因含胆固醇斑块的沉积而增厚。

心肌梗死的风险因素包括高血压、糖尿病、高胆固醇血症(低密度胆固醇浓度增加或高密度胆固醇浓度降低)、吸烟和冠状动脉疾病史。

心肌梗死的典型症状是剧烈的胸痛,这种疼痛被描述为压榨痛、挤压痛或重压感。疼痛持续 30～60 分钟甚至更久仍不缓解,常放射到上肢、颈部和背部。疼痛的性质与心绞痛相似,但持续时间更长,用硝酸甘油仍不能缓解。其他常见症状包括气急、大汗、恶心、心跳加快(常伴一种或多种心律失常)、血压降低以及濒死感。症状的强度取决于梗死心肌范围的大小。小部分患者体验不到任何疼痛,此时只能通过常规的心电图检查作出诊断。

治疗的重点是使因缺血而损失的组织面积不会继续扩大,并预防和治疗合并症。多至 20% 的心肌梗死患者在送到医院以前就死去;其中大部分死于心室纤维性颤动。因此,用心电图监控心率越早,通过抗心律失常药或电击去除心脏纤颤转复心律越及时,患者越可能存活。疼痛可用麻醉品(如吗啡)治疗,休息和镇静对于患者也很需要。一些新的治疗措施,如使用 β-肾上腺素能受体阻滞药有助于缓解疼痛和减慢心率。冠状动脉溶栓治疗得到广泛应用,其内容是应用链球菌激酶或组织纤维蛋白溶酶原激活剂来预防进一步的血栓形成,需要进一步治疗的患者还可以进行血管成形术或冠状动脉搭桥术。若患者能存活一个月以上则预后良好,多数能恢复正常的活动。

myofibril 肌原纤维 有收缩能力的微细纤维,沿着横纹肌细胞的长轴成群地平行排列。由粗、细两种肌丝组成,它们特有的排列方式使得肌肉显示明暗相间的横向条纹。粗丝由肌浆球蛋白组成;细丝的主要成分为肌动蛋白,并含少量原肌凝蛋白及肌钙蛋白。肌肉的收缩活动源于肌动蛋白和肌浆球蛋白之间的相互作用。

myoglobin 肌红蛋白 分布于无脊椎动物和脊椎动物中的一种蛋白质。在脊椎动物中仅存在于红色的肌肉中,就是使肌肉呈红色的色素成分。肌红蛋白和血红蛋白在化学上极为相似。虽然血红蛋白与氧的结合过程比肌红蛋白更为复杂,但肌红蛋白亦可与氧可逆地结合。一般认为肌红蛋白的功能为储存分子氧以供肌肉做功之用。无脊椎动物的肌红蛋白在功能上似与脊椎动物的相似。与静脉血接触时肌红蛋白比血红蛋白更易与氧结合,从而有利于氧由血液转移入肌肉细胞,细胞内发生一系列消耗氧的化学反应,给收缩中的肌肉提供能量。纯结晶形的肌红蛋白已从不同来源制得,分子量为 16 000,约为血红蛋白的 1/4。各种肌红蛋白的血色素部分均相同,蛋白质部分则因物种而迥异。肌红蛋白在解释蛋白质结构方面极为重要,长期以来,学者们从事这方面的研究工作。J.C.肯德鲁利用 X 射线衍射技术,提出了结晶的抹香鲸肌红蛋白三维模式,由于这一研究成果,他与别人共获 1962 年诺贝尔化学奖。

myopathy 肌病 表现为肌肉变性并与营养、代谢、先天性疾患有关的家畜疾病。遗传性肌病似人的肌萎缩,故常统称为"肌萎缩"。马的氮尿症(黑尿症)可致后肢瘫痪,经数小时休息即可消失。患马亦可在 4 天内由于疾病发展而死亡。患此病时尿液很难排出,尿液含因肌细胞破坏而生成的色素,故呈红、棕或浅黑色。用绳捆马或马的肌炎都可致轻型的氮尿症。牛犊、羊羔和马驹的白肌病较严重,常致死。上述疾病用维生素 E 和硒治疗有一定疗效,可能是营养缺乏性疾病。脂肪组织炎或称黄脂病见于猫,表现为发热、脂肪组织发炎,有触痛。富含海兽脂肪的食物常是致病因素。治疗办法为补充维生素 E 和改变食物种类。德国牧羊狗对一种原因不明的肌炎易感染,使颌肌和食管发生病变,进食和吞咽困难。无有效疗法,可用药物减轻不适。另外一些原因不明的肌病发生于猪、牛、马及家兔等,多与代谢障碍有关。

myopia 近视 又作 nearsightedness。一种屈光不正,眼在静止状态时,将远距离目标的视像聚焦于视网膜前方。近视眼的前后径长于正常眼。近视眼较正常眼及远视眼更易发生视网膜脱离。矫正近视需使用凹透镜片。

myositis 肌炎 肌肉组织的炎症。常为感染所致,病原可为细菌、病毒或寄生虫,但许多病例的病因不明。多数肌炎对罹病肌肉及周围组织具有破坏性。本病可发生于任何年龄,但儿童的发病率较成年人高。细菌可通过感染过程本身或所产生的毒素而对组织造成损害。最常见的细菌性肌炎为链球菌性或葡萄球菌性。肌肉组织一般对细菌有高度抵抗力;但受到物理性损伤后,其防御机能降低而导致感染。肌炎发病时表现有头痛、发热、寒战和出汗;患部组织有局限性疼痛和肿胀,常随之发生脓肿;在病变的初期,肌肉保持完整,随着炎症的发展而有白细胞和淋巴细胞浸润,并有纤维瘢痕组织形成(纤维变性);受累组织可被破坏,脓肿变成纤维性的囊肿,需要手术切除。肌肉的结核病可形成脓肿并有肌肉钙化;肌肉组织变性,坏死,最后为脂肪组织和纤维组织填充。晚期患者完全丧失劳动能力。梅毒一般到末期才侵犯肌肉,可使眼、胸廓、四肢、喉和心脏发生软性肿物,肌肉可变为瘢痕组织。寄生虫如绦虫或原虫能随受污染的食物进入人体,侵入肠壁,再经血流而留滞在肌肉组织内。猪带绦虫的幼虫(囊尾蚴)能在肌肉组织和脑组织内形成结节,结节钙化后可在 X 射线片上显影。

myositis ossificans 骨化性肌炎 又称僵人综合征。一种肌肉组织被骨替代的罕见疾病。局部型(局限性骨化性肌炎)较常见,仅累及某一部位,常于该部位外伤后出现肌肉骨化。进行性骨化性肌炎则表现为肌肉成组地连续骨化,直到患者完全僵直。呼吸和吞咽发生困难,往往因呼吸道感染而死亡。本病的原因不明。应用类固醇类药物治疗肌肉损伤并用药物防止钙化能使本病发展减缓。

myotonia 肌强直 随意肌收缩后松弛困难的一种肌肉疾病。本病可以发生于全身所有的肌肉,亦可仅发生于几块肌肉。病因不明,但病变似乎是在肌肉本身,而不是在神经系统。先天性肌强直或称汤姆森氏病,颇为罕见,多有遗传性;幼儿期即发病。眼睑和眼可受累,眼固着于某一位置而眼睑在用力闭合后不能睁开;由于喉肌持续收缩,可发生吞咽困难或说话困难。任何一种快速动作(如跑去赶公共汽车)都会引起肌强直。肌肉在使用时并没有无力现象;而肌纤维一般较正常人的发达。这种过度发育的原因或认为是肌肉要作出正常的反应便会作反复而不自主的等长运动,或认为是肌肉组织被脂肪和纤维瘢痕组织所替代。有些肌营养不良的病例,在肌肉逐渐变弱的过程中亦可见肌强直的阶段;此种类型也具有遗传性,但是到 20 ～ 40 岁时症状才明显出现;肌肉并无过度发育而逐渐退化。肌强直的僵直症状出现于肌肉退化前 2 ～ 3 年。大多数肌强直病例能与肌营养不良相区别,因为肌强直没有肌无力、白内障、脱发和性腺萎缩等营养不良症状。在临床上,应用止痛药、麻醉药和抗惊厥药可减轻肌强直的症状。

Myra　米拉　古代吕基亚最重要的城镇之一,今为代姆雷,在土耳其西南部,濒地中海,位于安德里阿朱斯河口。早期历史不详,已知圣保罗曾访问该城,公元 4 世纪圣尼古拉斯为当地主教。东罗马帝国皇帝狄奥多西二世定米拉为拜占廷吕基亚的首都。其卫城(公元前 5 ～前 3 世纪)西面悬崖上有大量在石壁中凿出的坟墓,正面以柱支撑,并有浮雕。卫城底部是安纳托利亚最大最美剧场之一的遗址。

Myrdal, Alva Reimer　米达尔(1902-01-31,瑞典乌普萨拉～ 1986-02-01,斯德哥尔摩附近爱尔斯塔)　瑞典女外交家、政府大臣、著作家、核裁军倡议者,与墨西哥外交家加西亚·罗夫莱斯共同获得 1982 年度诺贝尔和平奖。1949 ～ 1950 年任联合国社会事务部主任,1951 年起任联合国教科文组织社会科学部主任。1955 ～ 1961 年先后任政府大臣及瑞典驻印度、缅甸、锡兰大使。1961 年任瑞典外交大臣特别裁军顾问。翌年当选社会民主党国会议员,并担任瑞典驻日内瓦裁军会议代表团团长。1966 年起任裁军与教会事务大臣,担任该职以及日内瓦的职务直至 1973 年。后经常发表关于裁军问题的著作和讲话,已出版的著作有《裁军游戏——谈美苏军备竞赛》(1976)等。除诺贝尔奖外,还获得过多种和平奖。

Myrdal, (Karl) Gunnar　米达尔(1898-12-06,瑞典戴尔卡利亚古斯塔夫斯～ 1987-05-17,瑞典)　又译默达尔。瑞典经济学家、社会学家、1974 年诺贝尔经济学奖获得者。就学于斯德哥尔摩大学,1927 年获经济学博士学位。1929 ～ 1930 年在美国游历研究;1930 ～1931 年任日内瓦国际学术研究所副教授;1933 年起任斯德哥尔摩大学教授。前期单纯研究理论,后期关注实用经济学和社会问题。博士论文受 F.H.奈特影响,研究了预期在物价形成中所起的作用。这一理论探讨后来纳入宏观经济学。1931 年他以斯德哥尔摩学派一员身份发表几次演讲,1939 年汇集成《货币均衡论》一书出版,其中包括"事先"(计划好的)与"事后"(实现了的)、储蓄和投资的重要区别。后应美国卡内基公司邀请,研究美国黑人社会和经济问题,1944年发表《美国难题:黑人问题与现代民主》。1947 ～ 1957 年任联合国欧洲经济委员会秘书长。还著有《民族不平等与国际不平等机制》(1956)、《亚洲戏剧:国家贫困探讨》(1968)。

Mýrdalsjökull　米尔达尔斯冰原　冰岛南部的冰川。包括向西延伸的埃亚菲德拉冰盖在内,长 48 千米,宽 32 千米,面积 695 平方千米。从大西洋向内陆数千米即冰川最高峰,海拔 1 666 米。冰川东南环抱卡特拉活火山。该火山于 1918 年爆发,引起洪水泛滥和海岸线相当大的改变。

myriapod　多足类　节肢动物门中几个近缘类群的通称。包括已绝灭的原多足纲(Archipolypoda)、倍足纲(Diplopoda)、唇足纲(Chilopoda)、烛蛓纲(Pauropoda)和综合纲(Symphyla)。约 11 000 种。体长 2 ～ 280 毫米。在温、热带森林中最丰富,但有些倍足类,甚至更多数量的唇足类在草原或半干旱地区十分繁盛,还有一些见于荒漠地区。由于以死植物为食,所以在分解植物中起重要作用。但有的为肉食性。多足类的特征为有上颚、一对触角、气管,躯干部没有或几乎没有分为胸、腹部。除最后一点外,其他特征也见于昆虫,故有些学者认为综合类和真正的有翅昆虫之间的过渡是渐进性的,因此可以把昆虫也看作是多足类。倍足类最为特异,特点是原来的体节两两合并,因而各节有两对足(除有的次生性丧失外),腹神经索上也有两个神经节。原始的前一节的足位置后移,这样使每个双体节可以套入前一个双体节内。体前面数节可能只有一对足或无足。因此多数种类能把头向下向后,卷成球形。多足类的口器除一对强有力的上颚外,还有一个平板状的颚唇,形成口前部的底部。体壁基本上是几丁质,但含有碳酸钙,形成一个本类特有的坚而脆的结构。烛蛓纲中有的种类很小,无发达的气管和循环系。体壁薄而易弯曲。体由 12 节组成(包括尾节),具 9 对足。触角的柄分 4 节,上分两支,一长一短。综合纲种类小而脆弱,无色素。触角多节,念珠状,上颚一对,下颚两对,与昆虫相似。第 2 下颚也合成为下唇。体细长,有 12 个生足的节(背板有 15 ～ 22 个)以及一个无足的端节,端节上有一对长尾须。唇足类的特化程度小,特征为:每节一对足,第一躯干节的附肢变成一对钳状牙,上颚小,其后方有 2 对下颚。触角短,简单,不分枝。由许多不分化的节组成。头扁,覆盖一块板。体一般长而较扁。体壁几丁质,无碳酸钙。最后一对足较长或变形(尤其是雄体)。多数唇足类的口器小,位于腹面,靠后,很脆弱。起口器作用的是第 1 体节附肢变成的牙,已向前转到头部下方,常常从头前伸出,内有毒腺,末端有开孔。所以唇足类有毒,这点与其他各纲不同。气管的气孔通常开口于体侧。多足类体内受精。然而,雄性传送精子给雌性不是直接的,且方法多样。只在倍足纲(土蛓目[Polyxenida]除外)才有两性接触。雄体产出精荚,用口或生殖肢送到雌体第 7 体节上的输卵管开孔处的受精囊中。土蛓目和其他多足类不直接传递精子。如烛蛓纲和土蛓目的雄体用丝筑一小网,放几滴精液,而雌体把精液吸入输卵管孔。综合纲的雌体用口器找到精荚,把精子放在口内一个囊内,直到产卵。雌体把贮藏的精子从口腔移到第 2 体节上输卵管孔旁。唇足类的求偶系用触角互相爱抚,随后雄体筑一不规则网产出精荚。有的种雌体几乎立即取走精团;而另一些种类过几小时后才回来取。曾见到蚰蜒目的一个雄体用口将网上的精荚送到雌生殖孔。传送精荚后,在精子沿输卵管移动时受精。不同类群产卵数不同。倍足纲的山蛩目(Spirobolida)和巨蛩目(Spirostreptida)只产数个较大的卵,而带马陆目(Polydesmida)产的卵较小,多达 2 000 个。山蛩从口中吐出未消化的东西包在卵外,并用足把卵向后移,放在直肠中,并吸去大部分水分。完工后的卵囊非常像它本身的一个粪球。带马陆目和姬马陆目(Julida)用泥土筑"圆顶屋",雌体从顶部产入卵,然后封口。马炫目(Chordeumida)体后的纺器产丝,把卵包在茧内。唇足纲蚰蜒目(Scutigerida)和石蜈蚣目(Lithobiida)的一些种类卵单个产出,再滚上污物加以伪装,然后放在隐蔽处。唇足纲的地蜈蚣目(Geophilida)和蜈蚣目(Scolopend-

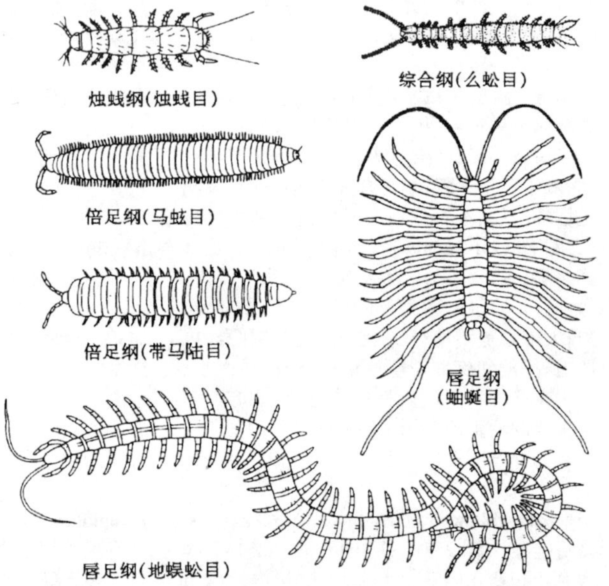

多足类

rida)把卵集成一团，由雌体加以孵育保护，不使干燥、感染真菌或被其他动物食去。在孵出前发育已大体完成，孵出后即与成体相似。有时仍留在母体旁数天。倍足纲、烛蜒纲、综合纲及石蜈蚣目、蚰蜒目的胚胎在孵出前分节不完全，所以未成熟的个体的节数较成体少，需经增节变态——连续的生长阶段——增加体节和附肢。最初在身体前端有 3 对足，每次蜕皮时在后端长出几个新的无足的节，而前次蜕皮时无足的节则长出足。蜕皮的次数随类别而异。生殖系统通常在最后一次蜕皮时成熟，然后不再生长。但有的唇足类和倍足类在性成熟后继续蜕皮生长。蜕皮时体软而无抵抗力，用泥和排泄物筑一圆室，在其中安全地度过这段时期。

Myricales　杨梅目　双子叶植物的一目。有杨梅科(Myricaceae)1 科，3 属，乔木或灌木，叶芳香，分布于世界各地。很多种表面有黄色腺点，散发出独特的香气。果上常覆有

香蕨(*Comptonia peregrina*)
美国不列颠百科全书公司供图

一层蜡质或蜡质颗粒、团块，具一枚种子。花小，淡绿色，不显眼，通常簇生成柔荑花序，单性，雌雄同株或异株。雄花有 2～16 枚(一般为 4 枚)雄蕊，附于 2 个鳞片状小苞片上。雌花心皮 2，子房 1 室，花柱二裂，下托以 2～4 个小苞片。本目中有用的植物包括：香杨梅(沼泽杨梅，*Myrica gale*)，生于潮湿地区的灌木，叶富含树脂，可入药；蜡杨梅(蜡烛果、南部杨梅，*M. cerifera*)，高大灌木，或高为 11 米的小乔木；杨梅(**bayberry**)，即宾夕法尼亚杨梅(*M. pennsylvanica*)，其蜡用于制烛。香蕨(*Comptonia peregrina*)为北美东部的芳香小灌木，叶为民间传统药，或作调味品。本目中最大的属是杨梅属(*Myrica*)，有 50 种。本目亲缘关系不明，但一般推测它接近于木麻黄目、桦木目和胡桃目。

Myriocephalon, Battle of　密列奥赛法隆战役　塞尔柱突厥人战胜拜占廷军队的一次战役。战争结局粉碎了拜占廷想把突厥人从安纳托利亚赶走的希望。1176 年 9 月，拜占廷军队跨过安纳托利亚平原，到达泽布列茨山口，而突厥人最初伪装逃窜，迂回进入山区，将军队集结在山口两侧的山峰上，先锋部队自上而下向敌人展开冲锋，大获全胜。

Myristicaceae　肉豆蔻科　木兰目的一科。以馥郁芳香的肉豆蔻(*Myristica fragrans*)种子闻名。含 15 属，约 380 种，常绿乔木，广布于热带潮湿低地。大多数种的叶及木材芳香。乔木种通常高大，花单性，雌雄花均无花瓣，萼片连合，呈 3～5 裂的漏斗状或杯状。雄花有 2～20 枚合生雄蕊；雌花单子房，具一粒胚珠。种子具凹槽，含有大量胚乳，外被一层肉质假种皮。单叶，全缘，互生。除肉豆蔻之外，一种高 30 米的中美洲乔木 *Virola guatemalense* 所产种子也用作调味品，并可制蜡烛。*Virola* 属约有 38 种，许多种在产地供木材使用。肉豆蔻科其他属是油、蜡、肥皂和木材的资源。参阅 **mace**；**nutmeg**。

myrmekite　蠕虫石　指石英在斜长石里的不规则、蠕虫状贯穿物。如果石英和长石是在有挥发相存在的情况下同时生长，则这些疣状、蠕虫状或手指状的实体可能在火成岩结晶作用的后期阶段中发育形成。蠕虫石也可在岩石结晶之后，由斜长石在变质作用或热液蚀变过程中受到交代而形成。在少见的情况下，斜长石可以几乎完全被石英连晶所取代。尽管蠕虫石的成因并不总是清楚的，但显而易见它是岩石形成后期的产物。酸性岩石，如花岗岩之类，最常显示这种特征，而在斜长石邻近钾长石的情况下更是如此。显示出这种特征的岩石就叫具有蠕虫结构。

Myrmidon　密耳弥冬　又译密耳弥多涅人。指希腊传说中帖撒利亚(今色萨利)弗西奥提斯的居民。据某些权威说法，密耳弥冬人是后来从帖撒利亚来到埃伊纳岛的。他们的名字可能来自下列两种传说中的一种：①密耳弥冬是其想象中祖先的名字，此人是宙斯和帖撒利亚国王密耳弥冬的女儿欧律墨杜萨所生的儿子。宙斯曾化为一只蚂蚁勾引了欧律墨杜萨。②埃伊纳岛的居民因一次瘟疫全部死亡之后，应该岛国王埃阿科斯的祈求，宙斯把蚂蚁变成的人重新向埃伊纳岛移民。密耳弥冬就是指这些移民。由于密耳弥冬是英雄阿喀琉斯凶猛而忠实的部下，现代就用密耳弥冬来指称那些盲目执行命令的部属。

Myron　米隆(生于埃留提莱，活动时期约公元前 480～前 440)　希腊雕刻家，年龄稍长于同时代雕刻家菲迪亚斯和波利克里托斯。多才多艺，富有创新精神。一生大部分在雅典度过。公元 1 世纪的作家普林尼认为他是在艺术中获得生动表现力的第一人。作品几乎都是用青铜制作的，以表现运动中的竞技者著称。只有两件作品传世：《雅典娜与马尔修斯》群雕(原作曾放置在雅典卫城)和《掷铁饼者》，两件作品都是罗马时期的大理石摹制品。普林尼描述的《雅典娜与马尔修斯》组像可根据哈德良皇帝时期(公元 117～138)罗马硬币上的图像和一件红绘陶瓶的图案(现存柏林)、一件大理石瓶上的构图(现存雅典)以及几件罗马时期的摹制品而获得验证。《马尔修斯》的最佳摹制品收藏在罗马的拉特兰宫，《雅典娜》最佳摹制品为法兰克

《掷铁饼者》，古罗马的大理石雕刻摹制品
美国不列颠百科全书公司供图

福市所收存。《掷铁饼者》的构图可根据一块宝石雕刻上的图像确定。其最佳摹制品是国立罗马博物馆收藏的大理石像。《掷铁饼者》和《雅典娜与马尔修斯》雕像据判断为公元前 450 年的作品。其他作品据认为有：《扎发带的人》，一个年轻人正用发带缠头；赫拉克利斯立像(波士顿和牛津收藏)；波瑟斯头像和几个备用头像(罗马音乐学院大厅，罗马国立博物馆以及不列颠博物馆收藏)；还有命运女神像(爱吉那岛)，这是唯一供祭祀用的雕像，也是他仅有的一件木雕作品。根据古人留下的只言片语，还可知道他的另一些作品，只是尚未被重新发现。其中最著名的是《拉达斯》，阿吉维的赛跑者、奥林匹克的优胜者；此外还有雅典市场的铜牛像。巴黎纪念章陈列室收藏的小型铜牛像可能就是根据它复制的。

myrrh　没药　取自橄榄科没药属(*Commiphora*)各种带刺小乔木的树脂，味苦、芳气宜人、黄色至红棕色。主要有两个类型：东非没药，来自生长于埃塞俄比亚、阿拉伯半岛、索马里的没药(*C. myrrha*)；西非没药，取自外形相似的阿拉伯种类伊露特里亚没药(*C. erythraea*)。没药属乔木，生长于干燥多岩石的小山丘上，高可达 3 米。古人对没药的评价很高，在中东和地中海地区，它曾是制造高级熏香、香水和化妆品的成分，也曾被当作局部用药和防腐剂。中世纪，没药在欧洲曾被视为罕见的珍品，但是，在现代商业中，其价值已变得微不足道。没药现在主要是用于牙膏、牙粉、香水和提神补药及药物保护剂。没药具有轻微的防腐、止血和驱风的功效，在医药上用作驱风药和牙龈及口腔用酊剂成分。从没药中蒸馏出来的油是制造某些浓郁型香水的组分。当没药树皮自然开裂或被割开放液时，液状树脂便从树皮的树脂道中渗出，遇空气就慢慢凝固成小球体或形状不规则的团块，称作树脂珠，此时即可收集。

Myrtaceae 桃金娘科 桃金娘目(Myrtales)的一科,约150属,3 300种,灌木或乔木,广布于热带。叶常绿,革质,具油腺。有重要经济价值的种类如桉属(*Eucalyptus*)的一些种、番石榴(**guava**)、蒲桃、毕当茄和费若果。多香子、丁香、月桂香水油等香料也取自该科植物。该科植物还有布里斯班红胶木(**Brisbane box**)、红千层属(**Callistemon**)、番樱桃属(**Eugenia**)、鳞子木属(**Leptospermum**)、香桃木(**myrtle**)和拟爱神木(**jaboticaba**)等。

Myrtales 桃金娘目 双子叶植物(**dicotyledon**)的一目,含14科,400多属,10 400种,遍布于世界热带和温暖地区。大部分属于两个科:野牡丹科和桃金娘科。桃金娘科包括许多乔木(尤其是桉属[*Eucalyptus*])、灌木(如典型的桃金娘)、数个食物属和香料属,以及许多观赏植物。本目的特征是叶对生;花的各部分排列成环而非螺旋形,其基部愈合形成杯状,围绕子房;茎内韧皮部排列成互相分离的束,木质部围绕于其周围。花序通常多分支,为圆锥花序(下端及外侧分枝上的花先开放)或聚伞花序(最先开放的花位于末端,当其他位于下侧的花开时先开的花处于中心位置)。多数花为两性,花瓣的形状和大小相似,辐射排列,通常分离。花瓣和萼片基数4～5,依属而定。萼片、花瓣和雄蕊的基部连合,成杯状;这些花部的上端部分色鲜艳,从杯状结构的边缘展现。某些种类的子房壁连于此结构的基部,因此子房处于下位。少数属为风媒传粉,但大多数借昆虫(包括蜂类)传粉。某几属可借鸟类传粉。果实多为蒴果,成熟时裂开,散出种子。石榴的果为例外,果皮革质,子房六室,以薄膜分割,内充种子,外种皮肉质,多汁。许多属的果为肉质的浆果。桃金娘目的各科是:海桑科(Sonneratiaceae)、千屈菜科(Lythraceae)、Rhynchocalycaceae科、Alzatezceae科、Penaeaceae科、隐翼科(Crypteroniaceae)、菱科(Trapaceae)、桃金娘科(Myrtaceae)、石榴科(Punicaceae)、柳叶菜科(Onagraceae)、Oliniaceae科、野牡丹科(Melastomataceae)、使君子科(Combretaceae)及Memecylaceae科或瑞香科(Thymelaeaceae),最后一科各分类系统有所不同。桃金娘科含150属,3 300种,特征为木本,子房下位;最大的属为桉属,含600多个种和许多变种。几乎所有桉属种类产于澳大利亚,在该处主要按外形和树皮的耐久性来分类。王桉(*E. regnans*)可高达90多米。多色桉(*E. diversicolor*)可提

一种千屈菜科萼距花属(*Cuphea*)植物
美国不列颠百科全书公司供图

供建筑用材和优质硬木。*E. botryoides* 为小乔木,用于造船业。除木材外,桉属种类还提供树脂、香精油及木纸浆。桃金娘目各个产浆果的属绝大部分分布于热带美洲。为人珍爱的可食果类包括热带美洲的苏里南樱桃(红果仔、单花番樱桃、毕当茄,*Eugenia uniflora*)和拟爱神木(*Myrciaria cauliflora*),以及东南亚的蒲桃(*Syzygium jambos*)和海南蒲桃(*S. cumini*),许多种有人工栽培。番石榴(*Psidium guajava*)可作观赏植物,其果又可生食或制果冻。桃金娘目著名的香料包括芳香蒲桃(丁子香,*Syzygium aromaticum*,原产于旧大陆)干燥花蕾制成的丁香(干丁香花苞)和雌雄异株多香果(*Pimenta dioica*,原产于中美洲)未成熟浆果制成的多香果。总状花序多香果(*P. racemosa*)与之有亲缘关系,产月桂香水油,可制香水。普通香桃木(*Myrtus communis*)是桃金娘目最著名的观赏植物,原产于地中海地区,已广泛栽培于许多大陆。其他为人喜爱的园艺植物有茶树(狭籽属([*Leptospermum*])和蜡花(*Chamelaucium* 属),均产于澳大利亚。绯红瓶刷树(柠檬绿红千层,*Callistemon citrinus*)产于澳大利亚,其枝具丝样毛,花鲜艳,受人珍爱。桃金娘目其他著名观赏植物有千屈菜科的千屈菜及紫薇,以及柳叶菜科的月见草和倒挂金钟属(*Fuchsia*)种类。普通火草是柳叶菜属(*Epilobium*)植物,森林火灾后会覆盖山坡,产生大量种子,此外又可借根茎繁殖。沼泽释战草(*Decadon verticillatus*)分布于美国东部和中部各州,茎长,向下弯曲,尖端着地生根,繁盛于沼泽地区。但桃金娘目中营养繁殖并不多见。

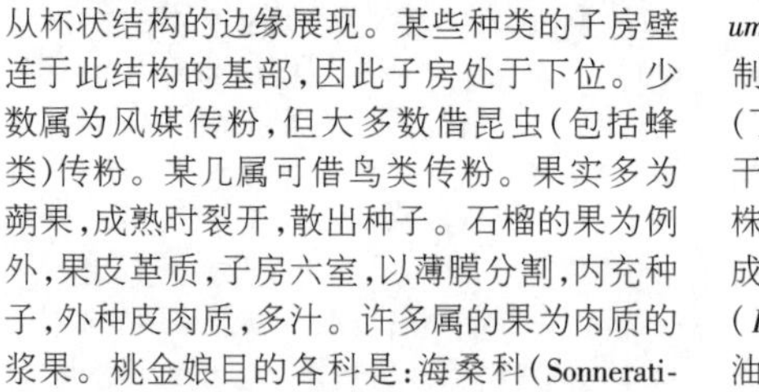

桃金娘目桃金娘科的代表植物

myrtle 香桃木 又称番樱桃、爱神木。桃金娘科香桃木属(*Myrtus*)植物,对本属可分多少种意见分歧颇大。常绿灌木,主要产于南美,有些见于澳大利亚和新西兰。叶具中肋和沿边平行的大脉。普通香桃木(*M. communis*)原产地中海地区和中东,英格兰南部和北美温暖地区已引种栽培。在希腊-罗马时代,普通香桃木用来奉献给维纳斯,并用于花环及其他装饰物中作为爱情的象征。株高达5米余;叶对生,厚而有光泽,具多数小油腺;花白色,单生,长约1.8厘米,具短柄;浆果紫黑色,种子多数。植株大部分含挥发性桃金娘油,用作防腐药和强壮药。有些变种果黄色、白色或色斑驳,常栽培观赏。英语中,许多其他植物亦称myrtle,如蜡杨梅称wax myrtle,沼泽杨梅称bog myrtle,紫薇称crape myrtle,沙生尖叶木称sand myrtle,桃金娘称downy myrtle。俄勒冈和加利福尼亚产山月桂的木材常作为"香桃木"出售。蔓长春花亦称creeping myrtle或running myrtle。

Myrtle Beach 默特尔比奇 美国南卡罗来纳州东部霍里县城市。位于大西洋沿岸水道和大西洋之间的大西洋岸边。1938年设镇,1961年设市。现为游览地,可供游人进行高尔夫球赛、垂钓和游泳。也是大西洋大海滩地区的中心。城南有州立默特尔比奇公园和美国雕塑品露天展览地布鲁克格林公园。附近有默特尔比奇空军基地。人口约22 759(2000)。

myrtlewood(tree) **番樱桃木** 参阅**California laurel** 加利福尼亚桂树。

Mysia 密细亚 安纳托利亚西北部一古地区,北滨马尔马拉海,西接爱琴海。荷马曾提到密细亚人,说他们是特洛伊人最初的盟友。密细亚相继隶属吕底亚、波斯和帕加马,公元前129年并入罗马的亚细亚行省。

Mysore 迈索尔 印度南部卡纳塔克邦(前称迈索尔邦)中南部城市。为该邦第二大城市。位于查蒙迪山西北德干高原上高韦里河

迈索尔市查蒙迪山上的拉甲宫殿
美国不列颠百科全书公司供图

和格伯尼河之间。海拔770米。为重要制造业和贸易中心。有纺织、碾米、榨油、檀香油生产、化工和制革等行业,西北郊贝拉古拉生产铬染料和化肥。家庭手工业有棉织、烟草加工和咖啡加工等。周围地区以生产牙雕、金属制品和木器著称。火车站附近的市场为收集当地农产品的中心。该市有飞机场,城市位于两条北部铁路的交轨点,并为印度西部主要公路的交叉处。市内有古堡、宫殿、政府机构和前英国驻印度的邦总督代表的官邸。迈索尔大学建于1916年,另有各类学院多所。迈索尔地处高韦里河流域。该地区大面积黑土地带种植棉花;还输出稻米、黍类和油籽。西南部野生动物资源丰富。人口:城市约480 006;都会区约652 246(1991)。

Mysore Wars 迈索尔战争 英国在印度与迈索尔统治者之间的4次交战(1767～1769;1780～1784;1790～1792;1799)。约1761年,穆斯林冒险家、总司令海德尔·阿里自立为印度教国家迈索尔的国王。1766年英国东印度公司联合海得拉巴的尼查姆攻击海德尔·阿里,1769年双方媾和。1780年,海德尔·阿里联合马拉塔人再次劫掠卡纳蒂克。1782年12月海德尔·阿里死去,他的部下被英军击退。1784年英军与海德尔·阿里之子提普·苏丹媾和。第三次战争于1790年开始,提普在塞林加帕塔姆陷入重围,被迫割让国土的一半(1792)。第四次战争是英国总督莫宁顿借口提普接受法国援助而挑起的,英军于1799年5月攻占塞林加帕塔姆,提普阵亡。

mystery 同业公会 参阅**craft guild**手工业行会。

mystery play 神秘剧 欧洲中世纪3种地方性戏剧之一(其他两种为奇迹剧和道德剧)。由在教会允许下教士们用拉丁语表演的戏剧形式发展而成,题材通常是创世、亚当和夏娃、亚伯的被杀、末日审判一类的《圣经》故事。13世纪,各种行会把该类戏剧的演出移到教堂外面并用方言表演。于是它本来严格的宗教性质减少,逐渐充满了非圣经的因素,后来又糅进了对医生、士兵、法官甚至修士和教士进行讽刺的成分。神秘剧在兴盛期的演出十分精彩。在英国,神秘剧的演出通常在露天彩车上进行,车上装有舞台和化妆室,并能随时移动。在法国和意大利,演出可能在30米宽的舞台上进行,舞台一端代表天堂,另一端代表地狱,舞台中部代表现世。这种戏剧并不求时间、地点和动作的一致性,因此它们可以同时表示各种不同地理位置和气候;并应用机械装置、地板门和其他的机关等,以描绘飞翔的天使、喷火的怪物、奇异的变形和各种生动的殉教故事。

mystery religion 秘传宗教 指古代希腊-罗马文化区域内使信徒享受公开宗教所不能提供的特殊形式宗教经历的一些宗教。这种崇拜形式中的神职人员有传秘师(hierophant)和启蒙师(dadouchos)。秘传宗教在公元1～3世纪达到鼎盛,其教徒共同进餐、舞蹈、举行礼拜,礼拜仪式象征死亡与复活。对谷物女神得墨忒耳的崇拜(先在依洛西斯[Eleusis],后在雅典)是希腊秘传宗教中的最著名的活动。据史料可知,当时人们载歌载舞,表演有关得墨忒耳的神话。秘传宗教信徒在礼拜希腊的酒与欢乐之神狄俄尼索斯时,纵饮狂歌,两性活动,表演哑剧。另一方面,俄尔甫斯教则讲究禁欲,要求信徒不娶不嫁,戒肉戒酒。毕达哥拉斯派一方面遵奉俄尔甫斯教的一些信条,另一方面强调离世以后的生活,坚持有关音乐、数学和天文的一些奥秘信仰(参阅**Pythagoreanism**)。希腊哲学家柏拉图(公元前4世纪)吸收了先于他的希腊宗教(主要是毕达哥拉斯派和俄尔甫斯教)的许多思想。后来,秘传宗教又大量地吸收柏拉图主义的幻想,诸如灵魂在行星界与恒星界巡游,堕入肉体,遭报受罚;有些教门还承认柏拉图关于行星属性和星界音乐的学说。亚历山大在亚洲用兵,世界贸易发展,于是秘传宗教开始吸收东方宗教思想和神圣亲缘思想。它们传到埃及,与尊奉法老王室为神的信仰融合。于是埃及神灵塞拉皮斯兼有希腊的宙斯神和埃及的俄赛里斯神的属性,专门崇拜塞拉皮斯的秘传宗教产生,传遍希腊-罗马世界。类似希腊秘传宗教的崇拜形式形成于罗马帝国,崇拜的神灵有狄俄尼索斯(巴克斯)、埃及女神伊西斯、小亚细亚的众神之母、波斯的密特拉、叙利亚的太阳神索尔,等等。

mystery story 神秘故事 古已风行的一种故事类型,专门描写不为人所知的事物;它可能是恐怖故事、伪科学的虚幻故事、破案故事、外交阴谋纪事、密码和秘密社团的事件或任何涉及不可思议的人或物的紧张场面。总体说来,神秘故事可分为两大类:神奇故事和疑团故事。神奇故事自古以来就存在,是民间文学一个重要的组成部分。但是文学中着意表现恐惧与神奇本身却随着哥特小说于18世纪前浪漫主义时期才开始出现。哥特小说的最早作者是一位老于世故的英国人H.华尔浦尔(一译沃波尔)。可以说,他的《奥特朗托堡》(1765)为恐怖故事的定型打下了基础。M.W.雪莱(夫人)在其著名的小说《弗兰肯施泰因》(1818)中展现了伪科学的基本特征,描写魔鬼的创造者弗兰肯施泰因博士最终被魔鬼所毁灭。在浪漫主义时期,德国小说家E.T.A.霍夫曼和美国作家E.爱伦·坡,以他们卓越的技巧,把理智与狂妄、怪异气氛与日常现实掺为一体,使神秘故事远远超过只供消遣的水平。他们使鬼怪、幽灵及闹鬼的房屋都带上心理象征主义色彩,使人读后有可信之感。哥特小说的影响在整个19世纪一直存在,如勒法努的《教堂墓地旁的房屋》和《绿茶》、科林斯的《月亮宝石》以及B.斯托克的吸血鬼故事《德拉库拉》。后来又有神秘故事大师A.比尔斯、A.梅琴、A.布莱克伍德、邓萨尼以及H.P.洛夫克拉夫特。一些最著名的神秘故事的感染力应归功于它们在现实社会环境中发展了血肉丰满的人物,并且毫无神秘气氛。在这一方面,有普希金的《黑桃皇后》和W.W.雅各布斯的《猿手》。疑团故事也同样有很长的历史,其明显的特征是,读者面对着许多神秘事实和场面,其答案却一直要留到故事结尾才见分晓。爱伦·坡的短篇小说《金甲虫》是受人欢迎和持久不衰的优秀神秘小说的典范,是一个有关寻找遗失的财宝的故事。现代两个著名疑团故事是F.R.斯托克顿的《情人还是老虎》和C.莫菲特的《神秘的名片》,均无答案。现代间谍故事的两个典型取向是I.弗莱明的极为流行的以詹姆斯·邦德为主人公的惊险小说和J.勒卡雷的严守现实主义的故事(如《寒国谍影》,1963)。

Mystic 米斯蒂克 美国康涅狄格州东南部新伦敦县斯通宁顿镇历史名胜村。位于米斯蒂克河口。隔河与西米斯蒂克相望。1654年始有人定居。17～19世纪为著名造船和捕

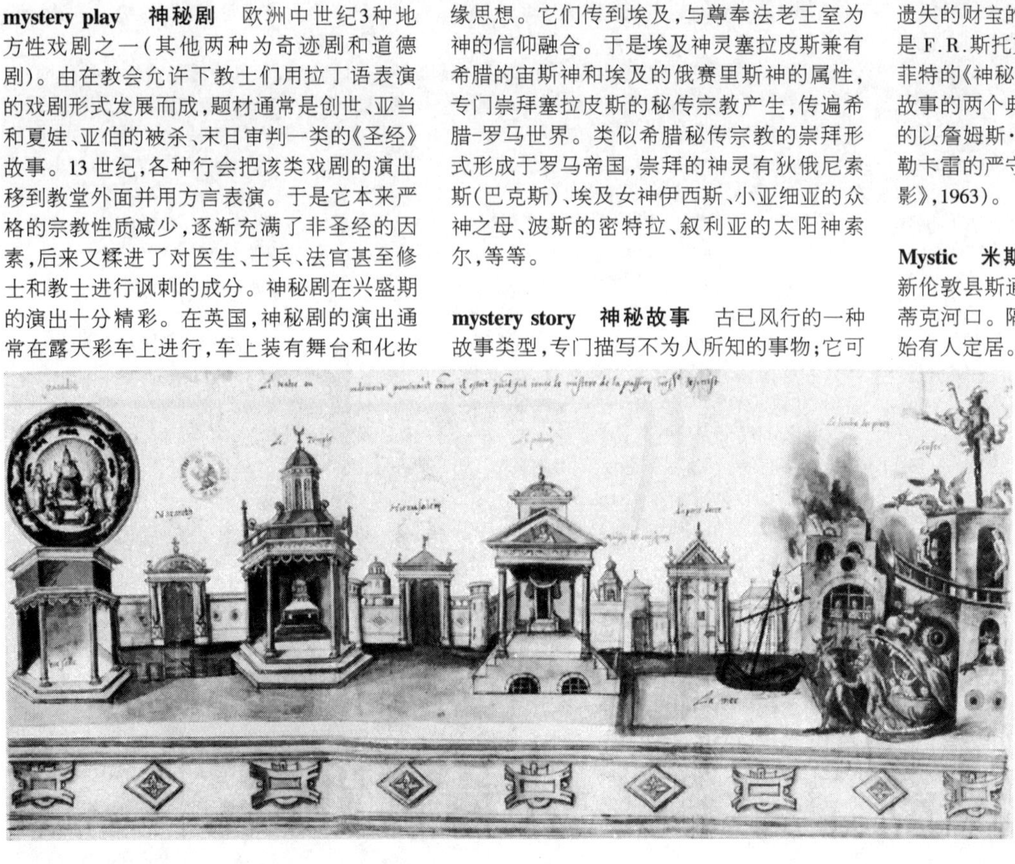

绘于1547年的瓦朗谢讷神秘剧舞台布景

美国不列颠百科全书公司供图

鲸中心。港口保持着帆船时代的风貌,停泊着19世纪的捕鲸船和其他一些船,沿岸有一排旧式船长屋。丹尼森宅邸(1717)是一个博物馆,展示了殖民时代至1900年的生活方式。水族馆展有逾6 000种标本。海兽表演场有海豚和海狮表演。

mystical body of Christ　基督奥体　基督教内部的一种提法,谓全体信徒是基督的奥体即超自然的集体,以基督为首。这种观念源出于《新约》,可能反映犹太教的思想形式。保罗在《哥林多前书》和《罗马书》中把基督与基督教徒之间的关系比作身体,基督为头,基督教徒为肢体。奥古斯丁进一步提出,并非因自己过错而未能成为有形教会之成员的人,仍是教会的无形肢体。

mysticism　奥秘修行　一般指为了与神或神界相融而在心灵中探索奥秘的真理或智慧。不同形式的奥秘修行见于各大宗教、无文字社会的教门和世俗经验。

印度教或许比其他任何宗教都更加富于奥秘解释。通过禁欲而求得解脱(**moksha**),不仅是西方修习者所注意,也是印度教大师的追求。起码在一定程度上可以说,瑜伽(参阅 **Yoga**)是传统印度教中所兴起的一种奥秘修行术,其目的是使少数人可以达到本来希望许多人都能达到的奥秘洞察力。传统印度教讲把个人的灵魂融于万有之中,瑜伽术就是由此而来。印度教的其他秘修派别更加个人化,修习者专奉一神(如黑天或湿婆),还有一些派别则讲究消极信赖,一切听凭梵的恩惠和能力。

佛教各部派都讲通过禅定和思辨达到涅槃,但是对此各有不同解释。值得一提的是金刚乘(**Vajrayāna**)和禅宗(**Zen**)。在藏传佛教中,修习金刚乘(密宗)的人把瑜伽术同绝对论哲学和咒语结合起来而达到入定。日本禅宗强调务实,用语也讲求实际,人们常说它恰好是佛教各秘修派别的对立面,但是它修养与一般方法取得的知识正好相反的般若,因而与奥秘修行思想也有相近之处。

伊斯兰教的奥秘修行派别苏非派同佛教禅宗一样,是投合一部分人的实际宗教需要而兴起的——这些人不满足于常规的答案——它把伊斯兰教固有的一些秘修思潮收集起来。苏非派奥秘修行同包括基督教奥秘修行在内的其他许多学说一样,往往用陶醉或新婚夫妇之爱作为比拟以进行解释。这种语言不难同强调安拉的主宰地位和超在性的《古兰经》合拍,有人认为,《古兰经》上的"完全不同于其他一切事物的"真主过于严肃,过于遥远,奥秘修行使他们觉得神圣事物更加易于捉摸掌握。

犹太教奥秘修行学说的根据在于《圣经》中各先知的预言和《圣经》时代以后犹太教人士的启示论畅想。喀巴拉(**Kabbala**)派是犹太教奥秘灵修的最具有特色、最深刻的体现,13世纪的《光辉之书》集该派学说之大成。此书介绍上帝的能力和内在生命并确立一些原理和戒条,真信徒遵守这些原理和戒条就可以重新获得"依附上帝"的状态——人本来处在这种状态,后来堕落,丧失了原始的纯洁,这种状态毁灭。后世的犹太教奥秘修行学说在此基础上继续发展,其中特别是哈西德派(**Ḥasidism**),它对于一般民众的信仰和习俗发挥了深远影响。德国犹太哲学家布贝尔的思想体现了哈西德主义,它也对基督教思潮和世俗思潮起了形成作用。

东方奥秘修行学说都有一整套的传统,基督教的奥秘修行派别却时起时落,时隐时现。诺斯替派是基督教早期的异端派别,它强调物质邪恶,它看来是犹太教秘修学说的残余,并杂有琐罗亚斯德教和东方宗教的成分。在保罗和约翰所传的教义中,无意中流露出来的"基督奥秘论",是一条基本教义。3、4世纪的旷野教父所提倡的隐修生活,树立了自觉准备和实行奥秘修行的传统。奥古斯丁讲万有的神圣之光,他吸收了柏拉图的学说和思辨,对后世奥秘修行家的著作产生强烈影响;尤其是爱克哈特(1329年卒)在其著作中讲理想世界的现实性——在理想世界中,万物永恒地存在,作为上帝之存在的要素。在14世纪,无论是在教会内还是在异端邪派,奥秘修行都兴盛繁荣,这种现象以后也屡次出现。一般说来,新教比天主教更为明确地宣称:神的光(神的火花)是普遍的天性。

在中世纪以后的西方哲学史中有一种思想,最宜称之为宇宙奥秘论,斯宾诺莎的哲学体系和歌德的文学作品是它的最精彩的体现。根据这种观点,宇宙往往表现为荒唐的,危机四伏,人必须使自己同宇宙的结构和目的融为一体,修养恭敬负责的态度,才能发现意义。在现代,奥秘思辨与文学灵感的关系成为美学上的主要问题,此点从对古代史诗的研究到英国诗人布莱克、法国诗人马拉梅等人的作品可以看出。

myth and mythology　神话和神话学　神话是一个集合名词,用以表示一种象征性的传述,尤指宗教象征主义的一种基本形式,以别于象征性行为(崇拜、仪式)和象征性的地点或物体(庙宇、偶像等)。神话故事叙述神或超人,叙述在一个完全不同于人们通常经历的时代中所出现的非凡事件或环境。

神话学一词既指神话研究,也指特定文化或宗教传统中的神话故事主体。神话故事的权威是含蓄的,不是明述的。神话故事具体叙述超越一般人类世界的以及对于这个世界具有首要意义的事件和状态。故事中的角色往往是诸神,或其他非凡存在物,如动物、植物、初民或改变人类境况的具体的伟人。神话故事同民间故事、童话、寓言、传奇小说和史诗均有所区别。传奇小说和史诗是以历史上发生过的事实为基础,或多或少是真实的,只是添加了许多想象而已。童话和民间故事有时虽然也叙述一些不平凡的人物和事件,甚至往往寓意深刻,但它们以娱乐为主。神话和神话学有种种作用,如:解释各种自然的、社会的、文化的、生物的现象;回答有关宗教仪式和崇拜风习的性质和基础的问题。

在古代文明中,历代统治家族都从神话中找到维护他们地位的依据,说他们起源于神、天、日、月。神话的描述性作用与它们解释事实的权威有关。神话可以描述世界的起源和终结或一种乐土、福地。它能描述人用推理和观察仍无法"看到的东西"。神话普遍存在于人类传说史和社会史中,它是人类文化的一个基本组成部分。

在古希腊,人们对哲学兴趣增长的结果,促进了神话的寓言性解释作用,解释神话的种种寓意。其中影响最大和最久的当推古希腊哲学家欧伊迈罗斯(活动时期公元前300)所提出的见解,即一些神原本是些伟人,他们之所以受到崇拜,是因为曾造福于人类。中世纪和文艺复兴时期在神话方面的研究没有明显的突破。18世纪初,意大利哲学家维科首先提出如下观点:人类的创造性想象力在连续发展的各文化阶段中对神话故事的形成起了作用。但是他的论点在当时没有受到重视。19世纪,法国学者丰特内勒曾对希腊和美洲国家的神话作了比较研究,发表理论说,人类普遍具有一种倾向于神话的素质。在德国,谢林的神话哲学使人们对神话发生浓厚的兴趣。但是,在进化论的鼎盛时期,对神话进行学术研究的兴趣低落了。直到19世纪末叶,这种兴趣才重新出现在人种学家和语言学家当中。20世纪初,随着弗洛伊德的种种发现,又兴起了许多对神话的心理研究,他认为概念的形成不取决于文化史。他的这一论点对神话研究极为重要。他对精神的分析,创造了独立的、超历史的机械论。对弗洛伊德方法的批判所针对的乃是,仅从一个论点即"恋母情结"和意识观念的"压抑"来解释神话。卡尔·荣格将神话创作归结为无意识的心理活动,提出了"集体无意识"的理论,修正了弗洛伊德的情欲学说。

研究神话的基本方法,大体可以分为如下几种:

①理性主义方法,对神话作寓言性解释,或将神话的创造归结为恐惧。

②浪漫主义方法,强调感情是创造神话的一个因素。

③比较法,对多种传说进行种种归纳。

④民间传说研究法,提出"低级神话"的理论,如德国学者曼哈特,努力发掘所谓"原始共同神话",主要贡献在于收集神话主题并进行分类。

⑤功能法,将神话的需要归结为其在原始文化中所完成的功能:保存社会、伦理、实用、美学和宗教的风俗习惯和制度,并使其合理化。

⑥结构法,观察整个世界神话的相似之处,并予以阐述。

神话显然关系到语言的问题,因为它涉及人类相互交往,也关系到人类社会生活的问题,因为神话故事的叙述为一个社会所特有,也为共同传统所特有。

科学史已经表明,现代科学不是全部产生于对神话的反叛,也不是由于挣脱神话的枷锁而突然诞生。神话在思想开始产生时,被认为是理所当然的事。它同时也是科学在其进程中所达到的极限。应强调的是,对于科学如同对于社会一样,存在着神话的一个方面。

在不同的传统中,神话的地位不同。在一些宗教传统中,存在着对立。就神话同宗教仪式和其他风习的关系而言,有人认为先有宗教仪式,神话是后人的解释;有人则不以为然。

但是，有一点是可以肯定的：没有神话就不存在宗教仪式，而没有宗教仪式，照样有种种神话。关于世界起源的重要的神话内容常常反映了在一种传统中占主要地位的文化形式。

神话成为书面传说的一部分之后，人们方才得知古代文明中的神话。以希腊为例，实际上所有的神话都是以"文学"形式保存下来的，最古老的史料就是荷马史诗。神话在文艺中起着重要的作用。在史诗文学中，有许多男女英雄就是男女诸神的复活。神话和文学之间存在着的这种关系也表现在神话与其他艺术之间。在建筑和雕刻方面，史料就早得多，很难设想，没有神话，会有这些艺术形式。考古学发现的资料也肯定了神话。

神话主要有如下几种：①起源神话，包括宇宙、创世、末世和毁灭，风俗习惯、死亡等的起源。②文明英雄神话，即为人类创造或带来文明的神话，如古希腊神话中的普罗米修斯。③救世主和至福千年神话。④时间与永恒的神话。⑤天意和命运的神话。⑥再生和复活的神话。⑦记忆和忘却的神话。⑧上帝和天神的神话。⑨国王、宗教创造者和其他宗教人物的神话、故事和传说。⑩隐修士的神话。⑪变形故事等等。

在现代社会中，存在着两种倾向，即神话的世俗化和宗教传说的非神话化。其实，神话世俗化在历史上多次发生过，犹如随着时间的推移，所有的象征、宗教仪式等都要经历变化一样。史诗文学的形成就是早期神话世俗化的例子。宗教传说的非神话化，指的是人们有意识地作出努力，去除宗教传说中的神话因素。狭义地说，指 20 世纪基督教中的神学争论。

在经历过反教权主义的西欧国家里，政治已经接替了以前宗教或神话所起过的作用。

Mytilene　米蒂利尼　现代希腊文拼作 Mitilíni。希腊莱斯沃斯岛和莱斯沃斯州主要城镇、东正教都主教驻地。在古代，这座城市原在与莱斯沃斯岛东岸隔海相望的小岛上。

米蒂利尼镇及其港湾
美国不列颠百科全书公司供图

后来，小岛与大岛连成一片，形成港湾。公元前 7 世纪为该岛政治经济中心。在罗马统治下为自由城。土耳其统治（1462 ～ 1912）结束后并入希腊王国。1958 年发掘出一座希腊剧场。人口 24 115（1981）。

Mytishchi　梅季希　俄罗斯西部莫斯科州城市和区域中心。位于莫斯科市东北面。过去因地处莫斯科至三位一体-圣塞尔吉乌斯隐修院道路沿线而居重要地位。1908 年建立俄国第一家合成纤维厂。1925 年设市，尔后成为机械（尤其是运输机械）制造中心。人口约154 000（1989）。

Mývatn　米湖　冰岛北部浅水湖。在阿克雷里以东 48 千米处。面积 37 平方千米。为冰岛第 4 大湖。来此游客很多。湖中火山岛点缀，四周多火山口、温泉和熔岩地层。米湖

米湖中的熔岩构造
美国不列颠百科全书公司供图

及从其流出的河流以产鲑鱼、鳟鱼、红点鲑闻名。湖底硅藻土经挖出就近进行加工。

myxedema　黏液水肿　因缺乏足够的甲状腺激素而引起的生理反应。见于成人。原因可为甲状腺切除、腺体功能障碍或腺体萎缩。发病缓慢，表现为舌肿大，皮肤增厚、浮肿（特别是在眼睑周围及双手），嗜睡，情感淡漠，怕冷，经闭或月经过多，心脏扩大及基础代谢率减低。用甲状腺干制剂治疗时，其预后良好，但治疗必须持久。黏液水肿可影响甲状腺以外的其他内分泌腺，如抗利尿激素可能分泌过多而引起低钠血症。甲状腺激素不足亦可影响其他内分泌腺的分泌，如可致促性腺激素、促肾上腺皮质激素、生长激素分泌减少。黏液水肿时的卵巢功能障碍可分原发性及继发性两种，原发性者表现为月经频繁、经期延长、月经过多；继发性者若伴有促性腺激素减少，则表现经闭。男性可表现为性活动及精子产生减少。生育力在两性均降低。黏液水肿可延迟性成熟（可用甲状腺激素替代治疗），但亦可引起性早熟。肾上腺皮质功能因垂体促肾上腺皮质激素分泌减少或因机体对皮质醇的利用和需要减少而减退。这些变化均是暂时的。黏液水肿常伴有原发的、持久的肾上腺皮质功能减退（艾迪生氏病），又名施米特氏综合征。甲状腺功能减退时，循环系统对肾上腺素的反应降低。

myxomatosis　黏液瘤病　正式名称为传染性黏液瘤病或称兔黏液瘤病。是兔的一种高度致命的病毒性传染病。特征是发热、黏膜水肿和在皮肤上出现许多主要由黏液组织构成的肿瘤。本病自然分布于原产在南美洲的棉尾兔群中，后引入西欧和澳大利亚，以控制野兔数量。

Myxomycetes　黏菌门　又作 Mycetozoa。原生生物界（Protista）真菌样生物的一门。常称为真黏菌。似原生动物，又似真菌。世界性分布，通常多见于腐烂植物体上。已描述约 500 种。营养阶段由多核、能变形的原生质团组成，称为原质团（或变形体），由此再形成真菌状的孢子囊。每孢子囊具 1 至多个孢子。几乎所有的种的孢子都生于孢子囊内。孢子外生的有鹅绒菌属（*Ceratiomyxa*），其孢子可能是内含真正孢子的极度退化的孢子囊。孢子萌发形成 1 至多个独立的变形菌胞，由此再形成尾鞭式双鞭毛的游动细胞。游动细胞亦可再变成变形菌胞。以前认为游动细胞只行无性融合，今知该过程为有性过程。变形体内的细胞质流动，引起变形体形状的变化，变形体从而在潮湿的朽木、叶片和

木头上常见的粉瘤菌属（*Lycogala*）黏菌，其孢子囊形似小型马勃
美国不列颠百科全书公司供图

土壤的表面和内部缓缓爬行，吞食细菌、霉菌和真菌。整个变形团外被一层黏液，黏液不断分泌，在其爬行过的地方留下网状痕迹。变形体多呈橙、黄色，亦可为无色、红色、白色、米色、栗色，偶呈蓝色、黑色或绿色。

Myxophyta　黏藻门　又作 Cyanobacteria。又称蓝菌门。藻类的一门，其种类俗称蓝绿藻（**blue-green algae**）。

myxosporidian　黏孢子虫　黏孢子虫门（Myxosporidia 或 Myxospora，传统上归入原生生物界）黏孢子虫目（Myxosporida）寄生原生动物。特点是：复合孢子具至少一个有感染性的阿米巴样的孢质及 1 至多个极囊（含盘根多曲的可挤出的丝）。主要寄生于鱼类，但亦侵袭两栖类和爬虫类，可使宿主死亡。通常感染空腔器官（胆囊、膀胱）、皮肤、肌肉和鳃。孢子被动物吞食后，孢质离开胞壳，转移到器官或组织，摄取营养并发育，最后产生新孢子。具代表性的类型有：肌肉单囊虫（*Unicapsula muscularis*，使庸鲽患多虫病）、普法伊费尔氏碘泡虫（*Myxobolus pfeifferi*，使鲃患疖病）、脑黏体虫（*Myxosoma cerebralis*，使鲑类鱼神经系统失调而患昏旋病）。

myxovirus　黏病毒　正黏病毒科（Orthomyxoviridae，流感的病原体）及副黏病毒科（Paramyxoviridae，普通感冒、流行性腮腺炎、麻疹、犬瘟热、牛瘟、鸡新城疫等病原体）的动物病毒。病毒颗粒形态多样（球状到丝状）；长

60～300纳米(1纳米＝10^{-9}米)；具脂质被膜，上有由蛋白质构成的钉状突起；内含核糖核酸。黏病毒能与红细胞表面的黏蛋白起作用，有的还能使红细胞凝聚。参阅 **retrovirus**。

M'zab　姆扎卜　阿尔及利亚中部撒哈拉沙漠中包括5座城镇在内的绿洲群之一。建于11世纪初。1882年并入法国，1962年又归属阿尔及利亚。该地沿姆扎卜河延伸，周围是干河床纵横的旱区。有5个面积和地位不同的小镇，房屋似彩色方块傍河而列。盖尔达耶为主要的居民点；阿推夫历史最悠久；贝尼伊斯盖内是圣城，非教派成员不得进入城镇的某些地区；迈利卡的居民为非洲黑人；布努阿拉是其中最贫困的城镇。当地大片椰枣林通过河上6座水坝得到灌溉。林间种有水果、谷物、豆类作物。一个小工业区及从哈西赖姆勒输运来的天然气正促进这一地区的现代化。

姆扎卜绿洲盖尔达耶小镇内清真寺的宣礼塔
美国不列颠百科全书公司供图

M'zabite　姆扎派　又拼 Mozabite。伊斯兰教哈瓦利吉派易巴德支派的一部分信徒，居住在阿尔及利亚南部姆扎卜一带各绿洲。该派教规严格，主张均贫富，不与其他派别联合。信徒不与派外人通婚，因此血统单一，体态相似，短小精悍，脸小而圆。妇女蒙大面罩，行动不出村。男子遍见于阿尔及利亚全国各地，经营杂货等商业。姆扎派信徒擅长手工艺，精制陶器、铜器、首饰和地毯。姆扎卜一带多棕榈林，每年5月至12月间居民可在林荫之下从事耕作。

阿尔及利亚迈利卡的姆扎派墓地
美国不列颠百科全书公司供图

Mzilikazi　姆济利卡齐(约1790，祖鲁兰姆库泽附近[在今南非]～1868-09-09，马塔贝莱兰因加马[今津巴布韦布拉瓦约附近])又拼 Umsiligasi或 Mozelekatse。南非国王，在今津巴布韦建立了强大的恩德贝勒王国(马塔贝莱)。他是在祖鲁王恰卡之后的最伟大的班图武士，曾率库马洛人由南非至今津巴布韦地区完成一次行程800千米的大迁徙，在途中建立一个疆土广阔、不同种族的国家。他是一位很有才干的政治家，能够把许多被征服的部族组成一个强大的、中央集权的国家。原为恰卡副将，1823年背叛祖鲁王，将部众撤离非洲东南岸的故土，前往北方以图自保。最初到莫桑比克，1826年定居于德兰士瓦。后被迫西移到今博茨瓦纳，1837年又北上至今赞比亚。他未能征服科洛洛国，遂率1.5万～2万人东入今津巴布韦西南部，平定马塔贝莱兰(约1840)。他将国家组织成一个按村镇编队的军事系统，其威力足以击退布尔人的进攻(1847～1851)，并迫使德兰士瓦布尔政府于1852年缔和。他对欧洲旅行者尚称友善。1867年马塔贝莱兰发现金矿，欧洲人蜂拥而入，使他无力应付，王国覆灭。

Mzimba　姆津巴　马拉维西北部城镇。原为安戈尼人的行政中心。1940年以后地位下降。周围有姆津巴平原、中部地区高原的北部延伸部分、霍拉山(1 750米)和维皮亚高地。土壤贫瘠，仅有自给性农业。还种植土耳其烟叶。人口约7 735(1987)。

N

N-Town plays　N城剧　15世纪后半叶的英国组剧,由42部基督教圣经剧(神秘剧)组成,剧本的开场白均提及"在N城"的演出,因而被称为N城剧。有证据显示,组剧的演出并非局限于某一城镇或社区,而是从一个城镇到另一个城镇旅行演出,因此缩略语N是代表正在演出该组剧的城镇的名称,此名称可由主持人临时加上。组剧手抄本17世纪时曾为收藏者罗伯特·赫吉爵士所有,因此有时也称为赫吉组剧。组剧以天使的创生和撒旦的堕落开场,以圣母升天和最后审判结束。在与其他组剧不同的几幕戏中,有一幕写的是该隐之死,有5幕的中心人物是圣母马利亚。全组剧都着重颂扬圣母。

Na-Dené languages　纳-德内诸语言　北美印第安语主要语群,由阿塔巴斯卡、海达、特林吉特三个语系组成,共有22种语言。其中20种属阿塔巴斯卡语系,通行于加拿大西北地区、育空地区及其接壤地带,西到阿拉斯加库克湾,也通行于太平洋沿岸两个孤立地带(俄勒冈州西南部和加利福尼亚州北部)及美国西南地区(大部在新墨西哥州和亚利桑那州)。特林吉特语系和海达语系各有一种语言,分别通行于阿拉斯加东南部和加拿大不列颠哥伦比亚省。纳-德内语群最重要语言是纳瓦霍语,通行于亚利桑那州和新墨西哥州大多数印第安居民中。这个语群其他较大的语系有亚利桑那州西部通行的西阿帕切语,以及加拿大西北地区的奇佩维安语诸方言。多式综合的词结构形式是许多美洲印第安语的特征,词是由许多黏附成分(不能单独使用,只用于和其他成分组合中)构成的。一个多式综合的词拼成的信息可以相当于一整句英语。纳-德内语虽有某些多式综合形式,但却不像阿尔冈昆语或爱斯基摩语那样普遍,它的词也常由一些松散的黏附成分构成。纳-德内语较典型的特征是利用声调区分同形异义词,使用两个声调,即用尖音符(´)表升调,用沉音符(`)表降调。如纳瓦霍语 yàazíìd 的意思是"你倒掉它",而 yàazììd 却是"我把它倒掉了"。另一些特点是严格区分动态动词和静态动词,强调动词的体和语气而不强调时态,常从名词中派生出动词。

na gCopaleen, Myles　纳·格科帕林　参阅 **O'Brien, Flann 奥布赖恩**。

NAACP　参阅 **National Association for the Advancement of Colored People 全国有色人种促进协会**。

Naas　内斯　爱尔兰语作 An Nás。爱尔兰基尔代尔郡市区、商业城镇、驻军要塞、郡首府。据说爱尔兰的保护圣徒圣·帕特里克曾到过此地。中世纪时是一重要城镇,现为基尔代尔郡的行政中心,保留有一座古城堡。人口10 017(1986)。

Nabadwīp　讷伯德维普　又拼 Navadwīp,原名讷迪亚。印度东北部西孟加拉邦东南部城市。位于帕吉勒提河和贾兰吉河汇合处。始建于1063年,曾为塞纳王朝古都。称作孟加拉的瓦拉纳西,为一重要的朝圣中心,以其圣洁而闻名。印度教神秘主义者查伊塔尼亚(1486～1533)出生于此。讷伯德维普的主要工业有金属器皿和铜器制造。1869年建市,有加尔各答大学的几所分校。人口:市125 037;都市区155 905(1991)。

Nabataean　纳巴泰人　古代阿拉比亚的一个民族。居住在叙利亚与阿拉比亚交界处,从幼发拉底河直到红海之滨。公元前312年始见记载。公元前2世纪塞琉西王国衰落,

约旦佩特拉的纳巴泰人方尖碑式坟墓
美国不列颠百科全书公司供图

纳巴泰王国实力日增,向北、东两方扩展领土,可能还沿红海东海岸南下,占领豪兰。公元前85年后曾一度统治大马士革和科埃莱叙利亚(黎巴嫩)。当罗马将军庞培进入巴勒斯坦(公元前63)时,纳巴泰王国成为罗马藩属。后作为罗马帝国盟友,最后一个阶段十分繁荣。公元105～106年罗马皇帝图拉真吞并纳巴泰王国,建立新的阿拉比亚省,以布斯特拉作为行省首府。

Nabataean alphabet　纳巴泰字母　约公元前150年～公元150年间阿拉伯半岛纳巴泰人的佩特拉王国的文字体系。纳巴泰字母与闪族的主要文字阿拉米字母有关系,纳巴泰

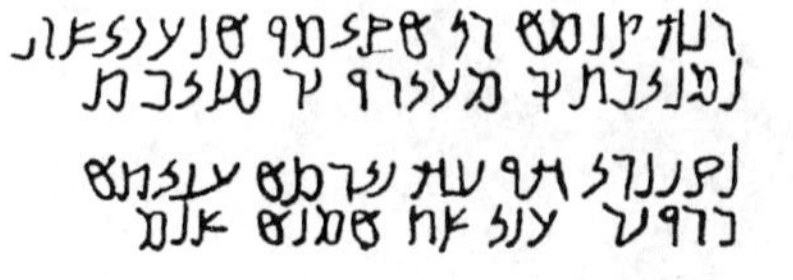

纳巴泰字母

人用它书写阿拉米语。由纳巴泰字母产生新西奈字母,而阿拉伯字母则源于新西奈字母。纳巴泰字母和它的前身闪族文字一样,有22个,全系辅音,书写时从右到左。纳巴泰铭文在埃及和意大利都有所发现,佩特拉的铸币上亦有纳巴泰铭文。在爱琴海科斯岛上也发现有纳巴泰字母与希腊字母的双语铭文。

Nabaṭīyah at-Taḥtā, an-　下奈拜提耶　黎巴嫩南部城镇和国内烟叶生产主要中心。与西顿、迈尔季欧云、以色列边境和叙利亚库奈特拉地区通公路。当地其他农产品有葡萄、橄榄、无花果和谷物。居民以什叶派信徒为主。人口约100 000(1985)。

Nabbes, Thomas　纳布斯(1605,英格兰伍斯特郡～1641-04-06安葬,伦敦)　英国戏剧家和韵文作家,当时较次要的剧作家之一,或许由于其假面剧而闻名。1621年在牛津大学埃克塞特学院读书,但未取得学位即离开大学。约于1630年在伦敦开始其写作生涯。其第一部剧作《科文特花园》是献给约翰·萨克林爵士的,于1632年或1633年演出。喜剧《图腾汉宫》(1633年上演)和《新娘》(1638年上演)曾取得一些成功,但他的悲剧尤其是《不幸的母亲》(1640)却不受赏识,许多人把他的悲剧看作三流作品。他写过不少假面剧,偶尔也写韵文作品,其中大多数具有一定技巧。纳布斯的所有作品,除了他为理查德·诺尔斯的《土耳其史》(1638)写的续集外,在A.H.布伦编的《英国古代剧作》(1887)中均得以重印。

Naberezhnye Chelny　卡马河畔切尔内　1930年前称切尔内。俄罗斯中西部鞑靼斯坦城市。位于卡马河左岸。以世界上最大的卡马卡车厂而著称。建有下卡马河水电站。20世纪70年代发展迅速。人口约513 100(1991)。

Nabeul(Tunisia)　参阅 **Nābul 纳布勒**。

Nābha　纳帕　印度西北部旁遮普邦东南部城市。地处伯蒂亚拉西稍偏北26千米。1755年创建时为纳帕公国首府。1763年后包括12个分散地区(锡克家族声称对其拥有所有权)。1807～1808年印度王公取得英国保护以抵制R.辛格之蚕食。1857年孟加拉军队兵变,印度王公效忠英国,得到领土赏赐。1948年印度独立,纳帕最终并入旁遮普邦。纳帕为黍类、小麦、鹰嘴豆,布匹和食糖的贸易中心,亦经营轧棉、粗梳羊毛、手织业及刺绣。市内有一所学院。人口54 079(1991)。

Nabī Mind, Tall an-(Syria)　**纳比迈恩德**　参阅 **Kadesh 卡叠什**。

nabid bug(insect)　**拟猎蝽**　参阅 **damsel bug 姬蝽**。

Nābighah, an-　纳比厄(创作时期约600)　全名纳比厄·祖卜雅尼。伊斯兰教以前时期阿拉伯7大诗人之一,作品被收入《悬诗集》。属于左卜彦部族。像他早年的生活不确切一样,其名的由来也不确切。他在伊拉克希拉赫城的阿拉伯莱赫米王朝的宫廷中享受荣华

富贵多年，为其他朝臣所忌。有一则故事讲他的仇敌伪造了一首讽刺国王努厄曼的诗，此事似乎为他后来的诗所证实，国王大怒，纳比厄被迫急速离开希拉赫城，来到叙利亚莱赫米的仇敌加萨尼人的宫廷，受到加萨尼宫廷的恩宠，并多次为自己部落人的战争和失败求情。后来，他不断向努厄曼表白自己的无辜，最后终于回到希拉赫城。作为伊斯兰教以前时期最受尊敬的诗人之一，纳比厄的文体庄重细腻，富于想象和美好意象。他的诗句主要对部族争斗予以赞扬或讥讽，显示出对语言及语言技巧的运用娴熟自如，给人留下深刻印象。参阅 **Muʿallaqāt, al**。

Nabis　纳比斯（？～公元前192）　独立的斯巴达的最后一个统治者（公元前 207 ～前 192）。他继承了国王亚基斯四世和克莱奥梅尼三世的革命传统。由于古代有关他的记述主要是侮辱性的，人们便一直不清楚他的法律的详情，然而可以肯定的是，他曾没收大批财产和解放许多农奴。毫无疑问，他并不是一个像希腊历史学家波利比奥斯描绘的那样极坏的人。在罗马和马其顿的腓力五世争雄的大的背景下，他巧妙地保持着自己的权力。罗马和马其顿订立《菲奈斯和约》（公元前 205）以后，他与亚该亚同盟交战。亚该亚同盟的大将斐洛皮门从他手中抢救了麦西尼，而后来又在拉科尼亚的斯科提塔斯打败了他。公元前 197 年他乘马其顿的腓力五世与罗马作战的机会，从腓力五世手中夺取了阿尔戈斯，并和罗马将军弗拉米尼努斯达成保有该地的默契。但弗拉米尼努斯在打败腓力后却宣布希腊城邦自治，指控纳比斯施行暴政，攻占了拉科尼亚的古齐姆，还迫使他交出阿尔戈斯。公元前 194 年他试图在罗马人离去之际收复古齐姆，但在斯巴达以北被菲洛皮门打得落花流水。最后作为他们促使罗马与叙利亚的安条克三世作战的计谋的一部分，埃托利亚人杀害了纳比斯并暂时地占领了斯巴达。

Nabis　纳比画派　法国艺术家团体，其成员的广泛活动对 19 世纪后期法国的艺术创作有重大影响。他们宣称艺术作品是艺术家把自然综合为个人的美学隐喻和符号，从而获得的最终产物和视觉表现，为 20 世纪初抽象主义和非具象艺术的发展铺平了道路。纳比画派受到日本木刻、法国象征主义绘画和英国拉斐尔前派艺术的很大影响。但最初是受到以画家高庚为中心的所谓阿望桥村画派的启发。在高庚直接指导下，纳比画派创始人 P. 塞律西埃画了第一幅纳比画派作品《阿望桥村爱之林风景》（又称《护符》，1888 年作）。1891 年，纳比画派举行首届展览，试图通过他们的作品说明德尼的名言："一幅画，在成为一匹战马、一个裸女或趣闻轶事之类之前，实质上是一个按一定秩序敷施了色彩的平面。"但是，集团内很快就出现了分歧和背弃，终于在 1899 年解散。

纳比画派画家 P. 勃纳尔绘《孩子们放学了》（约 1895）
美国不列颠百科全书公司供图

Nabisco　纳贝斯克公司　全称国家饼干公司（National Biscuit Company）。原为美国零食和烘烤食品公司。1898 年由美国饼干公司与纽约饼干公司合并成立国家饼干公司。人们较熟知的名称是纳贝斯克公司，它继续研发一些知名品牌，如奥利奥饼干（1912）和乐之饼干（1934）。1985 年被雷诺（R. J. Reynolds）收购后成为雷诺-纳贝斯克公司的一部分，2000 年菲利普·莫里斯公司（后更名为高特利集团公司）购入纳贝斯克，该公司是卡夫食品公司的母公司。从此，纳贝斯克的品牌都以卡夫的名字销售。

Nablus（Israeli-occupied Jordan）　参阅 **Nābulus 纳布卢斯**。

Nabokov, Vladimir（Vladimirovich）　纳巴科夫（1899-04-22，俄罗斯圣彼得堡～1977-07-02，瑞士蒙特勒）　俄罗斯出生的美国小说家、评论家，1917年后的移民作家中最出色的人物。他用俄语和英语写作，最优秀的作品有《洛莉塔》（1955）。生于贵族世家，父亲 V. D. 纳巴科夫是俄国革命前的立宪民主党领袖，在举家定居柏林之后，在一次公众集会上为掩护别人而被右翼反动分子行刺（1922）。1919 年离开俄罗斯之前，已发表《诗》（1916）和《两条道路》（1918）两部诗集。随家人迁居英国后，获专为流亡的俄罗斯知名人士的子女设立的奖学金而进入剑桥大学三一学院。最初攻读动物学，不久转而学习法国和俄国文学，1922 年以优等成绩毕业。在英国时继续写诗，1923 年出版俄文诗集《人群》和《天堂之路》。1922 ～ 1940 年在德国和法国居住，在继续写诗的同时尝试写剧本和电影脚本。

美国不列颠百科全书公司供图

1925 年后，主要写散文。1926 年出版第一部小说《玛申卡》，该书带自传性质，有对他年轻时第一次的热恋及纳巴科夫家族庄园的描写。另一部小说《普宁》（1957）写一个移民到美国的昆虫学教授，在某种程度上是根据他在康奈尔大学教授俄国和欧洲文学的经历所写。1928 年出版的《王、后、杰克》标志他的风格转向十分讲究形式，并成为他此后技巧的特征。两年后出版的关于象棋的小说《防守》使他赢得最优秀的俄罗斯青年移民作家的声誉。此后 5 年，写有 4 部长篇和 1 部中篇小说。其中《绝望》和《斩首的邀请》是他首批重要著作。他所有的俄文小说都在柏林和巴黎出版，印数很少。纳巴科夫小说的题材主要是在种种隐喻的掩饰下谈出的技巧问题本身。因此，表面上《防守》写下棋，《绝望》写谋杀，而《斩首的邀请》是个政治故事，但 3 部作品都谈及技巧，而这些论述又是理解全书的关键。技巧问题再次出现在其最佳俄文小说《天才》中，小说写一个青年艺术家在第一次世界大战后柏林的光怪陆离的社会中发展的故事。这部小说依赖文学模仿，是一个转折点，热中于采用模仿此后成为纳巴科夫技巧中的主要手段。初期的英文小说《塞巴斯蒂安·奈特的真实生活》（1941）和《左斜线》（1947）地位不及他最好的俄文著作。小说《暗淡的火光》（1962）由一首诗和一个狂热的文学空谈家对它的评论组成，发展并完善了纳巴科夫所精通的非传统结构。《洛莉塔》（1955）的非正统派主角亨伯特·亨伯特对年轻姑娘怀有一种难以抑制的情欲，这部小说是纳巴科夫又一巧妙的比喻：似乎是从爱情对立面的色欲角度来检验爱情。《艾达》（1969）是他第 17 部，也是最长的一部小说，是模仿家族大事记形式的作品。在该小说中，他先前所有的主题都用上了，并且由于小说中俄语、法语和英语搀杂在一起，是他的最难读作品。主要评论著作是一本关于果戈理的书（1944）和 4 卷集的普希金《叶甫盖尼·奥涅金》的译文及评论（1964）。自传性质的《说吧，回忆》写他在欧洲的经历，1967 年出版。此后开始写续集《继续说吧，回忆》，写他的美国经历。随着他的声誉在 20 世纪 30 年代的上升，对他的攻击也日益激烈。他富于个人特性、有些冷漠的风格和小说所涉及的不寻常的事，被他的诋毁者们看作是势利眼行为，但他的俄文小说评论家 V.霍达塞维奇认为，纳巴科夫的贵族观点适宜他的题材：用讽喻掩饰艺术问题。他的声誉在各国不一。1986 年以前，他的作品未曾在苏联出版，不仅因为他是“白俄移民”（他于 1945 年成为美国公民），还因为他实行“文学势利主义”。西方持强烈社会信念的评论家对他的评价一般也不高。但在 1919～1939 年间，在巴黎和柏林的知识界移民社会中，V.西林（当时纳巴科夫所用笔名）被认为“与当代欧洲文学最重要的大师处在同一水准，并在俄罗斯文学中占有无人可取代的地位”。1940 年移民美国并以英文写作后，声望与日俱增。

Nabonidus 拿波尼度 又拼 Nabu-na'id。巴比伦尼亚国王（公元前 556～前 539）。在一次群众叛乱后，他使儿子伯沙撒与他共同摄

公元前 6 世纪石碑上的拿波尼度浮雕像

美国不列颠百科全书公司供图

政，自己则大部分时间住在阿拉比亚。公元前 539 年返回巴比伦，被居鲁士的大将戈布里亚斯俘获，放逐国外。

Nabu 那波 《旧约》作尼波（Nebo），亚述人和巴比伦人所崇奉的重要神灵。他护佑文

约公元前 780 年那波神庙入口处的那波塑像

美国不列颠百科全书公司供图

学，化育草木。他的标志是泥版和尖笔，因为他将众神为人注定的命运记录在案。

Nabu-na'id（ancient Babylonian king） 参阅 **Nabonidus** 拿波尼度。

Nabu-rimanni 纳蒲（活动时期约公元前 491 年前后，巴比伦） 已知最早的巴比伦天文学家，曾设计出所谓系统 A——一套天文历书或星表，上载有任一时刻月球、太阳和行星的位置。虽然这些星表是建立在几个世纪的观测基础上，还是有些粗糙，因此被基丁奴的系统 B（一种可求得更准确天体位置的数学方法）所取代。这两个系统在公元前 250 至前 50 年间同时使用。纳蒲还算得朔望月（从新月到新月）的长度为 29.530 614 日，可与今值 29.530 596 日相比拟。

Nabuco de Araújo, Joaquim Aurelio Barreto 纳布科·德·阿劳若（1849-08-19，巴西累西腓～1910-01-17，华盛顿[哥伦比亚特区]） 巴西国务活动家、外交官、废奴运动领导人、

美国不列颠百科全书公司供图

文人。出身巴西东北部旧贵族家庭。1878 年成为众议员。在众议院和由他创立的巴西反奴隶制协会中为解放奴隶进行了不懈的努力。1888 年 5 月 13 日巴西奴隶宣告获得自由。在翌年的经济分裂事件中，皇帝佩德罗二世被迫退位。巴西建立共和国后，他因忠于君主制而退出公共生活，1900 年才承认共和国并担任公职。1905 年起任巴西驻美国大使。以鼓吹泛美主义而著名。著作有《卡莫依斯和鲁西塔里亚之歌》（1872）、《废奴论》（1883）、《杂感与回忆》（1906）等。

Nābul 纳布勒 又拼 Nabeul，拉丁语作 Neapolis。突尼斯东北部城镇，原为腓尼基居民点，公元前 146 年被罗马人摧毁，后重建为罗马殖民地。为著名的陶瓷工艺中心，亦有石刻、采石（白垩）、柑橘属水果生产、鲜花种植、葡萄栽培和香水制造业。有铁路通首都。位于邦角半岛。沿海地区是闻名的海滨胜地，人口：城镇39 531（1984）。

Nābulus 纳布卢斯 又拼 Nablus，希腊语作 Neapolis（奈阿波利斯）。巴勒斯坦中部城市。位于封闭的肥沃谷地，为被泉水灌溉的天然绿洲的集市中心。1967 年后划入以色列所辖西岸地区。现为该区最大社区。古城在《圣经》中称示剑，其废墟在今城东面的拜拉泰层化山丘下。地扼盖里济姆山和艾巴勒山间的东西通道，曾为巴勒斯坦一重要的迦南人城市。该城最早见述于公元前 19 世纪的埃及文献。据《圣经》记载：亚伯拉罕抵达迦南时曾到过此地的“摩利橡树”；所罗门王死后，以色列北部十支派在此反叛其子罗波安，另立耶罗波安。公元前 722 年亚述灭亡北方王国以色列后，古城衰落。在拉比文献和早期基督教著述中，将示剑古城与后来的新城相混，后人误认达 2 000 年之久。后被绘入 6 世纪的马代巴地图（参阅 **Ma'dabā**）。636 年为阿拉伯人征服。1099～1187 年的十字军占领期间，一度为其首府。1923～1948 年属巴勒斯坦委任统治地。1948～1949 年的阿以战争中为阿拉伯军队攻占，后归约旦。经济以农业和手工业为主。工业产品为橄榄油肥皂。市内名胜有卡比尔清真寺、奈斯尔清真寺、撒马利亚古街区及传说中的雅各之井。人口约80 000（1984）。

Nacaome 纳考梅 洪都拉斯南部城市。临季节河纳考梅河。纳考梅建于 1535 年。1845 年设为市。该市 1867 年重建的殖民时期教堂仍然存在。现为商业和制造业中心。还生产水泥和皮革制品。周围农业区盛产芝麻和棉花。市西的埃尔特兰西托有金、银矿开采业。该市在泛美公路沿线，从附近的希卡罗有公路通首都特古西加尔巴。人口：城市区约38 378（1988）。

Nachi-katsuura 那智胜浦 日本本州和歌山县的町（城镇）。在吉野熊野国立公园境内，为一避暑胜地。附近有瀑布 40 余处，其中之一为日本瀑布之最，落差 130 米。建于 7 世纪的青岸渡寺为重要朝觐地。町的附近有极受尊崇的熊野那智神社，建于 4 世纪。人口20 611（1990）。

Nachičevan（Azerbaijan） 参阅 **Nakhichevan** 纳希切万。

Nachikufan industry 纳奇库夫石器工艺 非洲石器时代晚期石器工艺，大约10 000～11 000年前，由居住在中南部多树高原地带的狩猎-采集部落所创造。石器型制有：投掷器，带有几种细石器的头；刮削器颇笨重，可能用于刮削木材和制作木制品；平面石器中间钻孔，大概用作陷阱的一种部件或作为挖土尖棍加重物之用；磨刃石斧及磨石，用于研磨采集的野生果实或种籽。

Nachodka（Russia） 参阅 **Nakhodka** 纳霍德卡。

Nachtigal, Gustav 纳赫蒂加尔（1834-02-23，勃兰登堡艾希施泰特～1885-04-19，利比里亚帕尔马斯角岸外海上） 德国撒哈拉探险家。曾帮助德国获得赤道非洲西部的保护

美国不列颠百科全书公司供图

地。当过数年军医，又充任突尼斯贝伊（统治者）的医生，参加过几次到非洲内地的探险。1868 年普鲁士国王威廉一世派他出使今尼日利亚北部的博尔努王国，他取道当时欧洲人尚不熟悉的撒哈拉中部地区（包括今乍得北部的提贝斯提和博尔库地区），从博尔努穿过巴奎米（也在乍得境内），取道苏丹的科尔多凡省继续前进，1874 年 11 月到达开罗。所著《撒哈拉和苏丹》（1879 ～ 1881）叙述了这次探险经过。在任驻突尼斯德国领事时（1882 ～ 1884），被俾斯麦派往西非，表面上谈判贸易，实际上却秘密策划将今多哥和喀麦隆的一些地区变为德国保护地。

Nacka　纳卡　瑞典东南部斯德哥尔摩省城镇。位于南曼兰省瑟德尔特尔恩半岛。斯德哥尔摩东南郊，1893 年通铁路后发展成为居民点和工业区。1949 年建镇。主要工业部门有化工、面粉加工和发动机生产等。人口：城市区约64 056（1991）。

Nacogdoches　纳科多奇斯　美国得克萨斯州东部城市，纳科多奇斯县县城（1837）。位于休斯敦东北 140 英里（225 千米），近安杰利纳河。始建于 1716 年。1718 年放弃。1779 年建古石堡时始有人定居。1837 年设市。1826 年 H.爱德华兹曾在此宣布得克萨斯独立，企图组建弗雷多尼亚共和国，但很快被驱逐。现经济主要靠饲养家禽、制乳、饲料加工、种菜、伐木和旅游业。萨姆雷本水坝和水库，安杰利纳、戴维克罗基特和萨宾诸国家森林均在周边 55 千米之内。人口29 914（2000）。

nacrite　珍珠石　黏土矿物，高岭石（**kaolinite**）的一种。

Nadar　纳达尔（1820-04-05，巴黎～1910-03-21，巴黎）　G.-F.图尔纳松的笔名。法国作家、讽刺画家和摄影师。他拍摄的人像在 19 世纪名列前茅。1842 年定居巴黎，开始向幽默杂志出售讽刺画。1853 年成为一名摄影专家，在巴黎开了一家照相馆。1854 年完成他的第一个《先贤祠纳达尔》，这是一套有两幅巴黎名人讽刺画像的大型平版画。在开始第二个《先贤祠纳达尔》时，他给每个准备画讽刺画的人拍摄了照片。如为插图画家 G.多雷和诗人 C.波德莱尔拍摄的照片（1855），姿态都很自然，与当时那些僵硬而拘谨的照片大不相同。1855 年，获空中摄影绘制地图和勘测的专利权。1858 年，成功地从气球上拍摄了世界上第一张空中照片。为此，杜米埃发表了一幅纳达尔在气球上拍摄巴黎的蚀刻画，名为《纳达尔把摄影提高到艺术的高度》。1858 年，他开始用电灯光进行拍摄，拍了一套巴黎缝纫师的照片。1886 年，他拍摄了第一套“摄影会晤”片，那是一套 21 张法国科学家 E.谢夫勒尔交谈时的照片，每张照片都以谢夫勒尔对纳达尔问题的回答作为说明，把这位科学家的个性生动地表达出来。

Nadel，S（iegfried） F（rederick）　纳德尔（1903-04-24，维也纳～1956-01-14，澳大利亚堪培拉）　奥地利出生的英国人类学家。对非洲人种史的调查研究，使他对理论问题进行了探索。1932 年进入伦敦经济学院，遇到人类学家 C.G.塞利格曼和 B.马林诺夫斯基。1934 ～ 1936 年对尼日利亚努佩族和其他民族进行首次考察，1938 ～ 1940 年研究苏丹的努巴人。第一部重要著作《黑人拜占廷》（1942）就是研究努佩人的，并对他所用的人种学方法的理论基础加以分析。在《努巴人》（1947）一书中，对 10 个部落群所共有的不变结构因素作了探讨。1948 ～ 1950 年在英格兰的达勒姆大学任人类学高级讲师；1950 ～ 1956 年任堪培拉大学人类学教授。除了《努佩人宗教》（1954）以外，他的著作都是理论性的，从中可以看出有马林诺夫斯基、社会学家 M.韦伯、哲学家 A.N.怀特海及心理学家 K.科夫卡等学者的影响。在《社会人类学基础》（1951）一书中提出，该学科的主要任务不但是描述、而且是解释有目的的行为。他认为，社会学事实来自心理学事实，全面的解释要根据有关动机与意识方面的心理学探索才能作出。死后出版的《社会结构论》（1958）一度被认为是 20 世纪社会科学方面最重要的理论著作之一，此书探讨了社会的作用，阐明社会作用是分析社会结构的关键。

Nadelman，Elie　纳德尔曼（1882-02-20，波兰华沙～1946-12-28，纽约市）　雕刻家，其别具一格的、曲线式的人体形象对 20 世纪初的美国雕刻产生了巨大影响。19岁离家，在华沙美术学院短期学习后，在慕尼黑住了 6 个月，研究该城的艺术收藏。1903 年到巴黎，独立工作，但受到罗丹的影响。1905 年开始研究雕像体积与几何图形的关系，创作了组画《追求雕刻中的统一》（1914 年发表）。1909 年第一次在巴黎举办个人展览，1915 年又在艾尔弗雷德·施蒂格利茨陈列馆举行展览，均获极大成功。这时开始制作富于特色的幽默人体模型，例如《露天里的男人》（约 1915 年；纽约市现代艺术博物馆）。晚年，从幽默和讽刺作品转向商业性的装饰风格。最后 10 年制作了一些适用于现代家庭生活的小型雕刻。

纳德尔曼的《露天里的男人》（约 1915）
美国不列颠百科全书公司供图

Nader，Ralph　纳德（1934-02-27，美国康涅狄格温斯特德～　）　美国律师，消费者权益辩护人和保护消费者运动领导人。曾三次（1996，2000，2004）作为美国总统的候选人。黎巴嫩移民之子。1955 年毕业于普林斯顿大学，1958 年获哈佛大学法学学位。他很快就注意到那些导致高事故率和死亡率的不安全的汽车设计。1964 年成为美国劳工部顾问，1965 年出版《任何速度都不安全》一书，批评美国汽车工业生产的汽车不安全，尤其猛烈抨击了通用汽车公司制造的柯瓦尔牌汽车。该书成为畅销书，并直接导致 1966 年《国家交通及汽车安全法案》的通过，该法案赋予政府对在美国销售的车辆制定安全标准的权力。后来纳德将注意力转向其他消费者问题，要求对工商业各项产品有新的或更加严格的政府管理规定。他的那些被称为“纳德突击手”的志同道合者曾发表诸如管道安全、婴儿食品、杀虫药剂、汞中毒、养老金改革、土地使用、银行业务等广泛课题的大量研究报告。1969 年他创办了快速反应法律研究中心。他是一位公认对公众利益运动最有影响的人物。他的实情调查模式为院外活动所遵循，在美国十分引人注目。对于肉、禽加工厂，矿场安全和卫生，以及电视机辐射等要求严格管制的新法律的通过，纳德都起到主要作用。

Nadezhdinsk（Russia）　**纳杰日金斯克**　参阅 **Serov** 谢罗夫。

Nadia（town，West Bengal state，India）　**纳迪亚**　参阅 **Nabadwīp** 讷伯德维普。

Nadiād　讷迪亚德　印度中西部古吉拉特邦中东部城市。地处温迪亚山脉和坎贝湾之间的低地。为重要工业与商业中心和铁路公路交叉点。人口167 051（1991）。

Nadig，Marie-Thérèse　纳迪希（1954-03-08，瑞士坦讷博登～　）　瑞士高山滑雪运动员，1972 年冬奥会出人意料地夺得滑降和大回转比赛的冠军。当时 17 时的纳迪希从未赢得世界杯赛，所以并不被认为是最有希望获胜的奥地利选手普勒的威胁。她的滑降成绩为 1 分 36.68 秒，比普勒快 1/3 秒，震惊了滑雪界。3 天后，在大回转中以领先 0.85 秒再次战胜普勒。1976 年冬奥会她因患感冒未能参加滑降比赛，大回转赛也只获得第五。1980 年在 6 次获得世界杯滑降胜利后，乘胜参加冬奥会，但败于宿敌普勒，仅获得铜牌。

Nādir Shāh　纳迪尔·沙阿（1688-10-22，萨菲伊朗科博汉～ 1747-06，法特哈巴德）　伊朗的统治者和征服者。他建立了一个从印度河到高加索山区的伊朗帝国。原为土匪头子。1726 年率领5 000名土匪支持塔赫马斯普二世夺回他父亲失去的王位。1732 年他废黜塔赫马斯普二世，拥立塔赫马斯普年幼的儿子上台。4 年后又将其废黜，自立为沙阿。1739 年他占领印度北部莫卧儿帝国的几个城市后，在印度卡纳尔与莫卧儿的主力军交战，得胜后进入德里，掠夺包括孔雀宝座和皇冠钻石等稀世珍宝在内的大量财物返回伊朗。他的帝国达到最大的扩张。由于战费浩繁，

美国不列颠百科全书公司供图

国库开始空虚。他企图使信奉什叶派的大批臣民改宗逊尼派，更遭到强烈反对。作为军人和将军，他的成就辉煌，但无治国才能。他为人生性残暴，到处屠杀。后被其部下暗杀。

Nador　纳祖尔　摩洛哥东北部城市。为布阿赖格潟湖旁的小港，也是鱼类、水果及牲畜贸易中心，有公路和铁路北通梅利利亚（西班牙北非飞地）。人口112 450（1994）。

Næstved　奈斯特韦兹　丹麦斯托海峡州城市。在西兰岛南部，濒临苏斯河。始建于一本笃会隐修院（1135）周围。12世纪末僧侣们迁走，该城发展成为西兰岛南部的商业中心。该市的中世纪建筑有隐修院的唯一遗迹圣彼得教堂和哥特式圣莫顿教堂。中世纪医院的遗迹赫利甘苏塞特现为博物馆。城北的赫尔卢夫绍姆男校建于1565年，类似英国的公学。该市工业有造纸、玻璃、陶器和纺织，也有渔业。人口：市约39 264；城市区约46 427（1999）。

Naevius, Gnaeus　奈维乌斯（约公元前270，坎帕尼亚卡普阿［意大利］～约公元前200，乌提卡［今在突尼斯］）　早期拉丁史诗诗人、戏剧家。他是依据罗马历史或传奇人物及事件写历史剧的创始人。历史剧已知剧名的有2部，即《罗慕路斯》和《克拉斯提狄乌姆》。后者为纪念公元前222年M.C.马塞卢斯的胜利，可能曾在公元前208年他的葬仪竞技会上演出过。在与李维乌斯竞赛的30年中，他共写过6部悲剧和30部喜剧，其中许多仅知其篇名。有几部译自希腊的剧本。他把对罗马日常生活及政治的评价也写进剧本，后者导致他被监禁或被流放。他以自己在战时的亲身经历和罗马的口头传说为依据，在《布匿战记》中按年代顺序记述了第一次布匿战争的事件。该作品的故事范围广阔，语言强劲有力，足以使其成为一部史诗。

Näfels, Battle of　奈弗尔斯战役（1388-04-09）　瑞士邦联在反对哈布斯堡王朝、争取民族自决斗争中获得重大胜利的一次战役。原来格拉鲁斯地区在1352年归属瑞士邦联，3年后却被哈布斯堡王朝夺走。因此这一地区的人民始终坚持反哈布斯堡王朝的斗争。1388年春，奥地利哈布斯堡王朝的阿尔贝特三世率兵出征格拉鲁斯。反哈布斯堡的军队在施维茨军队的支援下，首先占据奈弗尔斯上方的制高点堵截敌人，经过奋战于4月9日把敌人赶了出去。1389年4月阿尔贝特公爵批准七年停战协定，允许瑞士人保持联盟。

Nafṭah　内夫塔　又拼Nefta。突尼斯共和国西南部绿洲城镇。濒临杰里德盐湖西北岸。为磷酸盐的重要产地。有许多小清真寺。是出产椰枣和横越撒哈拉沙漠的运输中心。人口约17 216（1989）。

Nafūd, an-　内夫得沙漠　沙特阿拉伯北部沙漠。面积64 000平方千米。有时称为大内夫得，海拔900米。有些地方有水、草，有畜牧业和农业。经常有沙暴。多少世纪以来，这里一直是交通发展的障碍。从西北到东南的商队线路，连接着焦夫省的绿洲和哈伊勒省的绿洲。

Nafūsah Plateau　奈富塞高原　又拼Nefusa。利比亚西北部地形起伏的石灰岩地块。高度460～910米。从突尼斯边界依纬度方向延伸190千米至梅沙尔丘陵，再转向东北延伸150千米，至地中海海岸胡姆斯丘陵地带。顶部有一宽19～26千米的高台地。降雨量51～406毫米。当地有些分散的耕地，可种植橄榄、无花果、谷物、烟草等。有游牧业。城镇有纳卢特、贾杜、耶夫兰和盖尔扬。

Nag Hammadi（town, Egypt）　参阅 **Najʿ Ḥammādī** 纳杰哈马迪。

naga　那伽　梵文意为"蛇"，印度教和佛教神话中一类精灵，其形半人半蛇。据说他们属于强壮俊美的族类，可化作人形或蛇姿，行动危险，在某些方面优于人类。居住在地下蛇界，又称普陀界，该处宫殿富丽堂皇，珠光宝气。据说他们曾在地上繁衍过多而成灾，于是梵天把他们驱逐到地下，只许他们咬真正的恶人和注定夭折的人。他们也与水、河流、湖泊、海洋和源泉有关，并能护卫财宝。那伽之中以塞舍（即阿维多）、婆苏吉和德叉迦最为重要。根据印度教创世神话，塞舍在宇宙海上承托毗湿奴-那罗衍，世界万物也都由塞舍承托。婆苏吉被诸神和众阿修罗用作牵动搅棍以搅乳海的绳索；德叉迦是众蛇的首领。现代印度教以希拉沃纳月（相当于阳历7、8月间）初五为那伽诞生日。佛教以那伽为门神，中国西藏地区佛教以之为小神。在艺术作品中，那伽之像可能是颈部怒胀的眼镜蛇，其头有一至七个，或者更多；也可能头戴多翼蛇冠，又可能是上身如人，头戴多翼冠，下身如盘蛇。

印度9世纪的那伽和那吉石雕像

美国不列颠百科全书公司供图

Nāga　那加人　居住在印度东北部那加邦那加山区的部落群体，包括15个或更多的族源混杂、文化迥异、体质容貌均不相同的部落。数量繁多的那加诸语言是声调黏着语，属于藏缅语族。在每个语言区域中几乎每个村落都有其独特的方言。不同的那加群体用阿萨姆语通话，有时应用英语或印地语。他们的小村子位于山坡，依山傍水易于防守。居民开垦小块坡地，种植稻谷，有些较先进的部落耕种梯田。那加人的手工艺制品有纺织、印染、制陶、铁工、粗木雕等。那加渔民以使用麻醉剂捕鱼著称。那加人采用父系继承制。为了应付那加诸部落的民族主义政治情绪，印度政府于1961年建立那加兰邦。

Naga　那牙　菲律宾吕宋岛东南部城市，在圣米格尔湾南，濒临比科尔河。1573年由西班牙人始建，称新卡塞里斯城。至今仍是重要的西班牙文化中心。为人口稠密的比科尔平原农业地区的商业中心。是马尼拉一南方铁路干线上的大站和主要公路交会点。有飞机场。有新卡塞里斯大学（1948）和伊萨罗格山国家公园，还有一座大教堂，是主教管区所在地。1948年设市。人口115 000（1990）。

Naga Dumka（India）　**纳加杜姆加**　参阅 **Dumka** 杜姆加。

Nāga Hills　那加丘陵　印度、缅甸边境复杂山系的一部分，为若开山脉向北突出部分。其中印缅交界处的萨拉马蒂峰高达3 826米。此山系的印度境内一段，1961年以前为阿萨姆邦的那加山县，今为那加兰邦的一部分。季风时节降雨量大，有茂密的天然常绿林。整个山区村庄都是那加人部落。

Nagai Kafū　永井荷风（1879-12-03，东京～1959-04-30，东京）　日本小说家。青年时就具有叛逆性格，故未完成大学学业，1903～1907年间被送往美国，1907和1908年又被送往法国。离开日本之前，他已经发表了3部小说，他认为这些作品得力于法国自然主义小说家左拉。回日本后，他继续研究和翻译法国文学作品，主要是浪漫派和象征派诗人的作品。这时他还完成了他最重要的作品，这些作品就其抒情风格和细致的色情描写而言，更接近于19世纪的日本文学而不是法国文学。在《隅田川》(1909)这部中篇小说里抒情风格特别明显，小说描写优雅的过去在东京城已不复存在。他在回国后的几年里，曾担

美国不列颠百科全书公司供图

任东京庆应大学的教授并且是文坛上的一位领袖人物。1916年辞职后，他对现代世界、对古老城市所做的一切产生了更加强烈的仇恨情绪，这种情绪体现在他的作品中。1917年发表了《争风吃醋》(他对艺妓界作了尖刻的探索)之后，他几乎完全陷入沉默。直到1937年发表了《濹东绮谭》，他才确实回到他受法国影响之后的日子里的那种怀旧的、抒情的心境中来。

Nāgāland 那加兰 印度的一个邦，位于印度东北角。东与缅甸交界，南连印度曼尼普尔邦，西和西北接阿萨姆邦，北部与缅甸交界的一小部分插入阿鲁纳查尔邦。首府科希马。那加兰古代历史无文字记载。阿萨姆阿豪马王国13世纪编年史首次提到那加兰人民。那加一字指许多部族及分支系居住的地方。名称可能来源于：梵文"蛇"；印地语"赤裸的"、"丘陵"或"人民"。阿豪马与那加不时发生冲突，但阿豪马和那加酋长通常维持友好关系。1819～1826年那加为缅甸统治，那时英国统治阿萨姆，逐渐把那加丘陵区纳入英帝国统治。英国结束了那加部族酋长之间的斗争，那加人过上较为和平的耕种和贸易生活。1947年印度独立激发了那加兰自治运动，经过旷日持久的谈判，1963年那加人同意成为印度的一个邦。境内除小片平原以外，全邦均为喜马拉雅山余脉所构成的丘陵地带。那加丘陵矗立在布拉马普特拉河平原南面，西部为海拔600米的低丘，东部升高到1 800米以上，个别山峰超过3 000米。最东部与缅甸交界的帕特凯山相连，最高处为海拔3 826米的萨拉马蒂峰。其西北部有布拉马普特拉河支流，东南部有缅甸钦敦江的支流，西南部有伯拉格河上源。属湿润的季风气候，年降水量从东南部的1 800毫米增到东北部的2 500毫米以上。7～8月降水最多。气温随高度而变化，夏季在21～40 ℃之间，冬季很少低于4℃。在海拔较高的山丘上，霜冻常见。那加人民属于印度-蒙古混血种。虽然长期封闭，但他们没有能团结得像一个民族。共有20多个主要部族，还有许多小支族。体格、方言、习惯各异。没有共同语言，方言有60种；有些地方村与村之间所操方言互不相同。部族之间的通话用不流利的阿萨姆语，称那加语。许多那加人也说印地语和英语。居民约有2/3为基督教徒，1/10为印度教徒，其余为穆斯林或其他宗教信徒。大部分那加人住在农村，有的村庄多达5 000人。科希马、莫戈格琼和迪马布尔为3大城镇。经济以农业为主。80%以上的从业人口为农民。主要农作物有秋冬两季水稻、黍类、豆类、油籽、甘蔗、马铃薯和烟草。土地贫脊和刀耕火种耕作方法导致粮食短缺。那加兰必须进口大量粮食。但农业正在缓慢而稳步地向前发展，先进的耕作方法逐渐代替原始的耕作方法。林业是收入和就业的重要来源。矿藏有铬、镍、钴和铁矿，但目前开采的只有煤。最近的钻探表明在沃卡县有可开采的石油，迪库河谷也可能有石油藏量。那加兰邦的第一个水电站于1978年发电。原料、资金和电力短缺，加上交通运输设施不足(只有几条全天候公路和少数几英里的铁路)，阻碍了工业发展。小工业逐渐发展，有一个电视装配厂、一个酿酒厂、若干碾米厂和家具厂、一个造纸厂、一个糖厂和一个水果罐头厂。乡村工业有手纺、竹编、木制品和陶器。部族组织很多，从最有势力的贡尼耶格首领、世袭的赛马族和昌族酋长到安加米族、阿奥族、洛塔族和伦马族的民主委员会。最重要的村公共机构是茅楞格(未婚男子集体居住的宿舍)，有些部族也为未婚妇女提供集体宿舍。在那加社会，妇女享有崇高的地位，她们在田间与男子一同干活，在部族委员会中有较大影响。当地半数人识字。邦内有几所普通教育学院、几所法学院和一所农业学院，它们都附属于梅加拉亚邦东北山区大学。面积16 579平方千米。人口约1 988 636(2001)。

nagana 非洲锥虫病 由锥虫属几个种引起的主要侵害牛和马的一种**锥虫病**(**trypanosomiasis**)。发生在非洲南部和中部，主要经舌蝇传播。病征为发热、消瘦、贫血和水肿、眼和鼻有分泌物。起初是后肢，然后身体其他部位相继瘫痪。脾、淋巴结和肝肿大，脊髓也受侵。其他由蝇类传播的锥虫病有：苏拉病，由埃文斯氏锥虫(*Trypanosoma evansi*)引起，侵染牛马。马锥虫病，由马媾疫锥虫(*T. equinum*)引起，见于南美。

Nagano 长野 日本本州中部内陆县。面积13 585平方千米，大部地区海拔在790米以上，有15座火山峰高逾3 000米。境内大河如天龙、木曾、千曲、信浓等均已用于水力发电。人口大部集中在山间小盆地，养蚕、苹果种植为当地主要经济项目。1974年开始治理森林和湖泊污染。1998年的冬季奥运会在此举办。首府长野市。人口2 217 000(2002)。

Nagano 长野 日本本州中部长野县城市，旧称善光寺。县府所在地，位于长野盆地。该市始自12～13世纪，在7世纪建成的善光寺周围发展起来。后来，长野发展为北国街道上的一个集市和驿站。现为重要商业中心，并有食品加工、电机、印刷出版等工业。又为文化教育中心，信州大学设于此市。郊

长野市的善光寺
美国不列颠百科全书公司供图

区生产苹果和山药。善光寺为日本最有名的佛教庙宇之一，所供铜佛据传是公元6世纪朝鲜赠送的。人口359 045(2002)。

Nagano Osami 永野修身(1880-06-15，日本高知～1947-01-05，东京) 日本海军大将，1941年12月7日偷袭美国珍珠港海军基地作战方案的制订者和执行者。1913年在美国当翻译。曾在哈佛大学学习过法律。回国后成为著名的美国问题专家。1920～1923年任日本驻美国海军武官，曾出席华盛顿会议。1930年以总参谋部人员身份出席伦敦海军会议。任1935～1936年伦敦海军会议日本首席代表。1936年任日本海军大臣，1941年任海军参谋长，制定和执行袭击珍珠港作战方案。袭击珍珠港成功之后他名声大振，1943年升为海军大将。但是后来日本节节失败，又使他在1944年2月被解职。战后在远东国际军事法庭审讯的过程中死于心脏病。

Nagao Torachiyo (Japanese military leader) **长尾虎千代** 参阅 **Uesugi Kenshin** 上杉谦信。

Nagaoka 长冈 日本本州新潟县城市。位于信浓川中游。17世纪为城堡镇。20世纪初随着东山油田的发现而繁荣起来。现生产化工产品、机械、食品，并为公路、铁路交通中心和附近有悠久山滑雪场的基地。人口约186 536(1991)。

Nagaon 瑙贡 又拼Nowgong。印度东北部阿萨姆邦中部城市。位于卡朗河畔。为农产品贸易中心，设有高哈蒂大学的几所附属学院，一所技术学校和一所护士学校。西南5千米处的森巧阿有一铁路中转站。瑙贡四周为布拉马普特拉河谷地，多沼泽与湖泊，其中有重要渔场。周边森林出产柚木、娑罗双、漆木等木材。农产品有稻米、黄麻、茶叶和蚕丝。人口约93 324(1991)。

Nāgappattinam 纳格伯蒂讷姆 原名内加帕塔姆。印度东南部泰米尔纳德邦中东部港口城市。濒临孟加拉湾。为历史悠久的港口，在希腊、古罗马时期以与欧洲进行贸易而闻名。曾为葡萄牙，后为西班牙的殖民地。后由于马德拉斯发展而衰落。2004年9月由苏门答腊岛附近的海底地震引发的巨大海啸，毁坏了该城和附近的沿海地区，并造成无数人丧生。有船舶修理、渔业、轧钢、金属品制造等行业。人口约92 525(2001)。

Nagar Haveli（India） **纳加尔哈维利** 参阅 **Dādra and Nagar Haveli** 达德拉-纳加尔哈维利。

Nāgarakṛtāgama **《纳卡拉克达卡玛》** 普拉班扎 1365 年所作的爪哇语史诗，为麻喏巴歇时代最重要的俗语文学作品。诗中大力推崇哈扬·武鲁克王（1350 ～ 1389 在位），并详述其王国的生活状况。其中亦包括有关国王的曾祖父格尔达纳卡拉王（1268 ～ 1292 在位）的资料。

Nāgarī（Indian script） **那伽里字母** 参阅 **Devanāgarī** 天城体文字。

Nāgārjuna **龙树**（约150～约250） 印度佛教哲学家、中观学派创始人。死后百年被尊为菩萨。自 3 世纪起在中国内地和西藏以及朝鲜和日本很有影响。现存关于他的生平的最早史料为佛经翻译家鸠摩罗什在 405 年前后用汉文写成。根据这份资料以及其他汉文及藏文材料，龙树生在印度南部一婆罗门家庭，得大龙菩萨授以大乘经典，皈依佛法，在印度各地传法。他的著作现存有梵文《中论》和《回诤论》，此外据说汉译本或藏译本《大智度论》、《十住毗婆沙论》、《十二门论》和《七十空性论》也都出自他的手笔。《六十颂如理论》、《空七十论》以及另一部著作，据说也是龙树所著，现仅存藏文本。龙树主要批驳上座部和说一切有部关于存在的学说。他的观点可能与早期大乘文献《般若波罗蜜多经》的教义相近，认为存在是相对的，没有不依赖相对关系的灵魂、事物和观念。

Nagasaki **长崎** 日本九州西北部的县。濒临东海。面积4 113平方千米；包括对马岛、壹岐岛、平户岛和五岛列岛。东南为岛原半岛，并有野母崎和西彼杵半岛环绕大村湾。全境大部为山地，少量农田上种植水稻、甘薯、柑橘。渔产有比目鱼等。有煤矿。除首府长崎（有造船业）和海军基地佐世保外，几无重工业。重要城镇有谏早等。长崎市有一所大学（1949）。人口约1 556 820（1991）。

Nagasaki **长崎** 日本九州长崎县首府和最大城市。在长崎湾浦上川河口处。城市形状如圆形剧场，在环抱内港湾的山坡上建起弯曲的街道和层层排列的房屋。沿湾有一些填海造陆形成的平地。长崎以作为日本第二个最早对外开放的贸易港引人注目。1639 ～ 1859 年间为德川政权准许开放的唯一日本港口。16 世纪中叶，葡萄牙商人首先到此，并传入天主教和枪械，1639 年为英国新教徒所逐。自此仅与荷兰通商，与中国、朝鲜有少量往来。1864 年建立哥特式大浦天主教堂。19 世纪成为东亚重要的轮船加煤站，并作为俄国亚洲舰队冬港直至 1903 年。20 世纪初成为重要造船中心。1945 年 8 月 9 日遭到美国原子弹的轰炸，死亡39 000人，伤约25 000人。战后进行重建，成为禁止核武器运动的精神中心。现为重要旅游地。工业以造船为主。船厂集中在港湾西侧和内港湾沿岸。当地多历史古迹。崇福寺系1629年由中国人建立，

长崎市的大浦天主教堂

美国不列颠百科全书公司供图

具有中国明代建筑风格。长崎湖畔的“格洛弗宅邸”为 19 世纪一个英国商人的住所，据说是普契尼歌剧《蝴蝶夫人》故事的发生地。浦上川河畔有为纪念原子弹破坏而建立的和平公园。人口438 724（1995）。

nagaswaram **纳加斯瓦拉姆管** 梵文为 nāgasvaram。南印度的一种类似肖姆管和双簧管的双簧乐器，从波斯的唢呐演变而来（北印度仍沿用此名称）。通常成对地演奏，给人以二重双簧管的印象。有时几个演奏者轮流奏旋律线条，用奥图管（一种所有管孔或大部分管孔都用蜡封上的纳加斯瓦拉姆管）奏出的持续低音伴奏。由于它的声音强大、尖刺，所以通常都在室外演奏，例如婚礼、队列行进、节庆以及其他需要仪式合奏音乐的场合。纳加斯瓦拉姆管在南印度音乐会舞台演出的古典曲目中也已占有一席之地。

Nāgaur **纳高尔** 又拼 Nagor。印度西部拉贾斯坦邦城镇，纳高尔县县城。与比卡内尔和梅尔达有铁路和公路相通。为小公牛、羊毛、兽皮和棉花的贸易中心。工业生产土布、骆驼鞍具、金属器皿和牙雕。纳高尔县面积17 718平方千米。地处阿拉瓦利岭以西沙质平原。御谷、高粱和豆类为主要农作物，并培育优良种牛。开采大理石（在默格拉纳）和石膏。人口：镇48 005；县1 628 669（1981）。

nagauta **长呗** 日语原意为“长歌”。日本歌舞伎和古典舞（舞踊）的主要伴奏音乐，富有抒情性。17 世纪中叶在歌舞伎中出现。长呗乐曲的标准配器包括歌手、日本三弦，以及早期能乐的助兴乐合奏中所见的三个鼓和一支笛子。吹笛人也可使用另一支民间的竹笛。鼓既击奏能乐中的刻板模式，也更加直接地模仿日本三弦的节奏式乐句。长呗的形式也反映出能乐结构和歌舞伎革新的有趣结合。19 世纪，长呗除用作舞蹈的伴奏外，还在音乐会中出现。长呗有 100 多个传统曲目和许多新作品，还有一些专业和业余演奏者行会，这些都证明它在 20 世纪的今天依然生机勃勃。

nageire **投入** 日本花道中插花样式，注重新鲜和自然的设计，并不拘泥于三角形结构和色彩和谐的传统准则。投入样式的特点是

投入（蝴蝶花、山茶花、日本棣棠）

美国不列颠百科全书公司供图

一株单独的长枝配之以几株短枝和鲜花为基底，安插在高直的花瓶内。

Nagel, Ernest **内格尔**（1901-11-16，奥匈帝国波希米亚新城～ 1985-09-20，纽约市） 美国哲学家，以探索科学的本质而著称。1911 年去美国，1919 年获美国国籍。1931 ～ 1970 年在哥伦比亚大学讲授哲学。他原是逻辑实在论的倡导者，后来抛弃实在论的本体论，转而相信经验论和科学的理论哲学。所著《逻辑和科学方法导论》（1934 年与 M.R.科恩合著）充分说明科学方法的逻辑原则在自然科学和社会科学以及法律和历史中的作用。在《没有形而上学的逻辑》（1957）中，他捍卫逻辑的自然主义解释，否认逻辑-数学原则的本体论意义的必然性，论证这些原则必须根据它们在特定探究中的功用去理解。在《科学的结构》（1961）一书中分析了解释的性质、科学探究的逻辑和科学知识组织的逻辑结构。其他著作还有《至高无上的理性》（1954）、《哥德尔证明》（1958，与 J.R.纽曼合著）和《重探目的论及其他论文》（1979）。

Nägeli, Hans Franz **内格里**（约1497，萨沃依艾格勒～ 1579-01-09，伯尔尼） 瑞士政治家和军事领袖。在伯尔尼政治事务中发挥突出作用将近 40 年之久。1531 年在反对梅迪契男爵的战役中任伯尔尼军上尉。1536 年 1 月率兵6 000人参加解放沃州的战争。同年 3 月率远征军进攻洛桑主教，从希永救出博尼瓦尔。1540 ～ 1568 年任伯尔尼最高长官。他决定该州的大部外交政策并多次进行外交访问。

Nägeli, Karl Wilhelm von **内格里**（1817-03-27，瑞士基尔希贝格～1891-05-10，慕尼黑） 瑞士植物学家，以研究植物细胞著称。早期受业于德国自然哲学家洛伦茨·奥肯，后在日内瓦大学从 A.P.康多尔学习植物学，并在耶拿大学随 M.J.施莱登继续学习植物学。从事教学，先后任苏黎世大学、弗赖堡大学和慕尼黑大学教授。25 岁时写了一篇关于种子

植物花粉形成的论文,极为精确地描述了细胞分裂现象。他观察到了染色体(他称之为过渡的细胞形成粒)的存在;证实了细胞分裂,研究了单细胞藻的渗透作用。1844 年发现了蕨类植物的精子器和游动精子。他把"分生组织"(可以不断分裂的植物细胞群)的概念引入植物学,从而第一次准确地描述了顶端细胞,但他错误地认为顶端是一切植物分生生长的主要场所。1858 年证明了细胞分裂顺序的不同决定了形成的植物器官的形状。他研究了不同的淀粉粒形式,提出微团这一概念(后成为理解淀粉结构的基础)。他和 H.冯·莫尔一起首先将植物的细胞壁及其内含物作了区分,1846 年莫尔把后者命名为原生质。内格里认为细胞从原生质的某一特定部分获得遗传特性,他把这一部分称为异胞质。他还用化学分析法证明了在原生质中含氮物质的存在。他固执地坚持自然发生说,不相信环境因素对物种的变异有作用,而认为进化是跳跃式的,并可能促进突变现象的发现。他认为有一种遗传的内在的动力促使物种按一定的非随机的方向进化(如身材大小递增)。曾驳斥孟德尔寄给他的一篇关于遗传的论文。

Nāgercoil 纳盖尔戈伊尔 印度东南部泰米尔纳德邦最南端城市。位于西高止山阿兰博利山口以西,地扼马德拉斯与特里凡德琅间的交通要道。为一富饶农业区的商业中心和基督教中心。工业日益发展,有轧棉、碾米、汽车修理、橡胶制品制造等部门。设有马杜赖大学的几所分校。西 14 千米为旅游中心伯德默纳珀布勒姆宫,宫殿原为特拉凡哥尔拉甲的居住地。人口约208 149(2001)。

Nagor(India) 参阅 **Nāgaur** 纳高尔。

Nagorno-Karabakh 纳戈尔诺-卡拉巴赫 又拼 Nagorno-Karabach。阿塞拜疆西南部一地区。面积4 400平方千米。位于小高加索山脉卡拉巴赫岭东北侧,起自山脊线,止于库拉河低地边缘。环境景观多样,库拉低地有草原,山坡较低处布满橡树、鹅耳枥、山毛榉等密林,较高处为桦木林和高山草甸,再高处为群峰。最高峰为吉亚梅什峰(海拔3 724米)。山谷中到处有葡萄园、果园和蚕桑园,也种植谷物和饲养牛、羊、猪。有一些轻工业和许多食品加工厂。克桑坎迪(旧称斯捷潘纳克特)为主要的工业中心。该地区史称阿尔察赫,1813 年被俄国占领。尽管约 80% 的居民为亚美尼亚人,苏联政府于 1923 年仍设为阿塞拜疆社会主义加盟共和国的一自治州。该地区西以卡拉巴赫岭与亚美尼亚社会主义加盟共和国隔绝,故成为阿塞拜疆境内一少数民族飞地。它在几十年的苏联统治期间有缓慢发展,但 1988 年该地区的亚美尼亚人开始主张将本州划归亚美尼亚管辖;这一要求遭到阿塞拜疆社会主义加盟共和国和苏联政府的强烈反对。亚美尼亚人和阿塞拜疆人在这一问题上的种族冲突日益加剧。1991 年苏联解体,亚美尼亚和阿塞拜疆各自独立,居住在飞地的亚美尼亚人和阿塞拜疆人发生武装冲突。到 20 世纪 90 年代中期,卡拉巴赫亚美尼亚人武装部队在亚美尼亚的支持下控制了阿塞拜疆西南部大部分地区,包括纳戈尔诺-卡拉巴赫及连接亚美尼亚的地区。

nagoya 名古屋 日本爱知县首府,主要工业城市之一。位于本州中部地方伊势湾顶端。公元 1610 年德川幕府尾张族建有巨大城堡,明治维新(1868)后一直为商业中心。由于港口的发展和地处本州中部,又有丰富的水电,促进了重工业的兴盛。传统制造业有钟表、自行车和缝纫机。随着汽车、航空和船舶工业的繁荣,特种钢、化工、石油和石化工业也继之而起。包括新干线在内的几条运行于东京、大阪之间的铁路皆在此地集中。港口外通各国,内有运河连通内地工业区。市北有名古屋航空港。教育机构有名古屋大学、名古屋工业学院和名古屋市立大学。重要文物有名古屋城堡和德川艺术博物馆。热田神社和伊势大神社为日本最古老的重圣神社。此外还有市政大厅、爱知文化中心、中日新闻社大厦、御园剧院,以及以动物园、植物园闻名的东山公园等。人口约 2 171 378(2000)。

名古屋市一角
中国大百科全书出版社供图

Nāgpur 那格浦尔 印度西部马哈拉施特拉邦东北部城市。濒临纳格河。几乎处在印度的地理中心。现在的城市建于 18 世纪初。1817 年属英国势力范围。1867 年建成大印度半岛铁路,促进其发展为贸易中心。这时,当地开始种植棉花,城市建立大型棉纺织厂并开始成为重要工业中心。20 世纪 70 年代工业更加多样化,并将拥有生产锰铁制品、运输设备及其他五金产品的根布蒂市并入。那格浦尔地处孟买至加尔各答及马德拉斯至德里的铁路、公路与空中航线的交会处,贸易得到蓬勃发展。该市作为文化教育中心,有一大型博物馆,专为陈列当地展品。设有那格浦尔大学,该大学附设许多学院。周围地区起伏不一的高原向北逐渐升高,直抵萨特普拉山脉。属哥达瓦里河支流沃尔塔河和韦恩根格河流域。农业占重要地位,主要农产品为高粱和棉花,尤以柑橘闻名,向全国输出柑橘。富有煤、锰矿藏。人口:市2 051 320;都会区2 122 965(2001)。

Nagqu 那曲 又拼 Naqu。中国西藏自治区那曲地区辖县,地区行政公署驻地。位于青藏公路和黑(河)昌(都)公路交会处。扼拉萨通往西宁、成都的要冲。清代设那曲宗,1960 年设黑河县,1965 年改那曲县。县政府驻那曲镇。面积15 305平方千米。地处唐古拉山和念青唐古拉山之间,怒江的上游。地形开阔坦荡,冬春积雪丰厚,是藏北草原水草肥美的地带,一向为西藏牧业区。主要畜种有牦牛、细毛羊等。野生动物有藏羚、野羊、狐狸、旱獭、麝等,药材以贝母、虫草闻名。工业有电力、汽车修配、藏毯、畜产品加工。矿产资源有铬铁矿。名胜有孝登寺。那曲属亚寒带高原季风气候,海拔 4 000 米,年均温度 -1.9°C,气温高于 10 °C的日数不到 50 天,年降水量 400 毫米。夏季降水较多,雷暴、冰雹较频繁。据多年观测,那曲年平均雹日达 34.5 天,1954 年 7~10 月间降雹达 53 天,是中国降雹最多的县份。人口约90 000(2005)。

Nags Head 纳格斯黑德 美国北卡罗来纳州东部度假城镇。位于罗厄诺克湾与大西洋之间的巴迪岛上。纳格斯黑德之名,意为"马头",源于传说:劫船者将灯笼系于小马脖子上,沿岸边沙丘前行冒充抛锚船只的灯,诱使船只搁浅,从而掠夺其货物。现有大面积别墅区,并以划船、游泳和海滨游览著名。高低起伏的沙丘吸引着沙地滑行和滑翔运动爱好者。1923 年设市,1949 年撤销,1961 年重新设建制。人口2 700(2000)。

Nagua 纳瓜 旧称胡利亚莫利纳。多米尼加共和国北部城市。在纳瓜河口以北,濒临大西洋的埃斯科塞萨湾。为行政和农业中心,加工周围农业地区的产品——香蕉、菠萝、花生和其他热带产品。没有较大型的工业。1979 年的几场暴风雨引起纳瓜河泛滥,城市破坏严重。人口20 912(1981)。

nagual 纳瓜尔 中美洲一部分印第安人相信附在鹿、虎、鸟等动物身上,而保佑某一个人的精灵。在有些地区,人们相信某些有权势的人可以变成一种动物以作恶,这种动物叫作纳瓜尔。按照传统,人只要到森林中去睡觉,梦中或醒来时所见之兽就是他的纳瓜尔所附之兽。现在中美洲许多印第安人在新生婴儿身前撒布草灰,第一个踏灰而过的兽就是他的纳瓜尔所附之兽。据说如果这只兽死亡,受纳瓜尔守护的人也要死亡;此人死亡，该兽也要死亡。

Naguib, Muḥammad **纳吉布**(1901-02-20，苏丹喀土穆～1984-08-28，开罗) 又拼 Moḥammed Neguib。埃及军官和政治家，在 1952 年推翻国王法鲁克一世的革命中作用突出。

美国不列颠百科全书公司供图

原为职业军人，1948 年埃及败于以色列时，他表现突出，赢得纳赛尔领导的民族主义军人团体自由军官组织的重视。1952 年自由军官组织发动政变，推翻法鲁克一世。1953 年纳吉布成为新成立的共和国总统。他的政治观点比纳赛尔保守，但也想赶快恢复立宪政府。他反对革命法庭对各种政治犯进行仓促的判决。1954 年 2 月辞去总统职务，但在公民和军人组织的强烈要求下，又恢复原职。纳赛尔不断巩固自己的力量，出任总理。纳吉布由于与 1954 年暗杀纳赛尔的阴谋有牵连，遭到软禁，从此退出政治舞台。

Nagurski, Bronko **纳戈斯基**(1908-11-30，加拿大安大略雷尼河～1990-01-07，美国明尼苏达国际瀑布城) Bronislaw Nagurski 的别名。美国大学和职业橄榄球队运动员。1929 年被提名为全美阻栏手。纳戈斯基在明尼苏达大学(明尼阿波利斯，1927～1929)时，防守中担任阻栏和前线两端防守队员，进攻中担任后卫。1930 年他加入全国橄榄球联盟芝加哥熊队，担任后卫。1937 年因在薪金问题上发生争执，以及熊队老板不许他参加职业性摔跤而退职。他继续从事摔跤至 1942 年，1943 年重返熊队参加他的最后一个赛季。他曾帮助熊队赢得 1932、1933 和 1943 年全国橄榄球联盟的冠军。纳戈斯基从橄榄球队退役后，在明尼苏达州国际瀑布城经营一个加油站。1963 年入选橄榄球名人堂。

Nagy, Ferenc **纳吉**(1903-10-08，奥匈帝国匈牙利比斯～1979-06-12，美国弗吉尼亚费尔法克斯) 匈牙利政治家，第二次世界大战后一度担任总理，试图在匈牙利实行民主政治。农民家庭出身。本人也是农民。20 世纪 20 年代早期参与组建代表农民利益的小农党。1930 年任该党第一任总书记。1939～1942 年任国会议员。1944 年被德国盖世太保监禁。战后出任反法西斯联合政府总理(1946)。1947 年被指控犯有反对国家罪。在审判之前他设法逃往奥地利，后去美国。著有《铁幕后的斗争》(1948)。

Nagy, Imre **纳吉**(1896-06-07，奥匈帝国匈牙利考波什堡～1958-06-16，匈牙利布达佩斯) 匈牙利政治家、独立的共产党人，1956 年任革命政府总理。因企图使匈牙利摆脱苏联的控制，争取独立而丧生。农民家庭出身，曾学钳工。第一次世界大战时应征入伍。被俄军俘虏，后参加共产党，在红军中作战。1929 年移居莫斯科，在农业科学研究所工作直至 1944 年末。后返回在苏联占领下的匈牙利，协助建立战后的政府，1944～1948 年历任几个部的部长。由于坚决支持农民谋取福利，1949 年被清除出共产党政府，但在公开承认错误后恢复了职务。1953～1955 年任总理，因抱独立态度，又被迫下台，从事教学工作。在 1956 年 10 月革命期间，反苏分子请纳吉出面领导，他再次担任匈牙利总理。在起事未成的最后一天，他请求西方协助反对苏联的军队。他在南斯拉夫大使馆避难后，被送往罗马尼亚。后被押解回国，经公审后处决。1989 年匈牙利最高法院为其恢复了名誉。

Nagy, Ivan **纳吉**(1943-04-28，匈牙利德布勒森～) 匈牙利芭蕾舞演员，自 1965 年起移居美国。起初在布达佩斯国家歌剧院芭蕾舞团演出。当时的国立华盛顿芭蕾舞团团长 F. 富兰克林曾安排他担任客座演员，后加入该团。其后又担任纽约市芭蕾舞团演员，1968 年为美国芭蕾舞剧院首席演员。他的表演享有国际声誉，1978 年退出舞台。

Nagy-Alföld(Europe) 参阅 **Great Alfold** 匈牙利大平原。

Nagybánya(Romania) **瑙吉巴尼奥** 参阅 **Baia Mare** 巴亚马雷。

Nagyszeben(Romania) **大塞本** 参阅 **Sibiu** 锡比乌。

Nagyszombat(Slovakia) **瑙吉松博特** 参阅 **Trnava** 特尔纳瓦。

Nagyvárad(Romania) **瑙吉瓦劳德** 参阅 **Oradea** 奥拉迪亚。

Naha **那霸** 日本冲绳县县城。在琉球群岛的冲绳岛西南部。有崇元寺，为历代冲绳国王葬地。守礼门为典型琉球风格建筑。第二次世界大战后曾为美军军管政府和冲绳政府驻地。1972 年为县城。因有深水港，成为琉球群岛的商业中心。传统手工业有陶瓷、漆器、染色布等。设有琉球大学。人口约 301 679(1993)。

那霸市的守礼门，毁于第二次世界大战，1958 年重建

美国不列颠百科全书公司供图

Naḥamani(Jewish scholar) **拿哈曼尼** 参阅 **Naḥmanides** 拿马尼德斯。

Nāhan **纳亨** 印度西北部喜马偕尔邦南部的城市，位于邦首府西姆拉东南偏南，地处锡瓦利克山麓。纳亨为农产品和木材贸易中心，还有手工织布、木雕与铁器业等。人口 21 867(1991)。

Nahant **纳汉特** 美国马萨诸塞州东北部埃塞克斯县市镇(区)，位于波士顿东北，邻林恩市。纳汉特半岛包括小纳汉特及纳汉特两个“区”，通过 2.4 千米长的林恩滩(长滩)与大陆相连。17 世纪中叶是渔民和牧民定居点，19 世纪初发展为度假地，1817 年开通来往波士顿的定期班轮，19 世纪末建成许多避暑别墅。第二次世界大战期间纳汉特的伊斯特波因特为海岸防卫基地，20 世纪 50～60 年代用作奈克地对空导弹发射场。后在此建立东北大学海洋科学中心。面积 3.2 平方千米。人口 3 632(2000)。

Nahariyya **纳哈里亚** 以色列西北部城市。位于地中海沿岸，地处阿卡和黎巴嫩边界上的哈尼克拉角之间。1934 年由德籍犹太难民建为农业居民点。由于有海滨气候和优良海滨沙滩，迅速发展成为度假胜地。1961 年设市。近年工业发展，生产切削工具、食品和纺织品。该市于 1947 年发掘出公元前 16 世纪的迦南人神庙遗址。人口约 36 800(1993)。

Nahāvand, Battle of **纳哈万德战役**(642) Nahāvand 又拼 Nehavend。阿拉伯军队与萨珊王朝军队在伊朗发生的军事冲突。它是伊朗历史的重要转折点。萨珊军的失败为阿拉伯人的征服开辟了道路，结果在伊朗实现了伊斯兰化。阿拉伯军约 3 万人，由努厄曼统率；萨珊军队据传有 15 万人，由菲鲁赞指挥。萨珊军队固守在纳哈万德的强大防御工事中。阿拉伯军进攻不久，即佯装败退。萨珊军队随即离开阵地，追击逃敌。结果他们伸入到峡谷，遭到阿拉伯人的大屠杀。努厄曼和菲鲁赞均阵亡。据说伊朗人伤亡 10 万人。此役之后，阿拉伯人巩固了在伊朗的地位，651 年完全征服伊朗。

Nahayan, Sheikh Zayed bin Sultan Al(Abu Dhabi *amīr*) 参阅 **Nahyān, Shaykh Zāyid ibn Sulṭān Al** 阿勒纳哈扬。

nahcolite **苏打石** 一种无色到白色的碳酸盐矿物($NaHCO_3$)，是天然产出的碳酸氢钠。晶体结构为由氢键连接起来的碳酸原子团的平面链所构成。链平面由与氧呈六次配位的钠联在一起。苏打石通常是由二氧化碳与已蒸发干的湖盆地中的天然碱(**trona**)起反应形成的。大量见于加利福尼亚州塞尔斯湖的中央盐体中；在科罗拉多州格林河组的油页岩矿床中有直径达1.5米的矿体出现，已进行商业性开采。详细物理性质，参阅 **carbonate mineral**(表)。

Naḥḥās Pasha, Muṣṭafā an-　奈哈斯帕夏 (1876-06-15，埃及塞曼努德～1965-08-23，亚历山大)　埃及政治家，民族主义华夫脱党的领袖，1952年革命以前为埃及政坛的主要人物。原为律师，1904年任法官。第一次世界大战后不久参加刚刚成立的华夫脱党，1927年S. 扎格卢勒死后担任党的主席。先后五次任埃及首相。第一次出任首相在1928年3月，但因国王反对宪政和英国高级专员反对华夫脱党内激进分子的立法要求，6月即遭免职。1929年再次掌权，1930年因与国王福阿德一世在限制国王权力问题上意见分歧而辞职。1936年5月第三次被任命为首相，曾率埃及代表团去伦敦谈判《英埃同盟条约》(1936-08)，以应付意大利入侵埃塞俄比亚。1936年4月福阿德一世死后，他因与年轻的法鲁克一世国王在限制王权和国际政策问题上政见相左被免职(1937-12)。第二次世界大战开始时，奈哈斯帕夏支持同盟国的立场，并得到英国人的大力支持，使他在1942年重新执政。1944年英国不再支持他时，法鲁克一世即将其罢免。奈哈斯最后一个任期是1950年1月开始的。他呼吁废除1936年的英埃条约，宣布法鲁克为埃及国王和苏丹。但人民对宫廷和华夫脱党的腐败与政策不满，在开罗引起骚乱。法鲁克在1952年又将他免职。

Nahmanides　拿马尼德斯(约1194，加泰罗尼亚赫罗纳～1270，巴勒斯坦阿卡)　原名摩西·本·拿曼，又名拿哈曼尼或朗班。西班牙学者和犹太教拉比、犹太宗教领袖，又是哲学家、诗人和医生、喀巴拉派信徒。在西班牙颇有声望，凡有关犹太居民之事，国王詹姆斯一世无不征求他的意见。詹姆斯一世命令举行公开辩论，要求基督教多明我会和方济各会头面人物参加。拿马尼德斯力辩获胜，但其后被迫逃离西班牙前往巴勒斯坦境内阿卡。他在该地整顿犹太人定居点，不顾年老体弱，着手评注《摩西五经》。所著有关具体律法问题的专题论文等哈拉卡著作，公认具有经典意义。还留有几部书和若干信件，从其中可见他的社会活动情况。

Nahr al-ʿAsī(Asia)　**阿西河**　参阅 **Orontes River 奥龙特斯河**。

Nahua　纳瓦人　墨西哥中部的中美洲印第安人。西班牙征服墨西哥前的阿兹特克人(参阅 **Aztec**)，可能是其最著名的部族。纳瓦诸民族说阿兹特克语(纳瓦语)的各种方言。现代纳瓦人是农民，主要作物是玉米、豆类、辣椒、胡椒、番茄和南瓜。一般也种龙舌兰(墨西哥世纪树)、甘蔗、稻谷和咖啡。主要农具有木犁、锄和挖掘工具。饲养猪、山羊和驴，也饲养鸡和火鸡。住区是集中式村庄，分为4区，中心为教堂，各区义务耕作公田。棉、毛织物是纳瓦人的主要手工制品，技术熟练，男女都会纺织，男人用欧洲式的竖机，女人则用本地的皮带机。他们也用龙舌兰纤维编织包袱和口袋。其他手工业有制作陶器和打绳、编织棕榈纤维以及制砖坯。住房为籐、木、砖、石结构的单间，覆以草顶或瓦顶。传统

墨西哥乔卢拉附近的纳瓦人一家在打禾
美国不列颠百科全书公司供图

女用服饰有长裙、宽松上衣、腰带、短三角披肩、围巾；男服有棉布白裤、棉布衬衣、腰带、皮围裙、草鞋、草帽等。教父母关系普遍存在，亲生父母和教父母关系密切。纳瓦人信仰天主教，而以信奉各村守护神及本地传说中的瓜德罗普圣女和形形色色的"救世主"为主。

Nahua language　纳瓦语　又名阿兹特克语，为美洲印第安语犹他-阿兹特克语系的一种语言，通行于墨西哥中部和西部。纳瓦语是犹他-阿兹特克语系最重要语言，也曾是墨西哥阿兹特克和托尔特克两种文明的语言。阿兹特克人的大多数文献是用纳瓦语写的，从16世纪保存下来的文字记载，是由西班牙传教士根据西班牙文所创制的文字书写的。阿兹特克人的古典纳瓦特尔语的语音，明显地使用 *tl* 作为单辅音，也使用喉塞音。喉塞音在一些现代方言中已消失——代之以 *h*——但仍留存在另一些方言里。但是 *tl* 则用来区分三种现代主要方言：中部和北部阿兹特克诸方言保有语音 *tl*，这可在它们的名字 Náhuatl(纳瓦特尔语)中看出；墨西哥韦拉克鲁斯州附近的东部阿兹特克诸方言已用 *t* 来替代 *tl*，因而叫作 Náhuat(纳瓦特语)。主要通行于墨西哥米却肯州和墨西哥州的西部方言，用 *l* 代替 *tl*，因而叫做 Náhual(纳瓦尔语)。古典纳瓦特尔语(16世纪)曾使用15个辅音和4个长、短元音。它的语法基本上表现为黏着关系，大量使用前缀、后缀、音节重叠和复合词。

Nahuan languages　纳瓦诸语言　犹他-阿兹特克诸语言的一个亚语族，包括波丘台克语、纳瓦语、皮克尔语。有时被看作是与肖肖尼语和索诺拉语相应的亚语系，有时则被并入索诺拉亚语系。纳瓦诸语言通行于墨西哥南部和中美洲。

Nahuel Huapí, Lake　纳韦尔瓦皮湖　阿根廷湖区中最大的湖泊(544平方千米)和最著名的旅游胜地。在安第斯山脉林木茂密的东部山麓，海拔767米。该湖是1670年耶稣会

纳韦尔瓦皮湖景色
美国不列颠百科全书公司供图

教士发现的。湖中多小岛，维多利亚岛设有森林研究站。有山溪和河流注入，由利迈河排出汇入内格罗河。湖水清澈，深425米以上。1934年辟为国家公园。公园内有划船、钓鱼和登山设施。

Nahuel Huapí National Park　纳韦尔瓦皮国家公园　阿根廷国家公园。位于内格罗河省和内乌肯省，靠近智利边界。1903年原为一片7 500公顷的保留地。1934年成为阿根廷第一个国家公园，面积7 581平方千米，包括安第斯山地的纳韦尔瓦皮湖。境内有茂密的森林、众多的湖泊、湍急的河流、瀑布、冰雪覆盖的山峰和冰川。有3 554米高的特罗纳多峰和以滑雪著名的卡特德拉尔山。

Nahum, Book of　那鸿书　《旧约》十二先知书的第七篇。是先知那鸿在亚述帝国首都尼尼微陷落时说的预言。强大的亚述帝国长期威胁古代中东弱小民族，特别是以色列人。随着新巴比伦帝国的兴起，亚述帝国衰落；公元前612年尼尼微城陷，亚述灭亡。先知那鸿庆幸此事，并指出，此事的原因在于亚述奉行的政策不符合上帝意旨。

Nahyān, Shaykh Zāyid ibn Sulṭān Al　阿勒纳哈扬(1918～2004-11-02)　又拼 Sheikh Zayed bin Sultan Al Nahayan(或 Nuhayyan)。阿拉伯联合酋长国总统(1971～2004)，阿布扎比酋长国埃米尔(元首，1966～2004)。他使该国走向现代化，并使之成为地区最繁荣的国家之一。自幼生活在沙漠游牧民中。1946～1966年任阿布扎比酋长国东方省省长，后废黜其兄谢赫·沙赫布特·伊本·苏丹，自任埃米尔。阿勒纳哈扬是海湾旧特鲁西尔各国联邦的主要组织者，1971年更名阿拉伯联合酋长国后任总统。1973年改组阿拉伯联合酋长国的联邦机构，许多阿布扎比的部长被安插在联邦内阁。1976年他进行了多项改革，其中包括阿联酋防务力量的一体化，以及要求成员国增加提供的国家预算。他主要考虑的问题是如何利用石油收入提高各酋长国人民的生活水平。1981，1986，1991，1996和2001年多次当选阿联酋总统。在他的统治下，阿拉伯联合酋长国成为最重要的金融中心，并采取措施推行男女平等。作为著名的外交家，他也积极同西方国家改善关系。

Naiad　那伊阿得　希腊神话中的水泽(喷泉、河流、泉水、湖泊)仙女之一。被认为同清新的水有关。被描绘成美丽、快活、仁慈的人物。和其他仙女一样,她们虽然不能长生不死,但寿命极长。

naiad　稚虫　某些昆虫的未成熟阶段。参阅 **nymph**。

Naidu, Sarojini　奈都(夫人)(1879-02-13,印度海德拉巴～1949-03-02,勒克瑙)　印度政治活动家,男女平等主义者,诗人。第一个任国大党主席和省长的妇女。孟加拉人 A.恰图帕地耶之长女。父为海德拉巴尼查姆学院院长。12 岁入马德拉斯大学。1895～1898 年在伦敦国王学院读书,后又就学于剑桥大学格顿学院。先是在英国加入妇女参政运动,后参加国大党和甘地的不合作运动。1924 年游历东非和南非,为该处印度人的利益而奔走。次年任国大党主席。1928～1929 年周游北美。回国后因反英活动多次入狱(1930、1932、1942～1943)。1931 年随甘地去伦敦,参加英印合作第二次圆桌会议,无结果。1947 年印度独立后任联合省(今北方邦)省长,直到逝世。奈都夫人有"印度夜莺"之称。她积极从事文学活动,在孟买的沙龙吸引了印度的大批著名知识分子。著有诗集《金色的门槛》(1905)和《时间之鸟》(1912)。1914 年当选为英国皇家文学会会员。英文诗集有《有王权的横笛》(1928)和《黎明的羽毛》(1961)。

naïf art　参阅 **naïve art** 稚拙派艺术。

nail　甲　人类与其他灵长类解剖学名词,指长在各手指与脚趾末端背面的角质板。相当于其他脊椎动物的爪或蹄,为板状、角质的半透明构造,由高度特化的上皮细胞组成。甲自皮肤真皮层的深沟长出,组成甲板的特化细胞在甲基部形成,因此所有甲的生长均见于该处;新细胞形成即将旧细胞往前推。甲板附着在甲床上,甲床含有丰富的血管,可供应甲板必须的营养。位于甲板前缘的细胞因不与甲床相附而死去并变为白色。甲上称作弧影的带白色新月形部分,亦不与其下的甲床相附。甲最主要的功能为保护手指与脚趾的末端,指甲前缘则有助于操纵小物体和搔痒。

nail　钉　建筑和木工所用的一头尖另一头扁平的金属棒,用来固定一个物体或将多个物体固定在一起。多用于将木制件固定在一起,也用于塑料、预制板墙、砖墙或混凝土墙。一般为钢制,也有不锈钢、铁、铜、铝或青铜制的。尖的一端称为钉尖,中间称为钉身,扁平的一端称为钉头。钉有各种类型,按其所钉的材料和必须具备的固定力分类。钉子的两种普通类型是普通钉和藏头钉。普通钉在所有钉子中用途最广,它有一个大的扁平钉头,钉入材料后可以和表面齐平。藏头钉(又称装修用钉)的钉头较窄小,用专用工具如冲钉器或起压钉器冲入后,钉头低于材料表面,然后用填料将留下的小凹处填平,由于外观整齐,藏头钉多用于内墙板或柜橱。箱钉与普通钉类似,但钉身较细,用于质地较轻的木头和箱子。

包装钉与藏头钉类似,但钉身较粗,有锥形钉头。小于 1 英寸长的钉子,如果钉头较小称为圆头钉,如果钉头极小或没有钉头则称为无头钉。极粗的钉子称为大钉。钉身可以进行特别加工以便在钉入后有较大的固定力。环钉的钉身上有环纹,螺旋钉的钉身上有像螺丝钉一样的向上旋的紧固螺纹。屋顶钉的钉头大且扁平,可以较好地压住油毡和纤维板等材料。某些其他种类的钉子经过特殊硬化处理,可以钉入砖墙或混凝土,一般用于将木质材料附着在砖墙或混凝土墙上。钉子的制造过程是:将长的粗钢丝送入制钉机,在两个冲模间夹紧并切成所需长度。在模具的一端留出足够的用于制作钉头的材料,然后由机器锤锤扁成钉头。钢丝的另一端切成钉尖后从制钉机中退出。还可以磨去毛刺、抛光或电镀。普通制钉机的产钉速度可达每分钟 800 个。

Naʿīmah, Mikhāʾīl　纳伊迈(1889-11-22,黎巴嫩拜斯肯塔～1988-02-28,贝鲁特)　Naʿīmah 又拼 Nuʿaymah, Nouayme 或 Naimy。黎巴嫩文学评论家、剧作家、随笔及短篇小说作家,介绍现实主义,并把它引进阿拉伯散文小说领域。纳伊迈就读于黎巴嫩、巴勒斯坦、俄国和美国。其作品主要描写故乡黎巴嫩。纳伊迈从美国华盛顿州立大学法律系毕业后,定居纽约,在阿拉伯语出版界做记者和评论家,结识另一位阿拉伯作家哈利勒·纪伯伦。1932 年身负盛名返回黎巴嫩,在故乡定居。在短篇小说中,他比阿拉伯先辈作家们更现实地描写黎巴嫩的社会问题,写作技巧也比他们更为精湛。他的短篇小说集包括《行程》(1933)、《往事》(1937)、《打谷场》(1945)。纳伊迈另有两部杰出作品,一为主观色彩浓厚的《纪伯伦传记》(1934),一为他的 3 卷自传《七十自述》(1959～1960)。

Nain, Antoine, Louis, and Mathieu Le(French painters)　参阅 **Le Nain, Antoine, Louis, and Mathieu** 勒南兄弟。

Naini Tāl　奈尼达尔　又拼 Nainitāl。印度北部北方邦北部城镇。位于西瓦利克山区,海拔 1 934 米。始建于 1841 年,为著名旅游胜地,城市建在一美丽湖泊的周围,四周有山林。奈尼达尔与位于其南面的加特戈达姆铁路终点有公路相通。该城镇是邦政府夏季所在地,有圣约瑟夫学院。人口 38 559(2001)。

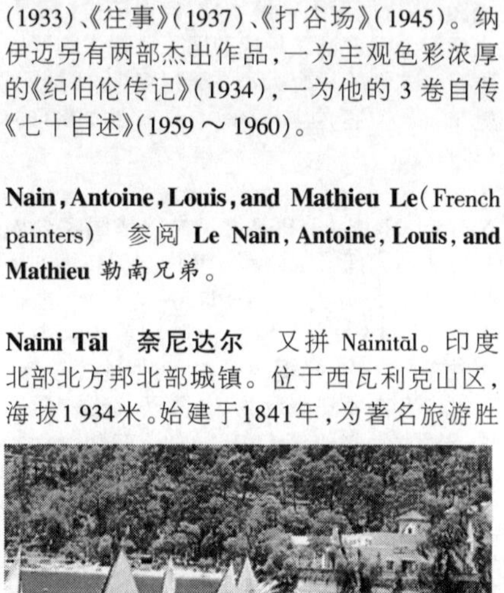

奈尼达尔镇湖面上的帆船

美国不列颠百科全书公司供图

Naipaul, V(idiadhar) S(urajprasad)　奈波尔(1932-08-17,特立尼达～　)　印度血统的特立尼达作家,以背景为第三世界国家的厌世小说知名。为移民到特立尼达的印度人的后裔,1950 年到牛津大学学习。后定居英格兰,但其游踪极广。《神秘的按摩师》(1957),《埃尔韦拉的投票权》(1958)和《米格尔街》(1959)等早期作品以讥讽的笔触写加勒比海地区的生活。第四部小说《比斯瓦斯先生的房子》(1961)以特立尼达为背景,主要写主人公维护自我、追求独立的努力,独立的象征就是拥有自己的房屋。小说发表后,颇受赞誉。其后的小说以其他国家为背景,但继续探讨那些努力使本国传统与西方殖民者的传统相融合的新兴国家中个人与集体所经受的疏远感。《在自由国家》(1971)的 3 个故事以不同国家为背景;《游击队》(1975)以绝望的眼光看待加勒比海某岛上的一次失败的起义;《河湾》(1979)悲观地探讨中部非洲一个新兴国家的迷茫的前途。其他小说有《模仿者》(1967)和《到达者之谜》(1987)。奈波尔的非小说作品包括 3 部研究印度的著作:《黑暗地区》(1965)、《印度:一个受伤的文明》(1977)和《印度:今天暴乱无数》(1990);《西印度群岛的五个社会——英国人、法国人和荷兰人社会》(1963)和《在信徒们中间:一次伊斯兰旅行》(1981)。奈波尔1989年被封为爵士。

Nair(Hindu caste)　参阅 **Nāyar** 纳亚尔。

Nair, Sir Chettur Sankaran(Indian jurist)　**纳伊尔**　参阅 **Sankaran Nair, Sir Chettur** 桑卡兰·纳伊尔。

Nair, Mira　奈尔(1957-10-15,印度奥里萨邦布巴内斯瓦尔～　)　印度导演,拍摄的纪录片和故事片多涉及有争议的话题。1975 年入德里大学,次年转入哈佛大学并开始对制作纪录片产生兴趣。作为社会学论文,她拍摄了第一部纪录传统穆斯林社区的纪录片《贾玛寺街日志》(1979)。接着又拍摄了一系列审视印度传统和文化的现实主义的纪录片,其中的《男孩》(1987)探讨了印度的父权社会和对未出生女孩的影响;《印度卡巴莱》(1985)纪录了两个脱衣舞女的经历。20 世纪 80 年代末开始拍摄故事片。与人共同创作了受到好评的《早安孟买》(1988,又名《孟买风情画》),该片采用纪录片的拍摄技巧并使用群众演员代替专业演员。接下来拍摄《密西西比风情画》(1991),描述一个印度女人和美国黑人之间的爱情故事。1997 年发行的《欲望与智慧》(又名《爱经》、《万诱宝鉴》)引发与审查部门的争议,最后还牵涉印度最高法院。

naira　奈拉　尼日利亚货币单位。1 奈拉等于 100 考包。1973 年发行,当时该国采用货币十进制，以奈拉取代尼日利亚镑(在英国殖民地时代使用英镑)。尼日利亚中央银行是唯一有权发行纸币和硬币的银行。硬币面值由12考包至1奈拉不等。纸币面值由5至500奈拉。大多数纸币印有尼日利亚历史上重要政治领袖的肖像，如第一任总理T.巴勒瓦(面值5奈拉币)和第一任总统N.阿齐克韦(面值500奈拉币)。

Nairne (of Nairne), Carolina Nairne, Baroness 奈恩(1766-08-16，苏格兰珀斯加斯克～1845-10-26，加斯克)　苏格兰歌词作者。写有《查利是我的心上人》、《一百个笛师》、《天国》、《你会一去不复返吗?》。她仿效彭斯，用民间传统形式写作。她的诗歌帮助创造了斯图亚特王室的事业是百姓的事业这类神话。她与M.W.奈恩结婚，后者在1824年詹姆斯家族称号恢复后成为奈恩的奈恩男爵第五。所写诗歌最初用笔名"博根的博根夫人"发表于《苏格兰吟游诗人》(1821～1824)。这些诗歌哀婉动人偶尔有一些风趣的妙语，对不同爱好的人都有吸引力，很快成为民间文学中的保留作品。诗歌集《斯特拉森诗歌》(1846)在她死后出版。

Nairnshire 奈恩郡　也拼作Nairn。苏格兰东北部历史郡。临马里湾。奈恩镇原为奈恩郡的主要城镇。马里湾的沙质海滩部分已广植树木，沿海地区大部分土质肥沃，均种植谷物和饲养牲畜。内陆为高原，某些山峰高达600米，有芬德霍恩河贯穿其间。在溪流中钓鲑鱼的活动已大为减少。工业甚少，有酿造威士忌酒、开采花岗岩和旅游等行业。奈恩镇是海滨度假胜地。原居民为皮克特人，公元9世纪被征服并皈依基督教。此后奈恩成为苏格兰王国一部分，划入古苏格兰马里省，由此该郡的历史溶入马里省的历史。奈恩镇位于苏格兰高地和北海海岸之间，曾一度出现过在该镇西南端讲盖尔语而东北端讲英语的情况。著名古迹有考德堡和赖特堡。

Nairobi 内罗毕　肯尼亚首都。位于该国中南部高地地区，海拔约1 680米，在肯尼亚的印度洋重要港口蒙巴萨西北480千米处。该城始建于19世纪90年代后期，原为殖民地的铁路营地，内罗毕之名取自一个蓄水池，马赛族称之为安卡尔内罗毕，意为"冷水"。1899年修通铁路后，英国殖民者将乌坎巴省的首府从马查科斯(今马萨库)迁移至此，1905年内罗毕成为英属东非保护地的首府。大约自1900年起，此地建起小型的印度式集市后，便成为贸易中心。作为行政中心，内罗毕吸引了大量肯尼亚农村人口，从而成为热带非洲最大城市之一。1919年宣告成为自治市，1954年被授予市级地位。肯尼亚于1963年获得独立，内罗毕仍然是首都。新的国家宪法扩大了该市的市政区域，扩展后的城市称内罗毕特区，是内罗毕市议会治理下的独立单位。内罗毕为该国主要的工业中心。铁路是单独提供就业机会最多的行业。轻工业生产饮料、香烟和加工食品。旅游业也占重要地位。该市临近东非农业中心地带，有若干初级产品通过蒙巴萨出口。在东非共同体内部内罗毕也是举足轻重。东非共同体铁路、港口、航空等公司的总部便设在这里。内罗毕公路、铁路四通八达。主要线路往东南和正南通向蒙巴萨和坦桑尼亚，往西北经高

内罗毕市的肯雅塔国际会议中心
中国大百科全书出版社供图

地地区到达维多利亚湖和乌干达。西南15千米处的肯雅塔国际机场是非洲主要的国际机场之一。该市的重要建筑包括现代化的肯雅塔国际会议中心、议会大楼和市政厅、法院，以及天主教堂。还有一个精心规划的商业中心。内罗毕大学(1956年创办时为东非皇家技术学院)坐落在市内，肯雅塔大学学院(1972)是该校的一个组成部分。肯尼亚综合技术学校(1961)和肯尼亚行政管理学院(1961)也设在该市。其他机构包括中央政府档案馆、肯尼亚国家博物馆(自然历史)、麦克米兰纪念图书馆和肯尼亚国立剧院。内罗毕国家公园作为一个大型的野生动物保护区，是颇受欢迎的游览地。人口约2 143 254(1999)。

Nairobi National Park 内罗毕国家公园　肯尼亚中南部国家公园。在内罗毕以南8千米。设于1946年。面积117平方千米，海拔约1 500～1 800米。为热带稀树草原。主要树种有金合欢、好望角栗树、肯尼亚橄榄等。公园内有许多哺乳动物，如狮子、瞪羚、黑犀牛、长颈鹿、各种羚羊和斑马，还有爬行动物和数百种鸟类。在公园的正门附近，有一个小型动物园。公园总管理处设在内罗毕。

Naismith, James A. 奈史密斯(1861-11-06，加拿大安大略阿尔蒙特～1939-11-28，美国堪萨斯劳伦斯)　加拿大出生的美国体育家，1891年12月在国际基督教青年会培训学校(后改名斯普林菲尔德学院)工作期间发明篮球运动。青年时期学习神学，但特别擅长体育。1891年被斯普林菲尔德学院体育系主任古利克任命为教师，古利克要求奈史密斯会同其他教师设计一种室内运动代替当时在冬季进行的那些乏味或危险的运动。于是奈史密斯吸取足球、橄榄球、曲棍球和其他室外球类运动的内容，设计出避免身体接触的篮

美国不列颠百科全书公司供图

球运动。奈史密斯篮球名人堂于1959年在马萨诸塞州斯普林菲尔德建成。

Naivasha, Lake 奈瓦沙湖　肯尼亚湖泊，位于纳库鲁东南56千米。为东非裂谷系统东支中一湖泊。湖泊底部平坦，覆盖着沉积物；湖北部为生长着纸莎草的沼泽。海拔

奈瓦沙湖的黄昏中群栖的鹈鹕
美国不列颠百科全书公司供图

1 884米，为裂谷系统东部海拔最高的湖泊，水位和面积周期性变化。20世纪70年代中期，湖面积约为210平方千米。虽然湖泊无外流出水口，但湖水是淡水。湖中鱼类主要有几种罗非鱼属的鱼和黑鲈鱼。当地有商业捕鱼业和垂钓活动。鸟类观赏也是很普遍的活动。位于湖泊东南面的肯尼亚首都内罗毕的居民周末大批来此度假。

naïve art 稚拙派艺术　又拼naïf art。社会上一些玩世不恭的美术家的作品。在表现或描绘真实物体时缺少或无视传统的专门技能。他们和为消遣而画的业余爱好者或"星

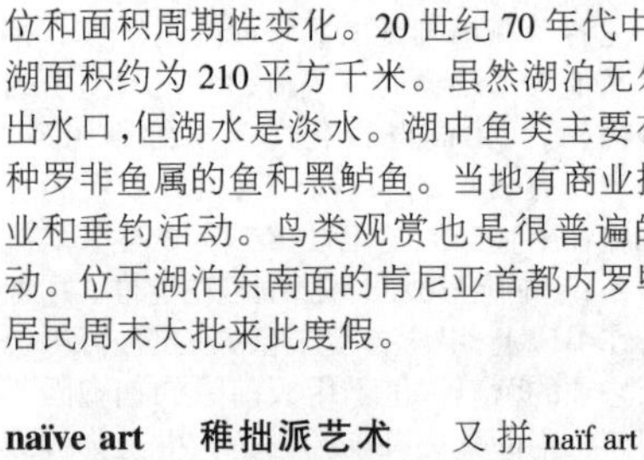

H.卢梭绘《沉睡的吉普赛人》(1897)
美国不列颠百科全书公司供图

期日画家"不能混为一谈。稚拙派创作时与训练有素的美术家一样怀有激情，但是没有后者的正规技法知识。稚拙派作品常常极为错综复杂，倾向于使用明快、饱和的色彩，而不用较微妙的调合色和色调。另一特点是不

考虑透视，因而所画人物如同悬在空中，往往给人以一种“飘浮”的感觉。复制最多的稚拙派美术作品是法国画家 H. 卢梭的作品。他的肖像画、丛林风景、奇花异草备受称赞。卢梭的画与许多这类作品一样，表达了一种凝滞的动作和深邃静寂的空间，人物的脸部总是正视姿态或者勾勒精确的侧面（稚拙派画家很少掩盖面部大部分，也几乎从未画过完整的人的背面）。卢梭和许多稚拙派画家和雕刻家们一样，通过人物——尤其是凝视的眼睛——和线条与色彩的精确来表现强烈激情。稚拙派艺术直到最近才被人们接受。许多仍然在世的艺术家从未料到会有人热衷于收藏他们的作品。20 世纪中期多数发达国家的稚拙派艺术家已略有名声。有些稚拙派画家自认为是专业艺术家，谋求社会赏识他们的作品，而另一些画家则拒绝为牟利而展出作品，只为他们的家庭或宗教机构作画。

Najʿ Ḥammādī 纳杰哈马迪 又拼Nag Hammadi。上埃及基纳省城镇。位于尼罗河西岸。当地原为奇诺波斯基翁古城城址。现在是周围农业区的商业城镇，有制糖厂。综合炼铝厂于 1975 年开工。附近的古代遗址包括希乌城、瓦萨耶德堡、古王国陵墓和科普特人的重要村落。1945 年在此发现纳杰哈马迪纸莎草纸的、诺斯替教的 13 卷经籍抄本和 2 或 3 世纪的注释。开罗—阿斯旺铁路经过此城镇。人口28 493（1986）。

Najadales 茨藻目 又名眼子菜目（Potamogetonales）。单子叶植物的一目。含 10 科 19 属，为水生和沼生草本植物。这些形态、结构各异的植物划为一目是由于它们有共同

箭草（*Triglochin maritima*）
美国不列颠百科全书公司供图

的水生习性，无胚乳，且大多数属在叶基附近均有小鳞片（一些天南星目种类亦有此特性）的缘故。该目与泽泻目亲缘最近，很可能是由泽泻目演化而来。芝菜科（Scheuchzeriaceae）和水麦冬科（Juncaginaceae）是沼泽挺水植物。芝菜科的芝菜属（*Scheuchzeria*）有 2 种，生于湿润的泥炭藓沼泽内。水麦冬科有 4 属，约 18 种，包括钻叶丽丽草（*Lilaea subulata*）、水麦冬属（*Triglochin*）的 15 个种和另外两个单种属。水蕹草科（Aponogetonaceae）和眼子菜科（Potamogetonaceae）是淡水植物，其叶沉于水下或浮在水面，花梢露出水面。水蕹草科仅水蕹草属（*Aponogeton*）30 种，多原产于非洲。其中田干草（*A. distachys*）常栽在水族馆及池中供观赏。马达加斯加的花边水蕹（*A. fenestralis*）是少见的水下沉叶植物，叶仅由叶

田干草（*A. distachys*）
美国不列颠百科全书公司供图

脉构成。眼子菜科含 2 属：眼子菜属（*Potamogeton*）100 种；*Groenlandia* 属 1 种，分布甚广，是重要的水鸟食料并可掩蔽鱼类。川蔓藻科（Ruppiaceae）仅川蔓藻属（*Ruppia*）1 属，2 种。角果藻科（Zannichelliaceae）3 属，包括角眼子菜属（*Zannichellia*）。茨藻科（Najadaceae）含茨藻属（*Najas*）1 属，50 种，为淡水或半咸水沉水植物。大叶藻科（Zosteraceae）有叶肉穗藻属（虾海藻属，*Phyllosphadix*）和大叶藻属（*Zosteraz*），共 12 种，为海生沉水植物，产世界温带地区。丝粉藻科（Cymodoceaceae）有 4 属，21 种，生长在浅海湾和半咸水河流中，但主要见于佛罗里达等处的温暖海岸水域。该科中最大的属有丝粉藻属（*Cymodocea*，10 种）和二药藻属（*Helodule*，7 种）。海神草科（Posidoniaceae）仅海神草属（*Posidonia*）1 属，2 种，近似于大叶藻，产于地中海和澳大利亚。

Najaf, an- 纳杰夫 伊拉克中部城市，纳杰夫省省会。纳杰夫市为国内两圣城之一（另一为卡尔巴拉），位于紧邻幼发拉底河以西的山脊上，791年创建，10世纪后得以发展。该

纳杰夫市的什叶派穆斯林墓地
美国不列颠百科全书公司供图

市长期以来是什叶派反对巴格达的逊尼派统治者的基地，20 世纪又成为该国逊尼派政府与传统的伊朗什叶派首领之间矛盾尖锐的地区之一。市中心的清真寺内保存着第四代哈里发阿里的陵墓。纳杰夫省东北起自幼发拉底河，西南延伸至沙特阿拉伯边界，地势平坦，面积27 494平方千米。除沿河一带外，大部分地区人烟稀少。该省建于 1976 年，由卡迪西亚省西部与卡尔巴拉省东部组成。人口：市约 309 010（1987）；省约 666 400（最新统计）。

Najāhid DYNASTY **纳贾王朝** 1022 ～ 1158 年统治也门的埃塞俄比亚马木路克（奴隶）的穆斯林王朝，以宰比德为首都。宰比德原为齐亚德王国（819 ～ 1018）的所在地。这个王国的末期，由马木路克大臣掌握实权。最后一个马木路克大臣把也门分给奴隶奈菲斯和纳贾。1018 年奈菲斯杀死齐亚德王国的末代国王。后来经过几年艰苦的战斗，奈菲斯战死，纳贾于 1022 年获胜，据有宰比德。纳贾得到阿拔斯王朝哈里发的承认，确立他对沿海地区的统治权。约 1060 年纳贾被刺，王国陷入混乱，素莱王朝统治者阿里夺取了宰比德。1081 年纳贾之子赛义德和杰亚什杀死阿里，恢复纳贾王朝。但 1083 年阿里之子穆坎拉姆重占宰比德，迫使纳贾王朝再度流亡。赛义德重新夺回政权（1086），但两年后为穆坎拉姆之妻所杀。杰亚什（1089 ～约 1106 在位）死后，家族内争权激烈。约 1111 年素莱王朝立杰亚什之孙曼苏尔为藩属。1123 年曼苏尔为其大臣阿拉毒杀，此后臣僚们争夺对政府的控制。1159 年狂热的伊斯兰教清教派的阿里·伊本·马赫迪击败埃塞俄比亚人，夺取了宰比德。

Najd 内志 又拼 Nejd。沙特阿拉伯中部地区。主要由多岩石的高原构成。地势由西部的汉志山地逐渐向东下降，北、东、南三面与内夫得沙漠、代赫纳沙漠、鲁卜哈利沙漠毗连。除沿艾赖迈高原、图韦格山地等陡峭高地边缘分布的肥沃绿洲外，境内人烟稀少。该地各民族长期相互敌对，直到 18 世纪中叶当地成为瓦哈比即伊斯兰原教旨主义运动的中心时，才联合起来。在穆斯林学者瓦哈布和沙特家族的领导下，该运动合并内志，并于 1803 年扩展到麦加。此项扩张政策引起奥斯曼人反对，于是占领其省会迪里耶。但沙特家族迅速恢复统治，1824 年后以利雅得作为新省会。1932 年伊本·沙特宣布成立统一的沙特阿拉伯王国，将其省会利雅得改为首都。内志地区的绿洲群有海尔季、迈赫马勒、苏代尔、瓦什姆、阿里德、盖西姆和沙马尔山等。

Najibullah, Mohammad 纳吉布拉（1947，阿富汗加德兹～ 1996-09-27，喀布尔） 阿富汗军官、总统（1986 ～ 1992）。1964 年在喀布尔大学学习医学，1975 年取得学位，但从未行医。1965 年加入阿富汗人民民主党“旗帜”派，因参与政治活动两次入狱。1978 年阿富汗人民民主党成功发起政变，但“人民”派压倒“旗帜”派夺得最高权力。1978 年任驻伊朗大使，但数月后因被控阴谋推翻阿明政权遭解职。1979 年苏联入侵前逃亡东欧。回国后担任秘密警察头目，以冷酷残忍著称。1986 年接替卡尔迈勒出任总统，1992 年被迫辞职。其后 4 年在联合国办事处避难。1996 年塔利班民兵夺取喀布尔后被处决。

Najin 罗津 朝鲜东北部咸镜北道港口城市。濒临日本海罗津湾。该湾有大草岛和小草岛为屏障，为一天然良港。该市原为一贫困村落，1932 年通往中国东北各大城市的

铁路建成后，得到迅速发展。渔业是重要经济活动，产鳕鱼、绿鳕、鲱鱼。有铁路通元山。人口34 388(最新估计)。

Najrān 奈季兰 沙特阿拉伯西南部城镇、绿洲和省份名。位于靠近也门(萨那)边境的沙漠中。北邻利雅得省，东接东部省，西连阿西尔省。全省由阿西尔高原(西)、奈季兰高原(中)和鲁卜哈利沙漠(东)组成。公元前24年罗马人首次来此，500～635年为重要基督教徒聚居地。公元前1000至公元600年，为生产乳香、没药供应地中海盆地及中东的主要中心之一。1934年的《塔伊夫条约》将其划归沙特阿拉伯。20世纪60年代内战期间，也门(萨那)否认这条国境线。绿洲为富饶的农业区，产海枣、谷类，也饲养牲畜。奈季兰镇是麦加公路和利雅得公路的南端终点站。人口：城镇90 983(1992)；省385 588(2000)。

Nakada(Egypt) 参阅 **Naqādah** 奈加代。

Nakae Chōmin 中江兆民(1847-12-08，日本高知～1901-12-13，东京) 笔名笃介。日本著名作家，曾努力宣传卢梭的天赋民权论，常被认为是日本民主运动的精神奠基人。早年醉心于西学，学过法语和荷兰语，曾为法国驻日本公使当翻译。1871年前往法国学习哲学、历史和文学。回国后短期在政府工作，旋即退职开办法文学校。1881年创办颇有影响的日报《东洋自由新闻》，宣传西方的民主思想。曾当选为众议院议员，从事实业活动。他的真正声誉在于宣传卢梭，曾翻译《民约论》。当他因病卧床不起时，还写了两部向日本人介绍法国民主思想的畅销书。

Nakae Tōju 中江藤树(1608-03-07，日本近江国～1648-08-25，近江国) 别名嘿轩。日本新儒学者，崇尚中国哲学家王阳明的唯心主义思想，在日本创立阳明学派。本信朱熹学说，后摒弃朱熹学说而讲授王阳明哲学，人称"近江圣人"。他认为只有行才能全知，强调实践胜于抽象学习。为此，19、20世纪的日本爱国志士十分推崇他的哲学。5卷《藤树先生全集》于1940年出版。

Nakamura Nakazō I 中村仲藏初世(1736，日本江户[今东京]～1790-06-06，江户) 日本歌舞伎演员。18世纪60年代期间，由于扮演各种恶棍角色而逐渐成名。在演员兼舞蹈家市川团十郎四世的支持下，在江户的中村座剧场登台演出，对各种角色进行新型的表演(总称"秀鹤风格")，这种新意仍为现代演员所采用。他还是吉贺山流的舞蹈大师，对于舞剧的发展和完善做出巨大贡献。

Nakamura Utaemon 中村歌右卫门 日本歌舞伎界著名艺人家族。中村歌右卫门第一(1714～1791-11-23，日本大阪)以演浪人角色著称。歌右卫门第二(按日本传统习惯，徒弟承继师门的姓与角色)后来放弃歌右卫门的姓，但歌右卫门第一的儿子(1778-03-31～1838-09-12，大阪)在乃父故世几年后采用歌右卫门第三的名称。他多才多艺、能歌善舞，尤擅长扮演全部男女角色，精彩绝伦，是那个时代最享盛名的歌舞伎艺人。他的徒弟和继承人歌右卫门第四(1798，江户[今东京]～1852-03-08，大阪)亦才华横溢，名噪一时。歌右卫门第五(1866-02-12，江户～1940-09-12，东京)明治时期最杰出的女角扮演者。明治时期西化运动如火如荼，歌舞伎备受威胁，他努力维护歌舞伎艺术不辍。戏剧家兼学者井须房宇智郡阳吸收西方戏剧成分，革新日本戏剧，他在剧中扮演角色。歌右卫门第五终于成为他那个时代歌舞伎艺人中的元老。他的儿子歌右卫门第六(1917-01-20，东京～)是20世纪中叶最杰出的女角艺人。他致力于保持歌舞伎中的古典风格，为此，他鼓励小说家三岛由纪夫等人以符合传统戏剧手法的风格编写新歌舞伎剧本。歌右卫门第六还帮助恢复某些已几近失传的古老歌舞伎剧。日本政府为此授予他"活国宝"的称号。

Nakano Ōe(Japanese prince and emperor) **中大兄** 参阅 **Tenji** 天智天皇。

Nakanuma Shikibu 中沼式部 参阅 **Shōkadō Shōjō** 松花堂昭乘。

Nakao Shinnō(Japanese poet) **中尾新之** 参阅 **Nōami** 能阿弥。

Nakasone Yasuhiro 中曾根康弘(1918-05-27，日本高崎～) 日本政治家、自民党领袖(1982～1989)，1982～1987年任日本首相。木材富商之子，1941年毕业于东京大学，第二次世界大战期间任日本海军上尉。大战结束前，曾在远处目睹了广岛遭原子弹轰炸的情景。1947年当选国会众议员，成为有史以来最年轻的国会议员之一。在以后的历次选举中，都保持了议席，并连续在内阁任职，先后担任过运输(1967～1968)、防卫(1970～1971)、通商与产业(1972～1974)大臣。1982年10月铃木善幸辞去首相职务后，与强大的田中角荣派结盟的中曾根在四主流派的角逐中赢得胜利，当选为自民党总裁，1982年11月出任首相。1983年12月反对党迫使国会提前选举，自民党虽失去绝对多数，但中曾根通过组成联合内阁而继续保持首相职位。他在职时通过增加防务经费并减少美国商品进入日本的贸易壁垒，寻求加强日本与美国的关系。为提高日本作为世界主要经济强国之一的声誉，他经常出国访问并与盟国会谈。在国内事务方面，他支持政府的紧缩计划，以期减少日本的公债。1984年10月中曾根留任自民党总裁，连任首相。日本经济在他主政时持续增长，至他任首相的第2届任期结束时，日本已成为世界最大的债权国，在世界经济中可与美国相匹敌。

Nakatomi Kamatari(Japanese clan leader) **中臣镰足** 参阅 **Fujiwara Kamatari** 藤原镰足。

Nakatsu 中津 日本九州大分县城市。位于山国川河口，濒临濑户内海。围绕1587年黑田家族所建城堡逐渐发展为市。1896年始有纺织业。现为邻近陶瓷、钢、稻米、蚕丝业的贸易中心。市公园中建有福泽谕吉(东京庆应大学前身庆应义塾的创始人)纪念馆。人口66 383(1990)。

Nakbe 纳科贝 危地马拉境内考古遗址，地处该国北部浓密的热带森林中，是马雅文化最早的祭祀中心之一。该处遗址最初在1930年由空中摄影得到证实，1962年首先经格雷厄姆考察并命名。80和90年代所进行的系统调查研究导致对马雅文化发展理论的重大修正。因为纳科贝遗址具有代表性的一些巨石结构的金字塔、神庙和其他相对高大的建筑物，一度被认为是典型的晚形成期，即公元前300～公元300年的建筑风格，但经过碳元素断代法测定，其时间应为公元前600～前400年，而这一阶段过去却一直被认为只能有简单的村落，居住的房舍只是建筑在低矮的石台之上。虽然纳科贝已发掘出马雅文化几乎每一个时期的遗物，但此地决不是晚形成期开始后的重要中心。

naker 内克鼓 13世纪十字军东侵时从中东传到欧洲的小型锅鼓。为木、金属或陶土制，有时还加响弦，差不多总是成对使用，用硬槌击奏。很可能是定为一个高一个低的可识别的音高。和类似的阿拉伯纳卡拉鼓(内克鼓即由纳卡拉鼓演化而来)一样，既用于军乐和战争音乐，也用于比较柔和的室内音乐和舞蹈伴奏。整个16世纪都用这种乐器。

Nakh languages 纳克诸语言 通行于俄罗斯西南部高加索地区和格鲁吉亚阿赫梅塔地区的语支，包括车臣语、印古什语、巴茨语(佐瓦-图西语)。由于巴茨语没有文字，操此语者都把格鲁吉亚语用作文学语言。纳克语支有时也被称为中部高加索诸语言，而学者们往往把纳克诸语言与达吉斯坦诸语言(主要有阿瓦尔语及莱兹吉语)一起列为纳克-达吉斯坦语族或东北高加索语族。

Nakhichevan 纳希切万 阿塞拜疆语作Naxçivan。阿塞拜疆的一个共和国。位于外高加索高原南部。北、东两面邻亚美尼亚，南和西南面接伊朗，西面是土耳其。阿拉斯河为该国与伊朗和土耳其的界河。面积5 500平方千米。除西及西南部为平原外，大部为山区。多地震，1931年地震尤为严重。大陆性干燥气候，冬季平均气温-7～-4 °C，夏季气温24～29 °C。因平原降水量甚少(每年不足500毫米)，植被为干旷草原型。山区年降水量平均630～760毫米，植被为山区干旷草原，在海拔较高山谷中有矮橡树和伊比利亚枫树。平原大都为灰色冲积土，海拔1 000米以上为棕钙土和栗钙土。该国，尤其是首府纳希切万市，历史悠久，约始于公元前1500年。历史上，该地区曾为波斯人、蒙古人和土耳其人争夺的对象，但1828年转归俄国，1924年成为苏联的一个自治共和国。1991年成为独立的阿塞拜疆共和国的一部分。居民几乎全部为阿塞拜疆人。还有少数亚美尼亚人和俄罗斯人。主要城市除首府外，有奥尔杜巴德和朱利法。经济以农业为主。平原有灌溉之利。最重要的农作物为谷物(冬小麦、少量春小麦和大麦)、棉花、烟草、蚕桑和水果。养羊业为阿塞拜疆地毯工业提供羊毛。还饲养牛、山羊、马和驴。山区有养蜂业。工业仅有采矿(盐、钼和铝)、轧棉、缫丝和食品加工。埃里温—巴库铁路沿阿拉斯河谷贯穿全境,首府有公路通埃里温、伊朗边境的朱利法和阿塞拜疆境内的叶夫拉赫。人口约305 700(1991)。

Nakhichevan 纳希切万 阿塞拜疆纳希切万共和国首府。濒临纳希切万河。地处第比利斯东南偏南270千米。考古学家认为纳希切万历史可追溯至公元前1500年。1924年成为自治共和国首府。历史上为贸易和手工业中心,现有多种工业,主要有食品、家具、皮革、建材等工业,设有地区文化博物馆和农学院。人口约61 700(1991)。

Nakho-Dagestanian languages 纳克-达吉斯坦诸语言 又称东北高加索诸语言,通行于高加索东北部的一个语族。其中纳克语支包括车臣语、印古什语和巴茨语;达吉斯坦语支则比较多样,包括诸如阿瓦尔-安迪-迪多诸语言、拉克-达尔格瓦诸语言及莱兹吉诸语言。参阅 **Dagestanian languages; Nakh languages**。

Nakhodka 纳霍德卡 俄罗斯东端滨海城镇。位于日本海纳霍德卡湾顶端。其名称意为“发现”或“天赐”。是重要的出口港,也是至日本横滨的客运港和渔业基地。20世纪80年代初在附近兴建大型新港,使该镇成为俄罗斯东部机械化水平最高、规模最大的港口,拥有装卸木材、煤炭、集装箱的大型设施和许多新建的深水码头。人口约163 800(1994)。

Nakhon Pathom 佛统 泰国西部城镇,位于湄南河三角洲平原地区。在曼谷以西47千米,是繁荣的商业中心和铁路、公路干线枢纽。有由那坤猜西河经运河可通湄南河三角洲的水道。为古老的佛教中心和军事重镇,相传为泰国最古老的城市,释迦牟尼曾到过这里。发现有六世纪文物。当地巴帕通塔是泰国最高塔(116米)。设有曼谷诗巴功大学分校。佛统有冲积沃土,雨量充足,加之有运河灌溉,是富庶的农业区。饲养猪,出产大米、椰子和葡萄柚等。人口79 759(1992)。

Nakhon Phanom 那空拍侬 泰国东北部城镇,是湄公河沿岸商业中心。有公路通乌隆(西)、乌汶叻差他尼(南)和老挝。有一机场,有定期国内航班。土壤多沙、贫瘠,周围很多地方不易进行农业生产。但沿湄公河及其支流,有些狭长地带土地肥沃,水稻为主要农作物。人口28 869(1992)。

Nakhon Ratchasima 那空叻差是玛 又称呵叻。泰国东北部呵叻高原西南部的城市,是泰国东北部最大城市,又是泰国东北部运输、商业、金融和行政中心。有铁路通往曼谷,还有航空线和公路通曼谷和泰国其他城市。是稻米和牲畜的集散中心,附近村庄也产丝绸。周围地区产稻米、玉米和烟草。许多地区以饲养牛、猪为主。附近的披迈有业经修复的11世纪高棉古迹,其风格与柬埔寨的吴哥寺相似,乃泰国东北部主要旅游胜地。设有东北理工学院。人口约190 730(1992)。

Nakhon Sawan 那空沙旺 又译北榄坡。泰国中部偏北城镇。位于宾河、难河汇成湄南河处。是北方地区运送大米、柚木的主要内陆河港。地当公路干线上,附近有曼谷—清迈铁路的火车站,是重要交通枢纽。市内有碾米、木材加工和造纸厂。周围盛产稻米、豆类、玉米、棉花、黄麻、芝麻等。人口约96 981(1992)。

Nakhon Si Thammarat 那空是贪玛叻 又译洛坤。泰国南部城镇。位于马来半岛东侧,邻近泰国湾。建于1 000多年前,是泰国古城之一。现为该地区商业中心。制造泰国乌银装饰品始于该处。设有那空是贪玛叻农学院。班巴帕南是该城的外港。该城地处富庶农业区,产稻米、水果、椰子和橡胶。矿产有硫磺、铁、铅、锡和钨。人口约79 447(1992)。

Nakīr (Islāmic myth) **纳吉尔** 参阅 **Munkar and Nakīr** 孟卡尔和纳吉尔。

Naktong River 洛东江 韩国第二大河。长523千米。在庆尚南道和庆尚北道的岭南地区,从太白山脉南流至多大浦注入朝鲜海峡。自河口上溯至庆尚北道的安东,可通航350

洛东江上的三门津桥
美国不列颠百科全书公司供图

千米。包括乃城川、半边川、渭川、琴湖江、南江等支流在内,流域面积共23 800平方千米。流域面积的1/4(包括三角洲平原)均用于种植作物。1968年在晋州附近的南江上(南江流经庆尚南道中部)建成多功能水坝。朝鲜战争(1950～1953)初期,洛东江是南朝鲜和美军暂时退往朝鲜半岛东南端时的最后一条防线。

Nakuru 纳库鲁 肯尼亚中部偏西城镇,位于内罗毕西北153千米。为重要的农业中心,是肯尼亚农民协会总部所在地,设有农业技术培训学校埃杰顿学院。是肯尼亚中部偏西繁忙的商业和运输中心。人口约101 700(1984)。

Nakuru, Lake 纳库鲁湖 肯尼亚中部偏西湖泊,是地处东非大裂谷湖泊系统中的几个盐湖之一。最初以鸟类种类繁多而著称,现在还有大羚羊、黑斑羚和河马。纳库鲁镇在湖北岸。纳库鲁湖国家公园位于湖南岸和东岸。

Nalan Xingde 纳兰性德(1655-01-19～1685-07-01) 又拼 Nara Sing-de。中国清代词人。原名成德,字容若,号楞伽山人。满洲正黄旗人,武英殿大学士明珠之子。自幼聪颖好学,善骑射,好读书。生平为人谨慎,避谈世事。18岁中举人,22岁赐进士,授一等侍卫。性落拓倜傥,无意仕进,喜与海内名士交游。词自然清丽,独具一格。多写离愁别恨,流露对美好人生的渴望和壮志难酬的哀怨,感情真挚,凄凉伤感气氛比较浓郁。一些写边塞生活的小令则慷慨悲歌,气势苍茫雄浑。曾编《词韵正略》(已佚)。有《通志堂集》。词集有《饮水词》、《侧帽词》。

Nālanda 那烂陀 著名的佛教寺院中心,常被说成是一所大学。在今印度比哈尔邦北部比哈尔市以南。根据传说,那烂陀在佛陀与耆那教创始人大雄的时代(公元前6～前5世纪)已经存在。据中国西藏地区史料,佛教哲学家龙树(2～3世纪)在那里开始学佛。但是经过印度考古学家发掘,了解到寺院的房基是属于笈多时期(5世纪)的。据传7世纪时,曲女城统治者戒日王曾对这些寺院进行捐献。他在位时,中国的求法僧玄奘在那烂陀居住过一段时期。并曾清楚地述及所学内容及当地居民概况。几十年之后,另一求法僧义净也提供了一部关于僧人在那烂陀生活的细致记载。在巴拉王朝(8～12世纪)时代,那烂陀作为学术中心继续繁荣。它可能在穆斯林袭击比哈尔时(约1200)被毁。

Nalchik 纳尔奇克 俄罗斯西南部卡巴尔达-巴尔卡尔城市和首府。位于高加索山麓、纳尔奇克河畔。1818年建为俄国要塞。但直到十月革命(1917)后始成为重镇。现为度假、登山和疗养胜地,建有几家疗养院。也有机械制造、湿法冶金、人造革和食品等工业。设有大学和研究所。人口约240 600(1991)。

Nallamala Range 讷勒默拉山地 印度南部安得拉邦东部东高止山的一系列平行丘陵和谷地。在克里希纳河以南,走向由北向南,与孟加拉湾科罗曼德尔海岸平行。北为帕尔纳德盆地,南为蒂鲁伯蒂丘陵。长430千米,宽约31千米,平均海拔900～1 100米。人口稀疏,地形崎岖,具有东高止山的典型景色。

nalorphine 烯丙吗啡 又称N-烯丙基去甲吗啡。吗啡衍生物,吗啡、度冷丁、美散痛等的药理拮抗药。烯丙吗啡也被归入麻醉品,但却能对抗过量应用麻醉品所致的呼吸抑制等症状。有吗啡瘾者应用本品后可迅速出现急性戒断症状,故本品用以诊断麻醉品成瘾。本品对巴比土酸盐类及全身麻醉药所引起的呼吸抑制无效。应用过量亦可引起严重的各种机体功能障碍。

Nam Co 纳木错 中国第二大咸水湖。也是世界上海拔最高的咸水湖。蒙古语称腾格里海。藏语纳木错和蒙古语腾格里海均意为天湖，在念青唐古拉山主峰以北，西藏自治区当雄、班戈二县境内。湖面海拔4 718米，湖水面积1 920平方千米。湖泊形成和发育受地质

纳木错
中国大百科全书出版社供图

构造控制，并具冰川作用的痕迹。湖水含盐量高，流域内野生动物资源丰富，有野牛、山羊、鸟类等。湖中盛产高原裸鲤。湖水清澈，与四周雪山相映，风景秀丽。

Nam Dinh　南定　越南北部都市。濒临连接底江和红河的运河，与西北80千米的河内通公路、铁路。为教育中心，有纺织、酿酒和制盐等工业。附近佛寺内有古塔高21米。人口165 649(1989)。

Nam Viet　南越　又拼Nan Yüeh。古代王国，地处今越南北部以及中国广东和广西两省。秦始皇三十三年(公元前214)平定岭南，设南海、桂林、象三郡，并从中原迁徙数

南越国王赵眜僭号文帝所用“文帝行玺”长纽玺印，广州象岗山赵眜墓出土
中国大百科全书出版社供图

十万人与当地越人杂处。秦亡后，南海郡尉赵佗控制了桂林郡和象郡，自立为南越武王。公元前196年汉高帝封其为南越王。双方开设关市，南越定期向汉朝进贡。汉武帝（前156～前87）时允南越采用汉朝法律，废除边关。由于南越丞相吕嘉反对南越内属，举兵反叛。公元前111年，南越为汉武帝所灭，在其地设置了南海、郁林、合浦等9郡。

Nama　纳马人　又称纳马夸人，纳米比亚南部的科伊科伊人(即霍屯督人)。为科伊科伊人最大的一支，或许大于其他各支的总和，但现今许多纳马人皆为与白人、奥万波人或赫雷罗人的混血种。纳马人原为放牧牛羊的兴盛民族，但由于部落间的战争，加上从19世纪到20世纪初与赫雷罗人和德国人的战争几乎持续不断，人口大减。现今仍有许多纳马人放牧绵羊、牛或山羊，更多的纳马人充当附近白人农场的季节工人，负责放牧绵羊，照管田园或做家事。

nāman　名　巴利语作nāma。吠陀教和印度教名词，指特有的符号或标记，最常用于表示某人某物的“名义”。印度语言学用这一术语表示一个句子中的名词。在印度教有些派别中，这一术语具有哲学意义，指一种事物的本质(即实)，与“色”(表象)相对。在上座部佛教中，名代表受、想、行、识四蕴。这些精神成分与各种物质特性(如体积、形状和重量等)相结合，便构成一个人。按照佛教思想和修持的大多数派别的意见，凡是纵于色心而执以为我，都是达到觉悟的障碍。因此，欲求悟道的佛教徒，必须力求勘破事物的名与色的虚幻。

Namangan　纳曼干　乌兹别克斯坦东部的州。位于费尔干纳谷地北部，面积7 900平方千米。锡尔河、北费尔干纳灌溉渠和大纳曼干运河横贯全境。经济以农业为主。由于气候干燥，农作物集中分布在锡尔河沿岸灌区及恰特卡尔山脉的河谷地带，大部种植棉花，也有谷物、水果、蔬菜、葡萄和饲料。养蚕业也很发达。虽无良好牧场，却饲有(主要在西部)不少的牛羊。工业集中在州首府纳曼干(**Namangan**)。古老的居民点丘斯特是传统的乌兹别克绣花小方帽的原产地。矿泉疗养地恰尔塔克吸引着俄国和中央亚细亚的游客。居民中4/5以上为乌兹别克人，余为塔吉克人、俄罗斯人、塔塔尔人和吉尔吉斯人。农业人口占3/5以上。人口约1 557 800(1991)。

Namangan　纳曼干　乌兹别克斯坦纳曼干州城市和首府。位于费尔干纳谷地北部。该地居民区于15世纪末首见记载。18世纪中叶时纳曼干多工匠，为费尔干纳谷地的最重要的城市之一。该市属浩罕汗国，并且是地区的政治中心。自1876年费尔干纳谷地为俄国兼并后，开始发展农业原料(尤其是棉花)加工业。纳曼干市现以食品工业和其他轻工业著称。该市位于费尔干纳环行铁路线上。有师范学院、剧院和博物馆。人口约319 200(1991)。

Namaqua(African people)　**纳马夸人**　参阅**Nama 纳马人**。

Namath, Joe　纳马思(1943-05-31，美国宾夕法尼亚比弗福尔斯～　　)　美国大学和职业橄榄球队前卫队员。在亚拉巴马大学上学时(1962～1964)，在以训练前卫队员著称的布赖恩特的教练下打球。全国橄榄球联盟和美国橄榄球联盟竞相争取他，他终于决定参加美国橄榄球联盟所属纽约喷气发动机队，签订3年合同，酬金高达40多万美元，打破先例。1967年创传球4 007码的纪录。1969年超级橄榄球赛之前，纳马思保证喷气发动机队打败夺标呼声最高的巴尔的摩马驹队，后来果然以16:7战胜该队。同年，纳马思被选入美国联盟空前优秀队。1977～1978年他任洛杉矶公羊队替补前卫，随即退出球坛。但他经常出现在电视广告节目以及电影、电视剧和戏剧节目中。1985年纳马思人选职业橄榄球名人堂。

Namatjira, Albert　纳马提拉(1902-07-28，澳大利亚艾丽斯斯普林斯附近的赫曼斯堡～1959-08-08，艾丽斯斯普林斯)　澳大利亚土著画家，以描绘澳大利亚中部荒凉景色的水彩作品著称。他属于阿兰达部族，1934～1936年间就读于路德宗教会学校，从白人艺术家R.巴塔比学习欧洲水彩画技巧，后在芬克河土著教会学校任教。1936年卖出第一幅画，1938年在墨尔本展出41幅水彩画，供不应求。此后20年间常开画展，不但闻名澳大利亚，而且扬名海外(1954年他赠送一幅作品给英女王伊丽莎白二世)。虽然他在1957年获得澳大利亚公民权，但他的种族出身限制了他的自由。他甚至被禁止搬进艾丽斯斯普林斯住宅区，这是他梦寐以求的所谓“白人之家”。他在去世那年，曾因供酒给一个非公民的土著饮用而被判入狱两个月。出狱后，最后几个月大多在澳大利亚最大教区赫曼斯堡度过，虽然健康不佳，但仍继续创作。

namāzlik　参阅**prayer rug 祈祷毯**。

Nambucca Heads　楠巴卡黑兹岬　澳大利亚新南威尔士州北岸城镇和岬角。位于楠巴卡河口。始建于1842年。城镇为附近综合性农业区和林业区服务。有铁路和太平洋公

楠巴卡黑兹岬风光
美国不列颠百科全书公司供图

路通悉尼(西南400千米)。附近地区有综合农业(香蕉，乳品，牛肉，玉米和蔬菜)。旅游业增加经济收入，旅游点包括附近的新英格兰国家公园、钓鱼和冲浪运动设施及可凭眺海滨秀丽风景的亚拉哈比瞭望台。人口4 923(1986)。

Nambūdiri　南布迪里　又拼Nampūtiri。印度喀拉拉邦居统治地位的种姓。其成员有极端正统思想，自认为是古吠陀宗教和传统印度教义的真正信徒。此种姓与纳亚尔(**Nāyar**)武士种姓实行一种特别的联姻办法。一家南布迪里的长子按惯例娶南布迪里的女子，实行同族通婚的典型做法，但次子以下则娶纳亚尔的女子，并遵守女方的母系传宗制度。南布迪里和印度南部其他婆罗门不同，

特别强调其祭司，通常不从事营利性的职业。他们的财富来自土地所有权，是喀拉拉邦的主要土地拥有者。南布迪里分为5个分支：坦普拉卡尔，地位最高，与阿迪亚形成同族通婚的亚种姓；阿迪亚，寺庙祭司；婆西希多，有些人专司仪式，有些人研究传统学问和哲理；沙马尼亚，学习吠陀经；贾蒂马特拉，是《寿命吠陀》体系的主要医生。

Nāmdev 难提弗（1270?，印度讷勒锡～1350?，巴赫马尼本特尔布尔） 印度中世纪主要诗圣，用马拉蒂文写作。裁缝之子，属于低级种姓，婚后生有子女5人。后来，他转向虔修，成为筏罗迦利派即朝圣派的主要倡导者。朝圣派强调到巴赫马尼本特尔布尔去朝拜毗湿奴像，故名。该派提倡各人专贞专奉一神，信徒从事宗教活动不受种姓出身限制。难提弗著有颂诗多篇。

Nāmdhārī 难陀利派 即呼神派，印度锡克教中的严谨教派，由巴拉克·辛格（1797～1862）倡建。辛格不赞成任何仪式，只主张念诵神名。在拉姆·辛格（1816～1885）领导下，难陀利派信徒力争恢复锡克教对旁遮普的统治。1872年1月，与警察发生冲突，66名教徒在被捕后绑在炮口上开炮轰死。拉姆·辛格被流放到仰光，卒于该地。

name 专名 用以指称个别（真实的或假想的）实体的词或词组。"通用专名"或"普通名字"这个术语，有时粗略地用作语法上"名词"的等义词。本文所论更为侧重于"专门名词"或"专门名字"这一类别，虽然就整体来说，这两类词在逻辑上从来没有根本区别。

专名是一种标志，简而言之，可将其分为九类：①人名；②仿人名，如对个别动物或拟人化客体的指称（如舰船或玩具娃娃）；③对非拟人化的但仍值得注意的事物之指称，如Plymouth Rock（普利茅斯岩矶）；④地名，如Edinburgh（爱丁堡）；⑤社团、集体或公司的名称，如Germans（德国人）、Baptists（浸礼教派）、Exxon（埃克森公司）；⑥文学艺术作品的名称，如"Mona Lisa"（"蒙娜·丽莎"）、Paradise Lost（《失乐园》）；⑦商标，如Vaseline（凡士林）；⑧历史事件或时代名称，如War of the Roses（玫瑰战争）、Renaissance（文艺复兴时期）；⑨概念或非拟人化的抽象事物，如Toryism（保皇主义）、Skepticism（怀疑论）。这些范畴都不是绝对的。一个专名很容易分属于两个或更多领域。例如，作为人名的Ford（福特）也是公司的名字，又可用作该公司产品的商标名。

人名同其他语言成分一样，也经历进化和传播，往往随着日常用语之演化而改变。它可能从一种文化被吸到另一种文化中去，如凯尔特语的Godofrido变成英语的Geoffrey或Jeffrey（杰弗里）。有些专名则原样不改地用于另一种语言，如德语的Karl（卡尔）即是。有些则经过翻译，如拉丁语Renatus（原义为"复活"），到法语里就变成René（雷诺）。家族姓氏的起源相对地晚，到11世纪其原则尚未确定。家族的姓有几种根源，显然始于贵族而逐渐传播开来。所取名字常常作为家世相传的基础，如Alfred（阿尔弗烈德）的父亲名叫John（约翰），他本人将被叫做Alfred John's son（约翰之子阿尔弗烈德），因而他家的"姓"就是Johnsons（意为"约翰的诸子"，音译为汉语的约翰逊）。地名也可用作家族的姓。如Avignon（阿维尼翁）城的Henri（亨利），就可称为Henri d'Avignon，后者就变成Davignon（达维农）这个"姓"。家族的姓常常反映职业或行当，如一个养鹅的德国人名叫Werner，以后就可能变成Werner Gans（德语意为"群鹅"），于是全名音译为汉语的维尔纳·甘斯。

地名如同人名，来源多样。有描述性的地名，如：Sulphur Creek，直译意思是"硫磺溪"，汉语音译为"萨尔弗河"；High Point，"高点"——"海波音特"。有记述事件的，如：Battle Creek，"鏖战之河"——"巴特尔克里克"；Avalanche Pass，"山崩之隘"——"阿瓦朗什口"。有表示占有性的，如：Pikes Peak，"派克之峰"——"派克斯峰"；Cooperstown，"库珀之城"——"库珀斯敦"。有表示赞美的，如：Greenland，"绿地"——"格陵兰"。还有经过人们"加工"而制造出的地名，如：Tesnus是由"sunset"（"日落"）这一词形倒转而成，汉语音译为"特斯纳斯"。地名也像人名一样经历进化过程。在欧洲，凯尔特语、日耳曼语、拉丁语或其所衍生的地名居统治地位。罗马人用以表示"camp"（营地）这个意义的词是变成英语如Lancaster（兰开斯特）、Chester（切斯特）之类的形式。在法国，凯尔特语地名Lucodunos经过拉丁语Lugundum而成为现在的Lyon（里昂）。在美国，西班牙语、法语、英语以及来自本地印第安语的地名可证之于Los Angeles（洛杉矶）、Louisiana（路易斯安那）、New York（纽约）、Connecticut（康涅狄格）这4个地名的结构形式。

Namen（Belgium） 参阅**Namur 那慕尔**。

Namib 纳米布（沙漠） 葡萄牙语为Namibe。西南非洲沿大西洋岸的寒冷海岸沙漠，从安哥拉的纳米贝向西南经纳米比亚到南非开普省的象河，延伸1 900千米。纳米布沙漠向内陆延伸130～160千米，直到非洲南部的大陆崖山麓。沙漠基本上由较光滑的台地组成，这些台地是由各种类型和年代的截顶的基岩构成。在台地之上，有陡峭地、突然地升起零星的、孤立的山脉，在北半部，有河流刻蚀出深的、壁陡的峡谷。在沙漠南半部的大部分地方，台地被浩瀚的沙海覆盖。沙丘呈线状排列，单个沙丘长达16～32千米，高达60～240米。沙丘之间的沟，又被较小的横向沙丘所切断。海岸几乎完全无雨，水分以夜间露和雾的形式存在，这是由滨海的本格拉洋流产生的。每年仅在春季或秋季有几天降雨，通常是短暂的急骤的雷暴雨。在稀有的情况下，较高的南部山脉有过降雪，并且沿沙漠的内缘，也有冰冻温度的记录。因为缺乏降雨，纳米布沙漠只有开发得不好的、残缺不全的排水系。在沙漠的北半部，大的河流都入海，但是，在凯塞布干河与奥兰治河之间，每一条河都终止于对着沙丘或在沙丘之间的谷地沼泽（盐滩或泥坪）。纳米布沙漠的广大地区完全无土壤，地表都是基岩；可耕土壤仅限于大河的泛滥平原和阶地。植被是多变的，包括一种不常见的纳米布植物——千岁兰（tumboa，学名Welwitschia mirabilis），它两片巨大的叶子从庞大的冠顶一直伸到地面。动物生活随沙漠的植物区系而改变。一般说来，在纳米布沙漠内部的平原和沙丘上，可以发现羚羊、鸵鸟和斑马；在贫瘠的外纳米布沙漠，可发现昆虫与爬行动物；沿岸一带则可发现大群海鸟和少量豺狗。纳米布沙漠的主要居民包括几百奥万博人和赫雷罗人，他们在北区的水坑之间放牧骆驼和山羊，还有少数科伊科伊人，他们沿中纳米布沙漠的凯塞布干河放牧绵羊和骆驼。沙漠有铁路穿过，这些铁路把吕德里茨港、鲸湾港与南非的城市连接起来。

Namibe 纳米贝 1982年前称木萨米迪什（Moçâmedes，又拼Mossamedes）。安哥拉西南部城市和港口。城市是19世纪中叶巴西人在一条干燥的沿海狭长地带上建立的。1905年兴修铁路以后，摆脱与内地隔绝的状态；但直到在卡辛加发现铁矿及1967年从栋戈至矿区长90千米的铁路建成后，港口码头才得以扩充。房屋和政府大楼都拥挤在通向内陆的一排低矮的断崖上，商业大厦则建在开旷的海湾沿岸。人口约77 000（1987）。

Namibia 纳米比亚 全称纳米比亚共和国，1968年之前国际上亦称之为西南非洲。非洲西南沿海国家，地跨南回归线。原受南非政府管辖；1990年在联合国的主持下获得独立。国土南北长约1 320千米，中部东西宽约610千米。北与安哥拉和赞比亚交界，东与博茨瓦纳接壤，东南和南与南非相连，西濒大西洋。中部海港城镇鲸湾港及其近郊多年来一直为南非的飞地，1994年，该地区的管辖权转交纳米比亚。首都温得和克。面积825 118平方千米。人口约1 826 854（2003）。

土地 全境由西至东可分为三大自然地理区：纳米布沙漠、中部高原和卡拉哈里沙漠。**纳米布沙漠**（**Namib**）荒凉，不适于居住，为一宽阔的长条地带，有沙丘和裸岩露头，沿大西洋岸延伸约1 900千米。中部高原（海拔975～1 980米）位于纳米布沙漠东侧，从北部边界延伸到南部边界；高原中部有高山（1 800～2 500米）构成全境主要分水岭；东部地势向卡拉哈里沙漠（海拔不到90米）斜下。卡拉哈里沙漠有砂砾和灰岩露头。常流河有奥卡万戈河、库内内河、赞比西河和奥兰治河，均位于该国北部和南部边界。

气候属热带大陆性，十分干燥。高原上的温得和克夏季（12月）平均气温24 °C，冬季（7月）13 °C。高原和卡拉哈里沙漠的昼间气温在夏季相差多达30 °C。沿海地区因受本格拉洋流影响，气温较低。由于蒸发率高，数量不多且变化无常的降雨量对灌溉土地作用不大。全境因持续的周期性干旱而遭受灾害，除最北部外，全境植被普遍稀疏。野生动物种类繁多，有狮子、豹、大象、犀牛、长颈鹿、斑马、鸵鸟和羚羊。该国最著名的埃托沙国家公园为世界最大野生动物保护区之一。

纳米比亚的重要矿产资源分布广泛。纳米布沙漠的南部有丰富的冲积钻石矿蕴藏，中部则有铀、锡、钨等矿物，北部有铜矿。黄金和天然气的开采日益重要。其他矿产有铅、锌、镉、锂和银。

人民 全国人口密度很低，每平方千米仅有2人。北部人口最为稠密，住有奥万博人，为境内最大的语言文化族群（几乎占人口的5%）。另有若干操班图语的族群和科伊桑语的部族。操阿非利堪斯语的雷霍博特巴斯特人（雷霍博特人）是阿非利堪人与纳马人通婚的后代。白种人（阿非利堪人、德国人和英国人）为城市化程度最高的群体；英语为官方语言。约有1/3人口居住在城市地区。

经济 纳米比亚的经济主要以农业和钻石及其他矿物的开采与出口为基础。农业几乎占国内生产总值的1/6，占用约1/5的人口，以饲养供出口的商品牛和卡拉库尔羊为主；此外，尚有一些自给性的其他农业。矿业占国内生产总值的1/5以上，以钻石、铀和锌为主。制造业约占国内生产总值的1/15，多为供出口的鱼和牛肉的加工，以及食品加工、酿酒和金属制品。进口商品大多来自南非，出口商品主要销往南非、美国和日本。

政体与社会状况 根据1990年通过的宪法，纳米比亚成为一多党制共和国。总统为国家元首，设有两院制立法机构，由下议院（国民议会）和上议院（全国委员会）组成。总统由全民直接投票选举产生，任期5年，国民议会议员除6名任命议员外，其余皆由选举产生。全国委员会成员由地区委员会从其成员中选举产生。总统由以总理为首的内阁辅佐治理国家。独立的司法系统以最高法院为最高司法机构。由前南非行政当局实行的种族隔离制度已完全废除。

纳米比亚的医疗卫生条件优于大多数其他非洲国家。现代医疗服务在多数部族地区均获得不同程度的发展。由于推行正规的免疫计划获得成功，包括疟疾在内的多种传染性疾病均被根除。艾滋病的流行是纳米比亚面临的一个严重问题，纳米比亚是世界上感染率最高的国家之一，到2000年，5个成人中就有1个人被感染。为了抑制疾病的蔓延，政府在2003年采取预防和治疗措施，开始提供免费的抗艾滋病药物的治疗。

政府对6～16岁未成年人实行义务教育。教育体制包括7年小学、5年中学以及技术学院和师范学院。在小学教育中有超过80%的适龄儿童在学校中注册，这个比例高于其他非洲国家。

文化生活 本地居民的文化仍受到部落制度和习俗的强烈影响。传统的艺术、音乐和舞蹈丰富多彩，有岩画、雕刻、中非风格的小饰品、宗教图像和面具。白种人以日尔曼文化为主。音乐活动尤其活跃，以管弦乐团和合唱团为主要特色。

历史 在欧洲人到达这一地区以前，西南非洲一直为科伊科伊人、桑人和讲班图语的赫雷罗人所占据。15世纪80年代后期，葡萄牙航海家开始在克罗斯角、鲸湾和迪亚斯角的沿海地区进行探险。在17和18世纪以及19世纪初叶期间，荷兰人和英国人在沿海地区和内陆的有限地区进行探险。19世纪40年代，随着莱因布道会的到来，德国人开始与该地发生关系。19世纪60年代，部落战争促使传教士、殖民者和德国政府多次请求英国对该地行使统治权以换取保护，但均遭英方拒绝，直到1876年，开普殖民地与部落酋长签订条约，才使该地置于英国殖民统治之下。英国政府仅同意兼并鲸湾和部分邻近地区。1884年，德国宰相俾斯麦提议该地区由德国实行完全保护，后被德国完全兼并。

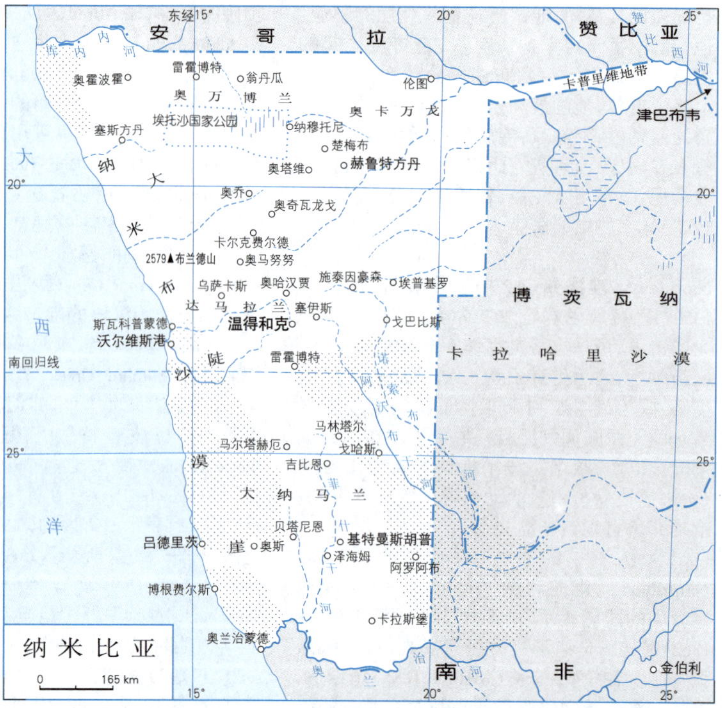

美国不列颠百科全书公司供图

1892年，首批德国农民定居西南非洲。次年与科伊科伊人发生纠纷，导致科伊科伊人（1903）和赫雷罗人（1904）先后起义。作为报复，德国人则使8万人的赫雷罗部族减少到只有1.5万人，均沦为饥饿的难民。钻石的发现（1908）使得大批欧洲人涌入该地。第一次世界大战期间，南非联邦军队打败德国军队并占领西南非洲。战后，国际联盟委任南非统治该地。最初，该委任统治地是作为南非的殖民地加以管辖。1926年设立法议会，在国内拥有有限的权力。

由于国际联盟解体，南非否认有义务向新成立的联合国交出委任统治权。1946年，南非借口所谓的部族支持要求联合国准许其与西南非洲合并，但此项要求遭到拒绝。

1964年，联合国投票表决取消了南非对该地的委任统治权。4年后，即1968年又投票决定承认纳米比亚国名。然而，南非拒绝交出对该地的统治权，或缓和其在经济上剥夺黑人多数权利的各项政策。联合国安理会（1969）和国际法院（1970）先后作出决定，要求南非立即撤销对该地的管辖权。20世纪70年代，南非提出分割纳米比亚，但遭到纳米比亚黑人组织——西南非洲人民组织的抵制。该组织自20世纪60年代以来一直进行反对南非统治、争取独立的游击战争。经过多年冲突之后，南非于1988年准许纳米比亚独立。1989年西南非洲人民组织在新的制宪议会选举中赢得多数席位；该制宪议会制定了一部新宪法，1990年，纳米比亚获得完全独立，由西南非洲人民组织控制的政府执政。西南非洲人民组织在1994和1999年举行的广泛而公正的选举中在议会中赢得大多数的席位。在独立后的第一个十年和21世纪初，纳米比亚成为非洲国家政治和经济稳定的典型。然而，国家也面临着一些严重的问题，如艾滋病的蔓延和土地改革问题。政府计划向占人口少数的白人收购农田，再分配给贫穷无地的黑人。随着进展缓慢的改革计划失败，强制征用土地的威胁更加迫近，围绕土地改革产生的争议不断增加。进入21世纪后，国家的权力也实施了民主化的转变。自国家独立以来一直领导着纳米比亚的努乔马总统在他的第三个任期后辞职。西南非洲人民组织成员希菲凯普运·波汉巴赢得2004年总统选举，并于2005年举行就职典礼。

Namier, Sir Lewis Bernstein 纳米尔（1888-06-27，俄罗斯帝国波兰华沙附近沃拉-奥克热斯卡～1960-08-19，英国伦敦） 英国历史学家，以其关于18、19世纪欧洲的著作而闻名。1906年移居英格兰，就学于牛津大学巴利奥尔学院。后入英国籍。1929年发表《乔治三世即位时的政治结构》一书，彻底改变了对18世纪历史的研究。他集中研究一个短时期的历史，目的在于揭示人们为什么参与政治。他反对简单地将辉格党和托利党分类而支持个人、家族或地方的利益。1931～1953年在曼彻斯特的维多利亚大学任近代史教授，出版两部重要著作：《1848年：知识分子的革命》（1946）和《外交的前奏，1938～1939》（1948）。曾主编《议会史》第一部分《下院，1745～1790》（3卷，1964）。1948年成为巴利奥尔学院名誉研究员。1952年封爵士。

Namp'o 南浦 旧称镇南浦（Chinnamp'o）。朝鲜西南部城市。位于平壤西南50千米。濒临大同江湾。原为小渔村，1897年辟为开放港口后发展迅速。现海港可停泊20 000吨级海轮，但冬季封冻。是该地区的主要海港。有铁路和大同江河运通内地。水产品市场中心。工业有金铜精炼、造船、玻璃和电焊条制造等。海边有晒盐场。所产优质苹果远近闻名。人口约731 448(1993)。

Nampūtiri(Hindu caste) 参阅 **Nambūdiri** 南布迪里。

Namur 那慕尔 佛兰芒语作Namen。比利时中南部省份。北邻布拉班特,东北靠列日,东为卢森堡(省),南与法国为界,西接埃诺。面积3 666平方千米。下设那慕尔、迪南和菲利普维尔3个行政区,省会那慕尔。居民主要讲法语。全省有默兹、桑布尔和莱斯3条河流排灌。地理上可分为若干区域。北部布拉班特高原的富饶冲积土壤生长小麦、甜菜、饲料作物和水果,中部桑布尔、默兹两河河谷气候适宜,土壤肥沃,农业发达,种植多种作物并经营乳制品业。东部岩石高原康德罗兹和西南部的昂特尔-桑布尔-默兹皆布满树林,谷地种植小麦、冬大麦、黑麦、马铃薯、饲料、亚麻,饲养牛、马,经营乳制品业。高原南部的法梅讷洼地多林地和牧场;该地的有些地方石灰岩地区形成许多地下河、溶洞和奇形怪状的岩石;例如莱斯河谷的昂溶洞和洛姆河上靠近罗什福尔的一些岩洞。南面还有阿登山一块不大的岩石嶙峋的地区。桑布尔、默兹河谷是比利时南部"月牙形工业区"的一部分。以钢铁为原材料的工业、冶金、化工和玻璃等早期发展的工业现在仍然很兴旺。北部有制糖业和农业机械工业。南部旅游业正在发展。康德罗兹高原有花岗石、大理石和沙岩开采。省内有数条铁路,默兹河和桑布尔河都已运河化。河流附近奇特的岩石构造和遍及全省的中世纪城堡、隐修院十分吸引旅游者。尚帕勒和勃尔瓦切自然保护区有部分上述岩石构造和勃尔瓦切封建城堡遗址。人口441 205(1993)。

Namur 那慕尔 比利时中南部那慕尔省省会。位于桑布尔河和默兹河汇流处。因地处进入法国的战略要冲,历经战争和围城。两次世界大战中均遭破坏。为铁路枢纽、艺术中心和旅游胜地,同时又是工业城市。生产玻璃、纸张、皮革、钢制品和水泥。市内名胜有巴罗克式圣欧拜恩大教堂(藏有名画和金属制品)、圣路普耶稣教堂,收藏有13世纪金银工艺珍品的圣母马利亚女隐修院和改为考古博物馆的米特大厅(1588)。主教博物馆中陈列有阿登的神龛、伯爵的王冠和可移动的圣坛(1217)。人口105 243(1997)。

桑布尔河和默兹河汇流处的那慕尔市,上方为古城堡
比利时国家旅游局供图

Nan 难 泰国北部城镇。位于南邦东北145千米,琅勃拉邦山岭中。濒临难河,为柚木和农产品贸易中心。建有机场,与泰国其他城市有定期航班。有公路与西南方曼谷—清迈铁路线上的登猜相通。20世纪70年代当地接纳了大批老挝难民。人口22 709(1998)。

Nan-ching(China) 参阅 **Nanjing** 南京。

Nan-ga 南画 英语作Southern Painting。又称文人画,是18和19世纪很多日本画家采用的一种绘画风格。在江户中期和后期,一些具有独特创作能力的画家属于这一画派。其画风是依据17～18世纪具有个性的中国清代绘画形成的。同时,南画画家们在构图及笔法上改变了中国文人画的夸张手法,作品中常带有一种幽默感。池大雅(1723～1776)、与谢芜村(1716～1783)和浦上玉堂(1745～1820)等是南画的代表人物。18世纪初,中国新的绘画通过长崎进入日本,而《芥子园画传》对该画派的理论形成起到一定作用。南画到19世纪已趋向矫揉造作,变为一种表现主观的工具,经常缺乏具体的形象,对事物缺乏实在的结构感。

Nan Hai 南海 又作South China Sea。中国最南端的面积最大、水最深的海区。东接太平洋,西南通印度洋。面积约350万平方千米,平均水深1 212米,最深处达5 559米。西有北部湾和泰国湾两个大型海湾。汇入南海的主要河流有珠江、越南的红河、湄公河和泰国的湄南河等。中国在南海中的重要岛屿有海南岛和东沙、西沙、中沙、南沙四大群岛以及黄岩岛等。南海海区主要属热带、赤道带气候,温度高,年变化小,生物种类丰富。沿海河口一带为良好渔场,稚鱼成长后又向近海洄游。在深海区有随海流前来的金枪鱼、旗鱼、鲣鱼、鲨鱼等远洋鱼类。近年来在珠江口、莺歌海、西沙群岛等海域海底均已发现石油。南海为太平洋与印度洋间的交通要冲,但岛礁众多,水深变化大,有些海域是航行的危险地。

Nan-hu 南湖 参阅 **Xu Zhimo** 徐志摩。

Nan Hua Chen Ching 《南华真经》 参阅 **Zhuangzi** 庄子。

Nan Huai-jen 参阅 **Verbiest, Ferdinand** 南怀仁。

Nan Ling 南岭 又作Nan Mountains。中国南部湖南、江西、广东、广西4省区边境山系的总称。狭义的南岭指越城、都庞、萌渚、骑田、大庾5个山岭,故又称五岭。广义的南岭还包括五岭邻近的苗儿山、海洋山、九嶷山、香花岭、瑶山、九连山等。西起中国广西壮族自治区西北部,经湖南省南部、江西省南部至广东省北部,东西绵延1 400千米。分隔长江流域和珠江流域。高度一般在1 000米左右。少数花岗岩构成的山峰海拔在1 500米以上,如越城岭最高峰苗儿山(2 142米)、越城岭主峰真宝顶(2 138米)、都庞岭主峰韭菜岭(2 009米)、萌渚岭主峰山马塘顶(1 787米)、骑田岭(1 510米)等。南岭走向比较杂乱,地形比较破碎,河流深入山地腹部,因此山岭间夹有许多低谷盆地。南岭西段的盆地多由石灰岩组成,喀斯特地貌发育;南岭东段的盆地多由红色砂砾岩组成,经风化侵蚀形成丹霞地貌。"丹霞"即由大庾岭西南侧的丹霞山得名。低谷隘口构成南北交通孔道,主要有三。一为桂岭路,在越城岭与海洋山之间。公元前221～前206年在桂江上游与湘江上游之间开凿灵渠(即兴安运河),为沟通长江水系与珠江水系的唯一水道,现在的湘桂铁路也循此通过。二为折岭路,沿北江上游武水谷地通过,京广铁路经此。三为梅岭路,由北江上游浈水谷地的南雄,越大庾岭的小梅关至赣江上游,为沟通广东与江西的主要通路。南岭高度虽不大,但对阻挡南下的寒潮和东南来的台风起着重要作用。南岭以南气候终年温暖,少见霜雪。南岭以北冬季比较寒冷,常见飞雪,因而成为自然地理的重要分界。南岭地区在燕山运动期有大量花岗岩侵入地壳上部,在高温高压作用下形成丰富的有色金属矿,其中以钨、钼、锡、铅、锌等尤为丰富。南岭还有国家保护的野生动物。

Nan River 难河 泰国北部河流。源出老挝边界琅勃拉邦山脉北部,南流,在春盛附近接纳永河,在那空沙旺附近,与宾河汇合成**昭披耶河**(**Chao Phraya River**)。长627千米。两岸主要城镇有难、程逸、披猜和彭世洛等。

Nan-t'ung(China) 参阅 **Nantong** 南通。

Nan Yüeh(ancient kingdom) 参阅 **Nam Viet** 南越。

Nana 纳纳(1800或1815?～1895?) 奇里卡瓦阿帕切人斗士,阿帕切人最后反对白人统治的领袖之一。他是奇里卡瓦阿帕切人东部部落的成员，该部落在新墨西哥西部地区活动。他和奇里卡瓦人领袖赫罗尼莫及维多里奥一起，袭击墨西哥人和美国人。到19世纪70年代时，他已经和维多里奥一起住在新墨西哥温泉的阿帕切人的保留地，但在1877年左右，他们及其部落被美国政府迁移到亚利桑那圣卡洛斯的一个荒凉的保留地。1880年当维多利奥及许多部落成员逃离保留地进行劫掠时，遭到墨西哥军队的杀害。纳纳当时没有和他们在一起，他取得了对残余部落成员的领导权，开始指挥他们在得克萨斯、新墨西哥西南部部分地区和墨西哥奇瓦瓦州北部进行劫掠。在美国军队追赶下，纳纳带领了他部落的30或40个成员在新墨西哥奔跑了两个月之久，行程1 600多千米。他的部落杀害了40～50名美国人，打赢美国军队十余仗，成功地逃避了1 400多名军人的追赶。纳纳和他的部落向南撤退，进入墨西哥北部马德雷山脉。1883年他向美国将军乔治·克鲁克投降，并和他的部落回到圣卡洛斯保留地。1885年他和赫罗尼莫逃出保留地，1886年同时被俘获。后来纳纳、赫罗尼莫和其他反叛的残余阿帕切人被流放到佛罗里达。纳纳在俄克拉何马锡尔堡的奇里卡瓦人保留地度过了他最后的岁月。

Nana Sahib　那那·萨希伯（约1820～约1859，尼泊尔）　1857年印度兵变的著名领袖。马拉塔首相巴吉·罗二世的养子。受印度贵族教育。1852年巴吉·罗二世死前曾要求允许萨希伯继续领取首相的8万英镑年金，但遭到英国驻印度总督拒绝。萨希伯派代理人阿齐谟拉汗去伦敦进行交涉，亦未成功。1857年6月兵变期间他参加在坎普尔的部队。同年7月被立为马拉塔首相。12月被英军打败。1859年被赶入尼泊尔山地，据信死在那里。

Nanaimo　纳奈莫　加拿大不列颠哥伦比亚省西南部城市。位于温哥华岛上，濒临乔治亚海峡。市名是印第安语，意为“强大部落”。

纳奈莫市的哈得孙湾公司堡垒
美国不列颠百科全书公司供图

为重要的物资集散中心。有轮渡通温哥华市和大陆。1953年最后一座矿场停业前，采煤为主要行业。现经济主要依靠伐木、纸浆加工、商业捕鱼业、农业、造船和旅游业。加拿大政府在城北设一渔业与海洋地理学研究站。历史名胜有岩刻公园（以古代岩石镌刻为特色）和哈得孙湾公司1853年为保护采矿者和殖民者而建造的堡垒。每年7月中旬举行乘浴盆横渡海峡至温哥华的比赛。1874年设市。人口60 129（1991）。

Nānak　那纳克（1469-04-15，印度拉合尔附近赖布霍伊·迪德尔瓦迪［今巴基斯坦嫩加纳萨希布］～约1539，旁遮普格尔达布尔）　锡克教第一代祖师。出身于刹帝利种姓，其父经商。他曾在粮食仓库任职数年，然后离家弃业，从事宗教活动，云游募化，朝觐印度境内伊斯兰教和印度教中心。1520年左右返回旁遮普，定居于格尔达布尔村讲授教义。此时他已被尊为祖师。那纳克死时指定门生安格德为继承人。其后他的轶事流传四方，其中许多显然是根据印度教和伊斯兰教传说编

约1689年莫卧儿绘画中的那纳克（中坐者）
美国不列颠百科全书公司供图

造出来的，另外一些是根据那纳克本人著作推想而成。这些传闻称为见证，有人把它们粗略地按先后编集成册，题为《生平见证》，主要叙述那纳克童年事迹，尤其是各处旅行的情况。据说他到过巴格达和麦加，甚至到过中国和罗马。那纳克主要宣讲通过思念神名求得解脱，而不靠拜像、建庙、诵经。

Nanao　七尾　日本本州石川县城市。位于能登半岛，临七尾湾。德川时代（1603～1867）是前田家族的海军基地。1899年通铁路后成为向俄国、中国和朝鲜开放的贸易港。20世纪因陆路交通发展而地位下降。现仅从俄国进口少量木材和锰矿石。人口50 101（1990）。

Nanchang　南昌　中国江西省辖地级市，省会。经济、文化和交通中心。位于省境北部，赣江、抚河下游，鄱阳湖滨。汉高祖六年（公元前201）开国名将颍阳侯灌婴在今市郊区筑“灌婴城”（又名灌城），为南昌建城之始。东晋城池西迁。现市区为晋筑新城扩展而成。自西汉置南昌县以来，2 000多年中，南昌数度更名：隋为豫章县；唐宝应元年（762）为钟陵县，贞元年间（785～804）复南昌县名。是历代郡、府、州治所在地：汉豫章郡，隋唐时洪州，南宋隆兴府。元至正二十三年

南昌市名胜滕王阁
中国大百科全书出版社供图

（1363）朱元璋定名为南昌府，取“昌大南疆”、“南方昌盛”之意。1912年废府存南昌县，1926年设市。1927年8月1日中国共产党在南昌发动武装起义。现辖东湖、西湖、青云谱、湾里、青山湖5区和南昌、新建、进贤、安义4县。面积7 372平方千米，其中市区面积587平方千米。地势西南高，东北低，由红色低丘岗地渐过渡到鄱阳湖平原，河渠纵横。属中亚热带季风气候，冬温夏热。年降水量1 762毫米。由于地处赣江谷地北口，为南跨大庾岭沟通岭南的交通要道，长期是江西省和中国东部的南北间物资集散和转运中心。19世纪后半期，沿海航运兴起，粤汉铁路修成，南昌交通的重要性日渐下降，近代经济发展缓慢。1949年前，工业仅有发电、纺纱、火柴、锯木等设备简陋的小厂。农业水平也低下。现在南昌已拥有较大规模的冶金、电力、机械、纺织、航空、电子、仪表、化工、医药等工业部门。郊县农业集约化程度较高，水产养殖和捕捞业比较发达，是江西省重点商品粮基地和淡水鱼重点产地。交通运输有了很大发展。水路可通赣江、抚河和鄱阳湖沿岸城镇及长江各口岸。公路105、316、320国道在此交会，连接全省各地及湘、鄂、闽、浙、粤等邻省。铁路主要有京九、浙赣、皖赣、南浔等干线穿境而过，是京九线上唯一的省会城市和中国铁路高速重要枢纽。民航班机通往北京、上海、福州、广州、武汉、厦门、桂林、长沙等重要城市，省内航线通景德镇、九江、吉安、赣州等地。市内有江西大学等十几所高等院校和多所科研机构，建有八一起义纪念馆和纪念塔，革命烈士纪念堂等。百花洲、万寿宫、滕王阁、八大山人纪念馆等均为著名的名胜古迹。地处市区北部的梅岭，素有“小庐山”之称。人口：全市4 610 000（2005）；市区2 800 000（2004）。

Nanchang Uprising　南昌起义（1927-08-01）　中国共产党在江西省省城南昌领导的武装起义。1927年4月12日和7月15日，蒋介石、汪精卫先后叛变革命，对中国共产党和

革命人民进行血腥屠杀。为了挽救革命，中共中央临时政治局决定在南昌举行起义，周恩来被指派为前敌委员会书记。参加起义的队伍是中国共产党掌握或影响下的国民革命军，共约2万余人。8月1日凌晨，周恩来、贺龙、叶挺、朱德、刘伯承等率领各路起义军向

参加南昌起义的一部分干部合影
中国大百科全书出版社供图

驻守南昌的国民党军队发起进攻，迅速控制了南昌。国民党调集军队向南昌开进，起义军于8月3日至6日先后撤离南昌，向广东转移。9月下旬到达潮州（今潮安）、汕头地区，遭到优势敌军围攻，进军失败。起义军保留下来的部队一部分在朱德、陈毅率领下沿闽、粤、赣边境转战在湘南，1928年1月参加了湘南起义，4月到达井冈山，与毛泽东率领的部队会师，合编为工农革命军第四军；另一部分退到海陆丰地区，参加了当地人民的武装斗争。南昌起义是中国共产党独立领导武装斗争的开始。中华人民共和国建立后，将8月1日定为中国人民解放军建军节。

Nanchong 南充 又拼 Nan-ch'ung。中国四川省辖地级市。位于省境东部，嘉陵江中游。

南充市一角
中国大百科全书出版社供图

汉时属安汉县。隋开皇十八年（598）并安汉、巴西，称南充县，唐武德四年（621）置果州。南宋宝庆三年（1227）升为顺庆府，元至元二十年（1283）改顺庆路。明、清复为顺庆府。1935年设督察专员公署。1950年析南充县城区设南充市。1993年升省辖市，辖顺庆、高坪、嘉陵3区和营山、蓬安、仪陇、南部、西充5县，并代管阆中县级市。面积12 479平方千米，其中市区面积2 527平方千米。市境及其周围地区丘陵广布，是四川蚕茧、棉花、柑橘重要产区。自古以来丝绸工业较发达。早在唐代南充的丝绸就列为"贡品"，并通过长安运往日本。丝织和纺织是全市的主体工业，20世纪90年代初，产值占全市工业总产值的1/3。是中国四大丝绸工业城市之一，有"丝绸之乡"美称。大型丝绸印染联合企业南充绸厂，所产"顺庆大绸"和其他绫、罗、绸、缎享誉国际市场。南充是四川汽车工业基地之一，南充第二汽车配件厂是中国汽车配件重点生产厂。还有一定规模的食品工业和石油工业。自元代以来，南充即为川北重镇，水路经嘉陵江航道上通广元，下达重庆。达成铁路以及212、318国道等可达成都、绵阳、重庆、广元等县市。有民航班机通成都、重庆等地。水陆交通方便，称为"川北心脏"。市内有西南石油大学、西华师范大学和川北医学院等高等院校。名胜古迹有锦屏山、西山、白云山、金城山、清泉寺等。人口：全市7 250 000（2005）；市区1 880 000（2004）。

Nancy 南锡 法国东部洛林大区默尔特-摩泽尔省省会、城市。位于默尔特河左岸，斯特拉斯堡西面。18世纪以前，南锡由两个设防城镇组成，北为中世纪城镇（旧镇），南为16世纪末建的新镇。1750年，法王路易十五（1715～1774）的岳父、波兰国王斯坦尼斯瓦夫一世拆除两镇之间的城墙，新建起一规划有序的城市中心。普法战争（1870～1871）后到20世纪，城镇进一步扩大。中央的建筑群是18世纪法国建筑最完美最和谐的典范。斯坦尼斯拉斯广场呈长方形（120米长，105米宽），广场一侧是漂亮的市政厅，另一侧是

南锡市斯坦尼斯拉斯广场上的市政厅
美国不列颠百科全书公司供图

艺术厅，内收藏有巴罗克和洛可可绘画。市政厅对面是纪念路易十五的拱门。18世纪的政府大厦坐落在广场末端，有精美的希腊爱奥尼亚式柱廊。附近有过去的公爵宫（大部建于16世纪）现辟为洛林历史博物馆，收藏有丰富的地方民间艺术品。11世纪南锡为一以城堡为中心的小城镇区。12世纪设防后，历代洛林公爵以此地为首府。16世纪起兴旺起来，洛林公爵查理二世（或三世）在此另建新镇。普法战争后，南锡成为从德国统治城市阿尔萨斯和梅斯来的移民的主要避难地，人口大为增加。第一次世界大战中城镇受到严重破坏，第二次世界大战中几乎未受损失。现南锡的工业中心地位已为北面50千米处的梅斯所取代，但仍有化工、服装和食品加工业，并发展成为行政和金融中心。1572年建立的南锡大学在法国革命中关闭，但19世纪初重建，现分为科学和人文社会学两个部分。南锡目前与梅斯联合形成城市发展中心（法国8个都市发展中心之一），两城之间通高速铁路。人口95 654（1982）。

Nanda DYNASTY 难陀王朝 约公元前343～前321年印度北部摩揭陀的统治家族。开祖为摩诃坡德摩。他可能出生于边境地区，早年过冒险生活。《往世书》说他"把刹帝利斩尽杀绝"，推翻了伊克希伐库、旁查拉、迦尸、海赫耶、羯陵伽、阿斯摩卡、俱卢、迈蒂拉、苏罗森那和毗蒂霍多罗等国家。关于摩诃坡德摩的后代，《往世书》中只提到苏卡尔帕1人。佛经《摩诃菩提史》中则列举出8个人的名字。最后一名达那难陀是亚历山大大帝的同代人。难陀王朝至此结束，旃陀罗笈多的孔雀王朝兴起，时间约在公元前321年。据史册记载，难陀王朝历代均极为富有，其捐税亦重，在亚历山大时代，难陀王朝的军事实力估计有骑兵2万名、步兵20万名、战车2 000辆、大象3 000头。

Nanda Bayin 应里（活动时期16世纪晚期）又译莽应里。缅甸东吁王朝国王（1581～1599）。即位时即面临叔父反叛，3年后平定。1584年12月起，几次派兵深入湄南河谷，征讨暹罗爱国者纳腊萱，都被纳腊萱打败。随后，暹罗人又进行反攻，1593年占领土瓦和丹那沙林。此时缅甸南部又发生叛乱，并引暹罗人进占马达班和毛淡棉。1595年，应里被

迫退守勃固。1599年他的兄弟们造反，联合若开国王包围勃固，捉住应里，瓜分了莽应里龙帝国的最后残余部分。

Nānded 楠代德 印度西部马哈拉施特拉邦中东部城镇。傍哥达瓦里河。主要为商业中心，也有棉纺织厂。亦为梵文学术中心。设有马拉特瓦达大学几所附属学院。为马哈拉施特拉邦不发达地区之一。居民大多依靠农业为生，高粱和水稻为主要农作物，棉花为主要经济作物。养牛业占重要地位。主要工业为轧棉和榨油。人口191 269(1981)。

Nandeva(South American Indians) **南迪瓦人** 参阅 **Apapocuva 阿帕波库瓦人**。

Nandi 南迪人 居住在肯尼亚高原西部、操南尼罗语族卡兰津语的民族。南迪人基本上是集约耕作农民，主要作物为黍类、玉米和甘薯。牛受重视，可提供食品、用作聘礼和用于宗教仪式。南迪人分为17个父系族外婚氏族。最重要的传统社会集团是各级年龄组，每一个男人从出生起就属于其中的一组。普遍实行一夫多妻制，娶亲以牲畜作聘礼。南迪人社会在传统上是平等的，从未出现奴隶占有现象。

Nandi 难底 印度教所崇奉的大神湿婆骑用的欢喜牛。有些学者认为，公牛本来是湿婆的动物化身，但自约公元1世纪贵霜时代以来它就成为湿婆所骑用的牲畜。湿婆庙门

南印度15世纪晚期的难底花岗岩雕像
美国不列颠百科全书公司供图

前都有白色公牛卧在高台上，背上有肉隆起，面向大门，凝视庙内所供湿婆的象征物林伽(男生殖器像)。难底是湿婆的重要侍从，偶尔雕成牛面侏儒。现代印度人崇敬公牛，就是由于它与湿婆有关。在贝拿勒斯(瓦拉纳西)等古城，公牛可以在街上任意游荡。

nanduti 放射状花边 印第安瓜拉尼语意为"蜘蛛网"。由西班牙人引进巴拉圭的一种花边。其特点通常是在轮辐状结构的基本线条上绣制许多简单图形。这种结构和蜘蛛网或太阳光线的辐射相似，通常是在圆形的小座褥上制作的，并流行于西班牙语国家。

nang-mchod 内供 又称"内身供"或"身供"，或称"五识之供"。中国藏传佛教仪式中敬礼宁静之神用以满足其感官知觉的供奉。计有：镜(视觉)，铃或弦乐器(听觉)，香料、豆蔻或香花(嗅觉)，糖和盛有乳酪的海螺，或用糌粑面制的朵玛(味觉)，丝绸(触觉)。经文中还提到第六识，即意识，但不常见于仪式，可用一页经书作供。供奉密宗护法神的五识之供用嘎巴拉碗(人头骨碗)盛心、舌、鼻、两眼和两耳——经文中说是人体五官之供，但实际仪式中是以糌粑面和酥油做的色彩形体逼真的供物。内供有别于**外供**(**phyi-mchod**)。

Nānga Parbat 南伽山 又称迪亚米尔。世界最高山峰之一(海拔8 126米)。位于喜马拉雅山西部，查谟和克什米尔巴基斯坦管辖区。该山南坡陡立，从山谷向上耸立约4 600米。北坡下降到印度河约7 000米。英国登山家艾伯特·F.马默里于1895年率队首次试图登上积雪和冰川覆盖的山峰，不幸遇难。在奥地利登山家赫尔曼·布尔于1953年抵达山顶以前，至少有30个登山家(大部为德国登山队)由于严酷的气候条件与经常的雪崩而牺牲。

Nangnang 乐浪 又拼Lo-lang。公元前108年中国汉武帝征服古代朝鲜所置四郡之一，其他三郡为真番、临屯、玄菟。乐浪位于朝鲜半岛西北部，首府平壤。它延续至313年被高句丽消灭。乐浪约有40万人口，极为繁荣，当时是中国在朝鲜的文化中心。受命前往治理乐浪的中国官吏带去了中国的习俗，在那里建立了一个小型的中国社会。这些中国统治者遗留在当地坟墓中的有中国古代艺术的最佳代表作品，尽管乐浪的中国文化和社会制度似乎对当地居民并未产生多大影响，但中国的技术，特别是金属加工，确实加强了中国版图之外的朝鲜部族社会。

Nangnim Mountains 狼林山脉 在北朝鲜中部，**盖马高原**(**Kaema Highlands**)西。南北走向，为关北(朝鲜半岛的东北部分)和关西(西北部分)的分界线。平均高度5 000英尺(1 500米)，有猛扶山(7 421英尺)、小白山(9 003英尺)、狼林山(7 165英尺)、白山(6 152英尺)等山峰。为大同江和清川江的发源地。两江及其支流均注入黄海。铁路和公路经该山将关北和关西地区连接起来。

Nanhai 南海 中国广东省佛山市辖区。位于省境中部偏南，珠江三角洲北部。辖桂城、罗村洲2街道，里水、九江、丹灶等6镇。面积1 047平方千米。秦为番禺县地。隋开皇十年(590)析置南海县，沿袭古南海郡名，为广州治。1912年后移至佛山。1983年属佛山市。1988年迁治桂城镇。1992年撤县设市。2002年撤市设区，区政府驻桂城。广东省著名侨乡。广东省经济"四小虎"之一。农业盛产稻、塘鱼、桑蚕、糖蔗、花生、蔬菜、水果。广东省主要商品粮和塘鱼基地之一。工业以轻纺为主，门类较齐全。乡镇工业发展迅速，全市有25 000多家。主要行业有汽车制造、纺织化纤、建筑陶瓷、铝型材、家用电器、机械、电子、皮革、制鞋、服装、玩具、塑料等。广东四大名山之一的西樵山，风景优美，并有新石器时代文化遗址，为中国重点风景旅游区。交通发达，广茂铁路，广州—珠海、广州—湛江公路干线贯穿境内。镇镇村村通公路。佛山机场坐落市内罗村镇。水路通广州、江门、肇庆、梧州、香港、澳门等地。人口约1 070 000(2003)。

Nanhui 南汇 中国上海市辖区。在市境东南部，黄浦江东岸，东临东海，南濒杭州湾，为长江三角洲冲积平原东南端。原为上海县地。明洪武十九年(1386)设南汇守御所。因海潮与长江、钱塘江在此相汇而取名。清雍正三年(1725)析上海县部分地置南汇县，属松江府。1958年由江苏省划归上海市。2001年改为南汇区。面积688平方千米。海岸线长约44千米。境内地势平坦，河港密布，气候温和湿润，土地肥沃，沿海滩涂宽广，有利于农业和养殖业的发展。农业多以旱作为主的水旱轮作，是中国著名的粮、棉产区之一，素称"鱼米之乡"，棉花、油菜籽单位面积产量居中国前列。禽畜饲养兴旺。特产以浦东鸡、浦东猪和上海蜜梨、玉露桃闻名。纺织业发展较快，尤以织袜业历史久远，主要集中在周浦和惠南两镇，为上海纺织工业后备基地之一。并有农机、日用机械、化肥、塑料、服装、建材等企业。交通便利，浦东运河、白龙港等纵贯南北；大治河、六灶港等横贯东西。沪南、川南和南奉等公路为主要干线。人口710 000(2005)。

Naning War 南宁战争(1831～1832) 英国人为向马六甲附近的马来南宁国的米南加保人索取贡金而进行的战争。1829年马六甲的英国官员宣称他们继承了荷兰人以前拥有的权利，要求南宁把每年收成的1/10献给他们。南宁的统治者阿卜杜勒·赛义德表示拒绝。1831年击败了来犯的英军。1832年英军进行第二次远征，经过3个月的交战粉碎了南宁的抵抗。但是英国人由于战争代价很大，而且有失体面，在此后40年间终于打消了在马来亚进行扩张的念头。

Nanino, Giovanni Maria 纳尼诺(1543或1544，教皇国蒂沃利～1607-03-11，罗马) 意大利音乐家和作曲家，16世纪晚期欧洲较著名的音乐人物之一。曾学习声乐和作曲。后来在几座重要的罗马教堂中担任唱诗班指挥，1577年成为教皇唱诗班的永久歌手；曾任该唱诗班指挥达数年之久。他也是一位著名的教师，据说他和弟弟G.B.纳尼诺创立了罗马第一所由意大利人主持的公立音乐学校，他曾教过17世纪前半叶许多知名的罗马作曲家。他不但写圣乐，也写世俗音乐，作品包括牧歌、经文歌和坎佐内特等。他的牧歌可列入当时最佳作品之林，但所作圣乐与同时期的卓越作曲家G.P.帕莱斯特里纳的作品相比，则肯定相形见绌。

Nanjing 南京 又拼Naking。中国江苏省辖地级市，省会。简称"宁"。中国最大的河港和历史文化名城，中国七大古都之一。位于省境西南部，居长江下游，扼秦淮河入江之口。市区跨长江两岸，西接苏皖沿江平原；东以宁镇山脉与长江三角洲相连。辖玄武、白

下、秦淮、建邺、鼓楼、下关(以上6区为城区),雨花台、栖霞、江宁、浦口和六合(以上5区为郊区)11区及溧水、高淳2县。面积6 501平方千米,其中市区面积4 623平方千米。

南京中山陵

美国不列颠百科全书公司供图

沿革 南京春秋历属吴、越;战国属楚,称金陵邑。秦改秣陵县,又置丹阳、江乘二县,同属会稽郡。汉初沿用秦制。东汉建安十六年(211)吴主孙权自京口(今镇江)徙治秣陵,翌年筑石头城,称建业;黄龙元年(229)又自武昌徙都于此,为南京建都之始。西晋太康元年(280)复改建业为秣陵,分置临江县,翌年改临江为江宁,为江宁一名之由来;太康三年分秣陵置建邺;建兴年间(313～316)改名建康。建武元年(317)东晋迁都于此。明洪武元年(1368)朱元璋称帝,建都于此,定名南京,为南京得名之始。洪武四年至十九年建造规模宏大的南京城,周长33.676千米,面积44平方千米,堪称世界第一大城。清置江宁府,为两江总督驻地。太平天国克江宁,定为国都称天京(1853～1864)。辛亥革命爆发后,1912年初孙中山在此就任中华民国临时大总统,改称南京府,旋改称江宁县,定为江苏省省会。1927年国民政府成立,定为首都,置南京市,直隶国民政府行政院。1928年改称南京特别市。1930年改南京直辖市,又称首都市。1949年中华人民共和国建立,南京为中央人民政府直辖市。1952年改为江苏省辖市、省人民政府驻地。

自然条件和运输 市境多丘陵岗地,东北沿江有幕府山、栖霞山;东郊有钟山(又名紫金山),主峰海拔448米。市内的狮子山、清凉山、北极阁、九华山、五台山和南郊的雨花台,海拔都不足百米,是阶地被切割残留的岗丘。长江自西南横过市区北部向东北流去,沿江有广阔的冲积平原;秦淮河从南蜿蜒而下,流经城南、城西,到下关三汊河汇入长江;山环水绕,气势雄伟,自古是长江下游南北交通要津,有"龙蟠虎踞"之誉。清咸丰八年(1858),南京开港,现港区沿江绵延90千米,大型江轮可终年进出,1989年竣工的新生圩港,可停泊万吨级海轮。现南京港区西起苏皖界上的慈湖口,东达仪征市江岸的赵庄沟油码头。拥有煤炭专用码头、海轮杂货码头、集装箱码头,油码头和综合性码头。2003年货运吞吐量已达6 600万吨以上,为中国内河第一大港。随长江航运兴起及沪宁、津浦、宁芜等铁路建成,南京已成为中国东南沿海水陆交通枢纽。1969年南京长江大桥建成,使京沪、宁铜、津浦、宁芜等铁路和苏南、苏北两大公路系统连成一体。104国道过境,还有沪宁肥高速公路,以及宁杭、宁芜、宁徐、宁连、宁通等公路交会于此。进入20世纪90年代,由于经济迅速发展,大江南北间物资交流和客运量迅速增长。为缓解长江大桥公路桥的交通流量,至1996年已完成绕城公路江北段和板桥汽车轮渡两大工程。2001年由燕子矶、经八卦洲到大厂镇间的南京第二长江大桥建成通车。市东南郊有南京机场及在江宁县新建的南京禄口机场,分别有定期航班与国内、外各大城市联系。新机场于1997年7月正式启用,设计能力为年飞行69 600架次,客运量864万人次,货运量119 800吨。

气候、物产和经济 市境属北亚热带季风湿润气候,以夏季高温为特点。1月平均气温1.9°C,7月平均气温28.2°C,年均降水量1 026.2毫米,夏雨集中率为43.2%,雨热同季,有利于农业生产。自然景观属常绿阔叶与落叶阔叶混交林,具有明显的南北过渡特征。郊区农业以蔬菜为主,林果种植和乳牛、蛋禽、肉禽饲养业亦较发达。早在春秋末期已建立相当规模的冶炼作坊,铸造兵器和钱币。手工丝织业初建于孙吴,其后经东晋、南朝、唐、宋等朝代的发展,到明清时期已与苏、杭二州齐名,成为中国三大手工丝织业中心。南京地区的造船业古代就已著称于世,三国孙吴时期庞大的水军船队和明代郑和下西洋率领的规模宏大航海船队,都是以南京为建造基地的。清同治四年(1865)设"金陵制造局"(今晨光机器厂),是南京近代工业发展的开端。其后逐渐建立起一些纺织、化肥、无线电、电力、建材和机器制造等工厂,但只有南京无线电厂、南京下关电厂、永利硫酸铵厂、南京肉类加工厂、江南水泥厂和中国水泥厂等略具规模。1949年以来,先后建立起采掘、冶金、电子、机械制造、汽车制造、造船、家用电器、化学、石油化工、化肥、纺织、服装、食品等工业部门,其中电子、化肥、石油化工、化学纤维、化工机械、机械制造、汽车制造等部门,在中国均占有重要地位,成为中国主要工业基地之一。1995年工业总产值约占江苏省工业总产值的5.95%。江北岸浦口区的宁扬公路沿线是1988年以来建设的高新技术开发区;大厂区是南京化学工业公司、扬子石油化学工业公司、南京钢铁工业公司和南京热电厂的基地。江南岸栖霞区沿江地带,从燕子矶到栖霞山一线,是新建的造船、化学、化学纤维、石油化工和炼油等工业基地。其他如电子、机械制造、汽车制造、纺织等工业,大都集中于城区和近郊。市内还有许多商业区。

文教科研和景观 南京也是中国重要的文教科研中心。有南京大学、东南大学、南京理工大学、河海大学、南京师范大学、中国药科大学、南京中医药大学、南京医科大学、南京农业大学等多所高等院校。有中国科学院南京分院所属南京地质古生物研究所、南京土壤研究所、南京地理和湖沼研究所、紫金山天文台等,以及南京地质矿产研究所、南京水利科研所、江苏农业科学院、江苏社会科学院、江苏植物研究所等科研机构和中山植物园、园林药物园等科研基地。南京博物院和南京图书馆历史悠久,收藏文物和图书甚丰。南京第二历史档案馆珍藏的档案史料达130多万卷,是独一无二的民国史料基地。市区绿化面积居中国大、中城市之首。全市共栽种行道树20余万株;开辟包括著名的玄武湖、莫愁湖和小红山三大类型公园在内的大、小公园30多个。风景林和公共绿化面积达3 000余公顷,绿化覆盖面积占市区总面积的30%。重要革命纪念地有:雨花台烈士陵园、梅园新村中共代表团驻地、渡江战役胜利纪念碑、太平天国天王府和孙中山临时大总统办公室旧址等。重要的文物单位有:瞻园太平天国历史博物馆、堂子街太平天国壁画、明故宫遗址、明南京城、台城、六朝陵墓石刻、栖霞寺和千佛岩,以及祖堂山南唐二陵等。国家重点风景名胜的钟山南麓,建有庄严肃穆的中山陵,陵园面积达8万多平方千米。陵西是明太祖朱元璋的墓地——明孝陵,再西是廖仲恺和何香凝墓;陵东有灵谷寺公园,古称"灵谷深松"。钟山登山索道已于1995年建成启用。1985年建成侵华日军南京大屠杀遇难同胞纪念馆。狮子山南麓静海寺亦辟为《南京条约》史料陈列馆。夫子庙古建筑群也于1989年修葺开放。人口5 820 000(2005)。

Nanjing Museum 南京博物院 中国省级历史艺术博物馆。位于江苏省南京市中山门内,占地8.3万多平方米。主体建筑为中西合式,门厅为仿辽代建筑式样。其前身是国立中央博物院筹备处,国民政府根据蔡元培和各学术团体的倡议于1933年4月在南京建立。原计划分自然、人文、工艺3馆，1937年基本建成人文馆。抗日战争爆发后内迁云南、四川。抗日战争胜利后，于1946年迁回南京。1948年冬，部分人员和藏品迁往台湾。中华人民共和国建立后，1950年3月改名为国立南京博物馆。同年8月正式定名为南京博物院。该院藏品包括：考古发掘品、历史文物、革命文物、民族文物、绘画、书法、工艺品、碑帖、文献资料、外国文物等近42万件，其中一级品718件。藏品上起旧石器时代，下迄近现代。在3万多件宋、元、明、清书画中，以明、清两代的藏品见长。另有代表11个民族的文物2 233件。还有相当数量的明清碑刻资料和近现代珍贵历史文献。该院有9个陈列厅，面积3 712平方米。其中7个厅设有基本陈列“江苏历史陈列”，展示了江苏地区从原始社会到近代的数千年历史发展的历程，着重反映了江苏地方历史的文化特色。另两个厅每年举办10个以上重要文物、绘画和工艺品展览。该院还举办流动展览。定期出版《南京博物院》（年刊）。

Nanjing University　南京大学　中国综合性大学。校址在南京。前身是三江师范学堂（1902创建）。1905年改为两江师范学堂，1911年停办。1915年在原址设立南京高等

南京大学校园一角
中国大百科全书出版社供图

师范学校。1923年并入国立东南大学。1927年与河海工程大学、上海商科大学等合并为国立第四中山大学，1928年改名国立中央大学。抗日战争期间迁往四川重庆。1946年迁回南京复校。1949年改名国立南京大学。1950年10月，按教育部规定，改名为南京大学。1952年全国高校院系调整，南京大学调整出工学、农学、师范等部分院系后与金陵大学的文学院、理学院等合并，仍名南京大学。学校设有17个学院，47个系。还设有研究生院、继续教育学院。全校共拥有本科专业70个，硕士学位授权点180个，专业硕士学位6个，博士学位授权一级学科点16个，博士点116个，博士后流动站18个。国家重点学科28个，国家重点实验室7个，国家基础学科研究和人才培养基地11个。学校建有各类研究所116个，跨学科的研究中心92个，并有计算中心、现代分析中心、网络信息中心、教育技术中心等大型教学科研实验基地。在全校近2 000名教师中，共有教授632人，其中中国科学院院士23人，中国工程院院士3人。有各类学生38 500余名，其中博士、硕士研究生9 400余名。图书馆藏书量419余万册，学校占地面积240万平方米，包括鼓楼、浦口两个校区。出版物有《南京大学学报》、《高等学校计算数学学报》等多种。

Nankai University　南开大学　中国综合性大学。校址在天津。前身为南开学校，1919年由张伯苓和严范孙创办。1946年以前是中国最著名的私立大学之一。创办之初，从“文以治国，理以强国，商以富国”的思想出发，设

南开大学校园内的周恩来纪念碑
中国大百科全书出版社供图

有文、理、商3科，后增设矿科。以后陆续改科为院，并增设医预科，计13个系。早期的研究机构有：经济研究所、满蒙研究会和应用化学研究所。1937年，南开大学遭到日本飞机轰炸，主要校舍被毁。同年8月南迁长沙，与北京大学、清华大学组成长沙临时大学。翌年4月继迁昆明，改称西南联合大学。1946年迁回天津复校。设有文学、历史，日本研究、法学、周恩来政府管理、外国语、马克思主义教育、经济、国际商学、经济与社会发展、金融工程、数学、物理、化学、生命科学、信息技术科学、环境科学与工程、医学、软件、汉语言文化等20个学院及哲学系。有68个本科专业，158个硕士学位学科专业，98个博士学位学科专业，17个博十后科研流动站。有18个国家重点学科，1个国家重点实验室，1个国家工程中心，8个国家基础学科人才培养和科学研究基地，6个国家人文社会科学重点研究基地，一个国家级大学科技园。学校专职教师1 598人，其中教授544人，副教授616人，756人具有博士学位，占教师总数的47.3%，中国科学院及中国工程院院士7人，在校各类全日制学生21 503人，其中本科生12 673人，硕士生6 518人，博士生2 231人。另有外国留学生1 290人，远程教育学生6 223人，成人教育学生4 988人。图书馆藏书304万册。校园面积148万平方米。出版物有《南开学报》、《南开经济研究》、《南开管理评论》、《实验室科学》等。该校曾举办“第21届理论物理中微分几何方法”等多个国际学术会议，平均每年约有千名外国学者及各界人士来访。

Nankan(China)　南竿　参阅 **Mazu Island** 马祖列岛。

nankeen　南京布　中国产的一种结实耐穿的棉布，即紫花布。以原产地为南京，故名。现一些国家有仿制。布呈黄色，由原棉的特殊色泽形成。织成品无固定尺码，也不经漂白处理。

Nanking(China)　参阅 **Nanjing** 南京。

Nanking Massacre　南京大屠杀　又作Rape of Nanking。抗日战争时期日本侵略军屠杀中国人民的重大暴行。又称南京惨案。1937年12月13日日军侵占南京，在日本华中方面军司令松井石根和第六师团长谷寿夫的指挥下，对中国军民进行了长达40多天的大规模屠杀，杀害了无辜市民和已放下武器的士兵共30万人以上：据中国审判战犯军事法庭查证的集体屠杀并毁尸灭迹者，共28案，被害人数达19万多人；日军还普遍地分散进行屠杀，尸体经慈善团体掩埋者达15万余具。日军采取的手段极其残忍，除枪击外，还有砍头、剖腹、活埋、火烧、水溺、支解四肢，等等。日军除疯狂进行大屠杀外，还灭绝人性地奸淫妇女。从幼女到老妇，甚至孕妇都难以幸免，很多妇女在被蹂躏后又惨遭枪杀、刀戳和毁尸。在日军占领南京的一个月中，市内就发生了约两万余起强奸妇女的暴行。此外，日军所到之处，均遭大规模的抢劫，十室九空。抢劫之后，纵火焚烧，巨火浓烟，笼罩全城，全市被烧毁的房屋达1/3以上。抗日战争胜利后，侵华日军在南京犯下的血腥暴行得到了清算，松井石根被远东国际军事法庭处以绞刑，谷寿夫被引渡给中国政府处死。为了纪念这场震惊世界的惨案，1985年，南京人民在当年日军集体屠杀中国人的现场遗址之一的江东门建立了一座侵华日军南京大屠杀遇难同胞纪念馆，展厅陈列了大量的资料、文献、图表、照片和实物，揭示了侵华日军占领南京后杀、烧、淫、掠的种种暴行。此外，还在其他屠杀现场如燕子矶、草鞋峡、中山码头、汉中门等遗址及遇难同胞尸骨丛葬地中华门外等处，建立了15块纪念碑。

Nanking, Treaty of　《南京条约》(1842-08-29)　即《江宁条约》。中国近代史上第一个不平等条约。清政府代表耆英、伊里布与英国政府代表璞鼎查在南京签订，以结束第一次鸦片战争。共13款。主要内容为：割让香港；开放广州、福州、厦门、宁波、上海为通商口岸；中国向英国赔款2 100万银元；英国进出口货物税率由中、英共同议定。条约签订后，双方在广东继续谈判。1843年7月22日，在香港公布《五口通商章程》。10月8日签订《五口通商附粘善后条款》，又称《虎门条约》。在该约中，英国取得领事裁判权、片面的最惠国待遇等特权，同时制订了海关税则。1844年清政府又被迫与美国签订《望厦

清政府与英国政府签署中国近代史上第一个不平等条约——《南京条约》
中国大百科全书出版社供图

条约》，与法国签订《黄埔条约》。从此，外国势力打开了中国的大门，使中国逐步沦为半殖民地。

Nankou 南口 中国北京市昌平区辖镇。位于昌平区西北，距北京市区 42 千米。京包铁路和八达岭公路由此通过。自古为北京通向内蒙古高原的交通孔道和军事重镇。唐代在地势险峻的古居庸关设南北两口，南口由此得名。北魏、北齐称下口或夏口，元代复称南口，开始驻军，设南口千户所。明永乐二年(1404)筑城墙。1912 年始设镇。面积 6 平方千米。镇区南为旧街巷，多商业、服务业；北为新建居民住宅区。现有铁路机车车辆修造、保温瓶、皮鞋和建材等工业，镇西建有中国北方射击场。人口8 000(1990)。

Nanna (Mesopotamian deity) **南那** 参阅 **Sin** 辛。

Nanni DI BANCO **南尼**(1374 或 1390?，佛罗伦萨[意大利]～1421，佛罗伦萨) 佛罗伦萨雕刻家，其作品显示了意大利艺术从哥特式向15世纪初文艺复兴的风格转变。受教于其

南尼的《四圣徒》(约 1411～1413)
美国不列颠百科全书公司供图

父安东尼奥。第一件重要作品是为佛罗伦萨大教堂制作的真人大的先知以赛亚大理石全身像，坐落于教堂西部正面，与为佛罗伦萨圣米迦勒教堂所作的作品相比，哥特式风格更为显著。《四圣徒》(约 1411～1413)是其杰作。受古代艺术的影响，作者让这 4 个圣徒身穿罗马长袍，其头部则仿照古代雕像式样。置于曼多拉门上的圣母马利亚升天浮雕像约始作于 1414 年，这是其最后一件重要作品，可能是在其死后由 L. 德拉·罗比亚(一般人认为是他的学生)完成的。

Nanning 南宁 又拼 Nan-ning。中国广西壮族自治区辖地级市，自治区首府。旧称邕宁。位于自治区南部，左江与右江汇合处下游30多千米的邕江两岸。辖青秀、兴宁、江

南宁市江滨立交桥
中国大百科全书出版社供图

南、西乡塘、良庆、邕宁 6 区和武鸣、横县、宾阳、上林、隆安、马山 6 县。面积22 189平方千米，其中市区面积 1 834 平方千米。秦属桂林郡，汉属郁林郡。东晋大兴元年(318)析置晋兴郡，设晋兴县，是南宁建制之始。隋为宣化县。唐贞观六年(632)设邕州。咸通三年(862)置岭南西道，道治邕州(即今南宁)，从此作为岭南西道(广西)政治军事中心达 110 年之久。元至元十六年(1279)改邕州为邕州路，泰定元年(1324)改为南宁路。明洪武初年(1368)改南宁府。1913 年废府，改宣化县为南宁县，1914 年改名邕宁县。1912～1936 年曾是广西省会。1949 年末再次成为省会。1949 年析邕宁县设南宁市。1958 年成为自治区首府。南宁地处低纬度，气候暖热湿润，是四季常青的绿色城市，绿化覆盖率达 31.2%。作物生长季长，盛产稻谷、甘蔗、黄麻、菠萝、香蕉、柑橙、荔枝、龙眼、芒果、西瓜、青刀豆、荸荠等。1953 年以后，工业发展迅速，主要有制糖、食品、纺织、玻璃、造纸、自行车、手表、机械、电子、家用电器、建筑材料、造船、化工、冶金、铸造、饮料、印刷、制药等。南宁有 40 多条公路，通往广西各地。湘桂、黔桂、南昆铁路与京广铁路相通可直达全国各地。1997 年 12 月，东起南宁，南至昆明，北接红果的南昆铁路全线开通运营，年输送能力近期为 1 000 万吨，远期可达 3 000 万吨。公路有 210、322、324、325 等国道在此汇集，南北、南桂等高速公路已全线贯通。内河航运上通百色，下通梧州、广州、香港、澳门。航空线直通北京、广州、上海、成都、昆明、桂林、深圳、香港、北海以及越南河内。市内有广西大学、广西农业大学、广西医科大学、广西民族大学等多所高等学校。广西电影制片厂坐落在此。广西博物馆文物丰富，其古代铜鼓的收藏量在种类和数量上居世界各博物馆首位。馆旁建有民族苑，集广西各少数民族建筑精华和民族风情于一体。名胜古迹有青秀山、伊岭岩、凤凰湖、良凤江、金鸡太阳岛、灵水、明秀园、起凤山、大明山、昆仑关和豹子头、石船头等。人口：全市6 380 000(2005)；市区1 182 000(2004)。

nanotechnology 纳米技术 20 世纪 90 年代出现的一门新兴技术。指操纵原子、分子等产生纳米(十亿分之一米)尺寸的结构。这

些纳米结构由于量子力学效应，显示出独特的新特性或特点。1959 年美国物理学家 R. 费因曼最早提出量子在微型化方面一些潜在的好处。一个重要的进展是 1968 年 A. 乔和 J. 阿瑟在贝尔实验室发明了分子束外延法以及该项发明在 20 世纪 70 年代的发展，这为单一原子层的可控沉积提供了条件。科学家们在制造装置方面已经取得一些进展，包括纳米尺寸的计算机组件。更快的进展出现在纳米材料在其他产品中的应用，例如服装和无形的遮光剂中使用的防污涂层。

Nanping 南平 又拼 Nan-p'ing。中国福建省辖地级市。新兴工业城市。位于省境中部偏北，闽江上游三大溪流汇合处。鹰厦和外福铁路在此接轨。处闽中大山带中部，鹫峰山与武夷、玳瑁诸山支脉在此交会，断裂作用频繁，V 字型河谷纵横，地表形态十分破碎，相对高差大。市区在断裂构造上发育的侵蚀盆地，有闽江及其支流贯穿。东汉建安元年(196)设南平县，后曾改名延平、龙津、剑浦。元大德六年(1302)复名南平。明、清为延平府治。1913 年废府存县。1957 年建市。1994 年升省辖市。辖延平区和松溪、光泽、顺昌、浦城、政和 5 县，并代管建瓯、邵武、武夷山、建阳 4 县级市。面积26 278平方千米，其中市区面积2 660平方千米。清代闽江上游的山货、竹、木、纸张、粮食生产集中于南平，由闽江顺流下福州转口。市境西部来舟镇为全省铁路枢纽。农产以稻为主，并产花生、甘蔗、油菜籽、芝麻、烟草、茶叶，林产有柑橘、木材、毛竹及笋干。工业以木材加工、造纸、炼铝、纺织、水泥为主。南平造纸厂是全省最大造纸厂和全国著名新闻纸厂之一。沙溪口电站(装机 32 万千瓦)已形成水库面积 17.50 平方千米，水口电站(装机 140 万千瓦)已形成蓄水 20 多亿立方米的水口湖，改善了闽江航道，福州至南平可通 500 吨级货轮。名胜有九峰山上南宋理学家朱熹讲学的南平书院，茫荡山有著名古驿道"三千八百坎"。人口：全市3 060 000(2005)；市区490 000(2004)。

南平市的滨江大道
中国大百科全书出版社供图

nanqu 南曲 中国最早的戏曲声腔之一。12 世纪宋、元南戏采用东南沿海一带民歌及词调作为唱腔，称南曲。南曲用五声音阶，即宫、商、角、徵、羽，相当于 do、re、mi、sol、la。旋律多用阶进，以箫笛伴奏，曲调柔媚婉转，与北曲刚劲雄健的风格迥然有别。宋元南戏和明清传奇都以南曲为主。

Nansei-Shotō Trench (Pacific Ocean) **西南海沟** 参阅 **Ryukyu Trench** 琉球海沟。

Nansen, Fridtjof 南森(1861-10-10，挪威克里斯蒂安尼亚[今奥斯陆]附近的大弗罗恩～1930-05-13，奥斯陆附近的吕瑟克) 挪威的北极探险家、海洋学家、政治活动家和慈善家，领导过多次北极探险(1888，1893，1895～1896)和北大西洋海洋探险(1900，1910～1914)，由于其在第一次世界大战后做的救济工作获得诺贝尔和平奖(1922)。在克里斯蒂安尼亚上学，1880 年考取大学。他选择学习动物学，希望野外工作能给他一个户外生活的机会，并使自己的艺术才能得以发挥。虽然科学工作经常萦绕心头，但他获得的首要名声是位探险家。自幼喜爱户外活动，是名高超的溜冰者与滑雪家，敏捷的猎人和渔人。1882 年搭乘猎海豹船到格陵兰海域，初次看到远处的格陵兰巨大冰盖，决心翻越它。1887 年他宣布一项计划：不从有人居住的西海岸出发，而是从东海岸出发，切断退路迫使自己不断前进。6 人探险队，由挪威出发，于 1888 年 8 月 15 日开始翻越冰盖。经受暴风和严寒，9 月 5 日登上海拔2 719米的最高点。26 日到达西海岸阿梅拉利克峡湾，在戈特霍布度过严冬。他借此机会研究爱斯基摩人，为 1891 年出版《爱斯基摩人的生活》一书收集材料。1889 年 5 月胜利归国。

1890 年向挪威地理学会提出一项更加冒险的计划：根据他搜集到的资料证明，极地海域的冰块由西伯利亚向斯匹次卑尔根漂流，因此建议造一条特殊的船只驶往东西伯利亚外的北冰洋上，让其冰冻，然后随着浮冰由海流漂往挪威的斯匹次卑尔根岛。这一建议虽然受到当时北极探险家们的严厉批评，但得到挪威议会(承担探险费用的 2/3)和国王以及一些私人的支持，按照他的设想建成一艘名叫"前进"号的探险船(至今仍保存在奥斯陆郊区)。1893 年 6 月 24 日，南森一行 13 人从克里斯蒂安尼亚启航，9 月 22 日驶到北纬 78°50′、东经 133°37′处被冰固封，于是开始长途漂流。他看到一切按照他的计划实现，便于 1895 年 3 月 14 日在北纬 84°4′、东经 102°27′处和一个伙伴携带冰上交通工具中途离船继续北进，达到人类从未到过的北纬 86°14′处，从这里折往法兰士约瑟夫地群岛，不料被水所阻，只能在弗雷德里克·杰克逊岛上过冬(原为无名小岛，由南森事后命名)，他们在这个孤岛上被困达 9 个月(1895-08-26 ～ 1896-05-19)之久。返回斯匹次卑尔根途中，于 1896 年 6 月 17 日与弗雷德里克·杰克逊的探险队相遇，才一起乘船回到挪威；这时"前进"号也安全漂到了挪威(最北曾漂到北纬 85°57′)。他记载这次旅行的《极北地区》一书于 1897 年出版。在科研方面，南森也很有造诣。1882 年受聘为卑尔根博物院的动物馆馆长。他所写的动物学及组织学的论文，均有精细的图解。1887 年发表《论中枢神经系统组织的结构和联络》一文，荣获克里斯蒂安尼亚大学的博士学位。先后担任该校动物学教授和海洋学教授。1896 ～ 1917 年间，他专注于海洋科学研究，曾编写探险科学成果的汇报，多次参加北大西洋和北冰洋的海洋考察(如 1900 年对挪威海的航行，1910 年航行北大西洋东北部，1912 年巡视斯匹次卑尔根海域，1914 年对亚速尔群岛的海洋学调查。1913 年出航经巴伦支海与喀拉海，到达叶尼塞河口，再由西伯利亚返回)，写出许多价值不朽的论文。他的两卷本《在北方雾霭中》

美国不列颠百科全书公司供图

(1911)对于从早期开始直到 16 世纪初的北极地区探险工作进行了批判性的回顾。他对海洋学的永恒贡献包括对仪器的改进和设计、对风吹海流的阐明、对极地海域的讨论，以及对形成深水和底层海水的方式的解释。南森进入中年，对个人与国家之间的关系问题发生兴趣。1906 年出任挪威驻英首任公使；1917 年任挪威驻美商务委员会主席；战后又参加国际联盟的工作。1920 年任挪威代表团团长出席首届国际联盟大会，他在国联的重要职位一直担任到去世时为止。1920 年 4 月国际联盟给他第一个重要使命是作为高级专员去俄罗斯遣返 50 万战俘(原德国及奥匈帝国军人)，当时苏联不承认国际联盟，但同南森进行私人谈判。1922 年 9 月南森给国联第三次大会呈送报告，完成了427 886名战俘的遣返使命。1921 年他应国际红十字会的要求，领导国际赈济俄国饥荒的工作。1922 年 7 月 5 日根据南森创议，在日内瓦签订国际协议，对流离的难民颁发“南森护照”。1931年(南森逝世以后)在日内瓦成立南森国际难民救济局(主要救济白俄、从土耳其逃出的亚美尼亚人，后来是从纳粹德国逃出的犹太人)。1922年南森获得诺贝尔和平奖，他将所得奖金捐献给国际救济难民事业。1938年南森国际难民救济局获诺贝尔和平奖。

Nansen bottle 南森瓶 19世纪挪威海洋学家F.南森发明，后经人多次改进的海水取样瓶。标准的南森瓶容积为1.25升，两端有阀门。瓶挂在绞车索上，然后放绞车索，使瓶到达所需的取样深度，打开阀门。用一重物顺索滑下。在重物的撞击下，瓶的上部与绞车索的连接脱开，瓶体翻转，同时关闭阀门，将水密封于瓶中。瓶上通常还有一组温度计，以记录取样位置的水温和水压。每次水文测量使用几个南森瓶，每个瓶在脱扣时都放出另一重物，以次第触发更深处的南森瓶。

Nanshe 南舍 又拼Nazi。美索不达米亚宗教所崇奉的女神，是美索不达米亚境内加伽什地区东南部苏美尔人城市尼纳(今伊拉克境内苏尔格霍尔)城的护城女神。其父恩奇布置宇宙，安排她司掌鱼类和渔业。其夫宁达拉是“海上税吏”。

Nantahala River 楠塔哈拉河 美国北卡罗来纳州河流。源出阿什维尔西南的楠塔哈拉山地，向西北流经楠塔哈拉国家森林，在林区穿过景色优美的峡谷(长13千米，两侧高600米)，在布赖松城西南注入小田纳西河的丰塔纳水库。全长64千米。楠塔哈拉水坝在布赖森城西南，蓄成楠塔哈拉水库，有时称阿库内湖。

Nanterre 楠泰尔 法国巴黎大区上塞纳省省会、城市。临塞纳河东岸，与巴黎之间相隔皮托和塞纳河畔纳伊两郊区。为精密铸造和汽车制造中心，也生产电力设备、香水、针织品、油漆和玩具。其郊区(东距巴黎城界5千米)已发展成为行政和教育中心。设有巴黎大学分校(1971年开办)，又是一个主教管辖地。传统上为巴黎守护神圣·热内维埃夫(约422～500)的诞生地。人口84 325(1999)。

Nantes 南特 法国西部卢瓦尔大区大西洋岸卢瓦尔省省会、城市。位于巴黎西南，卢瓦尔河河口湾湾顶，距海36英里(56千米)。是法国20世纪变化最大的城市之一。城名源出将此城作为都城的一个高卢人部落南纳特。罗马人统治时期成为商业中心。834～936年被诺曼人占领。1560年由法国皇帝弗兰西斯二世(1559～1560在位)批准建立市镇制政体。宗教战争(1562～1598)期间加入天主教同盟，1598年亨利四世在此签署南特诏书，保证新教徒享有宗教和公民自由权。法国革命期间，南特受到革命政府公共安全委员会代表卡里埃的无情镇压。1793年，卡里埃认为用断头台处死刑太慢，便以集体溺死取代之。第二次世界大战期间被德国占领。现根据国家规划成为经济发展中心。河湾被填平建造公路。横穿城镇的铁路均已移为地下行驶。20世纪后期，公路、航空和铁路交通不断扩大，建起大片工业区。设备良好的港口有2英里长码头。河流已经疏浚以通行更大船只。造船业重要。化工业(化肥、

南特市的中世纪城堡外观
美国不列颠百科全书公司供图

油漆)和机器制造业(铁路和飞机设备)在20世纪70年代大为发展。传统食品业(蜜饯水果和烘烤食品)进一步发展。当地最早大学(1460)在法国大革命中被撤销；1961年新建一所大学。15～20世纪建圣皮埃尔大教堂，具有哥特式建筑的风格，雄伟的门面(1434～1508)有3座雕刻精美的门廊和2座高塔。第二次世界大战中被毁，1972年修复。布列塔尼公爵，弗兰西斯二世(1458～1488在位)的文艺复兴式坟墓幸免于难。中世纪城堡从外部看似为一要塞，庭院内部建有典型的文艺复兴式殿堂。当地美术馆是法国最重要和藏画种类最多的美术馆之一。人口237 789(1982)。

Nantes, Edict of 《南特敕令》 1598年4月13日，法国亨利四世在布列塔尼的南特颁布的法令，对信奉基督教新教的臣民(胡格诺派)允予以广泛的宗教自由。敕令保证基督教新教徒享受信仰自由，允许他们除巴黎外在王国的许多地方公开举行礼拜仪式，并给予他们充分的公民权，成立一个特别法庭(即敕令法庭)，由基督教新教徒和天主教徒组成，负责处理由于敕令而引起的纠纷。基督教新教牧师的俸给由国家支付，并免除某些义务；基督教新教徒还可以保留1597年8月时他们仍然作为要塞控制着的地方，为期8年，维持戍守的费用由国王负担。敕令还在天主教活动被迫中断的地方恢复了天主教；敕令使基督教新教在法国的任何扩张在法律上都成为不可能。但是，教皇克雷芒八世、法国罗马天主教教士和高等法院对敕令十分憎恶。天主教徒们有意按最大的限制来予以解释。枢机主教黎塞留认为敕令的政治条款对国家有危害，乃以《阿莱斯和约》(1629)取代。1685年10月18日，路易十四撤销《南特敕令》，剥夺了法国基督教新教徒的一切宗教自由和公民自由。几年内，离境前往英格兰、普鲁士、荷兰和美国的胡格诺派教徒达40万人以上，从而使法国失去最勤劳的商业阶层。

Nantes, University of 南特大学 法国西部南特的一所由国家资助，实行自治的男女合校高等学府。根据1968年法国改革高等教育的法令，该校于1970年成立，以代替1962年成立的原南特大学，而原南特大学的前身为1460年根据教皇诏书建立的南特大学和1364年由查理五世批准的昂热大学。现在的南特大学有一系列教学和研究单位，每个单位在学术上和行政上各自独立。该校开设的课程有法律和经济学、企业管理、医学、自然科学、药学和人文学科等。还设有两年制的技术学院。

Nanteuil, Robert 南特伊(1623或1630，法国兰斯～1678-12-09，巴黎) 法国当时杰出的肖像铜版画家，其成就是使雕版从低下的工艺成为艺术。以铅笔肖像画成名，由路易十四发给年金，并被任命为国王内阁的设计师及雕版画师。主要在他的影响下，1660年国王颁布法令，授予雕版画从业者享受与美术家相同的特权。其印版共约300幅，有几幅几乎是真人大小。早期模仿前辈技法，运用直线加强密度作阴影。后改用交叉线画阴影，或进行点刻，逐渐形成独特的风格，能精确完美地使肖像容貌有立体感。同时运用各种轻巧的刀笔修描版画中的衣饰物件。其佳作有P.德贝利夫尔、G.梅纳日、J.洛雷、梅耶雷公爵以及内穆尔公爵夫人的肖像。

Nantgarw porcelain 南特加尔瓷器 一种纯白色含骨灰表面呈粒状的英国软质瓷器。产于威尔士的南特加尔一家工厂，该厂创建于1813年。制品呈半透明状，造型朴拙，深

约1815年的南特加尔瓷盘
美国不列颠百科全书公司供图

受伦敦顾客的欢迎。许多瓷器是以白胎供应给伦敦，然后再在那里加彩。在伦敦加彩的制品，在瓷彩周围有一道晕圈。该厂于1822年关闭。

Nanthasen, Chao 昭南塔森(?～1795?，曼谷) 老挝万象王国国王(1781～1795?)，1791年击败对手琅勃拉邦。1778年暹罗人占领万象，1781年立昭南塔森为国王，因而成为暹罗的臣藩。1791年昭南塔森指责琅勃拉邦与缅甸人密谋反对万象，并取得暹罗人的许可进攻琅勃拉邦。暹罗人不准已分离一个世纪的万象与琅勃拉邦重新统一，但是昭南塔森仍然兼并了老挝北部的领土。几年后，他被指控阴谋反对暹罗，被召回曼谷，在候审时死去。

Nanticoke 南蒂科克人 操阿尔冈昆语的印第安部落联盟。住在今马里兰州及特拉华州南部的大西洋沿岸地区。其名称的含义是“弄潮人”,与特拉华人(**Delaware**)、科诺伊人(**Conoy**)关系较近。南蒂科克人大都以渔、猎为生,社会组织可能有一名联盟首领,辅以来自各部落的副首领。1642～1678年间,他们与马里兰殖民者连年作战;1698年白人为他们划定了一些居留地。1722年后,大多数南蒂科克人开始北迁,有些则在纽约地区西部与易洛魁人杂居一处。1874年前后,许多人又西迁,加入俄亥俄州和印第安纳州的特拉华人的行列。

Nantong 南通 又拼Nan-t'ung。中国江苏省辖地级市,著名纺织工业城市和沿海港口。位于省境东南部长江北岸,扼通扬、通吕二运河入江之口,隔江与张家港市和常熟市相望,

南通博物馆
中国大百科全书出版社供图

东港有轮渡连接苏北、苏南公路网,是苏北滨海平原各地与苏南及上海市水陆交通门户。距今2 000年前,南通一带是江海汇合处的一片有少数孤岛分布的海面。南北朝时期少数沙洲出露,唐代中叶沙洲逐渐连成一体,称胡逗洲。唐末天祐年间(904～907)胡逗洲开始并入苏北滨海平原,成为淮南煮盐要地。五代南唐于此设静海都镇制置院(简称静海镇)管理盐政。后周显德五年(958)改为静海军,旋改静海县,再改称通州。北宋天圣元年(1023)一度改为崇州,明道二年(1033)复名通州。清雍正二年(1724)升为直隶州,为有别于直隶顺天府的通州(今北京市通州区),俗称南通州。1912年废州改县,称南通县。1949年析城区及其毗连的唐闸、天生港、南通码头区和狼山镇一带地方,置南通市(县级),并迁南通县(今通州县级市)于金沙镇。1952年升为省辖市。辖崇川、港闸2区,海安、如东2县,并代管如皋、通州、海门、启东4县级市。面积8 544平方千米,其中市区面积201平方千米。

为以沙壤土为主的江海平原区,历为重要粮食产区。沿海盐田分布,唐宋至明清一直是淮南盐业重要基地之一。元明之际,受以松江为中心的苏南植棉业和手工纺织业发展的影响,植棉业和手工棉纺织业也逐渐兴起。清光绪二十一年(1895)张謇在唐闸创建棉纺织厂,以及轧花、面粉、榨油、发电、机器修配等工厂,并在南通、海门一带和苏北滨海平原推广棉业,从此奠定了南通市棉纺织工业的基础。1949年后,发展了化学纤维、电子、化学、家用电器、制鞋、服装、机械制造等工业部门,使南通成为以纺织、印染为主体的中等综合性工业城市。20世纪80年代中期以来,还在狼山镇以东建立高新技术开发区,成为外贸产品生产基地。南通港区由天生港、南通港和狼山港组成。天生港在港闸区江岸,1904年始建,现有电厂、煤码头、货运码头和渔轮码头等。南通港在市区南侧江岸,1949年后建,以装卸杂货和大宗货物为主,并承担长江航线客运任务。狼山港在狼山脚下,70年代中期始建,现已拥有万吨级以上海轮停靠码头多座,1982年对外开放,以中转江海货物装卸为主,并为上海港的分流港之一。全港年吞吐量已逾1 000万吨。市南郊的狼山、军山、剑山、黄泥山和马鞍山,呈弧形屹立于江边,组成五山风景旅游名胜。市内还有明代抗倭英雄曹顶墓、张謇墓和纪念馆及南通博物馆。有南通大学、南通医学院等高等院校。南通师范学校建于1905年,是中国创建最早的中等师范学校。人口:全市7 740 000(2005);市区830 000(2004)。

Nantou 南投 又拼Nan-t'ou。中国台湾省中部县,是台湾省唯一没有海岸线的县份。县治设南投市,原台湾省政府在中兴新村,即位于县西部草屯镇与南投市之间。旧时为山胞聚居地。郑成功收复台湾时期(1661～1683),林圮埔一带(今竹山镇)已有开发。清代先后隶属诸罗县、彰化县辖治,乾隆年间(1736～1795)置县。日本占领时期置南投厅。台湾光复后,于1950年正式设县。面积

南投日月潭
中国大百科全书出版社供图

4 106.44平方千米。境内多山,中央山脉、玉山山脉、阿里山山脉诸山盘结,海拔3 000米以上的山峰有28座,最高的玉山(3 952米)坐落在县南部边境,为东亚第一高峰。浊水溪、乌溪、猫罗溪、南港溪和北港溪等流贯西部,形成小型的河谷平原。经济以农业为主,产稻谷、甘蔗、茶叶、香蕉、柑橘,并有烟草、竹笋及红薯。主要工业为制糖、水果罐头、木材加工、酿酒及陶器。矿产有煤、金、石墨、黏土等。万大水库电站为主要供电来源。除部分山区外交通尚便利,中部横贯公路经县境北部。日月潭是著名风景区,以碧湖翠山为特色。玉山、合欢山、九九峰、八通关、凤凰山、能高山、雾社、庐山等高山风景区冠居台湾省。其中“玉山积雪”是台湾八景之一。合欢山为台湾唯一的滑雪胜地。雾社的朝霞雾景独具一格,又是高山族人民抗日暴动的历史纪念地。西南部溪头的台湾大学实验林区中心是台湾著名的示范林;中北部埔里是台湾岛的地理中心,立有标志碑。南部及东南部与嘉义、高雄、花莲3县交界地带建有玉山国家公园,为台湾面积最大的国家公园。1999年9月21日发生7.3级强烈地震。人口544 038(1999)。

Nantou 南投 又拼Nan-t'ou。中国台湾省中部南投县辖市及县治所在地。面积71.6平方千米。位于该县西部,在台中市以南约28千米处。市区坐落于县境西部肥沃的冲积平原上,乌溪的支流猫罗溪流经附近。17世纪末叶该市已渐开发,成为周围农业区所产稻谷、甘蔗、香蕉、柑橘及茶叶等农产品集散中心。现有碾米、制糖、水果加工、木材加工和陶瓷器制造等工业。公路交通便利,可经台中市进入中山高速公路与各大城市相通。名刹古迹较著名的有蓝田书院、碧山岩寺等。市区南部有南投公园,为假日游憩胜地。人口104 723(1999)。

Nantucket 楠塔基特 大西洋岛屿。在美国马萨诸塞州科德角以南30英里处。范围同楠塔基特镇,属楠塔基特县。长约15英里,宽3～6英里。由于冰川作用形成。有

楠塔基特镇的鹅卵石街道和殖民时代建筑
美国不列颠百科全书公司供图

广阔沙滩,港湾宽阔,气候温和。1659年始有人定居,早期有渔业、小船制造业和贸易。1687年设镇,1695年成立县。18世纪初始有捕鲸业,独立战争前夕达到鼎盛,为125艘以上捕鲸船的基地。1812年战争后经济衰退,很快为其他港口所取代。近期改善交通运输条件以发展夏季旅游业。旅游现为经济支柱。旅游名胜有殖民地时期建筑、船长住房、博物馆、画廊和游艇设施。同科德角及马撒葡萄园岛之间有轮渡往来。夏季亦有波士顿、纽约的航班。岛屿东岸悬崖上有建于1850年的灯塔。人口9 520(2000)。

Nantwich 楠特威奇 英格兰柴郡克鲁-楠特威奇区城镇(教区)。位于威弗河流域。罗马时代为重要的产盐地。多16～19世纪的古建筑,有100多座建筑物被政府列为历史遗产。最著名的有彻奇斯大厦。14世纪的大型教堂说明早期该城镇的繁荣景象。人口11 695(1991)。

nanxi 南戏 中国北宋末至元末明初流行于南方的戏曲剧种。12世纪由浙江永嘉(温州)一带的村坊小曲吸收宋人词调、杂剧、诸宫调综合而成。因所唱皆南曲,也称南曲戏文。采用曲牌联套的结构体制,不受宫调束缚,比北曲杂剧灵活、自由。脚色行当分生、旦、贴旦、小生、副末、副净、丑、外等。南宋以后南戏逐渐演变为余姚腔、海盐腔、弋阳腔、昆山腔等,对明、清两代的戏曲影响颇大。南

戏作品多为民间创作，今传世的全本有14种。其中以表演蔡伯喈、赵五娘故事的《琵琶记》，王十朋、钱玉莲坚贞相爱的《荆钗记》，蒋世隆、王瑞兰悲欢离合的《拜月记》，刘知远发迹的《白兔记》，兄弟和睦的《杀狗记》等五部最为脍炙人口。

Nanyang 南阳 又拼 Nan-yang。中国河南省辖地级市。位于省境西南部，南阳盆地中部，汉水支流白河右岸。气候温和、湿润，土地肥沃，物产丰富。西周为申国、吕国。楚置

南阳医圣祠内的张仲景墓
中国大百科全书出版社供图

宛邑。战国周赧王（姬延）四十三年（公元前272）设宛县，为南阳郡治所。因在伏牛山之南，白河之阳，故名。汉代南阳商业繁盛，冶铁工艺驰名全国，被列为中国六大商业都会之一。汉代以后，因政治中心南移而衰落。北周并宛县、上陌县为上宛县。隋开皇初年（581）改为南阳县。唐、宋属邓州。元至元八年（1271）设南阳府，治南阳县。1948年析县设市。1994年南阳升为省辖市，辖宛城、卧龙2区及桐柏、方城、淅川、镇平、唐河、南召、内乡、新野、社旗、西峡10县，并代管邓州县级市。面积26 591平方千米，其中市区面积1 887平方千米。除汉族外，还有回、蒙古、壮、满、苗、朝鲜、土家、彝、白、侗10个少数民族。该市历来是河南省西南部的粮仓和经济中心。南阳油田开发后，该市的化工和轻纺工业得到发展。有食品加工、丝纺、机电、化工、建材、医药等工业部门。传统产品有南阳绸、南阳玉雕、南阳烙花等，其中南阳烙花销往60多个国家和地区。该市地当南阳、襄樊走廊和唐白河水运要冲，古代为中国中部地区南北交通孔道，现焦柳铁路由此通过，成为河南、湖北、四川间重要客（货）运站。公路四通八达，有207、312国道及10余条干线公路通往省内外各重要城市。名胜古迹有武侯祠、医圣（张仲景）祠、王府山、汉画像馆、汉代宛城遗址和汉代冶铁遗址等。市东北8千米处的独山以产玉石闻名，世称"独山玉"。人口：全市10 650 000（2005）；市区1 680 000（2004）。

Nanzhao 南诏 649～902年在中国云南地区建立的奴隶制王国。由乌蛮族和融合了汉族的白蛮族联合建立。乌、白蛮属今彝语支各族的先民。洱海地区原有6个势力最大的乌蛮部落，国王都称"诏"，史称"六诏"。蒙舍诏住地最南，故称南诏。729年唐朝支持南诏王皮逻阁兼并其他5个部落，统一洱海地区，以太和城（今云南大理太和村西）为都城，封皮逻阁为云南王。后南诏又占领云南东部地区，唐王朝两次（751、754）进攻都被击退。794年南诏与唐恢复盟好，接受唐的"南诏王"封号。此后南诏与唐朝关系密切，13代王中有10代王曾受唐朝册封，并引进唐朝制度。由于大批汉族劳动者进入南诏，使其农业、手工业获得发展。9世纪时南诏愈形强大，832年曾攻入缅甸，862年攻入东京。902年权臣郑买嗣（郑回七世孙）杀死南诏王舜化真，夺取王位，建立大长和政权，南诏亡。其后政权多次更替，至937年为段思平的大理政权所取代。

Naogaon（town, India） 参阅 **Nowgong** 瑙贡。

Naoroji, Dadabhai 挪罗齐（1825-09-04，印度孟买～1917-06-30，孟买） 印度民族主义者。孟买埃尔芬斯通学院毕业。曾任该院数学及自然哲学教授。后转入政界并从商，大部分时间在英格兰度过。1892年当选为国会自由党议员。以揭露英国统治印度所造成的经济后果驰名。1886、1893和1906年担任印度国大党年会主席。在1906年的国大党年会中，他的和解策略延缓了国大党内温和派与激进派的分裂。他在许多文章和讲演中，特别是在《印度的贫困和非英国式统治》（1901）中，说明印度纳税过多，英国已把印度的民脂民膏吸吮殆尽。

naos（architecture） 参阅 **cella** 内殿。

Naosari（India） 参阅 **Navsāri** 瑙萨里。

Nap 纳普牌 正式名称为拿破仑（Napoleon）。一种纸牌戏，19世纪80年代传入英格兰。用52张一副的纸牌，2～7人（最好5人）玩，每家发5张牌，从发牌人左家开叫，叫出赢牌墩数（通常必须多叫一墩以上），也可弃权不叫。下家有权叫比前一家更多的墩数或不叫，依次类推。各家叫牌一次。如果各家都不叫，则由发牌人叫一墩，叫牌墩数最高者试图赢得所叫墩数，其余各家力求阻止他作成，叫牌最高者先出牌，所出第一张牌为将牌。叫5墩牌时称一个纳普。若叫牌人完成定约，他照各家所叫的墩数自各家收走筹码。如叫牌人失败，则要如数付出筹码。对于完成定约者，一个纳普作10点计；对于未完成定约者，一个约普作5点计。其变种有威灵顿（Wellington，叫牌者双倍加码）和布吕歇尔（Blücher，3倍加码），均为叫5墩。有时叫牌人叫的是一墩不要，这等于是在3墩和4墩之间。叫一墩不要的那一家如吃进一墩须加倍付出筹码。如一墩未拿则得一个筹码。

Napa 纳帕 美国加利福尼亚州中西部纳帕县城市。濒临纳帕河，西南距旧金山80千米。1848年建为纳帕县城。1872年设市。曾为转运牛、木材和汞的河港。后为农产品输出口岸。以出产葡萄酒著名。现有钢管和皮革制品工业。城市经济亦获益于州立纳帕医院、纳帕初级学院（1942）和马尔岛海军造船厂。人口：市72 585；瓦列霍-费尔菲尔德-纳帕主要都会统计区518 821（2000）。

napalm 凝汽油剂 泛指凝固汽油。环烷酸和脂肪族羧酸（分子结构分别含有碳原子的环和链的有机酸）混合物的铝盐或铝皂，用以增稠汽油，可供火焰喷射器和燃烧弹之用。经增稠的混合物，称为凝固汽油。与汽油相比燃烧较慢，喷射更准也更远。由美国科学家在第二次世界大战期间研制成功。凝汽油剂也用于由汽油、低挥发性的石油、镁粉和硝酸钠组成的胶质焰火弹中。这一配方的燃点约1 000°C，凝固汽油的燃点为675 °C。

Napata 纳帕塔 约公元前750～前590年古代库施王国的首都，位于尼罗河第四瀑布下游，在今苏丹北方省库赖迈附近。纳帕塔不是单一城镇，而是一个地区，它伸展到库赖迈的东部和南部，从努里到库鲁。纳帕塔是卡尔马文化发源地的一部分，从第18王朝初期，它受到埃及的影响。纳帕塔的主要地貌特征巴尔库勒山从埃及新王国（公元前1521～前1075）时代起，便被认为是阿蒙神居住的圣山。山下还遗留着几座庙宇的废墟。在那里发现了一块图特摩斯三世（公元前1479～前1425在位）的石碑，碑上述及一座堡垒的情况，以及阿孟霍特普二世（公元前1426～前1400在位）曾把一个亚洲囚犯吊死在堡垒的围墙上。公元前1千纪初期，由于下埃及不断受到利比亚移民的侵掠，埃及渐趋衰落。据说一个在底比斯奉祀阿蒙神的僧侣团体自愿流放到纳帕塔，他们在那里可能使土著的库施王子埃及化，并鼓励这些库施王子征服衰败的埃及。第一个著名的库施王子阿拉拉（约公元前790）的后裔自立为埃及的第25王朝，他们由于对恢复埃及古代的习俗和信仰负有主要责任而被人们铭记。此时的纳帕塔已成为古代世界中这一重要地区的都城。库施诸王曾联合提尔、西顿、以色列和犹太试图驱逐亚述人，但却枉费心机。王室陵墓埋在金字塔下的埃及习俗也被引进库施，这种金字塔在库鲁和努里都可以看到。那里还有国王塔哈卡（公元前690～前664在位）的最大金字塔。塔哈卡还在纳帕塔和别处建造了几座埃及式神庙，他被亚述人击败并于公元前671年被逐出埃及。塔哈卡的继承人塔努塔蒙（公元前664～前656在位）于公元前约664年曾短暂地再次占领孟斐斯，但他的计划遭到埃及第26王朝阻挠，公元前592年一支希腊和卡里亚的雇佣远征军被派出洗劫纳帕塔。此后库施王国迁都到尼罗河对岸东南方约240千米的麦罗埃，但纳帕塔仍为库施的宗教中心，直到公元前315年，王室葬礼继续在这里举行。其后在巴尔库勒分别出现的两组王室墓葬群引起一种假设，即纳帕塔可能两次独立于麦罗埃之外。

Naperville 内珀维尔 美国伊利诺伊州东北部杜佩奇县和威尔县交界处城市。濒临杜佩奇河西支流。1832年创建。1851年设村，1890年设市。1864年通芝加哥—伯灵顿—昆西铁路后得以发展。现主要为住宅区。有家具、电子开关装置等制造业。设有中北学院（1870年迁此）和福音神学院（1873）。人口128 358（2000）。

Naphtali 拿弗他利 犹太人的祖先,《圣经》时代的以色列人的 12 支派之一。约书亚率领以色列人进入迦南以后为 12 支派划分领地,拿弗他利支派所领之地在加利利海西北一带。公元 922 年国王所罗门死,其后包括拿弗他利在内的北方 10 支派建立独立的以色列王国。亚述国王提革拉·帕拉萨三世先于公元前 734 年征服拿弗他利,又于公元前 721 年占领以色列王国全境,以色列人被掳出境为奴,留在故土的人逐渐为其他民族所同化。拿弗他利支派遂成为传说中的"失踪的以色列十支派"之一。

naphtha 轻油 各种高度挥发性易燃液态烃混合物的总称。主要用作溶剂、稀释剂和生产汽油的原料。轻油一词原先用于从阿塞拜疆的巴库地区和伊朗地下采出的那些挥发性较强的石油。早在公元 1 世纪,希腊作家迪奥斯科里斯和罗马作家老普林尼就曾提及轻油。炼金术士主要用此名称区分各种低沸点的流动性液体,包括某些醚和酯。现在应用"轻油"一词时,通常要加区别性前缀。煤焦油轻油是煤焦油蒸馏得到的挥发性工业产品。页岩轻油是沥青页岩分解蒸馏所得油品再经蒸馏而得。石油轻油主要用于美国,指主要含脂肪族烃、沸点高于汽油而低于煤油的石油馏分。

naphthalene 萘 最简单的稠环碳氢化合物,由 2 个苯环共用 2 个相邻碳原子构成。化学式 $C_{10}H_8$。萘是一种能产生许多取代产物的重要的碳氢化合物原料,这些取代产物用于生产染料和合成树脂。萘是煤干馏的挥发性产物煤焦油中含量最多的一个成分,也可由现代工艺石油高温裂解(大分子断裂)产生。工业上是从冷凝煤焦油的中间馏分或裂解石油的重组分结晶制取。萘为有光泽的白色片状晶体,熔点 80.1 ℃,沸点 218 ℃,几乎不溶于水,易挥发、有特殊气味,常用作驱蛀虫剂。在化学性能方面,萘表现出苯及苯的简单衍生物的芳香性。它的化学反应主要是其氢原子被卤原子、硝基、磺酸基和烷基取代。大量的萘被转化为萘胺和萘酚以用作染料中间体。多年来,萘是制备邻苯二甲酸酐的主要原料。

naphthol 萘酚 由萘衍生的两种无色结晶酚类有机化合物。分子式都是 $C_{10}H_7OH$。长期以来,两种化合物在染料和染料中间体生产中是等同的,在化学工业其他领域也有重要用途。1-萘酚或 α-萘酚由 1-萘磺酸与苛性碱加热或由 1-萘胺与水在压力下加热制得。可直接用于制造某些染料,大量的 1-萘酚则转化成最终化合物并入其他一些染料。2-萘酚或 β-萘酚,可看作是以萘为基础的最重要的化学中间体。由 2-萘磺酸与苛性钠一起熔融制得,能转变为多种染料和染料中间体,以及制革剂、抗氧化剂和防腐剂。2-萘酚致癌。

Napier 内皮尔 新西兰北岛东部港口和城市。濒临霍克湾西南岸。以 19 世纪英国驻印度将领 C.内皮尔命名。1874 年建为自治镇。1950 年设市。有铁路与公路通惠灵顿。为农牧区服务中心,全国主要羊毛贸易中心。有毛纺、烟草、化肥、酿酒等工厂,有渔业。该港湾原为天然海湾,1931 年遭地震破坏,现为人工港湾。该市也是冬季游览地。有圣公会大教堂、霍克湾艺术馆和博物馆、霍克湾医学研究基金会。人口51 645(1991)。

Napier, Sir Charles, CONDE (count) NAPIER DE SÃO VICENTE **内皮尔**(1786-03-06,苏格兰斯特灵福尔柯克附近～ 1860-11-06,英格兰汉普郡凯瑟琳顿附近) 葡萄牙和英国海军上将,

美国不列颠百科全书公司供图

克里米亚战争中英国波罗的海舰队司令。被封为葡萄牙贵族文森特伯爵。1800 年成为海军候补军官,曾在拿破仑战争和 1812 年对美战争中服役。1831 年在亚速尔群岛协助葡萄牙公主玛丽亚·达·格洛里亚(后为女王玛丽亚二世)的支持者作战。后来指挥葡萄牙忠于国王的海军,1833 年 7 月 5 日在圣文森特角附近歼灭葡萄牙王位觊觎者唐·米格尔的舰队。翌年指挥忠于国王的部队保卫里斯本,抗击米格尔分子。1836 年重新加入英国海军,在 1840 ～ 1844 年对叙利亚的远征中任副司令,参加对贝鲁特和阿卡的占领(1840-10 ～ 11)。1847 ～ 1849 年指挥海峡舰队。1854 年 2 月在克里米亚战争开始时被任命为波罗的海舰队司令。他声称火力不足而拒绝攻打俄国的喀琅施塔得海军基地,引起了英国人的公愤。奉召回国后再未担任指挥职务。

Napier, Sir Charles James 内皮尔(1782-08-10,英格兰伦敦～ 1853-08-29,汉普郡朴次茅斯) 英国将军,信德(今在巴基斯坦)的征服者(1843)和统治者(1843～1847)。曾参加半岛战争和 1812 年战争。1841 年前往印度。1842年奉派管辖信德,受印度总督埃伦巴勒

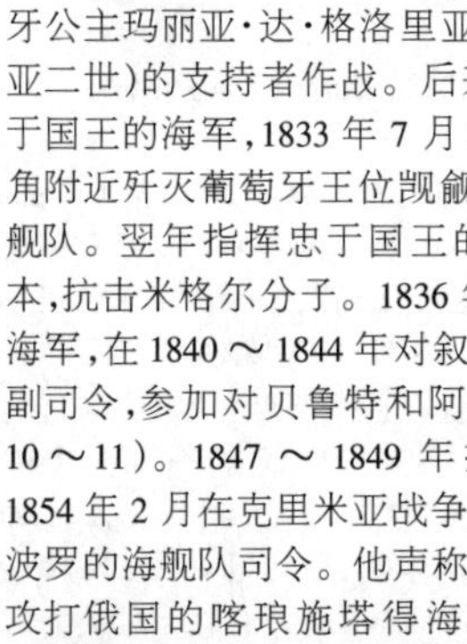
美国国会图书馆供图

伯爵 E.劳的领导。不久,他对信德埃米尔发动战争。1843 年 2 月在米亚尼,3 月在德博两次战役中获胜,被封为爵士并任信德总督,在任期间建立模范警察,鼓励贸易,建造防波堤,以及在卡拉奇安装自来水。1847 年回英格兰。1849 年重返印度,在第二次锡克战争中任英军总司令。由于同总督 J.拉姆齐发生龃龉,1851 年离印。

Napier, John 内皮尔(1550,爱丁堡附近默奇斯顿城堡～ 1617-04-04,默奇斯顿城堡) 一译纳皮尔。英国数学家和神学作家。对数发明人,为科学和数学提供了使记号和运算得到极大改进的快速方法。还积极参与教会和国务活动,写过支持新教的很有影响的著作。13 岁时进入圣安德鲁斯大学,不久即离去,未取得学位;以后周游各地,21岁时回

美国不列颠百科全书公司供图

乡。他的一生处于剧烈的宗教纷争之中,曾 3 次被委任为一个委员会的成员,向国王请求关怀教会的福利并强烈要求审判教会的敌人。他业余主要致力于数学研究,特别是设计易于计算的方法,其中最大成就是以他命名的对数。约在 1594 年,就开始研究,逐步精心构造了他的计算体系,通过排出一个固定数(作为基底)的各次幂的表,能迅速地算出根、积和商。这一强有力的数学发明体现在《神妙的对数规则之描述》(1614)和死后两年才披露的《神妙的对数规则之构造》两书中。后者还系统使用了把一个数的分数部分同整数部分分开的小数点(佛兰芒人斯蒂文于 1586 年就已引进十进分数,但其记号十分笨拙)。他还是设计计算尺的先驱者,对球面三角学也做出了重要贡献,还发现了某些三角关系式(称为内皮尔类推式)。

Napier, MacVey 内皮尔(1776-04-11,苏格兰邓巴顿郡柯金蒂洛赫～ 1847-02-11,爱丁堡) 苏格兰法学家、爱丁堡大学教授。曾任《不列颠百科全书》第四、第五、第六版补编编辑和第七版编辑。他罗致了许多学识渊博的专家撰稿,因而对百科全书的发展颇有影响。

Napier (of Magdala), Robert (Cornelis) Napier, 1st Baron 内皮尔(1810-12-06,锡兰科伦坡[今斯里兰卡]～ 1890-01-14,英国伦敦) 英国陆军元帅,以其在印度的军事和土木工程生涯及指挥英军入侵中国和埃塞俄比亚而驰名。驻锡兰英国炮兵军官查尔斯·内皮尔少校之子。就学于东印度公司军事学校。1826 年参加孟加拉工兵队,1828 年驻加

尔各答,1831年起从事东朱木拿河运河的灌溉工程。1836～1839年去欧洲攻读铁路筑造工程。曾设计大吉岭租界住宅区(1839～1842)和安巴拉兵站营房(1842)。第一次锡

美国不列颠百科全书公司供图

克战争(1845)中指挥工兵,参加穆德吉战役、索布拉翁战役以及菲罗兹沙战役,负伤。1846年攻下冈格拉山堡。第二次锡克战争(1848～1849)中指挥围攻木尔坦,后在古吉拉特战役中指挥旁遮普军工兵。1849～1851年在旁遮普任土木工程师,修筑道路、运河、桥梁、房屋和边界防卫工程。后被召回重服兵役,参加赫扎拉远征(1852)及白沙瓦战役(1853)。1856年回国休假,后升中校重返印度。1857年印度兵变时他参加对勒克瑙的最后进攻。1858年升准将,任菲罗兹沙战役指挥官。受封爵士,得巴思勋章。1860年随克灵顿侵略中国,攻陷白河以北的炮台,并直扑北京。1861年返回印度,晋升少将。1863年代理总督。1865年任驻孟买英军司令。1867年晋升中将,率兵入侵埃塞俄比亚。1868年在马格达拉击败埃塞俄比亚皇帝特沃德罗斯二世。1868年封马格达拉男爵。1870～1876年任驻印度英军总司令。1876～1882年任直布罗陀总督。1883年晋升陆军元帅。1887年起至去世前一直担任伦敦塔总管。

Napier, Sir William Francis Patrick 内皮尔(1785-12-17,爱尔兰基尔代尔郡塞尔布里奇～1860-02-10,英格兰萨里克拉珀姆) 英国将军和历史学家。曾参加拿破仑战争,特

美国不列颠百科全书公司供图

别是在西班牙和葡萄牙的半岛战争。数次受伤,1819年退役。所著《半岛战争史》(6卷,1828～1840)部分是根据本人的战斗经历,部分是根据参加这场冲突的两个司令官(威灵顿公爵和法国元帅N.-J.de D.苏尔特)所提供的资料。他于1823年开始写此书。由于文笔有力,战争场面很生动,受到普遍的赞扬。但他在叙事方面既不正确,也不公正,因而也受到人们的抨击。1848年授为爵士。

Naples 那不勒斯 那不勒斯(意大利语作Napoli,古拉丁语作Neapolis)位于意大利半岛西岸肥沃的坎帕尼亚地区,在罗马东南190千米处。城市濒临著名的那不勒斯湾,西侧为较小的波佐利湾,东南侧为萨莱诺湾较宽阔的凹入处。城市介于两个活动火山区之间,东为维苏威火山,西北为弗莱格雷原野。维苏威火山最近一次喷发发生于1944年。1980年的一次地震破坏了那不勒斯及其外围城镇,此后,西面的波佐利曾受到地壳缓缓升降运动的破坏。

那不勒斯位于形成那不勒斯湾中心的丘陵弧(北起波西利波角,南至索伦托半岛)的中心点附近。第二次世界大战后在那不勒斯中心地区和维苏威山坡之间发展起来的工业区,使港湾的海水受到污染,迫使那不勒斯自古以来就有的小型渔业的从业者远离本地海岸。

尽管那不勒斯作为意大利南部主要港口的重要地位最终正在衰落,但它依然是意大利南部商业和文化的中心。在意大利南部具有希腊渊源的所有城市中,那不勒斯是继续焕发生机的最光辉的典范。也许因为在西欧的大都会中,只有那不勒斯的文物古迹虽常呈腐朽现象,但仍能看到其为人所熟悉的来龙去脉,未受旅游或商贾活动之扰。

自然地理和人文地理

景观 特征和气候 历代观察家们曾将那不勒斯描绘成一个巨大的群众剧场,这个比喻不仅适用于其生气蓬勃的街头生活,而且同样适用于这座城市本身那种阶梯式竞技场的外观。在维苏威火山阴影下,在港湾范围内,那不勒斯的景色仍然是以其红色或赭色的颓败宫殿和古老的石头和灰泥建成的礼拜堂为主要特色。虽然狭窄的旧街道拥挤而又交通堵塞,但山顶上多新建筑,不过市中心的楼房几乎没有超过10层者。

当地的浅褐色火山凝灰岩多用于建筑,深色的维苏威火山熔岩则用于铺设旧街道。过去数百年来,南方深色的斑带粗面熔岩亦用于庄严建筑,在新堡即可看到这种材料,非常壮观。那不勒斯所具有的南方色彩有四季常青的冬青、棕榈、山茶和金松等树丛点缀着,表明这里的气候使阳台在一年的大部分时间都能有用。7、8月间的高温常超过32 °C,潮湿寒冷的冬季却有许多阳光灿烂的日子而得到调剂。冬季气温鲜有降至冰点的时候,维苏威火山偶有降雪,在城中则属罕见。南风,即带有沙尘的西罗科风,间断地带来令人烦恼的湿气,最终形成降雨。

布局和建筑 那不勒斯郊区连着波西利波角,它在梅尔吉利纳游艇港和城市连接了起来,其标志是圣马利亚临产教堂。附近的岩下圣马利亚教堂过去是举行欢宴的中心;在称为那不勒斯地窟的罗马洞室的入口处周围是一小公园,从这个公园可俯瞰上述教堂。这种令人凭吊往昔的地方还有被称为维吉尔墓的罗马时代的骨灰瓮安置室和浪漫主义诗人莱奥帕尔迪(1837年卒于那不勒斯)的墓冢。

从梅尔吉利纳港起是沿海滨的圣弗朗切斯科·卡拉乔洛街,其一侧有长长的公园,名为小城镇,园内有动物园和欧洲最古老的水族馆;均创办于1872年。沿公园内侧为基亚亚海滩,说明此处曾是海滨线,沿岸有许多昔日堂皇的宫殿和邸宅。基亚亚海滩在18、19世纪时曾是外国来访者喜欢居住的地方。19世纪20年代为斐迪南·阿克顿爵士修建的新古典风格的皮尼亚泰利别墅,现已辟为博物馆,其中陈设的家具均富有那个时代的特色。在邻近各街道的隐蔽处有圣马利亚柱廊教堂和基亚亚耶稣升天教堂,均藏有17、18世纪多产的那不勒斯画家们的作品。沃米洛区的现代建筑群中有19世纪初建成的弗洛里迪亚纳别墅,其宽阔的公园容易为人们辨认,别墅现为国立马丁纳公爵博物馆,收藏有精美的欧洲和东方陶瓷品。胜利广场——以之命名的教堂是为了纪念1571年的勒班陀战役——靠近城市别墅公园,其朝向内陆一方通往马尔蒂里广场、基亚亚路和米莱路上的高级商店。新城堡为那不勒斯国王查理一世(安茹家族的查理)于1279年所建,为区别于

从那不勒斯湾南望维苏威火山

美国不列颠百科全书公司供图

奥沃堡起见，故名新城堡。它是那不勒斯具有可以变换名称的许多有历史意义的建筑之一，当地人称它为“安茹之子”，用以表明查理一世的安茹家族血统，并且按照意大利南部的惯例，显示权力必须来自男性。14世纪时，罗伯特国王名声显赫的宫廷曾在此款待彼特拉克和薄伽丘，乔托也曾应召在此作壁画（现已不存在）。阿拉贡国王阿方索五世（那不勒斯的阿方索一世）曾对城堡进行修饰。1443年他胜利地进入那不勒斯，这一事件成为城堡西门上优美的文艺复兴时期雕塑的主题。城堡有重要的中世纪晚期和文艺复兴时期的装饰，现为市政机构和那不勒斯历史研究所及其一个重要图书馆的所在地。市府广场西端的那不勒斯市政厅是一座19世纪20年代的优美建筑和一座16世纪的教堂连在一起。市府广场朝内陆一方的上面，圣马蒂诺山山顶有一座从前的加尔都西会隐修院，现在是收藏绘画和与那不勒斯历史有关的文物的重要博物馆；另有圣埃尔莫城堡巨大的拱座。城堡系安茹家族的罗伯特于1329年所建，16世纪西班牙总督统治时期又按六角星状重建。

在市府广场南，新城堡外面，即为王宫的红色建筑群，其东北翼在一小公园中，乃是国立那不勒斯图书馆大量藏书的地方。王宫正面的主要部分宏伟壮丽，西南越过宽阔的公民投票广场，与保拉圣方济各教堂相对。这座教堂是王室为感谢波旁家族恢复统治而于1815年仿罗马万神庙而建。王宫于17世纪初由丰塔纳设计建造，现为政府办公室和一座著名的美术馆。保拉圣方济各教堂西南上方是迪奥山，山顶有两座重要教堂：17世纪的天使圣马利亚教堂和18世纪的教廷使节教堂。

王宫北邻为圣卡洛歌剧院，有许多美声唱法大艺术家曾在此演出并受到鼓舞。虽然18世纪那不勒斯令人叹为观止的音乐创作活动在近世已罕有其匹，但圣卡洛依然是欧洲音乐生活的重要组成部分。从圣卡洛通过交通繁忙的十字路口可到达19世纪晚期修建十字形的翁贝托一世画廊的各个拱廊，拱廊有玻璃圆顶，装饰华丽，可作会议场所；在第二次世界大战将近结束时，盟国军人经常出入此地——有一些著作追忆这一激动人心的时期，如伯恩斯的《画廊》（1947）；刘易斯的《1944年的那不勒斯》（1978）；在政治上反复无常的马拉帕尔泰所著以死亡为主题的《皮肤》（1949）；描述战后初期人们不满情绪的作品则以拉卡普里亚的《不耐烦的一天》（1952）流传较广。画廊南面，在的里雅斯特和特兰托广场上，有17世纪的圣费尔迪南多教堂，按照传统，复活节期间在此演奏佩戈莱西1736年专为此宗教活动而创作的《圣母悼歌》。

从的里雅斯特和特兰托广场热闹的托莱多路（以1536年修筑此路的西班牙总督托莱多命名）向北就可进入人口稠密的那不勒斯市中心。托莱多路商店林立，高大的教堂错落其间，两旁17、18世纪的宫殿般宅第鳞次栉比，现已改作商业和市政用房，如宏大的马达洛尼府邸，则任凭其颓坏而成为破旧的住宅。托莱多路上方的山坡上，通向圣马蒂诺山的几条陡峭小径穿过一个保留着迷宫般17世纪建筑的街区，至今仍称为西班牙区。托莱多路低处的一段，在卡里塔广场被法西斯统治时期和战后时期的建筑阻断。进入新古典主义风格的半圆形但丁广场，托莱多路更换路名而继续延伸，沿国立考古博物馆西翼而过，又攀升而上通往卡波迪蒙特宫。

但丁广场构成市中心卡波迪蒙特区西界之一部。这个区从古时起就是该城市的中心。在阿尔巴门外，特里布纳利路靠近最西端是历史悠久的那不勒斯音乐学院及与之毗邻的哥特式的马耶拉圣彼得教堂。特里布纳利路是希腊-罗马时期那不勒斯的主要街道，向东延伸近一英里，至旧卡普阿纳门附近的法院终止。其西端的文艺复兴时代的蓬塔诺小教堂（已毁坏）令人回忆起人文主义者蓬塔诺，他在阿拉贡王国时期住在那不勒斯。毗邻的巴罗克式的圣马利亚教堂，从罗马时代的钟楼可知其年代更久远。

从市府广场起，“那不勒斯分割线”沿西北偏北的方向与麦迪纳路和蒙泰奥利韦托路构成的弧形地段相接。这条路在蒙泰奥利韦托路以东，经过文艺复兴时期和巴罗克时期形成的新圣马利亚教堂的建筑群，在西面经过一个小广场上的蒙泰奥利韦托教堂，或称伦巴第圣安娜教堂，这座教堂以文艺复兴时期雕塑数量之多和质量之高而居那不勒斯之首。从蒙泰奥利韦托路起有一短坡名叫特里尼塔马焦雷斜坡上升通新耶稣广场，该广场是去“那不勒斯分割线”的主要途径。画家德加在那不勒斯时居住的皮尼亚泰利府邸俯瞰着广场西面，广场中心为华丽的18世纪那不勒斯的方尖形圣母塔，而广场上最雄伟的建筑则是新耶稣教堂，其正面有精美的雕刻，内部是豪华的巴罗克式装饰。教堂对面是中世纪圣基亚拉教堂的建筑群，系14世纪时为方济各会所建。宏大的教堂内部曾于18世纪时改造过。1943年惨遭轰炸后，现已恢复其哥特式原貌，内部虽遭破坏，但皇家的陵墓和早期的壁画仍显示出它的光辉。教堂后面的大修道院装饰着18世纪的花饰陶瓦，是那不勒斯最美的景点之一。

从这个广场起“那不勒斯分割线”直向东去。有大量重要纪念物，集各个年代之大成，再加上丰富多彩的人文环境，具有无穷的魅力。新耶稣教堂附近的菲洛马里诺宫邸为意大利历史研究所所在地，该所系由哲学家克罗齐创建（另一位著名哲学家维科在克罗齐之前200年在那不勒斯出生，其故居亦在这条街上）。在其侧面的圣多明我大教堂，其哥特式风格已融入以后数百年的建筑结构中，是绘画和雕塑的宝库。1272～1274年，圣托马斯·阿奎那曾在毗邻的隐修院讲学。在穿过这里的梅佐坎诺内路向南转往那不勒斯大学处，尼罗圣安杰洛教堂中有一处高大的陵墓，上面的雕刻是多那太罗和米开罗佐的作品。相邻的文艺复兴时期的圣安杰洛府邸是一度强大的卡拉法家族的要塞。

在圣格雷戈里奥·阿尔梅诺路上方横向，同名的教堂是那不勒斯洛可可风格的典范。在这条街上，铺面狭窄的商店为成千上万那不勒斯家庭制造基督诞生塑像——每当圣诞节达到高潮，场面热闹动人。圣格雷戈里奥·阿尔梅诺路在与特里布纳利路交叉处，在圣加埃塔诺广场处终止。这个广场是古希腊和古罗马人民集会场地的旧址。广场周围是圣洛伦佐和圣保罗2座大教堂，不远处还有第3座杰罗洛米尼教堂，这个繁忙的地方依然是那不勒斯发展过程中的一个中心。

宏伟的哥特式圣洛伦佐大教堂的地面下古物很多。在它的修道院下面发现古罗马时期的遗迹多处，并发掘出大量古希腊和罗马时代那不勒斯的文物，加上在附近的杜奥莫大教堂出土的古文物，构成古代城市中心的很大一部分。1334年，薄伽丘声称他在圣洛伦佐大教堂第一次见到菲娅美达；也是在这里，1345年11月，当时下榻在毗邻隐修院的彼特拉克曾在这座城市祈祷，使其免遭一次灾难性暴风雨的袭击（他在一封著名的信中曾记述此事）。圣保罗教堂建在一座古罗马神殿的原址上，它的特色是所藏的古文物与其美丽的外观及旁边的修道院的古物融为一体。杰罗洛米尼教堂庞大的建筑群中有一座宏伟的图书馆和一个展出那不勒斯图片的小画廊。

杜奥莫大教堂是献给这座城市的守护神圣亚努阿里乌斯（圣真纳罗）的，他的凝血块可以液化，这是每年举行两次群众欢宴的原因。圣亚努阿里乌斯小教堂（或称宝库）装饰丰富多彩，成为大教堂内景之一，其中古式的圆柱、绘画、雕塑和精美的物品非常协调地构成一部那不勒斯的历史。现今的教堂可通往早期的圣雷斯蒂图塔方形大教堂和毗邻的圣乔瓦尼洗礼堂。靠近大教堂地势较高的南翼，有14世纪的圣母马利亚教堂，其内部装饰属于那不勒斯最引人入胜和最美丽的中世纪不朽建筑之列，而毗邻的、建筑在一座古罗马神殿原址上的圣阿波斯托利教堂则大量陈列着17世纪那不勒斯绘画。

将近19世纪末时，从市府广场到火车站发生了急剧变化。因1884年霍乱大流行，此后拆除违章建筑，改善卫生条件，遂使笔直而破坏景观的翁贝托一世大街得以通过这一具有历史意义的地区。这条毫无特色的直路使许多具有历史意义的建筑隐蔽在小山凹中——从殉教者圣彼得教堂到加里波第广场上的阿拉姆圣彼得教堂及其古基督教地下墓室。在加里波第广场附近的阿拉贡式的诺拉门是一个热闹的市场。

博物馆　那不勒斯有两个世界大博物馆，均系波旁家族统治时期所建。国立考古博物馆收藏有无与伦比的古希腊-罗马文物，包括从赫尔库拉尼姆、庞贝及其他坎帕尼亚遗址上发掘出的许多最精美的大理石、青铜镶嵌、壁画和陶瓷等艺术品，以及波旁家族的遗产法尔内塞大理石雕刻品。该博物馆还藏有许多重要的埃及古文物。从国立博物馆和卡波迪蒙特美术馆的美丽花园的北面可俯瞰那不勒斯。博物馆和美术馆除挂毯和瓷器外，还收藏有大量绘画，包括马尔蒂尼、马萨乔、波提切利、科兰托尼奥、洛托、帕米贾尼诺、柯勒乔、提香、格列柯和老勃鲁盖尔等人的杰作以及17、18世纪那不勒斯画家的优秀作品。1980年地震后，卡拉瓦乔和提香的作品从该城市的传统放置处迁至卡波迪蒙特美术馆。

除上述博物馆外，在杜奥莫路上一座文艺复兴式建筑中的市立菲兰杰里博物馆收藏着一批绘画和艺术品，许多与那不勒斯的历史有关。在附近的国家档案馆，具有重要历史价值的文献保存在原本笃会的圣塞韦罗和圣索西奥隐修院中，隐修院是一个庞大的建筑群，其中的普拉塔诺隐修院有索拉里奥的著名壁画。

人民 旅游者在意大利，习惯于在宏大的公共广场上自由自在地观看历史遗迹和城市面貌，但往往会由于那不勒斯明显缺少这样的中心焦点而感到茫然——这并非因为在那不勒斯没有大广场，而是因为这些广场往往只用作交通要道，而且其城市生活不是集中在这种地方而是分散在它们周围。城市的心脏是要在那些人群熙熙攘攘的小场所才能发现——上午生气勃勃，下午懒洋洋，到晚上又重新活跃起来——每个地方都各具特色，形成城市的各个传统地区。

18世纪发现被维苏威火山埋没的城市后，那不勒斯长期以来一直是高雅旅游的重要地点，现在主要是作为旅游者前往邻近各处遗址和名胜的驻足地。受第二次世界大战的影响，本已衰落的那不勒斯旅游业再次急剧下降，因为轰炸使该城市成为废墟，而且定期的海上旅游已经停止，旅游者不再能到那不勒斯港。加之该城市的许多历史遗迹往往被现代旅游者视为不吸引人的脏乱地方，而且街头犯罪活动随时发生，携带贵重物品难保安全，于是造成种种不利因素。新的旅游活动强调短暂、快捷和多数量，而这些要求那不勒斯均无法满足——该城市的财富是古代遗产，其魅力又需慢慢体会，这均不适于仓促的或集体的旅游方式。

由于没有大量外国人涌入，使那不勒斯保持了大部分真实面貌，对现代的各种准则抱一定怀疑态度。歌德曾概括地说，那不勒斯人"甚至希望工作也是消遣"，这话仍然正确，不管它与经济和政治现实多么格格不入。虽然歌德本人也未能避免受北方陈旧思想的影响，认为那不勒斯人天真幼稚，但是，善于体察别人意愿，饶有雅量，宽厚谦和而不排外，尤为重要的是那不勒斯人豁达的生死观，都似乎足以说明他们那种长期流传下来的对人间万事的看法。那不勒斯人冷嘲热讽的谈话习惯依然存在。人们的个性和对家族的忠诚仍然很强，就像他们不仅寻求欢乐而且也寻求幸福的本领一样。人口1 035 835(1998)。

经济 **工业** 那不勒斯是意大利南部工业中心。在波旁家族统治时期，该城市初创制造业，1740年在卡波迪蒙特王宫建立了陶瓷工厂，随后发展了丝绸和其他纺织品的生产。纺织工业仍然居于重要地位。其他一直保持重要地位的传统工业有食品加工和酿酒。第一个钢铁厂于19世纪末开工，但直到20世纪70年代钢铁工业才在全国的生产中占有显著比重。这一地区新兴工业有电子产品制造业、炼油业和汽车装配业等。旅游业继续在地区经济中占重要地位。

第二次世界大战后，工业发展颇得力于国家计划和财政部门的协调，以及政府所拥有或管理的各公司的协作。当地企业参与各项计划。地区的基础设施全面改进，能源生产得到发展。尽管如此，那不勒斯和整个意大利南部仍落后于北部。

运输 1818年，地中海上的第一艘轮船在那不勒斯的皇家船坞下水。1826年开始对古老的海港及其中世纪早期的附属设施（现已大部分填平）进行改建。海港设施在第二次世界大战期间遭严重破坏，但以后的重建和设施的现代化使那不勒斯成为地中海主要港口之一。

1839年意大利第一条铁路从那不勒斯通往5英里外的波蒂奇的国王住地。1880年意大利半岛第一条缆索铁道通向沃米洛高地。那不勒斯发展成为一个重要的铁路中心，是罗马与意大利南部之间主要的铁路接轨点。第二次世界大战后，那不勒斯还成为公路和空中交通的主要枢纽。

历史

早期历史 那不勒斯创建于约公元前600年，称 Neapolis(意为"新城市")，靠近更古老的帕拉埃波利斯。这个名字本身就是吸收海妖帕耳忒诺帕的名字而命名的。两个城镇最初都是希腊人聚居地，几乎可以肯定是在公元前7和前6世纪由希腊人在附近的皮塞库萨岛（今伊斯基亚岛）以及附近大陆的库迈扩展而成的。在该地今天仍可看到明显的希腊人的遗迹。古代的那不勒斯，如吉本所说，"长期保持希腊殖民地的语言和风俗习惯；维吉尔的选择使这个优美的隐居地更加令人崇敬，它吸引了那些厌烦了罗马的喧嚣、烟霾和浮华而喜欢宁静和学习的人们。"贺拉斯（这里按吉本的说法）、维吉尔及那不勒斯诗人斯塔提乌斯就是许多证实那不勒斯存在古希腊文化的古典作家中的几位。在该城市头1 000年的整个时期，包括公元前4世纪投降罗马以后，都保留着希腊语。

在罗马帝国统治时期，那不勒斯及其近郊成为希腊学术文化中心，以及罗马历代皇帝和富人的游乐胜地，从波佐利湾的米塞努姆到索伦托半岛都有他们的海滨别墅。复原的维苏威壁画中描绘了这些别墅舒适宜人的情景。在赫库兰尼姆附近，被埋没的称之为莎草纸别墅的私人宅邸，在18世纪中叶出土了大量珍贵的古代雕塑和一批据认为属于一座古代图书馆的莎草纸古文书手稿。这批古文书手稿有许多已被破译出来，保存在那不勒斯国立图书馆。该别墅一直没有被挖开，18世纪打开的地下通道一直到1987年才重新开放。18世纪绘制的一幅平面图成为美国加利福尼亚州马利布的格蒂博物馆的基础。

在古罗马时代，那不勒斯有许多神殿和浴室，以及像在波佐利和庞贝仍留存下来的那种竞技场。罗马时期的大道将该城市与首都连接起来，渡槽提供淡水。沿那不勒斯湾与波佐利湾之间，有穿越波西利波半岛低处的黄色多孔凝灰岩的地下通道相连。在梅尔吉林纳区，人们可以在那不勒斯地窟看到一个典型的这样的地下通道。地窟位于长期以来被尊崇为维吉尔墓的罗马时期的墓冢旁，墓冢是为纪念这位曼图亚诗人而建；他在公元前37和前30年在那不勒斯创作了《埃涅阿斯纪》第六卷和《农事诗》，赞美此地环境优美。

公元79年维苏威火山大爆发，埋没了海边城市庞贝、赫库兰尼姆和斯塔比伊，吞没了许多很有信心地建在这个已有700多年没有爆发的火山山坡上的许多别墅。当时对这一事件的记述，靠小普林尼写给历史学家塔西佗的两封信而留存下来，他在信中讲述了他的养父、学识渊博的老普林尼在海上徒劳地救助幸存者的情况。1 600多年以后，1738年在那不勒斯波旁统治者支持下，在赫库兰尼姆开始有计划地挖掘被埋没的城镇——初步的发现足以深刻影响西方的美学和科学观念，并改变我们对古代世界的知识。

早期基督教徒在那不勒斯遭受的苦难，可以用该城市的守护神圣亚努阿里乌斯的殉道来说明。卡波迪蒙特山坡上的圣亚努阿里乌斯地下墓葬，其最早的部分早于公元305年传说中他被斩首的年代，就历史研究和就其原始基督教的装饰而言，都引起人们的极大兴趣。其他早期基督教遗址有杜奥莫大教堂内的洗礼堂，附近的圣乔治大教堂内的古代半圆形壁龛，以及在纯洁圣马利亚教堂地下的圣高迪奥索墓葬，均位于那不勒斯最吸引人的地区之一。

在罗马帝国衰落期间，那不勒斯和整个意大利半岛陷入苦难，由于曾支持哥特人的事业，536年招致罗马统帅贝利萨留的报复。晚期罗马帝国分裂后，那不勒斯在摇摆不定的情况下仍然受拉韦纳的东罗马帝国总督的统治，直到8世纪那不勒斯才叛离东罗马帝国，建立共和式政府，深沟壁垒常备不懈，保持独立达300多年之久。最后，那不勒斯屈服于在卡普亚和贝内文托建立起来的伦巴第人的势力，尔后又看到伦巴第人被12世纪横扫意大利南部的诺曼征服者所赶走。在那个动荡期间，那不勒斯先后臣服于诺曼人以及后来的施瓦本人，他们都把这个都市提高为地区的和文化的首府，因之那不勒斯在不同的统治下保持这一地位直到19世纪。神圣罗马帝国皇帝腓特烈二世虽常设其宫廷于巴勒莫，但他在那不勒斯也修筑了要塞，1224年在此创办大学，并在一种难以对付的气氛中支持了该地的学术生活，使之得到发展。

从安茹王朝到复兴运动 公元1266年安茹王朝在那不勒斯的建立，使该城市恢复其重要地位——新城堡和圣埃尔莫要塞的修建强有力地显示出这一点。安茹王朝的国王们和继承他们的阿拉贡国王们把大批意大利思想家和文学家以及北方的建筑家和艺术家吸引到那不勒斯，他们的天才至今仍显示在许多哥特式和文艺复兴式的遗迹中。在阿拉贡国王阿方索五世（按历史学家布尔克哈特的说法，这是一位"英明一世"的君主）统治时期，在那不勒斯文化超越了战争。1453年君士坦丁堡陷落，逃亡者又带来了拜占廷艺术。1479～1480年佛罗伦萨统治者洛伦佐·德·梅迪契访问斐迪南（费兰特）一世宫廷，不言而喻表明那不勒斯政治势力的加强。

1503年，那不勒斯成为西班牙哈布斯堡王朝领地，其总督严酷专制，统治该地200余年之久。宏大的教堂、修道院和私人宅第在这一时期出现，是权力集中的证明，而受压迫的民众也就会时常但徒劳地造反——如

1647～1648年由马萨尼埃洛(托马索·阿涅洛)领导的叛乱不幸失败,就是一例。1707年奥地利的征服结束了这种严厉的总督统治。1734年,那不勒斯在西班牙波旁王朝统治下成为南方一个独立大王国的首都。唐·卡洛斯(后来的西班牙国王卡洛斯三世)取得了"两个西西里王国国王"这一几乎令人费解的古老称号。

这时,那不勒斯迅速发展成为欧洲一个有潜力的都城,18世纪的彩色浮雕使它那种难以调和的贫富分化显露出来。具有重要意义的是,尽管以前的那不勒斯艺术家也颇有地位,但只是到了18世纪那不勒斯才形成自己的画派。这个时代的学者和政治家,诸如G.维科、P.詹农、B.塔努奇、F.加利亚尼、G.菲兰杰里等人,不仅仅誉满那不勒斯,而且是世界闻名。另一个取得丰硕成就的建设时代是表现在波旁王朝统治时期的大型公共建筑,包括波蒂奇和卡塞塔两座王宫和一些私人宅第。维苏威海滨再次成为热闹的聚居区和优雅的维苏威别墅的所在地,如今已大部年久失修。赫库兰尼姆和庞贝的发掘工作吸引了外国来访者,而在新古典主义和早期浪漫主义的气氛中,艺术家、作家和学者均来此体验那不勒斯的环境。对该城市及其周围的描写以及以前的画家们有些忽视的对主宰该城市的火山的描绘,这时已流行于全世界。

在斐迪南四世(两个西西里王国国王斐迪南一世)及其骄横的王后玛丽亚·卡罗莱娜的宫廷中,高雅的英国使节威廉·汉密尔顿爵士缔造了延续至今的英国与那不勒斯的纽带。玛丽亚·卡罗莱娜的残忍性格由于其妹、法国王后玛丽·安托瓦内特于1793年被处决而变本加厉。1798年拿破仑入侵意大利,王室乘英国海军上将纳尔逊的军舰仓惶逃往巴勒莫。那不勒斯受过教育的阶层宣布建立共和国,而被君主抛弃的那不勒斯的无赖们却莫名其妙地热烈拥护君主制。奋勇创立的帕特诺帕共和国在血泊中倾覆。波旁王朝的惩罚性报复和对共和分子的处决或流放,使1799年成为那不勒斯历史上的悲惨时代。

1805年,宫廷再次逃往巴勒莫,直至1815年那不勒斯王国才经过立法改革由拿破仑的兄长约瑟夫·波拿巴统治,后由J.缪拉继任。拿破仑垮台后,波旁王朝在奥地利帮助下重返那不勒斯。但以后的波旁君主软弱腐化,残酷镇压进步思想,为1860年G.加里波第胜利进入那不勒斯和那不勒斯并入意大利王国创造了条件。

现代城市　那不勒斯失掉主权以后,从19世纪后半叶起愈来愈以一种就其本身条件来说也很不相称的工业化方法来图谋生存。1884年霍乱流行,一时曾唤起改革精神,反映在改善贫民窟的卫生条件,供水和运输系统以及其他公用事业的现代化。(当时对霍乱流行及其来龙去脉的记述,俱见于新闻记者塞劳所著《那不勒斯见闻》一书。1973年霍乱再次在该市短时期流行,此书曾再次发行,非常切合实情。)对改善卫生条件所抱的乐观态度,由于第一次世界大战的爆发而化为泡影。

伴随着20世纪30年代大萧条的法西斯主义在意大利崛起,给两次世界大战之间的间歇期蒙上阴影——在此期间,哲学家B.克罗齐和其他进步人士在那不勒斯起而捍卫人道和理智。虽然那不勒斯与整个意大利同样沦为法西斯主义,但很少有意大利城市在第二次世界大战中受害如此之重,恢复如此之艰苦而不完全。不论以何种标准衡量,20世纪80年代才刚刚开始齐心协力地修复遗迹的工作。

Naples　那不勒斯　美国佛罗里达州南部旅游城市,科利尔县城(1966)。位于佛罗里达大沼泽地边缘,临墨西哥湾。19世纪末作为旅游地发展起来。1923年设镇,1949年设市。经济以旅游业和柑橘种植业为主。附近有加勒比公园(有非洲狩猎远征展)和州立科利尔塞米诺尔公园。还有一些自然保护区,如大柏树国家保护区(东)、科利尔-米诺尔州立公园(北)大沼泽地国家公园(东南)等。当地海滩长11千米。东南48千米处的滕绍森德群岛海域鱼类丰富,可供游人垂钓。人口:市20 976;都会统计区251 377(2000)。

Naples, Bay of　那不勒斯湾　意大利语作Napoli, Golfo di。拉丁语称库马努斯湾。地中海第勒尼安海的半圆形小海湾。在意大利南部那不勒斯市的西南面。宽16千米,从米塞诺角向东南延伸32千米至坎帕内拉角。以风景优美闻名,湾畔有陡峭的火山峰峦(包括维苏威活火山)。湾口有伊斯基亚岛、普罗奇达岛和卡普里岛。主要港口为那不勒斯。沿岸有古城庞贝和赫库兰尼姆的遗迹。

Naples, Kingdom of　那不勒斯王国　中世纪到1860年意大利半岛南部的国家,在政治上常与西西里联合。12世纪初,诺曼人在意大利南部和西西里把原由拜占廷人、伦巴第人和穆斯林们所据有的地区划为一个国家。1130年,罗杰二世在合并诺曼人所获得的全部地区的基础上,使用了西西里和阿普利亚国王的称号。诺曼国一出现,就为教皇和神圣罗马帝国的皇帝所争夺,他们宣称整个南部是自己统治的地区。12世纪后期,该王国归属霍亨斯陶芬家族的皇帝(其中最著名的是腓特烈二世皇帝,1198～1250年的西西里国王)。在这些早期统治者的统治下,该王国曾盛极一时。政治上是当时欧洲最中央集权的国家之一,经济上是重要的商业中心和谷物生产地,文化上是希腊和阿拉伯知识传入西欧的中介点。在霍亨斯陶芬家族的合法承袭绝嗣后,教皇担心南部地区可能被对他怀有敌意的某一国王所统治,遂决心邀请法王路易九世的弟弟安茹的查理统治这个王国(1266)。查理将都城由西西里的巴勒莫迁到那不勒斯,这反映出他的北向政策,因为他在意大利北部是归尔甫党(教皇党)的领袖。但他的苛政和重税激起了被称为*西西里晚祷*(**Sicilian Vespers**)的暴动事件(1282),结果使西西里岛政治上与大陆分离,并由西班牙的阿拉贡王室取得该岛的王位。这一事件给那不勒斯和西西里均带来重大后果。在安茹王室和阿拉贡王室间延续了一百余年的斗争中,真正的胜利者是贵族,他们的权力由于国王的授予而逐渐扩大。在普遍出现的无政府状态下,封建制度在两个王国中得到了巩固。那不勒斯在国王罗伯特统治时期(1309～1343)曾一度繁荣,在意大利的事务中居重要地位。但从14世纪中叶到15世纪,安茹王室各朝代内部纠纷不断,那不勒斯最后在1442年败于西西里的统治者阿拉贡的阿方索五世。阿方索于1443年使用"两个西西里国王"的称号,即指西西里和那不勒斯。其子费迪南德一世和其孙费迪南德二世亦沿用此称号。15世纪末,那不勒斯王国继续卷入外部势力争夺意大利统治权的斗争中。法国国王查理八世曾短时期地占据过这块土地(1495)。1504年西班牙人占领那不勒斯和西西里,该两地由总督治理达两个世纪之久。在西班牙统治时期,这个国家仅被视为财政来源,其经济不断衰落。中下层阶级由于捐税负担过重,于1647年7月起来造反(马萨尼埃洛起义),但西班牙人和贵族联合,于1648年镇压了起义。西班牙的王位继承战争(1701～1714)使那不勒斯王国处于奥地利哈布斯堡王朝的影响之下(西西里曾短时期为皮埃蒙特所占有)。1734年,西班牙王子波旁王室的唐·卡洛斯(后为国王查理三世)征服了那不勒斯和西西里,后来即作为一单独的王国由西班牙波旁王朝来统治。18世纪时,波旁的国王们在"开明的专制主义"风气的影响下,提倡改革,纠正社会和政治的不公平,使国家现代化。波旁国王斐迪南四世的改革进程因法国革命爆发而中断。这次革命产生了一连串的共和与民主思想。这些思想对那些自由分子——中产阶级知识分子以及贵族与教会人士有很大的吸引力,他们认为波旁计划的改革与其说是有利于国家,不如说是增加国王的权力。"爱国者"开始策划但受到了迫害。斐迪南的军队在第二次联合的战争中参加了反对共和法国的联军,导致了灾难性的结果。那不勒斯被法国人占领,斐迪南逃往西西里。1799年1月24日帕特诺珀共和国宣告成立,但没有受到保护。法国人放弃了西西里城,该城在爱国者进行了殊死抵抗后,于1799年6月13日落入了斐迪南军队的手中。在"爱国者"投降前,他们被允许自由留下或流亡他乡,但是6月24日H.纳尔逊一到达,通过同西西里的当局协议,推翻了投降的条件。许多被俘的共和人士被处死。斐迪南回到了那不勒斯,但他的进一步同奥地利与英国人的密谋激怒了拿破仑。在奥斯特利茨打败奥地利人后,他派他的哥哥约瑟夫去征服斐迪南的王国。拿破仑最早将该王国并入法国,后来又宣布它独立,由约瑟夫当国王(1806-03-03)。1808年,约瑟夫转去西班牙,拿破仑将那不勒斯交给他妹夫J.缪拉。在法国人统治时期,那不勒斯通过取消封建制度和采用统一的法典,进行了现代化改革,缪拉作为国王,深得人心。斐迪南四世(后为两个西西里国王斐迪南一世)曾两次被迫逃亡西西里,并在英国人帮助下成为西西里国王。到1815年复辟时期,王国正式称为两个西西里王国,与欧洲的保守国家建立联盟。由于王国中的许多人采取自由主义思想,国王们愈来愈坚信自己的专制主义,政治冲突遂不可避免。1820年爆发了严重的叛乱,斐迪南一世被迫同意了一部宪法。1848年在斐迪南二世统治时期，因西西里争取独立，再次爆发叛乱。由于政治和经济的困难状况，1860年当G.加里波第进攻时，王国很快瓦解。同年10月公民投票，那不勒斯和西西里的绝大多数人都赞成与北面的意大利统一。

Naples, University of　那不勒斯大学　设于那不勒斯的男女合校公立大学。1224年，神圣罗马皇帝腓特烈二世为抵消博洛尼亚大学举足轻重的影响，建立了这所大学。一般说来，各大学有了学生后，才能得到办学许可证，但是腓特烈在尚无师资亦未招生的情况下，就宣布了那不勒斯大学的成立，并禁止臣民在其他任何高等学府学习。13世纪时，托马斯·阿奎那曾在该校任教。那不勒斯大学尽管几次试图重新改组，还是逐渐衰败。学校时办时停，校址搬迁不定，这种状况持续达两世纪之久。直到1777年，该校才重新组合，并迁到耶稣会女隐修院。这所隐修院现为一个博物馆，在该校现在的大楼后部。1859年颁布的卡萨蒂法令，规定教育由国家负责，1923年秦梯利教育改革方案问世，将对各个大学的控制权集中到法西斯政府手中，该大学便逐渐由国家控制。目前，它是一所有行政自治权的公立大学。

Napo River　纳波河　厄瓜多尔东北部和秘鲁东北部河流。源出厄瓜多尔安第斯山脉东坡，东流至秘鲁边境后折向东南，穿过茂密热带雨林，于伊基托斯下游约80千米处与亚马孙河汇合。1540年西班牙军人、亚马孙河探险家奥雷利亚纳首次探测该河。纳波河长885千米，大部分可通航，为重要运输通道。沿河饲养牛群。森林产橡胶、糖胶树胶、木材和毛皮。

Napoleon I　拿破仑一世(1769-08-15，科西嘉阿雅克肖～1821-05-05，圣赫勒拿岛)　法语全名Napoléon Bonaparte，意大利语原名作Napoleone Buonaparte；绰号The Corsican或The Little Corporal，法语作Le Corse或Le Petit Caporal。法国将军、法国的第一执政(1799～1804)和法国皇帝(1804～1814或1815)。他实现了多项改革，在法国和西欧许多国家的体制上留下了永恒印记。他的一往无前的激情是用武力扩张法国的领土，虽然在他垮台时的法国比1789年革命爆发时的法国还要小，但是终其一生直到他侄子拿破仑三世所统治的第二帝国结束，他几乎被一致尊崇为历史上伟大的英雄人物之一。

拿破仑出生于热那亚人把科西嘉割让给法国之后不久。他是律师卡洛·波拿巴和莱蒂齐娅·拉莫利诺的第4个、也是存活的第2个孩子。其父出身于托斯卡纳的古老贵族之家，于16世纪移居科西嘉。法国占领科西嘉后，他曾加入由P.保利领导的科西嘉人抵抗组织。保利逃亡后，他屈服于法国，并于1771年成为阿雅克肖审判区的陪审员。1778年他使自己最大的两个儿子约瑟夫和拿破仑获准进入奥顿学院。

拿破仑在3所学校受过教育：在奥顿的时间很短，在布列讷的军事学校5年，在巴黎的军事学院1年。在拿破仑居留巴黎的那一年里，其父于1785年2月因胃癌去世，身后的家境异常萧条。拿破仑虽然不是长子，但他不到16岁便担起了一家之长的职责。9月，他从军事学院毕业，在全班58个学生中排在第42名。

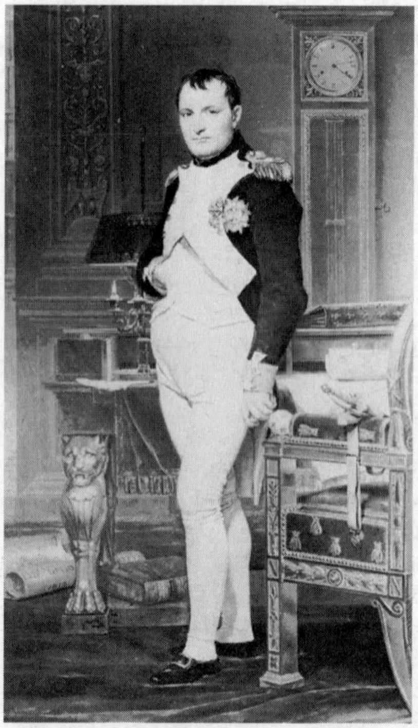
美国不列颠百科全书公司供图

他被任命为拉费尔团——为年轻的炮兵军官设立的训练学校——的炮兵少尉。驻守在瓦朗斯的拿破仑阅读了大量书籍，特别是有关战略战术的著作。还写了《关于科西嘉人的通信》，通过这一作品揭示了他对自己故乡的感情。1786年9月他返回科西嘉，直到1788年6月才重新回团。这时使法国革命达到最高点的骚动已经开始了。作为伏尔泰和卢梭著作的读者，拿破仑相信，必须进行一次政治变革，但是作为一名职业军官，他似乎认为根本无需进行任何激进的社会改革。

革命时期　雅各宾年代　当1789年为建立立宪王国而召开的国民会议允许P.保利返回科西嘉的时候，拿破仑请了假并且在9月参加了保利的小组。但是保利对这青年人并无任何同情之心，因为青年人的父亲背弃了他的事业，而且他把这个青年人看成是个外国人。感到失望的拿破仑返回法国并且在1791年4月被任命为驻防瓦朗斯的第4炮兵团中尉。他立刻参加了雅各宾俱乐部，这是最初赞成立宪王国的一个辩论团体。他不久就成了这一团体的主席，在这里发表演说反对贵族、僧侣和主教。1791年9月他请假再次返回科西嘉3个月。在被选为国民卫队的中校之后，他不久便和卫队的总司令保利吵了起来。由于他未能及时返回法国，他在1792年1月被列入逃兵的名单。但是4月法国向奥地利宣战，他的过失得到了赦免。

显然有人提挈，拿破仑被晋升为上尉，但他并没有重返团队。反之，他却于1792年10月返回科西嘉，而这时保利正在这里进行独裁的统治并准备使科西嘉脱离法国。拿破仑参加了反对保利的科西嘉雅各宾派。因此，当1793年4月科西嘉爆发内战时，保利判定波拿巴家族要受到“永恒的诅咒和羞耻”，于是波拿巴一家便逃到法国去了。

拿破仑·波拿巴——从此人们可以这样称呼他(尽管他的家族直到1796年之后才放弃波拿巴的意大利文的拼法)——在1793年6月重返驻防尼斯的团队。那时他撰写《博凯尔的晚餐》，极力主张集结在变得越来越激进的雅各宾派和在前一年秋天消灭了君主政体的革命会议即国民公会周围的共和派联合行动。1793年8月底国民公会的军队攻占了马赛，但是在土伦受阻，因为这里的保王党召来了英国军队。由于国民公会的炮兵司令负伤，拿破仑通过军队特派员A.萨利切蒂的关系取得了这一职位。萨利切蒂是科西嘉的代表，又是拿破仑一家的朋友。9月，波拿巴晋升为少校，10月又晋升为副官长。他在12月16日被刺刀刺伤，但第2天英军在他的炮兵骚扰下退出了土伦。12月22日年仅24岁的波拿巴被晋升为准将以表彰他在攻占土伦中所起的决定性作用。

军队特派员A.de罗伯斯比尔写信给他的兄弟马克西米连——当时此人是政府的实际领袖并且是恐怖统治的主要人物之一——称赞这位年轻的共和国军官的“卓越功勋”。1794年2月波拿巴被任命为驻意大利的法军炮兵司令。热月9日(1794-07-27)罗伯斯比尔在巴黎垮台。当消息传到尼斯时，被认为属于罗伯斯比尔一派并受他庇护的波拿巴以阴谋叛国的罪名被逮捕。9月获释，但是他的领导职务没有恢复。翌年3月，他拒绝出任正在旺代同反革命作战的西部军队的炮兵司令的建议。这一职务似乎不能使他在未来有任何出路，于是他前往巴黎以证明自己这一行动的正确。他在半薪的情况下，生活是困难的，特别因为这时他正在和德西蕾·克拉里恋爱。克拉里是马赛一位富商的女儿，而她的姊妹朱莉则是他的哥哥约瑟夫的新娘。尽管在巴黎作了种种努力，拿破仑并未能谋得一个满意的指挥职位，因为人们害怕他的强烈的野心以及他和山岳派的联系。山岳派是国民公会中比较激进的成员。于是他就想去土耳其苏丹那里去服役。

督政府　1795年5月波拿巴仍然在巴黎，这时国民公会在其解散前夕，把第一共和国3年的一部新宪法连同有关法令(根据这些法令，国民公会的成员有2/3要被重新选入新的立法会议)交付全民公决。保王党希望不久他们便能恢复君主制，于是在巴黎挑起一场叛乱以阻止这些措施的实现。被国民公会授予独裁权力的巴拉斯子爵不愿依靠内务部队的司令官；而另方面，由于他了解波拿巴在土伦的功绩，因而任命他为司令官的副手。因此，正是拿破仑用炮兵打垮了向国民公会进发的几个叛军纵队(共和4年葡月13日，即1795年10月5日)从而挽救了国民公会与共和国。

波拿巴成了内务部队的司令官，因而他从此能了解到法国的每一政治发展。他又成了新政府即督政府的受尊敬的军事顾问。最后，他结识了一位黑白混血的美女约瑟芬，她是A.de博阿尔内将军(在恐怖统治时期被送上断头台)的遗孀、两个孩子的母亲，有过很多风流韵事。

无论从哪一方面看，波拿巴都在开始一种新的生活。通过解散由F.巴贝夫和波拿巴早在科西嘉便认识的一个名叫F.博纳罗蒂的意大利人所领导的共产主义团体，拿破仑证明了自己对督政府的忠诚，因而在1796年3月被任命为意大利方面军总司令。许多星期以来他一直在设法得到这个位置，这样他就能部分地执行战役计划，而计划是按照他的意见由督政府通过的。3月9日他同约瑟芬结婚，两天之后便返回军队。

到达尼斯的大本营后，波拿巴发现文件上说有4.3万人，而实际上几乎不足3万人。军队伙食不好，饷银不足，装备也很差。1796年3月28日，他向他的军队发表了第一个告全军书：

> "士兵们，你们衣不蔽体，吃的也不好……但富足的省份和大城市将要由你们来统治，你们在那里将会找到荣誉、光荣、财富。意大利的士兵们，难道你们缺乏勇气和坚定的精神吗?"

4月12日他发动了进攻并且连续击败和分割了奥地利和萨丁的军队，然后进军都灵。萨丁国王阿马戴乌斯三世要求停战。根据5月15日在巴黎签署的和约，1792年以来由法国人占领的尼斯和萨伏依并入法国。波拿巴继续对奥地利人作战并占领了米兰，但在曼图亚受阻。当他的军队围攻这一巨大要塞时，他同帕尔马公爵、摩德纳公爵，最后是教皇庇护六世签署了停战协定。

与此同时，他对意大利的政治组织有了兴趣。由博纳罗蒂领导的一个意大利"爱国者"小组所拟订的使之"共和化"的计划，在博纳罗蒂因参与巴贝夫的反督政府阴谋而被捕时便不得不搁置下来。从那以后，波拿巴对意大利的爱国者虽然不一概加以排斥，却限制他们的行动自由。他在伦巴第建立了共和体制，但对它的领导人却严密监视。1796年10月，他把摩德纳、艾米利亚雷焦同法军占领的费拉拉与教会辖地博洛尼亚合并，成立阿尔卑斯山南共和国。最后他又派一支部队收复英国人已经退出的科西嘉。

奥地利军队从阿尔卑斯山4次出击，以图解救曼图亚，但每次都为波拿巴所打败。1797年1月奥地利在里沃利最后一次战败后，曼图亚投降。继而他又向维也纳进军。在他离首都大约100千米的时候，奥地利人便请求停战了。根据初步的和约，奥地利把尼德兰南部让给法国并承认伦巴第共和国，但是作为交换它取得属于原威尼斯共和国的某些领土。威尼斯共和国便在奥地利、法国和伦巴第之间被瓜分了。于是波拿巴便加强并重新组织了意大利北部的各共和国并且在威尼斯鼓励雅各宾派(激进共和派)的宣传。某些意大利的爱国者希望这些发展很快会导致成立一个像法国那样的单一的而不可分的"意大利共和国"。

这时，由于波拿巴对1797年春天保王党在选举中取得的成功感到不安，因而建议督政府进行反击，必要时还可使用武力。7月督政府试图发动反保王党的政变失败，于是波拿巴便把P.奥热罗将军和一些军官与士兵派往巴黎。奥热罗成功地发动了果月18日(1797-09-04)政变，从政府和议会中清除了亲保王党分子并且也提高了波拿巴的威信。这样，波拿巴便可以同奥地利缔结《坎波福尔米奥条约》了，他认为这是最好的处理方法。但是督政府对此感到不快，因为条约把威尼斯让给了奥地利人，却没有使法国取得莱茵河左岸的土地。另一方面，这却使波拿巴取得了极高的声望，因为在大陆的5年战争之后，他为法国争得了胜利。

只有海上对英国人的战争还在继续。想对英国本岛发动一次进攻的督政官们任命波拿巴指挥为此集结在英吉利海峡一带的军队。1798年2月他匆匆地作了一番视察之后宣布，只有在法国有了制海权之后才能开展军事行动。因此，他建议占领埃及并威胁通往印度的道路，以切断大不列颠财富的来源。受到外长塔列朗支持的这一建议为督政官们所接受，他们正好摆脱他们的这一野心勃勃的年轻将领。

由于某些幸运的巧合，这次出征开头取得巨大的成功:1798年6月10日占领耶路撒冷圣约翰医院骑士团的大堡垒马耳他;7月1日强攻拿下了亚历山大城;整个尼罗河三角洲被迅速地踏平。但是8月1日停泊在阿布吉尔湾的法国舰队在尼罗河一战中被英国海军上将H.纳尔逊的舰队彻底摧毁，这样一来，拿破仑发现自己被困在已经征服的土地上。他着手把西方的政治体制、行政机构和各种专门技能介绍给埃及;但是名义上是埃及宗主国的土耳其，却在9月向法国宣战。为了阻止土耳其进攻埃及并且也可能为了试图通过安纳托利亚返回法国，波拿巴于1799年2月进入叙利亚。他向西北方向的推进在阿卡受阻，英国人顶住了他的围攻，5月波拿巴开始了向埃及的一次灾难性的撤退。

尼罗河一战向欧洲表明，波拿巴并不是不可战胜的，于是大不列颠、奥地利、俄罗斯和土耳其便结成了一个新的反法联盟。1799年春，意大利的法军被打败，法军不得不放弃半岛的大部分土地。这些败北在法国国内引起骚动。牧月30日(1799-06-18)政变把持温和观点的人逐出督政府并把被认为是雅客宾派的人引入这一机构。然而形势依然混乱，新督政官之一的E.西哀士深信只有军事独裁才能防止王朝复辟。波拿巴很快下了决心，他要离开他的军队返回法国——以便挽救共和国，当然，也是为了利用这新的形势夺取政权。事实上督政府已经下令要他返回，但是他并没有接到命令，1799年8月22日他和一些同伴离开埃及，实际上是无视它的指示。他们乘坐的两艘快帆船令人吃惊地逃脱了英国人的拦截，波拿巴于10月14日抵达巴黎。

这时法国人在瑞士与荷兰取得的胜利防止了入侵的危险;在法国国内，反革命的叛乱多少算是失败了。因此一次政变不再能用挽救共和国的任何需要加以辩解。但是西哀士并没有放弃他的计划，从10月底开始他和波拿巴结成联盟共同策划政变，并在共和8年雾月18日到19日(1799-11-09～10)实现了这一政变:督政官们被迫辞职，立法议会的成员被驱散，一个新政府——执政府成立了。3位执政是波拿巴和另两位已经辞职的督政官西哀士和P.-R.迪科。但是，正是波拿巴从此成为法国的主人。

执政府 *权力的巩固* 这时，30岁的波拿巴身材既瘦且矮，留着短短的平头。有关他本人的情况人们知道的不多，但是对于总是取得胜利(尼罗河和阿卡被忘记了)并设法谈判过辉煌的《坎波福尔米奥条约》的那个人，人民是信任的。人们期待他恢复和平，结束混乱并巩固革命在政治和社会方面"获得的成果"。他确实是特别有才智的人，能迅速作出决定，又能不知疲倦地刻苦工作;然而他又是野心极大，永不知足的人。他似乎是法国革命的一个人物，因为正是由于法国革命，他才在这样年轻的时候爬上了国家的最高地位。他是不会忘记这一点的:他不仅是法国革命的一个人物，他还是18世纪的一个人物，是开明的专制君主中最开明的人，是伏尔泰的真正的儿子。他并不相信人民的主权、人民的意志或议会的辩论。但是他更相信的是推理而不是理性，可以说他比较喜欢"才智之士"(比如说数学家、法学家、政治家，不管他们会是多么厚颜无耻或只为了钱而工作)，而不是货真价实的"技术人员"。他相信一个开明而又坚定的意志能够做任何事情，只要有枪杆子的支持。他既蔑视又害怕群众;至于公众舆论，他认为他可以随心所欲地制造和引导它。他曾被称为将军中最"有文职人员气质的"，但是从本质上看他始终是一名军人。

波拿巴把一种军事独裁强加给法国，但是最初在它真正的性质上却被披上了由西哀士起草的共和8年(雪月4日，即1799年12月25日)宪法的外衣。这个宪法并没有保证"人的权利"，也根本没有提到"自由、平等、博爱"，但是由它宣布不改变出售国有财产的做法并维护反对流亡贵族的立法，从而确实使拥护法国革命的人们放了心。宪法授予第一执政以巨大的权力，而他的两位同僚只有一种名义上的作用而已。第一执政——即波拿巴——任命部长、将军、文职人员、各地行政官员和参政院成员，他甚至在3个立法会议成员的选任方面有压倒一切的影响，尽管它们的成员在理论上是通过全民投票来选任的。经过公民投票，这部宪法在1800年2月以绝大多数票获得通过。

改革的纲领 执政府因波拿巴倡议而进行的行政改革比宪法本身更有持久意义，因而对法国也更加重要。政府的最高机构是第一执政组建的参政院，参政院往往由他有效地来主持;它既作为新立法的产生地又作为一个行政法庭而发挥重要作用。各省的行政首脑是省长，省长继续旧体制下总督的传统，监督法律的应用，他们起的是中央集权的工具的作用。司法系统进行了深入的改革:虽然革命一开始，法官都是选出的，但此后他们改由政府任命，而他们不能被撤职以保证他们的独立性。警察组织极大地被加强了。财政机构也得到很大的改进，征收直接税的任务委托给专门的官员以代替市政当局。法郎稳定了，部分为股东所有、部分为国家所有的法兰西银行建立起来了。教育被改造成一种重点的公共事业，中等教育成为一种半军事的组织，而大学的各系也重新加以组建。但

初等教育仍然受到忽视。

波拿巴同意伏尔泰的这一看法，即人民需要一种宗教。就他个人来说，他对宗教采取无所谓的态度：在埃及时他曾说过他要作一个穆斯林。不过他认为在法国宗教的和平必须予以恢复。早在1796年，当他同教皇庇护六世缔结停战协定时，他便曾试图说服教皇收回反对那些接受了《教士公民组织法》的法国教士的敕令；组织法事实上是把教会国家化了。1800年3月继承了庇护六世教皇之位的庇护七世比他的前任要随和些，在同他开始谈判之后10个月签署了一项使教会和革命和解的《教务专约》。教皇承认法兰西共和国并要求所有以前的主教辞职；新的主教由第一执政指定并由教皇加以任命；教士财产的出售正式为罗马所承认。《教务专约》事实上承认了信教自由和国家的世俗性质。

《民法法典》的编纂始于1790年，在执政府时期最后完成。法典公布于1804年3月21日，后来人们就称它为《拿破仑法典》。《法典》把法国革命的伟大成果用文字的形式永久地确定下来：个人自由、工作自由、良心自由、国家的世俗性质以及在法律面前人人平等；但与此同时它却保护地产，给雇主以更大的自由，而对雇员则漠不关心。它虽认为可以离婚，但给予妇女的合法权利只是有限的一点。

军队得到最细心的照顾。第一执政大体上保留了革命创建的体制：通过强制的征兵来征集新兵，但兵员可以由别人来替换；新兵与老兵混合编制，所有的人都有机会晋升到最高军阶的职位。尽管如此，圣西尔军校的创建（它是培养步兵军官的）却使得资产阶级家庭出身的子弟更便于在军队中寻求出路。此外，国民公会建立的综合工科学校被军事化，以便培养炮兵军官和工程师。不过波拿巴并不关心把新的技术发明引入他的军队。他信任的是“他的士兵的两条腿”：他的基本战略思想是一支快速移动的军队。

战役和不稳定的和平 第一执政把1799～1800年的冬春两季用来改组他的军队，并准备单独对奥地利发动一次进攻，这时俄罗斯已经退出了反法联盟。他像以往那样对形势迅速地作出了估计，他看到了瑞士联邦在战略上的重要性，因为从这里他可以看情况或者在德意志或者在意大利自由地包抄奥地利的军队。过去的成功使他选择了意大利。于是在雪融之前率军穿过大圣伯纳德山口，出其不意地出现在包围热那亚的奥地利军的背后。6月马伦戈一战使法军占领波河流域直到阿迪杰。12月，另一支法国军队在德意志又打败了奥地利人。奥地利被迫签订了1801年2月的《吕内维尔条约》，这样一来，法国对凯撒给高卢规定的天然边界即莱茵河、阿尔卑斯山和比利牛斯山的权利便得到了承认。

只有大不列颠还和法国处于战争状态，但它很快便对战争感到厌倦了。1801年10月在伦敦缔结的草约结束了敌对状态，正式和约是1802年3月27日在亚眠签订的。

欧洲的全面和平重新建立起来了。第一执政的威望更加提高了，他的友人——在他的示意下——提议应当给拿破仑一个“全国性感恩的标志”。于是在1802年5月作出决定，法国人民应在全民投票中对这样一个问题作出决定：“拿破仑·波拿巴应否成为终身执政？”8月，以压倒一切的票数同意他延长执政任期并授予他指定继承人的权利。

波拿巴的国际和平的概念和英国人的有所不同。对英国人来说，《亚眠条约》是他们在任何条件下都不准备越过的一个绝对界限；英国人甚至希望收回他们被迫割让的某些土地。而另一方面，对波拿巴来说，亚眠标志着法国的一次新的优势的起点。首先，他一心想把欧洲的一半保留为法国的市场，但又不降低关税——这一点使英国商人大为恼火。为了恢复法国的海外扩张，他还想收复圣多明各（曾发动过叛乱，今为伊斯帕尼奥拉），占领路易斯安那（此地是1800年西班牙割让给法国的），也许还想重新占领埃及并且无论如何也要在地中海和印度洋扩大法国的影响。最后，在欧洲大陆上，他越过了法国的天然边界：兼并了皮埃蒙特，强加给瑞士联邦一个比较民主的、地方分权的政府；而在德意志，对那些因《吕内维尔条约》而被剥夺了莱茵河一带的土地的王侯，则用还俗的教会属国的份地加以补偿。

大不列颠对于法国在和平时期的扩张感到吃惊，并且认为从热那亚到安特卫普的欧洲大陆海岸线竟然在一个国家的控制之下几乎无法容忍。但促使英法破裂的直接事件是马耳他问题。按照《亚眠条约》，在法国对该岛的占领垮台时占有该岛的英国人应当把它归还给医院骑士团，但是英国人借口法国人也还没有从那不勒斯的某些港口撤出而拒绝离开该岛。法英关系于是紧张起来，1803年5月英国宣战。

帝国 和解的行动促成了执政终身制，而战争的再起却对帝国的形成起了刺激作用。英国政府满心希望波拿巴会被废黜或被暗杀掉，这时又恢复了对法国保王党的资助，保王党则重新进行他们的鼓动和阴谋活动。当由英国资助的一项暗杀计划在1804年被揭露时，波拿巴决定作出强烈反应以吓住他的敌人不再敢怀有这样的企图。警方相信阴谋的真正头目是一个年轻的当甘公爵，此人是波旁王室的后裔，当时住在德意志，离国界只有几英里。于是在塔列朗和警务部长J.富歇的同意下，此人在中立的土地上被劫持并被带到了樊尚，在那里受审并被处决了（3月21日）。这一行动在古老的贵族中间激起一阵新的抗议，但却加强了富歇的影响。

帝国的建立 富歇希望巩固自己的地位，于是他向波拿巴建议，使阴谋受挫的最好的办法是把终身的执政制变为世袭的帝国，而由于帝国会有一个继承人，这一事实使敌人完全不敢指望能通过暗杀而改变体制。波拿巴立刻采纳这一建议，1804年5月28日帝国宣告成立。

虽然在法国政府组织中几乎未作什么变动，作为皇帝的拿破仑却恢复了和旧制度类似的一些制度。首先，他要教皇亲自为他祝圣，这样他的加冕甚至比法兰西国王的加冕都能给人以更加深刻的印象。庇护七世同意到巴黎来，在保王党和革命老战士看来似乎同样是荒谬绝伦的典礼于1804年12月2日在巴黎圣母院举行。在最后一刻，皇帝从教皇手中接过皇冠，亲自戴在自己的头上。

帝国的体制也制订了它的象征和头衔。1804年为拿破仑的家族恢复了王公的头衔，1808年创立了帝国的贵族。由于反对势力还很活跃，拿破仑加强了他的宣传并且对报刊施加日益严格的检查。一种独裁的体制使得他连年作战而不必顾虑法国舆论的动向。由于从1802年1月起拿破仑便是意大利共和国（改名的阿尔卑斯山南共和国）的总统，所以他在1805年3月被宣布为意大利国王，5月在米兰加冕。

同英国的战争 1803～1805年拿破仑只同英国作战。法国只有率军在英国的本岛登陆才有获胜的希望；而另一方面，英国只有组成一个大陆联盟反对拿破仑，才能击败他。拿破仑再次开始准备一次进攻，这次信心更大，规模也更大。他在布雷斯特和安特卫普之间集结了将近2 000只船，并且把他的大军集中在布洛涅的营地里（1803）。即使这样，问题还是同1798年一样：要越过海峡，法国必须取得制海权。

法国海军的力量仍然比英国海军差得多，因此他需要西班牙人的帮助；即使这样，两支海军加到一起也无法指望打败一个以上的英国海军中队。1804年12月，法国促使西班牙向大不列颠宣战。事情是这样决定的：集合在安的列斯群岛的法国与西班牙的舰队要把英国的舰队诱入这一海域并把它战败，这样使得法国-西班牙海军和英国海军的力量大体平衡，以便在海峡入口处展开海战时，法-西一方能有成功的某种机会。

这个计划失败了。由海军上将P. de维尔纳夫率领的、由地中海来的舰队来到安的列斯群岛指定的会合地点后发现只有自己在那里。法国舰队受到纳尔逊的追击却又不敢向他进攻，便掉头逃回欧洲并在1805年7月逃入加的斯；在那里他们被英国人封锁了。生气的拿破仑责备维尔纳夫的怯懦，维尔纳夫于是决定在一支西班牙舰队的支持下突破封锁。但是在1805年10月21日，他在特拉法尔加角外受到纳尔逊的进攻。纳尔逊在这次战斗中阵亡，但是法-西联合舰队全部被歼。英国人取得了决定性的胜利，这一胜利消除了法国进攻的危险并且给他们以海上行动的自由。

英国人还得以组成包括奥地利、俄罗斯、瑞典和那不勒斯在内的一个新的反法联盟。在特拉法尔加战役之前3个月，即1805年7月24日，拿破仑曾下令大军从布洛涅向多瑙河推进（这样便排除了英国的一次进攻的可能，即使法国人在特拉法尔加获胜的话）。在特拉法尔加战役之前一周，法国大军在乌尔姆对奥地利人取得了一次了不起的胜利，11月13日拿破仑进入了维也纳。1805年12月2日，在奥斯特利茨战役里他打败了奥地利和俄国的联军，取得了最伟大的胜利。根据《普雷斯堡条约》，奥地利放弃对意大利的全部影响，并把威尼斯和达尔马提亚让给拿破仑，还把在德意志的一片广大的领土让给受拿破仑保护的巴伐利亚、符腾堡和巴登。继而法国人又着手把那不勒斯王国的波旁王族赶下王位，而把这个王国赐给了拿破仑的哥哥约瑟夫。1806 年 7 月成立了莱茵同盟——很快便在法国的保护之下把整个德意志西部包括在一个同盟之中了。

1806 年 9 月普鲁士对法国开战，10 月 14 日普军在耶拿和奥尔施泰特被打败。1807 年 2 月俄国人在埃劳进行了较为成功的抵抗，但是 6 月他们却在弗里德兰被击败了。在华沙，拿破仑爱上了波兰的一位爱国者玛莉·瓦莱夫斯卡伯爵夫人，她希望拿破仑能重建她的祖国。拿破仑和她生了一个儿子。

俄皇亚历山大一世本来可以把斗争坚持下去，但是他对同英国的联盟已感到厌倦。他在普鲁士北部，离俄国边界不远的蒂尔西特会见了拿破仑。在停泊于涅曼河中间的一个筏子上，他们签署了一些条约，规定用从普鲁士分离出来的波兰各省创建一个华沙大公国；事实上，两个皇帝分割了对欧洲的统治，拿破仑占有西部，亚历山大占有东部。亚历山大甚至作出含糊的保证，从陆上对印度的英国领地发动进攻。

封锁和半岛战役 既然拿破仑不再能考虑进攻英国，他便设法扼杀英国的经济以促使其投降。他不许英国商品进入整个欧洲，指望用这种办法激起英国失业者的叛乱，而这又可以迫使政府求和。他禁止同英国进行一切贸易，下令没收来自英国或英国殖民地的一切商品，并且不仅把每一艘英国船，而且把在英国及其殖民地靠岸的每一艘船都理所当然地定为敌船。

为了使封锁成功，这一措施必须在整个欧洲都严格执行。但是从一开始英国的旧盟友葡萄牙便表现出不愿意服从，因为这意味着毁了它自己的商业。拿破仑决定用武力粉碎葡萄牙的反抗。西班牙的查理四世让法国军队通过他的王国，于是法军占领了里斯本；但是拿破仑的士兵在西班牙北部的长期滞留引起了叛乱。当查理四世让位给他的儿子斐迪南德七世时，拿破仑认为这是使欧洲摆脱波旁家族出身的最后统治者的机会，于是在 1808 年 4 月把西班牙王室召到巴约讷，把查理和斐迪南德都赶下了王位。他们被拘禁在塔列朗的公馆中。在血腥镇压了马德里的一次暴动之后，西班牙全国到处都发生了骚乱，因为西班牙不愿接受那不勒斯国王约瑟夫·波拿巴为他们的新国王。

后来他的军队在西班牙和葡萄牙遭到失败，这对拿破仑的威望是严重的打击。揭竿而起的伊比利亚半岛很快便成了英国在大陆上的桥头堡。从 1809 年起在精力充沛的 A.韦尔斯利(后来的威灵顿第一公爵)统率下的英西葡联军，后来取得了决定性的成功。

爱尔福特大会(1808-09 ～ 10)是拿破仑和亚历山大一世召开的一次会议，拿破仑在这次会议上向被他召来的许多王公突出介绍俄皇，意在要他作出帮助的许诺。不管是否给人以深刻的印象，亚历山大总之不想作出任何肯定的承诺。而且亚历山大的拒绝，部分地是由塔列朗促成的，原来塔列朗已被拿破仑的政策搞得垂头丧气，他已在背着自己的主人同俄皇进行协商了。

但是，到 1809 年初，把自己大军的大部分投入西班牙的拿破仑，好像就要把叛乱镇压下去了。接着在 4 月奥地利又向巴伐利亚发动了一次进攻，想把整个德意志发动起来反对法国人。拿破仑再次打败哈布斯堡家族(7 月 6 日)，并且通过《申布伦条约》(1809-10-04)取得了伊利里亚行省，从而使大陆体系变得完整。

帝国的巩固 尽管拿破仑在西班牙和葡萄牙遭到一些失败，但在 1810 年他的事业已呈如日中天之势。他自认是查理大帝的后裔。他遗弃了未曾给他生育孩子的约瑟芬，这样他就可以同奥地利皇帝弗兰茨一世的女儿玛丽-路易丝结婚了。1811 年 3 月，他的儿子即罗马国王的诞生似乎保证了他的帝国的未来——帝国这时的疆域最大，它不仅包括伊利里亚行省，还有伊特鲁里亚(即托斯卡纳)、一些教皇国、荷兰和濒临北海的德意志诸邦。帝国四周都是由皇亲统治的仆从国：威斯特伐利亚王国(杰罗姆·波拿巴)、西班牙王国(约瑟夫·波拿巴)、意大利王国(约瑟芬的儿子博阿尔内任总督)、那不勒斯王国(拿破仑的妹夫 J.缪拉)、卢卡与皮翁比诺公国(F.巴西奥克希，他的另一位妹夫)。最后，其他的领土也通过条约紧紧地附着于帝国：瑞士联邦(拿破仑是它的调停人)、莱茵同盟、华沙大公国。由于拿破仑同玛丽-路易丝结婚，甚至奥地利似乎都和法国联结到一起了。

1796 年以前曾经如此复杂的欧洲政治地图现在大为简化了。不过边界无论同地理特点还是同"民族"都不相吻合。不管他后来又说些什么，拿破仑在自己当权的时候无论对于实现德意志的还是意大利的统一都没有兴趣。然而通过减少国家的数目，把周边的边界向外扩充，合并居民和推广与革命及民族主义在法国创造的体制相似的体制，他为德意志与意大利的统一准备了基础。被法国的思想和同法国人的接触所激起的民族感情转过来又造成对法国统治的最初反抗。从 1809 年起，西班牙的游击队在英国军队的支持下一直在困扰着法国人，而由叛变分子在加的斯召开的民族议会(1812)所公布的宪法则受到 1789 年法国革命的思想和英国体制的启发。

在俄罗斯的灾难及其后果 爱尔福特大会以后，俄皇就表现得越来越不想把拿破仑看成是一个可以依赖的伙伴。于是在 1812 年春天，拿破仑便把他的兵力集结在波兰以便对亚历山大进行恫吓。在为缔结协定而进行的最后几次试探之后，6 月下旬他的大军——大约 45.3 万人，其中包括从普鲁士和奥地利强征来的分队——开始渡过了涅曼河。采取焦土政策的俄国人向后撤退。直到 9 月初拿破仑的军队才来到莫斯科附近。俄军总司令库图佐夫 9 月 7 日在博罗季诺同法军交战。战斗是野蛮的、血腥的，又是难分胜负的，但是一星期后拿破仑进入俄国人放弃了的莫斯科。就在同一天，莫斯科发生了一场大火，把大部分城市烧毁。而且，亚历山大出人意料地拒绝和拿破仑谈判。法军撤退是必要的，然而冬天过早的袭来使这一撤退成为灾难性的。11 月在艰难地渡过了别列津纳河之后，拿破仑的主力只剩下不到 1 万名能够作战的人。

这一灾难鼓舞了欧洲的所有民族起来反抗拿破仑。在德意志，这一消息引起了反法示威的爆发。12 月，大军里的普鲁士分队从大军开了小差并转而反对法国人。奥地利人也撤回了他们的军队并且采取了日益敌对的立场，而在意大利，人民也开始背弃拿破仑了。

甚至在法国，对当局表示不满的迹象也越来越多了。在巴黎，一位心怀不满的将领 1812 年 10 月 23 日宣布拿破仑死在俄国的消息之后，几乎成功地发动了一次政变。这一事件是拿破仑决定在大军之前赶回法国的主要因素。他在 12 月 18 日到达巴黎之后，便着手加强独裁统治，通过各种办法筹款并征集新的军队。

因此到 1813 年集合起来反对法国的军队便不再是雇佣兵的队伍，而是各民族争取自由的军队了，就像法国人在 1792 年和 1793 年为他们的自由而战斗那样；而法国人自己尽管是勇敢的，但已失去了昔日的热情。皇帝的征服理想已不再是民族的理想。

1813 年 5 月拿破仑在吕岑和包岑的战斗中对俄国人和普鲁士人取得了一些胜利，但是他的损失惨重的军队需要加强。奥地利的武装调停使拿破仑同意停战。这期间在布拉格召开了一次会议，奥地利提出了十分有利的条件：法兰西帝国返回它的天然边界；华沙大公国和莱茵同盟解散；普鲁士也回到它的 1805 年的边界。拿破仑踌躇的时间过久，结果犯了错误。在他的答复到来之前会议已在 8 月 10 日结束，奥地利宣战了。

法国人的处境甚至比春天还坏。联盟军每天都在增加新的军队，因为德意志人的分队一个接着一个地从拿破仑一边转向另一边。从拿破仑掌权以来最大的一次溃败是莱比锡之战(1813-10-16 ～ 19)，在战争中拿破仑的大军被打得四分五裂。战败迅速变为崩溃。被迫撤退的、在西班牙的法国军队已在 6 月被打败；10 月英国人攻打他们在比利牛斯以北的防御工事。在意大利，奥地利人发动了进攻，他们渡过了阿迪杰河，占领了罗马涅。皇帝任命担任那不勒斯国王的缪拉现在公开背叛了他而同维也纳的宫廷开始谈判。荷兰人与比利时人也表示反对拿破仑。

垮台与退位 1814 年 1 月法国在所有边界都受到了进攻。联盟者巧妙地宣称他们不是对法国人民而只是对拿破仑作战，因为在 1813 年 11 月他拒绝了奥地利外相梅特涅提出的本来可以保全法国自然边界的条件，1814 年头 3 个月皇帝和他新征募的年轻的军队在战略方面的非凡成就是不够的；他既不能打败在数量上占压倒优势的联盟军，也不能使大多数人民摆脱他们那心怀怨恨的麻木状态。先前唯命是从的立法议会和元老院现在也要求和平与公民自由和政治自由了。

根据 1814 年 3 月的《肖蒙条约》，奥地利、俄罗斯、普鲁士和大不列颠结成为期 20 年的联盟，他们约定不单独进行谈判并保证把斗争继续下去直到拿破仑被推翻。当 3 月 30 日联盟军进抵巴黎附近时，拿破仑曾东进攻击他们的后卫部队。不再害怕皇帝的巴黎当局立刻同联军开始谈判。塔列朗作为临时政府的主席宣布废黜皇帝，并且在未同法国人民协商的情况下便同被处决的路易十六的兄弟路易十八开始了谈判。当拿破仑听到巴黎投降的消息时，他刚刚到达枫丹白露。由于认识到再抵抗下去徒劳无益，他终于在4月6日退位了。

联盟军依照《枫丹白露条约》给他厄尔巴这个岛作为拥有王权的公爵领地，由法国向他提供年金200万法郎和一支由400名志愿兵组成的卫队；此外他还保有皇帝的头衔。在试图服毒自尽而未遂后，拿破仑告别了他的"老卫队"，并在一段危险的旅程——这期间他几乎被暗杀——之后于5月4日到达厄尔巴。

厄尔巴和"百日" 拿破仑在他的小岛上宣布说，"从现在起我要像一位治安法官那样生活"。但是像他这样一个具有如此精力和想象力的人很难期待在45岁这样的年纪会向战败低头。

在法国，波旁王朝的复辟很快就受到了批评。虽然在1814年大多数的法国人民对皇帝感到厌倦，但他们却根本不想叫波旁王族回来。他们十分怀念法国革命所取得的主要成就，而路易十八和还活着的最后一批亡命贵族是"乘着外国人的行李车"回来的，这些亡命贵族"什么也没有学会，什么也没有忘记"，但他们的影响看来对革命的成就却构成了威胁。1814年4月的冷淡迅速让位给不信任的情绪。旧日的仇恨又复活了，反抗活动组织起来了，阴谋形成了。

拿破仑从厄尔巴密切注视着大陆的形势。他得到消息，维也纳——那里正在召开决定欧洲命运的一次会议——的某些外交家考虑到位于科西嘉和意大利之间的厄尔巴离法国和意大利太近，因而想把他流放到大西洋的一个遥远的岛上去。此外他还指责奥地利不许玛丽-路易丝和他的儿子前来同他团聚（实际上，她已另有新欢，根本不打算去她丈夫那里）。最后法国政府拒绝向他支付年金，这样他就有沦入赤贫的危险。

这一切考虑使拿破仑不能不采取行动。他和先前一样果断地像晴天霹雳一样地返回了法国。1815年3月1日，他和他的一支卫队在戛纳登陆。当他穿越阿尔卑斯山时拥护共和的农民在他周围集合起来，而在格勒诺布尔附近他又把派来逮捕他的士兵争取到自己方面来。3月20日他到了巴黎。

这次拿破仑重新掌权乃是法国革命精神的体现，而不是作为一年前垮掉的皇帝了。要想把大批的法国人集合到自己的事业里来，他本来应当同雅各宾派结成联盟的，但是他不敢这样做。他并不能摆脱资产阶级对他的影响——资产阶级的主导地位是他亲自确立的，而且资产阶级简直害怕死了1793年和1794年的那种社会主义经历的复活——因此他所能建立的政治体制和路易十八的几乎没有什么区别。热情很快地消退，拿破仑的冒险看来走进了死胡同。

为了对抗集结在边界的联盟军队，拿破仑集合了一支军队，而他就率领这支军队进入比利时，并且在1815年6月16日在利尼击败普鲁士军。两天之后，他在滑铁卢遇上了在半岛战争的胜利者威灵顿指挥下的英军。一场血腥的战斗展开了。在拿破仑即将取得胜利的时候，由G.布吕歇尔统率的普鲁士军前来增援英国人。尽管他的老卫队英勇战斗，拿破仑很快就被打败了。

拿破仑回到巴黎之后，议会迫使他退位；1815年6月22日他让位给他的儿子。7月3日他到了罗什福尔，打算在那里乘船去美国，但是英国的一支舰队不许任何法国船只离开港口。于是拿破仑决定向英国政府寻求保护。他的请求得到了允许，7月15日他登上了"贝勒洛丰"号。联盟国在这一点上意见是一致的：拿破仑不能再回到厄尔巴。他们也不赞成拿破仑去美国的想法。如果拿破仑死于返回的反革命派的"白色恐怖"之下，或者如果路易十八马上对他加以审判并处决，那倒是合乎他们的心意的。大不列颠没有任何选择而只能把他拘留在一个遥远的岛上。英国政府宣布说，南大西洋的圣赫勒拿岛被选定安置拿破仑；由于此地遥远，拿破仑较之在可能的别的地方会享有大得多的自由。拿破仑则雄辩地抗议："我诉诸历史！"

圣赫勒拿岛的亡命生活 1815年10月15日拿破仑偕同自愿和他一道亡命的那些追随者登上了圣赫勒拿岛。这些追随者是：宫廷总管H.-G.贝特朗将军和他的妻子；副官蒙托隆伯爵和他的妻子；前任皇帝侍从E.拉斯卡斯和一些仆从。在一位有钱的英国商人的家中作了短暂停留之后，他们搬到了朗伍德，这原来是为代理总督修造的。

拿破仑安顿下来过日常的生活。他起床晚，大约在上午10时吃早饭，但是很少外出。只要有一位英国工作人员陪伴着，他就可以到岛上的任何地方去。但很快他便拒绝遵守这一条件而把自己关闭在朗伍德的庄园里。他写的和谈的都很多。起初拉斯卡斯担任他的秘书，他编写成后来被称为《圣赫勒拿回忆录》的一部书（初版于1823）。午后7至8时拿破仑用正餐，之后，晚上的部分时间用于朗读——拿破仑喜欢听古典作品。然后他们就玩牌。拿破仑睡觉的时间大概在午夜。有一些时间他用来学习英语，最后他开始阅读英国报纸；但是他还有从欧洲送来的大量的法文书，他认真地读这些书并给它们加上批注。

圣赫勒拿岛的气候有益于健康，而拿破仑的食品精美，制作得细心并且丰富。毫无疑问他不好动促使他的健康恶化了。20年来他在世界上起了如此巨大的作用并且在欧洲的四面八方闯荡，这样一个人简直无法指望他能够忍受一个小岛上的单调生活，而且是一种由于自己必须强制自己过的隐居生活而更为加剧的单调生活。他还有一些更加隐蔽的理由感到不幸福：玛丽-路易丝没有一封信给他，他可能知道她和被指定监视她的奥地利官员奈佩格伯爵之间的暧昧关系（她没有等到拿破仑去世便和此人秘密结婚了）；关于他的儿子，以前的罗马国王，他也得不到任何消息，此人现在以赖希施塔特公爵的头衔生活在维也纳。最后，虽然H.洛爵士的严厉被人们过分夸大了，但是可以肯定的是，这位于1816年4月来圣赫勒拿担任总督的"狱卒"根本没有使拿破仑的生活变得更轻松些。拿破仑从一开始在此人担任科西嘉别动队（主要由波拿巴家族的敌人组成的志愿兵队伍）司令时便不喜欢他。洛总是切望一丝不苟地执行他的指示，而同拉斯卡斯发生冲突。他认为拉斯卡斯是拿破仑的心腹，因而把他逮捕并加以驱逐。从此，总督和拿破仑之间的关系便严格地限定在规则所规定的那些范围里了。

1817年底，拿破仑表现出了疾病的最初征兆。他似乎在胃里有一处溃疡或恶性肿瘤。爱尔兰医生B.奥马拉曾请求改变拿破仑的生活环境，但是未能成功，此人被免职了。奥马拉的继任者J.斯托科也被认为对拿破仑友善，也被免职了。代替他们的是一个平庸的科西嘉医生F.安托马尔奇，他施行的疗法根本不能治好病人的疾病。然而人们无法确定，即使20世纪的办法，是否能治好拿破仑的病。

从1821年年初起，拿破仑病情迅速恶化，3月开始卧床不起，4月则口授了最后的遗嘱：

> 我希望能够把我的骨灰安葬在塞纳河畔，安葬在我如此热爱的法国人民中间……我死得过早，我是被英国的寡头政治和它雇佣的凶手杀死的。

5月5日，拿破仑说了几个连贯的短语："我的上帝……法国民族……我的儿子……军队首脑……"他死于下午5时49分，年龄还不到52岁。他的遗体被穿上他所喜欢的制服，即近卫轻骑兵的制服，上面覆盖着他在马伦戈战役穿过的灰大衣。葬仪简单，相应的礼仪是在鲁珀特河谷一条小溪的岸边举行的，两株柳树倒映在这条小溪里。这里是拿破仑有时来散步的地方。墓上的石碑没有任何名字，只有"Ci-Gît"两个词（意为"长眠于此"）。

拿破仑的传说 拿破仑的垮台使得那些为了败坏他名誉的、敌视他的作品纷纷出笼。攻击得最不激烈的作品之一是《论拿破仑、波旁王族以及为了法国和欧洲的安全团结在我们的合法君主周围的必要性》(1814)，作者是F.de夏多布里昂，此人是一位同情保王党的知名作家。但是这类反拿破仑的作品很快就销声匿迹，同时出现了为拿破仑辩护的作品。早在1814年拜伦勋爵就发表了《拿破仑·波拿巴颂歌》；德国诗人海涅则写了他的叙事诗《掷弹兵》；1817年法国小说家斯丹达尔开始撰写《拿破仑传》。与此同时，这位皇帝的最忠诚的支持者正在努力恢复他的声誉，他们谈论他，散布使人记得起他的一切，其中也包括雕像。他们把他的一生理想化了（他自己就说过："我这一生多么像一部小说！"）并且开始编造拿破仑的传说。

这位皇帝一死，传说就迅速地增多了。回忆录、笔记、纪事起了主要的作用。这些作品都是追随他去亡命地的那些人写的。1822年，奥马拉医生在伦敦发表了他的《亡命中的拿破仑或来自圣赫勒拿岛的声音》；1823年开始出版了蒙托隆和古尔戈合作的《拿破仑统治时期法国历史回忆录，皇帝在圣赫勒拿岛的口授记录》；拉斯卡斯在他的著名的《回忆录》里把拿破仑说成是一个共和派，而只有当欧洲迫使他为保卫自由而作战时他才起而应战，他本人则是反对战争的。1825年安托马尔奇发表了《拿破仑的最后时刻》。此后，称颂拿破仑的作品继续增多；其中有雨果的《支柱的颂歌》、28卷的《法国人的胜利与征服》和司各特爵士的《法国人的皇帝拿破仑·波拿巴传》。无论是警方的活动还是追究都不能阻止引起拿破仑传说的书籍、画片和物品在法国日益增多。

1830年的七月革命建立了在路易-菲力普统治下的资产阶级王国，此后，成千上万的三色旗在窗口出现，政府不仅必须默许传说的增多，甚至对这一现象加以推动。1833年拿破仑的雕像重新被安置在巴黎旺多姆广场的圆柱上；1840年国王的儿子F.儒安维尔亲王奉派乘战舰去圣赫勒拿岛接回拿破仑的遗体，并按照他最后的愿望埋葬在塞纳河畔。1840年12月在巴黎举行了隆重的葬礼，拿破仑的遗体被护送穿过星形广场的凯旋门，最后被安葬在荣誉军人院里。

拿破仑的侄子路易-拿破仑利用这种传说在法国夺取政权。虽然1836年在斯特拉斯堡、1840年在布洛涅，他的企图都失败了，但主要是由于拿破仑传说的发展他才能在1848年以压倒的多数当选为第二共和国总统，才能在1851年12月发动政变，在1852年使自己成为皇帝。

1870年第二帝国的悲惨结局损害了拿破仑的传说并引起了新的一批反拿破仑的作品，而它们最出色的代表作是H.泰纳的《现代法国的起源》(1876～1894)。但是，两次世界大战加上20世纪独裁统治的经验，使人们能对拿破仑作出比较公正的评价。比如说，同斯大林或希特勒作任何比较，都只能对拿破仑有利。他是宽容的，他把犹太人从犹太人住宅区解放出来并且表现出对人的生活的尊重。他是在理性主义的百科全书和启蒙时代哲学家的著作的教育下成长的，因此他首先始终是一个18世纪的人，是"开明专制君主"的最后一人。对拿破仑最严重的指控之一就是：他是为了自己的野心而牺牲了千百万人生命的"科西嘉魔王"。精确的计算表明，拿破仑在1800～1815年进行的战争使法国本身付出大约50万人生命的代价，大约相当于法国居民的1/60。而且这些年轻人的丧失似乎对人口出生率有着特别不利的影响。

在第一帝国时期，法国的社会结构并没有发生什么变化。大体上它仍然是法国革命使它形成的那个样子：占全部人口3/4的是农民——其中大约有一半是自己农庄的经营者或分成制佃户，而另一半则因土地太少不够维持生活而去作雇农。因战争和封锁英国货物而受到鼓励的工业在法国的北部和东部得到很大的发展，从这里可以向中欧出口货物。但是由于地中海和大西洋的封锁，南部和西部的工业却衰落了。只是在1815年之后人口才从农业地区大量涌入城镇的工业。如果拿破仑不把贵族恢复起来的话，贵族也许衰落得更要快些；但是他们永远不能恢复他们以前的特权了。

首先是拿破仑留下了持久的体制，这就是现代法国借以建立的"花岗石基础"：分省的行政体系、拿破仑法典、司法体系、法兰西银行和国家的财政组织、大学和军事院校。拿破仑改变了法国和世界的历史。

Napoleon (Ⅱ)　拿破仑(二世)　参阅**Reichstadt, Napoléon-François-Charles-Joseph Bonaparte, Herzog von 赖希施塔特公爵**。

Napoleon Ⅲ　拿破仑三世(1808-04-20，巴黎～1873-01-09，英格兰肯特郡奇斯尔赫斯特)　又名路易-拿破仑(至1852)。法兰西第二共和国(1850～1852)总统，后为法国皇帝

美国不列颠百科全书公司供图

(1852～1870在位)。他使法国在稳定而专制的政府统治下获得了20年的繁荣，但最后在普法战争(1870～1871)中却将它引向失败。拿破仑一世之弟路易·波拿巴的第三子。前半生大半在流亡中度过。1821～1823年在德意志奥格斯堡受教育。他首先对历史感到兴趣，并为民族自由的思想所鼓舞。1830年曾参加反罗马教皇政府的阴谋，1831年又参加意大利中部的叛乱，均以失败告终。1832年堂弟赖希施塔特公爵(拿破仑的独生子)死后，他认为自己有权取得法国的王位。他接受军事训练，继续研究经济和社会问题。1832年出版小册子《空想政治》，宣传只有皇帝才能为法国带来光荣和自由。1836年10月30日企图赢得斯特拉斯堡驻军支持，进行政变，失败后被流放美国。1837年因母病危回到瑞士。1838年因法国压力，瑞士将他逐出。他前往英格兰。1839年出版《拿破仑思想》。1840年8月6日他同56名追随者在布洛涅附近登陆失败被捕，被判处永久监禁。1846年5月25日他越狱成功，逃往英格兰。1848年革命爆发后他回到巴黎。他的一些支持者组织政党，推选他为制宪议会议员。同年12月他当选总统。根据宪法，总统任期4年，届满后不能连选连任。当感到自己对修改宪法无能为力时他便发动政变，解散了立法会议，颁布了新宪法，并使元老院通过恢复帝制的决议。于是1852年拿破仑三世登上了皇帝的宝座。他兴办公共事业，加快铁路建设。促进工农业的发展。在外交方面，他想打破1815年维也纳会议所建立的欧洲体制，而使法国再次成为一个大国。他把法国的势力扩展到印度支那和西非。1861年拿破仑三世开始对拉丁美洲进行冒险活动，他提议拥立奥地利大公马克西米连为墨西哥皇帝，并就拟议中的安第斯王国同厄瓜多尔总统进行谈判。当普鲁士国王的一个亲属被宣布为西班牙王位的候选人时，巴黎认为这是普鲁士对法国势力范围的干涉以及对法国安全的威胁。拿破仑运用其秘密外交的得意手法，在促使这位霍亨索伦王子收回成命上起了主要作用。结果1870年7月19日爆发了普法战争。拿破仑三世在色当战役中失败投降，9月2日被废黜。9月4日法国成立第三共和国。普鲁士和法国缔和后拿破仑三世前往英格兰居住。但他仍梦想率兵在法国登陆，重登皇位。

Napoleonic Code　《拿破仑法典》　Napolenic又拼Napoléon。1804年颁布的法国民法典。其间几经修改，至今仍然有效。它对19世纪大部分欧洲国家与拉丁美洲国家的民法典有着重要的影响。在拿破仑时代以前就有编纂法典的要求，而且也的确编过法典。法国大革命前，法律纷杂是其特点。罗马法统治着法国南部；在法国北部各省，包括巴黎在内，则盛行以封建的法兰克和德意志法制为基础的习惯法。至于婚姻和家庭生活则几乎完全受天主教教会的控制和教会法的约束。另外，从16世纪起，越来越多的问题是根据国王的敕令和法令以及大理院发展的判例法来处理的。各地都有自己的一套惯例，尽管16世纪和17世纪曾就收集和编纂各地方的习惯法作了若干工作，但在全国统一方面成效甚微。既得利益者阻碍编纂工作，因为改革会侵犯他们的特权。法国大革命以后，编纂统一的法典不仅有了可能，而且非常必要。领地和行会之类强有力的控制集团被铲除了；教会的世俗权力受到了抑制；各个省变成了新的民族国家的组成部分。拿破仑法典是建立在这样的一种原则上，即要在历史上第一次创立一部纯粹是理性的法律，要摆脱一切过去的偏见，从"升华的常识"推导出它的内容；它在道德上的合理性不是从古老的习俗或君主的家长式统治中去发现，而是在它与理性要求的一致性中去发现。按照法典，所有的公民一律平等。消灭了长子继承权、世袭贵族和阶级特权；民法制度摆脱了教会的控制；人身自由、契约自由和私有财产神圣不可侵犯成为基本原则。法典第一编是人法。其中包括民事权利的享有、人格的保护、住所、监护、教养、父母子女间的关系、婚姻、配偶之间的关系、宣告婚姻无效或离婚而解除婚姻。法典的第二编是物法，即对各种财产权(所有权、用益权和役使权)的规定。法典第三编是取得权利的各种方法，即继承、赠予、结婚时授予妻子的财产和债务关系。在这最后一编中，法典还分别规定了各种契约、法定的和约定的抵押、诉讼时效和权利取得的法定期限。该法典还确立了传统罗马法将债务关系分为契约、准契约、不法行为和准不法行为。虽然没有明确讲契约自由，但许多条款都以这项原则为基础。该法典在1804年最初传到了法国控制的地区，包括比利时、卢森堡、德国西部一些地区、意大利西北部、日内瓦和摩纳哥，以后又传到拿破仑征服的地区，包括意大利、荷兰、汉萨同盟地区和德国西部其他地区及瑞士。该法典现在仍在比利时、卢森堡和摩纳哥使用。在19世纪，许多欧洲与拉丁美洲国家自动采用了拿破仑法典，有的是简单翻译过去，有的是经过重大修改。意大利统一后于1865年颁布的意大利民法典，与拿破仑法典有间接的但又是密切的关系。但1942年的新意大利民法典却在很大程度上脱离了这个传统。19世纪初，拿破仑法典传到了拉丁美洲的海地和多米尼加共和国，至今仍在施行。玻利维亚和智利完全仿照法典的编排，并且借用了它许多内容，而智利法典

又被照搬到厄瓜多尔和哥伦比亚，紧接着又被照搬到乌拉圭和阿根廷。在美国唯一采用大陆法的路易斯安那州，1825年的民法典（1870修订过，今仍适用）也与拿破仑法典有密切的关系。到了19世纪末和20世纪初，由于有了德国民法典（1900）和瑞士民法典（1912），《拿破仑法典》的影响削弱了；德国民法典为日本所采用，瑞士民法典则为土耳其所采用。20世纪的巴西、墨西哥、希腊和秘鲁的法典是比较法的产物，其中借用了德国、法国和瑞士诸法典中的一些概念。

Napoleonic Wars　拿破仑战争　参阅 **French revolutionary and Napoleonic wars** 法国革命战争和拿破仑战争。

Napoli（Italy）　参阅 **Naples** 那不勒斯。

Napoli, Golfo di（Mediterranean Sea）　参阅 **Naples, Bay of** 那不勒斯湾。

Nappanee　纳帕尼　美国印第安纳州北部埃尔克哈特县城市。位于南本德东南34千米处。1874年始建，沿巴尔的摩—俄亥俄铁路线扩建发展。1926年设市。附近有很大的阿曼教派农民聚居区。其马拉车为当地广场一景；附近的阿曼派埃克斯农场对外开放。经济以销售农产品（薄荷、洋葱、谷物）为主；工业制成品有家具、活动住房、电子器具、钢制品等。人口5 510（1990）。

nappe　推覆体　在地质学上，指由于断层作用或褶皱作用而离开原地位置移动大约2千米或更远一些的大规模块状或层状岩体。推覆体可以是低角度逆推断层（由于收缩作用产生的地壳岩石中的断错）的上盘，或是巨大的伏卧褶皱（地壳层状岩石里具有实质上是水平轴面的波状起伏）；以上两种情况，都是老的岩层覆盖在新的岩层上。在侵蚀作用能把推覆体切割得很深的地方，露出被老岩层所包围的新的下伏岩层，多呈圆形或椭圆形。这种露头称为构造窗，一般见于盆地或很深的V形谷。在另外一些地方，被侵蚀的孤立的剩余老岩层或推覆体可能完全被新的下伏岩层所包围，这称为飞来峰或逆推分离层。阿尔卑斯山的米顿峰是典型的飞来峰例子。

Naqādah　奈加代　又拼Nakada。上埃及城镇。位于尼罗河西岸。曾是新石器时代的城镇和前王朝时期（约公元前2925年以前）的墓地。最初挖掘者为英国考古学家皮特里。学者们认为所发掘的文化是阿姆拉特文化（奈加代一期文化）和格尔津文化（奈加代二期文化）。现代城镇大部分是哥普特式的，工业有陶器和丝绸业。当地种植的甘蔗、海枣和谷物在城内加工。人口约17 200（1986）。

Naqādah I culture　奈加代一期文化　参阅 **Amratian culture** 阿姆拉特文化。

Naqādah II culture　奈加代二期文化　参阅 **Gerzean culture** 格尔津文化。

Naqshbandīyah　纳克西班底教团　伊斯兰教神秘主义苏非派正统教团。流行于印度、中国、中亚地区各共和国和马来西亚等地。奉第一代哈里发艾卜·伯克尔为始祖。由拜哈丁（卒于1384）创传于突厥斯坦布哈拉。因举行宗教仪式时默颂经文并在胸前画线，其信众被称为“纳克西班底”（即画家之意）。该教团没有民众的支持，主张低声祈祷而反复诵念同样祷词。经过阿哈默德·西辛迪（1564～1624）的改革，印度纳克西班底教团于17世纪颇有起色，18和19世纪在整个伊斯兰世界的改革运动中发挥重要作用。

Nara　奈良　日本本州南部一县。在伊纪半岛中部。南部和东北部多山，西北为奈良盆地。盆地与西面大阪有群山相隔，县内人口、城市和交通设施多集中于此。农业集中在奈良盆地，出产小麦、花卉和水果。一些地方的传统手工业亦为营利行业。盆地拥有许多古迹，大部在古城奈良及其众多佛寺。该地虽为日本最古老地区之一，但奈良盆地日益进入大阪的工商业范围。面积3 692平方千米。人口约1 389 000（1991）。

Nara　奈良　日本本州南部奈良县城市、县府。位于奈良盆地东北缘丘陵地带、大阪以东40千米处。710～784年为日本首都，名平城京，至今古风犹存。市内外多古代佛教

奈良市春日大神社的中门
美国不列颠百科全书公司供图

建筑和文物，如奈良七大寺等。兴福寺的五层佛塔建于710年。东大寺（745～752）的驰名大佛高约15米，供奉在世界最大木结构建筑大佛殿内。附近正仓院（761）是建于桩柱上的圆木仓库，藏有数千件东大寺8世纪珍品，有珠宝、乐器、面具、绘画、雕刻、法帖和家庭用品。春日大神社是日本最古老的神道教神社。唐招提寺和药师寺也在市内。市西南班鸠町的法隆寺为日本现存最古老的庙宇，寺内建筑上有极珍贵的绘画与雕刻。这些早年日本文化的古迹吸引着众多的国内外游客。奈良也是重要的商业与教育中心，并有一些制造业。人口约351 985（1991）。

Nāra Canal　纳拉渠　巴基斯坦信德省的重要水道。始于罗赫里以北，向南流入印度河旧水道布兰河，该河再向南流经卡奇沼泽地入海。由于纳拉渠水源不稳，该水道于1858～1859年通过一条长19千米的供水渠道与印度河在罗赫里接通。纳拉渠灌溉土地60万公顷以上。连主要水道贾姆劳渠在内，长825千米，终年向各支渠供水。

Nara National Museum　奈良国立博物馆　位于日本奈良。主要收藏佛教艺术品，包括平安时期的干漆器、木雕像和涂漆木器。还有镰仓时期的雕刻，其中包括地藏菩萨的雕像和高知县的一座1327年的日本名僧弘法大师（空海）的雕像。陈列的实用艺术有飞鸟时期东大寺二月堂佛像上精致的镀金铜光环和奈良晚期的新生如来佛及其浴盆。

Nara period　奈良时代（710～784）　日本历史上天皇政府设在奈良的时期，中国化和佛教得到最高度的发展。奈良是日本第一个固定的首都，按中国唐朝（618～907）的首都长安的模式建成。奈良的手工艺者能刻出极精美的佛雕，筑起宏伟的佛寺。道路四通八达，直通远国（地区）。人们热心研究中国的语言和文学，在日文中采用汉字，抄录大量的中国手稿，特别是佛经。编纂了两部正史（《古事记》和《日本书纪》）。《怀风藻》（日本诗人的汉诗集）和《万叶集》（和歌选集）也在这时期出现。又仿照中国法典模式制定法典《大宝律令》（701），取代本国固有的较为缺乏结构性的传统法律；把中国关于君主是中央政府统治的最高象征的观念，与日本固有的君主也是神道教领袖的解释结合起来，采用“天皇”的称号。日本中央政府仿照唐制，设太政官和治部、式部、民部、兵部、刑部和大藏各省，另外设神祇官司神道仪式。天皇国家在8世纪时将疆域扩展至九州南部，经过一系列战争（8世纪末至9世纪初）又征服了本州北部的虾夷人。

Naracoorte　纳拉库特　澳大利亚南澳大利亚州东南部城镇和铁路枢纽。位于阿德莱德东南310千米处，近维多利亚州边界。始建于1845年，称金克雷格，1869年改现名，1924年设城镇区。纳拉库特为羊毛、小麦、乳品市场。有石灰岩开采业和伐木业。旅游业以附近纳拉库特洞穴为基础，亦为收入来源。人口约4 712（1991）。

Narai　纳赖（1632-12～1688-07-11，暹罗［今泰国］华富里）　暹罗国王（1656～1688），以其致力于外交事务及其宫廷产生泰文学第一个“黄金时期”而闻名。披拉萨通之子。在激烈的宫廷斗争中登位。他是强有力的统治者，成功地对付了暹罗在东南亚的传统对手，野心勃勃地要使暹罗进入世界的政治舞台。他的官员都渴望打破荷兰东印度公司垄断暹罗对外贸易，而与日本和印度直接通商。纳赖并谋求与英国东印度公司和法国人接触。在17世纪80年代由于英国不愿在暹罗与荷兰竞争，纳赖主动与法国人结盟。1680、1684和1686年暹罗外交使节三次访问法王路易十四的宫廷。1687年法国派6只兵船和600名士兵到达暹罗，并强占曼谷。暹罗人民反法情绪高涨。纳赖去世后法国人都被驱逐出境。

naraka 地狱 佛教名词。梵语那洛迦的意译,亦译“不乐”、“可厌”、“苦具”、“苦器”等,指地下的牢狱,“六道”中恶道之一。佛书载有“八大地狱”:①等活地狱,入此狱者互相残杀,凉风吹来死而复活,更受苦害;②黑绳地狱,以黑铁绳绞勒罪人;③众合地狱,以众兽、刑具配合残害罪人;④号叫地狱,罪人受苦折磨,发出悲号;⑤大叫地狱,罪人比前者受害更重,哭声更为惨烈;⑥炎热地狱,以铜镬、炭坑煮烧罪人;⑦大热地狱,罪人受煮烧比前更烈;⑧无间地狱,受苦永无间歇,也叫阿鼻地狱。此外,还有十八地狱、一百三十六地狱等不同名目的地狱。

Narameikhla 那罗弥迦罗(活动时期15世纪初) 缅甸若开的末罗汉王朝创立者(1404 ~1434)。国土在下缅甸以西孟加拉湾的沿海地区。当时群雄割据,相互角逐,他在即位当年就不得不逃往孟加拉,向高尔国王艾哈迈德·沙称臣。在艾哈迈德·沙继承者的援助下,他于1430年收复若开。1433年那罗弥迦罗在末罗汉建立新首都。因为名义上是高尔穆斯林国王的藩属,那罗弥迦罗在钱币和碑文上都有穆斯林称号,但他和臣民却是佛教徒。

Narashino 习志野 日本本州千叶县城市。位于东京湾东北岸。1951年由水呑津田沼和大久保等4个市镇合并而成。因上述市镇是沿通往东京的两条铁路旁边建设的,故没有市中心。曾设有军事基地。现为东京-横滨都市区的居民卫星城。大学有千叶工业学院和日本大学。经济以蔬菜种植业为主。人口约154 472(2002)。

Narasiṃha 那罗希摩 梵语,意为“人狮”,印度教所崇奉的大神毗湿奴10种化身中的第四种,即半人半狮。原来毗湿奴曾化身为筏罗诃(公猪),推翻妖魔希罗那迦尸普的孪

印度9世纪的那罗希摩石雕像
美国不列颠百科全书公司供图

生兄弟。希罗那迦尸普蒙梵天恩诺:不论是人是兽,从内从外,白天黑夜,无论使用任何武器,都不能伤害他。他有恃无恐,大闹天上人间。其子普罗诃多不顾生死信奉毗湿奴。一天,希罗那迦尸普脚踢一根石柱,问普罗诃多:“如果你的神无所不在,那么,他也存在于这石柱里吗?”毗湿奴当即以那罗希摩形象从石柱中出现,于薄暮时在门前杀死希罗那迦尸普。

Narathiwat 那拉提瓦 又译陶公。泰国南端城镇。位于马来半岛东海岸。为一小港口。居民多为马来穆斯林。主要经济活动是渔业和船运。周边地区大量种植椰子、橡胶树和水稻。人口约36 956(1985)。

Narayan, Jaya Prakash 纳拉扬(1902-10-11,印度锡塔布迪亚拉～1979-10-08,巴特那) 印度政治领袖和理论家。在美国的大学求学时成为马克思主义者。1929年回国,后参加国大党。1932年因参加反英活动被捕入狱一年,出狱后积极组建国大党左翼——国大社会党。1939年由于反战再次坐牢,后越狱逃脱。1943年重新被捕。1946年获释后力劝国大党领袖采取更具战斗性的政策。1948年脱离国大党,1952年组成人民社会党。1954年宣布放弃政治,从事献地运动,要求把土地分给无地的农民。1974年重新进入政治舞台,批评英迪拉·甘地政府贪污腐化和越来越不民主。他主要得到学生和反对派政治家的支持。次年一初级法院指控甘地贿选,纳拉扬要求她下台。但甘地宣布实行紧急状态,将纳拉扬逮捕入狱,在狱中健康恶化,5个月后获释,但一直未能康复。

Narayan, R(asipuram) K(rishnaswami) 纳拉扬(1906-10-10,马德拉斯～2001-05-13,马德拉斯) 印度最优秀的英语作家之一。由祖母供养,1930年修完学业后短期任教,后决定全力投入写作。所著的第1部小说是《斯瓦米和朋友们》(1935),描述一群学童的冒险活动。他的全部作品都以南印度一个虚构的“摩尔古迪”镇为背景。他往往巧妙地描绘出人际关系的独特之处以及印度人日常生活中的可笑事情,揭示出现代城市生存方式与古老传统的冲突。他的风格亲切温和、幽默雅致、朴实无华。他的最受欢迎的长篇小说包括:《英语教师》(1945)、《等候圣雄》(1955)、《糖果贩》(1967)、《摩尔古迪之虎》(1983)等。他还著有不少短篇小说,汇编成集的有《一匹马和两头山羊》(1970)及《榕树下》(1985)等。除了非小说写实作品(主要是回忆录),他还分别于1972和1978年出版了印度两大史诗《罗摩衍那》与《摩诃婆罗多》的现代散文缩写本。

Narayanan, Kocheril Raman 纳拉亚南(1920-10-27,印度喀拉拉邦～2005-09-09,新德里) 印度政治人物、外交家,1977～2002年任印度总统。根据当时印度普遍存在的种姓制度,他的家族属于“达利特”,意为“受压迫的人”,是社会最底层,他是最底层中担任总统的第一人。尽管出身贫寒,但他还是争取到政府奖学金进入特拉凡哥尔大学(现为喀拉拉大学)就读,毕业后成为一名记者。不久他得到另一份奖学金并离开印度前往伦敦经济学院就读,学业成绩优异。在英国他还是《社会福利周刊》的驻外记者。1948年返回印度,很快便进入外交部工作,尽管有来自上层种姓官员的反对。他作为一名外交官(1949～1983),曾在许多国家当大使,在中国任职期间(1976～1978)成就尤为显著,他帮助修复了两国之间长达15年的破裂关系。他还在印美两国关系紧张时期出任驻美大使(1980～1983)。1979年被任命为尼赫鲁大学副校长。作为一位知识分子和学者。纳拉亚南写了多部有关印度政治和国际关系的著作。1984年开始活跃在印度政坛。曾出任内阁部长,1992年被任命为副总统,1997年当选总统,赢得上层种姓议员95%的选票。印度总统一职原来基本上是礼仪性的,他任职后扩大了总统职权范围。他还努力治理国内的暴力活动和腐败行为,改善国际关系。2002年离任。

Nārāyanganj 纳拉扬甘杰 孟加拉国中东部城市。位于拉基亚河两岸,为附近达卡的重要河港,有轮船航线与内陆主要港口以及吉大港相通。是毛皮和皮革的集市和黄麻的集散中心市场。与达卡一起构成孟加拉国最大的工业区,黄麻打包厂、黄麻纺织厂与棉纺织厂的数目均居全国首位,此外还有船舶修理和各种制造业。市内有一所学院、一座医院和图书馆。历史建筑物有卡达姆拉苏尔神庙(1801),16世纪的巴拉拜亚古堡以及12世纪所建纳拉扬吉祥天女庙宇,该城即由此庙宇得名。人口276 549(1991)。

Narbada(India) **讷巴达** 参阅 **Narmada River** 讷尔默达河。

Narbonensis 纳尔榜南西斯 全称纳尔榜南西斯高卢(Narbonese Gaul)。古罗马一省,位于阿尔卑斯山、地中海和塞文山脉之间,构成现在法国的东南部。公元前154年,罗马军队进入这个地区以帮助马西利亚人抵抗凯尔特人的入侵。公元前125年后罗马人征服了东南高卢。公元前121年从现在的蒙彼利埃至比利牛斯山的沿海地带被罗马吞并,公元前118年建纳尔博(今纳博讷)市成为罗马的殖民地。罗马的商人和老兵们迅速拥入该地,遂逐渐形成高卢纳尔榜南西斯省,由罗马元老院任命的总督管辖。该省吸引了大批罗马移民,为许多罗马名人诞生地。该省以其高文化水平尤其以马西利亚的教育而著名。

Narbonne 纳博讷 法国东南部朗格多克-鲁西永大区奥德省城市。距地中海13千米,位于卡尔卡松以东盛产葡萄的平原上。早为罗马人在高卢建立的第一个殖民地(公元前118)。后成为地中海一繁荣的港口。公元413年西哥特人占据该城并为其都城。719～759年被萨拉森人占领。16世纪初归属法国王室。始建于1272年但终未完成的圣茹斯特大教堂只有一处唱诗班席和两座方塔。圣保罗-瑟奇大教堂(主要12～13世纪)是法国南部早期哥特式建筑有趣的典范。带防御工事的大主教宅邸的三个方塔建于13～14世纪,宅邸旁的哥特式市政厅为19世纪增建。这座建筑内现辟有两个博物馆收藏油画、瓷器和罗马人手工制品。南运河支流洛比

纳运河从本城穿过，将城市分为南北两部。被林荫道环绕的旧城中有雅致而狭窄弯曲的街道。作为主要公路和铁路交通枢纽，专门为奥德葡萄酒贸易服务。1959年城外建起一座铀加工厂。其他行业均与葡萄酒生产有关，如化肥和农机制造。人口47 086(1990)。

Narborough Island（Galápagos Islands） **纳伯勒岛** 参阅 **Fernandina Island** 费尔南迪纳岛。

Narcissus 那喀索斯 希腊神话中的河神刻菲索斯和仙女莱里奥普的儿子，美貌出众。人们告诉他母亲说，倘若他永远不看自己的容颜，他将活得很久。回声仙女厄科或爱他的阿美尼亚斯向他求爱，遭到拒绝，因而诸神惩罚他，使他爱恋自己在一处泉水中的倒影，最后憔悴而死（一说自杀）。在他死去的地方长出以他的名字命名的花（水仙花）。根据另一种说法，由于他心爱的孪生姊妹的死亡，那喀索斯（他同她一模一样）为了安慰自己，便

那喀索斯，在意大利庞贝的卢克莱修·弗龙托住宅壁画，公元14～62年
美国不列颠百科全书公司供图

坐在泉水边上向里面凝视以便回忆她的容貌。这个故事可能来自古时希腊的迷信，即看到自己的映像是不幸的，甚至是致命的。在精神病学特别是精神分析学中，那喀索斯病指一个人过分自负或自恋，这种情况通常是感情不成熟的一种形式。

Narcissus 纳齐苏斯（?～54） 原为奴隶。获得自由后在罗马皇帝克劳狄（41～54在位）身边掌管来往信件，实际上成为国务大臣。他对克劳狄具有很大影响，聚敛了巨额财富。起初与克劳狄的第三个妻子瓦莱里娅结成一党，后来又设计使皇帝把瓦莱里娅处死(48)。由于不支持克劳狄与小阿格丽品娜结婚等原因，他在政府中失势。54年克劳狄去世，尼禄登基，纳齐苏斯被捕。不久自杀。

narcissus 水仙属 石蒜科的一属，约40种，有鳞茎，常芳香的观赏植物，主要原产于欧洲。受欢迎的庭园花卉有黄水仙（*N. pseudonarcissus*）、长寿花（*N. jonquilla*）、诗人水仙（红口水仙，*N. poeticus*）。花芳香，黄色、白色或粉红色；花被中央的副花冠喇叭状（如黄水仙），或浅杯状（如红口水仙）。叶基生，扁

黄水仙（*N. pseudonarcissus*）
美国不列颠百科全书公司供图

平或灯芯草状，高5厘米至1.2米。有些种可自然杂交；人工杂交也获得美丽的园艺品种。鳞茎有毒，曾用作催吐药和泻药。长寿花的花含油，用于香料生产。

narcolepsy 发作性睡病 白天突然不可遏制地入睡，伴有夜间睡眠障碍的一种疾病。多于青少年期发病，病变部位可能在间脑网状系统。患者可能会在任何地方、任何时间（说话、工作、进食甚至站立、步行时）入睡。入睡发作时间持续数秒或数分钟，很少超过1小时。易唤醒，醒后头脑清醒。可出现睡眠性麻痹，睡时、醒时均可发生。发作时头脑清醒，但在一个极短时期内完全不能活动。患者一进入发作睡眠状即表现出快速眼动（正常睡眠时入睡后90分钟才出现快速眼动）。本病可伴发猝倒——肌张力短暂地减退、四肢无力。

narcotic 麻醉品 兼有止痛、麻醉和成瘾作用的药物，欣快感也是麻醉品的主要药理作用之一。因麻醉品的主要药用价值是止痛，故此类药物又有麻醉性镇痛药之称。广为人知的麻醉品是鸦片制剂。从罂粟荚果豆榨出的乳色汁液干燥后的粉末即是鸦片。鸦片中含有20多种生物碱，其中以吗啡最为重要，也是最具代表性的鸦片制剂。现在，人们把各种天然鸦片制剂、各种提纯的生物碱、人工合成的吗啡制剂都冠以麻醉品的名称。麻醉品因其易成瘾、对身心的伤害和广泛地被滥用，而成为世界公认的毒品，其生产、销售和使用受到严格的限制。罂粟及其麻醉品制剂的应用历史久远，古希腊人用它来止痛和解除烦恼。他们把罂粟种子榨出汁来，晒干，当烟抽、当药吃或配酒喝。19世纪前叶，鸦片的有效成分先后被分离、提纯。约1804年，德国药剂师F.W.A.塞尔特纳首先分离出吗啡，而后是可待因（甲基吗啡），它的麻醉效果要弱得多。19世纪中叶，人们发现，吗啡经皮下注射比口服会产生更为强烈的作用。于是，吗啡开始被滥用，并引发了严重的社会问题。世界绝大多数国家政府都相继立法，开始对鸦片的生产、贸易和应用严加控制。1898年，德国拜耳公司成功地以天然吗啡为原料，合成了药理效果和致药瘾作用都较吗啡高出5～10倍的海洛因（二乙酰吗啡），导致大批吸毒者的兴趣转而投向海洛因。为了控制吸毒，科学家们开始研究合成性麻醉镇痛药，如度冷丁、美沙酮、羟甲左吗喃等。所有的海洛因吸毒者都循着一个基本规律：从吸食、皮下注射到静脉注射。每增加一个吸毒档次，药瘾也随之加大一个级别；而且，毒品所致欣快感和轻松感很快就变成身体对毒品的耐受性和依赖性；吸毒的剂量须不断增加才能达到预期效果。如果停药就会出现全身酸痛、心理变态、精神萎靡、涕泪交流、呕吐、腹泻等严重的戒断综合征。过量的麻醉品可抑制中枢神经系统功能，严重者还可因呼吸抑制而死亡。治疗海洛因吸毒者的主要药物是合成性鸦片制剂美沙酮。从医学角度，麻醉品是最佳镇痛药；但因其成瘾性，用时须慎之又慎。晚期癌症患者可使用这类麻醉品，因为它不仅能缓解疼痛，而且还能减轻焦虑、恐惧和源于疼痛的惶恐不安。麻醉品的拮抗剂，如烯丙羟吗啡酮、环丙甲羟二羟吗啡酮、烯丙吗啡等，可以阻断和改变麻醉品的药理作用，多用于治疗麻醉品中毒。现已确定：在脑细胞膜上有吗啡受体。吗啡就是通过作用于这些受体发挥其药理作用的；同样，吗啡拮抗剂也是通过阻断吗啡受体来实现其作用。

Nardi, Jacopo 纳尔迪（1476-07-21，佛罗伦萨[意大利]～1563以后，威尼斯） 佛罗伦萨政治家和历史学家，所著佛罗伦萨史尖锐地批评当权的梅迪契家族。生于一个长期敌视梅迪契家族的家庭。早年从军，直至1494年把梅迪契家族赶下台为止。后几次任地方长官。1512年梅迪契家族卷土重来后，他继续任较小官职。佛罗伦萨共和国（1530～1531）彻底垮台后，他被流放，财产也被没收，在威尼斯度过余生。著有《佛罗伦萨城邦史》(1582)，诗剧《友情》(1503～1512)和《两个快活的对手》(1519以前)。

Nardini, Pietro 纳尔迪尼（1722-04-12，托斯卡纳里窝那[意大利]～1793-05-07，佛罗伦萨） 意大利小提琴家、作曲家，18世纪最出众的小提琴家之一。小提琴大师和作曲家G.塔蒂尼最有名的学生。1753～1767年是斯图加特宫廷的小提琴独奏家。1770年任托斯卡纳公爵的音乐总监。作为作曲家和演奏家，他享有极高声誉，其演奏优美动听，极富感染力，因而得到同时代人的赞誉。他的小提琴作品虽然不多，但旋律美妙，适合演奏，并且被作为技术练习曲而得到高度评价。

Nardò 纳尔多 意大利东南部普利亚区莱切省城镇。位于莱切市西南面。有13～14世纪哥特式大教堂和不一般的圆形奥桑纳教堂(1603)。城镇中的巴罗克式建筑中有圣多明我教堂。现代纳尔多为农业中心。经营小麦、橄榄油和烟草的贸易。人口：城镇区约31 066(1991)。

Narek, Gregory 纳列克 参阅 **Gregory Narekatzi, Saint** 格里戈尔·纳列卡齐。

Naresuan 纳腊萱（1555，暹罗[今泰国]彭世洛～1605-04-25，萨尔温江上） 暹罗国王（1590～1605），因使国家摆脱缅甸的统治而被泰人尊为“民族英雄”。1569年缅甸国王莽应龙征服暹罗，把纳腊萱的父亲马哈·坦马叻差扶上王位，作为缅甸的藩臣。纳腊萱16岁

时亦被作为藩臣，受命出任北方彭世洛省总督。1584年他公开反对缅甸，屡次打败缅军的进攻，并挫败了柬埔寨人的入侵。1590年他的父亲死后即位，旋即攻占柬埔寨的首都勒韦，变柬埔寨为暹罗的藩属，又建立对清迈王国的宗主权。当缅人前来兴师问罪时，纳腊萱于1593年初击败和杀死缅甸王储，并夺取了缅甸半岛的土瓦和德林达依省，从而获得印度洋的出海口，为暹罗赢得将近200年的独立，使这个王国能够在17世纪扩大领土和繁荣昌盛。1605年他在掸邦作战中阵亡。

Narew River　纳雷夫河　维斯图拉河东岸支流。源起白俄罗斯西部流入波兰东部。纳雷夫河长438千米，灌溉面积28 000平方千米以上。源出白俄罗斯西部的别洛韦日森林，向西流经树木茂盛的平原和沼泽地。在流入波兰后，在比亚韦斯托克附近折向北，再向西流与别布扎河和比萨河汇合。再折向南流，接纳其最大支流布格河，然后在华沙西北32千米处汇入维斯图拉河。

Nariño　纳里尼奥　哥伦比亚西南部省份。西临太平洋，南与厄瓜多尔交界。面积33 268平方千米。居民集中在海拔1 500米的安第斯高地火山区。人口稠密的图克雷斯-

省会帕斯托附近的加莱拉斯火山及山地
美国不列颠百科全书公司供图

伊皮亚莱斯高原与省会**帕斯托**（**Pasto**）所在的高原之间有瓜伊塔拉河流过。经济几乎完全以农业（小麦、大麦、豆类和薯类）为基础。太平洋沿岸低地出产的香蕉，从图马科港输出。在伊皮亚莱斯附近有硫磺矿。该省也是伐木业中心。泛美公路南北纵贯全省。人口约1 163 436（1992）。

Narita　成田　日本本州中部千叶县城市。位于两总台地，在东京以东约50千米处。原为农业区，产稻米、花生、甘薯、蔬菜。后发展成寺庙（新胜寺）镇，每年来此朝拜的佛教徒达数百万，形成大规模的旅游业。1966年政府在市东三里冢大量购买农田以兴建新东京国际机场。此举激起农民不满，结果机场启用由1973年推迟到1978年。人口86 708（1990）。

Närke　内尔彻　瑞典历史上一省。大部在中南部厄勒布鲁省境内。面积4 122平方千米。大部为中央大平原，西北以希尔山（279米）为界，南抵森林茂密的山峦。有瑞典最大湖泊韦特恩湖和耶尔马伦湖之一部。中世纪时冶铁业便很繁盛。现为林业及相关行业所取代。中央平原区是瑞典最富庶的农业地区之一。因开垦沼泽地和降低湖水水位，可耕地增加许多。主要工业有制鞋和食品加工等。主要城镇有厄勒布鲁、库姆拉和阿斯克松德。人口约179 769（1994）。

Narmada River　讷尔默达河　又称讷巴达河或讷尔布德达河。印度中部河流。源出中央邦中东部的迈格拉岭，穿过门德拉丘陵后进入温迪亚山脉和索德布尔岭之间的构造槽，向西穿行中央邦和古吉拉特邦，注入坎贝湾。全长约1 290千米。一直为阿拉伯海与恒河流域之间的要道。印度教视该河为仅次于恒河的圣河，长达2 574千米的朝圣之路经过该河两岸。

Narni　纳尔尼　意大利中部翁布里亚区特尔尼省城镇。位于内拉河畔小山丘上。教皇约翰十三世（10世纪）、古罗马皇帝内尔瓦（1世纪）均出生于此。镇内有始建于14世纪的城堡遗迹。科穆纳莱宫珍藏有15世纪画家B.戈佐利和D.吉兰达约的绘画。生产木器和电器。人口：城镇区约20 405（1993）。

Naro-Fominsk　纳罗福明斯克　俄罗斯西部莫斯科州城市和区中心。位于首都西南面纳拉河畔。1926年由三个村庄和几个纺织中心合并而成。经济原以棉纺织业为主，现为大型丝纺织联合企业所取代。人口约60 000（1994）。

Narodnaya, Mount　纳罗达峰　俄罗斯中西部乌拉尔山脉副北极地带山峰，海拔1 895米，是乌拉尔山的最高峰。也称人民峰。山坡有小冰川。低坡有针叶林，高坡为冻原。夏季可利用平缓的坡地饲养鹿群。

Narodnaya Volya　民意党　英语作People's Will。俄国19世纪的革命组织，把恐怖活动视为迫使当局实行政治改革和推翻沙皇专制制度的最好办法。1879年由一批革命的民粹主义者（"土地和自由"社成员）建立。领导人为A.I.热利亚博夫和S.L.彼洛夫斯卡娅。经选举产生的执行委员会策划暗杀高官甚至沙皇。1881年3月13日，亚历山大二世被刺杀。行刺者被捕并被绞死，次年民意党瓦解。

Narodnik　民粹派　英语作Populist。19世纪俄国社会主义运动的成员，认为在农民中间进行政治宣传可以唤醒广大民众，从而使沙皇政府放宽统治。由于农民在俄国人民中占大多数，故该运动称民粹运动。19世纪60年代，该运动在俄国知识分子中间兴起，在70年代达到高潮。起因于对亚历山大二世1861年发布的《解放宣言》的不满。该宣言虽使农民从农奴地位获得解放，但其条件不得人心，在土地的重新分配上对地主有利，且手续十分复杂。民粹派在其学说中吸收了马克思著作中相当数量的共产主义理论，如它的公有制和共同生产以及对私人企业的厌恶；但也修改了马克思主义的两项基本原则。民粹派相信农村共产主义而漠视工业无产阶级，还认为马克思的历史发展理论和无产阶级专政不适合俄国。19世纪60年代末和70年代初，民粹派开展了"到民间去"的活动。有成千上万的青年知识分子身穿农民衣服，在农村进行游说，鼓动农民反对现行秩序，结果遭到警察的迫害、逮捕和政治审判（1878年的"193人审判案"最为著名）。农民的漠不关心和政府的迫害，使得民粹派在19世纪70年代中期采取了更为激进的手段和建立更为严密的组织。第一个真正的民粹派组织是**土地和自由社**（**Zemlya i Volya**）。该团体起初仍继续在农民中间进行工作，但警察的连续迫害活动很快迫使他们的成员采取恐怖手段。1879年，"土地和自由"社分裂为两派：一派是**民意党**（**Narodnaya Volya**），它在1881年暗杀沙皇亚历山大二世后被消灭；另一派是"土地平分社"，其成员仍强调在农民中进行工作。19世纪80年代，他们将注意力转向城市无产阶级。民粹派的平民主义思想在20世纪**社会革命党**（**Socialist Revolutionary Party**）的意识形态中得到复活。

narra　紫檀　又作asana。豆科紫檀属（*Pterocarpus*）乔木，尤指青龙木（*P. indicus*）等。木材坚硬，可以高度抛光，用于制作细木家具；一般呈红或浅红色，有时夹杂黄色，材质硬而重。树干周围围以巨大的板根，板根向外及向上伸展达5米，偶尔树干靠板根支持。板根有时用制桌面，其纹理及色泽胜过其他木材。将一小片木材放入水中，即因细胞中某种成分而呈现乳白色。紫檀木又名缅甸黄檀或安达曼蔷薇木。

Narrabri　纳拉布赖　澳大利亚新南威尔士州东北部城镇。濒临纳拉布赖河。始建于1883年。位于纽厄尔公路线上。与悉尼和布里斯班通铁路和航空线。该镇为奶品制造、养羊、粮食和棉花种植地区服务，并开采金红石矿。镇内有冷冻、机械制造、面粉、锯木等工厂以及全国最大的榨油厂之一。附近有卡普塔尔山国家公园、天文台、农业研究中心。人口6 694（1991）。

Narraganset　纳拉甘西特人　操阿尔冈昆语的印第安部落。分布在纳拉甘西特湾以西的今罗得岛州大部地区。分为八个地区性分支，各有一名首领，由部落首领统辖之。经济以种植玉米及渔、猎为主。纳拉甘西特人原与白人保持良好关系。他们在1675～1676年的**菲利普王战争**（**King Philip's War**）中反对白人，罗得岛金斯敦一役中战死及被俘者近千人；战后，他们放弃其土地，大多数投奔马希坎人或阿布纳基人，或逃亡加拿大；后来又获准返回，与战时保持中立的其他阿尔冈昆人混居一起。这支混合部落名为纳拉甘西特人，人数日减。到1788年，许多人迁往纽约州，与不同的阿尔冈昆部落的残余成员共同组成印第安居民点。另有些人迁往康涅狄格州的莫希干人住区，少数留在罗得岛州查尔斯顿附近地区。